COLLECTION
CODES ET RECUEILS

CODE CIVIL

QUÉBEC

CIVIL CODE

édition préparée sous
la direction de
Jean-Louis Baudouin

2003-2004

JUDICO

Wilson & Lafleur ltée
40, rue Notre-Dame Est
Montréal (Québec)   H2Y 1B9

Canadä

Nous reconnaissons l'aide financière du gouvernement du Canada par l'entremise du Programme d'aide au développement de l'industrie de l'édition (PADIÉ) pour nos activités d'édition.

«Gouvernement du Québec – Programme de crédit d'impôt pour l'édition de livres – Gestion SODEC»

Dépôt légal:
3e trimestre 2003
Bibliothèque nationale du Québec
Bibliothèque nationale du Canada

ISBN 2-89127-594-2

CODE CIVIL DU QUÉBEC

TABLE DU CONTENU

	Page
— Guide d'utilisation	VII
— Sigles et abréviations	IX
— Introduction	XI
— Notes explicatives	XXIII
— **CODE CIVIL DU QUÉBEC**	
— Table des matières	1
— Code civil du Québec	21
— Appendice	777
— Index français	789
— **TABLES DE CONCORDANCE**	965
— **AUTRES LOIS ET EXTRAITS DE LOIS INCLUS DANS LE RECUEIL**	
– Loi de 1982 sur le Canada (Partie I — Charte canadienne des droits et libertés) (1982, ch. 11 (R.-U.) dans L.R.C. (1985), App. II, no 44)	1023
– Charte des droits et libertés de la personne (L.R.Q., c. C-12)	1033
– Loi sur le curateur public (L.R.Q., c. C-81)	1069
– Loi sur le mariage (degrés prohibés) (L.C., 1990, ch. 46)	1095
– Loi sur le divorce (L.R.C. (1985), ch. 3 (2ᵉ suppl.))	1097
– Index français	1135
– Loi sur les banques (art. 418, 425 à 436, 674) (L.C. 1991, ch. 46)	1143
– Loi sur les lettres de change (L.R.C. (1985), ch. B-4)	1171
– Loi sur la protection du consommateur (L.R.Q., c. P-40.1)	1235
– Loi sur l'assurance automobile (L.R.Q., c. A-25)	1351
– Loi sur la Régie du logement (L.R.Q., c. R-8.1)	1437
– Loi concernant les droits sur les mutations immobilières (L.R.Q., c. D-15.1)	1481
– Loi sur certaines ventes de parties de lot pour défaut de paiement de taxes (L.Q., 1987, c. 49)	1517
– Loi sur l'intérêt (L.R.C. (1985), ch. I-15)	1519
— **DISPOSITIONS TRANSITOIRES ET INTERPRÉTATIVES**	
• Dispositions diverses et transitoires de la *Loi sur le curateur public* (1989, c. 54; 1997, c. 80)	1523
• Dispositions transitoires de la *Loi sur l'assurance automobile* (1989, c. 15; 1995, c. 55; 1999, c. 14 et 22)	1527
• Dispositions transitoires de la *Loi sur l'application de la réforme du Code civil* (1992, c. 57)	1531
• Dispositions interprétatives de la *Loi sur l'application de la réforme du Code civil* (1992, c. 57; 1995, c. 33)	1568
• Dispositions transitoires concernant le Livre II du *Code civil du Québec* (1980, c. 39; 1982, c. 17)	1571

- Dispositions transitoires de la *Loi modifiant le Code civil du Québec et d'autres dispositions législatives afin de favoriser l'égalité économique des époux* (1989, c. 55) 1576

- **RÈGLEMENTS D'APPLICATION**
- Règlements d'application (adoptés en vertu du Code civil du Québec):
  1- Règlement relatif à la tenue et à la publicité du registre de l'état civil (D. 1591-93) 1578
  2- Règlement relatif au changement de nom et d'autres qualités de l'état civil (D. 1592-93) 1580
  3- Tarif des droits relatifs aux actes de l'état civil, au changement de nom ou de la mention du sexe (D. 1593-93; D. 1286-96) 1587
  4- Règlement sur le registre des droits personnels et réels mobiliers (D. 1594-93; D. 444-98; D. 755-99; Erratum; D. 907-99) 1590
  5- Tarif des droits relatifs au registre des droits personnels et réels mobiliers (D. 1595-93; D. 445-98; D. 908-99) 1651
  6- Règlement provisoire sur le registre foncier (D. 1596-93; D. 1172267-95) 1655
  7- Tarif des droits relatifs à la publicité foncière et à l'application de certaines dispositions transitoires relatives aux anciens registres des bureaux d'enregistrement (D. 1597-93) 1699
  8- Règlement d'application de l'article 1614 du Code civil sur l'actualisation des dommages-intérêts en matière de préjudice corporel (D. 271-97) 1704
  9- Règles sur la célébration du mariage civil ou de l'union civile (A.M., 2003) 1705
  10- Règlement sur la publicité foncière (D. 1067-2001) 1714
  11- Tarif des droits relatifs à la publicité foncière (D. 1074-2001) 1741
  12- Règlement concernant la publication d'un avis de déclaration tardive de filiation (D. 489-2002) 1747

- Règlements fédéraux:
  13- Lignes directrices fédérales sur les pensions alimentaires pour enfants (DORS/97-175) 1750
  14- Décret désignant la province de Québec pour l'application de la définition de «lignes directrices applicables» au paragraphe 2(1) de la *Loi sur le divorce* (DORS/97-237) 1851

CIVIL CODE OF QUÉBEC

TABLE OF CONTENTS

	Page
— Guide d'utilisation	VII
— Symbols and abbreviations	IX
— Introduction	X1
— Explanatory notes	XXIII
— **CIVIL CODE OF QUÉBEC**	
— Table of contents	1
— Civil Code of Québec	21
— Appendix	777
— Index in English	886
— **TABLES OF CONCORDANCE**	965
— **OTHER ACTS AND EXTRACTS FROM ACTS IN THIS BOOK**	
– Canada Act, 1982 (Part 1 — Canadian Charter of Rights and Freedoms) (1982, c. 11 (U.K.) 5 ch. B in R.S.C., 1985, App. II, no 44)	1023
– Charter of Human Rights and Freedoms (R.S.Q., c. C-12)	1033
– Public Curator Act (R.S.Q., c. C-81)	1069
– Marriage (Prohibited Degrees) Act (S.C., 1990, c. 46)	1095
– Divorce Act (R.S.C., 1985, c. 3 (2nd supp.))	1097
– Index in English	1139
– Bank Act (s. 418, 425 to 436, 674) (S.C. 1991, c. 46)	1143
– Bills of Exchange Act (R.S.C., 1985, c. B-4)	1171
– Consumer Protection Act (R.S.Q., c. P-40.1)	1235
– Automobile Insurance Act (R.S.Q., c. A-25)	1351
– An Act Respecting the Régie du logement (R.S.Q., c. R-8.1)	1437
– An Act Respecting Duties on Transfers of Immovables (R.S.Q., c. D-15.1)	1481
– An Act Respecting Certain Sales of Parts of Lots for Failure to Pay Taxes (S.Q. 1987, c. 49)	1517
– Interest Act (R.S.Q., 1985, c. I-15)	1519
11519523	
— **TRANSITIONAL AND INTERPRETATIVE PROVISIONS**	
• Public Curator Act — Miscellaneous and Transitional Provisions (S.Q. 1989, c. 54; S.Q. 1997, c. 80)	1523
• Automobile Insurance Act — Transitional Provisions (S.Q. 1989, c. 15; S.Q. 1995, c. 55; S.Q. 1999, c. 14 and 22)	1527
• An Act Respecting the Implementation of the Reform of the Civil Code — Transitional Provisions (S.Q. 1992, c. 57; S.Q. 1995, c. 33)	1531
• An Act respecting the Implementation of the Reform of the Civil Code — Interpretative Provisions (S.Q. 1992, c. 57)	1568
• Book Two of the Civil Code of Québec — Transitory Provisions (S.Q. 1981667, c. 39; S.Q. 1982, c. 17)	1571

- An Act to Amend the Civil Code of Québec and Other Legislation in Order to Favour Economic Equality between Spouses — Transitional Provisions (S.Q. 1989, c. 55) 1576

– MISCELLANEOUS REGULATIONS
- Regulations made under the Civil Code of Quebec

1- Regulation Respecting the Keeping and Publication of the Register of Civil Status (O.C. 1591-93) 1578

2- Regulation Respecting Change of Name and of Other Particulars of Civil Status (O.C. 1592-93) 1580

3- Tariff of Duties Respecting the Acts of Civil Status and Change of Name or of Designation of Sex (O.C. 1593-93; O.C. 1286-96) 1587

4- Regulation Respecting the Register of Personal and Movable Real Rights (O.C. 1594-93; O.C. 444-98; O.C. 755-99; O.C. 907-99) 1590

5- Tariff of Fees Respecting the Register of Personal and Movable Real Rights (O.C. 1595-93; O.C. 445-98; O.C. 908-99) 1651

6- Provisional Regulation Respecting the Land Register (O.C. 1596-93; O.C. 1067-95) 1655

7- Tariff of Fees Respecting Publication by Registration in the Land Register and Application of Certain Transitional Provisions Relating to the Former Registers of Registry Offices (O.C. 1597-93) 1699

8- Regulation under Article 1614 of the Civil Code Respecting the Discounting of Damages for Bodily Injury (O.C. 271-97) 1704

9- Rules Respecting the Solemnization of Civil Marriages and Civil Unions (M.O., 2003) 1705

10- Regulation Respecting Land Registration (O.C. 1067-2001) 1714

11- Tariff of Fees Respecting Land Registration (O.C. 1074-2001)... 1741

12- Regulation Respecting the Publication of a Notice of Tardy Declaration of Filiation (O.C. 489-2002) 1747

- Federal Regulations

13- Federal Child Support Guidelines (SOR/97-175).. 1750

14- Order designating the Province of Québec for the purposes of the definition "applicable guidelines" in subsection 2(1) of the Divorce Act (SOR/97-237) 1851

GUIDE D'UTILISATION

La présente version du Code civil du Québec a été structurée en fonction des besoins pratiques des utilisateurs. Des références ont été ajoutées sous les articles afin de compléter l'information et de permettre une recherche plus approfondie. En voici une illustration:

Art. 83. Les parties à un acte juridique peuvent, par écrit, faire une élection de domicile en vue de l'exécution de cet acte ou de l'exercice des droits qui en découlent.

L'élection de domicile ne se présume pas.

1991, c. 64, a. 83 (1994-01-01).

C.C.B.C. 85 (**C.P.C.** 63, 64, 68, 69, 123, 140, 140.1)

Art. 83. The parties to a juridical act may, in writing, elect domicile with a view to the execution of the act or the exercise of the rights arising from it.

Election of domicile is not presumed.

CHAPITRE TROISIÈME
DE L'ABSENCE ET DU DÉCÈS

CHAPTER III
ABSENCE AND DEATH

SECTION I
DE L'ABSENCE

SECTION I
ABSENCE

Art. 84. L'absent est celui qui, alors qu'il avait son domicile au Québec, a cessé d'y paraître sans donner de nouvelles, et sans que l'on sache s'il vit encore.

1991, c. 64, a. 84 (1994-01-01).

C.C.B.C. 86 (**D.T.** 12-14; **C.C.Q.** 617, 638)

Art. 84. An absentee is a person who, while he had his domicile in Québec, ceased to appear there without advising anyone, and of whom it is unknown whether he is still alive.

Art. 85. L'absent est présumé vivant durant les sept années qui suivent sa disparition, à moins que son décès ne soit prouvé avant l'expiration de ce délai.

1991, c. 64, a. 85 (1994-01-01).

C.C.B.C. 98 (**D.T.** 12-14; **C.C.Q.** 95, 97)

Art. 85. An absentee is presumed to be alive for seven years following his disappearance, unless proof of his death is made before then.

Art. 86. Un tuteur peut être nommé à l'absent qui a des droits à exercer ou des biens à administrer si l'absent n'a pas désigné un administrateur de ses biens ou si ce dernier n'est pas connu, refuse ou néglige d'agir, ou en est empêché.

1991, c. 64, a. 86 (1994-01-01).

C.C.B.C. 87 (**D.T.** 12-14, 423; **C.C.Q.** 285 ss.; **C.P.C.** 478, 547 al. 1*e*), 885)

Art. 86. A tutor may be appointed to an absentee who has rights to be exercised or property to be administered if the absentee did not designate an administrator to his property or if the administrator is unknown, refuses or neglects to act or is prevented from acting.

Art. 87. Tout intéressé, y compris le curateur public ou un créancier de l'absent, peut demander l'ouverture d'une tutelle à l'absent.

La tutelle est déférée par le tribunal sur avis du conseil de tutelle et les règles relatives à la tutelle au mineur s'y appliquent, compte tenu des adaptations nécessaires.

1991, c. 64, a. 87 (1994-01-01).

C.C.B.C. 88, 90, 91 (**D.T.** 12-14, 423; **C.C.Q.** 206, 224, 285 ss.; **C.P.C.** 865.1 ss., 872 ss., 885)

Art. 87. Any interested person, including the Public Curator or a creditor of the absentee, may apply for the institution of tutorship to the absentee.

Tutorship is awarded by the court on the advice of the tutorship council and the rules respecting tutorship to minors, adapted as required, apply to tutorship to absentees.

En premier lieu apparaît l'origine historique du texte, soit «C.C.B.C.», les articles provenant du Code Civil du Bas Canada, «C.C.Q. (1980)» ceux provenant de l'ancien Code Civil du Québec (1980, c. 39), «C.P.C.» pour le Code de procédure civile ou de certaines lois provinciales.

Entre parenthèses: rubrique «référence». Sont indiqués les articles qui ont un lien direct avec le texte. Il peut s'agir d'articles du Code Civil du Québec (C.C.Q.), du droit transitoire (D.T.), du Code de procédure civile (C.P.C.) ou de certaines lois provinciales ou fédérales.

SIGLES ET ABRÉVIATIONS

a.	article
a./s.	article
al.	alinéa
art.	article
c. ou ch. ou chap.	chapitre
C.C.B.C.	Code civil du Bas Canada
(C.)	Statuts du Canada
C.C.Q. ou CCQ	Nouveau Code civil du Québec
C.P.C.	Code de procédure civile, L.R.Q., c. C-25
Cr. ou C.cr.	Code criminel
D.O.R.S.	Décrets, Ordonnances et Règlements statutaires
D.T.	Dispositions transitoires (1992, c. 57)
Gaz. Can.	Gazette officielle du Canada
G.O.	Gazette officielle du Québec
L.	Loi sur les lettres de change, L.R.C. (1985), ch. B-4
L.R.C.	Lois révisées du Canada (1985)
L.R.Q.	Lois refondues du Québec
M.M.	Loi sur la marine marchande, L.R.C. (1985), ch. S-9
Projet O.R.C.C.	Projet de Code civil de l'Office de révision du Code civil
C.C.Q. (1980)	Ancien Code civil du Québec (1980, c. 39)
et s. ou ss.	et suivants
S.C.	Statuts du Canada
Sess.	Session
S.R.C.	Statuts révisés du Canada
S.R.Q.	Statuts refondus du Québec
V.	Voir
§	paragraphe
&	et
articles tramés	articles non en vigueur

SYMBOLS AND ABBREVIATIONS

a.	Article
al.	Paragraph
c. or ch. or chap.	chapter
C.C.B.C.	Civil Code of Lower Canada
(C.)	Statutes of Canada
C.C.Q. or CCQ	New Civil Code of Quebec
C.P.C.	Code of Civil Procedure (R.S.Q., c. C-25)
Cr. or C.cr.	Criminal Code
D.T.	Transitional Provisions (1992, c. 57)
L.	Bills of Exchange Act, R.S.C., 1985, c. B-4
L.R.C.	Revised Statutes of Canada (1985)
L.R.Q.	Revised Statutes of Quebec
M.M.	Canada Shipping Act, R.S.C., 1985, c. S-9
C.C.Q. (1980)	Former Civil Code of Québec (1980, c. 39)
R.S.C.	Revised Statutes of Canada (1985)
R.S.Q.	Revised Statutes of Quebec
et s. or ss.	and following
s.	section
Sess.	session
S.C.	Statutes of Canada
V	see
§	paragraph
&	and
screened articles	articles not in force

INTRODUCTION

LA RÈGLE DE DROIT

1 — Les sens du mot droit

Le mot «droit» peut être pris dans plusieurs sens différents. Il a premièrement un sens subjectif quand il désigne la faculté d'agir appartenant à un individu. C'est dans ce sens qu'on l'entend lorsque l'on affirme par exemple «j'ai le droit de vendre ma maison». En second lieu, et c'est là sa signification objective, il désigne l'ensemble des règles juridiques qui régissent les rapports des hommes entre eux dans la société.

En effet, la vie en société impose le respect d'une certaine discipline et l'obéissance à des règles de conduite précises permettant à la liberté de chacun de s'accorder avec la liberté de la collectivité. Dans la théorie de l'État démocratique, ces règles de conduite sont imposées par le législateur élu par l'ensemble de la population. C'est ce que les juristes nomment le «droit positif» par opposition au «droit naturel», fondé sur les seuls principes de morale.

2 — Règle de droit – Règle de morale

Dans bien des cas il y a conjonction entre la règle de morale et la règle juridique. Ainsi, l'interdiction morale de tuer et la prohibition juridique du meurtre se recoupent. Par contre, il n'en est pas toujours nécessairement ainsi. Certains peuvent juger moralement acceptable un acte que le législateur, lui, prohibe pour des raisons d'intérêt social supérieur. Ainsi, pour en prendre un exemple très controversé, en est-il de l'avortement libre.

La règle de morale est essentiellement subjective et vise l'épanouissement de l'homme. La règle de droit est avant tout objective et vise à l'épanouissement des rapports sociaux et des échanges entre les individus. Elle est établie la plupart du temps, en fonction du bien commun et non du bien individuel; elle vise à représenter une symbiose des forces sociales, économiques et politiques de la nation à un moment donné de son histoire. C'est pourquoi la règle de droit reste en constante évolution.

La règle de droit a donc comme but premier l'harmonie des intérêts individuels et collectifs en assurant la sécurité des personnes, la stabilité de l'ordre social, et l'organisation générale de l'économie politique d'un pays. Elle est d'application générale et impersonnelle. Tous, en principe, sont égaux devant la loi. Ce principe fondamental de justice naturelle ne doit cependant pas être interprété d'une façon strictement littérale. Il faut en effet tenir compte, dans bien des cas, de certaines circonstances particulières où le législateur lui-même crée des inégalités de régime en général dans le but d'accorder une protection supplémentaire. Ainsi en est-il, pour prendre un exemple de la règle de l'article 1706 C.c. qui prévoit que les personnes protégées (mineurs, majeurs sous régime de protection) ne sont tenues à restitution que jusqu'à concurrence de l'enrichissement qu'elles conservent en cas d'annulation du contrat.

3 — Règles impératives – Règles supplétives

Parmi les règles du droit, il faut de plus distinguer entre les règles impératives et les règles supplétives ou interprétatives. Les premières traduisent le pouvoir d'un État d'imposer sa volonté, les secondes, la manifestation du désir de laisser aux individus une certaine liberté.

L'individu ne peut déroger aux règles impératives mais doit au contraire s'y plier. Elles sont, selon l'expression juridique consacrée, «d'ordre public». Celui qui ne les respecte pas s'expose donc à une sanction qui varie. Si la transgression touche une conduite antisociale définie par exemple par le droit pénal, la sanction peut être d'une nature économique (amende), administrative (retrait d'un permis), ou personnelle (emprisonnement). Si la transgression n'atteint que des rapports d'ordre privé, par exemple le domaine contractuel, la nullité de l'acte passé en contravention est en général la sanction appropriée. Toutes les règles du droit criminel sont impératives au contraire de celles du droit civil dont la majorité sont simplement supplétives de volonté et servent donc lorsque les parties sont demeurées silencieuses sur un point ou à s'assurer de leur intention. Ainsi en est-il par exemple, des principales règles en matière contractuelle.

La règle de droit se caractérise par la nature de la sanction imposée à sa transgression. La sanction imposée par les pouvoirs publics est mise en oeuvre par les tribunaux. Il existe d'une façon générale deux catégories de sanctions: celles qui ont pour but de réparer ou de prévenir le préjudice causé par la violation d'une règle et celles qui constituent des peines.

Les rapports qui unissent les personnes vivant en société sont nombreux et complexes. Le droit civil est à la base de leurs rapports quotidiens et sa connaissance est donc non seulement intéressante mais encore nécessaire pour chacun car elle permet de mieux comprendre et de prévoir les conséquences de certains actes quotidiens ou communs: vendre, acheter, louer, se marier, tester, etc.

Avant de passer toutefois à l'étude de certaines de ses principales règles, il est important de faire ressortir certaines notions de base de façon à permettre d'une part, de bien situer le droit civil dans l'ensemble des différentes branches du droit et d'autre part, de préciser la place occupée dans le cadre du droit civil par les règles contenues dans le Code civil.

LES BRANCHES DU DROIT

4 — Classification des différentes branches du droit

La diversité des rapports juridiques a fait l'objet de nombreuses études scientifiques qu'il serait hors propos d'aborder ici. Toutefois, un bref examen de la classification générale des différents domaines d'application du droit permet de mieux saisir la portée des règles et leurs effets et également de se familiariser avec la terminologie juridique.

5 — Droit public – droit privé

Chaque personne, à tout moment de sa vie, a des rapports tantôt avec le groupe social tout entier, tantôt avec des membres isolés de ce groupe. Le droit public est traditionnellement considéré comme cette branche du droit qui réglemente les relations entre l'État et le citoyen, par opposition au droit privé qui règle les rapports des particuliers entre eux. Cette séparation entre les domaines public et privé n'est plus aussi nette aujourd'hui car on constate de plus en plus une intrusion du pouvoir public dans les intérêts privés et donc dans les rapports entre citoyens. L'intérêt privé ou individuel est souvent laissé de côté pour l'intérêt collectif et le bien-être général des administrés. L'État sort de sa neutralité et intervient dans plusieurs secteurs de la vie économique et sociale. Ainsi, traditionnellement, en matière contractuelle, la liberté complète existait dans l'aménagement des rapports entre les parties. Dans un contrat de louage ou de vente par exemple, le prix était libre, les garanties données fixées par le contrat, etc. À l'époque moderne, dans bien des cas, l'État va s'efforcer de contrôler les prix (ainsi en est-il pour les loyers), de protéger un contractant contre les clauses abusives de certaines conventions (le droit de la protection du consommateur en est une illustration ainsi qu'une série de dispositions du Code civil (art. 1435 et s.)). Dans ce sens, on peut affirmer qu'il existe une tendance à la «publicisation» des rapports de droit privé, dans la mesure où, pour le bien de l'ensemble des citoyens, l'État juge opportun de se mêler des rapports juridiques individuels.

6 — Divisions du droit public

Puisque le droit public s'intéresse aux relations entre les organismes gouvernementaux et les corps publics d'une part et les citoyens d'autre part, les rapports qu'il tend à réglementer sont des rapports hiérarchiques, autoritaires, des rapports de puissance. Le but poursuivi étant l'intérêt général de la collectivité, l'État doit, pour ce faire, avoir des pouvoirs plus grands et des privilèges spéciaux.

7 — Droit constitutionnel

Le droit constitutionnel est considéré comme étant la branche par excellence du droit public. Il organise en effet les pouvoirs publics dans l'État et aussi les relations de ces pouvoirs entre eux. Le droit constitutionnel est constitué par l'ensemble des règles qui déterminent la base de l'État, la forme du gouvernement du pays et qui fixent les droits politiques des citoyens. Au Canada, l'Acte de l'Amérique du Nord Britannique de 1867 délimite les matières et les compétences du gouvernement fédéral et des législatures provinciales.

8 — Droit administratif

La seconde branche du droit public est constituée par le droit administratif. Celui-ci s'occupe de l'organisation des services de l'État et des rapports de ces services avec les particuliers. C'est lui qui établit par exemple, l'ensemble des règles régissant les pouvoirs publics à tous les niveaux, fédéral-provinciaux-municipaux, etc. L'État définit les droits et les devoirs de l'administration et s'accorde les pouvoirs spéciaux nécessaires à la sauvegarde de l'intérêt général. Il a pris de nos jours une extension considérable.

Les règles du droit administratif ne sont pas en général sanctionnées par les tribunaux ordinaires de l'ordre judiciaire mais par des tribunaux spéciaux dits tribunaux administratifs. Cette branche du droit se développe beaucoup à l'heure actuelle, et touche à plusieurs domaines dont celui des communications, du transport, de la construction, du logement, des affaires scolaires, de l'énergie, des assurances, du travail, etc.

L'octroi des permis et la réglementation de la sécurité sociale font également partie du droit administratif de même qu'une partie importante du droit de l'environnement.

9 — Droit pénal ou criminel

Troisième branche du droit public, le droit pénal définit les actes constitutifs d'infractions et détermine la peine à laquelle s'expose celui qui les commet. Ses règles sont impératives et nul ne peut y déroger sans encourir une sanction. Même si ce droit a ses caractères originaux, il s'apparente davantage au droit public qu'à toute autre branche du droit, car il a comme objet d'assurer la paix et l'ordre public. En effet, quand un crime est commis, c'est la société toute entière qui est attaquée et non pas seulement celui ou celle qui en est la victime immédiate. L'État poursuit dont le présumé coupable prenant ainsi en charge l'intérêt commun à travers l'intérêt personnel.

Le Code criminel fédéral contient la majorité des règles du droit pénal. Il est complété en partie par les dispositions du droit pénal provincial qui vise à sanctionner les transgressions aux lois des provinces et en partie, par certaines dispositions contenues dans d'autres lois fédérales aux fins de sanctionner les infractions qui y sont créées.

Les principales règles du droit criminel ont été codifiées en 1893; elles ont subi des modifications importantes en 1955.

10 — Droit fiscal

Le droit fiscal constitue une autre branche du droit public. De caractère très technique, il a pris de nos jours, à cause des nouvelles responsabilités que doit assumer l'État, une importance très grande. Même si la fiscalité sert encore, en grande partie, à défrayer le coût du fonctionnement des services des gouvernements, l'État s'en sert aujourd'hui pour poursuivre les objectifs économiques qu'il s'est donnés: plein emploi, croissance économique, etc. La fiscalité permet également à l'État de réaliser ses politiques

sociales, telle est la redistribution des richesses entre les différentes classes de la société. En taxant, par exemple, le revenu d'un individu qui gagne dans une même année, un revenu supérieur à la moyenne, à un taux plus élevé, l'État peut décider de redistribuer les fonds qu'il perçoit de cette source, aux individus et familles moins privilégiés.

11 — Droit judiciaire public

Le droit judiciaire public ou procédure, est constitué de l'ensemble des règles régissant l'organisation judiciaire au sens large du terme. Il est l'auxiliaire indispensable de chacune des autres branches du droit public et regroupe principalement la procédure pénale et la procédure administrative.

12 — Divisions du droit privé

Le droit privé vise la réglementation des rapports juridiques entre les particuliers. La très forte majorité de ses règles sont seulement facultatives ou supplétives de volonté et tendent à assurer une harmonie dans les relations individuelles.

13 — Droit civil

Le droit civil confère des droits et impose des obligations aux citoyens dans leurs relations avec leurs concitoyens. Il touche entre autre à l'état et à la capacité des personnes, à l'organisation de la famille, à la formation des contrats, à la responsabilité civile, à la possession et à la transmission des biens. La grande majorité des règles de droit civil sont contenues dans le nouveau Code civil du Québec en vigueur le 1er janvier 1994. Celui-ci effectue une recodification du droit civil qui avait déjà été faite par le Code civil du Bas-Canada en 1866, codification d'ailleurs fortement inspirée du modèle du Code civil français de 1804. De nombreuses lois particulières viennent cependant le compléter.

14 — Droit commercial

Le droit commercial, comme son nom l'indique d'ailleurs, groupe l'ensemble des règles relatives aux opérations de commerce ou applicables aux individus qui ont le statut de commerçant. Il s'est séparé du droit civil proprement dit en raison du fait que les commerçants avaient des coutumes et des usages particuliers et que le monde du commerce opère souvent d'une façon différente du monde «civil». On considère traditionnellement le droit commercial comme plus souple et plus facilement adaptable aux réalités modernes que le droit civil proprement dit.

15 — Droit du travail

Le droit du travail s'occupe des relations employeurs-employés. Il touche dans beaucoup de ses aspects aux règles de droit privé (contrat de travail, conditions d'emploi, etc.), mais a aussi des relations évidentes avec le droit public. Le Code du travail constitue la pièce maîtresse de la législation dans ce domaine mais a été complété par une imposante série de lois portant sur l'organisation générale des relations de travail tant au niveau fédéral que provincial.

16 — Droit des transports

Le droit maritime et le droit aérien constituent les deux principales branches du droit des transports lui-même né pour répondre aux nouveaux besoins apparus avec le développement des communications. Comme pour le droit du travail cependant, le droit des transports traditionnellement associé au droit privé, se relie par de nombreux aspects au droit public notamment au droit administratif.

17 — Droit judiciaire privé

Le droit judiciaire privé, connu également sous le nom de procédure civile, réglemente l'ensemble des formes à observer pour le règlement des litiges privés ou civils devant les tribunaux ainsi que l'organisation des cours de justice. Il est contenu au niveau provincial dans le Code de procédure civile.

18 — Autres branches

Outre ces principales branches, plusieurs autres plus spécifiques, viennent se rajouter pour former le droit privé, comme par exemple le droit rural, le droit des assurances, le droit de la propriété littéraire et artistique. La distinction entre droit privé et droit public est souvent floue car il n'existe pas une véritable étanchéité entre leurs domaines respectifs. Cette distinction reste toutefois importante au Québec principalement parce que ces deux droits n'ont souvent pas les mêmes sources historiques. En effet, d'une façon générale, les grands principes du droit civil québécois sont d'origine civiliste française alors que les principales règles du droit public constitutionnel et administratif tirent leur source du «common law» d'origine anglaise.

19 — Droit interne et droit international

La distinction entre droit interne et droit international porte sur un autre plan que la précédente. Alors que dans le droit interne les rapports juridiques étudiés sont des rapports nationaux, c'est-à-dire ceux qui ont lieu à l'intérieur même d'un État, le droit international réglemente les relations des États entre eux et les relations entre leurs citoyens respectifs. Tout comme le droit interne, le droit international se subdivise aussi en droit international public et droit international privé.

20 — Droit international public

Le droit international public comprend l'ensemble des règles juridiques relatives aux relations entre les États et à la réglementation des organismes ou organisations internationales. Elles touchent donc aussi bien la délimitation des frontières, la diplomatie, les traités internationaux, la nationalité que la structure des Nations Unies, de l'UNESCO. Le droit international public diffère des autres droits par le fait que la souveraineté des États constitue dans bien des cas, un obstacle à l'efficacité des sanctions de la transgression des règles. Il faut donc dans bien des cas compter sur la bonne volonté des États quant à leur respect et quant à l'exécution des décisions internationales.

21 — Droit international privé

Également connu sous le nom de droit des «conflits de lois», le droit international privé s'intéresse principalement aux rapports entre le citoyen ou ressortissant d'un pays et les citoyens ou le droit d'un autre pays.

L'un de ses rôles importants est de déterminer le droit applicable à certaines situations où plusieurs droits internes peuvent entrer en conflit.

Qu'en est-il par exemple de la situation juridique d'un enfant né au Québec d'un père russe et d'une mère japonaise, domiciliés tous deux en France et qui se sont épousés en Italie?

Le statut de cet enfant, ses droits, ses obligations seront-ils soumis à la loi québécoise, à la loi soviétique, japonaise, française ou italienne?

Le Code civil du Québec contient une codification détaillée des principales règles du droit international privé applicables dans la province (art. 3076 à 3168 C.c.)

LES SOURCES DU DROIT

22 — Droit objectif et droits subjectifs: rappel

Quand on parle des «sources du droit», on fait évidemment référence au droit objectif, c'est-à-dire à l'ensemble des règles régissant les rapports des hommes entre eux.

Traditionnellement on distingue quatre sources principales du droit objectif: la loi, la coutume, la jurisprudence et la doctrine.

23 — La loi, source formelle de droit

La loi est source formelle de droit. Elle est exprimée par écrit et promulguée par une autorité reconnue par l'ensemble des citoyens, à savoir, le pouvoir législatif. L'autorité législative étant souveraine, peut intervenir en principe dans n'importe quelle matière qui est de la compétence de cette autorité, et changer, modifier, abroger une règle antérieure ou au contraire promulguer des règles nouvelles. La constitutionnalité de la législation pose au Canada des problèmes d'ordre particulier, étant donné le partage effectué par la constitution entre le pouvoir législatif du gouvernement fédéral et celui du gouvernement des provinces.

24 — Caractères principaux de la loi

La loi constitue une mesure juridique de portée générale et permanente. Elle est obligatoire dans les limites des frontières de l'État qui l'a faite et peut même parfois avoir une portée extra-territoriale. De plus elle doit être respectée non seulement par les nationaux du pays mais aussi par les étrangers qui y résident ou y séjournent.

En principe, à moins de dispositions contraires, la loi ne dispose que pour l'avenir. Elle n'a donc pas d'effet rétroactif. Ainsi en matière pénale notamment, une personne ne saurait être pénalisée pour un acte qui, au moment où il a été posé, n'était pas encore prohibé. Dans d'autres matières toutefois, le législateur donne un certain effet rétroactif à la loi lorsque cela est jugé bénéfique pour le justiciable. Du jour de sa sanction par le pouvoir exécutif, la loi est opposable à tous. Elle est soumise à une certaine publicité officielle et l'ignorance de son existence n'est pas considérée comme une excuse valable à sa transgression.

25 — Élaboration des lois

Au Québec, la loi est votée par l'Assemblée Nationale et à Ottawa, par le Parlement et le Sénat. Les projets de loi sont soumis aux élus du peuple, étudiés et adoptés après trois «Lectures». Le texte définitif est ensuite promulgué, c'est-à-dire que son exécution est décidée par un acte du chef de l'État en l'occurrence par le lieutenant-gouverneur ou le gouverneur général. Au Québec, après un certain délai, qui peut varier de quelques jours à plusieurs mois, la loi est sanctionnée et entre officiellement en vigueur.

La loi garde tout son effet tant qu'elle n'est pas abrogée. Aucune loi ne cesse d'être obligatoire du seul fait de sa désuétude ou du seul fait que la fréquence de son application puisse faire que dans bien des cas elle reste lettre morte.

26 — Variétés de lois

Les textes de loi, parfois appelés «statuts» sont abondants. Pour en faciliter l'accès au juriste, les autorités gouvernementales procèdent à des refontes ou consolidations périodiques. Au Québec, il s'agit des «Lois refondues», au fédéral, des «Lois révisées du Canada (1985)». Au Québec, la dernière révision date de 1977 et se fait de façon permanente au moins une fois par an. Il en est de même pour les lois fédérales.

Les lois sont souvent complétées par des règlements édictés par le pouvoir exécutif et dont l'utilité principale est de faciliter l'application des textes législatifs.

Sur le plan du droit civil, la loi principale est naturellement le Code civil. Les transformations juridiques, économiques et politiques de la société québécoise exigent des règles nouvelles autres que celles apportées par amendement au Code. C'est pourquoi on retrouve aux côtés du Code de nombreux autres textes législatifs à portée civile. Le Code constitue cependant le seul ensemble cohérent des règles primordiales du droit civil.

27 — La coutume

La coutume est une règle de droit née petit à petit de la pratique, des habitudes, des traditions et qui s'est implantée d'elle-même, spontanément dans le milieu social. Elle finit par devenir obligatoire sans aucune intervention du législateur, parce qu'elle est perçue comme telle par le groupe. Pour être

reconnue comme telle, il faut cependant que la coutume soit générale, universelle, ancienne et largement répandue.

La coutume occupe une place très limitée dans le droit actuel par rapport à celle qu'elle détenait dans des civilisations plus anciennes. La rapidité des échanges juridiques et le besoin de certitude et de prévisibilité de la vie moderne, en ont fait une source tout à fait secondaire de droit positif.

28 — La jurisprudence, source non formelle

La jurisprudence représente l'ensemble des décisions rendues par les tribunaux et cours de justice. Elle est source de droit en ce sens qu'elle permet de vérifier l'interprétation donnée par ceux-ci aux textes législatifs.

Elle est une source non formelle en ce sens que la décision d'un tribunal ne lie évidemment pas le législateur ni même les autres tribunaux. Cette même décision peut cependant avoir de fait, une autorité morale considérable.

29 — Le jugement

Le juge doit toujours, du moins dans la tradition civiliste, baser sa décision sur un texte de loi. Étant lié par la loi, il ne participe donc pas, au sens strict du terme, à l'élaboration de la règle législative. Son rôle d'interprète de celle-ci est cependant très important et a une très grande influence sur l'évolution du droit. Le législateur ne peut cependant prévoir d'avance toutes les situations juridiques possibles et les réglementer.

Le juge ne peut refuser de juger sous prétexte du silence, de l'obscurité ou de l'insuffisance de la loi, comme l'énonçait d'ailleurs l'ancien article 11 du Code civil du Bas-Canada. Il doit alors y suppléer en se basant sur les principes fondamentaux du droit en vigueur et, dans ce sens, crée véritablement dans son jugement, des règles juridiques.

La décision du juge, c'est-à-dire le jugement, doit en principe être motivée; il doit non seulement se référer aux textes législatifs, mais aussi expliquer pourquoi il se réfère à tel texte plutôt qu'à tel autre.

Il est fréquent que, pour ce faire, le juge s'appuie en outre sur d'autres jugements antérieurement rendus ou sur l'opinion d'auteurs ayant exprimé leur opinion sur la question.

30 — Le processus judiciaire

Il serait trop long ici d'étudier dans le détail le processus judiciaire. Dans l'application et l'interprétation des lois, le juge doit en premier lieu, rechercher l'intention du législateur par l'étude détaillée et exégétique des textes, en ayant recours, s'il y a lieu, aux travaux préparatoires qui ont entouré l'élaboration de la règle. Il peut lui être utile aussi, de se pencher sur les circonstances historiques de son adoption. Dans notre système, contrairement à ce qui existe dans d'autres pays, le jugement est personnalisé en ce sens qu'il est toujours possible d'identifier le juge qui l'a rendu. Il consiste en général en une discussion et un commentaire sur l'espèce soumise, suivis d'un énoncé disposant des prétentions respectives des parties.

31 — Autorité de la jurisprudence

Les motifs qui ont convaincu un tribunal sont de nature à convaincre les autres et il est donc normal qu'un jugement jouisse d'une autorité dans le règlement de conflits subséquents. De plus, en raison de la hiérarchisation des tribunaux, un juge se sentira plus fortement lié par la décision d'une cour de juridiction supérieure. Ainsi, lorsque la cour Suprême a exprimé son opinion relativement à un point de droit relatif à une question litigieuse, les tribunaux inférieurs auront naturellement tendance à se conformer et à respecter celle-ci. On dit alors que la décision fait autorité et que la jurisprudence est fixée. Il est cependant dangereux de se fier de façon absolue à l'autorité de la jurisprudence, puisque, le droit évoluant avec la société, l'opinion des cours et des tribunaux doit elle aussi être de son temps. Une solution considérée comme valable il y a trente ou cinquante ans ne l'est peut-être plus de nos jours.

L'autorité de fait de la jurisprudence n'est pas la même dans un pays de droit écrit que dans un pays de common law. En droit français ou québécois, le texte de loi est considéré comme la source formelle des

règles de droit civil, la jurisprudence comme une simple illustration, alors qu'au contraire, dans la tradition des pays anglo-saxons, on accorde un rôle beaucoup plus important, à cette dernière, pour des raisons principalement historiques. Dans ces pays, la «théorie du précédent» (stare décisis) consacre l'autorité et la force obligatoire de la jurisprudence.

32 — La doctrine, source non formelle

La doctrine représente l'ensemble des opinions émises par les juristes dans leurs travaux, sur un texte de loi ou sur une décision jurisprudentielle. Elle n'est jamais une source formelle ou impérative de droit.

L'avis exprimé par un auteur peut toutefois influencer le juge lorsque la loi est obscure ou son sens douteux ou controversé. La doctrine n'est pas source créatrice de droit positif, mais peut exercer une influence indirecte sur la réforme législative et sur l'évolution jurisprudentielle. Les commentaires des auteurs sur une nouvelle loi en révèlent souvent les imperfections et peuvent inciter le législateur à la modifier. Elle a en outre une importance certaine dans l'enseignement du droit à cause de son rôle didactique et critique.

LE CODE CIVIL

33 — Originalité du droit civil québécois

Le droit civil québécois appartient nettement à la famille des droits codifiés. La première codification qui remonte à 1866, celle du Code civil du Bas-Canada entendait consolider, à l'époque, les différentes sources du droit privé québécois (anciennes coutumes françaises, droit local, édits et ordonnances royaux, etc...). La nouvelle codification de 1994 n'a pas rompu avec ce passé. Elle a continué la tradition tout en modernisant le droit et en l'adaptant aux réalités sociales et économiques nouvelles.

Le Québec, par son Code civil, présente une originalité certaine à l'égard du reste de l'Amérique du Nord. En effet les autres provinces du Canada et tous les États des États-Unis, à l'exception de la Louisiane, ont un régime de droit civil non codifié et dit de «common law».

34 — Influence du droit français: la Coutume de Paris

À l'époque où le Canada était colonie française, les règles juridiques appliquées étaient celles de la mère-patrie. En réalité, avant la Révolution française de 1789, il n'y avait pas «un» système unique de droit français. L'unité juridique n'existait pas encore en France et on y retrouvait plusieurs coutumes régionales ayant force de loi dans diverses parties du territoire. Celle qui semble avoir eu le plus d'influence en Nouvelle-France est la Coutume de Paris.

Ce fait explique que l'unité juridique du Canada ne s'est pas faite non plus en une seule étape. Les habitants, colons venus d'outre-atlantique, suivaient naturellement les règles en vigueur dans leur province d'origine.

En 1664 cependant, les règles de la Coutume de Paris furent adoptées ici et devinrent donc à cette époque la source première du droit civil canadien, complétée d'ailleurs par les usages locaux, le droit canonique et les ordonnances royales.

Le droit civil du Canada restera un droit coutumier jusqu'à ce que des événements historiques viennent chambarder le système juridique.

35 — Effets de la conquête

Par suite de la conclusion du traité de Versailles entre la France et l'Angleterre, la Nouvelle-France devient une colonie britannique. Elle demeure toutefois fort différente du conquérant par sa langue, sa religion, ses institutions et son droit.

Les Britanniques essaient d'imposer le droit privé anglais à la colonie. Cette tentative se heurte toutefois à une forte résistance.

La Proclamation royale de 1763 abolit le droit canadien antérieur, mais le mécontentement est si grand que le droit anglais ne survit qu'une dizaine d'années dans les affaires civiles. Il réussit à s'imposer toutefois dans d'autres secteurs tels le droit pénal et commercial.

L'Acte de Québec de 1775 révoque la Proclamation et réinstaure le droit coutumier français et depuis cette époque donc, le droit civil québécois voit préserver son entité distincte.

36 — La première codification

Peu à peu cependant, le droit privé coutumier s'éloigne de la tradition française, les liens avec la métropole ayant été rompus et le droit français ayant lui-même évolué à la suite de la Révolution de 1789 et de la codification du droit civil en 1804 dans ce pays.

De plus, c'est un droit vieilli qui ne correspond plus aux besoins sociaux et aux idées nouvelles comme le libéralisme économique. Déjà en France le droit a été rajeuni et codifié dans un seul texte de loi, le Code Napoléon. Fortement influencé de surcroît par le droit anglais réglementant le commerce, le droit civil en vigueur dans le Bas-Canada est en voie de disparition s'il ne fait pas l'objet d'une codification.

L'initiative de ce projet ainsi que sa réalisation sont dues à Sir George-Étienne Cartier. Des commissaires nommés sont chargés de codifier en matière civile, les lois de nature générale et permanente. Le rapport des codificateurs indique l'origine de chaque article et les motifs d'adoption ou de rejet des dispositions du Code Napoléon qui a servi de principal modèle par sa forme générale, sa structure et ses divisions. Les juristes chargés de la rédaction du Code ont cependant fait appel à d'autres sources tels le Code de la Louisiane et celui du canton de Vaud. Ils ont également inséré dans le Code civil des dispositions provenant de la Coutume de Paris, des usages locaux et même parfois du «common law» britannique.

37 — Évolution

La règle de droit doit être l'expression de la règle sociologique, économique et politique du milieu auquel elle s'adresse. Il est donc important qu'elle suive l'évolution de la société dans le cadre de laquelle elle est appliquée. Il est par contre inévitable qu'elle ait un certain retard sur ces facteurs extérieurs. Le processus d'élaboration d'une loi est parfois long parce que celle-ci ne doit saisir et sanctionner que ce qui est d'application générale et permanente.

Depuis 1866, le Code civil a été l'objet de plusieurs modifications pour répondre aux nouveaux besoins sociaux. Toutefois, ces modifications ont, dans l'ensemble, été fort timides. Pour des raisons sociologiques, on a en effet longtemps hésité à toucher au Code. Le Code civil risquait ainsi de demeurer dans un état de stagnation d'autant plus néfaste que les lois civiles en dehors du Code se multipliaient et que les autres branches du droit elles, continuaient à évoluer rapidement.

Pour éviter ces inconvénients, l'Office de révision du Code civil entreprit au début des années 1960 une révision complète du Code de 1866. Son but était d'accorder le droit à la réalité, d'augmenter sa faculté d'adaptation aux faits sociaux et de proposer au législateur un nouveau Code moderne, clair et précis. L'Office de révision a remis son rapport à l'Assemblée nationale en 1978. Ce rapport est composé d'un projet de Code civil et de commentaires.

Le législateur s'est d'ailleurs servi du rapport de l'Office de révision du Code civil pour la réforme du droit civil qui a débuté avec l'adoption, en 1980, du Livre II du Code civil du Québec relatif au droit de la famille et s'est poursuivi jusqu'à l'adoption en 1992 du nouveau Code civil du Québec.

38 — Traits caractéristiques du Code civil de 1866

Le Code civil de 1866 vise à présenter, dans un ordre méthodique et logique les règles de droit fondamentales touchant les personnes, la famille, les biens et les obligations. On retrouve à travers l'ensemble de l'oeuvre certaines caractéristiques qu'il importe de mentionner brièvement. La première d'entre elles est l'individualisme. Le législateur québécois avait traduit la réalité de l'époque du libéralisme, en assurant la liberté de la personne humaine et en protégeant les intérêts des particuliers, intérêts qui ne sont limités qu'en autant que le respect d'intérêts collectifs, sociaux ou familiaux supérieurs, l'exige.

En matière de contrat par exemple, la volonté et le consentement des parties a force de loi entre elles. L'individu est libre de disposer de ses biens par vente, donation, testament. Le formalisme est très exceptionnel; il ne vise qu'à assurer la stabilité des droits et de la propriété privée, et la sécurité des relations entre les parties et les tiers. Seront formelles par exemple, les règles concernant les contrats de mariage et l'enregistrement des immeubles.

Le second trait dominant du Code de 1866 était la forte influence religieuse. Ce phénomène se comprenait facilement quand on considère les caractéristiques de la population du Bas-Canada à l'époque où le Code a été promulgué. Il s'adressait en effet à un milieu où la religion jouait un rôle primordial sur tout, en particulier en matière de droit de la famille. C'est ainsi que les empêchements religieux au mariage étaient considérés aussi comme des empêchements civils (ancien article 127), et que la seule forme de célébration du mariage était la forme religieuse. Une troisième caractéristique du Code civil de 1866 est sa nette tendance à la protection de la propriété privée et plus particulièrement de la propriété immobilière.

39 — Divisions générales du Code civil du Bas-Canada

Le Code civil du Bas-Canada comportait quelque 2600 articles répartis en quatre livres d'inégale importance (Des personnes: art. 18 à 373; Des biens: art. 374 à 582; De l'acquisition et de l'exercice des droits de la propriété: art. 583 à 2277 et Lois commerciales: art. 2278 à 2715).

40 — Code civil du Québec

Le nouveau Code civil du Québec a été présenté à l'Assemblée nationale le 18 décembre 1990 et adopté en principe le 4 juin 1991. Une Commission parlementaire siégea, par la suite, et permit de mettre la touche finale à certains textes qui reflétaient des prises de position plus controversées. Le texte final fut adopté le 18 décembre 1991 et sanctionné le même jour.

41 — Historique

Le nouveau Code civil est l'aboutissement de plusieurs décennies d'efforts. La révision du Code civil du Bas-Canada, confiée à l'origine en 1955 à l'honorable Thibaudeau-Rinfret, débuta véritablement au tout début des années 60 avec la réforme des régimes matrimoniaux sous la direction de l'honorable André Nadeau, précédant la création de l'Office de révision du Code civil. Sous l'égide du professeur Paul A. Crépeau, l'Office entreprit la tâche complexe d'une recodification systématique de l'ensemble du Code civil. De 1964 à 1977, l'Office publia de nombreux projets de réforme, élaborés par des comités spécialisés formés de juristes du milieu universitaire, de la pratique et de la magistrature. En 1978, fut publié l'important «*Rapport sur le Code civil du Québec*»[1]. L'oeuvre n'en était pas une de simple rafraîchissement ou de remise à jour, mais bel et bien de recodification. Cet ouvrage, que l'on a grand profit à consulter aujourd'hui en rapport avec le nouveau Code civil, contient non seulement les textes législatifs eux-mêmes, mais aussi un rapport des codificateurs et des notes indiquant les sources des nouvelles dispositions et les buts poursuivis par celles-ci.

Le gouvernement québécois n'adopta cependant pas l'ensemble du projet ainsi proposé en un seul bloc. Il procéda par tranches, d'abord avec le droit de la famille qui avait probablement le plus vieilli. Peu à peu, d'autres projets touchant les biens, les successions, les personnes, furent déposés pour être soumis à la critique et aux observations des juristes. Nombreuses furent les études alors préparées, soit par des individus, soit par des groupes comme le Barreau du Québec et la Chambre des notaires, pour exprimer des opinions sur la pertinence et la sagesse de propositions de réforme. Le grand succès que connurent ces consultations, notamment devant les Commissions parlementaires, a fait de cette oeuvre une véritable oeuvre collective et nationale autour de laquelle un très large consensus du milieu fut finalement acquis.

---

1. Rapport sur le Code civil du Québec, Éditeur officiel, 1978.

L'effort final de coordination de l'ensemble fut confié à un comité d'experts, présidé par le Professeur Jean Pineau, comité qui a eu la tâche fort délicate d'intégrer les réformes déjà approuvées et d'assurer sur le plan du fond et de la forme la cohésion de l'ensemble.

Le Québec est, à l'heure actuelle (puisque la réforme aux Pays-Bas n'est pas encore complétée), le seul pays au monde à avoir réussi la recodification de sa loi civile.

42 — Description générale

Le nouveau Code civil contient quelque 3168 articles et est divisé, selon un plan très classique, en 10 Livres: des personnes *(arts 1 à 364)*; de la famille *(arts 365 à 612)*; des successions *(arts 366 à 898)*; des biens *(arts 899 à 1370)*; des obligations *(arts 1371 à 2643)*; des priorités et des hypothèques *(arts 2644 à 2802)*; de la preuve *(arts 2803 à 2874)*; de la prescription *(arts 2875 à 2933)*; de la publicité des droits *(arts 2934 à 3075)* et du droit international privé *(arts 3076 à 3168)*.

Si le nouveau Code civil du Québec est une authentique recodification et non une simple remise à jour, il n'est pas pour autant en rupture, ni avec le passé législatif, c'est-à-dire avec le Code civil du Bas-Canada de 1866, ni avec le droit jurisprudentiel développé depuis cette époque. Le nouveau Code, dans de très nombreux domaines, conserve, en effet, les règles du Code civil du Bas-Canada en en modernisant le contenu et parfois seulement la forme. En outre dans certains cas, il codifie certaines solutions jurisprudentielles bien acquises; dans des hypothèses plus rares, il les écarte. Le Code civil du Québec constitue un véritable pacte social de par les grandes orientations qu'il a prises et s'inscrit dans une perspective de continuité avec le passé déjà riche du droit civil québécois.

43 — Droit transitoire

La *«Loi sur l'application de la réforme du Code civil»*, L.Q. 1992, c. 57, a été sanctionnée le 18 décembre 1992 et vient réglementer la mise en application du Code, la transition entre le régime de l'ancien droit et du droit nouveau et apporter à une impressionnante série de lois les modifications et ajustements nécessaires pour assurer leur compatibilité avec le Code civil du Québec. Elle comprend en résumé deux sortes de dispositions de droit transitoire. Les premières touchent les règles générales d'ensemble sur la transition (art. 2 et s.) et énoncent de grands principes généraux, tels par la non-rétroactivité de la loi nouvelle et l'application immédiate de celle-ci. Les secondes de type particulier visent chacun des chapitres du Code et établissent des normes pour des situations particulières.

Jean-Louis Baudouin et Yvon Renaud

La mise à jour de la présente
édition a été arrêtée le 1er juillet 2003.

NOTES EXPLICATIVES

Le Code civil du Québec remplace le Code civil du Bas Canada adopté par le chapitre 41 des lois de 1865 de la législature de la province du Canada, Acte concernant le Code civil du Bas Canada, tel qu'il a été modifié de temps à autre, de même que le chapitre 39 des lois de 1980, Loi instituant un nouveau Code civil et portant réforme du droit de la famille, et les lois qui l'ont modifiée, ainsi que le chapitre 18 des lois de 1987, Loi portant réforme au Code civil du Québec du droit des personnes, des successions et des biens.

Le Code civil du Québec comprend dix livres, à savoir: le Livre premier: Des personnes; le Livre deuxième: De la famille; le Livre troisième: Des successions; le Livre quatrième: Des biens; le Livre cinquième: Des obligations; le Livre sixième: Des priorités et des hypothèques; le Livre septième: De la preuve; le Livre huitième: De la prescription; le Livre neuvième: De la publicité des droits et le Livre dixième: Du droit international privé.

LIVRE PREMIER
DES PERSONNES

Le Livre premier du Code civil du Québec porte sur le droit des personnes. Il reprend, en les modifiant à certains égards, pour tenir compte entre autres des modifications apportées au Code civil du Bas Canada par le chapitre 54 des lois de 1989, les dispositions du chapitre 18 des lois de 1987. Ce livre comprend cinq titres.

Le premier titre traite de la jouissance et de l'exercice des droits civils et il énonce les principes généraux en la matière.

Le deuxième titre est consacré à certains droits de la personnalité. Il compte quatre chapitres qui portent respectivement sur l'intégrité de la personne, notamment quant aux soins, à la garde en établissement et à l'examen psychiatrique, sur le respect des droits de l'enfant, sur le respect de la réputation et de la vie privée et sur le respect du corps après le décès.

EXPLANATORY NOTES

The Civil Code of Québec replaces the Civil Code of Lower Canada, adopted by chapter 41 of the statutes of 1865 of the legislature of the Province of Canada, An Act respecting the Civil Code of Lower Canada, as amended from time to time, as well as chapter 39 of the statutes of 1980, An Act to establish a new Civil Code and to reform family law, and the Acts amending it, and chapter 18 of the statutes of 1987, An Act to add the reformed law of persons, successions and property to the Civil Code of Québec.

The Civil Code of Québec comprises ten books: Book One: Persons; Book Two: The Family; Book Three: Successions; Book Four: Property; Book Five: Obligations; Book Six: Prior Claims and Hypothecs; Book Seven: Evidence; Book Eight: Prescription; Book Nine: Publication of Rights, and Book Ten: Private International Law.

BOOK ONE
PERSONS

Book One is concerned with the law of persons. It takes up the provisions of chapter 18 of the statutes of 1987, modifying them in certain respects to take account of, among other things, the changes made to the Civil Code of Lower Canada by chapter 54 of the statutes of 1989.

The first of the five titles in Book One deals with the enjoyment and exercise of civil rights and sets down the general principles in that regard.

Title Two is devoted to certain personality rights. It has four chapters, under the headings of, respectively, integrity of the person, which deals particularly with medical and other care, confinement in an establishment and psychiatric examination; respect of children's rights; respect of reputation and privacy, and respect of the body after death.

Le troisième titre, divisé en quatre chapitres, traite de certains éléments relatifs à l'état des personnes. Il aborde, au premier chapitre, les règles relatives à l'attribution du nom, à son utilisation, au changement de nom par voie administrative ou judiciaire, ainsi que celles ayant trait au changement de la mention du sexe à l'acte de l'état civil et à la révision des décisions. Le deuxième chapitre établit les règles relatives au domicile et à la résidence; le troisième précise les règles sur l'absence, sur le jugement déclaratif de décès, sur le retour et sur la preuve du décès. Quant au quatrième chapitre, il est consacré à l'état civil et divisé en six sections portant respectivement sur l'officier de l'état civil, sur le registre de l'état civil et sur les actes de l'état civil que sont les actes de naissance, de mariage et de décès, ainsi que sur la modification du registre, sur la publicité du registre et sur certains pouvoirs réglementaires relatifs à la tenue du registre ou à sa publicité.

Le titre quatrième énonce, dans trois chapitres, les règles relatives à la capacité des personnes. Le premier chapitre est consacré à la majorité, à la minorité et à l'émancipation. Le deuxième chapitre, sur la tutelle au mineur, est divisé en sept sections qui traitent successivement de la charge tutélaire, de la tutelle légale, de la tutelle dative, de l'administration tutélaire, du conseil de tutelle, des mesures de surveillance de la tutelle, ainsi que du remplacement du tuteur et de la fin de la tutelle. Quant au troisième chapitre, il établit les règles des régimes de protection du majeur; il présente quelques dispositions générales et d'autres règles traitant de l'ouverture des régimes de protection, de la curatelle au majeur, de la tutelle au majeur, du conseiller au majeur et de la fin du régime de protection.

Enfin, le titre cinquième du Livre premier porte sur les personnes morales. Il établit, dans un premier chapitre, les règles générales de la personnalité juridique des personnes morales et aborde les questions relatives à la constitution et aux espèces de personnes morales, aux effets de la personnalité juridique qui leur est attribuée, aux obligations des administrateurs et à leurs inhabilités ainsi qu'à l'attribution judiciaire de la personnalité. Un second chapitre, consacré aux dispositions applicables à certaines personnes morales, traite du fonctionnement de ces personnes morales, de leur dissolution et de leur liquidation.

The four chapters in Title Three deal with certain particulars relating to the status of persons. Chapter I sets out the rules on assignment of name, use of name, change of name by way of administrative or judicial process, change of designation of sex on the act of civil status, and review of decisions. Chapter II sets down the rules on domicile and residence, and Chapter III is concerned with the rules on absence, declaratory judgment of death, return, and proof of death. Chapter IV is devoted to civil status and is divided into six sections. These deal, respectively, with the officer of civil status; the register of civil status; acts of civil status, namely, acts of birth, acts of marriage and acts of death; alteration of the register; publication of the register, and certain regulatory powers concerning the keeping and publication of the register.

Title Four sets out the rules on the capacity of persons. The first of its three chapters deals with majority and minority, and with emancipation. Chapter II, on tutorship to minors, is divided into seven sections, on the subjects of tutorship, legal tutorship, dative tutorship, the administration of tutors, tutorship councils, the supervision of tutorships, the replacement of a tutor and the end of tutorship, respectively. Chapter III lays down the rules on the protective supervision of persons of full age, setting out, in order, general provisions, rules on the institution of protective supervision, curatorship to persons of full age, tutorship to persons of full age, advisers to persons of full age, and the end of protective supervision.

The fifth and final Title of Book One is concerned with legal persons. It sets out the general rules on the juridical personality of legal persons in Chapter I, which deals with the constitution and kinds of legal persons, the effects of their juridical personality, the obligations and disqualification of directors, and the judicial attribution of personality. Chapter II contains provisions applicable to certain legal persons, and deals with the functioning, dissolution and winding-up of legal persons.

LIVRE DEUXIÈME
DE LA FAMILLE

Le Livre deuxième porte sur le droit de la famille.

Il reprend substantiellement le chapitre 39 des lois de 1980, tel qu'il a été modifié au cours des ans, tout en introduisant quelques règles nouvelles, notamment en matière de filiation, pour tenir compte du développement de la procréation médicalement assistée. Ce livre comprend quatre titres.

Le premier titre traite du mariage et est divisé en sept chapitres. Les trois premiers chapitres portent respectivement sur le mariage et sa célébration, sur la preuve du mariage et sur les nullités de mariage. Le quatrième chapitre détermine les effets du mariage et contient les dispositions relatives aux droits et aux devoirs des époux, à la résidence familiale, à la constitution et au partage du patrimoine familial et à la prestation compensatoire. Le cinquième chapitre, après avoir énoncé certaines règles générales sur le choix du régime matrimonial et l'exercice des droits et pouvoirs résultant du régime matrimonial, précise les règles applicables au régime de la société d'acquêts, à celui de la séparation de biens et aux régimes communautaires. Les chapitres sixième et septième portent sur la séparation de corps et la dissolution du mariage, le dernier chapitre reprenant certaines règles édictées en 1980 relativement aux effets du divorce.

Le titre deuxième s'attache à la filiation par le sang ou consécutive à l'adoption. Le premier chapitre, sur la filiation par le sang, détermine les preuves de la filiation et les actions qui s'y rattachent, et il introduit certaines règles sur la procréation médicalement assistée. Le deuxième chapitre, sur l'adoption, énonce les conditions de l'adoption, précise la nature de l'ordonnance de placement et du jugement d'adoption, indique les effets de l'adoption et établit le caractère confidentiel des dossiers d'adoption.

Les deux derniers titres du Livre deuxième ont trait à l'obligation alimentaire et à l'autorité parentale.

LIVRE TROISIÈME
DES SUCCESSIONS

Le Livre troisième porte sur le droit des successions. Il reprend substantiellement les dispositions adoptées par le chapitre 18 des lois de 1987 et les modifications apportées au Code civil du Bas Canada par le chapitre 55 des lois de 1989. Ce livre compte six titres.

BOOK TWO
THE FAMILY

Book Two, on family law, takes up in substance the provisions of chapter 39 of the statutes of 1980, as amended over the years, and introduces some new rules, concerning filiation in particular, to take account of the development of medically assisted procreation.

The first of its four Titles deals with marriage, and is divided into seven chapters. The first three are concerned with marriage and solemnization of marriage, proof of marriage and nullity of marriage, respectively. Chapter IV determines the effects of marriage and contains provisions relating to the rights and duties of the spouses, the family residence, the establishment and partition of the family patrimony, and the compensatory allowance. The fifth chapter contains some general rules governing the choice of a matrimonial regime and the exercise of the rights and powers arising from the regime chosen. It also specifies the rules applicable to each regime, namely, partnership of acquests, separation as to property and the community regime. Chapter VI deals with separation from bed and board, and Chapter VII, on the dissolution of marriage, contains some rules enacted in 1980 in respect of the effects of divorce.

Title Two is devoted to filiation by blood or resulting from adoption. Chapter I, on filiation by blood, determines what constitutes proof of filiation and the actions relating to it, and introduces a number of rules respecting medically assisted procreation. Chapter II, on adoption, specifies the nature of an order of placement and an adoption judgment, indicates the effects of adoption and establishes the confidentiality of adoption files.

Titles Three and Four cover, respectively, the obligation of support and parental authority.

BOOK THREE
SUCCESSIONS

Book Three contains the law of successions. It takes up in substance the provisions contained in chapter 18 of the statutes of 1987, together with the amendments made to the Civil Code of Lower Canada by chapter 55 of the statutes of 1989. This book comprises six titles.

Le titre premier détermine les circonstances de l'ouverture d'une succession et établit les qualités requises pour succéder.

Le titre deuxième, qui traite de la transmission de la succession, comprend trois chapitres. Le premier porte sur la saisine, le deuxième sur la pétition d'hérédité et ses effets sur la transmission de la succession, tandis que le troisième concerne le droit d'option des successibles et énonce les règles relatives à la délibération et à l'option, à l'acceptation d'une succession et à la renonciation à celle-ci.

Le titre troisième, qui établit les règles de la dévolution légale des successions, est divisé en six chapitres. Le premier chapitre détermine la vocation successorale. Le deuxième porte sur la parenté et fixe les notions de degré, de génération et de ligne, directe ou collatérale, ascendante ou descendante. Le troisième chapitre définit la représentation, détermine quand elle a lieu et en précise les effets. Le quatrième chapitre établit l'ordre de dévolution des successions entre le conjoint survivant, les descendants, les ascendants et collatéraux privilégiés ou ordinaires. Le cinquième chapitre établit les règles relatives à la survie de l'obligation alimentaire. Enfin, le sixième chapitre aborde la question des droits de l'État.

Le titre quatrième, divisé en six chapitres, traite successivement de la nature du testament, de la capacité requise pour tester, des formes de testament, des dispositions testamentaires et des légataires, de la révocation des testaments et legs, ainsi que de la preuve et de la vérification des testaments.

Le titre cinquième, qui comprend quatre chapitres, énonce les règles relatives à la liquidation successorale: le premier traite de l'objet de la liquidation et de la séparation des patrimoines; le deuxième porte sur le liquidateur de la succession et établit les règles concernant la désignation et la charge du liquidateur, l'inventaire des biens et les fonctions du liquidateur; le troisième porte sur le paiement des dettes et des legs particuliers et le quatrième chapitre régit la fin de la liquidation.

Le titre sixième, divisé en cinq chapitres, contient les règles du partage. Y sont traités les droits au partage et au maintien de l'indivision, les modalités du partage, les règles à suivre pour la composition des lots, les attributions préférentielles ou les contestations et la remise des titres; y sont également déterminés l'obligation de rapporter les dons, les legs et les dettes, la façon de rapporter et les effets du rapport. Les deux derniers chapitres portent sur les effets du partage et sur la nullité du partage.

Title One determines the circumstances surrounding the opening of successions and establishes the qualities required for succession.

Title Two, which deals with the transmission of successions, has three chapters. Chapter I is on seisin; Chapter II, on the petition of inheritance and its effects on the transmission of the succession; Chapter III covers the right of option of successors and sets out the rules governing deliberation and option, and acceptance and renunciation of a succession.

Title Three establishes the rules on the legal devolution of successions, and has six chapters. Chapter I determines heirship. Chapter II deals with relationship, defining degrees, generations and direct and collateral lines of ascent and descent. Chapter III defines representation, determines when it takes place and details its effects. Chapter IV establishes the order of devolution of successions among the surviving spouse, descendants, privileged ascendants and collaterals and ordinary ascendants or collaterals. Chapter V establishes the rules relating to the survival of the obligation to provide support. Finally, Chapter VI deals with the rights of the State.

The six chapters of Title Four deal, in order, with the nature of wills, the capacity required to make a will, the forms of wills, testamentary dispositions and legatees, the revocation of wills and legacies, and the proof and probate of wills.

Title Five, which has four chapters, sets out the rules on the liquidation of successions. Chapter I deals with the object of liquidation and the separation of patrimonies. Chapter II deals with the liquidator of the succession and lays down the rules on the appointment and responsibilities of the liquidator, the inventory of the property and the functions of the liquidator. Chapter III deals with the payment of the debts and legacies by particular title, and Chapter IV governs the end of the liquidation.

Title Six, with five chapters, contains the rules on partition. It deals with the right to partition and the right to maintain undivided ownership, the conditions of partition and the rules for making up the shares, making preferential allotments or contestation, and delivering titles. It also determines the obligation to return gifts, legacies and debts, the manner of making a return and the effects of the return. The two final chapters deal with the effects of partition and the nullity of partition.

LIVRE QUATRIÈME
DES BIENS

BOOK FOUR
PROPERTY

Le Livre quatrième porte sur le droit des biens. Il reprend substantiellement les dispositions adoptées par le chapitre 18 des lois de 1987 et intègre les modifications apportées au Code civil du Bas Canada par le chapitre 16 des lois de 1988. Ce livre compte sept titres.

Book Four sets out the law of property. It takes up in substance the provisions contained in chapter 18 of the statutes of 1987, and incorporates amendments made to the Civil Code of Lower Canada by chapter 16 of the statutes of 1988.

Le titre premier porte sur la distinction des biens et leur appropriation. Ses quatre chapitres traitent respectivement de la distinction des biens, immeubles et meubles, des biens dans leurs rapports avec ce qu'ils produisent, des biens dans leurs rapports avec ceux qui y ont des droits ou qui les possèdent et de certains rapports de fait concernant les biens. Dans le dernier chapitre sont précisées les règles de la possession et celles sur l'acquisition des biens vacants, biens sans maître ou meubles perdus ou oubliés.

The first of its seven titles is concerned with the kinds of property and its appropriation. Its four chapters deal, in order, with the kinds of property, that is, movable and immovable property; property in relation to its proceeds; property in relation to persons having rights in it or possession of it, and certain de facto relationships concerning property. This last chapter sets out the rules on possession and those on the acquisition of vacant property, things without an owner or lost or forgotten movables.

Le titre deuxième traite de la propriété. Le premier chapitre précise la nature et l'étendue du droit de propriété et le deuxième les règles relatives à l'accession immobilière et mobilière. Quant au troisième chapitre, il énonce d'abord une règle générale sur les inconvénients normaux du voisinage puis des règles particulières à la propriété immobilière, telles celles sur les limites des fonds et le bornage, sur les eaux, les arbres, l'accès au fonds d'autrui et sa protection, les vues, le droit de passage et les clôtures et ouvrages mitoyens.

Title Two is concerned with ownership. Chapter I defines the nature and extent of the right of ownership, while Chapter II sets out the rules on immovable and movable accession. The final chapter, Chapter III, first sets out a general rule on normal neighbourhood annoyances, followed by specific rules on the ownership of immovables, such as limits and boundaries of land, waters, trees, access to and protection of another's land, views, right of way, and common fences and works.

Le titre troisième est consacré aux principales modalités de la propriété. Le premier chapitre définit la copropriété par indivision, la copropriété dite divise et la propriété superficiaire; les trois autres chapitres régissent les régimes de la copropriété par indivision, de la copropriété divise et de la propriété superficiaire.

Title Three is devoted to the principal special modes of ownership. Chapter I defines undivided co-ownership, so-called divided co-ownership, and superficies. The three other chapters give the rules governing undivided co-ownership, divided co-ownership and superficies.

Le titre quatrième régit les démembrements du droit de propriété. Ce titre, divisé en quatre chapitres, traite successivement de l'usufruit, de l'usage, des servitudes et de l'emphytéose.

Title Four governs dismemberments of the right of ownership. Its four chapters deal, in order, with usufruct, use, servitudes and emphyteusis.

Le titre cinquième établit les règles relatives aux restrictions à la libre disposition de certains biens. Le premier chapitre énonce les règles concernant les stipulations d'inaliénabilité et le second celles qui concernent la substitution.

Title Five sets out the rules regarding restrictions on the free disposition of certain property. Chapter I contains the rules on stipulations of inalienability, and Chapter II, those on substitution.

Le titre sixième porte sur certains patrimoines d'affectation. Le premier chapitre définit la fondation et le second est consacré à la fiducie: il en précise la nature, détermine les diverses espèces de fiducie et leur durée, établit les règles relatives à l'administration de la fiducie, prévoit les modifications à la fiducie et au patrimoine, ainsi que la fin de la fiducie.

Enfin, le titre septième détermine les règles relatives à l'administration du bien d'autrui. Le premier chapitre contient des dispositions générales et le deuxième détermine l'étendue des activités de l'administrateur du bien d'autrui selon deux types d'administration, la simple ou la pleine administration; le troisième chapitre, sur les règles de l'administration, précise les obligations de l'administrateur envers le bénéficiaire et les tiers, celles du bénéficiaire envers les tiers, et d'autres règles sur l'inventaire, les sûretés et les assurances, sur l'administration collective et la délégation, sur les placements présumés sûrs, sur la répartition des bénéfices et des dépenses, ainsi que sur le compte annuel. Le quatrième chapitre, sur la fin de l'administration, détermine les causes qui mettent fin à l'administration, ainsi que les règles relatives à la reddition de compte et à la remise du bien.

Title Six deals with certain patrimonies by appropriation. Chapter I defines the foundation, while Chapter II defines the trust, specifying the various kinds of trust and their duration, setting out the rules on their administration, and providing for termination of the trust and changes to the trust and to the patrimony.

The seventh and final title, divided into four chapters, lays down the rules governing administration of the property of others. The first chapter contains general provisions, while Chapter II determines the scope of the activities of the administrator of the property of others according to whether he has simple or full administration. Chapter III, on the rules of administration, sets out the obligations of the administrator towards the beneficiary and third persons and those of the beneficiary towards third persons, together with the rules on inventory, security and insurance, joint administration and delegation, presumed sound investments, apportionment of profit and expenditure, and the annual account. Chapter IV, on the termination of administration, determines the causes of termination of administration and the rules on the rendering of account and delivery of the property.

LIVRE CINQUIÈME
DES OBLIGATIONS

BOOK FIVE
OBLIGATIONS

Le Livre cinquième porte sur le droit des obligations. Il comprend deux titres: un titre premier sur les obligations en général et un titre deuxième sur les contrats nommés.

Book Five deals with the law of obligations, and comprises two titles: the first, on obligations in general, and the second, on nominate contracts.

TITRE PREMIER
DES OBLIGATIONS
EN GÉNÉRAL

TITLE ONE
OBLIGATIONS IN GENERAL

Le titre premier du Livre cinquième présente les éléments de la théorie générale des obligations; il est divisé en neuf chapitres.

Le premier chapitre, introductif de la matière, établit les principes qui sont à la base même de la théorie générale des obligations.

Le chapitre deuxième, intitulé «Du contrat», compte cinq sections. Les deux premières, générales, prévoient l'assujettissement des contrats aux règles du chapitre et traitent de la nature du contrat et de certaines de ses espèces. La troisième section établit les conditions de formation du contrat que sont le consentement, la capacité, la cause, l'objet et, en certains cas, la forme, et elle fixe la sanction de l'inobservation de ces conditions. La

Title One of Book Five sets forth the elements of the general theory of obligations. It is divided into nine chapters.

Chapter I, an introductory chapter, lays down the fundamental principles of the general theory of obligations.

Chapter II, entitled "Contracts", comprises five sections. The first two sections contain general provisions, establishing that contracts are subject to the rules set out in the chapter, and dealing with the nature of a contract and certain classes of contracts. The third section lays down the conditions of formation of a contract, namely, consent, capacity, cause, object and, in some cases, form, and establishes sanctions for failure to observe them. The

quatrième section est consacrée aux règles d'interprétation du contrat tandis que la cinquième traite des effets du contrat à l'égard des parties et des tiers, de même que de ceux qui sont particuliers à certains contrats.

Le chapitre troisième regroupe les principales règles de la responsabilité civile. Il traite des conditions de la responsabilité, de certains cas d'exonération de responsabilité et du partage de responsabilité.

Le chapitre quatrième complète l'exposé des principales sources de l'obligation et traite successivement de la gestion d'affaires, de la réception de l'indu et de l'enrichissement sans cause ou injustifié.

Le chapitre cinquième est consacré aux modalités de l'obligation. Y sont successivement abordées les obligations à modalité simple, soit l'obligation conditionnelle et l'obligation à terme, de même que les obligations à modalité complexe, soit l'obligation conjointe, divisible et indivisible, solidaire, alternative et facultative.

Le sixième chapitre, qui traite de l'exécution de l'obligation, est divisé en trois sections. La première énonce les règles du paiement, y compris celles relatives à l'imputation des paiements, aux offres réelles et à la consignation. La deuxième est consacrée à la mise en oeuvre du droit à l'exécution de l'obligation et traite non seulement de l'exception d'inexécution, du droit de rétention et de la mise en demeure préalable, mais également des divers recours ouverts au créancier pour forcer l'exécution en nature de l'obligation, pour obtenir la résolution ou la résiliation du contrat et la réduction de l'obligation ou pour en obtenir l'exécution par équivalence pécuniaire. La troisième section est consacrée aux mesures de protection du droit à l'exécution de l'obligation: mesures conservatoires, action oblique et action paulienne ou en inopposabilité.

Le septième chapitre concerne la transmission et les mutations de l'obligation. Y sont successivement présentées les règles de la cession de créance, de la subrogation, de la novation et de la délégation.

Le chapitre huitième est consacré aux causes d'extinction de l'obligation et il traite spécifiquement de la compensation, de la confusion, de la remise, de l'impossibilité d'exécuter l'obligation et de la libération du débiteur.

fourth section is devoted to the rules of interpretation of contracts, while the fifth section deals with the effects of a contract with respect to the parties and to third persons, together with the special effects of certain contracts.

Chapter III brings together the main rules on civil liability. It deals with the conditions of liability, certain cases of exemption from liability and the apportionment of liability.

Chapter IV completes the presentation of the principal sources of obligations, dealing successively with the management of the business of another, reception of a thing not due and unjust enrichment.

Chapter V is devoted to the modalities of obligations. It deals in turn with obligations with simple modalities, comprising conditional obligations and obligations with a term, and obligations with complex modalities, including joint, divisible, indivisible, solidary, alternative and facultative obligations.

Chapter VI, dealing with the performance of obligations, is divided into three sections. Section I sets out the rules on payment, including the rules on imputation of payment and on tender and deposit. Section II, having to do with the exercise of the right to enforce performance, deals with exception for nonperformance, right of retention and prior putting in default, and with the various remedies available to the creditor to force specific performance of the obligation, to obtain resolution or resiliation of the contract and reduction of the obligation, or to obtain its performance by equivalence in money. Section III is devoted to measures for protection of the right to performance of the obligation, namely, conservatory measures, the oblique action and the Paulian or revocatory action.

Chapter VII concerns transmission and alteration of obligations. It presents, in order, the rules on assignment of a claim, subrogation, novation and delegation.

Chapter VIII is devoted to the causes of extinction of obligations, and deals specifically with compensation, confusion, release, impossibility of performance and discharge of the debtor.

Enfin, le neuvième chapitre regroupe les principales règles de la restitution des prestations consécutive à l'anéantissement rétroactif d'un acte
juridique.

TITRE DEUXIÈME
DES CONTRATS NOMMÉS

Le titre deuxième du Livre cinquième regroupe
les règles particulières à divers contrats, dits nommés; il est divisé en dix-huit chapitres.

Le premier chapitre, réservé à la vente, compte
trois sections. La première, générale, traite de la
promesse de vente, de la vente du bien d'autrui,
des obligations du vendeur et de l'acheteur, et elle
présente aussi les règles propres à l'exercice des
droits des parties. Cette section traite en outre de
diverses modalités de la vente: la vente à l'essai, la
vente à tempérament, la vente avec faculté de rachat et la vente aux enchères, et elle expose les règles sur la vente d'entreprise et sur celle de certains
biens incorporels, soit les droits successoraux et
les droits litigieux. La deuxième section présente
les règles particulières à la vente d'immeubles à
usage d'habitation et la troisième est réservée aux
contrats apparentés à la vente, soit l'échange, la
dation en paiement et le bail à rente.

Le chapitre deuxième, sur la donation, traite de la
nature et de l'étendue du contrat de donation et de
certaines conditions de la donation, y compris les
règles de validité et les règles de forme; il traite
aussi des droits et obligations des parties, de la révocation de la donation pour cause d'ingratitude,
ainsi que de la donation par contrat de mariage.

Le chapitre troisième énonce les principales
règles du contrat de crédit-bail.

Le chapitre quatrième est consacré au louage et
il traite d'abord de la nature du louage, des droits et
obligations résultant du bail et de la fin du bail. Suivent les dispositions particulières au bail d'un logement et notamment les règles relatives à ce bail, au
loyer, à l'état du logement, à certaines modifications
au logement, à l'accès et à la visite du logement, au
droit au maintien dans les lieux et à la résiliation du
bail. Sont enfin présentées les règles particulières
au bail dans un établissement d'enseignement, au
bail d'un logement à loyer modique et au bail d'un
terrain pour maison mobile.

Le chapitre cinquième concerne l'affrètement et il
prévoit, outre les règles générales applicables à
tout contrat d'affrètement, les règles particulières à
l'affrètement coque-nue, à temps, ou au voyage.

The ninth and final chapter contains the principal
rules respecting the restitution of prestations following the retroactive annulment of a juridical act.

TITLE TWO
NOMINATE CONTRACTS

Title Two of Book Five, which brings together the
special rules relating to so-called nominate contracts, is divided into eighteen chapters.

Chapter I, on sale, has three sections. The first, of
a general nature, deals with the promise of sale, the
sale of property of another and the obligations of
the seller and buyer, and sets forth special rules regarding the exercise of the rights of the parties. This
first section also deals with various modes of sale,
namely, trial sale, instalment sale, sale with a right
of redemption and auction sale, and it lays down the
rules governing the sale of an enterprise and the
sale of certain incorporeal rights, specifically the
sale of rights of succession and the sale of litigious
rights. Section II sets out the special rules regarding
the sale of immovables used for residential purposes, while Section III is devoted to contracts akin
to contracts of sale, that is, exchange, giving in payment and alienation for rent.

Chapter II, on gifts, deals with the nature and
scope of the contract of gift and of certain conditions pertaining to gifts, including rules governing
their validity and form. It also deals with the rights
and obligations of the parties, the revocation of a
gift for ingratitude, and gifts made by marriage contract.

Chapter III sets out the principal rules governing
the contract of leasing.

Chapter IV, devoted to the lease, deals first with
the nature of a lease, the rights and obligations resulting from a lease and the termination of the
lease. It then sets out special provisions for the
lease of a dwelling, including, in particular, those
governing such a lease, the rent, the condition of
the dwelling, certain changes to the dwelling, access to and visit of the dwelling, the right to maintain
occupancy, and resiliation of the lease. Lastly, it sets
out the special rules on leases with educational institutions, leases of dwellings in low-rental housing,
and leases of land for mobile homes.

Chapter V, on affreightment, contains general
rules applicable to all contracts of affreightment,
and special rules relating to bareboat charters, time
charters and voyage charters.

Le chapitre sixième, sur le transport, expose les règles générales pour tout mode de transport, de personnes ou de biens, puis les règles particulières au transport maritime de biens.

Le chapitre septième porte sur le contrat de travail.

Le chapitre huitième regroupe les règles relatives au contrat d'entreprise et au contrat de service; il contient, entre autres, les règles particulières aux ouvrages, notamment les règles propres aux ouvrages immobiliers.

Le chapitre neuvième, sur le mandat, traite successivement de la nature et de l'étendue du mandat, des obligations des parties entre elles ou envers les tiers et de la fin du mandat et il présente les règles particulières au mandat donné en prévision de l'inaptitude du mandant.

Le chapitre dixième est consacré à la société et à l'association et il traite plus particulièrement de la société en nom collectif, de la société en commandite et de la société en participation.

Le chapitre onzième est réservé au dépôt; il traite du dépôt en général, du dépôt nécessaire, du dépôt hôtelier et du séquestre.

Le chapitre douzième concerne le contrat de prêt et il traite plus particulièrement du prêt à usage et du simple prêt.

Le chapitre treizième est consacré au cautionnement; y sont présentées les règles relatives à la nature, à l'objet et à l'étendue du cautionnement, de même que les règles propres aux effets et à la fin du cautionnement.

Le chapitre quatorzième, sur la rente, traite de la nature, de l'étendue et de certains effets du contrat de rente.

Le chapitre quinzième, sur les assurances, compte quatre sections. La première, générale, traite de la nature du contrat d'assurances et de ses espèces, de la formation et du contenu du contrat, ainsi que des déclarations et engagements du preneur en assurance terrestre. La deuxième section, qui porte sur les assurances de personnes, établit entre autres les règles relatives au contenu de la police, à l'intérêt d'assurance, à la déclaration de l'âge et du risque, à la prise d'effet et à l'exécution de l'assurance, ainsi qu'à la désignation des bénéficiaires et des titulaires subrogés. La troisième section est consacrée à l'assurance de dommages et elle présente, outre les dispositions communes, les dispositions relatives aux assurances de biens et aux assurances de responsabilité. La quatrième section est réservée à l'assurance maritime.

Chapter VI, on carriage, sets out the rules applicable to all means of transportation, whether of persons or of property, and the special rules governing carriage of goods by water.

Chapter VII deals with the contract of employment.

Chapter VIII groups together the rules governing contracts of enterprise and contracts for services, and includes, among others, the special rules relating to works, particularly the specific rules on immovable works.

Chapter IX, on the mandate, deals, in order, with the nature and scope of a mandate, the mutual obligations of the parties, the obligations of the parties towards third persons and the termination of a mandate. It sets forth the special rules regarding the mandate given in anticipation of the incapacity of the mandator.

Chapter X, devoted to partnership and association, deals especially with general partnerships, limited partnerships and undeclared partnerships.

Chapter XI concerns deposit, dealing with deposit in general, necessary deposit, deposit with an innkeeper and sequestration.

Chapter XII concerns the contract of loan, giving special treatment to the loan for use and the simple loan.

Chapter XIII, devoted to suretyship, sets out the rules on the nature, object and extent of suretyship, and the special rules relating to the effects and the termination of suretyship.

Chapter XIV, on the annuity, deals with the nature, scope and certain effects of the contract of annuity.

Chapter XV, on insurance, comprises four sections. Section I contains general provisions dealing with the nature of the insurance contract, the classes of insurance, the formation and content of the contract, and the representations and warranties of the client in non-marine insurance. Section II, dealing with insurance of persons, contains rules on, among other things, the content of the policy, insurable interest, representation of age and risk, effective date, performance under the terms of the policy, designation of beneficiaries and subrogated policyholders. Section III is devoted to damage insurance and sets out both common provisions and special rules relating to property insurance and to liability insurance. The fourth section is devoted to marine insurance.

Enfin, les trois derniers chapitres du titre deuxième sont respectivement consacrés au contrat de jeu et pari, à la transaction et à la convention d'arbitrage.

The final three chapters of Title Two are devoted to gaming and wagering contracts, transaction and arbitration agreements.

LIVRE SIXIÈME
DES PRIORITÉS ET DES HYPOTHÈQUES

Le Livre sixième établit le régime juridique des priorités et des hypothèques. Il comprend trois titres.

Le titre premier, sur le gage commun des créanciers, maintient, avec certains aménagements, la règle selon laquelle les biens d'un débiteur sont affectés à l'exécution de ses obligations et constituent le gage commun de ses créanciers.

Le titre deuxième, sur les priorités, établit le droit de préférence, sans publication, de certaines créances, dans les cas prévus expressément au Code.

Le titre troisième porte sur les hypothèques et compte six chapitres. Le premier traite de la nature et des espèces d'hypothèques, ainsi que de leur objet et de leur étendue. Le deuxième chapitre, qui porte sur l'hypothèque conventionnelle, indique qui peut être constituant d'une hypothèque, suivant son espèce, et traite des règles relatives à l'obligation garantie par hypothèque. Ce chapitre présente aussi les règles applicables aux diverses espèces d'hypothèques: l'hypothèque immobilière, l'hypothèque mobilière, avec ou sans dépossession, et l'hypothèque dite ouverte. Le chapitre troisième est consacré à l'hypothèque légale. Le quatrième chapitre traite en particulier de certains effets de l'hypothèque. Le chapitre cinquième, divisé en sept sections, porte sur l'exercice des droits hypothécaires qui permettent au créancier de faire valoir sa sûreté. La première section expose quelques règles générales et la deuxième, les conditions générales d'exercice des droits hypothécaires. La troisième section concerne les mesures préalables à l'exercice des droits hypothécaires, dont le préavis d'exercice de ces droits donné par le créancier, les droits du débiteur ou de celui contre qui le droit est exercé et le délaissement. Les quatre dernières sections présentent les règles propres à chacun des droits hypothécaires, qu'il s'agisse de la prise de possession à des fins d'administration, de la prise en paiement du bien ou de la vente de celui-ci par le créancier, ou encore de la vente sous contrôle de justice. Enfin, le chapitre sixième expose les règles sur l'extinction des hypothèques.

BOOK SIX
PRIOR CLAIMS AND HYPOTHECS

Book Six establishes the body of legal rules governing prior claims and hypothecs. It comprises three titles.

Title One, on the common pledge of creditors, preserves, with certain alterations, the rule that the property of a debtor is charged with the performance of his obligations and is the common pledge of his creditors.

Title Two, on prior claims, establishes the right to preference, without publication, for certain claims in the cases expressly provided for in the Code.

Title Three, on hypothecs, comprises six chapters. Chapter I deals with the nature of a hypothec, the kinds of hypothec and the object and extent of hypothecs. Chapter II, on conventional hypothecs, indicates who may grant the different kinds of hypothec, and deals with the rules concerning obligations secured by hypothec. It also sets out the rules applicable to the various kinds of hypothec: immovable hypothecs, movable hypothecs, with or without delivery, and so-called floating hypothecs. Chapter III deals with legal hypothecs, and Chapter IV deals particularly with certain effects of hypothecs. Chapter V contains seven sections dealing with the exercise of hypothecary rights enabling the creditor to enforce his security. Section I lays down some general rules, and Section II establishes the general conditions for exercising hypothecary rights. Section III is concerned with measures preceding the exercise of hypothecary rights, including prior notice of the exercise of such rights to be given by the creditor, the rights of the debtor or the person against whom the right is exercised, and surrender. The last four sections set out specific rules governing each hypothecary right: taking possession for administration purposes, taking in payment of the property or sale of the property by the creditor, or sale by judicial authority. Finally, Chapter VI lays down the rules on the extinction of hypothecs.

LIVRE SEPTIÈME
DE LA PREUVE

Le Livre septième établit le droit de la preuve; il comprend trois titres.

Le titre premier traite du régime général de la preuve et comprend deux chapitres. Le premier porte sur l'objet et la charge de la preuve et le second présente les règles relatives à la connaissance d'office.

Le titre deuxième porte sur les moyens de preuve; il est divisé en cinq chapitres traitant respectivement des cinq moyens de preuve. Le premier chapitre concerne la preuve par un écrit et comprend sept sections qui traitent successivement des copies de lois, des actes authentiques, des actes semi-authentiques, des actes sous seing privé, des autres écrits, des inscriptions informatisées et, enfin, de la reproduction d'un écrit. Le chapitre deuxième est consacré au témoignage. Il définit le témoignage et sa valeur probante. Les chapitres troisième et quatrième, portant respectivement sur la présomption et l'aveu, définissent et distinguent les différentes catégories de présomptions et d'aveux et déterminent leur valeur probante. Le chapitre cinquième introduit dans le Code civil du Québec un cinquième moyen de preuve, la présentation d'un élément matériel.

Le titre troisième concerne la recevabilité des éléments et des moyens de preuve. Il comprend trois chapitres: le premier, portant sur les éléments de preuve, établit le principe général de recevabilité, le deuxième présente les règles relatives à la recevabilité des moyens de preuve et le troisième, les règles relatives à certaines déclarations.

BOOK SEVEN
EVIDENCE

Book Seven establishes the law of evidence. It comprises three titles.

Title One, dealing with the general rules of evidence, has two chapters. Chapter I is concerned with the object and burden of proof, while Chapter II lays down the rules on judicial notice.

Title Two deals with the means of proof. It is divided into five chapters, each concerned with one of the five means of proof. Chapter I, on proof by writings, is divided into seven sections, dealing respectively with copies of statutes, authentic acts, semi-authentic acts, private writings, other writings, computerized records, and reproduction of writings. Chapter II, devoted to testimony, defines testimony and its probative force. Chapters III and IV, on presumption and admission, respectively, define and distinguish between the different kinds of presumptions and admissions and determine their probative force. Chapter V introduces a new means of proof, the production of material things, into the Civil Code of Québec.

Title Three, concerning the admissibility of evidence and proof, contains three chapters. The first, dealing with evidence, lays down the general principle of admissibility. The second sets out the rules on the admissibility of means of proof, and the third, the rules on certain statements.

LIVRE HUITIÈME
DE LA PRESCRIPTION

Le Livre huitième, relatif au droit de la prescription, compte trois titres.

Le titre premier porte sur le régime de la prescription. Ses quatre chapitres traitent respectivement des dispositions générales applicables à la prescription acquisitive et à la prescription extinctive, de la renonciation à la prescription, de l'interruption de la prescription et de la suspension de la prescription.

BOOK EIGHT
PRESCRIPTION

Book Eight regards the law of prescription.

The first of its three titles sets down the rules on prescription. It comprises four chapters, dealing respectively with the general rules applicable to acquisitive prescription and extinctive prescription, renunciation of prescription, interruption of prescription and suspension of prescription.

Le titre deuxième traite de la prescription acquisitive et comprend deux chapitres. Le premier chapitre précise les conditions d'exercice de la prescription acquisitive et le deuxième, les délais de cette prescription.

Le titre troisième présente les règles particulières à la prescription extinctive.

Title Two, comprising two chapters, is devoted to acquisitive prescription. The first chapter specifies the conditions under which acquisitive prescription operates, while the second determines the periods required for such prescription.

Title Three sets out the special rules relating to extinctive prescription.

LIVRE NEUVIÈME
DE LA PUBLICITÉ DES DROITS

BOOK NINE
PUBLICATION OF RIGHTS

Le Livre neuvième porte sur la publicité des droits, publicité qui résulte essentiellement de l'inscription qui est faite d'un droit sur le registre approprié. Il est divisé en cinq titres.

Book Nine deals with the publication of rights, which results essentially from entry of the rights in the proper register. The Book is divided into five titles.

Le premier titre établit le domaine de la publicité en indiquant notamment quels sont les droits soumis à la publicité.

Title One defines the scope of publication, indicating which rights require publication.

Le titre deuxième porte sur les effets de la publicité, notamment sur l'opposabilité des droits à l'égard des tiers, sur le rang des droits entre eux et sur la protection des tiers de bonne foi. Y sont également présentées les règles sur la préinscription.

Title Two deals with the effects of publication, namely, the setting up of registered rights against third persons, the ranking of rights and the protection of third persons in good faith. It also sets out the rules on advance registration.

Le titre troisième expose les modalités de la publicité. Le premier chapitre désigne les registres où sont inscrits les droits et traite du registre foncier et du registre des droits personnels et réels mobiliers. Le deuxième chapitre traite des réquisitions d'inscription et notamment des attestations et de certaines règles d'inscription particulières. Le troisième chapitre présente les devoirs et fonctions de l'officier de la publicité des droits. Le quatrième chapitre traite de l'inscription des adresses et, enfin, le cinquième chapitre précise le cadre des règlements d'application à être établis.

Title Three sets out the formalities of registration. Chapter I designates the registers in which rights are entered, and deals with the land register and the register of personal and movable real rights. Chapter II deals with applications for registration, and in particular with certificates and certain special registration rules. Chapter III sets out the duties and functions of the registrar, and Chapter IV deals with the registration of addresses. Lastly, Chapter V is concerned with the regulations to be established to govern the application of these provisions.

Le titre quatrième, sur l'immatriculation des immeubles, traite à la fois du plan cadastral et des modifications qui y sont apportées. Il prévoit aussi des règles pour le report des droits; il expose également certaines règles applicables aux parties de lots.

Title Four, on the immatriculation of immovables, deals both with the cadastral plan and with amendments to it. It also provides for the carry-over of rights, and lays down rules governing parts of lots.

Enfin, le titre cinquième, portant sur la radiation des droits, traite successivement des causes de radiation, de certaines radiations et des formalités et effets de la radiation.

Finally, Title Five, on the cancellation of rights, deals in turn with the causes of cancellation, certain cases of cancellation and the formalities and effects of cancellation.

LIVRE DIXIÈME
DU DROIT
INTERNATIONAL PRIVÉ

Le Livre dixième introduit dans le Code civil un ensemble de règles portant sur le droit international privé. Il comprend quatre titres.

Le titre premier énonce les principes fondamentaux de cette branche du droit civil.

Le titre deuxième établit les règles de conflits de lois qui indiquent le système juridique compétent pour résoudre les situations comportant un élément d'extranéité. Il est divisé en quatre chapitres qui correspondent aux grandes divisions du droit civil soit le statut personnel, le statut réel, le statut des obligations et celui de la procédure.

Le titre troisième traite de la compétence internationale des autorités du Québec. Il est divisé en deux chapitres, l'un contenant des dispositions générales et l'autre les dispositions particulières aux matières personnelles à caractère extrapatrimonial et familial, aux matières personnelles à caractère patrimonial, ainsi qu'aux matières réelles et mixtes.

Enfin, le titre quatrième, divisé en deux chapitres, énonce les règles applicables à la reconnaissance et à l'exécution des décisions étrangères, de même que les règles relatives à la compétence des autorités étrangères.

BOOK TEN
PRIVATE INTERNATIONAL
LAW

Book Ten introduces into the Civil Code a set of rules concerning private international law. It contains four titles.

Title One sets forth the basic principles of this branch of civil law.

Title Two establishes the rules governing conflict of laws, indicating which legal system has jurisdiction to solve situations involving extraneous elements. This title is divided into four chapters, corresponding to the primary divisions of civil law, namely, the status of persons, the status of property, the status of obligations and the status of procedure.

Title Three deals with the international jurisdiction of Québec authorities. It is divided into two chapters, one containing general provisions, and the other containing the special provisions relating to matters of an extrapatrimonial and family nature or of a personal and patrimonial nature, and to real and mixed actions.

Title IV, consisting of two chapters, lays down the rules applicable to the recognition and enforcement of foreign decisions, and those regarding the jurisdiction of foreign authorities.

NOTES COMPLÉMENTAIRES

LIVRE DIXIÈME
DU DROIT
INTERNATIONAL PRIVÉ

Le livre dixième introduit dans le Code civil un ensemble de règles portant sur le droit international privé. Il comprend quatre titres, soit:

Les titres premier et deux établissent des principes fondamentaux de sphère tranchant du droit civil.

BOOK TEN
PRIVATE INTERNATIONAL
LAW

Book Ten introduces into the Civil Code a set of rules concerning private international law. It comprises four titles.

Title One sets forth the basic principles of this branch of civil law.

TABLE DES MATIÈRES
DU CODE CIVIL DU QUÉBEC

Articles

Disposition préliminaire

LIVRE PREMIER
DES PERSONNES

TITRE PREMIER — **De la jouissance et de l'exercice des droits civils** 1-9

TITRE DEUXIÈME — **De certains droits de la personnalité** 10-49
Chapitre I — **De l'intégrité de la personne** 10-31
Section I — Des soins 11-25
Section II — De la garde en établissement et de l'évaluation psychiatrique 26-31
Chapitre II — **Du respect des droits de l'enfant** 32-34
Chapitre III — **Du respect de la réputation et de la vie privée** 35-41
Chapitre IV — **Du respect du corps après le décès** 42-49

TITRE TROISIÈME — **De certains éléments relatifs à l'état des personnes** .. 50-152
Chapitre I — **Du nom** 50-74
Section I — De l'attribution du nom 50-54
Section II — De l'utilisation du nom 55-56
Section III — Du changement de nom 57-70
§ 1. — Disposition générale 57
§ 2. — Du changement de nom par voie administrative 58-64
§ 3. — Du changement de nom par voie judiciaire 65-66
§ 4. — Des effets du changement de nom . 67-70
Section IV — Du changement de la mention du sexe 71-73
Section V — De la révision des décisions .. 74
Chapitre II — **Du domicile et de la résidence** 75-83
Chapitre III — **De l'absence et du décès** .. 84-102
Section I — De l'absence 84-91
Section II — Du jugement déclaratif de décès 92-96
Section III — Du retour 97-101
Section IV — De la preuve du décès 102
Chapitre IV — **Du registre et des actes de l'état civil** 103-152
Section I — De l'officier de l'état civil 103
Section II — Du registre de l'état civil 104-106
Section III — Des actes de l'état civil 107-128
§ 1. — Dispositions générales 107-110
§ 2. — Des actes de naissance 111-117
§ 3. — Des actes de mariage 118-121
§ 3.1 — Des actes d'union civile................ 121.1-121.3
§ 4. — Des actes de décès 122-128

TABLE OF CONTENTS
CIVIL CODE OF QUÉBEC

Articles

Preliminary Provision

BOOK ONE
PERSONS

TITLE ONE — **Enjoyment and exercise of civil rights** 1-9

TITLE TWO — **Certain personality rights** 10-49
Chapter I — **Integrity of the person** 10-31
Section I — Care 11-25
Section II — Confinement in an institution and psychiatric assessment..................... 26-31
Chapter II — **Respect of children's rights** 32-34
Chapter III — **Respect of reputation and privacy** 35-41
Chapter IV — **Respect of the body after death** 42-49

TITLE THREE — **Certain particulars relating to the status of persons** 50-152
Chapter I — **Name** 50-74
Section I — Assignment of name 50-54
Section II — Use of name 55-56
Section III — Change of name 57-70
§ 1. — General provision 57
§ 2. — Change of name by way of administrative process 58-64
§ 3. — Change of name by way of judicial process 65-66
§ 4. — Effects of a change of name 67-70
Section IV — Change of designation of sex . 71-73
Section V — Review of decisions 74
Chapter II — **Domicile and residence** 75-83
Chapter III — **Absence and death** 84-102
Section I — Absence 84-91
Section II — Declaratory judgment of death 92-96
Section III — Return 97-101
Section IV — Proof of death 102
Chapter IV — **Register and acts of civil status** 103-152
Section I — Officer of civil status 103
Section II — Register of civil status 104-106
Section III — Acts of civil status 107-128
§ 1. — General provisions 107-110
§ 2. — Acts of birth 111-117
§ 3. — Acts of marriage 118-121
§ 3.1 — Acts of civil union........................ 121.1-121.3
§ 4. — Acts of death 122-128

Section IV — De la modification du registre de l'état civil 129-143
§ 1. — Disposition générale 129
§ 2. — De la confection des actes et des mentions 130-140
§ 3. — De la rectification et de la reconstitution des actes et du registre 141-143
Section V — De la publicité du registre de l'état civil 144-150
Section VI — Des pouvoirs réglementaires relatifs à la tenue et à la publicité du registre de l'état civil 151-152

TITRE QUATRIÈME — **De la capacité des personnes** 153-297
Chapitre I — **De la majorité et de la minorité** 153-176
Section I — De la majorité 153-154
Section II — De la minorité 155-166
Section III — De l'émancipation 167-176
§ 1. — De la simple émancipation 167-174
§ 2. — De la pleine émancipation 175-176
Chapitre II — **De la tutelle au mineur** 177-255
Section I — De la charge tutélaire 177-191
Section II — De la tutelle légale 192-199
Section III — De la tutelle dative 200-207
Section IV — De l'administration tutélaire .. 208-221
Section V — Du conseil de tutelle 222-239
§ 1. — Du rôle et de la constitution du conseil 222-232
§ 2. — Des droits et obligations du conseil . 233-239

Section VI — Des mesures de surveillance de la tutelle 240-249
§ 1. — De l'inventaire 240-241
§ 2. — De la sûreté 242-245
§ 3. — Des rapports et comptes 246-249
Section VII — Du remplacement du tuteur et de la fin de la tutelle 250-255
Chapitre III — **Des régimes de protection du majeur** 256-297
Section I — Dispositions générales 256-267
Section II — De l'ouverture d'un régime de protection 268-280
Section III — De la curatelle au majeur 281-284

Section IV — De la tutelle au majeur 285-290

Section V — Du conseiller au majeur 291-294
Section VI — De la fin du régime de protection 295-297

TITRE CINQUIÈME — **Des personnes morales** 298-364
Chapitre I — **De la personnalité juridique** 298-333
Section I — De la constitution et des espèces de personnes morales 298-300

Section II — Des effets de la personnalité juridique 301-320
Section III — Des obligations des administrateurs et de leurs inhabilités 321-330
Section IV — De l'attribution judiciaire de la personnalité 331-333

Section IV — Alteration of the register of civil status 129-143
§ 1. — General provision 129
§ 2. — Preparation of acts and notations 130-140
§ 3. — Rectification and reconstitution of an act and of the register 141-143
Section V — Publication of the register of civil status 144-150
Section VI — Regulatory powers relating to the keeping and publication of the register of civil status 151-152

TITLE FOUR — **Capacity of persons** 153-297
Chapter I — **Majority and minority** 153-176
Section I — Majority 153-154
Section II — Minority 155-166
Section III — Emancipation 167-176
§ 1. — Simple emancipation 167-174
§ 2. — Full emancipation 175-176
Chapter II — **Tutorship to minors** 177-255
Section I — Tutorship 177-191
Section II — Legal tutorship 192-199
Section III — Dative tutorship 200-207
Section IV — Administration of tutors 208-221
Section V — Tutorship council 222-239
§ 1. — Role and establishment of the council 222-232
§ 2. — Rights and obligations of the council 233-239
Section VI — Supervision of tutorships 240-249
§ 1. — Inventory 240-241
§ 2. — Security 242-245
§ 3. — Reports and accounts 246-249
Section VII — Replacement of tutor and end of tutorship 250-255
Chapter III — **Protective supervision of persons of full age** 256-297
Section I — General provisions 256-267
Section II — Institution of protective supervision 268-280
Section III — Curatorship to persons of full age 281-284
Section IV — Tutorship to persons of full age 285-290
Section V — Adviser to persons of full age .. 291-294
Section VI — End of protective supervision 295-297

TITLE FIVE — **Legal persons** 298-364
Chapter I — **Juridical personality** 298-333
Section I — Constitution and kinds of legal persons 298-300
Section II — Effects of juridical personality 301-320
Section III — Obligations and disqualification of directors 321-330
Section IV — Judicial attribution of personality 331-333

Chapitre II — **Des dispositions applicables à certaines personnes morales**   334-364
Section I — Du fonctionnement des per-
sonnes morales   335-354
§ 1. — De l'administration   335-344
§ 2. — De l'assemblée des membres   345-352
§ 3. — Des dispositions communes aux
réunions d'administrateurs et aux assem-
blées de membres   353-354
Section II — De la dissolution et de la
liquidation des personnes morales   355-364

Chapter II — **Provisions applicable to
certain legal persons**   334-364
Section I — Functional structure of legal
persons   335-354
§ 1. — Administration   335-344
§ 2. — General meeting   345-352
§ 3. — Provisions common to meetings of
directors and general meetings   353-354

Section II — Dissolution and liquidation
of legal persons   355-364

LIVRE DEUXIÈME
DE LA FAMILLE

BOOK TWO
THE FAMILY

TITRE PREMIER — **Du mariage**   365-521
Chapitre I — **Du mariage et de sa cé-
lébration**   365-377
Chapitre II — **De la preuve du mariage**   378-379
Chapitre III — **Des nullités de mariage**   380-390
Chapitre IV — **Des effets du mariage**   391-430
Section I — Des droits et des devoirs des
époux   392-400
Section II — De la résidence familiale   401-413
Section III — Du patrimoine familial   414-426
§ 1. — De la constitution du patrimoine   414-415
§ 2. — Du partage du patrimoine   416-426
Section IV — De la prestation com-
pensatoire   427-430
Chapitre V — **Des régimes matrimo-
niaux**   431-492
Section I — Dispositions générales   431-447
§ 1. — Du choix du régime matrimonial   431-442
§ 2. — De l'exercice des droits et pouvoirs
résultant du régime matrimonial   443-447
Section II — De la société d'acquêts   448-484
§ 1. — De ce qui compose la société
d'acquêts   448-460
§ 2. — De l'administration des biens et de
la responsabilité des dettes   461-464
§ 3. — De la dissolution et de la liquidation
du régime   465-484
Section III — De la séparation de biens   485-491
§ 1. — De la séparation conventionnelle
de biens   485-487
§ 2. — De la séparation judiciaire de biens .   488-491
Section IV — Des régimes commu-
nautaires   492
Chapitre VI — **De la séparation de
corps**   493-515
Section I — Des causes de la séparation
de corps   493-495
Section II — De l'instance en séparation
de corps   496-506
§ 1. — Disposition générale   496
§ 2. — De la demande et de la preuve   497-498
§ 3. — Des mesures provisoires   499-503
§ 4. — Des ajournements et de la récon-
ciliation   504-506
Section III — Des effets de la séparation
de corps entre les époux   507-512

TITLE ONE — **Marriage**   365-521
Chapter I — **Marriage and solemni-
zation of marriage**   365-377
Chapter II — **Proof of marriage**   378-379
Chapter III — **Nullity of marriage**   380-390
Chapter IV — **Effects of marriage**   391-430
Section I — Rights and duties of spouses ...   392-400

Section II — Family residence   401-413
Section III — Family patrimony   414-426
§ 1. — Establishment of patrimony   414-415
§ 2. — Partition of patrimony   416-426
Section IV — Compensatory allowance   427-430

Chapter V — **Matrimonial regimes**   431-492

Section I — General provisions   431-447
§ 1. — Choice of matrimonial regime   431-442
§ 2. — Exercise of rights and powers
arising out of the matrimonial regime   443-447
Section II — Partnership of acquests   448-484
§ 1. — Composition of the partnership of
acquests   448-460
§ 2. — Administration of property and
liability for debts   461-464
§ 3. — Dissolution and liquidation of the
regime   465-484
Section III — Separation as to property   485-491
§ 1. — Conventional separation as to
property   485-487
§ 2. — Judicial separation as to property   488-491
Section IV — Community regimes   492

Chapter VI — **Separation from bed
and board**   493-515
Section I — Grounds for separation from
bed and board   493-495
Section II — Proceedings for separation
from bed and board   496-506
§ 1. — General provision   496
§ 2. — Application and proof   497-498
§ 3. — Provisional measures   499-503
§ 4. — Adjournments and reconciliation   504-506

Section III — Effects between spouses of
separation from bed and board   507-512

Section IV — Des effets de la séparation
de corps à l'égard des enfants   513-514
Section V — De la fin de la séparation de
corps   515
Chapitre VII — **De la dissolution du
mariage**   516-521
Section I — Dispositions générales   516-517
Section II — Des effets du divorce   518-521

TITRE PREMIER.1 — **De l'union civile** 521.1-521.19
Chapitre I — **De la formation de
l'union civile** 521.1-521.5
Chapitre II — **Des effets civils de
l'union civile** 521.6-521.9
Chapitre III — **De la nullité de
l'union civile** 521.10-521.11
Chapitre IV — **De la dissolution de
l'union civile** 521.12-521.19

TITRE DEUXIÈME — **De la filiation**   522-584
Disposition générale   522
Chapitre I — **De la filiation par le sang**   523-537
Section I — Des preuves de la filiation   523-529
§ 1. — Du titre et de la possession d'état ...   523-524
§ 2. — De la présomption de paternité   525
§ 3. — De la reconnaissance volontaire   526-529
Section II — Des actions relatives à la
filiation   530-537
Chapitre I.1 — **De la filiation des enfants
nés d'une procréation assistée**   538-542
Chapitre II — **De l'adoption**   543-584
Section I — Des conditions de l'adoption ...   543-565
§ 1. — Dispositions générales   543-548
§ 2. — Du consentement de l'adopté   549-550
§ 3. — Du consentement des parents ou du
tuteur   551-558
§ 4. — De la déclaration d'admissibilité à
l'adoption   559-562
§ 5. — Des conditions particulières à
l'adoption d'un enfant domicilié hors du
Québec   563-565
Section II — De l'ordonnance de place-
ment et du jugement d'adoption   566-576
Section III — Des effets de l'adoption   577-581
Section IV — Du caractère confidentiel des
dossiers d'adoption   582-584

TITRE TROISIÈME — **De l'obligation
alimentaire**   585-596

TITRE QUATRIÈME — **De l'autorité
parentale**   597-612

Section IV — Effects of separation from
bed and board on children   513-514
Section V — End of separation from bed
and board   515
Chapter VII — **Dissolution of marriage** ...   516-521
Section I — General provisions   516-517
Section II — Effects of divorce   518-521

TITLE ONE.1 — **Civil union** 521.1-521.19
Chapter I — **Formation of civil
union** 521.1-521.5
Chapter II — **Civil effects of civil
union** 521.6-521.9
Chapter III — **Nullity of civil union** 521.10-521.11
Chapter IV — **Dissolution of civil
union** 521.12-521.19

TITLE TWO — **Filiation**   522-584
General provision   522
Chapter I — **Filiation by blood**   523-537
Section I — Proof of filiation   523-529
§ 1. — Title and possession of status   523-524
§ 2. — Presumption of paternity   525
§ 3. — Voluntary acknowledgement   526-529
Section II — Actions relating to filiation   530-537

Chapter I.1 — **Filiation of children
born of assisted procreation**   538-542
Chapter II — **Adoption**   543-584
Section I — Conditions for adoption   543-565
§ 1. — General provisions   543-548
§ 2. — Consent of the adopted person   549-550
§ 3. — Consent of parents or tutor   551-558

§ 4. — Declaration of eligibility for
adoption   559-562
§ 5. — Special conditions respecting adoption of a child domiciled outside Québec .   563-565

Section II — Order of placement and
adoption judgment   566-576
Section III — Effects of adoption   577-581
Section IV — Confidentiality of adoption
files   582-584

TITLE THREE — **Obligation of support** ...   585-596

TITLE FOUR — **Parental authority**   597-612

LIVRE TROISIÈME
DES SUCCESSIONS

BOOK THREE
SUCCESSIONS

TITRE PREMIER — **De l'ouverture des
successions et des qualités requises
pour succéder**   613-624
Chapitre I — **De l'ouverture des successions**   613-616
Chapitre II — **Des qualités requises
pour succéder**   617-624

TITLE ONE — **Opening of successions
and qualities for succession**   613-624

Chapter I — **Opening of successions**   613-616

Chapter II — **Qualities for succession**   617-624

TITRE DEUXIÈME — **De la transmission de la succession**	625-652
Chapitre I — **De la saisine**	625
Chapitre II — **De la pétition d'hérédité et de ses effets sur la transmission de la succession**	626-629
Chapitre III — **Du droit d'option**	630-652
Section I — De la délibération et de l'option	630-636
Section II — De l'acceptation	637-645
Section III — De la renonciation	646-652
TITRE TROISIÈME — **De la dévolution légale des successions**	653-702
Chapitre I — **De la vocation successorale**	653-654
Chapitre II — **De la parenté**	655-659
Chapitre III — **De la représentation**	660-665
Chapitre IV — **De l'ordre de dévolution de la succession**	666-683
Section I — De la dévolution au conjoint survivant et aux descendants	666-669
Section II — De la dévolution au conjoint survivant et aux ascendants ou collatéraux privilégiés	670-676
Section III — De la dévolution aux ascendants et collatéraux ordinaires	677-683
Chapitre V — **De la survie de l'obligation alimentaire**	684-695
Chapitre VI — **Des droits de l'État**	696-702
TITRE QUATRIÈME — **Des testaments**	703-775
Chapitre I — **De la nature du testament**	703-706
Chapitre II — **De la capacité requise pour tester**	707-711
Chapitre III — **Des formes du testament**	712-730
Section I — Dispositions générales	712-715
Section II — Du testament notarié	716-725
Section III — Du testament olographe	726
Section IV — Du testament devant témoins	727-730
Chapitre IV — **Des dispositions testamentaires et des légataires**	731-762
Section I — Des diverses espèces de legs	731-737
Section II — Des légataires	738-742
Section III — De l'effet des legs	743-749
Section IV — De la caducité et de la nullité des legs	750-762
Chapitre V — **De la révocation du testament ou d'un legs**	763-771
Chapitre VI — **De la preuve et de la vérification des testaments**	772-775
TITRE CINQUIÈME — **De la liquidation de la succession**	776-835
Chapitre I — **De l'objet de la liquidation et de la séparation des patrimoines**	776-782
Chapitre II — **Du liquidateur de la succession**	783-807
Section I — De la désignation et de la charge du liquidateur	783-793
Section II — De l'inventaire des biens	794-801
Section III — Des fonctions du liquidateur	802-807
Chapitre III — **Du paiement des dettes et des legs particuliers**	808-818
Section I — Des paiements faits par le liquidateur	808-814
TITLE TWO — **Transmission of successions**	625-652
Chapter I — **Seisin**	625
Chapter II — **Petition of inheritance and its effects on the transmission of the succession**	626-629
Chapter III — **The right of option**	630-652
Section I — Deliberation and option	630-636
Section II — Acceptance	637-645
Section III — Renunciation	646-652
TITLE THREE — **Legal devolution of successions**	653-702
Chapter I — **Heirship**	653-654
Chapter II — **Relationship**	655-659
Chapter III — **Representation**	660-665
Chapter IV — **Order of devolution of successions**	666-683
Section I — Devolution to the surviving spouse and to descendants	666-669
Section II — Devolution to the surviving spouse and to privileged ascendants or collaterals	670-676
Section III — Devolution to ordinary ascendants and collaterals	677-683
Chapter V — **The survival of the obligation to provide support**	684-695
Chapter VI — **Rights of the State**	696-702
TITLE FOUR — **Wills**	703-775
Chapter I — **The nature of wills**	703-706
Chapter II — **The capacity required to make a will**	707-711
Chapter III — **Forms of wills**	712-730
Section I — General provisions	712-715
Section II — Notarial wills	716-725
Section III — Holograph wills	726
Section IV — Wills made in the presence of witnesses	727-730
Chapter IV — **Testamentary dispositions and legatees**	731-762
Section I — Various kinds of legacies	731-737
Section II — Legatees	738-742
Section III — The effect of legacies	743-749
Section IV — Lapse and nullity of legacies	750-762
Chapter V — **Revocation of wills and legacies**	763-771
Chapter VI — **Proof and probate of wills**	772-775
TITLE FIVE — **Liquidation of successions**	776-835
Chapter I — **Object of liquidation and separation of patrimonies**	776-782
Chapter II — **Liquidator of the succession**	783-807
Section I — Designation and responsibilities of the liquidator	783-793
Section II — Inventory of the property	794-801
Section III — Functions of the liquidator	802-807
Chapter III — **Payment of debts and of legacies by particular title**	808-818
Section I — Payments by the liquidator	808-814

Section II — Des recours des créanciers et légataires particuliers 815-818
Chapitre IV — **De la fin de la liquidation** .. 819-835
Section I — Du compte du liquidateur 819-822
Section II — De l'obligation des héritiers et légataires particuliers après la liquidation 823-835

TITRE SIXIÈME — **Du partage de la succession** 836-898
Chapitre I — **Du droit au partage** 836-848
Chapitre II — **Des modalités du partage** .. 849-866
Section I — De la composition des lots 849-854
Section II — Des attributions préférentielles et des contestations 855-864
Section III — De la remise des titres 865-866
Chapitre III — **Des rapports** 867-883
Section I — Du rapport des dons et des legs 867-878
Section II — Du rapport des dettes 879-883
Chapitre IV — **Des effets du partage** 884-894
Section I — De l'effet déclaratif du partage 884-888

Section II — De la garantie des copartageants 889-894
Chapitre V — **De la nullité du partage** 895-898

Section II — Payments made by the heirs and legatees by particular title 815-818
Chapter IV — **End of liquidation** 819-835
Section I — Account of the liquidator 819-822
Section II — Action of heirs and legatees by particular title after liquidation 823-835

TITLE SIX — **Partition of successions** 836-898
Chapter I — **Right to partition** 836-848
Chapter II — **Modes of partition** 849-866
Section I — Composition of shares 849-854
Section II — Preferential allotments and contestation 855-864
Section III — Delivery of titles 865-866
Chapter III — **Return** 867-883
Section I — Return of gifts and legacies 867-878
Section II — Return of debts 879-883
Chapter IV — **Effects of partition** 884-894
Section I — The declaratory effect of partition 884-888
Section II — Warranty of co-partitioners 889-894
Chapter V — **Nullity of partition** 895-898

LIVRE QUATRIÈME
DES BIENS

BOOK FOUR
PROPERTY

TITRE PREMIER — **De la distinction des biens et de leur appropriation** 899-946
Chapitre I — **De la distinction des biens** . 899-907
Chapitre II — **Des biens dans leurs rapports avec ce qu'ils produisent** 908-910
Chapitre III — **Des biens dans leurs rapports avec ceux qui y ont des droits ou qui les possèdent** 911-920
Chapitre IV — **De certains rapports de fait concernant les biens** 921-946
Section I — De la possession 921-933
§ 1. — De la nature de la possession 921-927
§ 2. — Des effets de la possession 928-933
Section II — De l'acquisition des biens vacants 934-946
§ 1. — Des biens sans maître 934-938
§ 2. — Des meubles perdus ou oubliés 939-946

TITRE DEUXIÈME — **De la propriété** 947-1008
Chapitre I — **De la nature et de l'étendue du droit de propriété** 947-953
Chapitre II — **De l'accession** 954-975
Section I — De l'accession immobilière 954-970
§ 1. — De l'accession artificielle 955-964
§ 2. — De l'accession naturelle 965-970
Section II — De l'accession mobilière 971-975
Chapitre III — **Des règles particulières à la propriété immobilière** 976-1008
Section I — Disposition générale 976
Section II — Des limites du fonds et du bornage 977-978
Section III — Des eaux 979-983
Section IV — Des arbres 984-986

TITLE ONE — **Kinds of property and its appropriation** 899-946
Chapter I — **Kinds of property** 899-907
Chapter II — **Property in relation to its proceeds** 908-910
Chapter III — **Property in relation to persons having rights in it or possession of it** 911-920
Chapter IV — **Certain de facto relationships concerning property** 921-946
Section I — Possession 921-933
§ 1. — The nature of possession 921-927
§ 2. — Effects of possession 928-933
Section II — Acquisition of vacant property 934-946
§ 1. — Things without an owner 934-938
§ 2. — Lost or forgotten movables 939-946

TITLE TWO — **Ownership** 947-1008
Chapter I — **Nature and extent of the right of ownership** 947-953
Chapter II — **Accession** 954-975
Section I — Immovable accession 954-970
§ 1. — Artificial accession 955-964
§ 2. — Natural accession 965-970
Section II — Movable accession 971-975
Chapter III — **Special rules on the ownership of immovables** 976-1008
Section I — General provision 976
Section II — Limits and boundaries of land .. 977-978
Section III — Waters 979-983
Section IV — Trees 984-986

Section V — De l'accès au fonds d'autrui et de sa protection 987-992
Section VI — Des vues 993-996
Section VII — Du droit de passage 997-1001
Section VIII — Des clôtures et des ouvrages mitoyens 1002-1008

TITRE TROISIÈME — **Des modalités de la propriété** 1009-1118
Chapitre I — **Dispositions générales** 1009-1011
Chapitre II — **De la copropriété par indivision** 1012-1037
Section I — De l'établissement de l'indivision 1012-1014
Section II — Des droits et obligations des indivisaires 1015-1024
Section III — De l'administration du bien indivis 1025-1029
Section IV — De la fin de l'indivision et du partage 1030-1037
Chapitre III — **De la copropriété divise d'un immeuble** 1038-1109
Section I — De l'établissement de la copropriété divise 1038-1040
Section II — Des fractions de copropriété ... 1041-1051
Section III — De la déclaration de copropriété 1052-1062
§ 1. — Du contenu de la déclaration 1052-1058
§ 2. — De l'inscription de la déclaration 1059-1062
Section IV — Des droits et obligations des copropriétaires 1063-1069
Section V — Des droits et obligations du syndicat 1070-1083
Section VI — Du conseil d'administration du syndicat 1084-1086
Section VII — De l'assemblée des copropriétaires 1087-1103
Section VIII — De la perte de contrôle du promoteur sur le syndicat 1104-1107
Section IX — De la fin de la copropriété 1108-1109
Chapitre IV — **De la propriété superficiaire** 1110-1118
Section I — De l'établissement de la propriété superficiaire 1110-1113
Section II — De la fin de la propriété superficiaire 1114-1118

TITRE QUATRIÈME — **Des démembrements du droit de propriété** 1119-1211
Disposition générale 1119
Chapitre I — **De l'usufruit** 1120-1171
Section I — De la nature de l'usufruit 1120-1123
Section II — Des droits de l'usufruitier 1124-1141
§ 1. — De l'étendue de l'usufruit 1124-1136
§ 2. — Des impenses 1137-1138
§ 3. — Des arbres et des minéraux 1139-1141
Section III — Des obligations de l'usufruitier 1142-1161
§ 1. — De l'inventaire et des sûretés 1142-1147
§ 2. — Des assurances et des réparations . 1148-1153
§ 3. — Des autres charges 1154-1161
Section IV — De l'extinction de l'usufruit 1162-1171
Chapitre II — **De l'usage** 1172-1176
Chapitre III — **Des servitudes** 1177-1194
Section I — De la nature des servitudes 1177-1183
Section II — De l'exercice de la servitude ... 1184-1190
Section III — De l'extinction des servitudes 1191-1194

Section V — Access to and protection of the land of another 987-992
Section VI — Views 993-996
Section VII — Right of way 997-1001
Section VIII — Common fences and works 1002-1008

TITLE THREE — **Special modes of ownership** 1009-1118
Chapter I — **General provisions** 1009-1011
Chapter II — **Undivided co-ownership** 1012-1037
Section I — Establishment of indivision 1012-1014
Section II — Rights and obligations of undivided co-owners 1015-1024
Section III — Administration of undivided property 1025-1029
Section IV — End of indivision and partition 1030-1037
Chapter III — **Divided co-ownership of immovables** 1038-1109
Section I — Establishment of divided co-ownership 1038-1040
Section II — Fractions of co-ownership 1041-1051
Section III — Declaration of co-ownership ... 1052-1062
§ 1. — Content of the declaration 1052-1058
§ 2. — Entry of the declaration 1059-1062
Section IV — Rights and obligations of co-owners 1063-1069
Section V — Rights and obligations of the syndicate 1070-1083
Section VI — Board of directors of the syndicate 1084-1086
Section VII — General meeting of the co-owners 1087-1103
Section VIII — Loss of control of the syndicate by the promoter 1104-1107
Section IX — Termination of co-ownership .. 1108-1109
Chapter IV — **Superficies** 1110-1118

Section I — Establishment of superficies 1110-1113

Section II — Termination of superficies 1114-1118

TITLE FOUR — **Dismemberments of the right of ownership** 1119-1211
General provision 1119
Chapter I — **Usufruct** 1120-1171
Section I — Nature of usufruct 1120-1123
Section II — Rights of the usufructuary 1124-1141
§ 1. — Scope of the usufruct 1124-1136
§ 2. — Disbursements 1137-1138
§ 3. — Trees and minerals 1139-1141
Section III — Obligations of the usufructuary 1142-1161
§ 1. — Inventory and security 1142-1147
§ 2. — Insurance and repairs 1148-1153
§ 3. — Other charges 1154-1161
Section IV — Extinction of usufruct 1162-1171
Chapter II — **Use** 1172-1176
Chapter III — **Servitudes** 1177-1194
Section I — Nature of servitudes 1177-1183
Section II — Exercise of servitudes 1184-1190
Section III — Extinction of servitudes 1191-1194

Chapitre IV — De l'emphytéose 1195-1211
Section I — De la nature de l'emphytéose . 1195-1199
Section II — Des droits et obligations de
l'emphytéote et du propriétaire 1200-1207
Section III — De la fin de l'emphytéose 1208-1211

**TITRE CINQUIÈME — Des restrictions à
la libre disposition de certains biens** .. 1212-1255
Chapitre I — **Des stipulations d'inalié-
nabilité** 1212-1217
Chapitre II — **De la substitution** 1218-1255
Section I — De la nature et de l'étendue de
la substitution 1218-1222
Section II — De la substitution avant l'ou-
verture 1223-1239
§ 1. — Des droits et obligations du grevé ... 1223-1234

§ 2. — Des droits de l'appelé 1235-1239
Section III — De l'ouverture de la substitu-
tion 1240-1242
Section IV — De la substitution après l'ou-
verture 1243-1251
Section V — De la caducité et de la révo-
cation de la substitution 1252-1255

**TITRE SIXIÈME — De certains patri-
moines d'affectation** 1256-1298
Chapitre I — **De la fondation** 1256-1259
Chapitre II — **De la fiducie** 1260-1298
Section I — De la nature de la fiducie 1260-1265
Section II — Des diverses espèces de fidu-
cie et de leur durée 1266-1273
Section III — De l'administration de la
fiducie 1274-1292
§ 1. — De la désignation et de la charge du
fiduciaire 1274-1278
§ 2. — Du bénéficiaire et de ses droits 1279-1286
§ 3. — Des mesures de surveillance et de
contrôle 1287-1292
Section IV — Des modifications à la fidu-
cie et au patrimoine 1293-1295
Section V — De la fin de la fiducie 1296-1298

**TITRE SEPTIÈME — De l'administra-
tion du bien d'autrui** 1299-1370
Chapitre I — **Dispositions générales** 1299-1300
Chapitre II — **Des formes de l'adminis-
tration** 1301-1307
Section I — De la simple administration
du bien d'autrui 1301-1305
Section II — De la pleine administration
du bien d'autrui 1306-1307
Chapitre III — **Des règles de l'adminis-
tration** 1308-1354
Section I — Des obligations de l'adminis-
trateur envers le bénéficiaire 1308-1318
Section II — Des obligations de l'administrateur et du bénéficiaire envers les
tiers 1319-1323

Section III — De l'inventaire, des sûretés
et des assurances 1324-1331
Section IV — De l'administration collec-
tive et de la délégation 1332-1338
Section V — Des placements présumés
sûrs 1339-1344

Chapter IV — Emphyteusis 1195-1211
Section I — Nature of emphyteusis 1195-1199
Section II — Rights and obligations of the
emphyteutic lessee and of the owner 1200-1207
Section III — Termination of emphyteusis 1208-1211

**TITLE FIVE — Restrictions on the free
disposition of certain property** 1212-1255
Chapter I — **Stipulations of inalienabil-
ity** 1212-1217
Chapter II — **Substitution** 1218-1255
Section I — Nature and scope of substitu-
tion 1218-1222
Section II — Substitutions before opening ... 1223-1239
§ 1. — Rights and obligations of the insti-
tute 1223-1234
§ 2. — Rights of the substitute 1235-1239
Section III — Opening of the substitution 1240-1242

Section IV — Substitution after opening 1243-1251

Section V — Lapse and revocation of sub-
stitution 1252-1255

**TITLE SIX — Certain patrimonies by
appropriation** 1256-1298
Chapter I — **The foundation** 1256-1259
Chapter II — **The trust** 1260-1298
Section I — Nature of the trust 1260-1265
Section II — Various kinds of trusts and
their duration 1266-1273
Section III — Administration of the trust 1274-1292
§ 1. — Appointment and office of the
trustee 1274-1278
§ 2. — The beneficiary and his rights 1279-1286
§ 3. — Measures of supervision and
control 1287-1292
Section IV — Changes to the trust and to
the patrimony 1293-1295
Section V — Termination of the trust 1296-1298

**TITLE SEVEN — Administration of the
property of others** 1299-1370
Chapter I — **General provisions** 1299-1300
Chapter II — **Kinds of administration** 1301-1307

Section I — Simple administration of the
property of others 1301-1305
Section II — Full administration of the
property of others 1306-1307
Chapter III — **Rules of administration** 1308-1354

Section I — Obligations of the adminis-
trator towards the beneficiary 1308-1318
Section II — Obligations of the admin-
istrator and the beneficiary towards
third
persons 1319-1323
Section III — Inventory, security and
insurance 1324-1331
Section IV — Joint administration and
delegation 1332-1338
Section V — Presumed sound invest-
ments 1339-1344

Section VI — De la répartition des bénéfices et des dépenses	1345-1350
Section VII — Du compte annuel	1351-1354
Chapitre IV — **De la fin de l'administration**	1355-1370
Section I — Des causes mettant fin à l'administration	1355-1362
Section II — De la reddition de compte et de la remise du bien	1363-1370

Section VI — Apportionment of profit and expenditure	1345-1350
Section VII — Annual account	1351-1354
Chapter IV — **Termination of administration**	1355-1370
Section I — Causes terminating administration	1355-1362
Section II — Rendering of account and delivery of property	1363-1370

LIVRE CINQUIÈME
DES OBLIGATIONS

BOOK FIVE
OBLIGATIONS

TITRE PREMIER — **Des obligations en général**	1371-1707
Chapitre I — **Dispositions générales**	1371-1376
Chapitre II — **Du contrat**	1377-1456
Section I — Disposition générale	1377
Section II — De la nature du contrat et de certaines de ses espèces	1378-1384
Section III — De la formation du contrat	1385-1424
§ 1. — Des conditions de formation du contrat	1385-1415
I — Disposition générale	
II — Du consentement	
1. De l'échange de consentement	
2. De l'offre et de l'acceptation	
3. Des qualités et des vices du consentement	
III — De la capacité de contracter	
IV — De la cause du contrat	
V — De l'objet du contrat	
VI — De la forme du contrat	
§ 2. — De la sanction des conditions de formation du contrat	1416-1424
I — De la nature de la nullité	
II — Des effets de la nullité	
III — De la confirmation du contrat	
Section IV — De l'interprétation du contrat	1425-1432
Section V — Des effets du contrat	1433-1456
§ 1. — Des effets du contrat entre les parties	1433-1439
I — Disposition générale	
II — De la force obligatoire et du contenu du contrat	
§ 2. — Des effets du contrat à l'égard des tiers	1440-1452
I — Dispositions générales	
II — De la promesse du fait d'autrui	
III — De la stipulation pour autrui	
IV — De la simulation	
§ 3. — Des effets particuliers à certains contrats	1453-1456
I — Du transfert de droits réels	
II — Des fruits et revenus et des risques du bien	
Chapitre III — **De la responsabilité civile**	1457-1481
Section I — Des conditions de la responsabilité	1457-1469
§ 1. — Dispositions générales	1457-1458
§ 2. — Du fait ou de la faute d'autrui	1459-1464
§ 3. — Du fait des biens	1465-1469

TITLE ONE — **Obligations in general**	1371-1707
Chapter I — **General provisions**	1371-1376
Chapter II — **Contracts**	1377-1456
Section I — General provision	1377
Section II — Nature and certain classes of contracts	1378-1384
Section III — Formation of contracts	1385-1424
§ 1. — Conditions of formation of contracts	1385-1415
I — General provision	
II — Consent	
1. Exchange of consents	
2. Offer and acceptance	
3. Qualities and defects of consent	
III — Capacity to contract	
IV — Cause of contracts	
V — Object of contracts	
VI — Form of contracts	
§ 2. — Sanction of conditions of formation of contracts	1416-1424
I — Nature of nullity	
II — Effect of nullity	
III — Confirmation of the contract	
Section IV — Interpretation of contracts	1425-1432
Section V — Effects of contracts	1433-1456
§ 1. — Effects of contracts between the parties	1433-1439
I — General provision	
II — Binding force and content of contracts	
§ 2. — Effects of contracts with respect to third persons	1440-1452
I — General provisions	
II — Promise for another	
III — Stipulation for another	
IV — Simulation	
§ 3. — Special effects of certain contracts	1453-1456
I — Transfer of real rights	
II — Fruits and revenues and risks incident to property	
Chapter III — **Civil liability**	1457-1481
Section I — Conditions of liability	1457-1469
§ 1. — General provisions	1457-1458
§ 2. — Act or fault of another	1459-1464
§ 3. — Act of a thing	1465-1469

Section II — De certains cas d'exonération
de responsabilité 1470-1477
Section III — Du partage de responsabilité 1478-1481
Chapitre IV — **De certaines autres sour-
ces de l'obligation** 1482-1496
Section I — De la gestion d'affaires 1482-1490

Section II — De la réception de l'indu 1491-1492
Section III — De l'enrichissement injus-
tifié 1493-1496
Chapitre V — **Des modalités de l'obligation** 1497-1552
Section I — De l'obligation à modalité
simple 1497-1517
§ 1. — De l'obligation conditionnelle 1497-1507
§ 2. — De l'obligation à terme 1508-1517
Section II — De l'obligation à modalité
complexe 1518-1552
§ 1. — De l'obligation à plusieurs sujets 1518-1544
*I — De l'obligation conjointe, divisible
et indivisible*
II — De l'obligation solidaire
1. De la solidarité entre les débiteurs
2. De la solidarité entre les créanciers
§ 2. — De l'obligation à plusieurs objets 1545-1552
I — De l'obligation alternative
II — De l'obligation facultative
Chapitre VI — **De l'exécution de l'obligation** 1553-1636
Section I — Du paiement 1553-1589
§ 1. — Du paiement en général 1553-1568
§ 2. — De l'imputation des paiements 1569-1572
§ 3. — Des offres réelles et de la consignation 1573-1589
Section II — De la mise en oeuvre du droit
à l'exécution de l'obligation 1590-1625
§ 1. — Disposition générale 1590
§ 2. — De l'exception d'inexécution et du
droit de rétention 1591-1593
§ 3. — De la demeure 1594-1600
§ 4. — De l'exécution en nature 1601-1603
§ 5. — De la résolution ou de la résiliation
du contrat et de la réduction de l'obligation 1604-1606
§ 6. — De l'exécution par équivalent 1607-1625
I — Dispositions générales
*II — De l'évaluation des dommages-
intérêts*
1. De l'évaluation en général
2. De l'évaluation anticipée
Section III — De la protection du droit à
l'exécution de l'obligation 1626-1636
§ 1. — Des mesures conservatoires 1626
§ 2. — De l'action oblique 1627-1630
§ 3. — De l'action en inopposabilité 1631-1636
Chapitre VII — **De la transmission et
des mutations de l'obligation** 1637-1670
Section I — De la cession de créance 1637-1650
§ 1. — De la cession de créance en général 1637-1646
§ 2. — De la cession d'une créance cons-
tatée dans un titre au porteur 1647-1650
Section II — De la subrogation 1651-1659
Section III — De la novation 1660-1666
Section IV — De la délégation 1667-1670
Chapitre VIII — **De l'extinction de l'obli-
gation** 1671-1698
Section I — Disposition générale 1671

Section II — Certain cases of exemption
from liability 1470-1477
Section III — Apportionment of liability 1478-1481
Chapter IV — **Certain other sources of
obligations** 1482-1496
Section I — Management of the business
of another 1482-1490
Section II — Reception of a thing not due 1491-1492
Section III — Unjust enrichment 1493-1496

Chapter V — **Modalities of obligations** 1497-1552

Section I — Simple modalities 1497-1517
§ 1. — Conditional obligations 1497-1507
§ 2. — Obligations with a term 1508-1517
Section II — Complex modalities 1518-1552

§ 1. — Obligations with multiple persons 1518-1544
*I — Joint, divisible and indivisible
obligations*
II — Solidary obligations
1. Solidarity between debtors
2. Solidarity between creditors
§ 2. — Obligations with multiple objects 1545-1552
I — Alternative obligations
II — Facultative obligations
Chapter VI — **Performance of obligations** 1553-1636
Section I — Payment 1553-1589
§ 1. — Payment in general 1553-1568
§ 2. — Imputation of payment 1569-1572
§ 3. — Tender and deposit 1573-1589

Section II — Right to enforce performance .. 1590-1625

§ 1. — General provision 1590
§ 2. — Exception for nonperformance and
right of retention 1591-1593
§ 3. — Default 1594-1600
§ 4. — Specific performance 1601-1603
§ 5. — Resolution or resiliation of con-
tracts and reduction of obligations 1604-1606
§ 6. — Performance by equivalence 1607-1625
I — General provisions
II — Assessment of damages

1. Assessment in general
2. Anticipated assessment of damages
Section III — Protection of the right to
performance of obligations 1626-1636
§ 1. — Conservatory measures 1626
§ 2. — Oblique action 1627-1630
§ 3. — Paulian action 1631-1636
Chapter VII — **Transfer and alteration
of obligations** 1637-1670
Section I — Assignment of claims 1637-1650
§ 1. — Assignment of claims in general 1637-1646
§ 2. — Assignment of claims attested by
bearer instrument 1647-1650
Section II — Subrogation 1651-1659
Section III — Novation 1660-1666
Section IV — Delegation 1667-1670
Chapter VIII — **Extinction of obliga-
tions** 1671-1698
Section I — General provision 1671

Section II — De la compensation 1672-1682
Section III — De la confusion 1683-1686
Section IV — De la remise 1687-1692
Section V — De l'impossibilité d'exécuter
l'obligation 1693-1694
Section VI — De la libération du débiteur ... 1695-1698
Chapitre IX — **De la restitution des
prestations** 1699-1707
Section I — Des circonstances dans les-
quelles a lieu la restitution 1699
Section II — Des modalités de la restitution 1700-1706
Section III — De la situation des tiers à
l'égard de la restitution 1707

TITRE DEUXIÈME — **Des contrats
nommés** 1708-2643
Chapitre I — **De la vente** 1708-1805
Section I — De la vente en général 1708-1784
§ 1. — Dispositions générales 1708-1709
§ 2. — De la promesse 1710-1712
§ 3. — De la vente du bien d'autrui 1713-1715
§ 4. — Des obligations du vendeur 1716-1733
  I — De la délivrance
  *II — De la garantie du droit de pro-
  priété*
  III — De la garantie de qualité
  IV — De la garantie conventionnelle
§ 5. — Des obligations de l'acheteur 1734-1735
§ 6. — Des règles particulières à l'exerce
des droits des parties 1736-1743
  I — Des droits de l'acheteur
  II — Des droits du vendeur
§ 7. — De diverses modalités de la vente ... 1744-1766
  I — De la vente à l'essai
  II — De la vente à tempérament
  III — De la vente avec faculté de rachat
  IV — De la vente aux enchères
§ 8. — De la vente d'entreprise (abrogée) ... 1767-1778
§ 9. — De la vente de certains biens incor-
porels 1779-1784
  I — De la vente de droits successoraux
  II — De la vente de droits litigieux
Section II — Des règles particulières à la
vente d'immeubles à usage d'habitation .. 1785-1794
Section III — De divers contrats apparen-
tés à la vente 1795-1805
§ 1. — De l'échange 1795-1798
§ 2. — De la dation en paiement 1799-1801
§ 3. — Du bail à rente 1802-1805
Chapitre II — **De la donation** 1806-1841
Section I — De la nature et de l'étendue de
la donation 1806-1812
Section II — De certaines conditions de la
donation 1813-1824
§ 1. — De la capacité de donner et de
recevoir 1813-1815
§ 2. — De certaines règles de validité de la
donation 1816-1823
§ 3. — De la forme et de la publicité de la
donation 1824
Section III — Des droits et obligations des
parties 1825-1835
§ 1. — Dispositions générales 1825-1829
§ 2. — Des dettes du donateur 1830
§ 3. — Des charges stipulées en faveur
d'un tiers 1831-1835

Section II — Compensation 1672-1682
Section III — Confusion 1683-1686
Section IV — Release 1687-1692
Section V — Impossibility of performance ... 1693-1694
Section VI — Discharge of the debtor 1695-1698
Chapter IX — **Restitution of prestations** .. 1699-1707
Section I — Circumstances in which res-
titution takes place 1699
Section II — Mode of restitution 1700-1706
Section III — Effects of restitution on
third persons 1707

TITLE TWO — **Nominate contracts** 1708-2643
Chapter I — **Sale** 1708-1805
Section I — Sale in general 1708-1784
§ 1. — General provisions 1708-1709
§ 2. — Promise 1710-1712
§ 3. — Sale of the property of another 1713-1715
§ 4. — Obligations of the seller 1716-1733
  I — Delivery
  II — Warranty of ownership
  III — Warranty of quality
  IV — Conventional warranty
§ 5. — Obligations of the buyer 1734-1735
§ 6. — Special rules regarding the exercise
of the rights of the parties 1736-1743
  I — Rights of the buyer
  II — Rights of the seller
§ 7. — Various modes of sale 1744-1766
  I — Trial sales
  II — Instalment sales
  III — Sales with right of redemption
  IV — Auction sales
§ 8. — Sale of an enterprise (repealed) 1767-1778
§ 9. — Sale of certain incorporeal property 1779-1784
  I — Sale of rights of succession
  II — Sale of litigious rights
Section II — Special rules regarding sale
of residential immovables 1785-1794
Section III — Various contracts similar to
sale 1795-1805
§ 1. — Exchange 1795-1798
§ 2. — Giving in payment 1799-1801
§ 3. — Alienation for rent 1802-1805
Chapter II — **Gifts** 1806-1841
Section I — Nature and scope of gifts 1806-1812
Section II — Certain conditions pertaining
to gifts 1813-1824
§ 1. — Capacity to make and receive gifts .. 1813-1815
§ 2. — Certain rules governing the validity
of gifts 1816-1823
§ 3. — Form and publication of gifts 1824
Section III — Rights and obligations of the
parties 1825-1835
§ 1. — General provisions 1825-1829
§ 2. — Debts of the donor 1830
§ 3. — Charges stipulated in favour of third
persons 1831-1835

Section IV — De la révocation de la donation pour cause d'ingratitude 1836-1838
Section V — De la donation par contrat de mariage ou d'union civile 1839-1841
Chapitre III — **Du crédit-bail** 1842-1850
Chapitre IV — **Du louage** 1851-2000
Section I — De la nature du louage 1851-1853
Section II — Des droits et obligations résultant du bail 1854-1876
§ 1. — Dispositions générales 1854-1863
§ 2. — Des réparations 1864-1869
§ 3. — De la sous-location du bien et de la cession du bail 1870-1876
Section III — De la fin du bail 1877-1891
Section IV — Règles particulières au bail d'un logement 1892-2000
§ 1. — Du domaine d'application 1892-1893
§ 2. — Du bail 1894-1902
§ 3. — Du loyer 1903-1909
§ 4. — De l'état du logement 1910-1921
§ 5. — De certaines modifications au logement 1922-1929
§ 6. — De l'accès et de la visite du logement 1930-1935
§ 7. — Du droit au maintien dans les lieux . 1936-1970
I — Des bénéficiaires du droit
II — De la reconduction et de la modification du bail
III — De la fixation des conditions du bail
IV — De la reprise du logement et de l'éviction
§ 8. — De la résiliation du bail 1971-1978
§ 9. — Des dispositions particulières à certains baux 1979-2000
I — Du bail dans un établissement d'enseignement
II — Du bail d'un logement à loyer modique
III — Du bail d'un terrain destiné à l'installation d'une maison mobile
Chapitre V — **De l'affrètement** 2001-2029
Section I — Dispositions générales 2001-2006
Section II — Des règles particulières aux différents contrats d'affrètement 2007-2029
§ 1. — De l'affrètement coque-nue 2007-2013
§ 2. — De l'affrètement à temps 2014-2020
§ 3. — De l'affrètement au voyage 2021-2029
Chapitre VI — **Du transport** 2030-2084
Section I — Des règles applicables à tous les modes de transport 2030-2058
§ 1. — Dispositions générales 2030-2035
§ 2. — Du transport de personnes 2036-2039
§ 3. — Du transport de biens 2040-2058
Section II — Des règles particulières au transport maritime des biens 2059-2084
§ 1. — Dispositions générales 2059-2060
§ 2. — Des obligations des parties 2061-2079
§ 3. — De la manutention des biens 2080-2084
Chapitre VII — **Du contrat de travail** 2085-2097
Chapitre VIII — **Du contrat d'entreprise ou de service** 2098-2129
Section I — De la nature et de l'étendue du contrat 2098-2100
Section II — Des droits et obligations des parties 2101-2124
§ 1. — Dispositions générales applicables tant aux services qu'aux ouvrages 2101-2109

Section IV — Revocation of gifts on account of ingratitude 1836-1838
Section V — Gifts made by marriage or civil union contract 1839-1841
Chapter III — **Leasing** 1842-1850
Chapter IV — **Lease** 1851-2000
Section I — Nature of lease 1851-1853
Section II — Rights and obligations resulting from lease 1854-1876
§ 1. — General provisions 1854-1863
§ 2. — Repairs 1864-1869
§ 3. — Sublease of property and assignment of lease 1870-1876
Section III — Termination of the lease 1877-1891
Section IV — Special rules respecting leases of dwellings 1892-2000
§ 1. — Application 1892-1893
§ 2. — Lease 1894-1902
§ 3. — Rent 1903-1909
§ 4. — Condition of dwelling 1910-1921
§ 5. — Certain changes to dwelling 1922-1929
§ 6. — Access to and visit of dwelling 1930-1935
§ 7. — Right to maintain occupancy 1936-1970
I — Holders of the right
II — Renewal and modification of lease
III — Fixing conditions of lease
IV — Repossession of a dwelling and eviction
§ 8. — Resiliation of lease 1971-1978
§ 9. — Special provisions respecting certain leases 1979-2000
I — Lease with an educational institution
II — Lease of a dwelling in low-rental housing
III — Lease of land intended for the installation of a mobile home
Chapter V — **Affreightment** 2001-2029
Section I — General provisions 2001-2006
Section II — Special rules governing different contracts of affreightment 2007-2029
§ 1. — Bareboat charter 2007-2013
§ 2. — Time charter 2014-2020
§ 3. — Voyage charter 2021-2029
Chapter VI — **Carriage** 2030-2084
Section I — Rules applicable to all means of transportation 2030-2058
§ 1. — General provisions 2030-2035
§ 2. — Carriage of persons 2036-2039
§ 3. — Carriage of property 2040-2058
Section II — Special rules governing carriage of property by water 2059-2084
§ 1. — General provisions 2059-2060
§ 2. — Obligations of parties 2061-2079
§ 3. — Handling of property 2080-2084
Chapter VII — **Contract of employment** ... 2085-2097
Chapter VIII — **Contract of enterprise or for services** 2098-2129
Section I — Nature and scope of the contract 2098-2100
Section II — Rights and obligations of the parties 2101-2124
§ 1. — General provisions applicable to both services and works 2101-2109

§ 2. — Dispositions particulières aux ouvrages 2110-2124
I — Dispositions générales
II — Des ouvrages immobiliers
Section III — De la résiliation du contrat 2125-2129
Chapitre IX — Du mandat 2130-2185
Section I — De la nature et de l'étendue du mandat 2130-2137
Section II — Des obligations des parties entre elles 2138-2156
§ 1. — Des obligations du mandataire envers le mandant 2138-2148
§ 2. — Des obligations du mandant envers le mandataire 2149-2156
Section III — Des obligations des parties envers les tiers 2157-2165
§ 1. — Des obligations du mandataire envers les tiers 2157-2159
§ 2. — Des obligations du mandant envers les tiers 2160-2165
Section IV — Des règles particulières au mandat donné en prévision de l'inaptitude du mandant 2166-2174
Section V — De la fin du mandat 2175-2185
Chapitre X — Du contrat de société et d'association 2186-2279
Section I — Dispositions générales 2186-2197
Section II — De la société en nom collectif . 2198-2235
§ 1. — Des rapports des associés entre eux et envers la société 2198-2218
§ 2. — Des rapports de la société et des associés envers les tiers 2219-2225
§ 3. — De la perte de la qualité d'associé .. 2226-2229
§ 4. — De la dissolution et de la liquidation de la société 2230-2235
Section III — De la société en commandite 2236-2249
Section IV — De la société en participation 2250-2266
§ 1. — De la constitution de la société 2250
§ 2. — Des rapports des associés entre eux 2251
§ 3. — Des rapports des associés envers les tiers 2252-2257
§ 4. — De la fin du contrat de société 2258-2266
Section V — De l'association 2267-2279
Chapitre XI — Du dépôt 2280-2311
Section I — Du dépôt en général 2280-2294
§ 1. — Dispositions générales 2280-2282
§ 2. — Des obligations du dépositaire 2283-2292
§ 3. — Des obligations du déposant 2293-2294
Section II — Du dépôt nécessaire 2295-2297
Section III — Du dépôt hôtelier 2298-2304
Section IV — Du séquestre 2305-2311
Chapitre XII — Du prêt 2312-2332
Section I — Des espèces de prêt et de leur nature 2312-2316
Section II — Du prêt à usage 2317-2326
Section III — Du simple prêt 2327-2332
Chapitre XIII — Du cautionnement 2333-2366
Section I — De la nature, de l'objet et de l'étendue du cautionnement 2333-2344
Section II — Des effets du cautionnement .. 2345-2360
§ 1. — Des effets entre le créancier et la caution 2345-2355
§ 2. — Des effets entre le débiteur et la caution 2356-2359

§ 2. — Special provisions respecting works 2110-2124
I — General provisions
II — Immovable works
Section III — Resiliation of the contract 2125-2129
Chapter IX — Mandate 2130-2185
Section I — Nature and scope of mandate .. 2130-2137
Section II — Obligations between parties 2138-2156
§ 1. — Obligations of the mandatary towards the mandator 2138-2148
§ 2. — Obligations of the mandator towards the mandatary 2149-2156
Section III — Obligations of parties towards third persons 2157-2165
§ 1. — Obligations of the mandatary towards third persons 2157-2159
§ 2. — Obligations of the mandator towards third persons 2160-2165
Section IV — Special rules governing the mandate given in anticipation of the mandator's incapacity 2166-2174
Section V — Termination of mandate 2175-2185
Chapter X — Contract of partnership and of association 2186-2279
Section I — General provisions 2186-2197
Section II — General partnerships 2198-2235
§ 1. — Relations of partners between themselves and with the partnership 2198-2218
§ 2. — Relations of the partnership and the partners with third persons 2219-2225
§ 3. — Loss of the quality of partner 2226-2229
§ 4. — Dissolution and liquidation of the partnership 2230-2235
Section III — Limited partnerships 2236-2249
Section IV — Undeclared partnerships 2250-2266
§ 1. — Establishment of an undeclared partnership 2250
§ 2. — Relations of the partners between themselves 2251
§ 3. — Relations of the partners with third persons 2252-2257
§ 4. — Termination of the contract of undeclared partnership 2258-2266
Section V — Associations 2267-2279
Chapter XI — Deposit 2280-2311
Section I — Deposit in general 2280-2294
§ 1. — General provisions 2280-2282
§ 2. — Obligations of the depositary 2283-2292
§ 3. — Obligations of the depositor 2293-2294
Section II — Necessary deposit 2295-2297
Section III — Deposit with an innkeeper 2298-2304
Section IV — Sequestration 2305-2311
Chapter XII — Loan 2312-2332
Section I — Nature and kinds of loans 2312-2316
Section II — Loan for use 2317-2326
Section III — Simple loan 2327-2332
Chapter XIII — Suretyship 2333-2366
Section I — Nature, object and extent of suretyship 2333-2344
Section II — Effects of suretyship 2345-2360
§ 1. — Effects between the creditor and the surety 2345-2355
§ 2. — Effects between the debtor and the surety 2356-2359

§ 3. — Des effets entre les cautions 2360
Section III — De la fin du cautionnement ... 2361-2366
Chapitre XIV — **De la rente** 2367-2388
Section I — De la nature du contrat et de
la portée des règles qui le régissent 2367-2370
Section II — De l'étendue du contrat 2371-2376
Section III — De certains effets du contrat . 2377-2388

Chapitre XV — **Des assurances** 2389-2628
Section I — Dispositions générales 2389-2414
§ 1. — De la nature du contrat et des diverses espèces d'assurance 2389-2397
§ 2. — De la formation et du contenu du
contrat 2398-2407
§ 3. — Des déclarations et engagements
du preneur en assurance terrestre 2408-2413
§ 4. — Disposition particulière 2414
Section II — Des assurances de personnes 2415-2462
§ 1. — Du contenu de la police d'assurance 2415-2417
§ 2. — De l'intérêt d'assurance 2418-2419
§ 3. — De la déclaration de l'âge et du
risque 2420-2424
§ 4. — De la prise d'effet de l'assurance 2425-2426
§ 5. — Des primes, des avances et de la
remise en vigueur de l'assurance 2427-2434
§ 6. — De l'exécution du contrat d'assu-
rance 2435-2444
§ 7. — De la désignation des bénéficiaires
et des titulaires subrogés 2445-2460
I — Des conditions de la désignation
II — Des effets de la désignation
§ 8. — De la cession et de l'hypothèque
d'un droit résultant d'un contrat d'assu-
rance 2461-2462
Section III — De l'assurance de dommages 2463-2504
§ 1. — Dispositions communes à l'assu-
rance de biens et de responsabilité 2463-2479
I — Du caractère indemnitaire de
l'assurance
II — De l'aggravation du risque
III — Du paiement de la prime
IV — De la déclaration de sinistre et du
paiement de l'indemnité
V — De la cession de l'assurance
VI — De la résiliation du contrat
§ 2. — Des assurances de biens 2480-2497
I — Du contenu de la police
II — De l'intérêt d'assurance
III — De l'étendue de la garantie
IV — Du montant d'assurance
V — Du sinistre et du paiement de
l'indemnité
§ 3. — Des assurances de responsabilité .. 2498-2504
Section IV — De l'assurance maritime 2505-2628
§ 1. — Dispositions générales 2505-2510
§ 2. — De l'intérêt d'assurance 2511-2517
I — De la nécessité de l'intérêt
II — Des cas d'intérêt d'assurance
III — De l'étendue de l'intérêt d'assu-
rance
§ 3. — De la détermination de la valeur
assurable des biens 2518-2519
§ 4. Du contrat et de la police 2520-2533
I — De la souscription
II — Des espèces de contrats
III — Du contenu de la police d'assu-
rance

§ 3. — Effects between sureties 2360
Section III — Termination of suretyship 2361-2366
Chapter XIV — **Annuities** 2367-2388
Section I — Nature of the contract and
scope of the rules governing it 2367-2370
Section II — Scope of the contract 2371-2376
Section III — Certain effects of the
contract 2377-2388

Chapter XV — **Insurance** 2389-2628
Section I — General provisions 2389-2414
§ 1. — Nature of the contract of insurance
and classes of insurance 2389-2397
§ 2. — Formation and content of the con-
tract 2398-2407
§ 3. — Representations and warranties of
insured in non-marine insurance 2408-2413
§ 4. — Special provision 2414
Section II — Insurance of persons 2415-2462
§ 1. — Content of policy 2415-2417
§ 2. — Insurable interest 2418-2419
§ 3. — Representation of age and risk 2420-2424
§ 4. — Effective date 2425-2426
§ 5. — Premiums, advances and reinstate-
ment 2427-2434
§ 6. — Performance of the contract of
insurance 2435-2444
§ 7. — Designation of beneficiaries and
subrogated policyholders 2445-2460
I — Conditions of designation
II — Effects of designation
§ 8. — Assignment and hypothecation of a
right under a contract of insurance 2461-2462
Section III — Damage insurance 2463-2504
§ 1. — Provisions common to property
insurance and liability insurance 2463-2479
I — Principle of indemnity
II — Material change in risk
III — Payment of premium
IV — Notice of loss and payment of
indemnity
V — Assignment
VI — Cancellation of the contract
§ 2. — Property insurance 2480-2497
I — Content of policy
II — Insurable interest
III — Extent of coverage
IV — Amount of insurance
V — Losses, and payment of indemnity
§ 3. — Liability insurance 2498-2504
Section IV — Marine insurance 2505-2628
§ 1. — General provisions 2505-2510
§ 2. — Insurable interest 2511-2517
I — Necessity of interest
II — Instances of insurable interest
III — Extent of insurable interest
§ 3. — Measure of insurable value 2518-2519
§ 4. — Contract and policy 2520-2533
I — Subscription
II — Kinds of contract
III — Content of policy

IV — De la cession de la police d'assu- rance	
V — De la preuve et de la ratification du contrat	
§ 5. — Des droits et obligations des parties relativement à la prime	2534-2544
§ 6. — Des déclarations	2545-2552
§ 7. — Des engagements	2553-2564
§ 8. — Du voyage	2565-2574
I — Du départ	
II — Du changement de voyage	
III — Du déroutement	
IV — Du retard	
V — Des retards et des déroutements excusables	
§ 9. — De la déclaration du sinistre, des pertes et des dommages	2575-2586
§ 10. — Du délaissement	2587-2595
§ 11. — Des espèces d'avaries	2596-2603
§ 12. — Du calcul de l'indemnité	2604-2619
§ 13. — Dispositions diverses	2620-2628
I — De la subrogation	
II — Du cumul de contrats	
III — De la sous-assurance	
IV — De l'assurance mutuelle	
V — De l'action directe	
Chapitre XVI — **Du jeu et du pari**	2629-2630
Chapitre XVII — **De la transaction**	2631-2637
Chapitre XVIII — **De la convention d'ar- bitrage**	2638-2643

IV — Assignment of policy	
V — Evidence and ratification of the contract	
§ 5. — Rights and obligations of the parties as regards the premium	2534-2544
§ 6. — Disclosure and representations	2545-2552
§ 7. — Warranties	2553-2564
§ 8. — The voyage	2565-2574
I — Commencement	
II — Change of voyage	
III — Deviation	
IV — Delay	
V — Excuses for deviation or delay	
§ 9. — Notice of loss	2575-2586
§ 10. — Abandonment	2587-2595
§ 11. — Kinds of average loss	2596-2603
§ 12. — Measure of indemnity	2604-2619
§ 13. — Miscellaneous provisions	2620-2628
I — Subrogation	
II — Double insurance	
III — Under-insurance	
IV — Mutual insurance	
V — Direct action	
Chapter XVI — **Gaming and wagering**	2629-2630
Chapter XVII — **Transaction**	2631-2637
Chapter XVIII — **Arbitration agreements**	2638-2643

LIVRE SIXIÈME

DES PRIORITÉS ET DES HYPOTHÈQUES

BOOK SIX

PRIOR CLAIMS AND HYPOTHECS

TITRE PREMIER — **Du gage commun des créanciers**	2644-2649
TITRE DEUXIÈME — **Des priorités**	2650-2659
TITRE TROISIÈME — **Des hypothèques**	2660-2802
Chapitre I — **Dispositions générales**	2660-2680
Section I — De la nature de l'hypothèque	2660-2663
Section II — Des espèces d'hypothèque	2664-2665
Section III — De l'objet et de l'étendue de l'hypothèque	2666-2680
Chapitre II — **De l'hypothèque conven- tionnelle**	2681-2723
Section I — Du constituant de l'hypothèque	2681-2686
Section II — De l'obligation garantie par hypothèque	2687-2692
Section III — De l'hypothèque immobilière	2693-2695
Section IV — De l'hypothèque mobilière	2696-2714
§ 1. — Dispositions particulières à l'hypo- thèque mobilière sans dépossession	2696-2701
§ 2. — Dispositions particulières à l'hypo- thèque mobilière avec dépossession	2702-2709
§ 3. — Dispositions particulières à l'hypo- thèque mobilière sur des créances	2710-2713
§ 4. — Dispositions particulières à l'hypo- thèque mobilière sur navire, cargaison ou fret	2714
Section V — De l'hypothèque ouverte	2715-2723
Chapitre III — **De l'hypothèque légale**	2724-2732

TITLE ONE — **Common pledge of credi- tors**	2644-2649
TITLE TWO — **Prior claims**	2650-2659
TITLE THREE — **Hypothecs**	2660-2802
Chapter I — **General provisions**	2660-2680
Section I — Nature of hypothecs	2660-2663
Section II — Kinds of hypothec	2664-2665
Section III — Object and extent of hy- pothecs	2666-2680
Chapter II — **Conventional hypothecs**	2681-2723
Section I — Grantor of a hypothec	2681-2686
Section II — Obligations secured by hy- pothecs	2687-2692
Section III — Immovable hypothecs	2693-2695
Section IV — Movable hypothecs	2696-2714
§ 1. — Movable hypothecs without delivery	2696-2701
§ 2. — Movable hypothecs with delivery	2702-2709
§ 3. — Movable hypothecs on claims	2710-2713
§ 4. — Movable hypothecs on ships, cargo or freight	2714
Section V — Floating hypothecs	2715-2723
Chapter III — **Legal hypothecs**	2724-2732

Chapitre IV — **De certains effets de l'hypothèque** 2733-2747
Section I — Dispositions générales 2733-2735
Section II — Des droits et obligations du créancier qui détient le bien hypothéqué 2736-2742
Section III — Des droits et obligations du créancier titulaire d'une hypothèque sur des créances 2743-2747
Chapitre V — **De l'exercice des droits hypothécaires** 2748-2794
Section I — Disposition générale 2748
Section II — Des conditions générales d'exercice des droits hypothécaires 2749-2756
Section III — Des mesures préalables à l'exercice des droits hypothécaires 2757-2772
§ 1. — Du préavis 2757-2760
§ 2. — Des droits du débiteur ou de celui contre qui le droit hypothécaire est exercé 2761-2762
§ 3. — Du délaissement 2763-2772
Section IV — De la prise de possession à des fins d'administration 2773-2777
Section V — De la prise en paiement 2778-2783
Section VI — De la vente par le créancier .. 2784-2790
Section VII — De la vente sous contrôle de justice 2791-2794
Chapitre VI — **De l'extinction des hypothèques** 2795-2802

Chapter IV — **Certain effects of hypothecs** 2733-2747
Section I — General provisions 2733-2735
Section II — Rights and obligations of creditors in possession of hypothecated property 2736-2742
Section III — Rights and obligations of creditors holding hypothecated claims 2743-2747
Chapter V — **Exercise of hypothecary rights** 2748-2794
Section I — General provision 2748
Section II — General conditions for the exercise of hypothecary rights 2749-2756
Section III — Preliminary measures 2757-2772
§ 1. — Prior notice 2757-2760
§ 2. — Rights of the debtor or person against whom a hypothecary right is exercised 2761-2762
§ 3. — Surrender 2763-2772
Section IV — Taking possession for purposes of administration 2773-2777
Section V — Taking in payment 2778-2783
Section VI — Sale by the creditor 2784-2790
Section VII — Sale by judicial authority 2791-2794
Chapter VI — **Extinction of hypothecs** 2795-2802

LIVRE SEPTIÈME
DE LA PREUVE

BOOK SEVEN
EVIDENCE

TITRE PREMIER — **Du régime général de la preuve** 2803-2810
Chapitre I — **Dispositions générales** 2803-2805
Chapitre II — **De la connaissance d'office** 2806-2810

TITRE DEUXIÈME — **Des moyens de preuve** 2811-2856
Chapitre I — **De l'écrit** 2812-2842
Section I — Des copies de lois 2812
Section II — Des actes authentiques 2813-2821
Section III — Des actes semi-authentiques 2822-2825
Section IV — Des actes sous seing privé ... 2826-2830
Section V — Des autres écrits 2831-2836
Section VI — Des supports de l'écrit et de la neutralité technologique 2837-2840
Section VII — Des copies et des documents résultant d'un transfert 2841-2842
Chapitre II — **Du témoignage** 2843-2845
Chapitre III — **De la présomption** 2846-2849
Chapitre IV — **De l'aveu** 2850-2853
Chapitre V — **De la présentation d'un élément matériel** 2854-2856

TITRE TROISIÈME — **De la recevabilité des éléments et des moyens de preuve** 2857-2874
Chapitre I — **Des éléments de preuve** 2857-2858
Chapitre II — **Des moyens de preuve** 2859-2868
Chapitre III — **De certaines déclarations** . 2869-2874

TITLE ONE — **General rules of evidence** 2803-2810
Chapter I — **General provisions** 2803-2805
Chapter II — **Judicial notice** 2806-2810

TITLE TWO — **Proof** 2811-2856
Chapter I — **Writings** 2812-2842
Section I — Copies of statutes 2812
Section II — Authentic acts 2813-2821
Section III — Semi-authentic acts 2822-2825
Section IV — Private writings 2826-2830
Section V — Other writings 2831-2836
Section VI — Media for writings and technological neutrality 2837-2840
Section VII — Copies and documents resulting from a transfer 2841-2842
Chapter II — **Testimony** 2843-2845
Chapter III — **Presumptions** 2846-2849
Chapter IV — **Admissions** 2850-2853
Chapter V — **Production of material things** 2854-2856

TITLE THREE — **Admissibility of evidence and proof** 2857-2874
Chapter I — **Evidence** 2857-2858
Chapter II — **Proof** 2859-2868
Chapter III — **Certain statements** 2869-2874

LIVRE HUITIÈME
DE LA PRESCRIPTION

TITRE PREMIER — **Du régime de la prescription** 2875-2909
Chapitre I — **Dispositions générales** 2875-2882
Chapitre II — **De la renonciation à la prescription** 2883-2888
Chapitre III — **De l'interruption de la prescription** 2889-2903
Chapitre IV — **De la suspension de la prescription** 2904-2909

TITRE DEUXIÈME — **De la prescription acquisitive** 2910-2920
Chapitre I — **Des conditions d'exercice de la prescription acquisitive** 2910-2916
Chapitre II — **Des délais de la prescription acquisitive** 2917-2920

TITRE TROISIÈME — **De la prescription extinctive** 2921-2933

BOOK EIGHT
PRESCRIPTION

TITLE ONE — **Rules governing prescription** 2875-2909
Chapter I — **General provisions** 2875-2882
Chapter II — **Renunciation of prescription** 2883-2888
Chapter III — **Interruption of prescription** 2889-2903
Chapter IV — **Suspension of prescription** 2904-2909

TITLE TWO — **Acquisitive prescription** ... 2910-2920
Chapter I — **Conditions of acquisitive prescription** 2910-2916
Chapter II — **Periods of acquisitive prescription** 2917-2920

TITLE THREE — **Extinctive prescription** 2921-2933

LIVRE NEUVIÈME
DE LA PUBLICITÉ DES DROITS

TITRE PREMIER — **Du domaine de la publicité** 2934-2940
Chapitre I — **Dispositions générales** 2934-2937
Chapitre II — **Des droits soumis ou admis à la publicité** 2938-2940

TITRE DEUXIÈME — **Des effets de la publicité** 2941-2968
Chapitre I — **De l'opposabilité** 2941-2944
Chapitre II — **Du rang des droits** 2945-2956
Chapitre III — **De certains autres effets** ... 2957-2961.1
Chapitre IV — **De la protection des tiers de bonne foi** 2962-2965
Chapitre V — **De la préinscription** 2966-2968

TITRE TROISIÈME — **Des modalités de la publicité** 2969-3025
Chapitre I — **Des registres où sont inscrits les droits** 2969-2980
Section I — Dispositions générales 2969-2971.1
Section II — Du registre foncier 2972-2979
Section III — Du registre des mentions 2979.1
Section IV — Du registre des droits personnels et réels mobiliers 2980
Chapitre II — **Des réquisitions d'inscription** 2981-3006
Section I — Règles générales 2981-2987
Section II — Des attestations 2988-2995
Section III — De certaines règles d'inscription 2996-3006
Chapitre III — **Des devoirs et fonctions de l'officier de la publicité des droits** 3006.1-3021
Chapitre IV — **De l'inscription des adresses** 3022-3023.1
Chapitre V — **Des règlements d'application** 3024-3025

BOOK NINE
PUBLICATION OF RIGHTS

TITLE ONE — **Nature and scope of publication** 2934-2940
Chapter I — **General provisions** 2934-2937
Chapter II — **Rights requiring or admissible for publication** 2938-2940

TITLE TWO — **Effects of publication** 2941-2968
Chapter I — **Setting up of rights** 2941-2944
Chapter II — **Ranking of rights** 2945-2956
Chapter III — **Other effects** 2957-2961.1
Chapter IV — **Protection of third persons in good faith** 2962-2965
Chapter V — **Advance registration** 2966-2968

TITLE THREE — **Formalities of publication** 2969-3025
Chapter I — **Registers of rights** 2969-2980
Section I — General provisions 2969-2971.1
Section II — Land register 2972-2979
Section III — Register of mentions 2979.1
Section IV — Register of personal and movable real rights 2980
Chapter II — **Applications for registration** 2981-3006
Section I — General rules 2981-2987
Section II — Certificates 2988-2995
Section III — Special registration rules 2996-3006
Chapter III — **Duties and functions of the registrar** 3006.1-3021
Chapter IV — **Registration of addresses** . 3022-3023.1
Chapter V — **Regulations** 3024-3025

TITRE QUATRIÈME — **De l'immatriculation des immeubles**	3026-3056
Chapitre I — **Du plan cadastral**	3026-3042
Chapitre II — **Des modifications du cadastre**	3043-3045
Chapitre III — **Du report des droits (Abrogé)**	3046-3053
Chapitre IV — **Des parties de lot**	3054-3056
TITRE CINQUIÈME — **De la radiation**	3057-3075.1
Chapitre I — **Des causes de radiation**	3057-3066
Chapitre II — **De certaines radiations**	3066.1-3071
Chapitre III — **Des formalités et des effets de la radiation**	3072-3075.1

TITLE FOUR — **Immatriculation of immovables**	3026-3056
Chapter I — **Cadastral plan**	3026-3042
Chapter II — **Amendments to the cadastre**	3043-3045
Chapter III — **Carry-over of rights (Repealed)**	3046-3053
Chapter IV — **Parts of lots**	3054-3056
TITLE FIVE — **Cancellation**	3057-3075.1
Chapter I — **Causes of cancellation**	3057-3066
Chapter II — **Certain cases of cancellation**	3066.1-3071
Chapter III — **Formalities and effects of cancellation**	3072-3075.1

LIVRE DIXIÈME
DU DROIT INTERNATIONAL PRIVÉ

BOOK TEN
PRIVATE INTERNATIONAL LAW

TITRE PREMIER — **Dispositions générales**	3076-3082
TITRE DEUXIÈME — **Des conflits de lois**	3083-3133
Chapitre I — **Du statut personnel**	3083-3096
Section I — Dispositions générales	3083-3084
Section II — Dispositions particulières	3085-3096
§ 1. — Des incapacités	3085-3087
§ 2. — Du mariage	3088-3089
§ 3. — De la séparation de corps	3090
§ 3.1 — De l'union civile	3090.1-3090.3
§ 4. — De la filiation par le sang et de la filiation adoptive	3091-3093
§ 5. — De l'obligation alimentaire	3094-3096
Chapitre II — **Du statut réel**	3097-3108
Section I — Disposition générale	3097
Section II — Dispositions particulières	3098-3108
§ 1. — Des successions	3098-3101
§ 2. — Des sûretés mobilières	3102-3106
§ 3. — De la fiducie	3107-3108
Chapitre III — **Du statut des obligations**	3109-3131
Section I — Dispositions générales	3109-3113
§ 1. — De la forme des actes juridiques	3109-3110
§ 2. — Du fond des actes juridiques	3111-3113
Section II — Dispositions particulières	3114-3131
§ 1. — De la vente	3114-3115
§ 2. — De la représentation conventionnelle	3116
§ 3. — Du contrat de consommation	3117
§ 4. — Du contrat de travail	3118
§ 5. — Du contrat d'assurance terrestre	3119
§ 6. — De la cession de créance	3120
§ 7. — De l'arbitrage	3121
§ 8. — Du régime matrimonial ou d'union civile	3122-3124
§ 9. — De certaines autres sources de l'obligation	3125
§ 10. — De la responsabilité civile	3126-3129
§ 11. — De la preuve	3130
§ 12. — De la prescription	3131
Chapitre IV — **Du statut de la procédure**	3132-3133

TITLE ONE — **General provisions**	3076-3082
TITLE TWO — **Conflict of laws**	3083-3133
Chapter I — **Personal status**	3083-3096
Section I — General provisions	3083-3084
Section II — Special provisions	3085-3096
§ 1. — Incapacity	3085-3087
§ 2. — Marriage	3088-3089
§ 3. — Separation from bed and board	3090
§ 3.1 — Civil union	3090.1-3090.3
§ 4. — Filiation by blood or through adoption	3091-3093
§ 5. — Obligation of support	3094-3096
Chapter II — **Status of property**	3097-3108
Section I — General provision	3097
Section II — Special provisions	3098-3108
§ 1. — Successions	3098-3101
§ 2. — Movable securities	3102-3106
§ 3. — Trusts	3107-3108
Chapter III — **Status of obligations**	3109-3131
Section I — General provisions	3109-3113
§ 1. — Form of juridical acts	3109-3110
§ 2. — Content of juridical acts	3111-3113
Section II — Special provisions	3114-3131
§ 1. — Sale	3114-3115
§ 2. — Conventional representation	3116
§ 3. — Consumer contract	3117
§ 4. — Contract of employment	3118
§ 5. — Contract of non-marine insurance	3119
§ 6. — Assignment of claim	3120
§ 7. — Arbitration	3121
§ 8. — Matrimonial or civil union regime	3122-3124
§ 9. — Certain other sources of obligation	3125
§ 10. — Civil liability	3126-3129
§ 11. — Evidence	3130
§ 12. — Prescription	3131
Chapter IV — **Status of procedure**	3132-3133

TITRE TROISIÈME — **De la compétence internationale des autorités du Québec** 3134-3154

Chapitre I — **Dispositions générales** 3134-3140

Chapitre II — **Dispositions particulières** .. 3141-3154

Section I — Des actions personnelles à caractère extrapatrimonial et familial 3141-3147

Section II — Des actions personnelles à caractère patrimonial 3148-3151

Section III — Des actions réelles et mixtes . 3152-3154

TITRE QUATRIÈME — **De la reconnaissance et de l'exécution des décisions étrangères et de la compétence des autorités étrangères** 3155-3168

Chapitre I — **De la reconnaissance et de l'exécution des décisions étrangères** .. 3155-3163

Chapitre II — **De la compétence des autorités étrangères** 3164-3168

Dispositions finales

TITLE THREE — **International jurisdiction of Québec authorities** 3134-3154

Chapter I — **General provisions** 3134-3140

Chapter II — **Special provisions** 3141-3154

Section I — Personal actions of an extra-patrimonial and family nature 3141-3147

Section II — Personal actions of a patrimonial nature 3148-3151

Section III — Real and mixed actions 3152-3154

TITLE FOUR — **Recognition and enforcement of foreign decisions and jurisdiction of foreign authorities** 3155-3168

Chapter I — **Recognition and enforcement of foreign decisions** 3155-3163

Chapter II — **Jurisdiction of foreign authorities** 3164-3168

Final provisions

Appendice

Loi modifiant le Code civil et d'autres dispositions législatives relativement à la publicité foncière (2000, c. 42)

Dispositions transitoires (extraits) .... p. 777

Appendix

An Act to amend the Civil Code and other legislative provisions relating to land and registration (2000, c. 42)

Transitional provisions (extracts) .... p. 777

1991, CHAPITRE 64

CODE CIVIL DU QUÉBEC

1991, CHAPTER 64

CIVIL CODE OF QUÉBEC

LE PARLEMENT DU QUÉBEC
DÉCRÈTE CE QUI SUIT:

THE PARLIAMENT OF QUÉBEC
ENACTS AS FOLLOWS:

DISPOSITION PRÉLIMINAIRE

Le Code civil du Québec régit, en harmonie avec la Charte des droits et libertés de la personne et les principes généraux du droit, les personnes, les rapports entre les personnes, ainsi que les biens.

Le code est constitué d'un ensemble de règles qui, en toutes matières auxquelles se rapportent la lettre, l'esprit ou l'objet de ses dispositions, établit, en termes exprès ou de façon implicite, le droit commun. En ces matières, il constitue le fondement des autres lois qui peuvent elles-mêmes ajouter au code ou y déroger.

(**C.C.Q.** 300, 1376)

PRELIMINARY PROVISION

The Civil Code of Québec, in harmony with the Charter of human rights and freedoms and the general principles of law, governs persons, relations between persons, and property.

The Civil Code comprises a body of rules which, in all matters within the letter, spirit or object of its provisions, lays down the jus commune, expressly or by implication. In these matters, the Code is the foundation of all other laws, although other laws may complement the Code or make exceptions to it.

LIVRE PREMIER
DES PERSONNES

BOOK ONE
PERSONS

TITRE PREMIER
DE LA JOUISSANCE ET DE L'EXERCICE DES DROITS CIVILS

TITLE ONE
ENJOYMENT AND EXERCISE OF CIVIL RIGHTS

Art. 1. Tout être humain possède la personnalité juridique; il a la pleine jouissance des droits civils.
1991, c. 64, a. 1 (1994-01-01).

Art. 1. Every human being possesses juridical personality and has the full enjoyment of civil rights.

C.C.B.C. 18; **L.R.Q.**, c. C-12, a. 1 (**D.T.** 423; **C.C.Q.** 4-9, 1607)

Art. 2. Toute personne est titulaire d'un patrimoine.

Celui-ci peut faire l'objet d'une division ou d'une affectation, mais dans la seule mesure prévue par la loi.
1991, c. 64, a. 2 (1994-01-01).

Art. 2. Every person has a patrimony.

The patrimony may be divided or appropriated to a purpose, but only to the extent provided by law.

(**C.C.Q.** 414 ss., 625, 911 ss., 1611)

Art. 3. Toute personne est titulaire de droits de la personnalité, tels le droit à la vie, à l'inviolabilité et à l'intégrité de sa personne, au respect de son nom, de sa réputation et de sa vie privée.

Ces droits sont incessibles.
1991, c. 64, a. 3 (1994-01-01).

Art. 3. Every person is the holder of personality rights, such as the right to life, the right to the inviolability and integrity of his person, and the right to the respect of his name, reputation and privacy.

These rights are inalienable.

L.R.Q., c. C-12, a. 1, 4, 5 (**C.C.Q.** 2, 10, 35, 50 ss., 625)

Art. 4. Toute personne est apte à exercer pleinement ses droits civils.

Dans certains cas, la loi prévoit un régime de représentation ou d'assistance.
1991, c. 64, a. 4 (1994-01-01).

Art. 4. Every person is fully able to exercise his civil rights.

In certain cases, the law provides for representation or assistance.

C.C.B.C. 324, 985 (**C.C.Q.** 153-297, 1409, 1813)

Art. 5. Toute personne exerce ses droits civils sous le nom qui lui est attribué et qui est énoncé dans son acte de naissance.
1991, c. 64, a. 5 (1994-01-01).

Art. 5. Every person exercises his civil rights under the name assigned to him and stated in his act of birth.

C.C.B.C. 56 (**C.C.Q.** 50 ss., 55, 56; **C.P.C.** 60, 111.1)

Art. 6. Toute personne est tenue d'exercer ses droits civils selon les exigences de la bonne foi.
1991, c. 64, a. 6 (1994-01-01).

Art. 6. Every person is bound to exercise his civil rights in good faith.

(**C.C.Q.** 7, 1375, 1437; **C.P.C.** 4.1)

Art. 7. Aucun droit ne peut être exercé en vue de nuire à autrui ou d'une manière excessive et déraisonnable, allant ainsi à l'encontre des exigences de la bonne foi.

1991, c. 64, a. 7 (1994-01-01).

Art. 7. No right may be exercised with the intent of injuring another or in an excessive and unreasonable manner which is contrary to the requirements of good faith.

(**C.C.Q.** 6, 1375, 1437, 1607 ss.; **C.P.C.** 4.1, 75.2)

Art. 8. On ne peut renoncer à l'exercice des droits civils que dans la mesure où le permet l'ordre public.

1991, c. 64, a. 8 (1994-01-01).

Art. 8. No person may renounce the exercise of his civil rights, except to the extent consistent with public order.

C.C.B.C. 13 (**C.C.Q.** 9, 541, 631, 836, 1030, 1373, 1411, 2632; **C.P.C.** 2, 453, 940)

Art. 9. Dans l'exercice des droits civils, il peut être dérogé aux règles du présent code qui sont supplétives de volonté; il ne peut, cependant, être dérogé à celles qui intéressent l'ordre public.

1991, c. 64, a. 9 (1994-01-01).

Art. 9. In the exercise of civil rights, derogations may be made from those rules of this Code which supplement intention, but not from those of public order.

C.C.B.C. 13 (**C.C.Q.** 8, 1419, 1420, 2089, 2095, 3081)

TITRE DEUXIÈME
DE CERTAINS DROITS DE LA PERSONNALITÉ

TITLE TWO
CERTAIN PERSONALITY RIGHTS

CHAPITRE PREMIER
DE L'INTÉGRITÉ DE LA PERSONNE

CHAPTER I
INTEGRITY OF THE PERSON

Art. 10. Toute personne est inviolable et a droit à son intégrité.

Sauf dans les cas prévus par la loi, nul ne peut lui porter atteinte sans son consentement libre et éclairé.

1991, c. 64, a. 10 (1994-01-01).

Art. 10. Every person is inviolable and is entitled to the integrity of his person.

Except in cases provided for by law, no one may interfere with his person without his free and enlightened consent.

C.C.B.C. 19; **L.R.Q.**, c. C-12, a. 1 (**C.C.Q.** 3, 11, 13-15, 26, 1457; **C.P.C.** 399, 399.1, 400, 774 ss.)

SECTION I
DES SOINS

SECTION I
CARE

Art. 11. Nul ne peut être soumis sans son consentement à des soins, quelle qu'en soit la nature, qu'il s'agisse d'examens, de prélèvements, de traitements ou de toute autre intervention.

Si l'intéressé est inapte à donner ou à refuser son consentement à des soins, une personne autorisée par la loi ou par un mandat donné en prévision de son inaptitude peut le remplacer.

1991, c. 64, a. 11 (1994-01-01).

Art. 11. No person may be made to undergo care of any nature, whether for examination, specimen taking, removal of tissue, treatment or any other act, except with his consent.

If the person concerned is incapable of giving or refusing his consent to care, a person authorized by law or by mandate given in anticipation of his incapacity may do so in his place.

C.C.B.C. 19.1 (**C.C.Q.** 10, 12, 15, 16, 26, 31, 269, 270, 273, 276, 2130-2185; **C.P.C.** 399 ss., 776 ss.)

Art. 12. Celui qui consent à des soins pour autrui ou qui les refuse est tenu d'agir dans le seul intérêt de cette personne en tenant compte, dans la mesure du possible, des volontés que cette dernière a pu manifester.

S'il exprime un consentement, il doit s'assurer que les soins seront bénéfiques, malgré la gravité et la permanence de certains de leurs effets, qu'ils sont opportuns dans les circonstances et que les risques présentés ne sont pas hors de proportion avec le bienfait qu'on en espère.

1991, c. 64, a. 12 (1994-01-01).

Art. 12. A person who gives his consent to or refuses care for another person is bound to act in the sole interest of that person, taking into account, as far as possible, any wishes the latter may have expressed.

If he gives his consent, he shall ensure that the care is beneficial notwithstanding the gravity and permanence of certain of its effects, that it is advisable in the circumstances and that the risks incurred are not disproportionate to the anticipated benefit.

C.C.B.C. 19.3 (**C.C.Q.** 16-21, 33, 2166-2174)

Art. 13. En cas d'urgence, le consentement aux soins médicaux n'est pas nécessaire lorsque la vie de la personne est en danger ou son intégrité menacée et que son consentement ne peut être obtenu en temps utile.

Art. 13. Consent to medical care is not required in case of emergency if the life of the person is in danger or his integrity is threatened and his consent cannot be obtained in due time.

Il est toutefois nécessaire lorsque les soins sont inusités ou devenus inutiles ou que leurs conséquences pourraient être intolérables pour la personne.

1991, c. 64, a. 13 (1994-01-01).

It is required, however, where the care is unusual or has become useless or where its consequences could be intolerable for the person.

L.R.Q., c. C-12, a. 2; **L.R.Q.**, c. P-35, a. 43 (**C.C.Q.** 10)

Art. 14. Le consentement aux soins requis par l'état de santé du mineur est donné par le titulaire de l'autorité parentale ou par le tuteur.

Le mineur de quatorze ans et plus peut, néanmoins, consentir seul à ces soins. Si son état exige qu'il demeure dans un établissement de santé ou de services sociaux pendant plus de douze heures, le titulaire de l'autorité parentale ou le tuteur doit être informé de ce fait.

1991, c. 64, a. 14 (1994-01-01).

Art. 14. Consent to care required by the state of health of a minor is given by the person having parental authority or by his tutor.

A minor fourteen years of age or over, however, may give his consent alone to such care. If his state requires that he remain in a health or social services establishment for over twelve hours, the person having parental authority or tutor shall be informed of that fact.

L.R.Q., c. P-35, a. 42 (**C.C.Q.** 17, 177)

Art. 15. Lorsque l'inaptitude d'un majeur à consentir aux soins requis par son état de santé est constatée, le consentement est donné par le mandataire, le tuteur ou le curateur. Si le majeur n'est pas ainsi représenté, le consentement est donné par le conjoint, qu'il soit marié, en union civile ou en union de fait, ou, à défaut de conjoint ou en cas d'empêchement de celui-ci, par un proche parent ou par une personne qui démontre pour le majeur un intérêt particulier.

1991, c. 64, a. 15 (1994-01-01); 2002, c. 6, a. 1 (2002-06-24).

Art. 15. Where it is ascertained that a person of full age is incapable of giving consent to care required by his or her state of health, consent is given by his or her mandatary, tutor or curator. If the person of full age is not so represented, consent is given by his or her married, civil union or *de facto* spouse or, if the person has no spouse or his or her spouse is prevented from giving consent, it is given by a close relative or a person who shows a special interest in the person of full age.

C.C.B.C. 19.2 (**C.C.Q.** 256, 259)

Art. 16. L'autorisation du tribunal est nécessaire en cas d'empêchement ou de refus injustifié de celui qui peut consentir à des soins requis par l'état de santé d'un mineur ou d'un majeur inapte à donner son consentement; elle l'est également si le majeur inapte à consentir refuse catégoriquement de recevoir les soins, à moins qu'il ne s'agisse de soins d'hygiène ou d'un cas d'urgence.

Elle est, enfin, nécessaire pour soumettre un mineur âgé de quatorze ans et plus à des soins qu'il refuse, à moins qu'il n'y ait urgence et que sa vie ne soit en danger ou son intégrité menacée, auquel cas le consentement du titulaire de l'autorité parentale ou du tuteur suffit.

1991, c. 64, a. 16 (1994-01-01).

Art. 16. The authorization of the court is necessary where the person who may give consent to care required by the state of health of a minor or a person of full age who is incapable of giving his consent is prevented from doing so or, without justification, refuses to do so; it is also required where a person of full age who is incapable of giving his consent categorically refuses to receive care, except in the case of hygienic care or emergency.

The authorization of the court is necessary, furthermore, to cause a minor fourteen years of age or over to undergo care he refuses, except in the case of emergency if his life is in danger or his integrity threatened, in which case the consent of the person having parental authority or the tutor is sufficient.

C.C.B.C. 19.4; **L.R.Q.**, c. P-35, a. 42 (**C.C.Q.** 11, 177 ss., 597 ss.; **C.P.C.** 4 al. 2, 774, 776 ss.)

Art. 17. Le mineur de quatorze ans et plus peut consentir seul aux soins non requis par l'état de santé; le consentement du titulaire de l'autorité parentale ou du tuteur est cependant nécessaire si les soins présentent un risque sérieux pour la santé du mineur et peuvent lui causer des effets graves et permanents.

1991, c. 64, a. 17 (1994-01-01).

(**C.C.Q.** 14, 177 ss., 597 ss.)

Art. 18. Lorsque la personne est âgée de moins de quatorze ans ou qu'elle est inapte à consentir, le consentement aux soins qui ne sont pas requis par son état de santé est donné par le titulaire de l'autorité parentale, le mandataire, le tuteur ou le curateur; l'autorisation du tribunal est en outre nécessaire si les soins présentent un risque sérieux pour la santé ou s'ils peuvent causer des effets graves et permanents.

1991, c. 64, a. 18 (1994-01-01).

(**C.C.Q.** 177 ss., 256 ss., 597 ss.; **C.P.C.** 4 al. 2, 774 ss.)

Art. 19. Une personne majeure, apte à consentir, peut aliéner entre vifs une partie de son corps pourvu que le risque couru ne soit pas hors de proportion avec le bienfait qu'on peut raisonnablement en espérer.

Un mineur ou un majeur inapte ne peut aliéner une partie de son corps que si celle-ci est susceptible de régénération et qu'il n'en résulte pas un risque sérieux pour sa santé, avec le consentement du titulaire de l'autorité parentale, du mandataire, tuteur ou curateur, et l'autorisation du tribunal.

1991, c. 64, a. 19 (1994-01-01).

C.C.B.C. 20 (**C.C.Q.** 177 ss., 256 ss., 597 ss.; **C.P.C.** 4 al. 2, 774 ss.)

Art. 20. Une personne majeure, apte à consentir, peut se soumettre à une expérimentation pourvu que le risque couru ne soit pas hors de proportion avec le bienfait qu'on peut raisonnablement en espérer.

1991, c. 64, a. 20 (1994-01-01).

C.C.B.C. 20

Art. 21. Un mineur ou un majeur inapte ne peut être soumis à une expérimentation qui comporte un risque sérieux pour sa santé ou à laquelle il s'oppose alors qu'il en comprend la nature et les conséquences.

Art. 17. A minor fourteen years of age or over may give his consent alone to care not required by the state of his health; however, the consent of the person having parental authority or of the tutor is required if the care entails a serious risk for the health of the minor and may cause him grave and permanent effects.

Art. 18. Where the person is under fourteen years of age or is incapable of giving his consent, consent to care not required by his state of health is given by the person having parental authority or the mandatary, tutor or curator; the authorization of the court is also necessary if the care entails a serious risk for health or if it might cause grave and permanent effects.

Art. 19. A person of full age who is capable of giving his consent may alienate a part of his body inter vivos, provided the risk incurred is not disproportionate to the benefit that may reasonably be anticipated.

A minor or a person of full age who is incapable of giving his consent may, with the consent of the person having parental authority, mandatary, tutor or curator and with the authorization of the court, alienate a part of his body only if that part is capable of regeneration and provided that no serious risk to his health results.

Art. 20. A person of full age who is capable of giving his consent may submit to an experiment provided that the risk incurred is not disproportionate to the benefit that can reasonably be anticipated.

Art. 21. A minor or a person of full age who is incapable of giving consent may not be submitted to an experiment if the experiment involves serious risk to his health or, where he understands the nature and consequences of the experiment, if he objects.

Il ne peut, en outre, être soumis à une expérimentation qu'à la condition que celle-ci laisse espérer, si elle ne vise que lui, un bienfait pour sa santé ou, si elle vise un groupe, des résultats qui seraient bénéfiques aux personnes possédant les mêmes caractéristiques d'âge, de maladie ou de handicap que les membres du groupe. Une telle expérimentation doit s'inscrire dans un projet de recherche approuvé et suivi par un comité d'éthique. Les comités d'éthique compétents sont institués par le ministre de la Santé et des Services sociaux ou désignés par lui parmi les comités d'éthique de la recherche existants; le ministre en définit la composition et les conditions de fonctionnement qui sont publiées à la *Gazette officielle du Québec*.

Le consentement à l'expérimentation est donné, pour le mineur, par le titulaire de l'autorité parentale ou le tuteur, et, pour le majeur inapte, par le mandataire, le tuteur ou le curateur. Lorsque l'inaptitude du majeur est subite et que l'expérimentation, dans la mesure où elle doit être effectuée rapidement après l'apparition de l'état qui y donne lieu, ne permet pas d'attribuer au majeur un représentant légal en temps utile, le consentement est donné par la personne habilitée à consentir aux soins requis par le majeur; il appartient au comité d'éthique compétent de déterminer, lors de l'examen d'un projet de recherche, si l'expérimentation remplit une telle condition.

Ne constituent pas des expérimentations les soins qui, selon le comité d'éthique, sont des soins innovateurs requis par l'état de santé de la personne qui y est soumise.

Moreover, a minor or a person of full age who is incapable of giving consent may be submitted to an experiment only if, where the person is the only subject of the experiment, it has the potential to produce benefit to the person's health or only if, in the case of an experiment on a group, it has the potential to produce results capable of conferring benefit to other persons in the same age category or having the same disease or handicap. Such an experiment must be part of a research project approved and monitored by an ethics committee. The competent ethics committees are formed by the Minister of Health and Social Services or designated by that Minister among existing research ethics committees; the composition and operating conditions of the committees are determined by the Minister and published in the *Gazette officielle du Québec*.

Consent to experimentation may be given, in the case of a minor, by the person having parental authority or the tutor and, in the case of a person of full age incapable of giving consent, by the andatary, tutor or curator. Where a person of full age suddenly becomes incapable of consent and the experiment, insofar as it must be undertaken promptly after the appearance of the condition giving rise to it, does not permit, for lack of time, the designation of a legal representative, consent may be given by the person authorized to consent to any care the person requires; it is incumbent upon the competent ethics committee to determine, when examining the research project, whether the experiment meets that condition.

Care considered by the ethics committee to be innovative care required by the state of health of the person concerned does not constitute an experiment.

1991, c. 64, a. 21 (1994-01-01); 1992, c. 57, a. 716 (1994-01-01); 1998, c. 32, a. 1 (1998-06-17).

C.C.B.C. 20 (C.C.Q. 177 ss., 256 ss., 597 ss.; **C.P.C.** 4 al. 2, 774, 776 ss.)

Art. 22. Une partie du corps, qu'il s'agisse d'organes, de tissus ou d'autres substances, prélevée sur une personne dans le cadre de soins qui lui sont prodigués, peut être utilisée aux fins de recherche, avec le consentement de la personne concernée ou de celle habilitée à consentir pour elle.

1991, c. 64, a. 22 (1994-01-01).

Art. 22. A part of the body, whether an organ, tissue or other substance, removed from a person as part of the care he receives may, with his consent or that of the person qualified to give consent for him, be used for purposes of research.

(C.C.Q. 177 ss., 256 ss., 597 ss.)

Art. 23. Le tribunal appelé à statuer sur une demande d'autorisation relative à des soins ou à l'aliénation d'une partie du corps, prend l'avis d'experts, du titulaire de l'autorité parentale, du mandataire, du tuteur ou du curateur et du conseil de tutelle; il peut aussi prendre l'avis de toute personne qui manifeste un intérêt particulier pour la personne concernée par la demande.

Art. 23. When the court is called upon to rule on an application for authorization with respect to care or the alienation of a body part, it obtains the opinions of experts, of the person having parental authority, of the mandatary, of the tutor or the curator and of the tutorship council; it may also obtain the opinion of any person who shows a special interest in the person concerned by the application.

Il est aussi tenu, sauf impossibilité, de recueillir l'avis de cette personne et, à moins qu'il ne s'agisse de soins requis par son état de santé, de respecter son refus.

1991, c. 64, a. 23 (1994-01-01); 1998, c. 32, a. 2 (1998-06-17).

(**C.C.Q.** 177 ss., 256 ss., 597 ss.; **C.P.C.** 4 al. 2, 776 ss.)

Art. 24. Le consentement aux soins qui ne sont pas requis par l'état de santé, à l'aliénation d'une partie du corps ou à une expérimentation doit être donné par écrit.

Il peut toujours être révoqué, même verbalement.

1991, c. 64, a. 24 (1994-01-01).

C.C.B.C. 20

Art. 25. L'aliénation que fait une personne d'une partie ou de produits de son corps doit être gratuite; elle ne peut être répétée si elle présente un risque pour la santé.

L'expérimentation ne peut donner lieu à aucune contrepartie financière hormis le versement d'une indemnité en compensation des pertes et des contraintes subies.

1991, c. 64, a. 25 (1994-01-01).

C.C.B.C. 20

SECTION II
DE LA GARDE EN ÉTABLISSEMENT ET DE L'ÉVALUATION PSYCHIATRIQUE

Art. 26. Nul ne peut être gardé dans un établissement de santé ou de services sociaux, en vue d'une évaluation psychiatrique ou à la suite d'une évaluation psychiatrique concluant à la nécessité d'une garde, sans son consentement ou sans que la loi ou le tribunal l'autorise.

Le consentement peut être donné par le titulaire de l'autorité parentale ou, lorsque la personne est majeure et qu'elle ne peut manifester sa volonté, par son mandataire, son tuteur ou son curateur. Ce consentement ne peut être donné par le représentant qu'en l'absence d'opposition de la personne.

1991, c. 64, a. 26 (1994-01-01); 1997, c. 75, a. 29 (1998-06-01).

L.R.Q., c. P-41, a. 13, 16, 21 (**D.T.** 423; **C.C.Q.** 10, 15, 177 ss., 256 ss., 597 ss.; **C.P.C.** 4 al. 2, 36.2, 399 ss.; **L.Q.,** 1997, c. 75, a. 6 ss.)

Art. 27. S'il a des motifs sérieux de croire qu'une personne représente un danger pour elle-même ou pour autrui en raison de son état mental, le tribunal peut, à la demande d'un médecin ou d'un intéressé, ordonner qu'elle soit, malgré l'absence de consentement, gardée provisoirement dans un établissement de santé ou de services sociaux pour y subir

The court is also bound to obtain the opinion of the person concerned unless that is impossible, and to respect his refusal unless the care is required by his state of health.

Art. 24. Consent to care not required by a person's state of health, to the alienation of a part of a person's body, or to an experiment shall be given in writing.

It may be withdrawn at any time, even verbally.

Art. 25. The alienation by a person of a part or product of his body shall be gratuitous; it may not be repeated if it involves a risk to his health.

An experiment may not give rise to any financial reward other than the payment of an indemnity as compensation for the loss and inconvenience suffered.

SECTION II
CONFINEMENT IN AN INSTITUTION AND PSYCHIATRIC ASSESSMENT

Art. 26. No person may be confined in a health or social services institution for a psychiatric assessment or following a psychiatric assessment concluding that confinement is necessary without his consent or without authorization by law or the court.

Consent may be given by the person having parental authority or, in the case of a person of full age unable to express his wishes, by his mandatary, tutor or curator. Such consent may be given by the representative only if the person concerned does not object.

Art. 27. Where the court has serious reasons to believe that a person is a danger to himself or to others owing to his mental state, it may, on the application of a physician or an interested person and notwithstanding the absence of consent, order that he be confined temporarily in a health or social services institution for a psychiatric assessment. The

une évaluation psychiatrique. Le tribunal peut aussi, s'il y a lieu, autoriser tout autre examen médical rendu nécessaire par les circonstances. Si la demande est refusée, elle ne peut être présentée à nouveau que si d'autres faits sont allégués.

Si le danger est grave et immédiat, la personne peut être mise sous garde préventive, sans l'autorisation du tribunal, comme il est prévu par la Loi sur la protection des personnes dont l'état mental présente un danger pour elles-mêmes ou pour autrui.

court may also, where appropriate, authorize any other medical examination that is necessary in the circumstances. The application, if refused, may not be submitted again except where different facts are alleged.

If the danger is grave and immediate, the person may be placed under preventive confinement, without the authorization of the court, as provided for in the Act respecting the protection of persons whose mental state presents a danger to themselves or to others.

1991, c. 64, a. 27 (1994-01-01); 1997, c. 75, a. 30 (1998-06-01).

L.R.Q., c. P-41, a. 4, 13, 21 (**D.T.** 423; **C.P.C.** 4 al. 2, 774, 778 ss.; **L.Q.**, 1997, c. 75, a. 6 ss.)

Art. 28. Lorsque le tribunal ordonne une mise sous garde en vue d'une évaluation psychiatrique, un examen doit avoir lieu dans les vingt-quatre heures de la prise en charge par l'établissement de la personne concernée ou, si celle-ci était déjà sous garde préventive, de l'ordonnance du tribunal.

Si le médecin qui procède à l'examen conclut à la nécessité de garder la personne en établissement, un second examen psychiatrique doit être effectué par un autre médecin, au plus tard dans les quatre-vingt-seize heures de la prise en charge ou, si la personne était initialement sous garde préventive, dans les quarante-huit heures de l'ordonnance.

Dès lors qu'un médecin conclut que la garde n'est pas nécessaire, la personne doit être libérée. Si les deux médecins concluent à la nécessité de la garde, la personne peut être maintenue sous garde, pour un maximum de quarante-huit heures, sans son consentement ou l'autorisation du tribunal.

Art. 28. Where the court orders that a person be placed under confinement for a psychiatric assessment, an examination must be carried out within twenty-four hours after the person is taken in charge by the institution or, if the person was already under preventive confinement, within twenty-four hours of the court order.

If the physician who carries out the examination concludes that confinement in an institution is necessary, a second psychiatric examination must be carried out by another physician within ninety-six hours after the person is taken in charge by the institution or, if the person was already under preventive confinement, within forty-eight hours of the court order.

If a physician reaches the conclusion that confinement is not necessary, the person must be released. If both physicians reach the conclusion that confinement is necessary, the person may be kept under confinement without his consent or the authorization of the court for no longer than forty-eight hours.

1991, c. 64, a. 28 (1994-01-01); 1997, c. 75, a. 31 (1998-06-01).

L.R.Q., c. P-41, a. 7, 9, 10 (**D.T.** 423; **C.P.C.** 778 ss.; **L.Q.**, 1997, c. 75, a. 2 ss.)

Art. 29. Tout rapport d'examen psychiatrique doit porter, notamment, sur la nécessité d'une garde en établissement si la personne représente un danger pour elle-même ou pour autrui en raison de son état mental, sur l'aptitude de la personne qui a subi l'examen à prendre soin d'elle-même ou à administrer ses biens et, le cas échéant, sur l'opportunité d'ouvrir à son égard un régime de protection du majeur.

Il doit être remis au tribunal dans les sept jours de l'ordonnance. Il ne peut être divulgué, sauf aux parties, sans l'autorisation du tribunal.

Art. 29. A psychiatric examination report must deal in particular with the necessity of confining the person in an institution if he is a danger to himself or to others owing to his mental state, with the ability of the person who has undergone the examination to care for himself or to administer his property and, where applicable, with the advisability of instituting protective supervision of the person of full age.

The report must be filed with the court within seven days of the court order. It may not be disclosed, except to the parties, without the authorization of the court.

1991, c. 64, a. 29 (1994-01-01); 1997, c. 75, a. 32 (1998-06-01).

L.R.Q., c. P-41, a. 7, 9, 10 (**D.T.** 423; **C.C.Q.** 256 ss.; **C.P.C.** 778 ss.; **L.Q.**, 1997, c. 75, a. 2 ss.)

Art. 30. La garde en établissement à la suite d'une évaluation psychiatrique ne peut être autorisée par le tribunal que si les deux rapports d'examen psychiatrique concluent à la nécessité de cette garde.

Même en ce cas, le tribunal ne peut autoriser la garde que s'il a lui-même des motifs sérieux de croire que la personne est dangereuse et que sa garde est nécessaire, quelle que soit par ailleurs la preuve qui pourrait lui être présentée et même en l'absence de toute contre-expertise.

Art. 30. Confinement in an institution following a psychiatric assessment may only be authorized by the court if both psychiatric reports conclude that confinement is necessary.

Even if that is the case, the court may not authorize confinement unless the court itself has serious reasons to believe that the person is dangerous and that the person's confinement is necessary, whatever evidence may be otherwise presented to the court and even in the absence of any contrary medical opinion.

1991, c. 64, a. 30 (1994-01-01); 1997, c. 75, a. 33 (1998-06-01); 2002, c. 19, a. 1 (2002-06-13).

L.R.Q., c. P-41, a. 13, 16, 23, 24, 30, 31 (**D.T.** 423; **C.P.C.** 4 al. 2, 774 ss.; **L.Q.**, 1997, c. 75, a. 9 ss.)

Art. 30.1 Le jugement qui autorise la garde en fixe aussi la durée.

La personne sous garde doit, cependant, être libérée dès que la garde n'est plus justifiée, même si la période fixée n'est pas expirée.

Toute garde requise au-delà de la durée fixée par le jugement doit être autorisée par le tribunal, conformément aux dispositions de l'article 30.

2002, c. 19, a. 1 (2002-06-13).

Art. 30.1. A judgment authorizing confinement must also set the duration of confinement.

However, the person under confinement must be released as soon as confinement is no longer justified, even if the set period of confinement has not elapsed.

Any confinement required beyond the duration set by the judgment must be authorized by the court, in accordance with the provisions of article 30.

Art. 31. Toute personne qui est gardée dans un établissement de santé ou de services sociaux et y reçoit des soins doit être informée par l'établissement du plan de soins établi à son égard, ainsi que de tout changement important dans ce plan ou dans ses conditions de vie.

Si la personne est âgée de moins de quatorze ans ou si elle est inapte à consentir, l'information est donnée à la personne qui peut consentir aux soins pour elle.

1991, c. 64, a. 31 (1994-01-01).

Art. 31. Every person confined in and receiving care in a health or social services establishment shall be informed by the establishment of the program of care established for him and of any important change in the program or in his living conditions.

If the person is under fourteen years of age or is incapable of giving his consent, the information is given to the person who is authorized to give consent to care on his behalf.

L.R.Q., c. P-41, a. 28 (**D.T.** 423; **C.C.Q.** 177 ss., 256 ss., 597 ss.)

CHAPITRE DEUXIÈME
DU RESPECT DES DROITS DE L'ENFANT

CHAPTER II
RESPECT OF CHILDREN'S RIGHTS

Art. 32. Tout enfant a droit à la protection, à la sécurité et à l'attention que ses parents ou les personnes qui en tiennent lieu peuvent lui donner.

1991, c. 64, a. 32 (1994-01-01).

Art. 32. Every child has a right to the protection, security and attention that his parents or the persons acting in their stead are able to give to him.

L.R.Q., c. C-12, a. 39 (**C.C.Q.** 153, 177 ss., 597 ss., 605)

Art. 33. Les décisions concernant l'enfant doivent être prises dans son intérêt et dans le respect de ses droits.

Sont pris en considération, outre les besoins moraux, intellectuels, affectifs et physiques de l'enfant, son âge, sa santé, son caractère, son milieu familial et les autres aspects de sa situation.

Art. 33. Every decision concerning a child shall be taken in light of the child's interests and the respect of his rights.

Consideration is given, in addition to the moral, intellectual, emotional and physical needs of the child, to the child's age, health, personality and family environment, and to the other aspects of his situation.

1991, c. 64, a. 33 (1994-01-01); 2002, c. 19, a. 15 (2002-06-13).

C.C.B.C. 30; **C.P.C.** 816.1 (**C.C.Q.** 14, 19, 54, 65, 168, 175, 201, 388, 400, 410, 495, 496, 501, 504, 514, 543, 549, 562, 568, 573, 574, 599, 604, 606, 607, 610-612, 2844)

Art. 34. Le tribunal doit, chaque fois qu'il est saisi d'une demande mettant en jeu l'intérêt d'un enfant, lui donner la possibilité d'être entendu si son âge et son discernement le permettent.

Art. 34. The court shall, in every application brought before it affecting the interest of a child, give the child an opportunity to be heard if his age and power of discernment permit it.

1991, c. 64, a. 34 (1994-01-01).

C.C.B.C. 31; **C.P.C.** 816, 816.1; **L.R.Q.**, c. P-34.1, a. 6 (**C.C.Q.** 33; **C.P.C.** 4 al. 2, 815)

CHAPITRE TROISIÈME
DU RESPECT DE LA RÉPUTATION ET DE LA VIE PRIVÉE

CHAPTER III
RESPECT OF REPUTATION AND PRIVACY

Art. 35. Toute personne a droit au respect de sa réputation et de sa vie privée.

Nulle atteinte ne peut être portée à la vie privée d'une personne sans que celle-ci y consente ou sans que la loi l'autorise.

Art. 35. Every person has a right to the respect of his reputation and privacy.

No one may invade the privacy of a person without the consent of the person unless authorized by law.

1991, c. 64, a. 35 (1994-01-01); 2002, c. 19, a. 2 (2002-06-13).

L.R.Q., c. C-12, a. 4, 5 (**C.C.Q.** 3, 36, 47, 1607 ss., 2929)

Art. 36. Peuvent être notamment considérés comme des atteintes à la vie privée d'une personne les actes suivants:

1° Pénétrer chez elle ou y prendre quoi que ce soit;

2° Intercepter ou utiliser volontairement une communication privée;

3° Capter ou utiliser son image ou sa voix lorsqu'elle se trouve dans des lieux privés;

4° Surveiller sa vie privée par quelque moyen que ce soit;

5° Utiliser son nom, son image, sa ressemblance ou sa voix à toute autre fin que l'information légitime du public;

6° Utiliser sa correspondance, ses manuscrits ou ses autres documents personnels.

Art. 36. The following acts, in particular, may be considered as invasions of the privacy of a person:

(1) entering or taking anything in his dwelling;

(2) intentionally intercepting or using his private communications;

(3) appropriating or using his image or voice while he is in private premises;

(4) keeping his private life under observation by any means;

(5) using his name, image, likeness or voice for a purpose other than the legitimate information of the public;

(6) using his correspondence, manuscripts or other personal documents.

1991, c. 64, a. 36 (1994-01-01).

(**C.C.Q.** 35, 47, 55, 56, 1457, 1607 ss., 2858)

Art. 37. Toute personne qui constitue un dossier sur une autre personne doit avoir un intérêt sérieux et légitime à le faire. Elle ne peut recueillir que les renseignements pertinents à l'objet déclaré du dossier et elle ne peut, sans le consentement de l'intéressé ou l'autorisation de la loi, les communiquer à des tiers ou les utiliser à des fins incompatibles avec celles de sa constitution; elle ne peut non plus, dans la constitution ou l'utilisation du dossier, porter autrement atteinte à la vie privée de l'intéressé ni à sa réputation.

1991, c. 64, a. 37 (1994-01-01).

(**C.C.Q.** 35)

Art. 38. Sous réserve des autres dispositions de la loi, toute personne peut, gratuitement, consulter et faire rectifier un dossier qu'une autre personne détient sur elle soit pour prendre une décision à son égard, soit pour informer un tiers; elle peut aussi le faire reproduire, moyennant des frais raisonnables. Les renseignements contenus dans le dossier doivent être accessibles dans une transcription intelligible.

1991, c. 64, a. 38 (1994-01-01).

Art. 39. Celui qui détient un dossier sur une personne ne peut lui refuser l'accès aux renseignements qui y sont contenus à moins qu'il ne justifie d'un intérêt sérieux et légitime à le faire ou que ces renseignements ne soient susceptibles de nuire sérieusement à un tiers.

1991, c. 64, a. 39 (1994-01-01).

(**C.C.Q.** 41)

Art. 40. Toute personne peut faire corriger, dans un dossier qui la concerne, des renseignements inexacts, incomplets ou équivoques; elle peut aussi faire supprimer un renseignement périmé ou non justifié par l'objet du dossier, ou formuler par écrit des commentaires et les verser au dossier.

La rectification est notifiée, sans délai, à toute personne qui a reçu les renseignements dans les six mois précédents et, le cas échéant, à la personne de qui elle les tient. Il en est de même de la demande de rectification, si elle est contestée.

1991, c. 64, a. 40 (1994-01-01).

Art. 41. Lorsque la loi ne prévoit pas les conditions et les modalités d'exercice du droit de consultation ou de rectification d'un dossier, le tribunal les détermine sur demande.

Art. 37. Every person who establishes a file on another person shall have a serious and legitimate reason for doing so. He may gather only information which is relevant to the stated objective of the file, and may not, without the consent of the person concerned or authorization by law, communicate such information to third persons or use it for purposes that are inconsistent with the purposes for which the file was established. In addition, he may not, when establishing or using the file, otherwise invade the privacy or damage the reputation of the person concerned.

Art. 38. Except as otherwise provided by law, any person may, free of charge, examine and cause the rectification of a file kept on him by another person with a view to making a decision in his regard or to informing a third person; he may also cause a copy of it to be made at reasonable cost. The information contained in the file shall be made accessible in an intelligible transcript.

Art. 39. A person keeping a file on a person may not deny him access to the information contained therein unless he has a serious and legitimate reason for doing so or unless the information is of a nature that may seriously prejudice a third person.

Art. 40. Every person may cause information which is contained in a file concerning him and which is inaccurate, incomplete or equivocal to be rectified; he may also cause obsolete information or information not justified by the purpose of the file to be deleted, or deposit his written comments in the file.

Notice of the rectification is given without delay to every person having received the information in the preceding six months and, where applicable, to the person who provided that information. The same rule applies to an application for rectification, if it is contested.

Art. 41. Where the law does not provide the conditions and modalities of exercise of the right of examination or rectification of a file, the court, upon application, determines them.

De même, s'il survient une difficulté dans l'exercice de ces droits, le tribunal la tranche sur demande.

1991, c. 64, a. 41 (1994-01-01).

(C.P.C. 4 al. 2)

Similarly, if it becomes difficult to exercise those rights, the court, upon application, settles the difficulty.

CHAPITRE QUATRIÈME
DU RESPECT DU CORPS APRÈS LE DÉCÈS

CHAPTER IV
RESPECT OF THE BODY AFTER DEATH

Art. 42. Le majeur peut régler ses funérailles et le mode de disposition de son corps; le mineur le peut également avec le consentement écrit du titulaire de l'autorité parentale ou de son tuteur. À défaut de volontés exprimées par le défunt, on s'en remet à la volonté des héritiers ou des successibles. Dans l'un et l'autre cas, les héritiers ou les successibles sont tenus d'agir; les frais sont à la charge de la succession.

1991, c. 64, a. 42 (1994-01-01).

Art. 42. A person of full age may determine the nature of his funeral and the disposal of his body; a minor may also do so with the written consent of the person having parental authority or his tutor. Failing the expressed wishes of the deceased, the wishes of the heirs or successors prevail; in both cases, the heirs and successors are bound to act; the expenses are charged to the succession.

C.C.B.C. 21 (C.C.Q. 587, 776, 782)

Art. 43. Le majeur ou le mineur âgé de quatorze ans et plus peut, dans un but médical ou scientifique, donner son corps ou autoriser sur celui-ci le prélèvement d'organes ou de tissus. Le mineur de moins de quatorze ans le peut également, avec le consentement du titulaire de l'autorité parentale ou de son tuteur.

Cette volonté est exprimée soit verbalement devant deux témoins, soit par écrit, et elle peut être révoquée de la même manière. Il doit être donné effet à la volonté exprimée, sauf motif impérieux.

1991, c. 64, a. 43 (1994-01-01).

Art. 43. A person of full age or a minor fourteen years of age or over may, for medical or scientific purposes, give his body or authorize the removal of organs or tissues therefrom. A minor under fourteen years of age may also do so with the consent of the person having parental authority or of his tutor.

These wishes are expressed verbally before two witnesses, or in writing, and may be revoked in the same manner. The expressed wishes shall be followed, except for a compelling reason.

C.C.B.C. 22 (C.C.Q. 14, 17, 177 ss., 597 ss.)

Art. 44. À défaut de volontés connues ou présumées du défunt, le prélèvement peut être effectué avec le consentement de la personne qui pouvait ou aurait pu consentir aux soins.

Ce consentement n'est pas nécessaire lorsque deux médecins attestent par écrit l'impossibilité de l'obtenir en temps utile, l'urgence de l'intervention et l'espoir sérieux de sauver une vie humaine ou d'en améliorer sensiblement la qualité.

1991, c. 64, a. 44 (1994-01-01).

Art. 44. A part of the body of a deceased person may be removed in the absence of knowledge or presumed knowledge of the wishes of the deceased, with the consent of the person who could give consent to care or could have given it.

Consent is not required where two physicians attest in writing to the impossibility of obtaining it in due time, the urgency of the operation and the serious hope of saving a human life or of improving its quality to an appreciable degree.

C.C.B.C. 22 (C.C.Q. 11 ss., 177 ss., 256 ss., 597 ss.)

Art. 45. Le prélèvement ne peut être effectué avant que le décès du donneur n'ait été constaté par deux médecins qui ne participent ni au prélèvement ni à la transplantation.
1991, c. 64, a. 45 (1994-01-01).

C.C.B.C. 22

Art. 46. L'autopsie peut être effectuée dans les cas prévus par la loi ou si le défunt y avait déjà consenti; elle peut aussi l'être avec le consentement de la personne qui pouvait ou aurait pu consentir aux soins. Celui qui demande l'autopsie ou qui y a consenti a le droit de recevoir une copie du rapport.

1991, c. 64, a. 46 (1994-01-01).

C.C.B.C. 23 (**C.C.Q.** 14, 15, 177 ss., 256 ss., 597 ss., 2166 ss.)

Art. 47. Le tribunal peut, si les circonstances le justifient, ordonner l'autopsie du défunt sur demande d'un médecin ou d'un intéressé; en ce dernier cas, il peut restreindre partiellement la divulgation du rapport d'autopsie.

Le coroner peut également, dans les cas prévus par la loi, ordonner l'autopsie du défunt.

1991, c. 64, a. 47 (1994-01-01).

C.C.B.C. 23, 69 (**C.C.Q.** 36)

Art. 48. Nul ne peut embaumer, inhumer ou incinérer un corps avant que le constat de décès n'ait été dressé et qu'il ne se soit écoulé six heures depuis le constat.
1991, c. 64, a. 48 (1994-01-01).

C.C.B.C. 66 (**C.C.Q.** 122, 123; **M.M.** 271)

Art. 49. Il est permis, en suivant les prescriptions de la loi, d'exhumer un corps si un tribunal l'ordonne, si la destination du lieu où il est inhumé change ou s'il s'agit de l'inhumer ailleurs ou de réparer la sépulture.

L'exhumation est également permise si, conformément à la loi, un coroner l'ordonne.
1991, c. 64, a. 49 (1994-01-01).

C.C.B.C. 69a

Art. 45. No part of the body may be removed before the death of the donor is attested by two physicians who do not participate either in the removal or in the transplantation.

Art. 46. An autopsy may be performed in the cases provided for by law or if the deceased had already given his consent thereto; it may also be performed with the consent of the person who was or would have been authorized to give his consent to care. The person requesting the autopsy or having given his consent thereto has a right to receive a copy of the report.

Art. 47. The court may, if circumstances justify it, order the performance of an autopsy on the deceased at the request of a physician or any interested person; in the latter case, it may restrict the release of parts of the autopsy report.

The coroner may also order the performance of an autopsy on the deceased in the cases provided for by law.

Art. 48. No person may embalm, bury or cremate a body before an attestation of death has been drawn up and six hours have elapsed since that was done.

Art. 49. Subject to compliance with the prescriptions of law, it is permissible to disinter a body on the order of a court, on the change of destination of its burial place or in order to bury it elsewhere or to repair the sepulture.

Disinterment is also permissible on the order of a coroner in accordance with the law.

TITRE TROISIÈME
DE CERTAINS ÉLÉMENTS RELATIFS À L'ÉTAT DES PERSONNES

TITLE THREE
CERTAIN PARTICULARS RELATING TO THE STATUS OF PERSONS

CHAPITRE PREMIER
DU NOM

CHAPTER I
NAME

SECTION I
DE L'ATTRIBUTION DU NOM

SECTION I
ASSIGNMENT OF NAME

Art. 50. Toute personne a un nom qui lui est attribué à la naissance et qui est énoncé dans l'acte de naissance.

Le nom comprend le nom de famille et les prénoms.

1991, c. 64, a. 50 (1994-01-01).

Art. 50. Every person has a name which is assigned to him at birth and is stated in his act of birth.

The name includes the surname and given names.

C.C.B.C. 56 (**C.C.Q.** 3, 5, 107 ss., 576; **C.P.C.** 111.1)

*__*Art. 51.__ L'enfant reçoit, au choix de ses père et mère, un ou plusieurs prénoms, ainsi qu'un nom de famille formé d'au plus deux parties provenant de celles qui forment les noms de famille de ses parents.

1991, c. 64, a. 51 (1994-01-01); 1999, c. 47, a. 1 (eev 1999-11-05).

*__*Art. 51.__ A child is given, as his mother and father choose, one or more given names and a surname composed of not more than two of the surnames composing his parents' surnames.

C.C.B.C. 56.1 (**C.C.Q.** 33, 576)

* L'article 51 remplacé par 1999, c. 47, a. 1, est réputé s'être toujours lu dans sa version nouvelle.

1999, c. 47, a.16.

Le directeur de l'état civil peut, sur demande des père et mère, remplacer le nom de famille composé de leur enfant mineur, attribué lors d'une déclaration de naissance faite entre le 1er janvier 1994 et le 5 novembre 1999, par un nom formé d'une seule partie provenant de celles qui forment les noms de famille de ses parents.

Le présent article cesse d'avoir effet le 5 novembre 2001.

1999, c. 47, a.17.

* Article 51 replaced by 1999, c. 47, s. 1, is deemed to have always read in its new version.

1999, c. 47, s. 16.

The registrar of civil status may, on the request of the father and mother of a minor child, substitute a surname consisting of one of the surnames composing his parents' surnames for the compound surname assigned to the child in a declaration of birth made between 1 January 1994 and 5 November 1999.

This section ceases to have effect on 5 November 2001.

1999, c. 47, s. 17.

Art. 52. En cas de désaccord sur le choix du nom de famille, le directeur de l'état civil attribue à l'enfant un nom composé de deux parties provenant l'une du nom de famille du père, l'autre de celui de la mère, selon leur choix respectif.

Si le désaccord porte sur le choix du prénom, il attribue à l'enfant deux prénoms au choix respectif des père et mère.

1991, c. 64, a. 52 (1994-01-01).

_____

(C.C.Q. 33, 74, 103; **C.P.C.** 4 al. 2, 864 ss.)

Art. 53. L'enfant dont seule la filiation paternelle ou maternelle est établie porte le nom de famille de son père ou de sa mère, selon le cas, et un ou plusieurs prénoms choisis par son père ou sa mère.

L'enfant dont la filiation n'est pas établie porte le nom qui lui est attribué par le directeur de l'état civil.

1991, c. 64, a. 53 (1994-01-01).

_____

C.C.B.C. 56.2 **(C.C.Q.** 33, 74, 103, 522 ss., 576)

Art. 54. Lorsque le nom choisi par les père et mère comporte un nom de famille composé ou des prénoms inusités qui, manifestement, prêtent au ridicule ou sont susceptibles de déconsidérer l'enfant, le directeur de l'état civil peut inviter les parents à modifier leur choix.

Si ceux-ci refusent de le faire, il dresse néanmoins l'acte de naissance et en avise le Procureur général du Québec. Celui-ci peut saisir le tribunal, dans les quatre-vingt-dix jours de l'inscription de l'acte, pour lui demander de remplacer le nom ou les prénoms choisis par les parents par le nom de famille de l'un d'eux ou par deux prénoms usuels, selon le cas.

Jusqu'à l'expiration du délai pour saisir le tribunal ou, si un recours est exercé, jusqu'à ce que le jugement soit passé en force de chose jugée, le directeur de l'état civil fait mention de l'avis donné au procureur général sur les copies, certificats et attestations relatifs à cet acte de naissance.

1991, c. 64, a. 54 (1994-01-01); 1999, c. 47, a. 2 (1999-11-05).

_____

(C.C.Q. 32-34, 74, 576; **C.P.C.** 864 ss.)

Art. 52. In case of disagreement over the choice of a surname, the registrar of civil status assigns to the child a surname consisting of two parts, one part being taken from the surname of his father and the other from that of his mother, according to their choice, respectively.

If the disagreement is over the choice of a given name, he assigns to the child two given names chosen by his father and his mother, respectively.

Art. 53. If only the paternal or the maternal filiation of a child is established, he bears the surname of his father or of his mother, as the case may be, and one or more given names chosen by his father or mother.

A child whose filiation is not established bears the name assigned to him by the registrar of civil status.

Art. 54. Where the name chosen by the father and mother contains an odd compound surname or odd given names which clearly invite ridicule or may discredit the child, the registrar of civil status may suggest to the parents that they change the child's name.

If they refuse to do so, the registrar nevertheless draws up the act of birth and notifies the Attorney General of Québec. The Attorney General may bring the matter before the court within ninety days of the registration of the act to request that the surname of one of the parents be substituted for the surname chosen by the parents or that two given names in common use be substituted for the given names chosen by the parents.

Until the time for bringing the matter before the court expires or, if proceedings are brought, until the judgment acquires the authority of *res judicata*, the registrar of civil status makes a notation of the notice given to the Attorney General on every copy, certificate and attestation issued on the basis of the act of birth.

SECTION II
DE L'UTILISATION DU NOM

Art. 55. Toute personne a droit au respect de son nom.

Elle peut utiliser un ou plusieurs des prénoms énoncés dans son acte de naissance.

1991, c. 64, a. 55 (1994-01-01).

SECTION II
USE OF NAME

Art. 55. Every person has a right to the respect of his name.

He may use one or more of the given names stated in his act of birth.

C.C.B.C. 56 al. 2 (**C.C.Q.** 3, 36(5°), 393, 576; **C.P.C.** 111.1)

Art. 56. Celui qui utilise un autre nom que le sien est responsable de la confusion ou du préjudice qui peut en résulter.

Tant le titulaire du nom que la personne à laquelle il est marié ou uni civilement ou ses proches parents, peuvent s'opposer à cette utilisation et demander la réparation du préjudice causé.

1991, c. 64, a. 56 (1994-01-01); 2002, c. 6, a. 2 (2002-06-24).

Art. 56. A person who uses a name other than his or her own is liable for any resulting confusion or damage.

The holder of a name as well as his or her married or civil union spouse or close relatives may object to such use and demand redress for the damage caused.

(**C.C.Q.** 3, 36(5°), 1457)

SECTION III
DU CHANGEMENT DE NOM

§ 1. — *Disposition générale*

Art. 57. Qu'il porte sur le nom de famille ou le prénom, le changement de nom d'une personne ne peut avoir lieu sans l'autorisation du directeur de l'état civil ou du tribunal, suivant ce qui est prévu à la présente section.

1991, c. 64, a. 57 (1994-01-01).

SECTION III
CHANGE OF NAME

§ 1. — *General provision*

Art. 57. No change may be made to a person's name, whether of his surname or given name, without the authorization of the registrar of civil status or the court, in accordance with the provisions of this section.

C.C.B.C. 56.3 (**D.T.** 11; **C.C.Q.** 65, 74, 576; **C.P.C.** 864 ss.)

§ 2. — *Du changement de nom par voie administrative*

Art. 58. Le directeur de l'état civil a compétence pour autoriser le changement de nom pour un motif sérieux dans tous les cas qui ne ressortissent pas à la compétence du tribunal; il en est ainsi, notamment, lorsque le nom généralement utilisé ne correspond pas à celui qui est inscrit dans l'acte de naissance, que le nom est d'origine étrangère ou trop difficile à prononcer ou à écrire dans sa forme originale ou que le nom prête au ridicule ou est frappé d'infamie.

§ 2. — *Change of name by way of administrative process*

Art. 58. The registrar of civil status has competence to authorize a change of name for a serious reason in every case that does not come under the jurisdiction of the court, and in particular where the name generally used does not correspond to that appearing in the act of birth, where the name is of foreign origin or too difficult to pronounce or write in its original form or where the name invites ridicule or has become infamous.

Il a également compétence lorsque l'on demande l'ajout au nom de famille d'une partie provenant du nom de famille du père ou de la mère, déclaré dans l'acte de naissance.

1991, c. 64, a. 58 (1994-01-01).

The registrar also has competence where a person applies for the addition to the surname of a part taken from the surname of the father or mother, as declared in the act of birth.

L.R.Q., c. C-10, a. 6 (**D.T.** 11; **C.C.Q.** 57, 65, 74)

Art. 59. Le majeur qui a la citoyenneté canadienne et est domicilié au Québec depuis au moins un an peut demander le changement de son nom. Cette demande vaut aussi, si elle porte sur le nom de famille, pour ses enfants mineurs qui portent le même nom ou une partie de ce nom.

Il peut aussi demander que les prénoms de ses enfants mineurs soient modifiés ou qu'il soit ajouté à leur nom de famille une partie provenant de son propre nom.

1991, c. 64, a. 59 (1994-01-01).

Art. 59. A person of full age who is a Canadian citizen and who has been domiciled in Québec for at least one year may apply for a change of name. If the application concerns the surname, it is also valid as an application in respect of the person's minor children who bear the same surname or part of that surname.

A person may also apply for the change of the given names of the minor children or the addition of a part to their surname taken from the person's own surname.

L.R.Q., c. C-10, a. 3, 8 (**D.T.** 11; **C.C.Q.** 51, 52)

Art. 60. Le tuteur d'un mineur peut demander le changement de nom de son pupille, si ce dernier a la citoyenneté canadienne et est domicilié au Québec depuis au moins un an.

1991, c. 64, a. 60 (1994-01-01).

Art. 60. The tutor to a minor may apply for the change of name of his pupil, if the latter is a Canadian citizen and has been domiciled in Québec for at least one year.

L.R.Q., c. C-10 (**D.T.** 11; **C.C.Q.** 75 ss., 177 ss.)

Art. 61. Celui qui demande un changement de nom expose ses motifs et indique le nom de ses père et mère, le nom de la personne à laquelle il est marié ou uni civilement, celui de ses enfants et, s'il y a lieu, le nom de l'autre parent de ces derniers.

Il atteste sous serment que les motifs exposés et les renseignements donnés sont exacts, et il joint à sa demande tous les documents utiles.

1991, c. 64, a. 61 (1994-01-01); 2002, c. 6, a. 3 (2002-06-24).

Art. 61. A person applying for a change of name states the reasons for the application and gives the names of his or her father and mother, the name of his or her married or civil union spouse and children and, where applicable, the name of the children's other parent.

The person attests under oath that the reasons stated and the information given are true, and appends all the necessary documents to the application.

L.R.Q., c. C-10, a. 3, 4 (**D.T.** 11)

Art. 62. À moins d'un motif impérieux, le changement de nom à l'égard d'un enfant mineur n'est pas accordé si le tuteur ou le mineur de quatorze ans et plus n'a pas été avisé de la demande ou s'il s'y oppose.

Art. 62. Except for a compelling reason, no change of name of a minor child may be granted if the tutor or the minor, if fourteen years of age or over, has not been notified of the application or objects to it.

Cependant, lorsque l'on demande l'ajout au nom de famille du mineur d'une partie provenant du nom de famille de son père ou de sa mère, le droit d'opposition est réservé au mineur.

1991, c. 64, a. 62 (1994-01-01).

However, in the case of an application for the addition to the surname of the minor of a part taken from the surname of the father or mother, only the minor has the right to object.

C.C.Q. **(1980)** 442; **L.R.Q.**, c. C-10, a. 6, 8 **(D.T.** 11; **C.C.Q.** 51, 177 ss., 393)

Art. 63. Avant d'autoriser un changement de nom, le directeur de l'état civil doit, à moins qu'une dispense spéciale de publication n'ait été accordée par le ministre responsable de l'état civil pour des motifs d'intérêt général, s'assurer que les avis de la demande ont été publiés; il doit donner aux tiers qui le demandent la possibilité de faire connaître leurs observations.

Il peut aussi exiger du demandeur les explications et les renseignements supplémentaires dont il a besoin.

1991, c. 64, a. 63 (1994-01-01); 1996, c. 21, a. 27 (1996-09-04).

Art. 63. Before authorizing a change of name, the registrar of civil status shall ascertain that the notices of the application have been published, unless a special exemption from publication has been granted by the minister responsible for civil status for reasons of general interest; he shall give to third persons who so request the opportunity to state their views.

The registrar may also require the applicant to furnish any additional explanation and information he may need.

L.R.Q., c. C-10, a. 5 **(D.T.** 11)

Art. 64. Les autres règles relatives à la procédure de changement de nom, à la publicité de la demande et de la décision et les droits exigibles de la personne qui fait la demande sont déterminés par règlement du gouvernement.

1991, c. 64, a. 64 (1994-01-01).

Art. 64. All other rules respecting the procedure for a change of name, the publication of the application and decision, and the duties payable by the person making the application are determined by regulation of the Government.

L.R.Q., c. C-10, a. 5, 6, 7 **(D.T.** 11)

§ 3. — *Du changement de nom par voie judiciaire*

§ 3. — *Change of name by way of judicial process*

Art. 65. Le tribunal est seul compétent pour autoriser le changement de nom d'un enfant en cas de changement dans la filiation, d'abandon par le père ou la mère ou de déchéance de l'autorité parentale.

1991, c. 64, a. 65 (1994-01-01).

Art. 65. The court has exclusive jurisdiction to authorize the change of the name of a child in the case of a change of filiation, of abandonment by the father or mother, or of deprivation of parental authority.

C.C.B.C. 56.3 (**C.C.Q.** 543 ss., 576, 597 ss.; **C.P.C.** 4 al. 2, 864 ss.)

Art. 66. Le mineur de quatorze ans et plus peut présenter lui-même une demande de changement de nom, mais il doit alors aviser le titulaire de l'autorité parentale et le tuteur.

Il peut aussi s'opposer seul à une demande.

1991, c. 64, a. 66 (1994-01-01).

Art. 66. A minor fourteen years of age or over acting alone may present an application for a change of name, but he shall in such a case give notice of the application to the person having parental authority and to the tutor.

The minor acting alone may also object to an application.

C.C.B.C. 56.4 (**D.T.** 11; **C.C.Q.** 159, 177 ss., 597 ss.; **C.P.C.** 56, 817.1, 864, 864.1, 865)

§ 4. — Des effets du changement de nom

§ 4. — Effects of a change of name

Art. 67. Le changement de nom produit ses effets dès que le jugement qui l'autorise est passé en force de chose jugée ou que la décision du directeur de l'état civil n'est plus susceptible d'être révisée.

Un avis en est publié à la *Gazette officielle du Québec*, à moins qu'une dispense spéciale de publication ne soit accordée par le ministre responsable de l'état civil pour des motifs d'intérêt général.

Art. 67. A change of name produces its effects from the time the judgment authorizing it acquires the authority of a final judgment (res judicata) or from the time that the decision of the registrar of civil status is no longer open to review.

Notice of the change is published in the *Gazette officielle du Québec* unless a special exemption from publication is granted by the minister responsible for civil status for reasons of general interest.

1991, c. 64, a. 67 (1994-01-01); 1996, c. 21, a. 27 (1996-09-04).

L.R.Q., c. C-10, a. 9 (**D.T.** 11)

Art. 68. Le changement de nom ne modifie en rien les droits et les obligations d'une personne.

Art. 68. A change of name nowise alters the rights and obligations of a person.

1991, c. 64, a. 68 (1994-01-01).

L.R.Q., c. C-10, a. 11-14

Art. 69. Les documents faits sous l'ancien nom d'une personne sont réputés faits sous son nouveau nom.

Cette personne ou un tiers intéressé peut, à ses frais et en fournissant la preuve du changement de nom, exiger que ces documents soient rectifiés par l'indication du nouveau nom.

Art. 69. All documents made under the former name of a person are deemed to be made under his new name.

The person or any interested third person may, at his expense and upon furnishing proof of the change of name, demand that the documents be rectified by indicating the new name.

1991, c. 64, a. 69 (1994-01-01).

L.R.Q., c. C-10, a. 11

Art. 70. Les actions auxquelles est partie une personne qui a changé de nom se poursuivent sous son nouveau nom, sans reprise d'instance.

Art. 70. Any proceedings to which a person who has changed his name is a party are continued under his new name, without continuance of suit.

1991, c. 64, a. 70 (1994-01-01).

L.R.Q., c. C-10, a. 15 (**C.P.C.** 111.1)

SECTION IV

DU CHANGEMENT DE LA MENTION DU SEXE

SECTION IV

CHANGE OF DESIGNATION OF SEX

Art. 71. La personne qui a subi avec succès des traitements médicaux et des interventions chirurgicales impliquant une modification structurale des organes sexuels, et destinés à changer ses caractères sexuels apparents, peut obtenir la modification de la mention du sexe figurant sur son acte de naissance et, s'il y a lieu, de ses prénoms.

Art. 71. Every person who has successfully undergone medical treatments and surgical operations involving a structural modification of the sexual organs intended to change his secondary sexual characteristics may have the designation of sex which appears on his act of birth and, if necessary, his given names changed.

Seul un majeur, non marié, domicilié au Québec depuis au moins un an et ayant la citoyenneté canadienne, peut faire cette demande.

1991, c. 64, a. 71 (1994-01-01).

Only an unmarried person of full age who has been domiciled in Québec for at least one year and is a Canadian citizen may make an application under this article.

L.R.Q., c. C-10, a. 16 (**D.T.** 11; **C.C.Q.** 75 ss., 153; **C.P.C.** 864 ss.)

Art. 72. La demande est faite au directeur de l'état civil; outre les autres documents pertinents, elle est accompagnée d'un certificat du médecin traitant et d'une attestation du succès des soins établie par un autre médecin qui exerce au Québec.

1991, c. 64, a. 72 (1994-01-01).

Art. 72. The application is made to the registrar of civil status; it is accompanied with, in addition to the other relevant documents, a certificate of the attending physician and an attestation by another physician practising in Québec to the effect that the treatments and operations were successful.

L.R.Q., c. C-10, a. 19, 20

Art. 73. La demande obéit à la même procédure que la demande de changement de nom. Elle est sujette à la même publicité et aux mêmes droits et les règles relatives aux effets du changement de nom s'y appliquent, compte tenu des adaptations nécessaires.

Cependant, au registre de l'état civil, la nouvelle mention du sexe n'est portée qu'à l'acte de naissance de la personne.

1991, c. 64, a. 73 (1994-01-01).

Art. 73. The application is subject to the same procedure as an application for a change of name and to the same publication requirements and the same duties. The rules relating to the effects of a change of name, adapted as required, apply to a change of designation of sex.

In the register of civil status, however, the new designation of sex is entered only in the act of birth of the person concerned.

L.R.Q., c. C-10, a. 18, 19, 22 (**D.T.** 11; **C.C.Q.** 57 ss.)

SECTION V
DE LA RÉVISION DES DÉCISIONS

SECTION V
REVIEW OF DECISIONS

Art. 74. Les décisions du directeur de l'état civil relatives à l'attribution du nom ou à un changement de nom ou de mention du sexe, peuvent être révisées par le tribunal, sur demande d'une personne intéressée.

1991, c. 64, a. 74 (1994-01-01).

Art. 74. Any decision of the registrar of civil status relating to the assignment of a name or to a change of name or designation of sex may be reviewed by the court, on the application of an interested person.

(**C.C.Q.** 51, 54, 58, 71, 72; **C.P.C.** 55, 862 ss., 864 ss.)

CHAPITRE DEUXIÈME
DU DOMICILE ET DE LA RÉSIDENCE

CHAPTER II
DOMICILE AND RESIDENCE

Art. 75. Le domicile d'une personne, quant à l'exercice de ses droits civils, est au lieu de son principal établissement.

1991, c. 64, a. 75 (1994-01-01).

Art. 75. The domicile of a person, for the exercise of his civil rights, is at the place of his principal establishment.

C.C.B.C. 79 (**C.C.Q.** 3083, 3098, 3126; **C.P.C.** 68 ss., 111.1, 123, 133, 407, 652)

Art. 76. Le changement de domicile s'opère par le fait d'établir sa résidence dans un autre lieu, avec l'intention d'en faire son principal établissement.

La preuve de l'intention résulte des déclarations de la personne et des circonstances.

1991, c. 64, a. 76 (1994-01-01).

C.C.B.C. 80, 81

Art. 77. La résidence d'une personne est le lieu où elle demeure de façon habituelle; en cas de pluralité de résidences, on considère, pour l'établissement du domicile, celle qui a le caractère principal.

1991, c. 64, a. 77 (1994-01-01).

Art. 78. La personne dont on ne peut établir le domicile avec certitude est réputée domiciliée au lieu de sa résidence.

À défaut de résidence, elle est réputée domiciliée au lieu où elle se trouve ou, s'il est inconnu, au lieu de son dernier domicile connu.

1991, c. 64, a. 78 (1994-01-01).

Art. 79. La personne appelée à une fonction publique, temporaire ou révocable, conserve son domicile, à moins qu'elle ne manifeste l'intention contraire.

1991, c. 64, a. 79 (1994-01-01).

C.C.B.C. 82 (**C.C.Q.** 75-78)

Art. 80. Le mineur non émancipé a son domicile chez son tuteur.

Lorsque les père et mère exercent la tutelle mais n'ont pas de domicile commun, le mineur est présumé domicilié chez celui de ses parents avec lequel il réside habituellement, à moins que le tribunal n'ait autrement fixé le domicile de l'enfant.

1991, c. 64, a. 80 (1994-01-01).

C.C.B.C. 83 (**C.C.Q.** 82, 167 ss., 191, 192)

Art. 81. Le majeur en tutelle est domicilié chez son tuteur, celui en curatelle, chez son curateur.

1991, c. 64, a. 81 (1994-01-01).

C.C.B.C. 83 (**C.C.Q.** 256 ss.)

Art. 76. Change of domicile is effected by actual residence in another place coupled with the intention of the person to make it the seat of his principal establishment.

The proof of such intention results from the declarations of the person and from the circumstances of the case.

Art. 77. The residence of a person is the place where he ordinarily resides; if a person has more than one residence, his principal residence is considered in establishing his domicile.

Art. 78. A person whose domicile cannot be determined with certainty is deemed to be domiciled at the place of his residence.

A person who has no residence is deemed to be domiciled at the place where he lives or, if that is unknown, at the place of his last known domicile.

Art. 79. A person called to a temporary or revocable public office retains his domicile, unless he manifests a contrary intention.

Art. 80. An unemancipated minor is domiciled with his tutor.

Where the father and mother exercise the tutorship but have no common domicile, the minor is presumed to be domiciled with the parent with whom he usually resides unless the court has fixed the domicile of the child elsewhere.

Art. 81. A person of full age under tutorship is domiciled with his tutor; a person under curatorship is domiciled with his curator.

Art. 82. Les époux et les conjoints unis civilement peuvent avoir un domicile distinct, sans qu'il soit pour autant porté atteinte aux règles relatives à la vie commune.

Art. 82. Married or civil union spouses may have separate domiciles without prejudice to the rules respecting their living together.

1991, c. 64, a. 82 (1994-01-01); 2002, c. 6, a. 4 (2002-06-24).

C.C.Q. (1980) 441, 444 (**C.C.Q.** 392, 395; **C.P.C.** 70, 70.1, 553)

Art. 83. Les parties à un acte juridique peuvent, par écrit, faire une élection de domicile en vue de l'exécution de cet acte ou de l'exercice des droits qui en découlent.

Art. 83. The parties to a juridical act may, in writing, elect domicile with a view to the execution of the act or the exercise of the rights arising from it.

L'élection de domicile ne se présume pas.

Election of domicile is not presumed.

1991, c. 64, a. 83 (1994-01-01).

C.C.B.C. 85 (**C.P.C.** 63, 64, 68, 69, 123, 140, 140.1)

CHAPITRE TROISIÈME
DE L'ABSENCE ET DU DÉCÈS

CHAPTER III
ABSENCE AND DEATH

SECTION I
DE L'ABSENCE

SECTION I
ABSENCE

Art. 84. L'absent est celui qui, alors qu'il avait son domicile au Québec, a cessé d'y paraître sans donner de nouvelles, et sans que l'on sache s'il vit encore.

Art. 84. An absentee is a person who, while he had his domicile in Québec, ceased to appear there without advising anyone, and of whom it is unknown whether he is still alive.

1991, c. 64, a. 84 (1994-01-01).

C.C.B.C. 86 (**D.T.** 12-14; **C.C.Q.** 617, 638)

Art. 85. L'absent est présumé vivant durant les sept années qui suivent sa disparition, à moins que son décès ne soit prouvé avant l'expiration de ce délai.

Art. 85. An absentee is presumed to be alive for seven years following his disappearance, unless proof of his death is made before then.

1991, c. 64, a. 85 (1994-01-01).

C.C.B.C. 98 (**D.T.** 12-14; **C.C.Q.** 95, 97)

Art. 86. Un tuteur peut être nommé à l'absent qui a des droits à exercer ou des biens à administrer si l'absent n'a pas désigné un administrateur de ses biens ou si ce dernier n'est pas connu, refuse ou néglige d'agir, ou en est empêché.

Art. 86. A tutor may be appointed to an absentee who has rights to be exercised or property to be administered if the absentee did not designate an administrator to his property or if the administrator is unknown, refuses or neglects to act or is prevented from acting.

1991, c. 64, a. 86 (1994-01-01).

C.C.B.C. 87 (**D.T.** 12-14, 423; **C.C.Q.** 285 ss.; **C.P.C.** 478, 547 al. 1*e*), 885)

Art. 87. Tout intéressé, y compris le curateur public ou un créancier de l'absent, peut demander l'ouverture d'une tutelle à l'absent.

La tutelle est déférée par le tribunal sur avis du conseil de tutelle et les règles relatives à la tutelle au mineur s'y appliquent, compte tenu des adaptations nécessaires.

1991, c. 64, a. 87 (1994-01-01).

Art. 87. Any interested person, including the Public Curator or a creditor of the absentee, may apply for the institution of tutorship to the absentee.

Tutorship is awarded by the court on the advice of the tutorship council and the rules respecting tutorship to minors, adapted as required, apply to tutorship to absentees.

C.C.B.C. 88, 90, 91 (**D.T.** 12-14, 423; **C.C.Q.** 206, 224, 285 ss.; **C.P.C.** 865.1 ss., 872 ss., 885)

Art. 88. Le tribunal fixe, à la demande du tuteur ou d'un intéressé et suivant l'importance des biens, les sommes qu'il convient d'affecter aux charges du mariage ou de l'union civile, à l'entretien de la famille ou au paiement des obligations alimentaires de l'absent.

1991, c. 64, a. 88 (1994-01-01); 2002, c. 6, a. 5 (2002-06-24).

Art. 88. The court, on the application of the tutor or of an interested person and according to the extent of the property, fixes the amounts that it is expedient to allocate to the expenses of the marriage or civil union, to the maintenance of the family or to the payment of the obligation of support of the absentee.

(**D.T.** 12-14; **C.C.Q.** 85; **C.P.C.** 865.2)

Art. 89. L'époux ou le conjoint uni civilement ou le tuteur de l'absent peut, après un an d'absence, demander au tribunal de déclarer que les droits patrimoniaux des conjoints sont susceptibles de liquidation.

Le tuteur doit obtenir l'autorisation du tribunal pour accepter le partage des acquêts du conjoint de l'absent ou y renoncer, ou autrement se prononcer sur les autres droits de l'absent.

1991, c. 64, a. 89 (1994-01-01); 2002, c. 6, a. 6 (2002-06-24).

Art. 89. The married or civil union spouse of or the tutor to the absentee may, after one year of absence, apply to the court for a declaration that the patrimonial rights of the spouses may be liquidated.

The tutor shall obtain the authorization of the court to accept or renounce the partition of the acquests of the spouse of the absentee or otherwise decide on the other rights of the absentee.

C.C.B.C. 93, 109, 110 (**D.T.** 12-14; **C.C.Q.** 465; **C.P.C.** 865.2)

Art. 90. La tutelle à l'absent se termine par son retour, par la désignation qu'il fait d'un administrateur de ses biens, par le jugement déclaratif de décès ou par le décès prouvé de l'absent.

1991, c. 64, a. 90 (1994-01-01).

Art. 90. Tutorship to an absentee is terminated by his return, by the appointment by him of an administrator to his property, by declaratory judgment of death or by proof of his death.

C.C.B.C. 92 (**D.T.** 12-14, 423; **C.C.Q.** 92; **C.P.C.** 865.3)

Art. 91. En cas de force majeure, on peut aussi nommer, comme à l'absent, un tuteur à la personne empêchée de paraître à son domicile et qui ne peut désigner un administrateur de ses biens.

1991, c. 64, a. 91 (1994-01-01).

Art. 91. In case of superior force, a tutor may also be appointed, as in the case of an absentee, to a person prevented from appearing at his domicile and who is unable to appoint an administrator to his property.

(**D.T.** 12-14, 423; **C.C.Q.** 285 ss.)

SECTION II
DU JUGEMENT DÉCLARATIF DE DÉCÈS

Art. 92. Lorsqu'il s'est écoulé sept ans depuis la disparition, le jugement déclaratif de décès peut être prononcé, à la demande de tout intéressé, y compris le curateur public.

Le jugement peut également être prononcé avant ce temps lorsque la mort d'une personne domiciliée au Québec ou qui est présumée y être décédée peut être tenue pour certaine, sans qu'il soit possible de dresser un constat de décès.

1991, c. 64, a. 92 (1994-01-01).

SECTION II
DECLARATORY JUDGMENT OF DEATH

Art. 92. A declaratory judgment of death may be pronounced on the application of any interested person, including the Public Curator, seven years after disappearance.

It may also be pronounced before that time where the death of a person domiciled in Québec or presumed to have died there may be held to be certain although it is impossible to draw up an attestation of death.

C.C.B.C. 70, 93, 98, 2529 (**D.T.** 14; **C.C.Q.** 102; **C.P.C.** 865.3)

Art. 93. Le jugement déclaratif de décès énonce le nom et le sexe du défunt présumé et, s'ils sont connus, les lieu et date de sa naissance et, le cas échéant, de son mariage ou de son union civile, le nom du conjoint, le nom de ses père et mère ainsi que le lieu de son dernier domicile et les lieu, date et heure du décès.

Une copie du jugement est transmise, sans délai, au coroner en chef par le greffier du tribunal qui a rendu la décision.

1991, c. 64, a. 93 (1994-01-01); 2002, c. 6, a. 7 (2002-06-24).

Art. 93. A declaratory judgment of death states the name and sex of the person presumed dead and, if known, the place and date of his or her birth and, if applicable, marriage or civil union, the name of the spouse, the names of his or her father and mother as well as his or her last domicile, and the date, time and place of death.

A copy of the judgment is transmitted without delay to the chief coroner by the clerk of the court that rendered the decision.

C.C.B.C. 71 (**C.C.Q.** 126; **C.P.C.** 865.3, 865.6)

Art. 94. La date du décès est fixée soit à l'expiration de sept ans à compter de la disparition, soit plus tôt si les présomptions tirées des circonstances permettent de tenir la mort d'une personne pour certaine.

Le lieu du décès est fixé, en l'absence d'autres preuves, là où la personne a été vue pour la dernière fois.

1991, c. 64, a. 94 (1994-01-01).

Art. 94. The date fixed as the date of death is either the date occurring on the expiry of seven years from disappearance, or an earlier date if the presumptions drawn from the circumstances allow the death of a person to be held to be certain at that date.

In the absence of other proof, the place fixed as the place of death is that where the person was last seen.

C.C.B.C. 71 (**D.T.** 14; **C.C.Q.** 126; **C.P.C.** 865.3-865.6)

Art. 95. Le jugement déclaratif de décès produit les mêmes effets que le décès.

1991, c. 64, a. 95 (1994-01-01).

Art. 95. A declaratory judgment of death produces the same effects as death.

C.C.B.C. 72, 108 (**C.C.Q.** 93, 126, 129)

Art. 96. S'il est prouvé que la date du décès est antérieure à celle que fixe le jugement déclaratif de décès, la dissolution du régime matrimonial ou d'union civile rétroagit à la date réelle du décès et la succession est ouverte à compter de cette date.

Art. 96. If the date of death is proved to precede that fixed by the declaratory judgment of death, the dissolution of the matrimonial or civil union regime is retroactive to the true date of death and the succession is open from that date.

S'il est prouvé que la date du décès est postérieure à celle fixée par le jugement, la dissolution du régime matrimonial ou d'union civile rétroagit à la date fixée par ce jugement, mais la succession n'est ouverte qu'à compter de la date réelle du décès.

Les rapports entre les héritiers apparents et véritables obéissent aux règles du livre Des obligations relatives à la restitution des prestations.

1991, c. 64, a. 96 (1994-01-01); 2002, c. 6, a. 8 (2002-06-24).

If the date of death is proved to follow that fixed by the declaratory judgment of death, the dissolution of the matrimonial or civil union regime is retroactive to the date fixed by the judgment but the succession is open only from the true date of death.

Relations between the apparent heirs and the true heirs are governed by those rules contained in the Book on Obligations which concern the restitution of prestations.

C.C.B.C. 99; **C.C.Q. (1980)** 497, 498 (**C.C.Q.** 417, 466, 613, 1699-1707, 2847; **C.P.C.** 865.3)

SECTION III
DU RETOUR

SECTION III
RETURN

Art. 97. Les effets du jugement déclaratif de décès cessent au retour de la personne déclarée décédée, mais le mariage ou l'union civile demeure dissous.

Cependant, s'il surgit des difficultés concernant la garde des enfants ou les aliments, elles sont réglées comme s'il y avait eu séparation de corps ou dissolution de l'union civile.

1991, c. 64, a. 97 (1994-01-01); 2002, c. 6, a. 9 (2002-06-24).

Art. 97. Where a person declared dead by a declaratory judgment of death returns, the effects of the judgment cease but the marriage or civil union remains dissolved.

However, if difficulties arise over custody of the children or support, they are settled as in the case of separation from bed and board or the dissolution of a civil union.

C.C.B.C. 73, 108 (**C.C.Q.** 101, 373)

Art. 98. Celui qui revient doit demander au tribunal l'annulation du jugement déclaratif de décès et la rectification du registre de l'état civil. Il peut aussi, sous réserve des droits des tiers, demander au tribunal la radiation ou la rectification des mentions ou inscriptions faites à la suite du jugement déclaratif de décès, et que le retour rend sans effet, comme si elles avaient été faites sans droit.

Tout intéressé peut présenter la demande au tribunal aux frais de celui qui revient, à défaut pour ce dernier d'agir.

1991, c. 64, a. 98 (1994-01-01).

Art. 98. A person who has returned shall apply to the court for annulment of the declaratory judgment of death and rectification of the register of civil status. He may also, subject to the rights of third persons, apply to the court for the cancellation or rectification of the particulars or entries made following the declaratory judgment of death and nullified by his return, as if they had been made without right.

Any interested person may make the application to the court at the expense of the person who has returned if the latter fails to act.

(**C.C.Q.** 92, 129; **C.P.C.** 865.5)

Art. 99. Celui qui revient reprend ses biens suivant les modalités prévues par les règles du livre Des obligations relatives à la restitution des prestations. Il rembourse les personnes qui étaient, de bonne foi, en possession de ses biens et qui ont acquitté ses obligations autrement qu'avec ses biens.

1991, c. 64, a. 99 (1994-01-01).

Art. 99. A person who has returned recovers his property according to the rules contained in the Book on Obligations which concern the restitution of prestations. He reimburses the persons who, in good faith, were in possession of his property and who discharged his obligations otherwise than with his property.

C.C.B.C. 73, 101 (**D.T.** 12-14; **C.C.Q.** 1699-1707, 2877, 2904)

Art. 100. Tout paiement qui a été fait aux héritiers ou aux légataires particuliers de celui qui revient postérieurement à un jugement déclaratif de décès, mais avant la radiation ou la rectification des mentions ou inscriptions, est valable et libératoire.

1991, c. 64, a. 100 (1994-01-01).

C.C.B.C. 73 (C.C.Q. 129)

Art. 101. L'héritier apparent qui apprend l'existence de la personne déclarée décédée conserve la possession des biens et en acquiert les fruits et les revenus, tant que celui qui revient ne demande pas de reprendre les biens.

1991, c. 64, a. 101 (1994-01-01).

C.C.B.C. 107 (D.T. 12-14; C.C.Q. 931, 932, 2805)

Art. 100. Any payment made to the heirs or legatees by particular title of a person who has returned after a declaratory judgment of death but before the particulars or entries are cancelled or rectified is valid and constitutes a valid discharge.

Art. 101. An apparent heir who learns that the person declared dead is alive retains possession of the property and acquires the fruits and revenues thereof until the person who has returned applies to resume possession of his property.

SECTION IV
DE LA PREUVE DU DÉCÈS

SECTION IV
PROOF OF DEATH

Art. 102. La preuve du décès s'établit par l'acte de décès, hormis les cas où la loi autorise un autre mode de preuve.

1991, c. 64, a. 102 (1994-01-01).

C.C.B.C. 1210 (D.T. 423; C.C.Q. 92, 107, 133, 144, 2814)

Art. 102. Proof of death is established by an act of death, except in cases where the law authorizes another mode of proof.

CHAPITRE QUATRIÈME
DU REGISTRE ET DES ACTES DE L'ÉTAT CIVIL

CHAPTER IV
REGISTER AND ACTS OF CIVIL STATUS

SECTION I
DE L'OFFICIER DE L'ÉTAT CIVIL

SECTION I
OFFICER OF CIVIL STATUS

Art. 103. Le directeur de l'état civil est le seul officier de l'état civil.

Il est chargé de dresser les actes de l'état civil et de les modifier, de tenir le registre de l'état civil, de le garder et d'en assurer la publicité.

1991, c. 64, a. 103 (1994-01-01).

C.C.B.C. 42, 44, 50 (D.T. 15, 16, 21; C.P.C. 864.2)

Art. 103. The registrar of civil status is the sole officer of civil status.

The registrar is responsible for drawing up and altering acts of civil status, for the keeping and custody of the register of civil status and for providing access to it.

SECTION II
DU REGISTRE DE L'ÉTAT CIVIL

Art. 104. Le registre de l'état civil est constitué de l'ensemble des actes de l'état civil et des actes juridiques qui les modifient.

1991, c. 64, a. 104 (1994-01-01).

C.C.B.C. 46, 47 (**D.T.** 15-21)

Art. 105. Le registre de l'état civil est tenu en double exemplaire; l'un est constitué de tous les documents écrits, l'autre contient l'information sur support informatique.

S'il y a divergence entre les deux exemplaires du registre, l'écrit prévaut, mais dans tous les cas, l'un des exemplaires peut servir à reconstituer l'autre.

1991, c. 64, a. 105 (1994-01-01).

C.C.B.C. 42, 45, 47, 48 (**D.T.** 15-21; **C.P.C.** 865)

Art. 106. Une version du registre de l'état civil est aussi conservée dans un lieu différent de celui où sont gardés les exemplaires du registre.

1991, c. 64, a. 106 (1994-01-01).

C.C.B.C. 48, 49

SECTION II
REGISTER OF CIVIL STATUS

Art. 104. The register of civil status consists of all the acts of civil status and the juridical acts by which they are altered.

Art. 105. The register of civil status is kept in duplicate; one duplicate consists of all the written documents and the other is kept on a data retrieval system.

If there is any variance between the duplicates of the register, that in writing prevails but in all cases, one of the duplicates may be used to reconstitute the other.

Art. 106. One version of the register of civil status is also kept in a different place from that where the duplicates of the register are kept.

SECTION III
DES ACTES DE L'ÉTAT CIVIL

§ 1. — *Dispositions générales*

Art. 107. Les seuls actes de l'état civil sont les actes de naissance, de mariage, d'union civile et de décès.

Ils ne contiennent que ce qui est exigé par la loi; ils sont authentiques.

1991, c. 64, a. 107 (1994-01-01); 2002, c. 6, a. 10 (2002-06-24).

C.C.B.C. 39, 42a, 1207 (**D.T.** 15-21, 423; **C.C.Q.** 111, 118, 122, 2813, 2814, 2821; **C.P.C.** 223, 864)

Art. 108. Les actes de l'état civil sont dressés, sans délai, à partir des constats, des déclarations et des actes juridiques reçus par le directeur de l'état civil, relatifs aux naissances, mariages, unions civiles et décès qui surviennent au Québec ou qui concernent une personne qui y est domiciliée.

SECTION III
ACTS OF CIVIL STATUS

§ 1. — *General provisions*

Art. 107. The only acts of civil status are acts of birth, acts of marriage or civil union and acts of death.

They contain only what is required by law, and are authentic.

Art. 108. The acts of civil status are drawn up without delay from the attestations, declarations and juridical acts received by the registrar of civil status, regarding births, marriages, civil unions and deaths occurring in Québec or concerning persons domiciled in Québec.

Lorsqu'un nom comporte des caractères, des signes diacritiques ou une combinaison d'un caractère et d'un signe diacritique qui ne sont pas utilisés pour l'écriture du français ou de l'anglais, il doit être transcrit en français ou en anglais, au choix de la personne intéressée. Cette transcription est portée sur l'exemplaire écrit du registre et est substituée à la graphie originale sur l'exemplaire informatique, les copies d'actes, les certificats et les attestations. L'orthographe originale du nom est respectée sous réserve des modifications que cette transcription exige.

Where a name contains characters, diacritical signs or a combination of a character and a diacritical sign that are not used for the writing of French or English, the name must be transcribed into French or English, at the option of the interested person. The transcription is entered on the written copy of the register for the original form of the name in the computerized copy of the register and on copies of acts, certificates and attestations. The original spelling of the name is preserved, subject to the modifications required by the transcription.

1991, c. 64, a. 108 (1994-01-01); 1999, c. 47, a. 3 (1999-11-05); 2002, c. 6, a. 11 (2002-06-24).

C.C.B.C. 46 (**D.T.** 17-19, 423; **C.C.Q.** 75-83; **C.P.C.** 817.1)

Art. 109. Le directeur de l'état civil dresse l'acte de l'état civil en signant la déclaration qu'il reçoit, ou en l'établissant lui-même conformément au jugement ou à un autre acte qu'il reçoit.

Il date la déclaration, y appose un numéro d'inscription et l'insère dans le registre de l'état civil; elle constitue, dès lors, l'acte de l'état civil.

Art. 109. The registrar of civil status prepares an act of civil status by signing the declaration he receives, or by drawing it up himself in accordance with the judgment or other act he receives.

He dates the declaration, affixes a registration number to it and places it in the register of civil status. The declaration thereupon constitutes an act of civil status.

1991, c. 64, a. 109 (1994-01-01).

(**D.T.** 15-20; **C.P.C.** 817.1)

Art. 110. Les constats et les déclarations énoncent la date où ils sont faits, les nom, qualité et domicile de leur auteur et ils portent sa signature.

Art. 110. Every attestation and declaration indicates the date on which it was made and the name, quality and domicile of the person making it and bears his signature.

1991, c. 64, a. 110 (1994-01-01).

C.C.B.C. 54, 55, 64, 65, 67 (**D.T.** 17, 18; **C.C.Q.** 75-83)

§ 2. — Des actes de naissance

Art. 111. L'accoucheur dresse le constat de la naissance.

Le constat énonce les lieu, date et heure de la naissance, le sexe de l'enfant, de même que le nom et le domicile de la mère.

§ 2. — Acts of birth

Art. 111. The accoucheur draws up an attestation of birth.

An attestation states the place, date and time of birth, the sex of the child, and the name and domicile of the mother.

1991, c. 64, a. 111 (1994-01-01).

L.R.Q., c. P-35, a. 45 (**D.T.** 17; **C.C.Q.** 75-83)

Art. 112. L'accoucheur remet un exemplaire du constat à ceux qui doivent déclarer la naissance; il transmet, sans délai, un autre exemplaire du constat au directeur de l'état civil, avec la déclaration de naissance de l'enfant, à moins que celle-ci ne puisse être transmise immédiatement.

Art. 112. The accoucheur transmits a copy of the attestation to those who are required to declare the birth; he transmits without delay another copy of the attestation to the registrar of civil status, together with the declaration of birth of the child, unless it cannot be transmitted immediately.

1991, c. 64, a. 112 (1994-01-01).

(**D.T.** 17)

Art. 113. La déclaration de naissance de l'enfant est faite au directeur de l'état civil, dans les trente jours, par les père et mère ou par l'un d'eux. Elle est faite devant un témoin qui la signe.

1991, c. 64, a. 113 (1994-01-01).

Art. 113. *The declaration of birth of a child is made by the father and mother, or by either of them, to the registrar of civil status within thirty days, before a witness, who signs it.*

C.C.B.C. 53a, 55 (D.T. 18; C.C.Q. 130; C.P.C. 864)

Art. 114. Seuls le père ou la mère peuvent déclarer la filiation de l'enfant à leur égard. Cependant, lorsque la conception ou la naissance survient pendant le mariage ou l'union civile, l'un des conjoints peut déclarer la filiation de l'enfant à l'égard de l'autre.

Aucune autre personne ne peut déclarer la filiation à l'égard d'un parent sans l'autorisation de ce dernier.

1991, c. 64, a. 114 (1994-01-01); 2002, c. 6, a. 12 (2002-06-24).

Art. 114. *Only the father or mother may declare the filiation of a child with regard to themselves. However, where the child is conceived or born during the marriage or civil union, one of the spouses may declare the filiation of the child with regard to the other.*

No other person may declare the filiation with regard to one of the parents, except with the authorization of that parent.

C.C.B.C. 40, 54, 55 (D.T. 18; C.C.Q. 525)

Art. 115. La déclaration de naissance énonce le nom attribué à l'enfant, son sexe, les lieu, date et heure de la naissance, le nom et le domicile des père et mère et du témoin, de même que le lien de parenté du déclarant avec l'enfant. Lorsque les parents sont de même sexe, ils sont désignés comme les mères ou les pères de l'enfant, selon le cas.

L'auteur de la déclaration joint à celle-ci un exemplaire du constat de naissance.

1991, c. 64, a. 115 (1994-01-01); 2002, c. 6, a. 13 (2002-06-24); 2002, c. 19, a. 15 (2002-06-13).

Art. 115. *A declaration of birth states the name assigned to the child, the sex and the place, date and time of birth of the child, the name and domicile of the father, of the mother, and of the witness, and the family relationship between the declarant and the child. Where the parents are of the same sex, they are designated as the mothers or fathers of the child, as the case may be.*

The person who makes the declaration attaches to it a copy of the attestation of birth.

C.C.B.C. 54 (D.T. 17; C.C.Q. 107, 130; M.M. 271)

Art. 116. La personne qui recueille ou garde un nouveau-né, dont les père et mère sont inconnus ou empêchés d'agir, est tenue, dans les trente jours, de déclarer la naissance au directeur de l'état civil.

La déclaration mentionne le sexe de l'enfant et, s'ils sont connus, son nom et les lieu, date et heure de la naissance. L'auteur de la déclaration doit joindre à celle-ci une note faisant état des faits et des circonstances et y indiquer, s'ils lui sont connus, les noms des père et mère.

1991, c. 64, a. 116 (1994-01-01).

Art. 116. *Every person who gives shelter to or takes custody of a newborn child whose father and mother are unknown or prevented from acting is bound to declare the birth to the registrar of civil status within thirty days.*

A declaration states the sex and, if known, the name and the place, date and time of birth of the child. The person making a declaration shall attach a note to it relating the facts and circumstances and indicating, if known to him, the names of the father and mother.

(D.T. 17; C.C.Q. 559)

Art. 117. Lorsqu'ils sont inconnus, le directeur de l'état civil fixe les lieu, date et heure de la naissance sur la foi d'un rapport médical et suivant les présomptions tirées des circonstances.

1991, c. 64, a. 117 (1994-01-01).

(D.T. 17)

Art. 117. Where the place, date and time of birth are unknown, the registrar of civil status fixes them on the basis of a medical report and the presumptions that may be drawn from the circumstances.

§ 3. — Des actes de mariage

§ 3. — Acts of marriage

Art. 118. La déclaration de mariage est faite, sans délai, au directeur de l'état civil par celui qui célèbre le mariage.

1991, c. 64, a. 118 (1994-01-01); 1999, c. 47, a. 4 (1999-11-05).

C.C.B.C. 47, 64 (**D.T.** 15-21; **C.C.Q.** 121, 365 ss.; **C.P.C.** 818.1, 819)

Art. 118. The declaration of marriage is made without delay to the registrar of civil status by the person having solemnized the marriage.

Art. 119. La déclaration de mariage énonce les nom et domicile des époux, le lieu et la date de leur naissance et de leur mariage, ainsi que le nom de leur père et mère et des témoins.

Elle énonce aussi les nom, domicile et qualité du célébrant, et indique, s'il y a lieu, la société religieuse à laquelle il appartient.

1991, c. 64, a. 119 (1994-01-01).

C.C.B.C. 65 (**C.C.Q.** 75-83, 110, 366)

Art. 119. A declaration of marriage states the name and domicile of each spouse, their places and dates of birth, the date of their marriage, and the name of the father and mother of each of them and of the witnesses.

The declaration also states the name, domicile and quality of the officiant and indicates, where applicable, his religious affiliation.

Art. 120. La déclaration de mariage indique, s'il y a lieu, le fait d'une dispense de publication et, si l'un des époux est mineur, les autorisations ou consentements obtenus.

1991, c. 64, a. 120 (1994-01-01).

C.C.B.C. 65 (**C.C.Q.** 373; **C.P.C.** 818.1, 819-819.4; **M.M.** 267)

Art. 120. A declaration of marriage indicates, where such is the case, the fact of a dispensation from publication and, if one of the spouses is a minor, the authorizations or consents obtained.

Art. 121. La déclaration est signée par le célébrant, les époux et les témoins.

1991, c. 64, a. 121 (1994-01-01).

C.C.B.C. 64 (**C.C.Q.** 365 ss.)

Art. 121. The declaration is signed by the officiant, the spouses and the witnesses.

§ 3.1 — Des actes d'union civile

§ 3.1 — Acts of civil union

Art. 121.1 La déclaration d'union civile est faite, sans délai, au directeur de l'état civil par celui qui célèbre l'union.

2002, c. 6, a. 14 (2002-06-24).

Art. 121.1 The declaration of civil union is made without delay to the registrar of civil status by the person having solemnized the civil union.

Art. 121.2 La déclaration d'union civile énonce les nom et domicile des conjoints, le lieu et la date de leur naissance et de leur union ainsi que le nom de leur père et mère et des témoins. Elle indique, s'il y a lieu, le fait d'une dispense de publication.

Elle énonce aussi les nom, domicile et qualité du célébrant et indique, s'il y a lieu, la société religieuse à laquelle il appartient.

2002, c. 6, a. 14 (2002-06-24).

Art. 121.3 La déclaration est signée par le célébrant, les conjoints et les témoins.

2002, c. 6, a. 14 (2002-06-24).

§ 4. — Des actes de décès

Art. 122. Le médecin qui constate un décès en dresse le constat.

Il remet un exemplaire à celui qui est tenu de déclarer le décès. Un autre exemplaire est transmis, sans délai, au directeur de l'état civil par le médecin ou par le directeur de funérailles qui prend charge du corps du défunt, avec la déclaration de décès, à moins que celle-ci ne puisse être transmise immédiatement.

1991, c. 64, a. 122 (1994-01-01); 1999, c. 47, a. 5 (1999-11-05).

L.R.Q., c. P-35, a. 47 (**D.T.** 17, 20, 423)

Art. 123. S'il est impossible de faire constater le décès par un médecin dans un délai raisonnable, mais que la mort est évidente, le constat de décès peut être dressé par deux agents de la paix, qui sont tenus aux mêmes obligations que le médecin.

1991, c. 64, a. 123 (1994-01-01).

(**D.T.** 20)

Art. 124. Le constat énonce le nom et le sexe du défunt, ainsi que les lieu, date et heure du décès.

1991, c. 64, a. 124 (1994-01-01).

(**D.T.** 20)

Art. 121.2 The declaration of civil union states the names and domicile and places and dates of birth of the spouses, the date and place of solemnization of the civil union, and the names of their fathers and mothers and witnesses. Where applicable, the declaration indicates that a dispensation from publication has been granted.

The declaration also states the name, domicile and quality of the officiant and indicates, where applicable, the officiant's religious affiliation.

Art. 121.3 The declaration is signed by the officiant, the spouses and the witnesses.

§ 4. — Acts of death

Art. 122. The physician who establishes that a death has occurred draws up an attestation of death.

He transmits a copy of the attestation to the person who is required to declare the death. Another copy is sent without delay to the registrar of civil status by the physician or by the funeral director who takes charge of the body of the deceased, together with the declaration of death, unless it cannot be transmitted immediately.

Art. 123. If it is impossible to have a death attested by a physician within a reasonable time, and if death is obvious, the attestation of death may be drawn up by two peace officers, who are then bound by the same obligations as the physician.

Art. 124. An attestation states the name and sex of the deceased and the place, date and time of death.

Art. 125. La déclaration de décès est faite, sans délai, au directeur de l'état civil, soit par le conjoint du défunt, soit par un proche parent ou un allié, soit, à défaut, par toute autre personne capable d'identifier le défunt. Dans le cas où un directeur de funérailles prend charge du corps, il déclare le moment, le lieu et le mode de disposition du corps. La déclaration est faite devant un témoin qui la signe.

Art. 125. A declaration of death is made without delay to the registrar of civil status by the spouse of the deceased, a close relative or a person connected by marriage or a civil union or, failing them, by any other person able to identify the deceased. If a funeral director has taken charge of the body, he declares the time, place and mode of disposal of the body. The declaration is made before a witness, who signs it.

1991, c. 64, a. 125 (1994-01-01); 1999, c. 47, a. 6 (1999-11-05); 2002, c. 6, a. 235 (2002-06-24).

C.C.B.C. 47, 67 **(D.T.** 20)

Art. 126. La déclaration de décès énonce le nom et le sexe du défunt, le lieu et la date de sa naissance et, le cas échéant, de son mariage ou de son union civile, le nom du conjoint, le nom de ses père et mère, le lieu de son dernier domicile, les lieu, date et heure du décès ainsi que le moment, le lieu et le mode de disposition du corps.

L'auteur de la déclaration joint à celle-ci un exemplaire du constat de décès.

Art. 126. A declaration of death states the name and sex, place and date of birth and, if applicable, of marriage or civil union of the deceased, the name of the spouse, the names of the father and mother and the last domicile of the deceased and the place, date and time of death as well as the time, place and mode of disposal of the body.

The person who makes the declaration attaches to it a copy of the attestation of death.

1991, c. 64, a. 126 (1994-01-01); 2002, c. 6, a. 15 (2002-06-24).

C.C.B.C. 67 **(D.T.** 18, 20; **C.C.Q.** 93, 94)

Art. 127. Lorsqu'elles sont inconnues, le directeur de l'état civil fixe la date et l'heure du décès sur la foi du rapport d'un coroner et suivant les présomptions tirées des circonstances.

Si le lieu du décès n'est pas connu, le lieu présumé est celui où le corps a été découvert.

Art. 127. Where the date and time of death are unknown, the registrar of civil status fixes them on the basis of the report of a coroner and the presumptions that may be drawn from the circumstances.

If the place of death is unknown, it is presumed to be the place where the body was discovered.

1991, c. 64, a. 127 (1994-01-01).

(D.T. 18, 20)

Art. 128. Si l'identité du défunt est inconnue, le constat contient son signalement et décrit les circonstances de la découverte du corps.

Art. 128. If the deceased cannot be identified, the attestation includes a description of the body and an account of the circumstances surrounding its discovery.

1991, c. 64, a. 128 (1994-01-01).

L.R.Q. c. R-0.2, a. 96, 97 **(D.T.** 18, 20)

SECTION IV
DE LA MODIFICATION DU REGISTRE DE L'ÉTAT CIVIL

§ 1. — *Disposition générale*

SECTION IV
ALTERATION OF THE REGISTER OF CIVIL STATUS

§ 1. — *General provision*

Art. 129. Le greffier du tribunal qui a rendu un jugement qui change le nom d'une personne ou modifie autrement l'état d'une personne ou une mention à l'un des actes de l'état civil, notifie ce jugement au directeur de l'état civil, dès qu'il est passé en force de chose jugée.

Art. 129. The clerk of the court that has rendered a judgment changing the name of a person or otherwise altering the status of a person or any particular in an act of civil status gives notice of the judgment to the registrar of civil status as soon as it acquires the authority of a final judgment (res judicata).

Le notaire qui reçoit une déclaration commune de dissolution d'une union civile la notifie sans délai au directeur de l'état civil.

Le directeur de l'état civil fait alors, sur l'exemplaire informatique, les inscriptions nécessaires pour assurer la publicité du registre.

The notary who executes a joint declaration dissolving a civil union gives notice of the declaration without delay to the registrar of civil status.

The registrar of civil status then makes the required entries in the computerized copy of the register to ensure the publication of the register.

1991, c. 64, a. 129 (1994-01-01); 1999, c. 47, a. 7 (1999-11-05); 2002, c. 6, a. 16 (2002-06-24).

C.C.B.C. 72; C.C.Q. (1980) 625, 626.1; C.P.C. 817.1, 865, 870, 883; L.R.Q., c. C-10, a. 10, 16, 22 (D.T. 16; C.C.Q. 57 ss., 71 ss., 92 ss., 516 ss., 543 ss.; C.P.C. 817.1, 817.2, 864, 865)

§ 2. — De la confection des actes et des mentions

§ 2. — Preparation of acts and notations

Art. 130. Lorsqu'une naissance, un mariage, une union civile ou un décès survenu au Québec n'est pas constaté ou déclaré, ou l'est incorrectement ou tardivement, le directeur de l'état civil procède à une enquête sommaire, dresse l'acte de l'état civil sur la foi de l'information qu'il obtient et l'insère dans le registre de l'état civil.

En cas de déclaration tardive s'ajoutant à une autre déclaration sans la contredire, le directeur de l'état civil peut, avec le consentement de l'auteur de la déclaration précédente, apporter la modification correspondante à l'acte de l'état civil. Toutefois, s'il s'agit d'une déclaration de filiation, la modification est, en outre, conditionnelle au consentement de l'enfant âgé de quatorze ans ou plus et à l'absence d'un lien de filiation établi en faveur d'une autre personne par un titre, une possession constante d'état ou une présomption légale; elle est aussi conditionnelle à l'absence d'objection d'un tiers dans les vingt jours d'un avis publié conformément aux règles fixées par règlement du gouvernement.

Art. 130. Where a birth, marriage, civil union or death having occurred in Québec is not attested or declared or is attested or declared inaccurately or late, the registrar of civil status makes a summary investigation, draws up the act of civil status on the basis of the information he obtains and inserts the act in the register of civil status.

Where a tardy declaration is made which adds to an earlier one without contradicting it, the registrar of civil status may, with the consent of the author of the earlier declaration, alter the act of civil status accordingly. However, in the case of a declaration of filiation, alteration of the act of civil status is conditional upon the consent of the child if he is 14 years of age or over and upon the absence of a bond of filiation established in favour of another person by an act, uninterrupted possession of status or a legal presumption; it is also conditional upon the absence of any objection from a third person within twenty days of the publication of a notice in accordance with the rules determined by government regulation.

1991, c. 64, a. 130 (1994-01-01); 1999, c. 47, a. 8 (2002-05-01); 2002, c. 6, a. 17 (2002-06-24).

C.C.B.C. 53a, 75 (D.T. 16; C.C.Q. 131, 141; C.P.C. 864)

Art. 131. Lorsque la déclaration et le constat contiennent des mentions contradictoires, par ailleurs essentielles pour permettre d'établir l'état de la personne, l'acte de l'état civil ne peut être dressé qu'avec l'autorisation du tribunal, sur demande du directeur de l'état civil ou d'une personne intéressée.

Art. 131. Where the declaration and the attestation contain particulars that are contradictory yet essential to the establishment of the status of a person, no act of civil status may be drawn up except with the authorization of the court, on the application of the registrar of civil status or of an interested person.

1991, c. 64, a. 131 (1994-01-01).

(D.T. 16; C.C.Q. 130, 141; C.P.C. 885a))

Art. 132. Un nouvel acte de l'état civil est dressé, à la demande d'une personne intéressée, lorsqu'un jugement qui modifie une mention essentielle d'un acte de l'état civil, tel le nom ou la filiation, a été notifié au directeur de l'état civil ou que la décision d'autoriser un changement de nom ou de la mention du sexe a acquis un caractère définitif.

Pour compléter l'acte, le directeur peut requérir que la nouvelle déclaration qu'il établit soit signée par ceux qui auraient pu la signer eût-elle été la déclaration primitive.

Le nouvel acte se substitue à l'acte primitif; il en reprend toutes les énonciations et les mentions qui n'ont pas fait l'objet de modifications. De plus, une mention de la substitution est portée à l'acte primitif.

1991, c. 64, a. 132 (1994-01-01).

Art. 132. A new act of civil status is drawn up, on the application of an interested person, where a judgment changing an essential particular in an act of civil status, such as the name or filiation of a person, has been notified to the registrar of civil status or where the decision to authorize a change of name or of designation of sex has become final.

To complete the act, the registrar may require the new declaration he draws up to be signed by those who could have signed it if it had been the original declaration.

The new act is substituted for the original act; it repeats all the statements and particulars that are not affected by the alterations. In addition, the substitution is noted in the original act.

C.C.Q. (1980) 625 (**C.C.Q.** 129, 141, 149; **C.P.C.** 817.1, 817.2, 864, 885)

Art. 133. Lorsqu'un jugement déclaratif de décès lui est notifié, le directeur de l'état civil dresse l'acte de décès en y indiquant les mentions conformes au jugement.

1991, c. 64, a. 133 (1994-01-01).

Art. 133. Where a declaratory judgment of death is notified to him, the registrar of civil status draws up the act of death, indicating the particulars in accordance with the judgment.

C.C.B.C. 72 (**C.C.Q.** 92-96; **C.P.C.** 865.3-865.6)

Art. 134. Le directeur de l'état civil fait mention, sur l'acte de naissance, de l'acte de mariage ou d'union civile; il fait aussi mention, sur les actes de naissance et de mariage ou d'union civile, de l'acte de décès.

Ces mentions sont portées sur l'exemplaire informatique du registre.

Art. 134. The registrar of civil status makes a notation of the act of marriage or civil union in the act of birth; he also makes a notation of the act of death in the act of birth and the act of marriage or civil union.

Such notations are made in the computerized copy of the register.

1991, c. 64, a. 134 (1994-01-01); 1999, c. 47, a. 9 (1999-11-05); 2002, c. 6, a. 18 (2002-06-24).

(**D.T.** 20)

Art. 135. Le directeur de l'état civil doit, sur notification d'un jugement prononçant un divorce, en faire mention sur l'exemplaire informatique des actes de naissance et de mariage de chacune des parties.

Il doit, sur notification d'une déclaration commune notariée ou d'un jugement de dissolution d'une union civile, en faire mention sur l'exemplaire informatique des actes de naissance et d'union civile de chacune des personnes concernées.

Art. 135. The registrar of civil status, upon notification of a judgment granting a divorce, shall make a notation of the judgment in the computerized version of the acts of birth and marriage of each of the parties.

Upon notification of a notarized joint declaration or a judgment dissolving a civil union, the registrar shall make a notation of the declaration or judgment in the computerized version of the acts of birth and civil union of each of the persons concerned.

Il doit également, sur notification d'un jugement prononçant la nullité de mariage ou d'union civile ou annulant un jugement déclaratif de décès, annuler, selon le cas, l'acte de mariage, d'union civile ou de décès et faire, sur l'exemplaire informatique, les inscriptions nécessaires pour assurer la cohérence du registre.

Upon notification of a judgment in nullity of marriage or civil union or annulling a declaratory judgment of death, the registrar shall cancel the act of marriage or civil union or of death, as the case may be, and make the required entries in the computerized copy of the register to ensure the coherence of the register.

1991, c. 64, a. 135 (1994-01-01); 1999, c. 47, a. 10 (1999-11-05); 2002, c. 6, a. 19 (2002-06-24).

_____

(**D.T.** 20; **C.P.C.** 817.1, 817.2, 865.5)

Art. 136. Lorsque la mention qu'il porte à un acte résulte d'un jugement, le directeur de l'état civil inscrit sur l'acte, l'objet et la date du jugement, le tribunal qui l'a rendu et le numéro du dossier.

Art. 136. Where the registrar of civil status makes a notation in an act as a result of a judgment, he enters, in the act, the object and date of the judgment, the court that rendered it and the number of the court record.

Dans les autres cas, il porte sur l'acte les mentions qui permettent de retrouver l'acte modificatif.

In any other case, he makes the necessary notations in the act to allow retrieval of the altering act.

1991, c. 64, a. 136 (1994-01-01).

_____

(**C.P.C.** 817.1, 817.2, 865.5)

Art. 137. Le directeur de l'état civil, sur réception d'un acte de l'état civil fait hors du Québec, mais concernant une personne domiciliée au Québec, insère cet acte dans le registre comme s'il s'agissait d'un acte dressé au Québec.

Art. 137. The registrar of civil status, upon receiving an act of civil status made outside Québec but relating to a person domiciled in Québec, inserts the act in the register as though it were an act drawn up in Québec.

Il insère également les actes juridiques faits hors du Québec modifiant ou remplaçant un acte qu'il détient; il fait alors, sur l'exemplaire informatique, les inscriptions nécessaires pour assurer la publicité du registre.

He inserts the juridical acts made outside Québec which alter or replace acts of civil status in his possession; he then makes the required entries in the computerized copy of the register to ensure the publication of the register.

Malgré leur insertion au registre, les actes juridiques, y compris les actes de l'état civil, faits hors du Québec conservent leur caractère d'actes semiauthentiques, à moins que leur validité n'ait été reconnue par un tribunal du Québec. Le directeur doit mentionner ce fait lorsqu'il délivre des copies, certificats ou attestations qui concernent ces actes.

Notwithstanding their insertion in the register, juridical acts, including acts of civil status, made outside Québec retain their status as semi-authentic acts until their validity is recognized by a court in Québec. The registrar shall mention this fact when issuing copies, certificates or attestations in respect of such acts.

1991, c. 64, a. 137 (1994-01-01); 1999, c. 47, a. 11 (1999-11-05).

_____

C.C.B.C. 7, 1220 (**C.C.Q.** 141, 2822, 3134; **C.P.C.** 864, 865)

Art. 138. Lorsqu'il y a un doute sur la validité de l'acte de l'état civil ou de l'acte juridique fait hors du Québec, le directeur de l'état civil peut refuser d'agir, à moins que la validité du document ne soit reconnue par un tribunal du Québec.

Art. 138. Where there is any doubt as to the validity of an act of civil status or a juridical act made outside Québec, the registrar of civil status may refuse to act until the validity of the document is recognized by a court in Québec.

1991, c. 64, a. 138 (1994-01-01).

_____

(**D.T.** 16, 18; **C.C.Q.** 137; **C.P.C.** 864, 870 ss.)

Art. 139. Si l'acte de l'état civil dressé hors du Québec a été perdu, détruit ou s'il est impossible d'en obtenir une copie, le directeur de l'état civil ne peut dresser un acte de l'état civil ou porter une mention sur un acte qu'il détient déjà que s'il y est autorisé par le tribunal.

1991, c. 64, a. 139 (1994-01-01).

(D.T. 16, 18, 19; **C.P.C.** 885*a*))

Art. 140. Les actes de l'état civil et les actes juridiques faits hors du Québec et rédigés dans une autre langue que le français ou l'anglais doivent être accompagnés d'une traduction vidimée au Québec.

1991, c. 64, a. 140 (1994-01-01).

(C.P.C. 864)

§ 3. — *De la rectification et de la reconstitution des actes et du registre*

Art. 141. Hormis les cas prévus au présent chapitre, le tribunal peut seul ordonner la rectification d'un acte de l'état civil ou son insertion dans le registre.

Il peut aussi, sur demande d'un intéressé, réviser toute décision du directeur de l'état civil relative à un acte de l'état civil.

1991, c. 64, a. 141 (1994-01-01).

C.C.B.C. 75; **C.P.C.** 864, 865 (**C.C.Q.** 130-132, 137, 142; **C.P.C.** 864 ss., 870 ss.)

Art. 142. Le directeur de l'état civil corrige dans tous les actes les erreurs purement matérielles. La correction est portée sur l'exemplaire informatique du registre.

1991, c. 64, a. 142 (1994-01-01); 1999, c. 47, a. 12 (1999-11-05).

C.C.B.C. 75 (**D.T.** 16, 19; **C.C.Q.** 130, 141; **C.P.C.** 864 ss.)

Art. 143. Sur la foi des renseignements qu'il obtient, le directeur de l'état civil reconstitue, conformément au Code de procédure civile, l'acte perdu ou détruit.

1991, c. 64, a. 143 (1994-01-01).

C.C.B.C. 51; **C.P.C.** 870 (**D.T.** 16, 19; **C.P.C.** 870 ss.)

SECTION V
DE LA PUBLICITÉ DU REGISTRE DE L'ÉTAT CIVIL

Art. 144. La publicité du registre de l'état civil se fait par la délivrance de copies d'actes, de certificats ou d'attestations portant le vidimus du directeur de l'état civil et la date de la délivrance.

Art. 139. If an act of civil status drawn up outside Québec has been lost or destroyed or if no copy of it can be obtained, the registrar of civil status shall not draw up an act of civil status or make a notation in an act already in his possession except with the authorization of the court.

Art. 140. Every act of civil status or juridical act made outside Québec and drawn up in a language other than French or English shall be accompanied by a translation authenticated in Québec.

§ 3. — *Rectification and reconstitution of an act and of the register*

Art. 141. Except in the cases provided for in this chapter, only the court may order the rectification of an act of civil status or its insertion in the register.

The court may also, on the application of an interested person, review any decision of the registrar of civil status relating to an act of civil status.

Art. 142. The registrar of civil status corrects the clerical errors in all acts. Corrections are carried over to the computerized version of the register.

Art. 143. On the basis of the information he obtains, the registrar of civil status reconstitutes, in accordance with the Code of Civil Procedure, any act which has been lost or destroyed.

SECTION V
PUBLICATION OF THE REGISTER OF CIVIL STATUS

Art. 144. The register of civil status is published by the issuing of copies of acts, certificates or attestations bearing the vidimus of the registrar of civil status and the date of issue.

Les copies d'actes de l'état civil, les certificats et les attestations ainsi délivrés sont authentiques, sous réserve de l'article 137.

1991, c. 64, a. 144 (1994-01-01).

Subject to article 137, copies of acts of civil status, certificates and attestations issued under this section are authentic.

C.C.B.C. 50, 1207 (**D.T.** 18, 20; **C.C.Q.** 137, 2813 ss.)

*Art. 145. Est une copie d'un acte de l'état civil le document qui reproduit intégralement les énonciations de l'acte, y compris les mentions portées à l'acte, telles qu'elles ont pu être modifiées, à l'exception des mentions exigées par règlement qui ne sont pas essentielles pour établir l'état d'une personne.

*Art. 145. Any document which reproduces in their entirety the statements of an act of civil status, including the notations thereon, as altered, but excluding notations required by regulation which are not essential to the establishment of the status of a person, is a copy of that act.

1991, c. 64, a. 145 (1994-01-01); 1999, c. 47, a. 13 (1999-11-05).

C.C.B.C. 50 (**D.T.** 20; **C.C.Q.** 2813, 2815)

---

* L'article 145 modifié par 1999, c. 47, a. 13, est réputé s'être toujours lu dans sa version nouvelle.

1999, c. 47, a. 16.

* Article 145 amended by 1999, c. 47, s. 13, is deemed to have always read in its new version.

1999, c. 47, s. 16.

Art. 146. Le certificat d'état civil énonce les nom, sexe, lieu et date de naissance de la personne et, si elle est décédée, les lieu et date du décès. Il énonce également, le cas échéant, les lieu et date de mariage ou d'union civile et le nom du conjoint.

Le directeur de l'état civil peut également délivrer des certificats de naissance, de mariage, d'union civile ou de décès portant les seules mentions relatives à un fait certifié.

1991, c. 64, a. 146 (1994-01-01); 2002, c. 6, a. 20 (2002-06-24).

Art. 146. A certificate of civil status sets forth the person's name, sex, place and date of birth and, if the person is deceased, the place and date of death. It also sets forth, if applicable, the place and date of marriage or civil union and the name of the spouse.

The registrar of civil status may also issue certificates of birth, marriage, civil union or death bearing only the particulars relating to one certified fact.

(**D.T.** 20)

Art. 147. L'attestation porte sur la présence ou l'absence, dans le registre, d'un acte ou d'une mention dont la loi exige qu'elle soit portée sur l'acte.

1991, c. 64, a. 147 (1994-01-01).

Art. 147. An attestation deals with the presence or absence in the register of an act or of a notation required by law to be made in the act.

(**C.C.Q.** 144)

Art. 148. Le directeur de l'état civil ne délivre la copie d'un acte ou un certificat qu'aux personnes qui y sont mentionnées ou à celles qui justifient de leur intérêt. Le directeur peut exiger d'une personne qui demande la copie d'un acte ou un certificat qu'elle lui fournisse les documents ou renseignements nécessaires pour vérifier son identité ou son intérêt.

Art. 148. The registrar of civil status issues a copy of an act or a certificate only to the persons mentioned in the act or certificate or to persons who establish their interest. The registrar may require any person applying for a copy of an act or a certificate to produce such documents and information as are necessary to verify the person's identity or interest.

Il délivre les attestations à toute personne qui en fait la demande si la mention ou le fait qu'il atteste est de la nature de ceux qui apparaissent sur un certificat; autrement, il ne les délivre qu'aux seules personnes qui justifient de leur intérêt.

The registrar issues an attestation to all persons who apply therefor if the particular or fact it attests to is of the kind which appears on certificates; otherwise, he issues it only to persons who establish their interest.

1991, c. 64, a. 148 (1994-01-01); 2001, c. 41, a. 1 (2001-11-09); 2001, c. 70, a. 1 (2001-12-20).

C.C.B.C. 50 (D.T. 21; C.C.Q. 144)

Art. 149. Lorsqu'un nouvel acte a été dressé, seules les personnes mentionnées à l'acte nouveau peuvent obtenir copie de l'acte primitif. En cas d'adoption cependant, il n'est jamais délivré copie de l'acte primitif, à moins que, les autres conditions de la loi étant remplies, le tribunal ne l'autorise.

Dès lors qu'un acte est annulé, seules les personnes qui démontrent leur intérêt peuvent obtenir une copie de celui-ci.

1991, c. 64, a. 149 (1994-01-01).

Art. 149. Where a new act has been drawn up, only the persons mentioned in the new act may obtain a copy of the original act. However, in cases of adoption, no copy of the original act is ever issued unless, the other conditions of law having been fulfilled, it is authorized by the court.

Once an act has been annulled, only persons who establish their interest may obtain a copy of the annulled act.

C.C.B.C. 50; C.C.Q. (1980) 631, 632 (C.C.Q. 132, 582-584; C.P.C. 885a))

Art. 150. Le registre de l'état civil ne peut être consulté sans l'autorisation du directeur de l'état civil.

Celui-ci, s'il permet la consultation, détermine alors les conditions nécessaires à la sauvegarde des renseignements inscrits.

1991, c. 64, a. 150 (1994-01-01).

Art. 150. The register of civil status may be consulted only with the authorization of the registrar of civil status.

Where the registrar allows the register to be consulted, he determines the conditions required for the safeguard of the information it contains.

SECTION VI

DES POUVOIRS RÉGLEMENTAIRES RELATIFS À LA TENUE ET À LA PUBLICITÉ DU REGISTRE DE L'ÉTAT CIVIL

Art. 151. Le directeur de l'état civil peut désigner une ou plusieurs personnes de son personnel pour le remplacer temporairement en cas d'absence ou d'empêchement. Il peut également déléguer à son personnel certaines de ses fonctions.

La désignation et la délégation sont faites par écrit. Elles prennent effet dès leur signature par le directeur de l'état civil. Les actes de désignation et de délégation sont publiés à la *Gazette officielle du Québec*.

Les mentions additionnelles qui peuvent apparaître sur les constats et les déclarations, les droits de délivrance de copies d'actes, de certificats ou d'attestations et les droits exigibles pour la confection ou la modification d'un acte ou pour la consultation du registre sont déterminés par le règlement d'application pris par le gouvernement.

SECTION VI

REGULATORY POWERS RELATING TO THE KEEPING AND PUBLICATION OF THE REGISTER OF CIVIL STATUS

Art. 151. The registrar of civil status may designate one or more members of his personnel to replace him temporarily if he is absent or unable to act. He may also delegate certain of his functions to his personnel.

Designations and delegations under the first paragraph are made in writing. They take effect upon their signature by the registrar of civil status. Acts of designation and delegation must be published in the *Gazette officielle du Québec*.

The additional particulars that may appear on attestations and declarations, the duties payable for the issuing of copies of acts, certificates or attestations and the charge for preparing or altering an act or for consulting the register are fixed by regulation of the Government.

1991, c. 64, a. 151 (1994-01-01); 1996, c. 21, a. 27 (1996-09-04); 1999, c. 47, a. 14 (1999-11-05).

Art. 152. Dans les communautés cries, inuit ou naskapies, l'agent local d'inscription ou un autre fonctionnaire nommé en vertu des lois relatives aux autochtones cris, inuit et naskapis peut, dans la mesure prévue au règlement d'application, être autorisé à exercer certaines fonctions du directeur de l'état civil.

Dans le cadre d'une entente conclue entre le gouvernement et une communauté mohawk, le directeur de l'état civil peut convenir avec la personne désignée par la communauté de modalités particulières portant sur la transmission des informations relatives aux mariages célébrés sur le territoire défini dans l'entente et sur la transmission des déclarations de naissance, de mariage ou de décès des membres de la communauté, ainsi que pour l'inscription sur le registre des noms traditionnels des membres de la communauté.

1991, c. 64, a. 152 (1994-01-01); 1999, c. 53, a. 19 (1999-11-24).

Art. 152. In Cree, Inuit or Naskapi communities, the local registry officer or another public servant appointed under any Act respecting Cree, Inuit and Naskapi native persons may be authorized, to the extent provided by regulation, to perform certain duties of the registrar of civil status.

Within the context of an agreement concluded between the Government and a Mohawk community, the registrar of civil status may agree with the person designated by the community to a special procedure for the transmission of information concerning marriages solemnized in the territory defined in the agreement and for the transmission of declarations of birth, marriage or death concerning members of the community, as well as for entry in the register of the traditional names of the members of the community.

TITRE QUATRIÈME
DE LA CAPACITÉ DES PERSONNES

TITLE FOUR
CAPACITY OF PERSONS

CHAPITRE PREMIER
DE LA MAJORITÉ ET DE LA MINORITÉ

CHAPTER I
MAJORITY AND MINORITY

SECTION I
DE LA MAJORITÉ

SECTION I
MAJORITY

Art. 153. L'âge de la majorité est fixé à dix-huit ans.

La personne, jusqu'alors mineure, devient capable d'exercer pleinement tous ses droits civils.

1991, c. 64, a. 153 (1994-01-01).

Art. 153. Full age or the age of majority is eighteen years.

On attaining full age, a person ceases to be a minor and has the full exercise of all his civil rights.

C.C.B.C. 246, 324 (**C.C.Q.** 4, 80, 171, 176, 373, 545, 554, 1409; **C.P.C.** 56, 254, 257, 558)

Art. 154. La capacité du majeur ne peut être limitée que par une disposition expresse de la loi ou par un jugement prononçant l'ouverture d'un régime de protection.

1991, c. 64, a. 154 (1994-01-01).

Art. 154. In no case may the capacity of a person of full age be limited except by express provision of law or by a judgment ordering the institution of protective supervision.

(**C.C.Q.** 256 ss., 1409; **C.P.C.** 877 ss., 884.1 ss.)

SECTION II
DE LA MINORITÉ

SECTION II
MINORITY

Art. 155. Le mineur exerce ses droits civils dans la seule mesure prévue par la loi.

1991, c. 64, a. 155 (1994-01-01).

Art. 155. A minor exercises his civil rights only to the extent provided by law.

C.C.B.C. 248, 986 (**C.C.Q.** 372, 373, 434, 554, 598, 602, 638, 703, 708, 1318, 1405, 2905, 2964; **C.P.C.** 56, 165, 394.1, 483)

Art. 156. Le mineur de quatorze ans et plus est réputé majeur pour tous les actes relatifs à son emploi, ou à l'exercice de son art ou de sa profession.

1991, c. 64, a. 156 (1994-01-01).

Art. 156. A minor fourteen years of age or over is deemed to be of full age for all acts pertaining to his employment or to the practice of his craft or profession.

C.C.B.C. 304, 323, 1005 (**C.C.Q.** 174, 1318; **C.P.C.** 56, 59, 165, 394.1 ss., 397, 398, 483, 492)

Art. 157. Le mineur peut, compte tenu de son âge et de son discernement, contracter seul pour satisfaire ses besoins ordinaires et usuels.

1991, c. 64, a. 157 (1994-01-01).

Art. 157. A minor may, within the limits imposed by his age and power of discernment, enter into contracts alone to meet his ordinary and usual needs.

C.C.B.C. 1002 (**C.C.Q.** 163, 177, 188, 208, 1309, 1409)

Art. 158. Hors les cas où il peut agir seul, le mineur est représenté par son tuteur pour l'exercice de ses droits civils.

À moins que la loi ou la nature de l'acte ne le permette pas, l'acte que le mineur peut faire seul peut aussi être fait valablement par son représentant.

1991, c. 64, a. 158 (1994-01-01).

Art. 158. Except where he may act alone, a minor is represented by his tutor for the exercise of his civil rights.

Unless the law or the nature of the act does not allow it, an act that may be performed by a minor alone may also be validly performed by his representative.

C.C.B.C. 290, 1002 (**C.C.Q.** 434, 586; **C.P.C.** 56, 61, 394.1, 478, 483)

Art. 159. Le mineur doit être représenté en justice par son tuteur; ses actions sont portées au nom de ce dernier.

Toutefois, le mineur peut, avec l'autorisation du tribunal, intenter seul une action relative à son état, à l'exercice de l'autorité parentale ou à un acte à l'égard duquel il peut agir seul; en ces cas, il peut agir seul en défense.

1991, c. 64, a. 159 (1994-01-01).

Art. 159. In judicial matters, a minor shall be represented by his tutor; his actions are brought in the name of his tutor.

A minor may, however, with the authorization of the court, institute alone an action relating to his status, to the exercise of parental authority or to an act that he may perform alone; he may in such cases act alone as defendant.

C.C.B.C. 304 (**C.C.Q.** 434, 586, 597 ss.; **C.P.C.** 56, 59, 61, 165, 394.1 ss., 397, 398, 478, 483, 492)

Art. 160. Le mineur peut invoquer seul, en défense, l'irrégularité provenant du défaut de représentation ou l'incapacité lui résultant de sa minorité.

1991, c. 64, a. 160 (1994-01-01).

Art. 160. A minor may invoke, alone, in his defence, any irregularity arising from lack of representation or incapacity resulting from his minority.

C.C.B.C. 304 (**C.P.C.** 56, 59, 61, 165, 394.1 ss.)

Art. 161. L'acte fait seul par le mineur, lorsque la loi ne lui permet pas d'agir seul ou représenté, est nul de nullité absolue.

1991, c. 64, a. 161 (1994-01-01).

Art. 161. An act performed alone by a minor where the law does not allow him to act alone or through a representative is absolutely null.

(**C.C.Q.** 165, 708, 1421; **C.P.C.** 110)

Art. 162. L'acte accompli par le tuteur sans l'autorisation du tribunal, alors que celle-ci est requise par la nature de l'acte, peut être annulé à la demande du mineur, sans qu'il soit nécessaire d'établir qu'il a subi un préjudice.

1991, c. 64, a. 162 (1994-01-01).

Art. 162. An act performed by the tutor without the authorization of the court although the nature of the act requires it may be annulled on the application of the minor, without any requirement to prove that he has suffered damage.

C.C.B.C. 1009 (**C.C.Q.** 213, 214; **C.P.C.** 56, 394.1 ss., 885, 897)

Art. 163. L'acte fait seul par le mineur ou fait par le tuteur sans l'autorisation du conseil de tutelle, alors que celle-ci est requise par la nature de l'acte, ne peut être annulé ou les obligations qui en découlent réduites, à la demande du mineur, que s'il en subit un préjudice.

1991, c. 64, a. 163 (1994-01-01).

Art. 163. An act performed alone by a minor or his tutor without the authorization of the tutorship council although the nature of the act requires it may not be annulled or the obligations arising from it reduced, on the application of the minor, unless he suffers damage therefrom.

C.C.B.C. 1002 (**C.C.Q.** 209, 213, 222 ss., 638, 1405; **C.P.C.** 110)

Art. 164. Le mineur ne peut exercer l'action en nullité ou en réduction de ses obligations lorsque le préjudice qu'il subit résulte d'un événement casuel et imprévu.

Il ne peut non plus se soustraire à l'obligation extracontractuelle de réparer le préjudice causé à autrui par sa faute.

1991, c. 64, a. 164 (1994-01-01).

Art. 164. A minor may not bring an action in nullity or reduction of his obligations if the damage he suffers is caused by a fortuitous and unforeseen event.

A minor may not avoid an extracontractual obligation to redress damage caused to another person by his fault.

C.C.B.C. 1004, 1007 (**C.C.Q.** 1457, 1470; **C.P.C.** 110)

Art. 165. La simple déclaration faite par un mineur qu'il est majeur ne le prive pas de son action en nullité ou en réduction de ses obligations.

1991, c. 64, a. 165 (1994-01-01).

Art. 165. The mere declaration by a minor that he is of full age does not deprive him of his action in nullity or reduction of his obligations.

C.C.B.C. 1003 (**C.C.Q.** 161)

Art. 166. Le mineur devenu majeur peut confirmer l'acte fait seul en minorité, alors qu'il devait être représenté. Après la reddition du compte de tutelle, il peut également confirmer l'acte fait par son tuteur sans que toutes les formalités aient été observées.

1991, c. 64, a. 166 (1994-01-01).

Art. 166. On attaining full age, a person may confirm an act he performed alone during minority for which he required to be represented. After accounts of tutorship are rendered, he may also confirm an act performed by his tutor without observance of all the formalities.

C.C.B.C. 311, 1008 (**C.C.Q.** 181, 248, 1423)

SECTION III
DE L'ÉMANCIPATION

SECTION III
EMANCIPATION

§ 1. — *De la simple émancipation*

§ 1. — *Simple emancipation*

Art. 167. Le tuteur peut, avec l'accord du conseil de tutelle, émanciper le mineur de seize ans et plus qui le lui demande, par le dépôt d'une déclaration en ce sens auprès du curateur public.

L'émancipation prend effet au moment du dépôt de cette déclaration.

1991, c. 64, a. 167 (1994-01-01).

Art. 167. The tutor may, after obtaining the agreement of the tutorship council, emancipate a minor if he is sixteen years of age or over and requests it, by filing a declaration to that effect with the Public Curator.

Emancipation is effective from the filing of the declaration.

(**D.T.** 22; **C.C.Q.** 222 ss.; **C.P.C.** 886)

Art. 168. Le tribunal peut aussi, après avoir pris l'avis du tuteur et, le cas échéant, du conseil de tutelle, émanciper le mineur.

Le mineur peut demander seul son émancipation.

1991, c. 64, a. 168 (1994-01-01).

Art. 168. The court may likewise, after obtaining the advice of the tutor and, where applicable, of the tutorship council, emancipate a minor.

A minor may apply alone for his emancipation.

C.C.B.C. 315 (**D.T.** 22; **C.C.Q.** 169, 222 ss.; **C.P.C.** 872 ss., 885c), 886)

Art. 169. Le tuteur doit rendre compte de son administration au mineur émancipé; il continue, néanmoins, de l'assister gratuitement.
1991, c. 64, a. 169 (1994-01-01).

Art. 169. The tutor is accountable for his administration to the emancipated minor; he continues, however, to assist him gratuitously.

C.C.B.C. 317, 318, 340 (**D.T.** 22; **C.C.Q.** 247; **C.P.C.** 414, 532 ss.)

Art. 170. L'émancipation ne met pas fin à la minorité et ne confère pas tous les droits résultant de la majorité, mais elle libère le mineur de l'obligation d'être représenté pour l'exercice de ses droits civils.

1991, c. 64, a. 170 (1994-01-01).

Art. 170. Emancipation does not put an end to minority nor does it confer all the rights resulting from majority, but it releases the minor from the obligation to be represented for the exercise of his civil rights.

C.C.B.C. 247, 340 (**D.T.** 22; **C.C.Q.** 168, 176; **C.P.C.** 56, 59, 61, 208 ss., 257, 492, 886)

Art. 171. Le mineur émancipé peut établir son propre domicile; il cesse d'être sous l'autorité de ses père et mère.
1991, c. 64, a. 171 (1994-01-01).

Art. 171. An emancipated minor may establish his own domicile, and he ceases to be under the authority of his father and mother.

C.C.B.C. 83, 247; **C.C.Q.** (1980) 646 (**C.C.Q.** 80, 170, 598, 602)

Art. 172. Outre les actes que le mineur peut faire seul, le mineur émancipé peut faire tous les actes de simple administration; il peut ainsi, à titre de locataire, passer des baux d'une durée d'au plus trois ans ou donner des biens suivant ses facultés s'il n'entame pas notablement son capital.

1991, c. 64, a. 172 (1994-01-01).

Art. 172. In addition to the acts that a minor may perform alone, an emancipated minor may perform all acts of simple administration; thus, he may, as a lessee, sign leases for terms not exceeding three years and make gifts of his property according to his means, provided he does not notably reduce his capital.

C.C.B.C. 319, 763, 1002 (**C.C.Q.** 170, 638, 1301)

Art. 173. Le mineur émancipé doit être assisté de son tuteur pour tous les actes excédant la simple administration, notamment pour accepter une donation avec charge ou pour renoncer à une succession.

L'acte accompli sans assistance ne peut être annulé ou les obligations qui en découlent réduites que si le mineur en subit un préjudice.
1991, c. 64, a. 173 (1994-01-01).

Art. 173. An emancipated minor shall be assisted by his tutor for every act beyond simple administration, and in particular for accepting a gift encumbered with a charge or for renouncing a succession.

An act performed without assistance may not be annulled or the obligations arising from it reduced unless the minor suffers damage therefrom.

C.C.B.C. 320-322, 1002 (**D.T.** 22; **C.C.Q.** 159, 170, 638; **C.P.C.** 56, 886)

Art. 174. Les prêts ou les emprunts considérables, eu égard au patrimoine du mineur émancipé, et les actes d'aliénation d'un immeuble ou d'une entreprise doivent être autorisés par le tribunal, sur avis du tuteur. Autrement, l'acte ne peut être annulé ou les obligations qui en découlent réduites, à la demande du mineur, que s'il en subit un préjudice.

1991, c. 64, a. 174 (1994-01-01).

Art. 174. Loans or borrowings of large amounts, considering the patrimony of an emancipated minor, and acts of alienation of an immovable or enterprise require the authorization of the court, on the advice of the tutor. Otherwise, the act may not be annulled or the obligations arising from it reduced, on the application of the minor, unless he suffers damage therefrom.

C.C.B.C. 321, 1002 (**D.T.** 22; **C.C.Q.** 170, 213, 1305, 1310, 2681; **C.P.C.** 110, 885*a*), 886)

§ 2. — De la pleine émancipation

Art. 175. La pleine émancipation a lieu par le mariage.

Elle peut aussi, à la demande du mineur, être déclarée par le tribunal pour un motif sérieux; en ce cas, le titulaire de l'autorité parentale, le tuteur et toute personne qui a la garde du mineur doivent être appelés à donner leur avis ainsi que, s'il y a lieu, le conseil de tutelle.

1991, c. 64, a. 175 (1994-01-01).

——————
C.C.B.C. 314 (**C.C.Q.** 373, 434, 598; **C.P.C.** 818.1, 818.2, 885*a*))

Art. 176. La pleine émancipation rend le mineur capable, comme s'il était majeur, d'exercer ses droits civils.

1991, c. 64, a. 176 (1994-01-01).

——————
C.C.B.C. 314 (**C.C.Q.** 434, 598; **C.P.C.** 56, 254)

§ 2. — Full emancipation

Art. 175. Full emancipation is obtained by marriage.

It may also, on the application of the minor, be granted by the court for a serious reason; in that case, the person having parental authority, the tutor and any person having custody of the minor and, where applicable, the tutorship council shall be summoned to give their opinion.

Art. 176. Full emancipation enables a minor to exercise his civil rights as if he were of full age.

CHAPITRE DEUXIÈME
DE LA TUTELLE AU MINEUR

CHAPTER II
TUTORSHIP TO MINORS

SECTION I
DE LA CHARGE TUTÉLAIRE

SECTION I
TUTORSHIP

Art. 177. La tutelle est établie dans l'intérêt du mineur; elle est destinée à assurer la protection de sa personne, l'administration de son patrimoine et, en général, l'exercice de ses droits civils.

1991, c. 64, a. 177 (1994-01-01).

——————
C.C.B.C. 290 (**D.T.** 22-29; **C.C.Q.** 586, 1309, 1310, 1709; **C.P.C.** 56, 59, 165, 478)

Art. 177. Tutorship is established in the interest of the minor; it is intended to ensure the protection of his person, the administration of his patrimony and, generally, to secure the exercise of his civil rights.

Art. 178. La tutelle au mineur est légale ou dative.

La tutelle légale résulte de la loi; la tutelle dative est celle qui est déférée par les père et mère ou par le tribunal.

1991, c. 64, a. 178 (1994-01-01).

——————
C.C.B.C. 249 (**D.T.** 24, 25; **C.C.Q.** 192 ss., 200 ss.; **C.P.C.** 547, 885*c*), 886)

Art. 178. Tutorship to minors is legal or dative.

Tutorship resulting from the law is legal; tutorship conferred by the father and mother or by the court is dative.

Art. 179. La tutelle est une charge personnelle, accessible à toute personne physique capable du plein exercice de ses droits civils et apte à exercer la charge.

1991, c. 64, a. 179 (1994-01-01).

Art. 179. Tutorship is a personal office open to every natural person capable of fully exercising his civil rights who is able to assume the office.

C.C.B.C. 266, 282, 285 (**D.T.** 23; **C.C.Q.** 304)

Art. 180. Nul ne peut être contraint d'accepter une tutelle dative, sauf, à défaut d'une autre personne, le directeur de la protection de la jeunesse ou, pour une tutelle aux biens, le curateur public.

1991, c. 64, a. 180 (1994-01-01).

Art. 180. No person may be compelled to accept a dative tutorship except, failing any other person, the director of youth protection or, for tutorship to property, the Public Curator.

C.C.B.C. 272, 273, 276 (**D.T.** 24; **C.C.Q.** 250)

Art. 181. La tutelle ne passe pas aux héritiers du tuteur; ceux-ci sont seulement responsables de la gestion de leur auteur. S'ils sont majeurs, ils sont tenus de continuer l'administration de leur auteur jusqu'à la nomination d'un nouveau tuteur.

1991, c. 64, a. 181 (1994-01-01).

Art. 181. Tutorship does not pass to the heirs of the tutor; they are simply responsible for his administration. If they are of full age, they are bound to continue his administration until a new tutor is appointed.

C.C.B.C. 266 (**C.C.Q.** 166, 248, 1361, 2183)

Art. 182. La tutelle exercée par le directeur de la protection de la jeunesse ou le curateur public est liée à sa fonction.

1991, c. 64, a. 182 (1994-01-01).

Art. 182. Tutorship exercised by the director of youth protection or the Public Curator is attached to the office.

(**C.C.Q.** 180, 183, 191)

Art. 183. Les père et mère, le directeur de la protection de la jeunesse ou la personne qu'il recommande comme tuteur exercent la tutelle gratuitement.

Toutefois, les père et mère peuvent, pour l'administration des biens de leur enfant, recevoir une rémunération que fixe le tribunal, sur l'avis du conseil de tutelle, dès lors qu'il s'agit pour eux d'une occupation principale.

1991, c. 64, a. 183 (1994-01-01).

Art. 183. Fathers and mothers, the director of youth protection or the person recommended by him as tutor exercise tutorship gratuitously.

However, a father and a mother may receive such remuneration as may be fixed by the court, on the advice of the tutorship council, for the administration of the property of their child where that is one of their principal occupations.

(**D.T.** 24; **C.P.C.** 872 ss., 885c))

Art. 184. Le tuteur datif peut recevoir une rémunération que fixe le tribunal sur l'avis du conseil de tutelle, ou, s'il y est autorisé, le liquidateur de leur succession. Il est tenu compte des charges de la tutelle et des revenus des biens à gérer.

1991, c. 64, a. 184 (1994-01-01).

Art. 184. A dative tutor may receive such remuneration as is fixed by the court on the advice of the tutorship council or by the father or mother by whom he is appointed, or by the liquidator of their succession if so authorized. The expenses of the tutorship and the revenue from the property to be administered are taken into account.

C.C.B.C. 266.1 (**D.T.** 27; **C.C.Q.** 222 ss.; **C.P.C.** 872 ss., 885c))

Art. 185. Sauf division, la tutelle s'étend à la personne et aux biens du mineur.

1991, c. 64, a. 185 (1994-01-01).

Art. 185. Except where divided, tutorship extends to the person and property of the minor.

C.C.B.C. 264 (D.T. 23-25; C.C.Q. 188)

Art. 186. Lorsque la tutelle s'étend à la personne du mineur et qu'elle est exercée par une personne autre que les père et mère, le tuteur agit comme titulaire de l'autorité parentale, à moins que le tribunal n'en décide autrement.

1991, c. 64, a. 186 (1994-01-01).

Art. 186. Where tutorship extends to the person of the minor and is exercised by a person other than the father or mother, the tutor acts as the person having parental authority, unless the court decides otherwise.

(C.C.Q. 597 ss., 1459; C.P.C. 826.3)

Art. 187. On ne peut nommer qu'un tuteur à la personne, mais on peut en nommer plusieurs aux biens.

1991, c. 64, a. 187 (1994-01-01).

Art. 187. In no case may more than one tutor to the person be appointed, but several tutors to property may be appointed.

C.C.B.C. 264 (C.P.C. 826.3)

Art. 188. Le tuteur aux biens est responsable de l'administration des biens du mineur; cependant, le tuteur à la personne représente le mineur en justice quant à ces biens.

Lorsque plusieurs tuteurs aux biens sont nommés, chacun d'eux est responsable de la gestion des biens qui lui ont été confiés.

1991, c. 64, a. 188 (1994-01-01).

Art. 188. The tutor to property is responsible for the administration of the property of the minor, but the tutor to the person represents the minor in judicial proceedings regarding that property.

Where several tutors to property are appointed, each of them is accountable for the management of the property entrusted to him.

C.C.B.C. 264, 290 (D.T. 28; C.C.Q. 246 ss., 579, 586; C.P.C. 56, 59, 165, 394.1 ss., 478)

Art. 189. Une personne morale peut agir comme tuteur aux biens si elle y est autorisée par la loi.

1991, c. 64, a. 189 (1994-01-01).

Art. 189. A legal person may act as tutor to property, if so authorized by law.

C.C.B.C. 365 (C.C.Q. 244, 783, 1299 ss.)

Art. 190. Chaque fois qu'un mineur a des intérêts à discuter en justice avec son tuteur, on lui nomme un tuteur *ad hoc.*

1991, c. 64, a. 190 (1994-01-01).

Art. 190. Whenever a minor has any interest to discuss judicially with his tutor, a tutor *ad hoc* is appointed to him.

C.C.B.C. 269 (C.C.Q. 235; C.P.C. 394.2)

Art. 191. Le siège de la tutelle est au domicile du mineur.

Dans le cas où la tutelle est exercée par le directeur de la protection de la jeunesse ou par le curateur public, le siège de la tutelle est au lieu où il exerce ses fonctions.

1991, c. 64, a. 191 (1994-01-01).

Art. 191. Tutorship is based at the domicile of the minor.

If a tutorship is exercised by the director of youth protection or by the Public Curator, the tutorship is based at the place where that person holds office.

(C.C.Q. 80)

SECTION II
DE LA TUTELLE LÉGALE

SECTION II
LEGAL TUTORSHIP

Art. 192. Outre les droits et devoirs liés à l'autorité parentale, les père et mère, s'ils sont majeurs ou émancipés, sont de plein droit tuteurs de leur enfant mineur, afin d'assurer sa représentation dans l'exercice de ses droits civils et d'administrer son patrimoine.

Ils le sont également de leur enfant conçu qui n'est pas encore né, et ils sont chargés d'agir pour lui dans tous les cas où son intérêt patrimonial l'exige.

1991, c. 64, a. 192 (1994-01-01).

Art. 192. In addition to having the rights and duties connected with parental authority, the father and mother, if of full age or emancipated, are, of right, tutors to their minor child for the purposes of representing him in the exercise of his civil rights and administering his patrimony.

The father and mother are also tutors to their child conceived but yet unborn and are responsible for acting on his behalf in all cases where his patrimonial interests require it.

C.C.B.C. 345 (**D.T.** 23, 24, 26; **C.C.Q.** 439, 597 ss.; **C.P.C.** 56, 59, 61, 208, 257, 394.1 ss., 397, 398)

Art. 193. Les père et mère exercent ensemble la tutelle, à moins que l'un d'eux ne soit décédé ou ne se trouve empêché de manifester sa volonté ou de le faire en temps utile.

1991, c. 64, a. 193 (1994-01-01).

Art. 193. The father and mother exercise tutorship together unless one parent is deceased or prevented from expressing his wishes or from doing so in due time.

C.C.Q. (1980) 648 (**D.T.** 24; **C.C.Q.** 600)

Art. 194. L'un des parents peut donner à l'autre mandat de le représenter dans des actes relatifs à l'exercice de la tutelle.

Ce mandat est présumé à l'égard des tiers de bonne foi.

1991, c. 64, a. 194 (1994-01-01).

Art. 194. Either parent may give the other the mandate to represent him in the performance of acts pertaining to the exercise of tutorship.

The mandate is presumed with regard to third persons in good faith.

(**C.C.Q.** 398, 600, 2130 ss.)

Art. 195. Lorsque la garde de l'enfant fait l'objet d'un jugement, la tutelle continue d'être exercée par les père et mère, à moins que le tribunal, pour des motifs graves, n'en décide autrement.

1991, c. 64, a. 195 (1994-01-01).

Art. 195. Where the custody of a child is decided by judgment, the tutorship continues to be exercised by the father and mother, unless the court, for grave reasons, decides otherwise.

(**C.C.Q.** 513, 514, 3142; **C.P.C.** 817, 826-826.3)

Art. 196. En cas de désaccord relativement à l'exercice de la tutelle entre les père et mère, l'un ou l'autre peut saisir le tribunal du différend.

Le tribunal statue dans l'intérêt du mineur, après avoir favorisé la conciliation des parties et avoir obtenu, au besoin, l'avis du conseil de tutelle.

1991, c. 64, a. 196 (1994-01-01).

Art. 196. In case of disagreement relating to the exercise of the tutorship between the father and mother, either of them may refer the dispute to the court.

The court decides in the interest of the minor after fostering the conciliation of the parties and, if need be, obtaining the opinion of the tutorship council.

C.C.Q. (1980) 653 (**D.T.** 27; **C.C.Q.** 33, 604; **C.P.C.** 885c))

Art. 197. La déchéance de l'autorité parentale entraîne la perte de la tutelle; le retrait de certains attributs de l'autorité ou de leur exercice n'entraîne la perte de la tutelle que si le tribunal en décide ainsi.

1991, c. 64, a. 197 (1994-01-01).

(**C.C.Q.** 606, 607; **C.P.C.** 826-826.3)

Art. 197. Deprivation of parental authority entails loss of tutorship; withdrawal of certain attributes of parental authority or of the exercise of such attributes entails loss of tutorship only if so decided by the court.

Art. 198. Le père ou la mère qui s'est vu retirer la tutelle, par suite de la déchéance de l'autorité parentale ou du retrait de l'exercice de certains attributs de cette autorité, peut, même après l'ouverture d'une tutelle dative, être rétabli dans sa charge lorsqu'il jouit de nouveau du plein exercice de l'autorité parentale.

1991, c. 64, a. 198 (1994-01-01).

(**C.C.Q.** 610, 612; **C.P.C.** 826-826.3)

Art. 198. A father or mother deprived of tutorship as a result of having been deprived of parental authority or having had the exercise of certain attributes of parental authority withdrawn may, even after dative tutorship is instituted, be reinstated as tutor once he or she again has full exercise of parental authority.

Art. 199. Lorsque le tribunal prononce la déchéance de l'autorité parentale à l'égard des père et mère du mineur, sans procéder à la nomination d'un tuteur, le directeur de la protection de la jeunesse du lieu où réside l'enfant devient d'office tuteur légal, à moins que l'enfant n'ait déjà un tuteur autre que ses père et mère.

Le directeur de la protection de la jeunesse est aussi, jusqu'à l'ordonnance de placement, tuteur légal de l'enfant qu'il a fait déclarer admissible à l'adoption ou au sujet duquel un consentement général à l'adoption lui a été remis, excepté dans le cas où le tribunal a nommé un autre tuteur.

1991, c. 64, a. 199 (1994-01-01).

Art. 199. Where the court declares the father and mother of a minor deprived of parental authority without appointing another tutor, the director of youth protection having jurisdiction in the child's place of residence becomes by virtue of his office legal tutor to the child unless the child is already provided with a tutor other than his father and mother.

The director of youth protection is also, until the order of placement, legal tutor to a child he has caused to be declared eligible for adoption or in whose respect he has received a general consent to adoption, except where the court has appointed another tutor.

C.C.Q. (1980) 608, 614, 655; **L.R.Q.**, c. P-34.1, a. 72 (**C.C.Q.** 556, 562, 572, 607; **C.P.C.** 823, 824.1, 825, 826-826.3)

SECTION III

DE LA TUTELLE DATIVE

SECTION III

DATIVE TUTORSHIP

Art. 200. Le père ou la mère peut nommer un tuteur à son enfant mineur, par testament, par un mandat donné en prévision de son inaptitude ou par une déclaration en ce sens transmise au curateur public.

1991, c. 64, a. 200 (1994-01-01); 1998, c. 51, a. 22 (1999-05-13).

C.C.B.C. 249 (**D.T.** 25; **C.C.Q.** 712 ss.)

Art. 200. A father or mother may appoint a tutor to his or her minor child by will, by a mandate given in anticipation of the mandator's incapacity or by filing a declaration to that effect with the Public Curator.

Art. 201. Le droit de nommer le tuteur n'appartient qu'au dernier mourant des père et mère ou, selon le cas, au dernier des deux apte à assumer l'exercice de la tutelle, s'il a conservé au jour de son décès la tutelle légale.

Lorsque les père et mère décèdent en même temps ou perdent leur aptitude à assumer la tutelle au cours du même événement, en ayant chacun désigné comme tuteur une personne différente qui accepte la charge, le tribunal décide laquelle l'exercera.

1991, c. 64, a. 201 (1994-01-01); 1998, c. 51, a. 23 (1999-05-13).

Art. 201. The right to appoint a tutor belongs exclusively to the last surviving parent or to the last parent who is able to exercise tutorship, as the case may be, if that parent has retained legal tutorship to the day of his death.

Where both parents die simultaneously or lose the ability to exercise tutorship during the same event, each having designated a different person as tutor, and both persons accept the office, the court decides which person will hold it.

(C.C.Q. 712 ss.; **C.P.C.** 547 al. 1*e*), 885*c*), 886)

Art. 202. À moins que la désignation ne soit contestée, le tuteur nommé par le père ou la mère entre en fonction au moment de son acceptation de la charge.

La personne est présumée avoir accepté la tutelle si elle n'a pas refusé la charge dans les trente jours, à compter du moment où elle a eu connaissance de sa nomination.

1991, c. 64, a. 202 (1994-01-01); 1998, c. 51, a. 24 (1999-05-13).

Art. 202. Unless the designation is contested, the tutor appointed by the father or mother assumes office upon accepting it.

If the person does not refuse the office within thirty days after being informed of his appointment, he is presumed to have accepted.

(C.C.Q. 180)

Art. 203. Le tuteur nommé par le père ou la mère doit, qu'il accepte ou refuse la charge, en aviser le liquidateur de la succession et le curateur public.

1991, c. 64, a. 203 (1994-01-01).

Art. 203. Whether the tutor appointed by the father or mother accepts or refuses the office, he shall notify the liquidator of the succession and the Public Curator.

(D.T. 423; **C.C.Q.** 783 ss.)

Art. 204. Lorsque la personne désignée par le parent refuse la tutelle, elle doit en aviser, sans délai, son remplaçant si le parent en a désigné un.

Elle peut, néanmoins, revenir sur son refus avant qu'un remplaçant n'accepte la charge ou que l'ouverture d'une tutelle ne soit demandée au tribunal.

1991, c. 64, a. 204 (1994-01-01).

Art. 204. Where the person appointed by either parent refuses tutorship, he shall without delay notify his refusal to the replacement, if any, designated by the parent.

The person may, however, retract his refusal before the replacement accepts the office or an application to institute tutorship is made to the court.

(C.C.Q. 250 ss.)

Art. 205. La tutelle est déférée par le tribunal lorsqu'il y a lieu de nommer un tuteur ou de le remplacer, de nommer un tuteur *ad hoc* ou un tuteur aux biens, ou encore en cas de contestation du choix d'un tuteur nommé par les père et mère.

Elle est déférée sur avis du conseil de tutelle, à moins qu'elle ne soit demandée par le directeur de la protection de la jeunesse.

1991, c. 64, a. 205 (1994-01-01).

Art. 205. Tutorship is conferred by the court where it is expedient to appoint a tutor or a replacement, to appoint a tutor *ad hoc* or a tutor to property or where the designation of a tutor appointed by the father and mother is contested.

Tutorship is conferred on the advice of the tutorship council, unless it is applied for by the director of youth protection.

C.C.B.C. 249 (**C.C.Q.** 190, 200; **C.P.C.** 547 al. 1*e*), 872 ss., 885*c*))

Art. 206. Le mineur, le père ou la mère et les proches parents et alliés du mineur, ou toute autre personne intéressée, y compris le curateur public, peuvent s'adresser au tribunal et proposer, le cas échéant, une personne qui soit apte à exercer la tutelle et prête à accepter la charge.

1991, c. 64, a. 206 (1994-01-01); 2002, c. 6, a. 235 (2002-06-24).

Art. 206. The minor, the father or mother and close relatives of the minor and persons connected by marriage or a civil union to the minor or any other interested person, including the Public Curator, may apply to the court and, if necessary, propose a suitable person who is willing to accept the tutorship.

C.C.B.C. 250 (**C.C.Q.** 224, 251; **C.P.C.** 547 al. 1*e*), 826.3, 872 ss.)

Art. 207. Le directeur de la protection de la jeunesse ou la personne qu'il recommande pour l'exercer peut aussi demander l'ouverture d'une tutelle à un enfant mineur orphelin qui n'est pas déjà pourvu d'un tuteur, à un enfant dont ni le père ni la mère n'assument, de fait, le soin, l'entretien ou l'éducation, ou à un enfant qui serait vraisemblablement en danger s'il retournait auprès de ses père et mère.

1991, c. 64, a. 207 (1994-01-01).

Art. 207. The director of youth protection or the person recommended as tutor by him may also apply for the institution of tutorship to an orphan who is a minor and who has no tutor, or to a child whose father and mother both fail, in fact, to assume his care, maintenance or education, or to a child who in all likelihood would be in danger if he returned to his father and mother.

L.R.Q., c. P-34.1, a. 71 (**C.P.C.** 825, 826-826.3, 885*c*))

SECTION IV
DE L'ADMINISTRATION TUTÉLAIRE

SECTION IV
ADMINISTRATION OF TUTORS

Art. 208. Le tuteur agit à l'égard des biens du mineur à titre d'administrateur chargé de la simple administration.

1991, c. 64, a. 208 (1994-01-01).

Art. 208. In respect of the property of the minor, the tutor acts as an administrator entrusted with simple administration.

C.C.B.C. 290, 290a, 297, 981o (**C.C.Q.** 211-215, 242, 1299-1305, 1312, 1459, 1713; **C.P.C.** 478, 897 ss.)

Art. 209. Les père et mère ne sont pas tenus, dans l'administration des biens de leur enfant mineur, de faire l'inventaire des biens, de fournir une sûreté garantissant leur administration, de rendre un compte de gestion annuel, ou d'obtenir du conseil de tutelle ou du tribunal des avis ou autorisations, à moins que la valeur des biens ne soit supérieure à 25 000 $ ou que le tribunal ne l'ordonne, à la demande d'un intéressé.

1991, c. 64, a. 209 (1994-01-01).

Art. 209. Fathers and mothers are not required in the administration of the property of their minor child to make an inventory of the property, to furnish a security as a guarantee of their administration, to render an annual account of management or to obtain any advice or authorization from the tutorship council or the court unless the property is worth more than $25 000 or it is ordered by the court on the application of an interested person.

C.C.B.C. 290 (**C.C.Q.** 217, 223; **C.P.C.** 478, 885*c*))

Art. 210. Les biens donnés ou légués à un mineur, à la condition qu'ils soient administrés par un tiers, sont soustraits à l'administration du tuteur.

Si l'acte n'indique pas le régime d'administration de ces biens, la personne qui les administre a les droits et obligations d'un tuteur aux biens.

1991, c. 64, a. 210 (1994-01-01).

Art. 210. All property given or bequeathed to a minor on condition that it be administered by a third person is withdrawn from the administration of the tutor.

If the act does not indicate the particular mode of administration of the property, the person administering it has the rights and obligations of a tutor to property.

(**C.C.Q.** 180, 244, 246; **C.P.C.** 478)

Art. 211. Le tuteur peut accepter seul une donation en faveur de son pupille. Toutefois, il ne peut accepter une donation avec charge sans obtenir l'autorisation du conseil de tutelle.

1991, c. 64, a. 211 (1994-01-01).

C.C.B.C. 303 (**C.C.Q.** 1814, 1824; **C.P.C.** 872 ss.)

Art. 212. Le tuteur ne peut transiger ni poursuivre un appel sans l'autorisation du conseil de tutelle.

1991, c. 64, a. 212 (1994-01-01).

C.C.B.C. 306, 307 (**C.C.Q.** 222 ss.; **C.P.C.** 492, 872 ss.)

Art. 213. S'il s'agit de contracter un emprunt important eu égard au patrimoine du mineur, de grever un bien d'une sûreté, d'aliéner un bien important à caractère familial, un immeuble ou une entreprise, ou de provoquer le partage définitif des immeubles d'un mineur indivisaire, le tuteur doit être autorisé par le conseil de tutelle ou, si la valeur du bien ou de la sûreté excède 25 000 $, par le tribunal, qui sollicite l'avis du conseil de tutelle.

Le conseil de tutelle ou le tribunal ne permet de contracter l'emprunt, d'aliéner un bien à titre onéreux ou de le grever d'une sûreté, que dans les cas où cela est nécessaire pour l'éducation et l'entretien du mineur, pour payer ses dettes, pour maintenir le bien en bon état ou pour conserver sa valeur. L'autorisation indique alors le montant et les conditions de l'emprunt, les biens qui peuvent être aliénés ou grevés d'une sûreté, ainsi que les conditions dans lesquelles ils peuvent l'être.

1991, c. 64, a. 213 (1994-01-01); 2002, c. 19, a. 15 (2002-06-13).

C.C.B.C. 297, 298 (**D.T.** 29; **C.C.Q.** 162, 163; **C.P.C.** 478, 872 ss., 885c), 886, 897 ss.)

Art. 214. Le tuteur ne peut, sans avoir obtenu l'évaluation d'un expert, aliéner un bien dont la valeur excède 25 000 $, sauf s'il s'agit de valeurs cotées et négociées à une bourse reconnue suivant les dispositions relatives aux placements présumés sûrs. Une copie de l'évaluation est jointe au compte de gestion annuel.

Constituent un seul et même acte les opérations juridiques connexes par leur nature, leur objet ou le moment de leur passation.

1991, c. 64, a. 214 (1994-01-01).

C.C.B.C. 297; **C.P.C.** 887, 890 (**C.C.Q.** 162, 1305; **C.P.C.** 897 ss.)

Art. 211. A tutor may accept alone any gift in favour of his pupil. He may not accept any gift with a charge, however, without obtaining the authorization of the tutorship council.

Art. 212. A tutor may not transact or prosecute an appeal without the authorization of the tutorship council.

Art. 213. The tutor, before contracting a substantial loan in relation to the patrimony of the minor, offering property as security, alienating an important piece of family property, an immovable or an enterprise, or demanding the definitive partition of immovables held by the minor in undivided co-ownership, shall obtain the authorization of the tutorship council or, if the property or security is worth more than $25 000, of the court, which seeks the advice of the tutorship council.

The tutorship council or the court does not allow the loan to be contracted, or property to be alienated by onerous title or offered as security, except where that is necessary to ensure the education and maintenance of the minor, to pay his debts or to maintain the property in good order or safeguard its value. The authorization then indicates the amount and terms and conditions of the loan, the property that may be alienated or offered as security, and sets forth the conditions under which it may be done.

Art. 214. No tutor may, before obtaining an expert's appraisal, alienate property worth more than $25 000, except in the case of securities quoted and traded on a recognized stock exchange according to the provisions respecting presumed sound investments. A copy of the appraisal is attached to the annual management account.

Juridical acts which are related according to their nature, their object or the time they are performed constitute one and the same act.

Art. 215. Le tuteur peut conclure seul une convention tendant au maintien de l'indivision, mais, en ce cas, le mineur devenu majeur peut y mettre fin dans l'année qui suit sa majorité, quelle que soit la durée de la convention.

La convention autorisée par le conseil de tutelle et par le tribunal lie le mineur devenu majeur.

1991, c. 64, a. 215 (1994-01-01).
_____

(**C.C.Q.** 839-846, 1012 ss.; **C.P.C.** 872 ss., 885*c*), 886)

Art. 216. Le greffier du tribunal donne, sans délai, avis au conseil de tutelle et au curateur public de tout jugement relatif aux intérêts patrimoniaux du mineur, ainsi que de toute transaction effectuée dans le cadre d'une action à laquelle le tuteur est partie en cette qualité.

1991, c. 64, a. 216 (1994-01-01).
_____

C.C.B.C. 304 (**C.P.C.** 876)

Art. 217. Lorsque la valeur des biens excède 25 000 $, le liquidateur d'une succession dévolue ou léguée à un mineur et le donateur d'un bien si le donataire est mineur ou, dans tous les cas, toute personne qui paie une indemnité au bénéfice d'un mineur, doit déclarer le fait au curateur public et indiquer la valeur des biens.

1991, c. 64, a. 217 (1994-01-01).
_____

(**C.C.Q.** 209)

Art. 218. Le tuteur prélève sur les biens qu'il administre les sommes nécessaires pour acquitter les charges de la tutelle, notamment pour l'exercice des droits civils du mineur et l'administration de son patrimoine; il effectue aussi un tel prélèvement si, pour assurer l'entretien ou l'éducation du mineur, il y a lieu de suppléer l'obligation alimentaire des père et mère.

1991, c. 64, a. 218 (1994-01-01).
_____

C.C.B.C. 290 (**C.C.Q.** 220, 247, 587.2, 599; **C.P.C.** 478)

Art. 219. Le tuteur à la personne convient avec le tuteur aux biens des sommes qui lui sont nécessaires, annuellement, pour acquitter les charges de la tutelle.

S'ils ne s'entendent pas sur ces sommes ou leur paiement, le conseil de tutelle ou, à défaut, le tribunal tranche.

1991, c. 64, a. 219 (1994-01-01).
_____

(**C.P.C.** 863.3, 872 ss., 885*c*))

Art. 215. A tutor acting alone may enter into an agreement to continue in indivision, but in that case the minor, once of full age, may terminate the agreement within one year, regardless of its term.

Any agreement authorized by the tutorship council and by the court is binding on the minor once of full age.

Art. 216. The clerk of the court gives notice without delay to the tutorship council and to the Public Curator of any judgment relating to the interests of the patrimony of a minor and of any transaction effected pursuant to an action to which the tutor is a party in that quality.

Art. 217. Where the property is worth more than $25 000, the liquidator of a succession which devolves or is bequeathed to a minor and the donor of property if the donee is a minor, and, in any case, any person who pays an indemnity for the benefit of a minor, shall declare that fact to the Public Curator and state the value of the property.

Art. 218. A tutor sets aside from the property under his administration all sums necessary to pay the expenses of the tutorship, in particular, to provide for the exercise of the civil rights of the minor and the administration of his patrimony. He also does so where, to ensure the minor's maintenance and education, it is necessary to make up for the support owed by the father and mother.

Art. 219. The tutor to the person agrees with the tutor to property as to the amounts he requires each year to pay the expenses of the tutorship.

If the tutors do not agree on the amounts or their payment, the tutorship council or, failing that, the court decides.

Art. 220. Le mineur gère le produit de son travail et les allocations qui lui sont versées pour combler ses besoins ordinaires et usuels.

Lorsque les revenus du mineur sont considérables ou que les circonstances le justifient, le tribunal peut, après avoir obtenu l'avis du tuteur et, le cas échéant, du conseil de tutelle, fixer les sommes dont le mineur conserve la gestion. Il tient compte de l'âge et du discernement du mineur, des conditions générales de son entretien et de son éducation, ainsi que de ses obligations alimentaires et de celles de ses parents.

1991, c. 64, a. 220 (1994-01-01).

(**C.C.Q.** 33, 34, 218, 247, 587.2, 599; **C.P.C.** 885*c*))

Art. 221. Le directeur de la protection de la jeunesse qui exerce la tutelle ou la personne qu'il recommande pour l'exercer, doivent, lorsque la loi prévoit que le tuteur doit, pour agir, obtenir l'avis ou l'autorisation du conseil de tutelle, être autorisés par le tribunal.

Cependant, lorsque la valeur des biens est supérieure à 25 000 $ ou, dans tous les cas lorsque le tribunal l'ordonne, la tutelle aux biens est déférée au curateur public. Celui-ci a, dès lors, les droits et les obligations du tuteur datif, sous réserve des dispositions de la loi.

1991, c. 64, a. 221 (1994-01-01).

(**C.C.Q.** 223; **C.P.C.** 872 ss., 885*c*), 886)

SECTION V
DU CONSEIL DE TUTELLE

§ 1. — *Du rôle et de la constitution du conseil*

Art. 222. Le conseil de tutelle a pour rôle de surveiller la tutelle. Il est formé de trois personnes désignées par une assemblée de parents, d'alliés ou d'amis ou, si le tribunal le décide, d'une seule personne.

1991, c. 64, a. 222 (1994-01-01); 2002, c. 6, a. 235 (2002-06-24).

C.C.B.C. 251, 267 (**D.T.** 27; **C.C.Q.** 233; **C.P.C.** 818.2, 826.3, 872 ss., 886)

Art. 223. Le conseil de tutelle est constitué soit qu'il y ait tutelle dative, soit qu'il y ait tutelle légale, mais, en ce dernier cas, seulement si les père et mère sont tenus, dans l'administration des biens du mineur, de faire inventaire, de fournir une sûreté ou de rendre un compte annuel de gestion.

Art. 220. The minor manages the proceeds of his work and any allowances paid to him to meet his ordinary and usual needs.

Where the revenues of the minor are considerable or where justified by the circumstances, the court, after obtaining the advice of the tutor and, where applicable, the tutorship council, may fix the amounts that remain under the management of the minor. It takes into account the age and power of discernment of the minor, the general conditions of his maintenance and education and his obligations of support and those of his parents.

Art. 221. A director of youth protection exercising a tutorship or the person he recommends to exercise it shall obtain the authorization of the court where the law requires the tutor to obtain the advice or authorization of the tutorship council before acting.

Where the property is worth more than $25 000, however, or, at all events, where the court so orders, tutorship to property is conferred on the Public Curator, who has from that time the rights and obligations of a dative tutor, subject to the provisions of law.

SECTION V
TUTORSHIP COUNCIL

§ 1. — *Role and establishment of the council*

Art. 222. The role of the tutorship council is to supervise the tutorship. The tutorship council is composed of three persons designated by a meeting of relatives, persons connected by marriage or a civil union and friends or, if the court so decides, of only one person.

Art. 223. A tutorship council is established both in the case of dative tutorship and in that of legal tutorship, although, in the latter case, only where the father and mother are required, in respect of the administration of the property of the minor, to make an inventory, to furnish security or to render an annual account of management.

Il n'est pas constitué lorsque la tutelle est exercée par le directeur de la protection de la jeunesse ou une personne qu'il recommande comme tuteur, ou par le curateur public.

1991, c. 64, a. 223 (1994-01-01).

(**C.C.Q.** 209; **C.P.C.** 872 ss.)

Art. 224. Toute personne intéressée peut provoquer la constitution du conseil de tutelle en demandant soit à un notaire, soit au tribunal du lieu où le mineur a son domicile ou sa résidence, de convoquer une assemblée de parents, d'alliés ou d'amis.

Le tribunal saisi d'une demande pour nommer ou remplacer un tuteur ou un conseil de tutelle le peut également, même d'office.

1991, c. 64, a. 224 (1994-01-01); 2002, c. 6, a. 235 (2002-06-24).

C.C.B.C. 249-251; **C.P.C.** 872, 874 (**C.C.Q.** 80, 205, 206, 251; **C.P.C.** 547 al. 1*e*), 826.3, 872 ss.)

Art. 225. Le tuteur nommé par le père ou la mère du mineur ou les père et mère, le cas échéant, doivent provoquer la constitution du conseil de tutelle.

Les père et mère peuvent, à leur choix, convoquer une assemblée de parents, d'alliés ou d'amis, ou demander au tribunal de constituer un conseil de tutelle d'une seule personne et de la désigner.

1991, c. 64, a. 225 (1994-01-01); 2002, c. 6, a. 235 (2002-06-24).

(**C.C.Q.** 200, 223, 251; **C.P.C.** 872 ss.)

Art. 226. Doivent être convoqués à l'assemblée de parents, d'alliés ou d'amis appelée à constituer un conseil de tutelle, les père et mère du mineur et, s'ils ont une résidence connue au Québec, ses autres ascendants ainsi que ses frères et soeurs majeurs.

Peuvent être convoqués à l'assemblée, pourvu qu'ils soient majeurs, les autres parents et alliés du mineur et ses amis.

Au moins cinq personnes doivent assister à cette assemblée et, autant que possible, les lignes maternelle et paternelle doivent être représentées.

1991, c. 64, a. 226 (1994-01-01); 2002, c. 6, a. 235 (2002-06-24).

C.C.B.C. 251 (**C.P.C.** 872 ss.)

No council is established where the tutorship is exercised by the director of youth protection, a person he has recommended as tutor, or the Public Curator.

Art. 224. Any interested person may initiate the establishment of a tutorship council by applying either to a notary or to the court of the place where the minor has his domicile or residence for the calling of a meeting of relatives, persons connected by marriage or a civil union and friends.

The court examining an application for the appointment or replacement of a tutor or tutorship council may do likewise, even of its own motion.

Art. 225. The tutor appointed by the father or mother of a minor or the father and mother, as the case may be, shall initiate the establishment of the tutorship council.

The father and mother may, at their option, convene a meeting of relatives, persons connected by marriage or a civil union and friends or make an application to the court for the establishment of a tutorship council composed of only one person designated by the court.

Art. 226. The father and mother of the minor and, if they have a known residence in Québec, his other ascendants and his brothers and sisters of full age shall be called to the meeting of relatives, persons connected by marriage or a civil union and friends called to establish a tutorship council.

The other relatives, persons connected by marriage or a civil union and friends of the minor may be called to the meeting provided they are of full age.

Not fewer than five persons shall attend the meeting and, as far as possible, the maternal and paternal lines shall be represented.

Art. 227. Les personnes qui doivent être convoquées ont toujours le droit de se présenter à l'assemblée de constitution et d'y donner leur avis, même si on a omis de les convoquer.

1991, c. 64, a. 227 (1994-01-01).

Art. 227. Persons who shall be called are always entitled to present themselves at the first meeting and give their opinion even if they were not called.

C.C.B.C. 254 (**C.P.C.** 872 ss.)

Art. 228. L'assemblée désigne les trois membres du conseil et deux suppléants, en respectant, dans la mesure du possible, la représentation des lignes maternelle et paternelle.

Elle désigne également un secrétaire, membre ou non du conseil, chargé de rédiger et de conserver les procès-verbaux des délibérations; le cas échéant, elle fixe la rémunération du secrétaire.

Le tuteur ne peut être membre du conseil de tutelle.

1991, c. 64, a. 228 (1994-01-01).

Art. 228. The meeting appoints the three members of the council and designates two alternates, giving consideration so far as possible to representation of the maternal and paternal lines.

It also appoints a secretary, who may or may not be a member of the council, responsible for taking and keeping the minutes of the deliberations; it fixes the remuneration of the secretary, where applicable.

The tutor may not be a member of the tutorship council.

C.C.B.C. 251; **C.P.C.** 873, 874 (**C.P.C.** 872 ss.)

Art. 229. Le conseil comble les vacances en choisissant un des suppléants déjà désignés appartenant à la ligne où s'est produite la vacance. À défaut de suppléant, il choisit un parent ou un allié de la même ligne ou, à défaut, un parent ou un allié de l'autre ligne ou un ami.

1991, c. 64, a. 229 (1994-01-01); 2002, c. 6, a. 235 (2002-06-24).

Art. 229. Vacancies are filled by the council by selecting a designated alternate in the line where the vacancy occurred. If there is no alternate, the council selects a relative or a person connected by marriage or a civil union in the same line or, if none, a relative or a person connected by marriage or a civil union in the other line or a friend.

(**C.P.C.** 872 ss.)

Art. 230. Le conseil de tutelle est tenu d'inviter le tuteur à toutes ses séances pour y prendre son avis; le mineur peut y être invité.

1991, c. 64, a. 230 (1994-01-01).

Art. 230. The tutorship council is bound to invite the tutor to each of its meetings to hear his opinion; the minor may be invited.

(**C.P.C.** 872 ss.)

Art. 231. Le tribunal peut, sur demande ou d'office, décider que le conseil de tutelle sera formé d'une seule personne qu'il désigne, lorsque la constitution d'un conseil formé de trois personnes est inopportune, en raison de l'éloignement, de l'indifférence ou d'un empêchement majeur des membres de la famille, ou en raison de la situation personnelle ou familiale du mineur.

Il peut alors désigner une personne qui démontre un intérêt particulier pour le mineur ou, à défaut et s'il n'est pas déjà tuteur, le directeur de la protection de la jeunesse ou le curateur public.

Art. 231. The court may, on application or of its own motion, rule that the tutorship council will be composed of only one person designated by it where, owing to the dispersal or indifference of the family members or their inability, for serious reasons, to attend, or to the personal or family situation of the minor, it would be inadvisable to establish a council composed of three persons.

The court may in such a case designate a person who shows a special interest in the minor or, failing that, the director of youth protection or the Public Curator, if he is not already the tutor.

Le tribunal peut dispenser celui qui présente la demande de procéder au préalable à la convocation d'une assemblée de parents, d'alliés ou d'amis, s'il lui est démontré que des efforts suffisants ont été faits pour réunir cette assemblée et qu'ils ont été vains.

The court may exempt the person making the application from first calling a meeting of relatives, persons connected by marriage or a civil union and friends if it is shown that sufficient effort has been made to call the meeting, but that such effort has been in vain.

1991, c. 64, a. 231 (1994-01-01); 2002, c. 6, a. 235 (2002-06-24).

(**D.T.** 27; **C.P.C.** 872 ss.)

Art. 232. À l'exception du directeur de la protection de la jeunesse et du curateur public, nul ne peut être contraint d'accepter une charge au conseil; celui qui a accepté une charge peut toujours en être relevé, pourvu que cela ne soit pas fait à contretemps.

La charge est personnelle et gratuite.

Art. 232. Excepting the director of youth protection and the Public Curator, no person may be compelled to accept membership in the council; a person who has agreed to become a member may be released at any time provided it is not done at an inopportune moment.

Membership of a tutorship council is a personal charge that entails no remuneration.

1991, c. 64, a. 232 (1994-01-01).

(**C.C.Q.** 179, 180, 250; **C.P.C.** 872 ss.)

§ 2. — Des droits et obligations du conseil

§ 2. — Rights and obligations of the council

Art. 233. Le conseil de tutelle donne les avis et prend les décisions dans tous les cas prévus par la loi.

En outre, lorsque les règles de l'administration du bien d'autrui prévoient que le bénéficiaire doit ou peut consentir à un acte, recevoir un avis ou être consulté, le conseil agit au nom du mineur bénéficiaire.

Art. 233. The tutorship council gives advice and makes decisions in every case provided for by law.

Moreover, where the rules of administration of the property of others provide that the beneficiary shall or may give his consent to an act, obtain advice or be consulted, the council acts on behalf of the minor who is the beneficiary.

1991, c. 64, a. 233 (1994-01-01).

(**D.T.** 29; **C.C.Q.** 222, 1299 ss.; **C.P.C.** 872 ss., 897 ss.)

Art. 234. Le conseil, lorsqu'il est formé de trois personnes, se réunit au moins une fois l'an; il ne délibère valablement que si la majorité de ses membres est réunie ou si tous les membres peuvent s'exprimer à l'aide de moyens permettant à tous de communiquer immédiatement entre eux.

Les décisions sont prises, et les avis donnés, à la majorité des voix; les motifs de chacun doivent être exprimés.

Art. 234. The council, where composed of three persons, meets at least once a year; deliberations are not valid unless a majority of its members attend the meeting or unless all the members can express themselves by a means which allows all of them to communicate directly with each other.

The decisions and advice of the council are taken or given by majority vote; each member shall give reasons.

1991, c. 64, a. 234 (1994-01-01).

(**C.P.C.** 872 ss.)

Art. 235. Le conseil doit faire nommer un tuteur *ad hoc* chaque fois que le mineur a des intérêts à discuter en justice avec son tuteur.

Art. 235. Whenever a minor has any interest to discuss judicially with his tutor, the council causes a tutor *ad hoc* to be appointed to him.

1991, c. 64, a. 235 (1994-01-01).

C.C.B.C. 269 (**C.C.Q.** 190; **C.P.C.** 872 ss.)

Art. 236. Le conseil s'assure que le tuteur fait l'inventaire des biens du mineur et qu'il fournit et maintient une sûreté.

Il reçoit le compte annuel de gestion du tuteur et a le droit de consulter tous les documents et pièces à l'appui du compte, et de s'en faire remettre une copie.

1991, c. 64, a. 236 (1994-01-01).

C.C.B.C. 267 (**C.C.Q.** 240, 243, 246, 1324, 1351; **C.P.C.** 872 ss.)

Art. 237. Toute personne intéressée peut, pour un motif grave, demander au tribunal la révision, dans un délai de dix jours, d'une décision du conseil ou l'autorisation de provoquer la constitution d'un nouveau conseil.

1991, c. 64, a. 237 (1994-01-01).

(**D.T.** 27; **C.P.C.** 872 ss., 885, 886)

Art. 238. Le tuteur peut provoquer la convocation du conseil ou, à défaut de pouvoir le faire, demander au tribunal l'autorisation d'agir seul.

1991, c. 64, a. 238 (1994-01-01).

(**C.P.C.** 872 ss., 885c), 886)

Art. 239. Il est de la responsabilité du conseil d'assurer la conservation des archives et, à la fin de la tutelle, de les remettre au mineur ou à ses héritiers.

1991, c. 64, a. 239 (1994-01-01).

(**C.P.C.** 872 ss.)

Art. 236. The council ascertains that the tutor makes an inventory of the property of the minor and that he furnishes and maintains a security.

The council receives the annual management account from the tutor and is entitled to examine all documents and vouchers attached to the account and obtain a copy of them.

Art. 237. Any interested person may, for a grave reason, apply to the court within ten days to have a decision of the council reviewed or for authorization to initiate the establishment of a new council.

Art. 238. The tutor may demand the convening of the council or, if it cannot be convened, apply to the court for authorization to act alone.

Art. 239. The council is responsible for seeing that the records of the tutorship are preserved and for transmitting them to the minor or his heirs at the end of the tutorship.

SECTION VI
DES MESURES DE SURVEILLANCE DE LA TUTELLE

§ 1. — De l'inventaire

Art. 240. Dans les soixante jours de l'ouverture de la tutelle, le tuteur doit faire l'inventaire des biens à administrer. Il doit faire de même à l'égard des biens échus au mineur après l'ouverture de la tutelle.

Une copie de l'inventaire est transmise au curateur public et au conseil de tutelle.

1991, c. 64, a. 240 (1994-01-01).

C.C.B.C. 292 (**C.C.Q.** 638, 1142; **C.P.C.** 876)

SECTION VI
SUPERVISION OF TUTORSHIPS

§ 1. — Inventory

Art. 240. Within sixty days of the institution of the tutorship, the tutor shall make an inventory of the property to be administered. He shall do the same in respect of property devolved to the minor after the tutorship is instituted.

A copy of the inventory is transmitted to the Public Curator and to the tutorship council.

Art. 241. Le tuteur qui continue l'administration d'un autre tuteur, après la reddition de compte, est dispensé de faire l'inventaire des biens.

1991, c. 64, a. 241 (1994-01-01).

Art. 241. A tutor who continues the administration of another tutor after the rendering of account is exempt from making an inventory.

§ 2. — De la sûreté

§ 2. — Security

Art. 242. Le tuteur est tenu, lorsque la valeur des biens à administrer excède 25 000 $, de souscrire une assurance ou de fournir une autre sûreté pour garantir l'exécution de ses obligations. La nature et l'objet de la sûreté, ainsi que le délai pour la fournir, sont déterminés par le conseil de tutelle.

Les frais de la sûreté sont à la charge de la tutelle.

1991, c. 64, a. 242 (1994-01-01).

Art. 242. The tutor is bound, if the value of the property to be administered exceeds $25 000, to take out liability insurance or furnish other security to guarantee the performance of his obligations. The kind and object of the security and the time granted to furnish it are determined by the tutorship council.

The tutorship is liable for the costs of the security.

C.C.B.C. 2030, 2031, 2117, 2118 (**D.T.** 134; **C.C.Q.** 209, 222, 1458; **C.P.C.** 872 ss.)

Art. 243. Le tuteur doit, sans délai, justifier de la sûreté au conseil de tutelle et au curateur public.

Il doit, pendant la durée de sa charge, maintenir cette sûreté ou en offrir une autre de valeur suffisante, et la justifier annuellement.

1991, c. 64, a. 243 (1994-01-01).

Art. 243. The tutor shall without delay furnish proof of the security to the tutorship council and to the Public Curator.

The tutor shall maintain the security or another of sufficient value for the duration of his office and furnish proof of it every year.

C.C.B.C. 2031 (**D.T.** 134; **C.C.Q.** 236, 247; **C.P.C.** 872 ss.)

Art. 244. La personne morale qui exerce la tutelle aux biens est dispensée de fournir une sûreté.

1991, c. 64, a. 244 (1994-01-01).

Art. 244. A legal person exercising tutorship to property is exempt from furnishing security.

(**C.C.Q.** 189)

Art. 245. Lorsqu'il y a lieu de donner mainlevée d'une sûreté, le conseil de tutelle ou le mineur devenu majeur peut le faire et requérir, s'il y a lieu, aux frais de la tutelle, la radiation de l'inscription. Un avis de la radiation est donné au curateur public.

1991, c. 64, a. 245 (1994-01-01).

Art. 245. Where it is advisable to release the security, the tutorship council or the minor, once he attains full age, may do so and, at the cost of the tutorship, apply for cancellation of the registration, if any. Notice of the cancellation is given to the Public Curator.

C.C.B.C. 2031.1

§ 3. — Des rapports et comptes

§ 3. — Reports and accounts

Art. 246. Le tuteur transmet au mineur de quatorze ans et plus, au conseil de tutelle et au curateur public, le compte annuel de sa gestion.

Art. 246. The tutor sends the annual account of his management to the minor fourteen years of age or over, to the tutorship council and to the Public Curator.

Le tuteur aux biens rend compte annuellement au tuteur à la personne.

1991, c. 64, a. 246 (1994-01-01).

The tutor to property renders an annual account to the tutor to the person.

C.C.B.C. 264 (**C.P.C.** 876)

Art. 247. À la fin de son administration, le tuteur rend un compte définitif au mineur devenu majeur; il doit aussi rendre compte au tuteur qui le remplace et au mineur de quatorze ans et plus ou, le cas échéant, au liquidateur de la succession du mineur. Il doit transmettre une copie du compte définitif au conseil de tutelle et au curateur public.

1991, c. 64, a. 247 (1994-01-01).

Art. 247. At the end of his administration, the tutor shall give a final account to the minor who has come of age; he shall also give an account to the tutor who replaces him and to the minor fourteen years of age or over or, where applicable, to the liquidator of the succession of the minor. He shall send a copy of his final account to the tutorship council and to the Public Curator.

C.C.B.C. 308, 310 (**C.C.Q.** 169, 218, 220, 587.2, 599; **C.P.C.** 532 ss., 876)

Art. 248. Tout accord entre le tuteur et le mineur devenu majeur portant sur l'administration ou sur le compte est nul, s'il n'est précédé de la reddition d'un compte détaillé et de la remise des pièces justificatives.

1991, c. 64, a. 248 (1994-01-01).

Art. 248. Every agreement between the tutor and the minor who has come of age relating to the administration or the account is null unless it is preceded by a detailed rendering of account and the delivery of the related vouchers.

C.C.B.C. 311 (**C.C.Q.** 166, 181, 1361)

Art. 249. Le curateur public examine les comptes annuels de gestion du tuteur et le compte définitif. Il s'assure aussi du maintien de la sûreté.

Il a le droit d'exiger tout document et toute explication concernant ces comptes et il peut, lorsque la loi le prévoit, en requérir la vérification.

1991, c. 64, a. 249 (1994-01-01).

Art. 249. The Public Curator examines the annual accounts of management and the final account of the tutor. He also ascertains that the security is maintained.

He may require any document and any explanation concerning the accounts and, where provided for by law, require that they be audited.

SECTION VII
DU REMPLACEMENT DU TUTEUR ET DE LA FIN DE LA TUTELLE

SECTION VII
REPLACEMENT OF TUTOR AND END OF TUTORSHIP

Art. 250. Le tuteur datif peut, pour un motif sérieux, demander au tribunal d'être relevé de sa charge, pourvu que sa demande ne soit pas faite à contretemps et qu'un avis en ait été donné au conseil de tutelle.

1991, c. 64, a. 250 (1994-01-01).

Art. 250. A dative tutor may, for a serious reason, apply to the court to be relieved of his duties, provided his application is not made at an inopportune moment and notice of it has been given to the tutorship council.

(**C.C.Q.** 180; **C.P.C.** 876, 885*c*))

Art. 251. Le conseil de tutelle ou, en cas d'urgence, l'un de ses membres doit demander le remplacement du tuteur qui ne peut exercer sa charge ou ne respecte pas ses obligations. Le tuteur à la personne doit agir de même à l'égard d'un tuteur aux biens.

Art. 251. The tutorship council or, in case of emergency, one of its members shall apply for the replacement of a tutor who is unable to perform his duties or neglects his obligations. A tutor to the person shall act in the same manner with regard to a tutor to property.

Tout intéressé, y compris le curateur public, peut aussi demander le remplacement du tuteur pour ces motifs.

1991, c. 64, a. 251 (1994-01-01).

Any interested person, including the Public Curator, may also, for the reasons set forth in the first paragraph, apply for the replacement of the tutor.

C.C.B.C. 268, 286 (**C.C.Q.** 206, 222 ss., 1367; **C.P.C.** 872 ss., 885c))

Art. 252. Lorsque la tutelle est exercée par le directeur de la protection de la jeunesse, par une personne qu'il recommande comme tuteur ou par le curateur public, tout intéressé peut demander leur remplacement sans avoir à justifier d'un autre motif que l'intérêt du mineur.

1991, c. 64, a. 252 (1994-01-01).

Art. 252. Where tutorship is exercised by the director of youth protection, by a person he recommends as tutor or by the Public Curator, any interested person may apply for his replacement without having to justify it for any reason other than the interest of the minor.

(**C.C.Q.** 33; **C.P.C.** 886)

Art. 253. Pendant l'instance, le tuteur continue à exercer sa charge, à moins que le tribunal n'en décide autrement et ne désigne un administrateur provisoire chargé de la simple administration des biens du mineur.

1991, c. 64, a. 253 (1994-01-01).

Art. 253. During the proceedings, the tutor continues to exercise his duties unless the court decides otherwise and appoints a provisional administrator responsible for the simple administration of the property of the minor.

C.C.B.C. 289 (**C.P.C.** 547 al. 1e))

Art. 254. Le jugement qui met fin à la charge du tuteur doit énoncer les motifs du remplacement et désigner le nouveau tuteur.

1991, c. 64, a. 254 (1994-01-01).

Art. 254. Every judgment terminating the duties of a tutor contains the reasons for replacing him and designates the new tutor.

C.C.B.C. 288 (**C.P.C.** 547 al. 1e))

Art. 255. La tutelle prend fin à la majorité, lors de la pleine émancipation ou au décès du mineur.

La charge du tuteur cesse à la fin de la tutelle, au remplacement du tuteur ou à son décès.

1991, c. 64, a. 255 (1994-01-01).

Art. 255. Tutorship ends when the minor attains full age, obtains full emancipation or dies.

The office of a tutor ceases at the end of the tutorship, when the tutor is replaced or on his death.

C.C.B.C. 310 (**C.C.Q.** 153, 169, 175, 179, 181, 250, 251)

CHAPITRE TROISIÈME
DES RÉGIMES DE PROTECTION DU MAJEUR

CHAPTER III
PROTECTIVE SUPERVISION OF PERSONS OF FULL AGE

SECTION I
DISPOSITIONS GÉNÉRALES

SECTION I
GENERAL PROVISIONS

Art. 256. Les régimes de protection du majeur sont établis dans son intérêt; ils sont destinés à assurer la protection de sa personne, l'administration de son patrimoine et, en général, l'exercice de ses droits civils.

Art. 256. Protective supervision of a person of full age is established in his interest and is intended to ensure the protection of his person, the administration of his patrimony and, generally, the exercise of his civil rights.

L'incapacité qui en résulte est établie en sa faveur seulement.

1991, c. 64, a. 256 (1994-01-01).

Any incapacity resulting from protective supervision is established solely in favour of the person under protection.

C.C.B.C. 290, 325, 987 (**C.C.Q.** 154, 257, 268-270, 1318, 1405, 1706, 2166 ss.; **C.P.C.** 4, 56, 254, 295, 394.1-394.5, 483, 493, 494, 877 ss.; **L.R.Q.**, c. C-81)

Art. 257. Toute décision relative à l'ouverture d'un régime de protection ou qui concerne le majeur protégé doit être prise dans son intérêt, le respect de ses droits et la sauvegarde de son autonomie.

Le majeur doit, dans la mesure du possible et sans délai, en être informé.

1991, c. 64, a. 257 (1994-01-01).

Art. 257. Every decision relating to the institution of protective supervision or concerning a protected person of full age shall be in his interest, respect his rights and safeguard his autonomy.

The person of full age shall, so far as possible and without delay, be informed of the decision.

C.C.B.C. 326 (**C.C.Q.** 11 ss., 26 ss., 256, 260, 268-270; **C.P.C.** 394.1 ss., 877 ss.)

Art. 258. Il est nommé au majeur un curateur ou un tuteur pour le représenter, ou un conseiller pour l'assister, dans la mesure où il est inapte à prendre soin de lui-même ou à administrer ses biens, par suite, notamment, d'une maladie, d'une déficience ou d'un affaiblissement dû à l'âge qui altère ses facultés mentales ou son aptitude physique à exprimer sa volonté.

Il peut aussi être nommé un tuteur ou un conseiller au prodigue qui met en danger le bien-être de son époux ou conjoint uni civilement ou de ses enfants mineurs.

1991, c. 64, a. 258 (1994-01-01); 2002, c. 6, a. 21 (2002-06-24).

Art. 258. A tutor or curator is appointed to represent, or an adviser to assist, a person of full age who is incapable of caring for himself or herself or of administering property by reason, in particular, of illness, deficiency or debility due to age which impairs the person's mental faculties or physical ability to express his or her will.

A tutor or an adviser may also be appointed to a prodigal who endangers the well-being of his or her married or civil union spouse or minor children.

C.C.B.C. 327 (**C.C.Q.** 11 ss., 259, 268, 276, 281 ss., 285 ss., 291 ss., 3085, 3140; **C.P.C.** 547, 877 ss., 885*c*))

Art. 259. Dans le choix d'un régime de protection, il est tenu compte du degré d'inaptitude de la personne à prendre soin d'elle-même ou à administrer ses biens.

1991, c. 64, a. 259 (1994-01-01).

Art. 259. In selecting the form of protective supervision, consideration is given to the degree of the person's incapacity to care for himself or administer his property.

C.C.B.C. 328 (**C.C.Q.** 258, 268, 270, 276, 277; **C.P.C.** 881)

Art. 260. Le curateur ou le tuteur au majeur protégé a la responsabilité de sa garde et de son entretien; il a également celle d'assurer le bien-être moral et matériel du majeur, en tenant compte de la condition de celui-ci, de ses besoins et de ses facultés, et des autres circonstances dans lesquelles il se trouve.

Art. 260. The curator or the tutor to a protected person of full age is responsible for his custody and maintenance; he is also responsible for ensuring the moral and material well-being of the protected person, taking into account his condition, needs and faculties and the other aspects of his situation.

Il peut déléguer l'exercice de la garde et de l'entretien du majeur protégé, mais, dans la mesure du possible, il doit, de même que le délégué, maintenir une relation personnelle avec le majeur, obtenir son avis, le cas échéant, et le tenir informé des décisions prises à son sujet.

He may delegate the exercise of the custody and maintenance of the protected person of full age but, so far as possible, he and the delegated person shall maintain a personal relationship with the protected person, obtain his advice where necessary, and keep him informed of the decisions made in his regard.

1991, c. 64, a. 260 (1994-01-01); 2002, c. 19, a. 15 (2002-06-13).

C.C.B.C. 329 (C.C.Q. 15, 26, 31, 257, 263, 276, 281 ss., 285 ss., 1461, 1462)

Art. 261. Le curateur public n'exerce la curatelle ou la tutelle au majeur protégé, que s'il est nommé par le tribunal pour exercer la charge; il peut aussi agir d'office si le majeur n'est plus pourvu d'un curateur ou d'un tuteur.

1991, c. 64, a. 261 (1994-01-01).

Art. 261. The Public Curator does not exercise curatorship or tutorship to a protected person of full age unless he is appointed by the court to do so; he may also act by virtue of his office if the person of full age is no longer provided with a curator or tutor.

C.C.B.C. 330; L.R.Q., c. C-81, a. 12 (C.C.Q. 250 ss., 262 ss., 297)

Art. 262. Le curateur public a la simple administration des biens du majeur protégé, même lorsqu'il agit comme curateur.

1991, c. 64, a. 262 (1994-01-01).

Art. 262. The Public Curator has the simple administration of the property of a protected person of full age even when acting as curator.

C.C.B.C. 331; L.R.Q., c. C-81, a. 30 (C.C.Q. 282, 1301 ss.; C.P.C. 897 ss.)

Art. 263. Le curateur public n'a pas la garde du majeur protégé auquel il est nommé tuteur ou curateur, à moins que le tribunal, si aucune autre personne ne peut l'exercer, ne la lui confie. Il est cependant chargé, dans tous les cas, d'assurer la protection du majeur.

La personne à qui la garde est confiée exerce, cependant, les pouvoirs du tuteur ou du curateur pour consentir aux soins requis par l'état de santé du majeur, à l'exception de ceux que le curateur public choisit de se réserver.

1991, c. 64, a. 263 (1994-01-01).

Art. 263. The Public Curator does not have custody of the protected person of full age to whom he is appointed tutor or curator unless, where no other person can assume it, the court entrusts it to him. He is nevertheless, in all cases, responsible for protection of the person of full age.

The person to whom custody is entrusted, however, has the power of a tutor or curator to give consent to the care required by the state of health of the person of full age, except the care which the Public Curator elects to provide.

C.C.B.C. 331.1; L.R.Q., c. C-81, a. 16, 17 (C.C.Q. 11 ss., 264, 265, 1461, 1462)

Art. 264. Le curateur public qui agit comme tuteur ou curateur d'un majeur protégé peut déléguer l'exercice de certaines fonctions de la tutelle ou de la curatelle à une personne qu'il désigne, après s'être assuré, si le majeur est soigné dans un établissement de santé ou de services sociaux, que la personne choisie n'est pas un salarié de cet établissement et n'y occupe aucune fonction. Il peut néanmoins, lorsque les circonstances le justifient, passer outre à cette restriction si le salarié de l'établissement est le conjoint ou un proche parent du majeur ou s'il s'agit de gérer, selon ses directives, l'allocation mensuelle destinée au majeur pour ses dépenses personnelles.

Art. 264. The Public Curator acting as tutor or curator to a protected person of full age may delegate the exercise of certain functions related to tutorship or curatorship to a person he designates after ascertaining, where the person of full age is being treated in a health or social services establishment, that the designated person is not an employee of the establishment and has no duties therewith. He may, however, where circumstances warrant, disregard this restriction if the employee of the establishment is the spouse or a close relative of the person of full age or if the function delegated is the management, according to the Public Curator's instructions, of the monthly personal expense allowance granted to the person.

Il peut autoriser le délégué à consentir aux soins requis par l'état de santé du majeur, à l'exception de ceux qu'il choisit de se réserver.

He may authorize the delegate to consent to the care required by the state of health of the person of full age, except care which the Public Curator elects to provide.

1991, c. 64, a. 264 (1994-01-01); 1999, c. 30, a. 21 (1999-07-01).

C.C.B.C. 331.2; **L.R.Q.**, c. C-81, a. 16 (**C.C.Q.** 11 ss., 263, 265, 1461, 1462)

Art. 265. Le délégué rend compte de l'exercice de la garde au curateur public, au moins une fois l'an. Ce dernier peut, en cas de conflit d'intérêts entre le délégué et le majeur protégé ou pour un autre motif sérieux, retirer la délégation.

Art. 265. At least once a year, the delegate renders account of the exercise of the custody to the Public Curator. The Public Curator may revoke the delegation if there is a conflict of interest between the delegate and the protected person of full age or for any other serious reason.

1991, c. 64, a. 265 (1994-01-01).

C.C.B.C. 331.3 (**C.C.Q.** 257, 264)

Art. 266. Les règles relatives à la tutelle au mineur s'appliquent à la tutelle et à la curatelle au majeur, compte tenu des adaptations nécessaires.

Ainsi, s'ajoutent aux personnes qui doivent être convoquées à l'assemblée de parents, d'alliés ou d'amis en application de l'article 226, le conjoint et les descendants du majeur au premier degré.

Art. 266. The rules pertaining to tutorship to minors apply, adapted as required, to tutorship and curatorship to persons of full age.

Thus, the spouse and descendants in the first degree of the person of full age shall be called to the meeting of relatives, persons connected by marriage or a civil union and friends along with the persons to be called to it pursuant to article 226.

1991, c. 64, a. 266 (1994-01-01); 1998, c. 51, a. 25 (1999-05-13); 2002, c. 6, a. 235 (2002-06-24).

C.C.B.C. 331.4 (**D.T.** 134; **C.C.Q.** 177-255, 281 ss., 285 ss.; **C.P.C.** 547 al. 1e), 872 ss.)

Art. 267. Lorsque le curateur public demande l'ouverture ou la révision d'un régime de protection et qu'il démontre que des efforts suffisants ont été faits pour réunir l'assemblée de parents, d'alliés ou d'amis et qu'ils ont été vains, le tribunal peut procéder sans que cette assemblée soit tenue.

Art. 267. Where the Public Curator requires the institution or review of protective supervision and shows that sufficient effort has been made to call the meeting of relatives, persons connected by marriage or a civil union and friends but that such effort has been in vain, the court may proceed without the meeting being held.

1991, c. 64, a. 267 (1994-01-01); 2002, c. 6, a. 235 (2002-06-24).

C.C.B.C. 331.5 (**C.C.Q.** 226)

SECTION II
DE L'OUVERTURE D'UN RÉGIME DE PROTECTION

SECTION II
INSTITUTION OF PROTECTIVE SUPERVISION

Art. 268. L'ouverture d'un régime de protection est prononcée par le tribunal.

Celui-ci n'est pas lié par la demande et il peut fixer un régime différent de celui dont on demande l'ouverture.

Art. 268. The institution of protective supervision is awarded by the court.

The court is not bound by the application and may decide on a form of protective supervision other than the form contemplated in the application.

1991, c. 64, a. 268 (1994-01-01).

C.C.B.C. 332; **C.P.C.** 877, 881 (**C.C.Q.** 256, 257, 259, 266, 277, 281 ss., 285 ss., 291 ss.; **C.P.C.** 394.1 ss., 877 ss.)

Art. 269. Peuvent demander l'ouverture d'un régime de protection le majeur lui-même, son conjoint, ses proches parents et alliés, toute personne qui démontre pour le majeur un intérêt particulier ou tout autre intéressé, y compris le mandataire désigné par le majeur ou le curateur public.

Art. 269. The person of full age himself, his spouse, his close relatives and the persons connected to him by marriage or a civil union, any person showing a special interest in the person or any other interested person, including the mandatary designated by the person of full age or the Public Curator, may apply for the institution of protective supervision.

1991, c. 64, a. 269 (1994-01-01); 2002, c. 6, a. 235 (2002-06-24).

C.C.B.C. 332.1 (**C.C.Q.** 81, 256, 257, 266, 270, 276, 280, 2169, 2175, 2177; **C.P.C.** 55, 70.2, 97, 394.1 ss., 862, 877 ss.)

Art. 270. Lorsqu'un majeur, qui reçoit des soins ou des services d'un établissement de santé ou de services sociaux, a besoin d'être assisté ou représenté dans l'exercice de ses droits civils en raison de son isolement, de la durée prévisible de son inaptitude, de la nature ou de l'état de ses affaires ou en raison du fait qu'aucun mandataire désigné par lui n'assure déjà une assistance ou une représentation adéquate, le directeur général de l'établissement en fait rapport au curateur public, transmet une copie de ce rapport au majeur et en informe un des proches de ce majeur.

Le rapport est constitué, entre autres, de l'évaluation médicale et psychosociale de celui qui a examiné le majeur; il porte sur la nature et le degré d'inaptitude du majeur, l'étendue de ses besoins et les autres circonstances de sa condition, ainsi que sur l'opportunité d'ouvrir à son égard un régime de protection. Il mentionne également, s'ils sont connus, les noms des personnes qui ont qualité pour demander l'ouverture du régime de protection.

Art. 270. Where a person of full age receiving care or services from a health or social services establishment requires to be assisted or represented in the exercise of his civil rights by reason of his isolation, the foreseeable duration of his incapacity, the nature or state of his affairs or because no mandatary already designated by him gives him adequate assistance or representation, the executive director of the health or social services institution reports that fact to the Public Curator, transmits a copy of his report to the person of full age and informs a close relative of that person.

Such a report contains, in particular, the medical and psychosocial assessment prepared by the person who examined the person of full age; it deals with the nature and degree of the incapacity of the person of full age, the extent of his needs and the other circumstances of his situation and with the advisability of instituting protective supervision for him. It also sets out the names, if known, of the persons qualified to apply for the institution of protective supervision.

1991, c. 64, a. 270 (1994-01-01).

C.C.B.C. 332.2, 332.3 (**C.C.Q.** 269, 279; **C.P.C.** 877.1)

Art. 271. L'ouverture d'un régime de protection du majeur peut être demandée dans l'année précédant la majorité.

Le jugement ne prend effet qu'à la majorité.

Art. 271. The institution of protective supervision of a person of full age may be applied for in the year preceding his attaining full age.

The judgment takes effect on the day the person attains full age.

1991, c. 64, a. 271 (1994-01-01).

C.C.B.C. 332.4 (**C.C.Q.** 177 ss., 268, 269; **C.P.C.** 394.1 ss., 877 ss.)

Art. 272. En cours d'instance, le tribunal peut, même d'office, statuer sur la garde du majeur s'il est manifeste qu'il ne peut prendre soin de lui-même et que sa garde est nécessaire pour lui éviter un préjudice sérieux.

Art. 272. During proceedings, the court may, even of its own motion, decide on the custody of the person of full age if it is clear that he is unable to care for himself and that custody is required to save him from serious harm.

Même avant l'instance, le tribunal peut, si une demande d'ouverture d'un régime de protection est imminente et qu'il y a lieu d'agir pour éviter au majeur un préjudice sérieux, désigner provisoirement le curateur public ou une autre personne pour assurer la protection de la personne du majeur ou pour le représenter dans l'exercice de ses droits civils.

Even before the proceedings, the Court may, if protective supervision is about to be instituted and it is necessary to act in order to save the person of full age from serious harm, designate the Public Curator or another person provisionally to ensure protection of the person of full age or to represent him in the exercise of his civil rights.

1991, c. 64, a. 272 (1994-01-01); 1999, c. 30, a. 22 (1999-07-01).

___

C.C.B.C. 332.5 (**C.C.Q.** 257; **C.P.C.** 394.1 ss., 877 ss.)

Art. 273. L'acte par lequel le majeur a déjà chargé une autre personne de l'administration de ses biens continue de produire ses effets malgré l'instance, à moins que, pour un motif sérieux, cet acte ne soit révoqué par le tribunal.

Art. 273. An act under which the person of full age has entrusted another person with the administration of his property continues to produce its effects notwithstanding the proceedings unless it is revoked by the court for a serious reason.

En l'absence d'un mandat donné par le majeur ou par le tribunal en vertu de l'article 444, on suit les règles de la gestion d'affaires, et le curateur public, ainsi que toute autre personne qui a qualité pour demander l'ouverture du régime, peut faire, en cas d'urgence et même avant l'instance si une demande d'ouverture est imminente, les actes nécessaires à la conservation du patrimoine.

If no mandate has been given by the person of full age or by the court under article 444, the rules provided in respect of the management of the business of another are observed and the Public Curator and any other person who is qualified to apply for the institution of protective supervision may, in an emergency or even before proceedings if an application for the institution of protective supervision is about to be made, perform the acts required to preserve the patrimony.

1991, c. 64, a. 273 (1994-01-01).

___

C.C.B.C. 332.6 (**C.C.Q.** 269, 444, 1482 ss., 2130)

Art. 274. Hors les cas du mandat ou de la gestion d'affaires, ou même avant l'instance si une demande d'ouverture d'un régime de protection est imminente, le tribunal peut, s'il y a lieu d'agir pour éviter un préjudice sérieux, désigner provisoirement le curateur public ou une autre personne, soit pour accomplir un acte déterminé, soit pour administrer les biens du majeur dans les limites de la simple administration du bien d'autrui.

Art. 274. In cases where there is no mandate or management of the business of another or even before proceedings if an application for the institution of protective supervision is about to be made, the court may, if it is necessary to act in order to prevent serious harm, provisionally designate the Public Curator or another person either to perform a specific act or to administer the property of the person of full age within the limits of simple administration of the property of others.

1991, c. 64, a. 274 (1994-01-01).

___

C.C.B.C. 332.7 (**C.C.Q.** 272, 273, 1301 ss., 1482 ss., 2130; **C.P.C.** 885c))

Art. 275. Pendant l'instance et par la suite, si le régime de protection applicable est la tutelle, le logement du majeur protégé et les meubles dont il est garni doivent être conservés à sa disposition. Le pouvoir d'administrer ces biens ne permet que des conventions de jouissance précaire, lesquelles cessent d'avoir effet de plein droit dès le retour du majeur protégé.

Art. 275. During proceedings and thereafter, if the form of protective supervision is a tutorship, the dwelling of the protected person of full age and the furniture in it are kept at his disposal. The power to administer that property extends only to agreements granting precarious enjoyment, which cease to have effect by operation of law upon the return of the protected person of full age.

S'il devient nécessaire ou s'il est de l'intérêt du majeur protégé qu'il soit disposé des meubles ou des droits relatifs au logement, l'acte doit être autorisé par le conseil de tutelle. Même en ce cas, il ne peut être disposé des souvenirs et autres objets à caractère personnel, à moins d'un motif impérieux; ils doivent, dans la mesure du possible, être gardés à la disposition du majeur par l'établissement de santé ou de services sociaux.

1991, c. 64, a. 275 (1994-01-01).

Should it be necessary or in the best interest of the protected person of full age that his furniture or his rights in respect of a dwelling be disposed of, the act may be done only with the authorization of the tutorship council. Even in such a case, except for a compelling reason, souvenirs and other personal effects may not be disposed of and shall, so far as possible, be kept at the disposal of the person of full age by the health or social services establishment.

C.C.B.C. 332.8 (**C.C.Q.** 213, 222 ss., 285 ss.)

Art. 276. Le tribunal saisi de la demande d'ouverture d'un régime de protection prend en considération, outre l'avis des personnes susceptibles d'être appelées à former le conseil de tutelle, les preuves médicales et psychosociales, les volontés exprimées par le majeur dans un mandat qu'il a donné en prévision de son inaptitude mais qui n'a pas été homologué, ainsi que le degré d'autonomie de la personne pour laquelle on demande l'ouverture d'un régime.

Il doit donner au majeur l'occasion d'être entendu, personnellement ou par représentant si son état de santé le requiert, sur le bien-fondé de la demande et, le cas échéant, sur la nature du régime et sur la personne qui sera chargée de le représenter ou de l'assister.

1991, c. 64, a. 276 (1994-01-01).

Art. 276. Where the court examines an application to institute protective supervision, it takes into consideration, in addition to the advice of the persons who may be called to form the tutorship council, the medical and psychosocial evidence, the wishes expressed by the person of full age in a mandate given in anticipation of his incapacity but which has not been homologated, and the degree of autonomy of the person in whose respect the institution of protective supervision is applied for.

The court shall give to the person of full age an opportunity to be heard, personally or through a representative where required by his state of health, on the merits of the application and, where applicable, on the form of protective supervision and as to the person who will represent or assist him.

C.C.B.C. 332.9; **C.P.C.** 878, 878.3, 880 (**C.C.Q.** 222 ss., 257, 259, 260, 268, 2166 ss.; **C.P.C.** 394.1 ss., 877 ss.)

Art. 277. Le jugement qui concerne un régime de protection est toujours susceptible de révision.

1991, c. 64, a. 277 (1994-01-01).

Art. 277. A judgment concerning protective supervision may be reviewed at any time.

C.C.B.C. 332.10 (**C.C.Q.** 257, 268, 278; **C.P.C.** 877 ss., 884)

Art. 278. Le régime de protection est réévalué, à moins que le tribunal ne fixe un délai plus court, tous les trois ans s'il s'agit d'un cas de tutelle ou s'il y a eu nomination d'un conseiller, ou tous les cinq ans en cas de curatelle.

Le curateur, le tuteur ou le conseiller du majeur est tenu de veiller à ce que le majeur soit soumis à une évaluation médicale et psychosociale en temps voulu. Lorsque celui qui procède à l'évaluation constate que la situation du majeur a suffisamment changé pour justifier la fin du régime ou sa modification, il en fait rapport au majeur et à la personne

Art. 278. Unless the court fixes an earlier date, the protective supervision is reviewed every three years in the case of a tutorship or where an adviser has been appointed or every five years in the case of a curatorship.

The curator, tutor or adviser to the person of full age is bound to see to it that the person of full age is submitted to a medical and psychosocial assessment in due time. Where the person making the assessment becomes aware that the situation of the person of full age has so changed as to justify the termination or modification of protective supervi-

qui a demandé l'évaluation et il en dépose une copie au greffe du tribunal.

1991, c. 64, a. 278 (1994-01-01).

C.C.B.C. 332.11 (**C.C.Q.** 277, 279, 280, 295)

Art. 279. Le directeur général de l'établissement de santé ou de services sociaux qui prodigue au majeur des soins ou des services doit, en cas de cessation de l'inaptitude justifiant le régime de protection, l'attester dans un rapport qu'il dépose au greffe du tribunal. Ce rapport est constitué, entre autres, de l'évaluation médicale et psychosociale.

1991, c. 64, a. 279 (1994-01-01).

C.C.B.C. 332.12 al. 1 (**C.C.Q.** 270, 278, 280, 2173)

Art. 280. Sur dépôt d'un rapport de révision d'un régime de protection, le greffier avise les personnes habilitées à intervenir dans la demande d'ouverture du régime. À défaut d'opposition dans les trente jours du dépôt, la mainlevée ou la modification du régime a lieu de plein droit. Un constat est dressé par le greffier et transmis, sans délai, au majeur lui-même et au curateur public.

1991, c. 64, a. 280 (1994-01-01); 2002, c. 19, a. 15 (2002-06-13).

C.C.B.C. 332.12 al. 2 (**C.C.Q.** 269, 277-279, 295, 2173; **C.P.C.** 877 ss., 884)

SECTION III
DE LA CURATELLE AU MAJEUR

Art. 281. Le tribunal ouvre une curatelle s'il est établi que l'inaptitude du majeur à prendre soin de lui-même et à administrer ses biens est totale et permanente, et qu'il a besoin d'être représenté dans l'exercice de ses droits civils.

Il nomme alors un curateur.

1991, c. 64, a. 281 (1994-01-01); 2002, c. 19, a. 15 (2002-06-13).

C.C.B.C. 333 (**C.C.Q.** 15, 258 ss., 266, 268, 277 ss., 297, 617, 638, 710, 711, 1706, 1813, 1814, 2169, 2905; **C.P.C.** 56, 59, 61)

Art. 282. Le curateur a la pleine administration des biens du majeur protégé, à cette exception qu'il est tenu, comme l'administrateur du bien d'autrui chargé de la simple administration, de ne faire que des placements présumés sûrs. Seules les règles de l'administration du bien d'autrui s'appliquent à son administration.

1991, c. 64, a. 282 (1994-01-01).

C.C.B.C. 333.1 (**C.C.Q.** 208, 262, 1306, 1307, 1339 ss.)

sion, he makes a report to the person of full age and to the person having applied for the assessment and files a copy of the report in the office of the court.

Art. 279. The executive director of the health or social services institution providing care or services to the person of full age shall, if the incapacity that justified protective supervision ceases, attest that fact in a report which he files in the office of the court. Such a report includes the medical and psychosocial assessment.

Art. 280. When a report on the review of protective supervision has been filed, the clerk notifies the persons qualified to intervene in the application for protective supervision. If no objection is made within thirty days after the report is filed, protective supervision is modified or terminated without other formality. An attestation is drawn up by the clerk and transmitted without delay to the person of full age himself and to the Public Curator.

SECTION III
CURATORSHIP TO PERSONS OF FULL AGE

Art. 281. The court institutes curatorship to a person of full age if it is established that the incapacity of that person to care for himself and to administer his property is total and permanent and that he requires to be represented in the exercise of his civil rights.

The court then appoints a curator.

Art. 282. The curator has the full administration of the property of the protected person of full age, except that he is bound, as the administrator entrusted with simple administration of the property of others, to make only investments that are presumed sound. The only rules which apply to his administration are the rules of administration of the property of others.

Art. 283. L'acte fait seul par le majeur en curatelle peut être annulé ou les obligations qui en découlent réduites, sans qu'il soit nécessaire d'établir un préjudice.

1991, c. 64, a. 283 (1994-01-01).

Art. 283. An act performed alone by a person of full age under curatorship may be declared null or the obligations resulting from it reduced, without any requirement to prove damage.

C.C.B.C. 333.2 (**C.C.Q.** 284, 296, 1419, 2630)

Art. 284. Les actes faits antérieurement à la curatelle peuvent être annulés ou les obligations qui en découlent réduites, sur la seule preuve que l'inaptitude était notoire ou connue du cocontractant à l'époque où les actes ont été passés.

1991, c. 64, a. 284 (1994-01-01).

Art. 284. Acts performed before the curatorship may be annulled or the obligations resulting from them reduced on the mere proof that the incapacity was notorious or known to the other party at the time the acts were performed.

C.C.B.C. 333.3 (**C.C.Q.** 283, 290, 296, 2170, 3086; **C.P.C.** 110)

SECTION IV
DE LA TUTELLE AU MAJEUR

Art. 285. Le tribunal ouvre une tutelle s'il est établi que l'inaptitude du majeur à prendre soin de lui-même ou à administrer ses biens est partielle ou temporaire, et qu'il a besoin d'être représenté dans l'exercice de ses droits civils.

Il nomme alors un tuteur à la personne et aux biens ou un tuteur soit à la personne, soit aux biens.

1991, c. 64, a. 285 (1994-01-01).

SECTION IV
TUTORSHIP TO PERSONS OF FULL AGE

Art. 285. The court institutes tutorship to a person of full age if it is established that the incapacity of that person to care for himself or to administer his property is partial or temporary and that he requires to be represented in the exercise of his civil rights.

The court then appoints a tutor to the person and to property, or a tutor either to the person or to property.

C.C.B.C. 334 (**C.C.Q.** 15, 258, 259, 260 ss., 266, 268, 277 ss., 297, 711, 1706, 1813, 1814, 2169, 2905)

Art. 286. Le tuteur a la simple administration des biens du majeur incapable d'administrer ses biens. Il l'exerce de la même manière que le tuteur au mineur, sauf décision contraire du tribunal.

1991, c. 64, a. 286 (1994-01-01).

Art. 286. The tutor has the simple administration of the property of the person of full age incapable of administering his property. He exercises his administration in the same manner as the tutor to a minor, unless the court decides otherwise.

C.C.B.C. 334.1 (**C.C.Q.** 208 ss., 275, 1301 ss.; **C.P.C.** 872 ss., 897 ss.)

Art. 287. Les règles relatives à l'exercice des droits civils du mineur s'appliquent au majeur en tutelle, compte tenu des adaptations nécessaires.

1991, c. 64, a. 287 (1994-01-01).

Art. 287. The rules pertaining to the exercise of the civil rights of a minor apply, adapted as required, to a person of full age under tutorship.

C.C.B.C. 334.2 (**C.C.Q.** 155 ss., 288, 436, 617, 638, 709, 2630; **C.P.C.** 70, 818.2)

Art. 288. À l'ouverture de la tutelle ou postérieurement, le tribunal peut déterminer le degré de capacité du majeur en tutelle, en prenant en considération l'évaluation médicale et psychosociale et, selon le cas, l'avis du conseil de tutelle ou des personnes susceptibles d'être appelées à en faire partie.

Art. 288. The court may, on the institution of the tutorship or subsequently, determine the degree of capacity of the person of full age under tutorship, taking into consideration the medical and psychosocial assessment and, as the case may be, the advice of the tutorship council or of the persons who may be called upon to form the tutorship council.

Il indique alors les actes que la personne en tutelle peut faire elle-même, seule ou avec l'assistance du tuteur, ou ceux qu'elle ne peut faire sans être représentée.
1991, c. 64, a. 288 (1994-01-01).

The court then indicates the acts which the person under tutorship may perform alone or with the assistance of the tutor, or which he may not perform unless he is represented.

C.C.B.C. 334.3 (**C.C.Q.** 163, 222 ss., 259, 276, 287; **C.P.C.** 56, 59, 61, 394.1 ss., 877 ss.)

Art. 289. Le majeur en tutelle conserve la gestion du produit de son travail, à moins que le tribunal n'en décide autrement.
1991, c. 64, a. 289 (1994-01-01).

Art. 289. The person of full age under tutorship retains the administration of the proceeds of his work, unless the court decides otherwise.

C.C.B.C. 334.4 (**C.C.Q.** 220, 286, 288)

Art. 290. Les actes faits antérieurement à la tutelle peuvent être annulés ou les obligations qui en découlent réduites, sur la seule preuve que l'inaptitude était notoire ou connue du cocontractant à l'époque où les actes ont été passés.
1991, c. 64, a. 290 (1994-01-01).

Art. 290. Acts performed before the tutorship may be annulled or the obligations resulting from them reduced on the mere proof that the incapacity was notorious or known to the other party at the time the acts were performed.

C.C.B.C. 334.5 (**C.C.Q.** 284, 287, 296, 2170, 3086; **C.P.C.** 110)

SECTION V
DU CONSEILLER AU MAJEUR

SECTION V
ADVISERS TO PERSONS OF FULL AGE

Art. 291. Le tribunal nomme un conseiller au majeur si celui-ci, bien que généralement ou habituellement apte à prendre soin de lui-même et à administrer ses biens, a besoin, pour certains actes ou temporairement, d'être assisté ou conseillé dans l'administration de ses biens.
1991, c. 64, a. 291 (1994-01-01).

Art. 291. The court appoints an adviser to a person of full age who, although generally and habitually capable of caring for himself and of administering his property, requires, for certain acts or for a certain time, to be assisted or advised in the administration of his property.

C.C.B.C. 335 (**C.C.Q.** 258, 259, 268, 277 ss., 297, 617, 638, 710, 711, 1706)

Art. 292. Le conseiller n'a pas l'administration des biens du majeur protégé. Il doit, cependant, intervenir aux actes pour lesquels il est tenu de lui prêter assistance.
1991, c. 64, a. 292 (1994-01-01).

Art. 292. The adviser does not have the administration of the property of the protected person of full age. He shall, however, intervene in the acts for which he is bound to give him assistance.

C.C.B.C. 335.1 (**C.C.Q.** 293)

Art. 293. À l'ouverture du régime ou postérieurement, le tribunal indique les actes pour lesquels l'assistance du conseiller est requise ou, à l'inverse, ceux pour lesquels elle ne l'est pas.

Si le tribunal ne donne aucune indication, le majeur protégé doit être assisté de son conseiller dans tous les actes qui excèdent la capacité du mineur simplement émancipé.
1991, c. 64, a. 293 (1994-01-01).

Art. 293. The court, on the institution of the advisership or subsequently, indicates the acts for which the adviser's assistance is required, and those for which it is not required.

If the court gives no indication, the protected person of full age shall be assisted by his adviser for every act beyond the capacity of a minor who has been granted simple emancipation.

C.C.B.C. 335.2 (**C.C.Q.** 167-174, 1815)

Art. 294. L'acte fait seul par le majeur, alors que l'intervention de son conseiller était requise, ne peut être annulé ou les obligations qui en découlent réduites que si le majeur en subit un préjudice.

1991, c. 64, a. 294 (1994-01-01).

Art. 294. Acts performed alone by a person of full age for which the intervention of his adviser was required may be annulled or the obligations resulting from them reduced only if the person of full age suffers prejudice therefrom.

C.C.B.C. 335.3 (**C.C.Q.** 436, 1405 ss., 2630; **C.P.C.** 70, 110)

SECTION VI
DE LA FIN DU RÉGIME DE PROTECTION

Art. 295. Le régime de protection cesse par l'effet d'un jugement de mainlevée ou par le décès du majeur protégé.

Il cesse aussi à l'expiration du délai prévu pour contester le rapport qui atteste la cessation de l'inaptitude.

1991, c. 64, a. 295 (1994-01-01).

SECTION VI
END OF PROTECTIVE SUPERVISION

Art. 295. Protective supervision ceases by a judgment of release or by the death of the protected person of full age.

Protective supervision also ceases upon the expiry of the prescribed period for contesting the report attesting the cessation of the incapacity.

C.C.B.C. 336 (**C.C.Q.** 266, 277 ss.; **C.P.C.** 558, 883, 884)

Art. 296. Le majeur protégé peut toujours, après la mainlevée du régime et, le cas échéant, la reddition de compte du curateur ou du tuteur, confirmer un acte autrement nul.

1991, c. 64, a. 296 (1994-01-01).

Art. 296. A protected person of full age may at any time after the release of protective supervision and, where applicable, after the rendering of account by the tutor or curator, confirm any act otherwise null.

C.C.B.C. 336.1 (**C.C.Q.** 166, 246 ss., 266)

Art. 297. La vacance de la charge de curateur, de tuteur ou de conseiller ne met pas fin au régime de protection.

Le conseil de tutelle doit, le cas échéant, provoquer la nomination d'un nouveau curateur ou tuteur; tout intéressé peut aussi provoquer cette nomination, de même que celle d'un nouveau conseiller.

1991, c. 64, a. 297 (1994-01-01).

Art. 297. A vacancy in the office of curator, tutor or adviser does not terminate protective supervision.

The tutorship council shall, on the occurrence of a vacancy, initiate the appointment of a new curator or tutor; any interested person may also initiate such an appointment, as well as that of a new adviser.

C.C.B.C. 336.3 (**C.C.Q.** 251, 261, 269, 295; **C.P.C.** 547 al. 1e), 885b), 885c))

TITRE CINQUIÈME
DES PERSONNES MORALES

CHAPITRE PREMIER
DE LA PERSONNALITÉ JURIDIQUE

SECTION I
DE LA CONSTITUTION ET DES ESPÈCES DE PERSONNES MORALES

Art. 298. Les personnes morales ont la personnalité juridique.

Elles sont de droit public ou de droit privé.

1991, c. 64, a. 298 (1994-01-01).

C.C.B.C. 352 (**C.C.Q.** 303, 309, 916, 1039, 1376, 1464, 2188, 2724(1°), 2725, 2814(4°), 2841, 3083; **C.P.C.** 60, 61, 130, 409, 629, 828, 844)

Art. 299. Les personnes morales sont constituées suivant les formes juridiques prévues par la loi, et parfois directement par la loi.

Elles existent à compter de l'entrée en vigueur de la loi ou au temps que celle-ci prévoit, si elles sont de droit public, ou si elles sont constituées directement par la loi ou par l'effet de celle-ci; autrement, elles existent au temps prévu par les lois qui leur sont applicables.

1991, c. 64, a. 299 (1994-01-01).

C.C.B.C. 353 (**D.T.** 30; **C.C.Q.** 309, 331)

Art. 300. Les personnes morales de droit public sont d'abord régies par les lois particulières qui les constituent et par celles qui leur sont applicables; les personnes morales de droit privé sont d'abord régies par les lois applicables à leur espèce.

Les unes et les autres sont aussi régies par le présent code lorsqu'il y a lieu de compléter les dispositions de ces lois, notamment quant à leur statut de personne morale, leurs biens ou leurs rapports avec les autres personnes.

1991, c. 64, a. 300 (1994-01-01).

C.C.B.C. 356 (**C.C.Q.** 301-333, 1376, 1464; **C.P.C.** 758, 838)

TITLE FIVE
LEGAL PERSONS

CHAPTER I
JURIDICAL PERSONALITY

SECTION I
CONSTITUTION AND KINDS OF LEGAL PERSONS

Art. 298. Legal persons are endowed with juridical personality.

Legal persons are established in the public interest or for a private interest.

Art. 299. Legal persons are constituted in accordance with the juridical forms provided by law, and sometimes directly by law.

Legal persons exist from the coming into force of the Act or from the time prescribed therein if they are established in the public interest or if they are constituted directly by law or through the effect of law; otherwise, they exist from the time provided for in the Acts that are applicable to them.

Art. 300. Legal persons established in the public interest are primarily governed by the special Acts by which they are constituted and by those which are applicable to them; legal persons established for a private interest are primarily governed by the Acts applicable to their particular type.

Both kinds of legal persons are also governed by this Code where the provisions of such Acts require to be complemented, particularly with regard to their status as legal persons, their property or their relations with other persons.

SECTION II
DES EFFETS DE LA PERSONNALITÉ JURIDIQUE

SECTION II
EFFECTS OF JURIDICAL PERSONALITY

Art. 301. Les personnes morales ont la pleine jouissance des droits civils.

1991, c. 64, a. 301 (1994-01-01).

Art. 301. Legal persons have full enjoyment of civil rights.

C.C.B.C. 352; **L.R.Q.**, c. C-38, a. 123.29 (**C.C.Q.** 303)

Art. 302. Les personnes morales sont titulaires d'un patrimoine qui peut, dans la seule mesure prévue par la loi, faire l'objet d'une division ou d'une affectation. Elles ont aussi des droits et obligations extrapatrimoniaux liés à leur nature.

1991, c. 64, a. 302 (1994-01-01).

Art. 302. Every legal person has a patrimony which may, to the extent provided by law, be divided or appropriated to a purpose. It also has the extra-patrimonial rights and obligations flowing from its nature.

C.C.B.C. 352 (**C.C.Q.** 2, 3, 1257)

Art. 303. Les personnes morales ont la capacité requise pour exercer tous leurs droits, et les dispositions du présent code relatives à l'exercice des droits civils par les personnes physiques leur sont applicables, compte tenu des adaptations nécessaires.

Elles n'ont d'autres incapacités que celles qui résultent de leur nature ou d'une disposition expresse de la loi.

1991, c. 64, a. 303 (1994-01-01).

Art. 303. Legal persons have capacity to exercise all their rights, and the provisions of this Code respecting the exercise of civil rights by natural persons are applicable to them, adapted as required.

They have no incapacities other than those which may result from their nature or from an express provision of law.

C.C.B.C. 358, 364 (**C.C.Q.** 189, 244, 783, 1272, 1274, 3083; **C.P.C.** 583)

Art. 304. Les personnes morales ne peuvent exercer ni la tutelle ni la curatelle à la personne.

Elles peuvent cependant, dans la mesure où elles sont autorisées par la loi à agir à ce titre, exercer la charge de tuteur ou de curateur aux biens, de liquidateur d'une succession, de séquestre, de fiduciaire ou d'administrateur d'une autre personne morale.

1991, c. 64, a. 304 (1994-01-01).

Art. 304. Legal persons may not exercise tutorship or curatorship to the person.

They may, however, to the extent that they are authorized by law to act as such, hold office as tutor or curator to property, liquidator of a succession, sequestrator, trustee or administrator of another legal person.

C.C.B.C. 365 (**C.C.Q.** 188, 189, 783, 1489, 2157; **C.P.C.** 56, 59)

Art. 305. Les personnes morales ont un nom qui leur est donné au moment de leur constitution; elles exercent leurs droits et exécutent leurs obligations sous ce nom.

Ce nom doit être conforme à la loi et inclure, lorsque la loi le requiert, une mention indiquant clairement la forme juridique qu'elles empruntent.

1991, c. 64, a. 305 (1994-01-01).

Art. 305. Every legal person has a name which is assigned to it when it is constituted, and under which it exercises its rights and performs its obligations.

It shall be assigned a name which conforms to law and which includes, where required by law, an expression that clearly indicates the juridical form assumed by the legal person.

C.C.B.C. 357; **L.R.Q.**, c. C-38, a. 123.21, 123.22 (**C.C.Q.** 306, 308; **C.P.C.** 59, 111.1, 115)

Art. 306. La personne morale peut exercer une activité ou s'identifier sous un nom autre que le sien. Elle doit déposer un avis en ce sens auprès de l'inspecteur général des institutions financières ou, si elle est un syndicat de copropriétaires, requérir l'inscription d'un tel avis sur le registre foncier.

1991, c. 64, a. 306 (1994-01-01); 2000, c. 42, a. 1 (2001-10-09).

Art. 306. A legal person may engage in an activity or identify itself under a name other than its own name. It shall file a notice to that effect with the Inspector General of Financial Institutions or, if the legal person is a syndicate of co-owners, apply for the registration of such notice in the land register.

C.C.B.C. 1834, 1877 (**C.C.Q.** 56, 357)

Art. 307. La personne morale a son domicile aux lieu et adresse de son siège.

1991, c. 64, a. 307 (1994-01-01).

Art. 307. The domicile of a legal person is at the place and address of its head office.

C.C.B.C. 1834, 1877

Art. 308. La personne morale peut changer son nom ou son domicile en suivant la procédure établie par la loi.

1991, c. 64, a. 308 (1994-01-01).

Art. 308. A legal person may change its name or its domicile by following the procedure established by law.

C.C.B.C. 1834, 1877, 1879

Art. 309. Les personnes morales sont distinctes de leurs membres. Leurs actes n'engagent qu'elles-mêmes, sauf les exceptions prévues par la loi.

1991, c. 64, a. 309 (1994-01-01).

Art. 309. Legal persons are distinct from their members. Their acts bind none but themselves, except as provided by law.

C.C.B.C. 363 (**C.C.Q.** 298, 317, 318; **C.P.C.** 60, 617 ss.)

Art. 310. Le fonctionnement, l'administration du patrimoine et l'activité des personnes morales sont réglés par la loi, l'acte constitutif et les règlements; dans la mesure où la loi le permet, ils peuvent aussi être réglés par une convention unanime des membres.

En cas de divergence entre l'acte constitutif et les règlements, l'acte constitutif prévaut.

1991, c. 64, a. 310 (1994-01-01).

Art. 310. The functioning, the administration of the patrimony and the activities of a legal person are regulated by law, the constituting act and the by-laws; to the extent permitted by law, they may also be regulated by a unanimous agreement of the members.

In case of inconsistency between the constituting act and the by-laws, the constituting act prevails.

C.C.B.C. 361

Art. 311. Les personnes morales agissent par leurs organes, tels le conseil d'administration et l'assemblée des membres.

1991, c. 64, a. 311 (1994-01-01).

Art. 311. Legal persons act through their organs, such as the board of directors and the general meeting of the members.

(**C.C.Q.** 335; **C.P.C.** 844)

Art. 312. La personne morale est représentée par ses dirigeants, qui l'obligent dans la mesure des pouvoirs que la loi, l'acte constitutif ou les règlements leur confèrent.

1991, c. 64, a. 312 (1994-01-01).

Art. 312. A legal person is represented by its senior officers, who bind it to the extent of the powers vested in them by law, the constituting act or the by-laws.

C.C.B.C. 360 (**C.C.Q.** 1464, 2137, 3087; **C.P.C.** 543, 844)

Art. 313. Les règlements de la personne morale établissent des rapports de nature contractuelle entre elle et ses membres.

1991, c. 64, a. 313 (1994-01-01).

Art. 314. L'existence d'une personne morale est perpétuelle, à moins que la loi ou l'acte constitutif n'en dispose autrement.

1991, c. 64, a. 314 (1994-01-01).

C.C.B.C. 352, 1833

Art. 315. Les membres d'une personne morale sont tenus envers elle de ce qu'ils promettent d'y apporter, à moins que la loi n'en dispose autrement.

1991, c. 64, a. 315 (1994-01-01).

C.C.B.C. 363, 1839

Art. 316. En cas de fraude à l'égard de la personne morale, le tribunal peut, à la demande de tout intéressé, tenir les fondateurs, les administrateurs, les autres dirigeants ou les membres de la personne morale qui ont participé à l'acte reproché ou en ont tiré un profit personnel responsables, dans la mesure qu'il indique, du préjudice subi par la personne morale.

1991, c. 64, a. 316 (1994-01-01).

(**C.C.Q.** 326; **C.P.C.** 33, 130, 543)

Art. 317. La personnalité juridique d'une personne morale ne peut être invoquée à l'encontre d'une personne de bonne foi, dès lors qu'on invoque cette personnalité pour masquer la fraude, l'abus de droit ou une contravention à une règle intéressant l'ordre public.

1991, c. 64, a. 317 (1994-01-01).

(**C.C.Q.** 6, 7, 1696, 2159)

Art. 318. Le tribunal peut, pour statuer sur l'action d'un tiers de bonne foi, décider qu'une personne ou un groupement qui n'a pas le statut de personne morale est tenu au même titre qu'une personne morale s'il a agi comme tel à l'égard de ce tiers.

1991, c. 64, a. 318 (1994-01-01).

C.C.B.C. 1730, 1731 (**C.C.Q.** 1320, 2164; **C.P.C.** 130)

Art. 319. La personne morale peut ratifier l'acte accompli pour elle avant sa constitution; elle est alors substituée à la personne qui a agi pour elle.

Art. 313. The by-laws of a legal person set out the contractual relations existing between the legal person and its members.

Art. 314. A legal person exists in perpetuity unless otherwise provided by law or its constituting act.

Art. 315. The members of a legal person are liable toward the legal person for anything they have promised to contribute to it, unless otherwise provided by law.

Art. 316. In case of fraud with regard to the legal person, the court may, on the application of an interested person, hold the founders, directors, other senior officers or members of the legal person who have participated in the alleged act or derived personal profit therefrom liable, to the extent it indicates, for any damage suffered by the legal person.

Art. 317. In no case may a legal person set up juridical personality against a person in good faith if it is set up to dissemble fraud, abuse of right or contravention of a rule of public order.

Art. 318. The court, in deciding an action by a third person in good faith, may rule that a person or group not having status as a legal person has the same obligations as a legal person if the person or group acted as such in respect of the third person.

Art. 319. A legal person may ratify an act performed for it before it was constituted; it is then substituted for the person who acted for it.

La ratification n'opère pas novation; la personne qui a agi a, dès lors, les mêmes droits et est soumise aux mêmes obligations qu'un mandataire à l'égard de la personne morale.

1991, c. 64, a. 319 (1994-01-01).

Art. 320. Celui qui agit pour une personne morale avant qu'elle ne soit constituée est tenu des obligations ainsi contractées, à moins que le contrat ne stipule autrement et ne mentionne la possibilité que la personne morale ne soit pas constituée ou n'assume pas les obligations ainsi souscrites.

1991, c. 64, a. 320 (1994-01-01).

SECTION III
DES OBLIGATIONS DES ADMINISTRATEURS ET DE LEURS INHABILITÉS

Art. 321. L'administrateur est considéré comme mandataire de la personne morale. Il doit, dans l'exercice de ses fonctions, respecter les obligations que la loi, l'acte constitutif et les règlements lui imposent et agir dans les limites des pouvoirs qui lui sont conférés.

1991, c. 64, a. 321 (1994-01-01).

C.C.B.C. 360; **L.R.Q.**, c. C-38, a. 123.83 (**C.C.Q.** 322, 2147, 2159; **C.P.C.** 56, 59, 61, 844)

Art. 322. L'administrateur doit agir avec prudence et diligence.

Il doit aussi agir avec honnêteté et loyauté dans l'intérêt de la personne morale.

1991, c. 64, a. 322 (1994-01-01); 2002, c. 19, a. 15 (2002-06-13).

(**C.C.Q.** 316, 1309, 2088, 2138)

Art. 323. L'administrateur ne peut confondre les biens de la personne morale avec les siens; il ne peut utiliser, à son profit ou au profit d'un tiers, les biens de la personne morale ou l'information qu'il obtient en raison de ses fonctions, à moins qu'il ne soit autorisé à le faire par les membres de la personne morale.

1991, c. 64, a. 323 (1994-01-01).

(**C.C.Q.** 1313, 1314, 2088, 2146)

Art. 324. L'administrateur doit éviter de se placer dans une situation de conflit entre son intérêt personnel et ses obligations d'administrateur.

Il doit dénoncer à la personne morale tout intérêt qu'il a dans une entreprise ou une association susceptible de le placer en situation de conflit d'intérêts, ainsi que les droits qu'il peut faire valoir contre elle, en indiquant, le cas échéant, leur nature et leur

The ratification does not effect novation; the person who acted has thenceforth the same rights and is subject to the same obligations as a mandatary in respect of the legal person.

Art. 320. A person who acts for a legal person before it is constituted is bound by the obligations so contracted, unless the contract stipulates otherwise and includes a statement to the effect that the legal person might not be constituted or might not assume the obligations subscribed in the contract.

SECTION III
OBLIGATIONS AND DISQUALIFICATION OF DIRECTORS

Art. 321. A director is considered to be the mandatary of the legal person. He shall, in the performance of his duties, conform to the obligations imposed on him by law, the constituting act or the by-laws and he shall act within the limits of the powers conferred on him.

Art. 322. A director shall act with prudence and diligence.

He shall also act with honesty and loyalty in the interest of the legal person.

Art. 323. No director may mingle the property of the legal person with his own property nor may he use for his own profit or that of a third person any property of the legal person or any information he obtains by reason of his duties, unless he is authorized to do so by the members of the legal person.

Art. 324. A director shall avoid placing himself in any situation where his personal interest would be in conflict with his obligations as a director.

A director shall declare to the legal person any interest he has in an enterprise or association that may place him in a situation of conflict of interest and of any right he may set up against it, indicating their nature and value, where applicable. The

valeur. Cette dénonciation d'intérêt est consignée au procès-verbal des délibérations du conseil d'administration ou à ce qui en tient lieu.

1991, c. 64, a. 324 (1994-01-01).

(C.C.Q. 354, 1310, 1311)

Art. 325. Tout administrateur peut, même dans l'exercice de ses fonctions, acquérir, directement ou indirectement, des droits dans les biens qu'il administre ou contracter avec la personne morale.

Il doit signaler aussitôt le fait à la personne morale, en indiquant la nature et la valeur des droits qu'il acquiert, et demander que le fait soit consigné au procès-verbal des délibérations du conseil d'administration ou à ce qui en tient lieu. Il doit, sauf nécessité, s'abstenir de délibérer et de voter sur la question. La présente règle ne s'applique pas, toutefois, aux questions qui concernent la rémunération de l'administrateur ou ses conditions de travail.

1991, c. 64, a. 325 (1994-01-01).

Art. 326. Lorsque l'administrateur de la personne morale omet de dénoncer correctement et sans délai une acquisition ou un contrat, le tribunal, à la demande de la personne morale ou d'un membre, peut, entre autres mesures, annuler l'acte ou ordonner à l'administrateur de rendre compte et de remettre à la personne morale le profit réalisé ou l'avantage reçu.

L'action doit être intentée dans l'année qui suit la connaissance de l'acquisition ou du contrat.

1991, c. 64, a. 326 (1994-01-01).

(C.C.Q. 2146)

Art. 327. Sont inhabiles à être administrateurs les mineurs, les majeurs en tutelle ou en curatelle, les faillis et les personnes à qui le tribunal interdit l'exercice de cette fonction.

Cependant, les mineurs et les majeurs en tutelle peuvent être administrateurs d'une association constituée en personne morale qui n'a pas pour but de réaliser des bénéfices pécuniaires et dont l'objet les concerne.

1991, c. 64, a. 327 (1994-01-01).

(C.C.Q. 329, 2186)

Art. 328. Les actes des administrateurs ou des autres dirigeants ne peuvent être annulés pour le seul motif que ces derniers étaient inhabiles ou que leur désignation était irrégulière.

1991, c. 64, a. 328 (1994-01-01).

declaration of interest is recorded in the minutes of the proceedings of the board of directors or the equivalent.

Art. 325. A director may, even in carrying on his duties, acquire, directly or indirectly, rights in the property under his administration or enter into contracts with the legal person.

The director shall immediately inform the legal person of any acquisition or contract described in the first paragraph, indicating the nature and value of the rights he is acquiring, and request that the fact be recorded in the minutes of proceedings of the board of directors or the equivalent. He shall abstain, except if required, from the discussion and voting on the question. This rule does not, however, apply to matters concerning the remuneration or conditions of employment of the director.

Art. 326. Where the director of a legal person fails to give information correctly and immediately of an acquisition or a contract, the court, on the application of the legal person or a member, may, among other measures, annul the act or order the director to render account and to remit the profit or benefit realized to the legal person.

The action may be brought only within one year after knowledge is gained of the acquisition or contract.

Art. 327. Minors, persons of full age under tutorship or curatorship, bankrupts and persons prohibited by the court from holding such office are disqualified for office as directors.

However, minors and persons of full age under tutorship may be directors of associations constituted as legal persons that do not aim to make pecuniary profits and whose objects concern them.

Art. 328. The acts of a director or senior officer may not be annulled on the sole ground that he was disqualified or that his designation was irregular.

Art. 329. Le tribunal peut, à la demande de tout intéressé, interdire l'exercice de la fonction d'administrateur d'une personne morale à toute personne trouvée coupable d'un acte criminel comportant fraude ou malhonnêteté, dans une matière reliée aux personnes morales, ainsi qu'à toute personne qui, de façon répétée, enfreint les lois relatives aux personnes morales ou manque à ses obligations d'administrateur.

1991, c. 64, a. 329 (1994-01-01).

Art. 330. L'interdiction ne peut excéder cinq ans à compter du dernier acte reproché.

Le tribunal peut, à la demande de la personne concernée, lever l'interdiction aux conditions qu'il juge appropriées.

1991, c. 64, a. 330 (1994-01-01).

SECTION IV
DE L'ATTRIBUTION JUDICIAIRE DE LA PERSONNALITÉ

Art. 331. La personnalité juridique peut, rétroactivement, être conférée par le tribunal à une personne morale qui, avant qu'elle ne soit constituée, a présenté de façon publique, continue et non équivoque, toutes les apparences d'une personne morale et a agi comme telle tant à l'égard de ses membres que des tiers.

L'autorité qui, à l'origine, aurait dû en contrôler la constitution doit, au préalable, consentir à la demande.

1991, c. 64, a. 331 (1994-01-01).

Art. 332. Tout intéressé peut intervenir dans l'instance, ou se pourvoir contre le jugement qui, en fraude de ses droits, a attribué la personnalité.

1991, c. 64, a. 332 (1994-01-01); 2002, c. 19, a. 15 (2002-06-13).

Art. 333. Le jugement confère la personnalité juridique à compter de la date qu'il indique. Il ne modifie en rien les droits et obligations existant à cette date.

Une copie en est transmise sans délai, par le greffier du tribunal, à l'autorité qui a reçu ou délivré l'acte constitutif de la personne morale. Avis du jugement doit être publié par cette autorité à la *Gazette officielle du Québec*.

1991, c. 64, a. 333 (1994-01-01).

Art. 329. The court, on the application of an interested person, may prohibit a person from holding office as a director of a legal person if the person has been found guilty of an indictable offence involving fraud or dishonesty in a matter related to legal persons, or who has repeatedly violated the Acts relating to legal persons or failed to fulfil his obligations as a director.

Art. 330. No prohibition may extend beyond five years from the latest act charged.

The court may lift the prohibition under the conditions it sees fit, on the application of the person concerned by the prohibition.

SECTION IV
JUDICIAL ATTRIBUTION OF PERSONALITY

Art. 331. Juridical personality may be conferred retroactively by the court on a legal person which, before being constituted, had publicly, continuously and unequivocally all the appearances of a legal person and acted as such in respect of both its members and third persons.

Prior consent to the application shall be obtained from the authority that should originally have had control over the constitution of the person.

Art. 332. Any interested person may intervene in the proceedings or contest a judgment which, in fraud of his rights, has attributed juridical personality.

Art. 333. The judgment confers juridical personality from the date it indicates. It nowise alters the rights and obligations existing on that date.

A copy of the judgment is transmitted without delay by the clerk of the court to the authority which accepted or issued the constituting act of the legal person. Notice of the judgment shall be published by the authority in the *Gazette officielle du Québec*.

CHAPITRE DEUXIÈME
DES DISPOSITIONS APPLICABLES À CERTAINES PERSONNES MORALES

Art. 334. Les personnes morales qui empruntent une forme juridique régie par un autre titre de ce code sont soumises aux règles du présent chapitre; il en est de même de toute autre personne morale, si la loi qui la constitue ou qui lui est applicable le prévoit ou si cette loi n'indique aucun autre régime de fonctionnement, de dissolution ou de liquidation.

Elles peuvent cependant, dans leurs règlements, déroger aux règles établies pour leur fonctionnement, à condition, toutefois, que les droits des membres soient préservés.

1991, c. 64, a. 334 (1994-01-01).

CHAPTER II
PROVISIONS APPLICABLE TO CERTAIN LEGAL PERSONS

Art. 334. Legal persons assuming a juridical form governed by another title of this Code are subject to the rules of this chapter; the same applies to any other legal person if the Act by which it is constituted or which applies to it so provides or indicates no other rules of functioning, dissolution or liquidation.

They may, however, make derogations in their by-laws from the rules concerning their functioning, provided the rights of the members are safeguarded.

(**C.C.Q.** 342, 349, 350, 352, 1038 ss., 1084-1107, 1109, 2188, 2235, 2249)

SECTION I
DU FONCTIONNEMENT DES PERSONNES MORALES

§ 1. — *De l'administration*

Art. 335. Le conseil d'administration gère les affaires de la personne morale et exerce tous les pouvoirs nécessaires à cette fin; il peut créer des postes de direction et d'autres organes, et déléguer aux titulaires de ces postes et à ces organes l'exercice de certains de ces pouvoirs.

Il adopte et met en vigueur les règlements de gestion, sauf à les faire ratifier par les membres à l'assemblée qui suit.

1991, c. 64, a. 335 (1994-01-01).

SECTION I
FUNCTIONAL STRUCTURE OF LEGAL PERSONS

§ 1. — *Administration*

Art. 335. The board of directors manages the affairs of the legal person and exercises all the powers necessary for that purpose; it may create management positions and other organs, and delegate the exercise of certain powers to the holders of those positions and to those organs.

The board of directors adopts and implements management by-laws, subject to approval by the members at the next general meeting.

C.C.B.C. 360, 361

Art. 336. Les décisions du conseil d'administration sont prises à la majorité des voix des administrateurs.

1991, c. 64, a. 336 (1994-01-01).

Art. 336. The decisions of the board of directors are taken by the vote of a majority of the directors.

C.C.B.C. 17(19)

Art. 337. Tout administrateur est responsable, avec ses coadministrateurs, des décisions du conseil d'administration, à moins qu'il n'ait fait consigner sa dissidence au procès-verbal des délibérations ou à ce qui en tient lieu.

Art. 337. Every director is, with the other directors, liable for the decisions taken by the board of directors unless he requested that his dissent be recorded in the minutes of proceedings or the equivalent.

Toutefois, un administrateur absent à une réunion du conseil est présumé ne pas avoir approuvé les décisions prises lors de cette réunion.

1991, c. 64, a. 337 (1994-01-01).

However, a director who was absent from a meeting of the board is presumed not to have approved the decisions taken at that meeting.

C.C.B.C. 1851; **L.R.Q.**, c. C-38, a. 123.85, 123.86

Art. 338. Les administrateurs de la personne morale sont désignés par les membres.

Nul ne peut être désigné comme administrateur s'il n'y consent expressément.

1991, c. 64, a. 338 (1994-01-01).

Art. 338. The directors of a legal person are designated by the members.

No person may be designated as a director without his express consent.

C.C.B.C. 359 (**C.P.C.** 844)

Art. 339. La durée du mandat des administrateurs est d'un an; à l'expiration de ce temps, leur mandat se continue s'il n'est pas dénoncé.

1991, c. 64, a. 339 (1994-01-01).

Art. 339. The term of office of directors is one year; at the expiry of that period, their term continues unless it is revoked.

Art. 340. Les administrateurs comblent les vacances au sein du conseil. Ces vacances ne les empêchent pas d'agir; si leur nombre est devenu inférieur au quorum, ceux qui restent peuvent valablement convoquer les membres.

1991, c. 64, a. 340 (1994-01-01).

Art. 340. The directors fill the vacancies on the board. Vacancies on the board do not prevent the directors from acting; if their number has become less than a quorum, the remaining directors may validly convene the members.

Art. 341. Si, en cas d'empêchement ou par suite de l'opposition systématique de certains administrateurs, le conseil ne peut plus agir selon la règle de la majorité ou selon une autre proportion prévue, les autres peuvent agir seuls pour les actes conservatoires; ils peuvent aussi agir seuls pour des actes qui demandent célérité, s'ils y sont autorisés par le tribunal.

Lorsque la situation persiste et que l'administration s'en trouve sérieusement entravée, le tribunal peut, à la demande d'un intéressé, dispenser les administrateurs d'agir suivant la proportion prévue, diviser leurs fonctions, accorder une voix prépondérante à l'un d'eux ou rendre toute ordonnance qu'il estime appropriée suivant les circonstances.

1991, c. 64, a. 341 (1994-01-01).

Art. 341. Where the board is prevented from acting according to majority rule or in the specified proportion owing to the incapacity or systematic opposition of some directors, the others may act alone for conservatory acts; they may also, with the authorization of the court, act alone for acts requiring immediate action.

Where the situation persists and the administration is seriously impaired as a result, the court, on the application of an interested person, may exempt the directors from acting in the specified proportion, divide their duties, grant a casting vote to one of them or make any order it sees fit in the circumstances.

Art. 342. Le conseil d'administration tient la liste des membres, ainsi que les livres et registres nécessaires au bon fonctionnement de la personne morale.

Ces documents sont la propriété de la personne morale et les membres y ont accès.

1991, c. 64, a. 342 (1994-01-01).

Art. 342. The board of directors keeps the list of members and the books and registers necessary for the proper functioning of the legal person.

The documents referred to in the first paragraph are the property of the legal person and the members have access to them.

C.C.B.C. 1881

Art. 343. Le conseil d'administration peut désigner une personne pour tenir les livres et registres de la personne morale.

Cette personne peut délivrer des copies des documents dont elle est dépositaire; jusqu'à preuve du contraire, ces copies font preuve de leur contenu, sans qu'il soit nécessaire de prouver la signature qui y est apposée ni l'autorité de son auteur.

1991, c. 64, a. 343 (1994-01-01).

Art. 344. Les administrateurs peuvent, si tous sont d'accord, participer à une réunion du conseil d'administration à l'aide de moyens permettant à tous les participants de communiquer immédiatement entre eux.

1991, c. 64, a. 344 (1994-01-01).

§ 2. — *De l'assemblée des membres*

Art. 345. L'assemblée des membres est convoquée chaque année par le conseil d'administration, ou suivant ses directives, dans les six mois de la clôture de l'exercice financier.

La première assemblée est réunie dans les six mois qui suivent la constitution de la personne morale.

1991, c. 64, a. 345 (1994-01-01).

Art. 346. L'avis de convocation de l'assemblée annuelle indique la date, l'heure et le lieu où elle est tenue, ainsi que l'ordre du jour; il est envoyé à chacun des membres habiles à y assister, au moins dix jours, mais pas plus de quarante-cinq jours, avant l'assemblée.

Il n'est pas nécessaire de mentionner à l'ordre du jour de l'assemblée annuelle les questions qui y sont ordinairement traitées.

1991, c. 64, a. 346 (1994-01-01).

Art. 347. L'avis de convocation de l'assemblée annuelle est accompagné du bilan, de l'état des résultats de l'exercice écoulé et d'un état des dettes et créances.

1991, c. 64, a. 347 (1994-01-01).

Art. 348. L'assemblée des membres ne peut délibérer sur d'autres questions que celles figurant à l'ordre du jour, à moins que tous les membres qui devaient être convoqués ne soient présents et n'y consentent. Cependant, lors de l'assemblée annuelle, chacun peut soulever toute question d'intérêt pour la personne morale ou ses membres.

1991, c. 64, a. 348 (1994-01-01).

Art. 343. The board of directors may designate a person to keep the books and registers of the legal person.

The designated person may issue copies of the documents deposited with him; until proof to the contrary, the copies are proof of their contents without any requirement to prove the signature affixed to them or the authority of the author.

Art. 344. If all the directors are in agreement, they may participate in a meeting of the board of directors by the use of a means which allows all those participating to communicate directly with each other.

§ 2. — *General meeting*

Art. 345. The general meeting is convened each year by the board of directors, or following its directives, within six months after the close of the financial period.

The first general meeting is held within six months from the constitution of the legal person.

Art. 346. The notice convening the annual general meeting indicates the date, time and place of the meeting and the agenda; it is sent to each member qualified to attend, not less than ten but not more than forty-five days before the meeting.

Ordinary business need not be mentioned in the agenda of the annual meeting.

Art. 347. The notice convening the annual general meeting is accompanied with the balance sheet, the statement of income for the preceding financial period and a statement of debts and claims.

Art. 348. No business may be discussed at a general meeting except that appearing on the agenda, unless all the members entitled to be convened are present and consent. However, at an annual meeting, each member may raise any question of interest to the legal person or its members.

Art. 349. L'assemblée ne délibère valablement que si la majorité des voix qui peuvent s'exprimer sont présentes ou représentées.

1991, c. 64, a. 349 (1994-01-01).

Art. 350. Un membre peut se faire représenter à une assemblée s'il donne un mandat écrit à cet effet.

1991, c. 64, a. 350 (1994-01-01).

Art. 351. Les décisions de l'assemblée se prennent à la majorité des voix exprimées.

Le vote des membres se fait à main levée ou, sur demande, au scrutin secret.

1991, c. 64, a. 351 (1994-01-01).

Art. 352. S'ils représentent 10 p. 100 des voix, des membres peuvent requérir des administrateurs ou du secrétaire la convocation d'une assemblée annuelle ou extraordinaire en précisant, dans un avis écrit, les questions qui devront y être traitées.

À défaut par les administrateurs ou le secrétaire d'agir dans un délai de vingt et un jours à compter de la réception de l'avis, tout membre signataire de l'avis peut convoquer l'assemblée.

La personne morale est tenue de rembourser aux membres les frais utiles qu'ils ont pris en charge pour tenir l'assemblée, à moins que celle-ci n'en décide autrement.

1991, c. 64, a. 352 (1994-01-01); 2002, c. 19, a. 15 (2002-06-13).

§ 3. — *Des dispositions communes aux réunions d'administrateurs et aux assemblées de membres*

Art. 353. Les administrateurs ou les membres peuvent renoncer à l'avis de convocation à une réunion du conseil d'administration, à une assemblée des membres ou à une séance d'un autre organe.

Leur seule présence équivaut à une renonciation à l'avis de convocation, à moins qu'ils ne soient là pour contester la régularité de la convocation.

1991, c. 64, a. 353 (1994-01-01).

Art. 354. Les résolutions écrites, signées par toutes les personnes habiles à voter, ont la même valeur que si elles avaient été adoptées lors d'une réunion du conseil d'administration, d'une assemblée des membres ou d'une séance d'un autre organe.

Un exemplaire de ces résolutions est conservé avec les procès-verbaux des délibérations ou ce qui en tient lieu.

1991, c. 64, a. 354 (1994-01-01).

Art. 349. The proceedings of the general meeting are invalid unless a majority of the members qualified to vote are present or represented.

Art. 350. A member may be represented at a general meeting if he has given a written mandate to that effect.

Art. 351. Decisions of the meeting are taken by a majority of the votes given.

The vote of the members is taken by a show of hands or, upon request, by secret ballot.

Art. 352. If they represent ten per cent of the votes, members may requisition the directors or the secretary to convene an annual or special general meeting, stating in a written requisition the business to be transacted at the meeting.

If the directors or the secretary fail to act within twenty-one days after receiving the requisition, any of the members who signed it may convene the meeting.

The legal person is bound to reimburse to the members the useful expenses incurred by them to hold the meeting, unless the meeting decides otherwise.

§ 3. — *Provisions common to meetings of directors and general meetings*

Art. 353. The directors or the members may waive the notice convening a meeting of the board of directors, a general meeting or a meeting of any other organ.

The mere presence of the directors or the members is equivalent to a waiver of the convening notice unless they are attending to object that the meeting was not regularly convened.

Art. 354. Resolutions in writing signed by all the persons qualified to vote at a meeting are as valid as if passed at a meeting of the board of directors, at a general meeting or at a meeting of any other organ.

A copy of the resolutions is kept with the minutes of proceedings or the equivalent.

SECTION II

DE LA DISSOLUTION ET DE LA LIQUIDATION DES PERSONNES MORALES

Art. 355. La personne morale est dissoute par l'annulation de son acte constitutif ou pour toute autre cause prévue par l'acte constitutif ou par la loi.

Elle est aussi dissoute lorsque le tribunal constate l'avènement de la condition apposée à l'acte constitutif, l'accomplissement de l'objet pour lequel la personne morale a été constituée ou l'impossibilité d'accomplir cet objet ou encore l'existence d'une autre cause légitime.

1991, c. 64, a. 355 (1994-01-01).

_____

C.C.B.C. 368, 1892, 1896 (**C.C.Q.** 2230; **L.R.Q.**, c. L-4)

Art. 356. La personne morale peut aussi être dissoute du consentement d'au moins les deux tiers des voix exprimées à une assemblée des membres convoquée expressément à cette fin.

L'avis de convocation doit être envoyé au moins trente jours, mais pas plus de quarante-cinq jours, avant la date de l'assemblée et non à contretemps.

1991, c. 64, a. 356 (1994-01-01).

_____

C.C.B.C. 368(5), 1892(7) (**C.C.Q.** 2230)

Art. 357. La personnalité juridique de la personne morale subsiste aux fins de la liquidation.

1991, c. 64, a. 357 (1994-01-01).

Art. 358. Les administrateurs doivent déposer un avis de la dissolution auprès de l'inspecteur général des institutions financières ou, s'il s'agit d'un syndicat de copropriétaires, requérir l'inscription d'un tel avis sur le registre foncier, et désigner, conformément aux règlements, un liquidateur qui doit procéder immédiatement à la liquidation.

À défaut de respecter ces obligations, les administrateurs peuvent être tenus responsables des actes de la personne morale, et tout intéressé peut s'adresser au tribunal pour que celui-ci désigne un liquidateur.

1991, c. 64, a. 358 (1994-01-01); 2000, c. 42, a. 2 (2001-10-09).

_____

C.C.B.C. 1896a (**C.C.Q.** 2264)

SECTION II

DISSOLUTION AND LIQUIDATION OF LEGAL PERSONS

Art. 355. A legal person is dissolved by the annulment of its constituting act or for any other cause provided for by the constituting act or by law.

It is also dissolved where the court confirms the fulfilment of the condition attached to the constituting act, the accomplishment of the object for which the legal person was constituted, or the impossibility of accomplishing that object, or the existence of some other legitimate cause.

Art. 356. A legal person may also be dissolved by consent of not less than two-thirds of the votes given at a general meeting convened expressly for that purpose.

The notice convening the meeting shall be sent not less than thirty days but not more than forty-five days before the meeting and not at an inopportune moment.

Art. 357. The juridical personality of the legal person continues to exist for the purposes of the liquidation.

Art. 358. The directors shall file a notice of the dissolution with the Inspector General of Financial Institutions or, if the legal person is a syndicate of co-owners, apply for the registration of such a notice in the land register and appoint a liquidator, according to the by-laws, who shall proceed immediately with the liquidation.

If the directors fail to fulfil these obligations, they may be held liable for the acts of the legal person, and any interested person may apply to the court for the appointment of a liquidator.

Art. 359. Un avis de la nomination du liquidateur, comme de toute révocation, est déposé au même lieu que l'avis de dissolution. La nomination et la révocation sont opposables aux tiers à compter du dépôt de l'avis.

1991, c. 64, a. 359 (1994-01-01).

Art. 359. Notice of the appointment of a liquidator, as also of any revocation, is filed in the same place as the notice of dissolution. The appointment and revocation may be set up against third persons from the filing of the notice.

C.C.B.C. 1896a

Art. 360. Le liquidateur a la saisine des biens de la personne morale; il agit à titre d'administrateur du bien d'autrui chargé de la pleine administration.

Il a le droit d'exiger des administrateurs et des membres de la personne morale tout document et toute explication concernant les droits et les obligations de la personne morale.

1991, c. 64, a. 360 (1994-01-01).

Art. 360. The liquidator is seised of the property of the legal person and acts as an administrator of the property of others entrusted with full administration.

The liquidator is entitled to require from the directors and the members of the legal person any document and any explanation concerning the rights and obligations of the legal person.

C.C.B.C. 1896a (**C.C.Q.** 2266)

Art. 361. Le liquidateur procède au paiement des dettes, puis au remboursement des apports.

Il procède ensuite, sous réserve des dispositions de l'alinéa suivant, au partage de l'actif entre les membres, en proportion de leurs droits ou, autrement, en parts égales; il suit, au besoin, les règles relatives au partage d'un bien indivis. S'il subsiste un reliquat, il est dévolu à l'État.

Si l'actif comprend des biens provenant des contributions de tiers, le liquidateur doit remettre ces biens à une autre personne morale ou à une fiducie partageant des objectifs semblables à la personne morale liquidée; à défaut de pouvoir être ainsi employés, ces biens sont dévolus à l'État ou, s'ils sont de peu d'importance, partagés également entre les membres.

1991, c. 64, a. 361 (1994-01-01).

Art. 361. The liquidator first repays the debts, then effects the reimbursement of the capital contributions.

The liquidator, subject to the provisions of the following paragraph, then partitions the assets among the members in proportion to their rights or, otherwise, in equal portions, following if need be the rules relating to the partition of property in undivided co-ownership. Any residue devolves to the State.

If the assets include property coming from contributions of third persons, the liquidator shall remit such property to another legal person or a trust sharing objectives similar to those of the legal person being liquidated; if that is not possible, it devolves to the State or, if of little value, is shared equally among the members.

(**C.C.Q.** 334, 2279)

Art. 362. Le liquidateur conserve les livres et registres de la personne morale pendant les cinq années qui suivent la clôture de la liquidation; il les conserve pour une plus longue période si les livres et registres sont requis en preuve dans une instance.

Par la suite, il en dispose à son gré.

1991, c. 64, a. 362 (1994-01-01).

Art. 362. The liquidator keeps the books and records of the legal person for five years from the closing of the liquidation; he keeps them for a longer period if the books and records are required as evidence in proceedings.

He disposes of them thereafter as he sees fit.

Art. 363. À moins que le liquidateur n'obtienne une prolongation du tribunal, le curateur public entreprend ou poursuit la liquidation qui n'est pas terminée dans les cinq ans qui suivent le dépôt de l'avis de dissolution.

Le curateur public a alors les mêmes droits et obligations qu'un liquidateur.

1991, c. 64, a. 363 (1994-01-01).

Art. 363. Unless the liquidator obtains an extension from the court, the Public Curator undertakes or continues a liquidation that is not terminated within five years from the filing of the notice of dissolution.

The Public Curator has, in that case, the same rights and obligations as a liquidator.

C.C.B.C. 371

Art. 364. La liquidation de la personne morale est close par le dépôt de l'avis de clôture au même lieu que l'avis de dissolution. Le cas échéant, le dépôt de cet avis opère radiation de toute inscription concernant la personne morale.

1991, c. 64, a. 364 (1994-01-01).

Art. 364. The liquidation of a legal person is closed by the filing of a notice of closure in the same place as the notice of dissolution. The filing of the notice, where such is the case, cancels any other registrations concerning the legal person.

LIVRE DEUXIÈME
DE LA FAMILLE

BOOK TWO
THE FAMILY

TITRE PREMIER
DU MARIAGE

TITLE ONE
MARRIAGE

CHAPITRE PREMIER
DU MARIAGE ET DE SA CÉLÉBRATION

CHAPTER I
MARRIAGE AND SOLEMNIZATION OF MARRIAGE

*Art. 365. Le mariage doit être contracté publiquement devant un célébrant compétent et en présence de deux témoins.

*Art. 365. Marriage shall be contracted openly, in the presence of two witnesses, before a competent officiant.

1991, c. 64, a. 365 (1994-01-01); 2002, c. 6, a. 22 (2002-06-24).

C.C.B.C. 116; **C.C.Q. (1980)** 400, 401, 410 (**D.T.** 167; **C.C.Q.** 256, 366, 372, 373 al. 2(1°), 380, 1386, 1398, 1399, 1420, 3088)

---

* Loi d'harmonisation n° 1 du droit fédéral avec le droit civil

* Federal Law – Civil Law Harmonization Act, No. 1

2001, ch. 4

2001, c. 4

(Extraits)

(Excerpt)

Mariage

Marriage

4. [Application] Les articles 5 à 7, qui s'appliquent uniquement dans la province de Québec, s'interprètent comme s'ils faisaient partie intégrante du *Code civil du Québec.*

4. [Substitution] Sections 5 to 7, which apply solely in the Province of Quebec, are to be interpreted as though they formed part of the *Civil Code of Québec.*

5. [Nécessité du consentement] Le mariage requiert le consentement libre et éclairé d'un homme et d'une femme à se prendre mutuellement pour époux.

5. [Consent required] Marriage requires the free and enlightened consent of a man and a woman to be the spouse of the other.

6. [Âge minimal] Nul ne peut contracter mariage avant d'avoir atteint l'âge de seize ans.

6. [Minimum age] No person who is under the age of sixteen years may contract marriage.

7. [Monogamie] Nul ne peut contracter un nouveau mariage avant que tout mariage antérieur ait été dissous par le décès ou le divorce ou frappé de nullité.

7. [Monogamy] No person may contract a new marriage until every previous marriage has been dissolved by death or by divorce or declared null.

Art. 366. Sont des célébrants compétents pour célébrer les mariages, les greffiers et greffiers-adjoints de la Cour supérieure désignés par le ministre de la Justice, les notaires habilités par la loi à recevoir des actes notariés ainsi que, sur le territoire défini dans son acte de désignation, toute autre personne désignée par le ministre de la Justice, notamment des maires, d'autres membres des conseils municipaux ou des conseils d'arrondissements et des fonctionnaires municipaux.

Art. 366. Every clerk or deputy clerk of the Superior Court designated by the Minister of Justice, every notary authorized by law to execute notarized acts and, within the territory defined in the instrument of designation, any other person designated by the Minister of Justice among such officials as mayors, members of municipal or borough councils and municipal officers is competent to solemnize marriage.

Le sont aussi les ministres du culte habilités à le faire par la société religieuse à laquelle ils appartiennent, pourvu qu'ils résident au Québec et que le ressort dans lequel ils exercent leur ministère soit situé en tout ou en partie au Québec, que l'existence, les rites et les cérémonies de leur confession aient un caractère permanent, qu'ils célèbrent les mariages dans des lieux conformes à ces rites ou aux règles prescrites par le ministre de la Justice et qu'ils soient autorisés par le ministre responsable de l'état civil.

Les ministres du culte qui, sans résider au Québec, y demeurent temporairement peuvent aussi être autorisés à y célébrer des mariages pour un temps qu'il appartient au ministre responsable de l'état civil de fixer.

Sont également compétentes pour célébrer les mariages sur le territoire défini dans une entente conclue entre le gouvernement et une communauté mohawk les personnes désignées par le ministre de la Justice et la communauté.

1991, c. 64, a. 366 (1994-01-01); 1996, c. 21, a. 28 (1996-09-04); 1999, c. 53, a. 20 (1999-11-24); 2002, c. 6, a. 23 (2002-06-24).

C.C.Q. (1980) 411 (**D.T.** 167; **C.C.Q.** 103, 377; **C.P.C.** 4 al. 1*d*))

Art. 367. Aucun ministre du culte ne peut être contraint à célébrer un mariage contre lequel il existe quelque empêchement selon sa religion et la discipline de la société religieuse à laquelle il appartient.

1991, c. 64, a. 367 (1994-01-01).

C.C.Q. (1980) 412

Art. 368. On doit, avant de procéder à la célébration d'un mariage, faire une publication par voie d'affiche apposée, pendant vingt jours avant la date prévue pour la célébration, au lieu où doit être célébré le mariage.

Au moment de la publication ou de la demande de dispense, les époux doivent être informés de l'opportunité d'un examen médical prénuptial.

1991, c. 64, a. 368 (1994-01-01).

C.C.Q. (1980) 413 (**D.T.** 167; **C.C.Q.** 11, 365, 370, 380)

Art. 369. La publication de mariage énonce les nom et domicile de chacun des futurs époux, ainsi que la date et le lieu de leur naissance. L'exactitude de ces énonciations est attestée par un témoin majeur.

1991, c. 64, a. 369 (1994-01-01).

C.C.Q. (1980) 414 (**D.T.** 167; **C.C.Q.** 5, 50, 75)

In addition, every minister of religion authorized to solemnize marriage by the religious society to which he belongs is competent to do so, provided that he is resident in Québec, that he carries on the whole or part of his ministry in Québec, that the existence, rites and ceremonies of his confession are of a permanent nature, that he solemnizes marriages in places which conform to those rites or to the rules prescribed by the Minister of Justice and that he is authorized by the minister responsible for civil status.

Any minister of religion not resident but living temporarily in Québec may also be authorized to solemnize marriage in Québec for such time as the minister responsible for civil status determines.

In the territory defined in an agreement concluded between the Government and a Mohawk community, the persons designated by the Minister of Justice and the community are also competent to solemnize marriages.

Art. 367. No minister of religion may be compelled to solemnize a marriage to which there is any impediment according to his religion and to the discipline of the religious society to which he belongs.

Art. 368. Before the solemnization of a marriage, publication shall be effected by means of a notice posted up, for twenty days before the date fixed for the marriage, at the place where the marriage is to be solemnized.

At the time of the publication or of the application for a dispensation, the spouses shall be informed of the advisability of a premarital medical examination.

Art. 369. The publication sets forth the name and domicile of each of the intended spouses, and the date and place of birth of each. The correctness of these particulars is confirmed by a witness of full age.

Art. 370. Le célébrant peut, pour un motif sérieux, accorder une dispense de publication.

1991, c. 64, a. 370 (1994-01-01).

C.C.Q. (1980) 415 (**D.T.** 167; **C.C.Q.** 120, 368)

Art. 371. Si le mariage n'est pas célébré dans les trois mois à compter de la vingtième journée de la publication, celle-ci doit être faite de nouveau.

1991, c. 64, a. 371 (1994-01-01).

C.C.Q. (1980) 416 (**D.T.** 167)

Art. 372. Toute personne intéressée peut faire opposition à la célébration d'un mariage entre personnes inhabiles à le contracter.

Le mineur peut s'opposer seul à un mariage; il peut aussi agir seul en défense.

1991, c. 64, a. 372 (1994-01-01).

C.C.Q. (1980) 407, 408 (**C.C.Q.** 7, 159, 373; **C.P.C.** 55, 70, 813, 819-819.4)

*Art. 373. Avant de procéder au mariage, le célébrant s'assure de l'identité des futurs époux, ainsi que du respect des conditions de formation du mariage et de l'accomplissement des formalités prescrites par la loi. Il s'assure en particulier qu'ils sont libres de tout lien de mariage ou d'union civile antérieur et, s'ils sont mineurs, que le titulaire de l'autorité parentale ou, le cas échéant, le tuteur a consenti au mariage.

1991, c. 64, a. 373 (1994-01-01); 2002, c. 6, a. 24 (2002-06-24).

C.C.B.C. 115, 118-120, 124-126; **C.C.Q. (1980)** 406, 417 (**D.T.** 31, 167; **C.C.Q.** 95, 120, 146, 153, 171, 365 ss., 380, 507, 516, 577, 578, 655 ss.)

* Voir ci-après, la *Loi sur le mariage (degrés prohibés)*, L.C. 1990, CH. 46.

Art. 374. Le célébrant fait lecture aux futurs époux, en présence des témoins, des dispositions des articles 392 à 396.

Il demande à chacun des futurs époux et reçoit d'eux personnellement la déclaration qu'ils veulent se prendre pour époux. Il les déclare alors unis par le mariage.

1991, c. 64, a. 374 (1994-01-01).

C.C.Q. (1980) 418 (**D.T.** 167; **C.C.Q.** 392-396)

Art. 370. The officiant may, for a serious reason, grant a dispensation from publication.

Art. 371. If a marriage is not solemnized within three months from the twentieth day after publication, the publication shall be renewed.

Art. 372. Any interested person may oppose the solemnization of a marriage between persons incapable of contracting it.

A minor may oppose a marriage alone. He may also act alone as defendant.

*Art. 373. Before solemnizing a marriage, the officiant ascertains the identity of the intended spouses, compliance with the conditions for the formation of the marriage and observance of the formalities prescribed by law. More particularly, the officiant ascertains that the intended spouses are free from any previous bond of marriage or civil union and, in the case of minors, that the person having parental authority or, if applicable, the tutor has consented to the marriage.

* See hereinafter, the *Marriage (Prohibited Degrees) Act*, S.C. 1990, c. 46.

Art. 374. In the presence of the witnesses, the officiant reads articles 392 to 396 to the intended spouses.

He requests and receives, from each of the intended spouses personally, a decla ration of their wish to take each other as husband and wife. He then declares them united in marriage.

Art. 375. Le célébrant établit la déclaration de mariage et la transmet sans délai au directeur de l'état civil.

1991, c. 64, a. 375 (1994-01-01); 1999, c. 47, a. 15 (1999-11-05).

C.C.Q. (1980) 419 (**C.C.Q.** 118-121)

Art. 376. Les greffiers et les greffiers-adjoints, les notaires, ainsi que les personnes désignées par le ministre de la Justice procèdent à la célébration du mariage selon les règles prescrites par ce dernier.

Les greffiers et greffiers-adjoints perçoivent des futurs époux, pour le compte du ministre des Finances, les droits fixés par règlement du gouvernement.

Les notaires et les personnes désignées perçoivent des futurs époux les honoraires convenus avec ceux-ci. Toutefois, les maires, les autres membres des conseils municipaux ou d'arrondissements et les fonctionnaires municipaux perçoivent des futurs époux, pour le compte de leur municipalité, les droits fixés par règlement de la municipalité; ces droits doivent respecter le minimum et maximum fixés par règlement du gouvernement.

1991, c. 64, a. 376 (1994-01-01); 2002, c. 6, a. 25 (2002-06-24).

C.C.Q. (1980) 420 (**D.T.** 167; **C.C.Q.** 366; **C.P.C.** 4 al. 1*d*))

Art. 377. Le ministre responsable de l'état civil et le ministre de la Justice portent à l'attention du directeur de l'état civil, pour l'inscription ou la radiation des mentions appropriées sur un registre, les autorisations, désignations et révocations qu'ils donnent ou effectuent, ou auxquelles ils participent, relativement aux célébrants compétents à célébrer les mariages.

Le secrétaire de l'Ordre des notaires du Québec porte de même à l'attention du directeur de l'état civil, pour les mêmes fins, une liste, qu'il doit maintenir à jour, des notaires compétents à célébrer les mariages en indiquant, pour chacun de ces notaires, la date à laquelle il est ainsi devenu compétent et, le cas échéant, celle à laquelle il cessera de l'être.

En cas d'inhabilité ou de décès d'un célébrant, il appartient à la société religieuse, au greffier de la Cour supérieure ou au secrétaire de l'Ordre des notaires du Québec, selon le cas, d'en aviser le directeur de l'état civil afin qu'il procède aux radiations appropriées sur le registre.

1991, c. 64, a. 377 (1994-01-01); 1996, c. 21, a. 29 (1996-09-04); 2002, c. 6, a. 26 (2002-06-24).

(**C.C.Q.** 366)

Art. 375. The officiant draws up the declaration of marriage and sends it without delay to the registrar of civil status.

Art. 376. Clerks and deputy clerks, notaries and persons designated by the Minister of Justice solemnize marriages according to the rules prescribed by the Minister of Justice.

Clerks and deputy clerks collect the duties fixed by regulation of the Government from the intended spouses, on behalf of the Minister of Finance.

Notaries and designated persons collect the agreed fees from the intended spouses. However, mayors, other members of municipal or borough councils and municipal officers collect the duties fixed by municipal by-law from the intended spouses, on behalf of the municipality; such duties must be in keeping with the minimum and maximum amounts fixed by regulation of the Government.

Art. 377. The minister responsible for civil status and the Minister of Justice keep the registrar of civil status informed of the authorizations, designations and revocations they give, make or take part in with respect to officiants competent to solemnize marriages, so that appropriate entries and corrections may be made in a register.

For the same purposes, the secretary of the Ordre des notaires du Québec maintains, and communicates to the registrar of civil status, an updated list of the notaries who are competent to solemnize marriages, specifying the date on which each notary became so competent and, if known, the date on which the notary will cease to be so competent.

If an officiant is unable to act or dies, the religious society, the clerk of the Superior Court or the secretary of the Ordre des notaires du Québec, as the case may be, is responsible for informing the registrar of civil status so that the appropriate corrections may be made in the register.

CHAPITRE DEUXIÈME
DE LA PREUVE DU MARIAGE

Art. 378. Le mariage se prouve par l'acte de mariage, sauf les cas où la loi autorise un autre mode de preuve.

1991, c. 64, a. 378 (1994-01-01).

C.C.Q. (1980) 421 (**D.T.** 16; **C.C.Q.** 118-121, 130, 375, 379)

Art. 379. La possession d'état d'époux supplée aux défauts de forme de l'acte de mariage.

1991, c. 64, a. 379 (1994-01-01).

C.C.Q. (1980) 422 (**C.C.Q.** 378, 524)

CHAPITRE TROISIÈME
DES NULLITÉS DE MARIAGE

Art. 380. Le mariage qui n'est pas célébré suivant les prescriptions du présent titre et suivant les conditions nécessaires à sa formation peut être frappé de nullité à la demande de toute personne intéressée, sauf au tribunal à juger suivant les circonstances.

L'action est irrecevable s'il s'est écoulé trois ans depuis la célébration, sauf si l'ordre public est en cause.

1991, c. 64, a. 380 (1994-01-01); 2002, c. 19, a. 15 (2002-06-13).

C.C.B.C. 148-156; **C.C.Q. (1980)** 423-430 (**D.T.** 6, 7, 9, 31; **C.C.Q.** 365 ss., 1398 ss., 1416 ss., 3088, 3144; **C.P.C.** 55, 70, 813, 813.4, 817 ss.)

Art. 381. La nullité du mariage, pour quelque cause que ce soit, ne prive pas les enfants des avantages qui leur sont assurés par la loi ou par le contrat de mariage.

Elle laisse subsister les droits et les devoirs des père et mère à l'égard de leurs enfants.

1991, c. 64, a. 381 (1994-01-01).

C.C.Q. (1980) 431 (**C.C.Q.** 34, 388, 513, 521, 585 ss., 597 ss.; **C.P.C.** 394.1 ss., 817)

Art. 382. Le mariage qui a été frappé de nullité produit ses effets en faveur des époux qui étaient de bonne foi.

CHAPTER II
PROOF OF MARRIAGE

Art. 378. Marriage is proved by an act of marriage, except in cases where the law authorizes another mode of proof.

Art. 379. Possession of the status of spouses compensates for a defect of form in the act of marriage.

CHAPTER III
NULLITY OF MARRIAGE

Art. 380. A marriage which is not solemnized according to the prescriptions of this Title and the necessary conditions for its formation may be declared null upon the application of any interested person, although the court may decide according to the circumstances.

No action lies after the lapse of three years from the solemnization, except where public order is concerned.

Art. 381. The nullity of a marriage, for whatever reason, does not deprive the children of the advantages secured to them by law or by the marriage contract.

The rights and duties of fathers and mothers towards their children are unaffected by the nullity of their marriage.

Art. 382. A marriage, although declared null, produces its effects with regard to the spouses if they were in good faith.

Il est procédé notamment à la liquidation de leurs droits patrimoniaux qui sont alors présumés avoir existé, à moins que les époux ne conviennent de reprendre chacun leurs biens.

1991, c. 64, a. 382 (1994-01-01).

C.C.Q. (1980) 432 (**C.C.Q.** 383-388, 409, 410, 416, 427, 465, 2805; **C.P.C.** 734.0.1, 817)

Art. 383. Si les époux étaient de mauvaise foi, ils reprennent chacun leurs biens.

1991, c. 64, a. 383 (1994-01-01).

C.C.Q. (1980) 433 (**C.C.Q.** 386, 387)

Art. 384. Si un seul des époux était de bonne foi, il peut, à son choix, reprendre ses biens ou demander la liquidation des droits patrimoniaux qui lui résultent du mariage.

1991, c. 64, a. 384 (1994-01-01).

C.C.Q. (1980) 434 (**C.C.Q.** 382)

Art. 385. Sous réserve de l'article 386, l'époux de bonne foi a droit aux donations qui lui ont été consenties en considération du mariage.

Toutefois, le tribunal peut, au moment où il prononce la nullité du mariage, les déclarer caduques ou les réduire, ou ordonner que le paiement des donations entre vifs soit différé pour un temps qu'il détermine, en tenant compte des circonstances dans lesquelles se trouvent les parties.

1991, c. 64, a. 385 (1994-01-01).

C.C.Q. (1980) 435 (**D.T.** 104, 106; **C.C.Q.** 382, 386, 387, 510, 519, 520, 624, 1840, 2459)

Art. 386. La nullité du mariage rend nulles les donations entre vifs consenties à l'époux de mauvaise foi en considération du mariage.

Elle rend également nulles les donations à cause de mort qu'un époux a consenties à l'autre en considération du mariage.

1991, c. 64, a. 386 (1994-01-01).

C.C.Q. (1980) 436, 437 (**D.T.** 104, 106; **C.C.Q.** 383, 387, 510, 519, 520, 1840)

Art. 387. Un époux est présumé avoir contracté mariage de bonne foi, à moins que le tribunal, en prononçant la nullité, ne le déclare de mauvaise foi.

1991, c. 64, a. 387 (1994-01-01).

C.C.Q. (1980) 438 (**C.C.Q.** 2805)

In particular, the liquidation of the patrimonial rights that are then presumed to have existed is proceeded with, unless the spouses each agree on taking back their property.

Art. 383. If the spouses were in bad faith, they each take back their property.

Art. 384. If only one spouse was in good faith, that spouse may either take back his or her property or apply for the liquidation of the patrimonial rights resulting to him or her from the marriage.

Art. 385. Subject to article 386, spouses in good faith are entitled to the gifts made to them in consideration of marriage.

However, the court may, when declaring a marriage null, declare the gifts to have lapsed or reduce them, or order the payment of the gifts inter vivos deferred for the period of time it fixes, taking the circumstances of the parties into account.

Art. 386. The nullity of the marriage renders null the gifts inter vivos made in consideration of the marriage to a spouse in bad faith.

It also renders null the gifts mortis causa made by one spouse to the other in consideration of the marriage.

Art. 387. A spouse is presumed to have contracted marriage in good faith unless, when declaring the marriage null, the court declares that spouse to be in bad faith.

Art. 388. Le tribunal statue, comme en matière de séparation de corps, sur les mesures provisoires durant l'instance, sur la garde, l'entretien et l'éducation des enfants; en prononçant la nullité, il statue sur le droit de l'époux de bonne foi à des aliments ou à une prestation compensatoire.

1991, c. 64, a. 388 (1994-01-01).

Art. 388. The court decides, as in proceedings for separation from bed and board, as to the provisional measures pending suit, the custody, maintenance and education of the children and, in declaring nullity, it decides as to the right of a spouse in good faith to support or to a compensatory allowance.

C.C.Q. (1980) 439 (C.C.Q. 389, 390, 409, 410, 427 ss., 499-503, 587, 3142; C.P.C. 547, 734.0.1, 813, 813.4, 813.10)

Art. 389. La nullité du mariage éteint le droit qu'avaient les époux de se réclamer des aliments, à moins que, sur demande, le tribunal, au moment où il prononce la nullité, n'ordonne à l'un des époux de verser des aliments à l'autre ou, s'il ne peut statuer équitablement sur la question en raison des circonstances, ne réserve le droit d'en réclamer.

Le droit de réclamer des aliments ne peut être réservé que pour une période d'au plus deux ans; il est éteint de plein droit à l'expiration de cette période.

1991, c. 64, a. 389 (1994-01-01).

Art. 389. Nullity of marriage extinguishes the right which the spouses had to claim support unless, on a demand, the court, in declaring nullity, orders one of them to pay support to the other or, being unable, owing to the circumstances, to decide the question equitably, reserves the right to claim support.

The right to claim support may not be reserved for a period of over two years; it is extinguished by operation of law at the expiry of that period.

C.C.Q. (1980) 560, 561, 564 (D.T. 6; C.C.Q. 388, 390, 511, 585, 3096; C.P.C. 817)

Art. 390. Lorsque le tribunal a accordé des aliments ou réservé le droit d'en réclamer, il peut toujours, postérieurement à l'annulation du mariage, déclarer éteint le droit à des aliments.

1991, c. 64, a. 390 (1994-01-01).

Art. 390. Where the court has awarded support or reserved the right to claim support, it may at any time after the marriage is annulled declare the right to support extinguished.

C.C.Q. (1980) 565 (C.C.Q. 389, 594; C.P.C. 817.3)

CHAPITRE QUATRIÈME
DES EFFETS DU MARIAGE

CHAPTER IV
EFFECTS OF MARRIAGE

Art. 391. Les époux ne peuvent déroger aux dispositions du présent chapitre, quel que soit leur régime matrimonial.

1991, c. 64, a. 391 (1994-01-01).

Art. 391. In no case may spouses derogate from the provisions of this chapter, whatever their matrimonial regime.

C.C.Q. (1980) 440 (D.T. 5; C.C.Q. 9, 431, 3081, 3089, 3145)

SECTION I
DES DROITS ET DES DEVOIRS DES ÉPOUX

SECTION I
RIGHTS AND DUTIES OF SPOUSES

Art. 392. Les époux ont, en mariage, les mêmes droits et les mêmes obligations.

Ils se doivent mutuellement respect, fidélité, secours et assistance.

Art. 392. The spouses have the same rights and obligations in marriage.

They owe each other respect, fidelity, succour and assistance.

Ils sont tenus de faire vie commune.
1991, c. 64, a. 392 (1994-01-01).

_____

C.C.Q. (1980) 441 (C.C.Q. 82, 374, 395, 494, 499, 507, 585)

Art. 393. Chacun des époux conserve, en mariage, son nom; il exerce ses droits civils sous ce nom.
1991, c. 64, a. 393 (1994-01-01).

_____

C.C.Q. (1980) 442 (C.C.Q. 5, 50)

Art. 394. Ensemble, les époux assurent la direction morale et matérielle de la famille, exercent l'autorité parentale et assument les tâches qui en découlent.
1991, c. 64, a. 394 (1994-01-01).

_____

C.C.Q. (1980) 443 (C.C.Q. 397, 398, 400, 597 ss., 600)

Art. 395. Les époux choisissent de concert la résidence familiale.

En l'absence de choix exprès, la résidence familiale est présumée être celle où les membres de la famille habitent lorsqu'ils exercent leurs principales activités.
1991, c. 64, a. 395 (1994-01-01).

_____

C.C.Q. (1980) 444 (C.C.Q. 77, 401 ss., 415, 3062, 3063)

Art. 396. Les époux contribuent aux charges du mariage à proportion de leurs facultés respectives.

Chaque époux peut s'acquitter de sa contribution par son activité au foyer.
1991, c. 64, a. 396 (1994-01-01).

_____

C.C.Q. (1980) 445 (C.C.Q. 400, 427)

Art. 397. L'époux qui contracte pour les besoins courants de la famille engage aussi pour le tout son conjoint non séparé de corps.

Toutefois, le conjoint n'est pas obligé à la dette s'il avait préalablement porté à la connaissance du co-contractant sa volonté de n'être pas engagé.

1991, c. 64, a. 397 (1994-01-01).

_____

C.C.Q. (1980) 446 (C.C.Q. 394, 464)

Art. 398. Chacun des époux peut donner à l'autre mandat de le représenter dans des actes relatifs à la direction morale et matérielle de la famille.

They are bound to live together.

Art. 393. In marriage, both spouses retain their respective names, and exercise their respective civil rights under those names.

Art. 394. The spouses together take in hand the moral and material direction of the family, exercise parental authority and assume the tasks resulting therefrom.

Art. 395. The spouses choose the family residence together.

In the absence of an express choice, the family residence is presumed to be the residence where the members of the family live while carrying on their principal activities.

Art. 396. The spouses contribute towards the expenses of the marriage in proportion to their respective means.

The spouses may make their respective contributions by their activities within the home.

Art. 397. A spouse who enters into a contract for the current needs of the family also binds the other spouse for the whole, if they are not separated from bed and board.

However, the non-contracting spouse is not liable for the debt if he or she had previously informed the other contracting party of his or her unwillingness to be bound.

Art. 398. Either spouse may give the other a mandate in order to be represented in acts relating to the moral and material direction of the family.

Ce mandat est présumé lorsque l'un des époux est dans l'impossibilité de manifester sa volonté pour quelque cause que ce soit ou ne peut le faire en temps utile.

1991, c. 64, a. 398 (1994-01-01).

C.C.Q. (1980) 447 (C.C.Q. 394, 443 ss., 464, 600, 601, 603, 2130 ss.)

Art. 399. Un époux peut être autorisé par le tribunal à passer seul un acte pour lequel le consentement de son conjoint serait nécessaire, s'il ne peut l'obtenir pour quelque cause que ce soit ou si le refus n'est pas justifié par l'intérêt de la famille.

L'autorisation est spéciale et pour un temps déterminé; elle peut être modifiée ou révoquée.

1991, c. 64, a. 399 (1994-01-01).

C.C.Q. (1980) 456 (C.C.Q. 400, 401 ss., 444-447, 462; C.P.C. 813, 813.4)

Art. 400. Si les époux ne parviennent pas à s'accorder sur l'exercice de leurs droits et l'accomplissement de leurs devoirs, les époux ou l'un d'eux peuvent saisir le tribunal qui statuera dans l'intérêt de la famille, après avoir favorisé la conciliation des parties.

1991, c. 64, a. 400 (1994-01-01).

C.C.Q. (1980) 448 (C.C.Q. 33, 394, 604; C.P.C. 813, 815.1-815.4)

SECTION II
DE LA RÉSIDENCE FAMILIALE

Art. 401. Un époux ne peut, sans le consentement de son conjoint, aliéner, hypothéquer ni transporter hors de la résidence familiale les meubles qui servent à l'usage du ménage.

Les meubles qui servent à l'usage du ménage ne comprennent que les meubles destinés à garnir la résidence familiale, ou encore à l'orner; sont compris dans les ornements, les tableaux et oeuvres d'art, mais non les collections.

1991, c. 64, a. 401 (1994-01-01).

C.C.B.C. 396; C.C.Q. (1980) 449 (C.C.Q. 399, 402, 407, 410, 415, 500, 2668; C.P.C. 552, 642, 652)

Art. 402. Le conjoint qui n'a pas donné son consentement à un acte relatif à un meuble qui sert à l'usage du ménage peut, s'il n'a pas ratifié l'acte, en demander la nullité.

Toutefois, l'acte à titre onéreux ne peut être annulé si le cocontractant était de bonne foi.

1991, c. 64, a. 402 (1994-01-01).

C.C.Q. (1980) 450 (C.C.Q. 399, 401, 447, 1381, 2805, 2906; C.P.C. 813)

This mandate is presumed if one spouse is unable to express his or her will for any reason or if he or she is unable to do so in due time.

Art. 399. Either spouse may be authorized by the court to enter alone into any act for which the consent of the other would be required, provided such consent is unobtainable for any reason, or its refusal is not justified by the interest of the family.

The authorization is special and for a specified time; it may be amended or revoked.

Art. 400. If the spouses disagree as to the exercise of their rights and the performance of their duties, they or either of them may apply to the court, which will decide in the interest of the family after fostering the conciliation of the parties.

SECTION II
FAMILY RESIDENCE

Art. 401. Neither spouse may, without the consent of the other, alienate, hypothecate or remove from the family residence the movable property serving for the use of the household.

The movable property serving for the use of the household includes only the movable property destined to furnish the family residence or decorate it; decorations include pictures and other works of art, but not collections.

Art. 402. A spouse having neither consented to nor ratified an act concerning any movable property serving for the use of the household may apply to have it annulled.

However, an act by onerous title may not be annulled if the other contracting party was in good faith.

Art. 403. L'époux locataire de la résidence familiale ne peut, sans le consentement écrit de son conjoint, sous-louer, céder son droit, ni mettre fin au bail lorsque le locateur a été avisé, par l'un ou l'autre des époux, du fait que le logement servait de résidence familiale.

Le conjoint qui n'a pas donné son consentement à l'acte peut, s'il ne l'a pas ratifié, en demander la nullité.

1991, c. 64, a. 403 (1994-01-01).

Art. 403. Neither spouse, if the lessee of the family residence, may, without the written consent of the other, sublet it, transfer the right or terminate the lease where the lessor has been notified, by either of them, that the dwelling is used as the family residence.

A spouse having neither consented to nor ratified the act may apply to have it annulled.

C.C.Q. (1980) 451 (**C.C.Q.** 399, 409, 1870 ss., 1938, 2906, 2995; **C.P.C.** 813)

Art. 404. L'époux propriétaire d'un immeuble de moins de cinq logements qui sert, en tout ou en partie, de résidence familiale ne peut, sans le consentement écrit de son conjoint, l'aliéner, le grever d'un droit réel ni en louer la partie réservée à l'usage de la famille.

À moins qu'il n'ait ratifié l'acte, le conjoint qui n'y a pas donné son consentement peut en demander la nullité si une déclaration de résidence familiale a été préalablement inscrite contre l'immeuble.

1991, c. 64, a. 404 (1994-01-01).

Art. 404. Neither spouse, if the owner of an immovable with fewer than five dwellings that is used in whole or in part as the family residence, may, without the written consent of the other, alienate the immovable, charge it with a real right or lease that part of it reserved for the use of the family.

A spouse having neither consented to nor ratified the act may apply to have it annulled if a declaration of family residence was previously entered against the immovable.

C.C.Q. (1980) 452 (**D.T.** 9; **C.C.Q.** 399, 406, 407, 2906, 2995, 3022, 3044, 3062, 3063)

Art. 405. L'époux propriétaire d'un immeuble de cinq logements ou plus qui sert, en tout ou en partie, de résidence familiale ne peut, sans le consentement écrit de son conjoint, l'aliéner ni en louer la partie réservée à l'usage de la famille.

Si une déclaration de résidence familiale a été préalablement inscrite contre l'immeuble, le conjoint qui n'a pas donné son consentement à l'acte d'aliénation peut exiger de l'acquéreur qu'il lui consente un bail des lieux déjà occupés à des fins d'habitation, aux conditions régissant le bail d'un logement; sous la même condition, celui qui n'a pas donné son consentement à l'acte de location peut, s'il ne l'a pas ratifié, en demander la nullité.

1991, c. 64, a. 405 (1994-01-01).

Art. 405. Neither spouse, if the owner of an immovable with five dwellings or more that is used in whole or in part as the family residence may, without the written consent of the other, alienate the immovable or lease that part of it reserved for the use of the family.

Where a declaration of family residence was previously registered against the immovable, a spouse not having consented to the deed of alienation may require to be granted a lease by the acquirer of the premises already occupied as a dwelling under the conditions governing the lease of a dwelling; on the same condition, a spouse having neither consented to nor ratified the act of lease may apply to have it annulled.

C.C.Q. (1980) 453 (**D.T.** 9; **C.C.Q.** 399, 406, 407, 2906, 2995, 3022, 3044, 3062, 3063)

Art. 406. L'usufruitier, l'emphytéote et l'usager sont soumis aux règles des articles 404 et 405.

L'époux autrement titulaire de droits qui lui confèrent l'usage de la résidence familiale ne peut non plus en disposer sans le consentement de son conjoint.

1991, c. 64, a. 406 (1994-01-01).

Art. 406. The usufructuary, the emphyteutic lessee and the user are subject to the rules of articles 404 and 405.

Neither spouse may, without the consent of the other, dispose of rights held by another title conferring use of the family residence.

C.C.Q. (1980) 454 (**C.C.Q.** 399, 404, 405, 1120 ss., 1172 ss., 1195 ss., 2906)

Art. 407. La déclaration de résidence familiale est faite par les époux ou l'un d'eux.

Elle peut aussi résulter d'une déclaration à cet effet contenue dans un acte destiné à la publicité.

1991, c. 64, a. 407 (1994-01-01).

Art. 407. The declaration of family residence is made by both spouses or by either of them.

It may also result from a declaration to that effect contained in an act intended for publication.

C.C.Q. (1980) 455 (**C.C.Q.** 395, 404-406, 2995, 3022, 3044, 3062, 3063; **C.P.C.** 813.4)

Art. 408. L'époux qui n'a pas consenti à l'acte pour lequel son consentement était requis peut, sans porter atteinte à ses autres droits, réclamer des dommages-intérêts de son conjoint ou de toute autre personne qui, par sa faute, lui a causé un préjudice.

1991, c. 64, a. 408 (1994-01-01).

Art. 408. A spouse not having given consent to an act for which it was required may, without prejudice to any other right, claim damages from the other spouse or from any other person having, through his fault, caused damage.

C.C.Q. (1980) 455.1 (**C.C.Q.** 399, 401-405, 2906)

Art. 409. En cas de séparation de corps, de divorce ou de nullité du mariage, le tribunal peut, à la demande de l'un des époux, attribuer au conjoint du locataire le bail de la résidence familiale.

L'attribution lie le locateur dès que le jugement lui est signifié et libère, pour l'avenir, le locataire originaire des droits et obligations résultant du bail.

1991, c. 64, a. 409 (1994-01-01).

Art. 409. In the event of separation from bed and board, divorce or nullity of a marriage, the court may, upon the application of either spouse, award to the spouse of the lessee the lease of the family residence.

The award binds the lessor upon being served on him and relieves the original lessee of the rights and obligations arising out of the lease from that time forward.

C.C.Q. (1980) 457 (**C.C.Q.** 403, 500, 512, 1660 ss., 1938; **C.P.C.** 813.4, 817)

Art. 410. En cas de séparation de corps, de dissolution ou de nullité du mariage, le tribunal peut attribuer, à l'un des époux ou au survivant, la propriété ou l'usage de meubles de son conjoint, qui servent à l'usage du ménage.

Il peut également attribuer à l'époux auquel il accorde la garde d'un enfant un droit d'usage de la résidence familiale.

L'usager est dispensé de fournir une sûreté et de dresser un inventaire des biens, à moins que le tribunal n'en décide autrement.

1991, c. 64, a. 410 (1994-01-01).

Art. 410. In the event of separation from bed and board, or the dissolution or nullity of a marriage, the court may award, to either spouse or to the surviving spouse, the ownership or use of the movable property of the other which serves for the use of the household.

It may also award the right of use of the family residence to the spouse to whom it awards custody of a child.

The user is exempted from furnishing security and from making an inventory of the property unless the court decides otherwise.

C.C.Q. (1980) 458 (**C.C.Q.** 388, 401, 404-406, 411-413, 415, 429, 482, 500, 512, 840, 856; **C.P.C.** 817)

Art. 411. L'attribution du droit d'usage ou de propriété se fait, à défaut d'accord entre les parties, aux conditions que le tribunal détermine et notamment, s'il y a lieu, moyennant une soulte payable au comptant ou par versements.

Art. 411. The award of the right of use or ownership is effected, failing agreement between the parties, on the conditions determined by the court and, in particular, on condition of payment of any balance, in cash or by instalments.

Lorsque la soulte est payable par versements, le tribunal en fixe les modalités de garantie et de paiement.

1991, c. 64, a. 411 (1994-01-01).

C.C.Q. (1980) 460 (C.C.Q. 410, 413, 482, 856, 1172 ss.)

Art. 412. L'attribution judiciaire d'un droit de propriété est assujettie aux dispositions relatives à la vente.

1991, c. 64, a. 412 (1994-01-01).

C.C.Q. (1980) 461 (C.C.Q. 1708 ss.)

Art. 413. Le jugement qui attribue un droit d'usage ou de propriété équivaut à titre et en a tous les effets.

1991, c. 64, a. 413 (1994-01-01).

C.C.Q. (1980) 462 (C.C.Q. 410, 411, 947 ss., 1172 ss.; C.P.C. 817)

SECTION III
DU PATRIMOINE FAMILIAL

§ 1. — *De la constitution du patrimoine*

Art. 414. Le mariage emporte constitution d'un patrimoine familial formé de certains biens des époux sans égard à celui des deux qui détient un droit de propriété sur ces biens.

1991, c. 64, a. 414 (1994-01-01).

C.C.Q. (1980) 462.1 (C.C.Q. 391, 415)

Art. 415. Le patrimoine familial est constitué des biens suivants dont l'un ou l'autre des époux est propriétaire: les résidences de la famille ou les droits qui en confèrent l'usage, les meubles qui les garnissent ou qui les ornent et qui servent à l'usage du ménage, les véhicules automobiles utilisés pour les déplacements de la famille et les droits accumulés durant le mariage au titre d'un régime de retraite. Le versement de cotisations au titre d'un régime de retraite emporte accumulation de droits au titre de ce régime; il en est de même de la prestation de services reconnus aux termes d'un régime de retraite.

Entrent également dans ce patrimoine, les gains inscrits, durant le mariage, au nom de chaque époux en application de la Loi sur le régime de rentes du Québec ou de programmes équivalents.

When the balance is payable by instalments, the court fixes the terms and conditions of guarantee and payment.

Art. 412. Judicial award of a right of ownership is subject to the provisions relating to sale.

Art. 413. A judgment awarding a right of use or ownership is equivalent to title and has the effects thereof.

SECTION III
FAMILY PATRIMONY

§ 1. — *Establishment of patrimony*

Art. 414. Marriage entails the establishment of a family patrimony consisting of certain property of the spouses regardless of which of them holds a right of ownership in that property.

Art. 415. The family patrimony is composed of the following property owned by one or the other of the spouses: the residences of the family or the rights which confer use of them, the movable property with which they are furnished or decorated and which serves for the use of the household, the motor vehicles used for family travel and the benefits accrued during the marriage under a retirement plan. The payment of contributions into a pension plan entails an accrual of benefits under the pension plan; so does the accumulation of service recognized for the purposes of a pension plan.

This patrimony also includes the registered earnings, during the marriage, of each spouse pursuant to the Act respecting the Québec Pension Plan or to similar plans.

Sont toutefois exclus du patrimoine familial, si la dissolution du mariage résulte du décès, les gains visés au deuxième alinéa ainsi que les droits accumulés au titre d'un régime de retraite régi ou établi par une loi qui accorde au conjoint survivant le droit à des prestations de décès.

Sont également exclus du patrimoine familial, les biens échus à l'un des époux par succession ou donation avant ou pendant le mariage.

Pour l'application des règles sur le patrimoine familial, est un régime de retraite:

– le régime régi par la Loi sur les régimes complémentaires de retraite ou celui qui serait régi par cette loi si celle-ci s'appliquait au lieu où l'époux travaille,

– le régime de retraite régi par une loi semblable émanant d'une autorité législative autre que le Parlement du Québec,

– le régime établi par une loi émanant du Parlement du Québec ou d'une autre autorité législative,

– un régime d'épargne-retraite,

– tout autre instrument d'épargne-retraite, dont un contrat constitutif de rente, dans lequel ont été transférées des sommes provenant de l'un ou l'autre de ces régimes.

1991, c. 64, a. 415 (1994-01-01); 2002, c. 19, a. 3 (2002-06-13).

C.C.Q. (1980) 462.2 (**C.C.Q.** 414)

§ 2. — *Du partage du patrimoine*

Art. 416. En cas de séparation de corps, de dissolution ou de nullité du mariage, la valeur du patrimoine familial des époux, déduction faite des dettes contractées pour l'acquisition, l'amélioration, l'entretien ou la conservation des biens qui le constituent, est divisée à parts égales, entre les époux ou entre l'époux survivant et les héritiers, selon le cas.

Lorsque le partage a eu lieu à l'occasion de la séparation de corps, il n'y a pas de nouveau partage si, sans qu'il y ait eu reprise volontaire de la vie commune, il y a ultérieurement dissolution ou nullité du mariage; en cas de nouveau partage, la date de reprise de la vie commune remplace celle du mariage pour l'application des règles de la présente section.

1991, c. 64, a. 416 (1994-01-01).

The earnings contemplated in the second paragraph and accrued benefits under a retirement plan governed or established by an Act which grants a right to death benefits to the surviving spouse where the marriage is dissolved as a result of death are, however, excluded from the family patrimony.

Property devolved to one of the spouses by succession or gift before or during the marriage is also excluded from the family patrimony.

For the purposes of the rules on family patrimony, a retirement plan is any of the following:

– a plan governed by the Act respecting Supplemental Pension Plans or that would be governed thereby if it applied where the spouse works;

– a retirement plan governed by a similar Act of a legislative jurisdiction other than the Parliament of Québec;

– a plan established by an Act of the Parliament of Québec or of another legislative jurisdiction;

– a retirement-savings plan;

– any other retirement-savings instrument, including an annuity contract, into which sums from any of such plans have been transferred.

§ 2. — *Partition of patrimony*

Art. 416. In the event of separation from bed and board, or the dissolution or nullity of a marriage, the value of the family patrimony of the spouses, after deducting the debts contracted for the acquisition, improvement, maintenance or preservation of the property composing it, is equally divided between the spouses or between the surviving spouse and the heirs, as the case may be.

Where partition is effected upon separation from bed and board, no new partition is effected upon the subsequent dissolution or nullity of the marriage unless the spouses had voluntarily resumed living together; where a new partition is effected, the date when the spouses resumed living together is substituted for the date of the marriage for the purposes of this section.

C.C.Q. (1980) 462.3 (**C.C.Q.** 415, 417, 419, 422, 423; **C.P.C.** 814.3-814.14, 815.2.1, 815.2.2, 827.3-827.4)

Art. 417. La valeur nette du patrimoine familial est établie selon la valeur des biens qui constituent le patrimoine et des dettes contractées pour l'acquisition, l'amélioration, l'entretien ou la conservation des biens qui le constituent à la date du décès de l'époux ou à la date d'introduction de l'instance en vertu de laquelle il est statué sur la séparation de corps, le divorce ou la nullité du mariage, selon le cas; les biens sont évalués à leur valeur marchande.

Le tribunal peut, toutefois, à la demande de l'un ou l'autre des époux ou de leurs ayants cause, décider que la valeur nette du patrimoine familial sera établie selon la valeur de ces biens et de ces dettes à la date où les époux ont cessé de faire vie commune.

1991, c. 64, a. 417 (1994-01-01).

C.C.Q. (1980) 462.4 (**C.C.Q.** 415)

Art. 418. Une fois établie la valeur nette du patrimoine familial, on en déduit la valeur nette, au moment du mariage, du bien que l'un des époux possédait alors et qui fait partie de ce patrimoine; on en déduit de même celle de l'apport, fait par l'un des époux pendant le mariage, pour l'acquisition ou l'amélioration d'un bien de ce patrimoine, lorsque cet apport a été fait à même les biens échus par succession ou donation, ou leur remploi.

On déduit également de cette valeur, dans le premier cas, la plus-value acquise, pendant le mariage, par le bien, dans la même proportion que celle qui existait, au moment du mariage, entre la valeur nette et la valeur brute du bien et, dans le second cas, la plus-value acquise, depuis l'apport, dans la même proportion que celle qui existait, au moment de l'apport, entre la valeur de l'apport et la valeur brute du bien.

Le remploi, pendant le mariage, d'un bien du patrimoine familial possédé lors du mariage donne lieu aux mêmes déductions, compte tenu des adaptations nécessaires.

1991, c. 64, a. 418 (1994-01-01).

C.C.Q. (1980) 462.5 (**C.C.Q.** 415, 421)

Art. 419. L'exécution du partage du patrimoine familial a lieu en numéraire ou par dation en paiement.

Art. 417. The net value of the family patrimony is determined according to the value of the property composing the patrimony and the debts contracted for the acquisition, improvement, maintenance or preservation of the property composing it on the date of death of the spouse or on the date of the institution of the action in which separation from bed and board, divorce or nullity of the marriage, as the case may be, is decided; the property is valued at its market value.

The court may, however, upon the application of one or the other of the spouses or of their successors, decide that the net value of the family patrimony will be established according to the value of such property and such debts on the date when the spouses ceased living together.

Art. 418. Once the net value of the family patrimony has been established, a deduction is made from it of the net value, at the time of the marriage, of the property then owned by one of the spouses that is included in the family patrimony; similarly, a deduction is made from it of the net value of a contribution made by one of the spouses during the marriage for the acquisition or improvement of property included in the family patrimony, where the contribution was made out of property devolved by succession or gift, or its reinvestment.

A further deduction from the net value is made, in the first case, of the increase in value acquired by the property during the marriage, proportionately to the ratio existing at the time of the marriage between the net value and the gross value of the property, and, in the second case, of the increase in value acquired since the contribution, proportionately to the ratio existing at the time of the contribution between the value of the contribution and the gross value of the property.

Reinvestment during the marriage of property included in the family patrimony that was owned at the time of the marriage gives rise to the same deductions, adapted as required.

Art. 419. Partition of the family patrimony is effected by giving in payment or by payment in money.

Si l'exécution du partage a lieu par dation en paiement, les époux peuvent convenir de transférer la propriété d'autres biens que ceux du patrimoine familial.

1991, c. 64, a. 419 (1994-01-01).

C.C.Q. (1980) 462.6 (**C.C.Q.** 415, 416, 1799-1801; **C.P.C.** 553 al. 2)

Art. 420. Outre qu'il peut, lors du partage, attribuer certains biens à l'un des époux, le tribunal peut aussi, si cela est nécessaire pour éviter un préjudice, ordonner que l'époux débiteur exécute son obligation par versements échelonnés sur une période qui ne dépasse pas dix ans.

Il peut, également, ordonner toute autre mesure qu'il estime appropriée pour assurer la bonne exécution du jugement et, notamment, ordonner qu'une sûreté soit conférée à l'une des parties pour garantir l'exécution des obligations de l'époux débiteur.

1991, c. 64, a. 420 (1994-01-01).

C.C.Q. (1980) 462.7 (**C.C.Q.** 419; **C.P.C.** 817)

Art. 421. Lorsqu'un bien qui faisait partie du patrimoine familial a été aliéné ou diverti dans l'année précédant le décès de l'un des époux ou l'introduction de l'instance en séparation de corps, divorce ou annulation de mariage et que ce bien n'a pas été remplacé, le tribunal peut ordonner qu'un paiement compensatoire soit fait à l'époux à qui aurait profité l'inclusion de ce bien dans le patrimoine familial.

Il en est de même lorsque le bien a été aliéné plus d'un an avant le décès de l'un des époux ou l'introduction de l'instance et que cette aliénation a été faite dans le but de diminuer la part de l'époux à qui aurait profité l'inclusion de ce bien dans le patrimoine familial.

1991, c. 64, a. 421 (1994-01-01).

C.C.Q. (1980) 462.8 (**C.C.Q.** 415, 418; **C.P.C.** 813, 817)

Art. 422. Le tribunal peut, sur demande, déroger au principe du partage égal et, quant aux gains inscrits en vertu de la Loi sur le régime de rentes du Québec ou de programmes équivalents, décider qu'il n'y aura aucun partage de ces gains, lorsqu'il en résulterait une injustice compte tenu, notamment, de la brève durée du mariage, de la dilapidation de certains biens par l'un des époux ou encore de la mauvaise foi de l'un d'eux.

1991, c. 64, a. 422 (1994-01-01).

C.C.Q. (1980) 462.9 (**C.C.Q.** 415, 416, 425; **C.P.C.** 817)

If partition is effected by giving in payment, the spouses may agree to transfer ownership of other property than that composing the family patrimony.

Art. 420. The court may, at the time of partition, award certain property to one of the spouses and also, where it is necessary to avoid damage, order the debtor spouse to perform his or her obligation by way of instalments spread over a period of not over ten years.

It may also order any other measure it considers appropriate to ensure that the judgment is properly executed, and, in particular, order that security be granted to one of the parties to guarantee performance of the obligations of the debtor spouse.

Art. 421. Where property included in the family patrimony was alienated or misappropriated in the year preceding the death of one of the spouses or the institution of proceedings for separation from bed and board, divorce or annulment of marriage and was not replaced, the court may order that a compensatory payment be made to the spouse who would have benefited from the inclusion of that property in the family patrimony.

The same rule applies where the property was alienated over one year before the death of one of the spouses or the institution of proceedings and the alienation was made for the purpose of decreasing the share of the spouse who would have benefited from the inclusion of that property in the family patrimony.

Art. 422. The court may, on an application, make an exception to the rule of partition into equal shares, and decide that there will be no partition of earnings registered pursuant to the Act respecting the Québec Pension Plan or to similar plans where it would result in an injustice considering, in particular, the brevity of the marriage, the waste of certain property by one of the spouses, or the bad faith of one of them.

Art. 423. Les époux ne peuvent renoncer, par leur contrat de mariage ou autrement, à leurs droits dans le patrimoine familial.

Toutefois, un époux peut, à compter du décès de son conjoint ou du jugement de divorce, de séparation de corps ou de nullité de mariage, y renoncer, en tout ou en partie, par acte notarié en minute; il peut aussi y renoncer, par une déclaration judiciaire dont il est donné acte, dans le cadre d'une instance en divorce, en séparation de corps ou en nullité de mariage.

La renonciation doit être inscrite au registre des droits personnels et réels mobiliers. À défaut d'inscription dans un délai d'un an à compter du jour de l'ouverture du droit au partage, l'époux renonçant est réputé avoir accepté.

1991, c. 64, a. 423 (1994-01-01); 1992, c. 57, a. 716 (1994-01-01).

C.C.Q. (1980) 462.10 (**C.C.Q.** 415, 416, 646, 2938, 2980)

Art. 424. La renonciation de l'un des époux, par acte notarié, au partage du patrimoine familial peut être annulée pour cause de lésion ou pour toute autre cause de nullité des contrats.

1991, c. 64, a. 424 (1994-01-01).

C.C.Q. (1980) 462.11 (**D.T.** 7, 75-80; **C.C.Q.** 423, 1398 ss.; **C.P.C.** 813)

Art. 425. Le partage des gains inscrits au nom de chaque époux en application de la Loi sur le régime de rentes du Québec ou de programmes équivalents est exécuté par l'organisme chargé d'administrer le régime ou le programme, conformément à cette loi ou à la loi applicable à ce programme, sauf si cette dernière ne prévoit aucune règle de partage.

1991, c. 64, a. 425 (1994-01-01).

C.C.Q. (1980) 462.12 (**C.C.Q.** 414, 415, 422)

Art. 426. Le partage des droits accumulés par l'un des époux au titre d'un régime de retraite régi ou établi par une loi est effectué conformément, s'il en existe, aux règles d'évaluation et de dévolution édictées par cette loi ou, s'il n'en existe pas, conformément à celles déterminées par le tribunal saisi de la demande.

Toutefois, le partage de ces droits ne peut en aucun cas avoir pour effet de priver le titulaire original de ces droits de plus de la moitié de la valeur totale des droits qu'il a accumulés avant ou pendant le mariage, ni de conférer au bénéficiaire du droit au partage plus de droits qu'en possède, en vertu de son régime, le titulaire original de ces droits.

Art. 423. The spouses may not, by way of their marriage contract or otherwise, renounce their rights in the family patrimony.

One spouse may, however, from the death of the other spouse or from the judgment of divorce, separation from bed and board or nullity of marriage, renounce such rights, in whole or in part, by notarial act en minute; that spouse may also renounce them by a judicial declaration which is recorded, in the course of proceedings for divorce, separation from bed and board or nullity of marriage.

Renunciation shall be entered in the register of personal and movable real rights. Failing entry within a period of one year from the time when the right to partition arose, the renouncing spouse is deemed to have accepted.

Art. 424. Renunciation by one of the spouses, by notarial act, of partition of the family patrimony may be annulled by reason of lesion or any other cause of nullity of contracts.

Art. 425. The partition of the earnings registered in the name of each spouse pursuant to the Act respecting the Québec Pension Plan or to a similar plan is effected by the body responsible for administering the plan, in accordance with that Act or the Act applicable to that plan, unless the latter Act provides no rules for partition.

Art. 426. The partition of the accrued benefits of one of the spouses under a pension plan governed or established by an Act is effected according to the rules of valuation and devolution contained in that Act or, where there are no such rules, according to the rules determined by the court seized of the application.

In no case, however, may the partition of such benefits deprive the original holder of such benefits of over one-half of the total value of the benefits accrued to him before or during the marriage, or confer more benefits on the beneficiary of the right to partition than the original holder of these benefits has under his plan.

Entre les époux ou pour leur bénéfice, et nonobstant toute disposition contraire, ces droits, ainsi que ceux accumulés au titre d'un autre régime de retraite, sont cessibles et saisissables pour le partage du patrimoine familial.

1991, c. 64, a. 426 (1994-01-01); 2002, c. 19, a. 4 (2002-06-13).

C.C.Q. (1980) 462.13 (C.C.Q. 416; C.P.C. 553 al. 1(7), 553 al. 2)

Between the spouses or for their benefit, and notwithstanding any provision to the contrary, such benefits and benefits accrued under any other pension plan are transferable and seizable for partition of the family patrimony.

SECTION IV
DE LA PRESTATION COMPENSATOIRE

Art. 427. Au moment où il prononce la séparation de corps, le divorce ou la nullité du mariage, le tribunal peut ordonner à l'un des époux de verser à l'autre, en compensation de l'apport de ce dernier, en biens ou en services, à l'enrichissement du patrimoine de son conjoint, une prestation payable au comptant ou par versements, en tenant compte, notamment, des avantages que procurent le régime matrimonial et le contrat de mariage. Il en est de même en cas de décès; il est alors, en outre, tenu compte des avantages que procure au conjoint survivant la succession.

Lorsque le droit à la prestation compensatoire est fondé sur la collaboration régulière de l'époux à une entreprise, que cette entreprise ait trait à un bien ou à un service et qu'elle soit ou non à caractère commercial, la demande peut en être faite dès la fin de la collaboration si celle-ci est causée par l'aliénation, la dissolution ou la liquidation volontaire ou forcée de l'entreprise.

1991, c. 64, a. 427 (1994-01-01).

C.C.Q. (1980) 462.14 (C.C.Q. 429, 430, 809, 2928; C.P.C. 813, 814.3-814.14, 815.2.1, 815.2.2, 817, 827.1, 827.3-827.4)

SECTION IV
COMPENSATORY ALLOWANCE

Art. 427. The court, in declaring separation from bed and board, divorce or nullity of marriage, may order either spouse to pay to the other, as compensation for the latter's contribution, in property or services, to the enrichment of the patrimony of the former, an allowance payable in cash or by instalments, taking into account, in particular, the advantages of the matrimonial regime and of the marriage contract. The same rule applies in case of death; in such a case, the advantages of the succession to the surviving spouse are also taken into account.

Where the right to the compensatory allowance is founded on the regular cooperation of the spouse in an enterprise, whether the enterprise deals in property or in services and whether or not it is a commercial enterprise, it may be applied for from the time the cooperation ends, if this results from the alienation, dissolution or voluntary or forced liquidation of the enterprise.

Art. 428. L'époux collaborateur peut prouver son apport à l'enrichissement du patrimoine de son conjoint par tous moyens.

1991, c. 64, a. 428 (1994-01-01).

C.C.Q. (1980) 462.15 (C.C.Q. 427, 2811 ss.)

Art. 428. The cooperating spouse may adduce any evidence to prove his or her contribution to the enrichment of the patrimony of the other spouse.

Art. 429. Lorsqu'il y a lieu à paiement d'une prestation compensatoire, le tribunal en fixe la valeur, à défaut d'accord entre les parties. Celui-ci peut également déterminer, le cas échéant, les modalités du paiement et ordonner que la prestation soit payée au comptant ou par versements ou qu'elle soit payée par l'attribution de droits dans certains biens.

Art. 429. Where a compensatory allowance becomes payable, the court, failing agreement between the parties, fixes the amount thereof. It may also, where applicable, fix the terms and conditions of payment and order that the allowance be paid in cash or by instalments or that it be paid by the awarding of rights in certain property.

Si le tribunal attribue à l'un des époux ou au conjoint survivant un droit sur la résidence familiale, sur les meubles qui servent à l'usage du ménage ou des droits accumulés au titre d'un régime de retraite, les dispositions des sections II et III sont applicables.

1991, c. 64, a. 429 (1994-01-01).

If the court awards a right in the family residence, a right in the movable property serving for the use of the household or retirement benefits accrued under a retirement plan to one of the spouses or to the surviving spouse, the provisions of Sections II and III are applicable.

C.C.Q. (1980) 462.16 (**C.C.Q.** 401 ss., 414 ss., 430, 809, 2928; **C.P.C.** 817)

Art. 430. L'un des époux peut, pendant le mariage, convenir avec son conjoint d'acquitter en partie la prestation compensatoire. Le paiement reçu doit être déduit lorsqu'il y a lieu de fixer la valeur de la prestation compensatoire.

1991, c. 64, a. 430 (1994-01-01).

Art. 430. One of the spouses may, during the marriage, agree with the other spouse to make partial payment of the compensatory allowance. The payment received shall be deducted when the time comes to fix the value of the compensatory allowance.

C.C.Q. (1980) 462.17 (**C.C.Q.** 427, 429)

CHAPITRE CINQUIÈME
DES RÉGIMES MATRIMONIAUX

CHAPTER V
MATRIMONIAL REGIMES

SECTION I
DISPOSITIONS GÉNÉRALES

SECTION I
GENERAL PROVISIONS

§ 1. — *Du choix du régime matrimonial*

§ 1. — *Choice of matrimonial regime*

Art. 431. Il est permis de faire, par contrat de mariage, toutes sortes de stipulations, sous réserve des dispositions impératives de la loi et de l'ordre public.

1991, c. 64, a. 431 (1994-01-01).

Art. 431. Any kind of stipulation may be made in a marriage contract, subject to the imperative provisions of law and public order.

C.C.Q. (1980) 463 (**D.T.** 5; **C.C.Q.** 9, 391, 440, 485, 1819, 1839-1841, 3122)

Art. 432. Les époux qui, avant la célébration du mariage, n'ont pas fixé leur régime matrimonial par contrat de mariage sont soumis au régime de la société d'acquêts.

1991, c. 64, a. 432 (1994-01-01).

Art. 432. Spouses who, before the solemnization of their marriage, have not fixed their matrimonial regime in a marriage contract, are subject to the regime of partnership of acquests.

C.C.Q. (1980) 464 (**D.T.** 34; **C.C.Q.** 437, 438, 448 ss., 485 ss., 492, 3123)

Art. 433. Le régime matrimonial, qu'il soit légal ou conventionnel, prend effet du jour de la célébration du mariage.

La modification du régime effectuée pendant le mariage prend effet du jour de l'acte la constatant.

Art. 433. A matrimonial regime, whether legal or conventional, takes effect on the day when the marriage is solemnized.

A change made to the matrimonial regime during the marriage takes effect on the day of the act attesting the change.

On ne peut stipuler que le régime matrimonial ou sa modification prendra effet à une autre date.

1991, c. 64, a. 433 (1994-01-01).

In no case may the parties stipulate that their matrimonial regime or any change to it will take effect on another date.

C.C.Q. (1980) 465 (**C.C.Q.** 365 ss., 432, 437, 438, 465(2), 466)

Art. 434. Le mineur autorisé à se marier peut, avant la célébration du mariage, consentir toutes les conventions matrimoniales permises dans un contrat de mariage, pourvu qu'il soit autorisé à cet effet par le tribunal.

Le titulaire de l'autorité parentale ou, le cas échéant, le tuteur doivent être appelés à donner leur avis.

Le mineur peut demander seul l'autorisation.

1991, c. 64, a. 434 (1994-01-01).

Art. 434. A minor authorized to marry may, before the marriage is solemnized, make all such matrimonial agreements as the marriage contract admits of, provided he is authorized to that effect by the court.

The person having parental authority or, as the case may be, the tutor shall be summoned to give his opinion.

The minor may apply for the authorization alone.

C.C.Q. (1980) 466 (**C.C.Q.** 161, 373, 435, 598, 600, 607, 1813; **C.P.C.** 70, 813, 818.1)

Art. 435. Les conventions non autorisées par le tribunal ne peuvent être attaquées que par le mineur ou les personnes qui devaient être appelées à donner leur avis; elles ne peuvent plus l'être lorsqu'il s'est écoulé une année depuis la célébration du mariage.

1991, c. 64, a. 435 (1994-01-01).

Art. 435. Agreements not authorized by the court may be impugned only by the minor or by the persons who had to be summoned to give their opinions; no such agreement may be impugned if one year has elapsed since the marriage was solemnized.

C.C.Q. (1980) 467 (**D.T.** 6; **C.C.Q.** 161, 163, 434, 1813, 2906, 2927)

Art. 436. Le majeur en tutelle ou pourvu d'un conseiller ne peut passer de conventions matrimoniales sans l'assistance de son tuteur ou de son conseiller; le tuteur doit être autorisé à cet effet par le tribunal sur l'avis du conseil de tutelle.

Les conventions passées en violation du présent article ne peuvent être attaquées que par le majeur lui-même, son tuteur ou son conseiller, selon le cas; elles ne peuvent plus l'être lorsqu'il s'est écoulé une année depuis la célébration du mariage ou depuis le jour de l'acte modifiant les conventions matrimoniales.

1991, c. 64, a. 436 (1994-01-01).

Art. 436. No person of full age under tutorship or provided with an adviser may make matrimonial agreements without the assistance of his tutor or adviser; the tutor shall be authorized for this purpose by the court upon the advice of the tutorship council.

No agreement made in violation of this article may be impugned except by the person of full age himself, his tutor or his adviser, as the case may be, nor except in the year immediately following the solemnization of the marriage or the day of the act changing the matrimonial agreements.

C.C.Q. (1980) 468 (**D.T.** 6; **C.C.Q.** 222, 285, 291, 1813, 2906, 2927; **C.P.C.** 70, 813, 818.2)

Art. 437. Les futurs époux peuvent modifier leurs conventions matrimoniales, avant la célébration du mariage, en présence et avec le consentement de tous ceux qui ont été parties au contrat de mariage, pourvu que ces modifications soient elles-mêmes faites par contrat de mariage.

1991, c. 64, a. 437 (1994-01-01).

Art. 437. Intended spouses may change their matrimonial agreements before the solemnization of the marriage, in the presence and with the consent of all those who were parties to the marriage contract, provided the changes themselves are made by marriage contract.

C.C.Q. (1980) 469 (**C.C.Q.** 431, 433, 439-441)

Art. 438. Les époux peuvent, pendant le mariage, modifier leur régime matrimonial, ainsi que toute stipulation de leur contrat de mariage, pourvu que ces modifications soient elles-mêmes faites par contrat de mariage.

Les donations portées au contrat de mariage, y compris celles qui sont faites à cause de mort, peuvent être modifiées, même si elles sont stipulées irrévocables, pourvu que soit obtenu le consentement de tous les intéressés.

Les créanciers, s'ils en subissent préjudice, peuvent, dans le délai d'un an à compter du jour où ils ont eu connaissance des modifications apportées au contrat de mariage, les faire déclarer inopposables à leur égard.

1991, c. 64, a. 438 (1994-01-01).

Art. 438. During marriage, spouses may change their matrimonial regime and any stipulation in their marriage contract, provided the change itself is made by marriage contract.

Gifts made in marriage contracts, including gifts mortis causa, may be changed even if they are stipulated as irrevocable, provided that the consent of all interested persons is obtained.

If a creditor sustains damage as the result of a change to a marriage contract, he may, within one year of becoming aware of the change, obtain a declaration that it may not be set up against him.

C.C.Q. (1980) 470 (**C.C.Q.** 431, 433, 440, 441, 465(2°), 1841; **C.P.C.** 813)

Art. 439. Les enfants à naître sont représentés par les époux pour la modification ou la suppression, avant ou pendant le mariage, des donations faites en leur faveur par contrat de mariage.

1991, c. 64, a. 439 (1994-01-01).

Art. 439. Children to be born are represented by the spouses for the modification or cancellation, before or during the marriage, of gifts made to them by the marriage contract.

C.C.Q. (1980) 471 (**C.C.Q.** 192, 437, 438, 513, 1840)

Art. 440. Les contrats de mariage doivent être faits par acte notarié en minute, à peine de nullité absolue.

1991, c. 64, a. 440 (1994-01-01).

Art. 440. Marriage contracts shall be established by a notarial act en minute, on pain of absolute nullity.

C.C.Q. (1980) 472 (**C.C.Q.** 431, 437, 438, 441, 442, 1414, 2814(6°))

Art. 441. Le notaire qui reçoit le contrat de mariage modifiant un contrat antérieur doit, sans délai, en donner avis au dépositaire de la minute du contrat de mariage original et au dépositaire de la minute de tout contrat modifiant le régime matrimonial. Le dépositaire est tenu de faire mention du changement sur la minute et sur toute copie qu'il en délivre, en indiquant la date du contrat, le nom du notaire et le numéro de sa minute.

1991, c. 64, a. 441 (1994-01-01).

Art. 441. The notary receiving a marriage contract changing a previous contract shall immediately notify the depositary of the original marriage contract and the depositary of any contract changing the matrimonial regime. The depositary is bound to enter the change on the original and on any copy he may make of it, indicating the date of the contract, the name of the notary and the number of his minute.

C.C.Q. (1980) 473 (**D.T.** 163; **C.C.Q.** 437, 438, 442; **C.P.C.** 817.2)

Art. 442. Un avis de tout contrat de mariage doit être inscrit au registre des droits personnels et réels mobiliers sur la réquisition du notaire instrumentant.

1991, c. 64, a. 442 (1994-01-01).

Art. 442. A notice of every marriage contract shall be entered in the register of personal and movable real rights at the requisition of the receiving notary.

C.C.Q. (1980) 474 (**D.T.** 163; **C.C.Q.** 437, 438, 440, 2980; **C.P.C.** 817.2)

§ 2. — *De l'exercice des droits et pouvoirs résultant du régime matrimonial*

Art. 443. Chacun des époux peut donner à l'autre mandat de le représenter dans l'exercice des droits et pouvoirs que le régime matrimonial lui attribue.

1991, c. 64, a. 443 (1994-01-01).

C.C.Q. (1980) 475 (**C.C.Q.** 398, 461, 486, 492, 2130 ss.)

Art. 444. Le tribunal peut confier à l'un des époux le mandat d'administrer les biens de son conjoint ou les biens dont celui-ci a l'administration en vertu du régime matrimonial, lorsque le conjoint ne peut manifester sa volonté ou ne peut le faire en temps utile.

Il fixe les modalités et les conditions d'exercice des pouvoirs conférés.

1991, c. 64, a. 444 (1994-01-01).

C.C.Q. (1980) 476 (**C.C.Q.** 399, 445, 462, 486; **C.P.C.** 813)

Art. 445. Le tribunal peut prononcer le retrait du mandat judiciaire dès qu'il est établi qu'il n'est plus nécessaire.

Ce mandat cesse de plein droit dès que le conjoint est pourvu d'un tuteur ou d'un curateur.

1991, c. 64, a. 445 (1994-01-01).

C.C.Q. (1980) 477 (**C.C.Q.** 86, 281, 285, 444, 2172; **C.P.C.** 813)

Art. 446. L'époux qui a eu l'administration des biens de son conjoint est comptable même des fruits et revenus qui ont été consommés avant qu'il n'ait été en demeure de rendre compte.

1991, c. 64, a. 446 (1994-01-01).

C.C.Q. (1980) 478 (**C.C.Q.** 247, 443-445, 910; **C.P.C.** 414(2), 532 ss., 547 al. 1*f*)

Art. 447. Si l'un des époux a outrepassé les pouvoirs que lui attribue le régime matrimonial, l'autre, à moins qu'il n'ait ratifié l'acte, peut en demander la nullité.

Toutefois, en matière de meubles, chaque époux est réputé, à l'égard des tiers de bonne foi, avoir le pouvoir de passer seul les actes à titre onéreux pour lesquels le consentement du conjoint serait nécessaire.

1991, c. 64, a. 447 (1994-01-01).

C.C.Q. (1980) 479 (**D.T.** 7, 75-80; **C.C.Q.** 397, 401, 402, 462, 486, 1707, 2805, 2906; **C.P.C.** 813)

§ 2. — *Exercise of rights and powers arising out of the matrimonial regime*

Art. 443. Either spouse may give a mandate to the other in order to be represented in the exercise of rights and powers granted by the matrimonial regime.

Art. 444. Where an expression of will cannot be given or cannot be given in due time by one spouse, the court may confer a mandate upon the other spouse to administer the property of that spouse or property administered by that spouse under the matrimonial regime.

The court fixes the terms and conditions of exercise of the powers conferred.

Art. 445. The court may declare the judicial mandate withdrawn once it is established that it is no longer necessary.

The mandate ceases by operation of law upon the other spouse's being provided with a tutor or curator.

Art. 446. Either spouse, having administered the property of the other, is accountable even for the fruits and revenues consumed before receiving a demand to render an account.

Art. 447. If one spouse exceeds the powers granted by the matrimonial regime and the other has not ratified the act, the latter may apply to have it declared null.

As regards movable property, however, each spouse is deemed, in respect of third parties in good faith, to have power to enter alone into acts by onerous title for which the consent of the other spouse would be necessary.

SECTION II
DE LA SOCIÉTÉ D'ACQUÊTS

§ 1. — De ce qui compose la société d'acquêts

Art. 448. Les biens que chacun des époux possède au début du régime ou qu'il acquiert par la suite constituent des acquêts ou des propres selon les règles prévues ci-après.

1991, c. 64, a. 448 (1994-01-01).

C.C.Q. (1980) 480 (C.C.Q. 449 ss.)

Art. 449. Les acquêts de chaque époux comprennent tous les biens non déclarés propres par la loi et notamment:

1° Le produit de son travail au cours du régime;

2° Les fruits et revenus échus ou perçus au cours du régime, provenant de tous ses biens, propres ou acquêts.

1991, c. 64, a. 449 (1994-01-01).

C.C.Q. (1980) 481 (C.C.Q. 450-460)

Art. 450. Sont propres à chacun des époux:

1° Les biens dont il a la propriété ou la possession au début du régime;

2° Les biens qui lui échoient au cours du régime, par succession ou donation et, si le testateur ou le donateur l'a stipulé, les fruits et revenus qui en proviennent;

3° Les biens qu'il acquiert en remplacement d'un propre de même que les indemnités d'assurance qui s'y rattachent;

4° Les droits ou avantages qui lui échoient à titre de titulaire subrogé ou à titre de bénéficiaire déterminé d'un contrat ou d'un régime de retraite, d'une autre rente ou d'une assurance de personnes;

5° Ses vêtements et ses papiers personnels, ses alliances, ses décorations et ses diplômes;

6° Les instruments de travail nécessaires à sa profession, sauf récompense s'il y a lieu.

1991, c. 64, a. 450 (1994-01-01).

C.C.Q. (1980) 482 (C.C.Q. 415, 451 ss.)

Art. 451. Est également propre, à charge de récompense, le bien acquis avec des propres et des acquêts, si la valeur des propres employés est supérieure à la moitié du coût total d'acquisition de ce bien. Autrement, il est acquêt à charge de récompense.

SECTION II
PARTNERSHIP OF ACQUESTS

§ 1. — Composition of the partnership of acquests

Art. 448. The property that the spouses possess individually when the regime comes into effect or that they subsequently acquire constitutes acquests or private property according to the rules that follow.

Art. 449. The acquests of each spouse include all property not declared to be private property by law, and, in particular,

(1) the proceeds of that spouse's work during the regime;

(2) the fruits and income due or collected from all that spouse's private property or acquests during the regime.

Art. 450. The private property of each spouse consists of

(1) property owned or possessed by that spouse when the regime comes into effect;

(2) property which devolves to that spouse during the regime by succession or gift, and the fruits and income derived from it if the testator or donor has so provided;

(3) property acquired by that spouse to replace private property and any insurance indemnity relating thereto;

. (4) the rights or benefits devolved to that spouse as a subrogated holder or as a specified beneficiary under a contract or plan of retirement, other annuity or insurance of persons;

(5) that spouse's clothing and personal papers, wedding ring, decorations and diplomas;

(6) the instruments required for that spouse's occupation, saving compensation where applicable.

Art. 451. Property acquired with private property and acquests is also private property, subject to compensation, if the value of the private property used is greater than one-half of the total cost of acquisition of the property. Otherwise, it is an acquest subject to compensation.

La même règle s'applique à l'assurance sur la vie, de même qu'aux pensions de retraite et autres rentes. Le coût total est déterminé par l'ensemble des primes ou sommes versées, sauf dans le cas de l'assurance temporaire où il est déterminé par la dernière prime.

1991, c. 64, a. 451 (1994-01-01).

C.C.Q. (1980) 483 (**C.C.Q.** 415, 449-450, 463 al. 2, 475, 2445 ss.)

Art. 452. Lorsque, au cours du régime, un époux, déjà propriétaire en propre d'une partie indivise d'un bien, en acquiert une autre partie, celle-ci lui est également propre, sauf récompense s'il y a lieu.

Toutefois, si la valeur des acquêts employés pour cette acquisition est égale ou supérieure à la moitié de la valeur totale du bien dont l'époux est devenu propriétaire, ce bien devient acquêt à charge de récompense.

1991, c. 64, a. 452 (1994-01-01).

C.C.Q. (1980) 484 (**C.C.Q.** 449, 460, 475)

Art. 453. Le droit d'un époux à une pension alimentaire, à une pension d'invalidité ou à quelque autre avantage de même nature, lui reste propre, mais sont acquêts tous les avantages pécuniaires qui en proviennent et qui sont échus ou perçus au cours du régime ou qui sont payables, à son décès, à ses héritiers et ayants cause.

Aucune récompense n'est due en raison des sommes ou primes payées avec les acquêts ou les propres pour acquérir ces pensions ou autres avantages.

1991, c. 64, a. 453 (1994-01-01).

C.C.Q. (1980) 485 (**C.C.Q.** 475, 585 ss.)

Art. 454. Sont également propres à l'époux le droit de réclamer des dommages-intérêts et l'indemnité reçue en réparation d'un préjudice moral ou corporel.

La même règle s'applique au droit et à l'indemnité découlant d'un contrat d'assurance ou de tout autre régime d'indemnisation, mais aucune récompense n'est due en raison des primes ou sommes payées avec les acquêts.

1991, c. 64, a. 454 (1994-01-01).

C.C.Q. (1980) 486 (**C.C.Q.** 475, 1457 ss.)

The same rule applies to life insurance, retirement pensions and other annuities. The total cost is the aggregate of the premiums or sums paid, except in term insurance where it is the amount of the latest premium.

Art. 452. Where, during the regime, a spouse who is already privately an undivided co-owner of a property acquires another part of it, this acquired part is also that spouse's private property, saving compensation where applicable.

However, if the value of the acquests used to acquire that part is equal to or greater than one-half of the total value of the property of which the spouse has become the owner, this property becomes an acquest, subject to compensation.

Art. 453. The right of a spouse to support, to a disability allowance or to any other benefit of the same nature remains the private property of that spouse; however, all pecuniary benefits derived from these are acquests, if they fall due or are collected during the regime or are payable to that spouse's heirs and successors at death.

No compensation is due by reason of any amount or premium paid with the acquests or the private property to acquire the support, allowance or other benefits.

Art. 454. The right to claim damages and the compensation received for moral or corporal injury are also the private property of the spouse.

The same rule applies to the right and the compensation arising from an insurance contract or any other indemnification scheme, but no compensation is payable in respect of the premiums or amounts paid with the acquests.

Art. 455. Le bien acquis à titre d'accessoire ou d'annexe d'un bien propre ainsi que les constructions, ouvrages ou plantations faits sur un immeuble propre restent propres, sauf récompense s'il y a lieu.

Cependant, si c'est avec les acquêts qu'a été acquis l'accessoire ou l'annexe, ou qu'ont été faits les constructions, ouvrages ou plantations et que leur valeur est égale ou supérieure à celle du bien propre, le tout devient acquêt à charge de récompense.

1991, c. 64, a. 455 (1994-01-01).

C.C.Q. (1980) 487 (**C.C.Q.** 475, 948, 955 ss.)

Art. 456. Les valeurs mobilières acquises par suite de la déclaration de dividendes sur des valeurs propres à l'un des époux lui restent propres, sauf récompense.

Les valeurs mobilières acquises par suite de l'exercice d'un droit de souscription ou de préemption ou autre droit semblable que confèrent des valeurs propres à l'un des époux lui restent également propres, sauf récompense s'il y a lieu.

Les primes de rachat ou de remboursement anticipé de valeurs mobilières propres à l'un des époux lui restent propres sans récompense.

1991, c. 64, a. 456 (1994-01-01).

C.C.Q. (1980) 488 (**D.T.** 32; **C.C.Q.** 475)

Art. 457. Sont propres, à charge de récompense, les revenus provenant de l'exploitation d'une entreprise propre à l'un des époux, s'ils sont investis dans l'entreprise.

Toutefois, aucune récompense n'est due si l'investissement était nécessaire pour maintenir les revenus de cette entreprise.

1991, c. 64, a. 457 (1994-01-01).

C.C.Q. (1980) 489 (**C.C.Q.** 475, 910)

Art. 458. Les droits de propriété intellectuelle et industrielle sont propres, mais sont acquêts tous les fruits et revenus qui en proviennent et qui sont perçus ou échus au cours du régime.

1991, c. 64, a. 458 (1994-01-01).

C.C.Q. (1980) 490 (**C.C.Q.** 910)

Art. 455. Property acquired as an accessory of or an annex to private property, and any construction, work or plantation on or in an immovable which is private property, remain private, saving compensation, if need be.

However, if the accessory or annex was acquired, or the construction, work or plantation made, from acquests, and if its value is equal to or greater than that of the private property, the whole becomes an acquest subject to compensation.

Art. 456. Securities acquired by the effect of a declaration of dividends on securities that are the private property of either spouse remain that spouse's private property, saving compensation.

Securities acquired by the effect of the exercise of a subscription right, a pre-emptive right or any other similar right conferred on either spouse by securities that are that spouse's private property likewise remain so, saving compensation, if need be.

Redemption premiums and prepaid premiums on securities that are the private property of either spouse remain that spouse's private property without compensation.

Art. 457. Income derived from the operation of an enterprise that is the private property of either spouse remains that spouse's private property, subject to compensation, if it is reinvested in the enterprise.

No compensation is due, however, if the investment was necessary in order to maintain the income of the enterprise.

Art. 458. Intellectual and industrial property rights are private property, but all fruits and income arising from them and collected or fallen due during the regime are acquests.

Art. 459. Tout bien est présumé acquêt, tant entre les époux qu'à l'égard des tiers, à moins qu'il ne soit établi qu'il est un propre.

1991, c. 64, a. 459 (1994-01-01).

C.C.Q. (1980) 491 (**C.C.Q.** 448-450, 460, 487, 2847)

Art. 460. Le bien qu'un époux ne peut prouver lui être exclusivement propre ou acquêt est présumé appartenir aux deux indivisément, à chacun pour moitié.

1991, c. 64, a. 460 (1994-01-01).

C.C.Q. (1980) 492 (**C.C.Q.** 452, 459, 487, 2847)

§ 2. — De l'administration des biens et de la responsabilité des dettes

Art. 461. Chaque époux a l'administration, la jouissance et la libre disposition de ses biens propres et de ses acquêts.

1991, c. 64, a. 461 (1994-01-01).

C.C.Q. (1980) 493 (**C.C.Q.** 443-445, 462, 486)

Art. 462. Un époux ne peut cependant, sans le consentement de son conjoint, disposer de ses acquêts entre vifs à titre gratuit, si ce n'est de biens de peu de valeur ou de cadeaux d'usage.

Toutefois, il peut être autorisé par le tribunal à passer seul un tel acte, si le consentement ne peut être obtenu pour quelque cause que ce soit ou si le refus n'est pas justifié par l'intérêt de la famille.

1991, c. 64, a. 462 (1994-01-01).

C.C.Q. (1980) 494 (**C.C.Q.** 399, 447, 2906; **C.P.C.** 813)

Art. 463. La restriction au droit de disposer ne limite pas le droit d'un époux de désigner un tiers comme bénéficiaire ou titulaire subrogé d'une assurance de personnes, d'une pension de retraite ou autre rente, sous réserve de l'application des règles relatives au patrimoine familial.

Aucune récompense n'est due en raison des sommes ou primes payées avec les acquêts si la désignation est en faveur du conjoint ou des enfants de l'époux ou du conjoint.

1991, c. 64, a. 463 (1994-01-01).

C.C.Q. (1980) 495 (**C.C.Q.** 415, 426, 451 al. 2, 2445 ss.)

Art. 459. All property is presumed to constitute an acquest, both between the spouses and with respect to third persons, unless it is established that it is private property.

Art. 460. Any property that a spouse is unable to prove to be an exclusively private property or acquest is presumed to be held by both spouses in undivided co-ownership, one-half by each.

§ 2. — Administration of property and liability for debts

Art. 461. Each spouse has the administration, enjoyment and free disposal of his or her private property and acquests.

Art. 462. Neither spouse may, however, without the consent of the other, dispose of acquests inter vivos by gratuitous title, with the exception of property of small value or customary presents.

A spouse may be authorized by the court to enter into the act alone, however, if consent cannot be obtained for any reason or if refusal is not justified in the interest of the family.

Art. 463. The restriction to the right to dispose of acquests does not limit the right of either spouse to designate a third person as a beneficiary or subrogated holder of an insurance of persons, a retirement pension or any other annuity, subject to the application of the rules respecting the family patrimony.

No compensation is due by reason of the sums or premiums paid with the acquests if the designation is in favour of the other spouse or of the children of either spouse.

Art. 464. Chacun des époux est tenu, tant sur ses biens propres que sur ses acquêts, des dettes nées de son chef avant ou pendant le mariage.

Il n'est pas tenu, pendant la durée du régime, des dettes nées du chef de son conjoint, sous réserve des dispositions des articles 397 et 398.

1991, c. 64, a. 464 (1994-01-01).

C.C.Q. (1980) 496 (C.C.Q. 397, 398, 484)

§ 3. — *De la dissolution et de la liquidation du régime*

Art. 465. Le régime de la société d'acquêts se dissout:

1° Par le décès de l'un des époux;

2° Par le changement conventionnel de régime pendant le mariage;

3° Par le jugement qui prononce le divorce, la séparation de corps ou la séparation de biens;

4° Par l'absence de l'un des époux dans les cas prévus par la loi;

5° Par la nullité du mariage si celui-ci produit néanmoins des effets.

Les effets de la dissolution se produisent immédiatement, sauf dans les cas des 3° et 5°, où ils remontent, entre les époux, au jour de la demande.

1991, c. 64, a. 465 (1994-01-01).

Art. 464. The spouses, individually, are liable on both their private property and their acquests for all debts incurred by them before or during the marriage.

While the regime lasts, neither spouse is liable for the debts incurred by the other, subject to articles 397 and 398.

§ 3. — *Dissolution and liquidation of the regime*

Art. 465. The regime of partnership of acquests is dissolved by

(1) the death of one of the spouses;

(2) a conventional change of regime during the marriage;

(3) a judgment of divorce, separation from bed and board, or separation as to property;

(4) the absence of one of the spouses in the cases provided for by law;

(5) the nullity of the marriage if, nevertheless, the marriage produces effects.

The effects of the dissolution are produced immediately, except in the cases of subparagraphs 3 and 5, where they are retroactive, between the spouses, to the day of the application.

C.C.Q. (1980) 497 (D.T. 34; C.C.Q. 89, 95, 96, 382, 384, 438, 466, 489, 508, 518; C.P.C. 734.0.1)

Art. 466. Dans tous les cas de dissolution du régime, le tribunal peut, à la demande de l'un ou l'autre des époux ou de leurs ayants cause, décider que, dans les rapports mutuels des conjoints, les effets de la dissolution remonteront à la date où ils ont cessé de faire vie commune.

1991, c. 64, a. 466 (1994-01-01).

Art. 466. In any case of dissolution of a regime, the court may, upon the application of either spouse or of the latter's successors, decide that, in the mutual relations of the spouses, the effects of the dissolution are retroactive to the date when they ceased to live together.

C.C.Q. (1980) 498 (C.C.Q. 96, 465, 489, 508, 518; C.P.C. 813, 817)

Art. 467. Après la dissolution du régime, chaque époux conserve ses biens propres.

Il a la faculté d'accepter le partage des acquêts de son conjoint ou d'y renoncer, nonobstant toute convention contraire.

1991, c. 64, a. 467 (1994-01-01).

Art. 467. Each spouse retains his or her private property after the regime is dissolved.

One spouse may accept or renounce the partition of the other spouse's acquests, notwithstanding any agreement to the contrary.

C.C.Q. (1980) 499 (C.C.Q. 89, 448-460, 468-470)

Art. 468. L'acceptation peut être expresse ou tacite.

Art. 468. Acceptance may be either express or tacit.

L'époux qui s'est immiscé dans la gestion des acquêts de son conjoint postérieurement à la dissolution du régime ne peut recevoir la part des acquêts de son conjoint qui lui revient que si ce dernier a lui-même accepté le partage des acquêts de celui qui s'est immiscé.

No spouse who has interfered in the management of the acquests of the other spouse after the regime is dissolved may receive the share of the acquests of the other spouse to which he or she is entitled unless the other spouse has accepted the partition of the acquests of the spouse who interfered.

Les actes de simple administration n'emportent point immixtion.

Acts of simple administration do not constitute interference.

1991, c. 64, a. 468 (1994-01-01).

C.C.Q. (1980) 500 (**C.C.Q.** 471, 1301)

Art. 469. La renonciation doit être faite par acte notarié en minute ou par une déclaration judiciaire dont il est donné acte.

Art. 469. Renunciation shall be made by notarial act en minute or by a judicial declaration which is recorded.

La renonciation doit être inscrite au registre des droits personnels et réels mobiliers; à défaut d'inscription dans un délai d'un an à compter du jour de la dissolution, l'époux est réputé avoir accepté.

Renunciation shall be entered in the register of personal and movable real rights; failing entry within one year from the date of the dissolution, the spouse is deemed to have accepted.

1991, c. 64, a. 469 (1994-01-01).

C.C.Q. (1980) 501 (**D.T.** 6; **C.C.Q.** 440, 442, 2938)

Art. 470. Si l'époux renonce, la part à laquelle il aurait eu droit dans les acquêts de son conjoint reste acquise à ce dernier.

Art. 470. If either spouse renounces partition, the share of the other's acquests to which he or she would have been entitled remains vested in the other.

Toutefois, les créanciers de l'époux qui renonce au préjudice de leurs droits peuvent demander au tribunal de déclarer que la renonciation leur est inopposable et accepter la part des acquêts du conjoint de leur débiteur au lieu et place de ce dernier.

However, the creditors of the spouse who renounces partition to the prejudice of their rights may apply to the court for a declaration that the renunciation may not be set up against them, and accept the share of the acquests of their debtor's spouse in his or her place and stead.

Dans ce cas, leur acceptation n'a d'effet qu'en leur faveur et à concurrence seulement de leurs créances; elle ne vaut pas au profit de l'époux renonçant.

In that case, their acceptance has effect only in their favour and only to the extent of the amount of their claims; it is not valid in favour of the renouncing spouse.

1991, c. 64, a. 470 (1994-01-01).

C.C.Q. (1980) 502 (**C.C.Q.** 438 al. 3, 484, 490, 1627 ss.; **C.P.C.** 813)

Art. 471. Un époux est privé de sa part dans les acquêts de son conjoint s'il a diverti ou recelé des acquêts, s'il a dilapidé ses acquêts ou s'il les a administrés de mauvaise foi.

Art. 471. A spouse who has misappropriated or concealed acquests, wasted acquests or administered them in bad faith forfeits his or her share of the acquests of the other spouse.

1991, c. 64, a. 471 (1994-01-01).

C.C.Q. (1980) 503 (**C.C.Q.** 468)

Art. 472. L'acceptation ou la renonciation est irrévocable. Toutefois, la renonciation peut être annulée pour cause de lésion ou pour toute autre cause de nullité des contrats.

1991, c. 64, a. 472 (1994-01-01).

Art. 472. Acceptance and renunciation are irrevocable. Renunciation may be annulled, however, by reason of lesion or any other cause of nullity of contracts.

C.C.Q. (1980) 504 (**D.T.** 7, 75-80; **C.C.Q.** 467, 470, 1398 ss., 1405, 1406; **C.P.C.** 813)

Art. 473. Lorsque le régime est dissous par décès et que le conjoint survivant a accepté le partage des acquêts de l'époux décédé, les héritiers de l'époux décédé ont la faculté d'accepter le partage des acquêts du conjoint survivant ou d'y renoncer et, à l'exception des attributions préférentielles dont seul peut bénéficier le conjoint survivant, les dispositions sur la dissolution et la liquidation du régime leur sont applicables.

Si, parmi les héritiers, l'un accepte et les autres renoncent, celui qui accepte ne peut prendre que la portion d'acquêts qu'il aurait eue si tous avaient accepté.

La renonciation du conjoint survivant est opposable aux créanciers de l'époux décédé.

1991, c. 64, a. 473 (1994-01-01).

Art. 473. When the regime is dissolved by death and the surviving spouse has accepted the partition of the acquests of the deceased spouse, the heirs of the deceased spouse may accept or renounce the partition of the surviving spouse's acquests, and, excepting preferential awards which only the surviving spouse is entitled to receive, the provisions on the dissolution and liquidation of the regime apply to them.

If one of the heirs accepts partition and the others renounce it, the heir who accepts may not take more than the portion of the acquests that he would have had if all had accepted.

Renunciation by the surviving spouse may be set up against the creditors of the deceased spouse.

C.C.Q. (1980) 505 (**C.C.Q.** 465 ss., 482)

Art. 474. Lorsqu'un époux décède alors qu'il était encore en droit de renoncer, ses héritiers ont, à compter du décès, un nouveau délai d'un an pour faire inscrire leur renonciation.

1991, c. 64, a. 474 (1994-01-01).

Art. 474. When a spouse dies while still entitled to renounce partition, the heirs have a further period of one year from the date of death in which to have their renunciation entered.

C.C.Q. (1980) 506 (**D.T.** 6; **C.C.Q.** 469, 472)

Art. 475. Sur acceptation du partage des acquêts du conjoint, on forme d'abord deux masses des biens de ce dernier, l'une constituée des propres, l'autre des acquêts.

On dresse ensuite un compte des récompenses dues par la masse des propres à la masse des acquêts de ce conjoint et réciproquement.

La récompense est égale à l'enrichissement dont une masse a bénéficié au détriment de l'autre.

1991, c. 64, a. 475 (1994-01-01).

Art. 475. When the partition of a spouse's acquests is accepted, the property of the patrimony of that spouse is first divided into two masses, one comprising the private property and the other the acquests.

A statement is then prepared of the compensation owed by the mass of private property to the mass of the spouse's acquests, and vice versa.

The compensation is equal to the enrichment enjoyed by one mass to the detriment of the other.

C.C.Q. (1980) 507, 508 (**C.C.Q.** 448 ss., 467, 477-481)

Art. 476. Les biens susceptibles de récompense s'estiment d'après leur état au jour de la dissolution du régime et d'après leur valeur au temps de la liquidation.

Art. 476. Property susceptible of compensation is estimated according to its condition at the time of dissolution of the regime and to its value at the time of liquidation.

L'enrichissement est évalué au jour de la dissolution du régime; toutefois, lorsque le bien acquis ou amélioré a été aliéné au cours du régime, l'enrichissement est évalué au jour de l'aliénation.

The enrichment is valued as on the day the regime is dissolved; however, when the property acquired or improved was alienated during the regime, the enrichment is valued as on the day of the alienation.

1991, c. 64, a. 476 (1994-01-01).

C.C.Q. (1980) 509 (D.T. 33; C.C.Q. 451, 452, 455-457, 465, 466, 475, 478, 479)

Art. 477. Aucune récompense n'est due en raison des impenses nécessaires ou utiles à l'entretien ou à la conservation des biens.

Art. 477. No compensation is due by reason of expenses necessary or useful for the maintenance or preservation of the property.

1991, c. 64, a. 477 (1994-01-01).

C.C.Q. (1980) 510

Art. 478. Les dettes contractées au profit des propres et non acquittées donnent lieu à récompense comme si elles avaient déjà été payées avec les acquêts.

Art. 478. Unpaid debts incurred for the benefit of the private property give rise to compensation as if they had already been paid with the acquests.

1991, c. 64, a. 478 (1994-01-01).

C.C.Q. (1980) 511 (C.C.Q. 475, 484)

Art. 479. Le paiement, avec les acquêts, d'une amende imposée en vertu de la loi donne lieu à récompense.

Art. 479. Payment with the acquests of any fine imposed by law gives rise to compensation.

1991, c. 64, a. 479 (1994-01-01).

C.C.Q. (1980) 512 (C.C.Q. 475)

Art. 480. Si le compte accuse un solde en faveur de la masse des acquêts, l'époux titulaire du patrimoine en fait rapport à cette masse partageable, soit en moins prenant, soit en valeur, soit avec des propres.

S'il accuse un solde en faveur de la masse des propres, l'époux prélève parmi ses acquêts des biens jusqu'à concurrence de la somme due.

Art. 480. If the statement shows a balance in favour of the mass of acquests, the spouse who holds the patrimony makes a return to that mass for partition, either by taking less, or in value, or with his or her private property.

If the statement shows a balance in favour of the mass of private property, the spouse removes assets from his or her acquests up to the amount owed.

1991, c. 64, a. 480 (1994-01-01).

C.C.Q. (1980) 513 (C.C.Q. 475, 481)

Art. 481. Le règlement des récompenses effectué, on établit la valeur nette de la masse des acquêts et cette valeur est partagée, par moitié, entre les époux. L'époux titulaire du patrimoine peut payer à son conjoint la part qui lui revient en numéraire ou par dation en paiement.

Art. 481. Once the settlement of compensation has been effected, the net value of the mass of acquests is established and evenly divided between the spouses. The spouse who holds the patrimony may pay the portion due to the other spouse by paying him or her in money or by giving in payment.

1991, c. 64, a. 481 (1994-01-01).

C.C.Q. (1980) 514 (C.C.Q. 475, 480, 1799 ss.)

Art. 482. Si la dissolution du régime résulte du décès ou de l'absence de l'époux titulaire du patrimoine, son conjoint peut exiger qu'on lui donne en paiement, moyennant, s'il y a lieu, une soulte payable au comptant ou par versements, la résidence familiale et les meubles qui servent à l'usage du ménage ou tout autre bien à caractère familial pour autant qu'ils fussent des acquêts ou des biens faisant partie du patrimoine familial.

À défaut d'accord sur le paiement de la soulte, le tribunal en fixe les modalités de garantie et de paiement.

1991, c. 64, a. 482 (1994-01-01).

Art. 482. If the dissolution of the regime results from the death or absence of the spouse who holds the patrimony, the other spouse may require to be given in payment, on condition of payment of any balance, in cash or by instalments, the family residence and the movable property serving for the use of the household or any other family property to the extent that they were acquests or property forming part of the family patrimony.

If there is no agreement on the payment of the balance, the court fixes the terms and conditions of guarantee and payment.

C.C.Q. (1980) 515 (**C.C.Q.** 89, 410, 411, 415, 420, 449 ss., 473, 840, 841, 856, 2928; **C.P.C.** 813)

Art. 483. Si les parties ne s'entendent pas sur l'estimation des biens, celle-ci est faite par des experts que désignent les parties ou, à défaut, le tribunal.

1991, c. 64, a. 483 (1994-01-01).

Art. 483. If the parties do not agree on the valuation of the property, it is valued by experts designated by the parties or, failing them, the court.

C.C.Q. (1980) 516 (**C.C.Q.** 476, 481; **C.P.C.** 414, 425, 813, 822.1)

Art. 484. La dissolution du régime ne peut préjudicier, avant le partage, aux droits des créanciers antérieurs sur l'intégralité du patrimoine de leur débiteur.

Après le partage, les créanciers antérieurs peuvent uniquement poursuivre le paiement de leur créance contre l'époux débiteur, à moins qu'il n'ait pas été tenu compte de cette créance lors du partage. En ce cas, ils peuvent, après avoir discuté les biens de leur débiteur, poursuivre le conjoint. Chaque époux conserve alors un recours contre son conjoint pour les sommes auxquelles il aurait eu droit si la créance avait été payée avant le partage.

Le conjoint de l'époux débiteur ne peut, en aucun cas, être appelé à payer une somme supérieure à la part des acquêts qu'il a reçue de son conjoint.

1991, c. 64, a. 484 (1994-01-01).

Art. 484. Dissolution of the regime does not prejudice the rights, before the partition, of former creditors against the whole of their debtor's patrimony.

After the partition, former creditors may only pursue payment of their claims against the debtor spouse. However, if the claims were not taken into account when the partition was made, they may, after discussion of the property of their debtor, pursue the other spouse. Each spouse then preserves a remedy against the other for the amounts he or she would have been entitled to if the claims had been paid before the partition.

In no case may the spouse of the debtor spouse be called upon to pay a greater amount than the portion of the acquests he or she received from the latter.

C.C.Q. (1980) 517 (**C.C.Q.** 397, 438 al. 3, 464, 470, 490)

SECTION III
DE LA SÉPARATION DE BIENS

§ 1. — *De la séparation conventionnelle de biens*

Art. 485. Le régime de séparation conventionnelle de biens s'établit par la simple déclaration faite à cet effet dans le contrat de mariage.

1991, c. 64, a. 485 (1994-01-01).

SECTION III
SEPARATION AS TO PROPERTY

§ 1. — *Conventional separation as to property*

Art. 485. The regime of conventional separation as to property is established by a simple declaration to this effect in the marriage contract.

C.C.Q. (1980) 518 (**C.C.Q.** 431 ss.)

Art. 486. En régime de séparation de biens, chaque époux a l'administration, la jouissance et la libre disposition de tous ses biens.

1991, c. 64, a. 486 (1994-01-01).

C.C.Q. (1980) 519 (**C.C.Q.** 397, 401 ss., 443-447)

Art. 487. Le bien sur lequel aucun des époux ne peut justifier de son droit exclusif de propriété est présumé appartenir aux deux indivisément, à chacun pour moitié.

1991, c. 64, a. 487 (1994-01-01).

C.C.Q. (1980) 520 (**C.C.Q.** 460)

§ 2. — De la séparation judiciaire de biens

Art. 488. La séparation de biens peut être poursuivie par l'un ou l'autre des époux lorsque l'application des règles du régime matrimonial se révèle contraire à ses intérêts ou à ceux de la famille.

1991, c. 64, a. 488 (1994-01-01).

C.C.Q. (1980) 521 (**C.C.Q.** 400, 465, 490; **C.P.C.** 70, 734.0.1, 813, 813.4, 817.2, 821)

Art. 489. La séparation de biens prononcée en justice emporte dissolution du régime matrimonial et place les époux dans la situation de ceux qui sont conventionnellement séparés de biens.

Entre les époux, les effets de la séparation remontent au jour de la demande, à moins que le tribunal ne les fasse remonter à la date où les époux ont cessé de faire vie commune.

1991, c. 64, a. 489 (1994-01-01).

C.C.Q. (1980) 522 (**C.C.Q.** 465, 466, 486, 490, 491, 508, 518)

Art. 490. Les créanciers des époux ne peuvent demander la séparation de biens, mais ils peuvent intervenir dans l'instance.

Ils peuvent aussi se pourvoir contre la séparation de biens prononcée ou exécutée en fraude de leurs droits.

1991, c. 64, a. 490 (1994-01-01).

C.C.Q. (1980) 523 (**D.T.** 34; **C.C.Q.** 438, 484, 488, 1631 ss.)

Art. 491. La dissolution du régime matrimonial opérée par la séparation de biens ne donne pas ouverture aux droits de survie, sauf stipulation contraire dans le contrat de mariage.

1991, c. 64, a. 491 (1994-01-01).

C.C.Q. (1980) 524 (**C.C.Q.** 431, 509)

Art. 486. Under the regime of separation as to property, the spouses, individually, have the administration, enjoyment and free disposal of all their property.

Art. 487. Property over which the spouses are unable to establish their exclusive right of ownership is presumed to be held by both in undivided co-ownership, one-half by each.

§ 2. — Judicial separation as to property

Art. 488. Either spouse may obtain separation as to property when the application of the rules of the matrimonial regime appears to be contrary to the interests of that spouse or of the family.

Art. 489. Separation as to property judicially obtained entails dissolution of the matrimonial regime and puts the spouses in the situation of those who are conventionally separate as to property.

Between spouses, the effects of the separation are retroactive to the day of the application unless the court makes them retroactive to the date on which the spouses ceased to live together.

Art. 490. Creditors of the spouses may not apply for separation as to property, but may intervene in the action.

They may also institute proceedings against separation as to property pronounced or executed in fraud of their rights.

Art. 491. Dissolution of the matrimonial regime effected by separation as to property does not give rise to the rights of survivorship, unless otherwise stipulated in the marriage contract.

SECTION IV
DES RÉGIMES COMMUNAUTAIRES

Art. 492. Lorsque les époux optent pour un régime matrimonial communautaire et qu'il est nécessaire de suppléer aux dispositions de la convention, on doit se référer aux règles de la société d'acquêts, compte tenu des adaptations nécessaires.

Les époux mariés sous l'ancien régime de communauté légale peuvent invoquer les règles de dissolution et de liquidation du régime de la société d'acquêts lorsqu'elles ne sont pas incompatibles avec les règles de leur régime matrimonial.

1991, c. 64, a. 492 (1994-01-01).

C.C.Q. (1980) 524.1 (**D.T.** 34; **C.C.Q.** 448 ss., 465 ss., 2938)

CHAPITRE SIXIÈME
DE LA SÉPARATION DE CORPS

SECTION I
DES CAUSES DE LA SÉPARATION DE CORPS

Art. 493. La séparation de corps est prononcée lorsque la volonté de vie commune est gravement atteinte.

1991, c. 64, a. 493 (1994-01-01).

C.C.Q. (1980) 525 (**C.C.Q.** 392, 494, 507, 3090)

Art. 494. Il en est ainsi notamment:

1° Lorsque les époux ou l'un d'eux rapportent la preuve d'un ensemble de faits rendant difficilement tolérable le maintien de la vie commune;

2° Lorsqu'au moment de la demande, les époux vivent séparés l'un de l'autre;

3° Lorsque l'un des époux a manqué gravement à une obligation du mariage, sans toutefois que cet époux puisse invoquer son propre manquement.

1991, c. 64, a. 494 (1994-01-01).

C.C.Q. (1980) 526, 540-542; **Loi sur le divorce, L.R.C.** (1985), ch. 3 (2ᵉ suppl.), a. 8(2)a) (**C.C.Q.** 392 ss., 493, 498)

Art. 495. Les époux qui soumettent à l'approbation du tribunal un projet d'accord qui règle les conséquences de leur séparation de corps peuvent la demander sans avoir à en faire connaître la cause.

SECTION IV
COMMUNITY REGIMES

Art. 492. Where the spouses elect for a community matrimonial regime and it is necessary to supplement the provisions of the agreement, reference shall be made to the rules respecting partnership of acquests, adapted as required.

Spouses married under the former regime of legal community may invoke the rules of dissolution and liquidation of the regime of partnership of acquests where these are not inconsistent with their matrimonial regime.

CHAPTER VI
SEPARATION FROM BED AND BOARD

SECTION I
GROUNDS FOR SEPARATION FROM BED AND BOARD

Art. 493. Separation from bed and board is granted when the will to live together is gravely undermined.

Art. 494. The will to live together is gravely undermined particularly

(1) where proof of an accumulation of facts that make further living together hardly tolerable is adduced by the spouses or either of them;

(2) where, at the time of the application, the spouses are living apart;

(3) where either spouse has seriously failed to perform an obligation resulting from the marriage; however, the spouse may not invoke his or her own failure.

Art. 495. If the spouses submit to the approval of the court a draft agreement settling the consequences of their separation from bed and board, they may apply for separation without disclosing the ground.

Le tribunal prononce alors la séparation, s'il considère que le consentement des époux est réel et que l'accord préserve suffisamment les intérêts de chacun d'eux et des enfants.

1991, c. 64, a. 495 (1994-01-01).

The court then grants the separation if it is satisfied that the spouses truly consent and that the agreement sufficiently preserves the interests of each of them and of the children.

C.C.Q. (1980) 527 (C.C.Q. 33, 34, 504, 512-514, 3146; C.P.C. 44.1, 45, 813, 822-822.5)

SECTION II
DE L'INSTANCE EN SÉPARATION DE CORPS

SECTION II
PROCEEDINGS FOR SEPARATION FROM BED AND BOARD

§ 1. — Disposition générale

§ 1. — General provision

Art. 496. À tout moment de l'instance en séparation de corps, il entre dans la mission du tribunal de conseiller les époux, de favoriser leur conciliation et de veiller aux intérêts des enfants et au respect de leurs droits.

1991, c. 64, a. 496 (1994-01-01).

Art. 496. It comes within the role of the court to counsel and to foster the conciliation of the spouses, and to see to the interests of the children and the respect of their rights, at all stages of the proceedings for separation from bed and board.

C.C.Q. (1980) 528 (C.C.Q. 33, 34, 499 ss., 504, 513, 514, 521; C.P.C. 394.1 ss., 814.3-814.14, 815.1-815.5, 827.3, 827.3.1, 827.4)

§ 2. — De la demande et de la preuve

§ 2. — Application and proof

Art. 497. La demande en séparation de corps peut être présentée par les époux ou l'un d'eux.

1991, c. 64, a. 497 (1994-01-01).

Art. 497. An application for separation from bed and board may be presented by both spouses or either of them.

C.C.Q. (1980) 536.1, 544 (D.T. 9; C.C.Q. 495; C.P.C. 70, 195, 394, 457, 734.0.1, 813, 822 ss.)

Art. 498. La preuve que le maintien de la vie commune est difficilement tolérable peut résulter du témoignage d'une partie, mais le tribunal peut exiger une preuve additionnelle.

1991, c. 64, a. 498 (1994-01-01).

Art. 498. Proof that further living together is hardly tolerable for the spouses may result from the admission of one party but the court may require additional evidence.

C.C.Q. (1980) 528 al. 2, 536.1, 545 (D.T. 9; C.C.Q. 493, 494; C.P.C. 815.1)

§ 3. — Des mesures provisoires

§ 3. — Provisional measures

Art. 499. La demande en séparation de corps délie les époux de l'obligation de faire vie commune.

1991, c. 64, a. 499 (1994-01-01).

Art. 499. An application for separation from bed and board releases the spouses from the obligation to live together.

C.C.Q. (1980) 536.1, 546 (C.C.Q. 392, 506, 507)

Art. 500. Le tribunal peut ordonner à l'un des époux de quitter la résidence familiale pendant l'instance.

Art. 500. The court may order either spouse to leave the family residence during the proceedings.

Il peut aussi autoriser l'un d'eux à conserver provisoirement des biens meubles qui jusque-là servaient à l'usage commun.

1991, c. 64, a. 500 (1994-01-01).

It may also authorize either spouse to retain temporarily certain movable property which until that time had served for common use.

C.C.Q. (1980) 536.1, 547 (D.T. 9; C.C.Q. 410 ss., 517; C.P.C. 813)

Art. 501. Le tribunal peut statuer sur la garde et l'éducation des enfants.

Il fixe la contribution de chacun des époux à leur entretien pendant l'instance.

1991, c. 64, a. 501 (1994-01-01).

Art. 501. The court may decide as to the custody and education of the children.

It fixes the contribution payable by each spouse to the maintenance of the children during the proceedings.

C.C.Q. (1980) 536.1, 548 (D.T. 9; C.C.Q. 33, 34, 388, 394, 513, 514, 599, 600, 605, 612; C.P.C. 44.1, 45, 394.1 ss., 813, 814.1, 814.3-814.14, 815.2.1, 815.2.2, 827.3-827.4)

Art. 502. Le tribunal peut ordonner à l'un des époux de verser à l'autre une pension alimentaire et une provision pour les frais de l'instance.

1991, c. 64, a. 502 (1994-01-01).

Art. 502. The court may order either spouse to pay support to the other, and a provisional sum to cover the costs of the proceedings.

C.C.Q. (1980) 536.1, 549 (D.T. 9; C.C.Q. 585, 588; C.P.C. 44.1, 45, 478.1, 813, 814.1, 814.3-814.14, 815.2.1, 815.2.2, 827.3-827.4)

Art. 503. Les mesures provisoires sont sujettes à révision lorsqu'un fait nouveau le justifie.

1991, c. 64, a. 503 (1994-01-01).

Art. 503. Provisional measures may be reviewed whenever warranted by any new fact.

C.C.Q. (1980) 536.1, 550 (C.C.Q. 594, 612; C.P.C. 70.1, 813, 817.3)

§ 4. — *Des ajournements et de la réconciliation*

Art. 504. Le tribunal peut ajourner l'instruction de la demande en séparation de corps, s'il croit que l'ajournement peut favoriser la réconciliation des époux ou éviter un préjudice sérieux à l'un des conjoints ou à l'un de leurs enfants.

Il peut aussi le faire s'il estime que les époux peuvent régler à l'amiable les conséquences de leur séparation de corps et conclure, à ce sujet, des accords que le tribunal pourra prendre en considération.

1991, c. 64, a. 504 (1994-01-01).

§ 4. — *Adjournments and reconciliation*

Art. 504. The court may adjourn the hearing of the application for separation from bed and board if it considers that adjournment can foster the reconciliation of the spouses or avoid serious prejudice to either spouse or to any of their children.

The court may also adjourn the hearing if it considers that the spouses are able to settle the consequences of their separation from bed and board and to make agreements in that respect which the court will be able to take into account.

C.C.Q. (1980) 536.1, 551, 552 (C.C.Q. 33, 34, 495, 496; C.P.C. 814.3-814.14, 815.2-815.2.2, 815.3, 827.3-827.4; Loi sur le divorce, L.R.C. (1985), ch. 3 (2ᵉ suppl.), a. 9)

Art. 505. La réconciliation des époux survenue depuis la demande met fin à l'instance.

Art. 505. Reconciliation between the spouses occurring after the application is presented terminates the proceedings.

Chacun des époux peut néanmoins présenter une nouvelle demande pour cause survenue depuis la réconciliation et alors faire usage des anciennes causes pour appuyer sa demande.

1991, c. 64, a. 505 (1994-01-01).

C.C.Q. (1980) 536.1, 553 (C.C.Q. 496, 504, 506)

Art. 506. La seule reprise de la cohabitation pendant moins de quatre-vingt-dix jours ne fait pas présumer la réconciliation.

1991, c. 64, a. 506 (1994-01-01).

C.C.Q. (1980) 536.1, 554 (C.C.Q. 499, 505)

SECTION III
DES EFFETS DE LA SÉPARATION DE CORPS ENTRE LES ÉPOUX

Art. 507. La séparation de corps délie les époux de l'obligation de faire vie commune; elle ne rompt pas le lien du mariage.

1991, c. 64, a. 507 (1994-01-01).

C.C.Q. (1980) 529 (C.C.Q. 392, 499, 506, 515, 3090)

Art. 508. La séparation de corps emporte séparation de biens, s'il y a lieu.

Entre les époux, les effets de la séparation de biens remontent au jour de la demande en séparation de corps, à moins que le tribunal ne les fasse remonter à la date où les époux ont cessé de faire vie commune.

1991, c. 64, a. 508 (1994-01-01).

C.C.Q. (1980) 530 (C.C.Q. 416, 465, 466, 486, 515, 518; C.P.C. 817)

Art. 509. La séparation de corps ne donne pas immédiatement ouverture aux droits de survie, sauf stipulation contraire dans le contrat de mariage.

1991, c. 64, a. 509 (1994-01-01).

C.C.Q. (1980) 531 (D.T. 104-106; C.C.Q. 431, 491, 519, 520, 1839 ss., 2459)

Art. 510. La séparation de corps ne rend pas caduques les donations consenties aux époux en considération du mariage.

Toutefois, le tribunal peut, au moment où il prononce la séparation, les déclarer caduques ou les réduire, ou ordonner que le paiement des donations entre vifs soit différé pour un temps qu'il détermine, en tenant compte des circonstances dans lesquelles se trouvent les parties.

1991, c. 64, a. 510 (1994-01-01).

C.C.Q. (1980) 532 (D.T. 104-106; C.C.Q. 386, 431, 512, 519, 520, 1839 ss., 2459; C.P.C. 817)

Either spouse may nevertheless present a new application on any ground arising after the reconciliation and, in that case, may invoke the previous grounds in support of the application.

Art. 506. Resumption of cohabitation for less than ninety days does not by itself create a presumption of reconciliation.

SECTION III
EFFECTS BETWEEN SPOUSES OF SEPARATION FROM BED AND BOARD

Art. 507. Separation from bed and board releases the spouses from the obligation to live together; it does not break the bond of marriage.

Art. 508. Separation from bed and board carries with it separation as to property, where applicable.

Between spouses, the effects of separation as to property are produced from the day of the application for separation from bed and board, unless the court makes them retroactive to the date on which the spouses ceased to live together.

Art. 509. Separation from bed and board does not immediately give rise to rights of survivorship, unless otherwise stipulated in the marriage contract.

Art. 510. Separation from bed and board does not entail the lapse of gifts made to the spouses in consideration of marriage.

However, the court, when granting a separation, may declare the gifts lapsed or reduce them, or order the payment of gifts inter vivos deferred for such time as it may fix, taking the circumstances of the parties into account.

Art. 511. Au moment où il prononce la séparation de corps ou postérieurement, le tribunal peut ordonner à l'un des époux de verser des aliments à l'autre.

1991, c. 64, a. 511 (1994-01-01).

Art. 511. The court, when granting a separation from bed and board or subsequently, may order either spouse to pay support to the other.

C.C.Q. (1980) 534 (**C.C.Q.** 389, 392, 512, 585; **C.P.C.** 44.1, 45, 547 al. 1*g*), 814.1, 814.3-814.14, 815.2.1, 815.2.2, 817, 827.3-827.5)

Art. 512. Dans les décisions relatives aux effets de la séparation de corps à l'égard des époux, le tribunal tient compte des circonstances dans lesquelles ils se trouvent; il prend en considération, entre autres, leurs besoins et leurs facultés, les accords qu'ils ont conclus entre eux, leur âge et leur état de santé, leurs obligations familiales, leurs possibilités d'emploi, leur situation patrimoniale existante et prévisible, en évaluant tant leur capital que leurs revenus et, s'il y a lieu, le temps nécessaire au créancier pour acquérir une autonomie suffisante.

1991, c. 64, a. 512 (1994-01-01).

Art. 512. In any decision relating to the effects of separation from bed and board in respect of the spouses, the court takes their circumstances into account; it considers, among other things, their needs and means, the agreements made between them, their age and state of health, their family obligations, their chances of finding employment, their existing and foreseeable patrimonial situation, evaluating both their capital and their income, and, as the case may be, the time needed by the creditor of support to acquire sufficient autonomy.

C.C.Q. (1980) 566 (**C.C.Q.** 427 ss., 495, 587; **C.P.C.** 817)

SECTION IV
DES EFFETS DE LA SÉPARATION DE CORPS À L'ÉGARD DES ENFANTS

SECTION IV
EFFECTS OF SEPARATION FROM BED AND BOARD ON CHILDREN

Art. 513. La séparation de corps ne prive pas les enfants des avantages qui leur sont assurés par la loi ou par le contrat de mariage.

Elle laisse subsister les droits et les devoirs des père et mère à l'égard de leurs enfants.

1991, c. 64, a. 513 (1994-01-01).

Art. 513. Separation from bed and board does not deprive the children of the advantages secured to them by law or by the marriage contract.

The rights and duties of fathers and mothers towards their children are unaffected by separation from bed and board.

C.C.Q. (1980) 536.1, 568 (**C.C.Q.** 32, 33, 195, 381, 394, 514, 585 ss., 597 ss., 1840)

Art. 514. Au moment où il prononce la séparation de corps ou postérieurement, le tribunal statue sur la garde, l'entretien et l'éducation des enfants, dans l'intérêt de ceux-ci et le respect de leurs droits, en tenant compte, s'il y a lieu, des accords conclus entre les époux.

1991, c. 64, a. 514 (1994-01-01).

Art. 514. The court, in granting separation from bed and board or subsequently, decides as to the custody, maintenance and education of the children, in their interest and in the respect of their rights, taking into account the agreements made between the spouses, where such is the case.

C.C.Q. (1980) 536.1, 569 (**D.T.** 9; **C.C.Q.** 33, 34, 195, 495, 513, 597 ss., 684 ss., 3142; **C.P.C.** 44.1, 45, 394.1 ss., 813, 814.1, 814.3-814.14, 815.2.1, 815.2.2, 817 ss., 827.3-827.4)

SECTION V
DE LA FIN DE LA SÉPARATION DE CORPS

Art. 515. La reprise volontaire de la vie commune met fin à la séparation de corps.

La séparation de biens subsiste, sauf si les époux choisissent, par contrat de mariage, un régime matrimonial différent.

1991, c. 64, a. 515 (1994-01-01).

C.C.Q. (1980) 536 (**C.C.Q.** 431 ss., 438, 507, 508)

SECTION V
END OF SEPARATION FROM BED AND BOARD

Art. 515. Separation from bed and board is terminated upon the spouses' voluntarily resuming living together.

Separation as to property remains unless the spouses elect another matrimonial regime by marriage contract.

CHAPITRE SEPTIÈME
DE LA DISSOLUTION DU MARIAGE

CHAPTER VII
DISSOLUTION OF MARRIAGE

SECTION I
DISPOSITIONS GÉNÉRALES

SECTION I
GENERAL PROVISIONS

Art. 516. Le mariage se dissout par le décès de l'un des conjoints ou par le divorce.

1991, c. 64, a. 516 (1994-01-01).

C.C.Q. (1980) 537 (**C.C.Q.** 95, 97; **C.P.C.** 815.1-815.5)

Art. 516. Marriage is dissolved by the death of either spouse or by divorce.

Art. 517. Le divorce est prononcé conformément à la loi canadienne sur le divorce. Les règles relatives à l'instance en séparation de corps édictées par le présent code et les règles du Code de procédure civile s'appliquent à ces demandes dans la mesure où elles sont compatibles avec la loi canadienne.

1991, c. 64, a. 517 (1994-01-01).

(**D.T.** 9; **C.C.Q.** 465, 496 ss., 518 ss., 3096; **C.P.C.** 44.1, 45, 70, 95, 394, 404, 457, 734.0.1, 814.1, 814.3-814.14, 815.1-815.5, 827.3-827.4; **Loi sur le divorce, L.R.C.** (1985), ch. 3 (2ᵉ suppl.))

Art. 517. Divorce is granted in accordance with the Divorce Act of Canada. The rules governing proceedings for separation from bed and board enacted by this Code and the rules of the Code of Civil Procedure apply to such applications to the extent that they are consistent with the Divorce Act of Canada.

SECTION II
DES EFFETS DU DIVORCE

SECTION II
EFFECTS OF DIVORCE

Art. 518. Le divorce emporte la dissolution du régime matrimonial.

Les effets de la dissolution du régime remontent, entre les époux, au jour de la demande, à moins que le tribunal ne les fasse remonter à la date où les époux ont cessé de faire vie commune.

1991, c. 64, a. 518 (1994-01-01).

C.C.Q. (1980) 556 (**C.C.Q.** 465, 466, 489, 508; **C.P.C.** 815.1-815.5, 817)

Art. 518. Divorce carries with it the dissolution of the matrimonial regime.

The effects of the dissolution of the regime are produced between the spouses from the day the application is presented, unless the court makes them retroactive to the date on which the spouses ceased to live together.

Art. 519. Le divorce rend caduques les donations à cause de mort qu'un époux a consenties à
l'autre en considération du mariage.
1991, c. 64, a. 519 (1994-01-01).

Art. 519. Divorce entails the lapse of gifts mortis
causa made by one spouse to the other in consideration of marriage.

C.C.Q. (1980) 557 (**D.T.** 104-106; **C.C.Q.** 386, 510, 520, 764, 1839, 1841, 2459; **C.P.C.** 817)

Art. 520. Le divorce ne rend pas caduques les
autres donations à cause de mort ni les donations
entre vifs consenties aux époux en considération du
mariage.

Art. 520. Divorce does not entail the lapse of
other gifts mortis causa or gifts inter vivos made to
the spouses in consideration of marriage.

Toutefois, le tribunal peut, au moment où il prononce le divorce, les déclarer caduques ou les réduire, ou ordonner que le paiement des donations
entre vifs soit différé pour un temps qu'il détermine.
1991, c. 64, a. 520 (1994-01-01).

The court may, however, when granting a divorce,
declare such gifts lapsed or reduce them, or order
the payment of gifts inter vivos deferred for such
time as it may fix.

C.C.Q. (1980) 558 (**D.T.** 104-106; **C.C.Q.** 385, 386, 510, 513, 519, 521, 764, 1807, 1840, 2459;
C.P.C. 817)

Art. 521. À l'égard des enfants, le divorce produit
les mêmes effets que la séparation de corps.
1991, c. 64, a. 521 (1994-01-01).

Art. 521. Divorce has the same effects in respect
of children as separation from bed and board.

C.C.Q. (1980) 535, 536.1 (**C.C.Q.** 501, 513, 514, 3142; **C.P.C.** 814.3-814.14, 815.2.1, 815.2.2, 817,
827.3-827.4)

TITRE PREMIER.1
DE L'UNION CIVILE

TITLE ONE.1
CIVIL UNION

CHAPITRE PREMIER
DE LA FORMATION DE L'UNION CIVILE

CHAPTER I
FORMATION OF CIVIL UNION

Art. 521.1 L'union civile est l'engagement de deux personnes âgées de 18 ans ou plus qui expriment leur consentement libre et éclairé à faire vie commune et à respecter les droits et obligations liés à cet état.

Elle ne peut être contractée qu'entre personnes libres de tout lien de mariage ou d'union civile antérieur et que si l'une n'est pas, par rapport à l'autre, un ascendant, un descendant, un frère ou une sœur.

2002, c. 6, a. 27 (2002-06-24).

Art. 521.1 A civil union is a commitment by two persons eighteen years of age or over who express their free and enlightened consent to live together and to uphold the rights and obligations that derive from that status.

A civil union may only be contracted between persons who are free from any previous bond of marriage or civil union and who in relation to each other are neither an ascendant or a descendant, nor a brother or a sister.

Art. 521.2 L'union civile doit être contractée publiquement devant un célébrant compétent à célébrer les mariages et en présence de deux témoins.

Aucun ministre du culte ne peut être contraint à célébrer une union civile contre laquelle il existe quelque empêchement selon sa religion et la discipline de la société religieuse à laquelle il appartient.

2002, c. 6, a. 27 (2002-06-24).

Art. 521.2 A civil union must be contracted openly before an officiant competent to solemnize marriages and in the presence of two witnesses.

No minister of religion may be compelled to solemnize a civil union to which there is an impediment according to the minister's religion and the discipline of the religious society to which he or she belongs.

Art. 521.3 Avant de procéder à l'union civile, le célébrant s'assure de l'identité des futurs conjoints, ainsi que du respect des conditions de formation de l'union et de l'accomplissement des formalités prescrites par la loi.

La célébration d'une union civile est soumise, avec les adaptations nécessaires, aux mêmes règles que celles de la célébration d'un mariage, y compris celles relatives à la publication préalable.

2002, c. 6, a. 27 (2002-06-24).

Art. 521.3 Before proceeding with a civil union, the officiant ascertains the identity of the intended spouses as well as compliance with the conditions for the formation of a civil union and observance of the formalities prescribed by law.

The solemnization of a civil union is subject to the same rules, with the necessary modifications, as are applicable to the solemnization of marriage, including the rules relating to prior publication.

Art. 521.4 Toute personne intéressée peut faire opposition à une union civile entre personnes inhabiles à la contracter.

Le mineur peut s'opposer seul à une union civile.

2002, c. 6, a. 27 (2002-06-24).

Art. 521.4 Any interested person may oppose a civil union between persons incapable of contracting a civil union.

A minor may act alone to oppose a civil union.

(C.P.C. 819)

Art. 521.5 L'union civile se prouve par l'acte d'union civile, sauf les cas où la loi autorise un autre mode de preuve.

Art. 521.5 A civil union is proved by an act of civil union, except where another mode of proof is authorized by law.

La possession d'état de conjoints unis civilement supplée aux défauts de forme de l'acte d'union civile.

2002, c. 6, a. 27 (2002-06-24).

Possession of the status of civil union spouse compensates for a defect of form in the act of civil union.

CHAPITRE DEUXIÈME
DES EFFETS CIVILS DE L'UNION CIVILE

Art. 521.6 Les conjoints ont, en union civile, les mêmes droits et les mêmes obligations.

Ils se doivent mutuellement respect, fidélité, secours et assistance.

Ils sont tenus de faire vie commune.

L'union civile, en ce qui concerne la direction de la famille, l'exercice de l'autorité parentale, la contribution aux charges, la résidence familiale, le patrimoine familial et la prestation compensatoire, a, compte tenu des adaptations nécessaires, les mêmes effets que le mariage.

Les conjoints ne peuvent déroger aux dispositions du présent article quel que soit leur régime d'union civile.

2002, c. 6, a. 27 (2002-06-24).

Art. 521.7 L'union civile crée une alliance entre chaque conjoint et les parents de son conjoint.

2002, c. 6, a. 27 (2002-06-24).

Art. 521.8 Il est permis, par voie contractuelle, d'établir un régime d'union civile et de faire toutes sortes de stipulations, sous réserve des dispositions impératives de la loi et de l'ordre public.

Les conjoints qui, avant la célébration de leur union, n'ont pas ainsi fixé leur régime sont soumis au régime de la société d'acquêts.

Le régime d'union civile, qu'il soit légal ou conventionnel, et le contrat d'union civile sont, compte tenu des adaptations nécessaires, soumis aux règles applicables respectivement aux régimes matrimoniaux et au contrat de mariage.

2002, c. 6, a. 27 (2002-06-24).

Art. 521.9 Si les conjoints ne parviennent pas à s'accorder sur l'exercice de leurs droits et l'accomplissement de leurs devoirs, ils peuvent, ensemble ou individuellement, saisir le tribunal qui statuera dans l'intérêt de la famille, après avoir favorisé la conciliation des parties.

2002, c. 6, a. 27 (2002-06-24).

CHAPTER II
CIVIL EFFECTS OF CIVIL UNION

Art. 521.6 The spouses in a civil union have the same rights and obligations.

They owe each other respect, fidelity, succour and assistance.

They are bound to live together.

The effects of the civil union as regards the direction of the family, the exercise of parental authority, contribution towards expenses, the family residence, the family patrimony and the compensatory allowance are the same as the effects of marriage, with the necessary modifications.

Whatever their civil union regime, the spouses may not derogate from the provisions of this article.

Art. 521.7 A civil union creates a family connection between each spouse and the relatives of his or her spouse.

Art. 521.8 A civil union regime may be created by and any kind of stipulation may be made in a civil union contract, subject to the imperative provisions of law and public order.

Spouses who, before the solemnization of their civil union, have not so fixed their civil union regime are subject to the regime of partnership of acquests.

Civil union regimes, whether legal or conventional, and civil union contracts are subject to the same rules as are applicable to matrimonial regimes and marriage contracts, with the necessary modifications.

Art. 521.9 If spouses cannot agree as to the exercise of their rights and the performance of their duties, they or either of them may apply to the court, which will decide in the best interests of the family after fostering conciliation of the parties.

CHAPITRE TROISIÈME
DE LA NULLITÉ DE L'UNION CIVILE

Art. 521.10 L'union civile qui n'est pas contractée suivant les prescriptions du présent titre peut être frappée de nullité à la demande de toute personne intéressée, sauf au tribunal à juger suivant les circonstances.

L'action est irrecevable s'il s'est écoulé trois ans depuis la célébration, sauf si l'ordre public est en cause.

2002, c. 6, a. 27 (2002-06-24).

(**C.P.C.** 457)

Art. 521.11 La nullité de l'union civile emporte les mêmes effets que la nullité du mariage.

2002, c. 6, a. 27 (2002-06-24).

CHAPITRE QUATRIÈME
DE LA DISSOLUTION DE L'UNION CIVILE

Art. 521.12 L'union civile se dissout par le décès de l'un des conjoints. Elle se dissout également par un jugement du tribunal ou par une déclaration commune notariée lorsque la volonté de vie commune des conjoints est irrémédiablement atteinte.

2002, c. 6, a. 27 (2002-06-24).

(**C.P.C.** 457, 822)

Art. 521.13 Les conjoints peuvent consentir, dans une déclaration commune, à la dissolution de leur union s'ils en règlent toutes les conséquences dans un accord.

La déclaration et l'accord doivent être reçus devant notaire et constatés dans des actes notariés en minute.

Le notaire ne peut recevoir la déclaration avant que l'accord ne soit constaté dans un contrat de transaction notarié. Au préalable, il doit informer les conjoints des conséquences de la dissolution et s'assurer que le consentement de ceux-ci est réel et que l'accord n'est pas contraire à des dispositions impératives ou à l'ordre public. Il peut, s'il l'estime approprié, les informer sur les services qu'il connaît et qui sont susceptibles de les aider à la conciliation.

2002, c. 6, a. 27 (2002-06-24).

CHAPTER III
NULLITY OF CIVIL UNION

Art. 521.10 A civil union which is not contracted in accordance with the prescriptions of this Title may be declared null upon the application of any interested person, although the court may decide according to the circumstances.

No action lies after the lapse of three years from the solemnization, except where public order is concerned.

Art. 521.11 The nullity of a civil union entails the same effects as the nullity of a marriage.

CHAPTER IV
DISSOLUTION OF CIVIL UNION

Art. 521.12 A civil union is dissolved by the death of either spouse. It is also dissolved by a court judgment or by a notarized joint declaration where the spouses' will to live together is irretrievably undermined.

Art. 521.13 The spouses may consent, by way of a joint declaration, to the dissolution of the civil union provided they settle all the consequences of the dissolution in an agreement.

The declaration and the agreement must be executed before a notary and recorded in notarial acts *en minute*.

The notary may not execute the declaration before the agreement is recorded in a notarized transaction contract. The notary must inform the spouses beforehand of the consequences of the dissolution and make sure that they truly consent to the dissolution and that the agreement is not contrary to imperative provisions of law or public order. If appropriate, the notary may provide information to the spouses on any available conciliation services.

Art. 521.14 Le contrat de transaction précise la date à laquelle la valeur nette du patrimoine familial est établie. Cette date ne peut être antérieure à la démarche commune de dissolution ou à la date de cessation de la vie commune ni postérieure à la date à laquelle le contrat est reçu devant notaire.

2002, c. 6, a. 27 (2002-06-24).

Art. 521.15 La déclaration commune de dissolution précise le nom et le domicile des conjoints, le lieu et la date de leur naissance et de leur union; elle indique les dates et lieux où le contrat de transaction et la déclaration sont reçus ainsi que le numéro de la minute de chacun de ces actes.

2002, c. 6, a. 27 (2002-06-24).

Art. 521.16 La déclaration commune de dissolution et le contrat de transaction ont, à compter de la date où ils sont reçus devant notaire et sans autre formalité, les effets d'un jugement de dissolution de l'union civile.

Outre sa notification au directeur de l'état civil, la déclaration notariée doit être transmise au dépositaire de la minute du contrat d'union civile original et, le cas échéant, au dépositaire de la minute de tout contrat qui en modifie le régime. Le dépositaire est tenu de faire mention, sur la minute et sur toute copie qu'il en délivre, de la déclaration commune de dissolution qui lui a été transmise, en indiquant la date de la déclaration, le numéro de la minute ainsi que le nom et l'adresse du notaire qui l'a reçue. La déclaration et la transaction notariées doivent, en outre, être transmises à la Régie des rentes du Québec.

Sur réquisition du notaire instrumentant, un avis de la déclaration notariée doit être inscrit au registre des droits personnels et réels mobiliers.

2002, c. 6, a. 27 (2002-06-24).

Art. 521.17 À défaut d'une déclaration commune de dissolution reçue devant notaire ou lorsque les intérêts des enfants communs des conjoints sont en cause, la dissolution doit être prononcée par le tribunal.

Il incombe au tribunal de s'assurer que la volonté de vie commune est irrémédiablement atteinte, de favoriser la conciliation et de veiller aux intérêts des enfants et au respect de leurs droits. Il peut, pendant l'instance, décider de mesures provisoires, comme s'il s'agissait d'une séparation de corps.

Art. 521.14 The transaction contract specifies the date on which the net value of the family patrimony is established. The date may not be earlier than the date of the joint procedure for the dissolution of the civil union or the date on which the spouses ceased living together, or later than the date of the execution of the contract before a notary.

Art. 521.15 The joint declaration dissolving a civil union states the names and domicile of the spouses, their places and dates of birth and the place and date of solemnization of the union; it also indicates the places and dates of execution of the transaction contract and of the declaration as well as the minute number given to each of those acts.

Art. 521.16 From the date of their execution before a notary and without further formality, the joint declaration dissolving the civil union and the transaction contract have the effects of a judgment dissolving a civil union.

In addition to being notified to the registrar of civil status, the notarized declaration must be sent to the depositary of the original civil union contract and to the depositary of any contract modifying the civil union regime established by the original contract. The depositary is bound to make a reference to the joint declaration of dissolution on the original of the contract and on any copy issued, specifying the date of the declaration, the minute number and the name and address of the notary who executed the declaration. The notarized declaration and transaction must also be sent to the Régie des rentes du Québec.

A notice of the notarized declaration must be entered in the register of personal and movable real rights on the application of the executing notary.

Art. 521.17 In the absence of a joint declaration dissolving the civil union executed before a notary or where the interests of the common children of the spouses are at stake, the dissolution of the union must be pronounced by the court.

The court must ascertain that the spouses' will to live together is irretrievably undermined, foster conciliation and see to the interests of the children and the protection of their rights. During the proceeding, the court may determine provisional measures, as in the case of separation from bed and board.

Au moment où il prononce la dissolution ou postérieurement, le tribunal peut ordonner à l'un des conjoints de verser des aliments à l'autre, statuer sur la garde, l'entretien et l'éducation des enfants, dans l'intérêt de ceux-ci et le respect de leurs droits, en tenant compte, s'il y a lieu, des accords conclus entre les conjoints.

2002, c. 6, a. 27 (2002-06-24).

Upon or after pronouncing the dissolution, the court may order one of the spouses to pay support to the other, decide as to the custody, maintenance and education of the children, in their best interests and with due regard for their rights, and in keeping with any agreements made between the spouses.

(**C.P.C.** 822)

Art. 521.18 La dissolution de l'union civile ne prive pas les enfants des avantages qui leur sont assurés par la loi ou le contrat d'union civile.

Elle laisse subsister les droits et les devoirs des parents à l'égard de leurs enfants.

2002, c. 6, a. 27 (2002-06-24).

Art. 521.18 The dissolution of a civil union does not deprive the children of the advantages secured to them by law or by the civil union contract.

The rights and obligations of parents towards their children are unaffected by the dissolution of the union.

Art. 521.19 La dissolution de l'union civile emporte la dissolution du régime d'union civile. Les effets de cette dissolution du régime, entre les conjoints, remontent au jour du décès, au jour où la déclaration commune de dissolution est reçue devant notaire ou, si les conjoints en ont convenu dans la transaction notariée, à la date à laquelle la valeur nette du patrimoine familial est établie. Dans le cas où la dissolution est prononcée par le tribunal, ils remontent au jour de la demande en justice, à moins que le tribunal ne les fasse remonter au jour où les conjoints ont cessé de faire vie commune.

La dissolution autrement que par décès rend caduques les donations à cause de mort qu'un conjoint a consenties à l'autre en considération de l'union civile. Elle ne rend pas caduques les autres donations à cause de mort ni les donations entre vifs consenties aux conjoints en considération de l'union, sous réserve que le tribunal peut, au moment où il prononce la dissolution, les déclarer caduques ou les réduire, ou ordonner que le paiement des donations entre vifs soit différé pour un temps qu'il détermine.

2002, c. 6, a. 27 (2002-06-24).

Art. 521.19 The dissolution of a civil union entails the dissolution of the civil union regime. Between the spouses, the effects of the dissolution of the regime are retroactive to the day of the death, the day of execution of the joint declaration of dissolution before a notary or, if the spouses so stipulated in the notarized transaction, the day on which the net value of the family patrimony is established. If the dissolution is pronounced by the court, its effects are retroactive to the day of the application to the court, unless the court makes them retroactive to the day on which the spouses ceased living together.

Dissolution, otherwise than by death, entails the lapse of gifts *mortis causa* made by one spouse to the other in consideration of the civil union. It does not entail the lapse of other gifts *mortis causa* or a gifts *inter vivos* between the spouses in consideration of the union, except that the court may, upon pronouncing the dissolution, declare such gifts lapsed or reduce them, or order the payment of gifts *inter vivos* deferred for such time as it may fix.

TITRE DEUXIÈME
DE LA FILIATION

DISPOSITION GÉNÉRALE

Art. 522. Tous les enfants dont la filiation est établie ont les mêmes droits et les mêmes obligations, quelles que soient les circonstances de leur naissance.

1991, c. 64, a. 522 (1994-01-01).

C.C.Q. (1980) 594 (**C.C.Q.** 32, 578, 585, 597 ss.)

CHAPITRE PREMIER
DE LA FILIATION PAR LE SANG

SECTION I
DES PREUVES DE LA FILIATION

§ 1. — *Du titre et de la possession d'état*

Art. 523. La filiation tant paternelle que maternelle se prouve par l'acte de naissance, quelles que soient les circonstances de la naissance de l'enfant.

À défaut de ce titre, la possession constante d'état suffit.

1991, c. 64, a. 523 (1994-01-01).

C.C.Q. (1980) 572 (**D.T.** 16; **C.C.Q.** 107-117, 130, 522, 524, 530 ss.)

Art. 524. La possession constante d'état s'établit par une réunion suffisante de faits qui indiquent les rapports de filiation entre l'enfant et les personnes dont on le dit issu.

1991, c. 64, a. 524 (1994-01-01).

C.C.Q. (1980) 573 (**C.C.Q.** 523, 530 ss.)

§ 2. — *De la présomption de paternité*

Art. 525. L'enfant né pendant le mariage ou l'union civile de personnes de sexe différent ou dans les trois cents jours après sa dissolution ou son annulation est présumé avoir pour père le conjoint de sa mère.

Cette présomption de paternité est écartée lorsque l'enfant naît plus de trois cents jours après le jugement prononçant la séparation de corps des époux, sauf s'il y a eu reprise volontaire de la vie commune avant la naissance.

TITLE TWO
FILIATION

GENERAL PROVISION

Art. 522. All children whose filiation is established have the same rights and obligations, regardless of their circumstances of birth.

CHAPTER I
FILIATION BY BLOOD

SECTION I
PROOF OF FILIATION

§ 1. — *Title and possession of status*

Art. 523. Paternal filiation and maternal filiation are proved by the act of birth, regardless of the circumstances of the child's birth.

In the absence of an act of birth, uninterrupted possession of status is sufficient.

Art. 524. Uninterrupted possession of status is established by an adequate combination of facts which indicate the relationship of filiation between the child and the persons of whom he is said to be born.

§ 2. — *Presumption of paternity*

Art. 525. If a child is born during a marriage or a civil union between persons of opposite sex, or within three hundred days after its dissolution or annulment, the spouse of the child's mother is presumed to be the father.

The presumption of paternity is rebutted if the child is born more than three hundred days after the judgment ordering separation from bed and board of married spouses, unless the spouses have voluntarily resumed living together before the birth.

La présomption est également écartée à l'égard de l'ex-conjoint lorsque l'enfant est né dans les trois cents jours de la dissolution ou de l'annulation du mariage ou de l'union civile, mais après le mariage ou l'union civile subséquent de sa mère.

1991, c. 64, a. 525 (1994-01-01); 2002, c. 6, a. 28 (2002-06-24).

C.C.Q. (1980) 574-576 (**C.C.Q.** 114, 507, 516, 531-537, 539, 2846, 2847)

The presumption is also rebutted in respect of the former spouse if the child born is within three hundred days of the dissolution or annulment of the marriage or civil union, but after a subsequent marriage or civil union of the child's mother.

§ 3. — De la reconnaissance volontaire

Art. 526. Si la maternité ou la paternité ne peut être déterminée par application des articles qui précèdent, la filiation de l'enfant peut aussi être établie par reconnaissance volontaire.

1991, c. 64, a. 526 (1994-01-01).

C.C.Q. (1980) 577 (**C.C.Q.** 523-525, 527-529)

§ 3. — Voluntary acknowledgement

Art. 526. If maternity or paternity cannot be determined by applying the preceding articles, the filiation of a child may also be established by voluntary acknowledgement.

Art. 527. La reconnaissance de maternité résulte de la déclaration faite par une femme qu'elle est la mère de l'enfant.

La reconnaissance de paternité résulte de la déclaration faite par un homme qu'il est le père de l'enfant.

1991, c. 64, a. 527 (1994-01-01).

C.C.Q. (1980) 578 (**C.C.Q.** 113-115, 528, 529)

Art. 527. Maternity is acknowledged by a declaration made by a woman that she is the mother of the child.

Paternity is acknowledged by a declaration made by a man that he is the father of the child.

Art. 528. La seule reconnaissance de maternité ou de paternité ne lie que son auteur.

1991, c. 64, a. 528 (1994-01-01).

C.C.Q. (1980) 579 (**C.C.Q.** 527, 529)

Art. 528. Mere acknowledgement of maternity or of paternity binds only the person who made it.

Art. 529. On ne peut contredire par la seule reconnaissance de maternité ou de paternité une filiation déjà établie et non infirmée en justice.

1991, c. 64, a. 529 (1994-01-01).

C.C.Q. (1980) 580 (**C.C.Q.** 523-525, 530-532, 539)

Art. 529. An established filiation which has not been successfully contested in court is not impugnable by a mere acknowledgement of maternity or of paternity.

SECTION II
DES ACTIONS RELATIVES À LA FILIATION

Art. 530. Nul ne peut réclamer une filiation contraire à celle que lui donnent son acte de naissance et la possession d'état conforme à ce titre.

Nul ne peut contester l'état de celui qui a une possession d'état conforme à son acte de naissance.

1991, c. 64, a. 530 (1994-01-01).

C.C.Q. (1980) 587 (**C.C.Q.** 115, 523, 524, 531, 532, 539)

SECTION II
ACTIONS RELATING TO FILIATION

Art. 530. No person may claim a filiation contrary to that assigned to him by his act of birth and the possession of status consistent with that act.

No person may contest the status of a person whose possession of status is consistent with his act of birth.

Art. 531. Toute personne intéressée, y compris le père ou la mère, peut contester par tous moyens la filiation de celui qui n'a pas une possession d'état conforme à son acte de naissance.

Toutefois, le père présumé ne peut contester la filiation et désavouer l'enfant que dans un délai d'un an à compter du jour où la présomption de paternité prend effet, à moins qu'il n'ait pas eu connaissance de la naissance, auquel cas le délai commence à courir du jour de cette connaissance. La mère peut contester la paternité du père présumé dans l'année qui suit la naissance de l'enfant.

1991, c. 64, a. 531 (1994-01-01).

Art. 531. Any interested person, including the father or the mother, may, by any means, contest the filiation of a person whose possession of status is not consistent with his act of birth.

However, the presumed father may contest the filiation and disavow the child only within one year of the date on which the presumption of paternity takes effect, unless he is unaware of the birth, in which case the time limit begins to run on the day he becomes aware of it. The mother may contest the paternity of the presumed father within one year from the birth of the child.

C.C.Q. (1980) 581, 582, 588 (**D.T.** 6, 9; **C.C.Q.** 115, 159, 523-525, 530, 532 al. 3, 536, 537, 539, 3091, 3147, 3166; **C.P.C.** 70, 195, 394, 394.1 ss., 457, 813, 815, 817.1)

Art. 532. L'enfant dont la filiation n'est pas établie par un titre et une possession d'état conforme peut réclamer sa filiation en justice. Pareillement, les père et mère peuvent réclamer la paternité ou la maternité d'un enfant dont la filiation n'est pas établie à leur égard par un titre et une possession d'état conforme.

Si l'enfant a déjà une autre filiation établie soit par un titre, soit par la possession d'état, soit par l'effet de la présomption de paternité, l'action en réclamation d'état ne peut être exercée qu'à la condition d'être jointe à une action en contestation de l'état ainsi établi.

Les recours en désaveu ou en contestation d'état sont dirigés contre l'enfant et, selon le cas, contre la mère ou le père présumé.

1991, c. 64, a. 532 (1994-01-01).

Art. 532. A child whose filiation is not established by an act and by possession of status consistent therewith may claim his filiation before the court. Similarly, the father or the mother may claim paternity or maternity of a child whose filiation in their regard is not established by an act and by possession of status consistent therewith.

If the child already has another filiation established by an act of birth, by the possession of status, or by the effect of a presumption of paternity, an action to claim status may not be brought unless it is joined to an action contesting the status thus established.

The action for disavowal or for contestation of status is directed against the child and against the mother or the presumed father, as the case may be.

C.C.Q. (1980) 583 al. 1, 589 al. 1, 591 (**C.C.Q.** 159, 523-525, 530, 531, 536, 539, 3091, 3147, 3166; **C.P.C.** 70, 195, 394, 394.1 ss., 457, 813, 815, 817.1)

Art. 533. La preuve de la filiation pourra se faire par tous moyens. Toutefois, les témoignages ne sont admissibles que s'il y a commencement de preuve, ou lorsque les présomptions ou indices résultant de faits déjà clairement établis sont assez graves pour en déterminer l'admission.

1991, c. 64, a. 533 (1994-01-01).

Art. 533. Proof of filiation may be made by any mode of proof. However, testimony is not admissible unless there is a commencement of proof, or unless the presumptions or indications resulting from already clearly established facts are sufficiently strong to permit its admission.

C.C.Q. (1980) 589 al. 2 (**C.C.Q.** 534, 2811, 2843 ss., 2852, 2865, 2867; **C.P.C.** 815.1)

Art. 534. Le commencement de preuve résulte des titres de famille, des registres et papiers domestiques, ainsi que de tous autres écrits publics ou privés émanés d'une partie engagée dans la contestation ou qui y aurait intérêt si elle était vivante.

1991, c. 64, a. 534 (1994-01-01).

Art. 534. Commencement of proof results from the family documents, domestic records and papers, and all other public or private writings proceeding from a party engaged in the contestation or who would have an interest therein if he were alive.

C.C.Q. (1980) 590 (**C.C.Q.** 533, 2812 ss., 2865)

Art. 535. Tous les moyens de preuve sont admissibles pour s'opposer à une action relative à la filiation.

De même, sont recevables tous les moyens de preuve propres à établir que le mari ou le conjoint uni civilement n'est pas le père de l'enfant.

1991, c. 64, a. 535 (1994-01-01); 2002, c. 6, a. 29 (2002-06-24).

C.C.Q. (1980) 585, 592 (**C.C.Q.** 2811 ss.; **C.P.C.** 815, 815.1)

Art. 535.1 Le tribunal saisi d'une action relative à la filiation peut, à la demande d'un intéressé, ordonner qu'il soit procédé à une analyse permettant, par prélèvement d'une substance corporelle, d'établir l'empreinte génétique d'une personne visée par l'action.

Toutefois, lorsque l'action vise à établir la filiation, le tribunal ne peut rendre une telle ordonnance que s'il y a commencement de preuve de la filiation établi par le demandeur ou si les présomptions ou indices résultant de faits déjà clairement établis par celui-ci sont assez graves pour justifier l'ordonnance.

Le tribunal fixe les conditions du prélèvement et de l'analyse, de manière qu'elles portent le moins possible atteinte à l'intégrité de la personne qui y est soumise ou au respect de son corps. Ces conditions ont trait, notamment, à la nature et aux date et lieu du prélèvement, à l'identité de l'expert chargé d'y procéder et d'en faire l'analyse, à l'utilisation des échantillons prélevés et à la confidentialité des résultats de l'analyse.

Le tribunal peut tirer une présomption négative du refus injustifié de se soumettre à l'analyse visée par l'ordonnance.

2002, c. 19, a. 5 (2002-06-13).

Art. 536. Toutes les fois qu'elles ne sont pas enfermées par la loi dans des délais plus courts, les actions relatives à la filiation se prescrivent par trente ans, à compter du jour où l'enfant a été privé de l'état qui est réclamé ou a commencé à jouir de l'état qui lui est contesté.

Les héritiers de l'enfant décédé sans avoir réclamé son état, mais alors qu'il était encore dans les délais utiles pour le faire, peuvent agir dans les trois ans de son décès.

1991, c. 64, a. 536 (1994-01-01).

C.C.Q. (1980) 593 (**D.T.** 6; **C.C.Q.** 531, 532, 537)

Art. 535. Every mode of proof is admissible to contest an action concerning filiation.

Any mode of proof tending to establish that the husband or civil union spouse is not the father of the child is also admissible.

Art. 535.1 Where the court is seized of an action concerning filiation, it may, on the application of an interested person, order the analysis of a sample of a bodily substance so that the genetic profile of a person involved in the action may be established.

However, where the purpose of the action is to establish filiation, the court may not issue such an order unless a commencement of proof of filiation has been established by the person having brought the action or unless the presumptions or indications resulting from facts already clearly established by that person are sufficiently strong to warrant such an order.

The court determines conditions for the sample-taking and analysis that are as respectful as possible of the physical integrity of the person concerned or of the body of the deceased. These conditions include the nature and the date and place of the sample-taking, the identity of the expert charged with taking and analyzing the sample, the use of any sample taken and the confidentiality of the analysis results.

The court may draw a negative presumption from an unjustified refusal to submit to the analysis ordered by the court.

Art. 536. In all cases where the law does not impose a shorter period, actions concerning filiation are prescribed by thirty years from the day the child is deprived of the claimed status or begins to enjoy the contested status.

If a child has died without having claimed his status but while he was still within the time limit to do so, his heirs may take action within three years of his death.

Art. 537. Le décès du père présumé ou de la mère avant l'expiration du délai prévu pour le désaveu ou la contestation d'état n'éteint pas le droit d'action.

Toutefois, ce droit doit être exercé par les héritiers dans l'année qui suit le décès.

1991, c. 64, a. 537 (1994-01-01).

_____

C.C.Q. (1980) 584 (**D.T.** 6; **C.C.Q.** 531)

Art. 537. The death of the presumed father or of the mother before the expiry of the period for disavowal or for contestation of status does not extinguish the right of action.

The heirs may exercise this right, however, only within one year after the death.

CHAPITRE PREMIER.1
DE LA FILIATION DES ENFANTS NÉS D'UNE PROCRÉATION ASSISTÉE

Art. 538. Le projet parental avec assistance à la procréation existe dès lors qu'une personne seule ou des conjoints ont décidé, afin d'avoir un enfant, de recourir aux forces génétiques d'une personne qui n'est pas partie au projet parental.

1991, c. 64, a. 538 (1994-01-01); 2002, c. 6, a. 30 (2002-06-24).

_____

(**C.C.Q.** 523 ss.)

CHAPTER I.1
FILIATION OF CHILDREN BORN OF ASSISTED PROCREATION

Art. 538. A parental project involving assisted procreation exists from the moment a person alone decides or spouses by mutual consent decide, in order to have a child, to resort to the genetic material of a person who is not party to the parental project.

Art. 538.1 La filiation de l'enfant né d'une procréation assistée s'établit, comme une filiation par le sang, par l'acte de naissance. À défaut de ce titre, la possession constante d'état suffit; celle-ci s'établit par une réunion suffisante de faits qui indiquent le rapport de filiation entre l'enfant, la femme qui lui a donné naissance et, le cas échéant, la personne qui a formé, avec cette femme, le projet parental commun.

Cette filiation fait naître les mêmes droits et obligations que la filiation par le sang.

2002, c. 6, a. 30 (2002-06-24).

Art. 538.1 As in the case of filiation by blood, the filiation of a child born of assisted procreation is established by the act of birth. In the absence of an act of birth, uninterrupted possession of status is sufficient; the latter is established by an adequate combination of facts which indicate the relationship of filiation between the child, the woman who gave birth to the child and, where applicable, the other party to the parental project.

This filiation creates the same rights and obligations as filiation by blood.

Art. 538.2 L'apport de forces génétiques au projet parental d'autrui ne peut fonder aucun lien de filiation entre l'auteur de l'apport et l'enfant qui en est issu.

Cependant, lorsque l'apport de forces génétiques se fait par relation sexuelle, un lien de filiation peut être établi, dans l'année qui suit la naissance, entre l'auteur de l'apport et l'enfant. Pendant cette période, le conjoint de la femme qui a donné naissance à l'enfant ne peut, pour s'opposer à cette demande, invoquer une possession d'état conforme au titre.

2002, c. 6, a. 30 (2002-06-24).

Art. 538.2 The contribution of genetic material for the purposes of a third-party parental project does not create any bond of filiation between the contributor and the child born of the parental project.

However, if the genetic material is provided by way of sexual intercourse, a bond of filiation may be established, in the year following the birth, between the contributor and the child. During that period, the spouse of the woman who gave birth to the child may not invoke possession of status consistent with the act of birth in order to oppose the application for establishment of the filiation.

Art. 538.3 L'enfant, issu par procréation assistée d'un projet parental entre époux ou conjoints unis civilement, qui est né pendant leur union ou dans les trois cents jours après sa dissolution ou son annulation est présumé avoir pour autre parent le conjoint de la femme qui lui a donné naissance.

Cette présomption est écartée lorsque l'enfant naît plus de trois cents jours après le jugement prononçant la séparation de corps des époux, sauf s'il y a eu reprise volontaire de la vie commune avant la naissance.

La présomption est également écartée à l'égard de l'ex-conjoint lorsque l'enfant est né dans les trois cents jours de la fin de l'union, mais après le mariage ou l'union civile subséquent de la femme qui lui a donné naissance.

2002, c. 6, a. 30 (2002-06-24).

Art. 539. Nul ne peut contester la filiation de l'enfant pour la seule raison qu'il est issu d'un projet parental avec assistance à la procréation. Toutefois, la personne mariée ou unie civilement à la femme qui a donné naissance à l'enfant peut, s'il n'y a pas eu formation d'un projet parental commun ou sur preuve que l'enfant n'est pas issu de la procréation assistée, contester la filiation et désavouer l'enfant.

Les règles relatives aux actions en matière de filiation par le sang s'appliquent, avec les adaptations nécessaires, aux contestations d'une filiation établie par application du présent chapitre.

1991, c. 64, a. 539 (1994-01-01); 2002, c. 6, a. 30 (2002-06-24).

C.C.Q. (1980) 586, 588 al. 2 (D.T. 9; C.C.Q. 531, 532, 2639, 3147; C.P.C. 70, 195, 394, 394.1 ss., 813, 815, 817.1)

Art. 539.1 Lorsque les parents sont tous deux de sexe féminin, les droits et obligations que la loi attribue au père, là où ils se distinguent de ceux de la mère, sont attribués à celle des deux mères qui n'a pas donné naissance à l'enfant.

2002, c. 6, a. 30 (2002-06-24).

Art. 540. La personne qui, après avoir formé un projet parental commun hors mariage ou union civile, ne déclare pas, au registre de l'état civil, son lien de filiation avec l'enfant qui en est issu engage sa responsabilité envers cet enfant et la mère de ce dernier.

1991, c. 64, a. 540 (1994-01-01); 2002, c. 6, a. 30 (2002-06-24).

(D.T. 35; C.C.Q. 525, 1458)

Art. 538.3 If a child is born of a parental project involving assisted procreation between married or civil union spouses during the marriage or the civil union or within three hundred days after its dissolution or annulment, the spouse of the woman who gave birth to the child is presumed to be the child's other parent.

The presumption is rebutted if the child is born more than three hundred days after the judgment ordering separation from bed and board of the married spouses, unless they have voluntarily resumed living together before the birth.

The presumption is also rebutted in respect of the former spouse if the child is born within three hundred days of the termination of the marriage or civil union, but after a subsequent marriage or civil union of the woman who gave birth to the child.

Art. 539. No person may contest the filiation of a child solely on the grounds of the child being born of a parental project involving assisted procreation. However, the married or civil union spouse of the woman who gave birth to the child may contest the filiation and disavow the child if there was no mutual parental project or if it is established that the child was not born of the assisted procreation.

The rules governing actions relating to filiation by blood apply with the necessary modifications to any contestation of a filiation established pursuant to this chapter.

Art. 539.1 If both parents are women, the rights and obligations assigned by law to the father, insofar as they differ from the mother's, are assigned to the mother who did not give birth to the child.

Art. 540. A person who, after consenting to a parental project outside marriage or a civil union, fails to declare his or her bond of filiation with the child born of that project in the register of civil status is liable toward the child and the child's mother.

Art. 541. Toute convention par laquelle une femme s'engage à procréer ou à porter un enfant pour le compte d'autrui est nulle de nullité absolue.

1991, c. 64, a. 541 (1994-01-01); 2002, c. 6, a. 30 (2002-06-24).

(**D.T.** 5; **C.C.Q.** 9, 1417, 1418)

Art. 542. Les renseignements nominatifs relatifs à la procréation médicalement assistée d'un enfant sont confidentiels.

Toutefois, lorsqu'un préjudice grave risque d'être causé à la santé d'une personne ainsi procréée ou de ses descendants si cette personne est privée des renseignements qu'elle requiert, le tribunal peut permettre leur transmission, confidentiellement, aux autorités médicales concernées. L'un des descendants de cette personne peut également se prévaloir de ce droit si le fait d'être privé des renseignements qu'il requiert risque de causer un préjudice grave à sa santé ou à celle de l'un de ses proches.

1991, c. 64, a. 542 (1994-01-01); 2002, c. 6, a. 30 (2002-06-24).

(**C.C.Q.** 3)

Art. 541. Any agreement whereby a woman undertakes to procreate or carry a child for another person is absolutely null.

Art. 542. Nominative information relating to medically assisted procreation is confidential.

However, where the health of a person born of medically assisted procreation or of any descendant of that person could be seriously harmed if the person were deprived of the information requested, the court may allow the information to be transmitted confidentially to the medical authorities concerned. A descendant of such a person may also exercise this right where the health of that descendant or of a close relative could be seriously harmed if the descendant were deprived of the information requested.

CHAPITRE DEUXIÈME
DE L'ADOPTION

SECTION I
DES CONDITIONS DE L'ADOPTION

§ 1. — *Dispositions générales*

Art. 543. L'adoption ne peut avoir lieu que dans l'intérêt de l'enfant et aux conditions prévues par la loi.

Elle ne peut avoir lieu pour confirmer une filiation déjà établie par le sang.

1991, c. 64, a. 543 (1994-01-01).

CHAPTER II
ADOPTION

SECTION I
CONDITIONS FOR ADOPTION

§ 1. — *General provisions*

Art. 543. No adoption may take place except in the interest of the child and on the conditions prescribed by law.

No adoption may take place for the purpose of confirming filiation already established by blood.

C.C.Q. (1980) 595 (**C.C.Q.** 32-34, 3147 al. 2; **C.P.C.** 26 al. 1(4), 36.1, 70, 813, 823 ss.)

Art. 544. L'enfant mineur ne peut être adopté que si ses père et mère ou tuteur ont consenti à l'adoption ou s'il a été déclaré judiciairement admissible à l'adoption.

1991, c. 64, a. 544 (1994-01-01).

Art. 544. No minor child may be adopted unless his father and mother or his tutor have consented to the adoption or unless he has been judicially declared eligible for adoption.

C.C.Q. (1980) 596 (**C.C.Q.** 548, 551 ss., 559 ss., 568, 574, 598, 3092; **C.P.C.** 824.1)

Art. 545. Une personne majeure ne peut être adoptée que par ceux qui, alors qu'elle était mineure, remplissaient auprès d'elle le rôle de parent.

Art. 545. No person of full age may be adopted except by the persons who stood in loco parentis towards him when he was a minor.

Toutefois, le tribunal peut, dans l'intérêt de l'adopté, passer outre à cette exigence.

1991, c. 64, a. 545 (1994-01-01).

C.C.Q. (1980) 597 (**C.C.Q.** 153; **C.P.C.** 36.1, 825.2)

Art. 546. Toute personne majeure peut, seule ou conjointement avec une autre personne, adopter un enfant.

1991, c. 64, a. 546 (1994-01-01).

C.C.Q. (1980) 598 (**C.C.Q.** 153, 547)

Art. 547. L'adoptant doit avoir au moins dix-huit ans de plus que l'adopté, sauf si ce dernier est l'enfant de son conjoint.

Toutefois, le tribunal peut, dans l'intérêt de l'adopté, passer outre à cette exigence.

1991, c. 64, a. 547 (1994-01-01).

C.C.Q. (1980) 599 (**C.C.Q.** 546, 555, 579; **C.P.C.** 36.1)

Art. 548. Les consentements prévus au présent chapitre doivent être donnés par écrit devant deux témoins.

Il en est de même de leur rétractation.

1991, c. 64, a. 548 (1994-01-01).

C.C.Q. (1980) 600 (**C.C.Q.** 544, 549, 551 ss.)

§ 2. — *Du consentement de l'adopté*

Art. 549. L'adoption ne peut avoir lieu qu'avec le consentement de l'enfant, s'il est âgé de dix ans et plus, à moins que ce dernier ne soit dans l'impossibilité de manifester sa volonté.

Toutefois, lorsque l'enfant de moins de quatorze ans refuse son consentement, le tribunal peut différer son jugement pour la période de temps qu'il indique ou, nonobstant le refus, prononcer l'adoption.

1991, c. 64, a. 549 (1994-01-01).

C.C.Q. (1980) 601 (**C.C.Q.** 32-34, 548, 550; **C.P.C.** 36.1, 394.1 ss.)

Art. 550. Le refus de l'enfant âgé de quatorze ans et plus fait obstacle à l'adoption.

1991, c. 64, a. 550 (1994-01-01).

C.C.Q. (1980) 602 (**C.C.Q.** 549, 571)

The court, however, may dispense with this requirement in the interest of the person to be adopted.

Art. 546. Any person of full age may, alone or jointly with another person, adopt a child.

Art. 547. A person may not be an adopter unless he is at least eighteen years older than the person adopted, except where the person adopted is the child of the spouse of the adopter.

The court may, however, dispense with this requirement in the interest of the person to be adopted.

Art. 548. Consent provided for in this chapter shall be given in writing and before two witnesses.

The same rule applies to the withdrawal of consent.

§ 2. — *Consent of the adopted person*

Art. 549. No child ten years of age or over may be adopted without his consent, unless he is unable to express his will.

However, when a child under fourteen years of age refuses to give his consent, the court may defer its judgment for the period of time it indicates, or grant adoption notwithstanding his refusal.

Art. 550. Refusal by a child fourteen years of age or over is a bar to adoption.

§ 3. — *Du consentement des parents ou du tuteur*

Art. 551. Lorsque l'adoption a lieu du consentement des parents, les deux doivent y consentir si la filiation de l'enfant est établie à l'égard de l'un et de l'autre.

Si la filiation de l'enfant n'est établie qu'à l'égard de l'un d'eux, le consentement de ce dernier suffit.

1991, c. 64, a. 551 (1994-01-01).

_____

C.C.Q. (1980) 603 (**C.C.Q.** 523 ss., 549, 571)

Art. 552. Si l'un des deux parents est décédé ou dans l'impossibilité de manifester sa volonté, ou s'il est déchu de l'autorité parentale, le consentement de l'autre suffit.

1991, c. 64, a. 552 (1994-01-01).

_____

C.C.Q. (1980) 604 (**C.C.Q.** 398, 600, 606, 610, 3092)

Art. 553. Si les deux parents sont décédés, dans l'impossibilité de manifester leur volonté ou déchus de l'autorité parentale, l'adoption de l'enfant est subordonnée au consentement du tuteur, si l'enfant en est pourvu.

1991, c. 64, a. 553 (1994-01-01).

_____

C.C.Q. (1980) 605 (**C.C.Q.** 199, 200, 207, 559, 606, 607)

Art. 554. Le parent mineur peut consentir lui-même, sans autorisation, à l'adoption de son enfant.

1991, c. 64, a. 554 (1994-01-01).

_____

C.C.Q. (1980) 606 (**C.C.Q.** 153, 155, 548)

Art. 555. Le consentement à l'adoption peut être général ou spécial. Le consentement spécial ne peut être donné qu'en faveur d'un ascendant de l'enfant, d'un parent en ligne collatérale jusqu'au troisième degré ou du conjoint de cet ascendant ou parent; il peut également être donné en faveur du conjoint du père ou de la mère. Cependant, lorsqu'il s'agit de conjoints de fait, ces derniers doivent cohabiter depuis au moins trois ans.

1991, c. 64, a. 555 (1994-01-01); 2002, c. 6, a. 31 (2002-06-24).

_____

C.C.Q. (1980) 607 (**C.C.Q.** 548, 579, 655-659)

§ 3. — *Consent of parents or tutor*

Art. 551. When adoption takes place with the consent of the parents, the consent of both parents to the adoption is necessary if the filiation of the child is established with regard to both of them.

If the filiation of the child is established with regard to only one parent, the consent of that parent is sufficient.

Art. 552. If either parent is deceased, or if he is unable to express his will, or if he is deprived of parental authority, the consent of the other parent is sufficient.

Art. 553. If both parents are deceased, if they are unable to express their will, or if they are deprived of parental authority, the adoption of the child is subject to the consent of the tutor, if the child has a tutor.

Art. 554. A parent of minor age may himself, without authorization, give his consent to the adoption of his child.

Art. 555. Consent to adoption may be general or special; special consent may be given only in favour of an ascendant of the child, a relative in the collateral line to the third degree or the spouse of that ascendant or relative; it may also be given in favour of the spouse of the father or mother. However, in the case of *de facto* spouses, they must have been cohabiting for at least three years.

Art. 556. Le consentement à l'adoption entraîne de plein droit, jusqu'à l'ordonnance de placement, délégation de l'autorité parentale à la personne à qui l'enfant est remis.

1991, c. 64, a. 556 (1994-01-01).

Art. 556. Consent to adoption entails, until the order of placement, delegation by operation of law of parental authority to the person to whom the child is given.

C.C.Q. (1980) 608 (**C.C.Q.** 199, 562, 566, 569, 572, 597 ss.)

Art. 557. Celui qui a donné son consentement à l'adoption peut le rétracter dans les trente jours suivant la date à laquelle il a été donné.

L'enfant doit alors être rendu sans formalité ni délai à l'auteur de la rétractation.

1991, c. 64, a. 557 (1994-01-01).

Art. 557. A person who has given his consent to adoption may withdraw it within thirty days from the date it was given.

The child shall then be returned without formality or delay to the person who has withdrawn his consent.

C.C.Q. (1980) 609 (**D.T.** 6; **C.C.Q.** 548, 558, 567; **C.P.C.** 824)

Art. 558. Celui qui n'a pas rétracté son consentement dans les trente jours peut, à tout moment avant l'ordonnance de placement, s'adresser au tribunal en vue d'obtenir la restitution de l'enfant.

1991, c. 64, a. 558 (1994-01-01).

Art. 558. If a person has not withdrawn his consent within thirty days, he may, at any time before the order of placement, apply to the court to have the child returned.

C.C.Q. (1980) 610 (**D.T.** 6; **C.C.Q.** 557, 566 ss.; **C.P.C.** 36.1, 70, 813, 824)

§ 4. — *De la déclaration d'admissibilité à l'adoption*

Art. 559. Peut être judiciairement déclaré admissible à l'adoption:

1° L'enfant de plus de trois mois dont ni la filiation paternelle ni la filiation maternelle ne sont établies;

2° L'enfant dont ni les père et mère ni le tuteur n'ont assumé de fait le soin, l'entretien ou l'éducation depuis au moins six mois;

3° L'enfant dont les père et mère sont déchus de l'autorité parentale, s'il n'est pas pourvu d'un tuteur;

4° L'enfant orphelin de père et de mère, s'il n'est pas pourvu d'un tuteur.

1991, c. 64, a. 559 (1994-01-01).

§ 4. — *Declaration of eligibility for adoption*

Art. 559. The following may be judicially declared eligible for adoption:

(1) a child over three months old, if neither his paternal filiation nor his maternal filiation has been established;

(2) a child whose care, maintenance or education has not in fact been taken in hand by his mother, father or tutor for at least six months;

(3) a child whose father and mother have been deprived of parental authority, if he has no tutor;

(4) a child who has neither father nor mother, if he has no tutor.

C.C.Q. (1980) 611 (**C.C.Q.** 523-529, 544, 553, 599, 606, 610, 3092, 3147; **C.P.C.** 36.1, 813, 824.1)

Art. 560. La demande en déclaration d'admissibilité à l'adoption ne peut être présentée que par un ascendant de l'enfant, un parent en ligne collatérale jusqu'au troisième degré, le conjoint de cet ascendant ou parent, par l'enfant lui-même s'il est âgé de quatorze ans et plus ou par un directeur de la protection de la jeunesse.

1991, c. 64, a. 560 (1994-01-01).

Art. 560. An application for a declaration of eligibility for adoption may be made by no one except an ascendant of the child, a relative in the collateral line to the third degree, the spouse of such an ascendant or relative, the child himself if fourteen years of age or over, or a director of youth protection.

C.C.Q. (1980) 612 (**C.C.Q.** 655-659; **C.P.C.** 36.1, 813, 824.1)

Art. 561. L'enfant ne peut être déclaré admissible à l'adoption que s'il est improbable que son père, sa mère ou son tuteur en reprenne la garde et en assume le soin, l'entretien ou l'éducation. Cette improbabilité est présumée.

1991, c. 64, a. 561 (1994-01-01).

_____

C.C.Q. (1980) 613 (**C.C.Q.** 559, 599, 610)

Art. 562. Lorsqu'il déclare l'enfant admissible à l'adoption, le tribunal désigne la personne qui exercera l'autorité parentale à son égard.

1991, c. 64, a. 562 (1994-01-01).

_____

C.C.Q. (1980) 614 (**C.C.Q.** 199, 556, 566, 569, 572, 597 ss.; **C.P.C.** 36.1, 824.1)

§ 5. — Des conditions particulières à l'adoption d'un enfant domicilié hors du Québec

Art. 563. Toute personne domiciliée au Québec qui veut adopter un enfant domicilié hors du Québec doit préalablement faire l'objet d'une évaluation psychosociale effectuée dans les conditions prévues par la Loi sur la protection de la jeunesse.

1991, c. 64, a. 563 (1994-01-01).

_____

C.C.Q. (1980) 614.1 (**C.C.Q.** 568 al. 3, 3147)

Art. 564. Les démarches en vue de l'adoption sont effectuées soit par l'adoptant, dans les conditions prévues par la Loi sur la protection de la jeunesse, soit, à la demande de l'adoptant, par le ministre de la Santé et des Services sociaux ou par un organisme agréé en vertu de la même loi.

1991, c. 64, a. 564 (1994-01-01).

_____

C.C.Q. (1980) 614.2 (**C.C.Q.** 568 al. 3, 574 al. 3; **C.P.C.** 813, 823 ss., 825 ss.)

Art. 565. L'adoption d'un enfant domicilié hors du Québec doit être prononcée judiciairement soit à l'étranger, soit au Québec. Le jugement prononcé au Québec est précédé d'une ordonnance de placement. Le jugement prononcé à l'étranger doit faire l'objet d'une reconnaissance judiciaire au Québec.

1991, c. 64, a. 565 (1994-01-01).

_____

C.C.Q. (1980) 614.3 (**D.T.** 170; **C.C.Q.** 566, 568, 574, 581, 3092, 3147, 3166; **C.P.C.** 825 ss., 825.6)

_____

Art. 561. A child may not be declared eligible for adoption unless it is unlikely that his father, mother or tutor will resume custody of him and take in hand his care, maintenance or education. This unlikelihood is presumed.

Art. 562. The court, when declaring a child eligible for adoption, designates the person who is to exercise parental authority in his regard.

§ 5. — Special conditions respecting adoption of a child domiciled outside Québec

Art. 563. Every person domiciled in Québec wishing to adopt a child domiciled outside Québec shall previously undergo a psychosocial assessment made in accordance with the conditions provided in the Youth Protection Act.

Art. 564. The steps with a view to adoption are taken by the adopter, in accordance with the conditions provided in the Youth Protection Act, or, at the request of the adopter, by the Minister of Health and Social Services or an organization certified under the said Act.

Art. 565. The adoption of a child domiciled outside Québec may be granted only by judicial decision either outside Québec or in Québec. A judgment granted in Québec is preceded by an order of placement. For a judgment granted outside Québec, recognition by the court in Québec is necessary.

SECTION II
DE L'ORDONNANCE DE PLACEMENT ET DU JUGEMENT D'ADOPTION

Art. 566. Le placement d'un mineur ne peut avoir lieu que sur ordonnance du tribunal et son adoption ne peut être prononcée que s'il a vécu au moins six mois avec l'adoptant depuis l'ordonnance.

Ce délai peut toutefois être réduit d'une période n'excédant pas trois mois, en prenant notamment en considération le temps pendant lequel le mineur aurait déjà vécu avec l'adoptant antérieurement à l'ordonnance.

1991, c. 64, a. 566 (1994-01-01).

C.C.Q. (1980) 615 (**D.T.** 6; **C.C.Q.** 558, 569, 571, 573, 3147; **C.P.C.** 36.1, 70, 813, 823 ss., 825-825.3)

Art. 567. Une ordonnance de placement ne peut être prononcée s'il ne s'est pas écoulé trente jours depuis qu'un consentement à l'adoption a été donné.

1991, c. 64, a. 567 (1994-01-01).

C.C.Q. (1980) 616 (**C.C.Q.** 557, 558, 566; **C.P.C.** 825-825.3)

Art. 568. Avant de prononcer l'ordonnance de placement, le tribunal s'assure que les conditions de l'adoption ont été remplies et, notamment, que les consentements requis ont été valablement donnés.

Le tribunal vérifie en outre, lorsque le placement d'un enfant domicilié hors du Québec est fait en vertu d'un accord conclu en application de la Loi sur la protection de la jeunesse, si la procédure suivie est conforme à l'accord.

Le placement peut, pour des motifs sérieux et si l'intérêt de l'enfant le commande, être ordonné bien que l'adoptant ne se soit pas conformé aux dispositions des articles 563 et 564. Cependant, la requête doit être accompagnée d'une évaluation psychosociale effectuée par le directeur de la protection de la jeunesse.

1991, c. 64, a. 568 (1994-01-01).

C.C.Q. (1980) 617 (**C.C.Q.** 33, 549-558)

Art. 569. L'ordonnance de placement confère l'exercice de l'autorité parentale à l'adoptant; elle permet à l'enfant, pendant la durée du placement, d'exercer ses droits civils sous les nom et prénoms choisis par l'adoptant, lesquels sont constatés dans l'ordonnance.

SECTION II
ORDER OF PLACEMENT AND ADOPTION JUDGMENT

Art. 566. The placement of a minor may not take place except on a court order nor may the adoption of a child be granted unless the child has lived with the adopter for at least six months since the court order.

The period may be reduced by up to three months, however, particularly in consideration of the time during which the minor has already lived with the adopter before the order.

Art. 567. An order of placement may not be granted before the lapse of thirty days after the giving of consent to adoption.

Art. 568. Before granting an order of placement, the court ascertains that the conditions for adoption have been complied with and, particularly, that the prescribed consents have been validly given.

Where the placement of a child domiciled outside Québec is made under an agreement entered into by virtue of the Youth Protection Act, the court also verifies that the procedure followed is as provided in the agreement.

Even if the adopter has not complied with the provisions of articles 563 and 564, the placement may be ordered for serious reasons and if the interest of the child demands it. However, the application shall be accompanied with a psychosocial assessment made by the director of youth protection.

Art. 569. The order of placement confers the exercise of parental authority on the adopter; it allows the child, for the term of the placement, to exercise his civil rights under the surname and given names chosen by the adopter, which are recorded in the order.

Elle fait obstacle à toute restitution de l'enfant à ses parents ou à son tuteur, ainsi qu'à l'établissement d'un lien de filiation entre l'enfant et ses parents par le sang.

1991, c. 64, a. 569 (1994-01-01).

The order is a bar to the return of the child to his parents or to his tutor and to the establishment of filial relationship between the child and his parents by blood.

C.C.Q. (1980) 618 (**C.C.Q.** 50, 65, 523 ss., 556, 562, 572, 597 ss.)

Art. 570. Les effets de cette ordonnance cessent s'il est mis fin au placement ou si le tribunal refuse de prononcer l'adoption.

1991, c. 64, a. 570 (1994-01-01).

Art. 570. The effects of the order of placement cease if placement terminates or if the court refuses to grant the adoption.

C.C.Q. (1980) 619 (**C.C.Q.** 569, 572)

Art. 571. Si l'adoptant ne présente pas sa demande d'adoption dans un délai raisonnable à compter de la fin de la période minimale de placement, l'ordonnance de placement peut être révoquée, à la demande de l'enfant lui-même s'il est âgé de quatorze ans et plus ou de tout intéressé.

1991, c. 64, a. 571 (1994-01-01).

Art. 571. If the adopter fails to present his application for adoption within a reasonable time after the expiry of the minimum period of placement, the order of placement may be revoked on the application of the child himself if he is fourteen years of age or over or by any interested person.

C.C.Q. (1980) 620 (**C.C.Q.** 34, 549, 550, 566, 572; **C.P.C.** 36.1, 70, 813, 825-825.3)

Art. 572. Lorsque les effets de l'ordonnance de placement cessent sans qu'il y ait eu adoption, le tribunal désigne, même d'office, la personne qui exercera l'autorité parentale à l'égard de l'enfant; le directeur de la protection de la jeunesse qui exerçait la tutelle antérieurement à l'ordonnance de placement, l'exerce à nouveau.

1991, c. 64, a. 572 (1994-01-01).

Art. 572. Where the effects of the order of placement cease and no adoption has taken place, the court, even of its own motion, designates the person who is to exercise parental authority over the child; the director of youth protection who was the legal tutor before the order of placement again becomes the legal tutor.

C.C.Q. (1980) 621 (**D.T.** 9; **C.C.Q.** 199, 556, 562, 569-571, 597 ss.)

Art. 573. Le tribunal prononce l'adoption sur la demande que lui en font les adoptants, à moins qu'un rapport n'indique que l'enfant ne s'est pas adapté à sa famille adoptive. En ce cas ou chaque fois que l'intérêt de l'enfant le commande, le tribunal peut requérir toute autre preuve qu'il estime nécessaire.

1991, c. 64, a. 573 (1994-01-01).

Art. 573. The court grants adoption on the application of the adopters unless a report indicates that the child has not adapted to his adopting family. In this case or whenever the interest of the child demands it, the court may require any additional proof it considers necessary.

C.C.Q. (1980) 622 (**C.C.Q.** 33, 566, 574; **C.P.C.** 36.1, 70, 813, 815.1, 825.4, 825.5)

Art. 574. Le tribunal appelé à reconnaître un jugement d'adoption rendu hors du Québec s'assure que les règles concernant le consentement à l'adoption et à l'admissibilité à l'adoption de l'enfant ont été respectées.

Le tribunal vérifie en outre, lorsque le jugement d'adoption a été rendu hors du Québec en vertu d'un accord conclu en application de la Loi sur la protection de la jeunesse, si la procédure suivie est conforme à l'accord.

Art. 574. The court, where called upon to recognize an adoption judgment rendered outside Québec, ascertains that the rules respecting consent to adoption and eligibility for adoption have been observed.

Where the adoption judgment has been rendered outside Québec under an agreement entered into by virtue of the Youth Protection Act, the court also verifies that the procedure followed is as provided in the agreement.

La reconnaissance peut, pour des motifs sérieux et si l'intérêt de l'enfant le commande, être accordée bien que l'adoptant ne se soit pas conformé aux dispositions des articles 563 et 564. Cependant, la requête doit être accompagnée d'une évaluation psychosociale.

1991, c. 64, a. 574 (1994-01-01).

Even if the adopter has not complied with the provisions of articles 563 and 564, recognition may be granted for serious reasons and if the interest of the child demands it. However, the application shall be accompanied with a psychosocial assessment.

C.C.Q. (1980) 622.1 (D.T. 170; C.C.Q. 33, 549 ss., 563-565, 568, 573, 575, 581, 3092; C.P.C. 36.1, 70, 813, 825 ss., 825.6)

Art. 575. Si l'un des adoptants décède après l'ordonnance de placement, le tribunal peut prononcer l'adoption même à l'égard de l'adoptant décédé.

Il peut aussi reconnaître un jugement d'adoption rendu hors du Québec malgré le décès de l'adoptant.

1991, c. 64, a. 575 (1994-01-01).

Art. 575. If either of the adopters dies after the order of placement, the court may grant adoption even with regard to the deceased adopter.

The court may also recognize an adoption judgment rendered outside Québec notwithstanding the death of the adopter.

C.C.Q. (1980) 623 (C.C.Q. 580)

Art. 576. Le tribunal attribue à l'adopté les nom et prénoms choisis par l'adoptant, à moins qu'il ne décide, à la demande de l'adoptant ou de l'adopté, de lui laisser ses nom et prénoms d'origine.

1991, c. 64, a. 576 (1994-01-01).

Art. 576. The court assigns to the adopted person the surname and given names chosen by the adopter unless, at the request of the adopter or of the adopted person, it allows him to keep his original surname and given names.

C.C.Q. (1980) 624 (C.C.Q. 50, 51, 65, 66)

SECTION III
DES EFFETS DE L'ADOPTION

SECTION III
EFFECTS OF ADOPTION

Art. 577. L'adoption confère à l'adopté une filiation qui se substitue à sa filiation d'origine.

L'adopté cesse d'appartenir à sa famille d'origine, sous réserve des empêchements de mariage ou d'union civile.

1991, c. 64, a. 577 (1994-01-01); 2002, c. 6, a. 32 (2002-06-24).

Art. 577. Adoption confers on the adopted person a filiation which replaces his or her original filiation.

The adopted person ceases to belong to his or her original family, subject to any impediments to marriage or a civil union.

C.C.Q. (1980) 627 (C.C.Q. 373, 522, 543, 578)

Art. 578. L'adoption fait naître les mêmes droits et obligations que la filiation par le sang.

Toutefois, le tribunal peut, suivant les circonstances, permettre un mariage ou une union civile en ligne collatérale entre l'adopté et un membre de sa famille d'adoption.

1991, c. 64, a. 578 (1994-01-01); 2002, c. 6, a. 33 (2002-06-24).

Art. 578. Adoption creates the same rights and obligations as filiation by blood.

The court may, however, according to circumstances, permit a marriage or civil union in the collateral line between the adopted person and a member of his or her adoptive family.

C.C.Q. (1980) 406, 628 (D.T. 9; C.C.Q. 373, 522, 577, 585, 597 ss., 655-659)

Art. 578.1 Lorsque les parents de l'adopté sont de même sexe, celui qui a un lien biologique avec l'enfant a, dans le cas où la loi attribue à chaque parent des droits et obligations distincts, ceux du père, s'il s'agit d'un couple de sexe masculin, et ceux de la mère, s'il s'agit d'un couple de sexe féminin. L'adoptant a alors les droits et obligations que la loi attribue à l'autre parent.

Lorsqu'aucun des parents n'a de lien biologique avec l'enfant, le jugement d'adoption détermine les droits et obligations de chacun.

2002, c. 6, a. 34 (2002-06-24).

Art. 579. Lorsque l'adoption est prononcée, les effets de la filiation précédente prennent fin; le tuteur, s'il en existe, perd ses droits et est libéré de ses devoirs à l'endroit de l'adopté, sauf l'obligation de rendre compte.

Cependant, l'adoption, par une personne, de l'enfant de son conjoint ne rompt pas le lien de filiation établi entre ce conjoint et son enfant.

1991, c. 64, a. 579 (1994-01-01); 2002, c. 6, a. 35 (2002-06-24).

C.C.Q. (1980) 629, 630 (**C.C.Q.** 246-249, 547, 555, 577)

Art. 580. L'adoption prononcée en faveur d'adoptants dont l'un est décédé après l'ordonnance de placement produit ses effets à compter de l'ordonnance.

1991, c. 64, a. 580 (1994-01-01).

C.C.Q. (1980) 626 (**C.C.Q.** 575)

Art. 581. La reconnaissance d'un jugement d'adoption produit les mêmes effets qu'un jugement d'adoption rendu au Québec à compter du prononcé du jugement d'adoption rendu hors du Québec.

1991, c. 64, a. 581 (1994-01-01).

C.C.Q. (1980) 626.1 (**D.T.** 170; **C.C.Q.** 565)

SECTION IV
DU CARACTÈRE CONFIDENTIEL DES DOSSIERS D'ADOPTION

Art. 582. Les dossiers judiciaires et administratifs ayant trait à l'adoption d'un enfant sont confidentiels et aucun des renseignements qu'ils contiennent ne peut être révélé, si ce n'est pour se conformer à la loi.

Art. 578.1 If the parents of an adopted child are of the same sex and where different rights and obligations are assigned by law to the father and to the mother, the parent who is biologically related to the child has the rights and obligations assigned to the father in the case of a male couple and those assigned to the mother in the case of a female couple. The adoptive parent has the rights and obligations assigned by law to the other parent.

If neither parent is biologically related to the child, the rights and obligations of each parent are determined in the adoption judgment.

Art. 579. When adoption is granted, the effects of the preceding filiation cease; the tutor, if any, loses his or her rights and is discharged from his or her duties regarding the adopted person, save the obligation to render account.

Notwithstanding the foregoing, a person's adoption of a child of his or her spouse does not dissolve the bond of filiation between the child and that parent.

Art. 580. Where one of the adopters dies after the order of placement is made, the adoption produces its effects from the date of the order.

Art. 581. Recognition of an adoption judgment rendered outside Québec produces the same effects as an adoption judgment rendered in Québec from the time the adoption judgment was rendered.

SECTION IV
CONFIDENTIALITY OF ADOPTION FILES

Art. 582. The judicial and administrative files respecting the adoption of a child are confidential and no information contained in them may be revealed except as required by law.

Toutefois, le tribunal peut permettre la consultation d'un dossier d'adoption à des fins d'étude, d'enseignement, de recherche ou d'enquête publique, pourvu que soit respecté l'anonymat de l'enfant, des parents et de l'adoptant.

1991, c. 64, a. 582 (1994-01-01).

C.C.Q. (1980) 631 (**C.C.Q.** 3, 35 ss., 149, 583, 584; **C.P.C.** 36.1, 813, 823 ss.)

Art. 583. L'adopté majeur ou l'adopté mineur de quatorze ans et plus a le droit d'obtenir les renseignements lui permettant de retrouver ses parents, si ces derniers y ont préalablement consenti. Il en va de même des parents d'un enfant adopté, si ce dernier, devenu majeur, y a préalablement consenti.

L'adopté mineur de moins de quatorze ans a également le droit d'obtenir les renseignements lui permettant de retrouver ses parents, si ces derniers, ainsi que ses parents adoptifs, y ont préalablement consenti.

Ces consentements ne doivent faire l'objet d'aucune sollicitation; un adopté mineur ne peut cependant être informé de la demande de renseignements de son parent.

1991, c. 64, a. 583 (1994-01-01).

C.C.Q. (1980) 632 (**C.C.Q.** 582; **C.P.C.** 813, 823 ss.)

Art. 584. Lorsqu'un préjudice grave risque d'être causé à la santé de l'adopté, majeur ou mineur, ou de l'un de ses proches parents s'il est privé des renseignements qu'il requiert, le tribunal peut permettre que l'adopté obtienne ces renseignements.

L'un des proches parents de l'adopté peut également se prévaloir de ce droit si le fait d'être privé des renseignements qu'il requiert risque de causer un préjudice grave à sa santé ou à celle de l'un de ses proches.

1991, c. 64, a. 584 (1994-01-01).

(**C.C.Q.** 542; **C.P.C.** 36.1, 813, 823 ss.)

However, the court may allow an adoption file to be examined for the purposes of study, teaching, research or a public inquiry, provided that the anonymity of the child, of the parents and of the adopter is preserved.

Art. 583. An adopted person of full age or an adopted minor fourteen years of age or over is entitled to obtain the information enabling him to find his parents if they have previously consented thereto. The same holds true of the parents of an adopted child if the child, once of full age, has previously consented thereto.

An adopted minor under fourteen years of age is entitled to obtain information enabling him to find his parents if the parents and the adoptive parents have previously consented thereto.

Consent may not be solicited; however, an adopted minor may not be informed of the application for information made by his father or mother.

Art. 584. Where serious injury could be caused to the health of the adopted person, whether a minor or full age, or of any of his close relatives if he is deprived of the information he requires, the court may allow the adopted person to obtain such information.

A close relative of the adopted person may also avail himself of such right if the fact of being deprived of the information he requires could be the cause of serious injury to his health or the health of any of his close relatives.

TITRE TROISIÈME
DE L'OBLIGATION ALIMENTAIRE

TITLE THREE
OBLIGATION OF SUPPORT

*Art. 585. Les époux et conjoints unis civilement de même que les parents en ligne directe au premier degré se doivent des aliments.

*Art. 585. Married or civil union spouses, and relatives in the direct line in the first degree, owe each other support.

1991, c. 64, a. 585 (1994-01-01); 1996, c. 28, a. 1 (1996-06-20); 2002, c. 6, a. 36 (2002-06-24).

C.C.Q. (1980) 633 (**C.C.Q.** 389, 392, 502, 512-514, 517, 587, 599, 605, 609, 657, 684-689, 3094, 3096, 3143; **C.P.C.** 31, 34 al. 1(1), 44.1, 45, 70, 70.1, 394.1-394.3, 547 al. 1g), 553 al. 1(4), 553 al. 2, 640.1 ss., 813, 814.1, 814.3-814.14, 815.2.2, 817, 827.3-827.5)

---

* L'abolition de l'obligation alimentaire entre parents autres que du premier degré est applicable aux instances en cours.

Toute obligation de payer de tels aliments résultant d'un jugement antérieur au 20 juin 1996 s'éteint le 30 septembre 1996.

1996, c. 28, a. 2.

* The abolition of the obligation of support between relatives other than relatives in the first degree is applicable to matters pending.

Any obligation to pay support to a relative other than a relative in the first degree arising out of a judgment rendered before 20 June 1996 shall be extinguished on 30 September 1996.

1996, c. 28, a. 2.

Art. 586. Le recours alimentaire de l'enfant mineur peut être exercé par le titulaire de l'autorité parentale, par son tuteur ou par toute autre personne qui en a la garde, selon les circonstances.

Le tribunal peut déclarer les aliments payables à la personne qui a la garde de l'enfant.

1991, c. 64, a. 586 (1994-01-01).

Art. 586. Proceedings for the support of a minor child may be instituted by the holder of parental authority, his tutor, or any person who has custody of him, according to the circumstances.

The court may order the support payable to the person who has custody of the child.

C.C.Q. (1980) 634 (**C.C.Q.** 159, 512, 600; **C.P.C.** 59, 394.1 ss., 814.3-814.14, 815.2.1, 815.2.2, 827.3-827.4)

Art. 587. Les aliments sont accordés en tenant compte des besoins et des facultés des parties, des circonstances dans lesquelles elles se trouvent et, s'il y a lieu, du temps nécessaire au créancier pour acquérir une autonomie suffisante.

1991, c. 64, a. 587 (1994-01-01).

Art. 587. In awarding support, account is taken of the needs and means of the parties, their circumstances and, as the case may be, the time needed by the creditor of support to acquire sufficient autonomy.

C.C.Q. (1980) 635 (**C.C.Q.** 42, 512, 585, 590, 686; **C.P.C.** 44.1, 45, 814.1, 827.5)

Art. 587.1 En ce qui concerne l'obligation alimentaire des parents à l'égard de leur enfant, la contribution alimentaire parentale de base, établie conformément aux règles de fixation des pensions alimentaires pour enfants édictées en application du Code de procédure civile, est présumée correspondre aux besoins de l'enfant et aux facultés des parents.

Art. 587.1 As regards the support owed to a child by his parents, the basic parental contribution, as determined pursuant to the rules for the determination of child support payments adopted under the Code of Civil Procedure, is presumed to meet the needs of the child and to be in proportion to the means of the parents.

Cette contribution alimentaire peut être augmentée pour tenir compte de certains frais relatifs à l'enfant prévus par ces règles, dans la mesure où ceux-ci sont raisonnables eu égard aux besoins et facultés de chacun.

1996, c. 68, a. 1 (1997-05-01).

(**C.P.C.** 825.8 ss.)

Art. 587.2 Les aliments exigibles d'un parent pour son enfant sont équivalents à sa part de la contribution alimentaire parentale de base, augmentée, le cas échéant, pour tenir compte des frais relatifs à l'enfant.

Le tribunal peut toutefois augmenter ou réduire la valeur de ces aliments s'il estime que son maintien entraînerait, pour l'un ou l'autre des parents, des difficultés excessives dans les circonstances; ces difficultés peuvent résulter, entre autres, de frais liés à l'exercice de droits de visite à l'égard de l'enfant, d'obligations alimentaires assumées à l'endroit d'autres personnes que l'enfant ou, encore, de dettes raisonnablement contractées pour des besoins familiaux. Le tribunal peut également augmenter ou réduire la valeur de ces aliments si la valeur des actifs d'un parent ou l'importance des ressources dont dispose l'enfant le justifie.

1996, c. 68, a. 1 (1997-05-01).

(**C.C.Q.** 192, 599; **C.P.C.** 825.8 ss.)

Art. 587.3 Les parents peuvent, à l'égard de leur enfant, convenir d'aliments d'une valeur différente de celle qui serait exigible en application des règles de fixation des pensions alimentaires pour enfants, sauf au tribunal à vérifier que ces aliments pourvoient suffisamment aux besoins de l'enfant.

1996, c. 68, a. 1 (1997-05-01).

(**C.P.C.** 814.3-814.14, 815.2.1, 815.2.2, 825.14, 827.3-827.4)

Art. 588. Le tribunal peut accorder au créancier d'aliments une pension provisoire pour la durée de l'instance.

Il peut, également, accorder au créancier d'aliments une provision pour les frais de l'instance.

1991, c. 64, a. 588 (1994-01-01).

C.C.Q. (1980) 636 (**D.T.** 9; **C.C.Q.** 388, 501-503; **C.P.C.** 813, 813.10, 814.3-814.14, 815.2.1, 815.2.2, 827.3-827.5)

The basic parental contribution may be increased having regard to certain expenses relating to the child which are specified in the rules, to the extent that such expenses are reasonable considering the needs and means of the parents and child.

Art. 587.2 The support to be provided by a parent for his child is equal to that parent's share of the basic parental contribution, increased, where applicable, having regard to specified expenses relating to the child.

The Court may, however, increase or reduce the level of support if it is of the opinion that, in the special circumstances of the case, not doing so would entail undue hardship for one of the parents. Such hardship may be caused by, among other things, the costs involved in exercising visiting rights in respect of the child, obligations of support toward persons other than the child or reasonable debts incurred to meet family needs. The court may also increase or reduce the level of support if it is warranted by the value of either parent's assets or the extent of the resources available to the child.

Art. 587.3 Parents may make a private agreement stipulating a level of child support that departs from the level which would be required to be provided under the rules for the determination of child support payments, subject to the court being satisfied that the needs of the child are adequately provided for.

Art. 588. The court may award provisional support to the creditor of support for the duration of the proceedings.

It may also award a provisional sum to the creditor of support to cover the costs of the proceedings.

Art. 589. Les aliments sont payables sous forme de pension; le tribunal peut exceptionnellement remplacer ou compléter cette pension alimentaire par une somme forfaitaire payable au comptant ou par versements.

1991, c. 64, a. 589 (1994-01-01).

Art. 589. Support is payable as a pension; the court may, by way of exception, replace or complete the alimentary pension by a lump sum payable in cash or by instalments.

C.C.Q. (1980) 637 (**C.C.Q.** 590, 594, 685; **C.P.C.** 44.1, 45, 814.1, 814.3-814.14, 815.2.1, 815.2.2, 827.3-827.4)

Art. 590. Afin de maintenir la valeur monétaire réelle de la créance qui résulte du jugement accordant des aliments, ceux-ci, s'ils sont payables sous forme de pension, sont indexés de plein droit, au 1er janvier de chaque année, suivant l'indice annuel des rentes établi conformément à l'article 119 de la Loi sur le régime de rentes du Québec.

Toutefois, lorsque l'application de cet indice entraîne une disproportion sérieuse entre les besoins du créancier et les facultés du débiteur, le tribunal peut, dans l'exercice de sa compétence, soit fixer un autre indice d'indexation, soit ordonner que la créance ne soit pas indexée.

1991, c. 64, a. 590 (1994-01-01).

Art. 590. If support is payable as a pension, it is indexed by operation of law on 1 January each year, in accordance with the annual Pension Index established pursuant to section 119 of the Act respecting the Québec Pension Plan, in order to maintain the real monetary value of the claim resulting from the judgment awarding support.

However, where the application of the index brings about a serious imbalance between the needs of the creditor and the means of the debtor, the court may, in exercising its jurisdiction, either fix another basis of indexation or order that the claim not be indexed.

C.C.Q. (1980) 638 (**C.C.Q.** 517, 587, 589, 594; **C.P.C.** 827.5)

Art. 591. Le tribunal peut, s'il l'estime nécessaire, ordonner au débiteur de fournir, au-delà de l'hypothèque légale, une sûreté suffisante pour le paiement des aliments ou ordonner la constitution d'une fiducie destinée à garantir ce paiement.

1991, c. 64, a. 591 (1994-01-01).

Art. 591. The court, if it considers it necessary, may order the debtor to furnish sufficient security beyond the legal hypothec for payment of support, or order the constitution of a trust to secure such payment.

C.C.Q. (1980) 639 (**D.T.** 9; **C.C.Q.** 1262, 2730; **C.P.C.** 813, 827.5)

Art. 592. Le débiteur qui offre de recevoir chez lui son créancier alimentaire peut, si les circonstances s'y prêtent, être dispensé du paiement des aliments ou d'une partie de ceux-ci.

1991, c. 64, a. 592 (1994-01-01).

Art. 592. If the debtor offers to take the creditor of support into his home, he may, if circumstances permit, be dispensed from paying all or part of the support.

C.C.Q. (1980) 640 (**C.C.Q.** 589; **C.P.C.** 827.5)

Art. 593. Le créancier peut exercer son recours contre un de ses débiteurs alimentaires ou contre plusieurs simultanément.

Le tribunal fixe le montant de la pension que doit payer chacun des débiteurs poursuivis ou mis en cause.

1991, c. 64, a. 593 (1994-01-01).

Art. 593. The creditor may pursue a remedy against one of the debtors of support or against several of them simultaneously.

The court fixes the amount of support that each of the debtors sued or impleaded shall pay.

C.C.Q. (1980) 641 (**C.C.Q.** 1518; **C.P.C.** 827.5)

Art. 594. Le jugement qui accorde des aliments, que ceux-ci soient indexés ou non, est sujet à révision chaque fois que les circonstances le justifient.

Toutefois, s'il ordonne le paiement d'une somme forfaitaire, il ne peut être révisé que s'il n'a pas été exécuté.

1991, c. 64, a. 594 (1994-01-01).

Art. 594. The judgment awarding support, whether it is indexed or not, may be reviewed by the court whenever warranted by circumstances.

However, a judgment awarding payment of a lump sum may be reviewed only if it has not been executed.

C.C.Q. (1980) 563, 642 (**C.C.Q.** 503, 512, 587, 589, 590, 596, 612, 3143; **C.P.C.** 70.1, 641.2, 813, 817.3, 827.5)

Art. 595. On peut réclamer des aliments pour des besoins existants avant la demande, sans pouvoir néanmoins les exiger au-delà de l'année écoulée.

Le créancier doit prouver qu'il s'est trouvé en fait dans l'impossibilité d'agir plus tôt, à moins qu'il n'ait mis le débiteur en demeure dans l'année écoulée, auquel cas les aliments sont accordés à compter de la demeure.

1991, c. 64, a. 595 (1994-01-01).

Art. 595. Support may be claimed for needs existing up to one year before the application.

The creditor shall prove that he was in fact unable to act sooner, unless he made a demand to the debtor within one year before the application, in which case support is awarded from the date of the demand.

C.C.Q. (1980) 643 (**C.C.Q.** 596, 2906; **C.P.C.** 827.5)

Art. 596. Le débiteur de qui on réclame des arrérages peut opposer un changement dans sa condition ou celle de son créancier survenu depuis le jugement et être libéré de tout ou partie de leur paiement.

Cependant, lorsque les arrérages sont dus depuis plus de six mois, le débiteur ne peut être libéré de leur paiement que s'il démontre qu'il lui a été impossible d'exercer ses recours pour obtenir une révision du jugement fixant la pension alimentaire.

1991, c. 64, a. 596 (1994-01-01); 2002, c. 19, a. 15 (2002-06-13).

Art. 596. A debtor from whom arrears are claimed may plead a change, after judgment, in his condition or in that of his creditor and be released from payment of the whole or a part of them.

However, in no case where the arrears claimed have been due for over six months may the debtor be released from payment of them unless he shows that it was impossible for him to exercise his right to obtain a review of the judgment fixing the alimentary pension.

C.C.Q. (1980) 644 (**C.C.Q.** 517, 594, 595, 2878, 2906; **C.P.C.** 827.5)

TITRE QUATRIÈME
DE L'AUTORITÉ PARENTALE

Art. 597. L'enfant, à tout âge, doit respect à ses père et mère.

1991, c. 64, a. 597 (1994-01-01).

C.C.Q. (1980) 645

Art. 598. L'enfant reste sous l'autorité de ses père et mère jusqu'à sa majorité ou son émancipation.

1991, c. 64, a. 598 (1994-01-01).

C.C.Q. (1980) 646 (**C.C.Q.** 80, 153, 159, 171, 175, 176, 192 ss., 394, 556, 562, 602, 606)

Art. 599. Les père et mère ont, à l'égard de leur enfant, le droit et le devoir de garde, de surveillance et d'éducation.

Ils doivent nourrir et entretenir leur enfant.

1991, c. 64, a. 599 (1994-01-01).

C.C.Q. (1980) 647 (**C.C.Q.** 14, 16-18, 21, 23, 26, 32, 33, 394, 513, 521, 585, 600, 601, 604-606, 1459, 3093)

Art. 600. Les père et mère exercent ensemble l'autorité parentale.

Si l'un d'eux décède, est déchu de l'autorité parentale ou n'est pas en mesure de manifester sa volonté, l'autorité est exercée par l'autre.

1991, c. 64, a. 600 (1994-01-01).

C.C.Q. (1980) 648 (**C.C.Q.** 193, 394, 604, 606, 3142)

Art. 601. Le titulaire de l'autorité parentale peut déléguer la garde, la surveillance ou l'éducation de l'enfant.

1991, c. 64, a. 601 (1994-01-01).

C.C.Q. (1980) 649 (**C.C.Q.** 194, 398, 556, 1460)

Art. 602. Le mineur non émancipé ne peut, sans le consentement du titulaire de l'autorité parentale, quitter son domicile.

1991, c. 64, a. 602 (1994-01-01).

C.C.Q. (1980) 650 (**C.C.Q.** 80, 153, 171)

Art. 603. À l'égard des tiers de bonne foi, le père ou la mère qui accomplit seul un acte d'autorité à l'égard de l'enfant est présumé agir avec l'accord de l'autre.

1991, c. 64, a. 603 (1994-01-01).

C.C.Q. (1980) 652 (**C.C.Q.** 397, 398, 2906)

TITLE FOUR
PARENTAL AUTHORITY

Art. 597. Every child, regardless of age, owes respect to his father and mother.

Art. 598. A child remains subject to the authority of his father and mother until his majority or emancipation.

Art. 599. The father and mother have the rights and duties of custody, supervision and education of their children.

They shall maintain their children.

Art. 600. The father and mother exercise parental authority together.

If either parent dies, is deprived of parental authority or is unable to express his or her will, parental authority is exercised by the other parent.

Art. 601. The person having parental authority may delegate the custody, supervision or education of the child.

Art. 602. No unemancipated minor may leave his domicile without the consent of the person having parental authority.

Art. 603. Where the father or the mother performs alone any act of authority concerning their child, he or she is, with regard to third persons in good faith, presumed to be acting with the consent of the other parent.

Art. 604. En cas de difficultés relatives à l'exercice de l'autorité parentale, le titulaire de l'autorité parentale peut saisir le tribunal qui statuera dans l'intérêt de l'enfant après avoir favorisé la conciliation des parties.

1991, c. 64, a. 604 (1994-01-01).

Art. 604. In the case of difficulties relating to the exercise of parental authority, the person having parental authority may refer the matter to the court, which will decide in the interest of the child after fostering the conciliation of the parties.

C.C.Q. (1980) 653 (**C.C.Q.** 33, 34, 400, 600, 605, 606, 2639; **C.P.C.** 70, 394, 394.1 ss., 813, 815.2-815.4)

Art. 605. Que la garde de l'enfant ait été confiée à l'un des parents ou à une tierce personne, quelles qu'en soient les raisons, les père et mère conservent le droit de surveiller son entretien et son éducation et sont tenus d'y contribuer à proportion de leurs facultés.

1991, c. 64, a. 605 (1994-01-01).

Art. 605. Whether custody is entrusted to one of the parents or to a third person, and whatever the reasons may be, the father and mother retain the right to supervise the maintenance and education of the children, and are bound to contribute thereto in proportion to their means.

C.C.Q. (1980) 570 (**C.C.Q.** 32, 195, 388, 513, 514, 521, 599, 600, 604; **C.P.C.** 44.1, 45, 814.1)

Art. 606. La déchéance de l'autorité parentale peut être prononcée par le tribunal, à la demande de tout intéressé, à l'égard des père et mère, de l'un d'eux ou du tiers à qui elle aurait été attribuée, si des motifs graves et l'intérêt de l'enfant justifient une telle mesure.

Si la situation ne requiert pas l'application d'une telle mesure, mais requiert néanmoins une intervention, le tribunal peut plutôt prononcer le retrait d'un attribut de l'autorité parentale ou de son exercice. Il peut aussi être saisi directement d'une demande de retrait.

1991, c. 64, a. 606 (1994-01-01).

Art. 606. The court may, for a grave reason and in the interest of the child, on the application of any interested person, declare the father, the mother or either of them, or a third person on whom parental authority may have been conferred, to be deprived of such authority.

Where such a measure is not required by the situation but action is nevertheless necessary, the court may declare, instead, the withdrawal of an attribute of parental authority or of the exercise of such authority. The court may also directly examine an application for withdrawal.

C.C.Q. (1980) 654 (**D.T.** 9; **C.C.Q.** 32-34, 65, 197, 552, 553, 559, 609, 610, 620, 1459; **C.P.C.** 70, 195, 394, 394.1 ss., 813, 826-826.3)

Art. 607. Le tribunal peut, au moment où il prononce la déchéance, le retrait d'un attribut de l'autorité parentale ou de son exercice, désigner la personne qui exercera l'autorité parentale ou l'un de ses attributs; il peut aussi prendre, le cas échéant, l'avis du conseil de tutelle avant de procéder à cette désignation ou, si l'intérêt de l'enfant l'exige, à la nomination d'un tuteur.

1991, c. 64, a. 607 (1994-01-01).

Art. 607. The court may, in declaring deprivation or withdrawal of an attribute of parental authority or of the exercise of such authority, designate the person who is to exercise parental authority or an attribute thereof; it may also, where applicable, obtain the advice of the tutorship council before designating the person or, if required in the interest of the child, appointing a tutor.

C.C.Q. (1980) 655 (**D.T.** 36; **C.C.Q.** 33, 197, 199, 222 ss., 1459)

Art. 608. La déchéance s'étend à tous les enfants mineurs déjà nés au moment du jugement, à moins que le tribunal n'en décide autrement.

1991, c. 64, a. 608 (1994-01-01).

Art. 608. Deprivation extends to all minor children born at the time of the judgment, unless the court decides otherwise.

C.C.Q. (1980) 656

Art. 609. La déchéance emporte pour l'enfant dispense de l'obligation alimentaire, à moins que le tribunal n'en décide autrement. Cette dispense peut néanmoins, si les circonstances le justifient, être levée après la majorité.

1991, c. 64, a. 609 (1994-01-01).

Art. 609. Deprivation entails the exemption of the child from the obligation to provide support, unless the court decides otherwise. However, where circumstances warrant it, the exemption may be lifted after the child reaches full age.

C.C.Q. (1980) 657 (**C.C.Q.** 585, 606, 610)

Art. 610. Le père ou la mère qui a fait l'objet d'une déchéance ou du retrait de l'un des attributs de l'autorité parentale peut obtenir, en justifiant de circonstances nouvelles, que lui soit restituée l'autorité dont il avait été privé, sous réserve des dispositions relatives à l'adoption.

1991, c. 64, a. 610 (1994-01-01).

Art. 610. A father or mother who has been deprived of parental authority or from whom an attribute of parental authority has been withdrawn may have the withdrawn authority restored, provided he or she alleges new circumstances, subject to the provisions governing adoption.

C.C.Q. (1980) 658 (**C.C.Q.** 33, 34, 198, 552, 559, 561, 569, 606; **C.P.C.** 70, 195, 394, 394.1 ss., 813, 826-826.3)

Art. 611. Les père et mère ne peuvent sans motifs graves faire obstacle aux relations personnelles de l'enfant avec ses grands-parents.

À défaut d'accord entre les parties, les modalités de ces relations sont réglées par le tribunal.

1991, c. 64, a. 611 (1994-01-01).

Art. 611. In no case may the father or mother, without a grave reason, interfere with personal relations between the child and his grandparents.

Failing agreement between the parties, the terms and conditions of these relations are decided by the court.

C.C.Q. (1980) 659 (**C.C.Q.** 32, 33; **C.P.C.** 70, 394.1 ss., 813, 826-826.3)

Art. 612. Les décisions qui concernent les enfants peuvent faire faire révisées à tout moment par le tribunal, si les circonstances le justifient.

1991, c. 64, a. 612 (1994-01-01).

Art. 612. Decisions concerning the children may be reviewed at any time by the court, if warranted by circumstances.

C.C.Q. (1980) 536.1, 571 (**D.T.** 9; **C.C.Q.** 32-34, 594, 605; **C.P.C.** 813, 817.3)

LIVRE TROISIÈME
DES SUCCESSIONS

BOOK THREE
SUCCESSIONS

TITRE PREMIER
DE L'OUVERTURE DES SUCCESSIONS ET DES QUALITÉS REQUISES POUR SUCCÉDER

TITLE ONE
OPENING OF SUCCESSIONS AND QUALITIES FOR SUCCESSION

CHAPITRE PREMIER
DE L'OUVERTURE DES SUCCESSIONS

CHAPTER I
OPENING OF SUCCESSIONS

Art. 613. La succession d'une personne s'ouvre par son décès, au lieu de son dernier domicile.

Elle est dévolue suivant les prescriptions de la loi, à moins que le défunt n'ait, par des dispositions testamentaires, réglé autrement la dévolution de ses biens. La donation à cause de mort est, à cet égard, une disposition testamentaire.

1991, c. 64, a. 613 (1994-01-01).

Art. 613. The succession of a person opens by his death, at the place of his last domicile.

The succession devolves according to the prescriptions of law unless the deceased has, by testamentary dispositions, provided otherwise for the devolution of his property. Gifts mortis causa are, in that respect, testamentary dispositions.

C.C.B.C. 597, 600, 601, 864 (**D.T.** 37; **C.C.Q.** 75 ss., 85, 94, 96, 126, 736, 1808, 1819, 3098 ss.; **C.P.C.** 74, 116)

Art. 614. La loi ne considère ni l'origine ni la nature des biens pour en régler la succession; tous ensemble, ils ne forment qu'un seul patrimoine.

1991, c. 64, a. 614 (1994-01-01).

Art. 614. In determining succession, the law considers neither the origin nor the nature of the property; all the property as a whole constitutes a single patrimony.

C.C.B.C. 599, 630 (**C.C.Q.** 654, 3098)

Art. 615. Lorsqu'une personne décède en laissant des biens situés hors du Québec ou des créances contre des personnes qui n'y résident pas, on peut, suivant les règles prévues au Code de procédure civile, obtenir des lettres de vérification.

1991, c. 64, a. 615 (1994-01-01).

Art. 615. When a person dies leaving property situated outside Québec or claims against persons not residing in Québec, letters of verification may be obtained in the manner provided in the Code of Civil Procedure.

C.C.B.C. 650a; **C.P.C.** 933 (**C.C.Q.** 773, 3098 ss.; **C.P.C.** 892 ss.)

Art. 616. Les personnes qui décèdent sans qu'il soit possible d'établir laquelle a survécu à l'autre sont réputées décédées au même instant, si au moins l'une d'entre elles est appelée à la succession de l'autre.

La succession de chacune d'elles est alors dévolue aux personnes qui auraient été appelées à la recueillir à leur défaut.

1991, c. 64, a. 616 (1994-01-01).

Art. 616. Where persons die and it is impossible to determine which survived the other, they are deemed to have died at the same time if at least one of them is called to the succession of the other.

The succession of each of the decedents then devolves to the persons who would have been called to take it in his place.

C.C.B.C. 603 (**D.T.** 141; **C.C.Q.** 2847)

CHAPITRE DEUXIÈME
DES QUALITÉS REQUISES POUR SUCCÉDER

CHAPTER II
QUALITIES FOR SUCCESSION

Art. 617. Peuvent succéder les personnes physiques qui existent au moment de l'ouverture de la succession, y compris l'absent présumé vivant à cette époque et l'enfant conçu, mais non encore né, s'il naît vivant et viable.

Peuvent également succéder, en cas de substitution ou de fiducie, les personnes qui ont les qualités requises lorsque la disposition produit effet à leur égard.

1991, c. 64, a. 617 (1994-01-01).

Art. 617. Natural persons who exist at the time the succession opens, including absentees presumed to be alive at that time and children conceived but yet unborn, if they are born alive and viable, may inherit.

In the case of a substitution or trust, persons who have the required qualities when the disposition produces its effect in their regard may also inherit.

C.C.B.C. 105, 608, 837, 838 (**C.C.Q.** 85, 192, 575, 580, 650, 660 ss., 750 ss., 1218, 1242, 1258, 1262, 1279; **C.P.C.** 471)

Art. 618. L'État peut recevoir par testament; les personnes morales le peuvent aussi, dans la limite des biens qu'elles peuvent posséder.

Le fiduciaire peut recevoir le legs destiné à la fiducie ou celui qui sert à la poursuite du but de la fiducie.

1991, c. 64, a. 618 (1994-01-01).

Art. 618. The State may receive by will. Legal persons may receive by will such property as they may legally hold.

A trustee may receive a legacy intended for the trust or a legacy to be used to accomplish the object of the trust.

C.C.B.C. 598, 836, 981b (**C.C.Q.** 298, 299, 303, 525, 653, 696, 697, 1278)

Art. 619. Est héritier depuis l'ouverture de la succession, pour autant qu'il l'accepte, le successible à qui est dévolue la succession *ab intestat* et celui qui reçoit, par testament, un legs universel ou à titre universel.

1991, c. 64, a. 619 (1994-01-01).

Art. 619. A successor to whom an intestate succession devolves or who receives a universal legacy or a legacy by general title by will is an heir from the opening of the succession, provided he accepts it.

C.C.B.C. 597 (**C.C.Q.** 101, 181, 536, 627, 630, 697, 732, 733, 736, 738, 739; **C.P.C.** 892 ss.)

Art. 620. Est de plein droit indigne de succéder:

1° Celui qui est déclaré coupable d'avoir attenté à la vie du défunt;

2° Celui qui est déchu de l'autorité parentale sur son enfant, avec dispense pour celui-ci de l'obligation alimentaire, à l'égard de la succession de cet enfant.

1991, c. 64, a. 620 (1994-01-01).

Art. 620. The following persons are unworthy of inheriting by operation of law:

(1) a person convicted of making an attempt on the life of the deceased;

(2) a person deprived of parental authority over his child while his child is exempted from the obligation of providing support, in respect of that child's succession.

C.C.B.C. 610, 611, 813, 893 (**D.T.** 38; **C.C.Q.** 622, 628, 1836)

Art. 621. Peut être déclaré indigne de succéder:

1° Celui qui a exercé des sévices sur le défunt ou a eu autrement envers lui un comportement hautement répréhensible;

Art. 621. The following persons may be declared unworthy of inheriting:

(1) a person guilty of cruelty towards the deceased or having otherwise behaved towards him in a seriously reprehensible manner;

2° Celui qui a recelé, altéré ou détruit de mauvaise foi le testament du défunt;

3° Celui qui a gêné le testateur dans la rédaction, la modification ou la révocation de son testament.

1991, c. 64, a. 621 (1994-01-01).

C.C.B.C. 610, 611, 813, 893 (**D.T.** 38; **C.C.Q.** 620, 622, 628, 1836)

Art. 622. L'héritier n'est pas indigne de succéder et ne peut être déclaré tel si le défunt, connaissant la cause d'indignité, l'a néanmoins avantagé ou n'a pas modifié la libéralité, alors qu'il aurait pu le faire.

1991, c. 64, a. 622 (1994-01-01).

Art. 623. Tout successible peut, dans l'année qui suit l'ouverture de la succession ou la connaissance d'une cause d'indignité, demander au tribunal de déclarer l'indignité d'un héritier lorsque celui-ci n'est pas indigne de plein droit.

1991, c. 64, a. 623 (1994-01-01).

C.C.B.C. 814 (**C.C.Q.** 628, 2878, 2879, 2922; **C.P.C.** 110)

Art. 624. L'époux ou le conjoint uni civilement de bonne foi succède à son conjoint si la nullité du mariage ou de l'union civile est prononcée après le décès.

1991, c. 64, a. 624 (1994-01-01); 2002, c. 6, a. 37 (2002-06-24).

(**C.C.Q.** 380 ss., 386, 764, 2459, 2805; **C.P.C.** 817)

(2) a person who has concealed, altered or destroyed in bad faith the will of the deceased;

(3) a person who had hindered the testator in the writing, amendment or revocation of his will.

Art. 622. An heir is not unworthy of inheriting nor subject to being declared so if the deceased knew the cause of unworthiness and yet conferred a benefit on him or did not modify the liberality when he could have done so.

Art. 623. Any successor may, within one year after the opening of the succession or becoming aware of a cause of unworthiness, apply to the court to declare an heir unworthy if that heir is not unworthy by operation of law.

Art. 624. The surviving married or civil union spouse in good faith of the deceased inherits if the marriage or civil union is declared null after the death.

TITRE DEUXIÈME
DE LA TRANSMISSION DE LA SUCCESSION

CHAPITRE PREMIER
DE LA SAISINE

Art. 625. Les héritiers sont, par le décès du défunt ou par l'événement qui donne effet à un legs, saisis du patrimoine du défunt, sous réserve des dispositions relatives à la liquidation successorale.

Ils ne sont pas, sauf les exceptions prévues au présent livre, tenus des obligations du défunt au-delà de la valeur des biens qu'ils recueillent et ils conservent le droit de réclamer de la succession le paiement de leurs créances.

Ils sont saisis des droits d'action du défunt contre l'auteur de toute violation d'un droit de la personnalité ou contre ses représentants.

1991, c. 64, a. 625 (1994-01-01).

TITLE TWO
TRANSMISSION OF SUCCESSIONS

CHAPTER I
SEISIN

Art. 625. The heirs are seised, by the death of the deceased or by the event which gives effect to the legacy, of the patrimony of the deceased, subject to the provisions on the liquidation of successions.

The heirs are not, unless by way of exception provided for in this Book, bound by the obligations of the deceased to a greater extent than the value of the property they receive, and they retain their right to demand payment of their claims from the succession.

The heirs are seised of the rights of action of the deceased against any person or that person's representatives, for breach of his personality rights.

C.C.B.C. 607, 875, 878, 891 (**C.C.Q.** 2, 3, 10, 35, 536, 537, 619, 697, 739, 777, 779, 823 ss., 916, 1243, 1265, 1441, 1837, 2456 al. 1; **C.P.C.** 116, 254 ss.)

CHAPITRE DEUXIÈME
DE LA PÉTITION D'HÉRÉDITÉ ET DE SES EFFETS SUR LA TRANSMISSION DE LA SUCCESSION

Art. 626. Le successible peut toujours faire reconnaître sa qualité d'héritier, dans les dix ans qui suivent soit l'ouverture de la succession à laquelle il prétend avoir droit, soit le jour où son droit s'est ouvert.

1991, c. 64, a. 626 (1994-01-01).

CHAPTER II
PETITION OF INHERITANCE AND ITS EFFECTS ON THE TRANSMISSION OF THE SUCCESSION

Art. 626. A successor is entitled to have his heirship recognized at any time within ten years from the opening of the succession to which he claims to be entitled or from the day his right arises.

C.C.B.C. 2242 (**D.T.** 39; **C.C.Q.** 650, 701, 742, 2889 ss.; **C.P.C.** 74, 110)

Art. 627. La reconnaissance de la qualité d'héritier au successible oblige l'héritier apparent à la restitution de ce qu'il a reçu sans droit de la succession, suivant les règles du livre Des obligations relatives à la restitution des prestations.

1991, c. 64, a. 627 (1994-01-01).

Art. 627. An apparent heir is obliged, by the recognition of the heirship of the successor, to restore everything he has received from the succession without being entitled to it, in accordance with the rules in the Book on Obligations relating to restitution of prestations.

(**C.C.Q.** 96, 101, 911, 921 ss., 1699 ss.)

Art. 628. L'indigne qui a reçu un bien de la succession est réputé héritier apparent de mauvaise foi.

1991, c. 64, a. 628 (1994-01-01).

Art. 628. Any person who is unworthy and who has received property from the succession is deemed to be an apparent heir in bad faith.

C.C.B.C. 612 (**C.C.Q.** 620 ss., 2847)

Art. 629. Les obligations du défunt acquittées par les héritiers apparents, autrement qu'avec des biens provenant de la succession, sont remboursées par les héritiers véritables.

1991, c. 64, a. 629 (1994-01-01).

Art. 629. Obligations of the deceased discharged by the apparent heirs otherwise than out of property from the succession are reimbursed by the true heirs.

CHAPITRE TROISIÈME
DU DROIT D'OPTION

CHAPTER III
THE RIGHT OF OPTION

SECTION I
DE LA DÉLIBÉRATION ET DE L'OPTION

SECTION I
DELIBERATION AND OPTION

Art. 630. Tout successible a le droit d'accepter la succession ou d'y renoncer.

L'option est indivisible. Toutefois, le successible qui cumule plus d'une vocation successorale a, pour chacune d'elles, un droit d'option distinct.

1991, c. 64, a. 630 (1994-01-01).

Art. 630. Every successor has the right to accept or to renounce the succession.

The option is indivisible. However, a successor called to the succession in several ways has a separate option for each.

C.C.B.C. 641 (**D.T.** 39; **C.C.Q.** 173, 646, 647, 654, 741, 867, 1809)

Art. 631. Nul ne peut exercer d'option sur une succession non ouverte ni faire aucune stipulation sur une pareille succession, même avec le consentement de celui dont la succession est en cause.

1991, c. 64, a. 631 (1994-01-01).

Art. 631. No person may exercise his option with respect to a succession not yet opened or make any stipulation with respect to such a succession, even with the consent of the person whose succession it is.

C.C.B.C. 658, 1061 al. 2 (**C.C.Q.** 8, 9, 613, 757, 3081)

Art. 632. Le successible a six mois, à compter du jour où son droit s'est ouvert, pour délibérer et exercer son option. Ce délai est prolongé de plein droit d'autant de jours qu'il est nécessaire pour qu'il dispose d'un délai de soixante jours à compter de la clôture de l'inventaire.

Pendant la période de délibération, il ne peut être condamné à titre d'héritier, à moins qu'il n'ait déjà accepté la succession.

1991, c. 64, a. 632 (1994-01-01).

Art. 632. A successor has six months from the day his right arises to deliberate and exercise his option. The period is extended of right by as many days as necessary to afford him sixty days from closure of the inventory.

During the period for deliberation, no judgment may be rendered against the successor as an heir unless he has already accepted the succession.

C.C.B.C. 664, 666 (**C.C.Q.** 639, 741, 795, 1224, 1236; **C.P.C.** 116, 168, 216)

Art. 633. Le successible qui connaît sa qualité et ne renonce pas dans le délai de délibération est présumé avoir accepté, sauf prolongation du délai par le tribunal. Celui qui ignorait sa qualité peut être contraint d'opter dans le délai fixé par le tribunal.

Le successible qui n'opte pas dans le délai imparti par le tribunal est présumé avoir renoncé.

1991, c. 64, a. 633 (1994-01-01).

Art. 633. If the successor aware of his heirship does not renounce within the period for deliberation, he is presumed to have accepted unless the period has been extended by the court. If a successor is unaware of his heirship, he may be constrained to exercise his option within the time determined by the court.

If a successor does not exercise his option within the time determined by the court, he is presumed to have renounced.

C.C.B.C. 667, 669 (**C.C.Q.** 632, 637, 645, 647, 650; **C.P.C.** 168, 885*c*))

Art. 634. Si le successible renonce dans le délai de délibération fixé à l'article 632, les frais légitimement faits jusqu'à cette époque sont à la charge de la succession.

1991, c. 64, a. 634 (1994-01-01).

Art. 634. If a successor renounces within the period for deliberation fixed in article 632, the lawful expenses incurred to that time are borne by the succession.

C.C.B.C. 666, 668

Art. 635. Si le successible décède avant d'avoir exercé son option, ses héritiers délibèrent et exercent cette option, dans le délai qui leur est imparti pour délibérer et opter à l'égard de la succession de leur auteur.

Chacun des héritiers du successible exerce séparément son option; la part de l'héritier qui renonce accroît aux cohéritiers.

1991, c. 64, a. 635 (1994-01-01).

Art. 635. If a successor dies before exercising his option, his heirs deliberate and exercise the option within the period allotted to them for deliberation and option in respect of the succession of their predecessor in title.

Each of the heirs of the successor exercises his option separately; the share of an heir who renounces accrues to the coheirs.

C.C.B.C. 648, 649 (**C.C.Q.** 630, 632)

Art. 636. Une personne ne peut faire annuler son option pour les causes et dans les délais prévus pour invoquer la nullité des contrats.

1991, c. 64, a. 636 (1994-01-01).

Art. 636. A person may cause an option he has exercised to be annulled on the grounds and within the time prescribed for invoking nullity of contracts.

C.C.B.C. 650 (**C.C.Q.** 163, 173, 287, 294, 1399, 1405, 1407, 1416 ss., 2925, 2927; **C.P.C.** 110)

SECTION II
DE L'ACCEPTATION

Art. 637. L'acceptation est expresse ou tacite. Elle peut aussi résulter de la loi.

L'acceptation est expresse quand le successible prend formellement le titre ou la qualité d'héritier; elle est tacite quand le successible fait un acte qui suppose nécessairement son intention d'accepter.

1991, c. 64, a. 637 (1994-01-01).

SECTION II
ACCEPTANCE

Art. 637. Acceptance is express or tacit. It may also result from the law.

Acceptance is express where the successor formally assumes the title or quality of heir; it is tacit where the successor performs an act that necessarily implies his intention of accepting.

C.C.B.C. 645 (**C.C.Q.** 42, 619, 630, 633, 636, 642, 648, 649, 651)

Art. 638. La succession dévolue au mineur, au majeur protégé ou à l'absent est réputée acceptée, sauf renonciation, dans les délais de délibération et d'option:

1° Par le représentant du successible avec l'autorisation du conseil de tutelle, s'il s'agit du mineur non émancipé, du majeur en tutelle ou en curatelle, ou de l'absent;

2° Par le successible lui-même, assisté de son tuteur ou de son conseiller, selon qu'il s'agit du mineur émancipé ou du majeur qui a besoin d'assistance.

Le mineur, le majeur protégé ou l'absent ne peut jamais être tenu au paiement des dettes de la succession au-delà de la valeur des biens qu'il recueille.

1991, c. 64, a. 638 (1994-01-01).

Art. 638. A succession devolving to a minor, to a protected person of full age or to an absent person is deemed to be accepted, except where it is renounced within the time for deliberation and option,

(1) in the case of an unemancipated minor, a person of full age under tutorship or curatorship or an absent person, by the representative of the successor with the authorization of the tutorship council;

(2) in the case of an emancipated minor or person of full age who requires assistance, by the successor himself, assisted by his tutor or his adviser.

In no case is the minor, the protected person of full age or the absent person liable for the payment of debts of the succession amounting to more than the value of the property he receives.

C.C.B.C. 301, 643 (**D.T.** 39; **C.C.Q.** 86, 87, 158, 163, 173, 222 ss., 233, 258, 281, 285, 287, 294, 617, 630, 632, 645, 646, 650, 2847 al. 2)

Art. 639. Le fait pour le successible de dispenser le liquidateur de faire inventaire ou celui de confondre, après le décès, les biens de la succession avec ses biens personnels emporte acceptation de la succession.

1991, c. 64, a. 639 (1994-01-01).

Art. 639. The fact that the successor exempts the liquidator from making an inventory or mingles property of the succession with his personal property, unless the property was mingled before the death, entails acceptance of the succession.

(**C.C.Q.** 645, 780, 794 ss., 799, 801)

Art. 640. La succession est présumée acceptée lorsque le successible, sachant que le liquidateur refuse ou néglige de faire inventaire, néglige lui-même de procéder à l'inventaire ou de demander au tribunal soit de remplacer le liquidateur, soit de lui enjoindre de le faire dans les soixante jours qui suivent l'expiration du délai de délibération de six mois.

1991, c. 64, a. 640 (1994-01-01).

Art. 640. The succession is presumed to be accepted where the successor, knowing that the liquidator refuses or is neglecting to make the inventory, himself neglects to make the inventory or to apply to the court either to replace the liquidator or to order him to make the inventory within sixty days after expiry of the six months for deliberation.

(**C.C.Q.** 645, 785, 788, 791, 794 ss., 800)

Art. 641. La cession, à titre gratuit ou onéreux, qu'une personne fait de ses droits dans la succession emporte acceptation.

Il en est ainsi de la renonciation au profit d'un ou de plusieurs cohéritiers, même si elle est à titre gratuit, ou de la renonciation à titre onéreux, encore qu'elle soit au profit de tous les cohéritiers indistinctement.

1991, c. 64, a. 641 (1994-01-01).

Art. 641. The transfer by a person of his rights in a succession by gratuitous or onerous title entails acceptance.

The same rule applies to renunciation in favour of one or more coheirs, even by gratuitous title, and to renunciation by onerous title, even though it be in favour of all the coheirs without distinction.

C.C.B.C. 647 (**C.C.Q.** 631, 645, 1779-1781, 1809, 1824)

Art. 642. Les actes purement conservatoires, de surveillance et d'administration provisoire n'emportent pas, à eux seuls, acceptation de la succession.

Il en est ainsi de l'acte rendu nécessaire par des circonstances exceptionnelles et accompli par le successible dans l'intérêt de la succession.

1991, c. 64, a. 642 (1994-01-01).

C.C.B.C. 646 (**C.C.Q.** 42, 644, 1301, 1309)

Art. 643. La répartition des vêtements, papiers personnels, décorations et diplômes du défunt, ainsi que des souvenirs de famille, n'emporte pas, à elle seule, acceptation de la succession si elle est faite avec l'accord de tous les successibles.

L'acceptation, par un successible, de la transmission en sa faveur d'un emplacement destiné à recevoir un corps ou des cendres n'emporte pas, non plus, acceptation de la succession.

1991, c. 64, a. 643 (1994-01-01).

C.C.B.C. 2217; **C.P.C.** 553 (**C.C.Q.** 642, 2876; **C.P.C.** 570)

Art. 644. S'il existe dans la succession des biens susceptibles de dépérissement, le successible peut, avant la désignation du liquidateur, les vendre de gré à gré ou, s'il ne peut trouver preneur en temps utile, les donner à des organismes de bienfaisance ou encore les distribuer entre les successibles, sans qu'on puisse en inférer une acceptation de sa part.

Il peut aussi aliéner les biens qui, sans être susceptibles de dépérissement, sont dispendieux à conserver ou susceptibles de se déprécier rapidement. Il agit alors comme administrateur du bien d'autrui.

1991, c. 64, a. 644 (1994-01-01).

C.C.B.C. 665; **C.P.C.** 747, 921, 922 (**C.C.Q.** 642, 1301-1305, 1309)

Art. 645. L'acceptation confirme la transmission qui s'est opérée de plein droit au moment du décès.

1991, c. 64, a. 645 (1994-01-01).

C.C.B.C. 644 (**C.C.Q.** 625, 884, 916, 2938, 2998)

SECTION III
DE LA RENONCIATION

Art. 646. La renonciation est expresse. Elle peut aussi résulter de la loi.

Art. 642. Mere conservatory acts and acts of supervision and provisional administration do not, by themselves, entail acceptance of the succession.

The same rule applies to an act rendered necessary by exceptional circumstances which the successor performs in the interest of the succession.

Art. 643. The distribution of the clothing, private papers, medals and diplomas of the deceased and family souvenirs does not by itself entail acceptance of the succession if it is done with the agreement of all the successors.

Acceptance by a successor of the transmission in his favour of a site intended for a body or ashes does not entail acceptance of the succession.

Art. 644. If a succession includes perishable things, the successor may, before the designation of a liquidator, sell them by agreement or, if he cannot find a buyer in due time, give them to charitable institutions or distribute them among the successors, without implying acceptance on his part.

He may also alienate movable property which, although not perishable, is expensive to preserve or is likely to depreciate rapidly. In this case, he acts as an administrator of the property of others.

Art. 645. Acceptance confirms the transmission which took place by operation of law at the time of death.

SECTION III
RENUNCIATION

Art. 646. Renunciation is express. It may also result from the law.

La renonciation expresse se fait par acte notarié en minute ou par une déclaration judiciaire dont il est donné acte.

1991, c. 64, a. 646 (1994-01-01).

Express renunciation is made by notarial act en minute or by a judicial declaration which is recorded.

C.C.B.C. 651 (**C.C.Q.** 173, 630, 633, 634, 638, 647, 649-651, 664, 867, 868, 1809, 2938)

Art. 647. Celui qui renonce est réputé n'avoir jamais été successible.

1991, c. 64, a. 647 (1994-01-01).

Art. 647. A person who renounces is deemed never to have been a successor.

C.C.B.C. 652, 653 (**C.C.Q.** 646, 664, 867)

Art. 648. Le successible peut renoncer à la succession, pourvu qu'il n'ait pas fait d'acte qui emporte acceptation ou qu'il n'existe pas contre lui de jugement passé en force de chose jugée qui le condamne à titre d'héritier.

1991, c. 64, a. 648 (1994-01-01).

Art. 648. A successor may renounce the succession provided that he has not performed any act entailing acceptance and that no judgment having the authority of a final judgment (res judicata) has been rendered against him as an heir.

C.C.B.C. 656, 669 (**C.C.Q.** 630, 632, 633, 637, 639-644, 646)

Art. 649. Le successible qui a renoncé à la succession conserve, dans les dix ans depuis le jour où son droit s'est ouvert, la faculté d'accepter la succession qui n'a pas été acceptée par un autre.

L'acceptation se fait par acte notarié en minute ou par une déclaration judiciaire dont il est donné acte.

L'héritier prend la succession dans l'état où elle se trouve alors et sous réserve des droits acquis par des tiers sur les biens de la succession.

1991, c. 64, a. 649 (1994-01-01).

Art. 649. A successor who has renounced the succession retains the faculty of accepting it for ten years from the day his right arose, if it has not been accepted by another person.

Acceptance is made by notarial act en minute or by a judicial declaration which is recorded.

The heir takes the succession in its actual condition at that time and subject to the acquired rights of third persons in the property of the succession.

C.C.B.C. 657 (**D.T.** 39; **C.C.Q.** 696, 700, 702, 894, 2907)

Art. 650. Le successible qui a ignoré sa qualité ou ne l'a pas fait connaître durant dix ans, à compter du jour où son droit s'est ouvert, est réputé avoir renoncé à la succession.

1991, c. 64, a. 650 (1994-01-01).

Art. 650. A successor who has been unaware of his heirship or has not made it known for ten years from the day his right arose is deemed to have renounced the succession.

C.C.B.C. 656 (**D.T.** 39; **C.C.Q.** 626, 630, 646, 697)

Art. 651. Le successible qui, de mauvaise foi, a diverti ou recelé un bien de la succession ou omis de le comprendre dans l'inventaire est réputé avoir renoncé à la succession, malgré toute acceptation antérieure.

1991, c. 64, a. 651 (1994-01-01).

Art. 651. A successor who, in bad faith, has abstracted or concealed property of the succession or failed to include property in the inventory is deemed to have renounced the succession notwithstanding any prior acceptance.

C.C.B.C. 659, 670 (**C.C.Q.** 164, 639)

Art. 652. Les créanciers de celui qui renonce au préjudice de leurs droits peuvent, dans l'année, demander au tribunal de déclarer que la renonciation leur est inopposable et accepter la succession au lieu et place de leur débiteur.

L'acceptation n'a d'effet qu'en leur faveur et à concurrence seulement du montant de leur créance. Elle ne vaut pas au profit de celui qui a renoncé.

1991, c. 64, a. 652 (1994-01-01).

Art. 652. The creditors of a person who renounces may, if the renunciation is damaging to them, apply within one year to the court to declare that the renunciation may not be set up against them, and accept the succession in lieu of their debtor.

The acceptance has effect only in favour of the creditors who applied for it, and only up to the amount of their claim. It has no effect in favour of the person who renounced.

C.C.B.C. 655 (**C.C.Q.** 1627, 1631, 2645; **C.P.C.** 59, 74, 110)

TITRE TROISIÈME
DE LA DÉVOLUTION LÉGALE DES SUCCESSIONS

TITLE THREE
LEGAL DEVOLUTION OF SUCCESSIONS

CHAPITRE PREMIER
DE LA VOCATION SUCCESSORALE

CHAPTER I
HEIRSHIP

Art. 653. À moins de dispositions testamentaires autres, la succession est dévolue au conjoint survivant qui était lié au défunt par mariage ou union civile et aux parents du défunt, dans l'ordre et suivant les règles du présent titre. À défaut d'héritier, elle échoit à l'État.

1991, c. 64, a. 653 (1994-01-01); 2002, c. 6, a. 38 (2002-06-24).

Art. 653. Unless otherwise provided by testamentary dispositions, a succession devolves to the surviving married or civil union spouse and relatives of the deceased, in the order and according to the rules laid down in this Title. Where there is no heir, it falls to the State.

C.C.B.C. 598, 606, 614 (**C.C.Q.** 613, 617, 655, 666, 671, 696, 697, 914, 915, 935, 936; **C.P.C.** 892 ss.)

Art. 654. La vocation successorale du conjoint survivant n'est pas subordonnée à la renonciation aux droits et avantages qui lui résultent du mariage ou de l'union civile.

1991, c. 64, a. 654 (1994-01-01); 2002, c. 6, a. 39 (2002-06-24).

Art. 654. The surviving spouse's heirship is not dependent on the renunciation of his or her rights and benefits by reason of the marriage or civil union.

(**C.C.Q.** 416, 423, 427, 585, 666, 671, 684)

CHAPITRE DEUXIÈME
DE LA PARENTÉ

CHAPTER II
RELATIONSHIP

Art. 655. La parenté est fondée sur les liens du sang ou de l'adoption.

1991, c. 64, a. 655 (1994-01-01).

Art. 655. Relationship is based on ties of blood or of adoption.

C.C.Q. (1980) 594, 628 (**C.C.Q.** 523-542, 575, 577-581)

Art. 656. Le degré de parenté est déterminé par le nombre de générations, chacune formant un degré. La suite des degrés forme la ligne directe ou collatérale.

1991, c. 64, a. 656 (1994-01-01).

Art. 656. The degree of relationship is established by the number of generations, each forming one degree. The series of degrees forms the direct line or the collateral line.

C.C.B.C. 615, 616 al. 1 (**C.C.Q.** 657, 659)

Art. 657. La ligne directe est la suite des degrés entre personnes qui descendent l'une de l'autre. On compte alors autant de degrés qu'il y a de générations entre le successible et le défunt.

1991, c. 64, a. 657 (1994-01-01).

Art. 657. The direct line is the series of degrees between persons descended one from another. The number of degrees in the direct line is equal to the number of generations between the successor and the deceased.

C.C.B.C. 616 al. 2 et 3, 617 (**C.C.Q.** 656)

Art. 658. La ligne directe descendante est celle qui lie la personne avec ses descendants; la ligne directe ascendante est celle qui lie la personne avec ses auteurs.

1991, c. 64, a. 658 (1994-01-01).

Art. 658. The direct line of descent connects a person with his descendants; the direct line of ascent connects him with his ancestors.

C.C.B.C. 616 al. 3 et 4 (**C.C.Q.** 656, 657)

Art. 659. La ligne collatérale est la suite des degrés entre personnes qui ne descendent pas l'une de l'autre, mais d'un auteur commun.

En ligne collatérale, on compte autant de degrés qu'il y a de générations entre le successible et l'auteur commun, puis entre ce dernier et le défunt.

1991, c. 64, a. 659 (1994-01-01).

Art. 659. The collateral line is the series of degrees between persons descended not one from another but from a common ancestor.

In the collateral line, the number of degrees is equal to the number of generations between the successor and the common ancestor and between the common ancestor and the deceased.

C.C.B.C. 616, 618 (**C.C.Q.** 682, 683)

CHAPITRE TROISIÈME
DE LA REPRÉSENTATION

CHAPTER III
REPRESENTATION

Art. 660. La représentation est une faveur accordée par la loi, en vertu de laquelle un parent est appelé à recueillir une succession qu'aurait recueillie son ascendant, parent moins éloigné du défunt, qui, étant indigne, prédécédé ou décédé au même instant que lui, ne peut la recueillir lui-même.

1991, c. 64, a. 660 (1994-01-01).

Art. 660. Representation is a favour granted by law by which a relative is called to a succession which his ascendant, who is a closer relative of the deceased, would have taken but is unable to take himself, having died previously or at the same time or being unworthy.

C.C.B.C. 613, 619, 624 (**C.C.Q.** 664, 668, 669, 749, 1252)

Art. 661. La représentation a lieu à l'infini dans la ligne directe descendante.

Elle est admise soit que les enfants du défunt concourent avec les descendants d'un enfant représenté, soit que, tous les enfants du défunt étant décédés ou indignes, leurs descendants se trouvent, entre eux, en degrés égaux ou inégaux.

1991, c. 64, a. 661 (1994-01-01).

Art. 661. There is no limit to representation in the direct line of descent.

Representation is allowed whether the children of the deceased compete with the descendants of a represented child, or whether, all the children of the deceased being themselves deceased or unworthy, their descendants are in equal or unequal degrees of relationship to each other.

C.C.B.C. 620 (**C.C.Q.** 578, 657, 658, 668)

Art. 662. La représentation n'a pas lieu en faveur des ascendants; le plus proche dans chaque ligne exclut les plus éloignés.

1991, c. 64, a. 662 (1994-01-01).

Art. 662. Representation does not take place in favour of ascendants, the nearer ascendant in each line excluding the more distant.

C.C.B.C. 621 (**C.C.Q.** 674, 677)

Art. 663. En ligne collatérale, la représentation a lieu, entre collatéraux privilégiés, en faveur des descendants au premier degré des frères et soeurs du défunt, qu'ils concourent ou non avec ces derniers; entre collatéraux ordinaires, elle a lieu en faveur des autres descendants des frères et soeurs du défunt à d'autres degrés, qu'ils se trouvent, entre eux, en degrés égaux ou inégaux.

1991, c. 64, a. 663 (1994-01-01).

_____

C.C.B.C. 622 (**C.C.Q.** 656, 659, 674, 676, 677 ss.)

Art. 664. On ne représente pas celui qui a renoncé à la succession, mais on peut représenter celui à la succession duquel on a renoncé.

1991, c. 64, a. 664 (1994-01-01).

_____

C.C.B.C. 624 al. 2, 654 (**C.C.Q.** 630, 631, 647, 660)

Art. 665. Dans tous les cas où la représentation est admise, le partage s'opère par souche.

Si une même souche a plusieurs branches, la subdivision se fait aussi par souche dans chaque branche, et les membres de la même branche partagent entre eux par tête.

1991, c. 64, a. 665 (1994-01-01).

_____

C.C.B.C. 623 (**C.C.Q.** 749, 836 ss.)

Art. 663. In the collateral line, representation takes place, between privileged collaterals, in favour of the descendants in the first degree of the brothers and sisters of the deceased, whether or not they compete with them and, between ordinary collaterals, in favour of the other descendants of the brothers and sisters of the deceased in other degrees, whether they are in equal or unequal degrees of relationship to each other.

Art. 664. No person who has renounced a succession may be represented, but a person whose succession has been renounced may be represented.

Art. 665. In all cases where representation is permitted, partition is effected by roots.

If one root has several branches, the subdivision is also made by roots in each branch, and the members of the same branch share among themselves by heads.

CHAPITRE QUATRIÈME
DE L'ORDRE DE DÉVOLUTION DE LA SUCCESSION

CHAPTER IV
ORDER OF DEVOLUTION OF SUCCESSIONS

SECTION I
DE LA DÉVOLUTION AU CONJOINT SURVIVANT ET AUX DESCENDANTS

SECTION I
DEVOLUTION TO THE SURVIVING SPOUSE AND TO DESCENDANTS

Art. 666. Si le défunt laisse un conjoint et des descendants, la succession leur est dévolue.

Le conjoint recueille un tiers de la succession et les descendants les deux autres tiers.

1991, c. 64, a. 666 (1994-01-01).

Art. 666. If the deceased leaves a spouse and descendants, the succession devolves to them.

The spouse takes one-third of the succession and the descendants, the other two-thirds.

C.C.B.C. 624b al. 1 (**C.C.Q.** 365, 378, 379, 522-524, 613, 616, 617, 624, 655, 671)

Art. 667. À défaut de conjoint, la succession est dévolue pour le tout aux descendants.

1991, c. 64, a. 667 (1994-01-01).

Art. 667. Where there is no spouse, the entire succession devolves to the descendants.

C.C.B.C. 625 al. 1 (**C.C.Q.** 158, 173, 217, 522, 613, 617, 655)

Art. 668. Si les descendants qui succèdent sont tous au même degré et appelés de leur chef, ils partagent par égales portions et par tête.

S'il y a représentation, ils partagent par souche.

1991, c. 64, a. 668 (1994-01-01).

C.C.B.C. 625 al. 2 (**C.C.Q.** 656, 660-665)

Art. 669. Sauf s'il y a représentation, le descendant qui se trouve au degré le plus proche recueille la part attribuée aux descendants, à l'exclusion de tous les autres.

1991, c. 64, a. 669 (1994-01-01).

(**C.C.Q.** 656, 658, 660-665)

Art. 668. If the descendants who inherit are all in the same degree and called in their own right, they share in equal portions and by heads.

If there is representation, they share by roots.

Art. 669. Unless there is representation, the descendant in the closest degree takes the share of the descendants, to the exclusion of all the others.

SECTION II
DE LA DÉVOLUTION AU CONJOINT SURVIVANT ET AUX ASCENDANTS OU COLLATÉRAUX PRIVILÉGIÉS

Art. 670. Sont des ascendants privilégiés, les père et mère du défunt.

Sont des collatéraux privilégiés, les frères et soeurs du défunt, ainsi que leurs descendants au premier degré.

1991, c. 64, a. 670 (1994-01-01).

Art. 671. À défaut de descendants, d'ascendants et de collatéraux privilégiés, la succession est dévolue pour le tout au conjoint survivant.

1991, c. 64, a. 671 (1994-01-01).

C.C.B.C. 624a (**C.C.Q.** 522, 613, 617, 653-655, 670)

Art. 672. À défaut de descendants, la succession est dévolue au conjoint survivant pour deux tiers et aux ascendants privilégiés pour l'autre tiers.

1991, c. 64, a. 672 (1994-01-01).

SECTION II
DEVOLUTION TO THE SURVIVING SPOUSE AND TO PRIVILEGED ASCENDANTS OR COLLATERALS

Art. 670. The father and mother of the deceased are privileged ascendants.

The brothers and sisters of the deceased and their descendants in the first degree are privileged collaterals.

Art. 671. Where there are neither descendants, privileged ascendants nor privileged collaterals, the entire succession devolves to the surviving spouse.

Art. 672. Where there are no descendants, two-thirds of the succession devolves to the surviving spouse and one-third to the privileged ascendants.

C.C.B.C. 624b al. 2 et 3 (**C.C.Q.** 522, 585, 613, 617, 655, 662, 670)

Art. 673. À défaut de descendants et d'ascendants privilégiés, la succession est dévolue au conjoint survivant pour deux tiers et aux collatéraux privilégiés pour l'autre tiers.

1991, c. 64, a. 673 (1994-01-01).

Art. 673. Where there are no descendants and no privileged ascendants, two-thirds of the succession devolves to the surviving spouse and one-third to the privileged collaterals.

C.C.B.C. 624b al. 4 (**C.C.Q.** 522, 613, 617, 655, 663, 670, 672)

Art. 674. À défaut de descendants et de conjoint survivant, la succession est partagée également entre les ascendants privilégiés et les collatéraux privilégiés.

Art. 674. Where there are no descendants and no surviving spouse, the succession is partitioned equally between the privileged ascendants and the privileged collaterals.

À défaut d'ascendants privilégiés, les collatéraux privilégiés succèdent pour la totalité, et inversement.

1991, c. 64, a. 674 (1994-01-01).

Where there are no privileged ascendants, the privileged collaterals inherit the entire succession, and vice versa.

C.C.B.C. 626, 631, 632 (**C.C.Q.** 522, 613, 617, 655, 662, 663, 670)

Art. 675. Lorsque les ascendants privilégiés succèdent, ils partagent par égales portions; si l'un d'eux seulement succède, il recueille la part qui aurait été dévolue à l'autre.

1991, c. 64, a. 675 (1994-01-01).

Art. 675. Where the privileged ascendants inherit, they share equally; where only one of the privileged ascendants inherits, he takes the share that would have devolved to the other.

C.C.B.C. 626, 627 (**C.C.Q.** 655, 662, 674)

Art. 676. Lorsque les collatéraux privilégiés qui succèdent sont des parents germains du défunt, ils partagent par égales portions ou par souche, le cas échéant.

Au cas contraire, la part qui leur revient est divisée également entre les lignes paternelle et maternelle du défunt; les germains prennent part dans les deux lignes et les utérins ou consanguins dans leur ligne seulement.

S'il n'y a de collatéraux privilégiés que dans une ligne, ils succèdent pour le tout, à l'exclusion de tous les autres ascendants et collatéraux ordinaires de l'autre ligne.

1991, c. 64, a. 676 (1994-01-01).

Art. 676. Where the privileged collaterals who inherit are fully related by blood to the deceased, they share equally or by roots, as the case may be.

Where this is not the case, the share which devolves to them is divided equally between the paternal line and the maternal line of the deceased; persons fully related by blood partake in both lines and those half related by blood partake each in his own line.

If the privileged collaterals are in one line only, they inherit the entire succession to the exclusion of all other ascendants and ordinary collaterals in the other line.

C.C.B.C. 633 (**C.C.Q.** 655, 656, 663, 665, 670, 673, 674)

SECTION III
DE LA DÉVOLUTION AUX ASCENDANTS ET COLLATÉRAUX ORDINAIRES

Art. 677. Les ascendants et collatéraux ordinaires ne sont appelés à la succession qu'à défaut de conjoint, de descendants et d'ascendants ou collatéraux privilégiés du défunt.

1991, c. 64, a. 677 (1994-01-01).

SECTION III
DEVOLUTION TO ORDINARY ASCENDANTS AND COLLATERALS

Art. 677. The ordinary ascendants and collaterals are not called to the succession unless the deceased left no spouse, no descendants and no privileged ascendants or collaterals.

C.C.B.C. 628, 634 (**C.C.Q.** 522, 613, 617, 655, 662, 663, 670)

Art. 678. Si parmi les collatéraux ordinaires se trouvent des descendants des collatéraux privilégiés, ils recueillent la moitié de la succession; l'autre moitié est dévolue aux ascendants et aux autres collatéraux.

À défaut de descendants de collatéraux privilégiés, la totalité de la succession est dévolue aux ascendants et aux autres collatéraux, et inversement.

1991, c. 64, a. 678 (1994-01-01).

Art. 678. If the ordinary collaterals include descendants of the privileged collaterals, these descendants take one-half of the succession and the other half devolves to the ascendants and the other collaterals.

Where there are no descendants of privileged collaterals, the entire succession devolves to the ascendants and the other collaterals, and vice versa.

C.C.B.C. 628, 629, 634 (**C.C.Q.** 522, 613, 617, 655, 662, 663, 670)

Art. 679. Le partage de la succession dévolue aux ascendants et aux autres collatéraux ordinaires du défunt s'opère également entre les lignes paternelle et maternelle.

Dans chaque ligne, les personnes qui succèdent partagent par tête.

1991, c. 64, a. 679 (1994-01-01).

Art. 679. The succession devolving to the ordinary ascendants and the other collaterals of the deceased is divided equally between the paternal and maternal lines.

In each line, the persons who inherit share by heads.

C.C.B.C. 628, 629, 634 (**C.C.Q.** 656, 659, 662, 663, 670, 678)

Art. 680. Dans chaque ligne, l'ascendant qui se trouve au deuxième degré recueille la part attribuée à sa ligne, à l'exclusion de tous les autres ascendants ou collatéraux ordinaires.

À défaut d'ascendant au deuxième degré dans une ligne, la part attribuée à cette ligne est dévolue aux collatéraux ordinaires qui descendent de cet ascendant et qui se trouvent au degré le plus proche.

1991, c. 64, a. 680 (1994-01-01).

Art. 680. In each line, the ascendant in the second degree takes the share allotted to his line, to the exclusion of the other ordinary ascendants or collaterals.

Where in one line there is no ascendant in the second degree, the share allotted to that line devolves to the closest ordinary collaterals descended from that ascendant.

C.C.B.C. 628, 629, 634 (**C.C.Q.** 655, 656 ss., 670, 677, 679)

Art. 681. À défaut, dans une ligne, de collatéraux ordinaires qui descendent des ascendants au deuxième degré, la part attribuée à cette ligne est dévolue aux ascendants qui se trouvent au troisième degré ou, à leur défaut, aux plus proches collatéraux ordinaires qui descendent de cet ascendant, et ainsi de suite, jusqu'à épuisement des parents au degré successible.

1991, c. 64, a. 681 (1994-01-01).

Art. 681. Where in one line there are no ordinary collaterals descended from the ascendants in the second degree, the share allotted to that line devolves to the ascendants in the third degree or, if there are none, to the closest ordinary collaterals descended from them, and so on until no relatives within the degrees of succession remain.

(**C.C.Q.** 556, 677, 680)

Art. 682. À défaut de parents au degré successible dans une ligne, les parents de l'autre ligne succèdent pour le tout.

1991, c. 64, a. 682 (1994-01-01).

Art. 682. If there are no relatives within the degrees of succession in one line, the relatives in the other line inherit the entire succession.

C.C.B.C. 635 al. 2 (**C.C.Q.** 655 ss., 679)

Art. 683. Les parents au-delà du huitième degré ne succèdent pas.

1991, c. 64, a. 683 (1994-01-01).

Art. 683. Relatives beyond the eighth degree do not inherit.

C.C.B.C. 635 al. 1 (**C.C.Q.** 655, 656, 682)

CHAPITRE CINQUIÈME
DE LA SURVIE DE L'OBLIGATION ALIMENTAIRE

CHAPTER V
THE SURVIVAL OF THE OBLIGATION TO PROVIDE SUPPORT

Art. 684. Tout créancier d'aliments peut, dans les six mois qui suivent le décès, réclamer de la succession une contribution financière à titre d'aliments.

Ce droit existe encore que le créancier soit héritier ou légataire particulier ou que le droit aux aliments n'ait pas été exercé avant la date du décès, mais il n'existe pas au profit de celui qui est indigne de succéder au défunt.

1991, c. 64, a. 684 (1994-01-01).

Art. 684. Every creditor of support may within six months after the death claim a financial contribution from the succession as support.

The right exists even where the creditor is an heir or a legatee by particular title or where the right to support was not exercised before the date of the death, but does not exist in favour of a person unworthy of inheriting from the deceased.

C.C.B.C. 607.1; **C.C.Q. (1980)** 633 (**C.C.Q.** 388, 416, 585 ss., 609, 620-623, 654, 689-695, 807, 812, 3094-3096)

Art. 685. La contribution est attribuée sous forme d'une somme forfaitaire payable au comptant ou par versements.

À l'exception de celle qui est attribuée à l'ex-conjoint du défunt qui percevait effectivement une pension alimentaire au moment du décès, la contribution attribuée aux créanciers d'aliments est fixée en accord avec le liquidateur de la succession agissant avec le consentement des héritiers et des légataires particuliers ou, à défaut d'entente, par le tribunal.

1991, c. 64, a. 685 (1994-01-01).

Art. 685. The contribution is made in the form of a lump sum payable in cash or by instalments.

The contribution made to the creditors of support, with the exception of that made to the former spouse of the deceased who was in fact receiving support at the time of the death, is fixed with the concurrence of the liquidator of the succession acting with the consent of the heirs and legatees by particular title or, failing agreement, by the court.

C.C.B.C. 607.2 (**C.C.Q.** 654, 684, 686-688, 783 ss., 807, 812, 3143; **C.P.C.** 74, 813)

Art. 686. Pour fixer la contribution, il est tenu compte des besoins et facultés du créancier, des circonstances dans lesquelles il se trouve et du temps qui lui est nécessaire pour acquérir une autonomie suffisante ou, si le créancier percevait effectivement des aliments du défunt à l'époque du décès, du montant des versements qui avait été fixé par le tribunal pour le paiement de la pension alimentaire ou de la somme forfaitaire accordée à titre d'aliments.

Il est tenu compte également de l'actif de la succession, des avantages que celle-ci procure au créancier, des besoins et facultés des héritiers et des légataires particuliers, ainsi que, le cas échéant, du droit aux aliments que d'autres personnes peuvent faire valoir.

1991, c. 64, a. 686 (1994-01-01).

Art. 686. In fixing the contribution, the needs and means of the creditor of support, his circumstances and the time he needs to acquire sufficient autonomy or, if he was in fact receiving support from the deceased at the time of the death, the amount of the instalments that had been fixed by the court for the payment of the alimentary support or of the lump sum awarded as support are taken into account.

Account is also taken of the assets of the succession, the benefits derived from the succession by the creditor of support, the needs and means of the heirs and legatees by particular title and, where that is the case, the right to support which may be claimed by other persons.

C.C.B.C. 607.3 (**C.C.Q.** 388, 502, 585 ss., 685, 688, 3094-3096)

Art. 687. Lorsque la contribution est réclamée par le conjoint ou un descendant, la valeur des libéralités faites par le défunt par acte entre vifs dans les trois ans précédant le décès et celles ayant pour terme le décès sont considérées comme faisant partie de la succession pour fixer la contribution.

1991, c. 64, a. 687 (1994-01-01).

C.C.B.C. 607.4 (**C.C.Q.** 585, 688-692)

Art. 688. La contribution attribuée au conjoint ou à un descendant ne peut excéder la différence entre la moitié de la part à laquelle il aurait pu prétendre si toute la succession, y compris la valeur des libéralités, avait été dévolue suivant la loi et ce qu'il reçoit de la succession.

Celle qui est attribuée à l'ex-conjoint est égale à douze mois d'aliments, celle attribuée à un autre créancier d'aliments est égale à six mois d'aliments; toutefois, dans l'un et l'autre cas, elle ne peut, même si le créancier percevait effectivement des aliments du défunt à l'époque de la succession, excéder le moindre de la valeur de douze ou six mois d'aliments ou 10 p. 100 de la valeur de la succession, y compris, le cas échéant, la valeur des libéralités.

1991, c. 64, a. 688 (1994-01-01).

C.C.B.C. 607.5 (**C.C.Q.** 585, 687, 689 ss.)

Art. 689. Lorsque l'actif de la succession est insuffisant pour payer entièrement les contributions dues au conjoint ou à un descendant, en raison des libéralités faites par acte entre vifs dans les trois ans précédant le décès ou de celles ayant pour terme le décès, le tribunal peut ordonner la réduction de ces libéralités.

Toutefois, les libéralités auxquelles le conjoint ou le descendant a consenti ne peuvent être réduites et celles qu'il a reçues doivent être imputées sur sa créance.

1991, c. 64, a. 689 (1994-01-01).

C.C.B.C. 607.6 (**C.C.Q.** 687, 688, 690-695, 1806-1808, 1819, 1839; **C.P.C.** 74)

Art. 690. Est présumée être une libéralité toute aliénation, sûreté ou charge consentie par le défunt pour une prestation dont la valeur est nettement inférieure à celle du bien au moment où elle a été faite.

1991, c. 64, a. 690 (1994-01-01).

C.C.B.C. 607.7 (**C.C.Q.** 687, 689, 692)

Art. 687. Where the contribution is claimed by the spouse or a descendant, the value of the liberalities made by the deceased by act inter vivos during the three years preceding the death and those taking effect at the death are considered to be part of the succession for the fixing of the contribution.

Art. 688. The contribution granted to the spouse or to a descendant may not exceed the difference between one-half of the share he could have claimed had the entire succession, including the value of the liberalities, devolved according to law, and what he receives from the succession.

The contribution granted to the former spouse is equal to the value of twelve months' support, and that granted to other creditors of support is equal to the value of six months' support; however, in neither case may such a contribution, even where the creditor was in fact receiving support from the deceased at the time of the succession, exceed the lesser of the value of twelve or six months' support and ten per cent of the value of the succession including, where that is the case, the value of the liberalities.

Art. 689. Where the assets of the succession are insufficient to make full payment of the contributions due to the spouse or to a descendant, as a result of liberalities made by acts inter vivos during the three years preceding the death or taking effect at the death, the court may order the liberalities reduced.

Liberalities to which the spouse or descendant consented may not be reduced, however, and those he has received shall be debited from his claim.

Art. 690. Any alienation, security or charge granted by the deceased for a prestation clearly of smaller value than that of the property at the time it was made is presumed to be a liberality.

Art. 691. Sont assimilés à des libéralités les avantages découlant d'un régime de retraite visé à l'article 415 ou d'un contrat d'assurance de personne, lorsque ces avantages auraient fait partie de la succession ou auraient été versés au créancier n'eût été la désignation d'un titulaire subrogé ou d'un bénéficiaire, par le défunt, dans les trois ans précédant le décès. Malgré toute disposition contraire, les droits que confèrent les avantages découlant de ces régimes ou contrats sont cessibles et saisissables pour le paiement d'une créance alimentaire payable en vertu du présent chapitre.

1991, c. 64, a. 691 (1994-01-01).

C.C.B.C. 607.8 (**C.C.Q.** 687, 689, 2445, 2455-2457)

Art. 692. À moins qu'ils n'aient été manifestement exagérés eu égard aux facultés du défunt, les frais d'entretien ou d'éducation et les cadeaux d'usage ne sont pas considérés comme des libéralités.

1991, c. 64, a. 692 (1994-01-01).

C.C.B.C. 607.9 (**C.C.Q.** 687, 690, 691)

Art. 693. La réduction des libéralités se fait contre un ou plusieurs des bénéficiaires simultanément.

Au besoin, le tribunal fixe la part que doit payer chacun des bénéficiaires poursuivis ou mis en cause.

1991, c. 64, a. 693 (1994-01-01).

C.C.B.C. 607.10; **C.C.Q. (1980)** 641 (**C.C.Q.** 689; **C.P.C.** 74)

Art. 694. Le paiement de la réduction se fait, à défaut d'accord entre les parties, aux conditions que le tribunal détermine et suivant les modalités de garantie et de paiement qu'il fixe.

Elle ne peut être ordonnée en nature, mais le débiteur peut toujours se libérer par la remise du bien.

1991, c. 64, a. 694 (1994-01-01).

C.C.B.C. 607.11 (**C.C.Q.** 693, 1553 ss.; **C.P.C.** 74, 813)

Art. 695. Les biens s'évaluent suivant leur état à l'époque de la libéralité et leur valeur à l'ouverture de la succession; si un bien a été aliéné, on considère sa valeur à l'époque de l'aliénation ou, en cas de remploi, la valeur du bien substitué au jour de l'ouverture de la succession.

Art. 691. Benefits under a retirement plan contemplated in article 415 or under a contract of insurance of persons, where these benefits would have been part of the succession or would have been paid to the creditor had it not been for the designation of a subrogated holder or a beneficiary, by the deceased, during the three years preceding the death, are classed as liberalities. Notwithstanding any provision to the contrary, rights conferred by benefits under any such plan or contract may be transferred or seized for the payment of support due under this chapter.

Art. 692. The cost of education or maintenance and customary presents are not considered to be liberalities unless, considering the means of the deceased, they are manifestly exaggerated.

Art. 693. Reduction of the liberalities may operate against only one of the beneficiaries or against several of them simultaneously.

If need be, the court fixes the share that shall be payable by each of the beneficiaries sued or impleaded.

Art. 694. Payment of the reduction is made, failing agreement between the parties, on the conditions determined by the court and on the terms and conditions of warranty and payment it fixes.

Payment in kind may not be ordered, but the debtor may relieve his debt at any time by handing over the property.

Art. 695. Property is valued according to its condition at the time of the liberality and its value at the opening of the succession; if property has been alienated, its value at the time of alienation or, in the case of reinvestment, the value of the replacement property on the opening day of the succession is the value considered.

Les libéralités en usufruit, en droit d'usage, en rente ou en revenus d'une fiducie sont comptées pour leur valeur en capital au jour de l'ouverture de la succession.

Liberalities in the form of a usufruct, right of use, annuity or income from a trust are counted at their capital value on the opening day of the succession.

1991, c. 64, a. 695 (1994-01-01).

C.C.B.C. 733, 734 (**C.C.Q.** 613, 687, 689)

CHAPITRE SIXIÈME
DES DROITS DE L'ÉTAT

CHAPTER VI
RIGHTS OF THE STATE

Art. 696. Lorsque le défunt ne laisse ni conjoint ni parents au degré successible, ou que tous les successibles ont renoncé à la succession ou qu'aucun successible n'est connu ou ne la réclame, l'État recueille, de plein droit, les biens de la succession qui sont situés au Québec.

Art. 696. Where the deceased leaves no spouse or relatives within the degrees of succession, or where all the successors have renounced the succession, or where no successor is known or claims the succession, the State takes of right the property of the succession situated in Québec.

Est sans effet la disposition testamentaire qui, sans régler la dévolution des biens, vient faire échec à ce droit.

Any testamentary disposition which would render this right nugatory without otherwise providing for the devolution of the property is without effect.

1991, c. 64, a. 696 (1994-01-01).

C.C.B.C. 636, 684 (**C.C.Q.** 618, 626, 630, 646 ss., 653, 655, 682, 683, 915, 916, 935, 936, 3077)

Art. 697. L'État n'est pas un héritier; il est néanmoins saisi, comme un héritier, des biens du défunt, dès que tous les successibles connus ont renoncé à la succession ou six mois après le décès, lorsque aucun successible n'est connu ou ne réclame la succession.

Art. 697. The State is not an heir, but, once all known successors have renounced the succession, or, where no successor is known or claims the succession, six months after the death, is seised of the property of the deceased in the same manner as an heir.

Il n'est pas tenu des obligations du défunt au-delà de la valeur des biens qu'il recueille.

It is not liable for obligations of the deceased amounting to more than the value of the property it receives.

1991, c. 64, a. 697 (1994-01-01).

C.C.B.C. 684 (**C.C.Q.** 618, 625, 646, 653, 935, 936)

Art. 698. La saisine de l'État à l'égard d'une succession qui lui est échue est exercée par le curateur public.

Art. 698. Seisin of a succession which falls to the State is vested in the Public Curator.

Tant qu'ils demeurent confiés à l'administration du curateur public, les biens de la succession ne sont pas confondus avec les biens de l'État.

No property of a succession may be mingled with the property of the State so long as it remains under the administration of the Public Curator.

1991, c. 64, a. 698 (1994-01-01); 1997, c. 80, a. 46 (1999-07-01).

C.C.B.C. 686 (**C.C.Q.** 613, 625, 626, 650, 697; **L.R.Q.**, c. C-81)

Art. 699. Sous réserve des lois relatives à la curatelle publique et sans autre formalité, le curateur public agit comme liquidateur de la succession. Il est tenu de faire inventaire et de donner avis de la saisine de l'État à la *Gazette officielle du Québec*; il doit également faire publier l'avis dans un journal

Art. 699. Subject to the Acts respecting public curatorship and without any other formality, the Public Curator acts as liquidator of the succession. He is bound to make an inventory and give notice of the seisin of the State in the *Gazette officielle du Québec*; he shall also cause the notice to be pub-

distribué dans la localité où était établi le domicile du défunt.

1991, c. 64, a. 699 (1994-01-01).

lished in a newspaper circulated in the locality where the deceased was domiciled.

C.C.B.C. 688; **L.R.Q.**, c. C-81, a. 24, 29, 32 (**C.C.Q.** 75, 625, 776, 777, 794, 1299 ss.)

Art. 700. À la fin de la liquidation, le curateur public rend compte au ministre des Finances.

Il donne et publie un avis de la fin de la liquidation, de la même manière que s'il s'agissait d'un avis de la saisine de l'État; il indique, à l'avis, le reliquat de la succession et le délai pendant lequel tout successible peut faire valoir ses droits d'héritier.

1991, c. 64, a. 700 (1994-01-01).

Art. 700. At the end of the liquidation, the Public Curator renders an account to the Minister of Finance.

The Public Curator gives and publishes a notice of the end of the liquidation in the same manner as for a notice of seisin of the State. He indicates in the notice the residue of the succession and the time granted to successors to assert their rights of heirship.

C.C.B.C. 688 (**C.C.Q.** 626, 699, 819, 1363)

Art. 701. Le curateur public, au moment où il rend compte, remet au ministre des Finances les sommes constituant le reliquat de la succession, qui sont alors acquises à l'État.

Tout héritier qui établit sa qualité peut néanmoins, dans les dix ans qui suivent soit l'ouverture de la succession, soit le jour où son droit s'est ouvert, récupérer ces sommes auprès du curateur public avec les intérêts, au taux prescrit en application de la Loi sur le curateur public, calculés depuis leur remise au ministre des Finances.

1991, c. 64, a. 701 (1994-01-01); 1997, c. 80, a. 47 (1999-07-01).

Art. 701. The Public Curator, upon rendering account, transfers to the Minister of Finance the amounts constituting the residue of the succession, which then become the property of the State.

Heirs who establish their quality may, however, within ten years from the opening of the succession or from the day their right arises, recover those amounts from the Public Curator with interest calculated at the rate prescribed pursuant to the Public Curator Act from the time the amounts were transferred to the Minister of Finance.

C.C.B.C. 687 (**C.C.Q.** 626, 1306, 1307)

Art. 702. L'héritier qui réclame la succession avant la fin de la liquidation la reprend dans l'état où elle se trouve, sauf son droit de réclamer des dommages-intérêts si les formalités de la loi n'ont pas été suivies.

1991, c. 64, a. 702 (1994-01-01); 1997, c. 80, a. 48 (1999-07-01).

Art. 702. An heir who claims the succession before the end of the liquidation takes it in its actual condition, subject to his right to claim damages if the legal formalities have not been followed.

C.C.B.C. 640 (**C.C.Q.** 626, 1318, 1607, 1611)

TITRE QUATRIÈME
DES TESTAMENTS

TITLE FOUR
WILLS

CHAPITRE PREMIER
DE LA NATURE DU TESTAMENT

CHAPTER I
THE NATURE OF WILLS

Art. 703. Toute personne ayant la capacité requise peut, par testament, régler autrement que ne le fait la loi la dévolution, à sa mort, de tout ou partie de ses biens.
1991, c. 64, a. 703 (1994-01-01).

Art. 703. Every person having the required capacity may, by will, provide otherwise than as by law for the devolution upon his death of the whole or part of his property.

C.C.B.C. 831 (**C.C.Q.** 42-46, 200, 201, 256, 414-426, 613, 684-695, 706, 707-711, 757-759, 1058-1062, 1212, 2803; **C.P.C.** 453 ss.)

Art. 704. Le testament est un acte juridique unilatéral, révocable, établi dans l'une des formes prévues par la loi, par lequel le testateur dispose, par libéralité, de tout ou partie de ses biens, pour n'avoir effet qu'à son décès.

Il ne peut être fait conjointement par deux ou plusieurs personnes.
1991, c. 64, a. 704 (1994-01-01).

Art. 704. A will is a unilateral and revocable juridical act drawn up in one of the forms provided for by law, by which the testator disposes by liberality of all or part of his property, to take effect only after his death.

In no case may a will be made jointly by two or more persons.

C.C.B.C. 756, 841 (**D.T.** 40; **C.C.Q.** 42-46, 712, 715, 737, 766, 1282, 1283, 1398 ss., 1401 ss.)

Art. 705. Le testament peut ne contenir que des dispositions relatives à la liquidation successorale, à la révocation de dispositions testamentaires antérieures ou à l'exclusion d'un héritier.
1991, c. 64, a. 705 (1994-01-01).

Art. 705. The act is a will even if it contains only provisions regarding the liquidation of the succession, the revocation of previous testamentary dispositions or the exclusion of an heir.

C.C.B.C. 899 (**C.C.Q.** 200, 201, 697, 758, 763 ss., 766 ss.)

Art. 706. Personne ne peut, même par contrat de mariage ou d'union civile, si ce n'est dans les limites prévues par l'article 1841, abdiquer sa faculté de tester, de disposer à cause de mort ou de révoquer les dispositions testamentaires qu'il a faites.
1991, c. 64, a. 706 (1994-01-01); 2002, c. 6, a. 40 (2002-06-24).

Art. 706. No person may, even in a marriage or civil union contract, except within the limits provided in article 1841, renounce his or her right to make a will, to dispose of his or her property in contemplation of death or to revoke the testamentary dispositions he or she has made.

C.C.B.C. 823, 898 (**C.C.Q.** 8, 9, 414-426, 438, 684-695, 703, 1841, 2450, 3081)

CHAPITRE DEUXIÈME
DE LA CAPACITÉ REQUISE POUR TESTER

CHAPTER II
THE CAPACITY REQUIRED TO MAKE A WILL

Art. 707. La capacité du testateur se considère au temps de son testament.
1991, c. 64, a. 707 (1994-01-01).

Art. 707. The capacity of the testator is considered relatively to the time he made his will.

C.C.B.C. 835 (**D.T.** 40; **C.C.Q.** 153 ss., 256 ss., 703, 708-711)

Art. 708. Le mineur ne peut tester d'aucune partie de ses biens si ce n'est de biens de peu de valeur.

1991, c. 64, a. 708 (1994-01-01).

Art. 708. A minor may not dispose of any part of his property by will, except articles of little value.

C.C.B.C. 833 (**D.T.** 40; **C.C.Q.** 4, 42, 43, 153, 155, 161-163, 167, 168, 176, 434, 703, 706, 1840)

Art. 709. Le testament fait par un majeur après sa mise en tutelle peut être confirmé par le tribunal si la nature de ses dispositions et les circonstances qui entourent sa confection le permettent.

1991, c. 64, a. 709 (1994-01-01).

Art. 709. A will made by a person of full age after he has been placed under tutorship may be confirmed by the court if the nature of its dispositions and the circumstances in which it was drawn up allow it.

C.C.B.C. 834 al. 2 (**D.T.** 40; **C.C.Q.** 42, 43, 266, 285-290)

Art. 710. Le majeur en curatelle ne peut tester. Le majeur pourvu d'un conseiller peut tester sans être assisté.

1991, c. 64, a. 710 (1994-01-01).

Art. 710. A person of full age under curatorship may not make a will. A person of full age provided with an adviser may make a will without assistance.

C.C.B.C. 834 al. 2 (**C.C.Q.** 42, 43, 256, 281, 283, 284, 291, 293, 436, 706, 1841)

Art. 711. Les tuteurs, curateurs ou conseillers ne peuvent tester pour ceux qu'ils représentent ou assistent, ni seuls ni conjointement avec ces derniers.

1991, c. 64, a. 711 (1994-01-01).

Art. 711. A tutor, curator or adviser may not make a will on behalf of the person whom he represents or assists, either alone or jointly with that person.

C.C.B.C. 834 al. 1 (**C.C.Q.** 282, 286, 287, 292, 293, 708-710)

CHAPITRE TROISIÈME
DES FORMES DU TESTAMENT

CHAPTER III
FORMS OF WILLS

SECTION I
DISPOSITIONS GÉNÉRALES

SECTION I
GENERAL PROVISIONS

Art. 712. On ne peut tester que par testament notarié, olographe ou devant témoins.

1991, c. 64, a. 712 (1994-01-01).

Art. 712. The only forms of will that may be made are the notarial will, the holograph will and the will made in the presence of witnesses.

C.C.B.C. 842, 849 (**C.C.Q.** 703, 704, 716 ss., 726, 727 ss., 3109)

Art. 713. Les formalités auxquelles les divers testaments sont assujettis doivent être observées, à peine de nullité.

Néanmoins, le testament fait sous une forme donnée et qui ne satisfait pas aux exigences de cette forme vaut comme testament fait sous une autre forme, s'il en respecte les conditions de validité.

1991, c. 64, a. 713 (1994-01-01).

Art. 713. The formalities governing the various kinds of wills shall be observed on pain of nullity.

However, if a will made in one form does not meet the requirements of that form of will, it is valid as a will made in another form if it meets the requirements for validity of that other form.

C.C.B.C. 855 (**C.C.Q.** 715, 728, 736, 773, 3098-3101)

Art. 714. Le testament olographe ou devant témoins qui ne satisfait pas pleinement aux conditions requises par sa forme vaut néanmoins s'il y satisfait pour l'essentiel et s'il contient de façon certaine et non équivoque les dernières volontés du défunt.

1991, c. 64, a. 714 (1994-01-01).

(**C.C.Q.** 713, 726, 728-730, 736)

Art. 715. Nul ne peut soumettre la validité de son testament à des formalités que la loi ne prévoit pas.

1991, c. 64, a. 715 (1994-01-01).

C.C.B.C. 898 (**C.C.Q.** 8, 9, 703, 706, 3081)

SECTION II
DU TESTAMENT NOTARIÉ

Art. 716. Le testament notarié est reçu en minute par un notaire, assisté d'un témoin ou, en certains cas, de deux témoins.

Il doit porter mention de la date et du lieu où il est reçu.

1991, c. 64, a. 716 (1994-01-01).

C.C.B.C. 843, 844 (**C.C.Q.** 712, 719, 720, 723, 725, 2814, 2819, 3110)

Art. 717. Le testament notarié est lu par le notaire au testateur seul ou, au choix du testateur, en présence d'un témoin. Une fois la lecture faite, le testateur doit déclarer en présence du témoin que l'acte lu contient l'expression de ses dernières volontés.

Le testament est ensuite signé par le testateur et le ou les témoins, ainsi que par le notaire; tous signent en présence les uns des autres.

1991, c. 64, a. 717 (1994-01-01).

C.C.B.C. 843 (**C.C.Q.** 5, 55, 56, 716, 725)

Art. 718. Les formalités du testament notarié sont présumées avoir été accomplies, même s'il n'en est pas fait mention expresse, sous réserve des lois relatives au notariat.

Cependant, en cas de formalités spéciales à certains testaments, mention doit être faite dans l'acte de la cause de leur accomplissement.

1991, c. 64, a. 718 (1994-01-01).

C.C.B.C. 843 (**C.C.Q.** 717, 719-721, 2814, 2821, 2847)

Art. 714. A holograph will or a will made in the presence of witnesses that does not meet all the requirements of that form is valid nevertheless if it meets the essential requirements thereof and if it unquestionably and unequivocally contains the last wishes of the deceased.

Art. 715. No person may cause the validity of his will to be subject to any formality not required by law.

SECTION II
NOTARIAL WILLS

Art. 716. A notarial will is made before a notary, en minute, in the presence of a witness or, in certain cases, two witnesses.

The date and place of the making of the will shall be noted on the will.

Art. 717. A notarial will is read by the notary to the testator alone or, if the testator chooses, in the presence of a witness. Once the reading is done, the testator shall declare in the presence of the witness that the act read contains the expression of his last wishes.

The will, after being read, is signed by the testator, the witness or witnesses and the notary, in each other's presence.

Art. 718. The formalities governing notarial wills are presumed to have been observed even when this is not expressly stated, subject to the Acts respecting notaries.

However, where special formalities are attached to certain wills, the reason for their observance shall be mentioned in the act.

Art. 719. Le testament notarié de celui qui ne peut signer contient la déclaration du testateur faisant état de ce fait. Cette déclaration est également lue par le notaire au testateur, en présence de deux témoins, et elle supplée à l'absence de signature du testateur.

1991, c. 64, a. 719 (1994-01-01).

C.C.B.C. 843 (**C.C.Q.** 716-718, 723, 725)

Art. 720. Le testament notarié de l'aveugle est lu par le notaire au testateur en présence de deux témoins.

Dans le testament, le notaire déclare qu'il en a fait la lecture en présence des témoins; cette déclaration est également lue.

1991, c. 64, a. 720 (1994-01-01).

C.C.B.C. 843, 847 (**C.C.Q.** 713, 717, 718, 725, 729)

Art. 721. Le testament notarié du sourd ou du sourd-muet est lu par le testateur lui-même en présence du notaire seul ou, à son choix, du notaire et d'un témoin. La lecture est faite à haute voix si le testateur est sourd seulement.

Dans le testament, le testateur déclare qu'il l'a lu en présence du notaire et, le cas échéant, du témoin.

Si le testateur est sourd-muet, cette déclaration lui est lue par le notaire en présence du témoin; s'il est sourd, elle est lue par lui-même à haute voix, en présence du notaire et du témoin.

1991, c. 64, a. 721 (1994-01-01).

C.C.B.C. 843, 847 (**C.C.Q.** 713, 718, 722, 725)

Art. 722. La personne qui, ne pouvant s'exprimer de vive voix, désire faire un testament notarié, instruit le notaire de ses volontés par écrit.

1991, c. 64, a. 722 (1994-01-01).

C.C.B.C. 847 (**C.C.Q.** 718, 721, 730)

Art. 723. Le testament notarié ne peut être reçu par un notaire conjoint, parent ou allié du testateur, ni en ligne directe, ni en ligne collatérale jusqu'au troisième degré inclusivement.

1991, c. 64, a. 723 (1994-01-01); 2002, c. 6, a. 235 (2002-06-24).

C.C.B.C. 845 (**C.C.Q.** 655-659)

Art. 719. The notarial will of a testator who cannot sign contains a declaration by him to that effect. This declaration also is read by the notary to the testator in the presence of two witnesses, and it compensates for the absence of the signature of the testator.

Art. 720. The notarial will of a blind person is read by the notary to the testator in the presence of two witnesses.

In the will, the notary declares that he has read the will in the presence of the witnesses, and this declaration also is read.

Art. 721. The notarial will of a deaf person or a deaf-mute is read by the testator himself in the presence of the notary alone or, if he chooses, of the notary and a witness. If the testator is only deaf, he reads the will aloud.

In the will, the testator declares that he has read it in the presence of the notary and, where such is the case, the witness.

If the testator is deaf-mute, the declaration is read to him by the notary in the presence of the witness; if he is deaf, it is read aloud by the testator himself, in the presence of the notary and the witness.

Art. 722. A person unable to express himself aloud who wishes to make a notarial will conveys his wishes to the notary in writing.

Art. 723. In no case may a notarial will be made before a notary who is the spouse of the testator or is related to him in either the direct or the collateral line up to and including the third degree, or connected with him by marriage or a civil union.

Art. 724. Le notaire qui reçoit un testament peut y être désigné comme liquidateur, à la condition de remplir gratuitement cette charge.

1991, c. 64, a. 724 (1994-01-01).

(**C.C.Q.** 786, 789)

Art. 725. Le témoin appelé à assister au testament notarié doit y être nommé et désigné.

Tout majeur peut assister comme témoin au testament notarié, à l'exception des employés du notaire instrumentant qui ne sont pas notaires.

1991, c. 64, a. 725 (1994-01-01).

C.C.B.C. 844, 845 (**C.C.Q.** 5, 153, 176)

SECTION III
DU TESTAMENT OLOGRAPHE

Art. 726. Le testament olographe doit être entièrement écrit par le testateur et signé par lui, autrement que par un moyen technique.

Il n'est assujetti à aucune autre forme.

1991, c. 64, a. 726 (1994-01-01); 1992, c. 57, a. 716 (1994-01-01).

C.C.B.C. 850, 854 (**C.C.Q.** 703, 707, 712, 714, 767, 772; **C.P.C.** 887 ss.)

SECTION IV
DU TESTAMENT DEVANT TÉMOINS

Art. 727. Le testament devant témoins est écrit par le testateur ou par un tiers.

En présence de deux témoins majeurs, le testateur déclare ensuite que l'écrit qu'il présente, et dont il n'a pas à divulguer le contenu, est son testament; il le signe à la fin ou, s'il l'a signé précédemment, reconnaît sa signature; il peut aussi le faire signer par un tiers pour lui, en sa présence et suivant ses instructions.

Les témoins signent aussitôt le testament en présence du testateur.

1991, c. 64, a. 727 (1994-01-01).

C.C.B.C. 851 (**C.C.Q.** 153, 176, 703, 704, 707, 712-715, 730, 767, 772; **C.P.C.** 887 ss.)

Art. 728. Lorsque le testament est écrit par un tiers ou par un moyen technique, le testateur et les témoins doivent parapher ou signer chaque page de l'acte qui ne porte pas leur signature.

Art. 724. The notary before whom a will is made may be designated in the will as the liquidator, provided his discharge of that office is gratuitous.

Art. 725. A witness called upon to be present at the making of a notarial will shall be named and designated in the will.

Any person of full age may witness a notarial will, except an employee of the attesting notary who is not himself a notary.

SECTION III
HOLOGRAPH WILLS

Art. 726. A holograph will shall be written entirely by the testator and signed by him without the use of any mechanical process.

It is subject to no other formal requirement.

SECTION IV
WILLS MADE IN THE PRESENCE OF WITNESSES

Art. 727. A will made in the presence of witnesses is written by the testator or by a third person.

After making the will, the testator declares in the presence of two witnesses of full age that the document he is presenting is his will. He need not divulge its contents. He signs it at the end or, if he has already signed it, acknowledges his signature; he may also cause a third person to sign it for him in his presence and according to his instructions.

The witnesses thereupon sign the will in the presence of the testator.

Art. 728. Where the will is written by a third person or by a mechanical process, the testator and the witnesses initial or sign each page of the act which does not bear their signature.

L'absence de paraphe ou de signature à chaque page n'empêche pas le testament notarié, qui ne peut valoir comme tel, de valoir comme testament devant témoins si les autres formalités sont accomplies.

1991, c. 64, a. 728 (1994-01-01).

_____

C.C.B.C. 851 (**C.C.Q.** 713, 714, 716 ss., 727)

Art. 729. La personne qui ne peut lire ne peut faire un testament devant témoins, à moins que la lecture n'en soit faite au testateur par l'un des témoins en présence de l'autre.

En présence des mêmes témoins, le testateur déclare que l'écrit lu est son testament et le signe à la fin ou le fait signer par un tiers pour lui, en sa présence et suivant ses instructions.

Les témoins signent aussitôt le testament en présence du testateur.

1991, c. 64, a. 729 (1994-01-01).

_____

C.C.B.C. 852 (**C.C.Q.** 714, 720, 728)

Art. 730. La personne qui ne peut parler, mais peut écrire, peut faire un testament devant témoins, à la condition d'écrire elle-même, autrement que par un moyen technique mais en présence des témoins, que l'écrit qu'elle présente est son testament.

1991, c. 64, a. 730 (1994-01-01).

_____

C.C.B.C. 852 (**C.C.Q.** 727)

The absence of initials or a signature on each page does not prevent a will made before a notary that is not valid as a notarial will from being valid as a will made in the presence of witnesses, if the other formalities are observed.

Art. 729. A person who is unable to read may not make a will in the presence of witnesses, unless the will is read to the testator by one of the witnesses in the presence of the other.

The testator, in the presence of the same witnesses, declares that the document read is his will and signs it at the end or causes a third person to sign it for him in his presence and according to his instructions.

The witnesses thereupon sign the will in the presence of the testator.

Art. 730. A person who is unable to speak but able to write may make a will in the presence of witnesses, provided he indicates in writing, otherwise than by a mechanical process, in the presence of witnesses, that the writing he is presenting is his will.

CHAPITRE QUATRIÈME
DES DISPOSITIONS TESTAMENTAIRES ET DES LÉGATAIRES

SECTION I
DES DIVERSES ESPÈCES DE LEGS

Art. 731. Les legs sont de trois espèces: universel, à titre universel ou à titre particulier.

1991, c. 64, a. 731 (1994-01-01).

_____

C.C.B.C. 863 (**C.C.Q.** 732-735, 737)

Art. 732. Le legs universel est celui qui donne à une ou plusieurs personnes vocation à recueillir la totalité de la succession.

1991, c. 64, a. 732 (1994-01-01).

_____

C.C.B.C. 873 al. 1 (**C.C.Q.** 731, 735, 737, 738, 823)

CHAPTER IV
TESTAMENTARY DISPOSITIONS AND LEGATEES

SECTION I
VARIOUS KINDS OF LEGACIES

Art. 731. Legacies are of three kinds: universal, by general title and by particular title.

Art. 732. A universal legacy entitles one or several persons to take the entire succession.

Art. 733. Le legs à titre universel est celui qui donne à une ou plusieurs personnes vocation à recueillir:

1° La propriété d'une quote-part de la succession;

2° Un démembrement du droit de propriété sur la totalité ou sur une quote-part de la succession;

3° La propriété ou un démembrement de ce droit sur la totalité ou sur une quote-part de l'universalité des immeubles ou des meubles, des biens propres, communs ou acquêts, ou des biens corporels ou incorporels.

1991, c. 64, a. 733 (1994-01-01).

C.C.B.C. 873 al. 2 (**C.C.Q.** 731, 735, 738, 823-825)

Art. 734. Tout legs qui n'est ni universel ni à titre universel est à titre particulier.

1991, c. 64, a. 734 (1994-01-01).

Art. 733. A legacy by general title entitles one or several persons to take

(1) the ownership of an aliquot share of the succession;

(2) a dismemberment of the right of ownership of the whole or of an aliquot share of the succession;

(3) the ownership or a dismemberment of the right of ownership of the whole or of an aliquot share of all the immovable or movable property, private property, property in a community or acquests, or corporeal or incorporeal property.

Art. 734. Any legacy which is neither a universal legacy nor a legacy by general title is a legacy by particular title.

C.C.B.C. 873 al. 3 (**C.C.Q.** 732, 733, 737, 749, 755, 756, 762, 813, 814, 823 ss., 832, 833)

Art. 735. L'exception de biens particuliers, quels qu'en soient le nombre et la valeur, n'enlève pas son caractère au legs universel ou à titre universel.

1991, c. 64, a. 735 (1994-01-01).

C.C.B.C. 873 al. 4 (**C.C.Q.** 732, 733)

Art. 735. The exception of particular items of property, whatever their number or value, does not destroy the character of a universal legacy or of a legacy by general title.

Art. 736. Les biens que le testateur laisse sans en avoir disposé, ou à l'égard desquels les dispositions sont privées d'effet, demeurent dans sa succession *ab intestat* et sont dévolus suivant les règles relatives à la dévolution légale des successions.

1991, c. 64, a. 736 (1994-01-01).

C.C.B.C. 864 (**C.C.Q.** 613, 619, 653, 755, 756)

Art. 736. Property left by the testator for which he made no disposition or respecting which the dispositions of his will are without effect remains in his intestate succession and devolves according to the rules governing legal devolution of successions.

Art. 737. Les dispositions testamentaires faites sous le nom d'institution d'héritier, de don ou de legs, ou sous toute autre dénomination propre à manifester la volonté du testateur, produisent leurs effets suivant les règles établies au présent livre pour les legs universels, à titre universel ou à titre particulier.

Ces règles, de même que le sens attribué à certains termes, cèdent devant l'expression suffisante, par le testateur, d'une volonté différente.

1991, c. 64, a. 737 (1994-01-01).

C.C.B.C. 840, 872 (**C.C.Q.** 8, 9, 619, 704, 739, 1425, 3081; **C.P.C.** 453)

Art. 737. Testamentary dispositions made in the form of an appointment of heir, a gift or a legacy, or in other terms indicating the intentions of the testator, take effect according to the rules laid down in this Book with regard to universal legacies, legacies by general title or legacies by particular title.

Sufficient expression by the testator of a different intention takes precedence over the rules referred to in the first paragraph and the meaning ascribed to certain terms.

SECTION II
DES LÉGATAIRES

Art. 738. Le légataire universel ou à titre universel est héritier dès l'ouverture de la succession, pour autant qu'il accepte le legs.

1991, c. 64, a. 738 (1994-01-01).

SECTION II
LEGATEES

Art. 738. A universal legatee or legatee by general title is the heir upon the opening of the succession, provided he accepts the legacy.

C.C.B.C. 597 (**C.C.Q.** 613, 619, 625, 645, 732, 733, 777, 2998, 2999; **C.P.C.** 892 ss.)

Art. 739. Le légataire particulier qui accepte le legs n'est pas un héritier, mais il est néanmoins saisi, comme un héritier, des biens légués, par le décès du défunt ou par l'événement qui donne effet à son legs.

Il n'est pas tenu des obligations du défunt sur ces biens, à moins que les autres biens de la succession ne suffisent pas à payer les dettes; en ce cas, il n'est tenu qu'à concurrence de la valeur des biens qu'il recueille.

1991, c. 64, a. 739 (1994-01-01).

Art. 739. A legatee by particular title who accepts the legacy is not an heir, but is seised as an heir of the property of the legacy by the death of the deceased or by the event giving effect to his legacy.

He is not liable for the debts of the deceased on the property of the legacy unless the other property of the succession is insufficient to pay the debts, in which case he is liable only up to the value of the property he takes.

C.C.B.C. 891 (**C.C.Q.** 625, 734, 738, 749, 777, 2998; **C.P.C.** 55)

Art. 740. Le légataire particulier doit, pour recevoir son legs, avoir les mêmes qualités que celles requises pour succéder.

Il peut être indigne de recevoir, comme on peut l'être pour succéder; il peut, comme un successible, demander au tribunal de déclarer l'indignité d'un héritier ou d'un colégataire particulier.

1991, c. 64, a. 740 (1994-01-01).

Art. 740. In order to receive his legacy, the legatee by particular title is required to have the same qualities as for succession.

He may be unworthy to receive on the same grounds as for succession; like a successor, he may apply to the court to declare an heir or a colegatee by particular title unworthy.

(**D.T.** 38; **C.C.Q.** 617-624, 739, 755; **C.P.C.** 110)

Art. 741. Le légataire particulier a le droit, comme un successible, de délibérer et d'exercer son option à l'égard du legs qui lui est fait, avec les mêmes effets et suivant les mêmes règles.

1991, c. 64, a. 741 (1994-01-01).

Art. 741. Like a successor, a legatee by particular title has the right to deliberate and exercise his option in respect of the legacy made to him, with the same effects and according to the same rules.

(**C.C.Q.** 630 ss., 734, 739)

Art. 742. Les dispositions relatives à la pétition d'hérédité et à ses effets sur la transmission de la succession sont également applicables au légataire particulier, compte tenu des adaptations nécessaires.

Pour le reste, le légataire particulier est assujetti aux dispositions du présent livre qui concernent les légataires.

1991, c. 64, a. 742 (1994-01-01).

Art. 742. The provisions respecting the petition of inheritance and its effects on the transmission of the succession are also applicable, adapted as required, to a legatee by particular title.

In all other respects, the legatee by particular title is subject to the provisions of this Book respecting legatees.

(**C.C.Q.** 626-629, 739, 741)

SECTION III
DE L'EFFET DES LEGS

Art. 743. Les fruits et revenus du bien légué profitent au légataire, à compter de l'ouverture de la succession ou du moment où la disposition produit effet à son égard.

1991, c. 64, a. 743 (1994-01-01).

C.C.B.C. 871 (**C.C.Q.** 613, 878, 910)

Art. 744. Le bien légué est délivré avec ses accessoires, dans l'état où il se trouve au décès du testateur.

Il en est de même, s'il s'agit d'un legs de valeurs mobilières, des droits qui leur sont attachés et n'ont pas encore été exercés.

1991, c. 64, a. 744 (1994-01-01).

C.C.B.C. 891 (**C.C.Q.** 745, 824, 825, 1120 ss., 1177 ss.)

Art. 745. En cas de legs d'un immeuble, l'immeuble accessoire ou annexe qui a été acquis par le testateur depuis la signature du testament est présumé compris dans le legs s'il se compose un tout avec l'immeuble légué.

1991, c. 64, a. 745 (1994-01-01).

C.C.B.C. 888; **C.C.Q. (1980)** 487 (**C.C.Q.** 900 ss., 948, 954, 955, 2847)

Art. 746. Le legs d'une entreprise est présumé inclure les exploitations acquises ou créées depuis la signature du testament et qui composent, au décès, une unité économique avec l'entreprise léguée.

1991, c. 64, a. 746 (1994-01-01).

C.C.B.C. 888 (**C.C.Q.** 839, 852)

Art. 747. Lorsque le paiement du legs est soumis à un terme, le légataire a, néanmoins, un droit acquis dès le décès du testateur et transmissible à ses propres héritiers ou légataires particuliers.

Son droit au legs fait sous condition est également transmissible, sauf si la condition a un caractère purement personnel.

1991, c. 64, a. 747 (1994-01-01).

C.C.B.C. 893, 902 (**C.C.Q.** 750, 757, 1497 ss., 1508 ss.)

SECTION III
THE EFFECT OF LEGACIES

Art. 743. Fruits and revenues from the property bequeathed accrue to the legatee from the opening of the succession or the time when the disposition takes effect in his favour.

Art. 744. Bequeathed property is delivered, with its dependencies, in the condition it was in when the testator died.

This rule also applies to the rights attached to bequeathed securities, if they have not yet been exercised.

Art. 745. Where immovable property is bequeathed, any dependent or annexed immovable property acquired by the testator after signing the will is presumed to be included in the legacy, provided the property forms a unit with the immovable bequeathed.

Art. 746. The bequest of an enterprise is presumed to include the operations acquired or created after the signing of the will which, at the time of death, make up an economic unit with the bequeathed enterprise.

Art. 747. Where the payment of a legacy is subject to a term, the legatee nevertheless has an acquired right from the death of the testator which is transmissible to his own heirs or legatees by particular title.

The right of the legatee to a legacy made under a condition is also transmissible unless the condition is of a purely personal nature.

Art. 748. Le legs au créancier n'est pas présumé fait en compensation de sa créance.

1991, c. 64, a. 748 (1994-01-01).

C.C.B.C. 890 (**C.C.Q.** 1672, 2847)

Art. 749. La représentation a lieu, dans les successions testamentaires, de la même manière et en faveur des mêmes personnes que dans les successions *ab intestat*, lorsque le legs est fait à tous les descendants ou collatéraux du testateur qui auraient été appelés à sa succession s'il était décédé *ab intestat*, à moins qu'elle ne soit exclue par le testateur, expressément ou par l'effet des dispositions du testament.

Cependant, il n'y a pas de représentation en matière de legs particulier, sauf disposition contraire du testateur.

1991, c. 64, a. 749 (1994-01-01).

Art. 748. A legacy to a creditor is not presumed to have been made as compensation for his claim.

Art. 749. Where, in testamentary successions, the legacy is made to all the descendants or collaterals of the testator who would have been called to his succession had he died intestate, representation takes place in the same manner and in favour of the same persons as in intestate successions, unless it is excluded by the testator, expressly or by the effect of the dispositions of the will.

There is no representation in the matter of legacies by particular title, however, unless the testator has so provided.

C.C.B.C. 937, 979 (**D.T.** 41; **C.C.Q.** 613, 653, 657, 659, 660 ss., 750, 1252)

SECTION IV
DE LA CADUCITÉ ET DE LA NULLITÉ DES LEGS

SECTION IV
LAPSE AND NULLITY OF LEGACIES

Art. 750. Le legs est caduc, sauf s'il y a lieu à représentation, lorsque le légataire n'a pas survécu au testateur.

Il est aussi caduc lorsque le légataire le refuse, est indigne de le recevoir, ou encore lorsqu'il décède avant l'accomplissement de la condition suspensive dont le legs est assorti si la condition a un caractère purement personnel.

1991, c. 64, a. 750 (1994-01-01).

Art. 750. A legacy lapses when the legatee does not survive the testator, except where there may be representation.

A legacy also lapses where the legatee refuses it, is unworthy to receive it or, again, where he dies before the fulfilment of the suspensive condition attached to it, if the condition is of a purely personal nature.

C.C.B.C. 900, 901, 904 (**C.C.Q.** 616, 617, 620, 621, 631, 647, 740, 747, 749, 751-753, 757, 768, 1497 ss.)

Art. 751. Le legs est également caduc si le bien légué a totalement péri du vivant du testateur ou avant l'ouverture du legs fait sous une condition suspensive.

Si la perte du bien survient au décès du testateur, à l'ouverture du legs ou postérieurement, l'indemnité d'assurance est substituée au bien qui a péri.

1991, c. 64, a. 751 (1994-01-01).

Art. 751. A legacy also lapses if the bequeathed property perished totally during the lifetime of the testator or before the opening of a legacy made under a suspensive condition.

If the loss of the property occurs at the death of the testator, at the opening of the bequest or subsequently, the insurance indemnity is substituted for the property that perished.

C.C.B.C. 903 (**C.C.Q.** 750, 1497 ss.)

Art. 752. Lorsqu'un legs chargé d'un autre legs devient caduc pour une cause qui se rattache au légataire, le legs imposé comme charge devient lui-même caduc, à moins que l'héritier ou le légataire qui recueille ce qui faisait l'objet du legs atteint de caducité ne soit en mesure d'exécuter la charge.

1991, c. 64, a. 752 (1994-01-01).

C.C.B.C. 865 (C.C.Q. 750, 751)

Art. 753. Le legs fait au liquidateur en guise de rémunération est caduc si le liquidateur n'accepte pas la charge.

Il en est de même du legs rémunératoire en faveur de la personne que le testateur nomme tuteur à un enfant mineur ou qu'il a désignée pour agir à titre d'administrateur du bien d'autrui.

1991, c. 64, a. 753 (1994-01-01).

C.C.B.C. 910 (C.C.Q. 724, 754, 760, 789, 1300, 1367)

Art. 754. Le legs rémunératoire est résolu lorsque le liquidateur, le tuteur ou autre administrateur du bien d'autrui désigné par le testateur cesse d'occuper sa charge; dans ce cas, il a droit à une rémunération proportionnelle à la valeur du legs et au temps pendant lequel il a occupé la charge.

1991, c. 64, a. 754 (1994-01-01).

(C.C.Q. 753, 760, 1299 ss., 1604)

Art. 755. Il y a accroissement au profit des légataires particuliers lorsque le bien leur est légué conjointement et qu'il y a caducité à l'égard de l'un d'eux.

1991, c. 64, a. 755 (1994-01-01).

C.C.B.C. 868 (C.C.Q. 646, 647, 734, 750-752, 756, 1166)

Art. 756. Le legs particulier est présumé fait conjointement lorsqu'il est fait par une seule et même disposition, et que le testateur n'a pas assigné la part de chacun des colégataires dans le bien légué ou qu'il leur a assigné des quotes-parts égales.

Il est encore présumé fait conjointement lorsque tout le bien a été légué par le même acte à plusieurs personnes séparément.

1991, c. 64, a. 756 (1994-01-01).

C.C.B.C. 868 (C.C.Q. 731-734, 755, 827, 2847)

Art. 757. La condition impossible ou contraire à l'ordre public est réputée non écrite.

Art. 752. Where a legacy charged with another legacy lapses from a cause depending on the legatee, the legacy imposed as a charge also lapses, unless the heir or legatee called to take what was the object of the lapsed legacy is able to execute the charge.

Art. 753. A legacy made to the liquidator as remuneration lapses if he does not accept the office.

This is also the case where a legacy is made to remunerate the person appointed by the testator as tutor to a minor child or designated by him to act as the administrator of the property of others.

Art. 754. A remunerative legacy ceases to have effect where the liquidator, tutor or administrator of the property of others designated by the testator ceases to hold office as such; he has in this case a right to remuneration proportionate to the value of the legacy and the time for which he held office.

Art. 755. Accretion takes place in favour of the legatees by particular title where property is bequeathed to them jointly and a lapse occurs with regard to one of them.

Art. 756. A legacy by particular title is presumed to be made jointly if it is made by one and the same disposition and if the testator has not allotted the share of each colegatee in the bequeathed property or has allotted the colegatees equal aliquot shares.

It is also presumed to be made jointly when the entire property is bequeathed by the same act to several persons separately.

Art. 757. A condition that is impossible or that is contrary to public order is deemed unwritten.

Ainsi est réputée non écrite la disposition limitant les droits du conjoint survivant lorsqu'il se lie de nouveau par un mariage ou une union civile.

Thus, a clause limiting the rights of a surviving spouse in the event of a remarriage or new civil union is deemed unwritten.

1991, c. 64, a. 757 (1994-01-01); 1992, c. 57, a. 716 (1994-01-01); 2002, c. 6, a. 41 (2002-06-24).

C.C.B.C. 760 (**C.C.Q.** 9, 1212-1217, 1282, 1283, 3081; **C.P.C.** 553, 737)

Art. 758. La clause pénale ayant pour but d'empêcher l'héritier ou le légataire particulier de contester la validité de tout ou partie du testament est réputée non écrite.

Est aussi réputée non écrite l'exhérédation prenant la forme d'une clause pénale visant le même but.

Art. 758. A penal clause intended to prevent an heir or a legatee by particular title from contesting the validity of the will or any part of it is deemed unwritten.

An exheredation taking the form of a penal clause intended for the same purpose is also deemed unwritten.

1991, c. 64, a. 758 (1994-01-01).

(**D.T.** 42; **C.C.Q.** 731, 734, 738, 773, 1622)

Art. 759. Le legs fait au notaire qui reçoit le testament ou celui fait au conjoint du notaire ou à l'un de ses parents au premier degré est sans effet; les autres dispositions du testament subsistent.

Art. 759. A legacy made to the notary who receives a will or to the spouse of the notary or to a relative in the first degree of the notary is without effect; this does not affect the other dispositions of the will.

1991, c. 64, a. 759 (1994-01-01); 2002, c. 19, a. 15 (2002-06-13).

C.C.B.C. 846 (**C.C.Q.** 655 ss., 716, 723, 773)

Art. 760. Le legs fait au témoin, même en surnombre, est sans effet, mais laisse subsister les autres dispositions du testament.

Il en est de même, pour la partie qui excède sa rémunération, du legs fait en faveur du liquidateur ou d'un autre administrateur du bien d'autrui désigné au testament, s'il agit comme témoin.

Art. 760. A legacy made to a witness, even a supernumerary, is without effect, but this does not affect the other dispositions of the will.

The same is true of that part of the legacy made to the liquidator or to another administrator of property of others designated in the will which exceeds his remuneration, if he acts as a witness.

1991, c. 64, a. 760 (1994-01-01); 2002, c. 19, a. 15 (2002-06-13).

C.C.B.C. 846 (**C.C.Q.** 716, 724, 727, 753, 754, 789, 1300)

Art. 761. Le legs fait au propriétaire, à l'administrateur ou au salarié d'un établissement de santé ou de services sociaux qui n'est ni le conjoint ni un proche parent du testateur, est sans effet s'il a été fait à l'époque où le testateur y était soigné ou y recevait des services.

Le legs fait au membre de la famille d'accueil à l'époque où le testateur y demeurait est également sans effet.

Art. 761. A legacy made to the owner, a director or an employee of a health or social services establishment who is neither the spouse nor a close relative of the testator is without effect if it was made while the testator was receiving care or services from the establishment.

A legacy made to a member of a foster family while the testator was residing with that family is also without effect.

1991, c. 64, a. 761 (1994-01-01); 2002, c. 19, a. 15 (2002-06-13).

L.R.Q., c. S-4.2, a. 275; **L.R.Q.**, c. S-5, a. 155 (**C.C.Q.** 1817)

Art. 762. Le legs du bien d'autrui est sans effet, sauf s'il apparaît que l'intention du testateur était d'obliger l'héritier à procurer le bien légué au légataire particulier.

1991, c. 64, a. 762 (1994-01-01); 2002, c. 19, a. 15 (2002-06-13).

Art. 762. A legacy of property of another is without effect, unless it appears that the intention of the testator was to oblige the heir to obtain the bequeathed property for the legatee by particular title.

C.C.B.C. 881 (**C.C.Q.** 704, 738, 739, 769, 1713, 2288)

CHAPITRE CINQUIÈME
DE LA RÉVOCATION DU TESTAMENT OU D'UN LEGS

CHAPTER V
REVOCATION OF WILLS AND LEGACIES

Art. 763. La révocation du testament ou d'un legs est expresse ou tacite.

1991, c. 64, a. 763 (1994-01-01).

Art. 763. Revocation of a will or of a legacy is express or tacit.

C.C.B.C. 892 (**C.C.Q.** 704, 706, 765-771, 1841, 2449, 2450; **C.P.C.** 866 ss.)

Art. 764. Le legs fait au conjoint antérieurement au divorce ou à la dissolution de l'union civile est révoqué, à moins que le testateur n'ait, par des dispositions testamentaires, manifesté l'intention d'avantager le conjoint malgré cette éventualité.

La révocation du legs emporte celle de la désignation du conjoint comme liquidateur de la succession.

Les mêmes règles s'appliquent en cas de nullité du mariage ou de l'union civile prononcée du vivant des conjoints.

1991, c. 64, a. 764 (1994-01-01); 2002, c. 6, a. 42 (2002-06-24).

Art. 764. A legacy made to the spouse before a divorce or the dissolution of a civil union is revoked unless the testator manifested, by means of testamentary dispositions, the intention of benefitting the spouse despite that possibility.

Revocation of the legacy entails revocation of the designation of the spouse as liquidator of the succession.

The same rules apply if the marriage or civil union is declared null during the lifetime of the spouses.

C.C.Q. (1980) 557 (**C.C.Q.** 380, 386, 507, 510, 624, 786, 2459, 3096)

Art. 765. La révocation expresse est faite par un testament postérieur portant explicitement déclaration du changement de volonté.

La révocation qui ne vise pas spécialement l'acte révoqué ne cesse pas d'être expresse.

1991, c. 64, a. 765 (1994-01-01).

Art. 765. Express revocation is made by a subsequent will explicitly declaring the change of intention.

A revocation that does not specifically refer to the revoked act is nonetheless express.

C.C.B.C. 892 (**C.C.Q.** 703-705, 712, 716, 726, 727, 763, 766, 2449, 2450)

Art. 766. Le testament qui en révoque un autre peut être fait dans une forme différente de celle du testament révoqué.

1991, c. 64, a. 766 (1994-01-01).

Art. 766. A will that revokes another will may be made in a different form from that of the revoked will.

(**C.C.Q.** 705, 706, 712-714)

Art. 767. La destruction, la lacération ou la rature du testament olographe ou fait devant témoins emporte révocation s'il est établi qu'elle a été faite délibérément par le testateur ou sur son ordre. De même, la rature d'une de leurs dispositions emporte révocation du legs qui y est fait.

Art. 767. The destruction, tearing or erasure of a holograph will or of a will made in the presence of witnesses entails revocation if it is established that this was done deliberately by the testator or on his instructions. Similarly, the erasure of any disposition of a will entails revocation of the legacy made by that disposition.

La destruction ou la perte du testament connue du testateur, alors qu'il était en mesure de le remplacer, emporte aussi révocation.

1991, c. 64, a. 767 (1994-01-01).

_____

C.C.B.C. 860, 892 (**C.C.Q.** 704, 706, 763, 775, 2803, 2967)

Art. 768. La révocation tacite résulte pareillement de toute disposition testamentaire nouvelle, dans la mesure où elle est incompatible avec une disposition antérieure.

Cette révocation conserve tout son effet, quoique la disposition nouvelle devienne caduque.

1991, c. 64, a. 768 (1994-01-01).

_____

C.C.B.C. 892, 894, 895 (**C.C.Q.** 613, 750 ss., 763)

Art. 769. L'aliénation du bien légué, même forcée ou faite sous une condition résolutoire ou par un échange, emporte aussi révocation pour tout ce qui a été aliéné, sauf disposition contraire.

La révocation subsiste, encore que le bien aliéné se retrouve dans le patrimoine du testateur, sauf preuve d'une intention contraire.

L'aliénation forcée du bien légué, si elle est annulée, n'emporte pas révocation.

1991, c. 64, a. 769 (1994-01-01).

_____

C.C.B.C. 892, 897 (**C.C.Q.** 763, 1398, 1399, 1497, 1806)

Art. 770. La révocation d'une révocation antérieure, expresse ou tacite, n'a pas pour effet de faire revivre la disposition primitive, à moins que le testateur n'ait manifesté une intention contraire ou que cette intention ne résulte des circonstances.

1991, c. 64, a. 770 (1994-01-01).

_____

C.C.B.C. 896 (**C.C.Q.** 763, 767)

Art. 771. Si, en raison de circonstances imprévisibles lors de l'acceptation du legs, l'exécution d'une charge devient impossible ou trop onéreuse pour l'héritier ou le légataire particulier, le tribunal peut, après avoir entendu les intéressés, la révoquer ou la modifier, compte tenu de la valeur du legs, de l'intention du testateur et des circonstances.

1991, c. 64, a. 771 (1994-01-01).

_____

(**D.T.** 44; **C.C.Q.** 619, 630, 637, 1294, 1834; **C.P.C.** 74, 453, 462)

Revocation is entailed also where the testator was aware of the destruction or loss of the will and could have replaced it.

Art. 768. A subsequent testamentary disposition similarly entails tacit revocation of a previous disposition to the extent that they are inconsistent.

The revocation retains its full effect even if the subsequent disposition lapses.

Art. 769. Alienation of bequeathed property, even when forced or made under a resolutive condition or by exchange, also entails revocation with regard to everything that has been alienated, unless the testator provided otherwise.

Revocation subsists even if the alienated property has returned into the patrimony of the testator, unless a contrary intention is proved.

If the forced alienation of the bequeathed property is annulled, it does not entail revocation.

Art. 770. Revocation of a previous express or tacit revocation does not revive the original disposition, unless the testator manifested a contrary intention or unless such intention is apparent from the circumstances.

Art. 771. If, owing to circumstances unforeseeable at the time of the acceptance of the legacy, the execution of a charge becomes impossible or too burdensome for the heir or the legatee by particular title, the court, after hearing the interested persons, may revoke it or change it, taking account of the value of the legacy, the intention of the testator and the circumstances.

CHAPITRE SIXIÈME
DE LA PREUVE ET DE LA VÉRIFICATION DES TESTAMENTS

CHAPTER VI
PROOF AND PROBATE OF WILLS

Art. 772. Le testament olographe ou devant témoins est vérifié, à la demande de tout intéressé, en la manière prescrite au Code de procédure civile.

Les héritiers et successibles connus doivent être appelés à la vérification du testament, sauf dispense du tribunal.

1991, c. 64, a. 772 (1994-01-01).

Art. 772. A holograph will or a will made in the presence of witnesses is probated, on the demand of any interested person, in the manner prescribed in the Code of Civil Procedure.

The known heirs and successors shall be summoned to the probate of the will unless an exemption is granted by the court.

C.C.B.C. 857, 858 (**D.T.** 44; **C.C.Q.** 613, 714, 726, 727, 773, 774, 803, 2819, 2826, 3098-3101; **C.P.C.** 858, 887 ss.)

Art. 773. Celui qui a reconnu un testament ne peut plus en contester la validité; il peut toutefois en demander la vérification.

En cas de contestation d'un testament déjà vérifié, il appartient à celui qui se prévaut du testament d'en prouver l'origine et la régularité.

1991, c. 64, a. 773 (1994-01-01).

Art. 773. No person having acknowledged a will may thereafter contest its validity, although he may bring a demand to probate it.

In the case of contestation of an already probated will, the burden is on the person who avails himself of the will to prove its origin and regularity.

C.C.B.C. 859 (**D.T.** 44; **C.C.Q.** 713, 772, 803; **C.P.C.** 891)

Art. 774. Le testament qui n'est pas produit ne peut être vérifié; il doit être reconstitué à la suite d'une action à laquelle les héritiers, les autres successibles et les légataires particuliers ont été appelés, et la preuve de son contenu, de son origine et de sa régularité doit être concluante et non équivoque.

1991, c. 64, a. 774 (1994-01-01).

Art. 774. A will that is not produced may not be probated; it shall be reconstituted upon an action in which the heirs, the other successors and the legatees by particular title have been summoned and unless the proof of its contents, origin and regularity is conclusive and unequivocal.

C.C.B.C. 860, 861 (**D.T.** 44; **C.C.Q.** 772, 803, 2860, 2861, 2967; **C.P.C.** 74, 110, 871.1-871.4)

Art. 775. La preuve testimoniale d'un testament qui ne peut être produit est admise, que le testament ait été perdu ou détruit ou qu'il se trouve en la possession d'un tiers, sans collusion de celui qui veut s'en prévaloir.

1991, c. 64, a. 775 (1994-01-01).

Art. 775. Proof by testimony of a will that cannot be produced is admissible if the will has been lost or destroyed, or is in the possession of a third person, without the collusion of the person who wishes to avail himself of the will.

C.C.B.C. 862, 1233 al. 1(6) (**D.T.** 44; **C.C.Q.** 767, 774, 2815 ss., 2844, 2860; **C.P.C.** 866 ss., 871.1-871.4)

TITRE CINQUIÈME
DE LA LIQUIDATION DE LA SUCCESSION

CHAPITRE PREMIER
DE L'OBJET DE LA LIQUIDATION ET DE LA SÉPARATION DES PATRIMOINES

Art. 776. La liquidation de la succession *ab intestat* ou testamentaire consiste à identifier et à appeler les successibles, à déterminer le contenu de la succession, à recouvrer les créances, à payer les dettes de la succession, qu'il s'agisse des dettes du défunt, des charges de la succession ou des dettes alimentaires, à payer les legs particuliers, à rendre compte et à faire la délivrance des biens.

1991, c. 64, a. 776 (1994-01-01).

(**C.C.Q.** 42, 87, 414 ss., 427 ss., 465 ss., 653, 684, 781, 782, 808-814, 819 ss.)

Art. 777. Le liquidateur exerce, à compter de l'ouverture de la succession et pendant le temps nécessaire à la liquidation, la saisine des héritiers et des légataires particuliers.

Il peut même revendiquer les biens contre ces héritiers et légataires.

La désignation ou le remplacement du liquidateur de la succession est publié au registre des droits personnels et réels mobiliers ainsi qu'au registre foncier, le cas échéant. L'inscription de la désignation ou du remplacement s'obtient par la présentation d'un avis qui fait référence à l'acte de désignation ou de remplacement, identifie le défunt et le liquidateur et contient, le cas échéant, la désignation de tout immeuble auquel il se rapporte.

1991, c. 64, a. 777 (1994-01-01); 1998, c. 51, a. 26 (2000-01-01); 1999, c. 49, a. 1 (2000-01-01).

C.C.B.C. 918 (**C.C.Q.** 613, 619, 625, 738, 739, 783 ss., 1018; **C.P.C.** 116)

Art. 778. Le testateur peut modifier la saisine du liquidateur, ses pouvoirs et obligations, et pourvoir de toute autre manière à la liquidation de sa succession ou à l'exécution de son testament. Toutefois, la clause qui a pour effet de restreindre les pouvoirs ou les obligations du liquidateur, de manière à empêcher un acte nécessaire à la liquidation ou à le dispenser de faire inventaire, est réputée non écrite.

1991, c. 64, a. 778 (1994-01-01); 2002, c. 19, a. 15 (2002-06-13).

C.C.B.C. 921 (**C.C.Q.** 704, 705, 757, 777, 794 ss., 819, 1301-1305)

TITLE FIVE
LIQUIDATION OF SUCCESSIONS

CHAPTER I
OBJECT OF LIQUIDATION AND SEPARATION OF PATRIMONIES

Art. 776. The liquidation of an intestate or testate succession consists in identifying and calling in the successors, determining the content of the succession, recovering the claims, paying the debts of the succession, whether these be debts of the deceased, charges on the succession or debts of support, paying the legacies by particular title, rendering an account and delivering the property.

Art. 777. The liquidator has, from the opening of the succession and for the time necessary for liquidation, the seisin of the heirs and the legatees by particular title.

The liquidator may even claim the property against the heirs and the legatees by particular title.

The designation or replacement of the liquidator of the succession is published in the register of personal and movable real rights and, where applicable, in the land register. Registration of the act of designation or replacement is obtained by presenting a notice which refers to the act of designation or replacement, identifies the deceased and the liquidator and contains the description of the immovables concerned, if any.

Art. 778. The testator may modify the seisin, powers and obligations of the liquidator and provide in any other manner for the liquidation of his succession or the execution of his will. However, a clause that would in effect restrict the powers or obligations of the liquidator in such a manner as to prevent an act necessary for liquidation or to exempt him from making an inventory is deemed unwritten.

Art. 779. Les héritiers peuvent, d'un commun accord, liquider la succession sans suivre les règles prescrites pour la liquidation, lorsque la succession est manifestement solvable. Ils sont, en conséquence de cette décision, tenus au paiement des dettes de la succession sur leur patrimoine propre, au-delà même de la valeur des biens qu'ils recueillent.

1991, c. 64, a. 779 (1994-01-01).

_____

(**C.C.Q.** 619, 625, 638, 784-786, 810, 812, 819, 835, 1012 ss.)

Art. 780. Le patrimoine du défunt et celui de l'héritier sont séparés de plein droit, tant que la succession n'a pas été liquidée.

Cette séparation a effet à l'égard tant des créanciers de la succession que des créanciers de l'héritier ou du légataire particulier.

1991, c. 64, a. 780 (1994-01-01).

_____

C.C.B.C. 743, 744, 887 (**C.C.Q.** 779, 2645; **C.P.C.** 557)

Art. 781. Les biens de la succession sont employés au paiement des créanciers de la succession et au paiement des légataires particuliers, de préférence à tout créancier de l'héritier.

1991, c. 64, a. 781 (1994-01-01).

_____

C.C.B.C. 744, 880 (**D.T.** 43; **C.C.Q.** 619, 734, 780, 801, 808 ss., 823, 2645)

Art. 782. Les biens de l'héritier ne sont employés au paiement des dettes de la succession que dans le seul cas où l'héritier est tenu au paiement de ces dettes au-delà de la valeur des biens qu'il recueille et qu'il y a insuffisance des biens de la succession.

Le paiement des créanciers de la succession ne vient, alors, qu'après le paiement des créanciers de chaque héritier dont la créance est née avant l'ouverture de la succession. Toutefois, les créanciers de l'héritier dont la créance est née après l'ouverture de la succession sont payés concurremment avec les créanciers impayés de la succession.

1991, c. 64, a. 782 (1994-01-01).

_____

(**C.C.Q.** 619, 697, 738, 779-781, 808 ss., 834)

Art. 779. Where the succession is manifestly solvent, the heirs may, by mutual agreement, liquidate it without following the prescribed rules for liquidation. As a result of this decision, they are liable for payment of the debts of the succession from their own patrimony, even where the debts are of greater value than the property they take.

Art. 780. The patrimony of the deceased is separate from that of the heir by operation of law until the succession has been liquidated.

This separation operates in respect of both the creditors of the succession and the creditors of the heir or the legatee by particular title.

Art. 781. The property of the succession is used to pay the creditors of the succession and to pay the legatees by particular title, in preference to any creditor of the heir.

Art. 782. The property of the heir is used to pay the debts of the succession only in the case where the heir is liable for debts of greater value than the property he takes and the property of the succession is insufficient.

In that case, payment of the creditor of the succession comes only after payment of the creditor of each heir whose claim arose before the opening of the succession. However, a creditor of the heir whose claim has arisen since the opening of the succession is paid concurrently with the unpaid creditors of the succession.

CHAPITRE DEUXIÈME
DU LIQUIDATEUR DE LA SUCCESSION

SECTION I
DE LA DÉSIGNATION ET DE LA CHARGE DU LIQUIDATEUR

Art. 783. Toute personne pleinement capable de l'exercice de ses droits civils peut exercer la charge de liquidateur.

La personne morale autorisée par la loi à administrer le bien d'autrui peut exercer la charge de liquidateur.

1991, c. 64, a. 783 (1994-01-01).

C.C.B.C. 907-909 (**C.C.Q.** 153-155, 175, 176, 256, 281, 287, 304, 724)

Art. 784. Nul n'est tenu d'accepter la charge de liquidateur d'une succession, à moins qu'il ne soit le seul héritier.

1991, c. 64, a. 784 (1994-01-01).

C.C.B.C. 910 al. 1 (**C.C.Q.** 619, 632, 786, 823, 1357)

Art. 785. La charge de liquidateur incombe de plein droit aux héritiers, à moins d'une disposition testamentaire contraire; les héritiers peuvent désigner, à la majorité, le liquidateur et pourvoir au mode de son remplacement.

1991, c. 64, a. 785 (1994-01-01).

C.C.B.C. 905 (**C.C.Q.** 209, 210, 223, 637, 648, 724, 784, 787, 788, 792)

Art. 786. Le testateur peut désigner un ou plusieurs liquidateurs; il peut aussi pourvoir au mode de leur remplacement.

La personne désignée par le testateur pour liquider la succession ou exécuter son testament a la qualité de liquidateur, qu'elle ait été désignée comme administrateur de succession, exécuteur testamentaire ou autrement.

1991, c. 64, a. 786 (1994-01-01).

C.C.B.C. 905, 923 (**C.C.Q.** 705, 724, 788, 791)

Art. 787. Les personnes qui exercent ensemble la charge de liquidateur doivent agir de concert, à moins qu'elles n'en soient dispensées par le testament ou, à défaut de disposition testamentaire, par les héritiers.

En cas d'empêchement d'un des liquidateurs, les autres peuvent agir seuls pour les actes conservatoires et ceux qui demandent célérité.

1991, c. 64, a. 787 (1994-01-01).

C.C.B.C. 913 (**C.C.Q.** 786, 791, 1321, 1332 ss., 1353, 1363)

CHAPTER II
LIQUIDATOR OF THE SUCCESSION

SECTION I
DESIGNATION AND RESPONSIBILITIES OF THE LIQUIDATOR

Art. 783. Any person fully capable of exercising his civil rights may hold the office of liquidator.

A legal person authorized by law to administer the property of others may hold the office of liquidator.

Art. 784. No person is bound to accept the office of liquidator of a succession unless he is the sole heir.

Art. 785. The office of liquidator devolves of right to the heirs unless otherwise provided by a testamentary disposition; the heirs, by majority vote, may designate the liquidator and provide the mode of his replacement.

Art. 786. A testator may designate one or several liquidators; he may also provide the mode of their replacement.

A person designated by a testator to liquidate the succession or execute his will will has the quality of liquidator whether he was designated as administrator of the succession, testamentary executor or otherwise.

Art. 787. Persons holding the office of liquidator together shall act in concert, unless exempted therefrom by the will or, in the absence of a testamentary disposition, by the heirs.

If one of the liquidators is prevented from acting, the others may perform alone acts of a conservatory nature and acts requiring dispatch.

Art. 788. Le tribunal peut, à la demande d'un intéressé, désigner ou remplacer un liquidateur, à défaut d'entente entre les héritiers ou en cas d'impossibilité de pourvoir à la nomination ou au remplacement du liquidateur.

1991, c. 64, a. 788 (1994-01-01).

Art. 788. The court may, on the application of an interested person, designate or replace a liquidator failing agreement among the heirs or if it is impossible to appoint or replace the liquidator.

C.C.B.C. 924 (**C.C.Q.** 783-786, 791, 792; **C.P.C.** 74, 885*b*))

Art. 789. Le liquidateur a droit au remboursement des dépenses faites dans l'accomplissement de sa charge.

Il a droit à une rémunération s'il n'est pas un héritier; s'il l'est, il peut être rémunéré, à la condition que le testament y pourvoie ou que les héritiers en conviennent.

Si la rémunération n'a pas été fixée par le testateur, elle l'est par les héritiers ou, en cas de désaccord entre les intéressés, par le tribunal.

1991, c. 64, a. 789 (1994-01-01).

Art. 789. The liquidator is entitled to the reimbursement of the expenses incurred in fulfilling his office.

He is entitled to remuneration if he is not an heir; if he is an heir, he may be remunerated if the will so provides or the heirs so agree.

If the remuneration was not fixed by the testator, it is fixed by the heirs or, in case of disagreement among the interested persons, by the court.

C.C.B.C. 910, 914 (**C.C.Q.** 619, 724, 738, 753, 754, 760, 1300, 1367, 1369; **C.P.C.** 885*c*))

Art. 790. Le liquidateur n'est pas tenu de souscrire une assurance ou de fournir une autre sûreté garantissant l'exécution de ses obligations, à moins que le testateur ou la majorité des héritiers ne l'exige, ou que le tribunal ne l'ordonne à la demande d'un intéressé qui établit la nécessité d'une telle mesure.

Si, étant requis de fournir une sûreté, le liquidateur omet ou refuse de le faire, il est déchu de sa charge, à moins que le tribunal ne le relève de son défaut.

1991, c. 64, a. 790 (1994-01-01).

Art. 790. The liquidator is not bound to take out insurance or to furnish other security guaranteeing the performance of his obligations, unless the testator or the majority of the heirs demand it or the court orders it on the application of any interested person who establishes the need for such a measure.

If a liquidator required to furnish security fails or refuses to do so, he forfeits his office, unless exempted by the court.

C.C.B.C. 663, 910 al. 5 (**C.C.Q.** 792, 1324, 1367, 2334; **C.P.C.** 885*c*))

Art. 791. Tout intéressé peut demander au tribunal le remplacement du liquidateur qui est dans l'impossibilité d'exercer sa charge, néglige ses devoirs ou ne respecte pas ses obligations.

Le liquidateur continue à exercer sa charge pendant l'instance, à moins que le tribunal ne décide de désigner un liquidateur provisoire.

1991, c. 64, a. 791 (1994-01-01).

Art. 791. Any interested person may apply to the court for the replacement of a liquidator who is unable to assume his responsibilities of office, who neglects his duties or who does not fulfil his obligations.

During the proceedings, the liquidator continues to hold office unless the court decides to designate an acting liquidator.

C.C.B.C. 917 (**C.C.Q.** 788, 790, 1355, 1360 al. 1; **C.P.C.** 74, 885*b*))

Art. 792. Tout intéressé peut, si le liquidateur n'est pas désigné, tarde à accepter ou à refuser la charge, ou doit être remplacé, s'adresser au tribunal pour faire apposer les scellés, faire inventaire, nommer provisoirement un liquidateur ou rendre toute autre ordonnance propre à assurer la conservation de ses droits. Ces mesures profitent à tous les intéressés, mais ne créent entre eux aucune préférence.

Les frais d'inventaire et de scellés sont à la charge de la succession.

1991, c. 64, a. 792 (1994-01-01).

C.C.B.C. 681 (**C.C.Q.** 785, 1367; **C.P.C.** 547, 885c))

Art. 793. Les actes faits par la personne qui, de bonne foi, se croyait liquidateur de la succession sont valables et opposables à tous.

1991, c. 64, a. 793 (1994-01-01).

(**C.C.Q.** 6, 785, 1323, 1362, 2805)

SECTION II
DE L'INVENTAIRE DES BIENS

Art. 794. Le liquidateur est tenu de faire inventaire, en la manière prévue au titre De l'administration du bien d'autrui.

1991, c. 64, a. 794 (1994-01-01).

C.C.B.C. 662, 919 al. 1; **C.P.C.** 913 (**C.C.Q.** 640, 699, 778, 787, 795-801, 1326; **C.P.C.** 168, 547, 885, 904 ss.)

Art. 795. La clôture de l'inventaire est publiée au registre des droits personnels et réels mobiliers au moyen de l'inscription d'un avis qui identifie le défunt et qui indique le lieu où l'inventaire peut être consulté par les intéressés.

Cet avis est aussi publié dans un journal distribué dans la localité de la dernière adresse connue du défunt.

1991, c. 64, a. 795 (1994-01-01).

C.C.B.C. 661, 676 (**C.C.Q.** 632, 699, 700, 798, 2938, 2970, 2980)

Art. 796. Le liquidateur informe les héritiers, les successibles qui n'ont pas encore opté et les légataires particuliers, de même que les créanciers connus, de l'inscription de l'avis de clôture et du lieu où l'inventaire peut être consulté. Si cela peut être fait aisément, il leur transmet une copie de l'inventaire.

1991, c. 64, a. 796 (1994-01-01).

(**C.C.Q.** 619, 630 ss., 738, 795, 797)

Art. 792. Where the liquidator is not designated, delays to accept or decline the office or is to be replaced, any interested person may apply to the court to have seals affixed, an inventory made, an acting liquidator appointed or any other order rendered which is necessary to preserve his rights. These measures benefit all the interested persons but create no preference among them.

The costs of inventory and seals are chargeable to the succession.

Art. 793. Acts performed by a person who, in good faith, believed he was liquidator of the succession are valid and may be set up against all persons.

SECTION II
INVENTORY OF THE PROPERTY

Art. 794. The liquidator is bound to make an inventory, in the manner prescribed in the Title on Administration of the Property of Others.

Art. 795. Closure of the inventory is published in the register of personal and movable real rights by registration of a notice identifying the deceased and indicating the place where the inventory may be consulted by interested persons.

The notice is also published in a newspaper circulated in the locality where the deceased had his last known address.

Art. 796. The liquidator informs the heirs, the successors who have not yet exercised their option, the legatees by particular title and the known creditors of the registration of the notice of closure and of the place where the inventory may be consulted, and transmits a copy of the inventory to them if that can easily be done.

Art. 797. Les créanciers de la succession, les héritiers, les successibles et les légataires particuliers peuvent contester l'inventaire ou l'une de ses inscriptions; ils peuvent aussi convenir de la révision de l'inventaire ou demander qu'il soit procédé à un nouvel inventaire.

1991, c. 64, a. 797 (1994-01-01).

(**C.C.Q.** 619, 738, 796; **C.P.C.** 110)

Art. 798. Lorsqu'un inventaire a déjà été fait par un héritier ou un autre intéressé, le liquidateur doit le vérifier; il doit aussi s'assurer qu'un avis de clôture a été inscrit et que ceux qui devaient être informés l'ont été.

1991, c. 64, a. 798 (1994-01-01).

(**C.C.Q.** 795-797)

Art. 799. Le liquidateur ne peut être dispensé de faire inventaire que si tous les héritiers et les successibles y consentent.

Les héritiers, et les successibles devenus de ce fait héritiers, sont alors tenus au paiement des dettes de la succession au-delà de la valeur des biens qu'ils recueillent.

1991, c. 64, a. 799 (1994-01-01).

C.C.B.C. 671 (**C.C.Q.** 619, 625, 639, 645, 778, 779, 782, 834)

Art. 800. Les héritiers qui, sachant que le liquidateur refuse ou néglige de faire inventaire, négligent eux-mêmes, dans les soixante jours qui suivent l'expiration du délai de délibération de six mois, soit de procéder à l'inventaire, soit de demander au tribunal de remplacer le liquidateur ou de lui enjoindre de procéder à l'inventaire, sont tenus au paiement des dettes de la succession au-delà de la valeur des biens qu'ils recueillent.

1991, c. 64, a. 800 (1994-01-01).

(**C.C.Q.** 625, 632, 640, 788, 795, 799)

Art. 801. Les héritiers qui, avant l'inventaire, confondent les biens de la succession avec leurs biens personnels, sauf si ces biens étaient déjà confondus avant le décès, notamment en cas de cohabitation, sont, de même, tenus au paiement des dettes de la succession au-delà de la valeur des biens qu'ils recueillent.

Art. 797. The creditors of the succession, the heirs, the successors and the particular legatees may contest the inventory or any item in it; they may also concur on the revision of the inventory or apply for the making of a new inventory.

Art. 798. Where an inventory has already been made by an heir or another interested person, the liquidator shall verify it. He shall also ascertain that the notice of closure has been registered and that everyone who should be informed has been informed.

Art. 799. The liquidator may be exempted from making an inventory, but only with the consent of all the heirs and successors.

If they give their consent, the heirs, and the successors having by that fact become heirs, are liable for the debts of the succession beyond the value of the property they take.

Art. 800. Where the heirs, knowing that the liquidator refuses or is neglecting to make the inventory, themselves neglect, for sixty days following the expiration of the six month period for deliberation, either to proceed to the inventory or to apply to the court to replace the liquidator or to enjoin him to proceed to the inventory, they are liable for the debts of the succession beyond the value of the property they take.

Art. 801. Heirs who, before the inventory, mingle the property of the succession with their personal property, unless the property was already mingled before the death, such as in the case of cohabitation, are likewise liable for the debts of the succession beyond the value of the property they take.

Si cette confusion survient après l'inventaire, mais avant la fin de la liquidation, ils sont tenus personnellement des dettes jusqu'à concurrence de la valeur des biens confondus.

1991, c. 64, a. 801 (1994-01-01).

C.C.B.C. 671 (C.C.Q. 619, 625, 639, 819 ss., 1361)

If the mingling is done after the inventory but before the end of the liquidation, they are personally liable for the debts up to the value of the mingled property.

SECTION III
DES FONCTIONS DU LIQUIDATEUR

Art. 802. Le liquidateur agit à l'égard des biens de la succession à titre d'administrateur du bien d'autrui chargé de la simple administration.

1991, c. 64, a. 802 (1994-01-01).

C.C.B.C. 672, 673 (C.C.Q. 1301-1305, 1308, 1309)

SECTION III
FUNCTIONS OF THE LIQUIDATOR

Art. 802. The liquidator acts in respect of the property of the succession as an administrator of the property of others charged with simple administration.

Art. 803. Le liquidateur doit rechercher si le défunt avait fait un testament.

Le cas échéant, il fait vérifier le testament et prend toutes les mesures nécessaires à son exécution.

1991, c. 64, a. 803 (1994-01-01).

Art. 803. The liquidator shall make a search to ascertain whether the deceased made a will.

If the deceased made a will, the liquidator causes the will to be probated and takes all the necessary steps for its execution.

C.C.B.C. 919 al. 3 et 4 (C.C.Q. 42, 772, 774, 775, 1316, 2998, 2999; C.P.C. 887)

Art. 804. Le liquidateur administre la succession. Il poursuit la réalisation des biens de la succession, dans la mesure nécessaire au paiement des dettes et des legs particuliers.

Il peut, en conséquence, aliéner seul le bien meuble susceptible de dépérir, de se déprécier rapidement ou dispendieux à conserver. Il peut aussi, avec le consentement des héritiers ou, à défaut, avec l'autorisation du tribunal, aliéner les autres biens de la succession.

1991, c. 64, a. 804 (1994-01-01).

Art. 804. The liquidator administers the succession. He shall realize the property of the succession to the extent necessary to pay the debts and the legacies by particular title.

To do this, he may alienate, alone, movable property that is perishable, likely to depreciate rapidly or expensive to preserve. He may also alienate the other property of the succession with the consent of the heirs or, failing that, the authorization of the court.

C.C.B.C. 665, 672, 919 (C.C.Q. 642, 802, 813, 899-907, 1319, 1361, 1434, 2938, 2998; C.P.C. 885, 897 ss.)

Art. 805. Le liquidateur qui a une action à exercer contre la succession en donne avis au curateur public. Ce dernier agit d'office comme liquidateur ad hoc, à moins que les héritiers ou le tribunal ne désignent une autre personne.

1991, c. 64, a. 805 (1994-01-01).

Art. 805. A liquidator who has an action to bring against the succession gives notice thereof to the Public Curator. The latter acts by virtue of his office as liquidator ad hoc, unless the heirs or the court designate another person.

C.C.B.C. 676a (C.C.Q. 619, 738; C.P.C. 885b))

Art. 806. Si la liquidation se prolonge au-delà d'une année, le liquidateur doit, à la fin de la première année et, par la suite, au moins une fois l'an, rendre un compte annuel de gestion aux héritiers, créanciers et légataires particuliers restés impayés.

1991, c. 64, a. 806 (1994-01-01).

Art. 806. If the liquidation takes longer than one year, the liquidator shall, at the end of the first year, and at least once a year thereafter, render an annual account of management to the heirs, creditors and legatees by particular title who have not been paid.

C.C.B.C. 918 al. 4 (**C.C.Q.** 210, 819, 821, 1351-1354; **C.P.C.** 532 ss.)

Art. 807. Lorsque la succession est manifestement solvable, le liquidateur peut, après s'être assuré que tous les créanciers et légataires particuliers peuvent être payés, verser des acomptes aux créanciers d'aliments et aux héritiers et légataires particuliers de sommes d'argent. Ces acomptes s'imputent sur la part de ceux qui en bénéficient.

1991, c. 64, a. 807 (1994-01-01).

Art. 807. Where the succession is manifestly solvent, the liquidator, after ascertaining that all the creditors and legatees by particular title can be paid, may pay advances to the creditors of support and to the heirs and legatees by particular title of sums of money. The advances are deducted from the shares of those who receive them.

(**C.C.Q.** 585 ss., 619, 684 ss., 731, 734, 738, 815-817)

CHAPITRE TROISIÈME
DU PAIEMENT DES DETTES ET DES LEGS PARTICULIERS

CHAPTER III
PAYMENT OF DEBTS AND OF LEGACIES BY PARTICULAR TITLE

SECTION I
DES PAIEMENTS FAITS PAR LE LIQUIDATEUR

SECTION I
PAYMENTS BY THE LIQUIDATOR

Art. 808. Si les biens de la succession sont suffisants pour payer tous les créanciers et légataires particuliers et pourvu qu'une provision soit faite pour payer les créances qui font l'objet d'une instance, le liquidateur paie les créanciers et les légataires particuliers connus, au fur et à mesure qu'ils se présentent.

Il paie les comptes usuels d'entreprises de services publics et il rembourse les dettes qui demeurent payables à terme, au fur et à mesure de leur exigibilité ou suivant les modalités convenues.

1991, c. 64, a. 808 (1994-01-01).

Art. 808. If the property of the succession is sufficient to pay all the creditors and all the legatees by particular title and if provision is made to pay the claims that are the subject of proceedings, the liquidator pays the known creditors and known legatees by particular title as and when they present themselves.

The liquidator pays the ordinary public utility bills and pays the outstanding debts as and when they become due or according to the agreed terms and conditions.

C.C.B.C. 676 (**C.C.Q.** 619, 731, 734, 738, 781, 804, 809, 814)

Art. 809. Le liquidateur paie, comme toute autre dette de la succession, la prestation compensatoire du conjoint survivant et toute autre créance résultant de la liquidation des droits patrimoniaux des époux ou conjoints unis civilement, suivant ce que conviennent entre eux les héritiers, les légataires particuliers et le conjoint ou, s'ils ne s'entendent pas, suivant ce que détermine le tribunal.

1991, c. 64, a. 809 (1994-01-01); 2002, c. 6, a. 43 (2002-06-24).

Art. 809. The liquidator pays, in the same manner as any other debt of the succession, the compensatory allowance to the surviving spouse and any other debt resulting from the liquidation of the patrimonial rights of the married or civil union spouses, as agreed between the heirs, the legatees by particular title and the spouse or, failing such agreement, as determined by the court.

C.C.B.C. 735.1 (**C.C.Q.** 414 ss., 427-430, 465 ss., 684 ss., 811, 2928; **C.P.C.** 813, 827.1)

Art. 810. Lorsque la solvabilité de la succession n'est pas manifeste, le liquidateur ne peut payer les dettes de cette dernière ni les legs particuliers, avant l'expiration d'un délai de soixante jours à compter de l'inscription de l'avis de clôture de l'inventaire ou depuis la dispense d'inventaire.

Il peut toutefois, si les circonstances l'exigent, payer avant l'expiration de ce délai les comptes usuels d'entreprises de services publics et les dettes dont le paiement revêt un caractère d'urgence.

1991, c. 64, a. 810 (1994-01-01).

___

C.C.B.C. 676 (**C.C.Q.** 639, 795, 796, 799, 816)

Art. 811. Si les biens de la succession sont insuffisants, le liquidateur ne peut payer aucune dette ou legs particulier avant d'en avoir dressé un état complet, donné avis aux intéressés et fait homologuer par le tribunal une proposition de paiement dans laquelle, s'il y a lieu, une provision est prévue pour acquitter un jugement éventuel.

1991, c. 64, a. 811 (1994-01-01).

___

C.C.B.C. 676 (**C.C.Q.** 812-814, 817; **C.P.C.** 885c))

Art. 812. En cas d'insuffisance des biens de la succession et conformément à sa proposition de paiement, le liquidateur paie d'abord les créanciers prioritaires ou hypothécaires, suivant leur rang; il paie ensuite les autres créanciers, sauf pour leur créance alimentaire et, s'il ne peut les rembourser entièrement, il les paie en proportion de leur créance.

Si, ces créanciers étant payés, il reste des biens, le liquidateur paie les créanciers d'aliments, en proportion de leur créance s'il ne peut les payer entièrement; il paie ensuite les légataires particuliers.

1991, c. 64, a. 812 (1994-01-01).

___

C.C.B.C. 885, 919 (**C.C.Q.** 585 ss., 684, 811, 813, 814, 818, 2650 ss.; **C.P.C.** 557)

Art. 813. Le liquidateur peut aliéner un bien légué à titre particulier ou réduire les legs particuliers si les autres biens sont insuffisants pour payer toutes les dettes.

L'aliénation ou la réduction se fait dans l'ordre et suivant les proportions dont les légataires conviennent. À défaut d'accord, le liquidateur réduit d'abord les legs qui n'ont aucune préférence en vertu du testament et qui ne portent pas sur un bien individualisé, en proportion de leur valeur; en cas d'insuffisance, il aliène l'objet des legs de biens individualisés, puis l'objet des legs qui ont la préférence, ou réduit ces legs proportionnellement à leur valeur.

Art. 810. Where the succession is not manifestly solvent, the liquidator may not pay the debts of the succession or the legacies by particular title until the expiry of sixty days from registration of the notice of closure of inventory or from the exemption from making an inventory.

The liquidator may pay the ordinary public utility bills and the debts in urgent need of payment before the expiry of that time, however, if circumstances require it.

Art. 811. If the property of the succession is insufficient, the liquidator may not pay any debt or any legacy by particular title before drawing up a full statement thereof, giving notice thereof to the interested persons and obtaining homologation by the court of a payment proposal which contains a provision for a reserve for the payment of any future judgment.

Art. 812. Where the property of the succession is insufficient, the liquidator, in accordance with his payment proposal, first pays the preferred or hypothecary creditors, according to their rank; next, he pays the other creditors, except with regard to their claims for support, and, if he is unable to repay them fully, he pays them *pro rata* to their claims.

If property remains after the creditors have been paid, the liquidator pays the creditors of support, *pro rata* to their claims if he is unable to pay them fully, and he then pays the legatees by particular title.

Art. 813. The liquidator may alienate property bequeathed as legacies by particular title or reduce the legacies by particular title if the other property of the succession is insufficient to pay all the debts.

The alienation or reduction is effected in the order and in the proportions agreed by the legatees. Failing agreement, the liquidator first reduces the legacies not having preference under the will nor involving determined things, *pro rata* to their value. Where the property is still insufficient, he alienates the objects of legacies of determined things, then the objects of legacies having preference, or reduces such legacies *pro rata* to their value.

Les légataires peuvent toujours convenir d'un autre mode de règlement ou se libérer en faisant remise de leur legs ou de sa valeur.

1991, c. 64, a. 813 (1994-01-01).

C.C.B.C. 886 (**C.C.Q.** 811, 814, 815)

Art. 814. Si les biens de la succession sont insuffisants pour payer tous les légataires particuliers, le liquidateur, suivant sa proposition de paiement, paie d'abord ceux qui ont la préférence aux termes du testament, puis les légataires d'un bien individualisé; les autres légataires subissent ensuite la réduction proportionnelle de leur legs et le partage du solde des biens se fait entre eux en proportion de la valeur de chaque legs.

1991, c. 64, a. 814 (1994-01-01).

C.C.B.C. 885 (**C.C.Q.** 811-813)

SECTION II
DES RECOURS DES CRÉANCIERS ET LÉGATAIRES PARTICULIERS

Art. 815. Les créanciers et légataires particuliers connus qui ont été omis dans les paiements faits par le liquidateur ont, outre leur recours en responsabilité contre ce dernier, un recours contre les héritiers qui ont reçu des acomptes et contre les légataires particuliers payés à leur détriment.

Subsidiairement, les créanciers ont aussi un recours contre les autres créanciers en proportion de leurs créances, compte tenu des causes de préférence.

1991, c. 64, a. 815 (1994-01-01).

C.C.B.C. 679 (**C.C.Q.** 807, 808, 818, 829, 832; **C.P.C.** 110)

Art. 816. Les créanciers et légataires particuliers qui, demeurés inconnus, ne se présentent qu'après les paiements régulièrement effectués, n'ont de recours contre les héritiers qui ont reçus des acomptes et contre les légataires particuliers payés à leur détriment, que s'ils justifient d'un motif sérieux pour n'avoir pu se présenter en temps utile.

En tout état de cause, ils n'ont aucun recours s'ils se présentent après l'expiration d'un délai de trois ans depuis la décharge du liquidateur, ni aucune préférence par rapport aux créanciers personnels des héritiers ou légataires.

1991, c. 64, a. 816 (1994-01-01).

C.C.B.C. 679, 680 (**C.C.Q.** 807, 818, 819, 822; **C.P.C.** 110)

The legatees may always agree to another mode of settlement or be relieved by giving back their legacies or equivalent value.

Art. 814. If the property of the succession is insufficient to pay all the legatees by particular title, the liquidator, in accordance with his payment proposal, first pays those having preference under the will and then the legatees of an individual property. The other legatees then incur the reduction of their legacies *pro rata*, and the remainder is partitioned among them *pro rata* to the value of each legacy.

SECTION II
ACTION OF CREDITORS AND LEGATEES BY PARTICULAR TITLE

Art. 815. Known creditors and legatees by particular title who have been neglected in the payments made by the liquidator have, apart from their action in damages against the liquidator, an action against the heirs who have received advances and against the legatees by particular title paid to their detriment.

The creditors also have a subsidiary action against the other creditors in proportion to their claims, taking account of causes of preference.

Art. 816. Creditors and legatees by particular title who, remaining unknown, do not present themselves until after the payments have been regularly made have no action against the heirs who have received advances and against the legatees by particular title paid to their detriment unless they prove that they had a serious reason for not presenting themselves in due time.

In no case do they have an action if they present themselves after the expiry of three years from the discharge of the liquidator, or any preference over the personal creditors of the heirs or legatees.

Art. 817. En cas d'insuffisance de la provision prévue dans une proposition de paiement, le créancier a, pour le paiement de sa part de créance restée impayée, un recours contre les héritiers qui ont reçu des acomptes et les légataires particuliers jusqu'à concurrence de ce qu'ils ont reçu et, subsidiairement, contre les autres créanciers en proportion de leur créance, compte tenu des causes de préférence.

1991, c. 64, a. 817 (1994-01-01).

(**C.C.Q.** 807, 811; **C.P.C.** 110)

Art. 818. Le créancier hypothécaire dont la créance demeure impayée conserve, outre son recours personnel, ses droits hypothécaires contre celui qui a reçu le bien grevé d'hypothèque.

1991, c. 64, a. 818 (1994-01-01).

C.C.B.C. 739 (**C.C.Q.** 889, 2660, 2748 ss.; **C.P.C.** 74, 110)

Art. 817. Where the reserve provided for in a payment proposal is insufficient, the creditor has, for the payment of his share of the outstanding claim, an action against the heirs who have received advances and legatees by particular title up to the amount they received and a subsidiary action against the other creditors, in proportion to their claims, taking account of causes of preference.

Art. 818. A hypothecary creditor having an outstanding claim preserves, in addition to his personal action, his hypothecary rights against the person who received the hypothecated property.

CHAPITRE QUATRIÈME
DE LA FIN DE LA LIQUIDATION

CHAPTER IV
END OF LIQUIDATION

SECTION I
DU COMPTE DU LIQUIDATEUR

SECTION I
ACCOUNT OF THE LIQUIDATOR

Art. 819. La liquidation est achevée lorsque les créanciers et légataires particuliers connus ont été payés ou que le paiement de leurs créances et legs est autrement réglé, ou pris en charge par des héritiers ou des légataires particuliers. Elle l'est aussi lorsque l'actif est épuisé.

Elle prend fin par la décharge du liquidateur.

1991, c. 64, a. 819 (1994-01-01).

C.C.B.C. 677-682 (**C.C.Q.** 700, 816, 822, 823 ss.; **C.P.C.** 532 ss.)

Art. 819. Liquidation is complete when the known creditors and the known legatees by particular title have been paid or when payment of their claims and legacies is otherwise settled or assumed by heirs or legatees by particular title. It is also complete when the assets are exhausted.

It ends on the discharge of the liquidator.

Art. 820. Le compte définitif du liquidateur a pour objet de déterminer l'actif net ou le déficit de la succession.

Il indique les dettes et legs restés impayés, ceux garantis par une sûreté ou pris en charge par des héritiers ou légataires particuliers, et ceux dont le paiement est autrement réglé, et il précise pour chacun le mode de paiement. Il établit, le cas échéant, les provisions nécessaires pour exécuter les jugements éventuels.

Le liquidateur doit, si le testament ou la majorité des héritiers le requiert, joindre à son compte une proposition de partage.

1991, c. 64, a. 820 (1994-01-01).

(**C.C.Q.** 1363, 1366; **C.P.C.** 532 ss., 547 al. 1*f*))

Art. 820. The object of the final account of the liquidator is to determine the net assets or the deficit of the succession.

The final account indicates the debts and legacies left unpaid, those guaranteed by security or assumed by heirs or legatees by particular title and those whose payment is settled otherwise, specifying the mode of payment for each. Where applicable, it establishes the reserves needed for the satisfaction of future judgments.

The liquidator shall append a proposal for partition to his account if that is required by the will or the majority of the heirs.

Art. 821. Le liquidateur peut, en tout temps et de l'agrément de tous les héritiers, rendre compte à l'amiable. Les frais de la reddition de compte sont à la charge de la succession.

Si le compte ne peut être rendu à l'amiable, la reddition de compte a lieu en justice.

1991, c. 64, a. 821 (1994-01-01).

Art. 821. The liquidator, at any time and with the concurrence of all the heirs, may render an amicable account without judicial formalities. The cost of rendering the account is borne by the succession.

If an amicable account cannot be rendered, the account is rendered in court.

C.C.B.C. 677, 678, 920 (**C.C.Q.** 158, 173, 281, 287, 293, 619, 738, 1361; **C.P.C.** 532 ss.)

Art. 822. Après l'acceptation du compte définitif, le liquidateur est déchargé de son administration et fait délivrance des biens aux héritiers.

La clôture du compte est publiée au registre des droits personnels et réels mobiliers au moyen de l'inscription d'un avis qui identifie le défunt et indique le lieu où le compte peut être consulté.

1991, c. 64, a. 822 (1994-01-01).

Art. 822. After acceptance of the final account, the liquidator is discharged of his administration and makes delivery of the property to the heirs.

Closure of the account is published in the register of personal and movable real rights by registration of a notice identifying the deceased and indicating the place where interested persons may consult the account.

C.C.B.C. 918 (**C.C.Q.** 625, 700, 701, 776, 777, 816, 1363, 2980)

SECTION II
DE L'OBLIGATION DES HÉRITIERS ET LÉGATAIRES PARTICULIERS APRÈS LA LIQUIDATION

Art. 823. L'héritier venant seul à la succession est tenu, jusqu'à concurrence de la valeur des biens qu'il recueille, de toutes les dettes restées impayées par le liquidateur. Les créanciers et légataires particuliers qui ne se présentent qu'après les paiements régulièrement effectués n'ont, toutefois, aucune préférence par rapport aux créanciers personnels de l'héritier.

Lorsque la succession est dévolue à plusieurs héritiers, chacun d'eux n'est tenu de ces dettes qu'en proportion de la part qu'il reçoit en qualité d'héritier, sous réserve des règles relatives aux dettes indivisibles.

1991, c. 64, a. 823 (1994-01-01).

SECTION II
OBLIGATIONS OF HEIRS AND LEGATEES BY PARTICULAR TITLE AFTER LIQUIDATION

Art. 823. The sole heir to a succession is liable, up to the value of the property he takes, for all the debts not paid by the liquidator. However, the creditors and legatees by particular title who do not present themselves until after the payments have been regularly made have no preference over the personal creditors of the heir.

Where a succession devolves to several heirs, each of them is liable for the debts only in proportion to the share he receives as an heir, subject to the rules governing indivisible debts.

C.C.B.C. 735-737 (**C.C.Q.** 42, 625, 731, 734, 738, 739, 744, 780, 781, 824-826, 1519-1522, 1540, 1656, 2662, 2742, 2900 ss.; **C.P.C.** 557, 558)

Art. 824. Le légataire à titre universel de l'usufruit est, envers les créanciers, seul tenu des dettes restées impayées par le liquidateur, même du capital, en proportion de ce qu'il reçoit, et aussi des hypothèques grevant tout bien qu'il a reçu.

Entre lui et le nu-propriétaire, la contribution aux dettes s'établit d'après les règles prescrites au livre Des biens.

1991, c. 64, a. 824 (1994-01-01).

Art. 824. The legatee by general title of a usufruct is solely liable to the creditors for the debts left unpaid by the liquidator, even for the capital, proportionately to what he receives, and also for hypothecs charged on any property he has received.

The relative contributions of the legatee by general title of the usufruct and of the bare owner to the debts are established according to the rules prescribed in the Book on Property.

C.C.B.C. 876 (**C.C.Q.** 731, 733, 738, 825, 831, 1119, 1155 ss.)

Art. 825. Le légataire à titre universel de l'usufruit de la totalité de la succession est, sans recours contre le nu-propriétaire, tenu au paiement des rentes ou pensions établies par le testateur.

1991, c. 64, a. 825 (1994-01-01).

Art. 825. The legatee by general title of a usufruct of the entire succession is, without recourse against the bare owner, liable for payment of any annuities or support established by the testator.

C.C.B.C. 472 (**C.C.Q.** 731, 733, 735, 824, 831, 1119, 1656)

Art. 826. Les héritiers sont tenus, comme pour le paiement des dettes, au paiement des legs particuliers restés impayés par le liquidateur, mais ils ne sont jamais tenus au-delà de la valeur des biens qu'ils recueillent.

Toutefois, si un legs est imposé en particulier à un héritier, le recours du légataire particulier ne s'étend pas aux autres.

1991, c. 64, a. 826 (1994-01-01).

Art. 826. The heirs are liable, as in the case of payment of the debts, for payment of the legacies by particular title left unpaid by the liquidator, but never for more than the value of the property they take.

If a legacy is imposed on a specific heir, however, the action of the legatee by particular title does not lie against the others.

C.C.B.C. 671, 880 (**D.T.** 43; **C.C.Q.** 625, 734, 780, 823, 829-833, 1519, 1656, 2907)

Art. 827. Les légataires particuliers ne sont tenus au paiement des dettes et des legs restés impayés par le liquidateur qu'en cas d'insuffisance des biens échus aux héritiers.

Lorsqu'un legs particulier est fait conjointement à plusieurs légataires, chacun d'eux n'est tenu des dettes et des legs qu'en proportion de sa part dans le bien légué, sous réserve des règles relatives aux dettes indivisibles.

1991, c. 64, a. 827 (1994-01-01).

Art. 827. The legatees by particular title are liable for payment of the debts and legacies left unpaid by the liquidator only where the property falling to the heirs is insufficient.

Where a legacy by particular title is made jointly to several legatees, each of them is liable for the debts and legacies only in proportion to his share in the bequeathed property, subject to the rules on indivisible debts.

C.C.B.C. 735 al. 4, 886 (**C.C.Q.** 734, 739, 781, 812, 826, 829, 830, 832, 1519-1522, 1540, 1624, 1625, 1656, 2662, 2742, 2900; **C.P.C.** 557)

Art. 828. Lorsqu'un legs particulier comprend une universalité d'actif et de passif, le légataire est seul tenu au paiement des dettes qui se rattachent à cette universalité, sous réserve du recours subsidiaire des créanciers contre les héritiers et les autres légataires particuliers en cas d'insuffisance des biens de l'universalité.

1991, c. 64, a. 828 (1994-01-01).

Art. 828. When a legacy by particular title includes a universality of assets and liabilities, the legatee is solely liable for payment of the debts connected with the universality, subject to the subsidiary action of the creditors against the heirs and the other legatees by particular title where the property of the universality is insufficient.

C.C.B.C. 884 (**C.C.Q.** 733, 734, 812, 827; **C.P.C.** 557)

Art. 829. L'héritier ou le légataire particulier, qui a payé une portion des dettes et des legs supérieure à sa part, a un recours contre ses cohéritiers ou colégataires pour le remboursement de ce qui excédait sa part. Il ne peut, toutefois, l'exercer que pour la part que chacun d'eux aurait dû personnellement supporter, même s'il est subrogé dans les droits de celui qui a été payé.

1991, c. 64, a. 829 (1994-01-01).

Art. 829. An heir or a legatee by particular title who has paid part of the debts and legacies in excess of his share has an action against his coheirs or colegatees for the reimbursement of the excess over his share. His action lies, however, only for the share that each of them ought to have paid individually, even if he is subrogated to the rights of the person who was paid.

C.C.B.C. 740 (**C.C.Q.** 625, 739, 830, 832, 1651, 1656)

Art. 830. En cas d'insolvabilité d'un cohéritier ou d'un colégataire, sa part dans le paiement des dettes ou dans la réduction des legs est répartie entre ses cohéritiers ou colégataires en proportion de leur part respective, à moins que l'un des cohéritiers ou colégataires n'accepte d'en supporter la totalité.

1991, c. 64, a. 830 (1994-01-01).

C.C.B.C. 742 (**C.C.Q.** 893, 1538)

Art. 831. L'usufruit constitué sur un bien légué est supporté sans recours par le légataire de la nue-propriété.

De même, la servitude est supportée sans recours par le légataire du bien grevé.

1991, c. 64, a. 831 (1994-01-01).

C.C.B.C. 889 al. 2 (**C.C.Q.** 824, 825, 1119, 1155 ss., 1177 ss.)

Art. 832. Lorsque les recours des créanciers ou légataires particuliers impayés sont exercés avant le partage, il doit être tenu compte, dans la composition des lots, des recours des héritiers ou légataires contre leurs cohéritiers ou colégataires pour ce qu'ils ont payé en excédent de leur part.

Lorsque les recours des créanciers ou légataires impayés sont exercés après le partage, ceux des héritiers ou légataires qui ont payé plus que leur part ont lieu, le cas échéant, suivant les règles applicables à la garantie des copartageants, sauf stipulation contraire dans l'acte de partage.

1991, c. 64, a. 832 (1994-01-01).

(**C.C.Q.** 819, 822, 829, 836 ss., 851, 889-894)

Art. 833. Le testateur peut changer, entre ses héritiers et légataires particuliers, le mode et les proportions d'après lesquels la loi les rend responsables du paiement des dettes et leur impose la réduction des legs.

Ces modifications sont inopposables aux créanciers; elles n'ont d'effet qu'entre les héritiers et légataires particuliers.

1991, c. 64, a. 833 (1994-01-01).

C.C.B.C. 877 (**C.C.Q.** 625, 813, 814)

Art. 834. L'héritier qui a assumé le paiement des dettes de la succession au-delà des biens qu'il recueille ou celui qui y est tenu peut être contraint sur ses biens personnels pour sa part des dettes restées impayées.

1991, c. 64, a. 834 (1994-01-01).

(**C.C.Q.** 625, 738, 779, 833, 835)

Art. 830. If one of the coheirs or colegatees is insolvent, his share in the payment of the debts or in the reduction of the legacies is divided among his coheirs or colegatees in proportion to their respective shares, unless one of the coheirs or colegatees agrees to bear the entire amount.

Art. 831. A usufruct established on bequeathed property is borne without recourse by the legatee of the bare ownership.

Similarly, a servitude is borne without recourse by the legatee of the property charged with it.

Art. 832. Where the rights of action of the unpaid creditors or legatees by particular title are exercised before partition, account shall be taken, in the composition of the shares, of the actions of the heirs or legatees against their coheirs or colegatees for the amounts they paid in excess of their shares.

Where the rights of action of the unpaid creditors or legatees are exercised after partition, those of the heirs or legatees who paid more than their share are exercised, where such is the case, according to the rules applicable to the warranty of co-partitioners, unless the act of partition stipulates otherwise.

Art. 833. The testator may change the manner and proportion in which the law holds his heirs and legatees by particular title liable for payment of the debt and imposes reduction of the legacies on them.

The changes may not be set up against the creditors; they operate only between the heirs and the legatees by particular title.

Art. 834. An heir having assumed payment of the debts of the succession beyond the value of the property he takes or being liable for them may be held liable on his personal property for his share of the debts left unpaid.

Art. 835. L'héritier qui a assumé le paiement des dettes de la succession ou celui qui y est tenu en vertu des règles du présent titre peut, s'il était de bonne foi, demander au tribunal de réduire son obligation ou de limiter sa responsabilité à la valeur des biens qu'il a recueillis; il le peut, entre autres, s'il découvre des faits nouveaux ou s'il se présente un créancier dont il ne pouvait connaître l'existence au moment où il s'est obligé, lorsque de tels événements ont pour effet de modifier substantiellement l'étendue de son obligation.

1991, c. 64, a. 835 (1994-01-01).

(**D.T.** 45; **C.C.Q.** 6, 7, 779, 833, 834, 2805, 2847; **C.P.C.** 110)

Art. 835. An heir having assumed payment of the debts of the succession or being liable for them under the rules of this title may, if he was in good faith, move that the court reduce his liability or limit it to the value of the property he has taken if new circumstances substantially change the extent of his liability, including, but not limited to, his discovery of new facts, or the coming forward of a creditor of whose existence he could not have been aware when he assumed the liability.

TITRE SIXIÈME **DU PARTAGE DE LA SUCCESSION**	**TITLE SIX** **PARTITION OF SUCCESSIONS**

CHAPITRE PREMIER **DU DROIT AU PARTAGE**	CHAPTER I **RIGHT TO PARTITION**

Art. 836. Le partage ne peut avoir lieu ni être exigé avant la fin de la liquidation.
1991, c. 64, a. 836 (1994-01-01).

Art. 836. Partition may not take place or be applied for before the liquidation is terminated.

C.C.B.C. 689 (**C.C.Q.** 700, 779, 819, 884, 895, 1030)

Art. 837. Le testateur peut, pour une cause sérieuse et légitime, ordonner que le partage soit totalement ou partiellement différé pendant un temps limité. Il peut aussi ordonner que le partage soit différé si, pour parfaire l'exécution de ses volontés, les pouvoirs et obligations du liquidateur doivent continuer à s'exercer à un autre titre.
1991, c. 64, a. 837 (1994-01-01).

Art. 837. The testator, for a serious and legitimate reason, may order partition wholly or partly deferred for a limited time. He may also order it deferred if, to carry out his intentions fully, it is necessary that the powers and obligations of the liquidator continue to be held under another title.

C.C.B.C. 689 (**D.T.** 46; **C.C.Q.** 704, 705, 778, 836, 845, 1012, 1013, 1274)

Art. 838. Si tous les héritiers sont d'accord, le partage se fait suivant la proposition jointe au compte définitif du liquidateur ou de la manière qu'ils jugent la meilleure.

En cas de désaccord entre les héritiers, il ne peut avoir lieu que dans les conditions fixées au chapitre deuxième et dans les formes requises par le Code de procédure civile.
1991, c. 64, a. 838 (1994-01-01).

Art. 838. If all the heirs agree, partition is made in accordance with the proposal appended to the final account of the liquidator; otherwise, partition is made as they see best.

If the heirs disagree, partition may not take place except under the conditions laid down in Chapter II and in the forms required by the Code of Civil Procedure.

C.C.B.C. 693 (**D.T.** 46; **C.C.Q.** 86, 213, 777, 820, 822, 849-864, 1363; **C.P.C.** 809 ss.)

Art. 839. Malgré une demande de partage, l'indivision peut être maintenue à l'égard d'une entreprise à caractère familial dont l'exploitation était assurée par le défunt, ou à l'égard des parts sociales, actions ou autres valeurs mobilières liées à l'entreprise dans le cas où le défunt en était le principal associé ou actionnaire.
1991, c. 64, a. 839 (1994-01-01).

Art. 839. Notwithstanding an application for partition, undivided ownership may be continued of a family enterprise that had been operated by the deceased, or of the stocks, shares or other securities connected with the enterprise where the deceased was the principal partner or shareholder.

(**D.T.** 46; **C.C.Q.** 746, 841, 842, 844, 852, 858, 859)

Art. 840. L'indivision peut aussi être maintenue à l'égard de la résidence familiale ou des meubles qui servent à l'usage du ménage, même dans le cas où un droit de propriété, d'usufruit ou d'usage est attribué au conjoint survivant qui était lié au défunt par mariage ou union civile.
1991, c. 64, a. 840 (1994-01-01); 2002, c. 6, a. 44 (2002-06-24).

Art. 840. Undivided ownership may also be continued of the family residence or of movable property serving for the use of the household, even where a right of ownership, usufruct or use is awarded to the surviving married or civil union spouse.

(**D.T.** 46; **C.C.Q.** 395, 401, 410-413, 429, 482, 841, 842, 856, 857, 1119, 1120, 1172, 1938)

Art. 841. Le maintien de l'indivision peut être demandé au tribunal par tout héritier qui, avant le décès, participait activement à l'exploitation de l'entreprise ou demeurait dans la résidence familiale.

1991, c. 64, a. 841 (1994-01-01).

_____

(**D.T.** 46; **C.C.Q.** 643, 738, 839, 840, 842, 844)

Art. 842. Lorsqu'il statue sur une demande visant à maintenir l'indivision, le tribunal prend en considération les dispositions testamentaires et les intérêts en présence, ainsi que les moyens de subsistance que la famille et les héritiers retirent des biens indivis; en tout état de cause, les conventions entre associés ou actionnaires auxquelles le défunt était partie sont respectées.

1991, c. 64, a. 842 (1994-01-01).

_____

(**D.T.** 46; **C.C.Q.** 738, 839-841, 859)

Art. 843. À la demande d'un héritier, le tribunal peut, afin d'éviter une perte, surseoir au partage immédiat de tout ou partie des biens et maintenir l'indivision à leur égard.

1991, c. 64, a. 843 (1994-01-01).

_____

C.C.B.C. 689 al. 2 (**D.T.** 46; **C.C.Q.** 643, 738, 844-846, 1032; **C.P.C.** 809)

Art. 844. Le maintien de l'indivision a lieu aux conditions fixées par le tribunal; il ne peut, cependant, être accordé pour une durée supérieure à cinq ans, sauf l'accord de tous les intéressés.

Il peut être renouvelé jusqu'au décès de l'époux ou du conjoint uni civilement ou jusqu'à la majorité du plus jeune enfant du défunt.

1991, c. 64, a. 844 (1994-01-01); 2002, c. 6, a. 45 (2002-06-24).

_____

(**D.T.** 46; **C.C.Q.** 153, 522, 839-842, 845, 846, 1013; **C.P.C.** 809)

Art. 845. Le tribunal peut ordonner le partage lorsque les causes ayant justifié le maintien de l'indivision ont cessé, ou que l'indivision est devenue intolérable ou présente de grands risques pour les héritiers.

1991, c. 64, a. 845 (1994-01-01).

_____

C.C.B.C. 689 (**D.T.** 46; **C.C.Q.** 738, 839, 840, 843, 1030; **C.P.C.** 809)

Art. 841. An heir who before the death actively participated in the operation of the enterprise or lived in the family residence may make an application to the court for the continuance of undivided ownership.

Art. 842. When adjudicating upon an application for the continuance of undivided ownership, the court takes into account the testamentary dispositions, as well as the existing interests and means of livelihood which the family and the heirs draw from the undivided property; in all cases, the agreements among the partners or shareholders to which the deceased was a party are respected.

Art. 843. On the application of an heir, the court may, to avoid a loss, stay the immediate partition of the whole or part of the property and continue the undivided ownership of it.

Art. 844. Continuance of undivided ownership takes place upon the conditions fixed by the court but may not be granted for a duration of more than five years except with the agreement of all the interested persons.

It may be renewed until the death of the married or civil union spouse or until the majority of the youngest child of the deceased.

Art. 845. The court may order partition where the causes that justified the continuance of undivided ownership have ceased or where undivided ownership has become intolerable or presents too great a risk for the heirs.

Art. 846. Si la demande de maintien de l'indivision ne vise qu'un bien en particulier ou un ensemble de biens, rien n'empêche de procéder au partage du résidu des biens de la succession. Par ailleurs, les héritiers peuvent toujours satisfaire celui qui s'oppose au maintien de l'indivision en lui payant eux-mêmes sa part ou en lui attribuant, après évaluation, certains autres biens de la succession.

1991, c. 64, a. 846 (1994-01-01).

(D.T. 46; **C.C.Q.** 738, 839, 840, 843, 1033, 1034)

Art. 847. Celui qui n'a droit qu'à la jouissance d'une part des biens indivis ne peut participer qu'à un partage provisionnel.

1991, c. 64, a. 847 (1994-01-01).

C.C.B.C. 691 (**D.T.** 46; **C.C.Q.** 849)

Art. 848. Tout héritier peut écarter du partage une personne qui n'est pas un héritier et à laquelle un autre héritier aurait cédé son droit à la succession, moyennant le remboursement de la valeur de ce droit à l'époque du retrait et des frais acquittés lors de la cession.

1991, c. 64, a. 848 (1994-01-01).

C.C.B.C. 710 (**C.C.Q.** 619, 641, 738, 739, 888, 1022, 1779-1781)

Art. 846. If an application for the continuance of undivided ownership contemplates a particular item of property or a group of properties, nothing prevents proceeding to partition of the residue of the property of the succession. Furthermore, the heirs may always satisfy an heir who objects to the continuance of undivided ownership by paying his share themselves or granting him, after evaluation, other property of the succession.

Art. 847. A person entitled to enjoyment of only a share of the undivided property has no right to participate in a partition, except a provisional partition.

Art. 848. Every heir may exclude from the partition a person who is not an heir but to whom another heir transferred his right in the succession, by paying him the value of the right at the time of the redemption and his disbursements for costs related to the transfer.

CHAPITRE DEUXIÈME
DES MODALITÉS DU PARTAGE

CHAPTER II
MODES OF PARTITION

SECTION I
DE LA COMPOSITION DES LOTS

SECTION I
COMPOSITION OF SHARES

Art. 849. Le partage peut comprendre tous les biens indivis ou une partie seulement de ces biens.

Le partage d'un immeuble est réputé effectué, même s'il laisse subsister des parties communes impartageables ou destinées à rester dans l'indivision.

1991, c. 64, a. 849 (1994-01-01).

(D.T. 46; **C.C.Q.** 852, 884, 895, 899 ss., 1043, 1044)

Art. 850. Si les parts sont égales, on compose autant de lots qu'il y a d'héritiers ou de souches copartageantes.

Si les parts sont inégales, on compose autant de lots qu'il est nécessaire pour permettre le tirage au sort.

1991, c. 64, a. 850 (1994-01-01).

Art. 849. Partition may include all or only part of the undivided property.

Partition of an immovable is deemed to have been carried out even if parts remain which are common and indivisible or which are intended to remain undivided.

Art. 850. If the undivided shares are equal, as many shares are composed as there are heirs or partitioning roots.

If the undivided shares are unequal, as many shares are composed as necessary to allow a drawing of lots.

C.C.B.C. 702, 707 (**D.T.** 46; **C.C.Q.** 665, 668, 676, 832, 851-854; **C.P.C.** 809 ss.)

Art. 851. Dans la composition des lots, il doit être tenu compte des dispositions testamentaires, notamment de celles mettant à la charge de certains héritiers le paiement de dettes ou de legs, ainsi que des recours qu'ont entre eux les héritiers pour ce qu'ils ont payé en excédent de leur part; il doit être aussi tenu compte des droits du conjoint survivant qui était lié au défunt par mariage ou union civile, des demandes d'attribution par voie de préférence, des oppositions et, le cas échéant, des provisions de fonds pour exécuter les jugements éventuels.

Peuvent aussi être prises en considération, entre autres, les incidences fiscales de l'attribution, les intentions manifestées par certains héritiers de prendre en charge certaines dettes ou la commodité du mode d'attribution.

1991, c. 64, a. 851 (1994-01-01); 2002, c. 6, a. 46 (2002-06-24).

(**D.T.** 46; **C.C.Q.** 416, 420, 429, 467, 482, 515, 752, 829-831, 855 ss.)

Art. 851. In composing the shares, account shall be taken of the testamentary dispositions, particularly those charging certain heirs with payment of debts or legacies, as well as the rights of action the heirs have against each other for the amounts they paid in excess of their shares; account shall also be taken of the rights of the surviving married or civil union spouse, the applications for allotment by preference, the contestations and, where such is the case, the reserve funds for satisfying future judgments.

Consideration may also be given to, among other things, the fiscal consequences of the allotments, the intention shown by certain heirs to take charge of certain debts or the convenience of the mode of allotment.

Art. 852. Dans la composition des lots, on évite de morceler les immeubles et de diviser les entreprises.

Dans la mesure où le morcellement des immeubles et la division des entreprises peuvent être évités, chaque lot doit, autant que possible, être composé de meubles ou d'immeubles et de droits ou de créances de valeur équivalente.

L'inégalité de valeur des lots se compense par une soulte.

1991, c. 64, a. 852 (1994-01-01).

Art. 852. In composing the shares, immovables should not be broken up, nor should enterprises be divided.

So far as the breaking up of immovables and the division of enterprises can be avoided, each share shall, as far as possible, be composed of movable or immovable property and rights or claims of equivalent value.

Any inequality in the value of the shares is compensated by a payment in money.

C.C.B.C. 703, 704 (**D.T.** 46; **C.C.Q.** 746, 839, 841, 858, 860, 900, 1525)

Art. 853. Les indivisaires qui procèdent à un partage amiable composent les lots à leur gré et décident, d'un commun accord, de leur attribution ou de leur tirage au sort.

S'ils estiment nécessaire de procéder à la vente des biens à partager ou de certains d'entre eux, ils fixent également, d'un commun accord, les modalités de la vente.

1991, c. 64, a. 853 (1994-01-01).

Art. 853. Undivided owners making an amicable partition compose the shares as they see fit and reach a consensus on their allotment or on a drawing of lots for them.

If they consider it necessary to sell the property to be partitioned or some of it, they also reach a consensus on the terms and conditions of sale.

(**D.T.** 46; **C.C.Q.** 838, 854)

Art. 854. À défaut d'accord entre les indivisaires quant à la composition des lots, ceux-ci sont faits par un expert désigné par le tribunal; si le désaccord porte sur leur attribution, les lots sont tirés au sort.

Avant de procéder au tirage, chaque indivisaire est admis à proposer sa réclamation contre leur formation.

1991, c. 64, a. 854 (1994-01-01).

Art. 854. If the undivided owners fail to agree on the composition of the shares, these are composed by an expert designated by the court; if the disagreement has to do with the allotment of the shares, it is made by a drawing of lots.

Before the drawing, each undivided owner may contest the composition of the shares.

C.C.B.C. 705, 706 (**D.T.** 46; **C.C.Q.** 853, 863; **C.P.C.** 810, 811, 885*b*))

SECTION II
DES ATTRIBUTIONS PRÉFÉRENTIELLES ET DES CONTESTATIONS

Art. 855. Chaque héritier reçoit en nature sa part des biens de la succession; il peut demander qu'on lui attribue, par voie de préférence, un bien ou un lot.

1991, c. 64, a. 855 (1994-01-01).

_____

C.C.B.C. 697 (**D.T.** 46; **C.C.Q.** 738, 856-860; **C.P.C.** 811)

Art. 856. Le conjoint survivant qui était lié au défunt par mariage ou union civile peut, par préférence à tout autre héritier, exiger que l'on place dans son lot la résidence familiale ou les droits qui lui en confèrent l'usage et les meubles qui servent à l'usage du ménage.

Si la valeur des biens excède la part due au conjoint, celui-ci les conserve à charge de soulte.

1991, c. 64, a. 856 (1994-01-01); 2002, c. 6, a. 47 (2002-06-24).

_____

C.C.Q. (1980) 515 (**D.T.** 46; **C.C.Q.** 395, 401, 410, 473, 482, 860)

Art. 857. Sous réserve des droits du conjoint survivant qui était lié au défunt par mariage ou union civile, lorsque plusieurs héritiers demandent qu'on lui attribue, par voie de préférence, l'immeuble qui servait de résidence au défunt, celui qui y résidait a la préférence.

1991, c. 64, a. 857 (1994-01-01); 2002, c. 6, a. 48 (2002-06-24).

_____

(**D.T.** 46; **C.C.Q.** 77, 840, 856, 859)

Art. 858. Malgré l'opposition ou la demande d'attribution par voie de préférence formée par un autre copartageant, l'entreprise ou les parts sociales, actions ou autres valeurs mobilières liées à celle-ci sont attribuées, par préférence, à l'héritier qui participait activement à l'exploitation de l'entreprise au temps du décès.

1991, c. 64, a. 858 (1994-01-01).

_____

(**D.T.** 46; **C.C.Q.** 839, 852, 859)

Art. 859. Si plusieurs héritiers font valoir le même droit de préférence ou qu'il y ait un différend sur une demande d'attribution, la contestation est tranchée par le sort ou, s'il s'agit d'attribuer la résidence, l'entreprise ou les valeurs mobilières liées à celle-ci, par le tribunal. En ce cas, il est tenu compte, entre autres, des intérêts en présence, des

SECTION II
PREFERENTIAL ALLOTMENTS AND CONTESTATION

Art. 855. Each heir receives his share of the property of the succession in kind, and may apply for the allotment of a particular thing or share by way of preference.

Art. 856. The surviving married or civil union spouse may, in preference to any other heir, require that the family residence or the rights conferring use of it, together with the movable property serving for the use of the household, be placed in his or her share.

If the value of the property exceeds the share due to the spouse, he or she keeps the property, subject to a payment in money as compensation.

Art. 857. Subject to the rights of the surviving married or civil union spouse, if several heirs apply for the allotment, by preference, of the immovable that served as the residence of the deceased, the person who was living in it has preference over the others.

Art. 858. Notwithstanding any objection or application for an allotment by preference presented by another co-partitioner, the enterprise or the capital shares, stocks or other securities connected with the enterprise are allotted by preference to the heir who was actively participating in the operation of the enterprise at the time of the death.

Art. 859. If several heirs exercise the same right of preference or an application for an allotment is disputed, the contestation is settled by a drawing of lots or, if it concerns the allotment of the residence, the enterprise or the securities connected with the enterprise, by the court. In this case, account is taken of, among other things, the interests involved,

motifs de préférence ou du degré de participation de chacun à l'exploitation de l'entreprise ou à l'entretien de la résidence.

1991, c. 64, a. 859 (1994-01-01).

_____

(**D.T.** 46; **C.C.Q.** 842, 856-858, 860; **C.P.C.** 809 ss.)

Art. 860. Lorsque la contestation entre les copartageants porte sur la détermination ou le paiement d'une soulte, le tribunal la détermine et peut, au besoin, fixer les modalités de garantie et de paiement appropriées aux circonstances.

1991, c. 64, a. 860 (1994-01-01).

_____

(**D.T.** 46; **C.C.Q.** 852, 858, 859, 861; **C.P.C.** 809 ss.)

Art. 861. Les biens s'estiment d'après leur état et leur valeur au moment du partage.

1991, c. 64, a. 861 (1994-01-01).

_____

C.C.B.C. 733, 734 (**D.T.** 46; **C.C.Q.** 794, 863, 897, 899, 1326; **C.P.C.** 904 ss.)

Art. 862. Si certains biens ne peuvent être commodément partagés ou attribués, les intéressés peuvent décider de procéder à leur vente.

1991, c. 64, a. 862 (1994-01-01).

_____

C.C.B.C. 697, 698 (**D.T.** 46; **C.C.Q.** 863, 885, 899)

Art. 863. En cas de désaccord entre les intéressés, le tribunal peut, le cas échéant, désigner des experts pour évaluer les biens, ordonner la vente des biens qui ne peuvent être commodément partagés ou attribués et en fixer les modalités, ou encore ordonner de surseoir au partage pour le temps qu'il indique.

1991, c. 64, a. 863 (1994-01-01).

_____

C.C.B.C. 697, 698 (**D.T.** 46; **C.C.Q.** 843, 845, 862, 1030; **C.P.C.** 809 ss.)

Art. 864. Les créanciers de la succession et d'un héritier peuvent, pour éviter que le partage ne soit fait en fraude de leurs droits, assister au partage et y intervenir à leurs frais.

1991, c. 64, a. 864 (1994-01-01).

_____

C.C.B.C. 745 (**D.T.** 46; **C.C.Q.** 738, 815, 877, 1626, 1627, 1631)

the reasons for the preference of each party or the degree of his participation in the enterprise or in the upkeep of the residence.

Art. 860. Where the contestation among the co-partitioners is over the determination or payment of an amount of money as compensation, the court determines it and may, if necessary, fix the appropriate terms and conditions of guarantee and payment in the circumstances.

Art. 861. The property is appraised according to its condition and value at the time of partition.

Art. 862. If certain property cannot be conveniently partitioned or allotted, the interested persons may decide to sell it.

Art. 863. If the interested persons cannot agree, the court may, where applicable, designate experts to evaluate the property, order the sale of the property that cannot conveniently be partitioned or allotted and fix the terms and conditions of sale; or it may order a stay of partition for the time it indicates.

Art. 864. In order that the partition not be made in fraud of their rights, the creditors of the succession, and those of an heir, may be present at the partition and intervene at their own expense.

SECTION III
DE LA REMISE DES TITRES

Art. 865. Après le partage, les titres communs à tout ou partie de l'héritage sont remis à la personne choisie par les héritiers pour en être dépositaire, à charge d'en aider les copartageants, sur demande. En cas de désaccord sur ce choix, il est tranché par le sort.

1991, c. 64, a. 865 (1994-01-01).

C.C.B.C. 711 (**D.T.** 46; **C.C.Q.** 866)

Art. 866. Tout héritier qui en fait la demande peut obtenir, au temps du partage et à frais communs, une copie des titres qui concernent les biens dans lesquels il conserve des droits.

1991, c. 64, a. 866 (1994-01-01).

C.C.B.C. 711 (**D.T.** 46)

CHAPITRE TROISIÈME
DES RAPPORTS

SECTION I
DU RAPPORT DES DONS ET DES LEGS

Art. 867. En vue du partage, chaque héritier n'est tenu de rapporter à la masse que ce qu'il a reçu du défunt, par donation ou testament, à charge expresse de rapport.

Le successible qui renonce à la succession ne doit pas le rapport.

1991, c. 64, a. 867 (1994-01-01).

C.C.B.C. 712, 713 (**D.T.** 47; **C.C.Q.** 630, 638, 647, 704, 868, 878, 879, 1806)

Art. 868. Le représentant est tenu de rapporter, outre ce à quoi il est lui-même tenu, ce que le représenté aurait eu à rapporter.

Le rapport est dû même si le représentant a renoncé à la succession du représenté.

1991, c. 64, a. 868 (1994-01-01).

C.C.B.C. 716 (**C.C.Q.** 630, 647, 660 ss., 867)

Art. 869. Le rapport ne se fait qu'à la succession du donateur ou du testateur.

SECTION III
DELIVERY OF TITLES

Art. 865. After partition, the titles common to the entire inheritance or to a part of it are delivered to the person chosen by the heirs to act as depositary, on the condition that he assists the co-partitioners in this matter at their request. Failing agreement on the choice, it is made by a drawing of lots.

Art. 866. At partition, any heir may apply for and obtain a copy of the titles to property in which he has rights. The costs so incurred are shared.

CHAPTER III
RETURN

SECTION I
RETURN OF GIFTS AND LEGACIES

Art. 867. With a view to partition, each coheir is bound to return to the mass only what he has received from the deceased by gift or by will under an express obligation to return it.

A successor who renounces the succession is under no obligation to make any return.

Art. 868. A person who represents another in the succession is bound to return what the person represented would have had to return, in addition to what he is bound to return in his own right.

A return is due even if the person who represents the other has renounced the succession of the person represented.

Art. 869. A return is made only to the succession of the donor or of the testator.

Il n'est dû que par le cohéritier à son cohéritier; il n'est dû ni aux légataires particuliers ni aux créanciers de la succession.

1991, c. 64, a. 869 (1994-01-01).

It is due only from one coheir to another and is not due to the legatees by particular title or to the creditors of the succession.

C.C.B.C. 718, 723 (**C.C.Q.** 734, 739, 813, 827, 1627 ss., 1631 ss.)

Art. 870. Le rapport se fait en moins prenant.

Est sans effet la disposition imposant à l'héritier le rapport en nature. Toutefois, celui-ci a la faculté de faire le rapport en nature s'il est encore propriétaire du bien et s'il ne l'a pas grevé d'usufruit, de servitude, d'hypothèque ou d'un autre droit réel.

1991, c. 64, a. 870 (1994-01-01); 2002, c. 19, a. 15 (2002-06-13).

Art. 870. A return is made by taking less.

Any provision requiring the heir to make a return in kind is without effect. However, the heir may elect to make the return in kind if he still owns the property, unless he has charged it with a usufruct, servitude, hypothec or other real right.

C.C.B.C. 724-726, 728, 731 (**C.C.Q.** 8, 9, 871-875, 877, 1119, 1120, 1177, 2660, 3081)

Art. 871. Chacun des cohéritiers à qui le rapport en moins prenant est dû prélève sur la masse de la succession des biens de valeur égale au montant du rapport.

Les prélèvements se font, autant que possible, en biens de même nature et qualité que ceux dont le rapport est dû.

Si les prélèvements ne peuvent se faire ainsi, l'héritier rapportant peut verser la valeur en numéraire du bien reçu ou laisser chacun des cohéritiers prélever d'autres biens de valeur équivalente dans la masse.

1991, c. 64, a. 871 (1994-01-01).

Art. 871. Each coheir to whom a return by taking less is due pre-takes from the mass of the succession property equal in value to the amount of the return.

As far as possible, pre-takings are made in property of the same kind and quality as the property due to be returned.

If it is impossible to pre-take in the manner described, the heir returning may either pay the cash value of the property received or allow each coheir to pre-take other equivalent property from the mass.

C.C.B.C. 701 (**C.C.Q.** 850, 870, 872, 873)

Art. 872. Le rapport en moins prenant peut aussi se faire en imputant au lot de l'héritier la valeur en numéraire du bien reçu.

1991, c. 64, a. 872 (1994-01-01).

Art. 872. A return by taking less may also be made by debiting the cash value of the property received to the share of the heir.

(**C.C.Q.** 738, 870, 871, 873, 874)

Art. 873. Sauf disposition contraire de la donation ou du testament, l'évaluation du bien donné qui est rapporté en moins prenant se fait au moment du partage, si le bien se trouve encore entre les mains de l'héritier, ou à la date de l'aliénation, si le bien a été aliéné avant le partage.

Le bien légué et celui qui est resté dans la succession s'évaluent d'après leur état et leur valeur au moment du partage.

1991, c. 64, a. 873 (1994-01-01).

Art. 873. Unless otherwise provided in the gift or will, property returned by taking less is valued at the time of partition if it is still in the hands of the heir, or on the date of alienation if it was alienated before partition.

Bequeathed property, and that which remains in the succession, is valued according to its condition and value at the time of partition.

C.C.B.C. 733, 734 (**C.C.Q.** 738, 874)

Art. 874. La valeur du bien rapporté, en moins prenant ou en nature, doit être diminuée de la plus-value acquise par le bien du fait des impenses ou de l'initiative personnelle du rapportant.

Elle est aussi diminuée du montant des impenses nécessaires.

Réciproquement, la valeur est augmentée de la moins-value résultant du fait du rapportant.

1991, c. 64, a. 874 (1994-01-01).

_____

C.C.B.C. 729, 730 (**C.C.Q.** 873, 1020)

Art. 875. L'héritier a le droit de retenir le bien qui doit être rapporté en nature jusqu'au remboursement des sommes qui lui sont dues.

1991, c. 64, a. 875 (1994-01-01).

_____

C.C.B.C. 732 (**C.C.Q.** 870, 963, 1592, 1593)

Art. 876. L'héritier est tenu au rapport si la perte du bien résulte de son fait; il n'y est pas tenu si la perte résulte d'une force majeure.

Dans l'un ou l'autre cas, si une indemnité lui est versée à raison de la perte du bien, il doit la rapporter.

1991, c. 64, a. 876 (1994-01-01).

_____

C.C.B.C. 727 (**C.C.Q.** 1457, 1463, 1470, 1562, 1693)

Art. 877. Les copartageants peuvent convenir que soit rapporté en nature un bien grevé d'une hypothèque ou d'un autre droit réel; le rapport se fait alors sans nuire au titulaire de ce droit. L'obligation qui en résulte est mise à la charge du rapportant dans le partage de la succession.

1991, c. 64, a. 877 (1994-01-01).

_____

C.C.B.C. 731 (**C.C.Q.** 864, 876, 1021, 1119, 1627, 1631, 1693, 2660)

Art. 878. Les fruits et revenus du bien donné ou légué, si ce bien est rapporté en nature, ou les intérêts de la somme sujette à rapport sont aussi rapportables, à compter de l'ouverture de la succession.

1991, c. 64, a. 878 (1994-01-01).

_____

C.C.B.C. 722 (**C.C.Q.** 613, 743, 867, 870, 874, 875, 877, 910, 1018, 1620)

Art. 874. The value of property returned by taking less or in kind shall be reduced by the increase in value of the property resulting from the expenditures or personal initiative of the person returning it.

It is also reduced by the amount of the necessary disbursements.

Conversely, the value is increased by the decrease in value resulting from the actions of the person making the return.

Art. 875. The heir is entitled to retain the property due to be returned in kind until he has been reimbursed the amounts he is owed.

Art. 876. An heir is bound to return property whose loss results from his acts or omissions; he is not bound to do so if the loss results from a superior force.

In either case, he shall return any indemnity paid to him for the loss of the property.

Art. 877. The co-partitioners may agree that property affected by a hypothec or other real right be returned in kind; the return is then made without prejudice to the holder of the right. The obligation resulting therefrom is, in the partition of the succession, charged against the person who makes the return.

Art. 878. The fruits and revenues of the property given or bequeathed, if the property is returned in kind, or the interest on the amount returnable, are also returnable from the opening of the succession.

SECTION II
DU RAPPORT DES DETTES

Art. 879. L'héritier venant au partage doit faire rapport à la masse des dettes qu'il a envers le défunt; il doit aussi faire rapport des sommes dont il est débiteur envers ses copartageants du fait de l'indivision.

Ces dettes sont rapportables même si elles ne sont pas échues au moment du partage; elles ne le sont pas si le défunt a stipulé remise de la dette pour prendre effet à l'ouverture de la succession.

1991, c. 64, a. 879 (1994-01-01).

C.C.B.C. 700 (**C.C.Q.** 613, 867, 882, 1037, 1687)

Art. 880. Si le montant en capital et intérêts de la dette à rapporter excède la valeur de la part héréditaire de l'héritier tenu au rapport, celui-ci reste débiteur de l'excédent et doit en faire le paiement selon les modalités afférentes à la dette.

1991, c. 64, a. 880 (1994-01-01).

(**C.C.Q.** 738, 879, 908, 910)

Art. 881. Si l'héritier tenu au rapport a lui-même une créance à faire valoir, encore qu'elle ne soit pas exigible au moment du partage, il y a compensation et il n'est tenu de rapporter que le solde dont il reste débiteur.

La compensation s'opère aussi si la créance excède la dette et l'héritier reste créancier de l'excédent.

1991, c. 64, a. 881 (1994-01-01).

(**C.C.Q.** 873, 883, 1672 ss.)

Art. 882. Le rapport a lieu en moins prenant.

Le prélèvement effectué par les cohéritiers ou l'imputation de la somme au lot de l'héritier est opposable aux créanciers personnels de l'héritier tenu au rapport.

1991, c. 64, a. 882 (1994-01-01).

(**C.C.Q.** 738, 851, 852, 879)

Art. 883. Doit être rapportée la valeur de la dette en capital et intérêts au moment du partage.

SECTION II
RETURN OF DEBTS

Art. 879. An heir coming to a partition shall return to the mass the debts he owes to the deceased; he shall also return the amounts he owes to his co-partitioners by reason of the indivision.

These debts are subject to return even if they are not due when partition takes place; they are not subject to return if the testator provided for release therefrom to take effect at the opening of the succession.

Art. 880. If the amount in capital and interest of the debt to be returned exceeds the value of the hereditary share of the heir who is bound to make the return, the heir remains indebted for the excess and shall pay it according to the terms and conditions attached to the debt.

Art. 881. If an heir bound to make a return has a claim of his own to make, even though it is not exigible at the time of partition, compensation operates and he is bound to return only the balance of his debt.

Compensation also operates if the claim exceeds the debt and the heir remains creditor for the excess.

Art. 882. A return is made by taking less.

The pre-taking effected by the coheirs or the debiting of the amount to the share of the heir may be set up against the personal creditors of the heir who is bound to make the return.

Art. 883. A return shall be made of the value of the debt in capital and interest at the time of partition.

La dette rapportable porte intérêt à compter du décès si elle est antérieure au décès, et à compter du jour où elle est née si elle a pris naissance postérieurement au décès.

1991, c. 64, a. 883 (1994-01-01).

(**C.C.Q.** 882, 908-910, 1620)

A returnable debt bears interest from the death if it precedes the death and from the date when it arose if it arose after the death.

CHAPITRE QUATRIÈME
DES EFFETS DU PARTAGE

CHAPTER IV
EFFECTS OF PARTITION

SECTION I
DE L'EFFET DÉCLARATIF DU PARTAGE

SECTION I
THE DECLARATORY EFFECT OF PARTITION

Art. 884. Le partage est déclaratif de propriété.

Chaque copartageant est réputé avoir succédé, seul et immédiatement, à tous les biens compris dans son lot ou qui lui sont échus par un acte de partage total ou partiel; il est censé avoir eu la propriété de ces biens à compter du décès et n'avoir jamais été propriétaire des autres biens de la succession.

1991, c. 64, a. 884 (1994-01-01).

Art. 884. Partition is declaratory of ownership.

Each co-partitioner is deemed to have inherited, alone and directly, all the property included in his share or which devolves to him through any partial or complete partition. He is deemed to have owned the property from the death, and never to have owned the other property of the succession.

C.C.B.C. 746 (**D.T.** 46; **C.C.Q.** 643, 654, 849, 885-888, 1018, 1021, 1037, 1439, 1453, 1522, 2679)

Art. 885. Tout acte qui a pour objet de faire cesser l'indivision entre les copartageants vaut partage, lors même qu'il est qualifié de vente, d'échange, de transaction ou autrement.

1991, c. 64, a. 885 (1994-01-01).

Art. 885. Any act the object of which is to terminate indivision between co-partitioners is equivalent to a partition, even though the act is described as a sale, an exchange, a transaction or otherwise.

C.C.B.C. 747 (**D.T.** 46; **C.C.Q.** 862, 1425)

Art. 886. Sous réserve des dispositions relatives à l'administration des biens indivis et des rapports juridiques entre un héritier et ses ayants cause, les actes accomplis par un indivisaire, de même que les droits réels qu'il a consentis sur les biens qui ne lui sont pas attribués, sont inopposables aux autres indivisaires qui n'y consentent pas.

1991, c. 64, a. 886 (1994-01-01).

Art. 886. Subject to the provisions respecting the administration of undivided property and the juridical relationships between an heir and his successors, acts performed by an undivided heir and real rights granted by him in property which has not been allotted to him may not be set up against any other undivided heirs who have not consented to them.

C.C.B.C. 1028 (**D.T.** 46; **C.C.Q.** 877, 887, 1015, 1021, 1025-1029, 1119, 1440, 1443, 2660, 2681)

Art. 887. Les actes valablement faits pendant l'indivision résultant du décès conservent leur effet, quel que soit, au partage, l'héritier qui reçoit les biens.

Art. 887. Acts validly made during indivision resulting from death retain their effect, regardless of which heir receives the property at partition.

Chaque héritier est alors réputé avoir fait l'acte qui concerne les biens qui lui sont échus.

1991, c. 64, a. 887 (1994-01-01).

(**D.T.** 46; **C.C.Q.** 738, 839, 840, 884, 886, 1012-1038)

Art. 888. L'effet déclaratif s'applique pareillement aux créances contre des tiers, à la cession de ces créances faite pendant l'indivision par un cohéritier et à la saisie-arrêt de ces créances pratiquée par les créanciers d'un cohéritier.

L'attribution des créances est assujettie, quant à son opposabilité aux débiteurs, aux règles du livre Des obligations relatives à la cession de créance.

1991, c. 64, a. 888 (1994-01-01).

(**D.T.** 46; **C.C.Q.** 839, 840, 1522, 1637-1650)

Each heir is then deemed to have made the acts concerning the property which devolves to him.

Art. 888. The declaratory effect also applies to claims against third persons, to any assignment of these claims made during indivision by one of the coheirs and to any seizure by garnishment of the claims by the creditors of one of the coheirs.

The setting up of claims against debtors is subject to the rules of the Book on Obligations relating to assignment of debts.

SECTION II
DE LA GARANTIE DES COPARTAGEANTS

SECTION II
WARRANTY OF CO-PARTITIONERS

Art. 889. Les copartageants sont respectivement garants, les uns envers les autres, des seuls troubles et évictions qui procèdent d'une cause antérieure au partage.

Néanmoins, chaque copartageant demeure toujours garant de l'éviction causée par son fait personnel.

1991, c. 64, a. 889 (1994-01-01).

Art. 889. Co-partitioners are warrantors towards each other only for the disturbances and evictions arising from a cause prior to the partition.

Each co-partitioner remains a warrantor nevertheless for any eviction caused by his personal act or omission.

C.C.B.C. 748, 2014 (**D.T.** 46; **C.C.Q.** 823, 860, 891, 1723, 1732, 1779, 2651)

Art. 890. L'insolvabilité du débiteur d'une créance échue à l'un des copartageants donne lieu à la garantie, de la même manière que l'éviction, si l'insolvabilité est antérieure au partage.

1991, c. 64, a. 890 (1994-01-01).

Art. 890. The insolvency of the debtor for a claim devolving to one of the co-partitioners gives rise to a warranty in the same manner as an eviction, if the insolvency occurred prior to partition.

C.C.B.C. 750 (**D.T.** 46; **C.C.Q.** 889, 891, 894, 1640)

Art. 891. La garantie n'a pas lieu si l'éviction se trouve exceptée par une stipulation de l'acte de partage; elle cesse si c'est par sa faute que le copartageant est évincé.

1991, c. 64, a. 891 (1994-01-01).

Art. 891. The warranty does not arise if the eviction has been excepted by a stipulation in the act of partition; it terminates if the co-partitioner is evicted through his own fault.

C.C.B.C. 748 al. 2 (**D.T.** 46; **C.C.Q.** 889, 890)

Art. 892. Chacun des copartageants est personnellement obligé, en proportion de sa part, d'indemniser son copartageant de la perte que lui a causée l'éviction.

Art. 892. Each co-partitioner is personally bound in proportion to his share to indemnify his co-partitioner for the loss which the eviction has caused him.

La perte est évaluée au jour du partage.

1991, c. 64, a. 892 (1994-01-01).

C.C.B.C. 749 al. 1 (**D.T.** 46; **C.C.Q.** 830, 889)

Art. 893. Si l'un des copartageants se trouve insolvable, l'indemnité à laquelle il est tenu doit être répartie proportionnellement entre le garanti et tous les copartageants solvables.

1991, c. 64, a. 893 (1994-01-01).

C.C.B.C. 749 al. 2 (**D.T.** 46; **C.C.Q.** 830, 892, 894)

Art. 894. L'action en garantie se prescrit par trois ans depuis l'éviction ou la découverte du trouble, ou depuis le partage si elle a pour cause l'insolvabilité d'un débiteur de la succession.

1991, c. 64, a. 894 (1994-01-01).

C.C.B.C. 2242 (**D.T.** 46; **C.C.Q.** 889, 890; **C.P.C.** 71, 110, 168, 216, 1012)

CHAPITRE CINQUIÈME
DE LA NULLITÉ DU PARTAGE

Art. 895. Le partage, même partiel, peut être annulé pour les mêmes causes que les contrats.

Toutefois, plutôt que d'annuler, on peut procéder à un partage supplémentaire ou rectificatif, dans tous les cas où cela peut être fait avec avantage pour les copartageants.

1991, c. 64, a. 895 (1994-01-01).

C.C.B.C. 751 (**D.T.** 46; **C.C.Q.** 162, 163, 173, 174, 213, 266, 282, 283, 287, 293, 294, 896-898, 1398-1408, 1419, 1420, 2925, 2927; **C.P.C.** 809)

Art. 896. La simple omission d'un bien indivis ne donne pas ouverture à l'action en nullité, mais seulement à un supplément à l'acte de partage.

1991, c. 64, a. 896 (1994-01-01).

C.C.B.C. 751 al. 3 (**D.T.** 46; **C.C.Q.** 861, 863, 885, 895)

Art. 897. Pour décider s'il y a eu lésion, c'est la valeur des biens au moment du partage qu'il faut considérer.

1991, c. 64, a. 897 (1994-01-01).

C.C.B.C. 752 (**D.T.** 46; **C.C.Q.** 895, 1405-1408, 2925)

The loss is valued as on the day of the partition.

Art. 893. If one of the co-partitioners is insolvent, the indemnity for which he is liable shall be divided proportionately between the warrantee and all the solvent co-partitioners.

Art. 894. The action in warranty is prescribed by three years from eviction or discovery of the disturbance, or from partition if it is caused by the insolvency of a debtor to the succession.

CHAPTER V
NULLITY OF PARTITION

Art. 895. Partition, even partial, may be annulled for the same causes as contracts.

A supplementary or corrective partition may be effected, however, in any case where it is to the advantage of the co-partitioners to do so.

Art. 896. Mere omission of undivided property does not give rise to an action in nullity, but only to a supplementary partition.

Art. 897. In deciding whether lesion has occurred, the value of the property is considered as at the time of partition.

Art. 898. Le défendeur à une demande en nullité de partage peut, dans tous les cas, en arrêter le cours et empêcher un nouveau partage, en offrant et en fournissant au demandeur le supplément de sa part dans la succession en numéraire ou en nature.

1991, c. 64, a. 898 (1994-01-01).

C.C.B.C. 753 (**D.T.** 46; **C.C.Q.** 895)

Art. 898. The defendant in an action in nullity of partition may, in all cases, terminate the action and prevent a new partition by offering and delivering to the plaintiff the supplement of his share of the succession in money or in kind.

LIVRE QUATRIÈME
DES BIENS

BOOK FOUR
PROPERTY

TITRE PREMIER
DE LA DISTINCTION DES BIENS ET DE LEUR APPROPRIATION

TITLE ONE
KINDS OF PROPERTY AND ITS APPROPRIATION

CHAPITRE PREMIER
DE LA DISTINCTION DES BIENS

CHAPTER I
KINDS OF PROPERTY

Art. 899. Les biens, tant corporels qu'incorporels, se divisent en immeubles et en meubles.

1991, c. 64, a. 899 (1994-01-01).

Art. 899. Property, whether corporeal or incorporeal, is divided into immovables and movables.

C.C.B.C. 374 (**C.C.Q.** 900, 903-907, 1824, 2918, 2919, 2938, 2970, 2998, 3078; **C.P.C.** 569, 572)

Art. 900. Sont immeubles les fonds de terre, les constructions et ouvrages à caractère permanent qui s'y trouvent et tout ce qui en fait partie intégrante.

Le sont aussi les végétaux et les minéraux, tant qu'ils ne sont pas séparés ou extraits du fonds. Toutefois, les fruits et les autres produits du sol peuvent être considérés comme des meubles dans les actes de disposition dont ils sont l'objet.

1991, c. 64, a. 900 (1994-01-01); 2002, c. 19, a. 15 (2002-06-13).

Art. 900. Land, and any constructions and works of a permanent nature located thereon and anything forming an integral part thereof, are immovables.

Plants and minerals, as long as they are not separated or extracted from the land, are also immovables. Fruits and other products of the soil may be considered to be movables, however, when they are the object of an act of alienation.

C.C.B.C. 375-378 (**C.C.Q.** 901-904, 910, 949, 956, 984, 1129, 1374, 1785, 2117 ss., 2671, 2698, 2795, 2796, 2951)

Art. 901. Font partie intégrante d'un immeuble les meubles qui sont incorporés à l'immeuble, perdent leur individualité et assurent l'utilité de l'immeuble.

1991, c. 64, a. 901 (1994-01-01).

Art. 901. Movables incorporated with an immovable that lose their individuality and ensure the utility of the immovable form an integral part of the immovable.

(**C.C.Q.** 900, 902, 903, 1468, 2698, 2796, 2951)

Art. 902. Les parties intégrantes d'un immeuble qui sont temporairement détachées de l'immeuble, conservent leur caractère immobilier, si ces parties sont destinées à y être replacées.

1991, c. 64, a. 902 (1994-01-01).

Art. 902. Integral parts of an immovable that are temporarily detached therefrom retain their immovable character if they are destined to be put back.

C.C.B.C. 386 al. 2 (**C.C.Q.** 900, 901, 2698, 2796, 2951)

Art. 903. Les meubles qui sont, à demeure, matériellement attachés ou réunis à l'immeuble, sans perdre leur individualité et sans y être incorporés, sont immeubles tant qu'ils y restent.

1991, c. 64, a. 903 (1994-01-01).

Art. 903. Movables which are permanently physically attached or joined to an immovable without losing their individuality and without being incorporated with the immovable are immovables for as long as they remain there.

C.C.B.C. 379, 380 (**D.T.** 48; **C.C.Q.** 900, 901, 1468, 1843, 2672, 2698; **C.P.C.** 571)

Art. 904. Les droits réels qui portent sur des immeubles, les actions qui tendent à les faire valoir et celles qui visent à obtenir la possession d'un immeuble sont immeubles.

1991, c. 64, a. 904 (1994-01-01).

Art. 904. Real rights in immovables, as well as actions to assert such rights or to obtain possession of immovables, are immovables.

C.C.B.C. 381 (**C.C.Q.** 912, 921, 929, 953, 978, 1119, 1120, 1172, 1177, 1195, 2693 ss., 2778, 2923, 3097; **C.P.C.** 470, 660)

Art. 905. Sont meubles les choses qui peuvent se transporter, soit qu'elles se meuvent elles-mêmes, soit qu'il faille une force étrangère pour les déplacer.

1991, c. 64, a. 905 (1994-01-01).

Art. 905. Things which can be moved either by themselves or by an extrinsic force are movables.

C.C.B.C. 384 (**C.C.Q.** 2702)

Art. 906. Sont réputées meubles corporels les ondes ou l'énergie maîtrisées par l'être humain et mises à son service, quel que soit le caractère mobilier ou immobilier de leur source.

1991, c. 64, a. 906 (1994-01-01).

Art. 906. Waves or energy harnessed and put to use by man, whether their source is movable or immovable, are deemed corporeal movables.

C.C.B.C. 387 (par analogie) (**C.C.Q.** 2847)

Art. 907. Tous les autres biens que la loi ne qualifie pas sont meubles.

1991, c. 64, a. 907 (1994-01-01).

Art. 907. All other property, if not qualified by law, is movable.

(**C.C.Q.** 458, 904 (*a contrario*), 905, 2695, 3078)

CHAPITRE DEUXIÈME
DES BIENS DANS LEURS RAPPORTS AVEC CE QU'ILS PRODUISENT

CHAPTER II
PROPERTY IN RELATION TO ITS PROCEEDS

Art. 908. Les biens peuvent, suivant leurs rapports entre eux, se diviser en capitaux et en fruits et revenus.

1991, c. 64, a. 908 (1994-01-01).

Art. 908. Property, according to its relation to other property, is divided into capital, and fruits and revenues.

(**C.C.Q.** 1126, 1302, 1345-1350)

Art. 909. Sont du capital les biens dont on tire des fruits et revenus, les biens affectés au service ou à l'exploitation d'une entreprise, les actions ou les parts sociales d'une personne morale ou d'une société, le remploi des fruits et revenus, le prix de la disposition d'un capital ou son remploi, ainsi que les indemnités d'expropriation ou d'assurance qui tiennent lieu du capital.

Le capital comprend aussi les droits de propriété intellectuelle et industrielle, sauf les sommes qui en proviennent sans qu'il y ait eu aliénation de ces droits, les obligations et autres titres d'emprunt payables en argent, de même que les droits dont

Art. 909. Property that produces fruits and revenues, property appropriated for the service or operation of an enterprise, shares of the capital stock or common shares of a legal person or partnership, the reinvestment of the fruits and revenues, the price for any disposal of capital or its reinvestment, and expropriation or insurance indemnities in replacement of capital, are capital.

Capital also includes rights of intellectual or industrial property except sums derived therefrom without alienation of the rights, bonds and other loan certificates payable in cash and rights the exercise of which tends to increase the capital, such as

l'exercice tend à accroître le capital, tels les droits de souscription des valeurs mobilières d'une personne morale, d'une société en commandite ou d'une fiducie.

1991, c. 64, a. 909 (1994-01-01).

(**C.C.Q.** 458, 1133, 1149, 1150, 1227, 1525, 2677)

Art. 910. Les fruits et revenus sont ce que le bien produit sans que sa substance soit entamée ou ce qui provient de l'utilisation d'un capital. Ils comprennent aussi les droits dont l'exercice tend à accroître les fruits et revenus du bien.

Sont classés parmi les fruits ce qui est produit spontanément par le bien, ce qui est produit par la culture ou l'exploitation d'un fonds, de même que le produit ou le croît des animaux.

Sont classées parmi les revenus les sommes d'argent que le bien rapporte, tels les loyers, les intérêts, les dividendes, sauf s'ils représentent la distribution d'un capital d'une personne morale; le sont aussi les sommes reçues en raison de la résiliation ou du renouvellement d'un bail ou d'un paiement par anticipation, ou les sommes attribuées ou perçues dans des circonstances analogues.

1991, c. 64, a. 910 (1994-01-01).

the right to subscribe to securities of a legal person, limited partnership or trust.

Art. 910. Fruits and revenues are that which is produced by property without any alteration to its substance or that which is derived from the use of capital. They also include rights the exercise of which tends to increase the fruits and revenues of the property.

Fruits comprise things spontaneously produced by property or produced by the cultivation or working of land, and the produce or increase of animals.

Revenues comprise sums of money yielded by property, such as rents, interest and dividends, except those representing the distribution of capital of a legal person; they also comprise sums received by reason of the resiliation or renewal of a lease or of prepayment, or sums allotted or collected in similar circumstances.

C.C.B.C. 447-449 (**C.C.Q.** 900, 949, 1126, 1129, 1130, 1175, 1281, 1284, 1348, 1349, 1456, 1586, 1587, 1704, 1780, 2287, 2698, 2737; **C.P.C.** 542)

CHAPITRE TROISIÈME
DES BIENS DANS LEURS RAPPORTS AVEC CEUX QUI Y ONT DES DROITS OU QUI LES POSSÈDENT

Art. 911. On peut, à l'égard d'un bien, être titulaire, seul ou avec d'autres, d'un droit de propriété ou d'un autre droit réel, ou encore être possesseur du bien.

On peut aussi être détenteur ou administrateur du bien d'autrui, ou être fiduciaire d'un bien affecté à une fin particulière.

1991, c. 64, a. 911 (1994-01-01).

CHAPTER III
PROPERTY IN RELATION TO PERSONS HAVING RIGHTS IN IT OR POSSESSION OF IT

Art. 911. A person, alone or with others, may hold a right of ownership or other real right in a property, or have possession of the property.

A person also may hold or administer the property of others or be trustee of property appropriated to a particular purpose.

C.C.B.C. 405 (**C.C.Q.** 921 ss., 947 ss., 1011, 1012 ss., 1038 ss., 1119, 1120, 1172, 1177, 1195, 1260, 1299, 2660)

Art. 912. Le titulaire d'un droit de propriété ou d'un autre droit réel a le droit d'agir en justice pour faire reconnaître ce droit.

1991, c. 64, a. 912 (1994-01-01).

Art. 912. The holder of a right of ownership or other real right may take legal action to have his right acknowledged.

C.P.C. 770-772 (**C.C.Q.** 921, 929, 953, 1125, 2735, 2923, 2925; **C.P.C.** 110)

Art. 913. Certaines choses ne sont pas susceptibles d'appropriation; leur usage, commun à tous, est régi par des lois d'intérêt général et, à certains égards, par le présent code.

L'air et l'eau qui ne sont pas destinés à l'utilité publique sont toutefois susceptibles d'appropriation s'ils sont recueillis et mis en récipient.

1991, c. 64, a. 913 (1994-01-01).

Art. 913. Certain things may not be appropriated; their use, common to all, is governed by general laws and, in certain respects, by this Code.

However, water and air not intended for public utility may be appropriated if collected and placed in receptacles.

C.C.B.C. 585 (**C.C.Q.** 919, 920, 947, 980-982, 1457, 1462)

Art. 914. Certaines autres choses qui, parce que sans maître, ne sont pas l'objet d'un droit peuvent néanmoins être appropriées par occupation, si celui qui les prend le fait avec l'intention de s'en rendre propriétaire.

1991, c. 64, a. 914 (1994-01-01).

Art. 914. Certain other things, being without an owner, are not the object of any right, but may nevertheless be appropriated by occupation if the person taking them does so with the intention of becoming their owner.

C.C.B.C. 401, 584 (**C.C.Q.** 653, 696, 916, 934 ss.)

Art. 915. Les biens appartiennent aux personnes ou à l'État, ou font, en certains cas, l'objet d'une affectation.

1991, c. 64, a. 915 (1994-01-01).

Art. 915. Property belongs to persons or to the State or, in certain cases, is appropriated to a purpose.

C.C.B.C. 399 (**C.C.Q.** 2, 188, 208, 300, 618, 653, 696, 698, 916, 917, 919, 934 ss., 1256 ss.)

Art. 916. Les biens s'acquièrent par contrat, par succession, par occupation, par prescription, par accession ou par tout autre mode prévu par la loi.

Cependant, nul ne peut s'approprier par occupation, prescription ou accession les biens de l'État, sauf ceux que ce dernier a acquis par succession, vacance ou confiscation, tant qu'ils n'ont pas été confondus avec ses autres biens. Nul ne peut non plus s'approprier les biens des personnes morales de droit public qui sont affectés à l'utilité publique.

1991, c. 64, a. 916 (1994-01-01).

Art. 916. Property is acquired by contract, succession, occupation, prescription, accession or any other mode provided by law.

No one may appropriate property of the State for himself by occupation, prescription or accession except property the State has acquired by succession, vacancy or confiscation, so long as it has not been mingled with its other property. Nor may anyone acquire for himself property of legal persons established in the public interest that is appropriated to public utility.

C.C.B.C. 583, 2216, 2220, 2221 (**C.C.Q.** 361, 410, 613 ss., 618, 653, 696-702, 915, 917, 927, 935, 936, 948, 952, 954 ss., 960, 992, 1004, 1008, 1022, 1082, 1116, 1118, 1189, 1378, 1708, 1795, 1806, 2726, 2875-2877, 2910, 2917-2920, 2944, 2962; **C.P.C.** 577)

Art. 917. Les biens confisqués en vertu de la loi sont, dès leur confiscation, la propriété de l'État ou, en certains cas, de la personne morale de droit public qui a légalement le pouvoir de les confisquer.

1991, c. 64, a. 917 (1994-01-01).

Art. 917. Property confiscated under the law is, upon being confiscated, property of the State or, in certain cases, of the legal person established in the public interest authorized by law to confiscate it.

(**C.C.Q.** 916)

Art. 918. Les parties du territoire qui ne sont pas la propriété de personnes physiques ou morales, ou qui ne sont pas transférées à un patrimoine fiduciaire, appartiennent à l'État et font partie de son domaine. Les titres originaires de l'État sur ces biens sont présumés.

1991, c. 64, a. 918 (1994-01-01).

C.C.B.C. 400 al. 1 (**C.C.Q.** 915, 919, 936, 966)

Art. 919. Le lit des lacs et des cours d'eau navigables et flottables est, jusqu'à la ligne des hautes eaux, la propriété de l'État.

Il en est de même du lit des lacs et cours d'eau non navigables ni flottables bordant les terrains aliénés par l'État après le 9 février 1918; avant cette date, la propriété du fonds riverain emportait, dès l'aliénation, la propriété du lit des cours d'eau non navigables ni flottables.

Dans tous les cas, la loi ou l'acte de concession peuvent disposer autrement.

1991, c. 64, a. 919 (1994-01-01).

C.C.B.C. 400 (**C.C.Q.** 913, 918, 966, 968, 970)

Art. 920. Toute personne peut circuler sur les cours d'eau et les lacs, à la condition de pouvoir y accéder légalement, de ne pas porter atteinte aux droits des propriétaires riverains, de ne pas prendre pied sur les berges et de respecter les conditions d'utilisation de l'eau.

1991, c. 64, a. 920 (1994-01-01).

(**C.C.Q.** 980-982)

Art. 918. Parts of the territory not owned by natural persons or legal persons nor transferred to a trust patrimony belong to the State and form part of its domain. The State is presumed to have the original titles to such property.

Art. 919. The beds of navigable and floatable lakes and watercourses are property of the State up to the high-water line.

The beds of non-navigable and non-floatable lakes and watercourses bordering lands alienated by the State after 9 February 1918 also are property of the State up to the high-water line; before that date, ownership of the riparian land carried with it, upon alienation, ownership of the beds of non-navigable and non-floatable watercourses.

In all cases, the law or the act of concession may provide otherwise.

Art. 920. Any person may travel on watercourses and lakes provided he gains legal access to them, does not encroach on the rights of the riparian owners, does not set foot on the banks and observes the conditions of use of the water.

CHAPITRE QUATRIÈME
DE CERTAINS RAPPORTS DE FAIT CONCERNANT LES BIENS

CHAPTER IV
CERTAIN *DE FACTO* RELATIONSHIPS CONCERNING PROPERTY

SECTION I
DE LA POSSESSION

SECTION I
POSSESSION

§ 1. — *De la nature de la possession*

§ 1. — *The nature of possession*

Art. 921. La possession est l'exercice de fait, par soi-même ou par l'intermédiaire d'une autre personne qui détient le bien, d'un droit réel dont on se veut titulaire.

Art. 921. Possession is the exercise in fact, by a person himself or by another person having detention of the property, of a real right, with the intention of acting as the holder of that right.

Cette volonté est présumée. Si elle fait défaut, il y a détention.

1991, c. 64, a. 921 (1994-01-01).

The intention is presumed. Where it is lacking, there is merely detention.

C.C.B.C. 2192, 2194 (**C.C.Q.** 916, 922-933, 953, 2847, 2880, 2910, 2913, 2919; **C.P.C.** 569)

Art. 922. Pour produire des effets, la possession doit être paisible, continue, publique et non équivoque.

1991, c. 64, a. 922 (1994-01-01).

Art. 922. Only peaceful, continuous, public and unequivocal possession produces effects in law.

C.C.B.C. 2193 (**C.C.Q.** 925, 929, 1181, 2889, 2910, 2917; **C.P.C.** 569)

Art. 923. Celui qui a commencé à détenir pour le compte d'autrui ou avec reconnaissance d'un domaine supérieur est toujours présumé détenir en la même qualité, sauf s'il y a preuve d'interversion de titre résultant de faits non équivoques.

1991, c. 64, a. 923 (1994-01-01).

Art. 923. A person having begun to detain property on behalf of another or with acknowledgement of a superior domain is presumed to continue to detain it in that quality unless inversion of title is proved on the basis of unequivocal facts.

C.C.B.C. 2195 (**C.C.Q.** 2913, 2914)

Art. 924. Les actes de pure faculté ou de simple tolérance ne peuvent fonder la possession.

1991, c. 64, a. 924 (1994-01-01).

Art. 924. Merely facultative acts or acts of sufferance do not found possession.

C.C.B.C. 2196 (**C.C.Q.** 921, 922)

Art. 925. Le possesseur actuel est présumé avoir une possession continue depuis le jour de son entrée en possession; il peut joindre sa possession et celle de ses auteurs.

La possession demeure continue même si l'exercice en est empêché ou interrompu temporairement.

1991, c. 64, a. 925 (1994-01-01).

Art. 925. The present possessor is presumed to have been in continuous possession from the time he came into possession; he may join his possession to that of his predecessors.

Possession is continuous even if its exercise is temporarily prevented or interrupted.

C.C.B.C. 2199, 2200 (**C.C.Q.** 922, 2847, 2889, 2912, 2920)

Art. 926. La possession entachée de quelque vice ne commence à produire des effets qu'à compter du moment où le vice a cessé.

Les ayants cause, à quelque titre que ce soit, ne souffrent pas des vices dans la possession de leur auteur.

1991, c. 64, a. 926 (1994-01-01).

Art. 926. Defective possession begins to produce effects only from the time the defect ceases.

Successors by whatever title do not suffer from defects in the possession of their predecessor.

C.C.B.C. 2198 (**C.C.Q.** 922, 925, 927, 928, 932, 2911, 2920)

Art. 927. Le voleur, le receleur et le fraudeur ne peuvent invoquer les effets de la possession, mais leurs ayants cause, à quelque titre que ce soit, le peuvent s'ils ignoraient le vice.

1991, c. 64, a. 927 (1994-01-01).

Art. 927. No thief, receiver of stolen goods or defrauder may invoke the effects of possession, but his successors by whatever title may do so if they were unaware of the defect.

C.C.B.C. 2268 al. 6 (**C.C.Q.** 921, 922, 925, 926, 930, 932, 1713, 1714, 1723, 2911, 2920)

§ 2. — *Des effets de la possession*

Art. 928. Le possesseur est présumé titulaire du droit réel qu'il exerce. C'est à celui qui conteste cette qualité à prouver son droit et, le cas échéant, l'absence de titre, ou encore les vices de la possession ou du titre du possesseur.

1991, c. 64, a. 928 (1994-01-01).

(**C.C.Q.** 921, 922, 925, 927, 929, 932, 2918)

Art. 929. Le possesseur dont la possession a été continue pendant plus d'une année a, contre celui qui trouble sa possession ou qui l'a dépossédé, un droit d'action pour faire cesser le trouble ou être remis en possession.

1991, c. 64, a. 929 (1994-01-01).

C.P.C. 770 (**C.C.Q.** 904, 922, 925, 953, 2880, 2923; **C.P.C.** 110)

Art. 930. La possession rend le possesseur titulaire du droit réel qu'il exerce s'il se conforme aux règles de la prescription.

1991, c. 64, a. 930 (1994-01-01).

C.C.B.C. 2246, 2268 (**C.C.Q.** 921, 922, 928, 931, 932, 1454, 2880, 2910 ss., 2917 ss.)

Art. 931. Le possesseur de bonne foi est dispensé de rendre compte des fruits et revenus du bien; il supporte les frais qu'il a engagés pour les produire.

Le possesseur de mauvaise foi doit, après avoir compensé les frais, remettre les fruits et revenus, à compter du jour où sa mauvaise foi a commencé.

1991, c. 64, a. 931 (1994-01-01).

C.C.B.C. 411 (**C.C.Q.** 101, 933, 957-959, 962, 1492, 1703)

Art. 932. Le possesseur est de bonne foi si, au début de sa possession, il est justifié de se croire titulaire du droit réel qu'il exerce. Sa bonne foi cesse du jour où l'absence de titre ou les vices de sa possession ou de son titre lui sont dénoncés par une procédure civile.

1991, c. 64, a. 932 (1994-01-01).

C.C.B.C. 412 (**C.C.Q.** 921, 922, 926-928, 930, 2805, 2920)

Art. 933. Le possesseur peut être remboursé ou indemnisé pour les constructions, ouvrages et plantations qu'il a faits, suivant les règles prévues au chapitre de l'accession.

1991, c. 64, a. 933 (1994-01-01).

C.C.B.C. 417 (**D.T.** 49; **C.C.Q.** 931, 955 ss., 1137, 1210, 1248; **C.P.C.** 470)

§ 2. — *Effects of possession*

Art. 928. A possessor is presumed to hold the real right he is exercising. A person contesting that presumption has the burden of proving his own right and, as the case may be, that the possessor has no title, a defective title, or defective possession.

Art. 929. A possessor in continuous possession for more than a year has a right of action against any person who disturbs his possession or dispossesses him in order to put an end to the disturbance or be put back into possession.

Art. 930. Possession vests the possessor with the real right he is exercising if he complies with the rules on prescription.

Art. 931. A possessor in good faith need not render account of the fruits and revenues of the property, and he bears the costs he incurred to produce them.

A possessor in bad faith shall, after compensating for the costs, return the fruits and revenues from the time he began to be in bad faith.

Art. 932. A possessor is in good faith if, when his possession begins, he is justified in believing he holds the real right he is exercising. His good faith ceases from the time his lack of title or the defects of his possession or title are notified to him by a civil proceeding.

Art. 933. A possessor may be reimbursed or indemnified according to the rules in the chapter on accession for the constructions, plantations and works he has made.

SECTION II
DE L'ACQUISITION DES BIENS VACANTS

§ 1. — *Des biens sans maître*

Art. 934. Sont sans maître les biens qui n'ont pas de propriétaire, tels les animaux sauvages en liberté, ceux qui, capturés, ont recouvré leur liberté, la faune aquatique, ainsi que les biens qui ont été abandonnés par leur propriétaire.

Sont réputés abandonnés les meubles de peu de valeur ou très détériorés qui sont laissés en des lieux publics, y compris sur la voie publique ou dans des véhicules qui servent au transport du public.

1991, c. 64, a. 934 (1994-01-01); 2002, c. 19, a. 15 (2002-06-13).

C.C.B.C. 584, 588 (**C.C.Q.** 913, 914, 916, 935, 937, 2847)

Art. 935. Les meubles sans maître appartiennent à la personne qui se les approprie par occupation.

Les meubles abandonnés que personne ne s'approprie appartiennent aux municipalités qui les recueillent sur leur territoire ou à l'État.

1991, c. 64, a. 935 (1994-01-01).

C.C.B.C. 401, 584, 588-591 (**C.C.Q.** 653, 696, 913, 914, 916, 936 ss.)

Art. 936. Les immeubles sans maître appartiennent à l'État. Toute personne peut néanmoins les acquérir, par accession naturelle ou prescription, à moins que l'État ne possède ces immeubles ou ne s'en soit déclaré propriétaire par un avis du curateur public inscrit au registre foncier.

1991, c. 64, a. 936 (1994-01-01).

C.C.B.C. 401, 584, 2216 (**C.C.Q.** 653, 696, 914, 916, 918, 954, 2918)

Art. 937. Les biens sans maître que l'État s'approprie sont administrés par le curateur public; celui-ci en dispose conformément à la loi.

1991, c. 64, a. 937 (1994-01-01).

(**C.C.Q.** 914, 934-936)

Art. 938. Le trésor appartient à celui qui le trouve dans son fonds; s'il est découvert dans le fonds d'autrui, il appartient pour moitié au propriétaire du fonds et pour l'autre moitié à celui qui l'a découvert, à moins que l'inventeur n'ait agi pour le compte du propriétaire.

1991, c. 64, a. 938 (1994-01-01).

C.C.B.C. 586 (**C.C.Q.** 916, 2917, 2919, 2925)

SECTION II
ACQUISITION OF VACANT PROPERTY

§ 1. — *Things without an owner*

Art. 934. Things without an owner are things belonging to no one, such as animals in the wild, or formerly in captivity but returned to the wild, and aquatic fauna, and things abandoned by their owner.

Movables of slight value or in a very deteriorated condition that are left in a public place, including a public road or a vehicle used for public transportation, are deemed abandoned things.

Art. 935. A movable without an owner belongs to the person who appropriates it for himself by occupation.

An abandoned movable, if no one appropriates it for himself, belongs to the municipality that collects it in its territory, or to the State.

Art. 936. An immovable without an owner belongs to the State. Any person may nevertheless acquire it by natural accession or prescription unless the State has possession of it or is declared the owner of it by a notice of the Public Curator entered in the land register.

Art. 937. Things without an owner which the State appropriates for itself are administered by the Public Curator, who disposes of them according to law.

Art. 938. Treasure belongs to the finder if he finds it on his own land; if it is found on the land of another, one-half belongs to the owner of the land and one-half to the finder, unless the finder was acting for the owner.

§ 2. — Des meubles perdus ou oubliés

Art. 939. Les meubles qui sont perdus ou oubliés entre les mains d'un tiers ou en un lieu public continuent d'appartenir à leur propriétaire.

Ces biens ne peuvent s'acquérir par occupation, mais ils peuvent, de même que le prix qui leur est subrogé, être prescrits par celui qui les détient.

1991, c. 64, a. 939 (1994-01-01).

C.C.B.C. 589, 590, 592-594, 2268 al. 1 (**C.C.Q.** 940-946, 1713, 1714, 1723, 2910 ss., 2917, 2919)

Art. 940. Celui qui trouve un bien doit tenter d'en retrouver le propriétaire; le cas échéant, il doit lui remettre le bien.

1991, c. 64, a. 940 (1994-01-01).

(**C.C.Q.** 941 ss., 1713, 1714, 2919)

Art. 941. Pour prescrire soit le bien, soit le prix qui lui est subrogé, celui qui trouve un bien perdu doit déclarer le fait à un agent de la paix, à la municipalité sur le territoire de laquelle il a été trouvé ou à la personne qui a la garde du lieu où il a été trouvé.

Il peut alors, à son choix, garder le bien, en disposer comme un détenteur ou le remettre à la personne à laquelle il a fait la déclaration pour que celle-ci le détienne.

1991, c. 64, a. 941 (1994-01-01).

(**C.C.Q.** 940, 942, 1713, 1714, 2917)

Art. 942. Le détenteur du bien trouvé, y compris l'État ou une municipalité, peut vendre le bien s'il n'est pas réclamé dans les soixante jours.

La vente du bien se fait aux enchères et elle a lieu à l'expiration d'un délai d'au moins dix jours après la publication, dans un journal distribué dans la localité où le bien est trouvé, d'un avis de vente mentionnant la nature du bien et indiquant le lieu, le jour et l'heure de la vente.

Cependant, le détenteur peut disposer sans délai du bien susceptible de dépérissement. Il peut aussi, à défaut d'enchérisseur, vendre le bien de gré à gré, le donner à un organisme de bienfaisance ou, s'il est impossible d'en disposer ainsi, le détruire.

1991, c. 64, a. 942 (1994-01-01).

(**C.C.Q.** 1713-1715, 1757 ss.)

Art. 943. L'État ou la municipalité peut vendre aux enchères, comme le détenteur du bien trouvé, les biens meubles qu'il détient, sans autres délais que ceux requis pour la publication, lorsque:

§ 2. — Lost or forgotten movables

Art. 939. A movable that is lost or that is forgotten in the hands of a third person or in a public place continues to belong to its owner.

The movable may not be acquired by occupation, but may be prescribed by the person who detains it, as may the price subrogated thereto.

Art. 940. The finder of a thing shall attempt to find its owner; if he finds him, he shall return it to him.

Art. 941. The finder of a lost thing, in order to acquire, by prescription, ownership of it or of the price subrogated to it, shall declare the fact that he has found it to a peace officer, to the municipality in whose territory it was found or to the person in charge of the place where it was found.

He may then, at his option, keep the thing, dispose of it in the manner of a person having detention or hand it over for detention to the person to whom he made the declaration.

Art. 942. The holder of a found thing, including the State or a municipality, may sell it if it is not claimed within sixty days.

The sale of the thing is held by auction and on the expiry of not less than ten days after publication of a notice of sale in a newspaper circulated in the locality where the thing was found, stating the nature of the thing and indicating the place, day and hour of the sale.

The holder may dispose of the thing immediately, however, if it is perishable. Also, if there is no bidder at the auction, he may sell the thing by agreement, give it to a charitable institution or, if it is impossible to dispose of it in this way, destroy it.

Art. 943. The State or a municipality may, in the manner of the holder of a found thing, sell movable property in its hands by auction, without further delay than that required for publication, in the following cases:

1° Le propriétaire du bien le réclame, mais néglige ou refuse de rembourser au détenteur les frais d'administration dans les soixante jours de sa réclamation;

2° Plusieurs personnes réclament le bien à titre de propriétaire, mais aucune d'entre elles ne prouve indubitablement son titre ou n'agit en justice pour le faire établir dans le délai d'au moins soixante jours qui lui est imparti;

3° Le bien déposé au greffe d'un tribunal n'est pas réclamé par son propriétaire, soit dans les soixante jours de l'avis qui lui est donné de venir le prendre, soit dans les six mois qui suivent le jugement final ou le désistement d'instance si aucun avis n'a pu lui être donné.

1991, c. 64, a. 943 (1994-01-01).

(1) the owner of the property claims it but neglects or refuses to reimburse the holder for the cost of administration of the property within sixty days of claiming it;

(2) several persons claim the property as owner, but none of them establishes a clear title or takes legal action to establish it within the sixty days or more allotted to him;

(3) a movable deposited in the office of a court is not claimed by its owner within sixty days from notice given him to fetch it or, if it has not been possible to give him any notice, within six months from the final judgment or from the discontinuance of the proceedings.

(**C.C.Q.** 1713-1715, 1757 ss.)

Art. 944. Lorsqu'un bien, confié pour être gardé, travaillé ou transformé, n'est pas réclamé dans les quatre-vingt-dix jours de la fin du travail ou de la période convenue, il est considéré comme oublié et son détenteur peut en disposer après avoir donné un avis de la même durée à celui qui lui a confié le bien.

1991, c. 64, a. 944 (1994-01-01).

Art. 944. Where a thing that has been entrusted for safekeeping, work or processing is not claimed within ninety days from completion of the work or the agreed time, it is considered to be forgotten and the holder, after having given notice of the same length of time to the person who entrusted him with the thing, may dispose of it.

C.C.B.C. 1671a, 1671b, 1677 (**D.T.** 50; **C.C.Q.** 939-941, 945, 946, 1978, 2280 ss., 2302, 2303)

Art. 945. Le détenteur du bien confié mais oublié dispose du bien en le vendant soit aux enchères comme s'il s'agissait d'un bien trouvé, soit de gré à gré. Il peut aussi donner à un organisme de bienfaisance le bien qui ne peut être vendu et, s'il ne peut être donné, il en dispose à son gré.

1991, c. 64, a. 945 (1994-01-01).

Art. 945. The holder of a thing entrusted but forgotten disposes of it by auction sale as in the case of a found thing, or by agreement. He may also give a thing that cannot be sold to a charitable institution or, if that is not possible, dispose of it as he sees fit.

C.C.B.C. 1671a, 1671b (**D.T.** 50; **C.C.Q.** 942-944, 1757 ss., 2302, 2303)

Art. 946. Le propriétaire d'un bien perdu ou oublié peut, tant que son droit de propriété n'est pas prescrit, le revendiquer en offrant de payer les frais d'administration du bien et, le cas échéant, la valeur du travail effectué. Le détenteur du bien a le droit de le retenir jusqu'au paiement.

Si le bien a été aliéné, le droit du propriétaire ne s'exerce, malgré l'article 1714, que sur ce qui reste du prix de la vente, déduction faite des frais d'administration et d'aliénation du bien et de la valeur du travail effectué.

1991, c. 64, a. 946 (1994-01-01).

Art. 946. The owner of a lost or forgotten thing may revendicate it, so long as his right of ownership has not been prescribed, by offering to pay the cost of its administration and, where applicable, the value of the work done. The holder of the thing may retain it until payment.

If the thing has been alienated, the owner's right is exercised, notwithstanding article 1714, only against what is left of the price of sale, after deducting the cost of its administration and alienation and the value of the work done.

(**C.C.Q.** 939, 1714, 2651(3°), 2918-2920)

TITRE DEUXIÈME
DE LA PROPRIÉTÉ

TITLE TWO
OWNERSHIP

CHAPITRE PREMIER
DE LA NATURE ET DE L'ÉTENDUE DU DROIT DE PROPRIÉTÉ

CHAPTER I
NATURE AND EXTENT OF THE RIGHT OF OWNERSHIP

Art. 947. La propriété est le droit d'user, de jouir et de disposer librement et complètement d'un bien, sous réserve des limites et des conditions d'exercice fixées par la loi.

Elle est susceptible de modalités et de démembrements.

1991, c. 64, a. 947 (1994-01-01).

Art. 947. Ownership is the right to use, enjoy and dispose of property fully and freely, subject to the limits and conditions for doing so determined by law.

Ownership may be in various modes and dismemberments.

C.C.B.C. 406 (**C.C.Q.** 7, 911, 912, 915, 916, 934 ss., 949, 951-953, 957, 976, 978, 979, 1009, 1119, 1177; **C.P.C.** 695)

Art. 948. La propriété d'un bien donne droit à ce qu'il produit et à ce qui s'y unit, de façon naturelle ou artificielle, dès l'union. Ce droit se nomme droit d'accession.

1991, c. 64, a. 948 (1994-01-01); 1992, c. 57, a. 716 (1994-01-01).

Art. 948. Ownership of property gives a right to what it produces and to what is united to it, naturally or artificially, from the time of union. This right is called a right of accession.

C.C.B.C. 408, 413 (**C.C.Q.** 916, 947, 949, 954 ss., 965, 984, 1017, 1116, 1124, 1718, 2669, 2671, 3013)

Art. 949. Les fruits et revenus du bien appartiennent au propriétaire, qui supporte les frais qu'il a engagés pour les produire.

1991, c. 64, a. 949 (1994-01-01).

Art. 949. The fruits and revenues of property belong to the owner, who bears the costs he incurred to produce them.

C.C.B.C. 408-410 (**C.C.Q.** 910, 931, 947, 1129, 1130, 1172, 1349, 1780, 2287; **C.P.C.** 470, 542)

Art. 950. Le propriétaire du bien assume les risques de perte.

1991, c. 64, a. 950 (1994-01-01).

Art. 950. The owner of the property assumes the risks of loss.

(**C.C.Q.** 1148, 1149, 1160, 1161, 1167, 1202, 1456 al. 2, 1746, 2105)

Art. 951. La propriété du sol emporte celle du dessus et du dessous.

Le propriétaire peut faire, au-dessus et au-dessous, toutes les constructions, ouvrages et plantations qu'il juge à propos; il est tenu de respecter, entre autres, les droits publics sur les mines, sur les nappes d'eau et sur les rivières souterraines.

1991, c. 64, a. 951 (1994-01-01).

Art. 951. Ownership of the soil carries with it ownership of what is above and what is below the surface.

The owner may make such constructions, works or plantations above or below the surface as he sees fit; he is bound to respect, among other things, the rights of the State in mines, sheets of water and underground streams.

C.C.B.C. 414 (**C.C.Q.** 947, 948, 955, 982, 985, 986, 990 ss., 1002, 1011, 1110 ss., 3042)

Art. 952. Le propriétaire ne peut être contraint de céder sa propriété, si ce n'est par voie d'expropriation faite suivant la loi pour une cause d'utilité publique et moyennant une juste et préalable indemnité.

1991, c. 64, a. 952 (1994-01-01).

Art. 952. No owner may be compelled to transfer his ownership except by expropriation according to law for public utility and in consideration of a just and prior indemnity.

C.C.B.C. 407 (**C.C.Q.** 909, 1080, 1115, 1164, 1457, 1758, 1888, 2795, 3042; **L.R.Q.**, c. E-24)

Art. 953. Le propriétaire d'un bien a le droit de le revendiquer contre le possesseur ou celui qui le détient sans droit; il peut s'opposer à tout empiétement ou à tout usage que la loi ou lui-même n'a pas autorisé.

1991, c. 64, a. 953 (1994-01-01).

Art. 953. The owner of property has a right to revendicate it against the possessor or the person detaining it without right, and may object to any encroachment or to any use not authorized by him or by law.

(**C.C.Q.** 7, 911, 912, 928, 952, 957, 992, 1713, 1714)

CHAPITRE DEUXIÈME
DE L'ACCESSION

SECTION I
DE L'ACCESSION IMMOBILIÈRE

Art. 954. L'accession à un immeuble d'un bien meuble ou immeuble peut être volontaire ou indépendante de toute volonté. Dans le premier cas, l'accession est artificielle; dans le second, elle est naturelle.

1991, c. 64, a. 954 (1994-01-01).

CHAPTER II
ACCESSION

SECTION I
IMMOVABLE ACCESSION

Art. 954. Accession of movable or immovable property to an immovable may be voluntary or involuntary. Accession is artificial in the first case, natural in the second.

C.C.B.C. 408 (**C.C.Q.** 916, 933, 936, 948, 955-975, 1017, 1116, 1124)

§ 1. — *De l'accession artificielle*

Art. 955. Les constructions, ouvrages ou plantations sur un immeuble sont présumés avoir été faits par le propriétaire, à ses frais, et lui appartenir.

1991, c. 64, a. 955 (1994-01-01).

§ 1. — *Artificial accession*

Art. 955. Constructions, works or plantations on an immovable are presumed to have been made by the owner of the immovable at his own expense and to belong to him.

C.C.B.C. 415 (**D.T.** 49; **C.C.Q.** 933, 951, 956, 957, 1011, 1110, 1195, 2847)

Art. 956. Le propriétaire de l'immeuble devient propriétaire par accession des constructions, ouvrages ou plantations qu'il a faits avec des matériaux qui ne lui appartiennent pas, mais il est tenu de payer la valeur, au moment de l'incorporation, des matériaux utilisés.

Celui qui était propriétaire des matériaux n'a pas le droit de les enlever ni ne peut être contraint de les reprendre.

1991, c. 64, a. 956 (1994-01-01).

Art. 956. The owner of an immovable becomes the owner by accession of the constructions, works or plantations he has made with materials which do not belong to him, but he is bound to pay the value, at the time they were incorporated, of the materials used.

The previous owner of the materials has no right to remove them nor any obligation to take them back.

C.C.B.C. 416 (**D.T.** 49; **C.C.Q.** 955, 1607, 1611, 2726, 2727)

Art. 957. Le propriétaire de l'immeuble acquiert par accession la propriété des constructions, ouvrages ou plantations faits sur son immeuble par un possesseur, que les impenses soient nécessaires, utiles ou d'agrément.

1991, c. 64, a. 957 (1994-01-01).

Art. 957. The owner of an immovable acquires by accession ownership of the constructions, works or plantations made on his immovable by a possessor, whether the disbursements were necessary, useful or for amenities.

C.C.B.C. 417, 418 (**D.T.** 49; **C.C.Q.** 933, 958, 959, 961-964, 1137, 1210, 1248, 1488, 1703; **C.P.C.** 470)

Art. 958. Le propriétaire doit rembourser au possesseur les impenses nécessaires, même si les constructions, ouvrages ou plantations n'existent plus.

Cependant, si le possesseur est de mauvaise foi, il y a lieu, déduction faite des frais engagés pour les produire, à la compensation des fruits et revenus perçus.

1991, c. 64, a. 958 (1994-01-01).

Art. 958. The owner shall reimburse the possessor for the necessary disbursements, even if the constructions, works or plantations no longer exist.

If the possessor is in bad faith, however, compensation may be claimed for the fruits and revenues collected, after deducting the costs incurred to produce them.

C.C.B.C. 417 (**D.T.** 49; **C.C.Q.** 874, 932, 964, 1020, 1137, 1210, 1488, 1703; **C.P.C.** 470)

Art. 959. Le propriétaire doit rembourser les impenses utiles faites par le possesseur de bonne foi si les constructions, ouvrages ou plantations existent encore; il peut aussi, à son choix, lui verser une indemnité égale à la plus-value.

Il peut, aux mêmes conditions, rembourser les impenses utiles faites par le possesseur de mauvaise foi; il peut alors opérer la compensation pour les fruits et revenus que le possesseur lui doit.

Il peut aussi contraindre le possesseur de mauvaise foi à enlever ces constructions, ouvrages ou plantations et à remettre les lieux dans leur état antérieur; si la remise en l'état est impossible, le propriétaire peut les conserver sans indemnité ou contraindre le possesseur à les enlever.

1991, c. 64, a. 959 (1994-01-01).

Art. 959. The owner shall reimburse the useful disbursements made by a possessor in good faith, if the constructions, works or plantations still exist; he may also, if he chooses, pay him compensation equal to the increase in value.

The owner may, on the same conditions, reimburse the useful disbursements made by the possessor in bad faith; he may in that case effect compensation for the fruits and revenues owed to him by the possessor.

The owner may also compel the possessor in bad faith to remove the constructions, works or plantations and to restore the place to its former condition; if such restoration is impossible, the owner may keep them without compensation or compel the possessor to remove them.

C.C.B.C. 417 (**D.T.** 49; **C.C.Q.** 931-933, 960, 963, 964, 1138, 1248, 1488, 1703, 2728; **C.P.C.** 470)

Art. 960. Le propriétaire peut contraindre le possesseur à acquérir l'immeuble et à lui en payer la valeur, si les impenses utiles sont coûteuses et représentent une proportion considérable de cette valeur.

1991, c. 64, a. 960 (1994-01-01).

Art. 960. The owner may compel the possessor to acquire the immovable and to pay him its value if the useful disbursements made are costly and represent a considerable proportion of that value.

C.C.B.C. 418 (**D.T.** 49; **C.C.Q.** 959, 964)

Art. 961. Le possesseur de bonne foi qui a fait des impenses pour son propre agrément peut, au choix du propriétaire, enlever, en évitant d'endommager les lieux, les constructions, ouvrages ou plantations faits, s'ils peuvent l'être avantageusement, ou encore les abandonner.

Art. 961. A possessor in good faith who has made disbursements for amenities for himself may, as the owner chooses, either remove the constructions, works or plantations he has made, if that can be done advan tageously without causing damage to the place, or abandon them.

Dans ce dernier cas, le propriétaire est tenu de rembourser au possesseur le moindre du coût ou de la plus-value accordée à l'immeuble.
1991, c. 64, a. 961 (1994-01-01).

(**D.T.** 49; **C.C.Q.** 932, 933, 964, 1210, 1488, 1703)

Art. 962. Le propriétaire peut contraindre le possesseur de mauvaise foi à enlever les constructions, ouvrages ou plantations qu'il a faits pour son agrément et à remettre les lieux dans leur état antérieur; si la remise en l'état est impossible, il peut les conserver sans indemnité ou contraindre le possesseur à les enlever.
1991, c. 64, a. 962 (1994-01-01).

C.C.B.C. 417 al. 4 (**D.T.** 49; **C.C.Q.** 932, 933, 961, 964, 1703; **C.P.C.** 470)

Art. 963. Le possesseur de bonne foi a le droit de retenir l'immeuble jusqu'à ce qu'il ait obtenu le remboursement des impenses nécessaires ou utiles.

Le possesseur de mauvaise foi n'a ce droit qu'à l'égard des impenses nécessaires qu'il a faites.
1991, c. 64, a. 963 (1994-01-01).

C.C.B.C. 419 (**D.T.** 49; **C.C.Q.** 932, 958, 959)

Art. 964. Les impenses faites par un détenteur sont traitées suivant les règles établies pour celles qui sont faites par un possesseur de mauvaise foi.

Le détenteur ne peut, toutefois, être contraint d'acquérir le bien.
1991, c. 64, a. 964 (1994-01-01).

(**D.T.** 49; **C.C.Q.** 921, 923, 958-960, 962, 1891)

§ 2. — De l'accession naturelle

Art. 965. L'alluvion profite au propriétaire riverain.

Les alluvions sont les atterrissements et les accroissements qui se forment successivement et imperceptiblement aux fonds riverains d'un cours d'eau.
1991, c. 64, a. 965 (1994-01-01).

C.C.B.C. 420 (**C.C.Q.** 918, 919, 948, 954, 966-968, 1124)

Art. 966. Les relais que forme l'eau courante qui se retire insensiblement de l'une des rives en se portant sur l'autre profitent au propriétaire de la rive découverte, sans que le propriétaire riverain du côté opposé ne puisse rien réclamer pour le terrain perdu.

If he abandons them, the owner is bound to reimburse him for either their cost or the increase in value of the immovable, whichever is less.

Art. 962. The owner may compel the possessor in bad faith to remove the constructions, works or plantations he has made as amenities for himself and to restore the place to its former condition; if such restoration is impossible, he may keep them without compensation or compel the possessor to remove them.

Art. 963. A possessor in good faith has a right to retain the immovable until he has been reimbursed for necessary or useful disbursements.

A possessor in bad faith has no right under this article except in respect of necessary disbursements he has made.

Art. 964. Disbursements made by a person detaining property are dealt with according to the rules prescribed for disbursements made by a possessor in bad faith.

The person detaining the property is under no obligation to acquire it, however.

§ 2. — Natural accession

Art. 965. Alluvion becomes the property of the riparian owner.

Alluvion is the deposits of earth and augmentations which are gradually and imperceptibly formed on riparian lands of a watercourse.

Art. 966. Accretions left by the imperceptible recession of running water from one bank while it encroaches upon the opposite bank are acquired by the riparian owner on the bank gradually added to, and the riparian owner on the opposite bank has no claim for the lost land.

Ce droit n'a pas lieu à l'égard des relais de la mer qui font partie du domaine de l'État.

1991, c. 64, a. 966 (1994-01-01).

C.C.B.C. 421 (**C.C.Q.** 918, 919)

Art. 967. Si un cours d'eau enlève, par une force subite, une partie considérable et reconnaissable d'un fonds riverain et la porte vers un fonds inférieur ou sur la rive opposée, le propriétaire de la partie enlevée peut la réclamer.

Il est tenu, à peine de déchéance, de le faire dans l'année à compter de la prise de possession par le propriétaire du fonds auquel la partie a été réunie.

1991, c. 64, a. 967 (1994-01-01).

C.C.B.C. 423 (**C.C.Q.** 918, 919, 989, 2880)

Art. 968. Les îles qui se forment dans le lit d'un cours d'eau appartiennent au propriétaire du lit.

1991, c. 64, a. 968 (1994-01-01).

C.C.B.C. 424, 425 (**C.C.Q.** 918, 919, 954)

Art. 969. Si un cours d'eau, en formant un bras nouveau, coupe un fonds riverain et en fait une île, le propriétaire du fonds riverain conserve la propriété de l'île ainsi formée.

1991, c. 64, a. 969 (1994-01-01).

C.C.B.C. 426 (**C.C.Q.** 918, 919)

Art. 970. Si un cours d'eau abandonne son lit pour s'en former un nouveau, l'ancien est attribué aux propriétaires des fonds nouvellement occupés, dans la proportion du terrain qui leur a été enlevé.

1991, c. 64, a. 970 (1994-01-01).

C.C.B.C. 427 (**C.C.Q.** 918, 919)

SECTION II
DE L'ACCESSION MOBILIÈRE

Art. 971. Lorsque des meubles appartenant à plusieurs propriétaires ont été mélangés ou unis de telle sorte qu'il n'est plus possible de les séparer sans détérioration ou sans un travail et des frais excessifs, le nouveau bien appartient à celui des propriétaires qui a contribué davantage à sa constitution, par la valeur du bien initial ou par son travail.

1991, c. 64, a. 971 (1994-01-01).

C.C.B.C. 429 (**C.C.Q.** 905, 916, 948)

No right exists under this article in respect of accretions from the sea, which form part of the domain of the State.

Art. 967. If, by sudden force, a watercourse carries away a large and recognizable part of a riparian land to a lower land or to the opposite bank, the owner of the part carried away may reclaim it.

The owner is bound, on pain of forfeiture, to reclaim the part carried away within one year after the owner of the land it has attached to takes possession of it.

Art. 968. An island formed in the bed of a watercourse belongs to the owner of the bed.

Art. 969. If, in forming a new branch, a watercourse cuts a riparian land and thereby forms an island, the owner of the riparian land retains the ownership of the island so formed.

Art. 970. If a watercourse abandons its bed and forms a new bed, the former bed belongs to the owners of the newly occupied land, each in proportion to the land he has lost.

SECTION II
MOVABLE ACCESSION

Art. 971. Where movables belonging to several owners have been intermingled or united in such a way as to be no longer separable without deterioration or without excessive labour and cost, the new thing belongs to the owner having contributed most to its creation by the value of the original thing or by his work.

Art. 972. La personne, qui a travaillé ou transformé une matière qui ne lui appartenait pas, acquiert la propriété du nouveau bien si la valeur du travail ou de la transformation est supérieure à celle de la matière employée.

1991, c. 64, a. 972 (1994-01-01).

C.C.B.C. 429, 435 (**C.C.Q.** 911, 916, 948)

Art. 973. Le propriétaire du nouveau bien doit payer la valeur de la matière ou de la main-d'oeuvre à celui qui l'a fournie.

S'il est impossible de déterminer qui a contribué davantage à la constitution du nouveau bien, les intéressés en sont copropriétaires indivis.

1991, c. 64, a. 973 (1994-01-01).

C.C.B.C. 429, 434, 436-438 (**C.C.Q.** 916, 1012, 1030, 2103)

Art. 974. Celui qui est tenu de restituer le nouveau bien peut le retenir jusqu'au paiement de l'indemnité qui lui est due par le propriétaire du nouveau bien.

1991, c. 64, a. 974 (1994-01-01).

C.C.B.C. 441 (**C.C.Q.** 2646, 2651(3°), 2770, 2953)

Art. 975. Dans les circonstances qui ne sont pas prévues, le droit d'accession en matière mobilière est entièrement subordonné aux principes de l'équité.

1991, c. 64, a. 975 (1994-01-01).

C.C.B.C. 429 (**C.C.Q.** 948, 954, 971 ss.)

Art. 972. A person having worked on or processed material which did not belong to him acquires ownership of the new thing if the work or processing is worth more than the material used.

Art. 973. The owner of the new thing shall pay the value of the material or labour to the person having supplied it.

If it is impossible to determine who contributed most to the creation of the new thing, the interested persons are its undivided co-owners.

Art. 974. The person bound to return the new thing may retain it until its owner pays him the compensation he owes him.

Art. 975. In unforeseen circumstances, the right of accession in respect of movable property is entirely subordinate to the principles of equity.

CHAPITRE TROISIÈME
DES RÈGLES PARTICULIÈRES À LA PROPRIÉTÉ IMMOBILIÈRE

SECTION I
DISPOSITION GÉNÉRALE

CHAPTER III
SPECIAL RULES ON THE OWNERSHIP OF IMMOVABLES

SECTION I
GENERAL PROVISION

Art. 976. Les voisins doivent accepter les inconvénients normaux du voisinage qui n'excèdent pas les limites de la tolérance qu'ils se doivent, suivant la nature ou la situation de leurs fonds, ou suivant les usages locaux.

1991, c. 64, a. 976 (1994-01-01).

(**C.C.Q.** 7, 982, 990, 991, 1457, 2877)

Art. 976. Neighbours shall suffer the normal neighbourhood annoyances that are not beyond the limit of tolerance they owe each other, according to the nature or location of their land or local custom.

SECTION II
DES LIMITES DU FONDS ET DU BORNAGE

Art. 977. Les limites d'un fonds sont déterminées par les titres, les plans cadastraux et la démarcation du terrain et, au besoin, par tous autres indices ou documents utiles.

1991, c. 64, a. 977 (1994-01-01).

(C.C.Q. 978, 992, 1720, 3027)

Art. 978. Tout propriétaire peut obliger son voisin au bornage de leurs propriétés contiguës pour établir les bornes, rétablir des bornes déplacées ou disparues, reconnaître d'anciennes bornes ou rectifier la ligne séparative de leurs fonds.

Il doit au préalable, en l'absence d'accord entre eux, mettre le voisin en demeure de consentir au bornage et de convenir avec lui du choix d'un arpenteur-géomètre pour procéder aux opérations requises, suivant les règles prévues au Code de procédure civile.

Le procès-verbal de bornage doit être inscrit au registre foncier.

1991, c. 64, a. 978 (1994-01-01).

C.C.B.C. 504; **C.P.C.** 787-794 (**C.C.Q.** 921 ss., 1100, 2814(7°), 2917, 2918, 2972, 2989, 2996, 3009, 3027; **C.P.C.** 787 ss.)

SECTION III
DES EAUX

Art. 979. Les fonds inférieurs sont assujettis, envers ceux qui sont plus élevés, à recevoir les eaux qui en découlent naturellement.

Le propriétaire du fonds inférieur ne peut élever aucun ouvrage qui empêche cet écoulement. Celui du fonds supérieur ne peut aggraver la situation du fonds inférieur; il n'est pas présumé le faire s'il effectue des travaux pour conduire plus commodément les eaux à leur pente naturelle ou si, son fonds étant voué à l'agriculture, il exécute des travaux de drainage.

1991, c. 64, a. 979 (1994-01-01).

C.C.B.C. 501 (**C.C.Q.** 913, 982, 1186)

Art. 980. Le propriétaire qui a une source dans son fonds peut en user et en disposer.

Il peut, pour ses besoins, user de l'eau des lacs et étangs qui sont entièrement sur son fonds, mais en ayant soin d'en conserver la qualité.

1991, c. 64, a. 980 (1994-01-01).

C.C.B.C. 502 (**C.C.Q.** 913, 920, 951, 981, 982)

SECTION II
LIMITS AND BOUNDARIES OF LAND

Art. 977. The limits of land are determined by the titles, the cadastral plan and the boundary lines of the land, and by any other useful indication or document, if need be.

Art. 978. Every owner may compel his neighbour to have the boundaries between their contiguous lands determined in order to fix the boundary markers, set displaced or missing boundary markers back in place, verify ancient boundary markers or rectify the dividing line between their properties.

Failing agreement between them, the owner shall first make a demand to his neighbour to consent to having the boundaries determined and to agree upon the choice of a land surveyor to carry out the necessary operations according to the rules in the Code of Civil Procedure.

The minutes of the determination of the boundaries shall be entered in the land register.

SECTION III
WATERS

Art. 979. Lower land is subject to receiving water flowing onto it naturally from higher land.

The owner of lower land has no right to erect works to prevent the natural flow. The owner of higher land has no right to aggravate the condition of lower land, and is not presumed to do so if he carries out work to facilitate the natural run-off or, where his land is devoted to agriculture, he carries out drainage work.

Art. 980. An owner who has a spring on his land may use it and dispose of it.

He may, for his needs, use water from the lakes and ponds that are entirely on his land, taking care to preserve their quality.

Art. 981. Le propriétaire riverain peut, pour ses besoins, se servir d'un lac, de la source tête d'un cours d'eau ou de tout autre cours d'eau qui borde ou traverse son fonds. À la sortie du fonds, il doit rendre ces eaux à leur cours ordinaire, sans modification importante de la qualité et de la quantité de l'eau.

Il ne peut, par son usage, empêcher l'exercice des mêmes droits par les autres personnes qui utilisent ces eaux.

1991, c. 64, a. 981 (1994-01-01).

C.C.B.C. 503 (**C.C.Q.** 913, 919-921, 929, 979)

Art. 982. À moins que cela ne soit contraire à l'intérêt général, celui qui a droit à l'usage d'une source, d'un lac, d'une nappe d'eau ou d'une rivière souterraine, ou d'une eau courante, peut, de façon à éviter la pollution ou l'épuisement de l'eau, exiger la destruction ou la modification de tout ouvrage qui pollue ou épuise l'eau.

1991, c. 64, a. 982 (1994-01-01).

(**C.C.Q.** 913, 951, 980, 981)

Art. 983. Les toits doivent être établis de manière que les eaux, les neiges et les glaces tombent sur le fonds du propriétaire.

1991, c. 64, a. 983 (1994-01-01).

C.C.B.C. 539 (**C.C.Q.** 947, 979, 1179)

SECTION IV
DES ARBRES

Art. 984. Les fruits qui tombent d'un arbre sur un fonds voisin appartiennent au propriétaire de l'arbre.

1991, c. 64, a. 984 (1994-01-01).

C.C.B.C. 408, 409 (**C.C.Q.** 900, 910, 916, 947-949, 989; **C.P.C.** 470)

Art. 985. Le propriétaire peut, si des branches ou des racines venant du fonds voisin s'avancent sur son fonds et nuisent sérieusement à son usage, demander à son voisin de les couper; en cas de refus, il peut le contraindre à les couper.

Il peut aussi, si un arbre du fonds voisin menace de tomber sur son fonds, contraindre son voisin à abattre l'arbre ou à le redresser.

1991, c. 64, a. 985 (1994-01-01).

C.C.B.C. 529 (**C.C.Q.** 7, 947, 951, 976, 986, 991; **C.P.C.** 751 ss.)

Art. 981. A riparian owner may, for his needs, make use of a lake, the headwaters of a watercourse or any other watercourse bordering or crossing his land. As the water leaves his land, he shall direct it, not substantially changed in quality or quantity, into its regular course.

No riparian owner may by his use of the water prevent other riparian owners from exercising the same right.

Art. 982. Unless it is contrary to the general interest, a person having a right to use a spring, lake, sheet of water, underground stream or any running water may, to prevent the water from being polluted or used up, require the destruction or modification of any works by which the water is being polluted or dried up.

Art. 983. Roofs are required to be built in such a manner that water, snow and ice fall on the owner's land.

SECTION IV
TREES

Art. 984. Fruit that falls from a tree onto neighbouring land belongs to the owner of the tree.

Art. 985. If branches or roots extend over or upon an owner's land from the neighbouring land and seriously obstruct its use, the owner may request his neighbour to cut them and, if he refuses, compel him to do so.

If a tree on the neighbouring land is in danger of falling on the owner's land, he may compel his neighbour to fell the tree, or to right it.

Art. 986. Le propriétaire d'un fonds exploité à des fins agricoles peut contraindre son voisin à faire abattre, le long de la ligne séparative, sur une largeur qui ne peut excéder cinq mètres, les arbres qui nuisent sérieusement à son exploitation, sauf ceux qui sont dans les vergers et les érablières ou qui sont conservés pour l'embellissement de la propriété.

1991, c. 64, a. 986 (1994-01-01).

Art. 986. The owner of land used for agricultural purposes may compel his neighbour to fell the trees along and not over five metres from the dividing line, if they are seriously damaging to his operations, except trees in an orchard or sugar bush and trees preserved to embellish the property.

C.C.B.C. 531 (**C.C.Q.** 951, 976, 985, 991; **C.P.C.** 751 ss.)

SECTION V
DE L'ACCÈS AU FONDS D'AUTRUI ET DE SA PROTECTION

SECTION V
ACCESS TO AND PROTECTION OF THE LAND OF ANOTHER

Art. 987. Tout propriétaire doit, après avoir reçu un avis, verbal ou écrit, permettre à son voisin l'accès à son fonds si cela est nécessaire pour faire ou entretenir une construction, un ouvrage ou une plantation sur le fonds voisin.

1991, c. 64, a. 987 (1994-01-01).

Art. 987. Every owner of land, after having been notified verbally or in writing, shall allow his neighbour access to it if that is necessary to make or maintain a construction, works or plantation on the neighbouring land.

(**C.C.Q.** 976, 988, 1003)

Art. 988. Le propriétaire qui doit permettre l'accès à son fonds a droit à la réparation du préjudice qu'il subit de ce seul fait et à la remise de son fonds en l'état.

1991, c. 64, a. 988 (1994-01-01).

Art. 988. An owner bound to give access to his land is entitled to compensation for any damage he sustains as a result of that sole fact and to the restoration of his land to its former condition.

(**C.C.Q.** 947, 976, 987)

Art. 989. Lorsque, par l'effet d'une force naturelle ou majeure, des biens sont entraînés sur le fonds d'autrui ou s'y transportent, le propriétaire de ce fonds doit en permettre la recherche et l'enlèvement, à moins qu'il ne procède lui-même immédiatement à la recherche et ne remette les biens.

Ces biens, objets ou animaux, continuent d'appartenir à leur propriétaire, sauf s'il en abandonne la recherche; dans ce cas, le propriétaire du fonds les acquiert, à moins qu'il ne contraigne le propriétaire de ces biens à les enlever et à remettre son fonds dans son état antérieur.

1991, c. 64, a. 989 (1994-01-01).

Art. 989. Where a thing is carried or strays onto the land of another by the effect of a natural or superior force, the owner of that land shall allow the thing to be searched for and removed, unless he immediately searches for it himself and returns it.

The thing, whether object or animal, does not cease to belong to its owner unless he abandons the search, in which case it is acquired by the owner of the land unless he compels the owner of the thing to remove it and to restore his land to its former condition.

C.C.B.C. 428 (**C.C.Q.** 934, 935, 939, 940, 948, 967, 976, 984)

Art. 990. Le propriétaire du fonds doit exécuter les travaux de réparation ou de démolition qui s'imposent afin d'éviter la chute d'une construction ou d'un ouvrage qui est sur son fonds et qui menace de tomber sur le fonds voisin, y compris sur la voie publique.

1991, c. 64, a. 990 (1994-01-01).

Art. 990. The owner of land shall do any repair or demolition work needed to prevent the collapse of a construction or works situated on his land that is in danger of falling onto the neighbouring land, including a public road.

(**C.C.Q.** 976, 991, 1467, 2118)

Art. 991. Le propriétaire du fonds ne doit pas, s'il fait des constructions, ouvrages ou plantations sur son fonds, ébranler le fonds voisin ni compromettre la solidité des constructions, ouvrages ou plantations qui s'y trouvent.

1991, c. 64, a. 991 (1994-01-01).

(**C.C.Q.** 947, 985, 986, 990, 1467, 2118)

Art. 992. Le propriétaire de bonne foi qui a bâti au-delà des limites de son fonds sur une parcelle de terrain qui appartient à autrui doit, au choix du propriétaire du fonds sur lequel il a empiété, soit acquérir cette parcelle en lui en payant la valeur, soit lui verser une indemnité pour la perte temporaire de l'usage de cette parcelle.

Si l'empiétement est considérable, cause un préjudice sérieux ou est fait de mauvaise foi, le propriétaire du fonds qui le subit peut contraindre le constructeur soit à acquérir son immeuble et à lui en payer la valeur, soit à enlever les constructions et à remettre les lieux en l'état.

1991, c. 64, a. 992 (1994-01-01).

(**C.C.Q.** 951, 952, 954 ss., 977, 978)

SECTION VI
DES VUES

Art. 993. On ne peut avoir sur le fonds voisin de vues droites à moins d'un mètre cinquante de la ligne séparative.

Cette règle ne s'applique pas lorsqu'il s'agit de vues sur la voie publique ou sur un parc public, ou lorsqu'il s'agit de portes pleines ou à verre translucide.

1991, c. 64, a. 993 (1994-01-01); 1992, c. 57, a. 716 (1994-01-01).

C.C.B.C. 536 (**C.C.Q.** 977, 994, 995, 1179, 1191, 1192)

Art. 994. La distance d'un mètre cinquante se mesure depuis le parement extérieur du mur où l'ouverture est faite et perpendiculairement à celui-ci jusqu'à la ligne séparative. S'il y a une fenêtre en saillie, cette distance se mesure depuis la ligne extérieure.

1991, c. 64, a. 994 (1994-01-01).

C.C.B.C. 538 (**C.C.Q.** 977, 993)

Art. 995. Des jours translucides et dormants peuvent être pratiqués dans un mur qui n'est pas mitoyen, même si celui-ci est à moins d'un mètre cinquante de la ligne séparative.

1991, c. 64, a. 995 (1994-01-01).

C.C.B.C. 534, 535 (**C.C.Q.** 994, 996, 1004)

Art. 991. Where the owner of land erects a construction or works or makes a plantation on his land, he may not disturb the neighbouring land or undermine the constructions, works or plantations situated on it.

Art. 992. Where an owner has, in good faith, built beyond the limits of his land on a parcel of land belonging to another, he shall, as the owner of the land he has encroached upon elects, acquire the parcel by paying him its value, or pay him compensation for the temporary loss of use of the parcel.

If the encroachment is a considerable one, causes serious damage or is made in bad faith, the owner of the land encroached upon may compel the builder to acquire his immovable and to pay him its value, or to remove the constructions and to restore the place to its former condition.

SECTION VI
VIEWS

Art. 993. No person may have upon the neighbouring land direct views less than one hundred and fifty centimetres from the dividing line.

This rule does not apply in the case of views on the public thoroughfare or on a public park or in the case of panelled doors or doors with translucid glass.

Art. 994. The distance of one hundred and fifty centime tres is measured from the exterior facing of the wall where the opening is made and perpendicularly therefrom to the dividing line. In the case of a projecting window, the distance is measured from the exterior line.

Art. 995. A person may make fixed translucid lights in a wall that is not a common wall, even if it is less than one hundred and fifty centimetres from the dividing line.

Art. 996. Le copropriétaire d'un mur mitoyen ne peut y pratiquer d'ouverture sans l'accord de l'autre.

1991, c. 64, a. 996 (1994-01-01).

C.C.B.C. 533 (**C.C.Q.** 1003, 1005)

Art. 996. A co-owner of a common wall has no right to make any opening in it without the agreement of the other co-owner.

SECTION VII
DU DROIT DE PASSAGE

SECTION VII
RIGHT OF WAY

Art. 997. Le propriétaire dont le fonds est enclavé soit qu'il n'ait aucune issue sur la voie publique, soit que l'issue soit insuffisante, difficile ou impraticable, peut, si on refuse de lui accorder une servitude ou un autre mode d'accès, exiger de l'un de ses voisins qu'il lui fournisse le passage nécessaire à l'utilisation et à l'exploitation de son fonds.

Il paie alors une indemnité proportionnelle au préjudice qu'il peut causer.

1991, c. 64, a. 997 (1994-01-01).

C.C.B.C. 540 (**C.C.Q.** 998-1001, 1177, 1179, 1186, 1187; **C.P.C.** 55, 440, 751)

Art. 997. The owner of land enclosed by that of others in such a way that there is no access or only an inadequate, difficult or impassable access to it from the public road may, if all his neighbours refuse to grant him a servitude or another mode of access, require one of them to provide him with the necessary right of way to use and exploit his land.

Where an owner claims his right under this article, he pays compensation proportionate to any damage he might cause.

Art. 998. Le droit de passage s'exerce contre le voisin à qui le passage peut être le plus naturellement réclamé, compte tenu de l'état des lieux, de l'avantage du fonds enclavé et des inconvénients que le passage occasionne au fonds qui le subit.

1991, c. 64, a. 998 (1994-01-01).

C.C.B.C. 541, 542 (**C.C.Q.** 997, 999-1001, 1179, 1186, 1187)

Art. 998. Right of way is claimed from the owner whose land affords the most natural way out, taking into consideration the condition of the place, the benefit to the enclosed land and the inconvenience caused by the right of way to the land on which it is exercised.

Art. 999. Si l'enclave résulte de la division du fonds par suite d'un partage, d'un testament ou d'un contrat, le passage ne peut être demandé qu'au copartageant, à l'héritier ou au contractant, et non au propriétaire du fonds à qui le passage aurait été le plus naturellement réclamé. Le passage est alors fourni sans indemnité.

1991, c. 64, a. 999 (1994-01-01).

C.C.B.C. 543 (**C.C.Q.** 997, 998)

Art. 999. If land is enclosed as a result of the division of land pursuant to a partition, will or contract, right of way may be claimed only from a co-partitioner, heir or contracting party, not from the owner whose land affords the most natural way out, and in this case the way is provided without compensation.

Art. 1000. Le bénéficiaire du droit de passage doit faire et entretenir tous les ouvrages nécessaires pour que son droit s'exerce dans les conditions les moins dommageables pour le fonds qui le subit.

1991, c. 64, a. 1000 (1994-01-01).

(**C.C.Q.** 988, 1179, 1187, 1189)

Art. 1000. The beneficiary of a right of way shall build and maintain all the works necessary to ensure that his right is exercised under conditions that cause the least possible damage to the land on which it is exercised.

Art. 1001. Le droit de passage prend fin lorsqu'il cesse d'être nécessaire à l'utilisation et à l'exploitation du fonds. Il n'y a pas lieu à remboursement de l'indemnité; si elle était payable par annuités ou par versements, ceux-ci cessent d'être dus pour l'avenir.

1991, c. 64, a. 1001 (1994-01-01).

Art. 1001. Right of way is extinguished when it ceases to be necessary for the use and exploitation of the land. The compensation is not reimbursed, but if it was payable as an annual rent or by instalments, future payments of these are no longer due.

C.C.B.C. 544 (**C.C.Q.** 997-1000)

SECTION VIII
DES CLÔTURES ET DES OUVRAGES MITOYENS

Art. 1002. Tout propriétaire peut clore son terrain à ses frais, l'entourer de murs, de fossés, de haies ou de toute autre clôture.

Il peut également obliger son voisin à faire sur la ligne séparative, pour moitié ou à frais communs, un ouvrage de clôture servant à séparer leurs fonds et qui tienne compte de la situation et de l'usage des lieux.

1991, c. 64, a. 1002 (1994-01-01).

SECTION VIII
COMMON FENCES AND WORKS

Art. 1002. Any owner of land may fence it, at his own expense, with walls, ditches, hedges or any other kind of fence.

He may also require his neighbour to make one-half of or share the cost of making a fence which is suited to the situation and use made of the premises, on the dividing line to divide his land from his neighbour's land.

C.C.B.C. 505, 520 (**C.C.Q.** 947, 951, 959 al. 1, 976-978, 987, 992, 996, 1003, 1004, 1006; **C.P.C.** 751 ss.)

Art. 1003. Toute clôture qui se trouve sur la ligne séparative est présumée mitoyenne. De même, le mur auquel sont appuyés, de chaque côté, des bâtiments est présumé mitoyen jusqu'à l'héberge.

1991, c. 64, a. 1003 (1994-01-01).

Art. 1003. A fence on the dividing line is presumed to be common. Similarly, a wall supporting buildings on either side is presumed to be common up to the point of disjunction.

C.C.B.C. 510, 523-525, 527, 530 (**C.C.Q.** 987, 996, 1002, 1004-1008, 1045, 2846, 2847)

Art. 1004. Tout propriétaire peut acquérir la mitoyenneté d'un mur privatif joignant directement la ligne séparative en remboursant au propriétaire du mur la moitié du coût de la portion rendue mitoyenne et, le cas échéant, la moitié de la valeur du sol utilisé. Le coût du mur est estimé à la date de l'acquisition de sa mitoyenneté compte tenu de l'état dans lequel il se trouve.

1991, c. 64, a. 1004 (1994-01-01).

Art. 1004. Any owner may cause a private wall directly adjacent to the dividing line to be rendered common by reimbursing the owner of the wall for one-half of the cost of the section rendered common and, where applicable, one-half of the value of the ground used. The cost of the wall is estimated on the date on which it was rendered common, and account is taken of its state.

C.C.B.C. 518 (**C.C.Q.** 952, 1008)

Art. 1005. Chaque propriétaire peut bâtir contre un mur mitoyen et y placer des poutres et des solives. Il doit obtenir l'accord de l'autre propriétaire sur la façon de le faire.

En cas de désaccord, il peut demander au tribunal de déterminer les moyens nécessaires pour que le nouvel ouvrage nuise le moins possible aux droits de l'autre propriétaire.

1991, c. 64, a. 1005 (1994-01-01).

Art. 1005. Each owner may build against a common wall and set beams and joists against it. He shall obtain the concurrence of the other owner on how to proceed.

In case of disagreement, the owner may apply to the court to determine the means necessary to ensure that the new works infringe the rights of the other owner as little as possible.

C.C.B.C. 514, 519 (**C.C.Q.** 996, 1007, 1008; **C.P.C.** 440, 751 ss.)

Art. 1006. L'entretien, la réparation et la reconstruction du mur mitoyen sont à la charge des propriétaires, proportionnellement aux droits de chacun.

Le propriétaire qui n'utilise pas le mur mitoyen peut abandonner son droit et ainsi se libérer de son obligation de contribuer aux charges, en produisant un avis en ce sens au bureau de la publicité des droits et en transmettant sans délai une copie de cet avis aux autres propriétaires. Cet avis emporte renonciation à faire usage du mur.

1991, c. 64, a. 1006 (1994-01-01).

Art. 1006. The maintenance, repair and rebuilding of a common wall are at the expense of each owner in proportion to his right.

An owner who does not use the common wall may renounce his right and thereby be relieved of his obligation to share the expenses by producing a notice to that effect at the registry office and transmitting a copy of the notice to the other owners without delay. The notice entails renunciation of the right to make use of the wall.

C.C.B.C. 512, 513 (**C.C.Q.** 1002, 1005, 1007, 1008, 2938)

Art. 1007. Le copropriétaire d'un mur mitoyen a le droit de le faire exhausser à ses frais, après s'être assuré, au moyen d'une expertise, que le mur est en état de supporter l'exhaussement; il doit payer à l'autre, à titre d'indemnité, un sixième du coût de l'exhaussement.

Si le mur n'est pas en état de supporter l'exhaussement, il doit le reconstruire en entier, à ses frais, et l'excédent d'épaisseur doit se prendre de son côté.

1991, c. 64, a. 1007 (1994-01-01).

Art. 1007. A co-owner of a common wall has a right to heighten it at his own expense after ascertaining by means of an expert appraisal that it can withstand it, and shall pay one-sixth of the cost of the heightening to the other as compensation.

If the wall cannot withstand heightening, the owner shall rebuild the entire wall at his own expense, any excess thickness going on his own side.

C.C.B.C. 515, 516 (**C.C.Q.** 1008)

Art. 1008. La partie du mur exhaussé appartient à celui qui l'a faite et il en supporte les frais d'entretien, de réparation et de reconstruction.

Le voisin qui n'a pas contribué à l'exhaussement peut cependant en acquérir la mitoyenneté en payant la moitié du coût d'exhaussement ou de reconstruction et, le cas échéant, la moitié de la valeur du sol fourni pour l'excédent d'épaisseur. Il doit, en outre, rembourser l'indemnité reçue.

1991, c. 64, a. 1008 (1994-01-01).

Art. 1008. The heightened part of the wall belongs to the person who made it, and the cost of its maintenance, repair and rebuilding is his responsibility.

The neighbour who did not contribute to the heightening may nevertheless acquire common ownership of it by paying one-half of the cost of the heightening or rebuilding and, where applicable, one-half of the value of the ground provided for excess thickness. He shall also repay any compensation he has received.

C.C.B.C. 517 (**C.C.Q.** 1004, 1007)

TITRE TROISIÈME
DES MODALITÉS DE LA PROPRIÉTÉ

CHAPITRE PREMIER
DISPOSITIONS GÉNÉRALES

Art. 1009. Les principales modalités de la propriété sont la copropriété et la propriété superficiaire.

1991, c. 64, a. 1009 (1994-01-01).

_____

(C.C.Q. 947, 1010, 1011)

Art. 1010. La copropriété est la propriété que plusieurs personnes ont ensemble et concurremment sur un même bien, chacune d'elles étant investie, privativement, d'une quote-part du droit.

Elle est dite par indivision lorsque le droit de propriété ne s'accompagne pas d'une division matérielle du bien.

Elle est dite divise lorsque le droit de propriété se répartit entre les copropriétaires par fractions comprenant chacune une partie privative, matériellement divisée, et une quote-part des parties communes.

1991, c. 64, a. 1010 (1994-01-01).

_____

C.C.B.C. 441b (**C.C.Q.** 1012 ss., 1038 ss.)

Art. 1011. La propriété superficiaire est celle des constructions, ouvrages ou plantations situés sur l'immeuble appartenant à une autre personne, le tréfoncier.

1991, c. 64, a. 1011 (1994-01-01).

_____

C.C.B.C. 415 (**C.C.Q.** 955, 1110-1118)

TITLE THREE
SPECIAL MODES OF OWNERSHIP

CHAPTER I
GENERAL PROVISIONS

Art. 1009. Ownership has two principal special modes, co-ownership and superficies.

Art. 1010. Co-ownership is ownership of the same property, jointly and at the same time, by several persons each of whom is privately vested with a share of the right of ownership.

Co-ownership is called undivided where the right of ownership is not accompanied with a physical division of the property.

It is called divided where the right of ownership is apportioned among the co-owners in fractions, each comprising a physically divided private portion and a share of the common portions.

Art. 1011. Superficies is ownership of the constructions, works or plantations situated on an immovable belonging to another person, the owner of the subsoil.

CHAPITRE DEUXIÈME
DE LA COPROPRIÉTÉ PAR INDIVISION

SECTION I
DE L'ÉTABLISSEMENT DE L'INDIVISION

Art. 1012. L'indivision peut résulter d'un contrat, d'une succession, d'un jugement ou de la loi.

1991, c. 64, a. 1012 (1994-01-01).

CHAPTER II
UNDIVIDED CO-OWNERSHIP

SECTION I
ESTABLISHMENT OF INDIVISION

Art. 1012. Indivision arises from a contract, succession or judgment or by operation of law.

_____

(D.T. 51; **C.C.Q.** 215, 460, 487, 613 ss., 837, 839 ss., 973, 1030, 1032, 2252; **C.P.C.** 809-811)

Art. 1013. Les indivisaires peuvent, par écrit, convenir de reporter le partage du bien à l'expiration de la durée prévue de l'indivision.

Cette convention ne doit pas excéder trente ans, mais elle peut être renouvelée. La convention qui excède trente ans est réduite à cette durée.

1991, c. 64, a. 1013 (1994-01-01).

(**D.T.** 51; **C.C.Q.** 215 al. 1, 286, 1030-1032; **C.P.C.** 809-811)

Art. 1014. L'indivision conventionnelle portant sur un immeuble doit être publiée pour être opposable aux tiers. La publication porte notamment sur la durée prévue de l'indivision, sur l'identification des parts des indivisaires et, le cas échéant, sur les droits de préemption accordés ou sur l'attribution d'un droit d'usage ou de jouissance exclusive d'une partie du bien indivis.

1991, c. 64, a. 1014 (1994-01-01).

(**D.T.** 51; **C.C.Q.** 1013, 2941)

SECTION II
DES DROITS ET OBLIGATIONS DES INDIVISAIRES

Art. 1015. Les parts des indivisaires sont présumées égales.

Chacun des indivisaires a, relativement à sa part, les droits et les obligations d'un propriétaire exclusif. Il peut ainsi l'aliéner ou l'hypothéquer, et ses créanciers peuvent la saisir.

1991, c. 64, a. 1015 (1994-01-01).

(**D.T.** 51; **C.C.Q.** 886, 1026, 1787, 1788, 2679, 2847)

Art. 1016. Chaque indivisaire peut se servir du bien indivis, à la condition de ne porter atteinte ni à sa destination ni aux droits des autres indivisaires.

Celui qui a l'usage et la jouissance exclusive du bien est redevable d'une indemnité.

1991, c. 64, a. 1016 (1994-01-01).

(**D.T.** 51; **C.C.Q.** 947, 1015, 1017, 1958)

Art. 1017. Le droit d'accession profite à tous les indivisaires en proportion de leur part dans l'indivision; néanmoins, lorsqu'un indivisaire bénéficie d'un droit d'usage ou de jouissance exclusive sur une partie du bien indivis, le titulaire de ce droit a

Art. 1013. The undivided co-owners may agree, in writing, to postpone partition of a property on expiry of the provided period of indivision.

Such an agreement may not exceed thirty years, but is renewable. An agreement exceeding thirty years is reduced to that term.

Art. 1014. Indivision by agreement in respect of an immovable shall be published if it is to be set up against third persons. In particular, publication mentions the expected length of indivision, the identification of the shares of the co-owners and, where applicable, the pre-emptive rights granted or the awarding of a right of exclusive use or enjoyment of a portion of the undivided property.

SECTION II
RIGHTS AND OBLIGATIONS OF UNDIVIDED CO-OWNERS

Art. 1015. The shares of undivided co-owners are presumed equal.

Each undivided co-owner has the rights and obligations of an exclusive owner as regards his share. Thus, each may alienate or hypothecate his share and his creditors may seize it.

Art. 1016. Each undivided co-owner may make use of the undivided property provided he does not affect its destination or the rights of the other co-owners.

If one of the co-owners has exclusive use and enjoyment of the property, he is liable for compensation.

Art. 1017. The right of accession operates to the benefit of all the undivided co-owners proportionately to their shares in the indivision. Nevertheless, where a co-owner holds a right of exclusive use or enjoyment of a portion of the undivided property, he

aussi l'usage ou la jouissance exclusive de ce qui s'unit ou s'incorpore à cette partie.

1991, c. 64, a. 1017 (1994-01-01).

(D.T. 51; **C.C.Q.** 948, 954 ss., 1016, 1020)

Art. 1018. Les fruits et revenus du bien indivis accroissent à l'indivision, à défaut de partage provisionnel ou de tout autre accord visant leur distribution périodique; ils accroissent encore à l'indivision s'ils ne sont pas réclamés dans les trois ans de leur date d'échéance.

1991, c. 64, a. 1018 (1994-01-01).

(D.T. 51; **C.C.Q.** 910, 948, 949)

Art. 1019. Les indivisaires sont tenus, à proportion de leur part, des frais d'administration et des autres charges communes qui se rapportent au bien indivis.

1991, c. 64, a. 1019 (1994-01-01).

(D.T. 51; **C.C.Q.** 1006, 1015, 1025, 1064)

Art. 1020. Chaque indivisaire a droit au remboursement des impenses nécessaires qu'il a faites pour conserver le bien indivis. Pour les autres impenses autorisées, il a droit, au moment du partage, à une indemnité égale à la plus-value donnée au bien.

Inversement, l'indivisaire répond des pertes qui diminuent, par son fait, la valeur du bien indivis.

1991, c. 64, a. 1020 (1994-01-01).

(D.T. 51; **C.C.Q.** 957-959)

Art. 1021. Le partage qui a lieu avant le moment fixé par la convention d'indivision n'est pas opposable au créancier qui détient une hypothèque sur une part indivise du bien, à moins qu'il n'ait consenti au partage ou que son débiteur ne conserve un droit de propriété sur quelque partie du bien.

1991, c. 64, a. 1021 (1994-01-01).

C.C.B.C. 2021 **(D.T.** 51; **C.C.Q.** 877, 884, 885, 1037, 2679; **C.P.C.** 809-811)

Art. 1022. Tout indivisaire peut, dans les soixante jours où il apprend qu'une personne étrangère à l'indivision a acquis, à titre onéreux, la part d'un indivisaire, l'écarter de l'indivision en lui remboursant le prix de la cession et les frais qu'elle a acquittés. Ce droit doit être exercé dans l'année qui suit l'acquisition de la part.

also has exclusive use or enjoyment of property joined or incorporated with that portion.

Art. 1018. The fruits and revenues of the undivided property accrue to the indivision, where there is no provisional partition and where no other agreement exists with respect to their periodic distribution. They also accrue to the indivision if they are not claimed within three years from their due date.

Art. 1019. The undivided co-owners are liable proportionately to their shares for the costs of administration and the other common charges related to the undivided property.

Art. 1020. Each undivided co-owner is entitled to be reimbursed for necessary disbursements he has made to preserve the undivided property. For other authorized disbursements, he is entitled, at partition, to compensation equal to the increase in value given to the property.

Conversely, each undivided co-owner is accountable for any loss which by his doing decreases the value of the undivided property.

Art. 1021. Partition which takes place before the time fixed by the indivision agreement may not be set up against a creditor holding a hypothec on an undivided portion of the property unless he has consented to the partition or unless his debtor preserves a right of ownership over some part of the property.

Art. 1022. Any undivided co-owner, within sixty days of learning that a third person has, by onerous title, acquired the share of an undivided co-owner, may exclude him from the indivision by reimbursing him for the transfer price and the expenses he has paid. This right may be exercised only within one year from the acquisition of the share.

Le droit de retrait ne peut être exercé lorsque les indivisaires ont, dans la convention d'indivision, stipulé des droits de préemption et que, portant sur un immeuble, ces droits ont été publiés.

1991, c. 64, a. 1022 (1994-01-01).

(**D.T.** 51; **C.C.Q.** 848, 1023, 1024, 2939, 2943)

Art. 1023. L'indivisaire qui a fait inscrire son adresse au bureau de la publicité des droits peut, dans les soixante jours de la notification qui lui est faite de l'intention d'un créancier de faire vendre la part d'un indivisaire ou de la prendre en paiement d'une obligation, être subrogé dans les droits du créancier en lui payant la dette de l'indivisaire et les frais.

Il ne peut opposer, s'il n'a pas fait inscrire son adresse, son droit de retrait à un créancier ou aux ayants cause de celui-ci.

1991, c. 64, a. 1023 (1994-01-01).

(**D.T.** 51; **C.C.Q.** 1022, 1024, 1651, 3022, 3023)

Art. 1024. Si plusieurs indivisaires exercent leur droit de retrait ou de subrogation sur la part d'un indivisaire, ils la partagent proportionnellement à leur droit dans l'indivision.

1991, c. 64, a. 1024 (1994-01-01).

(**D.T.** 51; **C.C.Q.** 1015, 1022, 1023)

SECTION III
DE L'ADMINISTRATION DU BIEN INDIVIS

Art. 1025. Les indivisaires administrent le bien en commun.

1991, c. 64, a. 1025 (1994-01-01).

(**D.T.** 51; **C.C.Q.** 1015, 1019, 1026-1029)

Art. 1026. Les décisions relatives à l'administration du bien sont prises à la majorité des indivisaires, en nombre et en parts.

Les décisions visant à aliéner le bien indivis, à le partager, à le grever d'un droit réel, à en changer la destination ou à y apporter des modifications substantielles sont prises à l'unanimité.

1991, c. 64, a. 1026 (1994-01-01).

(**D.T.** 51; **C.C.Q.** 886, 1015, 1019, 1027, 1029, 1036, 1332 ss., 2130; **C.P.C.** 809 ss.)

The right of redemption may not be exercised where the co-owners have stipulated pre-emptive rights in the indivision agreement and where such rights, if they are rights in an immovable, have been published.

Art. 1023. An undivided co-owner having caused his address to be registered at the registry office may, within sixty days of being notified of the intention of a creditor to sell the share of an undivided co-owner or to take it in payment of an obligation, be subrogated to the rights of the creditor by paying him the debt of the undivided co-owner, with costs.

An undivided co-owner not having caused his address to be registered has no right of redemption against a creditor or the successors of the creditor.

Art. 1024. If several undivided co-owners exercise their rights of redemption or subrogation against the share of an undivided co-owner, it is partitioned among them proportionately to their rights in the undivided property.

SECTION III
ADMINISTRATION OF UNDIVIDED PROPERTY

Art. 1025. Undivided co-owners of property administer it jointly.

Art. 1026. Administrative decisions are taken by a majority in number and shares of the undivided co-owners.

Decisions in view of alienating or partitioning the undivided property, charging it with a real right, changing its destination or making substantial alterations to it require unanimous approval.

Art. 1027. L'administration d'un bien indivis peut être confiée à un gérant choisi, ou non, parmi les indivisaires et nommé par eux.

Le tribunal peut, à la demande d'un indivisaire, désigner le gérant et fixer les conditions de sa charge lorsque le choix de la personne à nommer ne reçoit pas l'assentiment de la majorité, en nombre et en parts, des indivisaires, ou en cas d'impossibilité de pourvoir à la nomination ou au remplacement du gérant.

1991, c. 64, a. 1027 (1994-01-01).

(D.T. 51; **C.C.Q.** 1028, 1029, 1299, 1301-1305; **C.P.C.** 809 ss., 885b))

Art. 1028. L'indivisaire qui administre le bien indivis à la connaissance des autres indivisaires et sans opposition de leur part est présumé avoir été nommé gérant.

1991, c. 64, a. 1028 (1994-01-01).

(D.T. 51; **C.C.Q.** 1029, 1482, 2846, 2847)

Art. 1029. Le gérant agit seul à l'égard du bien indivis, à titre d'administrateur du bien d'autrui chargé de la simple administration.

1991, c. 64, a. 1029 (1994-01-01).

(D.T. 51, 73; **C.C.Q.** 1027, 1028, 1299, 1301-1305; **C.P.C.** 809 ss.)

Art. 1027. The undivided co-owners may appoint one of their number or another person as manager and entrust him with the administration of the undivided property.

The court may designate the manager on the motion of one of the undivided co-owners and determine his responsibilities where a majority in number and shares of the undivided co-owners cannot agree on whom to appoint, or where it is impossible to appoint or replace the manager.

Art. 1028. Where one of the undivided co-owners administers the undivided property with the knowledge of the others and without objection on their part, he is presumed to have been appointed manager.

Art. 1029. The manager acts alone with respect to the undivided property as administrator of the property of others charged with simple administration.

SECTION IV
DE LA FIN DE L'INDIVISION ET DU PARTAGE

Art. 1030. Nul n'est tenu de demeurer dans l'indivision. Le partage peut toujours être provoqué, à moins qu'il n'ait été reporté par une convention, par une disposition testamentaire, par un jugement ou par l'effet de la loi, ou qu'il n'ait été rendu impossible du fait de l'affectation du bien à un but durable.

1991, c. 64, a. 1030 (1994-01-01).

SECTION IV
END OF INDIVISION AND PARTITION

Art. 1030. No one is bound to remain in indivision; partition may be demanded at any time unless it has been postponed by agreement, a testamentary disposition, a judgment, or operation of law, or unless it has become impossible because the property has been appropriated to a durable purpose.

C.C.B.C. 689 **(D.T.** 51; **C.C.Q.** 8, 9, 836, 837, 842-845, 885, 1013, 1032, 1035, 1048, 1260 ss., 1411; **C.P.C.** 809 ss.)

Art. 1031. Malgré toute convention contraire, les trois quarts des indivisaires, représentant 90 p. 100 des parts, peuvent mettre fin à la copropriété indivise d'un immeuble principalement à usage d'habitation pour en établir la copropriété divise.

Les indivisaires peuvent satisfaire ceux qui s'opposent à l'établissement d'une copropriété divise et qui refusent de signer la déclaration de copropriété

Art. 1031. Notwithstanding any agreement to the contrary, three-quarters of the undivided co-owners representing ninety per cent of the shares may terminate the undivided co-ownership of a mainly residential immovable in order to establish divided co-ownership of it.

The undivided co-owners may satisfy those who object to the establishment of divided co-ownership and who refuse to sign the declaration of co-

en leur attribuant leur part en numéraire; la part de chaque indivisaire est alors augmentée en proportion de son paiement.

1991, c. 64, a. 1031 (1994-01-01).

C.C.B.C. 689 (**D.T.** 51; **C.C.Q.** 885, 1036, 1037)

Art. 1032. À la demande d'un indivisaire, le tribunal peut, afin d'éviter une perte, surseoir au partage immédiat de tout ou partie du bien et maintenir l'indivision pour une durée d'au plus deux ans.

Cette décision peut être révisée si les causes qui ont justifié le maintien de l'indivision ont cessé ou si l'indivision est devenue intolérable ou présente de grands risques pour les indivisaires.

1991, c. 64, a. 1032 (1994-01-01).

(**D.T.** 51; **C.C.Q.** 215, 286, 839 ss., 843, 845, 1036, 1037; **C.P.C.** 809 ss.)

Art. 1033. Les indivisaires peuvent toujours satisfaire celui qui s'oppose au maintien de l'indivision en lui attribuant sa part, selon sa préférence, soit en nature, pourvu qu'elle soit aisément détachable du reste du bien indivis, soit en numéraire.

Si la part est attribuée en nature, les indivisaires peuvent accorder celle qui est la moins nuisible à l'exercice de leurs droits.

Si la part est attribuée en numéraire, la part de chaque indivisaire est alors augmentée en proportion de son paiement.

1991, c. 64, a. 1033 (1994-01-01).

(**D.T.** 51; **C.C.Q.** 846, 1032, 1034)

Art. 1034. Si les indivisaires ne s'entendent pas sur la part à attribuer à l'un d'eux, en nature ou en numéraire, une expertise ou une évaluation est faite par une personne désignée par tous les indivisaires ou, s'ils ne s'accordent pas entre eux, par le tribunal.

1991, c. 64, a. 1034 (1994-01-01).

(**D.T.** 51; **C.C.Q.** 1033; **C.P.C.** 809 ss., 885b))

Art. 1035. Les créanciers dont la créance résulte de l'administration sont payés par prélèvement sur l'actif, avant le partage.

Les créanciers, même hypothécaires, d'un indivisaire ne peuvent demander le partage si ce n'est par action oblique, dans le cas où l'indivisaire pourrait lui-même le demander.

1991, c. 64, a. 1035 (1994-01-01).

(**D.T.** 51; **C.C.Q.** 1019, 1627-1630)

---

ownership by apportioning their share to them in money; the share of each undivided co-owner is then increased in proportion to his payment.

Art. 1032. On a motion by an undivided co-owner, the court, to avoid a loss, may postpone the partition of the whole or part of the property and continue the indivision for not over two years.

A decision under the first paragraph may be revised if the causes shown for continuing the indivision have ceased to exist or if the indivision has become intolerable or too high a risk for the undivided co-owners.

Art. 1033. If one of the undivided co-owners objects to continuing in indivision, the others may satisfy him at any time by apportioning his share to him in kind, provided it is easily detachable from the rest of the undivided property, or in money, as he chooses.

If the share is apportioned in kind, the undivided co-owners may make the allotment least prejudicial to the exercise of their rights.

If the share is apportioned in money, the share of each undivided co-owner is increased in proportion to his payment.

Art. 1034. If the undivided co-owners fail to agree on the share in kind or in money to be apportioned to one of them, an expert appraisal or a valuation is made by a person designated by all the undivided co-owners or, if they cannot agree among themselves, by the court.

Art. 1035. Creditors whose claims arise from the administration are paid out of the assets before partition.

No creditor, not even a hypothecary creditor, of an undivided co-owner may demand partition, except by an indirect action where the undivided co-owner could demand it himself.

Art. 1036. Il peut être mis fin à l'indivision en cas de perte ou d'expropriation d'une partie importante du bien indivis si la majorité des indivisaires en nombre et en parts en décide ainsi.

1991, c. 64, a. 1036 (1994-01-01).

(D.T. 51; **C.C.Q.** 952, 1026, 1037)

Art. 1037. L'indivision cesse par le partage du bien ou par son aliénation.

Si on procède au partage, les dispositions relatives au partage des successions s'appliquent, compte tenu des adaptations nécessaires.

Néanmoins, l'acte de partage qui met fin à une indivision autre que successorale est attributif du droit de propriété.

1991, c. 64, a. 1037 (1994-01-01).

(D.T. 51; **C.C.Q.** 836 ss., 844, 867 ss., 884 ss., 1018, 1021, 1026, 1030 ss., 1886, 1887, 2679; **C.P.C.** 809-811)

Art. 1036. Indivision may be terminated by the decision of a majority in number and shares of the undivided co-owners where a substantial part of the undivided property is lost or expropriated.

Art. 1037. Indivision ends by the partition or alienation of the property.

In the case of partition, the provisions relating to the partition of successions apply, adapted as required.

However, the act of partition which terminates indivision, other than indivision by succession, is an act of attribution of the right of ownership.

CHAPITRE TROISIÈME
DE LA COPROPRIÉTÉ DIVISE D'UN IMMEUBLE

SECTION I
DE L'ÉTABLISSEMENT DE LA COPROPRIÉTÉ DIVISE

Art. 1038. La copropriété divise d'un immeuble est établie par la publication d'une déclaration en vertu de laquelle la propriété de l'immeuble est divisée en fractions, appartenant à une ou plusieurs personnes.

1991, c. 64, a. 1038 (1994-01-01).

CHAPTER III
DIVIDED CO-OWNERSHIP OF IMMOVABLES

SECTION I
ESTABLISHMENT OF DIVIDED CO-OWNERSHIP

Art. 1038. Divided co-ownership of an immovable is established by publication of a declaration under which ownership of the immovable is divided into fractions belonging to one or several persons.

C.C.B.C. 441b (**D.T.** 53; **C.C.Q.** 900, 1010, 1052-1062, 3030, 3041; **C.P.C.** 812.1; **L.R.Q.**, c. R-8.1, a. 51)

Art. 1039. La collectivité des copropriétaires constitue, dès la publication de la déclaration de copropriété, une personne morale qui a pour objet la conservation de l'immeuble, l'entretien et l'administration des parties communes, la sauvegarde des droits afférents à l'immeuble ou à la copropriété, ainsi que toutes les opérations d'intérêt commun.

Elle prend le nom de syndicat.

1991, c. 64, a. 1039 (1994-01-01).

Art. 1039. Upon the publication of the declaration of co-ownership, the co-owners as a body constitute a legal person, the objects of which are to preserve the immovable, to maintain and manage the common portions, to protect the rights appurtenant to the immovable or the co-ownership and to take all measures of common interest.

The legal person is called a syndicate.

C.C.B.C. 441v (**D.T.** 52; **C.C.Q.** 298 ss., 302, 305, 306, 1070 ss., 1109)

Art. 1040. La copropriété divise peut être établie sur un immeuble bâti par l'emphytéote ou sur un immeuble qui fait l'objet d'une propriété superficiaire si la durée non écoulée des droits, au moment de la publication de la déclaration, est supérieure à cinquante ans.

En ces cas, chaque copropriétaire est tenu à l'égard du propriétaire de l'immeuble faisant l'objet de l'emphytéose ou de la propriété superficiaire, d'une manière divise et en proportion de la valeur relative de sa fraction, des obligations divisibles de l'emphytéote ou du superficiaire, selon le cas; le syndicat est tenu des obligations indivisibles.

1991, c. 64, a. 1040 (1994-01-01).

Art. 1040. Divided co-ownership of an immovable that is built by an emphyteutic lessee or that is subject to superficies may be established if the unexpired term of the lease or right, at the time of publication of the declaration, is over fifty years.

In cases arising under the first paragraph, each co-owner, dividedly and proportionately to the relative value of his fraction, is liable for the divisible obligations of the emphyteutic lessee or superficiary, as the case may be, towards the owner of the immovable subject to emphyteusis or superficies. The syndicate assumes the indivisible obligations.

C.C.B.C. 441b.1, 442q (**C.C.Q.** 1055, 1059, 1060, 1082, 1110, 1196, 1198, 1207, 1785 ss.)

SECTION II
DES FRACTIONS DE COPROPRIÉTÉ

SECTION II
FRACTIONS OF CO-OWNERSHIP

Art. 1041. La valeur relative de chaque fraction de la copropriété divise est établie par rapport à la valeur de l'ensemble des fractions, en fonction de la nature, de la destination, des dimensions et de la situation de la partie privative de chaque fraction, mais sans tenir compte de son utilisation.

Elle est déterminée dans la déclaration.

1991, c. 64, a. 1041 (1994-01-01).

Art. 1041. The relative value of each of the fractions of a divided co-ownership with reference to the value of all the fractions together is determined in consideration of the nature, destination, dimensions and location of the private portion of each fraction, but not of its use.

The relative value is specified in the declaration.

C.C.B.C. 441l (**C.C.Q.** 1047, 1050, 1051, 1064, 1068, 1090, 1102)

Art. 1042. Sont dites privatives les parties des bâtiments et des terrains qui sont la propriété d'un copropriétaire déterminé et dont il a l'usage exclusif.

1991, c. 64, a. 1042 (1994-01-01).

Art. 1042. Those portions of the buildings and land that are the property of a specific co-owner and that are for his use alone are called the private portions.

(**C.C.Q.** 1041, 1048, 1049)

Art. 1043. Sont dites communes les parties des bâtiments et des terrains qui sont la propriété de tous les copropriétaires et qui servent à leur usage commun.

Cependant, certaines de ces parties peuvent ne servir qu'à l'usage de certains copropriétaires ou d'un seul. Les règles relatives aux parties communes s'appliquent à ces parties communes à usage restreint.

1991, c. 64, a. 1043 (1994-01-01).

Art. 1043. Those portions of the buildings and land that are owned by all the co-owners and serve for their common use are called the common portions.

Some of these portions may nevertheless serve for the use of only one or several of the co-owners. The rules regarding the common portions apply to these common portions for restricted use.

C.C.B.C. 441f (**C.C.Q.** 1044, 1046-1048, 1064, 1071, 1072, 1097)

Art. 1044. Sont présumées parties communes le sol, les cours, balcons, parcs et jardins, les voies d'accès, les escaliers et ascenseurs, les passages et corridors, les locaux des services communs, de stationnement et d'entreposage, les caves, le gros oeuvre des bâtiments, les équipements et les appareils communs, tels les systèmes centraux de chauffage et de climatisation et les canalisations, y compris celles qui traversent les parties privatives.

1991, c. 64, a. 1044 (1994-01-01).

___

C.C.B.C. 441f (**C.C.Q.** 1043, 2846, 2847)

Art. 1045. Les cloisons ou les murs non compris dans le gros oeuvre du bâtiment et qui séparent une partie privative d'une partie commune ou d'une autre partie privative sont présumés mitoyens.

1991, c. 64, a. 1045 (1994-01-01).

___

C.C.B.C. 441g (**C.C.Q.** 1003-1008, 2846, 2847)

Art. 1046. Chaque copropriétaire a sur les parties communes un droit de propriété indivis. Sa quote-part dans les parties communes est égale à la valeur relative de sa fraction.

1991, c. 64, a. 1046 (1994-01-01).

___

C.C.B.C. 441d (**C.C.Q.** 1016, 1041, 1043, 1044)

Art. 1047. Chaque fraction constitue une entité distincte et peut faire l'objet d'une aliénation totale ou partielle; elle comprend, dans chaque cas, la quote-part des parties communes afférente à la fraction, ainsi que le droit d'usage des parties communes à usage restreint, le cas échéant.

1991, c. 64, a. 1047 (1994-01-01).

___

C.C.B.C. 441c (**C.C.Q.** 1043, 1046, 1050, 1063, 1785, 1787, 1788)

Art. 1048. La quote-part des parties communes d'une fraction ne peut faire l'objet, séparément de la partie privative de cette fraction, ni d'une aliénation ni d'une action en partage.

1991, c. 64, a. 1048 (1994-01-01); 2002, c. 19, a. 15 (2002-06-13).

___

C.C.B.C. 441e (**C.C.Q.** 1012, 1041-1044, 1046, 1047)

Art. 1049. L'aliénation d'une partie divise d'une partie privative est sans effet si la déclaration de copropriété et le plan cadastral n'ont pas été préalablement modifiés pour créer une nouvelle fraction, la décrire, lui attribuer un numéro cadastral distinct et déterminer sa valeur relative, ou pour faire état

Art. 1044. The following are presumed to be common portions: the ground, yards, verandas or balconies, parks and gardens, access ways, stairways and elevators, passageways and halls, common service areas, parking and storage areas, basements, foundations and main walls of buildings, and common equipment and apparatus, such as the central heating and air-conditioning systems and the piping and wiring, including what crosses private portions.

Art. 1045. Partitions or walls that are not part of the foundations and main walls of a building but which separate a private portion from a common portion or from another private portion are presumed common.

Art. 1046. Each co-owner has an undivided right of ownership in the common portions. His share of the common portions is proportionate to the relative value of his fraction.

Art. 1047. Each fraction constitutes a distinct entity and may be alienated in whole or in part; the alienation includes, in each case, the share of the common portions appurtenant to the fraction, as well as the right to use the common portions for restricted use, where applicable.

Art. 1048. The share of the common portions appurtenant to a fraction may not, separately from the private portion of the fraction, be the object of alienation or an action in partition.

Art. 1049. Alienation of a divided part of a private portion is without effect unless the declaration of co-ownership and the cadastral plan have been altered prior to the alienation so as to create a new fraction, describe it, give it a separate cadastral number and determine its relative value, or to

des modifications apportées aux limites des parties privatives contiguës.

1991, c. 64, a. 1049 (1994-01-01); 2000, c. 42, a. 3 (2000-12-05); 2002, c. 19, a. 15 (2002-06-13).

C.C.B.C. 441p al. 2 (C.C.Q. 1042, 1047, 1787, 1788, 3030, 3043, 3044)

Art. 1050. Chaque fraction forme une entité distincte aux fins d'évaluation et d'imposition foncière.

Le syndicat doit être mis en cause en cas de contestation en justice de l'évaluation d'une fraction par un copropriétaire.

1991, c. 64, a. 1050 (1994-01-01).

C.C.B.C. 442n (C.C.Q. 1041, 1047, 1068; C.P.C. 216, 812.1)

Art. 1051. Malgré les articles 2650 et 2662, l'hypothèque, les sûretés additionnelles qui s'y greffent ou les priorités existantes sur l'ensemble de l'immeuble détenu en copropriété, lors de l'inscription de la déclaration de copropriété, se divisent entre les fractions suivant la valeur relative de chacune d'elles ou suivant toute autre proportion prévue.

1991, c. 64, a. 1051 (1994-01-01).

C.C.B.C. 441j (C.C.Q. 1041, 2650, 2662)

SECTION III
DE LA DÉCLARATION DE COPROPRIÉTÉ

§ 1. — *Du contenu de la déclaration*

Art. 1052. La déclaration de copropriété comprend l'acte constitutif de copropriété, le règlement de l'immeuble et l'état descriptif des fractions.

1991, c. 64, a. 1052 (1994-01-01).

(D.T. 54; C.C.Q. 1053-1055)

Art. 1053. L'acte constitutif de copropriété définit la destination de l'immeuble, des parties privatives et des parties communes.

Il détermine également la valeur relative de chaque fraction et indique la méthode suivie pour l'établir, la quote-part des charges et le nombre de voix attachées à chaque fraction et prévoit toute autre convention relative à l'immeuble ou à ses parties privatives ou communes. Il précise aussi les pouvoirs et devoirs respectifs du conseil d'administration du syndicat et de l'assemblée des copropriétaires.

1991, c. 64, a. 1053 (1994-01-01).

C.C.B.C. 441l (D.T. 54; C.C.Q. 1041, 1058, 1059, 1068, 1087 ss., 1097(4°), 1101)

record the alterations made to the boundaries between contiguous private portions.

Art. 1050. Each fraction forms a distinct entity for the purposes of real property assessment and taxation.

The syndicate shall be impleaded in the case of any judicial contestation of the assessment of a fraction by a co-owner.

Art. 1051. Notwithstanding articles 2650 and 2662, a hypothec, any additional security accessory thereto or any preferences existing at the time of registration of the declaration of co-ownership on the whole of an immovable held in co-ownership are divided among the fractions according to the relative value of each or according to any other established proportion.

SECTION III
DECLARATION OF CO-OWNERSHIP

§ 1. — *Content of the declaration*

Art. 1052. A declaration of co-ownership comprises the act constituting the co-ownership, the by-laws of the immovable and a description of the fractions.

Art. 1053. A constituting act of co-ownership defines the destination of the immovable, of the exclusive parts and of the common parts.

The act also specifies the relative value of each fraction, indicating how that value was determined, the share of the expenses and the number of votes attached to each fraction and provides any other agreement regarding the immovable or its private or common portions. In addition, it specifies the powers and duties of the board of directors of the syndicate and of the general meeting of the co-owners.

Art. 1054. Le règlement de l'immeuble contient les règles relatives à la jouissance, à l'usage et à l'entretien des parties privatives et communes, ainsi que celles relatives au fonctionnement et à l'administration de la copropriété.

Le règlement porte également sur la procédure de cotisation et de recouvrement des contributions aux charges communes.

1991, c. 64, a. 1054 (1994-01-01).

Art. 1054. The by-laws of an immovable contain the rules on the enjoyment, use and upkeep of the private and common portions, and those on the operation and administration of the co-ownership.

The by-laws also deal with the procedure of assessment and collection of contributions to the common expenses.

C.C.B.C. 4411, 442c (**D.T.** 54; **C.C.Q.** 1052, 1056, 1057, 1060, 1063, 1084, 1894, 1897)

Art. 1055. L'état descriptif contient la désignation cadastrale des parties privatives et des parties communes de l'immeuble.

Il contient aussi une description des droits réels grevant l'immeuble ou existant en sa faveur, sauf les hypothèques et les sûretés additionnelles qui s'y greffent.

1991, c. 64, a. 1055 (1994-01-01).

Art. 1055. A description of the fractions contains the cadastral description of the private portions and common portions of the immovable.

Such a description also contains a description of the real rights affecting or existing in favour of the immovable other than hypothecs, and additional security accessory thereto.

C.C.B.C. 4411 (**D.T.** 54; **C.C.Q.** 1052, 1060, 1097(4°))

Art. 1056. La déclaration de copropriété ne peut imposer aucune restriction aux droits des copropriétaires, sauf celles qui sont justifiées par la destination de l'immeuble, ses caractères ou sa situation.

1991, c. 64, a. 1056 (1994-01-01).

Art. 1056. No declaration of co-ownership may impose any restriction on the rights of the co-owners except restrictions justified by the destination, characteristics or location of the immovable.

C.C.B.C. 441o, 441p (**C.C.Q.** 1016, 1054, 1063 ss.)

Art. 1057. Le règlement de l'immeuble est opposable au locataire ou à l'occupant d'une partie privative, dès qu'un exemplaire du règlement ou des modifications qui lui sont apportées lui est remis par le copropriétaire ou, à défaut, par le syndicat.

1991, c. 64, a. 1057 (1994-01-01).

Art. 1057. The by-laws of the immovable may be set up against the lessee or occupant of a private portion upon his being given a copy of the by-laws or the amendments to them by the co-owner or, if not by him, by the syndicate.

C.C.B.C. 1651 (**D.T.** 55; **C.C.Q.** 1054, 1060, 1894)

Art. 1058. À moins que l'acte constitutif de copropriété ne le prévoie expressément, une fraction ne peut être détenue par plusieurs personnes ayant chacune un droit de jouissance, périodique et successif, de la fraction et elle ne peut non plus être aliénée dans ce but.

Le cas échéant, l'acte doit indiquer le nombre de fractions qui peuvent être ainsi détenues, les périodes d'occupation, le nombre maximum de personnes qui peuvent détenir ces fractions, ainsi que les droits et les obligations de ces occupants.

1991, c. 64, a. 1058 (1994-01-01).

Art. 1058. Unless express provision is made therefor in the act constituting the co-ownership, no fraction may be held by several persons each having a right of enjoyment periodically and successively in the fraction, nor may a fraction be alienated for that purpose.

Where the act makes provision for a periodical and successive right of enjoyment by holders, it indicates the number of fractions that may be held in this way, the occupancy periods, the maximum number of persons who may hold these fractions, and the rights and obligations of these occupants.

(**D.T.** 56; **C.C.Q.** 1053, 1098(3°), 1787, 1792)

§ 2. — De l'inscription de la déclaration

Art. 1059. La déclaration de copropriété doit être notariée et en minute; il en est de même des modifications qui sont apportées à l'acte constitutif de copropriété et à l'état descriptif des fractions.

La déclaration doit être signée par tous les propriétaires de l'immeuble, par l'emphytéote ou le superficiaire, le cas échéant, ainsi que par les créanciers qui détiennent une hypothèque sur l'immeuble; les modifications sont signées par le syndicat.

1991, c. 64, a. 1059 (1994-01-01).

C.C.B.C. 441m (**C.C.Q.** 1040, 1049, 1053, 1055, 1062, 1096, 1097(4°), 1098, 1099, 1414, 2819)

Art. 1060. La déclaration, ainsi que les modifications apportées à l'acte constitutif de copropriété et à l'état descriptif des fractions, sont présentées au bureau de la publicité des droits. La déclaration est inscrite au registre foncier, sous les numéros d'immatriculation des parties communes et des parties privatives; les modifications ne sont inscrites que sous le numéro d'immatriculation des parties communes, à moins qu'elles ne touchent directement une partie privative. Quant aux modifications apportées au règlement de l'immeuble, il suffit qu'elles soient déposées auprès du syndicat.

Le cas échéant, l'emphytéote ou le superficiaire doit donner avis de l'inscription au propriétaire de l'immeuble faisant l'objet d'une emphytéose ou sur lequel a été créée une propriété superficiaire.

1991, c. 64, a. 1060 (1994-01-01).

C.C.B.C. 441m (**C.C.Q.** 1038, 1053-1055, 1057, 1059, 1792, 2970, 2972, 3030, 3033, 3041)

Art. 1061. L'inscription d'un acte qui concerne une partie privative vaut pour la quote-part des parties communes qui y est afférente, sans qu'il y ait lieu de faire une inscription sous le numéro d'immatriculation des parties communes.

1991, c. 64, a. 1061 (1994-01-01).

(**C.C.Q.** 1046, 1059, 1060, 3030, 3033)

Art. 1062. La déclaration de copropriété lie les copropriétaires, leurs ayants cause et les personnes qui l'ont signée et produit ses effets envers eux, à compter de son inscription.

1991, c. 64, a. 1062 (1994-01-01).

C.C.B.C. 441m, 441n (**C.C.Q.** 1059, 1434, 2819, 2941)

§ 2. — Registration of the declaration

Art. 1059. A declaration of co-ownership, and any amendments made to the constituting act of co-ownership or the description of the fractions, shall be in the form of a notarial act *en minute*.

The declaration shall be signed by all the owners of the immovable, by the emphyteutic lessee or the superficiary, if any, and by all the creditors holding hypothecs on the immovable; amendments are signed by the syndicate.

Art. 1060. The declaration and any amendments made to the constituting act of co-ownership or the description of the fractions are deposited in the registry office. The declaration is entered in the land register under the registration numbers of the common portions and the private portions. The amendments are entered under the registration number of the common portions only, unless they directly affect a private portion. However, it is sufficient for amendments made to the by-laws of the immovable to be filed with the syndicate.

Where applicable, the emphyteutic lessee or superficiary shall give notice of the registration to the owner of an immovable under emphyteusis or on which superficies has been established.

Art. 1061. The registration of an act against a private portion is valid against the share of the common portions attached to it, without any requirement to make an entry under the registration number of the common portions.

Art. 1062. The declaration of co-ownership binds the co-owners, their successors and the persons who signed it, and produces its effects towards them from the time of its registration.

SECTION IV
DES DROITS ET OBLIGATIONS DES COPROPRIÉTAIRES

Art. 1063. Chaque copropriétaire dispose de sa fraction; il use et jouit librement de sa partie privative et des parties communes, à la condition de respecter le règlement de l'immeuble et de ne porter atteinte ni aux droits des autres copropriétaires ni à la destination de l'immeuble.

1991, c. 64, a. 1063 (1994-01-01).

SECTION IV
RIGHTS AND OBLIGATIONS OF CO-OWNERS

Art. 1063. Each co-owner has the disposal of his fraction; he has free use and enjoyment of his private portion and of the common portions, provided he observes the by-laws of the immovable and does not impair the rights of the other co-owners or the destination of the immovable.

C.C.B.C. 441h (**C.C.Q.** 947, 976, 1016, 1047, 1054, 1062, 1080, 1785 ss.; **C.P.C.** 812.1)

Art. 1064. Chacun des copropriétaires contribue, en proportion de la valeur relative de sa fraction, aux charges résultant de la copropriété et de l'exploitation de l'immeuble, ainsi qu'au fonds de prévoyance constitué en application de l'article 1071. Toutefois, les copropriétaires qui utilisent les parties communes à usage restreint contribuent seuls aux charges qui en résultent.

1991, c. 64, a. 1064 (1994-01-01).

Art. 1064. Each co-owner contributes in proportion to the relative value of his fraction to the expenses arising from the co-ownership and from the operation of the immovable and the contingency fund established under article 1071, although only the co-owners who use common portions for restricted use contribute to the costs resulting from those portions.

C.C.B.C. 441k (**D.T.** 53; **C.C.Q.** 1041, 1043, 1054, 1068, 1069, 1071, 1086, 1094, 2729, 2800)

Art. 1065. Le copropriétaire qui loue sa partie privative doit le notifier au syndicat et indiquer le nom du locataire.

1991, c. 64, a. 1065 (1994-01-01).

Art. 1065. A co-owner who gives a lease on his private portion shall notify the syndicate and give the name of the lessee.

(**C.C.Q.** 1057, 1066, 1070, 1079)

Art. 1066. Aucun copropriétaire ne peut faire obstacle à l'exécution, même à l'intérieur de sa partie privative, des travaux nécessaires à la conservation de l'immeuble décidés par le syndicat ou des travaux urgents.

Lorsque la partie privative est louée, le syndicat donne au locataire, le cas échéant, les avis prévus par les articles 1922 et 1931 relatifs aux améliorations et aux travaux.

1991, c. 64, a. 1066 (1994-01-01).

Art. 1066. No co-owner may interfere with the carrying out, even inside his private portion, of work required for the conservation of the immovable decided upon by the syndicate or of urgent work.

Where a private portion is leased, the syndicate gives the lessee, where applicable, the notices prescribed in articles 1922 and 1931 regarding improvements and work.

C.C.B.C. 442l al. 1 (**C.C.Q.** 1067, 1096, 1097, 1865, 1922, 1931)

Art. 1067. Le copropriétaire qui subit un préjudice par suite de l'exécution des travaux, en raison d'une diminution définitive de la valeur de sa fraction, d'un trouble de jouissance grave, même temporaire, ou de dégradations, a le droit d'obtenir une indemnité qui est à la charge du syndicat si les travaux ont été faits à la demande de celui-ci; autrement l'indemnité est à la charge des copropriétaires qui ont fait les travaux.

1991, c. 64, a. 1067 (1994-01-01).

Art. 1067. A co-owner who suffers prejudice by the carrying out of work, through a permanent diminution in the value of his fraction, a grave disturbance of enjoyment, even if temporary, or through deterioration, is entitled to obtain compensation from the syndicate if the syndicate ordered the work or, if it did not, from the co-owners who did the work.

C.C.B.C. 442l al. 2 (**C.C.Q.** 1066, 1924; **C.P.C.** 812.1)

Art. 1068. Tout copropriétaire peut, dans les cinq ans du jour de l'inscription de la déclaration de copropriété, demander au tribunal la révision, pour l'avenir, de la valeur relative des fractions et de la répartition des charges communes.

Le droit à la révision ne peut être exercé que s'il existe, entre la valeur relative accordée à une fraction ou la part des charges communes qui y est afférente et la valeur relative ou la part qui aurait dû être établie, suivant les critères prévus à la déclaration de copropriété, un écart de plus d'un dixième soit en faveur d'un autre copropriétaire, soit au préjudice du copropriétaire qui fait la demande.

1991, c. 64, a. 1068 (1994-01-01).

_____

(**C.C.Q.** 1041, 1053, 1064; **C.P.C.** 812.1)

Art. 1069. Celui qui, par quelque mode que ce soit, y compris par suite de l'exercice d'un droit hypothécaire, acquiert une fraction de copropriété divise est tenu au paiement de toutes les charges communes dues relativement à cette fraction au moment de l'acquisition.

Celui qui se propose d'acquérir une fraction de copropriété peut néanmoins demander au syndicat des copropriétaires un état des charges communes dues relativement à cette fraction et le syndicat est, de ce fait, autorisé à le lui fournir, sauf à en aviser au préalable le propriétaire de la fraction ou ses ayants cause; le proposant acquéreur n'est alors tenu au paiement de ces charges communes que si l'état lui est fourni par le syndicat dans les quinze jours de la demande.

L'état fourni est ajusté selon le dernier budget annuel des copropriétaires.

1991, c. 64, a. 1069 (1994-01-01); 2002, c. 19, a. 6 (2002-06-13).

_____

(**C.C.Q.** 1072)

SECTION V

DES DROITS ET OBLIGATIONS DU SYNDICAT

Art. 1070. Le syndicat tient à la disposition des copropriétaires un registre contenant le nom et l'adresse de chaque copropriétaire et de chaque locataire, les procès-verbaux des assemblées des copropriétaires et du conseil d'administration, ainsi que les états financiers.

Art. 1068. Every co-owner may, within five years from the day of registration of the declaration of co-ownership, apply to the court for a revision, for the future, of the relative value of the fractions and of the apportionment of the common expenses.

The right to apply for a revision may be exercised only if there exists, between the relative value attributed to a fraction or the share of common expenses attached thereto and the value or share that should have been determined, according to the criteria provided in the declaration of co-ownership, a difference in excess of one-tenth either in favour of another co-owner or to the prejudice of the applicant co-owner.

Art. 1069. A person who acquires a fraction of divided co-ownership, by whatever means, including the exercise of a hypothecary right, is bound to pay all common expenses due in respect of that fraction at the time of the acquisition.

A person contemplating the acquisition of such a fraction may request from the syndicate of co-owners a statement of the common expenses due in respect of the fraction and the syndicate is thereupon authorized to provide the statement to him, provided the syndicate gives prior notice to the owner of the fraction or his successors; in such a case, the prospective acquirer is only bound to pay the common expenses if the statement is provided to him by the syndicate within 15 days of the request.

The statement given to the buyer is adjusted to the last annual budget of the co-owners.

SECTION V

RIGHTS AND OBLIGATIONS OF THE SYNDICATE

Art. 1070. The syndicate keeps a register at the disposal of the co-owners containing the name and address of each co-owner and each lessee, the minutes of the meetings of the co-owners and of the board of directors and the financial statements.

Il tient aussi à leur disposition la déclaration de copropriété, les copies de contrats auxquels il est partie, une copie du plan cadastral, les plans et devis de l'immeuble bâti, le cas échéant, et tous autres documents relatifs à l'immeuble et au syndicat.

1991, c. 64, a. 1070 (1994-01-01).

(**D.T.** 52; **C.C.Q.** 342, 1039, 1065)

Art. 1071. Le syndicat constitue, en fonction du coût estimatif des réparations majeures et du coût de remplacement des parties communes, un fonds de prévoyance, liquide et disponible à court terme, affecté uniquement à ces réparations et remplacements. Ce fonds est la propriété du syndicat.

1991, c. 64, a. 1071 (1994-01-01).

(**D.T.** 52; **C.C.Q.** 1064, 1072, 1078)

Art. 1072. Annuellement, le conseil d'administration fixe, après consultation de l'assemblée des copropriétaires, la contribution de ceux-ci aux charges communes, après avoir déterminé les sommes nécessaires pour faire face aux charges découlant de la copropriété et de l'exploitation de l'immeuble et les sommes à verser au fonds de prévoyance.

La contribution des copropriétaires au fonds de prévoyance est d'au moins 5 p. 100 de leur contribution aux charges communes. Il peut être tenu compte, pour l'établir, des droits respectifs des copropriétaires sur les parties communes à usage restreint.

Le syndicat avise, sans délai, chaque copropriétaire du montant de ses contributions et de la date où elles sont exigibles.

1991, c. 64, a. 1072 (1994-01-01).

C.C.B.C. 442j (**D.T.** 52; **C.C.Q.** 1043, 1064, 1071, 1087)

Art. 1073. Le syndicat a un intérêt assurable dans tout l'immeuble, y compris les parties privatives. Il doit souscrire des assurances contre les risques usuels, tels le vol et l'incendie, couvrant la totalité de l'immeuble, à l'exclusion des améliorations apportées par un copropriétaire à sa partie. Le montant de l'assurance souscrite correspond à la valeur à neuf de l'immeuble.

Il doit aussi souscrire une assurance couvrant sa responsabilité envers les tiers.

1991, c. 64, a. 1073 (1994-01-01).

C.C.B.C. 442a (**D.T.** 52; **C.C.Q.** 1075, 1331, 2481, 2496)

It also keeps at their disposal the declaration of co-ownership, the copies of the contracts to which it is a party, a copy of the cadastral plan, the plans and specifications of the immovable built and all other documents relating to the immovable and the syndicate.

Art. 1071. The syndicate establishes, according to the estimated cost of major repairs and the cost of replacement of common portions, a contingency fund to provide cash funds on a short-term basis allocated exclusively to such repairs and replacement. The syndicate is the owner of the fund.

Art. 1072. Each year, the board of directors, after consultation with the general meeting of co-owners, fixes their contribution for common expenses, after determining the sums required to meet the expenses arising from the co-ownership and the operation of the immovable, and the amounts to be paid into the contingency fund.

The contribution of the co-owners to the contingency fund is at least 5 per cent of their contribution for common expenses. In fixing the contribution, the rights of any co-owner in the common portions for restricted use may be taken into account.

The syndicate, without delay, notifies each co-owner of the amount of his contribution and the date when it is payable.

Art. 1073. The syndicate has an insurable interest in the whole immovable, including the private portions. It shall take out insurance against ordinary risks, such as fire and theft, on the whole of the immovable, except improvements made by a co-owner to his part. The amount insured is equal to the replacement cost of the immovable.

The syndicate shall also take out third person liability insurance.

Art. 1074. La violation d'une des conditions du contrat d'assurance par un copropriétaire n'est pas opposable au syndicat.

1991, c. 64, a. 1074 (1994-01-01).

Art. 1074. Non-observance of a condition of the insurance contract by a co-owner may not be set up against the syndicate.

(**D.T.** 52; **C.C.Q.** 1073)

Art. 1075. L'indemnité due au syndicat à la suite d'une perte importante est, malgré l'article 2494, versée au fiduciaire nommé dans l'acte constitutif de copropriété ou, à défaut, désigné par le syndicat.

Elle doit être utilisée pour la réparation ou la reconstruction de l'immeuble, sauf si le syndicat décide de mettre fin à la copropriété; en ce cas, le fiduciaire, après avoir déterminé la part de l'indemnité de chacun des copropriétaires en fonction de la valeur relative de sa fraction, paie, sur cette part, les créanciers prioritaires et hypothécaires suivant les règles de l'article 2497. Il remet, pour chacun des copropriétaires, le solde de l'indemnité au liquidateur du syndicat avec son rapport.

1991, c. 64, a. 1075 (1994-01-01).

Art. 1075. The indemnity owing to the syndicate following a substantial loss is, notwithstanding article 2494, paid to the trustee appointed in the constituting act of co-ownership or, where none has been appointed, designated by the syndicate.

The indemnity shall be used to repair or rebuild the immovable, unless the syndicate decides to terminate the co-ownership, in which case the trustee, after determining the share of the indemnity of each of the co-owners according to the relative value of his fraction, pays the preferred and hypothecary creditors out of that share according to the rules in article 2497. For each of the co-owners, he remits the balance of the indemnity to the liquidator of the syndicate with his report.

(**D.T.** 52; **C.C.Q.** 1073, 1074, 1108, 2494, 2497)

Art. 1076. Le syndicat peut, s'il y est autorisé, acquérir ou aliéner des fractions, des parties communes ou d'autres droits réels.

L'acquisition qu'il fait d'une fraction n'enlève pas son caractère à la partie privative. Cependant, en assemblée générale, il ne dispose d'aucune voix pour ces parties et le total des voix qui peuvent être exprimées est réduit d'autant.

1991, c. 64, a. 1076 (1994-01-01).

Art. 1076. The syndicate may, if authorized to do so, acquire or alienate fractions, common portions or other real rights.

A private portion does not cease to be private by the fact that the fraction is acquired by the syndicate, but the syndicate has no vote for that portion at the general meeting and the total number of votes that may be given is reduced accordingly.

C.C.B.C. 441w, 441x (**D.T.** 52; **C.C.Q.** 1047, 1048, 1090)

Art. 1077. Le syndicat est responsable des dommages causés aux copropriétaires ou aux tiers par le vice de conception ou de construction ou le défaut d'entretien des parties communes, sans préjudice de toute action récursoire.

1991, c. 64, a. 1077 (1994-01-01); 2002, c. 19, a. 15 (2002-06-13).

Art. 1077. The syndicate is liable for damage caused to the co-owners or third persons by faulty design, construction defects or lack of maintenance of the common portions, without prejudice to any counterclaim.

C.C.B.C. 441z (**D.T.** 52; **C.C.Q.** 1039, 1073, 1081, 1467, 2118; **C.P.C.** 812.1)

Art. 1078. Le jugement qui condamne le syndicat à payer une somme d'argent est exécutoire contre lui et contre chacune des personnes qui étaient copropriétaires au moment où la cause d'action a pris naissance, proportionnellement à la valeur relative de sa fraction.

Art. 1078. A judgment condemning the syndicate to pay a sum of money is executory against the syndicate and against each of the persons who were co-owners at the time the cause of action arose, proportionately to the relative value of his fraction.

Ce jugement ne peut être exécuté sur le fonds de prévoyance, sauf pour une dette née de la réparation de l'immeuble ou du remplacement des parties communes.

1991, c. 64, a. 1078 (1994-01-01).

The judgment may not be executed against the contingency fund, except for a debt arising from the repair of the immovable or the replacement of common portions.

C.C.B.C. 442 (**D.T.** 52; **C.C.Q.** 1071, 1072; **C.P.C.** 525 ss.)

Art. 1079. Le syndicat peut, après avoir avisé le locateur et le locataire, demander la résiliation du bail d'une partie privative lorsque l'inexécution d'une obligation par le locataire cause un préjudice sérieux à un copropriétaire ou à un autre occupant de l'immeuble.

1991, c. 64, a. 1079 (1994-01-01).

Art. 1079. The syndicate may demand the resiliation of the lease of a private portion, after notifying the lessor and the lessee, where the non-performance of an obligation by the lessee causes serious prejudice to a co-owner or to another occupant of the immovable.

(**D.T.** 52; **C.C.Q.** 1057, 1063, 1065, 1066, 1863; **C.P.C.** 812.1)

Art. 1080. Lorsque le refus du copropriétaire de se conformer à la déclaration de copropriété cause un préjudice sérieux et irréparable au syndicat ou à l'un des copropriétaires, l'un ou l'autre peut demander au tribunal de lui enjoindre de s'y conformer.

Si le copropriétaire transgresse l'injonction ou refuse d'y obéir, le tribunal peut, outre les autres peines qu'il peut imposer, ordonner la vente de la fraction conformément aux dispositions du Code de procédure civile relatives à la vente du bien d'autrui.

1991, c. 64, a. 1080 (1994-01-01).

Art. 1080. Where the refusal of a co-owner to comply with the declaration of co-ownership causes serious and irreparable prejudice to the syndicate or to one of the co-owners, either of them may apply to the court for an injunction ordering the co-owner to comply with the declaration.

If the co-owner violates the injunction or refuses to obey it, the court may, in addition to the other penalties it may impose, order the sale of the co-owner's fraction, in accordance with the provisions of the Code of Civil Procedure regarding the sale of the property of others.

(**D.T.** 52; **C.C.Q.** 1056, 1063; **C.P.C.** 751, 761, 812.1, 897 ss.)

Art. 1081. Le syndicat peut intenter toute action fondée sur un vice caché, un vice de conception ou de construction de l'immeuble ou un vice du sol. Dans le cas où les vices concernent les parties privatives, le syndicat ne peut agir sans avoir obtenu l'autorisation des copropriétaires de ces parties.

Le défaut de diligence que peut opposer le défendeur à l'action fondée sur un vice caché s'apprécie, à l'égard du syndicat ou d'un copropriétaire, à compter du jour de l'élection d'un nouveau conseil d'administration, après la perte de contrôle du promoteur sur le syndicat.

1991, c. 64, a. 1081 (1994-01-01); 2002, c. 19, a. 15 (2002-06-13).

Art. 1081. The syndicate may institute any action on the grounds of latent defects, faulty design or construction defects of the immovable or defects in the ground. In a case where the faults or defects affect the private portions, the syndicate may not proceed until it has obtained the authorization of the co-owners of those portions.

Where the defendant sets up the failure to act with diligence against an action based on a latent defect, such diligence is appraised in respect of the syndicate or of a co-owner from the day of the election of a new board of directors, after the promoter loses control of the syndicate.

C.C.B.C. 441y, 1530 al. 1 (**D.T.** 52, 57; **C.C.Q.** 1077, 1726, 2118; **C.P.C.** 55, 56, 61 al. 1c), 812.1)

Art. 1082. Le syndicat a le droit, dans les six mois à compter de la notification qui lui est faite par le propriétaire de l'immeuble faisant l'objet d'une emphytéose ou d'une propriété superficiaire de son intention de céder à titre onéreux ses droits dans l'immeuble, de les acquérir, dans ce seul délai, par préférence à tout autre acquéreur éventuel. Si la cession projetée ne lui est pas notifiée, le syndicat peut, dans les six mois à compter du moment où il apprend qu'un tiers a acquis les droits du propriétaire, acquérir les droits de ce tiers en lui remboursant le prix de la cession et les frais qu'il a acquittés.

1991, c. 64, a. 1082 (1994-01-01).

C.C.B.C. 441x.1 (**D.T.** 52; **C.C.Q.** 1040, 1097, 1199, 1641)

Art. 1083. Le syndicat peut adhérer à une association de syndicats de copropriétés constituée pour la création, l'administration et l'entretien de services communs à plusieurs immeubles détenus en copropriété ou pour la poursuite d'intérêts communs.

1991, c. 64, a. 1083 (1994-01-01).

(D.T. 52)

SECTION VI
DU CONSEIL D'ADMINISTRATION DU SYNDICAT

Art. 1084. La composition du conseil d'administration du syndicat, le mode de nomination, de remplacement ou de rémunération des administrateurs, ainsi que les autres conditions de leur charge, sont fixés par le règlement de l'immeuble.

En cas de silence du règlement ou d'impossibilité de procéder en la manière prévue, le tribunal peut, à la demande d'un copropriétaire, nommer ou remplacer un administrateur et fixer les conditions de sa charge.

1991, c. 64, a. 1084 (1994-01-01).

C.C.B.C. 441q (**D.T.** 52; **C.C.Q.** 335-344, 1054; **C.P.C.** 55, 812.1)

Art. 1085. L'administration courante du syndicat peut être confiée à un gérant choisi, ou non, parmi les copropriétaires.

Le gérant agit à titre d'administrateur du bien d'autrui chargé de la simple administration.

1991, c. 64, a. 1085 (1994-01-01).

C.C.B.C. 441r, 441u, 441v (**D.T.** 52; **C.C.Q.** 321-330, 1301 ss.)

Art. 1082. The syndicate, within six months of being notified by the owner of an immovable under emphyteusis or superficies that he intends to transfer by onerous title his rights in the immovable, may acquire such rights in preference to any other potential acquirer during that period. If it is not notified of the planned transfer, it may, within six months from the time it learns that a third person has acquired the owner's rights, acquire such rights from that person by reimbursing him for the price of transfer and the costs he has paid.

Art. 1083. The syndicate may join an association of co-ownership syndicates formed for the creation, adminis tration and upkeep of common services for several immovables held in co-ownership, or for the pursuit of common interests.

SECTION VI
BOARD OF DIRECTORS OF THE SYNDICATE

Art. 1084. The composition of the board of directors of the syndicate, the mode of appointment, replacement and remuneration of the directors and their other terms of appointment are fixed by by-law of the immovable.

The court, on the motion of a co-owner, may appoint or replace a director and fix his terms of appointment if there is no provision therefor in the by-laws or if it is impossible to proceed in the prescribed manner.

Art. 1085. The day-to-day administration of the syndicate may be entrusted to a manager chosen from among the co-owners or otherwise.

The manager acts as the administrator of the property of others charged with simple administration.

Art. 1086. Le syndicat peut remplacer l'administrateur ou le gérant qui, étant copropriétaire, néglige de payer sa contribution aux charges communes ou au fonds de prévoyance.

1991, c. 64, a. 1086 (1994-01-01).

(**D.T.** 52; **C.C.Q.** 1064, 1072, 1085, 2729, 2800)

SECTION VII
DE L'ASSEMBLÉE DES COPROPRIÉTAIRES

Art. 1087. L'avis de convocation de l'assemblée annuelle des copropriétaires doit être accompagné, en plus du bilan, de l'état des résultats de l'exercice écoulé, de l'état des dettes et créances, du budget prévisionnel, de tout projet de modification à la déclaration de copropriété et d'une note sur les modalités essentielles de tout contrat proposé et de tous travaux projetés.

1991, c. 64, a. 1087 (1994-01-01).

C.C.B.C. 442b, 442c, 442i (**C.C.Q.** 334, 345-354, 1072, 1088)

Art. 1088. Tout copropriétaire peut, dans les cinq jours de la réception de l'avis de convocation, faire inscrire toute question à l'ordre du jour.

Avant la tenue de l'assemblée, le conseil d'administration avise par écrit les copropriétaires des questions nouvellement inscrites.

1991, c. 64, a. 1088 (1994-01-01).

(**C.C.Q.** 346, 348, 1087)

Art. 1089. Le quorum, à l'assemblée, est constitué par les copropriétaires détenant la majorité des voix.

Si le quorum n'est pas atteint, l'assemblée est alors ajournée à une autre date, dont avis est donné à tous les copropriétaires; les trois quarts des membres présents ou représentés à la nouvelle assemblée y constituent le quorum.

L'assemblée où il n'y a plus quorum doit être ajournée si un copropriétaire le réclame.

1991, c. 64, a. 1089 (1994-01-01).

C.C.B.C. 442e (**C.C.Q.** 349)

Art. 1090. Chaque copropriétaire dispose, à l'assemblée, d'un nombre de voix proportionnel à la valeur relative de sa fraction. Les indivisaires d'une fraction exercent leurs droits dans la proportion de leur quote-part indivise.

1991, c. 64, a. 1090 (1994-01-01).

C.C.B.C. 442d (**C.C.Q.** 1012 ss., 1041, 1046, 1091-1094, 1099, 1101)

Art. 1086. A director or the manager may be replaced by the syndicate if, being a co-owner, he neglects to pay his contribution to the common expenses or to the contingency fund.

SECTION VII
GENERAL MEETING OF THE CO-OWNERS

Art. 1087. The notice calling the annual general meeting of the co-owners shall be accompanied with, in addition to the balance sheet, the income statement for the preceding financial period, the statement of debts and claims, the budget forecast, any draft amendment to the declaration of co-ownership and a note on the general terms and conditions of any proposed contract or planned work.

Art. 1088. Within five days of receiving notice of a general meeting of the co-owners, any co-owner may cause a question to be placed on the agenda.

The board of directors gives written notice of the questions newly placed on the agenda to the co-owners before the meeting.

Art. 1089. Co-owners holding a majority of the votes constitute a quorum at general meetings.

If a quorum is not reached, the meeting is declared adjourned to a later date, notice of which is given to all the co-owners; three-quarters of the members present or represented at the second meeting constitute a quorum.

A meeting at which there is no longer a quorum shall be adjourned if a co-owner requests it.

Art. 1090. Each co-owner is entitled to a number of votes at a general meeting proportionate to the relative value of his fraction. The undivided co-owners of a fraction vote in proportion to their undivided shares.

Art. 1091. Lorsqu'un copropriétaire dispose, dans une copropriété comptant moins de cinq fractions, d'un nombre de voix supérieur à la moitié de l'ensemble des voix des copropriétaires, le nombre de voix dont il dispose, à une assemblée, est réduit à la somme des voix des autres copropriétaires présents ou représentés à cette assemblée.

1991, c. 64, a. 1091 (1994-01-01).

(**C.C.Q.** 1092, 1093, 1099)

Art. 1091. Where, in a co-ownership comprising fewer than five fractions, a co-owner is entitled to more than one-half of all the votes available to the co-owners, the number of votes to which he is entitled at a meeting is reduced to the total number of votes to which the other co-owners present or represented at the meeting are entitled.

Art. 1092. Le promoteur d'une copropriété comptant cinq fractions ou plus ne peut disposer, outre les voix attachées à la fraction qui lui sert de résidence, de plus de 60 p. 100 de l'ensemble des voix des copropriétaires à l'expiration de la deuxième et de la troisième année de la date d'inscription de la déclaration de copropriété.

Ce nombre est réduit à 25 p. 100 par la suite.

1991, c. 64, a. 1092 (1994-01-01).

(**C.C.Q.** 1091, 1093, 1099, 1104)

Art. 1092. No promoter of a co-ownership comprising five or more fractions is entitled, in addition to the voting rights attached to the fraction serving as his residence, to over sixty per cent of all the votes of the co-owners at the end of the second and third years after the date of registration of the declaration of co-ownership.

The limit is subsequently reduced to twenty-five per cent.

Art. 1093. Est considéré comme promoteur celui qui, au moment de l'inscription de la déclaration de copropriété, est propriétaire d'au moins la moitié de l'ensemble des fractions ou ses ayants cause, sauf celui qui acquiert de bonne foi et dans l'intention de l'habiter une fraction pour un prix égal à sa valeur marchande.

1991, c. 64, a. 1093 (1994-01-01).

(**C.C.Q.** 1092, 1104)

Art. 1093. Any person who, at the time of registration of a declaration of co-ownership, owns at least one-half of all the fractions, or his successors, other than a person who in good faith acquires a fraction for a price equal to its market value with the intention of inhabiting it, is considered to be a promoter.

Art. 1094. Le copropriétaire qui, depuis plus de trois mois, n'a pas acquitté sa quote-part des charges communes ou sa contribution au fonds de prévoyance, est privé de son droit de vote.

1991, c. 64, a. 1094 (1994-01-01).

(**C.C.Q.** 1064, 1071, 2724, 2729)

Art. 1094. Any co-owner who has not paid his share of the common expenses or his contribution to the contingency fund for more than three months is deprived of his voting rights.

Art. 1095. La cession des droits de vote d'un copropriétaire doit être dénoncée au syndicat pour lui être opposable.

1991, c. 64, a. 1095 (1994-01-01).

Art. 1095. No assignment of the voting rights of a co-owner which has not been declared to the syndicate may be set up against it.

Art. 1096. Les décisions du syndicat sont prises à la majorité des voix des copropriétaires présents ou représentés à l'assemblée, y compris celles visant à corriger une erreur matérielle dans la déclaration de copropriété.

1991, c. 64, a. 1096 (1994-01-01).

C.C.B.C. 442e, 442f (**C.C.Q.** 351, 1097, 1101)

Art. 1096. Decisions of the syndicate, including a decision to correct a clerical error in the declaration of co-ownership, are taken by a majority of the co-owners present or represented at the meeting.

Art. 1097. Sont prises à la majorité des copropriétaires, représentant les trois quarts des voix de tous les copropriétaires, les décisions qui concernent:

1° Les actes d'acquisition ou d'aliénation immobilière par le syndicat;

2° Les travaux de transformation, d'agrandissement ou d'amélioration des parties communes, ainsi que la répartition du coût de ces travaux;

3° La construction de bâtiments pour créer de nouvelles fractions;

4° La modification de l'acte constitutif de copropriété ou de l'état descriptif des fractions.

1991, c. 64, a. 1097 (1994-01-01).

C.C.B.C. 442f (**C.C.Q.** 1082, 1096, 1098)

Art. 1098. Sont prises à la majorité des trois quarts des copropriétaires, représentant 90 p. 100 des voix de tous les copropriétaires, les décisions:

1° Qui changent la destination de l'immeuble;

2° Qui autorisent l'aliénation des parties communes dont la conservation est nécessaire au maintien de la destination de l'immeuble;

3° Qui modifient la déclaration de copropriété pour permettre la détention d'une fraction par plusieurs personnes ayant un droit de jouissance périodique et successif.

1991, c. 64, a. 1098 (1994-01-01).

C.C.B.C. 442h (**C.C.Q.** 1043, 1058, 1063)

Art. 1099. Lorsque le nombre de voix dont dispose un copropriétaire ou un promoteur est réduit, en application de la présente section, le total des voix des copropriétaires est réduit d'autant pour le vote des décisions exigeant la majorité en nombre et en voix.

1991, c. 64, a. 1099 (1994-01-01).

(**C.C.Q.** 1091, 1092, 1097, 1098)

Art. 1100. Les copropriétaires de parties privatives contiguës peuvent modifier les limites de leur partie privative sans l'accord de l'assemblée, à la condition d'obtenir le consentement de leur créancier hypothécaire et du syndicat. La modification ne peut augmenter ou diminuer la valeur relative de l'ensemble des parties privatives modifiées ou l'ensemble des droits de vote qui y sont attachés.

Art. 1097. Decisions respecting the following matters require a majority vote of the co-owners representing three-quarters of the voting rights of all the co-owners:

(1) acts of acquisition or alienation of immovables by the syndicate;

(2) work for the alteration, enlargement or improvement of the common portions, and the apportionment of its cost;

(3) the construction of buildings for the creation of new fractions;

(4) the amendment of the constituting act of co-ownership or of the description of the fractions.

Art. 1098. Decisions on the following matters require a majority vote of three-quarters of the co-owners representing ninety per cent of the voting rights of all the co-owners:

(1) to change the destination of the immovable;

(2) to authorize the alienation of common portions the retention of which is necessary to the destination of the immovable;

(3) to amend the declaration of co-ownership in order to permit the holding of a fraction by several persons having a right of periodical and successive enjoyment.

Art. 1099. Where the number of votes available to a co-owner or a promoter is reduced by the effect of this section, the total number of votes that may be cast by all the co-owners to decide a question requiring a majority in number and votes is reduced by the same number.

Art. 1100. The co-owners of contiguous private portions may alter the boundaries between their private portions without obtaining the approval of the general meeting provided they obtain the consent of their hypothecary creditors and of the syndicate. No alteration may increase or decrease the relative value of the group of private portions altered or the total of the voting rights attached to them.

Le syndicat modifie la déclaration de copropriété et le plan cadastral aux frais de ces copropriétaires; l'acte de modification doit être accompagné des consentements des créanciers, des copropriétaires et du syndicat.

1991, c. 64, a. 1100 (1994-01-01).

_____

C.C.B.C. 442f (**C.C.Q.** 1045, 1059, 1063, 3043, 3044)

Art. 1101. Est réputée non écrite toute stipulation de la déclaration de copropriété qui modifie le nombre de voix requis pour prendre une décision prévue par le présent chapitre.

1991, c. 64, a. 1101 (1994-01-01); 1992, c. 57, a. 716 (1994-01-01).

_____

(**D.T.** 53; **C.C.Q.** 1096-1099)

Art. 1102. Est sans effet toute décision du syndicat qui, à l'encontre de la déclaration de copropriété, impose au copropriétaire une modification à la valeur relative de sa fraction, à la destination de sa partie privative ou à l'usage qu'il peut en faire.

1991, c. 64, a. 1102 (1994-01-01); 2002, c. 19, a. 15 (2002-06-13).

_____

C.C.B.C. 442g (**C.C.Q.** 1041, 1063, 1064, 1068, 1103)

Art. 1103. Tout copropriétaire peut demander au tribunal d'annuler une décision de l'assemblée si elle est partiale, si elle a été prise dans l'intention de nuire aux copropriétaires ou au mépris de leurs droits, ou encore si une erreur s'est produite dans le calcul des voix.

L'action doit, sous peine de déchéance, être intentée dans les soixante jours de l'assemblée.

Le tribunal peut, si l'action est futile ou vexatoire, condamner le demandeur à des dommages-intérêts.

1991, c. 64, a. 1103 (1994-01-01).

_____

(**C.C.Q.** 1101, 1102, 1607 ss.; **C.P.C.** 812.1)

SECTION VIII
DE LA PERTE DE CONTRÔLE DU PROMOTEUR SUR LE SYNDICAT

Art. 1104. Dans les quatre-vingt-dix jours à compter de celui où le promoteur d'une copropriété ne détient plus la majorité des voix à l'assemblée des copropriétaires, le conseil d'administration doit convoquer une assemblée extraordinaire des copropriétaires pour l'élection d'un nouveau conseil d'administration.

The syndicate amends the declaration of co-ownership and the cadastral plan at the expense of the co-owners contemplated in the first paragraph; the act of amendment shall be accompanied with the consent of the creditors, the co-owners and the syndicate.

Art. 1101. Any stipulation of the declaration of co-ownership which changes the number of votes required in this chapter for taking any decision is deemed unwritten.

Art. 1102. Any decision of the syndicate which, contrary to the declaration of co-ownership, imposes on a co-owner a change in the relative value of his fraction, a change of destination of his private portion or a change in the use he may make of it is without effect.

Art. 1103. Any co-owner may apply to the court to annul a decision of the general meeting if the decision is biased, if it was taken with intent to injure the co-owners or in contempt of their rights, or if an error was made in counting the votes.

The action is forfeited unless instituted within sixty days after the meeting.

If the action is futile or vexatious, the court may condemn the plaintiff to pay damages.

SECTION VIII
LOSS OF CONTROL OF THE SYNDICATE BY THE PROMOTER

Art. 1104. Within ninety days from the day on which the promoter of a co-ownership ceases to hold a majority of voting rights in the general meeting of the co-owners, the board of directors shall call a special meeting of the co-owners to elect a new board of directors.

Si l'assemblée n'est pas convoquée dans les quatre-vingt-dix jours, tout copropriétaire peut le faire.

1991, c. 64, a. 1104 (1994-01-01).

(**D.T.** 58; **C.C.Q.** 1081, 1092, 1093, 1099)

Art. 1105. Le conseil d'administration, lors de cette assemblée, rend compte de son administration.

Il produit des états financiers, lesquels doivent être accompagnés de commentaires d'un comptable sur la situation financière du syndicat. Le comptable doit, dans son rapport aux copropriétaires, indiquer toute irrégularité qu'il constate.

Les états financiers doivent être vérifiés sur demande des copropriétaires représentant 40 p. 100 des voix de tous les copropriétaires. Cette demande peut être faite en tout temps, même avant l'assemblée.

1991, c. 64, a. 1105 (1994-01-01).

C.C.B.C. 441t (**C.C.Q.** 1104, 1106, 1351 ss.)

Art. 1106. Le comptable a accès, à tout moment, aux livres, comptes et pièces justificatives qui concernent la copropriété.

Il peut exiger du promoteur ou d'un administrateur les informations et explications qu'il estime nécessaires à l'accomplissement de ses fonctions.

1991, c. 64, a. 1106 (1994-01-01).

(**C.C.Q.** 1093, 1105, 1354)

Art. 1107. Le nouveau conseil d'administration peut, dans les soixante jours de l'élection, mettre fin sans pénalité au contrat conclu par le syndicat pour l'entretien de l'immeuble ou pour d'autres services, antérieurement à cette élection, lorsque la durée du contrat excède un an.

1991, c. 64, a. 1107 (1994-01-01).

(**D.T.** 58; **C.C.Q.** 1104)

SECTION IX
DE LA FIN DE LA COPROPRIÉTÉ

Art. 1108. Il peut être mis fin à la copropriété par décision des trois quarts des copropriétaires représentant 90 p. 100 des voix de tous les copropriétaires.

If the meeting is not called within ninety days, any co-owner may call it.

Art. 1105. The board of directors renders account of its administration at the special meeting.

It produces the financial statements, which shall be accompanied with the comments of an accountant on the financial situation of the syndicate. The accountant shall, in his report to the co-owners, indicate any irregularity that has come to his attention.

The financial statements shall be audited on the application of co-owners representing forty per cent of the voting rights of all the co-owners. The application may be made at any time, even before the meeting.

Art. 1106. The accountant has a right of access at all times to the books, accounts and vouchers concerning the co-ownership.

He may require the promoter or an administrator to give him any information or explanation necessary for the performance of his duties.

Art. 1107. The new board of directors may, within sixty days of the election, terminate, without penalty, a contract for the maintenance of the immovable or for other services entered into before the election by the syndicate, where the term of the contract exceeds one year.

SECTION IX
TERMINATION OF CO-OWNERSHIP

Art. 1108. Co-ownership of an immovable may be terminated by a decision of a majority of three-quarters of the co-owners representing ninety per cent of the voting rights of all the co-owners.

La décision de mettre fin à la copropriété doit être consignée dans un écrit que signent le syndicat et les personnes détenant des hypothèques sur tout ou partie de l'immeuble. Cette décision est inscrite au registre foncier, sous les numéros d'immatriculation des parties communes et des parties privatives.

1991, c. 64, a. 1108 (1994-01-01).

The decision to terminate the co-ownership shall be recorded in writing and signed by the syndicate and the persons holding hypothecs on the immovable or part thereof. This decision is entered in the land register under the registration numbers of the common portions and private portions.

C.C.B.C. 442o (**C.C.Q.** 356, 358, 1059, 1075, 1098, 1414)

Art. 1109. Le syndicat est liquidé suivant les règles du livre premier applicables aux personnes morales.

À cette fin, le liquidateur est saisi, en plus des biens du syndicat, de l'immeuble et de tous les droits et obligations des copropriétaires dans l'immeuble.

1991, c. 64, a. 1109 (1994-01-01).

Art. 1109. The syndicate is liquidated according to the rules of Book One on the liquidation of legal persons.

For that purpose, the liquidator is seised of the immovable and of all the rights and obligations of the co-owners in the immovable, in addition to the property of the syndicate.

C.C.B.C. 442p (**C.C.Q.** 355 ss., 1039)

CHAPITRE QUATRIÈME
DE LA PROPRIÉTÉ SUPERFICIAIRE

CHAPTER IV
SUPERFICIES

SECTION I
DE L'ÉTABLISSEMENT DE LA PROPRIÉTÉ SUPERFICIAIRE

SECTION I
ESTABLISHMENT OF SUPERFICIES

Art. 1110. La propriété superficiaire résulte de la division de l'objet du droit de propriété portant sur un immeuble, de la cession du droit d'accession ou de la renonciation au bénéfice de l'accession.

1991, c. 64, a. 1110 (1994-01-01).

Art. 1110. Superficies results from division of the object of the right of ownership of an immovable, transfer of the right of accession or renunciation of the benefit of accession.

C.C.B.C. 414, 415 (**D.T.** 59; **C.C.Q.** 1009, 1011, 1040, 1059, 1060, 1082, 1111-1118, 3042)

Art. 1111. Le droit du propriétaire superficiaire à l'usage du tréfonds est réglé par la convention. À défaut, le tréfonds est grevé des servitudes nécessaires à l'exercice de ce droit; elles s'éteignent lorsqu'il prend fin.

1991, c. 64, a. 1111 (1994-01-01).

Art. 1111. The right of the superficiary to use the subsoil is governed by an agreement. Failing agreement, the subsoil is charged with the servitudes necessary for the exercise of the right. These servitudes are extinguished upon termination of the right.

(**C.C.Q.** 1177, 1181)

Art. 1112. Le superficiaire et le tréfoncier supportent les charges grevant ce qui fait l'objet de leurs droits de propriété respectifs.

1991, c. 64, a. 1112 (1994-01-01).

Art. 1112. The superficiary and the owner of the subsoil each bear the charges encumbering what constitutes the object of their respective rights of ownership.

Art. 1113. La propriété superficiaire peut être perpétuelle, mais un terme peut être fixé par la convention qui établit la modalité superficiaire.
1991, c. 64, a. 1113 (1994-01-01).

(C.C.Q. 1114, 1116)

Art. 1113. Superficies may be perpetual, but a term may be fixed by the agreement establishing its conditions.

SECTION II
DE LA FIN DE LA PROPRIÉTÉ SUPERFICIAIRE

Art. 1114. La propriété superficiaire prend fin:
1° Par la réunion des qualités de tréfoncier et de superficiaire dans une même personne, sous réserve toutefois des droits des tiers;
2° Par l'avènement d'une condition résolutoire;
3° Par l'arrivée du terme.
1991, c. 64, a. 1114 (1994-01-01).

(C.C.Q. 1082, 1115, 1439, 1886, 1887, 1937)

SECTION II
TERMINATION OF SUPERFICIES

Art. 1114. Superficies is terminated
(1) by the union of the qualities of subsoil owner and superficiary in the same person, subject to the rights of third persons;
(2) by the fulfilment of a resolutive condition;
(3) by the expiry of the term.

Art. 1115. La perte totale des constructions, ouvrages ou plantations ne met fin à la propriété superficiaire que si celle-ci résulte de la division de l'objet du droit de propriété.

L'expropriation des constructions, ouvrages ou plantations ou celle du tréfonds ne met pas fin à la propriété superficiaire.
1991, c. 64, a. 1115 (1994-01-01).

(C.C.Q. 952, 1011, 1110, 1114, 3042)

Art. 1115. The total loss of the constructions, works or plantations terminates superficies only if superficies is a result of the division of the object of the right of ownership.

Expropriation of the constructions, works or plantations or expropriation of the subsoil does not terminate superficies.

Art. 1116. À l'expiration de la propriété superficiaire, le tréfoncier acquiert par accession la propriété des constructions, ouvrages ou plantations en en payant la valeur au superficiaire.

Cependant, si la valeur est égale ou supérieure à celle du tréfonds, le superficiaire a le droit d'acquérir la propriété du tréfonds en en payant la valeur au tréfoncier, à moins qu'il ne préfère, à ses frais, enlever les constructions, ouvrages et plantations qu'il a faits et remettre le tréfonds dans son état antérieur.

1991, c. 64, a. 1116 (1994-01-01).

(C.C.Q. 955 ss., 1114, 1117, 1118)

Art. 1116. At the termination of superficies, the subsoil owner acquires by accession ownership of the constructions, works or plantations by paying their value to the superficiary.

If, however, the constructions, works or plantations are equal in value to the subsoil or of greater value, the superficiary has a right to acquire ownership of the subsoil by paying its value to the subsoil owner, unless he prefers to remove, at his own expense, the constructions, works and plantations he has made and return the subsoil to its former condition.

Art. 1117. À défaut par le superficiaire d'exercer son droit d'acquérir la propriété du tréfonds, dans les quatre-vingt-dix jours suivant la fin de la propriété superficiaire, le tréfoncier conserve la propriété des constructions, ouvrages et plantations.
1991, c. 64, a. 1117 (1994-01-01).

(C.C.Q. 1116)

Art. 1117. Where the superficiary fails to exercise his right to acquire ownership of the subsoil within ninety days from the end of the superficies, the owner of the subsoil retains ownership of the constructions, works and plantations.

Art. 1118. Le tréfoncier et le superficiaire qui ne s'entendent pas sur le prix et les autres conditions d'acquisition du tréfonds ou des constructions, ouvrages ou plantations, peuvent demander au tribunal de fixer le prix et les conditions d'acquisition. Le jugement vaut titre et en a tous les effets.

Ils peuvent aussi, en cas de désaccord sur les conditions d'enlèvement de ces constructions, ouvrages ou plantations, demander au tribunal de les déterminer.

1991, c. 64, a. 1118 (1994-01-01).

_____

(C.C.Q. 1116, 1117; **C.P.C.** 110)

Art. 1118. A subsoil owner and a superficiary who do not agree on the price and other terms and conditions of acquisition of the subsoil or of the constructions, works or plantations may apply to the court to fix the price and the terms and conditions of acquisition. The judgment is equivalent to a valid title and has all the effects thereof.

They may also, if they fail to agree on the terms and conditions of removal of the constructions, works or plantations, apply to the court to fix them.

TITRE QUATRIÈME
DES DÉMEMBREMENTS DU DROIT DE PROPRIÉTÉ

TITLE FOUR
DISMEMBERMENTS OF THE RIGHT OF OWNERSHIP

DISPOSITION GÉNÉRALE

GENERAL PROVISION

Art. 1119. L'usufruit, l'usage, la servitude et l'emphytéose sont des démembrements du droit de propriété et constituent des droits réels.
1991, c. 64, a. 1119 (1994-01-01).

Art. 1119. Usufruct, use, servitude and emphyteusis are dismemberments of the right of ownership and are real rights.

(**C.C.Q.** 1120 ss., 1172 ss., 1177 ss., 1195 ss.)

CHAPITRE PREMIER
DE L'USUFRUIT

CHAPTER I
USUFRUCT

SECTION I
DE LA NATURE DE L'USUFRUIT

SECTION I
NATURE OF USUFRUCT

Art. 1120. L'usufruit est le droit d'user et de jouir, pendant un certain temps, d'un bien dont un autre a la propriété, comme le propriétaire lui-même, mais à charge d'en conserver la substance.
1991, c. 64, a. 1120 (1994-01-01).

Art. 1120. Usufruct is the right of use and enjoyment, for a certain time, of property owned by another as one's own, subject to the obligation of preserving its substance.

C.C.B.C. 443 (**C.C.Q.** 899, 911, 947, 1119, 1123, 1124, 1167, 1168, 2938, 2974, 3060, 3067)

Art. 1121. L'usufruit s'établit par contrat, par testament ou par la loi; il peut aussi être établi par jugement dans les cas prévus par la loi.
1991, c. 64, a. 1121 (1994-01-01).

Art. 1121. Usufruct is established by contract, by will or by law; it may also be established by judgment in the cases prescribed by law.

C.C.B.C. 444 (**D.T.** 34; **C.C.Q.** 410-413, 429, 831, 1122, 2910)

Art. 1122. L'usufruit peut être établi pour un seul ou plusieurs usufruitiers, conjointement ou successivement.
Les usufruitiers doivent exister lors de l'ouverture de l'usufruit en leur faveur.
1991, c. 64, a. 1122 (1994-01-01).

Art. 1122. Usufruct may be established for the benefit of one or several usufructuaries jointly or successively.
Only a person who exists when the usufruct in his favour opens may be a usufructuary.

(**C.C.Q.** 1010, 1030, 1121, 1166)

Art. 1123. La durée de l'usufruit ne peut excéder cent ans, même si l'acte qui l'accorde prévoit une durée plus longue ou constitue un usufruit successif.
L'usufruit accordé sans terme est viager ou, si l'usufruitier est une personne morale, trentenaire.
1991, c. 64, a. 1123 (1994-01-01).

Art. 1123. No usufruct may last longer than one hundred years even if the act granting it provides a longer term or creates a successive usufruct.
Usufruct granted without a term is granted for life or, if the usufructuary is a legal person, for thirty years.

C.C.B.C. 479, 481, 482 (**C.C.Q.** 1120, 1162, 1165, 1166, 3067)

SECTION II
DES DROITS DE L'USUFRUITIER

§ 1. — De l'étendue de l'usufruit

Art. 1124. L'usufruitier a l'usage et la jouissance du bien sur lequel porte l'usufruit; il prend le bien dans l'état où il le trouve.

L'usufruit porte sur tous les accessoires, de même que sur tout ce qui s'unit ou s'incorpore naturellement à l'immeuble par voie d'accession.

1991, c. 64, a. 1124 (1994-01-01).

C.C.B.C. 443, 447, 458, 463 (**C.C.Q.** 831, 947, 965, 1120, 1169, 1170)

Art. 1125. L'usufruitier peut exiger du nu-propriétaire la cessation de tout acte qui l'empêche d'exercer pleinement son droit.

L'aliénation que le nu-propriétaire fait de son droit ne porte pas atteinte au droit de l'usufruitier.

1991, c. 64, a. 1125 (1994-01-01).

C.C.B.C. 462 al. 1, 483 (**C.C.Q.** 912, 1133)

Art. 1126. L'usufruitier fait siens les fruits et revenus que produit le bien.

1991, c. 64, a. 1126 (1994-01-01).

C.C.B.C. 447 (**C.C.Q.** 910, 1129, 1130)

Art. 1127. L'usufruitier peut disposer, comme s'il était propriétaire, des biens compris dans l'usufruit dont on ne peut faire usage sans les consommer, à charge d'en rendre de semblables en pareille quantité et qualité à la fin de l'usufruit.

S'il ne peut en rendre de semblables, il doit en payer la valeur en numéraire.

1991, c. 64, a. 1127 (1994-01-01).

C.C.B.C. 452

Art. 1128. L'usufruitier peut disposer, comme un administrateur prudent et diligent, du bien qui, sans être consomptible, se détériore rapidement par l'usage.

Il doit, en ce cas, rendre à la fin de l'usufruit la valeur de ce bien au moment où il en a disposé.

1991, c. 64, a. 1128 (1994-01-01).

C.C.B.C. 454 (**C.C.Q.** 1127, 1309)

SECTION II
RIGHTS OF THE USUFRUCTUARY

§ 1. — Scope of the usufruct

Art. 1124. The usufructuary has the use and enjoyment of the property subject to usufruct; he takes the property in the condition in which he finds it.

Usufruct also bears on all accessories and on everything that is naturally united to or incorporated with the immovable by accession.

Art. 1125. The usufructuary may require the bare owner to cease any act which prevents him from fully exercising his right.

The bare owner's alienation of his right does not affect the right of the usufructuary.

Art. 1126. The usufructuary appropriates the fruits and revenues produced by the property.

Art. 1127. The usufructuary may dispose, as though he were its owner, of all the property under his usufruct which cannot be used without being consumed, subject to the obligation of returning similar property in the same quantity and of the same quality at the end of the usufruct.

Where the usufructuary is unable to return similar property he shall pay the value thereof in cash.

Art. 1128. The usufructuary may dispose, as a prudent and diligent administrator, of property which, though not consumable, rapidly deteriorates with use.

In the case described in the first paragraph, the usufructuary shall, at the end of the usufruct, return the value of the property at the time he disposed of it.

Art. 1129. L'usufruitier perçoit les fruits attachés au bien au début de l'usufruit. Il n'a aucun droit sur ceux qui, lors de la cessation de l'usufruit, sont encore attachés au bien.

Une indemnité est due par le nu-propriétaire ou par l'usufruitier, selon le cas, à celui qui a fait les travaux ou les dépenses nécessaires à la production de ces fruits.

1991, c. 64, a. 1129 (1994-01-01).

_____

C.C.B.C. 410, 450 (**C.C.Q.** 949, 1126, 1146; **C.P.C.** 470)

Art. 1130. Les revenus se comptent, entre l'usufruitier et le nu-propriétaire, jour par jour. Ils appartiennent à l'usufruitier du jour où son droit commence jusqu'à celui où il prend fin, quel que soit le moment où ils sont exigibles ou versés, sauf les dividendes qui n'appartiennent à l'usufruitier que s'ils sont déclarés pendant l'usufruit.

1991, c. 64, a. 1130 (1994-01-01).

_____

C.C.B.C. 451 (**C.C.Q.** 910, 1126, 1146)

Art. 1131. Les gains exceptionnels qui découlent de la propriété du bien sur lequel porte l'usufruit, telles les primes attribuées à l'occasion du rachat d'une valeur mobilière, sont versés à l'usufruitier, qui en doit compte au nu-propriétaire à la fin de l'usufruit.

1991, c. 64, a. 1131 (1994-01-01).

Art. 1132. Si la créance sur laquelle porte l'usufruit vient à échéance au cours de l'usufruit, le prix en est payé à l'usufruitier, qui en donne quittance.

L'usufruitier en doit compte au nu-propriétaire à la fin de l'usufruit.

1991, c. 64, a. 1132 (1994-01-01).

Art. 1133. Le droit d'augmenter le capital sujet à l'usufruit, comme celui de souscription à des valeurs mobilières, appartient au nu-propriétaire, mais le droit de l'usufruitier s'étend à cette augmentation.

Si le nu-propriétaire choisit d'aliéner son droit, le produit de l'aliénation est remis à l'usufruitier qui en est comptable à la fin de l'usufruit.

1991, c. 64, a. 1133 (1994-01-01).

_____

(**C.C.Q.** 909, 1125)

Art. 1134. Le droit de vote attaché à une action ou à une autre valeur mobilière, à une part indivise, à une fraction de copropriété ou à tout autre bien appartient à l'usufruitier.

Art. 1129. The usufructuary is entitled to the fruits attached to the property at the beginning of the usufruct. He has no right to the fruits still attached to it at the time his usufruct ceases.

Compensation is due by the bare owner or by the usufructuary, as the case may be, to the person who has done or incurred the necessary work or expenses for the production of the fruits.

Art. 1130. Revenues are counted, between the usufructuary and the bare owner, day by day. They belong to the usufructuary from the day his right begins to the day it terminates, regardless of when they are exigible or paid, except dividends, which belong to the usufructuary only if they are declared during the usufruct.

Art. 1131. Extraordinary income derived from ownership of the property subject to usufruct, such as premiums granted upon the redemption of securities, are paid to the usufructuary, who is accountable for them to the bare owner at the end of the usufruct.

Art. 1132. If a debt subject to a usufruct becomes payable during the usufruct, the price is paid to the usufructuary, who gives an acquittance for it.

The usufructuary is accountable for the debt to the bare owner at the end of the usufruct.

Art. 1133. The right to increase the capital subject to the usufruct, such as the right to subscribe for securities, belongs to the bare owner, but the right of the usufructuary extends to the increase.

Where the bare owner elects to alienate his right, the proceeds of the alienation are remitted to the usufructuary, who is accountable for it at the end of the usufruct.

Art. 1134. Voting rights attached to shares or to other securities, to an undivided share, to a fraction of a property held in co-ownership or to any other property belong to the usufructuary.

Toutefois, appartient au nu-propriétaire le vote qui a pour effet de modifier la substance du bien principal, comme le capital social ou le bien détenu en copropriété, ou de changer la destination de ce bien ou de mettre fin à la personne morale, à l'entreprise ou au groupement concerné.

La répartition de l'exercice des droits de vote n'est pas opposable aux tiers; elle ne se discute qu'entre l'usufruitier et le nu-propriétaire.

1991, c. 64, a. 1134 (1994-01-01).

(**C.C.Q.** 1026, 1031, 1097, 1098, 1108, 1168)

Art. 1135. L'usufruitier peut céder son droit ou louer un bien compris dans l'usufruit.

1991, c. 64, a. 1135 (1994-01-01).

C.C.B.C. 457 (**C.C.Q.** 404-406)

Art. 1136. Le créancier de l'usufruitier peut faire saisir et vendre les droits de celui-ci, sous réserve des droits du nu-propriétaire.

Le créancier du nu-propriétaire peut également faire saisir et vendre les droits de celui-ci, sous réserve des droits de l'usufruitier.

1991, c. 64, a. 1136 (1994-01-01).

(**C.C.Q.** 2752, 2783)

§ 2. — *Des impenses*

Art. 1137. Les impenses nécessaires faites par l'usufruitier sont traitées, par rapport au nu-propriétaire, comme celles faites par un possesseur de bonne foi.

1991, c. 64, a. 1137 (1994-01-01).

C.C.B.C. 462 al. 2 et 3 (**C.C.Q.** 933, 957, 958, 963, 1152, 1153)

Art. 1138. Les impenses utiles faites par l'usufruitier sont, à la fin de l'usufruit, conservées par le nu-propriétaire sans indemnité, à moins que l'usufruitier ne choisisse de les enlever et de remettre le bien en l'état. Le nu-propriétaire ne peut cependant contraindre l'usufruitier à les enlever.

1991, c. 64, a. 1138 (1994-01-01).

(**C.C.Q.** 1151, 1162)

However, any vote having the effect of altering the substance of the principal property, such as the capital stock or property held in co-ownership, or of changing the destination of the property or terminating the legal person, enterprise or group concerned belongs to the bare owner.

The distribution of the exercise of the voting rights may not be set up against third persons; it is discussed only between the usufructuary and the bare owner.

Art. 1135. The usufructuary may transfer his right or lease a property included in the usufruct.

Art. 1136. A creditor of the usufructuary may cause the rights of the usufructuary to be seized and sold, subject to the rights of the bare owner.

A creditor of the bare owner may also cause the rights of the bare owner to be seized and sold, subject to the rights of the usufructuary.

§ 2. — *Disbursements*

Art. 1137. Necessary disbursements made by the usufructuary are treated, in relation to the bare owner, as those made by a possessor in good faith.

Art. 1138. The useful disbursements made by the usufructuary are preserved by the bare owner without indemnity at the end of the usufruct, unless the usufructuary elects to remove them and restore the property to its original state. However, the bare owner may not compel the usufructuary to remove them.

§ 3. — Des arbres et des minéraux

Art. 1139. L'usufruitier ne peut abattre les arbres qui croissent sur le fonds soumis à l'usufruit, sauf pour les réparations, l'entretien et l'exploitation du fonds. Il peut, cependant, disposer de ceux qui sont renversés ou qui meurent naturellement.

Il remplace ceux qui sont détruits en suivant l'usage des lieux ou la coutume des propriétaires. Il remplace aussi les arbres des vergers et érablières, à moins qu'en grande partie ils n'aient été détruits.

1991, c. 64, a. 1139 (1994-01-01).

C.C.B.C. 455 al. 1 et 2, 456 (**D.T.** 60; **C.C.Q.** 984 ss.)

Art. 1140. L'usufruitier peut commencer une exploitation agricole ou sylvicole si le fonds soumis à l'usufruit s'y prête.

L'usufruitier qui commence une exploitation ou la continue doit veiller à ne pas épuiser le sol ni enrayer la reproduction de la forêt. S'il s'agit d'une exploitation sylvicole, il doit en outre, avant le début de son exploitation, faire approuver le plan d'exploitation par le nu-propriétaire. À défaut d'obtenir cette approbation, l'usufruitier peut faire approuver le plan par le tribunal.

1991, c. 64, a. 1140 (1994-01-01).

C.C.B.C. 455 al. 3 (**D.T.** 60; **C.C.Q.** 986; **C.P.C.** 110)

Art. 1141. L'usufruitier ne peut extraire les minéraux compris dans le fonds soumis à l'usufruit, sauf pour les réparations et l'entretien de ce fonds.

Si, toutefois, l'extraction de ces minéraux constituait, avant l'ouverture de l'usufruit, une source de revenus pour le propriétaire, l'usufruitier peut en continuer l'extraction de la même manière qu'elle a été commencée.

1991, c. 64, a. 1141 (1994-01-01).

C.C.B.C. 460 (**D.T.** 60)

SECTION III
DES OBLIGATIONS DE L'USUFRUITIER

§ 1. — De l'inventaire et des sûretés

Art. 1142. L'usufruitier fait l'inventaire des biens soumis à son droit, comme s'il était administrateur du bien d'autrui, à moins que celui qui a constitué l'usufruit n'ait lui-même fait l'inventaire ou n'ait dispensé l'usufruitier de le faire. La dispense ne peut être accordée si l'usufruit est successif.

§ 3. — Trees and minerals

Art. 1139. In no case may the usufructuary fell trees growing on the land subject to the usufruct except for repairs, maintenance or exploitation of the land. He may, however, dispose of those which have fallen or died naturally.

The usufructuary replaces the trees that have been destroyed, in conformity with the usage of the place or the custom of the owners. He also replaces orchard and sugar bush trees, unless most of them have been destroyed.

Art. 1140. The usufructuary may begin agricultural or sylvicultural operations if the land subject to the usufruct is suitable therefor.

Where the usufructuary begins or continues operations, he shall do so in such a manner as not to exhaust the soil or prevent the regrowth of the forest. He shall also, in the case of sylvicultural operations, have his operating plan approved by the bare owner before his operations begin. If he fails to obtain such approval, he may have the plan approved by the court.

Art. 1141. No usufructuary may extract minerals from the land subject to the usufruct except for the repair and maintenance of the land.

However, where the extraction of minerals constituted a source of income for the owner before the opening of the usufruct, the usufructuary may continue the extraction in the same way as it was begun.

SECTION III
OBLIGATIONS OF THE USUFRUCTUARY

§ 1. — Inventory and security

Art. 1142. The usufructuary, in the manner of an administrator of the property of others, makes an inventory of the property subject to his right unless the person constituting the usufruct has done so himself or has exempted him from doing so. No exemption may be granted if the usufruct is successive.

L'usufruitier fait l'inventaire à ses frais et en fournit une copie au nu-propriétaire.

1991, c. 64, a. 1142 (1994-01-01).

C.C.B.C. 463 (**C.C.Q.** 1122, 1143, 1146, 1324 ss., 1337)

Art. 1143. L'usufruitier ne peut contraindre celui qui constitue l'usufruit ou le nu-propriétaire à lui délivrer le bien, tant qu'il n'a pas fait un inventaire.

1991, c. 64, a. 1143 (1994-01-01).

(**C.C.Q.** 1142, 1146)

Art. 1144. Sauf le cas du vendeur ou du donateur sous réserve d'usufruit, l'usufruitier doit, dans les soixante jours de l'ouverture de l'usufruit, souscrire une assurance ou fournir au nu-propriétaire une autre sûreté garantissant l'exécution de ses obligations. Il doit fournir une sûreté additionnelle si ses obligations viennent à augmenter pendant la durée de l'usufruit.

Il est dispensé de ces obligations s'il ne peut les exécuter ou si celui qui constitue l'usufruit le prévoit.

1991, c. 64, a. 1144 (1994-01-01).

C.C.B.C. 464 (**C.C.Q.** 1145-1147, 1324, 1325, 2333 ss., 2498 ss.)

Art. 1145. À défaut par l'usufruitier de fournir une sûreté dans le délai prévu, le nu-propriétaire peut obtenir la mise sous séquestre des biens.

Le séquestre place, comme un administrateur du bien d'autrui chargé de la simple administration, les sommes comprises dans l'usufruit et celles qui proviennent de la vente des biens susceptibles de dépérissement. Il place, de même, les sommes provenant du paiement des créances soumises à l'usufruit.

1991, c. 64, a. 1145 (1994-01-01).

C.C.B.C. 465, 466 al. 1 (**C.C.Q.** 1144, 1147, 1301 ss., 2305 ss.; **C.P.C.** 742 ss., 885*b*))

Art. 1146. Le retard injustifié de l'usufruitier à faire un inventaire des biens ou à fournir une sûreté le prive de son droit aux fruits et revenus, à compter de l'ouverture de l'usufruit jusqu'à l'exécution de son obligation.

1991, c. 64, a. 1146 (1994-01-01).

C.C.B.C. 467 (**D.T.** 61; **C.C.Q.** 1126, 1142, 1144, 1145)

The usufructuary makes the inventory at his own expense and furnishes a copy to the bare owner.

Art. 1143. In no case may the usufructuary compel the person constituting the usufruct or the bare owner to deliver the property to him until he has made an inventory.

Art. 1144. Except in the case of a vendor or donor who has reserved the usufruct, the usufructuary shall, within sixty days from the opening of the usufruct, take out insurance or furnish other security to the bare owner to guarantee performance of his obligations. The usufructuary shall furnish additional security if his obligations increase while the usufruct lasts.

The usufructuary is exempted from these obligations if he is unable to perform them or if the person constituting the usufruct so provides.

Art. 1145. If the usufructuary fails to furnish security within the allotted time, the bare owner may have the property sequestrated.

The sequestrator, in the manner of an administrator of the property of others charged with simple administration, invests the amounts included in the usufruct and the proceeds of the sale of perishable property. He similarly invests the amounts deriving from payment of the claims subject to the usufruct.

Art. 1146. Any unjustified delay by the usufructuary in making an inventory of the property or furnishing security deprives him of his right to the fruits and revenues from the opening of the usufruct until the performance of his obligations.

Art. 1147. L'usufruitier peut demander au tribunal que des meubles sous séquestre, nécessaires à son usage, lui soient laissés, à la seule charge de les rendre à la fin de l'usufruit.

1991, c. 64, a. 1147 (1994-01-01).

C.C.B.C. 466 al. 2 (**C.C.Q.** 1145, 2305-2311; **C.P.C.** 742 ss., 885*a*))

§ 2. — *Des assurances et des réparations*

Art. 1148. L'usufruitier est tenu d'assurer le bien contre les risques usuels, tels le vol et l'incendie, et de payer pendant la durée de l'usufruit les primes de cette assurance. Il est néanmoins dispensé de cette obligation si la prime d'assurance est trop élevée par rapport aux risques.

1991, c. 64, a. 1148 (1994-01-01).

(**D.T.** 62; **C.C.Q.** 1149, 1160, 1161, 1163, 1331, 2480 ss.)

Art. 1149. En cas de perte, l'indemnité est versée à l'usufruitier qui en donne quittance à l'assureur.

L'usufruitier est tenu d'employer l'indemnité à la réparation du bien, sauf en cas de perte totale, où il peut jouir de l'indemnité.

1991, c. 64, a. 1149 (1994-01-01).

(**D.T.** 62; **C.C.Q.** 1148, 1160)

Art. 1150. L'usufruitier ou le nu-propriétaire peuvent contracter, pour leur compte, une assurance garantissant leur droit.

L'indemnité leur appartient respectivement.

1991, c. 64, a. 1150 (1994-01-01).

(**C.C.Q.** 2482)

Art. 1151. L'entretien du bien est à la charge de l'usufruitier. Il n'est pas tenu de faire les réparations majeures, à moins qu'elles ne résultent de son fait, notamment du défaut d'effectuer les réparations d'entretien depuis l'ouverture de l'usufruit.

1991, c. 64, a. 1151 (1994-01-01).

C.C.B.C. 468 (**C.C.Q.** 1120, 1137, 1138, 1152, 1153, 1168)

Art. 1147. The usufructuary may apply to the court for leave to retain sequestrated movables necessary for his use under no other condition than that he undertake to produce them at the end of the usufruct.

§ 2. — *Insurance and repairs*

Art. 1148. The usufructuary is bound to insure the property against ordinary risks such as fire and theft and to pay the insurance premiums while the usufruct lasts. He is, however, exempt from that obligation where the insurance premium is too high in relation to the risks.

Art. 1149. In the case of a loss, the indemnity is paid to the usufructuary, who gives an acquittance therefor to the insurer.

The usufructuary is bound to use the indemnity for the repair of the property, except in the case of total loss, where he may have enjoyment of the indemnity.

Art. 1150. The usufructuary or the bare owner may take out insurance on his own account to secure his rights.

The indemnity belongs to the usufructuary or the bare owner, as the case may be.

Art. 1151. Maintenance of the property is the responsibility of the usufructuary. He is not bound to make ma jor repairs except where they are necessary as the result of his act or omission, in particular his failure to carry out maintenance repairs since the opening of the usufruct.

Art. 1152. Les réparations majeures sont celles qui portent sur une partie importante du bien et nécessitent une dépense exceptionnelle, comme celles relatives aux poutres et aux murs portants, au remplacement des couvertures, aux murs de soutènement, aux systèmes de chauffage, d'électricité ou de plomberie ou aux systèmes électroniques et, à l'égard d'un meuble, aux pièces motrices ou à l'enveloppe du bien.

1991, c. 64, a. 1152 (1994-01-01).

C.C.B.C. 469 (C.C.Q. 1137, 1151, 1153)

Art. 1153. L'usufruitier doit aviser le nu-propriétaire de la nécessité de réparations majeures.

Le nu-propriétaire n'est pas tenu de les faire. S'il y procède, l'usufruitier supporte les inconvénients qui en résultent. Dans le cas contraire, l'usufruitier peut y procéder et s'en faire rembourser le coût à la fin de l'usufruit.

1991, c. 64, a. 1153 (1994-01-01).

(D.T. 63; C.C.Q. 1137, 1151, 1152, 1160, 1457)

§ 3. — *Des autres charges*

Art. 1154. L'usufruitier est tenu, en proportion de la durée de l'usufruit, des charges ordinaires grevant le bien soumis à son droit et des autres charges normalement payées avec les revenus.

Il est pareillement tenu des charges extraordinaires, lorsqu'elles sont payables par versements périodiques échelonnés sur plusieurs années.

1991, c. 64, a. 1154 (1994-01-01).

C.C.B.C. 471 (C.C.Q. 1155 ss., 1168, 2651)

Art. 1155. L'usufruitier à titre particulier peut, s'il est forcé de payer une dette de la succession pour conserver l'objet de son droit, en exiger le remboursement du débiteur immédiatement ou l'exiger du nu-propriétaire à la fin de l'usufruit.

1991, c. 64, a. 1155 (1994-01-01).

C.C.B.C. 473 (C.C.Q. 823, 827)

Art. 1156. L'usufruitier à titre universel et le nu-propriétaire sont tenus au paiement des dettes de la succession en proportion de leur part dans la succession.

Art. 1152. Major repairs are those which affect a substantial part of the property and require extraordinary outlays, such as repairs relating to beams and support walls, to the replacement of roofs, to prop-walls or to heating, electrical, plumbing or electronic systems, and, in respect of movables, to motive parts or the casing of the property.

Art. 1153. The usufructuary shall notify the bare owner that major repairs are necessary.

The bare owner is under no obligation to make the major repairs. If he makes them, the usufructuary suffers the resulting inconvenience. If he does not make them, the usufructuary may make them and be reimbursed for the cost at the end of the usufruct.

§ 3. — *Other charges*

Art. 1154. The usufructuary is liable, in proportion to the duration of the usufruct, for ordinary charges affecting the property subject to his right and for the other charges that are ordinarily paid with the revenues.

The usufructuary is similarly liable for extraordinary charges that are payable in periodic instalments over several years.

Art. 1155. If a usufructuary by particular title is forced to pay a debt of the succession in order to preserve the property subject to his right, he may require immediate reimbursement from the debtor or reimbursement from the bare owner at the end of the usufruct.

Art. 1156. The usufructuary by general title and the bare owner are liable for the payment of the debts of the succession in proportion to their shares in the succession.

Le nu-propriétaire est tenu du capital et l'usufruitier des intérêts.

1991, c. 64, a. 1156 (1994-01-01).

C.C.B.C. 474 **(C.C.Q.** 824, 1157)

Art. 1157. L'usufruitier à titre universel peut payer les dettes de la succession; le nu-propriétaire lui en doit compte à la fin de l'usufruit.

Si l'usufruitier choisit de ne pas les payer, le nu-propriétaire peut faire vendre, jusqu'à concurrence du montant des dettes, les biens soumis à l'usufruit ou les payer lui-même; en ce cas, l'usufruitier lui verse, pendant la durée de l'usufruit, des intérêts sur la somme payée.

1991, c. 64, a. 1157 (1994-01-01).

C.C.B.C. 474 **(C.C.Q.** 824, 1156)

Art. 1158. L'usufruitier est tenu aux dépens de toute demande en justice se rapportant à son droit d'usufruit.

Si l'action concerne à la fois les droits du nu-propriétaire et ceux de l'usufruitier, les règles relatives au paiement des dettes de la succession entre l'usufruitier à titre universel et le nu-propriétaire s'appliquent, à moins que le jugement ne mette fin à l'usufruit. En ce cas, les frais sont partagés également entre l'usufruitier et le nu-propriétaire.

1991, c. 64, a. 1158 (1994-01-01).

C.C.B.C. 475 **(C.C.Q.** 1156, 1157)

Art. 1159. L'usufruitier doit prévenir le nu-propriétaire de toute usurpation commise par un tiers sur le bien ou de toute autre atteinte aux droits du nu-propriétaire, faute de quoi il est responsable de tous les dommages qui peuvent en résulter, comme il le serait de dégradations commises par lui-même.

1991, c. 64, a. 1159 (1994-01-01).

C.C.B.C. 476 **(C.C.Q.** 1168)

Art. 1160. Ni le nu-propriétaire ni l'usufruitier ne sont tenus de remplacer ce qui est tombé de vétusté.

L'usufruitier dispensé d'assurer le bien n'est pas tenu de remplacer ou de payer la valeur du bien qui périt par force majeure.

1991, c. 64, a. 1160 (1994-01-01).

C.C.B.C. 470 **(C.C.Q.** 1148, 1149, 1163, 1470)

The bare owner is liable for the capital and the usufructuary for the interest.

Art. 1157. The usufructuary under a legacy by general title may pay the debts of the succession; the bare owner is accountable therefor to him at the end of the usufruct.

Where the usufructuary elects not to pay the debts of the succession, the bare owner may cause property subject to the right of the usufructuary up to the amount of the debts to be sold or pay the debts himself; in this case, for the duration of the usufruct, the usufructuary pays interest to the bare owner on the amount paid.

Art. 1158. The usufructuary is liable for the costs of any legal proceedings related to his right of usufruct.

Where proceedings relate to both the rights of the bare owner and those of the usufructuary, the rules governing payment of the debts of the succession between the usufructuary under a legacy by general title and the bare owner apply unless the usufruct is terminated by the judgment, in which case the costs are divided equally between the usufructuary and the bare owner.

Art. 1159. If, during the usufruct, a third person encroaches on the property of the bare owner or otherwise infringes his rights, the usufructuary shall notify the bare owner, failing which he is liable for all resulting damage, as if he himself had committed waste.

Art. 1160. Neither the bare owner nor the usufructuary is under any obligation to replace anything that has fallen into decay.

A usufructuary exempted from insuring the property is under no obligation to replace or pay the value of any property that perishes by superior force.

Art. 1161. Si l'usufruit porte sur un troupeau qui périt entièrement par force majeure, l'usufruitier dispensé d'assurer le bien est tenu de rendre compte au nu-propriétaire des cuirs ou de leur valeur.

Si le troupeau ne périt pas entièrement, l'usufruitier est tenu de remplacer, à concurrence du croît, les animaux qui ont péri.

1991, c. 64, a. 1161 (1994-01-01).

C.C.B.C. 478 (**C.C.Q.** 1148, 1149, 1160, 1163)

SECTION IV
DE L'EXTINCTION DE L'USUFRUIT

Art. 1162. L'usufruit s'éteint:

1° Par l'arrivée du terme;

2° Par le décès de l'usufruitier ou par la dissolution de la personne morale;

3° Par la réunion des qualités d'usufruitier et de nu-propriétaire dans la même personne, sous réserve des droits des tiers;

4° Par la déchéance du droit, son abandon ou sa conversion en rente;

5° Par le non-usage pendant dix ans.

1991, c. 64, a. 1162 (1994-01-01).

C.C.B.C. 479 (**C.C.Q.** 355, 1120, 1123, 1163-1166, 1168-1171, 3067)

Art. 1163. L'usufruit prend fin également par la perte totale du bien sur lequel il est établi, sauf si le bien est assuré par l'usufruitier.

En cas de perte partielle du bien, l'usufruit subsiste sur le reste.

1991, c. 64, a. 1163 (1994-01-01).

C.C.B.C. 479, 485 (**C.C.Q.** 1148, 1149, 1161, 1162, 3067)

Art. 1164. L'usufruit ne prend pas fin par l'expropriation du bien sur lequel il est établi. L'indemnité est remise à l'usufruitier, à charge d'en rendre compte à la fin de l'usufruit.

1991, c. 64, a. 1164 (1994-01-01).

(**C.C.Q.** 952, 1126)

Art. 1165. L'usufruit accordé jusqu'à ce qu'un tiers ait atteint un âge déterminé dure jusqu'à cette date, encore que le tiers soit décédé avant l'âge fixé.

1991, c. 64, a. 1165 (1994-01-01).

C.C.B.C. 482 (**C.C.Q.** 1123, 1162-1164)

Art. 1161. If a usufruct is established upon a herd or a flock and the entire herd or flock perishes by superior force, the usufructuary exempted from insuring the property is bound to account to the owner for the skins or their value.

If the herd or flock does not perish entirely, the usufructuary is bound to replace those animals which have perished, up to the number of the increase.

SECTION IV
EXTINCTION OF USUFRUCT

Art. 1162. Usufruct is extinguished

(1) by the expiry of the term;

(2) by the death of the usufructuary or the dissolution of the legal person;

(3) by the union of the qualities of usufructuary and bare owner in the same person, subject to the rights of third persons;

(4) by the forfeiture or renunciation of the right or its conversion into an annuity;

(5) by non-user for ten years.

Art. 1163. Usufruct is also extinguished by the total loss of the property over which it is established, unless the property is insured by the usufructuary.

In case of partial loss of the property, the usufruct subsists upon the remainder.

Art. 1164. Usufruct is not extinguished by expropriation of the property on which it is established. The indemnity is remitted to the usufructuary under the condition of his rendering account of it at the end of the usufruct.

Art. 1165. If a usufruct is granted until a third person reaches a certain age, it continues until the date he would have reached that age, even if he has died.

Art. 1166. L'usufruit créé au bénéfice de plusieurs usufruitiers successifs prend fin avec le décès du dernier usufruitier ou avec la dissolution de la dernière personne morale.

S'il est conjoint, l'extinction de l'usufruit à l'égard de l'un des usufruitiers profite au nu-propriétaire.

1991, c. 64, a. 1166 (1994-01-01).

(C.C.Q. 1122, 1162)

Art. 1167. À la fin de l'usufruit, l'usufruitier rend au nu-propriétaire, dans l'état où il se trouve, le bien sur lequel porte son usufruit.

Il répond de la perte survenue par sa faute ou ne résultant pas de l'usage normal du bien.

1991, c. 64, a. 1167 (1994-01-01).

(C.C.Q. 1127, 1128, 1151-1153, 1160, 1164, 1168)

Art. 1168. L'usufruitier qui abuse de sa jouissance, qui commet des dégradations sur le bien ou le laisse dépérir ou qui, de toute autre façon, met en danger les droits du nu-propriétaire, peut être déchu de son droit.

Le tribunal peut, suivant la gravité des circonstances, prononcer l'extinction absolue de l'usufruit, avec indemnité payable immédiatement ou par versements au nu-propriétaire, ou sans indemnité. Il peut aussi prononcer la déchéance des droits de l'usufruitier en faveur d'un usufruitier conjoint ou successif, ou encore imposer des conditions pour la continuation de l'usufruit.

Les créanciers de l'usufruitier peuvent intervenir à la demande pour la conservation de leurs droits; ils peuvent offrir la réparation des dégradations commises et des garanties pour l'avenir.

1991, c. 64, a. 1168 (1994-01-01).

C.C.B.C. 480 (**C.C.Q.** 1134, 1151, 1154, 1159, 1167, 1627; **C.P.C.** 110)

Art. 1169. Un usufruitier peut abandonner tout ou partie de son droit.

En cas d'abandon partiel et à défaut d'entente, le tribunal fixe les nouvelles obligations de l'usufruitier en tenant compte, notamment, de l'étendue du droit, de sa durée, ainsi que des fruits et revenus qui en sont tirés.

1991, c. 64, a. 1169 (1994-01-01).

(C.C.Q. 1162, 1170, 1176, 1886, 1887, 1937, 2938, 3067; **C.P.C.** 110)

Art. 1166. A usufruct created for the benefit of several usufructuaries successively terminates with the death of the last usufructuary or the dissolution of the last legal person.

The extinguishment of the right of one of the usufructuaries in a joint usufruct benefits the bare owner.

Art. 1167. At the end of the usufruct, the usufructuary returns the property subject to the usufruct to the bare owner in the condition in which it is at that time.

The usufructuary is accountable for any loss caused by his fault or not resulting from normal use of the property.

Art. 1168. A usufructuary who makes misuse of enjoyment, who commits waste on the property, who allows it to depreciate or who in any manner endangers the rights of the bare owner may be declared to have forfeited his right.

The court may, according to the gravity of the circumstances, pronounce the absolute extinction of the usufruct, with compensation payable immediately or by instalments to the bare owner, or without compensation. It may also declare the usufructuary's right forfeited in favour of a joint or successive usufructuary, or it may impose conditions for the continuance of the usufruct.

The creditors of the usufructuary may intervene in the proceedings to ensure the preservation of their rights; they may offer to repair the waste and provide security for the future.

Art. 1169. A usufructuary may renounce his right, in whole or in part.

Where part only of the right is renounced and failing an agreement, the court fixes the new obligations of the usufructuary, taking into account, in particular, the scope and duration of the right, and the fruits and revenues derived therefrom.

Art. 1170. L'abandon total est opposable au nu-propriétaire à compter du jour de sa signification; l'abandon partiel est opposable à compter de la demande en justice ou de l'entente entre les parties.

1991, c. 64, a. 1170 (1994-01-01).

(C.C.Q. 1169, 2938, 3067)

Art. 1171. L'usufruitier qui éprouve des difficultés sérieuses à remplir ses obligations a le droit d'exiger du nu-propriétaire ou de l'usufruitier conjoint ou successif la conversion de son droit en rente.

À défaut d'entente, le tribunal, s'il constate le droit de l'usufruitier, fixe la rente en tenant compte, notamment, de l'étendue du droit, de sa durée, ainsi que des fruits et revenus qui en sont tirés.

1991, c. 64, a. 1171 (1994-01-01).

(C.C.Q. 1162(4°), 2367 ss.; **C.P.C.** 110)

Art. 1170. Total renunciation may be set up against the bare owner from the day he is served notice of it; partial renunciation may be set up from the date of judicial proceedings or of an agreement between the parties.

Art. 1171. A usufructuary having serious difficulty in performing his obligations is entitled to require the bare owner or joint or successive usufructuary to convert his right to an annuity.

Failing agreement, the court, if it confirms the right of the usufructuary, fixes the annuity, taking into account, in particular, the scope and duration of the right and the fruits and revenues derived from it.

CHAPITRE DEUXIÈME
DE L'USAGE

Art. 1172. L'usage est le droit de se servir temporairement du bien d'autrui et d'en percevoir les fruits et revenus, jusqu'à concurrence des besoins de l'usager et des personnes qui habitent avec lui ou sont à sa charge.

1991, c. 64, a. 1172 (1994-01-01).

CHAPTER II
USE

Art. 1172. A right of use is the right to enjoy the property of another for a time and to take the fruits and revenues thereof, to the extent of the needs of the user and the persons living with him or his dependants.

C.C.B.C. 487, 493 (**C.C.Q.** 406, 410, 411, 413, 1119, 1173-1176, 2974)

Art. 1173. Le droit d'usage est incessible et insaisissable, à moins que la convention ou l'acte qui constitue le droit d'usage ne prévoie le contraire.

Si la convention ou l'acte est muet sur la cessibilité ou la saisissabilité du droit, le tribunal peut, dans l'intérêt de l'usager et après avoir constaté que le propriétaire ne subit aucun préjudice, autoriser la cession ou la saisie du droit.

1991, c. 64, a. 1173 (1994-01-01).

Art. 1173. The right of use may not be assigned or seized unless the agreement or the act establishing the right of use provides otherwise.

If the agreement or act is silent as to whether the right may be assigned or seized, the court may, in the interest of the user and after ascertaining that the owner suffers no damage, authorize the assignment or seizure of the right.

C.C.B.C. 494, 497 (**C.C.Q.** 1136, 1176, 2668, 2876; **C.P.C.** 885a))

Art. 1174. L'usager dont le droit porte sur une partie seulement d'un bien peut utiliser les installations destinées à l'usage commun.

1991, c. 64, a. 1174 (1994-01-01).

(C.C.Q. 1043, 1044)

Art. 1174. A user whose right bears on only part of a property may use any facility intended for common use.

Art. 1175. L'usager qui retire tous les fruits et revenus du bien ou qui l'utilise en totalité est tenu pour le tout aux frais qu'il a engagés pour les produire, aux réparations d'entretien et au paiement des charges, de la même manière que l'usufruitier.

S'il ne prend qu'une partie des fruits et revenus ou s'il n'utilise qu'une partie du bien, il contribue en proportion de ce dont il fait usage.

1991, c. 64, a. 1175 (1994-01-01).

C.C.B.C. 498 (**C.C.Q.** 1129, 1151-1154)

Art. 1176. Les dispositions relatives à l'usufruit sont, pour le reste, applicables au droit d'usage, compte tenu des adaptations nécessaires.

Toutefois, les règles relatives à la conversion de l'usufruit en rente ne s'appliquent pas au droit d'usage, sauf si ce droit est cessible et saisissable.

1991, c. 64, a. 1176 (1994-01-01).

C.C.B.C. 488-492 (**C.C.Q.** 1120 ss., 1169, 1173)

Art. 1175. A user who takes all the fruits and revenues of the property or who uses the entire property is fully liable for the costs incurred to produce them, for maintenance repairs and for payment of the charges in the same manner as a usufructuary.

Where the user takes only part of the fruits and revenues or uses only part of the property, he contributes in proportion to his use.

Art. 1176. The provisions governing usufruct, adapted as required, are, in all other respects, applicable to the right of use.

However, the rules relating to conversion of the usufruct into an annuity do not apply to the right of use unless that right may be assigned and seized.

CHAPITRE TROISIÈME
DES SERVITUDES

CHAPTER III
SERVITUDES

SECTION I
DE LA NATURE DES SERVITUDES

SECTION I
NATURE OF SERVITUDES

Art. 1177. La servitude est une charge imposée sur un immeuble, le fonds servant, en faveur d'un autre immeuble, le fonds dominant, et qui appartient à un propriétaire différent.

Cette charge oblige le propriétaire du fonds servant à supporter, de la part du propriétaire du fonds dominant, certains actes d'usage ou à s'abstenir lui-même d'exercer certains droits inhérents à la propriété.

La servitude s'étend à tout ce qui est nécessaire à son exercice.

1991, c. 64, a. 1177 (1994-01-01).

C.C.B.C. 499, 552 (**C.C.Q.** 904, 1184 ss., 1434)

Art. 1177. A servitude is a charge imposed on an immovable, the servient land, in favour of another immovable, the dominant land, belonging to a different owner.

Under the charge the owner of the servient land is required to tolerate certain acts of use by the owner of the dominant land or himself abstain from exercising certain rights inherent in ownership.

A servitude extends to all that is necessary for its exercise.

Art. 1178. Une obligation de faire peut être rattachée à une servitude et imposée au propriétaire du fonds servant. Cette obligation est un accessoire de la servitude et ne peut être stipulée que pour le service ou l'exploitation de l'immeuble.

1991, c. 64, a. 1178 (1994-01-01).

Art. 1178. An obligation to perform an act may be attached to a servitude and imposed on the owner of the servient land. The obligation is an accessory to the servitude and can only be stipulated for the service or exploitation of the immovable.

(**C.C.Q.** 1177)

Art. 1179. Les servitudes sont continues ou discontinues.

La servitude continue est celle dont l'exercice ne requiert pas le fait actuel de son titulaire, comme la servitude de vue ou de non-construction.

La servitude discontinue est celle dont l'exercice requiert le fait actuel de son titulaire, comme la servitude de passage à pied ou en voiture.

1991, c. 64, a. 1179 (1994-01-01).

C.C.B.C. 547 (**C.C.Q.** 987, 993, 997 ss., 1192)

Art. 1179. Servitudes are either continuous or discontinuous.

Continuous servitudes, such as servitudes of view or of no building, do not require the actual intervention of the holder.

Discontinuous servitudes, such as pedestrian or vehicular rights of way, require the actual intervention of the holder.

Art. 1180. Les servitudes sont apparentes ou non apparentes.

La servitude est apparente lorsqu'elle se manifeste par un signe extérieur; autrement elle est non apparente.

1991, c. 64, a. 1180 (1994-01-01).

C.C.B.C. 548 (**C.C.Q.** 1184)

Art. 1180. Servitudes are either apparent or unapparent.

A servitude is apparent if it is manifested by an external sign; otherwise it is unapparent.

Art. 1181. La servitude s'établit par contrat, par testament, par destination du propriétaire ou par l'effet de la loi.

Elle ne peut s'établir sans titre et la possession, même immémoriale, ne suffit pas à cet effet.

1991, c. 64, a. 1181 (1994-01-01).

C.C.B.C. 500, 549 (**C.C.Q.** 922, 924, 1111, 1177, 1183, 1184, 1192-1194, 1372, 2938, 2941, 2962)

Art. 1181. A servitude is established by contract, by will, by destination of proprietor or by the effect of law.

It may not be established without title, and possession, even immemorial, is insufficient for this purpose.

Art. 1182. Les mutations de propriété du fonds servant ou dominant ne portent pas atteinte à la servitude. Celle-ci suit les immeubles en quelques mains qu'ils passent, sous réserve des dispositions relatives à la publicité des droits.

1991, c. 64, a. 1182 (1994-01-01).

(**C.C.Q.** 1177, 1187, 1188, 2938, 2941 ss., 2962 ss., 2968, 2998)

Art. 1182. Servitudes are not affected by the transfer of ownership of the servient or dominant land. They remain attached to the immovables through changes of ownership, subject to the provisions relating to the publication of rights.

Art. 1183. La servitude par destination du propriétaire est constatée par un écrit du propriétaire du fonds qui, prévoyant le morcellement éventuel de son fonds, établit immédiatement la nature, l'étendue et la situation de la servitude sur une partie du fonds en faveur d'autres parties.

1991, c. 64, a. 1183 (1994-01-01).

C.C.B.C. 551 (**C.C.Q.** 1182, 1187, 1188, 2938)

Art. 1183. Servitude by destination of proprietor is evidenced in writing by the owner of the land who, in contemplation of its future parcelling, immediately establishes the nature, scope and situation of the servitude on one part of the land in favour of other parts.

SECTION II
DE L'EXERCICE DE LA SERVITUDE

Art. 1184. Le propriétaire du fonds dominant peut, à ses frais, prendre les mesures ou faire tous les ouvrages nécessaires pour user de la servitude et pour la conserver, à moins d'une stipulation contraire de l'acte constitutif de la servitude.

À la fin de la servitude, il doit, à la demande du propriétaire du fonds servant, remettre les lieux dans leur état antérieur.

1991, c. 64, a. 1184 (1994-01-01).

C.C.B.C. 553, 554 (**C.C.Q.** 1177, 1186)

Art. 1185. Le propriétaire du fonds servant, chargé par le titre de faire les ouvrages nécessaires pour l'usage et la conservation de la servitude, peut s'affranchir de cette charge en abandonnant au propriétaire du fonds dominant soit la totalité du fonds servant, soit une portion du fonds suffisante pour l'exercice de la servitude.

1991, c. 64, a. 1185 (1994-01-01).

C.C.B.C. 555 (**C.C.Q.** 1186)

Art. 1186. Le propriétaire du fonds dominant ne peut faire de changements qui aggravent la situation du fonds servant.

Le propriétaire du fonds servant ne peut rien faire qui tende à diminuer l'exercice de la servitude ou à le rendre moins commode; toutefois, s'il a un intérêt pour le faire, il peut déplacer, à ses frais, l'assiette de la servitude dans un autre endroit où son exercice est aussi commode pour le propriétaire du fonds dominant.

1991, c. 64, a. 1186 (1994-01-01).

C.C.B.C. 557, 558 (**C.C.Q.** 979, 998, 1000, 1177, 1457)

Art. 1187. Si le fonds dominant vient à être divisé, la servitude reste due pour chaque portion, mais la condition du fonds servant ne doit pas en être aggravée.

Ainsi, dans le cas d'un droit de passage, tous les propriétaires des lots provenant de la division du fonds dominant doivent l'exercer par le même endroit.

1991, c. 64, a. 1187 (1994-01-01).

C.C.B.C. 556 (**C.C.Q.** 997-999, 1186, 1519, 1520)

Art. 1188. Si le fonds servant vient à être divisé, cette division ne porte pas atteinte aux droits du propriétaire du fonds dominant.

1991, c. 64, a. 1188 (1994-01-01).

(**C.C.Q.** 1182, 1186, 1187)

SECTION II
EXERCISE OF SERVITUDES

Art. 1184. The owner of the dominant land may, at his own expense, take the measures or make all the works necessary for the exercise and preservation of the servitude unless otherwise stipulated in the act establishing the servitude.

At the end of the servitude he shall, at the request of the owner of the servient land, restore the place to its former condition.

Art. 1185. The owner of the servient land, charged by the title with making the necessary works for the exercise and preservation of the servitude, may free himself of the charge by abandoning the entire servient land or any part of it sufficient for the exercise of the servitude to the owner of the dominant land.

Art. 1186. In no case may the owner of the dominant land make any change that would aggravate the situation of the servient land.

In no case may the owner of the servient land do anything that would tend to diminish the exercise of the servitude or to render it less convenient. However, he may, at his own expense, provided he has an interest in doing so, transfer the site of the servitude to another place where its exercise will be no less convenient to the owner of the dominant land.

Art. 1187. If the dominant land is divided, the servitude remains due for each portion, but the situation of the servient land may not thereby be aggravated.

Thus, in the case of a right of way, all owners of lots resulting from the division of the dominant land shall exercise it over the same place.

Art. 1188. Division of the servient land does not affect the rights of the owner of the dominant land.

Art. 1189. Sauf en cas d'enclave, la servitude de passage peut être rachetée lorsque son utilité pour le fonds dominant est hors de proportion avec l'inconvénient ou la dépréciation qu'elle entraîne pour le fonds servant.

À défaut d'entente, le tribunal, s'il accorde le droit au rachat, fixe le prix en tenant compte, notamment, de l'ancienneté de la servitude et du changement de valeur que la servitude entraîne, tant au profit du fonds servant qu'au détriment du fonds dominant.

1991, c. 64, a. 1189 (1994-01-01).

(**D.T.** 64; **C.C.Q.** 997, 998, 1000, 1190; **C.P.C.** 110)

Art. 1190. Les parties peuvent, par écrit, exclure la faculté de racheter une servitude pour une période n'excédant pas trente ans.

1991, c. 64, a. 1190 (1994-01-01).

(**D.T.** 64; **C.C.Q.** 1189)

SECTION III
DE L'EXTINCTION DES SERVITUDES

Art. 1191. La servitude s'éteint:

1° Par la réunion dans une même personne de la qualité de propriétaire des fonds servant et dominant;

2° Par la renonciation expresse du propriétaire du fonds dominant;

3° Par l'arrivée du terme pour lequel elle a été constituée;

4° Par le rachat;

5° Par le non-usage pendant dix ans.

1991, c. 64, a. 1191 (1994-01-01).

C.C.B.C. 561, 562 (**C.C.Q.** 1189, 1190, 1192-1194, 1506, 1507, 1683, 2794, 3046, 3050, 3063; **C.P.C.** 695, 696)

Art. 1192. La prescription commence à courir, pour les servitudes discontinues, du jour où le propriétaire du fonds dominant cesse d'exercer la servitude et, pour les servitudes continues, du jour où il est fait un acte contraire à leur exercice.

1991, c. 64, a. 1192 (1994-01-01).

C.C.B.C. 563 (**C.C.Q.** 1179, 1193, 1194, 2879)

Art. 1193. Le mode d'exercice de la servitude se prescrit comme la servitude elle-même et de la même manière.

1991, c. 64, a. 1193 (1994-01-01).

C.C.B.C. 564 (**C.C.Q.** 1184 ss., 1191, 1192, 1194)

Art. 1189. Except in the case of land enclosed by that of others, a servitude of right of way may be redeemed where its usefulness to the dominant land is out of proportion to the inconvenience or depreciation it entails for the servient land.

Failing agreement, the court, if it grants the right of redemption, fixes the price, taking into account, in particular, the length of time for which the servitude has existed and the change of value entailed by the servitude both in favour of the servient land and to the detriment of the dominant land.

Art. 1190. The parties may, in writing, exclude the possibility of redeeming a servitude for a period of not over thirty years.

SECTION III
EXTINCTION OF SERVITUDES

Art. 1191. A servitude is extinguished

(1) by the union of the qualities of owner of the servient land and owner of the dominant land in the same person;

(2) by the express renunciation of the owner of the dominant land;

(3) by the expiry of the term for which it was established;

(4) by redemption;

(5) by non-user for ten years.

Art. 1192. In the case of discontinuous servitudes, prescription begins to run from the day the owner of the dominant land ceases to exercise the servitude and in the case of continuous servitudes, from the day any act contrary to their exercise is done.

Art. 1193. The mode of exercising a servitude may be prescribed just as the servitude itself, and in the same manner.

Art. 1194. La prescription court même lorsque le fonds dominant ou le fonds servant subit un changement de nature à rendre impossible l'exercice de la servitude.

1991, c. 64, a. 1194 (1994-01-01).

C.C.B.C. 559, 560 (**C.C.Q.** 1191-1193)

Art. 1194. Prescription runs even where the dominant land or the servient land undergoes a change of such a kind as to render exercise of the servitude impossible.

CHAPITRE QUATRIÈME
DE L'EMPHYTÉOSE

SECTION I
DE LA NATURE DE L'EMPHYTÉOSE

Art. 1195. L'emphytéose est le droit qui permet à une personne, pendant un certain temps, d'utiliser pleinement un immeuble appartenant à autrui et d'en tirer tous ses avantages, à la condition de ne pas en compromettre l'existence et à charge d'y faire des constructions, ouvrages ou plantations qui augmentent sa valeur d'une façon durable.

L'emphytéose s'établit par contrat ou par testament.

1991, c. 64, a. 1195 (1994-01-01).

CHAPTER IV
EMPHYTEUSIS

SECTION I
NATURE OF EMPHYTEUSIS

Art. 1195. Emphyteusis is the right which, for a certain time, grants a person the full benefit and enjoyment of an immovable owned by another provided he does not endanger its existence and undertakes to make constructions, works or plantations thereon that durably increase its value.

Emphyteusis is established by contract or by will.

C.C.B.C. 567, 569 (**D.T.** 65; **C.C.Q.** 904, 947, 1119, 1197, 1200, 1204, 1210)

Art. 1196. L'emphytéose qui porte à la fois sur un terrain et un immeuble déjà bâti peut faire l'objet d'une déclaration de coemphytéose, dont les règles sont les mêmes que celles prévues pour la déclaration de copropriété. Elle est en outre assujettie, compte tenu des adaptations nécessaires, aux règles de la copropriété établie sur un immeuble bâti par un emphytéote.

1991, c. 64, a. 1196 (1994-01-01).

Art. 1196. Emphyteusis affecting both the land and an existing immovable may be the subject of a declaration of co-emphyteusis which is governed by the same rules as those provided for a declaration of co-ownership. It is also subject to the rules, adapted as required, applicable to co-ownership established in respect of an existing immovable by an emphyteutic lessee.

C.C.B.C. 567.1 (**D.T.** 65; **C.C.Q.** 1040, 1052 ss., 1059, 1060, 1082, 1198, 1207, 3030)

Art. 1197. L'emphytéose doit avoir une durée, stipulée dans l'acte constitutif, d'au moins dix ans et d'au plus cent ans. Si elle excède cent ans, elle est réduite à cette durée.

1991, c. 64, a. 1197 (1994-01-01).

Art. 1197. The term of the emphyteusis shall be stipulated in the constituting act and be not less than ten nor more than one hundred years. If it is longer, it is reduced to one hundred years.

C.C.B.C. 568 (**D.T.** 65; **C.C.Q.** 1208)

Art. 1198. L'emphytéose portant sur un terrain sur lequel est bâti l'immeuble détenu en copropriété, ainsi que celle qui porte à la fois sur un terrain et sur un immeuble déjà bâti, peuvent être renouvelées, sans que l'emphytéote soit obligé d'y faire de nouvelles constructions ou plantations ou de nouveaux ouvrages, autres que des impenses utiles.

1991, c. 64, a. 1198 (1994-01-01).

Art. 1198. Emphyteusis affecting the land on which an existing immovable is held in co-ownership, or affecting both the land and an existing immovable may be renewed without the emphyteutic lessee's being required to make new constructions or plantations or new works, other than useful disbursements.

C.C.B.C. 568.1 (**D.T.** 65; **C.C.Q.** 1040, 1196, 1207)

Art. 1199. Le créancier de l'emphytéote peut faire saisir et vendre les droits de celui-ci, sous réserve des droits du propriétaire de l'immeuble.

Le créancier du propriétaire peut également faire saisir et vendre les droits de celui-ci, sous réserve des droits de l'emphytéote.

1991, c. 64, a. 1199 (1994-01-01).

C.C.B.C. 571 (**D.T.** 65; **C.C.Q.** 1200, 1204; **C.P.C.** 696)

SECTION II
DES DROITS ET OBLIGATIONS DE L'EMPHYTÉOTE ET DU PROPRIÉTAIRE

Art. 1200. L'emphytéote a, à l'égard de l'immeuble, tous les droits attachés à la qualité de propriétaire, sous réserve des limitations du présent chapitre et de l'acte constitutif d'emphytéose.

L'acte constitutif peut limiter l'exercice des droits des parties, notamment pour accorder au propriétaire des droits ou des garanties qui protègent la valeur de l'immeuble, assurent sa conservation, son rendement ou son utilité ou pour autrement préserver les droits du propriétaire ou de l'emphytéote, ou régler l'exécution des obligations prévues dans l'acte constitutif.

1991, c. 64, a. 1200 (1994-01-01).

C.C.B.C. 569, 569.1, 570 (**D.T.** 65; **C.C.Q.** 947-953, 1203, 1207, 1208(3°))

Art. 1201. L'emphytéote fait dresser à ses frais, en y appelant le propriétaire, un état des immeubles soumis à son droit, à moins que le propriétaire ne l'en ait dispensé.

1991, c. 64, a. 1201 (1994-01-01).

(**D.T.** 65; **C.C.Q.** 1200)

Art. 1202. La perte partielle de l'immeuble est à la charge de l'emphytéote; il demeure alors tenu au paiement intégral du prix stipulé dans l'acte constitutif.

1991, c. 64, a. 1202 (1994-01-01).

C.C.B.C. 575 (**D.T.** 65; **C.C.Q.** 1195, 1207, 1210, 1702)

Art. 1203. L'emphytéote est tenu aux réparations, même majeures, qui se rapportent à l'immeuble ou aux constructions, ouvrages ou plantations qu'il a faits en exécution de son obligation.

1991, c. 64, a. 1203 (1994-01-01).

C.C.B.C. 577 (**D.T.** 65; **C.C.Q.** 1195, 1204)

Art. 1199. The creditor of the emphyteutic lessee may cause the latter's rights to be seized and sold, subject to the rights of the owner of the immovable.

The creditor of the owner may also cause the latter's rights to be seized and sold, subject to the rights of the emphyteutic lessee.

SECTION II
RIGHTS AND OBLIGATIONS OF THE EMPHYTEUTIC LESSEE AND OF THE OWNER

Art. 1200. The emphyteutic lessee has all the rights in the immovable that are attached to the quality of owner, subject to the restrictions contained in this chapter and in the act constituting emphyteusis.

The constituting act may limit the exercise of the rights of the parties, particularly by granting rights or guarantees to the owner for protecting the value of the immovable, ensuring its conservation, yield or use or by otherwise preserving the rights of the owner or of the emphyteutic lessee or regulating the performance of the obligations established in the constituting act.

Art. 1201. The emphyteutic lessee, at his own expense, and after convening the owner, causes a statement of the immovables subject to his right to be drawn up, unless the owner has exempted him therefrom.

Art. 1202. The emphyteutic lessee is liable for a partial loss of the immovable; he remains liable in such a case for full payment of the price stipulated in the constituting act.

Art. 1203. The emphyteutic lessee is bound to make repairs, even major repairs, concerning the immovable or the constructions, works or plantations made in the performance of his obligation.

Art. 1204. Si l'emphytéote commet des dégradations sur l'immeuble ou le laisse dépérir ou, de toute autre façon, met en danger les droits du propriétaire, il peut être déchu de son droit.

Le tribunal peut, suivant la gravité des circonstances, résilier l'emphytéose, avec indemnité payable immédiatement ou par versements au propriétaire, ou sans indemnité, ou encore obliger l'emphytéote à fournir d'autres sûretés ou lui imposer toutes autres obligations ou conditions.

Les créanciers de l'emphytéote peuvent intervenir à la demande pour la conservation de leurs droits; ils peuvent offrir la réparation des dégradations et des garanties pour l'avenir.

1991, c. 64, a. 1204 (1994-01-01).

C.C.B.C. 578 (**D.T.** 65; **C.C.Q.** 1195, 1200, 1203, 1208; **C.P.C.** 110)

Art. 1205. L'emphytéote acquitte les charges foncières dont l'immeuble est grevé.

1991, c. 64, a. 1205 (1994-01-01).

C.C.B.C. 576 (**D.T.** 65; **C.C.Q.** 1200)

Art. 1206. Le propriétaire est tenu, à l'égard de l'emphytéote, aux mêmes obligations que le vendeur.

1991, c. 64, a. 1206 (1994-01-01).

C.C.B.C. 572, 573 (**D.T.** 65; **C.C.Q.** 1716 ss.)

Art. 1207. Si un prix, payable globalement ou par versements, est fixé dans l'acte constitutif et que l'emphytéote laisse s'écouler trois années sans le payer, le propriétaire a le droit, après un avis d'au moins quatre-vingt-dix jours, de demander la résiliation de l'acte.

Ce droit ne peut être exercé lorsqu'une copropriété divise est établie sur un immeuble bâti par l'emphytéote. Il en est de même lorsque l'immeuble fait l'objet d'une déclaration de coemphytéose.

1991, c. 64, a. 1207 (1994-01-01).

C.C.B.C. 574 (**D.T.** 65; **C.C.Q.** 1040, 1196, 1200, 1208(3°))

SECTION III
DE LA FIN DE L'EMPHYTÉOSE

Art. 1208. L'emphytéose prend fin:

1° Par l'arrivée du terme fixé dans l'acte constitutif;

2° Par la perte ou l'expropriation totales de l'immeuble;

Art. 1204. An emphyteutic lessee who commits waste or fails to prevent the deterioration of the immovable or in any manner endangers the rights of the owner may be declared forfeited of his right.

The court, according to the gravity of the circumstances, may resiliate the emphyteusis with compensation payable immediately or by instalments to the owner, or without compensation, or it may require the emphyteutic lessee to furnish other security or impose any other obligations or conditions on him.

The creditors of the emphyteutic lessee may intervene in the proceedings to preserve their rights; they may offer to repair the waste and give security for the future.

Art. 1205. The emphyteutic lessee is liable for all real property charges affecting the immovable.

Art. 1206. The owner has the same obligations towards the emphyteutic lessee as a vendor.

Art. 1207. Where a price payable in a lump sum or by instalments is fixed in the constituting act and the emphyteutic lessee fails to pay it for three years, the owner is entitled, after at least ninety days' notice, to apply for resiliation of the constituting act.

Resiliation may not be applied for where divided co-ownership is established in respect of an immovable built by the emphyteutic lessee. The same applies where the immovable is the subject of a declaration of co-emphyteusis.

SECTION III
TERMINATION OF EMPHYTEUSIS

Art. 1208. Emphyteusis is terminated

(1) by the expiry of the term stipulated in the constituting act;

(2) by the total loss or expropriation of the immovable;

3° Par la résiliation de l'acte constitutif;

4° Par la réunion des qualités de propriétaire et d'emphytéote dans une même personne;

5° Par le non-usage pendant dix ans;

6° Par l'abandon.

1991, c. 64, a. 1208 (1994-01-01).

(3) by the resiliation of the constituting act;

(4) by the union of the qualities of owner and emphyteutic lessee in the same person;

(5) by non-user for ten years;

(6) by abandonment.

C.C.B.C. 579 (**D.T.** 65; **C.C.Q.** 1197, 1200, 1204, 1207, 1209, 1211)

Art. 1209. À la fin de l'emphytéose, le propriétaire reprend l'immeuble libre de tous droits et charges consentis par l'emphytéote, sauf si la fin de l'emphytéose résulte d'une résiliation amiable ou de la réunion des qualités de propriétaire et d'emphytéote dans une même personne.

1991, c. 64, a. 1209 (1994-01-01).

Art. 1209. Upon termination of the emphyteusis, the owner resumes the immovable free of all the rights and charges granted by the emphyteutic lessee, unless the termination of the emphyteusis results from resiliation by agreement or from the union of the qualities of owner and emphyteutic lessee in the same person.

(**D.T.** 65; **C.C.Q.** 1208)

Art. 1210. À la fin de l'emphytéose, l'emphytéote doit remettre l'immeuble en bon état avec les constructions, ouvrages ou plantations prévus à l'acte constitutif, à moins qu'ils n'aient péri par force majeure.

Ce qu'il a ajouté à l'immeuble sans y être tenu est traité comme les impenses faites par un possesseur de bonne foi.

1991, c. 64, a. 1210 (1994-01-01).

Art. 1210. Upon termination of the emphyteusis, the emphyteutic lessee shall return the immovable in a good state of repair with the constructions, works or plantations stipulated in the constituting act, unless they have perished by superior force.

Any additions made to the immovable by the emphyteutic lessee which he is under no obligation to make are treated as disbursements made by a possessor in good faith.

C.C.B.C. 581, 582 (**D.T.** 49, 65; **C.C.Q.** 957-963, 1200-1203)

Art. 1211. À moins que l'emphytéote n'ait renoncé à son droit, l'emphytéose peut aussi prendre fin par l'abandon, qui ne peut avoir lieu que si l'emphytéote a satisfait pour le passé à toutes ses obligations et laisse l'immeuble libre de toutes charges.

1991, c. 64, a. 1211 (1994-01-01).

Art. 1211. Unless the emphyteutic lessee has renounced his right, emphyteusis may also be terminated by abandonment, which may take place only if the emphyteutic lessee has fulfilled all his past obligations and leaves the immovable free of all charges.

C.C.B.C. 580 (**D.T.** 65; **C.C.Q.** 1208(6°), 1209, 1886, 1887)

TITRE CINQUIÈME

DES RESTRICTIONS À LA LIBRE DISPOSITION DE CERTAINS BIENS

TITLE FIVE

RESTRICTIONS ON THE FREE DISPOSITION OF CERTAIN PROPERTY

CHAPITRE PREMIER

DES STIPULATIONS D'INALIÉNABILITÉ

CHAPTER I

STIPULATIONS OF INALIENABILITY

Art. 1212. La restriction à l'exercice du droit de disposer d'un bien ne peut être stipulée que par donation ou testament.

La stipulation d'inaliénabilité est faite par écrit à l'occasion du transfert, à une personne ou à une fiducie, de la propriété d'un bien ou d'un démembrement du droit de propriété sur un bien.

Cette stipulation n'est valide que si elle est temporaire et justifiée par un intérêt sérieux et légitime. Néanmoins, dans le cas d'une substitution ou d'une fiducie, elle peut valoir pour leur durée.

1991, c. 64, a. 1212 (1994-01-01).

Art. 1212. No restriction on the exercise of the right to dispose of property may be stipulated, except by gift or will.

A stipulation of inalienability is made in writing at the time of transfer of ownership of the property or a dismembered right of ownership in it to a person or to a trust.

The stipulation of inalienability is valid only if it is temporary and justified by a serious and legitimate interest. Nevertheless, it may be valid for the duration of a substitution or trust.

C.C.B.C. 968-971 (**C.C.Q.** 1213-1215, 1221, 1271-1273, 2377, 2939)

Art. 1213. Celui dont le bien est inaliénable peut être autorisé par le tribunal à disposer du bien si l'intérêt qui avait justifié la stipulation d'inaliénabilité a disparu ou s'il advient qu'un intérêt plus important l'exige.

Le tribunal peut, lorsqu'il autorise l'aliénation du bien, fixer toutes les conditions qu'il juge nécessaires pour sauvegarder les intérêts de celui qui a stipulé l'inaliénabilité, ceux de ses ayants cause ou ceux de la personne au bénéfice de laquelle elle a été stipulée.

1991, c. 64, a. 1213 (1994-01-01).

Art. 1213. A person whose property is inalienable may be authorized by the court to dispose of the property if the interest that had justified the stipulation of inalienability has disappeared or where a greater interest comes to require it.

The court may, where it authorizes alienation of the property, fix any conditions it considers necessary to safeguard the interests of the person who stipulated inalienability, his successors or the person for whose benefit inalienability was stipulated.

(**D.T.** 66; **C.C.Q.** 1216, 1217; **C.P.C.** 885a))

Art. 1214. La stipulation d'inaliénabilité n'est opposable aux tiers que si elle est publiée au registre approprié.

1991, c. 64, a. 1214 (1994-01-01).

Art. 1214. A stipulation of inalienability may not be set up against third persons unless it is published in the proper register.

C.C.B.C. 981 (**C.C.Q.** 1212, 2939, 2962 ss.)

Art. 1215. La stipulation d'inaliénabilité d'un bien entraîne l'insaisissabilité de celui-ci pour toute dette contractée, avant ou pendant la période d'inaliénabilité, par la personne qui reçoit le bien, sous réserve notamment des dispositions du Code de procédure civile.

1991, c. 64, a. 1215 (1994-01-01).

Art. 1215. A stipulation of inalienability of a property renders the property unseizable for any debt contracted before or during the period of inalienability by the person who receives the property, subject, however, to the provisions of the Code of Civil Procedure.

C.P.C. 553 (**C.C.Q.** 1214, 2649; **C.P.C.** 553)

Art. 1216. La clause tendant à empêcher celui dont le bien est inaliénable de contester la validité de la stipulation d'inaliénabilité ou de demander l'autorisation de l'aliéner est réputée non écrite.

L'est également la clause pénale au même effet.

1991, c. 64, a. 1216 (1994-01-01); 2002, c. 19, a. 15 (2002-06-13).

Art. 1216. Any clause tending to prevent a person whose property is inalienable from contesting the validity of the stipulation of inalienability or from applying for authorization to transfer the property is deemed unwritten.

Any penal clause to the same effect is also deemed unwritten.

Art. 1217. La nullité de l'aliénation faite malgré une stipulation d'inaliénabilité et sans autorisation du tribunal, ne peut être invoquée que par celui qui a stipulé l'inaliénabilité et ses ayants cause ou par celui au bénéfice duquel elle a été stipulée.

1991, c. 64, a. 1217 (1994-01-01).

Art. 1217. The nullity of an alienation made notwithstanding a stipulation of inalienability and without the authorization of the court may not be invoked by anyone except the person who made the stipulation and his successors or the person for whose benefit the stipulation was made.

(**C.C.Q.** 1419, 1420)

CHAPITRE DEUXIÈME
DE LA SUBSTITUTION

CHAPTER II
SUBSTITUTION

SECTION I
DE LA NATURE ET DE L'ÉTENDUE DE LA SUBSTITUTION

SECTION I
NATURE AND SCOPE OF SUBSTITUTION

Art. 1218. Il y a substitution lorsqu'une personne reçoit des biens par libéralité, avec l'obligation de les rendre après un certain temps à un tiers.

La substitution s'établit par donation ou par testament; elle doit être constatée par écrit et publiée au bureau de la publicité des droits.

1991, c. 64, a. 1218 (1994-01-01).

Art. 1218. Substitution exists where a person receives property by a liberality with the obligation of delivering it over to a third person after a certain period.

Substitution is established by gift or by will; it shall be evidenced in writing and published in the registry office.

C.C.B.C. 925, 926, 929, 938 (**D.T.** 67; **C.C.Q.** 617, 620, 703, 750 ss., 1222, 1240, 1243, 1806, 1813, 1816, 1824, 1840, 2938, 2939, 2961, 2964, 2998; **C.P.C.** 696 al. 1(3))

Art. 1219. La personne qui a l'obligation de rendre se nomme le grevé; celle qui a droit de recueillir postérieurement se nomme l'appelé.

Art. 1219. The person who has the obligation to deliver over is called the institute and the person who is entitled to take after him is called the substitute.

L'appelé qui recueille, avec l'obligation de rendre, devient à son tour grevé par rapport à l'appelé subséquent.

1991, c. 64, a. 1219 (1994-01-01).

C.C.B.C. 927 (C.C.Q. 1218, 1221)

Art. 1220. La défense de tester des biens, faite au donataire ou légataire sans autre indication, emporte substitution en faveur de ses héritiers *ab intestat* quant aux biens donnés ou légués qui restent à son décès.

1991, c. 64, a. 1220 (1994-01-01).

C.C.B.C. 976 (C.C.Q. 707 ss., 736, 1232, 1246)

Art. 1221. Aucune substitution ne peut s'étendre à plus de deux ordres successifs de personnes, outre celui du grevé initial; autrement, elle est sans effet pour les ordres subséquents.

Les accroissements qui ont lieu entre cogrevés au décès de l'un d'eux, lorsqu'il est stipulé que sa part passe aux grevés survivants, ne sont pas considérés comme étant faits à un ordre subséquent.

1991, c. 64, a. 1221 (1994-01-01).

C.C.B.C. 932 (C.C.Q. 703, 1218, 1240, 1241, 1252)

Art. 1222. Compte tenu des adaptations nécessaires, les règles des successions, notamment celles relatives au droit d'opter ou aux dispositions testamentaires, s'appliquent à la substitution à compter de l'ouverture, qu'elle soit établie par donation ou par testament.

1991, c. 64, a. 1222 (1994-01-01).

C.C.B.C. 933 al. 1 et 2 (C.C.Q. 613 ss., 616, 625, 630 ss., 737, 776 ss., 836 ss., 1240, 1252, 1444, 1446)

SECTION II

DE LA SUBSTITUTION AVANT L'OUVERTURE

§ 1. — *Des droits et obligations du grevé*

Art. 1223. Avant l'ouverture, le grevé est propriétaire des biens substitués; ces biens forment, au sein de son patrimoine personnel, un patrimoine distinct destiné à l'appelé.

1991, c. 64, a. 1223 (1994-01-01).

C.C.B.C. 944 (C.C.Q. 1226, 1227, 1229, 1232, 1233)

A substitute who takes with the obligation to deliver over becomes in turn the institute in respect of the subsequent substitute.

Art. 1220. A prohibition against disposing of the property by will that is subject to no other indication entails substitution in favour of the intestate heirs of the donee or legatee with respect to property given or bequeathed and remaining at his death.

Art. 1221. A substitution may not extend to more than two successive ranks of persons exclusive of the initial institute, and is without effect for subsequent ranks.

Accretion between co-institutes upon the death of one of them, where it is stipulated that his share passes to the surviving institutes, is not considered to be made to a subsequent rank.

Art. 1222. The rules on successions, particularly those relating to the right of option or to testamentary dispositions, adapted as required, apply to a substitution from the time it opens, whether it was created by gift or by will.

SECTION II

SUBSTITUTIONS BEFORE OPENING

§ 1. — *Rights and obligations of the institute*

Art. 1223. Before the opening of a substitution, the institute is the owner of the substituted property, which forms, within his personal patrimony, a separate patrimony intended for the substitute.

Art. 1224. Le grevé doit, de la même manière qu'un administrateur du bien d'autrui, faire, à ses frais, l'inventaire des biens dans les deux mois de la donation ou de l'acceptation du legs, en y convoquant l'appelé.

1991, c. 64, a. 1224 (1994-01-01).

C.C.B.C. 946 al. 1 (**C.C.Q.** 1236, 1238, 1324 ss.)

Art. 1225. Dans l'exercice de ses droits et dans l'exécution de ses obligations, le grevé doit agir avec prudence et diligence eu égard aux droits de l'appelé.

1991, c. 64, a. 1225 (1994-01-01).

(**C.C.Q.** 1226, 1227, 1238)

Art. 1226. Le grevé doit faire les actes nécessaires à l'entretien et à la conservation des biens.

Il paie les charges et les dettes qui deviennent exigibles avant l'ouverture, quelle que soit leur nature; il perçoit les créances, en donne quittance et exerce en justice les actions qui se rapportent aux biens substitués.

1991, c. 64, a. 1226 (1994-01-01).

C.C.B.C. 947 (**C.C.Q.** 1223, 1238, 1301, 1302, 1557; **C.P.C.** 56, 61, 734)

Art. 1227. Le grevé doit assurer les biens contre les risques usuels, tels le vol et l'incendie. Il est, néanmoins, dispensé de cette obligation si la prime d'assurance est trop élevée par rapport aux risques.

L'indemnité d'assurance devient un bien substitué.

1991, c. 64, a. 1227 (1994-01-01).

(**C.C.Q.** 1225, 1237, 1238)

Art. 1228. Le grevé est soumis aux règles de l'usufruit quant à son droit de commencer ou de continuer sur un fonds substitué une exploitation agricole, sylvicole ou minière.

1991, c. 64, a. 1228 (1994-01-01).

C.C.B.C. 949a (**C.C.Q.** 1139 ss.)

Art. 1229. Le grevé peut aliéner à titre onéreux les biens substitués ou les louer. Il peut aussi les grever d'une hypothèque si cela s'impose pour l'entretien et la conservation du bien ou pour faire un placement au nom de la substitution.

Art. 1224. Within two months after the gift or after acceptance of the legacy, the institute, in the manner of an administrator of the property of others, shall make an inventory of the property at his own expense, after convening the substitute.

Art. 1225. The institute, in exercising his rights and performing his obligations, shall act with prudence and diligence, in view of the rights of the substitute.

Art. 1226. The institute shall perform all acts necessary to maintain and preserve the property.

He pays the charges and debts of all kinds that became due before the opening; he collects the claims, gives acquittance therefor and exercises all judicial recourses relating to the substituted property.

Art. 1227. The institute shall insure the property against ordinary risks such as fire and theft. He is, however, dispensed from that obligation if the insurance premium is too high in relation to the risks.

The insurance indemnity becomes substituted property.

Art. 1228. The right of an institute to begin or continue agricultural, sylvicultural or mining operations on substituted land is governed by the rules on usufruct.

Art. 1229. An institute may alienate the substituted property by onerous title or lease it. He may also charge it with a hypothec if that is required for its upkeep and conservation or to make an investment in the name of the substitution.

Les droits de l'acquéreur, du créancier ou du locataire ne sont pas affectés par les droits de l'appelé à l'ouverture de la substitution.

1991, c. 64, a. 1229 (1994-01-01).

The rights of the acquirer, creditor or lessee are unaffected by the rights of the substitute at the opening of the substitution.

C.C.B.C. 949-951, 953, 953a (**D.T.** 69, 70; **C.C.Q.** 1223, 1225, 1230-1232, 1235, 1238, 1339 ss.)

Art. 1230. Le grevé est tenu de faire remploi, au nom de la substitution, du prix de toute aliénation de biens substitués et des capitaux qui lui sont versés avant l'ouverture ou qu'il a reçus du disposant, conformément aux dispositions relatives aux placements présumés sûrs.

1991, c. 64, a. 1230 (1994-01-01).

Art. 1230. The institute is bound to reinvest, in the name of the substitution, the proceeds of any alienation of substituted property and the capital paid to him before the opening or received by him from the grantor, in accordance with the provisions relating to presumed sound investments.

C.C.B.C. 931, 947, 948, 981o, 981q (**D.T.** 70; **C.C.Q.** 1229, 1232, 1238, 1244, 1339 ss.)

Art. 1231. Le grevé doit, à chaque anniversaire de la date de l'inventaire des biens, informer l'appelé de toute modification à la masse des biens; il doit l'informer aussi du remploi qu'il a fait du prix des biens aliénés.

1991, c. 64, a. 1231 (1994-01-01).

Art. 1231. On each anniversary of the date of inventory of the property, the institute shall inform the substitute of any change in the general mass of the property; he shall also inform him of the reinvestment he has made of the proceeds of alienation of property.

(**D.T.** 70; **C.C.Q.** 1223, 1229, 1230, 1238)

Art. 1232. Le grevé peut, si l'acte constitutif de la substitution le prévoit, disposer gratuitement des biens substitués ou faire remploi du prix de leur aliénation; il ne peut en tester sans que l'acte le permette expressément.

La substitution n'a alors d'effet qu'à l'égard des biens dont le grevé n'a pas disposé.

1991, c. 64, a. 1232 (1994-01-01).

Art. 1232. If the constituting act of the substitution provides therefor, the institute may dispose of the substituted property gratuitously or not reinvest the proceeds of its alienation; he has no right to bequeath it unless that is expressly permitted by the act.

In such cases, the substitution has effect only in respect of the property that was not disposed of by the institute.

C.C.B.C. 952 (**C.C.Q.** 1220, 1229)

Art. 1233. Les créanciers qui détiennent une priorité ou une hypothèque sur les biens substitués peuvent exercer, sur ces biens, les droits et recours que la loi leur confère.

Les autres créanciers peuvent faire saisir et vendre ces biens en justice après discussion du patrimoine personnel du grevé. L'appelé peut faire opposition à la saisie et demander que la saisie et la vente soient limitées aux droits conférés au grevé par la substitution. À défaut d'opposition, la vente est valide; l'adjudicataire a un titre définitif et le recours de l'appelé ne peut être exercé que contre le grevé.

1991, c. 64, a. 1233 (1994-01-01).

Art. 1233. Creditors holding a preference or hypothec on substituted property have, in respect of that property, the rights and remedies conferred on them by law.

The other creditors may cause substituted property to be seized and sold by judicial sale, after discussion of the personal patrimony of the institute. The substitute may oppose the seizure and demand that the seizure and sale be limited to the rights conferred on the institute by the substitution. Failing opposition, the sale is valid; the purchaser has a good title and the right of action of the substitute is exercisable only against the institute.

C.C.B.C. 950; **C.P.C.** 696 (**D.T.** 69; **C.C.Q.** 1223, 1229, 1757 ss., 2646, 2748; **C.P.C.** 605 ss., 683 ss., 696, 699, 897 ss.)

Art. 1234. Le grevé peut, avant l'ouverture, renoncer à ses droits au profit de l'appelé et lui rendre par anticipation les biens substitués.

Cette renonciation ne peut nuire aux droits de ses créanciers non plus qu'aux droits de l'appelé éventuel.

1991, c. 64, a. 1234 (1994-01-01).

C.C.B.C. 960 (**C.C.Q.** 1240, 1631)

§ 2. — *Des droits de l'appelé*

Art. 1235. Avant l'ouverture, l'appelé a un droit éventuel aux biens substitués; il peut en disposer ou y renoncer et faire tous les actes conservatoires utiles à la protection de son droit.

1991, c. 64, a. 1235 (1994-01-01).

C.C.B.C. 956 (**C.C.Q.** 1236-1238, 2916)

Art. 1236. L'appelé peut, si le grevé refuse ou néglige de faire l'inventaire des biens dans le délai requis, y procéder aux frais du grevé. Il convoque alors le grevé et les autres intéressés.

1991, c. 64, a. 1236 (1994-01-01).

C.C.B.C. 946 (**C.C.Q.** 1224, 1238, 1241, 1326-1330)

Art. 1237. Le grevé doit, si l'acte constitutif de la substitution le lui enjoint ou si le tribunal l'ordonne à la demande de l'appelé ou d'un intéressé qui établit la nécessité d'une telle mesure, souscrire une assurance ou fournir une autre sûreté garantissant l'exécution de ses obligations.

Il doit, de même, fournir une sûreté additionnelle si ses obligations viennent à augmenter avant l'ouverture.

1991, c. 64, a. 1237 (1994-01-01).

C.C.B.C. 955 (**C.C.Q.** 1226, 1227, 1230, 1235; **C.P.C.** 525 ss.)

Art. 1238. Si le grevé n'exécute pas ses obligations ou agit de façon à mettre en péril les droits de l'appelé, le tribunal peut, suivant la gravité des circonstances, priver le grevé des fruits et revenus, l'obliger à rétablir le capital, prononcer la déchéance de ses droits en faveur de l'appelé ou nommer un séquestre choisi de préférence parmi les appelés.

1991, c. 64, a. 1238 (1994-01-01).

C.C.B.C. 942, 945, 946, 955 (**C.C.Q.** 1226, 1227, 1230, 1235, 1236, 1239; **C.P.C.** 742 ss.)

Art. 1234. The institute may, before the substitution opens, renounce his rights in favour of the substitute and deliver over the substituted property to him in anticipation.

In no case does renunciation by the institute prejudice the rights of his creditors or the rights of the eventual substitute.

§ 2. — *Rights of the substitute*

Art. 1235. Before the substitution opens, the substitute has an eventual right in the property substituted; he may dispose of or renounce his right and perform any conservatory act to ensure the protection of his right.

Art. 1236. Where the institute refuses or fails to make an inventory of the property within the required time, the substitute may do so at the expense of the institute. He first convenes the institute and the other interested persons.

Art. 1237. The institute shall, if the act creating the substitution so requires or if ordered by the court on the motion of the substitute or any interested person who establishes that such a measure is required, take out insurance or furnish other security to guarantee the performance of his obligations.

He shall also furnish additional security where his obligations are increased before the opening of the substitution.

Art. 1238. If the institute fails to perform his obligations or acts in a manner that endangers the rights of the substitute, the court may, depending on the gravity of the circumstances, deprive him of fruits and revenues, require him to restore the capital, declare his rights forfeited in favour of the substitute or appoint a sequestrator chosen preferably from the substitutes.

Art. 1239. Les droits de l'appelé qui n'est pas conçu sont exercés par la personne désignée par le disposant pour agir comme curateur à la substitution et qui accepte cette charge ou, en l'absence de désignation ou d'acceptation, par celle que nomme le tribunal, à la demande du grevé ou de tout intéressé.

Le curateur public peut être désigné pour agir.

1991, c. 64, a. 1239 (1994-01-01).

C.C.B.C. 945 (**C.C.Q.** 192, 200, 206, 1235, 1242, 1814; **C.P.C.** 885*b*))

Art. 1239. The rights of a substitute who is not yet conceived are exercised by the person designated by the grantor to act as curator to the substitution and who accepts the office or, where such a person is not designated or does not accept, by the person appointed by the court on the application of the institute or any interested person.

The Public Curator may be designated to act.

SECTION III
DE L'OUVERTURE DE LA SUBSTITUTION

Art. 1240. À moins qu'une époque antérieure n'ait été fixée par le disposant, l'ouverture de la substitution a lieu au décès du grevé.

Si le grevé est une personne morale, l'ouverture de la substitution ne peut avoir lieu plus de trente ans après la donation ou l'ouverture de la succession, ou du jour de l'ouverture de son droit.

1991, c. 64, a. 1240 (1994-01-01).

C.C.B.C. 961, 963 (**D.T.** 68; **C.C.Q.** 126, 1221, 1234)

SECTION III
OPENING OF THE SUBSTITUTION

Art. 1240. Unless an earlier time has been fixed by the grantor, the opening of the substitution takes place on the death of the institute.

Where the institute is a legal person, the substitution may not open more than thirty years after the gift or the opening of the succession, or after the day its right arises.

Art. 1241. Lorsqu'il est stipulé que la part d'un grevé passe, à son décès, aux grevés du même ordre qui lui survivent, l'ouverture de la substitution n'a lieu qu'au décès du dernier grevé.

Toutefois, l'ouverture ainsi différée ne peut nuire aux droits de l'appelé qui aurait reçu au décès d'un grevé, en l'absence d'une telle stipulation; le droit de recevoir lui est acquis, mais il ne peut être exercé avant l'ouverture.

1991, c. 64, a. 1241 (1994-01-01).

(**C.C.Q.** 1221, 1240)

Art. 1241. Where it is stipulated that the share of an institute passes, on his death, to the surviving institutes of the same rank, the opening of the substitution takes place only on the death of the last institute.

However, an opening so delayed may not prejudice the rights of the substitute who would have received on the death of an institute but for the stipulation; the right to receive is vested in the substitute but its exercise is suspended until the substitution opens.

Art. 1242. L'appelé doit avoir les qualités requises pour recevoir par donation ou par testament à l'ouverture de la substitution.

S'il y a plusieurs appelés du même ordre, il suffit que l'un d'eux ait les qualités requises pour recevoir à l'ouverture de son droit afin que soit préservé le droit de tous les autres appelés à recevoir, s'ils acceptent la substitution par la suite.

1991, c. 64, a. 1242 (1994-01-01).

C.C.B.C. 929 (**C.C.Q.** 617, 1239, 1240, 1252, 1806, 1840)

Art. 1242. Only a person having the required qualities to receive by gift or by will at the time the substitution opens may be a substitute.

Where there are several substitutes of the same rank, only one need have the required qualities to receive at the time his right arises to protect the right of all the other substitutes to receive, if they subsequently accept the substitution.

SECTION IV
DE LA SUBSTITUTION APRÈS L'OUVERTURE

Art. 1243. L'appelé, s'il accepte la substitution, reçoit les biens directement du disposant. Il est, par l'ouverture, saisi de la propriété des biens.

1991, c. 64, a. 1243 (1994-01-01).

C.C.B.C. 962 (D.T. 69; C.C.Q. 630 ss., 637 ss., 646 ss., 1222, 1229 al. 2)

Art. 1244. Le grevé doit, à l'ouverture, rendre compte à l'appelé et lui remettre les biens substitués.

Si le bien substitué ne se trouve plus en nature, il rend ce qui a été acquis en remploi ou, à défaut, la valeur du bien au moment de l'aliénation.

1991, c. 64, a. 1244 (1994-01-01).

C.C.B.C. 965 (D.T. 69; C.C.Q. 1223, 1229, 1230, 1245, 1246, 1251)

Art. 1245. Le grevé rend les biens substitués dans l'état où ils se trouvent lors de l'ouverture.

Il répond de la perte survenue par sa faute ou ne résultant pas d'un usage normal.

1991, c. 64, a. 1245 (1994-01-01).

(D.T. 69; C.C.Q. 1244, 1246, 1250, 1251)

Art. 1246. Lorsque la substitution ne porte que sur le résidu des biens donnés ou légués, le grevé ne rend que les biens qui restent, ainsi que le solde du prix de ceux qui ont été aliénés.

1991, c. 64, a. 1246 (1994-01-01).

C.C.B.C. 952 (C.C.Q. 1220, 1232, 1244, 1250, 1251)

Art. 1247. Le grevé a le droit d'être remboursé, avec les intérêts courus depuis l'ouverture, des dettes en capital qu'il a payées sans en avoir été chargé et des dépenses généralement débitées au capital qu'il a faites en raison de la substitution.

Il a aussi le droit d'être remboursé, en proportion de la durée de son droit, des dépenses généralement débitées au revenu et dont l'objet excède cette durée.

1991, c. 64, a. 1247 (1994-01-01).

C.C.B.C. 947 (D.T. 70; C.C.Q. 1226, 1248, 1250, 1345-1347, 1565)

SECTION IV
SUBSTITUTION AFTER OPENING

Art. 1243. The substitute who accepts the substitution receives the property directly from the grantor and is, by the opening, seised of ownership of the property.

Art. 1244. The institute shall, at the opening, render account to the substitute and deliver over the substituted property to him.

Where the substituted property is no longer in kind, the institute delivers over whatever has been acquired through reinvestment or, failing that, the value of the property at the time of the alienation.

Art. 1245. The institute delivers the property in the condition it is in at the opening of the substitution.

The institute is liable for any loss caused by his fault or not resulting from normal use.

Art. 1246. Where the substitution affects only the residue of the property given or bequeathed, the institute delivers over only the property remaining and the price still due on the alienated property.

Art. 1247. The institute is entitled to reimbursement, with interest accrued from the opening, of capital debts that he has paid without having been charged to do so and the expenses generally debited from the capital that he has incurred by reason of the substitution.

The institute is also entitled to reimbursement, in proportion to the duration of his right, of expenses generally debited from the revenues for any object that exceeds that duration.

Art. 1248. Le grevé a le droit d'être remboursé des impenses utiles qu'il a faites, suivant les règles applicables au possesseur de bonne foi.

1991, c. 64, a. 1248 (1994-01-01).

Art. 1248. The institute is entitled to be reimbursed for the useful disbursements he has made, subject to the rules applicable to possessors in good faith.

C.C.B.C. 958 (**D.T.** 49; **C.C.Q.** 933, 957, 959 ss., 1226, 1247)

Art. 1249. L'ouverture de la substitution fait revivre les créances et les dettes qui existaient entre le grevé et le disposant; elle met fin à la confusion, dans la personne du grevé, des qualités de créancier et de débiteur, sauf pour les intérêts courus jusqu'à l'ouverture.

1991, c. 64, a. 1249 (1994-01-01).

Art. 1249. The opening of a substitution revives the claims and debts that existed between the institute and the grantor and terminates the confusion, in the person of the institute, of the qualities of creditor and debtor, except in respect of interest accrued until the opening.

C.C.B.C. 966 al. 1 (**C.C.Q.** 1251, 1683)

Art. 1250. Le grevé peut retenir les biens substitués jusqu'au paiement de ce qui lui est dû.

1991, c. 64, a. 1250 (1994-01-01).

Art. 1250. The institute may retain the substituted property until payment of what is due to him.

C.C.B.C. 966 al. 2 (**C.C.Q.** 780, 963, 1247-1249, 1592, 1593)

Art. 1251. Les héritiers du grevé sont tenus d'exécuter les obligations que les dispositions de la présente section imposent au grevé et ils exercent les droits qu'elles lui confèrent.

Ils sont tenus de continuer ce qui est la suite nécessaire des actes du grevé ou ce qui ne peut être différé sans risque de perte.

1991, c. 64, a. 1251 (1994-01-01).

Art. 1251. The heirs of the institute are bound to perform the obligations that this section imposes on the institute, and they have the same rights as it confers on him.

The heirs of the institute are bound to continue anything that necessarily follows from the acts performed by him or that cannot be deferred without risk of loss.

C.C.B.C. 1709 (**C.C.Q.** 1243-1250, 1362, 1458, 1590, 1601, 1602, 2162)

SECTION V

DE LA CADUCITÉ ET DE LA RÉVOCATION DE LA SUBSTITUTION

Art. 1252. La caducité d'une substitution testamentaire à l'égard d'un grevé se produit sans qu'il y ait lieu à représentation; elle profite à ses cogrevés ou, à défaut, à l'appelé.

La caducité à l'égard d'un appelé profite à ses coappelés, s'il en existe; sinon, elle profite au grevé.

1991, c. 64, a. 1252 (1994-01-01).

SECTION V

LAPSE AND REVOCATION OF SUBSTITUTION

Art. 1252. Lapse of a testamentary substitution with regard to an institute does not give rise to representation and benefits his co-institutes or, in the absence of co-institutes, the substitute.

Lapse of a testamentary substitution with regard to a substitute benefits his co-substitutes, if any; otherwise, it benefits the institute.

C.C.B.C. 930, 933 al. 4, 937, 957 (**C.C.Q.** 660 ss., 749, 750 ss., 1222)

Art. 1253. Le donateur peut révoquer la substitution quant à l'appelé jusqu'à l'ouverture, tant qu'il n'y a pas eu acceptation par l'appelé ou pour lui. Cependant, à l'égard du donateur, l'appelé est réputé avoir accepté lorsqu'il est l'enfant du grevé ou lorsque l'un des coappelés a accepté la substitution.

1991, c. 64, a. 1253 (1994-01-01).

C.C.B.C. 930 al. 2 (**C.C.Q.** 1254, 1806)

Art. 1254. La révocation de la substitution quant au grevé profite au cogrevé s'il en existe, sinon à l'appelé. La révocation quant à l'appelé profite au coappelé s'il en existe, sinon au grevé.

1991, c. 64, a. 1254 (1994-01-01).

C.C.B.C. 930 al. 4 (**C.C.Q.** 1253)

Art. 1255. Le disposant peut se réserver la faculté de déterminer la part des appelés ou conférer cette faculté au grevé.

L'exercice de cette faculté par le donateur ne constitue pas une révocation de la substitution, même si cela a pour effet d'exclure complètement un appelé du bénéfice de la substitution.

1991, c. 64, a. 1255 (1994-01-01).

C.C.B.C. 935 (**C.C.Q.** 1221)

Art. 1253. The donor may revoke the substitution with regard to the substitute, until the opening, as long as it has not been accepted by or for the substitute. However, in respect of the donor, the substitute is deemed to have accepted where he is the child of the institute or where one of the co-substitutes has accepted the substitution.

Art. 1254. Revocation of a substitution with regard to the institute benefits the co-institute, if any; otherwise it benefits the substitute; revocation with regard to the substitute benefits the co-substitute, if any; otherwise it benefits the institute.

Art. 1255. The grantor may reserve for himself the prerogative of determining the share of the substitutes or confer that prerogative on the institute.

The exercise of the prerogative by the donor does not constitute a revocation of the substitution even if in effect it completely excludes a substitute from the benefit of the substitution.

TITRE SIXIÈME
DE CERTAINS PATRIMOINES D'AFFECTATION

CHAPITRE PREMIER
DE LA FONDATION

Art. 1256. La fondation résulte d'un acte par lequel une personne affecte, d'une façon irrévocable, tout ou partie de ses biens à une fin d'utilité sociale ayant un caractère durable.

La fondation ne peut avoir pour objet essentiel la réalisation d'un bénéfice ni l'exploitation d'une entreprise.

1991, c. 64, a. 1256 (1994-01-01).

———
C.C.B.C. 869 (**D.T.** 71; **C.C.Q.** 327, 1270, 1279, 2186)

Art. 1257. Les biens de la fondation constituent soit un patrimoine autonome et distinct de celui du disposant et de toute autre personne, soit le patrimoine d'une personne morale.

Dans le premier cas, la fondation est régie par les dispositions du présent titre relatives à la fiducie d'utilité sociale, sous réserve des dispositions de la loi; dans le second cas, elle est régie par les lois applicables aux personnes morales de son espèce.

1991, c. 64, a. 1257 (1994-01-01).

———
(**C.C.Q.** 302, 1261, 1266, 1270, 1282, 1287, 1298; **L.R.Q.**, c. C-38)

Art. 1258. La fondation créée par fiducie est établie par donation ou par testament, suivant les règles gouvernant ces actes.

1991, c. 64, a. 1258 (1994-01-01).

———
C.C.B.C. 869 (**D.T.** 71; **C.C.Q.** 617, 703, 1279, 1806)

Art. 1259. À moins d'une stipulation contraire dans l'acte constitutif de la fondation, les biens qui forment le patrimoine initial de la fondation créée par fiducie, ou les biens qui leur sont subrogés ou adjoints, doivent être conservés et permettre d'atteindre la fin poursuivie soit par la distribution des seuls revenus qui en proviennent, soit par un usage qui ne modifie pas sensiblement la consistance du patrimoine.

1991, c. 64, a. 1259 (1994-01-01).

———
(**C.C.Q.** 1256, 1293, 1294)

TITLE SIX
CERTAIN PATRIMONIES BY APPROPRIATION

CHAPTER I
THE FOUNDATION

Art. 1256. A foundation results from an act whereby a person irrevocably appropriates the whole or part of his property to the durable fulfilment of a socially beneficial purpose.

It may not have the making of profit or the operation of an enterprise as its main object.

Art. 1257. The property of the foundation constitutes either an autonomous patrimony distinct from that of the settlor or any other person, or the patrimony of a legal person.

In the first case, the foundation is governed by the provisions of this Title relating to a social trust, subject to the provisions of law; in the second case, the foundation is governed by the laws applicable to legal persons of the same kind.

Art. 1258. A foundation created by trust is established by gift or by will in accordance with the rules governing those acts.

Art. 1259. Unless otherwise provided in the constituting act of the foundation, the initial property of the trust foundation or any property substituted therefor or added thereto shall be preserved and allow for the fulfilment of the purpose, either by the distribution only of those revenues that derive therefrom or by a use that does not appreciably alter the substance of the initial property.

CHAPITRE DEUXIÈME
DE LA FIDUCIE

CHAPTER II
THE TRUST

SECTION I
DE LA NATURE DE LA FIDUCIE

SECTION I
NATURE OF THE TRUST

Art. 1260. La fiducie résulte d'un acte par lequel une personne, le constituant, transfère de son patrimoine à un autre patrimoine qu'il constitue, des biens qu'il affecte à une fin particulière et qu'un fiduciaire s'oblige, par le fait de son acceptation, à détenir et à administrer.

1991, c. 64, a. 1260 (1994-01-01).

Art. 1260. A trust results from an act whereby a person, the settlor, transfers property from his patrimony to another patrimony constituted by him which he appropriates to a particular purpose and which a trustee undertakes, by his acceptance, to hold and administer.

C.C.B.C. 981a, 981b (**D.T.** 71; **C.C.Q.** 1256-1258, 1278, 1287, 1297, 1306, 1363)

Art. 1261. Le patrimoine fiduciaire, formé des biens transférés en fiducie, constitue un patrimoine d'affectation autonome et distinct de celui du constituant, du fiduciaire ou du bénéficiaire, sur lequel aucun d'entre eux n'a de droit réel.

1991, c. 64, a. 1261 (1994-01-01).

Art. 1261. The trust patrimony, consisting of the property transferred in trust, constitutes a patrimony by appropriation, autonomous and distinct from that of the settlor, trustee or beneficiary and in which none of them has any real right.

(**C.C.Q.** 1257, 1260, 1278, 1293)

Art. 1262. La fiducie est établie par contrat, à titre onéreux ou gratuit, par testament ou, dans certains cas, par la loi. Elle peut aussi, lorsque la loi l'autorise, être établie par jugement.

1991, c. 64, a. 1262 (1994-01-01).

Art. 1262. A trust is established by contract, whether by onerous title or gratuitously, by will, or, in certain cases, by operation of law. Where authorized by law, it may also be established by judgment.

C.C.B.C. 981a (**D.T.** 71; **C.C.Q.** 591, 1256, 1258, 1264, 1267, 3107, 3108)

Art. 1263. La fiducie établie par contrat à titre onéreux peut avoir pour objet de garantir l'exécution d'une obligation. En ce cas, la fiducie doit, pour être opposable aux tiers, être publiée au registre des droits personnels et réels mobiliers ou au registre foncier, selon la nature mobilière ou immobilière des biens transférés en fiducie.

Le fiduciaire est, en cas de défaut du constituant, assujetti aux règles relatives à l'exercice des droits hypothécaires énoncées au livre Des priorités et des hypothèques.

1991, c. 64, a. 1263 (1994-01-01); 1998, c. 5, a. 1 (1999-09-17).

Art. 1263. The purpose of an onerous trust established by contract may be to secure the performance of an obligation. If that is the case, to have effect against third persons, the trust must be published in the register of personal and movable real rights or in the land register, according to the movable or immovable nature of the property transferred in trust.

In case of default by the settlor, the trustee is governed by the rules regarding the exercise of hypothecary rights set out in the Book on Prior Claims and Hypothecs.

(**C.C.Q.** 1262, 1590, 2748 ss., 2757 ss.)

Art. 1264. La fiducie est constituée dès l'acceptation du fiduciaire ou, s'ils sont plusieurs, de l'un d'eux.

Art. 1264. A trust is constituted upon the acceptance of the trustee or of one of the trustees if there are several.

Lorsque la fiducie est établie par testament, les effets de l'acceptation rétroagissent au jour du décès.

1991, c. 64, a. 1264 (1994-01-01).

(**C.C.Q.** 1262, 1265, 1276, 1277)

Art. 1265. L'acceptation de la fiducie dessaisit le constituant des biens, charge le fiduciaire de veiller à leur affectation et à l'administration du patrimoine fiduciaire et suffit pour rendre certain le droit du bénéficiaire.

1991, c. 64, a. 1265 (1994-01-01).

(**C.C.Q.** 1264, 1272, 1278, 1287, 1289, 1290)

SECTION II
DES DIVERSES ESPÈCES DE FIDUCIE ET DE LEUR DURÉE

Art. 1266. Les fiducies sont constituées à des fins personnelles, ou à des fins d'utilité privée ou sociale.

Elles peuvent, dans la mesure où une mention indique qu'il s'agit d'une fiducie, être identifiées sous le nom du disposant, du fiduciaire ou du bénéficiaire ou, si elles sont constituées à des fins d'utilité privée ou sociale, sous un nom qui désigne leur objet.

1991, c. 64, a. 1266 (1994-01-01).

(**C.C.Q.** 1267-1270)

Art. 1267. La fiducie personnelle est constituée à titre gratuit, dans le but de procurer un avantage à une personne déterminée ou qui peut l'être.

1991, c. 64, a. 1267 (1994-01-01).

C.C.B.C. 981a (**C.C.Q.** 1271, 1279, 1282, 1285, 1289)

Art. 1268. La fiducie d'utilité privée est celle qui a pour objet l'érection, l'entretien ou la conservation d'un bien corporel, ou l'utilisation d'un bien affecté à un usage déterminé, soit à l'avantage indirect d'une personne ou à sa mémoire, soit dans un autre but de nature privée.

1991, c. 64, a. 1268 (1994-01-01).

(**C.C.Q.** 1269, 1273, 1282, 1285, 1287)

In the case of a testamentary trust, the effects of the trustee's acceptance are retroactive to the day of death.

Art. 1265. Acceptance of the trust divests the settlor of the property, charges the trustee with seeing to the appropriation of the property and the administration of the trust patrimony and is sufficient to establish the right of the beneficiary with certainty.

SECTION II
VARIOUS KINDS OF TRUSTS AND THEIR DURATION

Art. 1266. Trusts are constituted for personal purposes or for purposes of private or social utility.

Provided it is designated as a trust, a trust may be identified by the name of the grantor, the trustee or the beneficiary or, in the case of a trust constituted for purposes of private or social utility, by a name which reflects its object.

Art. 1267. A personal trust is constituted gratuitously for the purpose of securing a benefit for a determinate or determinable person.

Art. 1268. A private trust is a trust created for the object of erecting, maintaining or preserving a thing or of using a property appropriated to a specific use, whether for the indirect benefit of a person or in his memory, or for some other private purpose.

Art. 1269. Est aussi d'utilité privée la fiducie constituée à titre onéreux dans le but, notamment, de permettre la réalisation d'un profit au moyen de placements ou d'investissements, de pourvoir à une retraite ou de procurer un autre avantage au constituant ou aux personnes qu'il désigne, aux membres d'une société ou d'une association, à des salariés ou à des porteurs de titre.

1991, c. 64, a. 1269 (1994-01-01).

(C.C.Q. 1268)

Art. 1270. La fiducie d'utilité sociale est celle qui est constituée dans un but d'intérêt général, notamment à caractère culturel, éducatif, philanthropique, religieux ou scientifique.

Elle n'a pas pour objet essentiel de réaliser un bénéfice ni d'exploiter une entreprise.

1991, c. 64, a. 1270 (1994-01-01).

C.C.B.C. 869 (**C.C.Q.** 1256, 1273, 1294, 1298)

Art. 1271. La fiducie personnelle constituée au bénéfice de plusieurs personnes successivement ne peut comprendre plus de deux ordres de bénéficiaires des fruits et revenus, outre celui du bénéficiaire du capital; elle est sans effet à l'égard des ordres subséquents qui y seraient visés.

Les accroissements, entre les cobénéficiaires des fruits et revenus d'un même ordre, ont lieu de la même façon qu'entre cogrevés du même ordre en matière de substitution.

1991, c. 64, a. 1271 (1994-01-01).

C.C.B.C. 932 (**C.C.Q.** 1221, 1241, 1256, 1267, 1272, 1273, 1294, 1298)

Art. 1272. Le droit du bénéficiaire du premier ordre s'ouvre au plus tard à l'expiration des cent ans qui suivent la constitution de la fiducie, même si un terme plus long a été stipulé. Celui des bénéficiaires des ordres subséquents peut s'ouvrir postérieurement, mais au profit des seuls bénéficiaires qui ont la qualité requise pour recevoir à l'expiration des cent ans qui suivent la constitution de la fiducie.

Les personnes morales ne peuvent jamais être bénéficiaires pour une période excédant cent ans, même si un terme plus long a été stipulé.

1991, c. 64, a. 1272 (1994-01-01).

(D.T. 72; **C.C.Q.** 617, 1221, 1240, 1271)

Art. 1269. A trust constituted by onerous title, particularly one created for the purpose of allowing the making of profit by means of investments, providing for retirement or procuring another benefit for the settlor or for the persons he designates or for the members of a partnership, company or association, or for employees or shareholders, is also a private trust.

Art. 1270. A social trust is a trust constituted for a purpose of general interest, such as a cultural, educational, philanthropic, religious or scientific purpose.

It does not have the making of profit or the operation of an enterprise as its main object.

Art. 1271. A personal trust constituted for the benefit of several persons successively may not include more than two ranks of beneficiaries of the fruits and revenues exclusive of the beneficiary of the capital; it is without effect in respect of any subsequent ranks it might contemplate.

Accretions of fruits and revenues between co-beneficiaries of the same rank are subject to the rules of substitution relating to accretions between co-institutes of the same rank.

Art. 1272. The right of beneficiaries of the first rank opens not later than one hundred years after the trust is constituted, even if a longer term is stipulated. The right of beneficiaries of subsequent ranks may open later but solely for the benefit of those beneficiaries who have the required quality to receive at the expiry of one hundred years after creation of the trust.

In no case may a legal person be a beneficiary for a period exceeding one hundred years, even if a longer term is stipulated.

Art. 1273. La fiducie d'utilité privée ou sociale peut être perpétuelle.

1991, c. 64, a. 1273 (1994-01-01).

_____

(**C.C.Q.** 1268-1270, 1294, 1296)

SECTION III
DE L'ADMINISTRATION DE LA FIDUCIE

§ 1. — _De la désignation et de la charge du fiduciaire_

Art. 1274. La personne physique pleinement capable de l'exercice de ses droits civils peut être fiduciaire, de même que la personne morale autorisée par la loi.

1991, c. 64, a. 1274 (1994-01-01).

_____

(**C.C.Q.** 153, 301, 304, 1275, 1355)

Art. 1275. Le constituant ou le bénéficiaire peut être fiduciaire, mais il doit agir conjointement avec un fiduciaire qui n'est ni constituant ni bénéficiaire.

1991, c. 64, a. 1275 (1994-01-01).

_____

(**C.C.Q.** 1274)

Art. 1276. Le constituant peut désigner un ou plusieurs fiduciaires ou pourvoir au mode de leur désignation ou de leur remplacement.

1991, c. 64, a. 1276 (1994-01-01).

_____

C.C.B.C. 981c al. 1 (**C.C.Q.** 1277, 1332 ss., 1355)

Art. 1277. Le tribunal peut, à la demande d'un intéressé et après un avis donné aux personnes qu'il indique, désigner un fiduciaire lorsque le constituant a omis de le désigner ou qu'il est impossible de pourvoir à la désignation ou au remplacement d'un fiduciaire.

Il peut, lorsque les conditions de l'administration l'exigent, désigner un ou plusieurs autres fiduciaires.

1991, c. 64, a. 1277 (1994-01-01).

_____

C.C.B.C. 981c al. 2 (**C.C.Q.** 1276, 1332 ss., 1355, 1361; **C.P.C.** 885b))

Art. 1278. Le fiduciaire a la maîtrise et l'administration exclusive du patrimoine fiduciaire et les titres relatifs aux biens qui le composent sont établis à son nom; il exerce tous les droits afférents au patrimoine et peut prendre toute mesure propre à en assurer l'affectation.

Art. 1273. A private or social trust may be perpetual.

SECTION III
ADMINISTRATION OF THE TRUST

§ 1. — _Appointment and office of the trustee_

Art. 1274. Any natural person having the full exercise of his civil rights, and any legal person authorized by law, may act as a trustee.

Art. 1275. The settlor or the beneficiary may be a trustee but he shall act jointly with a trustee who is neither the settlor nor a beneficiary.

Art. 1276. The settlor may appoint one or several trustees or provide the mode of their appointment or replacement.

Art. 1277. The court may, at the request of an interested person and after notice has been given to the persons it indicates, appoint a trustee where the settlor has failed to do so or where it is impossible to appoint or replace a trustee.

The court may appoint one or several other trustees where required by the conditions of the administration.

Art. 1278. A trustee has the control and the exclusive administration of the trust patrimony, and the titles relating to the property of which it is composed are drawn up in his name; he has the exercise of all the rights pertaining to the patrimony and may take any proper measure to secure its appropriation.

Il agit à titre d'administrateur du bien d'autrui chargé de la pleine administration.	A trustee acts as the administrator of the property of others charged with full administration.
1991, c. 64, a. 1278 (1994-01-01).	

C.C.B.C. 981j (**D.T.** 73; **C.C.Q.** 618, 1265, 1287, 1290, 1291, 1299, 1306, 1307, 1331, 1351, 2137)

§ 2. — Du bénéficiaire et de ses droits	**§ 2. — The beneficiary and his rights**
Art. 1279. Le bénéficiaire d'une fiducie constituée à titre gratuit doit avoir les qualités requises pour recevoir par donation ou par testament à l'ouverture de son droit.	**Art. 1279.** Only a person having the qualities to receive by gift or by will at the time his right opens may be the beneficiary of a trust constituted gratuitously.
S'il y a plusieurs bénéficiaires du même ordre, il suffit que l'un d'eux ait ces qualités pour préserver le droit des autres bénéficiaires, s'ils s'en prévalent.	Where there are several beneficiaries of the same rank, it is sufficient that one of them have such qualities to preserve the right of the others if they avail themselves of it.
1991, c. 64, a. 1279 (1994-01-01).	

C.C.B.C. 838, 981a (**C.C.Q.** 617, 1271, 1272, 1280, 1282, 1283, 1286, 1289, 1297, 1814)

Art. 1280. Le bénéficiaire d'une fiducie doit, pour recevoir, remplir les conditions requises par l'acte constitutif.	**Art. 1280.** To receive, the beneficiary of a trust shall meet the conditions required by the constituting act.
1991, c. 64, a. 1280 (1994-01-01).	

(**C.C.Q.** 1279, 1282-1284)

Art. 1281. Le constituant peut se réserver le droit de recevoir les fruits et revenus ou, éventuellement, le capital d'une fiducie, même constituée à titre gratuit, ou de participer aux avantages qu'elle procure.	**Art. 1281.** The settlor may reserve the right to receive the fruits and revenues or even, where such is the case, the capital of the trust, even a trust constituted by gratuitous title, or share in the benefits it procures.
1991, c. 64, a. 1281 (1994-01-01).	

C.C.B.C. 777 al. 3 (**C.C.Q.** 909, 910, 1345, 1348-1350)

Art. 1282. Le constituant peut se réserver ou conférer au fiduciaire ou à un tiers la faculté d'élire les bénéficiaires ou de déterminer leur part.	**Art. 1282.** The settlor may reserve for himself the power to appoint the beneficiaries or determine their shares, or confer it on the trustees or a third person.
En cas de fiducie d'utilité sociale, la faculté du fiduciaire d'élire les bénéficiaires et de déterminer leur part se présume. En cas de fiducie personnelle ou d'utilité privée, la faculté d'élire ne peut être exercée par le fiduciaire ou le tiers que si la catégorie de personnes parmi lesquelles ils doivent choisir le bénéficiaire est clairement déterminée dans l'acte constitutif.	In the case of a social trust, the trustee's power to appoint the beneficiaries and determine their shares is presumed. In the case of a personal or private trust, the power to appoint may be exercised by the trustee or the third person only if the class of persons from which he may appoint the beneficiary is clearly determined in the constituting act.
1991, c. 64, a. 1282 (1994-01-01).	

C.C.B.C. 935 al. 2 (**C.C.Q.** 1283)

Art. 1283. Celui qui a la faculté d'élire les bénéficiaires ou de déterminer leur part l'exerce comme il l'entend; il peut modifier ou révoquer sa décision pour les besoins de la fiducie.

Celui qui exerce la faculté ne peut le faire à son propre avantage.

1991, c. 64, a. 1283 (1994-01-01).

——————

(C.C.Q. 1282, 1287, 1290)

Art. 1284. Pendant la durée de la fiducie, le bénéficiaire a le droit d'exiger, suivant l'acte constitutif, soit la prestation d'un avantage qui lui est accordé, soit le paiement des fruits et revenus et du capital ou de l'un d'eux seulement.

1991, c. 64, a. 1284 (1994-01-01).

——————

(C.C.Q. 1286, 1289, 1290)

Art. 1285. Le bénéficiaire d'une fiducie constituée à titre gratuit est présumé avoir accepté le droit qui lui est accordé et il peut en disposer.

Il peut aussi y renoncer à tout moment; il doit alors le faire par acte notarié en minute s'il est bénéficiaire d'une fiducie personnelle ou d'utilité privée.

1991, c. 64, a. 1285 (1994-01-01).

——————

(C.C.Q. 1212-1217, 1286, 1296, 1297)

Art. 1286. Si le bénéficiaire renonce à son droit ou que ce dernier devient sans effet, son droit passe, en proportion des parts de chacun, aux co-bénéficiaires des fruits et revenus ou du capital, selon que lui-même est bénéficiaire des fruits et revenus ou du capital.

S'il est seul bénéficiaire des fruits et revenus dans son ordre, son droit passe, en proportion des parts de chacun, aux bénéficiaires des fruits et revenus du second ordre ou, à défaut, aux bénéficiaires du capital.

1991, c. 64, a. 1286 (1994-01-01).

——————

(C.C.Q. 1252, 1282, 1285, 1296, 1297)

§ 3. — *Des mesures de surveillance et de contrôle*

Art. 1287. L'administration de la fiducie est soumise à la surveillance du constituant ou de ses héritiers, s'il est décédé, et du bénéficiaire, même éventuel.

Art. 1283. The person holding the power to appoint the beneficiaries or determine their shares exercises it as he sees fit. He may change or revoke his decision for the requirements of the trust.

He may not appoint beneficiaries for his own benefit.

Art. 1284. While the trust is in effect, the beneficiary has the right to require, according to the constituting act, either the provision of a benefit granted to him or the payment of both the fruits and revenues and the capital or of only one of these.

Art. 1285. The beneficiary of a trust constituted by gratuitous title is presumed to have accepted the right granted to him and he is entitled to dispose of it.

He may renounce it at any time; he shall then do so by notarial act *en minute* if he is the beneficiary of a personal or private trust.

Art. 1286. If the beneficiary renounces his right, or if his right lapses, it passes, according to whether he is the beneficiary of the fruits and revenues or of the capital, to the co-beneficiaries of the fruits and revenues or of the capital, in proportion to the share of each.

If he is the sole beneficiary of the fruits and revenues of his rank, his right passes, in proportion to the share of each, to the beneficiaries of the fruits and revenues of the second rank, or where there are no such beneficiaries, to the beneficiaries of the capital.

§ 3. — *Measures of supervision and control*

Art. 1287. The administration of a trust is subject to the supervision of the settlor or of his heirs, if he has died, and of the beneficiary, even a future beneficiary.

En outre, dans les cas prévus par la loi, l'administration des fiducies d'utilité privée ou sociale est soumise, suivant leur objet et leur fin, à la surveillance des personnes et organismes désignés par la loi.

1991, c. 64, a. 1287 (1994-01-01).

(**C.C.Q.** 1278, 1288, 1295, 1306, 1308 ss.)

Art. 1288. Dès la constitution de la fiducie d'utilité privée ou sociale soumise à la surveillance d'une personne ou d'un organisme désigné par la loi, le fiduciaire doit déposer auprès de la personne ou de l'organisme une déclaration indiquant, notamment, la nature et l'objet de la fiducie, sa durée, ainsi que les nom et adresse du fiduciaire.

Il doit, à la demande de la personne ou de l'organisme, permettre l'examen des dossiers de la fiducie et fournir tout compte, rapport ou information qui lui est demandé.

1991, c. 64, a. 1288 (1994-01-01).

(**C.C.Q.** 1287, 1295)

Art. 1289. Les droits du bénéficiaire d'une fiducie personnelle sont exercés, s'il n'est pas encore conçu, par la personne qui, ayant été désignée par le constituant pour agir comme curateur, accepte cette charge ou, à défaut, par celle que nomme le tribunal à la demande du fiduciaire ou de tout intéressé. Le curateur public peut être désigné pour agir.

En cas de fiducie d'utilité privée dont aucune personne, même déterminable ou éventuelle, ne peut être bénéficiaire, les droits que le présent paragraphe accorde au bénéficiaire peuvent être exercés par le curateur public.

1991, c. 64, a. 1289 (1994-01-01).

(**C.C.Q.** 192, 224, 281, 617, 1267, 1287-1292, 1814; **C.P.C.** 885*b*))

Art. 1290. Le constituant, le bénéficiaire ou un autre intéressé peut, malgré toute stipulation contraire, agir contre le fiduciaire pour le contraindre à exécuter ses obligations ou à faire un acte nécessaire à la fiducie, pour lui enjoindre de s'abstenir de tout acte dommageable à la fiducie ou pour obtenir sa destitution.

Il peut aussi attaquer les actes faits par le fiduciaire en fraude du patrimoine fiduciaire ou des droits du bénéficiaire.

1991, c. 64, a. 1290 (1994-01-01).

(**C.C.Q.** 1259, 1265, 1278, 1284, 1291, 1292, 1367; **C.P.C.** 110, 751 ss.)

In addition, in cases provided for by law, the administration of a private or social trust is subject, according to its object and purpose, to the supervision of the persons or bodies designated by law.

1991, c. 64, a. 1287 (1994-01-01).

Art. 1288. Upon the constitution of a private or social trust subject to the supervision of a person or body designated by law, the trustee shall file with the person or body a statement indicating, in particular, the nature, object and term of the trust and the name and address of the trustee.

The trustee shall, at the request of the person or body, allow the trust records to be examined and furnish any account, report or information requested of him.

1991, c. 64, a. 1288 (1994-01-01).

Art. 1289. The rights of the beneficiary of a personal trust, if he is not yet conceived, are exercised by the person who, having been designated by the settlor to act as curator, accepts the office or, failing him, by the person appointed by the court on the application of the trustee or any interested person. The Public Curator may be designated to act.

In a private trust of which no person, even determinable or future, may be a beneficiary, the rights granted to the beneficiary under this subsection may be exercised by the Public Curator.

1991, c. 64, a. 1289 (1994-01-01).

Art. 1290. The settlor, the beneficiary or any other interested person may, notwithstanding any stipulation to the contrary, take action against the trustee to compel him to perform his obligations or to perform any act which is necessary in the interest of the trust, to enjoin him to abstain from any action harmful to the trust or to have him removed.

He may also impugn any acts performed by the trustee in fraud of the trust patrimony or the rights of the beneficiary.

1991, c. 64, a. 1290 (1994-01-01).

Art. 1291. Le tribunal peut autoriser le constituant, le bénéficiaire ou un autre intéressé à agir en justice à la place du fiduciaire, lorsque celui-ci, sans motif suffisant, refuse d'agir, néglige de le faire ou en est empêché.

1991, c. 64, a. 1291 (1994-01-01).

(**C.C.Q.** 1316; **C.P.C.** 56, 885*a*))

Art. 1292. Le fiduciaire, le constituant et le bénéficiaire sont, s'ils y participent, solidairement responsables des actes exécutés en fraude des droits des créanciers du constituant ou du patrimoine fiduciaire.

1991, c. 64, a. 1292 (1994-01-01).

(**C.C.Q.** 1290, 1319-1323, 1523, 1525)

SECTION IV
DES MODIFICATIONS À LA FIDUCIE ET AU PATRIMOINE

Art. 1293. Toute personne peut augmenter le patrimoine fiduciaire en lui transférant des biens par contrat ou par testament et en suivant, pour ces augmentations, les règles propres à la constitution d'une fiducie. Elle n'acquiert pas, de ce fait, les droits d'un constituant.

Les biens transférés se confondent dans le patrimoine fiduciaire et sont administrés conformément aux dispositions de l'acte constitutif.

1991, c. 64, a. 1293 (1994-01-01).

(**C.C.Q.** 1257, 1259, 1261, 1278)

Art. 1294. Lorsqu'une fiducie a cessé de répondre à la volonté première du constituant, notamment par suite de circonstances inconnues de lui ou imprévisibles qui rendent impossible ou trop onéreuse la poursuite du but de la fiducie, le tribunal peut, à la demande d'un intéressé, mettre fin à la fiducie; il peut aussi, dans le cas d'une fiducie d'utilité sociale, lui substituer un but qui se rapproche le plus possible du but original.

Si la fiducie répond toujours à la volonté du constituant, mais que de nouvelles mesures permettraient de mieux respecter sa volonté ou favoriseraient l'accomplissement de la fiducie, le tribunal peut modifier les dispositions de l'acte constitutif.

1991, c. 64, a. 1294 (1994-01-01).

(**C.C.Q.** 1295, 1296, 1298)

Art. 1291. The court may authorize the settlor, the beneficiary or any other interested person to take legal action in the place and stead of the trustee when, without sufficient reason, he refuses or neglects to act or is prevented from acting.

Art. 1292. The trustee, the settlor and the beneficiary are solidarily liable for acts in which they participate that are performed in fraud of the rights of the creditors of the settlor or of the trust patrimony.

SECTION IV
CHANGES TO THE TRUST AND TO THE PATRIMONY

Art. 1293. Any person may increase the trust patrimony by transferring property to it by contract or by will in conformity with the rules applicable to the constitution of a trust. The person does not acquire the rights of a settlor by that fact.

The transferred property is mingled with the other property of the trust patrimony and is administered in accordance with the provisions of the constituting act.

Art. 1294. Where a trust has ceased to meet the first intent of the settlor, particularly as a result of circumstances unknown to him or unforeseeable and which make the pursuit of the purpose of the trust impossible or too onerous, the court may, on the application of an interested person, terminate the trust; the court may also, in the case of a social trust, substitute another closely related purpose for the original purpose of the trust.

Where the trust continues to meet the intent of the settlor but new measures would allow a more faithful compliance with his intent or favour the fulfilment of the trust, the court may amend the provisions of the constituting act.

Art. 1295. Il doit être donné avis de la demande au constituant et au fiduciaire et, le cas échéant, au bénéficiaire, au liquidateur de la succession du constituant ou aux héritiers et à toute autre personne ou organisme désigné par la loi, si la fiducie est soumise à leur surveillance.

1991, c. 64, a. 1295 (1994-01-01).

_____

(**C.C.Q.** 1287, 1294, 1298)

SECTION V
DE LA FIN DE LA FIDUCIE

Art. 1296. La fiducie prend fin par la renonciation ou la caducité du droit de tous les bénéficiaires, tant du capital que des fruits et revenus.

Elle prend fin aussi par l'arrivée du terme ou l'avènement de la condition, par le fait que le but de la fiducie a été atteint ou par l'impossibilité, constatée par le tribunal, de l'atteindre.

1991, c. 64, a. 1296 (1994-01-01).

_____

C.C.B.C. 981b al. 2 (**C.C.Q.** 1279, 1280, 1285, 1286, 1294, 1298, 1356)

Art. 1297. Le fiduciaire doit, au terme de la fiducie, remettre les biens à ceux qui y ont droit.

À défaut de bénéficiaire, les biens qui restent au terme de la fiducie sont dévolus au constituant ou à ses héritiers.

1991, c. 64, a. 1297 (1994-01-01).

_____

C.C.B.C. 964, 981l (**C.C.Q.** 1271, 1272, 1296, 1298, 1363 ss.)

Art. 1298. Les biens de la fiducie d'utilité sociale qui prend fin par suite de l'impossibilité de l'accomplir sont dévolus à une fiducie, à une personne morale ou à tout autre groupement de personnes ayant une vocation se rapprochant le plus possible de celle de la fiducie. La désignation en est faite par le tribunal, sur la recommandation du fiduciaire. Le tribunal prend aussi l'avis de la personne ou de l'organisme désigné par la loi, si la fiducie était soumise à leur surveillance.

1991, c. 64, a. 1298 (1994-01-01).

_____

(**C.C.Q.** 1270, 1287, 1288, 1294-1296; **C.P.C.** 885b))

Art. 1295. Notice of the application shall be given to the settlor and to the trustee and, where such is the case, to the beneficiary, to the liquidator of the succession of the settlor, or his heirs, and to any other person or body designated by law, where the trust is subject to their supervision.

SECTION V
TERMINATION OF THE TRUST

Art. 1296. A trust is terminated by the renunciation or lapse of the right of all the beneficiaries, both of the capital and of the fruits and revenues.

A trust is also terminated by the expiry of the term or the fulfilment of the condition, by the attainment of the purpose of the trust or by the impossibility, confirmed by the court, of attaining it.

Art. 1297. At the termination of a trust, the trustee shall deliver the property to those who are entitled to it.

Where there is no beneficiary, any property remaining when the trust is terminated devolves to the settlor or his heirs.

Art. 1298. The property of a social trust that terminates by the impossibility of its fulfilment devolves to a trust, to a legal person or to any other group of persons devoted to a purpose as nearly like that of the trust as possible, designated by the court on the recommendation of the trustee. The court also obtains the advice of any person or body designated by law to supervise the trust.

TITRE SEPTIÈME
DE L'ADMINISTRATION DU BIEN D'AUTRUI

CHAPITRE PREMIER
DISPOSITIONS GÉNÉRALES

Art. 1299. Toute personne qui est chargée d'administrer un bien ou un patrimoine qui n'est pas le sien assume la charge d'administrateur du bien d'autrui. Les règles du présent titre s'appliquent à une administration, à moins qu'il ne résulte de la loi, de l'acte constitutif ou des circonstances qu'un autre régime d'administration ne soit applicable.

1991, c. 64, a. 1299 (1994-01-01).

(**D.T.** 73; **C.C.Q.** 87, 208, 281, 282, 286, 310, 321, 360, 802, 1029, 1085, 1278, 1484, 2135)

Art. 1300. À moins que l'administration ne soit gratuite en vertu de la loi, de l'acte ou des circonstances, l'administrateur a droit à la rémunération fixée par l'acte, les usages ou la loi, ou encore à celle établie d'après la valeur des services.

Celui qui agit sans droit ou sans y être autorisé n'a droit à aucune rémunération.

1991, c. 64, a. 1300 (1994-01-01).

C.C.B.C. 441q al. 3, 910 al. 2, 981g al. 1, 1702 (**C.C.Q.** 184, 724, 753, 789, 1084, 1318, 1367, 1369)

CHAPITRE DEUXIÈME
DES FORMES DE L'ADMINISTRATION

SECTION I
DE LA SIMPLE ADMINISTRATION DU BIEN D'AUTRUI

Art. 1301. Celui qui est chargé de la simple administration doit faire tous les actes nécessaires à la conservation du bien ou ceux qui sont utiles pour maintenir l'usage auquel le bien est normalement destiné.

1991, c. 64, a. 1301 (1994-01-01).

C.C.B.C. 915, 919 (**C.C.Q.** 172, 208, 253, 262, 282, 286, 644, 699, 802, 1029, 1085, 1145, 1224, 1302-1305, 1484, 2135, 2245, 2308, 2768)

Art. 1302. L'administrateur chargé de la simple administration est tenu de percevoir les fruits et revenus du bien qu'il administre et d'exercer les droits qui lui sont attachés.

TITLE SEVEN
ADMINISTRATION OF THE PROPERTY OF OTHERS

CHAPTER I
GENERAL PROVISIONS

Art. 1299. Any person who is charged with the administration of property or a patrimony that is not his own assumes the office of administrator of the property of others. The rules of this Title apply to every administration unless another form of administration applies under the law or the constituting act, or due to circumstances.

Art. 1300. Unless the administration is gratuitous according to law, the act or the circumstances, the administrator is entitled to the remuneration fixed in the act, by usage or by law, or to the remuneration established according to the value of the services rendered.

A person acting without right or authorization is not entitled to any remuneration.

CHAPTER II
KINDS OF ADMINISTRATION

SECTION I
SIMPLE ADMINISTRATION OF THE PROPERTY OF OTHERS

Art. 1301. A person charged with simple administration shall perform all the acts necessary for the preservation of the property or useful for the maintenance of the use for which the property is ordinarily destined.

Art. 1302. An administrator charged with simple administration is bound to collect the fruits and revenues of the property under his administration and to exercise the rights pertaining to the property.

Il perçoit les créances qui sont soumises à son administration et en donne valablement quittance; il exerce les droits attachés aux valeurs mobilières qu'il administre, tels les droits de vote, de conversion ou de rachat.

1991, c. 64, a. 1302 (1994-01-01).

C.C.B.C. 919 al. 7 (**C.C.Q.** 1301, 1303, 1316)

Art. 1303. L'administrateur doit continuer l'utilisation ou l'exploitation du bien qui produit des fruits et revenus, sans en changer la destination, à moins d'y être autorisé par le bénéficiaire ou, en cas d'empêchement, par le tribunal.

1991, c. 64, a. 1303 (1994-01-01).

C.C.B.C. 290a (**C.C.Q.** 1301, 1309; **C.P.C.** 885c))

Art. 1304. L'administrateur est tenu de placer les sommes d'argent qu'il administre, conformément aux règles du présent titre relatives aux placements présumés sûrs.

Il peut modifier les placements faits avant son entrée en fonctions ou ceux qu'il a faits.

1991, c. 64, a. 1304 (1994-01-01).

C.C.B.C. 294, 295, 296a, 981v (**C.C.Q.** 1339-1344)

Art. 1305. L'administrateur peut, avec l'autorisation du bénéficiaire ou, si celui-ci est empêché, avec celle du tribunal, aliéner le bien à titre onéreux ou le grever d'une hypothèque, lorsque cela est nécessaire pour payer les dettes, maintenir l'usage auquel le bien est normalement destiné ou en conserver la valeur.

Il peut, toutefois, aliéner seul un bien susceptible de se déprécier rapidement ou de dépérir.

1991, c. 64, a. 1305 (1994-01-01).

C.C.B.C. 297, 298, 1703 (**C.C.Q.** 162, 213, 804, 1309, 1312, 1315, 1319 ss., 2136, 2681; **C.P.C.** 59, 61, 885c))

SECTION II
DE LA PLEINE ADMINISTRATION DU BIEN D'AUTRUI

Art. 1306. Celui qui est chargé de la pleine administration doit conserver et faire fructifier le bien, accroître le patrimoine ou en réaliser l'affectation, lorsque l'intérêt du bénéficiaire ou la poursuite du but de la fiducie l'exigent.

1991, c. 64, a. 1306 (1994-01-01).

(**C.C.Q.** 282, 360, 363, 701, 1109, 1278, 2238, 2266, 2773)

He collects the debts under his administration and gives valid acquittance for them; he exercises the rights pertaining to the securities administered by him, such as voting, conversion or redemption rights.

Art. 1303. An administrator shall continue the use or operation of the property which produces fruits and revenues without changing its destination, unless he is authorized to make such a change by the beneficiary or, if that is prevented, by the court.

Art. 1304. An administrator is bound to invest the sums of money under his administration in accordance with the rules of this Title relating to presumed sound investments.

He may likewise change any investment made before he took office or that he has made himself.

Art. 1305. An administrator, with the authorization of the beneficiary or, if the beneficiary is prevented from acting, of the court, may alienate the property by onerous title or charge it with a hypothec where that is necessary for the payment of the debts, maintenance of the use for which the property is ordinarily destined, or the preservation of its value.

He may, however, alienate alone any property that is perishable or likely to depreciate rapidly.

SECTION II
FULL ADMINISTRATION OF THE PROPERTY OF OTHERS

Art. 1306. A person charged with full administration shall preserve the property and make it productive, increase the patrimony or appropriate it to a purpose, where the interest of the beneficiary or the pursuit of the purpose of the trust requires it.

Art. 1307. L'administrateur peut, pour exécuter ses obligations, aliéner le bien à titre onéreux, le grever d'un droit réel ou en changer la destination et faire tout autre acte nécessaire ou utile, y compris toutes espèces de placements.

1991, c. 64, a. 1307 (1994-01-01).

C.C.B.C. 981j (**C.C.Q.** 1306, 1309, 2137, 2681)

Art. 1307. An administrator may, to perform his obligations, alienate the property by onerous title, charge it with a real right or change its destination and perform any other necessary or useful act, including any form of investment.

CHAPITRE TROISIÈME
DES RÈGLES DE L'ADMINISTRATION

CHAPTER III
RULES OF ADMINISTRATION

SECTION I
DES OBLIGATIONS DE L'ADMINISTRATEUR ENVERS LE BÉNÉFICIAIRE

SECTION I
OBLIGATIONS OF THE ADMINISTRATOR TOWARDS THE BENEFICIARY

Art. 1308. L'administrateur du bien d'autrui doit, dans l'exercice de ses fonctions, respecter les obligations que la loi et l'acte constitutif lui imposent; il doit agir dans les limites des pouvoirs qui lui sont conférés.

Il ne répond pas de la perte du bien qui résulte d'une force majeure, de la vétusté du bien, de son dépérissement ou de l'usage normal et autorisé du bien.

1991, c. 64, a. 1308 (1994-01-01).

Art. 1308. The administrator of the property of others shall, in carrying out his duties, comply with the obligations imposed on him by law or by the constituting act. He shall act within the powers conferred on him.

He is not liable for loss of the property resulting from a superior force or from its age, its perishable nature or its normal and authorized use.

C.C.B.C. 1675, 1769, 1804, 1805 (**C.C.Q.** 1128, 1310, 1318, 1457, 1470, 1693, 2739)

Art. 1309. L'administrateur doit agir avec prudence et diligence.

Il doit aussi agir avec honnêteté et loyauté, dans le meilleur intérêt du bénéficiaire ou de la fin poursuivie.

1991, c. 64, a. 1309 (1994-01-01).

Art. 1309. An administrator shall act with prudence and diligence.

He shall also act honestly and faithfully in the best interest of the beneficiary or of the object pursued.

C.C.B.C. 89, 285, 290, 291, 441r, 981k, 1710, 1802 (**C.C.Q.** 177, 1128, 1230, 1300, 1310-1314, 1317, 1340, 1343, 1457, 1709, 2138; **C.P.C.** 478)

Art. 1310. L'administrateur ne peut exercer ses pouvoirs dans son propre intérêt ni dans celui d'un tiers; il ne peut non plus se placer dans une situation de conflit entre son intérêt personnel et ses obligations d'administrateur.

S'il est lui-même bénéficiaire, il doit exercer ses pouvoirs dans l'intérêt commun, en considérant son intérêt au même titre que celui des autres bénéficiaires.

1991, c. 64, a. 1310 (1994-01-01).

Art. 1310. No administrator may exercise his powers in his own interest or that of a third person or place himself in a position where his personal interest is in conflict with his obligations as administrator.

If the administrator himself is a beneficiary, he shall exercise his powers in the common interest, giving the same consideration to his own interest as to that of the other beneficiaries.

C.C.B.C. 290, 1484, 1706 (**C.C.Q.** 177, 1309, 1311, 1312, 1318, 1457, 1709, 2138, 2147, 2148)

Art. 1311. L'administrateur doit, sans délai, dénoncer au bénéficiaire tout intérêt qu'il a dans une entreprise et qui est susceptible de le placer en situation de conflit d'intérêts, ainsi que les droits qu'il peut faire valoir contre lui ou dans les biens administrés, en indiquant, le cas échéant, la nature et la valeur de ces droits. Il n'est pas tenu de dénoncer l'intérêt ou les droits qui résultent de l'acte ayant donné lieu à l'administration.

Sont dénoncés à la personne ou à l'organisme désigné par la loi, l'intérêt ou les droits portant sur les biens d'une fiducie soumise à leur surveillance.

1991, c. 64, a. 1311 (1994-01-01).

Art. 1311. An administrator shall, without delay, declare to the beneficiary any interest he has in an enterprise that could place him in a position of conflict of interest and of the rights he may invoke against the beneficiary or in the property administered indicating, where that is the case, the nature and value of the rights. He is not bound to declare to him the interest or rights deriving from the act having given rise to the administration.

Any interest or right pertaining to the property of a trust under the supervision of a person or body designated by law is disclosed to that person or body.

(C.C.Q. 1287, 1288, 1309, 1310)

Art. 1312. L'administrateur ne peut, pendant son administration, se porter partie à un contrat qui touche les biens administrés, ni acquérir autrement que par succession des droits sur ces biens ou contre le bénéficiaire.

Il peut, néanmoins, y être expressément autorisé par le bénéficiaire ou, en cas d'empêchement ou à défaut d'un bénéficiaire déterminé, par le tribunal.

1991, c. 64, a. 1312 (1994-01-01).

Art. 1312. No administrator may, in the course of his administration, become a party to a contract affecting the administered property or acquire otherwise than by succession any right in the property or against the beneficiary.

He may, nevertheless, be expressly authorized to do so by the beneficiary or, in case of impediment or if there is no determinate beneficiary, by the court.

C.C.B.C. 290, 1484, 1706 (**C.C.Q.** 1309, 1310, 1318, 1457, 1709, 2147; **C.P.C.** 885c))

Art. 1313. L'administrateur ne doit pas confondre les biens administrés avec ses propres biens.

1991, c. 64, a. 1313 (1994-01-01).

Art. 1313. No administrator may mingle the administered property with his own property.

(C.C.Q. 1257, 1260, 1309, 1310)

Art. 1314. L'administrateur ne peut utiliser à son profit le bien qu'il administre ou l'information qu'il obtient en raison même de son administration, à moins que le bénéficiaire n'ait consenti à un tel usage ou qu'il ne résulte de la loi ou de l'acte constitutif de l'administration.

1991, c. 64, a. 1314 (1994-01-01).

Art. 1314. No administrator may use for his benefit the property he administers or information he obtains by reason of his administration except with the consent of the beneficiary or unless it results from the law or the act constituting the administration.

C.C.B.C. 1803 (**C.C.Q.** 1309, 1310, 1366)

Art. 1315. À moins qu'il ne soit de la nature de son administration de pouvoir le faire, l'administrateur ne peut disposer à titre gratuit des biens qui lui sont confiés; il le peut, néanmoins, s'il s'agit de biens de peu de valeur et que la disposition est faite dans l'intérêt du bénéficiaire ou de la fin poursuivie.

Il ne peut, sans contrepartie valable, renoncer à un droit qui appartient au bénéficiaire ou qui fait partie du patrimoine administré.

1991, c. 64, a. 1315 (1994-01-01); 2002, c. 19, a. 15 (2002-06-13).

Art. 1315. Unless it is of the very nature of his administration to do so, no administrator may dispose gratuitously of the property entrusted to him, except property of little value disposed of in the interest of the beneficiary or of the object pursued.

No administrator may, except for valuable consideration, renounce any right belonging to the beneficiary or forming part of the patrimony administered.

C.C.B.C. 763 al. 3 (**C.C.Q.** 173, 256, 1301 ss., 1309, 1310, 1312)

Art. 1316. L'administrateur peut ester en justice pour tout ce qui touche son administration; il peut aussi intervenir dans toute action concernant les biens administrés.

1991, c. 64, a. 1316 (1994-01-01).

(**C.C.Q.** 1301, 1307, 1309; **C.P.C.** 59, 61)

Art. 1317. S'il y a plusieurs bénéficiaires de l'administration, simultanément ou successivement, l'administrateur est tenu d'agir avec impartialité à leur égard, compte tenu de leurs droits respectifs.

1991, c. 64, a. 1317 (1994-01-01).

(**C.C.Q.** 1271, 1272, 1309, 1370)

Art. 1318. Lorsqu'il apprécie l'étendue de la responsabilité d'un administrateur et fixe les dommages-intérêts en résultant, le tribunal peut les réduire, en tenant compte des circonstances dans lesquelles l'administration est assumée ou du fait que l'administrateur agit gratuitement, ou qu'il est mineur ou majeur protégé.

1991, c. 64, a. 1318 (1994-01-01).

Art. 1316. An administrator may sue and be sued in respect of anything connected with his administration; he may also intervene in any action respecting the administered property.

Art. 1317. If there are several beneficiaries of the administration, concurrently or successively, the administrator is bound to act impartially in their regard, taking account of their respective rights.

Art. 1318. The court, in appreciating the extent of the liability of an administrator and fixing the resulting damages, may reduce them in view of the circumstances in which the administration is assumed or of the fact that the administrator acts gratuitously or that he is a minor or a protected person of full age.

C.C.B.C. 323, 967, 1005, 1011, 1707, 1710, 1801 (**C.C.Q.** 156, 164, 172, 174, 838, 1300, 1309, 1310, 1312, 1405, 1406, 1484, 1558, 1706, 1709, 2282, 2964; **C.P.C.** 110, 478)

SECTION II
DES OBLIGATIONS DE L'ADMINISTRATEUR ET DU BÉNÉFICIAIRE ENVERS LES TIERS

Art. 1319. L'administrateur qui, dans les limites de ses pouvoirs, s'oblige au nom du bénéficiaire ou pour le patrimoine fiduciaire n'est pas personnellement responsable envers les tiers avec qui il contracte.

Il est responsable envers eux s'il s'oblige en son propre nom, sous réserve des droits des tiers contre le bénéficiaire ou le patrimoine fiduciaire, le cas échéant.

1991, c. 64, a. 1319 (1994-01-01).

SECTION II
OBLIGATIONS OF THE ADMINISTRATOR AND THE BENEFICIARY TOWARDS THIRD PERSONS

Art. 1319. Where an administrator binds himself, within the limits of his powers, in the name of the beneficiary or the trust patrimony, he is not personally liable towards third persons with whom he contracts.

He is liable towards them if he binds himself in his own name, subject to any rights they have against the beneficiary or the trust patrimony.

C.C.B.C. 441u, 981i, 1046, 1715, 1716 (**C.C.Q.** 1292, 1320-1323, 1334, 1362; **C.P.C.** 59)

Art. 1320. L'administrateur qui excède ses pouvoirs est responsable envers les tiers avec qui il contracte, à moins que les tiers n'en aient eu une connaissance suffisante ou que le bénéficiaire n'ait ratifié, expressément ou tacitement, les obligations contractées.

1991, c. 64, a. 1320 (1994-01-01).

Art. 1320. Where an administrator exceeds his powers, he is liable towards third persons with whom he contracts unless the third persons were sufficiently aware of that fact or unless the obligations contracted were expressly or tacitly ratified by the beneficiary.

C.C.B.C. 1717, 1727 (**C.C.Q.** 1305, 1319, 1321, 1323, 1362, 1423)

Art. 1321. L'administrateur qui exerce seul des pouvoirs qu'il est chargé d'exercer avec un autre excède ses pouvoirs.

N'excède pas ses pouvoirs celui qui les exerce d'une manière plus avantageuse que celle qui lui était imposée.

1991, c. 64, a. 1321 (1994-01-01).

C.C.B.C. 1718, 1719 (**C.C.Q.** 1320, 1322, 1333)

Art. 1322. Le bénéficiaire ne répond envers les tiers du préjudice causé par la faute de l'administrateur dans l'exercice de ses fonctions qu'à concurrence des avantages qu'il a retirés de l'acte. En cas de fiducie, ces obligations retombent sur le patrimoine fiduciaire.

1991, c. 64, a. 1322 (1994-01-01).

C.C.B.C. 1731 (**C.C.Q.** 1320, 1321, 1457, 1460, 1461, 1463)

Art. 1323. Celui qui, pleinement capable d'exercer ses droits civils, a donné à croire qu'une personne était administrateur de ses biens, est responsable, comme s'il y avait eu administration, envers les tiers qui ont contracté de bonne foi avec cette personne.

1991, c. 64, a. 1323 (1994-01-01).

C.C.B.C. 1730

SECTION III
DE L'INVENTAIRE, DES SÛRETÉS ET DES ASSURANCES

Art. 1324. L'administrateur n'est pas tenu de faire inventaire, de souscrire une assurance ou de fournir une autre sûreté pour garantir l'exécution de ses obligations, à moins d'y être obligé par la loi ou l'acte, ou encore par le tribunal, à la demande du bénéficiaire ou de tout intéressé.

Quand l'acte lui crée ces obligations, il peut, si les circonstances le justifient, demander d'en être dispensé.

1991, c. 64, a. 1324 (1994-01-01).

C.C.B.C. 292, 910 al. 5, 919 al. 1 (**C.C.Q.** 236, 240, 790, 794, 1073, 1142, 1224, 1325-1331; **C.P.C.** 885c))

Art. 1325. Le tribunal saisi d'une demande tient compte, dans sa décision, de la valeur des biens administrés, de la situation des parties et des autres circonstances.

Art. 1321. An administrator who exercises alone powers that he is required to exercise jointly with another person exceeds his powers.

He does not exceed his powers if he exercises them more advantageously than he is required to do.

Art. 1322. The beneficiary is liable towards third persons for the damage caused by the fault of the administrator in carrying out his duties only up to the amount of the benefit he has derived from the act. In the case of a trust, these obligations fall back upon the trust patrimony.

Art. 1323. Where a person fully capable of exercising his civil rights has given reason to believe that another person was the administrator of his property, he is liable towards third persons who in good faith have contracted with that other person, as though the property had been under administration.

SECTION III
INVENTORY, SECURITY AND INSURANCE

Art. 1324. An administrator is not bound to make an inventory, to take out insurance or to furnish other security to guarantee the performance of his obligations unless required to do so by law or by the act, or, again, by the court on the application of the beneficiary or any interested person.

Where the act creates these obligations, the administrator may apply for an exemption if circumstances warrant it.

Art. 1325. In making its decision upon an application, the court takes account of the value of the property administered, the situation of the parties and the other circumstances.

Il ne peut faire droit à la demande si cela a pour effet de remettre en cause les termes d'une convention à laquelle l'administrateur et le bénéficiaire étaient initialement parties.

1991, c. 64, a. 1325 (1994-01-01).

(**C.C.Q.** 1324)

Art. 1326. L'inventaire auquel peut être tenu l'administrateur doit comprendre l'énumération fidèle et exacte de tous les biens qu'il est chargé d'administrer ou qui forment le patrimoine administré.

Il comprend notamment:

1° La désignation des immeubles et la description des meubles, avec indication de leur valeur et, s'il s'agit d'une universalité de biens meubles, une identification suffisante de cette universalité;

2° La désignation des espèces en numéraire et des autres valeurs;

3° L'énumération des documents de valeur.

L'inventaire fait aussi état des dettes et se termine par une récapitulation de l'actif et du passif.

1991, c. 64, a. 1326 (1994-01-01).

C.P.C. 913, 916, 917 (**C.C.Q.** 1324, 1325, 1327-1330)

Art. 1327. L'inventaire est fait par acte notarié en minute. Il peut aussi être fait sous seing privé en présence de deux témoins. Dans ce cas, son auteur et les témoins le signent et y indiquent la date et le lieu où il est fait.

1991, c. 64, a. 1327 (1994-01-01).

C.P.C. 918 (**C.C.Q.** 1324, 1326, 1330)

Art. 1328. Lorsqu'il se trouve, dans le patrimoine administré, des effets personnels du titulaire du patrimoine ou, le cas échéant, du défunt, il suffit de les mentionner généralement dans l'inventaire et de n'énumérer ou ne décrire que les vêtements, papiers personnels, bijoux ou objets d'usage courant dont la valeur excède pour chacun 100 $.

1991, c. 64, a. 1328 (1994-01-01).

C.P.C. 917 (**C.C.Q.** 1326)

Art. 1329. Les biens désignés dans l'inventaire sont présumés en bon état à la date de la confection de l'inventaire, à moins que l'administrateur n'y joigne un document attestant le contraire.

1991, c. 64, a. 1329 (1994-01-01).

(**C.C.Q.** 1326, 1328, 2847)

It may not grant the application if that would, in effect, call into question the terms of the initial agreement between the administrator and the beneficiary.

Art. 1326. An administrator bound to make an inventory shall include in it a faithful and exact enumeration of all the property entrusted to his administration or constituting the administered patrimony.

Such an inventory contains the following in particular:

(1) the description of the immovables, and a description of the movables, with indication of their value and, in the case of a universality of movable property, sufficient identification of the universality;

(2) a description of the currency in cash and other securities;

(3) a listing of valuable documents.

It also contains a statement of liabilities and concludes with a recapitulation of assets and liabilities.

Art. 1327. The inventory is made by notarial act *en minute*. It may also be made by a private writing before two witnesses. In the latter case, the author and the witnesses sign it, indicating the date and place of execution.

Art. 1328. Where the administered patrimony contains personal effects of the holder of the patrimony or, as the case may be, of the deceased, a general reference to them in the inventory is sufficient, describing only clothing, personal papers, jewelry or ordinary personal things worth over $100 each.

Art. 1329. The property described in the inventory is presumed to be in good condition on the date of preparation of the inventory, unless the administrator appends a document attesting the contrary.

Art. 1330. L'administrateur doit fournir une copie de l'inventaire à celui qui l'a chargé de l'administration et au bénéficiaire de celle-ci, ainsi qu'à toute personne dont l'intérêt lui est connu. Il doit aussi, lorsque la loi le prévoit, déposer au lieu indiqué l'inventaire ou un avis de clôture en précisant alors le lieu où l'inventaire peut être consulté.

Tout intéressé peut contester l'inventaire ou l'une de ses inscriptions; il peut aussi demander qu'il soit procédé à un nouvel inventaire.

1991, c. 64, a. 1330 (1994-01-01).

(**C.C.Q.** 240, 794-798, 1070, 1287, 1288; **C.P.C.** 110)

Art. 1331. L'administrateur peut, aux frais du bénéficiaire ou de la fiducie, assurer les biens qui lui sont confiés contre les risques usuels, tels le vol et l'incendie.

Il peut aussi souscrire une assurance garantissant l'exécution de ses obligations; il le fait aux frais du bénéficiaire ou de la fiducie si l'administration est gratuite.

1991, c. 64, a. 1331 (1994-01-01).

C.C.B.C. 442a (**C.C.Q.** 790, 1073, 1309, 1324)

SECTION IV

DE L'ADMINISTRATION COLLECTIVE ET DE LA DÉLÉGATION

Art. 1332. Lorsque plusieurs administrateurs sont chargés de l'administration, ils peuvent agir à la majorité d'entre eux, à moins que l'acte ou la loi ne prévoie qu'ils agissent de concert ou suivant une proportion déterminée.

1991, c. 64, a. 1332 (1994-01-01).

C.C.B.C. 912, 913, 981f (**C.C.Q.** 188, 786, 787, 1321, 1333, 1334, 1337; **C.P.C.** 493)

Art. 1333. Si, en cas d'empêchement ou par suite de l'opposition systématique de certains d'entre eux, les administrateurs ne peuvent agir à la majorité ou selon la proportion prévue, les autres peuvent agir seuls pour les actes conservatoires; ils peuvent aussi agir seuls pour des actes qui demandent célérité, s'ils y sont autorisés par le tribunal.

Lorsque la situation persiste et que l'administration s'en trouve sérieusement entravée, le tribunal peut, à la demande d'un intéressé, dispenser les administrateurs d'agir suivant la proportion prévue, diviser leurs fonctions, donner voix prépondérante à

Art. 1330. The administrator shall furnish a copy of the inventory to the person who entrusted him with the administration and to the beneficiary of the administration, and also to every other person he knows to have an interest. He shall also, where required by law, file the inventory or notice of the closure of the inventory in the indicated place, specifying in the latter case where the inventory may be consulted.

Any interested person may contest the inventory or any item therein; he may also demand that a new inventory be prepared.

Art. 1331. An administrator may insure the property entrusted to him against ordinary risks such as fire and theft at the expense of the beneficiary or trust.

He may also take out insurance guaranteeing the performance of his obligations; he does so at the expense of the beneficiary or trust if his administration is gratuitous.

SECTION IV

JOINT ADMINISTRATION AND DELEGATION

Art. 1332. Where several administrators are charged with the administration, a majority of them may act unless the act or the law requires them to act jointly or in a determinate proportion.

Art. 1333. Where the administrators are prevented from acting by a majority or in the specified proportion, owing to an impediment or the systematic opposition of some of them, the others may act alone for conservatory acts; they may also, with the authorization of the court, act alone for acts requiring immediate action.

Where the situation persists and the administration is seriously impaired by it, the court, on the application of an interested person, may exempt the administrators from acting in the specified proportion, divide their duties, give a casting vote to one of

l'un d'eux ou rendre toute ordonnance qu'il estime appropriée dans les circonstances.

1991, c. 64, a. 1333 (1994-01-01).

them or make any order it sees fit in the circumstances.

(**C.C.Q.** 1300, 1321, 1332, 1334, 1353, 1363; **C.P.C.** 885*c*))

Art. 1334. Les administrateurs sont solidairement responsables de leur administration.

Toutefois, lorsque leurs fonctions ont été divisées par la loi, l'acte ou le tribunal et que cette division a été respectée, chacun n'est responsable que de sa propre administration.

1991, c. 64, a. 1334 (1994-01-01).

Art. 1334. Joint administrators are solidarily liable for their administration.

However, where the duties of joint administrators have been divided by law, the act or the court, and the division has been respected, each administrator is liable for his own administration only.

C.C.B.C. 981m, 1712 (**C.C.Q.** 787, 1353, 1363, 1366, 1519, 1523, 1525)

Art. 1335. L'administrateur est présumé avoir approuvé toute décision prise par ses coadministrateurs. Il en est responsable avec eux, à moins qu'il ne manifeste immédiatement sa dissidence à ses coadministrateurs et en avise le bénéficiaire dans un délai raisonnable.

L'administrateur qui justifie de motifs sérieux pour n'avoir pu faire connaître au bénéficiaire sa dissidence en temps utile peut, néanmoins, se dégager de sa responsabilité.

1991, c. 64, a. 1335 (1994-01-01).

Art. 1335. An administrator is presumed to have approved any decision made by his co-administrators. He is liable with them for the decision unless he immediately indicates his dissent to them and notifies it to the beneficiary within a reasonable time.

The administrator may be relieved of liability, however, if he proves that he was unable for serious reasons to make his dissent known to the beneficiary in due time.

C.C.B.C. 1851(1) (**C.C.Q.** 1332, 1334, 1336)

Art. 1336. L'administrateur est présumé avoir approuvé une décision prise en son absence, à moins qu'il ne manifeste sa dissidence aux autres administrateurs et au bénéficiaire dans un délai raisonnable après en avoir pris connaissance.

1991, c. 64, a. 1336 (1994-01-01).

Art. 1336. An administrator is presumed to have approved a decision made in his absence unless he makes his dissent known to the other administrators and to the beneficiary within a reasonable time after becoming aware of the decision.

(**C.C.Q.** 1335)

Art. 1337. L'administrateur peut déléguer ses fonctions ou se faire représenter par un tiers pour un acte déterminé; toutefois, il ne peut déléguer généralement la conduite de l'administration ou l'exercice d'un pouvoir discrétionnaire, sauf à ses coadministrateurs.

Il répond de la personne qu'il a choisie, entre autres, lorsqu'il n'était pas autorisé à le faire; s'il l'était, il ne répond alors que du soin avec lequel il a choisi cette personne et lui a donné ses instructions.

1991, c. 64, a. 1337 (1994-01-01).

Art. 1337. An administrator may delegate his duties or be represented by a third person for specific acts; however, he may not delegate generally the conduct of the administration or the exercise of a discretionary power, except to his co-administrators.

He is accountable for the person selected by him if, among other things, he was not authorized to make the selection. If he was so authorized, he is accountable only for the care with which he selected the person and gave him instructions.

C.C.B.C. 913, 1711 (**C.C.Q.** 787, 1320, 1321, 1332, 1334, 1338, 1353, 1363, 1458)

Art. 1338. Le bénéficiaire qui subit un préjudice peut répudier les actes de la personne mandatée par l'administrateur, s'ils sont faits en violation de l'acte constitutif de l'administration ou des usages.

Il peut aussi, même si l'administrateur pouvait valablement confier le mandat, exercer ses recours contre la personne mandatée.

1991, c. 64, a. 1338 (1994-01-01).

C.C.B.C. 1711 (C.C.Q. 1323, 1337, 1458, 1590, 2160, 2161)

SECTION V
DES PLACEMENTS PRÉSUMÉS SÛRS

Art. 1339. Sont présumés sûrs les placements faits dans les biens suivants:

1° Les titres de propriété sur un immeuble;

2° Les obligations ou autres titres d'emprunt émis ou garantis par le Québec, le Canada ou une province canadienne, les États-Unis d'Amérique ou l'un des États membres, la Banque internationale pour la reconstruction et le développement, une municipalité ou une commission scolaire au Canada ou une fabrique au Québec;

3° Les obligations ou autres titres d'emprunt émis par une personne morale exploitant un service public au Canada et investie du droit de fixer un tarif pour ce service;

4° Les obligations ou autres titres d'emprunt garantis par l'engagement, pris envers un fiduciaire, du Québec, du Canada ou d'une province canadienne, de verser des subventions suffisantes pour acquitter les intérêts et le capital à leurs échéances respectives;

5° Les obligations ou autres titres d'emprunt d'une société dans les cas suivants:

a) Ils sont garantis par une hypothèque de premier rang sur un immeuble ou sur des titres présumés sûrs;

b) Ils sont garantis par une hypothèque de premier rang sur des équipements et la société a régulièrement assuré le service des intérêts sur ses emprunts au cours des dix derniers exercices;

c) Ils sont émis par une société dont les actions ordinaires ou privilégiées constituent des placements présumés sûrs;

6° Les obligations ou autres titres d'emprunt émis par une société de prêts constituée par une loi du Québec ou autorisée à exercer son activité au Québec en vertu de la Loi sur les sociétés de prêts et de placements, à la condition que cette société ait été spécialement agréée par le gouvernement et

Art. 1338. A beneficiary who suffers prejudice may repudiate the acts of the person mandated by the administrator if they are done contrary to the constituting act or to usage.

The beneficiary may also exercise his judicial recourses against the mandated person even where the administrator was duly empowered to give the mandate.

SECTION V
PRESUMED SOUND INVESTMENTS

Art. 1339. Investments in the following are presumed sound:

(1) titles of ownership in an immovable;

(2) bonds or other evidences of indebtedness issued or guaranteed by Québec, Canada or a province of Canada, the United States of America or any of its member states, the International Bank for Reconstruction and Development, a municipality or a school board in Canada, or a fabrique in Québec;

(3) bonds or other evidences of indebtedness issued by a legal person which operates a public service in Canada and which is entitled to impose a tariff for such service;

(4) bonds or other evidences of indebtedness secured by an undertaking, towards a trustee, of Québec, Canada or a province of Canada, to pay sufficient subsidies to meet the interest and the capital on the maturity of each;

(5) bonds or other evidences of indebtedness of a company in the following cases:

(a) they are secured by a hypothec ranking first on an immovable, or by securities presumed to be sound investments;

(b) they are secured by a hypothec ranking first on equipment and the company has regularly serviced the interest on its borrowings during the last ten financial years;

(c) they are issued by a company whose common or preferred shares are presumed sound investments;

(6) bonds or other evidences of indebtedness issued by a loan society incorporated by a statute of Québec or authorized to do business in Québec under the Loan and Investment Societies Act, provided it has been specially approved by the Government and its ordinary operations in Québec consist

que son activité habituelle au Québec consiste à faire soit des prêts aux municipalités ou aux commissions scolaires et aux fabriques, soit des prêts garantis par une hypothèque de premier rang sur des immeubles situés au Québec;

7° Les créances garanties par hypothèque sur des immeubles situés au Québec:

a) Si le paiement du capital et des intérêts est garanti ou assuré par le Québec, le Canada ou une province canadienne;

b) Si le montant de la créance n'est pas supérieur à 75 p. 100 de la valeur de l'immeuble qui en garantit le paiement, déduction faite des autres créances garanties par le même immeuble et ayant le même rang que la créance ou un rang antérieur;

c) Si le montant de la créance qui excède 75 p. 100 de la valeur de l'immeuble qui en garantit le paiement, déduction faite des autres créances garanties par le même immeuble et ayant le même rang que la créance ou un rang antérieur, est garanti ou assuré par le Québec, le Canada, une province canadienne, la Société canadienne d'hypothèques et de logements, la Société d'habitation du Québec ou par une police d'assurance hypothécaire délivrée par une société titulaire d'un permis en vertu de la Loi sur les assurances;

8° Les actions privilégiées libérées, émises par une société dont les actions ordinaires constituent des placements présumés sûrs ou qui, au cours des cinq derniers exercices, a distribué le dividende stipulé sur toutes ses actions privilégiées;

9° Les actions ordinaires, émises par une société qui satisfait depuis trois ans aux obligations d'information continue définies par la Loi sur les valeurs mobilières, dans la mesure où elles sont inscrites à la cote d'une bourse reconnue à cette fin par le gouvernement, sur recommandation de la Commission des valeurs mobilières, et où la capitalisation boursière de la société, compte non tenu des actions privilégiées et des blocs d'actions de 10 p. 100 et plus, excède la somme alors fixée par le gouvernement;

10° Les actions d'une société d'investissement à capital variable et les parts d'un fonds commun de placement ou d'une fiducie d'utilité privée, à la condition que 60 p. 100 de leur portefeuille soit composé de placements présumés sûrs et que la société, le fonds ou la fiducie satisfait depuis trois ans aux obligations d'information continue définies par la Loi sur les valeurs mobilières.

1991, c. 64, a. 1339 (1994-01-01); 2002, c. 19, a. 7 (2002-06-13).

C.C.B.C. 981o al. 1 et 3 (**D.T.** 74; **C.C.Q.** 1230, 1304, 1340-1344)

in making loans to municipalities or school boards and to fabriques or loans secured by hypothec ranking first on immovables situated in Québec;

(7) debts secured by hypothec on immovables in Québec:

(a) if payment of the capital and interest is guaranteed or secured by Québec, Canada or a province of Canada;

(b) if the amount of the debt is not more than seventy-five per cent of the value of the immovable property securing payment of the debt after deduction of the other debts secured by the same immovable and ranking equally with or before the debt;

(c) if the amount of the debt that exceeds seventy-five per cent of the value of the immovable by which it is secured, after deduction of the other debts secured by the same immovable and ranking equally with or before the debt, is guaranteed or secured by Québec, Canada or a province of Canada, the Central Mortgage and Housing Corporation, the Société d'habitation du Québec or a hypothec insurance policy issued by a company holding a permit under the Act respecting insurance;

(8) fully paid preferred shares issued by a company whose common shares are presumed sound investments or which, during the last five financial years, has distributed the stipulated dividend on all its preferred shares;

(9) common shares issued by a company that for three years has been meeting the timely disclosure requirements defined in the Securities Act to such extent as they are listed by a stock exchange recognized for that purpose by the Government on the recommendation of the Commission des valeurs mobilières, and when the market capitalization of the company, not considering preferred shares or blocks of shares of ten per cent or more, is higher than the amount so fixed by the Government;

(10) shares of a mutual fund and units of an unincorporated mutual fund or of a private trust, provided that sixty per cent of its portfolio consists of investments presumed sound and that the fund or trust has fulfilled in the last three years the continuous disclosure requirements specified in the Securities Act.

Art. 1340. L'administrateur décide des placements à faire en fonction du rendement et de la plus-value espérée; dans la mesure du possible, il tend à composer un portefeuille diversifié, assurant, dans une proportion établie en fonction de la conjoncture, des revenus fixes et des revenus variables.

Il ne peut, cependant, acquérir plus de 5 p. 100 des actions d'une même société, ni acquérir des actions, obligations ou autres titres d'emprunt d'une personne morale ou d'une société en commandite qui a omis de payer les dividendes prescrits sur ses actions ou les intérêts sur ses obligations ou autres titres, ni consentir un prêt à ladite personne morale ou société.

1991, c. 64, a. 1340 (1994-01-01).

C.C.B.C. 981o al. 2 (**D.T.** 74; **C.C.Q.** 1309, 1339, 1343, 1344)

Art. 1341. L'administrateur peut déposer les sommes d'argent dont il est saisi dans une banque, une caisse d'épargne et de crédit ou un autre établissement financier, si le dépôt est remboursable à vue ou sur un avis d'au plus trente jours.

Il peut aussi les déposer pour un terme plus long si le remboursement du dépôt est pleinement garanti par la Régie de l'assurance-dépôts du Québec; autrement, il ne le peut qu'avec l'autorisation du tribunal, aux conditions que celui-ci détermine.

1991, c. 64, a. 1341 (1994-01-01).

C.C.B.C. 296a, 981r (**C.C.Q.** 1343)

Art. 1342. L'administrateur peut maintenir les placements existants lors de son entrée en fonctions, même s'ils ne sont pas présumés sûrs.

Il peut aussi détenir les titres qui, par suite de la réorganisation, de la liquidation ou de la fusion d'une personne morale, remplacent ceux qu'il détenait.

1991, c. 64, a. 1342 (1994-01-01).

C.C.B.C. 981p, 981s (**C.C.Q.** 1304, 1339, 1340)

Art. 1343. L'administrateur qui agit conformément aux dispositions de la présente section est présumé agir prudemment.

L'administrateur qui effectue un placement qu'il n'est pas autorisé à faire est, par ce seul fait et sans autre preuve de faute, responsable des pertes qui en résultent.

1991, c. 64, a. 1343 (1994-01-01).

C.C.B.C. 981k, 981t, 981u (**C.C.Q.** 1309, 1310, 1318, 1339, 1340)

Art. 1340. The administrator decides on the investments to make according to the yield and the anticipated capital gain; so far as possible, he works toward a diversified portfolio producing fixed income and variable revenues in the proportion suggested by the prevailing economic conditions.

He may not, however, acquire more than five per cent of the shares of the same company nor acquire shares, bonds or other evidences of indebtedness of a legal person or limited partnership which has failed to pay the prescribed dividends on its shares or interest on its bonds or other securities, nor grant a loan to that legal person or partnership.

Art. 1341. An administrator may deposit the sums of money entrusted to him in or with a bank, a savings and credit union or any other financial institution, if the deposit is repayable on demand or on thirty days' notice.

He may also deposit the sums of money for a longer term if repayment of the deposit is fully guaranteed by the Régie de l'assurance-dépôts du Québec; otherwise, he may not do so except with the authorization of the court and on the conditions it determines.

Art. 1342. An administrator may maintain the existing investments upon his taking office even if they are not presumed sound investments.

The administrator may also hold securities which, following the reorganization, winding-up or amalgamation of a legal person, replace securities he held.

Art. 1343. An administrator who acts in accordance with this section is presumed to act prudently.

An administrator who makes an investment he is not authorized to make is, by that very fact and without further proof of fault, liable for any loss resulting from it.

Art. 1344. Les placements effectués au cours de l'administration doivent l'être au nom de l'administrateur agissant ès qualités.

Ils peuvent aussi être faits au nom du bénéficiaire, pourvu que soit également indiqué qu'ils sont faits par l'administrateur agissant ès qualités.

1991, c. 64, a. 1344 (1994-01-01).

_____

(C.C.Q. 1307, 1310, 1313, 1319, 1339 ss.)

SECTION VI
DE LA RÉPARTITION DES BÉNÉFICES ET DES DÉPENSES

Art. 1345. La répartition des bénéfices et des dépenses, entre le bénéficiaire des fruits et revenus et celui du capital, se fait conformément aux dispositions de l'acte constitutif et suivant l'intention qui y est manifestée.

À défaut d'indication suffisante dans l'acte, cette répartition se fait le plus équitablement possible, en tenant compte de l'objet de l'administration, des circonstances qui y ont donné lieu et des usages comptables généralement reconnus.

1991, c. 64, a. 1345 (1994-01-01).

_____

(C.C.Q. 1317, 1346-1350)

Art. 1346. Le compte du revenu est généralement débité des dépenses suivantes et autres de même nature:

1° Les primes d'assurance, le coût des réparations mineures et les autres dépenses ordinaires de l'administration;

2° La moitié de la rémunération de l'administrateur et des dépenses raisonnables qu'il a faites dans l'administration conjointe du capital et des fruits et revenus;

3° Les impôts payables sur les biens administrés;

4° À moins que le tribunal n'en ordonne autrement, les frais acquittés pour protéger les droits du bénéficiaire des fruits et revenus et la moitié des frais de la reddition de compte en justice;

5° L'amortissement des biens, sauf ceux utilisés à des fins personnelles par le bénéficiaire.

L'administrateur peut, pour régulariser le revenu, répartir les dépenses considérables sur une période de temps raisonnable.

1991, c. 64, a. 1346 (1994-01-01).

_____

(C.C.Q. 1345)

Art. 1344. Investments made in the course of administration shall be made in the name of the administrator acting in that quality.

Such investments may also be made in the name of the beneficiary, if it is also indicated that they are made by the administrator acting in that quality.

SECTION VI
APPORTIONMENT OF PROFIT AND EXPENDITURE

Art. 1345. Apportionment of profit and expenditure between the beneficiary of the fruits and revenues and the beneficiary of the capital is made in accordance with the stipulations and clear intention of the constituting act.

Failing sufficient indication in the act, apportionment is made as equitably as possible, taking into account the object of the administration, the circumstances that gave rise to it and generally recognized accounting practices.

Art. 1346. The revenue account is generally debited for the following expenditures and other expenditures of the same kind:

(1) insurance premiums, the cost of minor repairs and other ordinary expenses of administration;

(2) one-half of the remuneration of the administrator and his reasonable expenses for joint administration of the capital and fruits and revenues;

(3) taxes payable on the administered property;

(4) unless the court orders otherwise, costs paid to safeguard the rights of the beneficiary of the fruits and revenues and one-half of the cost of the judicial rendering of account;

(5) amortization of the property, except property used by the beneficiary for personal purposes.

The administrator may, to maintain revenue at a regular level, spread substantial expenses over a reasonable period.

Art. 1347. Le compte du capital est générale-ment débité des dépenses qui ne sont pas débitées au revenu, y compris celles qui sont afférentes au placement du capital, à l'aliénation des biens, à la protection des droits du bénéficiaire du capital ou du droit de propriété des biens administrés.

Sont aussi généralement débités au compte du capital les impôts sur les gains ou les autres mon-tants attribuables au capital, lors même que la loi qui régit ces impôts les considère comme impôts sur le revenu.

1991, c. 64, a. 1347 (1994-01-01).

(**C.C.Q.** 1345, 1346)

Art. 1348. Le bénéficiaire des fruits et revenus a droit au revenu net des biens administrés, à comp-ter de la date déterminée dans l'acte donnant lieu à l'administration ou, à défaut, de la date du début de l'administration ou de celle du décès qui y a donné ouverture.

1991, c. 64, a. 1348 (1994-01-01).

(**C.C.Q.** 613, 777, 1297, 1349, 1350)

Art. 1349. Les fruits et revenus payables périodi-quement sont comptés jour par jour.

Les dividendes et distributions d'une personne morale sont dus depuis la date indiquée à la décla-ration de distribution ou, à défaut, depuis la date de cette déclaration.

1991, c. 64, a. 1349 (1994-01-01).

C.C.B.C. 451 (**C.C.Q.** 910, 1345, 1348, 1350)

Art. 1350. Lorsque son droit prend fin, le bénéfi-ciaire des fruits et revenus a droit aux fruits et reve-nus qui ne lui ont pas été versés et à la portion gagnée mais non encore perçue par l'administra-teur.

Cependant, il n'a pas droit aux dividendes d'une personne morale qui n'ont pas été déclarés durant la période d'existence de son droit.

1991, c. 64, a. 1350 (1994-01-01).

(**C.C.Q.** 1345, 1348, 1349)

SECTION VII
DU COMPTE ANNUEL

Art. 1351. L'administrateur rend un compte som-maire de sa gestion au bénéficiaire au moins une fois l'an.

1991, c. 64, a. 1351 (1994-01-01).

Art. 1347. The capital account is generally deb-ited for expenditures that are not debited from the revenues, including expenses pertaining to capital investment, alienation of property, and safeguard of the rights of the capital beneficiary or the right of ownership of the administered property.

Taxes on gains and other amounts attributable to capital, even where the law governing such taxes considers them to be income taxes, are also gener-ally debited from the capital account.

Art. 1348. The beneficiary of the fruits and reve-nues is entitled to the net income of the adminis-tered property from the date determined in the act giving rise to the administration or, if no date is de-termined, from the date of the beginning of the ad-ministration or that of the death which gave rise to it.

Art. 1349. Fruits and revenues payable periodi-cally are counted day by day.

Dividends and distributions of a legal person are due from the date indicated in the declaration of dis-tribution or, failing that, from the date of the declara-tion.

Art. 1350. At the extinction of his right, the bene-ficiary of the fruits and revenues is entitled to the fruits and revenues that have not been paid to him and to the portion earned but not yet collected by the administrator.

He is not entitled, however, to the dividends of a legal person that were not declared during the pe-riod his right existed.

SECTION VII
ANNUAL ACCOUNT

Art. 1351. An administrator renders a summary account of his administration to the beneficiary at least once a year.

C.C.B.C. 309, 441t, 918 al. 4 (**C.C.Q.** 169, 236, 246, 1105, 1352-1354, 1367; **C.P.C.** 414, 532 ss., 547 al. 1*f*))

Art. 1352. Le compte doit être suffisamment détaillé pour qu'on puisse en vérifier l'exactitude.

Tout intéressé peut, à l'occasion de la reddition de compte, demander au tribunal d'en ordonner la vérification par un expert.

1991, c. 64, a. 1352 (1994-01-01).

C.P.C. 414 (**C.C.Q.** 1351; **C.P.C.** 414, 885*b*))

Art. 1353. S'il y a plusieurs administrateurs, ils doivent rendre un seul et même compte, sauf si leurs fonctions ont été divisées par la loi, l'acte ou le tribunal et que cette division a été respectée.

1991, c. 64, a. 1353 (1994-01-01).

C.C.B.C. 441t, 913, 981m (**C.C.Q.** 1321, 1332, 1334, 1351, 1352)

Art. 1354. L'administrateur doit, à tout moment, permettre au bénéficiaire d'examiner les livres et pièces justificatives se rapportant à l'administration.

1991, c. 64, a. 1354 (1994-01-01).

(**C.C.Q.** 1106, 1287, 1363)

Art. 1352. The account shall be made sufficiently detailed to allow verification of its accuracy.

Any interested person may, on a rendering of account, apply to the court for an order that the account be audited by an expert.

Art. 1353. Where there are several administrators, they shall render one and the same account unless their duties have been divided by law, the act or the court, and these have been divided accordingly.

Art. 1354. An administrator shall at all times allow the beneficiary to examine the books and vouchers relating to the administration.

CHAPITRE QUATRIÈME
DE LA FIN DE L'ADMINISTRATION

SECTION I
DES CAUSES METTANT FIN À L'ADMINISTRATION

CHAPTER IV
TERMINATION OF ADMINISTRATION

SECTION I
CAUSES TERMINATING ADMINISTRATION

Art. 1355. Les fonctions de l'administrateur prennent fin par son décès, sa démission ou son remplacement, par sa faillite ou par l'ouverture à son égard d'un régime de protection.

Elles prennent fin aussi par la faillite du bénéficiaire ou par l'ouverture à son égard d'un régime de protection, si cela a un effet sur les biens administrés.

1991, c. 64, a. 1355 (1994-01-01).

Art. 1355. The duties of an administrator terminate upon his death, resignation or replacement or his becoming bankrupt or being placed under protective supervision.

The duties of an administrator are also terminated where the beneficiary becomes bankrupt or is placed under protective supervision, if that affects the administered property.

C.C.B.C. 1755 (**C.C.Q.** 250, 295, 822, 1357-1362, 1363, 1367; **C.P.C.** 249, 250, 252, 467, 877)

Art. 1356. L'administration prend fin:

1° Par la cessation du droit du bénéficiaire sur les biens administrés;

2° Par l'arrivée du terme ou l'avènement de la condition stipulée dans l'acte donnant lieu à l'administration;

3° Par l'accomplissement de l'objet de l'administration ou la disparition de la cause qui y a donné lieu.

1991, c. 64, a. 1356 (1994-01-01).

Art. 1356. Administration is terminated

(1) by extinction of the right of the beneficiary in the administered property;

(2) by expiry of the term or fulfilment of the condition stipulated in the act giving rise to the administration;

(3) by achievement of the object of the administration or disappearance of the cause that gave rise to it.

C.C.B.C. 1755 (**C.C.Q.** 250 ss., 295, 364, 822, 1030 ss., 1108, 1296, 1350, 1360, 1362, 1439)

Art. 1357. L'administrateur peut renoncer à ses fonctions en avisant par écrit le bénéficiaire et, le cas échéant, ses coadministrateurs ou la personne qui peut lui nommer un remplaçant. S'il ne se trouve aucune de ces personnes ou s'il est impossible de leur donner l'avis, celui-ci est donné au curateur public qui, au besoin, assume provisoirement l'administration des biens et fait procéder au remplacement de l'administrateur.

L'administrateur d'une fiducie d'utilité privée ou sociale doit aussi aviser de sa démission la personne ou l'organisme désigné par la loi pour surveiller son administration.

1991, c. 64, a. 1357 (1994-01-01).

Art. 1357. An administrator may resign by giving written notice to the beneficiary and, where such is the case, his co-administrators or the person empowered to appoint an administrator in his place. Where there are no such persons or where it is impossible to give notice to them, the notice is given to the Public Curator who, if necessary, assumes the provisional administration of the property and causes a new administrator to be appointed in place of the administrator who has resigned.

The administrator of a private trust or social trust shall also notify his resignation to the person or body designated by law to supervise his administration.

C.C.B.C. 911, 981h, 1759 (**C.C.Q.** 1287, 1355, 1358, 1359, 1363, 1366, 1367, 1369)

Art. 1358. La démission de l'administrateur prend effet à la date de la réception de l'avis ou à une date postérieure qui y est indiquée.

1991, c. 64, a. 1358 (1994-01-01).

Art. 1358. The resignation of the administrator takes effect on the date the notice is received or on any later date indicated in the notice.

C.C.B.C. 441s (**C.C.Q.** 1355, 1357, 1359)

Art. 1359. L'administrateur est tenu de réparer le préjudice causé par sa démission si elle est donnée sans motif sérieux et à contretemps, ou si elle équivaut à un manquement à ses devoirs.

1991, c. 64, a. 1359 (1994-01-01).

Art. 1359. An administrator is bound to repair any prejudice caused by his resignation where it is submitted without a serious reason and at an inopportune moment or where it amounts to failure of duty.

C.C.B.C. 1759 (**C.C.Q.** 1309, 1357, 1458, 1590, 1597)

Art. 1360. Le bénéficiaire qui a confié à autrui l'administration d'un bien peut remplacer l'administrateur ou mettre fin à l'administration, notamment en exerçant son droit d'exiger sur demande la remise du bien.

Tout intéressé peut demander le remplacement de l'administrateur qui ne peut exercer sa charge ou qui ne respecte pas ses obligations.

1991, c. 64, a. 1360 (1994-01-01).

Art. 1360. A beneficiary who has entrusted the administration of property to another person may replace the administrator or terminate the administration, particularly by exercising his right to require that the property be returned to him on demand.

Any interested person may apply for the replacement of an administrator who is unable to discharge his duties or does not fulfil his obligations.

C.C.B.C. 917, 981d, 1756 (**C.C.Q.** 251, 791, 792, 1290, 1309, 1355; **C.P.C.** 885b))

Art. 1361. Lors du décès de l'administrateur ou de l'ouverture à son égard d'un régime de protection, le liquidateur de sa succession, son tuteur ou curateur qui est au courant de l'administration est tenu d'en aviser le bénéficiaire et, le cas échéant, les coadministrateurs ou, s'il s'agit d'une fiducie d'utilité privée ou sociale, la personne ou l'organisme désigné par la loi pour surveiller l'administration.

Art. 1361. Upon the death of the administrator or his being placed under protective supervision, the liquidator of his succession, or his tutor or curator, if aware of the administration, is bound to give notice of the death or of the institution of protective supervision to the beneficiary and to the co-administrators, if any, or, in the case of a private trust or social trust, to the person or body designated by law to supervise the administration.

Le liquidateur, tuteur ou curateur est également tenu de faire, dans les affaires commencées, tout ce qui est immédiatement nécessaire pour prévenir une perte; il doit aussi rendre compte et remettre les biens à ceux qui y ont droit.

1991, c. 64, a. 1361 (1994-01-01).

The liquidator, tutor or curator is also bound, in respect of any matter already begun, to do all that is immediately necessary to prevent a loss; he shall also render account and deliver over the property to those entitled to it.

C.C.B.C. 266, 441t, 920, 981e, 1761 (C.C.Q. 1287, 1355, 1362, 1363, 2183)

Art. 1362. Les obligations contractées envers les tiers de bonne foi par l'administrateur, dans l'ignorance du terme de son administration, sont valides et obligent le bénéficiaire ou le patrimoine fiduciaire; il en est de même des obligations contractées après la fin de l'administration qui en sont la suite nécessaire ou sont requises pour prévenir une perte.

Le bénéficiaire ou le patrimoine fiduciaire est aussi tenu des obligations contractées envers les tiers qui ignoraient la fin de l'administration.

1991, c. 64, a. 1362 (1994-01-01).

Art. 1362. Obligations contracted towards third persons in good faith by an administrator who is unaware that his administration has terminated are valid and bind the beneficiary or the trust patrimony; the same rule applies to obligations contracted by the administrator after the end of the administration that are its necessary consequence or are required to prevent a loss.

The beneficiary or the trust patrimony is also bound by the obligations contracted towards third persons who were unaware that the administration had terminated.

C.C.B.C. 1721, 1728, 1729, 1760, 1761 (C.C.Q. 1319, 1320, 1323, 1355, 1356, 1360, 1361)

SECTION II
DE LA REDDITION DE COMPTE ET DE LA REMISE DU BIEN

Art. 1363. L'administrateur doit, à la fin de son administration, rendre un compte définitif au bénéficiaire et, le cas échéant, à l'administrateur qui le remplace ou à ses coadministrateurs. S'il y a plusieurs administrateurs et que leur charge prend fin simultanément, ils doivent rendre un seul et même compte, à moins d'une division de leurs fonctions.

Le compte doit être suffisamment détaillé pour permettre d'en vérifier l'exactitude; les livres et les autres pièces justificatives se rapportant à l'administration peuvent être consultés par les intéressés.

L'acceptation du compte par le bénéficiaire en opère la clôture.

1991, c. 64, a. 1363 (1994-01-01).

SECTION II
RENDERING OF ACCOUNT AND DELIVERY OF PROPERTY

Art. 1363. On the termination of his administration, an administrator shall render a final account of his administration to the beneficiary and, where that is the case, to the administrator replacing him or to his co-administrators. Where there are several administrators and their duties are terminated simultaneously, they shall render one and the same account, except where their duties are divided.

The account shall be made sufficiently detailed to allow verification of its accuracy; the books and other vouchers pertaining to the administration may be consulted by interested persons.

The acceptance of the account by the beneficiary closes the account.

C.C.B.C. 441t, 918, 981l, 981m, 1712, 1713 (C.C.Q. 247, 820, 1355, 1361, 1364, 1366, 1367, 1369; C.P.C. 414, 532 ss., 547 al. 1*f*))

Art. 1364. L'administrateur peut, à tout moment et avec l'agrément de tous les bénéficiaires, rendre compte à l'amiable.

Si le compte ne peut être rendu à l'amiable, la reddition de compte a lieu en justice.

1991, c. 64, a. 1364 (1994-01-01).

Art. 1364. An administrator may at any time and with the consent of all the beneficiaries render account by agreement.

If there is no agreement, the rendering of account is made judicially.

C.C.B.C. 312, 981n (C.C.Q. 821, 1363; C.P.C. 414, 532 ss., 547 al. 1*f*), 885*c*))

Art. 1365. L'administrateur doit remettre le bien administré au lieu convenu ou, à défaut, au lieu où il se trouve.

1991, c. 64, a. 1365 (1994-01-01).

C.C.B.C. 1809 (**C.C.Q.** 1366, 1367, 1566)

Art. 1366. L'administrateur doit remettre tout ce qu'il a reçu dans l'exécution de ses fonctions, même si ce qu'il a reçu n'était pas dû au bénéficiaire ou au patrimoine fiduciaire; il est aussi comptable de tout profit ou avantage personnel qu'il a réalisé en utilisant, sans y être autorisé, l'information qu'il détenait en raison de son administration.

L'administrateur qui a utilisé un bien sans y être autorisé est tenu d'indemniser le bénéficiaire ou le patrimoine fiduciaire pour son usage, en payant soit un loyer approprié, soit l'intérêt sur le numéraire.

1991, c. 64, a. 1366 (1994-01-01).

C.C.B.C. 981l, 1713, 1714 (**C.C.Q.** 1309, 1314, 1361, 1363-1365, 1367-1369, 1434; **C.P.C.** 414, 532 ss., 547 al. 1*f*))

Art. 1367. Les dépenses de l'administration, y compris les frais de la reddition de compte et de remise, sont à la charge du bénéficiaire ou du patrimoine fiduciaire.

La démission ou le remplacement de l'administrateur oblige le bénéficiaire ou le patrimoine fiduciaire à lui payer, outre les dépenses de l'administration, la part acquise de sa rémunération.

1991, c. 64, a. 1367 (1994-01-01).

C.C.B.C. 914, 981g, 1713, 1812 (**C.C.Q.** 753, 789, 1300, 1357, 1361, 1363, 1368, 1369)

Art. 1368. L'administrateur doit des intérêts sur le reliquat, à compter de la clôture du compte définitif ou de la mise en demeure de le produire; le bénéficiaire ou le patrimoine fiduciaire n'en doit qu'à compter de la mise en demeure.

1991, c. 64, a. 1368 (1994-01-01).

C.C.B.C. 313, 1714 (**C.C.Q.** 1366, 1367, 1369, 1434, 1565, 1600, 1617)

Art. 1369. L'administrateur a le droit de déduire des sommes qu'il doit remettre ce que le bénéficiaire ou le patrimoine fiduciaire lui doit en raison de l'administration.

Il peut retenir le bien administré jusqu'au paiement de ce qui lui est dû.

1991, c. 64, a. 1369 (1994-01-01).

C.C.B.C. 1713, 1723, 1812 (**C.C.Q.** 1361, 1366-1368, 1370, 2651)

Art. 1365. An administrator shall deliver over the administered property at the place agreed upon or, failing that, where it is.

Art. 1366. An administrator shall deliver over all that he has received in the performance of his duties, even if what he has received was not due to the beneficiary or to the trust patrimony; he is also accountable for any personal profit or benefit he has realized by using, without authorization, information he had obtained by reason of his administration.

Where an administrator has used property without authorization, he is bound to compensate the beneficiary or the trust patrimony for his use by paying an appropriate rent or the interest on the money.

Art. 1367. Administration expenses, including the cost of rendering account and delivering the property, are borne by the beneficiary or the trust patrimony.

The resignation or replacement of the administrator binds the beneficiary or the trust patrimony to pay him, apart from the administration expenses, any remuneration he has earned.

Art. 1368. An administrator owes interest on the balance from the close of the final account or the formal notice to produce it; the beneficiary or the trust patrimony owes interest only from the formal notice.

Art. 1369. An administrator is entitled to deduct from the sums he is required to remit anything the beneficiary or the trust patrimony owes him by reason of the administration.

An administrator may retain the administered property until payment of what is owed to him.

Art. 1370. S'il y a plusieurs bénéficiaires, leur obligation envers l'administrateur est solidaire.

1991, c. 64, a. 1370 (1994-01-01).

C.C.B.C. 1726 (**C.C.Q.** 1367-1369, 1525)

Art. 1370. Where there are several beneficiaries, their obligation towards the administrator is solidary.

LIVRE CINQUIÈME
DES OBLIGATIONS

BOOK FIVE
OBLIGATIONS

TITRE PREMIER
DES OBLIGATIONS EN GÉNÉRAL

TITLE ONE
OBLIGATIONS IN GENERAL

CHAPITRE PREMIER
DISPOSITIONS GÉNÉRALES

CHAPTER I
GENERAL PROVISIONS

Art. 1371. Il est de l'essence de l'obligation qu'il y ait des personnes entre qui elle existe, une prestation qui en soit l'objet et, s'agissant d'une obligation découlant d'un acte juridique, une cause qui en justifie l'existence.

1991, c. 64, a. 1371 (1994-01-01).

Art. 1371. It is of the essence of an obligation that there be persons between whom it exists, a prestation which forms its object, and, in the case of an obligation arising out of a juridical act, a cause which justifies its existence.

C.C.B.C. 982 (**C.C.Q.** 1373, 1374, 1409, 1457, 1462, 1591, 1604, 1693)

Art. 1372. L'obligation naît du contrat et de tout acte ou fait auquel la loi attache d'autorité les effets d'une obligation.

Elle peut être pure et simple ou assortie de modalités.

1991, c. 64, a. 1372 (1994-01-01).

Art. 1372. An obligation arises from a contract or from any act or fact to which the effects of an obligation are attached by law.

An obligation may be pure and simple or subject to modalities.

C.C.B.C. 983, 1057 (**C.C.Q.** 1385, 1457 ss., 1482 ss., 1491 ss., 1493 ss., 1497 ss., 1518 ss., 1554)

Art. 1373. L'objet de l'obligation est la prestation à laquelle le débiteur est tenu envers le créancier et qui consiste à faire ou à ne pas faire quelque chose.

La prestation doit être possible et déterminée ou déterminable; elle ne doit être ni prohibée par la loi ni contraire à l'ordre public.

1991, c. 64, a. 1373 (1994-01-01).

Art. 1373. The object of an obligation is the prestation that the debtor is bound to render to the creditor and which consists in doing or not doing something.

The debtor is bound to render a prestation that is possible and determinate or determinable and that is neither forbidden by law nor contrary to public order.

C.C.B.C. 1058, 1062 (**C.C.Q.** 1374, 1376, 1413; **C.P.C.** 469)

Art. 1374. La prestation peut porter sur tout bien, même à venir, pourvu que le bien soit déterminé quant à son espèce et déterminable quant à sa quotité.

1991, c. 64, a. 1374 (1994-01-01).

Art. 1374. The prestation may relate to any property, even future property, provided that the property is determinate as to kind and determinable as to quantity.

C.C.B.C. 1060, 1061 al. 1 (**C.C.Q.** 1373, 1453, 1563; **C.P.C.** 717)

Art. 1375. La bonne foi doit gouverner la conduite des parties, tant au moment de la naissance de l'obligation qu'à celui de son exécution ou de son extinction.

1991, c. 64, a. 1375 (1994-01-01).

(**C.C.Q.** 6, 7, 2805; **C.P.C.** 4.1)

Art. 1376. Les règles du présent livre s'appliquent à l'État, ainsi qu'à ses organismes et à toute autre personne morale de droit public, sous réserve des autres règles de droit qui leur sont applicables.

1991, c. 64, a. 1376 (1994-01-01).

(**C.C.Q.** 300, 916, 1672, 2877, 2964)

Art. 1375. The parties shall conduct themselves in good faith both at the time the obligation is created and at the time it is performed or extinguished.

Art. 1376. The rules set forth in this Book apply to the State and its bodies, and to all other legal persons established in the public interest, subject to any other rules of law which may be applicable to them.

CHAPITRE DEUXIÈME
DU CONTRAT

SECTION I
DISPOSITION GÉNÉRALE

Art. 1377. Les règles générales du présent chapitre s'appliquent à tout contrat, quelle qu'en soit la nature.

Des règles particulières à certains contrats, qui complètent ces règles générales ou y dérogent, sont établies au titre deuxième du présent livre.
1991, c. 64, a. 1377 (1994-01-01).

C.C.B.C. 1473, 1670, 1921 (**C.C.Q.** disposition préliminaire, 9)

SECTION II
DE LA NATURE DU CONTRAT ET DE CERTAINES DE SES ESPÈCES

Art. 1378. Le contrat est un accord de volonté, par lequel une ou plusieurs personnes s'obligent envers une ou plusieurs autres à exécuter une prestation.

Il peut être d'adhésion ou de gré à gré, synallagmatique ou unilatéral, à titre onéreux ou gratuit, commutatif ou aléatoire et à exécution instantanée ou successive; il peut aussi être de consommation.

1991, c. 64, a. 1378 (1994-01-01).

(**C.C.Q.** 1379 ss., 1433)

Art. 1379. Le contrat est d'adhésion lorsque les stipulations essentielles qu'il comporte ont été imposées par l'une des parties ou rédigées par elle, pour son compte ou suivant ses instructions, et qu'elles ne pouvaient être librement discutées.

Tout contrat qui n'est pas d'adhésion est de gré à gré.
1991, c. 64, a. 1379 (1994-01-01).

(**C.C.Q.** 1432, 1435-1437)

Art. 1380. Le contrat est synallagmatique ou bilatéral lorsque les parties s'obligent réciproquement, de manière que l'obligation de chacune d'elles soit corrélative à l'obligation de l'autre.

Il est unilatéral lorsque l'une des parties s'oblige envers l'autre sans que, de la part de cette dernière, il y ait d'obligation.
1991, c. 64, a. 1380 (1994-01-01).

(**C.C.Q.** 1591, 1604 ss., 1693, 1694, 2280, 2281, 2305, 2313, 2314)

CHAPTER II
CONTRACTS

SECTION I
GENERAL PROVISION

Art. 1377. The general rules set out in this chapter apply to all contracts, regardless of their nature.

Special rules for certain contracts which complement or depart from these general rules are established under Title Two of this Book.

SECTION II
NATURE AND CERTAIN CLASSES OF CONTRACTS

Art. 1378. A contract is an agreement of wills by which one or several persons obligate themselves to one or several other persons to perform a prestation.

Contracts may be divided into contracts of adhesion and contracts by mutual agreement, synallagmatic and unilateral contracts, onerous and gratuitous contracts, commutative and aleatory contracts, and contracts of instantaneous performance or of successive performance; they may also be consumer contracts.

Art. 1379. A contract of adhesion is a contract in which the essential stipulations were imposed or drawn up by one of the parties, on his behalf or upon his instructions, and were not negotiable.

Any contract that is not a contract of adhesion is a contract by mutual agreement.

Art. 1380. A contract is synallagmatic, or bilateral, when the parties obligate themselves reciprocally, each to the other, so that the obligation of one party is correlative to the obligation of the other.

When one party obligates himself to the other without any obligation on the part of the latter, the contract is unilateral.

Art. 1381. Le contrat à titre onéreux est celui par lequel chaque partie retire un avantage en échange de son obligation.

Le contrat à titre gratuit est celui par lequel l'une des parties s'oblige envers l'autre pour le bénéfice de celle-ci, sans retirer d'avantage en retour.

1991, c. 64, a. 1381 (1994-01-01).

Art. 1381. A contract is onerous when each party obtains an advantage in return for his obligation.

When one party obligates himself to the other for the benefit of the latter without obtaining any advantage in return, the contract is gratuitous.

(**C.C.Q.** 1633, 1806, 2133, 2280, 2289, 2290, 2292, 2313, 2330, 2333, 2367)

Art. 1382. Le contrat est commutatif lorsque, au moment où il est conclu, l'étendue des obligations des parties et des avantages qu'elles retirent en échange est certaine et déterminée.

Il est aléatoire lorsque l'étendue de l'obligation ou des avantages est incertaine.

1991, c. 64, a. 1382 (1994-01-01).

Art. 1382. A contract is commutative when, at the time it is formed, the extent of the obligations of the parties and of the advantages obtained by them in return is certain and determinate.

When the extent of the obligations or of the advantages is uncertain, the contract is aleatory.

(**C.C.Q.** 2362, 2367, 2389 ss.)

Art. 1383. Le contrat à exécution instantanée est celui où la nature des choses ne s'oppose pas à ce que les obligations des parties s'exécutent en une seule et même fois.

Le contrat à exécution successive est celui où la nature des choses exige que les obligations s'exécutent en plusieurs fois ou d'une façon continue.

1991, c. 64, a. 1383 (1994-01-01).

Art. 1383. Where the circumstances do not preclude the performance of the obligations of the parties at one single time, the contract is a contract of instantaneous performance.

Where the circumstances absolutely require that the obligations be performed at several different times or without interruption, the contract is a contract of successive performance.

Art. 1384. Le contrat de consommation est le contrat dont le champ d'application est délimité par les lois relatives à la protection du consommateur, par lequel l'une des parties, étant une personne physique, le consommateur, acquiert, loue, emprunte ou se procure de toute autre manière, à des fins personnelles, familiales ou domestiques, des biens ou des services auprès de l'autre partie, laquelle offre de tels biens ou services dans le cadre d'une entreprise qu'elle exploite.

1991, c. 64, a. 1384 (1994-01-01).

Art. 1384. A consumer contract is a contract whose field of application is delimited by legislation respecting consumer protection whereby one of the parties, being a natural person, the consumer, acquires, leases, borrows or obtains in any other manner, for personal, family or domestic purposes, property or services from the other party, who offers such property and services as part of an enterprise which he carries on.

L.R.Q., c. P-40.1, a. 1*d*), 1*e*), 2 (**C.C.Q.** 1432, 1435-1437, 1525, 1746, 3117, 3149)

SECTION III
DE LA FORMATION DU CONTRAT

§ 1. — *Des conditions de formation du contrat*

I — DISPOSITION GÉNÉRALE

Art. 1385. Le contrat se forme par le seul échange de consentement entre des personnes capables de contracter, à moins que la loi n'exige, en

SECTION III
FORMATION OF CONTRACTS

§ 1. — *Conditions of formation of contracts*

I — GENERAL PROVISION

Art. 1385. A contract is formed by the sole exchange of consents between persons having capacity to contract, unless, in addition, the law requires

outre, le respect d'une forme particulière comme condition nécessaire à sa formation, ou que les parties n'assujettissent la formation du contrat à une forme solennelle.

Il est aussi de son essence qu'il ait une cause et un objet.

1991, c. 64, a. 1385 (1994-01-01).

a particular form to be respected as a necessary condition of its formation, or unless the parties require the contract to take the form of a solemn agreement.

It is also of the essence of a contract that it have a cause and an object.

C.C.B.C. 984 (**C.C.Q.** 4, 9, 440, 1386 ss., 1399, 1409, 1410 ss., 1412 ss., 1414 ss., 1433, 1824, 2166, 2693, 3109)

II — DU CONSENTEMENT

1. De l'échange de consentement

Art. 1386. L'échange de consentement se réalise par la manifestation, expresse ou tacite, de la volonté d'une personne d'accepter l'offre de contracter que lui fait une autre personne.

1991, c. 64, a. 1386 (1994-01-01).

II — CONSENT

1. Exchange of consents

Art. 1386. The exchange of consents is accomplished by the express or tacit manifestation of the will of a person to accept an offer to contract made to him by another person.

C.C.B.C. 988 (**C.C.Q.** 365, 637, 1399 ss., 1491, 1824, 1871, 1878, 1879, 1941, 2090, 2132, 2631)

Art. 1387. Le contrat est formé au moment où l'offrant reçoit l'acceptation et au lieu où cette acceptation est reçue, quel qu'ait été le moyen utilisé pour la communiquer et lors même que les parties ont convenu de réserver leur accord sur certains éléments secondaires.

1991, c. 64, a. 1387 (1994-01-01).

Art. 1387. A contract is formed when and where acceptance is received by the offeror, regardless of the method of communication used, and even though the parties have agreed to reserve agreement as to secondary terms.

(**C.C.Q.** 2398)

2. De l'offre et de l'acceptation

Art. 1388. Est une offre de contracter, la proposition qui comporte tous les éléments essentiels du contrat envisagé et qui indique la volonté de son auteur d'être lié en cas d'acceptation.

1991, c. 64, a. 1388 (1994-01-01).

2. Offer and acceptance

Art. 1388. An offer to contract is a proposal which contains all the essential elements of the proposed contract and in which the offeror signifies his willingness to be bound if it is accepted.

(**C.C.Q.** 2098)

Art. 1389. L'offre de contracter émane de la personne qui prend l'initiative du contrat ou qui en détermine le contenu, ou même, en certains cas, qui présente le dernier élément essentiel du contrat projeté.

1991, c. 64, a. 1389 (1994-01-01).

Art. 1389. An offer to contract derives from the person who initiates the contract or the person who determines its content or even, in certain cases, the person who presents the last essential element of the proposed contract.

Art. 1390. L'offre de contracter peut être faite à une personne déterminée ou indéterminée; elle peut être assortie ou non d'un délai pour son acceptation.

Art. 1390. An offer to contract may be made to a determinate or an indeterminate person, and a term for acceptance may or may not be attached to it.

Celle qui est assortie d'un délai est irrévocable avant l'expiration du délai; celle qui n'en est pas assortie demeure révocable tant que l'offrant n'a pas reçu l'acceptation.

1991, c. 64, a. 1390 (1994-01-01).

___

(**C.C.Q.** 7, 1392, 1396, 1457)

Art. 1391. La révocation qui parvient au destinataire avant l'offre rend celle-ci caduque, lors même que l'offre est assortie d'un délai.

1991, c. 64, a. 1391 (1994-01-01).

Art. 1392. L'offre devient caduque si aucune acceptation n'est reçue par l'offrant avant l'expiration du délai imparti ou, en l'absence d'un tel délai, à l'expiration d'un délai raisonnable; elle devient également caduque à l'égard du destinataire qui l'a refusée.

Le décès ou la faillite de l'offrant ou du destinataire de l'offre, assortie ou non d'un délai, de même que l'ouverture à l'égard de l'un ou de l'autre d'un régime de protection, emportent aussi la caducité de l'offre, si ces causes de caducité surviennent avant que l'acceptation ne soit reçue par l'offrant.

1991, c. 64, a. 1392 (1994-01-01).

___

(**C.C.Q.** 750, 1391)

Art. 1393. L'acceptation qui n'est pas substantiellement conforme à l'offre, de même que celle qui est reçue par l'offrant alors que l'offre était devenue caduque, ne vaut pas acceptation.

Elle peut, cependant, constituer elle-même une nouvelle offre.

1991, c. 64, a. 1393 (1994-01-01).

Art. 1394. Le silence ne vaut pas acceptation, à moins qu'il n'en résulte autrement de la volonté des parties, de la loi ou de circonstances particulières, tels les usages ou les relations d'affaires antérieures.

1991, c. 64, a. 1394 (1994-01-01).

___

(**C.C.Q.** 1425, 1426, 1878, 1879, 1941 ss., 2090, 2132, 2592)

Art. 1395. L'offre de récompense à quiconque accomplira un acte donné est réputée acceptée et lie l'offrant dès qu'une personne, même sans connaître l'offre, accomplit cet acte, à moins que, dans les cas qui le permettent, l'offrant n'ait révoqué son offre antérieurement d'une manière expresse et suffisante.

1991, c. 64, a. 1395 (1994-01-01).

___

(**C.C.Q.** 2847 al. 2)

Where a term is attached, the offer may not be revoked before the term expires; if none is attached, the offer may be revoked at any time before acceptance is received by the offeror.

Art. 1391. Where the offeree receives a revocation before the offer, the offer lapses, even though a term is attached to it.

Art. 1392. An offer lapses if no acceptance is received by the offeror before the expiry of the specified term or, where no term is specified, before the expiry of a reasonable time; it also lapses in respect of the offeree if he has rejected it.

The death or bankruptcy of the offeror or the offeree, whether or not a term is attached to the offer, or the institution of protective supervision in respect of either of them also causes the offer to lapse, if that event occurs before acceptance is received by the offeror.

Art. 1393. Acceptance which does not correspond substantially to the offer or which is received by the offeror after the offer has lapsed does not constitute acceptance.

It may, however, constitute a new offer.

Art. 1394. Silence does not imply acceptance of an offer, subject only to the will of the parties, the law or special circumstances, such as usage or a prior business relationship.

Art. 1395. The offer of a reward made to anyone who performs a particular act is deemed to be accepted and is binding on the offeror when the act is performed, even if the person who performs the act does not know of the offer, unless, in cases which admit of it, the offer was previously revoked expressly and adequately by the offeror.

Art. 1396. L'offre de contracter, faite à une personne déterminée, constitue une promesse de conclure le contrat envisagé, dès lors que le destinataire manifeste clairement à l'offrant son intention de prendre l'offre en considération et d'y répondre dans un délai raisonnable ou dans celui dont elle est assortie.

La promesse, à elle seule, n'équivaut pas au contrat envisagé; cependant, lorsque le bénéficiaire de la promesse l'accepte ou lève l'option à lui consentie, il s'oblige alors, de même que le promettant, à conclure le contrat, à moins qu'il ne décide de le conclure immédiatement.

1991, c. 64, a. 1396 (1994-01-01).

(**C.C.Q.** 1390, 1397, 1415, 1710-1712, 2316)

Art. 1397. Le contrat conclu en violation d'une promesse de contracter est opposable au bénéficiaire de celle-ci, sans préjudice, toutefois, de ses recours en dommages-intérêts contre le promettant et la personne qui, de mauvaise foi, a conclu le contrat avec ce dernier.

Il en est de même du contrat conclu en violation d'un pacte de préférence.

1991, c. 64, a. 1397 (1994-01-01).

(**C.C.Q.** 1613; **C.P.C.** 110)

3. Des qualités et des vices du consentement

Art. 1398. Le consentement doit être donné par une personne qui, au temps où elle le manifeste, de façon expresse ou tacite, est apte à s'obliger.

1991, c. 64, a. 1398 (1994-01-01).

C.C.B.C. 986 al. 4 (**C.C.Q.** 1421)

Art. 1399. Le consentement doit être libre et éclairé.

Il peut être vicié par l'erreur, la crainte ou la lésion.

1991, c. 64, a. 1399 (1994-01-01).

C.C.B.C. 991 (**C.C.Q.** 365, 636, 895, 1400 ss., 2138, 2927; **Cr.** 264.1, 265, 361, 380)

Art. 1400. L'erreur vicie le consentement des parties ou de l'une d'elles lorsqu'elle porte sur la nature du contrat, sur l'objet de la prestation ou, encore, sur tout élément essentiel qui a déterminé le consentement.

L'erreur inexcusable ne constitue pas un vice de consentement.

1991, c. 64, a. 1400 (1994-01-01).

C.C.B.C. 992 (**D.T.** 75; **C.C.Q.** 1373, 1407, 1419, 2634, 2925, 2927; **C.P.C.** 828)

Art. 1396. An offer to contract made to a determinate person constitutes a promise to enter into the proposed contract from the moment that the offeree clearly indicates to the offeror that he intends to consider the offer and reply to it within a reasonable time or within the time stated therein.

A mere promise is not equivalent to the proposed contract; however, where the beneficiary of the promise accepts the promise or takes up his option, both he and the promisor are bound to enter into the contract, unless the beneficiary decides to enter into the contract immediately.

Art. 1397. A contract made in violation of a promise to contract may be set up against the beneficiary of the promise, but without affecting his remedy for damages against the promisor and the person having contracted in bad faith with the promisor.

The same rule applies to a contract made in violation of a first refusal agreement.

3. Qualities and defects of consent

Art. 1398. Consent may be given only by a person who, at the time of manifesting such consent, either expressly or tacitly, is capable of binding himself.

Art. 1399. Consent may be given only in a free and enlightened manner.

It may be vitiated by error, fear or lesion.

Art. 1400. Error vitiates consent of the parties or of one of them where it relates to the nature of the contract, the object of the prestation or anything that was essential in determining that consent.

An inexcusable error does not constitute a defect of consent.

Art. 1401. L'erreur d'une partie, provoquée par le dol de l'autre partie ou à la connaissance de celle-ci, vicie le consentement dans tous les cas où, sans cela, la partie n'aurait pas contracté ou aurait contracté à des conditions différentes.

Le dol peut résulter du silence ou d'une réticence.

1991, c. 64, a. 1401 (1994-01-01).

Art. 1401. Error on the part of one party induced by fraud committed by the other party or with his knowledge vitiates consent whenever, but for that error, the party would not have contracted, or would have contracted on different terms.

Fraud may result from silence or concealment.

C.C.B.C. 993 (**D.T.** 76; **C.C.Q.** 1407, 1419, 1420, 1422, 1713, 1726, 1988, 2408 ss., 2466, 2805, 2925, 2927; **C.P.C.** 483, 612, 698, 699, 828, 829)

Art. 1402. La crainte d'un préjudice sérieux pouvant porter atteinte à la personne ou aux biens de l'une des parties vicie le consentement donné par elle, lorsque cette crainte est provoquée par la violence ou la menace de l'autre partie ou à sa connaissance.

Le préjudice appréhendé peut aussi se rapporter à une autre personne ou à ses biens et il s'apprécie suivant les circonstances.

1991, c. 64, a. 1402 (1994-01-01).

Art. 1402. Fear of serious injury to the person or property of one of the parties vitiates consent given by that party where the fear is induced by violence or threats exerted or made by or known to the other party.

Apprehended injury may also relate to another person or his property and is appraised according to the circumstances.

C.C.B.C. 994-996 (**D.T.** 77; **C.C.Q.** 1404, 1407, 1419, 1420, 1457 ss., 2925, 2927; **Cr.** 264.1, 265)

Art. 1403. La crainte inspirée par l'exercice abusif d'un droit ou d'une autorité ou par la menace d'un tel exercice vicie le consentement.

1991, c. 64, a. 1403 (1994-01-01).

Art. 1403. Fear induced by the abusive exercise of a right or power or by the threat of such exercise vitiates consent.

C.C.B.C. 997, 998 (**C.C.Q.** 7, 1407; **Cr.** 346)

Art. 1404. N'est pas vicié le consentement à un contrat qui a pour objet de soustraire celui qui le conclut à la crainte d'un préjudice sérieux, lorsque le cocontractant, bien qu'ayant connaissance de l'état de nécessité, est néanmoins de bonne foi.

1991, c. 64, a. 1404 (1994-01-01).

Art. 1404. Consent to a contract the object of which is to deliver the person making it from fear of serious injury is not vitiated where the other contracting party, although aware of the state of necessity, is acting in good faith.

C.C.B.C. 999

Art. 1405. Outre les cas expressément prévus par la loi, la lésion ne vicie le consentement qu'à l'égard des mineurs et des majeurs protégés.

1991, c. 64, a. 1405 (1994-01-01).

Art. 1405. Except in the cases expressly provided by law, lesion vitiates consent only in respect of minors and persons of full age under protective supervision.

C.C.B.C. 1001, 1012 (**C.C.Q.** 163, 173, 174, 281 ss., 285 ss., 291 ss., 294, 424, 472, 1406, 1407, 2332, 2927)

Art. 1406. La lésion résulte de l'exploitation de l'une des parties par l'autre, qui entraîne une disproportion importante entre les prestations des parties; le fait même qu'il y ait disproportion importante fait présumer l'exploitation.

Art. 1406. Lesion results from the exploitation of one of the parties by the other, which creates a serious disproportion between the prestations of the parties; the fact that there is a serious disproportion creates a presumption of exploitation.

Elle peut aussi résulter, lorsqu'un mineur ou un majeur protégé est en cause, d'une obligation estimée excessive eu égard à la situation patrimoniale de la personne, aux avantages qu'elle retire du contrat et à l'ensemble des circonstances.

1991, c. 64, a. 1406 (1994-01-01).

In cases involving a minor or a protected person of full age, lesion may also result from an obligation that is considered to be excessive in view of the patrimonial situation of the person, the advantages he gains from the contract and the general circumstances.

L.R.Q., c. P-40.1, a. 8 (**C.C.Q.** 163, 165, 173, 174, 294, 424, 472, 1405, 1407, 1408, 1699 ss., 1706, 2332, 2925, 2927)

Art. 1407. Celui dont le consentement est vicié a le droit de demander la nullité du contrat; en cas d'erreur provoquée par le dol, de crainte ou de lésion, il peut demander, outre la nullité, des dommages-intérêts ou encore, s'il préfère que le contrat soit maintenu, demander une réduction de son obligation équivalente aux dommages-intérêts qu'il eût été justifié de réclamer.

1991, c. 64, a. 1407 (1994-01-01).

Art. 1407. A person whose consent is vitiated has the right to apply for annulment of the contract; in the case of error occasioned by fraud, of fear or of lesion, he may, in addition to annulment, also claim damages or, where he prefers that the contract be maintained, apply for a reduction of his obligation equivalent to the damages he would be justified in claiming.

C.C.B.C. 1000 (**D.T.** 78; **C.C.Q.** 163, 173, 174, 294, 1401, 1423, 1439, 1739, 1821, 2925, 2927; **C.P.C.** 110, 483)

Art. 1408. Le tribunal peut, en cas de lésion, maintenir le contrat dont la nullité est demandée, lorsque le défendeur offre une réduction de sa créance ou un supplément pécuniaire équitable.

1991, c. 64, a. 1408 (1994-01-01).

Art. 1408. In the case of a demand for the annulment of a contract on the ground of lesion, the court may maintain the contract where the defendant offers a reduction of his claim or an equitable pecuniary supplement.

(**D.T.** 78; **C.C.Q.** 1604 al. 2, 1407; **C.P.C.** 110)

III — DE LA CAPACITÉ DE CONTRACTER

III — CAPACITY TO CONTRACT

Art. 1409. Les règles relatives à la capacité de contracter sont principalement établies au livre Des personnes.

1991, c. 64, a. 1409 (1994-01-01).

Art. 1409. The rules relating to the capacity to contract are laid down principally in the Book on Persons.

C.C.B.C. 985, 986 (**C.C.Q.** 4, 153, 154, 155 ss., 172, 173, 256, 283 ss., 287-291, 293, 294, 1312, 1405, 1709, 1783, 1813, 2147, 2681)

IV — DE LA CAUSE DU CONTRAT

IV — CAUSE OF CONTRACTS

Art. 1410. La cause du contrat est la raison qui détermine chacune des parties à le conclure.

Il n'est pas nécessaire qu'elle soit exprimée.

1991, c. 64, a. 1410 (1994-01-01).

Art. 1410. The cause of a contract is the reason that determines each of the parties to enter into the contract.

The cause need not be expressed.

C.C.B.C. 989 (**C.C.Q.** 1385 al. 2, 1411, 1554, 2635; **L.** 53)

Art. 1411. Est nul le contrat dont la cause est prohibée par la loi ou contraire à l'ordre public.
1991, c. 64, a. 1411 (1994-01-01).

Art. 1411. A contract whose cause is prohibited by law or contrary to public order is null.

C.C.B.C. 989, 990 (**C.C.Q.** 8, 9, 541, 1385, 1410, 1416 ss., 1699 ss., 1783, 2147, 2632, 2635, 2639, 3081)

V — DE L'OBJET DU CONTRAT

V — OBJECT OF CONTRACTS

Art. 1412. L'objet du contrat est l'opération juridique envisagée par les parties au moment de sa conclusion, telle qu'elle ressort de l'ensemble des droits et obligations que le contrat fait naître.
1991, c. 64, a. 1412 (1994-01-01).

Art. 1412. The object of a contract is the juridical operation envisaged by the parties at the time of its formation, as it emerges from all the rights and obligations created by the contract.

C.C.B.C. 1058-1062 (**C.C.Q.** 1413)

Art. 1413. Est nul le contrat dont l'objet est prohibé par la loi ou contraire à l'ordre public.
1991, c. 64, a. 1413 (1994-01-01).

Art. 1413. A contract whose object is prohibited by law or contrary to public order is null.

(**C.C.Q.** 8, 9, 541, 631, 1373, 1374, 1412, 1416 ss., 1783, 1818, 2883)

VI — DE LA FORME DU CONTRAT

VI — FORM OF CONTRACTS

Art. 1414. Lorsqu'une forme particulière ou solennelle est exigée comme condition nécessaire à la formation du contrat, elle doit être observée; cette forme doit aussi être observée pour toute modification apportée à un tel contrat, à moins que la modification ne consiste qu'en stipulations accessoires.
1991, c. 64, a. 1414 (1994-01-01).

Art. 1414. Where a particular or solemn form is required as a necessary condition of formation of a contract, it shall be observed; it shall also be observed for modifications to the contract, unless they are only accessory stipulations.

(**C.C.Q.** 440, 713, 1800, 1824, 2281, 2313, 2314, 2640, 2693, 2696)

Art. 1415. La promesse de conclure un contrat n'est pas soumise à la forme exigée pour ce contrat.
1991, c. 64, a. 1415 (1994-01-01).

Art. 1415. A promise to enter into a contract is not subject to the form required for the contract.

§ 2. — De la sanction des conditions de formation du contrat

§ 2. — Sanction of conditions of formation of contracts

I — DE LA NATURE DE LA NULLITÉ

I — NATURE OF NULLITY

Art. 1416. Tout contrat qui n'est pas conforme aux conditions nécessaires à sa formation peut être frappé de nullité.
1991, c. 64, a. 1416 (1994-01-01).

Art. 1416. Any contract which does not meet the necessary conditions of its formation may be annulled.

C.C.B.C. 1000 (**C.C.Q.** 380, 636, 1418, 1421-1423, 1438, 1713, 1726, 1819, 1821, 2882; **C.P.C.** 110)

Art. 1417. La nullité d'un contrat est absolue lorsque la condition de formation qu'elle sanctionne s'impose pour la protection de l'intérêt général.
1991, c. 64, a. 1417 (1994-01-01).

Art. 1417. A contract is absolutely null where the condition of formation sanctioned by its nullity is necessary for the protection of the general interest.

(**C.C.Q.** 161, 440, 541, 708, 1418, 1783, 1813, 1823, 1824, 2512, 2692, 2693, 2696; **C.P.C.** 110)

Art. 1418. La nullité absolue d'un contrat peut être invoquée par toute personne qui y a un intérêt né et actuel; le tribunal la soulève d'office.

Le contrat frappé de nullité absolue n'est pas susceptible de confirmation.

1991, c. 64, a. 1418 (1994-01-01).

(**C.C.Q.** 2925, 2927; **C.P.C.** 55, 110)

Art. 1419. La nullité d'un contrat est relative lorsque la condition de formation qu'elle sanctionne s'impose pour la protection d'intérêts particuliers; il en est ainsi lorsque le consentement des parties ou de l'une d'elles est vicié.

1991, c. 64, a. 1419 (1994-01-01).

(**C.C.Q.** 1398 ss.; **C.P.C.** 110)

Art. 1420. La nullité relative d'un contrat ne peut être invoquée que par la personne en faveur de qui elle est établie ou par son cocontractant, s'il est de bonne foi et en subit un préjudice sérieux; le tribunal ne peut la soulever d'office.

Le contrat frappé de nullité relative est susceptible de confirmation.

1991, c. 64, a. 1420 (1994-01-01).

(**D.T.** 79; **C.C.Q.** 1217, 1405, 1423, 1424, 1706, 2925, 2927; **C.P.C.** 110)

Art. 1421. À moins que la loi n'indique clairement le caractère de la nullité, le contrat qui n'est pas conforme aux conditions nécessaires à sa formation est présumé n'être frappé que de nullité relative.

1991, c. 64, a. 1421 (1994-01-01).

(**D.T.** 78; **C.C.Q.** 161, 440, 541, 1783, 1823, 1824, 2512, 2692, 2696; **C.P.C.** 110)

II — DES EFFETS DE LA NULLITÉ

Art. 1422. Le contrat frappé de nullité est réputé n'avoir jamais existé.

Chacune des parties est, dans ce cas, tenue de restituer à l'autre les prestations qu'elle a reçues.

1991, c. 64, a. 1422 (1994-01-01).

(**C.C.Q.** 1606, 1699-1707; **C.P.C.** 110)

III — DE LA CONFIRMATION DU CONTRAT

Art. 1423. La confirmation d'un contrat résulte de la volonté, expresse ou tacite, de renoncer à en invoquer la nullité.

Art. 1418. The absolute nullity of a contract may be invoked by any person having a present and actual interest in doing so; it is invoked by the court of its own motion.

A contract that is absolutely null may not be confirmed.

Art. 1419. A contract is relatively null where the condition of formation sanctioned by its nullity is necessary for the protection of an individual interest, such as where the consent of the parties or of one of them is vitiated.

Art. 1420. The relative nullity of a contract may be invoked only by the person in whose interest it is established or by the other contracting party, provided he is acting in good faith and sustains serious injury therefrom; it may not be invoked by the court of its own motion.

A contract that is relatively null may be confirmed.

Art. 1421. Unless the nature of the nullity is clearly indicated in the law, a contract which does not meet the necessary conditions of its formation is presumed to be relatively null.

II — EFFECT OF NULLITY

Art. 1422. A contract that is null is deemed never to have existed.

In such a case, each party is bound to restore to the other the prestations he has received.

III — CONFIRMATION OF THE CONTRACT

Art. 1423. The confirmation of a contract results from the express or tacit will to renounce the invocation of its nullity.

La volonté de confirmer doit être certaine et évidente.

1991, c. 64, a. 1423 (1994-01-01).

It results only if the will to confirm is certain and evident.

C.C.B.C. 1214 (**D.T.** 80; **C.C.Q.** 166, 1418, 1420, 1424, 2635; **C.P.C.** 110)

Art. 1424. Lorsque chacune des parties peut invoquer la nullité du contrat, ou que plusieurs d'entre elles le peuvent à l'encontre d'un cocontractant commun, la confirmation par l'une d'elles n'empêche pas les autres d'invoquer la nullité.

1991, c. 64, a. 1424 (1994-01-01).

Art. 1424. Where the nullity of a contract may be invoked by each of the parties or by several of them against a common opposite party to the contract, confirmation by one of them does not prevent the others from invoking nullity.

(**C.C.Q.** 886; **C.P.C.** 110)

SECTION IV
DE L'INTERPRÉTATION DU CONTRAT

SECTION IV
INTERPRETATION OF CONTRACTS

Art. 1425. Dans l'interprétation du contrat, on doit rechercher quelle a été la commune intention des parties plutôt que de s'arrêter au sens littéral des termes utilisés.

1991, c. 64, a. 1425 (1994-01-01).

Art. 1425. The common intention of the parties rather than adherence to the literal meaning of the words shall be sought in interpreting a contract.

C.C.B.C. 1013

Art. 1426. On tient compte, dans l'interprétation du contrat, de sa nature, des circonstances dans lesquelles il a été conclu, de l'interprétation que les parties lui ont déjà donnée ou qu'il peut avoir reçue, ainsi que des usages.

1991, c. 64, a. 1426 (1994-01-01).

Art. 1426. In interpreting a contract, the nature of the contract, the circumstances in which it was formed, the interpretation which has already been given to it by the parties or which it may have received, and usage, are all taken into account.

C.C.B.C. 1016, 1017 (**C.C.Q.** 1434, 3111, 3112; **L.R.Q.**, c. P-40.1, a. 9)

Art. 1427. Les clauses s'interprètent les unes par les autres, en donnant à chacune le sens qui résulte de l'ensemble du contrat.

1991, c. 64, a. 1427 (1994-01-01).

Art. 1427. Each clause of a contract is interpreted in light of the others so that each is given the meaning derived from the contract as a whole.

C.C.B.C. 1018 (**C.C.Q.** 1438; **C.P.C.** 2)

Art. 1428. Une clause s'entend dans le sens qui lui confère quelque effet plutôt que dans celui qui n'en produit aucun.

1991, c. 64, a. 1428 (1994-01-01).

Art. 1428. A clause is given a meaning that gives it some effect rather than one that gives it no effect.

C.C.B.C. 1014

Art. 1429. Les termes susceptibles de deux sens doivent être pris dans le sens qui convient le plus à la matière du contrat.

1991, c. 64, a. 1429 (1994-01-01).

Art. 1429. Words susceptible of two meanings shall be given the meaning that best conforms to the subject matter of the contract.

C.C.B.C. 1015

Art. 1430. La clause destinée à écarter tout doute sur l'application du contrat à un cas particulier ne restreint pas la portée du contrat par ailleurs conçu en termes généraux.

1991, c. 64, a. 1430 (1994-01-01).

C.C.B.C. 1021

Art. 1431. Les clauses d'un contrat, même si elles sont énoncées en termes généraux, comprennent seulement ce sur quoi il paraît que les parties se sont proposé de contracter.

1991, c. 64, a. 1431 (1994-01-01).

C.C.B.C. 1020

Art. 1432. Dans le doute, le contrat s'interprète en faveur de celui qui a contracté l'obligation et contre celui qui l'a stipulée. Dans tous les cas, il s'interprète en faveur de l'adhérent ou du consommateur.

1991, c. 64, a. 1432 (1994-01-01).

C.C.B.C. 1019, 2499; **L.R.Q.**, c. P-40.1, a. 17 (**D.T.** 81; **C.C.Q.** 1425 ss.)

Art. 1430. A clause intended to eliminate doubt as to the application of the contract to a specific situation does not restrict the scope of a contract otherwise expressed in general terms.

Art. 1431. The clauses of a contract cover only what it appears that the parties intended to include, however general the terms used.

Art. 1432. In case of doubt, a contract is interpreted in favour of the person who contracted the obligation and against the person who stipulated it. In all cases, it is interpreted in favour of the adhering party or the consumer.

SECTION V
DES EFFETS DU CONTRAT

§ 1. — *Des effets du contrat entre les parties*

I — DISPOSITION GÉNÉRALE

Art. 1433. Le contrat crée des obligations et quelquefois les modifie ou les éteint.

En certains cas, il a aussi pour effet de constituer, transférer, modifier ou éteindre des droits réels.

1991, c. 64, a. 1433 (1994-01-01).

C.C.B.C. 1022 al. 1 et 2 (**C.C.Q.** 1444, 1453, 1458, 1590, 1601, 1602, 1604, 1671, 2228, 2258, 2260; **C.P.C.** 453 ss.)

SECTION V
EFFECTS OF CONTRACTS

§ 1. — *Effects of contracts between the parties*

I — GENERAL PROVISION

Art. 1433. A contract creates obligations and, in certain cases, modifies or extinguishes them.

In some cases, it also has the effect of constituting, transferring, modifying or extinguishing real rights.

II — DE LA FORCE OBLIGATOIRE ET DU CONTENU DU CONTRAT

Art. 1434. Le contrat valablement formé oblige ceux qui l'ont conclu non seulement pour ce qu'ils y ont exprimé, mais aussi pour tout ce qui en découle d'après sa nature et suivant les usages, l'équité ou la loi.

1991, c. 64, a. 1434 (1994-01-01).

C.C.B.C. 1024 (**C.C.Q.** 7, 1177, 1375, 3111, 3112, 1425 ss.)

II — BINDING FORCE AND CONTENT OF CONTRACTS

Art. 1434. A contract validly formed binds the parties who have entered into it not only as to what they have expressed in it but also as to what is incident to it according to its nature and in conformity with usage, equity or law.

Art. 1435. La clause externe à laquelle renvoie le contrat lie les parties.

Toutefois, dans un contrat de consommation ou d'adhésion, cette clause est nulle si, au moment de la formation du contrat, elle n'a pas été expressément portée à la connaissance du consommateur ou de la partie qui y adhère, à moins que l'autre partie ne prouve que le consommateur ou l'adhérent en avait par ailleurs connaissance.

1991, c. 64, a. 1435 (1994-01-01).

(**C.C.Q.** 1379, 1384; **C.P.C.** 110)

Art. 1436. Dans un contrat de consommation ou d'adhésion, la clause illisible ou incompréhensible pour une personne raisonnable est nulle si le consommateur ou la partie qui y adhère en souffre préjudice, à moins que l'autre partie ne prouve que des explications adéquates sur la nature et l'étendue de la clause ont été données au consommateur ou à l'adhérent.

1991, c. 64, a. 1436 (1994-01-01).

(**D.T.** 82; **C.C.Q.** 1379, 1384; **C.P.C.** 110)

Art. 1437. La clause abusive d'un contrat de consommation ou d'adhésion est nulle ou l'obligation qui en découle, réductible.

Est abusive toute clause qui désavantage le consommateur ou l'adhérent d'une manière excessive et déraisonnable, allant ainsi à l'encontre de ce qu'exige la bonne foi; est abusive, notamment, la clause si éloignée des obligations essentielles qui découlent des règles gouvernant habituellement le contrat qu'elle dénature celui-ci.

1991, c. 64, a. 1437 (1994-01-01).

(**D.T.** 82; **C.C.Q.** 1901, 1905, 1906, 2084; **C.P.C.** 110)

Art. 1438. La clause qui est nulle ne rend pas le contrat invalide quant au reste, à moins qu'il n'apparaisse que le contrat doive être considéré comme un tout indivisible.

Il en est de même de la clause qui est sans effet ou réputée non écrite.

1991, c. 64, a. 1438 (1994-01-01).

(**C.C.Q.** 757, 758)

Art. 1439. Le contrat ne peut être résolu, résilié, modifié ou révoqué que pour les causes reconnues par la loi ou de l'accord des parties.

1991, c. 64, a. 1439 (1994-01-01).

Art. 1435. An external clause referred to in a contract is binding on the parties.

In a consumer contract or a contract of adhesion, however, an external clause is null if, at the time of formation of the contract, it was not expressly brought to the attention of the consumer or adhering party, unless the other party proves that the consumer or adhering party otherwise knew of it.

Art. 1436. In a consumer contract or a contract of adhesion, a clause which is illegible or incomprehensible to a reasonable person is null if the consumer or the adhering party suffers injury therefrom, unless the other party proves that an adequate explanation of the nature and scope of the clause was given to the consumer or adhering party.

Art. 1437. An abusive clause in a consumer contract or contract of adhesion is null, or the obligation arising from it may be reduced.

An abusive clause is a clause which is excessively and unreasonably detrimental to the consumer or the adhering party and is therefore not in good faith; in particular, a clause which so departs from the fundamental obligations arising from the rules normally governing the contract that it changes the nature of the contract is an abusive clause.

Art. 1438. A clause which is null does not render the contract invalid in other respects, unless it is apparent that the contract may be considered only as an indivisible whole.

The same applies to a clause without effect or deemed unwritten.

Art. 1439. A contract may not be resolved, resiliated, modified or revoked except on grounds recognized by law or by agreement of the parties.

C.C.B.C. 1022 al. 3 (**C.C.Q.** 1360, 1407, 1458, 1590, 1601, 1604, 1605, 1736, 1914 ss., 1971 ss., 2029, 2091, 2094, 2125 ss., 2175, 2176, 2226, 2228, 2230, 2258, 2260, 2430, 2443, 2478)

§ 2. — Des effets du contrat à l'égard des tiers

I — DISPOSITIONS GÉNÉRALES

Art. 1440. Le contrat n'a d'effet qu'entre les parties contractantes; il n'en a point quant aux tiers, excepté dans les cas prévus par la loi.

1991, c. 64, a. 1440 (1994-01-01).

C.C.B.C. 1023 (**C.C.Q.** 1443, 1444, 1452, 1555, 1627, 1631, 2157, 2160, 2162)

Art. 1441. Les droits et obligations résultant du contrat sont, lors du décès de l'une des parties, transmis à ses héritiers si la nature du contrat ne s'y oppose pas.

1991, c. 64, a. 1441 (1994-01-01).

C.C.B.C. 1028, 1030 (**C.C.Q.** 619, 2093, 2127, 2128, 2175, 2226, 2258, 2361)

Art. 1442. Les droits des parties à un contrat sont transmis à leurs ayants cause à titre particulier s'ils constituent l'accessoire d'un bien qui leur est transmis ou s'ils lui sont intimement liés.

1991, c. 64, a. 1442 (1994-01-01).

C.C.B.C. 1030 (**D.T.** 83)

II — DE LA PROMESSE DU FAIT D'AUTRUI

Art. 1443. On ne peut, par un contrat fait en son propre nom, engager d'autres que soi-même et ses héritiers; mais on peut, en son propre nom, promettre qu'un tiers s'engagera à exécuter une obligation; en ce cas, on est tenu envers son cocontractant du préjudice qu'il subit si le tiers ne s'engage pas conformément à la promesse.

1991, c. 64, a. 1443 (1994-01-01).

C.C.B.C. 1028 (**C.C.Q.** 1337, 1486, 1555, 2140, 2152, 2346, 2681)

III — DE LA STIPULATION POUR AUTRUI

Art. 1444. On peut, dans un contrat, stipuler en faveur d'un tiers.

Cette stipulation confère au tiers bénéficiaire le droit d'exiger directement du promettant l'exécution de l'obligation promise.

1991, c. 64, a. 1444 (1994-01-01).

C.C.B.C. 1029 (**C.C.Q.** 1667, 1773, 1806, 2333, 2369, 2445)

Art. 1445. Il n'est pas nécessaire que le tiers bénéficiaire soit déterminé ou existe au moment de la stipulation; il suffit qu'il soit déterminable à cette

§ 2. — Effects of contracts with respect to third persons

I — GENERAL PROVISIONS

Art. 1440. A contract has effect only between the contracting parties; it does not affect third persons, except where provided by law.

Art. 1441. Upon the death of one of the parties, the rights and obligations arising from a contract pass to his heirs, if the nature of the contract permits it.

Art. 1442. The rights of the parties to a contract pass to their successors by particular title if they are accessory to property which passes to them or are directly related to it.

II — PROMISE FOR ANOTHER

Art. 1443. No person may bind anyone but himself and his heirs by a contract made in his own name, but he may promise in his own name that a third person will undertake to perform an obligation, and in that case he is liable to reparation for injury to the other contracting party if the third person does not undertake to perform the obligation as promised.

III — STIPULATION FOR ANOTHER

Art. 1444. A person may make a stipulation in a contract for the benefit of a third person.

The stipulation gives the third person beneficiary the right to exact performance of the promised obligation directly from the promisor.

Art. 1445. A third person beneficiary need not exist nor be determinate when the stipulation is made; he need only be determinable at that time

époque et qu'il existe au moment où le promettant doit exécuter l'obligation en sa faveur.

1991, c. 64, a. 1445 (1994-01-01).

C.C.B.C. 2543 (**C.C.Q.** 1242, 1279, 1840, 2447)

Art. 1446. La stipulation est révocable aussi longtemps que le tiers bénéficiaire n'a pas porté à la connaissance du stipulant ou du promettant sa volonté de l'accepter.

1991, c. 64, a. 1446 (1994-01-01).

C.C.B.C. 1029 (**C.C.Q.** 1253, 1841, 2451)

Art. 1447. Seul le stipulant peut révoquer la stipulation; ni ses héritiers ni ses créanciers ne le peuvent.

Il ne peut, toutefois, le faire sans le consentement du promettant, lorsque celui-ci a un intérêt à ce que la stipulation soit maintenue.

1991, c. 64, a. 1447 (1994-01-01).

Art. 1448. La révocation de la stipulation prend effet dès qu'elle est portée à la connaissance du promettant, à moins qu'elle ne soit faite par testament, auquel cas elle prend effet dès l'ouverture de la succession.

La révocation profite au stipulant ou à ses héritiers, à défaut d'une nouvelle désignation de bénéficiaire.

1991, c. 64, a. 1448 (1994-01-01).

Art. 1449. Le tiers bénéficiaire et ses héritiers peuvent valablement accepter la stipulation, même après le décès du stipulant ou du promettant.

1991, c. 64, a. 1449 (1994-01-01).

Art. 1450. Le promettant peut opposer au tiers bénéficiaire les moyens qu'il aurait pu faire valoir contre le stipulant.

1991, c. 64, a. 1450 (1994-01-01).

IV — DE LA SIMULATION

Art. 1451. Il y a simulation lorsque les parties conviennent d'exprimer leur volonté réelle non point dans un contrat apparent, mais dans un contrat secret, aussi appelé contre-lettre.

Entre les parties, la contre-lettre l'emporte sur le contrat apparent.

1991, c. 64, a. 1451 (1994-01-01).

C.C.B.C. 1212

Art. 1452. Les tiers de bonne foi peuvent, selon leur intérêt, se prévaloir du contrat apparent ou de la contre-lettre, mais s'il survient entre eux un conflit

---

and exist when the promisor is to perform the obligation for his benefit.

Art. 1446. The stipulation may be revoked as long as the third person beneficiary has not advised the stipulator or the promisor of his will to accept it.

Art. 1447. Only the stipulator may revoke a stipulation; neither his heirs nor his creditors may do so.

If the promisor has an interest in maintaining the stipulation, however, the stipulator may not revoke it without his consent.

Art. 1448. Revocation of the stipulation has effect as soon as it is made known to the promisor; if it is made by will, however, it has effect upon the opening of the succession.

Where a new beneficiary is not designated, revocation benefits the stipulator or his heirs.

Art. 1449. A third person beneficiary or his heirs may validly accept the stipulation, even after the death of the stipulator or promisor.

Art. 1450. A promisor may set up against the third person beneficiary such defenses as he could have set up against the stipulator.

IV — SIMULATION

Art. 1451. Simulation exists where the parties agree to express their true intent, not in an apparent contract, but in a secret contract, also called a counter letter.

Between the parties, a counter letter prevails over an apparent contract.

Art. 1452. Third persons in good faith may, according to their interest, avail themselves of the apparent contract or the counter letter; however,

d'intérêts, celui qui se prévaut du contrat apparent est préféré.

1991, c. 64, a. 1452 (1994-01-01).

C.C.B.C. 1212

where conflicts of interest arise between them, preference is given to the person who avails himself of the apparent contract.

§ 3. — Des effets particuliers à certains contrats

§ 3. — Special effects of certain contracts

I — DU TRANSFERT DE DROITS RÉELS

I — TRANSFER OF REAL RIGHTS

Art. 1453. Le transfert d'un droit réel portant sur un bien individualisé ou sur plusieurs biens considérés comme une universalité, en rend l'acquéreur titulaire dès la formation du contrat, quoique la délivrance n'ait pas lieu immédiatement et qu'une opération puisse rester nécessaire à la détermination du prix.

Le transfert portant sur un bien déterminé quant à son espèce seulement en rend l'acquéreur titulaire, dès qu'il a été informé de l'individualisation du bien.

1991, c. 64, a. 1453 (1994-01-01).

Art. 1453. The transfer of a real right in a certain and determinate property, or in several properties considered as a universality, vests the acquirer with the right upon the formation of the contract, even though the property is not delivered immediately and the price remains to be determined.

The transfer of a real right in a property determined only as to kind vests the acquirer with that right as soon as he is notified that the property is certain and determinate.

C.C.B.C. 1022 al. 2, 1025 al. 1, 1026, 1472 al. 2 (**C.C.Q.** 916, 1374, 1385, 1563, 1708, 1717, 1795, 1799, 1802, 1804, 1806, 2327)

Art. 1454. Si une partie transfère successivement, à des acquéreurs différents, un même droit réel portant sur un même bien meuble, l'acquéreur de bonne foi qui est mis en possession du bien en premier est titulaire du droit réel sur ce bien, quoique son titre soit postérieur.

1991, c. 64, a. 1454 (1994-01-01).

Art. 1454. If a party transfers the same real right in the same movable property to different acquirers successively, the acquirer in good faith who is first given possession of the property is vested with the real right in that property, even though his title may be later in time.

C.C.B.C. 1027 al. 2 (**C.C.Q.** 930, 1641, 2710, 2938, 2946, 2998)

Art. 1455. Le transfert d'un droit réel portant sur un bien immeuble n'est opposable aux tiers que suivant les règles relatives à la publicité des droits.

1991, c. 64, a. 1455 (1994-01-01).

Art. 1455. The transfer of a real right in an immovable property may not be set up against third persons except in accordance with the rules concerning the publication of rights.

C.C.B.C. 1027 al. 1, 1472 al. 2 (**C.C.Q.** 2934 ss., 2938, 2946, 2962, 3003)

II — DES FRUITS ET REVENUS ET DES RISQUES DU BIEN

II — FRUITS AND REVENUES AND RISKS INCIDENT TO PROPERTY

Art. 1456. L'attribution des fruits et revenus et la charge des risques du bien qui est l'objet d'un droit réel transféré par contrat sont principalement réglées au livre Des biens.

Toutefois, tant que la délivrance du bien n'a pas été faite, le débiteur de l'obligation de délivrance continue d'assumer les risques y afférents.

1991, c. 64, a. 1456 (1994-01-01).

Art. 1456. The allocation of fruits and revenues and the assumption of risks incident to property forming the object of a real right transferred by contract are principally governed by the Book on Property.

The debtor of the obligation to deliver the property continues, however, to bear the risks attached to the property until it is delivered.

(**D.T.** 84; **C.C.Q.** 910, 949, 950, 1281)

CHAPITRE TROISIÈME
DE LA RESPONSABILITÉ CIVILE

SECTION I
DES CONDITIONS DE LA RESPONSABILITÉ

§ 1. — *Dispositions générales*

Art. 1457. Toute personne a le devoir de respecter les règles de conduite qui, suivant les circonstances, les usages ou la loi, s'imposent à elle, de manière à ne pas causer de préjudice à autrui.

Elle est, lorsqu'elle est douée de raison et qu'elle manque à ce devoir, responsable du préjudice qu'elle cause par cette faute à autrui et tenue de réparer ce préjudice, qu'il soit corporel, moral ou matériel.

Elle est aussi tenue, en certains cas, de réparer le préjudice causé à autrui par le fait ou la faute d'une autre personne ou par le fait des biens qu'elle a sous sa garde.

1991, c. 64, a. 1457 (94-01-01); 2002, c. 19, a. 15 (2002-06-13).

C.C.B.C. 1053, 1054 al. 1 (**D.T.** 85, 86, 423; **C.C.Q.** 7, 35, 164, 300, 597, 611 ss., 1376, 1401, 1458, 1459 ss., 1465 ss., 1470, 1471, 1477, 1526, 1607, 1611, 1862, 2064, 2138, 2164, 2298, 3126 ss.; **C.P.C.** 110; **Cr.** 13, 217, 219, 244, 249, 298, 322, 335, 430)

Art. 1458. Toute personne a le devoir d'honorer les engagements qu'elle a contractés.

Elle est, lorsqu'elle manque à ce devoir, responsable du préjudice, corporel, moral ou matériel, qu'elle cause à son cocontractant et tenue de réparer ce préjudice; ni elle ni le cocontractant ne peuvent alors se soustraire à l'application des règles du régime contractuel de responsabilité pour opter en faveur de règles qui leur seraient plus profitables.

1991, c. 64, a. 1458 (94-01-01).

C.C.B.C. 1065 (**D.T.** 85; **C.C.Q.** 1442, 1457, 1590, 1607, 1613, 1742, 1765, 1862, 2138, 2939, 3148 al. 1(3º); **C.P.C.** 453)

§ 2. — *Du fait ou de la faute d'autrui*

Art. 1459. Le titulaire de l'autorité parentale est tenu de réparer le préjudice causé à autrui par le fait ou la faute du mineur à l'égard de qui il exerce cette autorité, à moins de prouver qu'il n'a lui-même commis aucune faute dans la garde, la surveillance ou l'éducation du mineur.

CHAPTER III
CIVIL LIABILITY

SECTION I
CONDITIONS OF LIABILITY

§ 1. — *General provisions*

Art. 1457. Every person has a duty to abide by the rules of conduct which lie upon him, according to the circumstances, usage or law, so as not to cause injury to another.

Where he is endowed with reason and fails in this duty, he is responsible for any injury he causes to another person by such fault and is liable to reparation for the injury, whether it be bodily, moral or material in nature.

He is also liable, in certain cases, to reparation for injury caused to another by the act or fault of another person or by the act of things in his custody.

Art. 1458. Every person has a duty to honour his contractual undertakings.

Where he fails in this duty, he is liable for any bodily, moral or material injury he causes to the other contracting party and is liable to reparation for the injury; neither he nor the other party may in such a case avoid the rules governing contractual liability by opting for rules that would be more favourable to them.

§ 2. — *Act or fault of another*

Art. 1459. A person having parental authority is liable to reparation for injury caused to another by the act or fault of the minor under his authority, unless he proves that he himself did not commit any fault with regard to the custody, supervision or education of the minor.

Celui qui a été déchu de l'autorité parentale est tenu de la même façon, si le fait ou la faute du mineur est lié à l'éducation qu'il lui a donnée.
1991, c. 64, a. 1459 (94-01-01).

A person deprived of parental authority is liable in the same manner, if the act or fault of the minor is related to the education he has given to him.

C.C.B.C. 1054 al. 2 et 6 (**D.T.** 85; **C.C.Q.** 186, 197, 394, 597 ss., 1462)

Art. 1460. La personne qui, sans être titulaire de l'autorité parentale, se voit confier, par délégation ou autrement, la garde, la surveillance ou l'éducation d'un mineur est tenue, de la même manière que le titulaire de l'autorité parentale, de réparer le préjudice causé par le fait ou la faute du mineur.

Toutefois, elle n'y est tenue, lorsqu'elle agit gratuitement ou moyennant une rémunérance, que s'il est prouvé qu'elle a commis une faute.
1991, c. 64, a. 1460 (94-01-01).

Art. 1460. A person who, without having parental authority, is entrusted, by delegation or otherwise, with the custody, supervision or education of a minor is liable, in the same manner as the person having parental authority, to reparation for injury caused by the act or fault of the minor.

Where he is acting gratuitously or for reward, however, he is not liable unless it is proved that he has committed a fault.

C.C.B.C. 1054 al. 3, 5 et 6 (**D.T.** 85; **C.C.Q.** 186, 601, 1459)

Art. 1461. La personne qui, agissant comme tuteur, curateur ou autrement, assume la garde d'un majeur non doué de raison n'est pas tenue de réparer le préjudice causé par le fait de ce majeur, à moins qu'elle n'ait elle-même commis une faute intentionnelle ou lourde dans l'exercice de la garde.
1991, c. 64, a. 1461 (94-01-01).

Art. 1461. Any person who, as tutor or curator or in any other quality, has custody of a person of full age who is not endowed with reason, is not liable to reparation for injury caused by any act of the person of full age, except where he is himself guilty of a deliberate or gross fault in exercising custody.

C.C.B.C. 1054 al. 4 et 6, 1054.1 (**D.T.** 85; **C.C.Q.** 260, 1462, 1474)

Art. 1462. On ne peut être responsable du préjudice causé à autrui par le fait d'une personne non douée de raison que dans le cas où le comportement de celle-ci aurait été autrement considéré comme fautif.
1991, c. 64, a. 1462 (94-01-01).

Art. 1462. No person is liable for injury caused to another by an act or omission of a person not endowed with reason except in the cases where the conduct of the person not endowed with reason would otherwise have been considered wrongful.

C.C.B.C. 1053 (**D.T.** 85; **C.C.Q.** 258, 259, 1457)

Art. 1463. Le commettant est tenu de réparer le préjudice causé par la faute de ses préposés dans l'exécution de leurs fonctions; il conserve, néanmoins, ses recours contre eux.
1991, c. 64, a. 1463 (94-01-01).

Art. 1463. The principal is liable to reparation for injury caused by the fault of his agents and servants in the performance of their duties; nevertheless, he retains his recourses against them.

C.C.B.C. 1054 al. 7 (**D.T.** 85; **C.C.Q.** 300, 1464, 2073, 2164, 2301)

Art. 1464. Le préposé de l'État ou d'une personne morale de droit public ne cesse pas d'agir dans l'exécution de ses fonctions du seul fait qu'il commet un acte illégal, hors de sa compétence ou non autorisé, ou du fait qu'il agit comme agent de la paix.
1991, c. 64, a. 1464 (94-01-01).

Art. 1464. An agent or servant of the State or of a legal person established in the public interest does not cease to act in the performance of his duties by the mere fact that he performs an act that is illegal, unauthorized or outside his competence, or by the fact that he is acting as a peace officer.

L.R.Q., c. P-13, a. 2.1 (**D.T.** 85; **C.C.Q.** 300, 1376, 1463)

§ 3. — Du fait des biens

Art. 1465. Le gardien d'un bien est tenu de réparer le préjudice causé par le fait autonome de celui-ci, à moins qu'il prouve n'avoir commis aucune faute.

1991, c. 64, a. 1465 (94-01-01).

C.C.B.C. 1054 al. 1 (**D.T.** 85; **C.C.Q.** 1457, 1467)

Art. 1466. Le propriétaire d'un animal est tenu de réparer le préjudice que l'animal a causé, soit qu'il fût sous sa garde ou sous celle d'un tiers, soit qu'il fût égaré ou échappé.

La personne qui se sert de l'animal en est aussi, pendant ce temps, responsable avec le propriétaire.

1991, c. 64, a. 1466 (94-01-01).

C.C.B.C. 1055 al. 1 et 2 (**D.T.** 85; **C.C.Q.** 1470)

Art. 1467. Le propriétaire, sans préjudice de sa responsabilité à titre de gardien, est tenu de réparer le préjudice causé par la ruine, même partielle, de son immeuble, qu'elle résulte d'un défaut d'entretien ou d'un vice de construction.

1991, c. 64, a. 1467 (94-01-01).

C.C.B.C. 1055 al. 3 (**D.T.** 85; **C.C.Q.** 990, 1077, 1465)

Art. 1468. Le fabricant d'un bien meuble, même si ce bien est incorporé à un immeuble ou est placé pour le service ou l'exploitation de celui-ci, est tenu de réparer le préjudice causé à un tiers par le défaut de sécurité du bien.

Il en est de même pour la personne qui fait la distribution du bien sous son nom ou comme étant son bien et pour tout fournisseur du bien, qu'il soit grossiste ou détaillant, ou qu'il soit ou non l'importateur du bien.

1991, c. 64, a. 1468 (94-01-01).

L.R.Q., c. P-40.1, a. 53 (**D.T.** 85; **C.C.Q.** 1442, 1458, 1469, 1473, 1726-1731, 3128)

Art. 1469. Il y a défaut de sécurité du bien lorsque, compte tenu de toutes les circonstances, le bien n'offre pas la sécurité à laquelle on est normalement en droit de s'attendre, notamment en raison d'un vice de conception ou de fabrication du bien, d'une mauvaise conservation ou présentation du bien ou, encore, de l'absence d'indications suffisantes quant aux risques et dangers qu'il comporte ou quant aux moyens de s'en prémunir.

1991, c. 64, a. 1469 (94-01-01).

L.R.Q., c. P-40.1, a. 53 (**D.T.** 85; **C.C.Q.** 1468, 1470, 1473)

§ 3. — Act of a thing

Art. 1465. A person entrusted with the custody of a thing is liable to reparation for injury resulting from the autonomous act of the thing, unless he proves that he is not at fault.

Art. 1466. The owner of an animal is liable to reparation for injury it has caused, whether the animal was under his custody or that of a third person, or had strayed or escaped.

A person making use of the animal is, together with the owner, also liable during that time.

Art. 1467. The owner of an immovable, without prejudice to his liability as custodian, is liable to reparation for injury caused by its ruin, even partial, where this has resulted from lack of repair or from a defect of construction.

Art. 1468. The manufacturer of a movable property is liable to reparation for injury caused to a third person by reason of a safety defect in the thing, even if it is incorporated with or placed in an immovable for the service or operation of the immovable.

The same rule applies to a person who distributes the thing under his name or as his own and to any supplier of the thing, whether a wholesaler or a retailer and whether or not he imported the thing.

Art. 1469. A thing has a safety defect where, having regard to all the circumstances, it does not afford the safety which a person is normally entitled to expect, particularly by reason of a defect in the design or manufacture of the thing, poor preservation or presentation of the thing, or the lack of sufficient indications as to the risks and dangers it involves or as to safety precautions.

SECTION II
DE CERTAINS CAS D'EXONÉRATION DE RESPONSABILITÉ

Art. 1470. Toute personne peut se dégager de sa responsabilité pour le préjudice causé à autrui si elle prouve que le préjudice résulte d'une force majeure, à moins qu'elle ne se soit engagée à le réparer.

La force majeure est un événement imprévisible et irrésistible; y est assimilée la cause étrangère qui présente ces mêmes caractères.

1991, c. 64, a. 1470 (94-01-01).

C.C.B.C. 17(24), 1071, 1072 (D.T. 85, 423; C.C.Q. 876, 1160, 1600, 1693, 1727, 2029, 2034, 2100, 2322, 2739; C.P.C. 483(6))

Art. 1471. La personne qui porte secours à autrui ou qui, dans un but désintéressé, dispose gratuitement de biens au profit d'autrui est exonérée de toute responsabilité pour le préjudice qui peut en résulter, à moins que ce préjudice ne soit dû à sa faute intentionnelle ou à sa faute lourde.

1991, c. 64, a. 1471 (94-01-01).

(D.T. 85; C.C.Q. 1474)

Art. 1472. Toute personne peut se dégager de sa responsabilité pour le préjudice causé à autrui par suite de la divulgation d'un secret commercial si elle prouve que l'intérêt général l'emportait sur le maintien du secret et, notamment, que la divulgation de celui-ci était justifiée par des motifs liés à la santé ou à la sécurité du public.

1991, c. 64, a. 1472 (94-01-01).

(D.T. 85; C.C.Q. 1612)

Art. 1473. Le fabricant, distributeur ou fournisseur d'un bien meuble n'est pas tenu de réparer le préjudice causé par le défaut de sécurité de ce bien s'il prouve que la victime connaissait ou était en mesure de connaître le défaut du bien, ou qu'elle pouvait prévoir le préjudice.

Il n'est pas tenu, non plus, de réparer le préjudice s'il prouve que le défaut ne pouvait être connu, compte tenu de l'état des connaissances, au moment où il a fabriqué, distribué ou fourni le bien et qu'il n'a pas été négligent dans son devoir d'information lorsqu'il a eu connaissance de l'existence de ce défaut.

1991, c. 64, a. 1473 (94-01-01); 2002, c. 19, a. 15 (2002-06-13).

L.R.Q., c. P-40.1, a. 53 (D.T. 85; C.C.Q. 1468-1470)

SECTION II
CERTAIN CASES OF EXEMPTION FROM LIABILITY

Art. 1470. A person may free himself from his liability for injury caused to another by proving that the injury results from superior force, unless he has undertaken to make reparation for it.

A superior force is an unforeseeable and irresistible event, including external causes with the same characteristics.

Art. 1471. Where a person comes to the assistance of another person or, for an unselfish motive, disposes, free of charge, of property for the benefit of another person, he is exempt from all liability for injury that may result from it, unless the injury is due to his intentional or gross fault.

Art. 1472. A person may free himself from his liability for injury caused to another as a result of the disclosure of a trade secret by proving that considerations of general interest prevailed over keeping the secret and, particularly, that its disclosure was justified for reasons of public health or safety.

Art. 1473. The manufacturer, distributor or supplier of a movable property is not liable to reparation for injury caused by a safety defect in the property if he proves that the victim knew or could have known of the defect, or could have foreseen the injury.

Nor is he liable to reparation if he proves that, according to the state of knowledge at the time that he manufactured, distributed or supplied the property, the existence of the defect could not have been known, and that he was not neglectful of his duty to provide information when he became aware of the defect.

Art. 1474. Une personne ne peut exclure ou limiter sa responsabilité pour le préjudice matériel causé à autrui par une faute intentionnelle ou une faute lourde; la faute lourde est celle qui dénote une insouciance, une imprudence ou une négligence grossières.

Elle ne peut aucunement exclure ou limiter sa responsabilité pour le préjudice corporel ou moral causé à autrui.

1991, c. 64, a. 1474 (94-01-01).

_____

(D.T. 85; C.C.Q. 1613, 2034)

Art. 1475. Un avis, qu'il soit ou non affiché, stipulant l'exclusion ou la limitation de l'obligation de réparer le préjudice résultant de l'inexécution d'une obligation contractuelle n'a d'effet, à l'égard du créancier, que si la partie qui invoque l'avis prouve que l'autre partie en avait connaissance au moment de la formation du contrat.

1991, c. 64, a. 1475 (94-01-01).

_____

(D.T. 85)

Art. 1476. On ne peut, par un avis, exclure ou limiter, à l'égard des tiers, son obligation de réparer; mais, pareil avis peut valoir dénonciation d'un danger.

1991, c. 64, a. 1476 (94-01-01).

_____

(D.T. 85)

Art. 1477. L'acceptation de risques par la victime, même si elle peut, eu égard aux circonstances, être considérée comme une imprudence, n'emporte pas renonciation à son recours contre l'auteur du préjudice.

1991, c. 64, a. 1477 (94-01-01).

_____

(D.T. 85; C.C.Q. 1457)

SECTION III
DU PARTAGE DE RESPONSABILITÉ

Art. 1478. Lorsque le préjudice est causé par plusieurs personnes, la responsabilité se partage entre elles en proportion de la gravité de leur faute respective.

La faute de la victime, commune dans ses effets avec celle de l'auteur, entraîne également un tel partage.

1991, c. 64, a. 1478 (94-01-01).

_____

(D.T. 85; C.C.Q. 1480, 1481)

Art. 1474. A person may not exclude or limit his liability for material injury caused to another through an intentional or gross fault; a gross fault is a fault which shows gross recklessness, gross carelessness or gross negligence.

He may not in any way exclude or limit his liability for bodily or moral injury caused to another.

Art. 1475. A notice, whether posted or not, stipulating the exclusion or limitation of the obligation to make reparation for injury resulting from the non-performance of a contractual obligation has effect, in respect of the creditor, only if the party who invokes the notice proves that the other party was aware of its existence at the time the contract was formed.

Art. 1476. A person may not by way of a notice exclude or limit his obligation to make reparation in respect of third persons; such a notice may, however, constitute a warning of a danger.

Art. 1477. The assumption of risk by the victim, although it may be considered imprudent having regard to the circumstances, does not entail renunciation of his remedy against the person who caused the injury.

SECTION III
APPORTIONMENT OF LIABILITY

Art. 1478. Where an injury has been caused by several persons, liability is shared by them in proportion to the seriousness of the fault of each.

The victim is included in the apportionment when the injury is partly the effect of his own fault.

Art. 1479. La personne qui est tenue de réparer un préjudice ne répond pas de l'aggravation de ce préjudice que la victime pouvait éviter.

1991, c. 64, a. 1479 (94-01-01).

(D.T. 85; **C.C.Q.** 2091)

Art. 1480. Lorsque plusieurs personnes ont participé à un fait collectif fautif qui entraîne un préjudice ou qu'elles ont commis des fautes distinctes dont chacune est susceptible d'avoir causé le préjudice, sans qu'il soit possible, dans l'un ou l'autre cas, de déterminer laquelle l'a effectivement causé, elles sont tenues solidairement à la réparation du préjudice.

1991, c. 64, a. 1480 (94-01-01).

(D.T. 85; **C.C.Q.** 1478, 1481, 1523, 1526, 2118)

Art. 1481. Lorsque le préjudice est causé par plusieurs personnes et qu'une disposition expresse d'une loi particulière exonère l'une d'elles de toute responsabilité, la part de responsabilité qui lui aurait été attribuée est assumée de façon égale par les autres responsables du préjudice.

1991, c. 64, a. 1481 (94-01-01).

(D.T. 85)

Art. 1479. A person who is liable to reparation for an injury is not liable in respect of any aggravation of the injury that the victim could have avoided.

Art. 1480. Where several persons have jointly taken part in a wrongful act which has resulted in injury or have committed separate faults each of which may have caused the injury, and where it is impossible to determine, in either case, which of them actually caused it, they are solidarily liable for reparation thereof.

Art. 1481. Where an injury has been caused by several persons and one of them is exempted from all liability by an express provision of a special Act, the share of the liability which would have been his is assumed equally by the other persons liable for the injury.

CHAPITRE QUATRIÈME
DE CERTAINES AUTRES SOURCES DE L'OBLIGATION

SECTION I
DE LA GESTION D'AFFAIRES

Art. 1482. Il y a gestion d'affaires lorsqu'une personne, le gérant, de façon spontanée et sans y être obligée, entreprend volontairement et opportunément de gérer l'affaire d'une autre personne, le géré, hors la connaissance de celle-ci ou à sa connaissance si elle n'était pas elle-même en mesure de désigner un mandataire ou d'y pourvoir de toute autre manière.

1991, c. 64, a. 1482 (94-01-01).

C.C.B.C. 1041, 1043 (**C.C.Q.** 1028, 3125)

Art. 1483. Le gérant doit, dès qu'il lui est possible de le faire, informer le géré de la gestion qu'il a entreprise.

1991, c. 64, a. 1483 (94-01-01).

Art. 1484. La gestion d'affaires oblige le gérant à continuer la gestion qu'il a entreprise jusqu'à ce qu'il puisse l'abandonner sans risque de perte ou jusqu'à ce que le géré, ses tuteur ou curateur, ou le liquidateur de sa succession, le cas échéant, soient en mesure d'y pourvoir.

Le gérant est, pour le reste, soumis dans sa gestion aux obligations générales de l'administrateur du bien d'autrui chargé de la simple administration, dans la mesure où ces obligations ne sont pas incompatibles, compte tenu des circonstances.

1991, c. 64, a. 1484 (94-01-01).

C.C.B.C. 1043-1045 (**C.C.Q.** 1251, 1301 ss., 1309, 1318, 1359, 1361, 1363, 1364; **C.P.C.** 532)

Art. 1485. Le liquidateur de la succession du gérant qui connaît la gestion, n'est tenu de faire, dans les affaires commencées, que ce qui est nécessaire pour prévenir une perte; il doit aussitôt rendre compte au géré.

1991, c. 64, a. 1485 (94-01-01).

(**C.C.Q.** 1361)

Art. 1486. Le géré doit, lorsque les conditions de la gestion d'affaires sont réunies et même si le résultat recherché n'a pas été atteint, rembourser au gérant les dépenses nécessaires ou utiles faites par celui-ci et l'indemniser pour le préjudice qu'il a subi en raison de sa gestion et qui n'est pas dû à sa faute.

CHAPTER IV
CERTAIN OTHER SOURCES OF OBLIGATIONS

SECTION I
MANAGEMENT OF THE BUSINESS OF ANOTHER

Art. 1482. Management of the business of another exists where a person, the manager, spontaneously and under no obligation to act, voluntarily and opportunely undertakes to manage the business of another, the principal, without his knowledge, or with his knowledge if he was unable to appoint a mandatary or otherwise provide for it.

Art. 1483. The manager shall as soon as possible inform the principal of the management he has undertaken.

Art. 1484. The manager is bound to continue the management undertaken until he can withdraw without risk of loss or until the principal, or his tutor or curator, or the liquidator of the succession, as the case may be, is able to provide for it.

The manager is in all other respects of the administration subject to the general obligations of an administrator of the property of another entrusted with simple administration, so far as they are not incompatible, having regard to the circumstances.

Art. 1485. The liquidator of the succession of the manager who is aware of the management is bound to do only what is necessary, in business already begun, to avoid loss; he shall immediately account to the principal.

Art. 1486. When the conditions of management of the business of another are fulfilled, even if the desired result has not been attained, the principal shall reimburse the manager for all the necessary or useful expenses he has incurred and indemnify him for any injury he has suffered by reason of his management and not through his own fault.

Il doit aussi remplir les engagements nécessaires ou utiles qui ont été contractés, en son nom ou à son bénéfice, par le gérant envers des tiers.

1991, c. 64, a. 1486 (94-01-01).

The principal shall also fulfil any necessary or useful obligations that the manager has contracted with third persons in his name or for his benefit.

C.C.B.C. 1046 (**C.C.Q.** 1319, 1362, 1367, 1487, 1489, 2923, 2925)

Art. 1487. L'utilité ou la nécessité des dépenses faites par le gérant et des obligations qu'il a contractées s'apprécie au moment où elles ont été faites ou contractées.

1991, c. 64, a. 1487 (94-01-01).

Art. 1487. Expenses or obligations are assessed as to their necessity or usefulness at the time they were incurred or contracted by the manager.

(**C.C.Q.** 957, 958, 1486)

Art. 1488. Les impenses faites par le gérant sur un immeuble appartenant au géré sont traitées suivant les règles établies pour celles faites par un possesseur de bonne foi.

1991, c. 64, a. 1488 (94-01-01).

Art. 1488. Disbursements made by the manager in respect of an immovable belonging to the principal are treated according to the rules established for those made by a possessor in good faith.

(**C.C.Q.** 958 ss.)

Art. 1489. Le gérant qui agit en son propre nom est tenu envers les tiers avec qui il contracte, sans préjudice des recours de l'un et des autres contre le géré.

Le gérant qui agit au nom du géré n'est tenu envers les tiers avec qui il contracte que si le géré n'est pas tenu envers eux.

1991, c. 64, a. 1489 (94-01-01).

Art. 1489. A manager acting in his own name is bound towards third persons with whom he contracts, without prejudice to his or their remedies against the principal.

A manager acting in the name of the principal is bound towards third persons with whom he contracts only so far as the principal is not bound towards them.

C.C.B.C. 1043 al. 2, 1715, 1716 (**C.C.Q.** 1319, 1320; **C.P.C.** 110)

Art. 1490. La gestion inopportunément entreprise par le gérant n'oblige le géré que dans la seule mesure de son enrichissement.

1991, c. 64, a. 1490 (94-01-01).

Art. 1490. Management inopportunely undertaken by a manager is binding on the principal only to the extent of his enrichment.

SECTION II
DE LA RÉCEPTION DE L'INDU

SECTION II
RECEPTION OF A THING NOT DUE

Art. 1491. Le paiement fait par erreur, ou simplement pour éviter un préjudice à celui qui le fait en protestant qu'il ne doit rien, oblige celui qui l'a reçu à le restituer.

Toutefois, il n'y a pas lieu à la restitution lorsque, par suite du paiement, celui qui a reçu de bonne foi a désormais une créance prescrite, a détruit son titre ou s'est privé d'une sûreté, sauf le recours de celui qui a payé contre le véritable débiteur.

1991, c. 64, a. 1491 (94-01-01).

Art. 1491. A person who receives a payment made in error, or merely to avoid injury to the person making it while protesting that he owes nothing, is obliged to restore it.

He is not obliged to restore it, however, where, in consequence of the payment, the claim of the person who received the undue payment in good faith is prescribed or the person has destroyed his title or relinquished a security, saving the remedy of the person having made the payment against the true debtor.

C.C.B.C. 1047 al. 1, 1048 (**C.C.Q.** 1554, 1556, 1559, 1643, 1699, 2630, 3125; **C.P.C.** 110)

Art. 1492. La restitution de ce qui a été payé indûment se fait suivant les règles de la restitution des prestations.

1991, c. 64, a. 1492 (94-01-01).

C.C.B.C. 1047, 1049-1052 (**C.C.Q.** 1699-1707)

Art. 1492. Restitution of payments not due is made according to the rules of restitution of prestations.

SECTION III
DE L'ENRICHISSEMENT INJUSTIFIÉ

Art. 1493. Celui qui s'enrichit aux dépens d'autrui doit, jusqu'à concurrence de son enrichissement, indemniser ce dernier de son appauvrissement corrélatif s'il n'existe aucune justification à l'enrichissement ou à l'appauvrissement.

1991, c. 64, a. 1493 (94-01-01).

(**C.C.Q.** 3125; **C.P.C.** 110)

SECTION III
UNJUST ENRICHMENT

Art. 1493. A person who is enriched at the expense of another shall, to the extent of his enrichment, indemnify the other for his correlative impoverishment, if there is no justification for the enrichment or the impoverishment.

Art. 1494. Il y a justification à l'enrichissement ou à l'appauvrissement lorsqu'il résulte de l'exécution d'une obligation, du défaut, par l'appauvri, d'exercer un droit qu'il peut ou aurait pu faire valoir contre l'enrichi ou d'un acte accompli par l'appauvri dans son intérêt personnel et exclusif ou à ses risques et périls ou, encore, dans une intention libérale constante.

1991, c. 64, a. 1494 (94-01-01).

(**C.P.C.** 110)

Art. 1494. Enrichment or impoverishment is justified where it results from the performance of an obligation, from the failure of the person impoverished to exercise a right of which he may avail himself or could have availed himself against the person enriched, or from an act performed by the person impoverished for his personal and exclusive interest or at his own risk and peril, or with a constant liberal intention.

Art. 1495. L'indemnité n'est due que si l'enrichissement subsiste au jour de la demande.

Tant l'enrichissement que l'appauvrissement s'apprécient au jour de la demande; toutefois, si les circonstances indiquent la mauvaise foi de l'enrichi, l'enrichissement peut s'apprécier au temps où il en a bénéficié.

1991, c. 64, a. 1495 (94-01-01).

(**C.P.C.** 110)

Art. 1495. An indemnity is due only if the enrichment continues to exist on the day of the demand.

Both the value of the enrichment and that of the impoverishment are assessed on the day of the demand; however, where the circumstances indicate the bad faith of the person enriched, the enrichment may be assessed at the time the person was enriched.

Art. 1496. Lorsque l'enrichi a disposé gratuitement de ce dont il s'est enrichi sans intention de frauder l'appauvri, l'action de ce dernier peut s'exercer contre le tiers bénéficiaire, si celui-ci était en mesure de connaître l'appauvrissement.

1991, c. 64, a. 1496 (94-01-01).

(**C.P.C.** 110)

Art. 1496. Where the person enriched disposes of his enrichment gratuitously, with no intention of defrauding the person impoverished, the action of the person impoverished may be taken against the third person beneficiary if the latter could have known of the impoverishment.

CHAPITRE CINQUIÈME
DES MODALITÉS DE L'OBLIGATION

SECTION I
DE L'OBLIGATION À MODALITÉ SIMPLE

§ 1. — *De l'obligation conditionnelle*

Art. 1497. L'obligation est conditionnelle lorsqu'on la fait dépendre d'un événement futur et incertain, soit en suspendant sa naissance jusqu'à ce que l'événement arrive ou qu'il devienne certain qu'il n'arrivera pas, soit en subordonnant son extinction au fait que l'événement arrive ou n'arrive pas.

1991, c. 64, a. 1497 (94-01-01).

C.C.B.C. 1079 al. 1 (**C.C.Q.** 1501, 1744, 1750, 2333, 2364, 2658, 2680; **C.P.C.** 639, 716)

Art. 1498. N'est pas conditionnelle l'obligation dont la naissance ou l'extinction dépend d'un événement qui, à l'insu des parties, est déjà arrivé au moment où le débiteur s'est obligé sous condition.

1991, c. 64, a. 1498 (94-01-01).

C.C.B.C. 1079 al. 2

Art. 1499. La condition dont dépend l'obligation doit être possible et ne doit être ni prohibée par la loi ni contraire à l'ordre public; autrement, elle est nulle et rend nulle l'obligation qui en dépend.

1991, c. 64, a. 1499 (94-01-01).

C.C.B.C. 1080 (**C.C.Q.** 8, 9, 757, 1373, 1411, 3081; **C.P.C.** 110)

Art. 1500. L'obligation dont la naissance dépend d'une condition qui relève de la seule discrétion du débiteur est nulle; mais, si la condition consiste à faire ou à ne pas faire quelque chose, quoique cela relève de sa discrétion, l'obligation est valable.

1991, c. 64, a. 1500 (94-01-01).

C.C.B.C. 1081 (**C.C.Q.** 1512, 1822; **C.P.C.** 110, 639)

Art. 1501. La condition qui n'est assortie d'aucun délai pour son accomplissement peut toujours être accomplie; elle est toutefois défaillie s'il devient certain qu'elle ne s'accomplira pas.

1991, c. 64, a. 1501 (94-01-01).

C.C.B.C. 1082 (**C.C.Q.** 1497)

CHAPTER V
MODALITIES OF OBLIGATIONS

SECTION I
SIMPLE MODALITIES

§ 1. — *Conditional obligations*

Art. 1497. An obligation is conditional where it is made to depend upon a future and uncertain event, either by suspending it until the event occurs or is certain not to occur, or by making its extinction dependent on whether or not the event occurs.

Art. 1498. An obligation is not conditional if it or its extinction depends on an event that, unknown to the parties, had already occurred at the time that the debtor obligated himself conditionally.

Art. 1499. A condition upon which an obligation depends is one that is possible and neither unlawful nor contrary to public order; otherwise, it is null and renders null the obligation that depends upon it.

Art. 1500. An obligation that depends upon a condition that is at the sole discretion of the debtor is null; however, if the condition consists in doing or not doing something, the obligation is valid, even where the act is at the discretion of the debtor.

Art. 1501. If no time has been fixed for fulfillment of a condition, the condition may be fulfilled at any time; the condition fails, however, if it becomes certain that it will not be fulfilled.

Art. 1502. Lorsque l'obligation est subordonnée à la condition qu'un événement n'arrivera pas dans un temps déterminé, cette condition est accomplie lorsque le temps s'est écoulé sans que l'événement soit arrivé; elle l'est également lorsqu'il devient certain, avant l'écoulement du temps prévu, que l'événement n'arrivera pas.

S'il n'y a pas de temps déterminé, la condition n'est censée accomplie que lorsqu'il devient certain que l'événement n'arrivera pas.

1991, c. 64, a. 1502 (94-01-01).

Art. 1502. Where an obligation is dependent on the condition that an event will not occur within a given time, the condition is considered fulfilled once the time has elapsed without the event having occurred, and also when, before the time has elapsed, it becomes certain that the event will not occur.

Where no time has been fixed, the condition is not considered fulfilled until it becomes certain that the event will not occur.

C.C.B.C. 1083

Art. 1503. L'obligation conditionnelle a tout son effet lorsque le débiteur obligé sous telle condition en empêche l'accomplissement.

1991, c. 64, a. 1503 (94-01-01).

Art. 1503. A conditional obligation becomes absolute when the debtor whose obligation is subject to the condition prevents it from being fulfilled.

C.C.B.C. 1084 (**C.C.Q.** 1375)

Art. 1504. Le créancier peut, avant l'accomplissement de la condition, prendre toutes les mesures utiles à la conservation de ses droits.

1991, c. 64, a. 1504 (94-01-01).

Art. 1504. The creditor, pending fulfillment of the condition, may take any useful measures to preserve his rights.

C.C.B.C. 1086 (**C.C.Q.** 642, 1626)

Art. 1505. Le simple fait que l'obligation soit conditionnelle ne l'empêche pas d'être cessible ou transmissible.

1991, c. 64, a. 1505 (94-01-01).

Art. 1505. The conditional nature of an obligation does not prevent it from being transferable or transmissible.

C.C.B.C. 1085 (**C.C.Q.** 747, 750)

Art. 1506. La condition accomplie a, entre les parties et à l'égard des tiers, un effet rétroactif au jour où le débiteur s'est obligé sous condition.

1991, c. 64, a. 1506 (94-01-01).

Art. 1506. The fulfillment of a condition has a retroactive effect, between the parties and with respect to third persons, to the day on which the debtor obligated himself conditionally.

C.C.B.C. 1085, 1088 (**C.C.Q.** 2682)

Art. 1507. La condition suspensive accomplie oblige le débiteur à exécuter l'obligation, comme si celle-ci avait existé depuis le jour où il s'est obligé sous telle condition.

La condition résolutoire accomplie oblige chacune des parties à restituer à l'autre les prestations qu'elle a reçues en vertu de l'obligation, comme si celle-ci n'avait jamais existé.

1991, c. 64, a. 1507 (94-01-01).

Art. 1507. The fulfillment of a suspensive condition obliges the debtor to perform the obligation, as though it had existed from the day on which he obligated himself under that condition.

The fulfillment of a resolutory condition obliges each party to return to the other the prestations he has received pursuant to the obligation, as though the obligation had never existed.

C.C.B.C. 1087, 1088 (**C.C.Q.** 1456, 1600, 1693, 1694, 1699-1707, 1742-1744, 1750, 2682)

§ 2. — *De l'obligation à terme*

Art. 1508. L'obligation est à terme suspensif lorsque son exigibilité seule est suspendue jusqu'à l'arrivée d'un événement futur et certain.

1991, c. 64, a. 1508 (94-01-01).

C.C.B.C. 1089 (**C.C.Q.** 747, 1745, 1807; **C.P.C.** 639)

Art. 1509. Lorsque l'exigibilité de l'obligation est suspendue jusqu'à l'expiration d'un délai, sans mention d'une date déterminée, on ne compte pas le jour qui marque le point de départ, mais on compte celui de l'échéance.

1991, c. 64, a. 1509 (94-01-01).

C.C.B.C. 2240

Art. 1510. Si l'événement qui était tenu pour certain n'arrive pas, l'obligation devient exigible au jour où l'événement aurait dû normalement arriver.

1991, c. 64, a. 1510 (94-01-01).

Art. 1511. Le terme profite au débiteur, sauf s'il résulte de la loi, de la volonté des parties ou des circonstances qu'il a été stipulé en faveur du créancier ou des deux parties.

La partie au bénéfice exclusif de qui le terme est stipulé peut y renoncer, sans le consentement de l'autre partie.

1991, c. 64, a. 1511 (94-01-01).

C.C.B.C. 1091 (**C.C.Q.** 1515, 2285, 2319)

Art. 1512. Lorsque les parties ont convenu de retarder la détermination du terme ou de laisser à l'une d'elles le soin de le déterminer et qu'à l'expiration d'un délai raisonnable, elles n'y ont point encore procédé, le tribunal peut, à la demande de l'une d'elles, fixer ce terme en tenant compte de la nature de l'obligation, de la situation des parties et de toute circonstance appropriée.

Le tribunal peut aussi fixer ce terme lorsqu'il est de la nature de l'obligation qu'elle soit à terme et qu'il n'y a pas de convention par laquelle on puisse le déterminer.

1991, c. 64, a. 1512 (94-01-01).

C.C.B.C. 1783

Art. 1513. Ce qui n'est dû qu'à terme ne peut être exigé avant l'échéance; mais ce qui a été exécuté d'avance, librement et sans erreur, ne peut être répété.

1991, c. 64, a. 1513 (94-01-01).

C.C.B.C. 1090 (**C.C.Q.** 1491, 1515, 1554, 2319, 2362, 2630)

§ 2. — *Obligations with a term*

Art. 1508. An obligation with a suspensive term is an existing obligation that does not become exigible until the occurrence of a future and certain event.

Art. 1509. Where the obligation does not become exigible until the expiry of a period of time but no specific date is mentioned, the first day of the period is not counted, but the day of its expiry is counted.

Art. 1510. If an event that was considered certain does not occur, the obligation is exigible from the day on which the event normally should have occurred.

Art. 1511. A term is for the benefit of the debtor, unless it is apparent from the law, the intent of the parties or the circumstances that it has been stipulated for the benefit of the creditor or both parties.

The party for whose exclusive benefit a term has been stipulated may renounce it, without the consent of the other party.

Art. 1512. Where the parties have agreed to delay the determination of the term or to leave it to one of them to make such determination and where, after a reasonable time, no term has been determined, the court may, upon the application of one of the parties, fix the term according to the nature of the obligation, the situation of the parties and the circumstances.

The court may also fix the term where a term is required by the nature of the obligation and there is no agreement as to how it may be determined.

Art. 1513. What is due with a term may not be exacted before the term expires, but anything performed freely and without error before the expiry of the term may not be recovered.

Art. 1514. Le débiteur perd le bénéfice du terme s'il devient insolvable, est déclaré failli, ou diminue, par son fait et sans le consentement du créancier, les sûretés qu'il a consenties à ce dernier.

Il perd aussi le bénéfice du terme s'il fait défaut de respecter les conditions en considération desquelles ce bénéfice lui avait été accordé.

1991, c. 64, a. 1514 (94-01-01).

Art. 1514. A debtor loses the benefit of the term if he becomes insolvent, is declared bankrupt, or, by his own act and without the consent of the creditor, reduces the security he has given to him.

He also loses the benefit of the term if he fails to meet the conditions in consideration of which it was granted to him.

C.C.B.C. 1092 (**C.C.Q.** 1721, 1908, 2354, 2359, 2386, 2734; **C.P.C.** 718)

Art. 1515. La renonciation au bénéfice du terme ou la déchéance du terme rend l'obligation immédiatement exigible.

1991, c. 64, a. 1515 (94-01-01).

Art. 1515. Renunciation of the benefit of the term or forfeiture of the term renders the obligation exigible immediately.

(**C.C.Q.** 1511, 1514, 2354)

Art. 1516. La déchéance du terme encourue par l'un des débiteurs, même solidaire, est inopposable aux autres codébiteurs.

1991, c. 64, a. 1516 (94-01-01).

Art. 1516. Forfeiture of the term incurred by one of the debtors, even a solidary debtor, may not be set up against the other co-debtors.

Art. 1517. L'obligation est à terme extinctif lorsque sa durée est fixée par la loi ou par les parties et qu'elle s'éteint par l'arrivée du terme.

1991, c. 64, a. 1517 (94-01-01).

Art. 1517. An obligation with an extinctive term is an obligation which has a duration fixed by law or by the parties and which is extinguished by expiry of the term.

C.C.B.C. 1138 (**C.C.Q.** 355, 1671, 2230, 2258; **C.P.C.** 944)

SECTION II
DE L'OBLIGATION À MODALITÉ COMPLEXE

SECTION II
COMPLEX MODALITIES

§ 1. — *De l'obligation à plusieurs sujets*

§ 1. — *Obligations with multiple persons*

I — DE L'OBLIGATION CONJOINTE, DIVISIBLE ET INDIVISIBLE

I — JOINT, DIVISIBLE AND INDIVISIBLE OBLIGATIONS

Art. 1518. L'obligation est conjointe entre plusieurs débiteurs lorsqu'ils sont obligés à une même chose envers le créancier, mais de manière que chacun d'eux ne puisse être contraint à l'exécution de l'obligation que séparément et jusqu'à concurrence de sa part dans la dette.

Elle est conjointe entre plusieurs créanciers lorsque chacun d'eux ne peut exiger, du débiteur commun, que l'exécution de sa part dans la créance.

1991, c. 64, a. 1518 (94-01-01).

Art. 1518. An obligation is joint between two or more debtors where they are obligated to the creditor for the same thing but in such a way that each debtor may only be compelled to perform the obligation separately and only up to his share of the debt.

An obligation is joint between two or more creditors where each creditor may only exact the performance of his share of the claim from the common debtor.

(**C.C.Q.** 1755, 2120, 2221, 2274)

Art. 1519. L'obligation est divisible de plein droit, à moins que l'indivisibilité n'ait été expressément stipulée ou que l'objet de l'obligation ne soit pas, de par sa nature, susceptible de division matérielle ou intellectuelle.

1991, c. 64, a. 1519 (94-01-01).

Art. 1519. An obligation is divisible by operation of law, unless it is expressly stipulated that it is indivisible or unless the object of the obligation, owing to its nature, is not susceptible of division either materially or intellectually.

C.C.B.C. 1121-1124 (**C.C.Q.** 823, 827, 884, 1522, 1561, 1625, 1755, 2360, 2901, 2902; **C.P.C.** 66)

Art. 1520. L'obligation qui est indivisible ne se divise ni entre les débiteurs ou les créanciers, ni entre leurs héritiers.

Chacun des débiteurs ou de ses héritiers peut être séparément contraint à l'exécution de l'obligation entière et chacun des créanciers ou de ses héritiers peut, inversement, exiger son exécution intégrale, encore que l'obligation ne soit pas solidaire.

1991, c. 64, a. 1520 (94-01-01).

Art. 1520. An indivisible obligation is not susceptible of division, either between the creditors or the debtors or between their heirs.

Each of the debtors or of his heirs may separately be compelled to perform the whole obligation and, conversely, each of the creditors or of his heirs may exact the performance of the whole obligation, even though the obligation is not solidary.

C.C.B.C. 1126, 1127, 1129 (**C.C.Q.** 1521, 1624, 2360, 2900)

Art. 1521. La stipulation de solidarité, à elle seule, ne confère pas à l'obligation le caractère d'indivisibilité.

1991, c. 64, a. 1521 (94-01-01).

Art. 1521. A stipulation of solidarity does not make an obligation indivisible.

C.C.B.C. 1125 (**C.C.Q.** 1541 ss.)

Art. 1522. L'obligation divisible qui n'a qu'un seul débiteur et qu'un seul créancier doit être exécutée entre eux comme si elle était indivisible; mais elle demeure divisible entre leurs héritiers.

1991, c. 64, a. 1522 (94-01-01).

Art. 1522. A divisible obligation binding only one debtor and one creditor may be performed between them only as if it were indivisible, but it remains divisible between the heirs.

C.C.B.C. 1122 (**C.C.Q.** 823, 827, 884, 1540, 1561, 2902)

II — DE L'OBLIGATION SOLIDAIRE

1. De la solidarité entre les débiteurs

Art. 1523. L'obligation est solidaire entre les débiteurs lorsqu'ils sont obligés à une même chose envers le créancier, de manière que chacun puisse être séparément contraint pour la totalité de l'obligation, et que l'exécution par un seul libère les autres envers le créancier.

1991, c. 64, a. 1523 (94-01-01).

II — SOLIDARY OBLIGATIONS

1. Solidarity between debtors

Art. 1523. An obligation is solidary between the debtors where they are obligated to the creditor for the same thing in such a way that each of them may be compelled separately to perform the whole obligation and where performance by a single debtor releases the others towards the creditor.

C.C.B.C. 1103 (**C.C.Q.** 397, 1292, 1334, 1370, 1480, 1521, 1525-1530, 1599, 1664, 1689, 2118, 2144, 2156, 2221, 2224, 2246, 2254, 2274, 2326, 2349, 2352, 2900, 2909; **C.P.C.** 67, 382, 422, 469, 750)

Art. 1524. L'obligation peut être solidaire quoique l'un des codébiteurs soit obligé différemment des autres à l'accomplissement de la même chose,

Art. 1524. An obligation may be solidary even though one of the co-debtors is obliged differently from the others to perform the same thing, such as

par exemple si l'un est obligé conditionnellement tandis que l'engagement de l'autre n'est pas conditionnel, ou s'il est donné à l'un un terme qui n'est pas accordé à l'autre.

1991, c. 64, a. 1524 (94-01-01).

where one is conditionally bound while the obligation of the other is not conditional, or where one is allowed a term which is not granted to the other.

C.C.B.C. 1104 (**C.C.Q.** 1497, 1498, 1508, 1516, 1517)

Art. 1525. La solidarité entre les débiteurs ne se présume pas; elle n'existe que lorsqu'elle est expressément stipulée par les parties ou prévue par la loi.

Elle est, au contraire, présumée entre les débiteurs d'une obligation contractée pour le service ou l'exploitation d'une entreprise.

Constitue l'exploitation d'une entreprise l'exercice, par une ou plusieurs personnes, d'une activité économique organisée, qu'elle soit ou non à caractère commercial, consistant dans la production ou la réalisation de biens, leur administration ou leur aliénation, ou dans la prestation de services.

1991, c. 64, a. 1525 (94-01-01).

Art. 1525. Solidarity between debtors is not presumed; it exists only where it is expressly stipulated by the parties or imposed by law.

Solidarity between debtors is presumed, however, where an obligation is contracted for the service or carrying on of an enterprise.

The carrying on by one or more persons of an organized economic activity, whether or not it is commercial in nature, consisting of producing, administering or alienating property, or providing a service, constitutes the carrying on of an enterprise.

C.C.B.C. 1105 (**C.C.Q.** 457, 1292, 1334, 1370, 1384, 1480, 1714, 1842, 2118, 2144, 2156, 2186, 2221, 2224, 2246, 2254, 2274, 2326, 2648, 2683-2685, 2830, 2831, 2862, 2870; **C.P.C.** 67, 382, 422, 469, 750)

Art. 1526. L'obligation de réparer le préjudice causé à autrui par la faute de deux personnes ou plus est solidaire, lorsque cette obligation est extra-contractuelle.

1991, c. 64, a. 1526 (94-01-01).

Art. 1526. The obligation to make reparation for injury caused to another through the fault of two or more persons is solidary where the obligation is extra-contractual.

C.C.B.C. 1106 (**C.C.Q.** 1457 ss., 1480, 2900, 2909; **C.P.C.** 469)

Art. 1527. Lorsque l'exécution en nature d'une obligation devient impossible par la faute ou pendant la demeure de l'un ou de plusieurs des débiteurs solidaires, les autres codébiteurs ne sont pas déchargés de l'obligation d'en payer l'équivalent au créancier, mais ils ne sont pas tenus des dommages-intérêts additionnels qui pourraient lui être dus.

Le créancier ne peut réclamer des dommages-intérêts additionnels qu'aux codébiteurs par la faute desquels l'obligation est devenue impossible à exécuter et qu'à ceux qui étaient alors en demeure de l'exécuter.

1991, c. 64, a. 1527 (94-01-01).

Art. 1527. Where specific performance of an obligation has become impossible through the fault of one or more of the solidary debtors, or after he or they have been put in default, the other co-debtors are not released from their obligation to make an equivalent payment to the creditor, but they are not liable for additional damages which may be owed to him.

The creditor may not claim additional damages except from those co-debtors through whose fault the obligation became impossible to perform, and from those who were then in default.

C.C.B.C. 1109 (**C.C.Q.** 1594 ss.; **C.P.C.** 469)

Art. 1528. Le créancier d'une obligation solidaire peut s'adresser, pour en obtenir le paiement, à celui

Art. 1528. The creditor of a solidary obligation may apply for payment to any one of the co-debtors

des codébiteurs qu'il choisit, sans que celui-ci puisse lui opposer le bénéfice de division.
1991, c. 64, a. 1528 (94-01-01).

at his option, without such debtor having a right to plead the benefit of division.

C.C.B.C. 1107 (**C.C.Q.** 1523, 1529, 2349)

Art. 1529. La poursuite intentée contre l'un des débiteurs solidaires ne prive pas le créancier de son recours contre les autres, mais le débiteur poursuivi peut appeler, au procès, les autres débiteurs solidaires.
1991, c. 64, a. 1529 (94-01-01).

Art. 1529. Proceedings instituted against one of the solidary debtors do not deprive the creditor of his remedy against the others, but the debtor sued may implead the other solidary debtors.

C.C.B.C. 1108 (**C.P.C.** 208 ss., 216, 217, 469)

Art. 1530. Le débiteur solidaire poursuivi par le créancier peut opposer tous les moyens qui lui sont personnels, ainsi que ceux qui sont communs à tous les codébiteurs; mais il ne peut opposer les moyens qui sont purement personnels à l'un ou à plusieurs des autres codébiteurs.
1991, c. 64, a. 1530 (94-01-01).

Art. 1530. A solidary debtor who is sued by his creditor may set up all the defenses against him that are personal to him or that are common to all the co-debtors, but he may not set up defenses that are purely personal to one or several of the other co-debtors.

C.C.B.C. 1112 (**C.C.Q.** 1385, 1399 ss., 1414, 1516, 1531, 1539, 1664, 1665, 1671, 1678, 1679, 1685, 1689, 1693, 2353, 2875, 2900; **C.P.C.** 165, 168, 172)

Art. 1531. Le débiteur solidaire qui, par le fait du créancier, est privé d'une sûreté ou d'un droit qu'il aurait pu faire valoir par subrogation, est libéré jusqu'à concurrence de la valeur de la sûreté ou du droit dont il est privé.
1991, c. 64, a. 1531 (94-01-01).

Art. 1531. Where, through the act of the creditor, a solidary debtor is deprived of a security or of a right which he could have set up by subrogation, he is released to the extent of the value of the security or right of which he is deprived.

C.C.B.C. 1959 (**C.C.Q.** 1656, 2365)

Art. 1532. Le créancier qui renonce à la solidarité à l'égard de l'un des débiteurs conserve son recours solidaire contre les autres pour le tout.
1991, c. 64, a. 1532 (94-01-01).

Art. 1532. A creditor who renounces solidarity in favour of one of the debtors retains his solidary remedy against the other debtors for the whole debt.

C.C.B.C. 1114 (**C.C.Q.** 1533-1535, 1538, 1690; **C.P.C.** 110)

Art. 1533. Le créancier qui reçoit divisément et sans réserve la part de l'un des débiteurs solidaires, en spécifiant dans sa quittance que c'est pour sa part, ne renonce à la solidarité qu'à l'égard de ce débiteur.
1991, c. 64, a. 1533 (94-01-01).

Art. 1533. A creditor who receives separately and without reserve the share of one of the solidary debtors and specifies in the acquittance that it applies to that share renounces solidarity in favour of that debtor alone.

C.C.B.C. 1115 al. 1 et 2 (**C.C.Q.** 1534, 1535, 1538, 1690)

Art. 1534. Le créancier qui reçoit divisément et sans réserve la part de l'un des débiteurs dans les arrérages ou les intérêts de la dette, en spécifiant dans la quittance que c'est pour sa part, perd son

Art. 1534. Where a creditor receives separately and without reserve the share of one of the debtors in the periodic payments or interest on the debt and specifies in the acquittance that it applies to his

recours solidaire contre ce dernier pour les arrérages ou intérêts échus, mais non pour ceux à échoir, ni pour le capital, à moins que le paiement divisé ne se soit continué pendant trois ans consécutifs.

1991, c. 64, a. 1534 (94-01-01).

C.C.B.C. 1116

Art. 1535. Le créancier qui poursuit un débiteur solidaire pour sa part perd son recours solidaire contre ce débiteur, lorsque celui-ci acquiesce à la demande ou est condamné par jugement.

1991, c. 64, a. 1535 (94-01-01).

C.C.B.C. 1115 al. 3 (**C.C.Q.** 1690)

Art. 1536. Le débiteur solidaire qui a exécuté l'obligation ne peut répéter de ses codébiteurs que leur part respective dans celle-ci, encore qu'il soit subrogé aux droits du créancier.

1991, c. 64, a. 1536 (94-01-01).

C.C.B.C. 1117, 1118 al. 1 (**C.C.Q.** 1537, 2900, 2909; **C.P.C.** 469)

Art. 1537. La contribution dans le paiement d'une obligation solidaire se fait en parts égales entre les débiteurs solidaires, à moins que leur intérêt dans la dette, y compris leur part dans l'obligation de réparer le préjudice causé à autrui, ne soit inégal, auquel cas la contribution se fait proportionnellement à l'intérêt de chacun dans la dette.

Cependant, si l'obligation a été contractée dans l'intérêt exclusif de l'un des débiteurs ou résulte de la faute d'un seul des codébiteurs, celui-ci est tenu seul de toute la dette envers ses codébiteurs, lesquels sont alors considérés, par rapport à lui, comme ses cautions.

1991, c. 64, a. 1537 (94-01-01).

C.C.B.C. 1120 (**C.C.Q.** 2347, 2352)

Art. 1538. La perte occasionnée par l'insolvabilité de l'un des débiteurs solidaires se répartit en parts égales entre les autres codébiteurs, sauf si leur intérêt dans la dette est inégal.

Toutefois, le créancier qui a renoncé à la solidarité à l'égard de l'un des débiteurs supporte la part contributive de ce dernier.

1991, c. 64, a. 1538 (94-01-01).

C.C.B.C. 1118 al. 2, 1119 (**C.C.Q.** 1532, 1533, 1690, 2360)

Art. 1539. Le débiteur solidaire poursuivi en remboursement par celui des codébiteurs qui a exécuté l'obligation peut soulever les moyens com-

share, he loses his solidary remedy against that debtor for the periodic payments or interest due, but not for any that may become due in the future, nor for the capital, unless separate payment is continued for three consecutive years.

Art. 1535. A creditor who sues a solidary debtor for his share loses his solidary remedy against him if the debtor acquiesces in the demand or is condemned by judgment.

Art. 1536. A solidary debtor who has performed the obligation may not recover from his co-debtors more than their respective shares, although he is subrogated to the rights of the creditor.

Art. 1537. Contribution to the payment of a solidary obligation is made by equal shares among the solidary debtors, unless their interests in the debt, including their shares of the obligation to make reparation for injury caused to another, are unequal, in which case their contributions are proportional to the interest of each in the debt.

However, if the obligation was contracted in the exclusive interest of one of the debtors or if it is due to the fault of one co-debtor alone, he is liable for the whole debt to the other co-debtors, who are then considered, in his regard, as his sureties.

Art. 1538. A loss arising from the insolvency of a solidary debtor is equally divided between the other co-debtors, unless their interests in the debt are unequal.

A creditor who has renounced solidarity in favour of one debtor, however, bears the share of that debtor in the contribution.

Art. 1539. A solidary debtor sued for reimbursement by the co-debtor who has performed the obligation may raise any common defenses that

muns que ce dernier n'a pas opposés au créancier; il peut aussi opposer les moyens qui lui sont personnels, mais non ceux qui sont purement personnels à l'un ou à plusieurs des autres codébiteurs.

1991, c. 64, a. 1539 (94-01-01).

have not been set up by the co-debtor against the creditor. He may also set up defenses which are personal to himself, but not those which are purely personal to one or several of the other co-debtors.

C.C.B.C. 1112 (**C.C.Q.** 1385, 1399 ss., 1414, 1516, 1530, 1665, 1671, 1678-1680, 1689, 1693, 2353, 2900; **C.P.C.** 110)

Art. 1540. L'obligation d'un débiteur solidaire se divise de plein droit entre ses héritiers, à moins qu'elle ne soit indivisible.

1991, c. 64, a. 1540 (94-01-01).

Art. 1540. The obligation of a solidary debtor is divided by operation of law between his heirs, except where it is indivisible.

C.C.B.C. 1122 (**C.C.Q.** 823, 827, 884, 1520-1522, 1544)

2. De la solidarité entre les créanciers

Art. 1541. La solidarité n'existe entre les créanciers que lorsqu'elle a été expressément stipulée.

Elle donne alors à chacun d'eux le droit d'exiger du débiteur qu'il exécute entièrement l'obligation, ainsi que le droit d'en donner quittance pour le tout.

1991, c. 64, a. 1541 (94-01-01).

2. Solidarity between creditors

Art. 1541. Solidarity between creditors exists only where it has been expressly stipulated.

It entitles each of them to exact the whole performance of the obligation from the debtor and to give a full acquittance for it.

C.C.B.C. 1100 (**C.C.Q.** 1520, 1542, 1599, 1666, 1678, 1685, 2900, 2902, 2909)

Art. 1542. L'exécution de l'obligation au profit de l'un des créanciers solidaires libère le débiteur à l'égard des autres créanciers.

1991, c. 64, a. 1542 (94-01-01).

Art. 1542. Performance of an obligation in favour of one of the solidary creditors releases the debtor towards the other creditors.

C.C.B.C. 1100 (**C.C.Q.** 1543)

Art. 1543. Le débiteur a le choix d'exécuter l'obligation au profit de l'un ou l'autre des créanciers solidaires, tant qu'il n'a pas été poursuivi par l'un d'eux.

Néanmoins, si l'un des créanciers lui fait remise de l'obligation, le débiteur n'en est libéré que pour la part de ce créancier. Il en est de même dans tous les cas où l'obligation est éteinte autrement que par le paiement de celle-ci.

1991, c. 64, a. 1543 (94-01-01).

Art. 1543. A debtor has the option of performing the obligation in favour of any of the solidary creditors, provided he has not been sued by any of them.

A release from the obligation granted by one of the solidary creditors releases the debtor, but only for the portion of that creditor. The same rule applies to all cases in which the obligation is extinguished otherwise than by payment thereof.

C.C.B.C. 1101 (**C.C.Q.** 1689, 1690)

Art. 1544. L'obligation au profit d'un créancier solidaire se divise de plein droit entre ses héritiers.

1991, c. 64, a. 1544 (94-01-01).

Art. 1544. An obligation for the benefit of a solidary creditor is divided by operation of law between his heirs.

(**C.C.Q.** 1521, 1540)

§ 2. — De l'obligation à plusieurs objets

I — DE L'OBLIGATION ALTERNATIVE

Art. 1545. L'obligation est alternative lorsqu'elle a pour objet deux prestations principales et que l'exécution d'une seule libère le débiteur pour le tout.

L'obligation n'est pas considérée comme alternative si au moment où elle est née, l'une des prestations ne pouvait être l'objet de l'obligation.

1991, c. 64, a. 1545 (94-01-01).

C.C.B.C. 1093, 1095 (**C.C.Q.** 1373, 1551)

Art. 1546. Le choix de la prestation appartient au débiteur, à moins qu'il n'ait été expressément accordé au créancier.

Toutefois, si la partie à qui appartient le choix de la prestation fait défaut, après mise en demeure, d'exercer son choix dans le délai qui lui est imparti pour le faire, le choix de la prestation revient à l'autre partie.

1991, c. 64, a. 1546 (94-01-01).

C.C.B.C. 1094 (**C.C.Q.** 1548, 1549)

Art. 1547. Le débiteur ne peut exécuter ni être contraint d'exécuter partie d'une prestation et partie de l'autre.

1991, c. 64, a. 1547 (94-01-01).

C.C.B.C. 1093 (**C.C.Q.** 1561)

Art. 1548. Le débiteur qui a le choix de la prestation doit, si l'une ou l'autre des prestations devient impossible à exécuter même par sa faute, exécuter la prestation qui reste.

Si, dans le même cas, les deux prestations deviennent impossibles à exécuter et que l'impossibilité quant à l'une ou l'autre est due à la faute du débiteur, celui-ci est tenu envers le créancier jusqu'à concurrence de la valeur de la prestation qui est restée la dernière.

1991, c. 64, a. 1548 (94-01-01).

C.C.B.C. 1096 (**C.C.Q.** 1470, 1550, 1600, 1671)

Art. 1549. Le créancier qui a le choix de la prestation doit, si l'une ou l'autre des prestations devient impossible à exécuter, accepter la prestation qui reste, à moins que cette impossibilité ne résulte de la faute du débiteur, auquel cas il peut exiger soit l'exécution en nature de la prestation qui reste, soit la réparation, par équivalent, du préjudice résultant de l'inexécution de la prestation devenue impossible.

§ 2. — Obligations with multiple objects

I — ALTERNATIVE OBLIGATIONS

Art. 1545. An alternative obligation is one which has two principal prestations as its object, the performance of either of which releases the debtor for the whole.

An obligation is not considered to be alternative if, when it arose, one of the prestations could not be the object of the obligation.

1991, c. 64, a. 1545 (94-01-01).

Art. 1546. The choice of the prestation belongs to the debtor, unless it has been expressly granted to the creditor.

Where, after being put in default, the party who has the choice of the prestation fails to exercise it within the time allotted to him to do so, the choice of the prestation passes to the other party.

1991, c. 64, a. 1546 (94-01-01).

Art. 1547. A debtor may neither perform nor be compelled to perform part of one prestation and part of the other.

1991, c. 64, a. 1547 (94-01-01).

Art. 1548. Where the debtor has the option and one of the prestations becomes impossible to perform, even through his own fault, he shall perform the one that remains.

If, in the same case, both prestations become impossible to perform and the impossibility of performing either of them is due to the fault of the debtor, he is liable to the creditor to the extent of the value of the last prestation remaining.

1991, c. 64, a. 1548 (94-01-01).

Art. 1549. Where the creditor has the option, he shall, if one of the prestations becomes impossible to perform, accept the remaining prestation unless the impossibility of performing it is due to the fault of the debtor, in which case the creditor has the right to exact specific performance of the remaining prestation or reparation, by equivalence, for the injury resulting from the nonperformance of the prestation that has become impossible.

Si, dans le même cas, les prestations deviennent impossibles à exécuter et que l'impossibilité est due à la faute du débiteur, il peut exiger la réparation, par équivalent, du préjudice résultant de l'inexécution de l'une ou l'autre des prestations.

1991, c. 64, a. 1549 (94-01-01).

C.C.B.C. 1097 (C.C.Q. 1590, 1597, 1601, 1607)

Art. 1550. Lorsque toutes les prestations deviennent impossibles à exécuter sans la faute du débiteur, l'obligation est éteinte.

1991, c. 64, a. 1550 (94-01-01).

C.C.B.C. 1098 (C.C.Q. 1693, 1694)

Art. 1551. L'obligation est alternative même dans les cas où elle a pour objet plus de deux prestations principales; les règles du présent sous-paragraphe s'appliquent à ces cas, compte tenu des adaptations nécessaires.

1991, c. 64, a. 1551 (94-01-01).

C.C.B.C. 1099

II — DE L'OBLIGATION FACULTATIVE

Art. 1552. L'obligation est facultative lorsqu'elle a pour objet une seule prestation principale dont le débiteur peut néanmoins se libérer en exécutant une autre prestation.

Le débiteur est libéré si la prestation principale devient impossible à exécuter sans que cela soit dû à sa faute.

1991, c. 64, a. 1552 (94-01-01).

(C.C.Q. 1693)

If, in the same case, the prestations become impossible to perform and the impossibility of performing them is due to the fault of the debtor, the creditor may exact reparation, by equivalence, for the injury resulting from the nonperformance of one or another of the prestations.

Art. 1550. Where all the prestations become impossible to perform through no fault of the debtor, the obligation is extinguished.

Art. 1551. The obligation is an alternative obligation even where it has more than two principal prestations as its object, and the rules of this subdivision apply, adapted as required, to all such obligations.

II — FACULTATIVE OBLIGATIONS

Art. 1552. A facultative obligation is an obligation which has only one principal prestation as its object but from which the debtor may release himself by performing another prestation.

The debtor is released if the principal prestation, through no fault on his part, becomes impossible to perform.

CHAPITRE SIXIÈME
DE L'EXÉCUTION DE L'OBLIGATION

SECTION I
DU PAIEMENT

§ 1. — Du paiement en général

Art. 1553. Par paiement on entend non seulement le versement d'une somme d'argent pour acquitter une obligation, mais aussi l'exécution même de ce qui est l'objet de l'obligation.

1991, c. 64, a. 1553 (1994-01-01).

C.C.B.C. 1139 (**D.T.** 87; **C.C.Q.** 1734, 2329)

Art. 1554. Tout paiement suppose une obligation: ce qui a été payé sans qu'il existe une obligation est sujet à répétition.

La répétition n'est cependant pas admise à l'égard des obligations naturelles qui ont été volontairement acquittées.

1991, c. 64, a. 1554 (1994-01-01).

C.C.B.C. 1140 (**C.C.Q.** 1373, 1491, 1492, 1513, 1555, 1556, 1559, 1700, 2630, 3125)

Art. 1555. Le paiement peut être fait par toute personne, lors même qu'elle serait un tiers par rapport à l'obligation; le créancier peut être mis en demeure par l'offre d'un tiers d'exécuter l'obligation pour le débiteur, mais il faut que cette offre soit faite pour l'avantage du débiteur et non dans le seul but de changer de créancier.

Toutefois, le créancier ne peut être contraint de recevoir le paiement d'un tiers lorsqu'il a intérêt à ce que le paiement soit fait personnellement par le débiteur.

1991, c. 64, a. 1555 (1994-01-01).

C.C.B.C. 1141, 1142 (**C.C.Q.** 1440, 1443, 1482, 1601 ss., 1651; **C.P.C.** 634, 637)

Art. 1556. Pour payer valablement, il faut avoir dans ce qui est dû un droit qui autorise à le donner en paiement.

Néanmoins, si ce qui est dû est une somme d'argent ou autre chose qui se consomme par l'usage, le paiement ne peut être recouvré contre le créancier qui l'a consommé de bonne foi, quoique ce paiement ait été fait par une personne qui n'était pas autorisée à le faire.

1991, c. 64, a. 1556 (1994-01-01).

C.C.B.C. 1143

CHAPTER VI
PERFORMANCE OF OBLIGATIONS

SECTION I
PAYMENT

§ 1. — Payment in general

Art. 1553. Payment means not only the turning over of a sum of money in satisfaction of an obligation, but also the actual performance of whatever forms the object of the obligation.

Art. 1554. Every payment presupposes an obligation; what has been paid where there is no obligation may be recovered.

Recovery is not admitted, however, in the case of natural obligations that have been voluntarily paid.

Art. 1555. Payment may be made by any person, even if he is a third person with respect to the obligation; the creditor may be put in default by the offer of a third person to perform the obligation in the name of the debtor, provided the offer is made for the benefit of the debtor and not merely to change creditors.

A creditor may not be compelled to take payment from a third person, however, if he has an interest in having the obligation performed by the debtor personally.

Art. 1556. A valid payment may only be made by a person having a right in the thing due which entitles him to give it in payment.

However, payment of a sum of money or of any other thing due that is consumed by use may not be recovered against a creditor who has used it in good faith, even though it was made by a person who was not authorized to make it.

Art. 1557. Le paiement doit être fait au créancier ou à une personne autorisée à le recevoir pour lui.

S'il est fait à un tiers, il est valable si le créancier le ratifie; à défaut de ratification, il ne vaut que dans la mesure où le créancier en a profité.

1991, c. 64, a. 1557 (1994-01-01).

Art. 1557. Payment shall be made to the creditor or to the person authorized to receive it for him.

Payment made to a third person is valid if the creditor ratifies it; if it is not ratified, the payment is valid only to the extent that it benefits the creditor.

C.C.B.C. 1144 (**C.C.Q.** 158, 173, 188, 208, 256, 282, 286, 802, 1226, 1302, 1573, 2130; **L.** 67(2), 138)

Art. 1558. Le paiement fait à un créancier qui est incapable de le recevoir ne vaut que dans la mesure où il en a profité.

1991, c. 64, a. 1558 (1994-01-01).

Art. 1558. Payment made to a creditor without capacity to receive it is valid only to the extent of the benefit he derives from it.

C.C.B.C. 1146 (**C.C.Q.** 4, 1409, 1706)

Art. 1559. Le paiement fait de bonne foi au créancier apparent est valable, encore que subséquemment il soit établi qu'il n'est pas le véritable créancier.

1991, c. 64, a. 1559 (1994-01-01).

Art. 1559. Payment made in good faith to the apparent creditor is valid, even though it is subsequently established that he is not the rightful creditor.

C.C.B.C. 1145 (**C.C.Q.** 1491, 1492, 1700)

Art. 1560. Le paiement fait par un débiteur à son créancier au détriment d'un créancier saisissant n'est pas valable à l'égard de celui-ci, lequel peut, selon ses droits, contraindre le débiteur à payer de nouveau; dans ce cas, le débiteur a un recours contre celui de ses créanciers qu'il a ainsi payé.

1991, c. 64, a. 1560 (1994-01-01).

Art. 1560. Payment made by a debtor to his creditor to the detriment of a seizing creditor is not valid against the seizing creditor who, according to his rights, may compel the debtor to pay again; in that case, the debtor has a remedy against the creditor so paid.

C.C.B.C. 1147 (**C.C.Q.** 1631; **C.P.C.** 110, 626)

Art. 1561. Le créancier ne peut être contraint de recevoir autre chose que ce qui lui est dû, quoique ce qui est offert soit d'une plus grande valeur.

Il ne peut, non plus, être contraint de recevoir le paiement partiel de l'obligation, à moins qu'il n'y ait un litige sur une partie de celle-ci, auquel cas il ne peut, si le débiteur offre de payer la partie non litigieuse, refuser d'en recevoir le paiement; mais il conserve son droit de réclamer l'autre partie de l'obligation.

1991, c. 64, a. 1561 (1994-01-01).

Art. 1561. A creditor may not be compelled to accept anything other than what is due to him, even though the thing offered is of greater value.

Nor may he be compelled to accept partial payment of an obligation unless the obligation is disputed in part. In that case, if the debtor offers to pay the undisputed part, the creditor may not refuse to accept payment of it, but he preserves his right to claim the other part of the obligation.

C.C.B.C. 1148, 1149 al. 1 (**D.T.** 87; **C.C.Q.** 1308, 1519, 1522, 1540, 1573 ss., 1799, 2286, 2329, 2332, 2349, 2366)

Art. 1562. Le débiteur d'un bien individualisé est libéré par la remise de celui-ci dans l'état où il se trouve lors du paiement, pourvu que les détériorations qu'il a subies ne résultent pas de son fait ou de sa faute et ne soient pas survenues après qu'il fût en demeure de payer.

1991, c. 64, a. 1562 (1994-01-01).

Art. 1562. A debtor of a certain and determinate thing is released by the handing over of the thing in its actual condition at the time of payment, provided that the deterioration it has suffered is not due to his act or fault and did not occur after he was in default.

C.C.B.C. 1150 (**C.C.Q.** 1594, 1597, 1600, 1693, 1701; **C.P.C.** 540)

Art. 1563. Le débiteur d'un bien qui n'est déterminé que par son espèce n'est pas tenu de le donner de la meilleure qualité, mais il ne peut l'offrir de la plus mauvaise.

1991, c. 64, a. 1563 (1994-01-01).

C.C.B.C. 1151 (**C.C.Q.** 1374, 1453)

Art. 1564. Le débiteur d'une somme d'argent est libéré par la remise au créancier de la somme nominale prévue, en monnaie ayant cours légal lors du paiement.

Il est aussi libéré par la remise de la somme prévue au moyen d'un mandat postal, d'un chèque fait à l'ordre du créancier et certifié par un établissement financier exerçant son activité au Québec ou d'un autre effet de paiement offrant les mêmes garanties au créancier, ou, encore, si le créancier est en mesure de l'accepter, au moyen d'une carte de crédit ou d'un virement de fonds à un compte que détient le créancier dans un établissement financier.

1991, c. 64, a. 1564 (1994-01-01).

(**D.T.** 87; **C.C.Q.** 1614, 2329; **C.P.C.** 641 ss.)

Art. 1565. Les intérêts se paient au taux convenu ou, à défaut, au taux légal.

1991, c. 64, a. 1565 (1994-01-01).

C.C.B.C. 1785, 1786 (**C.C.Q.** 1570, 1617 ss.)

Art. 1566. Le paiement se fait au lieu désigné expressément ou implicitement par les parties.

Si le lieu n'est pas ainsi désigné, le paiement se fait au domicile du débiteur, à moins que ce qui est dû ne soit un bien individualisé, auquel cas le paiement se fait au lieu où le bien se trouvait lorsque l'obligation est née.

1991, c. 64, a. 1566 (1994-01-01).

C.C.B.C. 1152 (**C.C.Q.** 75, 83, 1365, 1734, 2291; **L.** 84-94)

Art. 1567. Les frais du paiement sont à la charge du débiteur.

1991, c. 64, a. 1567 (1994-01-01).

C.C.B.C. 1153 (**C.C.Q.** 1589, 1722, 2292)

Art. 1568. Le débiteur qui paie a droit à une quittance et à la remise du titre original de l'obligation.

1991, c. 64, a. 1568 (1994-01-01).

L.R.Q., c. P-40.1, a. 101 (**D.T.** 87)

Art. 1563. Where the thing is determinate as to its kind only, the debtor need not give one of the best quality, but he may not offer one of the worst quality.

Art. 1564. Where the debt consists of a sum of money, the debtor is released by paying the nominal amount due in money which is legal tender at the time of payment.

He is also released by remitting the amount due by money order, by cheque made to the order of the creditor and certified by a financial institution carrying on business in Québec, or by any other instrument of payment offering the same guarantees to the creditor, or, if the creditor is in a position to accept it, by means of a credit card or a transfer of funds to an account of the creditor in a financial institution.

Art. 1565. Interest is paid at the agreed rate or, if none, at the legal rate.

Art. 1566. Payment is made at the place expressly or impliedly indicated by the parties.

If no place is indicated by the parties, payment is made at the domicile of the debtor, unless what is due is a certain and determinate thing, in which case payment is made at the place where the property was when the obligation arose.

Art. 1567. The expenses attending payment are borne by the debtor.

Art. 1568. A debtor who pays his debt is entitled to an acquittance and to the turning over of the original title of the obligation.

§ 2. — *De l'imputation des paiements*

Art. 1569. Le débiteur de plusieurs dettes a le droit d'indiquer, lorsqu'il paie, quelle dette il entend acquitter.

Il ne peut toutefois, sans le consentement du créancier, imputer le paiement sur une dette qui n'est pas encore échue de préférence à une dette qui est échue, à moins qu'il ne soit prévu qu'il puisse payer par anticipation.

1991, c. 64, a. 1569 (1994-01-01).

§ 2. — *Imputation of payment*

Art. 1569. When making payment, a debtor who owes several debts has the right to impute payment to the debt he intends to pay.

He may not, however, without the consent of the creditor, impute payment to a debt not yet due in preference to a debt which has become due, unless it was agreed that payment may be made by anticipation.

C.C.B.C. 1158 (**C.C.Q.** 1570-1572, 1677, 2206, 2737, 2743)

Art. 1570. Le débiteur d'une dette qui porte intérêt ou produit des arrérages ne peut, sans le consentement du créancier, imputer le paiement qu'il fait sur le capital de préférence aux intérêts ou arrérages.

Le paiement fait sur capital et intérêts, mais qui n'est point intégral, s'impute d'abord sur les intérêts.

1991, c. 64, a. 1570 (1994-01-01).

Art. 1570. A debtor who owes a debt that bears interest or yields periodic payments may not, without the consent of the creditor, impute a payment to the capital in preference to the interest or periodic payments.

Any partial payment made on the principal and interest is imputed first to the interest.

C.C.B.C. 1159 (**C.C.Q.** 2737, 2743)

Art. 1571. Le débiteur de plusieurs dettes qui a accepté une quittance par laquelle le créancier a, lors du paiement, imputé ce qu'il a reçu sur l'une d'elles spécialement, ne peut plus demander l'imputation sur une dette différente, à moins que ne se présente une des causes de nullité des contrats.

1991, c. 64, a. 1571 (1994-01-01).

Art. 1571. Where a debtor who owes several debts has accepted an acquittance by which the creditor, at the time of payment, imputed payment to one specific debt, he may not subsequently require that it be imputed to a different debt, except upon grounds for which contracts may be annulled.

C.C.B.C. 1160 (**C.C.Q.** 1398 ss., 1407)

Art. 1572. À défaut d'imputation par les parties, le paiement est d'abord imputé sur la dette échue.

Entre plusieurs dettes échues, l'imputation se fait sur celle que le débiteur a, pour lors, le plus d'intérêt à acquitter.

À intérêt égal, l'imputation se fait sur la dette qui est échue la première, mais si toutes les dettes sont échues en même temps, elle se fait proportionnellement.

1991, c. 64, a. 1572 (1994-01-01).

Art. 1572. In the absence of imputation by the parties, payment is imputed first to the debt that is due.

Where several debts are due, payment is imputed to the debt which the debtor has the greatest interest in paying.

Where the debtor has the same interest in paying several debts, payment is imputed to the debt that became due first; if all of the debts became due at the same time, however, payment is imputed proportionately.

C.C.B.C. 1161 (**C.C.Q.** 1677)

---

§ 3. — *Des offres réelles et de la consignation*

Art. 1573. Lorsque le créancier refuse ou néglige de recevoir le paiement, le débiteur peut lui faire des offres réelles.

§ 3. — *Tender and deposit*

Art. 1573. Where a creditor refuses or neglects to accept payment, the debtor may make a tender.

Ces offres consistent à mettre à la disposition du créancier le bien qui est dû, aux temps et lieu où le paiement doit être fait. Elles doivent comprendre, outre le bien dû et les intérêts ou arrérages qu'il a produits, une somme raisonnable destinée à couvrir les frais non liquidés dus par le débiteur, sauf à les parfaire.

1991, c. 64, a. 1573 (1994-01-01).

A tender consists in placing the thing which is due at the disposal of the creditor at the place and time that payment is due. In addition to the thing due, with the interest and periodic payments it has yielded, a reasonable amount to cover unliquidated expenses owed by the debtor shall be included, saving the right to make up any deficiency in that amount.

C.C.B.C. 1162 (*in limine*), 1163(3), 1163(7) (**C.C.Q.** 1561, 1566, 1574, 1577, 1588; **C.P.C.** 187 ss.; **L.R.Q.**, c. D-5)

Art. 1574. Les offres réelles portant sur une somme d'argent peuvent être faites en monnaie ayant cours légal lors du paiement ou au moyen d'un chèque établi à l'ordre du créancier et certifié par un établissement financier exerçant son activité au Québec.

Elles peuvent aussi être faites par la présentation d'un engagement irrévocable, inconditionnel et à durée indéterminée, pris par un établissement financier exerçant son activité au Québec, de verser au créancier la somme qui fait l'objet des offres si ce dernier les accepte ou si le tribunal les déclare valables.

1991, c. 64, a. 1574 (1994-01-01).

Art. 1574. Where the object tendered is a sum of money, it may be tendered in currency which is legal tender at the time of payment or by cheque made to the order of the creditor and certified by a financial institution carrying on business in Québec.

Tender may also be made by way of an irrevocable and unconditional undertaking, for an indefinite term, by a financial institution carrying on business in Québec, to pay to the creditor the amount tendered if the creditor accepts the tender or if the court declares it valid.

C.C.B.C. 1163(4) (**D.T.** 87; **C.C.Q.** 1556, 1557, 1576, 1578, 1583-1585, 1588; **C.P.C.** 187 ss.)

Art. 1575. Les offres réelles peuvent être constatées par acte notarié en minute ou par une déclaration judiciaire dont il est donné acte; elles peuvent aussi être constatées par un autre écrit ou faites de toute autre manière, sauf, en ces cas, à en rapporter la preuve.

Lorsque les offres réelles sont constatées par acte notarié, le notaire y mentionne la réponse du créancier, de même que, en cas de refus, les motifs que celui-ci lui a donnés.

1991, c. 64, a. 1575 (1994-01-01); 1992, c. 57, a. 716 (1994-01-01).

Art. 1575. Tender may be made by notarial act *en minute* or by a judicial declaration which is recorded; it may also be made by any other writing or in any other manner, provided it is legally proved.

Where tender is made by notarial act, the notary records the answer of the creditor in the act and, in case of refusal, the reasons given by him.

C.P.C. 187, 188, 189 al. 1

Art. 1576. Les offres réelles faites par déclaration judiciaire qui ont pour objet une somme d'argent ou une valeur mobilière, doivent être complétées par la consignation de cette somme ou de cette valeur, suivant les règles du Code de procédure civile.

1991, c. 64, a. 1576 (1994-01-01).

Art. 1576. The tender of a sum of money or securities made by a judicial declaration which is recorded shall be completed by deposit of the sum or the securities, according to the rules of the Code of Civil Procedure.

C.P.C. 189 al. 2 (**C.C.Q.** 1583; **C.P.C.** 189 ss.)

Art. 1577. Lorsque le bien doit être payé ou livré au domicile du débiteur ou au lieu où le bien se trouve, l'avis écrit donné par le débiteur au créancier qu'il est prêt à y exécuter l'obligation tient lieu d'offres réelles.

Lorsque le bien n'a pas à être ainsi payé ou livré et qu'il est difficile de le transporter au lieu où il doit l'être, le débiteur peut, s'il est justifié de croire que le créancier en refusera le paiement, requérir ce dernier, par écrit, de lui faire connaître sa volonté de recevoir le bien; à défaut par le créancier de faire connaître sa volonté en temps utile, le débiteur est dispensé de transporter le bien au lieu où il doit être payé ou livré et son avis tient lieu d'offres réelles.

1991, c. 64, a. 1577 (1994-01-01); 2002, c. 19, a. 15 (2002-06-13).

C.C.B.C. 1164, 1165 (**C.C.Q.** 75, 83, 1566, 1579, 1717)

Art. 1578. Lorsque le bien qui est dû est une somme d'argent ou une valeur mobilière, l'avis écrit, donné par le débiteur au créancier, de la consignation de la somme ou de la valeur, tient lieu d'offres réelles.

1991, c. 64, a. 1578 (1994-01-01).

L.R.Q., c. D-5, a. 17 (**C.C.Q.** 1579)

Art. 1579. Les offres réelles ou les avis qui en tiennent lieu doivent indiquer la nature de la dette, le titre qui la crée et le nom du créancier ou des personnes à qui le paiement doit être fait; de plus, elles doivent décrire le bien offert et, s'il s'agit d'espèces, en contenir l'énumération et la qualité.

1991, c. 64, a. 1579 (1994-01-01).

C.P.C. 187; **L.R.Q.**, c. D-5, a. 17

Art. 1580. Le créancier est en demeure de plein droit de recevoir le paiement lorsqu'il refuse sans justification les offres réelles valablement faites, lorsqu'il refuse de donner suite à l'avis qui en tient lieu ou, encore, lorsqu'il exprime clairement son intention de refuser les offres que le débiteur pourrait vouloir lui faire; en ce dernier cas, le débiteur est dispensé de lui faire des offres ou de lui donner l'avis qui en tient lieu.

Il est encore en demeure de plein droit lorsque le débiteur, malgré sa diligence, ne peut le trouver.

1991, c. 64, a. 1580 (1994-01-01).

(**C.C.Q.** 1581-1583, 1594, 1597)

Art. 1577. Where payment or delivery of the thing is to be made at the domicile of the debtor or at the place where the thing is located, a written notice given to the creditor by the debtor that he is ready to perform the obligation there has the same effect as a tender.

Where payment or delivery of the thing need not be so made and it is difficult to transport the thing to the place where it is to be made, the debtor may, in writing, require the creditor to advise him of his willingness to accept the thing, if he has reason to believe that the creditor will refuse it; if the creditor fails to advise the debtor of his willingness in due time, the debtor need not transport the thing to the place where it is to be paid or delivered and his notice to the creditor has the same effect as a tender.

Art. 1578. Where the thing which is due is a sum of money or securities, a written notice given by the debtor to the creditor that the sum of money or the securities are deposited has the same effect as a tender.

Art. 1579. In every tender, or notice having the same effect, the nature of the debt, the title under which it was created and the name of the creditor or the persons to whom payment is to be made shall be indicated; in addition, a description of the thing tendered shall be included with, in the case of a sum of money in cash, an enumeration of each denomination.

Art. 1580. A creditor is in default by operation of law where, without justification, he refuses a valid tender or refuses to act on the notice having the same effect, or where he clearly expresses his intention to refuse any tender that the debtor might wish to make; in this last case, the debtor need not make any tender or give any notice having the same effect.

A creditor is also in default by operation of law where the debtor, despite his diligence, cannot find him.

Art. 1581. Le débiteur peut, lorsque le créancier est en demeure de recevoir le paiement, prendre toutes les mesures nécessaires ou utiles à la conservation du bien qu'il doit et, notamment, le faire entreposer auprès d'un tiers ou lui en confier la garde.

Il peut aussi, dans le même cas, faire vendre le bien pour en consigner le prix, lorsque celui-ci est susceptible de dépérir ou de se déprécier rapidement ou qu'il est dispendieux à conserver.

1991, c. 64, a. 1581 (1994-01-01).

Art. 1581. Where the creditor is in default, the debtor may take any measures necessary or useful for the preservation of the thing which he owes and, in particular, entrust it to a third person for storage or custody.

In the same case, if the thing is highly perishable, subject to rapid depreciation or expensive to preserve, the debtor may sell it and deposit the proceeds.

C.C.B.C. 1165 al. 3 (**C.C.Q.** 644, 804, 1305, 1566, 1580, 1582, 1583, 1594, 1597)

Art. 1582. Le créancier qui est en demeure de recevoir le paiement assume les frais raisonnables de conservation du bien, de même que les frais de la vente du bien et de la consignation du prix, le cas échéant.

Il assume aussi les risques de perte du bien par force majeure.

1991, c. 64, a. 1582 (1994-01-01).

Art. 1582. A creditor who is in default bears the reasonable costs of preservation of the thing, as well as any costs that may be incurred for the sale of the thing and the deposit of the proceeds.

He also bears the risks of loss of the thing by superior force.

C.C.B.C. 1165 al. 3 (**C.C.Q.** 1470, 1566, 1580, 1581, 1594, 1597)

Art. 1583. La consignation consiste dans le dépôt, par le débiteur, de la somme d'argent ou de la valeur mobilière qu'il doit, au Bureau de dépôts pour le Québec ou auprès d'une société de fiducie ou, encore, si le dépôt est fait en cours d'instance, suivant les règles du Code de procédure civile.

Outre le cas où le créancier refuse de recevoir la somme ou la valeur due par le débiteur, la consignation peut, entre autres, être faite lorsque la créance est l'objet d'un litige entre plusieurs personnes ou que le débiteur est empêché de payer parce que le créancier ne peut être trouvé au lieu où le paiement doit être fait.

1991, c. 64, a. 1583 (1994-01-01).

Art. 1583. Deposit by the debtor of the sum of money or the securities which he owes is made in the general deposit office or any trust company or, during judicial proceedings, according to the rules of the Code of Civil Procedure.

Deposit may be made not only where the creditor refuses to accept the money or securities owed by the debtor, but also, among other cases, where the claim is in dispute between several persons or where the debtor is prevented from making payment by reason of the fact that the creditor cannot be found at the place where the payment is to be made.

C.C.B.C. 1162 al. 2; **L.R.Q.**, c. D-5, a. 17, 19 (**C.C.Q.** 1566, 1576, 1580, 1586, 1587, 1589; **C.P.C.** 189 ss.)

Art. 1584. Le débiteur peut retirer la somme d'argent ou la valeur mobilière consignée tant qu'elle n'a pas été acceptée par le créancier et, en ce cas, ni ses codébiteurs, ni ses cautions ne sont libérés.

Le retrait ne peut, toutefois, être fait en cours d'instance qu'avec l'autorisation du tribunal.

1991, c. 64, a. 1584 (1994-01-01).

Art. 1584. A debtor may withdraw a sum of money or securities which he has deposited, so long as they have not been accepted by the creditor; if he withdraws them, neither his co-debtors nor his sureties are released.

No withdrawal may be made during judicial proceedings, however, except by authorization of the court.

C.C.B.C. 1166 (**C.C.Q.** 1585; **C.P.C.** 88, 187 ss.)

Art. 1585. Lorsque le tribunal déclare valable la consignation de la somme d'argent ou de la valeur mobilière, le débiteur ne peut la retirer qu'avec le consentement du créancier.

Ce retrait ne peut, toutefois, porter atteinte aux droits des tiers ni empêcher la libération des codébiteurs ou des cautions du débiteur.

1991, c. 64, a. 1585 (1994-01-01).

C.C.B.C. 1167 (C.C.Q. 1530, 1584, 2353; C.P.C. 190)

Art. 1586. La consignation faite dans les conditions prévues aux articles précédents libère le débiteur du paiement des intérêts ou des revenus produits pour l'avenir.

1991, c. 64, a. 1586 (1994-01-01).

C.C.B.C. 1162 al. 2; L.R.Q., c. D-5, a. 17 (C.C.Q. 1573, 1587)

Art. 1587. Les intérêts ou revenus produits pendant la consignation appartiennent au créancier. Néanmoins, ils appartiennent au débiteur jusqu'à ce que la consignation soit acceptée par le créancier, lorsque la consignation est faite afin d'obtenir l'exécution d'une obligation de ce dernier, elle-même corrélative à celle qu'entend exécuter le débiteur par la consignation.

1991, c. 64, a. 1587 (1994-01-01).

Art. 1588. Les offres réelles acceptées par le créancier ou déclarées valables par le tribunal équivalent, quant au débiteur, à un paiement fait au jour des offres ou de l'avis qui en tient lieu, à la condition qu'il ait toujours été disposé à payer depuis ce jour.

1991, c. 64, a. 1588 (1994-01-01).

C.C.B.C. 1162 al. 1 (C.C.Q. 1553, 1573, 1577, 1578)

Art. 1589. Les frais des offres réelles et de la consignation sont à la charge du créancier lorsqu'elles sont acceptées ou déclarées valables.
1991, c. 64, a. 1589 (1994-01-01).

C.P.C. 191 (C.P.C. 191)

Art. 1585. Where the deposit of a sum of money or of securities is declared valid by the court, the debtor may not withdraw them except with the consent of the creditor.

The withdrawal may not be made, however, if it would impair the rights of third persons or prevent the release of the co-debtors or the sureties of the debtor.

Art. 1586. A deposit made according to the conditions set forth in the preceding articles releases the debtor, for the future, from the payment of interest or income yielded.

Art. 1587. Interest or income yielded from the date of deposit belongs to the creditor. Nevertheless, where the deposit is made to obtain the performance of an obligation of the creditor that is correlative to the obligation the debtor intends to perform by the deposit, the interest or income belongs to the debtor until the deposit is accepted by the creditor.

Art. 1588. A tender accepted by the creditor or declared valid by the court is equivalent, in respect of the debtor, to payment made on the day of the tender or of the notice having the same effect, provided the debtor has always been willing to pay from that time.

Art. 1589. Where tender and deposit are accepted or declared valid by the court, the expenses related to them are borne by the creditor.

SECTION II
DE LA MISE EN OEUVRE DU DROIT À L'EXÉCUTION DE L'OBLIGATION

§ 1. — *Disposition générale*

Art. 1590. L'obligation confère au créancier le droit d'exiger qu'elle soit exécutée entièrement, correctement et sans retard.

SECTION II
RIGHT TO ENFORCE PERFORMANCE

§ 1. — *General provision*

Art. 1590. An obligation confers on the creditor the right to demand that the obligation be performed in full, properly and without delay.

Lorsque le débiteur, sans justification, n'exécute pas son obligation et qu'il est en demeure, le créancier peut, sans préjudice de son droit à l'exécution par équivalent de tout ou partie de l'obligation:

1° Forcer l'exécution en nature de l'obligation;

2° Obtenir, si l'obligation est contractuelle, la résolution ou la résiliation du contrat ou la réduction de sa propre obligation corrélative;

3° Prendre tout autre moyen que la loi prévoit pour la mise en oeuvre de son droit à l'exécution de l'obligation.

1991, c. 64, a. 1590 (1994-01-01).

Where the debtor fails to perform his obligation without justification on his part and he is in default, the creditor may, without prejudice to his right to the performance of the obligation in whole or in part by equivalence,

(1) force specific performance of the obligation;

(2) obtain, in the case of a contractual obligation, the resolution or resiliation of the contract or the reduction of his own correlative obligation;

(3) take any other measure provided by law to enforce his right to the performance of the obligation.

C.C.B.C. 1065 (**D.T.** 88; **C.C.Q.** 1591 ss., 1594 ss., 1600, 1601 ss., 1604 ss., 1607 ss., 1626, 1693, 1740 ss., 2125 ss.; **C.P.C.** 110, 168 al. 1(3), 469, 751)

§ 2. — De l'exception d'inexécution et du droit de rétention

Art. 1591. Lorsque les obligations résultant d'un contrat synallagmatique sont exigibles et que l'une des parties n'exécute pas substantiellement la sienne ou n'offre pas de l'exécuter, l'autre partie peut, dans une mesure correspondante, refuser d'exécuter son obligation corrélative, à moins qu'il ne résulte de la loi, de la volonté des parties ou des usages qu'elle soit tenue d'exécuter la première.

1991, c. 64, a. 1591 (1994-01-01).

§ 2. — Exception for nonperformance and right of retention

Art. 1591. Where the obligations arising from a synal lagmatic contract are exigible and one of the parties fails to perform his obligation to a substantial degree or does not offer to perform it, the other party may refuse to perform his correlative obligation to a corresponding degree, unless he is bound by law, the will of the parties or usage to perform first.

(**C.C.Q.** 1380)

Art. 1592. Toute partie qui, du consentement de son cocontractant, détient un bien appartenant à celui-ci a le droit de le retenir jusqu'au paiement total de la créance qu'elle a contre lui, lorsque sa créance est exigible et est intimement liée au bien qu'elle détient.

1991, c. 64, a. 1592 (1994-01-01).

Art. 1592. A party who, with the consent of the other party, has detention of property belonging to the latter has a right to retain it pending full payment of his claim against him, if the claim is exigible and is directly related to the property of which he has detention.

(**C.C.Q.** 875, 946, 963, 974, 1250, 1369, 1553, 1593, 2003, 2058, 2111, 2185, 2293, 2302, 2324)

Art. 1593. Le droit de rétention qu'exerce une partie est opposable à tous.

La dépossession involontaire du bien n'éteint pas le droit de rétention; la partie qui exerce ce droit peut revendiquer le bien, sous réserve des règles de la prescription.

1991, c. 64, a. 1593 (1994-01-01).

Art. 1593. The right of retention may be set up against anyone.

Involuntary dispossession does not extinguish a right of retention; the party exercising the right may revendicate the property, subject to the rules on prescription.

(**C.C.Q.** 1592, 2651(3°), 2770, 2880)

§ 3. — De la demeure

Art. 1594. Le débiteur peut être constitué en demeure d'exécuter l'obligation par les termes mêmes du contrat, lorsqu'il y est stipulé que le seul écoulement du temps pour l'exécuter aura cet effet.

Il peut être aussi constitué en demeure par la demande extrajudiciaire que lui adresse son créancier d'exécuter l'obligation, par la demande en justice formée contre lui ou, encore, par le seul effet de la loi.

1991, c. 64, a. 1594 (1994-01-01).

§ 3. — Default

Art. 1594. A debtor may be in default by the terms of the contract itself, when it contains a stipulation that the mere lapse of time for performing it will have that effect.

A debtor may also be put in default by an extrajudicial demand addressed to him by his creditor to perform the obligation, a judicial demand filed against him or the sole operation of law.

C.C.B.C. 1067 (**C.C.Q.** 1580, 1595-1597, 1599, 1600, 1617, 1618, 1693; **L.R.Q.**, c. C-19, a. 585; **L.R.Q.**, c. C-27.1, a. 724)

Art. 1595. La demande extrajudiciaire par laquelle le créancier met son débiteur en demeure doit être faite par écrit.

Elle doit accorder au débiteur un délai d'exécution suffisant, eu égard à la nature de l'obligation et aux circonstances; autrement, le débiteur peut toujours l'exécuter dans un délai raisonnable à compter de la demande.

1991, c. 64, a. 1595 (1994-01-01).

Art. 1595. The extrajudicial demand by which a creditor puts his debtor in default shall be made in writing.

If the demand does not allow the debtor sufficient time for performance, having regard to the nature of the obligation and the circumstances, the debtor may perform the obligation within a reasonable time after the demand.

C.C.B.C. 1067

Art. 1596. La demande en justice formée par le créancier contre le débiteur, sans que celui-ci n'ait été autrement constitué en demeure au préalable, lui confère le droit d'exécuter l'obligation dans un délai raisonnable à compter de la demande. S'il y a exécution de l'obligation dans ce délai, les frais de la demande sont à la charge du créancier.

1991, c. 64, a. 1596 (1994-01-01).

Art. 1596. Where a creditor files a judicial demand against the debtor without his otherwise being in default, the debtor is entitled to perform the obligation within a reasonable time after the demand. If the obligation is performed within a reasonable time, the costs of the demand are borne by the creditor.

(**C.C.Q.** 1594)

Art. 1597. Le débiteur est en demeure de plein droit, par le seul effet de la loi, lorsque l'obligation ne pouvait être exécutée utilement que dans un certain temps qu'il a laissé s'écouler ou qu'il ne l'a pas exécutée immédiatement alors qu'il y avait urgence.

Il est également en demeure de plein droit lorsqu'il a manqué à une obligation de ne pas faire, ou qu'il a, par sa faute, rendu impossible l'exécution en nature de l'obligation; il l'est encore lorsqu'il a clairement manifesté au créancier son intention de ne pas exécuter l'obligation ou, s'il s'agit d'une obligation à exécution successive, qu'il refuse ou néglige de l'exécuter de manière répétée.

1991, c. 64, a. 1597 (1994-01-01).

Art. 1597. A debtor is in default by the sole operation of law where the performance of the obligation would have been useful only within a certain time which he allowed to expire or where he failed to perform the obligation immediately despite the urgency that he do so.

A debtor is also in default by operation of law where he has violated an obligation not to do, or where specific performance of the obligation has become impossible through his fault, and also where he has made clear to the creditor his intention not to perform the obligation or where, in the case of an obligation of successive performance, he has repeatedly refused or neglected to perform it.

C.C.B.C. 1068, 1070 (**C.C.Q.** 1598, 1605)

Art. 1598. Le créancier doit prouver la survenance de l'un des cas où il y a demeure de plein droit, malgré toute déclaration ou stipulation contraire.

1991, c. 64, a. 1598 (1994-01-01).

L.R.Q., c. P-40.1, a. 11 (**D.T.** 88, 89; **C.C.Q.** 1605)

Art. 1599. La demande extrajudiciaire par laquelle le créancier met l'un des débiteurs solidaires en demeure vaut à l'égard des autres débiteurs.

Celle qui est faite par l'un des créanciers solidaires vaut, de même, à l'égard des autres créanciers.

1991, c. 64, a. 1599 (1994-01-01).

(**C.C.Q.** 1523, 1541, 1594, 1595)

Art. 1600. Le débiteur, même s'il bénéficie d'un délai de grâce, répond, à compter de la demeure, du préjudice qui résulte du retard à exécuter l'obligation, lorsque celle-ci a pour objet une somme d'argent.

Il répond aussi, à compter de la demeure, de toute perte qui résulte d'une force majeure, à moins qu'il ne soit alors libéré.

1991, c. 64, a. 1600 (1994-01-01).

Art. 1598. The creditor shall prove the occurrence of one of the cases of default by operation of law notwithstanding any statement or stipulation to the contrary.

Art. 1599. An extrajudicial demand by which the creditor puts one of the solidary debtors in default has effect with respect to the other debtors.

Similarly, an extrajudicial demand made by one of the solidary creditors has effect with respect to the other creditors.

Art. 1600. Where the object of the performance is a sum of money, the debtor, although he may be granted a period of grace, is liable for injury resulting from delay in the performance of the obligation from the moment he begins to be in default.

The debtor in such a case is also liable from the same moment for any loss resulting from superior force, unless he is released thereby from his obligation.

C.C.B.C. 1077, 1200, 1202 (**C.C.Q.** 1368, 1470, 1594 ss., 1617, 1619, 1693, 1701, 2184, 2198, 2287)

§ 4. — De l'exécution en nature

Art. 1601. Le créancier, dans les cas qui le permettent, peut demander que le débiteur soit forcé d'exécuter en nature l'obligation.

1991, c. 64, a. 1601 (1994-01-01).

§ 4. — Specific performance

Art. 1601. A creditor may, in cases which admit of it, demand that the debtor be forced to make specific performance of the obligation.

C.C.B.C. 1065 (**C.C.Q.** 1590, 2091, 2094, 2125, 2633; **C.P.C.** 110, 751 ss.)

Art. 1602. Le créancier peut, en cas de défaut, exécuter ou faire exécuter l'obligation aux frais du débiteur.

Le créancier qui veut se prévaloir de ce droit doit en aviser le débiteur dans sa demande, extrajudiciaire ou judiciaire, le constituant en demeure, sauf dans les cas où ce dernier est en demeure de plein droit ou par les termes mêmes du contrat.

1991, c. 64, a. 1602 (1994-01-01).

Art. 1602. In case of default, the creditor may perform the obligation or cause it to be performed at the expense of the debtor.

A creditor wishing to avail himself of this right shall so notify the debtor in the judicial or extrajudicial demand by which he puts him in default, except in cases where the debtor is in default by operation of law or by the terms of the contract itself.

C.C.B.C. 1065 (**C.C.Q.** 1594, 1595, 1597; **C.P.C.** 110)

Art. 1603. Le créancier peut être autorisé à détruire ou enlever, aux frais du débiteur, ce que celui-ci a fait en violation d'une obligation de ne pas faire.

1991, c. 64, a. 1603 (1994-01-01).

C.C.B.C. 1066 (**C.C.Q.** 1601; **C.P.C.** 110, 751 ss.)

§ 5. — De la résolution ou de la résiliation du contrat et de la réduction de l'obligation

Art. 1604. Le créancier, s'il ne se prévaut pas du droit de forcer, dans les cas qui le permettent, l'exécution en nature de l'obligation contractuelle de son débiteur, a droit à la résolution du contrat, ou à sa résiliation s'il s'agit d'un contrat à exécution successive.

Cependant, il n'y a pas droit, malgré toute stipulation contraire, lorsque le défaut du débiteur est de peu d'importance, à moins que, s'agissant d'une obligation à exécution successive, ce défaut n'ait un caractère répétitif; mais il a droit, alors, à la réduction proportionnelle de son obligation corrélative.

La réduction proportionnelle de l'obligation corrélative s'apprécie en tenant compte de toutes les circonstances appropriées; si elle ne peut avoir lieu, le créancier n'a droit qu'à des dommages-intérêts.

1991, c. 64, a. 1604 (1994-01-01).

C.C.B.C. 1065 (**D.T.** 88, 90; **C.C.Q.** 1383, 1439, 1590, 1607 ss., 1736, 1740, 1742, 1914, 1916, 1971 ss., 2029, 2094, 2095, 2125 ss., 2258, 2261, 2430, 2443, 2477 ss.; **C.P.C.** 110)

Art. 1605. La résolution ou la résiliation du contrat peut avoir lieu sans poursuite judiciaire lorsque le débiteur est en demeure de plein droit d'exécuter son obligation ou qu'il ne l'a pas exécutée dans le délai fixé par la mise en demeure.

1991, c. 64, a. 1605 (1994-01-01).

C.C.B.C. 1065 (**C.C.Q.** 1595, 1597, 1742, 1743)

Art. 1606. Le contrat résolu est réputé n'avoir jamais existé; chacune des parties est, dans ce cas, tenue de restituer à l'autre les prestations qu'elle a reçues.

Le contrat résilié cesse d'exister pour l'avenir seulement.

1991, c. 64, a. 1606 (1994-01-01).

(**C.C.Q.** 1422, 1699, 1700 ss., 1741)

Art. 1603. The creditor may be authorized to destroy or remove, at the expense of the debtor, what has been made by the debtor in violation of an obligation not to do.

§ 5. — Resolution or resiliation of contracts and reduction of obligations

Art. 1604. Where the creditor does not avail himself of the right to force the specific performance of the contractual obligation of the debtor in cases which admit of it, he is entitled either to the resolution of the contract, or to its resiliation in the case of a contract of successive performance.

However and notwithstanding any stipulation to the contrary, he is not entitled to resolution or resiliation of the contract if the default of the debtor is of minor importance, unless, in the case of an obligation of successive performance, the default occurs repeatedly, but he is then entitled to a proportional reduction of his correlative obligation.

All the relevant circumstances are taken into consideration in assessing the proportional reduction of the correlative obligation. If the obligation cannot be reduced, the creditor is entitled to damages only.

Art. 1605. A contract may be resolved or resiliated without judicial proceedings where the debtor is in default by operation of law or where he has failed to perform his obligation within the time allowed in the writing putting him in default.

Art. 1606. A contract which is resolved is deemed never to have existed; each party is, in such a case, bound to restore to the other the prestations he has already received.

A contract which is resiliated ceases to exist, but only for the future.

§ 6. — *De l'exécution par équivalent*

I — DISPOSITIONS GÉNÉRALES

Art. 1607. Le créancier a droit à des dommages-intérêts en réparation du préjudice, qu'il soit corporel, moral ou matériel, que lui cause le défaut du débiteur et qui en est une suite immédiate et directe.

1991, c. 64, a. 1607 (1994-01-01).

C.C.B.C. 1065, 1075 (**C.C.Q.** 35, 36, 1397, 1407, 1457, 1458, 1527, 1608, 1609, 1611 ss., 1622; **C.P.C.** 4.1, 110)

Art. 1608. L'obligation du débiteur de payer des dommages-intérêts au créancier n'est ni atténuée ni modifiée par le fait que le créancier reçoive une prestation d'un tiers, par suite du préjudice qu'il a subi, sauf dans la mesure où le tiers est subrogé aux droits du créancier.

1991, c. 64, a. 1608 (1994-01-01).

C.C.B.C. 2494 (**C.C.Q.** 1607, 1651 ss.)

Art. 1609. Les quittances, transactions ou déclarations obtenues du créancier par le débiteur, un assureur ou leurs représentants, lorsqu'elles sont liées au préjudice corporel ou moral subi par le créancier, sont sans effet si elles ont été obtenues dans les trente jours du fait dommageable et sont préjudiciables au créancier.

1991, c. 64, a. 1609 (1994-01-01).

C.C.B.C. 1056b al. 4 (**C.C.Q.** 8, 9, 3081)

Art. 1610. Le droit du créancier à des dommages-intérêts, même punitifs, est cessible et transmissible.

Il est fait exception à cette règle lorsque le droit du créancier résulte de la violation d'un droit de la personnalité; en ce cas, son droit à des dommages-intérêts est incessible, et il n'est transmissible qu'à ses héritiers.

1991, c. 64, a. 1610 (1994-01-01).

(**C.C.Q.** 2, 3, 10, 625; **C.P.C.** 774, 775)

II — DE L'ÉVALUATION DES DOMMAGES-INTÉRÊTS

1. *De l'évaluation en général*

Art. 1611. Les dommages-intérêts dus au créancier compensent la perte qu'il subit et le gain dont il est privé.

§ 6. — *Performance by equivalence*

I — GENERAL PROVISIONS

Art. 1607. The creditor is entitled to damages for bodily, moral or material injury which is an immediate and direct consequence of the debtor's default.

Art. 1608. The obligation of the debtor to pay damages to the creditor is neither reduced nor altered by the fact that the creditor receives a prestation from a third person, as a result of the injury he has sustained, except so far as the third person is subrogated to the rights of the creditor.

Art. 1609. An acquittance, transaction or statement obtained from the creditor in connection with bodily or moral injury he has sustained, obtained by the debtor, an insurer or their representatives within thirty days of the act which caused the injury, is without effect if it is damaging to the creditor.

Art. 1610. The right of a creditor to damages, including punitive damages, may be assigned or transmitted.

This rule does not apply where the right of the creditor results from a breach of a personality right; in such a case, the right of the creditor to damages may not be assigned, and may be transmitted only to his heirs.

II — ASSESSMENT OF DAMAGES

1. *Assessment in general*

Art. 1611. The damages due to the creditor compensate for the amount of the loss he has sustained and the profit of which he has been deprived.

On tient compte, pour les déterminer, du préjudice futur lorsqu'il est certain et qu'il est susceptible d'être évalué.

1991, c. 64, a. 1611 (1994-01-01).

C.C.B.C. 1073 (**C.C.Q.** 1607, 1612 ss.)

Art. 1612. En matière de secret commercial, la perte que subit le propriétaire du secret comprend le coût des investissements faits pour son acquisition, sa mise au point et son exploitation; le gain dont il est privé peut être indemnisé sous forme de redevances.

1991, c. 64, a. 1612 (1994-01-01); 2002, c. 19, a. 15 (2002-06-13).

(**C.C.Q.** 1472)

Art. 1613. En matière contractuelle, le débiteur n'est tenu que des dommages-intérêts qui ont été prévus ou qu'on a pu prévoir au moment où l'obligation a été contractée, lorsque ce n'est point par sa faute intentionnelle ou par sa faute lourde qu'elle n'est point exécutée; même alors, les dommages-intérêts ne comprennent que ce qui est une suite immédiate et directe de l'inexécution.

1991, c. 64, a. 1613 (1994-01-01).

C.C.B.C. 1074, 1075 (**C.C.Q.** 1474, 1611)

Art. 1614. Les dommages-intérêts dus au créancier en réparation du préjudice corporel qu'il subit sont établis, quant aux aspects prospectifs du préjudice, en fonction des taux d'actualisation prescrits par règlement du gouvernement, dès lors que de tels taux sont ainsi fixés.

1991, c. 64, a. 1614 (1994-01-01).

(**D.T.** 88, 91; **C.C.Q.** 1615, 1616)

Art. 1615. Le tribunal, quand il accorde des dommages-intérêts en réparation d'un préjudice corporel peut, pour une période d'au plus trois ans, réserver au créancier le droit de demander des dommages-intérêts additionnels, lorsqu'il n'est pas possible de déterminer avec une précision suffisante l'évolution de sa condition physique au moment du jugement.

1991, c. 64, a. 1615 (1994-01-01).

(**D.T.** 88, 91)

Art. 1616. Les dommages-intérêts accordés pour la réparation d'un préjudice sont, à moins que les parties n'en conviennent autrement, exigibles sous la forme d'un capital payable au comptant.

Future injury which is certain and able to be assessed is taken into account in awarding damages.

Art. 1612. The loss sustained by the owner of a trade secret includes the investment expenses incurred for its acquisition, perfection and use; the profit of which he is deprived may be compensated for through payment of royalties.

Art. 1613. In contractual matters, the debtor is liable only for damages that were foreseen or foreseeable at the time the obligation was contracted, where the failure to perform the obligation does not proceed from intentional or gross fault on his part; even then, the damages include only what is an immediate and direct consequence of the nonperformance.

Art. 1614. Damages owed to the creditor for bodily injury he sustains are measured as to the future aspects of the injury according to the discount rates set by regulation of the Government, from the time such rates are set.

Art. 1615. The court, in awarding damages for bodily injury, may, for a period of not over three years, reserve the right of the creditor to apply for additional damages, if the course of his physical condition cannot be determined with sufficient precision at the time of the judgment.

Art. 1616. Damages awarded for injury are exigible in the form of capital payable in cash, unless otherwise agreed by the parties.

Toutefois, lorsque le préjudice est corporel et que le créancier est mineur, le tribunal peut imposer, en tout ou en partie, le paiement sous forme de rente ou de versements périodiques, dont il fixe les modalités et peut prévoir l'indexation suivant un taux fixe. Dans les trois mois qui suivent sa majorité, le créancier peut exiger le paiement immédiat, actualisé, de tout ce qui lui reste à recevoir.

1991, c. 64, a. 1616 (1994-01-01).

(**D.T.** 88, 91; **C.C.Q.** 153)

Art. 1617. Les dommages-intérêts résultant du retard dans l'exécution d'une obligation de payer une somme d'argent consistent dans l'intérêt au taux convenu ou, à défaut de toute convention, au taux légal.

Le créancier y a droit à compter de la demeure sans être tenu de prouver qu'il a subi un préjudice.

Le créancier peut, cependant, stipuler qu'il aura droit à des dommages-intérêts additionnels, à condition de les justifier.

1991, c. 64, a. 1617 (1994-01-01).

C.C.B.C. 1077 (**C.C.Q.** 1373, 1565, 1590, 1594, 1597, 1600, 1619, 1620, 1622)

Art. 1618. Les dommages-intérêts autres que ceux résultant du retard dans l'exécution d'une obligation de payer une somme d'argent portent intérêt au taux convenu entre les parties ou, à défaut, au taux légal, depuis la demeure ou depuis toute autre date postérieure que le tribunal estime appropriée, eu égard à la nature du préjudice et aux circonstances.

1991, c. 64, a. 1618 (1994-01-01).

C.C.B.C. 1056c al. 1, 1078.1 al. 1 (**D.T.** 88, 91; **C.C.Q.** 1594, 1597, 1619, 1620; **C.P.C.** 469)

Art. 1619. Il peut être ajouté aux dommages-intérêts accordés à quelque titre que ce soit, une indemnité fixée en appliquant à leur montant, à compter de l'une ou l'autre des dates servant à calculer les intérêts qu'ils portent, un pourcentage égal à l'excédent du taux d'intérêt fixé pour les créances de l'État en application de l'article 28 de la Loi sur le ministère du Revenu sur le taux d'intérêt convenu entre les parties ou, à défaut, sur le taux légal.

1991, c. 64, a. 1619 (1994-01-01).

C.C.B.C. 1056c al. 2, 1078.1 al. 2 (**C.P.C.** 469)

Where the injury sustained is bodily injury and where the creditor is a minor, however, the court may order payment, in whole or in part, in the form of an annuity or by periodic instalments, on the terms and conditions it fixes and indexed according to a fixed rate. Within three months of the date on which the minor becomes of full age, the creditor may demand immediate and discounted payment of any amount still receivable.

Art. 1617. Damages which result from delay in the performance of an obligation to pay a sum of money consist of interest at the agreed rate or, in the absence of any agreement, at the legal rate.

The creditor is entitled to the damages from the date of default without having to prove that he has sustained any injury.

A creditor may stipulate, however, that he will be entitled to additional damages, provided he justifies them.

Art. 1618. Damages other than those resulting from delay in the performance of an obligation to pay a sum of money bear interest at the rate agreed by the parties, or, in the absence of agreement, at the legal rate, from the date of default or from any other later date which the court considers appropriate, having regard to the nature of the injury and the circumstances.

Art. 1619. An indemnity may be added to the amount of damages awarded for any reason, which is fixed by applying to the amount of the damages, from either of the dates used in computing the interest on them, a percentage equal to the excess of the rate of interest fixed for claims of the State under section 28 of the Act respecting the Ministère du Revenu over the rate of interest agreed by the parties or, in the absence of agreement, over the legal rate.

Art. 1620. Les intérêts échus des capitaux ne produisent eux-mêmes des intérêts que s'il existe une convention ou une loi à cet effet ou si, dans une action, de nouveaux intérêts sont expressément demandés.

1991, c. 64, a. 1620 (1994-01-01).

Art. 1620. Interest accrued on principal does not itself bear interest except where that is provided by agreement or by law or where additional interest is expressly demanded in a suit.

C.C.B.C. 1078

Art. 1621. Lorsque la loi prévoit l'attribution de dommages-intérêts punitifs, ceux-ci ne peuvent excéder, en valeur, ce qui est suffisant pour assurer leur fonction préventive.

Ils s'apprécient en tenant compte de toutes les circonstances appropriées, notamment de la gravité de la faute du débiteur, de sa situation patrimoniale ou de l'étendue de la réparation à laquelle il est déjà tenu envers le créancier, ainsi que, le cas échéant, du fait que la prise en charge du paiement réparateur est, en tout ou en partie, assumée par un tiers.

1991, c. 64, a. 1621 (1994-01-01).

Art. 1621. Where the awarding of punitive damages is provided for by law, the amount of such damages may not exceed what is sufficient to fulfil their preventive purpose.

Punitive damages are assessed in the light of all the appropriate circumstances, in particular the gravity of the debtor's fault, his patrimonial situation, the extent of the reparation for which he is already liable to the creditor and, where such is the case, the fact that the payment of the damages is wholly or partly assumed by a third person.

(**C.C.Q.** 1899, 1902, 1968)

2. De l'évaluation anticipée

2. Anticipated assessment of damages

Art. 1622. La clause pénale est celle par laquelle les parties évaluent par anticipation les dommages-intérêts en stipulant que le débiteur se soumettra à une peine au cas où il n'exécuterait pas son obligation.

Elle donne au créancier le droit de se prévaloir de cette clause au lieu de poursuivre, dans les cas qui le permettent, l'exécution en nature de l'obligation; mais il ne peut en aucun cas demander en même temps l'exécution et la peine, à moins que celle-ci n'ait été stipulée que pour le seul retard dans l'exécution de l'obligation.

1991, c. 64, a. 1622 (1994-01-01).

Art. 1622. A penal clause is one by which the parties assess the anticipated damages by stipulating that the debtor will suffer a penalty if he fails to perform his obligation.

A creditor has the right to avail himself of a penal clause instead of enforcing, in cases which admit of it, the specific performance of the obligation; but in no case may he exact both the performance and the penalty, unless the penalty has been stipulated for mere delay in the performance of the obligation.

C.C.B.C. 1131, 1133 (**C.C.Q.** 758, 1216, 1373, 1438, 1617, 1618, 1623 ss., 1901, 2667, 2762)

Art. 1623. Le créancier qui se prévaut de la clause pénale a droit au montant de la peine stipulée sans avoir à prouver le préjudice qu'il a subi.

Cependant, le montant de la peine stipulée peut être réduit si l'exécution partielle de l'obligation a profité au créancier ou si la clause est abusive.

1991, c. 64, a. 1623 (1994-01-01).

Art. 1623. A creditor who avails himself of a penal clause is entitled to the amount of the stipulated penalty without having to prove the injury he has suffered.

However, the amount of the stipulated penalty may be reduced if the creditor has benefited from partial performance of the obligation or if the clause is abusive.

C.C.B.C. 1076, 1135 (**D.T.** 88, 92; **C.C.Q.** 1437, 1624, 1625, 1901)

Art. 1624. Lorsque l'obligation assortie d'une clause pénale est indivisible sans être solidaire et que son inexécution est le fait d'un seul des codébiteurs, la peine peut être demandée soit en totalité contre celui qui n'a pas exécuté, soit contre chacun des codébiteurs pour sa part; sauf, dans ce dernier cas, leur recours contre celui qui a fait encourir la peine.

1991, c. 64, a. 1624 (1994-01-01); 2002, c. 19, a. 15 (2002-06-13).

C.C.B.C. 1136 (**D.T.** 88, 92; **C.C.Q.** 1520, 1523; **C.P.C.** 110)

Art. 1625. Lorsque l'obligation assortie d'une clause pénale est divisible, la peine est également divisible et elle n'est encourue que par celui des codébiteurs qui n'exécute pas l'obligation, et pour la part dont il est tenu dans l'obligation, sans qu'il y ait d'action contre ceux qui l'ont exécutée.

Cette règle ne s'applique pas lorsque l'obligation est solidaire. Elle ne s'applique pas, non plus, lorsque la clause pénale avait été stipulée afin que le paiement ne pût se faire partiellement et que l'un des codébiteurs a empêché l'exécution de l'obligation pour la totalité; en ce cas, la peine entière peut être exigée de lui, et des autres pour leur part seulement, sauf leur recours contre lui.

1991, c. 64, a. 1625 (1994-01-01).

C.C.B.C. 1137 (**D.T.** 92; **C.C.Q.** 1519, 1522, 1523, 1540; **C.P.C.** 110)

SECTION III
DE LA PROTECTION DU DROIT À L'EXÉCUTION DE L'OBLIGATION

§ 1. — *Des mesures conservatoires*

Art. 1626. Le créancier peut prendre toutes les mesures nécessaires ou utiles à la conservation de ses droits.

1991, c. 64, a. 1626 (1994-01-01).

(**C.C.Q.** 864, 1504, 2735, 2887)

§ 2. — *De l'action oblique*

Art. 1627. Le créancier dont la créance est certaine, liquide et exigible peut, au nom de son débiteur, exercer les droits et actions de celui-ci, lorsque le débiteur, au préjudice du créancier, refuse ou néglige de les exercer.

Il ne peut, toutefois, exercer les droits et actions qui sont exclusivement attachés à la personne du débiteur.

1991, c. 64, a. 1627 (1994-01-01).

C.C.B.C. 1031 (**D.T.** 93; **C.C.Q.** 3, 652, 884, 1035, 1168, 1628, 2644, 2887; **C.P.C.** 55, 110, 625, 640, 736)

Art. 1624. Where an obligation with a penal clause is indivisible without being solidary and its nonperformance is due to the act or omission of only one of the co-debtors, the penalty may be exacted in full against him or against each of the co-debtors for his share, but, in the latter case, without prejudice to their remedy against the co-debtor who caused the penalty to be incurred.

Art. 1625. Where an obligation with a penal clause is divisible, the penalty also is divisible and is incurred only by that debtor who fails to perform the obligation, and only for that part for which he is liable, without there being any action against those who have performed it.

This rule does not apply where the obligation is solidary, nor where the penal clause was stipulated to prevent partial payment and one of the co-debtors has prevented the performance of the obligation for the whole; in this case, that co-debtor is liable for the whole penalty and the others are liable for their respective shares only, without prejudice to their remedy against him.

SECTION III
PROTECTION OF THE RIGHT TO PERFORMANCE OF OBLIGATIONS

§ 1. — *Conservatory measures*

Art. 1626. A creditor may take all necessary or useful measures to preserve his rights.

§ 2. — *Oblique action*

Art. 1627. A creditor whose claim is certain, liquid and exigible may exercise the rights and actions belonging to the debtor, in the debtor's name, where the debtor refuses or neglects to exercise them to the prejudice of the creditor.

However, he may not exercise rights and actions which are strictly personal to the debtor.

Art. 1628. Il n'est pas nécessaire que la créance soit liquide et exigible au moment où l'action est intentée; mais elle doit l'être au moment du jugement sur l'action.

1991, c. 64, a. 1628 (1994-01-01).

(D.T. 93; **C.C.Q.** 1628)

Art. 1629. Celui contre qui est exercée l'action oblique peut opposer au créancier tous les moyens qu'il aurait pu opposer à son propre créancier.

1991, c. 64, a. 1629 (1994-01-01).

(C.P.C. 110)

Art. 1630. Les biens recueillis par le créancier au nom de son débiteur tombent dans le patrimoine de celui-ci et profitent à tous ses créanciers.

1991, c. 64, a. 1630 (1994-01-01).

(C.C.Q. 780, 2644 ss., 2651)

§ 3. — De l'action en inopposabilité

Art. 1631. Le créancier, s'il en subit un préjudice, peut faire déclarer inopposable à son égard l'acte juridique que fait son débiteur en fraude de ses droits, notamment l'acte par lequel il se rend ou cherche à se rendre insolvable ou accorde, alors qu'il est insolvable, une préférence à un autre créancier.

1991, c. 64, a. 1631 (1994-01-01).

C.C.B.C. 1032, 1033 (**C.C.Q.** 470, 490, 652, 864, 1560, 1632 ss.; **C.P.C.** 55, 110; **L.R.C.** (1985), ch. B-3, a. 91 ss.)

Art. 1632. Un contrat à titre onéreux ou un paiement fait en exécution d'un tel contrat est réputé fait avec l'intention de frauder si le cocontractant ou le créancier connaissait l'insolvabilité du débiteur ou le fait que celui-ci, par cet acte, se rendait ou cherchait à se rendre insolvable.

1991, c. 64, a. 1632 (1994-01-01).

C.C.B.C. 1035, 1036, 1038 (**C.C.Q.** 1381, 1553, 2847)

Art. 1633. Un contrat à titre gratuit ou un paiement fait en exécution d'un tel contrat est réputé fait avec l'intention de frauder, même si le cocontractant ou le créancier ignorait ces faits, dès lors que le débiteur est insolvable ou le devient au moment où le contrat est conclu ou le paiement effectué.

1991, c. 64, a. 1633 (1994-01-01).

C.C.B.C. 1034 (**C.C.Q.** 1381, 1553, 1631, 2847)

Art. 1628. It is not necessary for the claim to be liquid and exigible at the time the action is instituted, but it is necessary that it be so at the time judgment is rendered.

Art. 1629. The person against whom an oblique action is brought may set up against the creditor all the defenses he could have set up against his own creditor.

Art. 1630. Property recovered by a creditor in the name of the debtor falls into the patrimony of the debtor and benefits all his creditors.

§ 3. — Paulian action

Art. 1631. A creditor who suffers prejudice through a juridical act made by his debtor in fraud of his rights, in particular an act by which he renders or seeks to render himself insolvent, or by which, being insolvent, he grants preference to another creditor may obtain a declaration that the act may not be set up against him.

Art. 1632. An onerous contract or a payment made for the performance of such a contract is deemed to be made with fraudulent intent if the contracting party or the creditor knew the debtor to be insolvent or knew that the debtor, by the juridical act, was rendering himself or was seeking to render himself insolvent.

Art. 1633. A gratuitous contract or a payment made for the performance of such a contract is deemed to be made with fraudulent intent, even if the contracting party or the creditor was unaware of the facts, where the debtor is or becomes insolvent at the time the contract is formed or the payment is made.

Art. 1634. La créance doit être certaine au moment où l'action est intentée; elle doit aussi être liquide et exigible au moment du jugement sur l'action.

La créance doit être antérieure à l'acte juridique attaqué, sauf si cet acte avait pour but de frauder un créancier postérieur.

1991, c. 64, a. 1634 (1994-01-01).

C.C.B.C. 1039 (**D.T.** 88, 93)

Art. 1635. L'action doit, à peine de déchéance, être intentée avant l'expiration d'un délai d'un an à compter du jour où le créancier a eu connaissance du préjudice résultant de l'acte attaqué ou, si l'action est intentée par un syndic de faillite pour le compte des créanciers collectivement, à compter du jour de la nomination du syndic.

1991, c. 64, a. 1635 (1994-01-01).

C.C.B.C. 1040 (**C.C.Q.** 2878)

Art. 1636. Lorsque l'acte juridique est déclaré inopposable à l'égard du créancier, il l'est aussi à l'égard des autres créanciers qui pouvaient intenter l'action et qui y sont intervenus pour protéger leurs droits; tous peuvent faire saisir et vendre le bien qui en est l'objet et être payés en proportion de leur créance, sous réserve des droits des créanciers prioritaires ou hypothécaires.

1991, c. 64, a. 1636 (1994-01-01).

(**C.C.Q.** 1626, 2644 ss.; **C.P.C.** 208, 209, 625, 640)

Art. 1634. The creditor may bring a claim only if it is certain at the time the action is instituted, and if it is liquid and exigible at the time the judgment is rendered.

He may bring the claim only if it existed prior to the juridical act which is attacked, unless that act was made for the purpose of defrauding a later ranking creditor.

Art. 1635. The action is forfeited unless it is brought within one year from the day on which the creditor learned of the injury resulting from the act which is attacked, or, where the action is brought by a trustee in bankruptcy on behalf of all the creditors, from the date of appointment of the trustee.

Art. 1636. Where it is declared that a juridical act may not be set up against the creditor, it may not be set up against any other creditors who were entitled to institute the action and who intervened in it to protect their rights; all may have the property forming the object of the contract or payment seized and sold and be paid according to their claims, subject to the rights of prior or hypothecary creditors.

CHAPITRE SEPTIÈME
DE LA TRANSMISSION ET DES MUTATIONS DE L'OBLIGATION

SECTION I
DE LA CESSION DE CRÉANCE

§ 1. — *De la cession de créance en général*

Art. 1637. Le créancier peut céder à un tiers, tout ou partie d'une créance ou d'un droit d'action qu'il a contre son débiteur.

Cette cession ne peut, cependant, porter atteinte aux droits du débiteur, ni rendre son obligation plus onéreuse.

1991, c. 64, a. 1637 (1994-01-01).

(**D.T.** 94; **C.C.Q.** 625, 641, 848, 888, 1082, 1135, 1173, 1385, 1610, 1638 ss., 2402, 2695, 2710 ss., 2938, 2939, 3120; **C.P.C.** 637)

Art. 1638. La cession d'une créance en comprend les accessoires.

1991, c. 64, a. 1638 (1994-01-01).

C.C.B.C. 1574, 1575 (**C.C.Q.** 2661)

Art. 1639. Le cédant à titre onéreux garantit que la créance existe et qu'elle lui est due même si la cession est faite sans garantie, à moins que le cessionnaire ne l'ait acquise à ses risques et périls ou qu'il n'ait connu, lors de la cession, le caractère incertain de la créance.

1991, c. 64, a. 1639 (1994-01-01).

C.C.B.C. 1510, 1576 (**C.C.Q.** 1590, 1611, 1640)

Art. 1640. Le cédant à titre onéreux qui répond, par une simple clause de garantie, de la solvabilité du débiteur ne répond de cette solvabilité qu'au moment de la cession et qu'à concurrence du prix qu'il a reçu.

1991, c. 64, a. 1640 (1994-01-01).

C.C.B.C. 1577 (**C.C.Q.** 1639, 1646)

Art. 1641. La cession est opposable au débiteur et aux tiers, dès que le débiteur y a acquiescé ou qu'il a reçu une copie ou un extrait pertinent de l'acte de cession ou, encore, une autre preuve de la cession qui soit opposable au cédant.

CHAPTER VII
TRANSFER AND ALTERATION OF OBLIGATIONS

SECTION I
ASSIGNMENT OF CLAIMS

§ 1. — *Assignment of claims in general*

Art. 1637. A creditor may assign to a third person all or part of a claim or a right of action which he has against his debtor.

He may not, however, make an assignment that is injurious to the rights of the debtor or that renders his obligation more onerous.

Art. 1638. The assignment of a claim includes its accessories.

Art. 1639. Where the assignment is by onerous title, the assignor guarantees that the claim exists and is owed to him, even if the assignment is made without warranty, unless the assignee has acquired it at his own risk or knew of the uncertain nature of the claim at the time of the assignment.

Art. 1640. Where the assignor by onerous title guarantees the solvency of the debtor by a simple clause of warranty, he is liable for the solvency only at the time of the assignment and to the extent of the price he received.

Art. 1641. An assignment may be set up against the debtor and the third person as soon as the debtor has acquiesced in it or received a copy or a pertinent extract of the deed of assignment or any other evidence of the assignment which may be set up against the assignor.

Lorsque le débiteur ne peut être trouvé au Québec, la cession est opposable dès la publication d'un avis de la cession, dans un journal distribué dans la localité de la dernière adresse connue du débiteur ou, s'il exploite une entreprise, dans la localité où elle a son principal établissement.

Where the debtor cannot be found in Québec, the assignment may be set up upon publication of a notice of assignment in a newspaper distributed in the locality of the last known address of the debtor or, if he carries on an enterprise, in the locality where its principal establishment is situated.

1991, c. 64, a. 1641 (1994-01-01); 1992, c. 57, a. 716 (1994-01-01).

C.C.B.C. 1571, 1571a, 1571b (**D.T.** 94; **C.C.Q.** 1642 ss., 1680, 1908, 2461, 2710 ss., 3003; **C.P.C.** 120, 140, 146, 637)

Art. 1642. La cession d'une universalité de créances, actuelles ou futures, est opposable aux débiteurs et aux tiers, par l'inscription de la cession au registre des droits personnels et réels mobiliers, pourvu cependant, quant aux débiteurs qui n'ont pas acquiescé à la cession, que les autres formalités prévues pour leur rendre la cession opposable aient été accomplies.

Art. 1642. The assignment of a universality of claims, present or future, may be set up against debtors and third persons by the registration of the assignment in the register of personal and movable real rights, provided, however, that the other formalities whereby the assignment may be set up against the debtors who have not acquiesced in it have been accomplished.

1991, c. 64, a. 1642 (1994-01-01).

C.C.B.C. 1571d (**D.T.** 94; **C.C.Q.** 1641, 1643, 1680, 2710 ss., 2938, 2970, 2981 ss.)

Art. 1643. Le débiteur peut opposer au cessionnaire tout paiement fait au cédant avant que la cession ne lui ait été rendue opposable, ainsi que toute autre cause d'extinction de l'obligation survenue avant ce moment.

Art. 1643. A debtor may set up against the assignee any payment made to the assignor before the assignment could be set up against him, as well as any other cause of extinction of the obligation that occurred before that time.

Il peut aussi opposer le paiement que lui-même ou sa caution a fait de bonne foi au créancier apparent, même si les formalités exigées pour rendre la cession opposable au débiteur et aux tiers ont été accomplies.

A debtor may also set up any payment made in good faith by himself or his surety to an apparent creditor, even if the required formalities whereby the assignment may be set up against the debtor and third persons have been accomplished.

1991, c. 64, a. 1643 (1994-01-01).

C.C.B.C. 1145, 1572 (**C.C.Q.** 1553, 1559, 1641, 1642, 1671, 1680)

Art. 1644. Lorsque la remise au débiteur de la copie ou d'un extrait de l'acte de cession ou d'une autre preuve de la cession qui soit opposable au cédant a lieu au moment de la signification d'une action exercée contre le débiteur, aucuns frais judiciaires ne peuvent être exigés de ce dernier s'il paie dans le délai fixé pour la comparution, à moins qu'il n'ait déjà été en demeure d'exécuter l'obligation.

Art. 1644. Where a copy or an extract of the deed of assignment or any other evidence of the assignment which may be set up against an assignor is handed over to the debtor at the time of service of an action brought against the debtor, no legal costs may be exacted from the debtor if he pays within the time fixed for appearance, unless he is already in default.

1991, c. 64, a. 1644 (1994-01-01); 1992, c. 57, a. 716 (1994-01-01).

(**C.C.Q.** 1553, 1594, 1597, 1641; **C.P.C.** 78, 119, 120 ss., 477)

Art. 1645. La cession n'est opposable à la caution que si les formalités prévues pour rendre la cession opposable au débiteur ont été accomplies à l'égard de la caution elle-même.

1991, c. 64, a. 1645 (1994-01-01).

(**C.C.Q.** 1641, 1642)

Art. 1646. Les cessionnaires d'une même créance, de même que le cédant pour ce qui lui reste dû, sont payés en proportion de leur créance.

Néanmoins, ceux qui ont obtenu une cession avec la garantie de fournir et faire valoir sont payés par préférence à tous les autres cessionnaires, ainsi qu'au cédant, en tenant compte, entre eux, des dates auxquelles leurs cessions respectives sont devenues opposables au débiteur.

1991, c. 64, a. 1646 (1994-01-01).

C.C.B.C. 1988, 2052 (**C.C.Q.** 1640-1642)

§ 2. — De la cession d'une créance constatée dans un titre au porteur

Art. 1647. Il est de l'essence de toute créance constatée dans un titre au porteur émis par un débiteur, qu'elle puisse être cédée par la simple tradition, d'un porteur à un autre, du titre qui la constate.

1991, c. 64, a. 1647 (1994-01-01).

C.C.B.C. 1573 (**C.C.Q.** 2043; **C.P.C.** 570; **L.R.Q.**, c. C-38, a. 46, 144; **L.R.Q.**, c. V-1.1, a. 10.1; **L.** 60, 61; **L.R.C.** (1985), ch. C-44, a. 60)

Art. 1648. Le débiteur qui a émis le titre au porteur est tenu de payer la créance qu'y est constatée à tout porteur qui lui remet le titre, sauf s'il a reçu notification d'un jugement lui ordonnant d'en retenir le paiement.

Il ne peut opposer au porteur d'autres moyens que ceux qui concernent la nullité ou un vice du titre, qui dérivent d'une stipulation expresse du titre ou qu'il peut faire valoir contre le porteur personnellement.

1991, c. 64, a. 1648 (1994-01-01).

(**C.C.Q.** 1649, 1650, 1671; **C.P.C.** 625)

Art. 1649. Le débiteur qui a émis le titre au porteur demeure tenu envers tout porteur de bonne foi, même s'il démontre que le titre a été mis en circulation contre sa volonté.

1991, c. 64, a. 1649 (1994-01-01).

Art. 1645. The assignment may not be set up against the surety unless the prescribed formalities for the setting up of assignment against the debtor have been accomplished in respect of the surety himself.

Art. 1646. The assignees of the same claim, and the assignor in respect of any remainder due to him, are paid in proportion to the value of their claims.

However, persons having obtained an assignment with a guarantee of payment are paid in preference to all other assignees and to the assignor, and, among themselves, in the order of the dates on which their respective assignments could be set up against the debtor.

§ 2. — Assignment of claims attested by bearer instrument

Art. 1647. It is of the essence of a claim attested by a bearer instrument issued by a debtor that it may be assigned by mere delivery, to another bearer, of the instrument attesting it.

Art. 1648. A debtor who has issued a bearer instrument is bound to pay the debt attested thereby to any bearer who hands over the instrument to him, except where he has received notice of a judgment ordering him to withhold payment thereof.

He may not set up any defenses against the bearer other than defenses respecting the nullity or a defect of title, those founded on an express stipulation in the instrument or such defenses as he may raise against the bearer personally.

Art. 1649. A debtor who has issued a bearer instrument remains bound towards every bearer in good faith, even if the debtor shows that the instrument was negotiated against his will.

Art. 1650. Celui qui a été injustement dépossédé d'un titre au porteur ne peut empêcher le débiteur de payer la créance à celui qui le lui présente, que sur notification d'une ordonnance du tribunal.

1991, c. 64, a. 1650 (1994-01-01).

(**C.C.Q.** 1648; **C.P.C.** 885a))

Art. 1650. A person who has been unlawfully dispossessed of a bearer instrument may not prevent the debtor from paying the claim to the person who presents the instrument except on notification of an order of the court.

SECTION II
DE LA SUBROGATION

SECTION II
SUBROGATION

Art. 1651. La personne qui paie à la place du débiteur peut être subrogée dans les droits du créancier.

Elle n'a pas plus de droits que le subrogeant.

1991, c. 64, a. 1651 (1994-01-01).

Art. 1651. A person who pays in the place of a debtor may be subrogated to the rights of the creditor.

He does not have more rights than the subrogating creditor.

C.C.B.C. 1154 (**C.C.Q.** 829, 1023, 1536, 1555, 1652 ss., 2355, 2360, 2474, 2620, 3003, 3004)

Art. 1652. La subrogation est conventionnelle ou légale.

1991, c. 64, a. 1652 (1994-01-01).

Art. 1652. Subrogation may be conventional or legal.

C.C.B.C. 1154 (**C.C.Q.** 1653, 1656)

Art. 1653. La subrogation conventionnelle peut être consentie par le créancier ou par le débiteur, mais elle doit être expresse et constatée par écrit.

1991, c. 64, a. 1653 (1994-01-01).

Art. 1653. Conventional subrogation may be made by the creditor or the debtor, but it shall be made expressly and in writing.

C.C.B.C. 1155 (**C.C.Q.** 1654, 1655)

Art. 1654. La subrogation consentie par le créancier doit l'être en même temps qu'il reçoit le paiement. Elle s'opère sans le consentement du débiteur, malgré toute stipulation contraire.

1991, c. 64, a. 1654 (1994-01-01).

Art. 1654. Subrogation may be made by the creditor only at the same time as he receives payment. It takes effect without the consent of the debtor, notwithstanding any stipulation to the contrary.

C.C.B.C. 1155(1) (**D.T.** 95; **C.C.Q.** 1553, 1555, 1557, 1566, 3003, 3004)

Art. 1655. La subrogation consentie par le débiteur ne peut l'être qu'au profit de son prêteur et elle s'opère sans le consentement du créancier.

Il faut, pour que cette subrogation soit valable, que l'acte de prêt et la quittance soient faits par acte notarié en minute ou par acte sous seing privé établi en présence de deux témoins qui le signent. En outre, il doit être déclaré, dans l'acte de prêt, que l'emprunt est fait pour acquitter la dette, et, dans la quittance, que le paiement est fait à même l'emprunt.

1991, c. 64, a. 1655 (1994-01-01).

Art. 1655. Subrogation may not be made by a debtor in favour of anyone except his lender and it takes effect without the consent of the creditor.

In order for subrogation to be valid in this case, the loan instrument and the acquittance shall each be made in the form of a notarial act *en minute* or by a private writing drawn up before two witnesses who sign it. In addition, a statement shall be made in the loan instrument that the loan is granted for the purpose of paying the debt, and, in the acquittance, that the debt is paid out of the loan.

C.C.B.C. 1155(2) (**C.C.Q.** 1555, 2313, 2314, 2813, 2814, 2826)

Art. 1656. La subrogation s'opère par le seul effet de la loi:

1° Au profit d'un créancier qui paie un autre créancier qui lui est préférable en raison d'une créance prioritaire ou d'une hypothèque;

2° Au profit de l'acquéreur d'un bien qui paie un créancier dont la créance est garantie par une hypothèque sur ce bien;

3° Au profit de celui qui paie une dette à laquelle il est tenu avec d'autres ou pour d'autres et qu'il a intérêt à acquitter;

4° Au profit de l'héritier qui paie de ses propres deniers une dette de la succession à laquelle il n'était pas tenu;

5° Dans les autres cas établis par la loi.

1991, c. 64, a. 1656 (1994-01-01).

Art. 1656. Subrogation takes place by operation of law

(1) in favour of a creditor who pays another creditor whose claim is preferred to his because of a prior claim or a hypothec;

(2) in favour of the acquirer of a property who pays a creditor whose claim is secured by a hypothec on the property;

(3) in favour of a person who pays a debt to which he is bound with others or for others and which he has an interest in paying;

(4) in favour of an heir who pays with his own funds a debt of the succession for which he was not bound;

(5) in any other case provided by law.

1991, c. 64, a. 1656 (1994-01-01).

C.C.B.C. 1156 (**C.C.Q.** 625, 829, 1023, 1536, 1553, 1658, 2355, 2360, 2365, 2474, 2620, 2650, 2651, 2660, 2661)

Art. 1657. La subrogation a effet contre le débiteur principal et ses garants, qui peuvent opposer au subrogé les moyens qu'ils avaient contre le créancier originaire.

1991, c. 64, a. 1657 (1994-01-01).

Art. 1657. Subrogation has effect against the principal debtor and his warrantors, who may set up against the person subrogated the defenses they had against the original creditor.

C.C.B.C. 1157 (**C.C.Q.** 1531, 2345 ss., 2365)

Art. 1658. Le créancier qui n'a été payé qu'en partie peut exercer ses droits pour le solde de sa créance, par préférence au subrogé dont il n'a reçu qu'une partie de celle-ci.

Toutefois, si le créancier s'est obligé envers le subrogé à fournir et faire valoir le montant pour lequel sa subrogation est acquise, le subrogé lui est préféré.

1991, c. 64, a. 1658 (1994-01-01).

Art. 1658. A creditor who has been only partly paid may exercise his rights in respect of the balance of his claim in preference to the person subrogated from whom he has received only part of his claim.

However, if the creditor has obligated himself to the person subrogated to guarantee payment of the amount for which the subrogation is acquired, the person subrogated has the preference.

C.C.B.C. 1157, 1986, 2052 (**C.C.Q.** 1553, 1651; **C.P.C.** 110)

Art. 1659. Ceux qui sont subrogés dans les droits d'un même créancier sont payés à proportion de leur part dans le paiement subrogatoire, sauf convention contraire.

1991, c. 64, a. 1659 (1994-01-01).

Art. 1659. Except where there is agreement to the contrary, persons who are subrogated to the rights of the same creditor are paid in proportion to the value of their share in the payment in subrogation.

C.C.B.C. 1987, 2052 (**C.C.Q.** 1651)

SECTION III
DE LA NOVATION

Art. 1660. La novation s'opère lorsque le débiteur contracte envers son créancier une nouvelle dette qui est substituée à l'ancienne, laquelle est éteinte, ou lorsqu'un nouveau débiteur est substitué à l'ancien, lequel est déchargé par le créancier; la novation peut alors s'opérer sans le consentement de l'ancien débiteur.

Elle s'opère aussi lorsque, par l'effet d'un nouveau contrat, un nouveau créancier est substitué à l'ancien envers lequel le débiteur est déchargé.

1991, c. 64, a. 1660 (1994-01-01).

___
C.C.B.C. 1169, 1172 (**C.C.Q.** 319, 1661 ss., 1671)

Art. 1661. La novation ne se présume pas; l'intention de l'opérer doit être évidente.

1991, c. 64, a. 1661 (1994-01-01).

___
C.C.B.C. 1171 (**C.C.Q.** 2354-2359, 2849)

Art. 1662. Les hypothèques liées à l'ancienne créance ne passent point à celle qui lui est substituée, à moins que le créancier ne les ait expressément réservées.

1991, c. 64, a. 1662 (1994-01-01).

___
C.C.B.C. 1176 (**C.C.Q.** 1663, 1664, 2660, 2661, 2665)

Art. 1663. Lorsque la novation s'opère par la substitution d'un nouveau débiteur, le nouveau débiteur ne peut opposer au créancier les moyens qu'il pouvait faire valoir contre l'ancien débiteur, ni ceux que l'ancien débiteur avait contre le créancier, à moins, dans ce dernier cas, qu'il ne puisse invoquer la nullité de l'acte qui les liait.

De plus, les hypothèques liées à l'ancienne créance ne peuvent point passer sur les biens du nouveau débiteur; et elles ne peuvent point, non plus, être réservées sur les biens de l'ancien débiteur sans son consentement. Mais elles peuvent passer sur les biens acquis de l'ancien débiteur par le nouveau débiteur, si celui-ci y consent.

1991, c. 64, a. 1663 (1994-01-01).

___
C.C.B.C. 1177, 1180 (**C.C.Q.** 1407, 1416 ss., 1662, 2660, 2661, 2665, 2751)

SECTION III
NOVATION

Art. 1660. Novation is effected where the debtor contracts towards his creditor a new debt which is substituted for the existing debt, which is extinguished, or where a new debtor is substituted for the former debtor, who is discharged by the creditor; in such a case, novation may be effected without the consent of the former debtor.

Novation is also effected where, by the effect of a new contract, a new creditor is substituted for the former creditor, towards whom the debtor is discharged.

Art. 1661. Novation is not presumed; it is effected only where the intention to effect it is evident.

Art. 1662. Hypothecs attached to the existing claim are not transferred to the claim substituted for it, unless they are expressly reserved by the creditor.

Art. 1663. Where novation is effected by substitution of a new debtor the new debtor may not set up against the creditor the defenses which he could have raised against the former debtor, nor the defenses which the former debtor had against the creditor, unless, in the latter case, he may invoke the nullity of the act that bound them.

Furthermore, hypothecs attached to the existing claim may not be transferred to the property of the new debtor; nor may they be reserved upon the property of the former debtor without his consent. However, they may be transferred to property acquired from the former debtor by the new debtor, if the new debtor consents thereto.

Art. 1664. Lorsque la novation s'opère entre le créancier et l'un des débiteurs solidaires, les hypothèques liées à l'ancienne créance ne peuvent être réservées que sur les biens du codébiteur qui contracte la nouvelle dette.

1991, c. 64, a. 1664 (1994-01-01).

C.C.B.C. 1178 (**C.C.Q.** 1523, 1665, 2660, 2661, 2665)

Art. 1665. La novation qui s'opère entre le créancier et l'un des débiteurs solidaires libère les autres codébiteurs à l'égard du créancier; celle qui s'opère à l'égard du débiteur principal libère les cautions.

Toutefois, lorsque le créancier a exigé, dans le premier cas, l'accession des codébiteurs, ou, dans le second cas, celle des cautions, l'ancienne créance subsiste, si les codébiteurs ou les cautions refusent d'accéder au nouveau contrat.

1991, c. 64, a. 1665 (1994-01-01).

C.C.B.C. 1179 (**C.C.Q.** 1523, 1664, 2333)

Art. 1666. La novation consentie par un créancier solidaire est inopposable à ses cocréanciers, excepté pour sa part dans la créance solidaire.

1991, c. 64, a. 1666 (1994-01-01).

C.C.B.C. 1101 al. 2 (**C.C.Q.** 1541)

Art. 1664. Where novation is effected between the creditor and one of the solidary debtors, hypothecs attached to the existing claim may only be reserved upon the property of the co-debtor who contracts the new debt.

Art. 1665. Novation effected between the creditor and one of the solidary debtors releases the other co-debtors in respect of the creditor; novation effected in respect of the principal debtor releases his sureties.

However, where the creditor has required the accession of the co-debtors, in the first case, or of the sureties, in the second case, the existing claim subsists if the co-debtors or the sureties refuse to accede to the new contract.

Art. 1666. Novation which has been agreed to by one of the solidary creditors may not be set up against the other co-creditors, except for his part in the solidary claim.

SECTION IV
DE LA DÉLÉGATION

SECTION IV
DELEGATION

Art. 1667. La désignation par le débiteur d'une personne qui paiera à sa place ne constitue une délégation de paiement que si le délégué s'oblige personnellement au paiement envers le créancier délégataire; autrement, elle ne constitue qu'une simple indication de paiement.

1991, c. 64, a. 1667 (1994-01-01).

C.C.B.C. 1173, 1174 (**C.C.Q.** 1555, 1660 ss., 1668 ss.)

Art. 1668. Le créancier délégataire, s'il accepte la délégation, conserve ses droits contre le débiteur délégant, à moins qu'il ne soit évident que le créancier entend décharger ce débiteur.

1991, c. 64, a. 1668 (1994-01-01).

C.C.B.C. 1173 (**C.C.Q.** 1660 ss.; **C.P.C.** 110)

Art. 1667. Designation by a debtor of a person who is to pay in his place constitutes a delegation of payment only when the delegate obligates himself personally to the delegatee to make the payment; otherwise, it merely constitutes an indication of payment.

Art. 1668. Where the delegatee accepts the delegation, he preserves his rights against the delegator, unless the delegatee evidently intends to discharge him.

Art. 1669. Le délégué ne peut opposer au délégataire les moyens qu'il aurait pu faire valoir contre le délégant, même s'il en ignorait l'existence au moment de la délégation.

Cette règle ne s'applique pas, si, au moment de la délégation, rien n'est dû au délégataire, et elle ne préjudicie pas au recours du délégué contre le délégant.

1991, c. 64, a. 1669 (1994-01-01).

C.C.B.C. 1180 (**C.C.Q.** 1670)

Art. 1670. Le délégué peut opposer au délégataire tous les moyens que le délégant aurait pu faire valoir contre le délégataire.

Le délégué ne peut, toutefois, opposer la compensation de ce que le délégant doit au délégataire, ni de ce que le délégataire doit au délégant.

1991, c. 64, a. 1670 (1994-01-01).

C.C.B.C. 1180 al. 2 (**C.C.Q.** 1669, 1672)

Art. 1669. The delegate may not set up against the delegatee the defenses he could have raised against the delegator, even though he did not know of their existence at the time of the delegation.

This rule does not apply if, at the time of the delegation, nothing is due to the delegatee, nor does it prejudice the remedy of the delegate against the delegator.

Art. 1670. The delegate may set up against the delegatee all such defenses as the delegator could have set up against the delegatee.

The delegate may not set up compensation, however, for what the delegator owes to the delegatee or for what the delegatee owes to the delegator.

CHAPITRE HUITIÈME
DE L'EXTINCTION DE L'OBLIGATION

CHAPTER VIII
EXTINCTION OF OBLIGATIONS

SECTION I
DISPOSITION GÉNÉRALE

SECTION I
GENERAL PROVISION

Art. 1671. Outre les autres causes d'extinction prévues ailleurs dans ce code, tels le paiement, l'arrivée d'un terme extinctif, la novation ou la prescription, l'obligation est éteinte par la compensation, par la confusion, par la remise, par l'impossibilité de l'exécuter ou, encore, par la libération du débiteur.

1991, c. 64, a. 1671 (1994-01-01).

Art. 1671. Obligations are extinguished not only by the causes of extinction contemplated in other provisions of this Code, such as payment, the expiry of an extinctive term, novation or prescription, but also by compensation, confusion, release, impossibility of performance or discharge of the debtor.

C.C.B.C. 1138 (**C.C.Q.** 1355 ss., 1497, 1507, 1517, 1553 ss., 1604 ss., 1660 ss., 1672 ss., 1683 ss., 1687 ss., 1693 ss., 1695 ss., 1836, 2091, 2093, 2094, 2125 ss., 2175 ss., 2226, 2230 ss., 2258 ss., 2659, 2875 ss., 2921; **C.P.C.** 165(4), 172, 596, 674)

SECTION II
DE LA COMPENSATION

SECTION II
COMPENSATION

Art. 1672. Lorsque deux personnes se trouvent réciproquement débitrices et créancières l'une de l'autre, les dettes auxquelles elles sont tenues s'éteignent par compensation jusqu'à concurrence de la moindre.

La compensation ne peut être invoquée contre l'État, mais celui-ci peut s'en prévaloir.

1991, c. 64, a. 1672 (1994-01-01).

Art. 1672. Where two persons are reciprocally debtor and creditor of each other, the debts for which they are liable are extinguished by compensation, up to the amount of the lesser debt.

Compensation may not be claimed from the State, but the State may claim it.

C.C.B.C. 1187, 1188 al. 2 (**C.C.Q.** 748, 881, 958, 959, 1673 ss.; **C.P.C.** 172)

Art. 1673. La compensation s'opère de plein droit dès que coexistent des dettes qui sont l'une et l'autre certaines, liquides et exigibles et qui ont pour objet une somme d'argent ou une certaine quantité de biens fongibles de même espèce.

Une partie peut demander la liquidation judiciaire d'une dette afin de l'opposer en compensation.

1991, c. 64, a. 1673 (1994-01-01).

Art. 1673. Compensation is effected by operation of law upon the coexistence of debts that are certain, liquid and exigible and the object of both of which is a sum of money or a certain quantity of fungible property identical in kind.

A person may apply for judicial liquidation of a debt in order to set it up for compensation.

C.C.B.C. 1188 al. 1 (**C.C.Q.** 1672)

Art. 1674. La compensation s'opère même si les dettes ne sont pas payables au même lieu, sauf à tenir compte des frais de délivrance, le cas échéant.

1991, c. 64, a. 1674 (1994-01-01).

Art. 1674. Compensation is effected even though the debts are not payable at the same place, provided allowance is made for the expenses of delivery, if any.

C.C.B.C. 1193 (**C.C.Q.** 1566, 1567)

Art. 1675. Le délai de grâce accordé pour le paiement de l'une des dettes ne fait pas obstacle à la compensation.

1991, c. 64, a. 1675 (1994-01-01).

———
C.C.B.C. 1189

Art. 1676. La compensation s'opère quelle que soit la cause de l'obligation d'où résulte la dette.

Elle n'a pas lieu, cependant, si la créance résulte d'un acte fait dans l'intention de nuire ou si la dette a pour objet un bien insaisissable.

1991, c. 64, a. 1676 (1994-01-01).

———
C.C.B.C. 1190 (**C.C.Q.** 2285, 2324; **C.P.C.** 553 ss.)

Art. 1677. Lorsque plusieurs dettes susceptibles de compensation sont dues par le même débiteur, il est fait application des règles établies pour l'imputation des paiements.

1991, c. 64, a. 1677 (1994-01-01).

———
C.C.B.C. 1195 (**C.C.Q.** 1569 ss.)

Art. 1678. Le débiteur solidaire ne peut opposer la compensation de ce que le créancier doit à son codébiteur, excepté pour la part de ce dernier dans la dette solidaire.

Le débiteur, qu'il soit ou non solidaire, ne peut opposer à un créancier solidaire la compensation de ce qu'un cocréancier lui doit, excepté pour la part de ce dernier dans la créance solidaire.

1991, c. 64, a. 1678 (1994-01-01).

———
C.C.B.C. 1101 al. 2, 1191 al. 3 (**C.C.Q.** 1530, 1533, 1539, 2353)

Art. 1679. La caution peut opposer la compensation de ce que le créancier doit au débiteur principal; mais le débiteur principal ne peut opposer la compensation de ce que le créancier doit à la caution.

1991, c. 64, a. 1679 (1994-01-01).

———
C.C.B.C. 1191 al. 1 et 2 (**C.C.Q.** 2340, 2346, 2347, 2353; **C.P.C.** 165(4))

Art. 1680. Le débiteur qui acquiesce purement et simplement à la cession ou à l'hypothèque de créance consentie par son créancier à un tiers, ne peut plus opposer à ce tiers la compensation qu'il eût pu opposer au créancier originaire avant son acquiescement.

Art. 1675. A period of grace granted for payment of one of the debts does not prevent compensation.

Art. 1676. Compensation is effected regardless of the cause of the obligation that has given rise to the debt.

Compensation does not take place, however, if the claim results from an act performed with intention to harm or if the object of the debt is property which is exempt from seizure.

Art. 1677. Where several debts subject to compensation are owed by one debtor, the rules of imputation of payment apply.

Art. 1678. One of the solidary debtors may not set up compensation for what the creditor owes to his co-debtor, except for the share of that co-debtor in the solidary debt.

A debtor, whether solidary or not, may not set up compensation against one of the solidary creditors for what a co-creditor owes him, except for the share of that co-creditor in the solidary debt.

Art. 1679. A surety may set up compensation for what the creditor owes to the principal debtor, but the principal debtor may not set up compensation for what the creditor owes to the surety.

Art. 1680. A debtor who has acquiesced unconditionally in the assignment or hypothecating of claims by his creditor to a third person may not afterwards set up against the third person any compensation that he could have set up against the original creditor before he acquiesced.

La cession ou l'hypothèque à laquelle le débiteur n'a pas acquiescé, mais qui lui est devenue opposable, n'empêche que la compensation des dettes du créancier originaire qui sont postérieures au moment où la cession ou l'hypothèque lui est ainsi devenue opposable.

1991, c. 64, a. 1680 (1994-01-01).

C.C.B.C. 1192 (**C.C.Q.** 1637, 1641, 1642, 2660, 2710)

Art. 1681. La compensation n'a pas lieu, et on ne peut non plus y renoncer, au préjudice des droits acquis à un tiers.

1991, c. 64, a. 1681 (1994-01-01).

C.C.B.C. 1196 (**C.C.Q.** 1682; **C.P.C.** 625 ss.)

Art. 1682. Le débiteur qui pouvait opposer la compensation et qui a néanmoins payé sa dette ne peut plus se prévaloir, au préjudice des tiers, des priorités ou des hypothèques attachées à sa créance.

1991, c. 64, a. 1682 (1994-01-01); 2002, c. 19, a. 15 (2002-06-13).

C.C.B.C. 1197 (**C.C.Q.** 1553, 1672, 2650, 2660, 2665, 2710, 2797)

SECTION III
DE LA CONFUSION

Art. 1683. La réunion des qualités de créancier et de débiteur dans la même personne opère une confusion qui éteint l'obligation. Néanmoins, dans certains cas, lorsque la confusion cesse d'exister, ses effets cessent aussi.

1991, c. 64, a. 1683 (1994-01-01).

C.C.B.C. 1198 (**C.C.Q.** 1162, 1191, 1208, 1209, 1249, 1684-1686)

Art. 1684. La confusion qui s'opère par le concours des qualités de créancier et de débiteur en la même personne profite aux cautions. Celle qui s'opère par le concours des qualités de caution et de créancier, ou de caution et de débiteur principal, n'éteint pas l'obligation principale.

1991, c. 64, a. 1684 (1994-01-01).

C.C.B.C. 1199

Art. 1685. La confusion qui s'opère par le concours des qualités de créancier et de codébiteur solidaire ou de débiteur et de cocréancier solidaire, n'éteint l'obligation qu'à concurrence de la part de ce codébiteur ou créancier.

1991, c. 64, a. 1685 (1994-01-01).

C.C.B.C. 1101 al. 2, 1113 (**C.C.Q.** 1523, 1541, 1684)

An assignment or hypothec in which a debtor has not acquiesced, but which from a certain time may be set up against him, prevents compensation only for debts of the original creditor which come after that time.

Art. 1681. Compensation may neither be effected nor be renounced to the prejudice of the acquired rights of a third person.

Art. 1682. A debtor who could have set up compensation and has nevertheless paid his debt may not afterwards avail himself, to the prejudice of third persons, of any priority or hypothec attached to his claim.

SECTION III
CONFUSION

Art. 1683. Where the qualities of creditor and debtor are united in the same person, confusion is effected, extinguishing the obligation. Nevertheless, in certain cases where confusion ceases to exist, the effects cease also.

Art. 1684. Confusion of the qualities of creditor and debtor in the same person avails the sureties. Confusion of the qualities of surety and creditor or of surety and principal debtor does not extinguish the primary obligation.

Art. 1685. Confusion of the qualities of creditor and solidary co-debtor or of debtor and solidary co-creditor extinguishes the obligation only to the extent of the share of that co-debtor or co-creditor.

Art. 1686. L'hypothèque s'éteint par la confusion des qualités de créancier hypothécaire et de propriétaire du bien hypothéqué.

Elle renaît, cependant, si le créancier est évincé pour quelque cause indépendante de lui.

1991, c. 64, a. 1686 (1994-01-01).

C.C.B.C. 2081(3) (**C.C.Q.** 1683, 2772, 2802)

Art. 1686. A hypothec is extinguished by confusion of the qualities of hypothecary creditor and owner of the hypothecated property.

However, if the creditor is evicted for a cause which is not attributable to him, the hypothec revives.

SECTION IV
DE LA REMISE

SECTION IV
RELEASE

Art. 1687. Il y a remise lorsque le créancier libère son débiteur de son obligation.

La remise est totale, à moins qu'elle ne soit stipulée partielle.

1991, c. 64, a. 1687 (1994-01-01).

(**C.C.Q.** 1385, 1588, 1688 ss., 2331, 2631)

Art. 1687. Release takes place where the creditor releases his debtor from his obligation.

Release is complete, unless it is stipulated to be partial.

Art. 1688. La remise est expresse ou tacite.

Elle est à titre onéreux ou à titre gratuit, suivant la nature de l'acte dans lequel elle s'inscrit.

1991, c. 64, a. 1688 (1994-01-01).

C.C.B.C. 1181 al. 1 (**C.C.Q.** 1381, 1689, 1690, 1692, 1811)

Art. 1688. Release is either express or tacit.

Release is either onerous or gratuitous, according to the nature of the act from which it derives.

Art. 1689. Le créancier qui, volontairement, met son débiteur en possession du titre original de l'obligation est présumé lui faire remise de la dette, s'il n'y a d'autres circonstances permettant d'en déduire plutôt un paiement du débiteur.

Le créancier qui, pareillement, met l'un des débiteurs solidaires en possession du titre original de l'obligation est, de même, présumé faire remise de la dette à l'égard de tous.

1991, c. 64, a. 1689 (1994-01-01).

C.C.B.C. 1181 al. 2, 1183 (**C.C.Q.** 1523, 1530, 1543, 1553, 1568, 1690, 2847)

Art. 1689. A creditor who voluntarily surrenders the original title of an obligation to his debtor is presumed to grant him a release of the debt, unless the circumstances indicate that the debtor has paid the debt.

Similarly, a creditor who voluntarily surrenders the original title of an obligation to one of the solidary debtors is presumed to grant a release of the debt in favour of all the debtors.

Art. 1690. La remise expresse accordée à l'un des débiteurs solidaires ne libère les autres codébiteurs que pour la part de celui qu'il a déchargé; et si l'un ou plusieurs des autres codébiteurs deviennent insolvables, les portions des insolvables sont réparties par contribution entre tous les autres codébiteurs, excepté celui à qui il a été fait remise, dont la part contributive est supportée par le créancier.

Art. 1690. Express release granted to one of the solidary debtors releases the other co-debtors for only the share of the person discharged; if one or several of the other co-debtors become insolvent, the shares of the insolvents are apportioned rateably between all the other co-debtors, except the co-debtor to whom the release was granted, whose share is borne by the creditor.

La remise expresse accordée par l'un des créanciers solidaires ne libère le débiteur que pour la part de ce créancier.

1991, c. 64, a. 1690 (1994-01-01).

C.C.B.C. 1101 al. 2, 1184 (**C.C.Q.** 1523, 1532, 1538, 1543)

Art. 1691. La renonciation expresse à une priorité ou à une hypothèque par le créancier ne fait pas présumer la remise de la dette garantie.

1991, c. 64, a. 1691 (1994-01-01).

C.C.B.C. 1182 (**C.C.Q.** 2650, 2660)

Art. 1692. La remise expresse accordée à l'une des cautions libère les autres, dans la mesure du recours que ces dernières auraient eu contre la caution libérée.

Toutefois, ce que le créancier a reçu de la caution pour sa libération n'est pas imputé à la décharge du débiteur principal ou des autres cautions, excepté, quant à ces derniers, dans les cas où ils ont un recours contre la caution libérée et jusqu'à concurrence de tel recours.

1991, c. 64, a. 1692 (1994-01-01).

C.C.B.C. 1185 al. 3, 1186 (**C.C.Q.** 1688, 2333, 2360; **C.P.C.** 110)

Express release granted by one of the solidary creditors releases the debtor only to the extent of the share of that creditor.

Art. 1691. Express renunciation of a priority or a hypothec by a creditor does not give rise to a presumption of release of the secured debt.

Art. 1692. Express release granted to one of the sureties releases the other sureties to the extent of the remedy they would have had against the released surety.

Nevertheless, no payment received by the creditor from the surety for his release may be imputed to the discharge of the principal debtor or of the other sureties, except, as regards the sureties, where they have a remedy against the released surety and to the extent of that remedy.

SECTION V
DE L'IMPOSSIBILITÉ D'EXÉCUTER L'OBLIGATION

SECTION V
IMPOSSIBILITY OF PERFORMANCE

Art. 1693. Lorsqu'une obligation ne peut plus être exécutée par le débiteur, en raison d'une force majeure et avant qu'il soit en demeure, il est libéré de cette obligation; il en est également libéré, lors même qu'il était en demeure, lorsque le créancier n'aurait pu, de toute façon, bénéficier de l'exécution de l'obligation en raison de cette force majeure; à moins que, dans l'un et l'autre cas, le débiteur ne se soit expressément chargé des cas de force majeure.

La preuve d'une force majeure incombe au débiteur.

1991, c. 64, a. 1693 (1994-01-01).

C.C.B.C. 1200 al. 1 et 2, 1202 (**C.C.Q.** 1470, 1562, 1594 ss., 1694, 1697, 1698, 2803)

Art. 1693. A debtor is released where he cannot perform an obligation by reason of a superior force and before he is in default, or where, although he was in default, the creditor could not, in any case, benefit by the performance of the obligation by reason of that superior force, unless, in either case, the debtor has expressly assumed the risk of superior force.

The burden of proof of superior force is on the debtor.

Art. 1694. Le débiteur ainsi libéré ne peut exiger l'exécution de l'obligation corrélative du créancier; si elle a été exécutée, il y a lieu à restitution.

Art. 1694. A debtor released by impossibility of performance may not exact performance of the correlative obligation of the creditor; if the performance has already been rendered, restitution is owed.

Lorsque le débiteur a exécuté son obligation en partie, le créancier demeure tenu d'exécuter la sienne jusqu'à concurrence de son enrichissement. 1991, c. 64, a. 1694 (1994-01-01).

Where the debtor has performed part of his obligation, the creditor remains bound to perform his own obligation to the extent of his enrichment.

C.C.B.C. 1202 (**C.C.Q.** 1493 ss., 1700 ss.)

SECTION VI
DE LA LIBÉRATION DU DÉBITEUR

SECTION VI
DISCHARGE OF THE DEBTOR

Art. 1695. Lorsqu'un créancier prioritaire ou hypothécaire acquiert le bien sur lequel porte sa créance, à la suite d'une vente en justice, d'une vente faite par le créancier ou d'une vente sous contrôle de justice, le débiteur est libéré de sa dette envers ce créancier, jusqu'à concurrence de la valeur marchande du bien au moment de l'acquisition, déduction faite de toute autre créance ayant priorité de rang sur celle de l'acquéreur.

Le débiteur est également libéré lorsque, dans les trois années qui suivent la vente, ce créancier reçoit, en revendant le bien ou une partie de celui-ci, ou en faisant sur le bien d'autres opérations, une valeur au moins égale au montant de sa créance, en capital, intérêts et frais, au montant des impenses qu'il a faites sur le bien, portant intérêt, et au montant des autres créances prioritaires ou hypothécaires qui prennent rang avant la sienne.

Art. 1695. Where a prior or hypothecary creditor acquires the property on which he has a claim, as a result of a judicial sale, a sale by the creditor or a sale by judicial authority, the debtor is released from his debt to the creditor up to the market value of the property at the time of acquisition, less any claims ranking ahead of the acquirer's claim.

The debtor is also released where, within three years from the sale, the creditor who acquired the property receives, by resale of all or part of the property or by any other transaction in respect of it, value equal to or greater than the amount of his claim, including capital, interest and costs, the amount of the disbursements he has made on the property, with interest, and the amount of the other prior or hypothecary claims ranking ahead of his own.

1991, c. 64, a. 1695 (1994-01-01).

C.C.B.C. 1202a, 1202b, 1202c (**D.T.** 96; **C.C.Q.** 2650, 2651, 2657, 2660, 2784 ss., 2791 ss., 2945 ss.; **C.P.C.** 683 ss.)

Art. 1696. Le créancier est présumé avoir acquis le bien s'il est vendu à une personne avec qui il est de connivence ou qui lui est liée, notamment, un conjoint, un parent ou allié jusqu'au deuxième degré, une personne vivant sous son toit, ou encore un associé ou une personne morale dont il est un administrateur ou qu'il contrôle.

Art. 1696. The creditor is presumed to have acquired the property if it is sold to a person in collusion with or related to the creditor, especially a spouse, a relative by blood or a person connected by marriage or a civil union up to the second degree, a person living with the creditor, a partner or a legal person of which the creditor is a director or which he or she controls.

1991, c. 64, a. 1696 (1994-01-01); 1992, c. 57, a. 716 (1994-01-01); 2002, c. 6, a. 49 (2002-06-24).

C.C.B.C. 1202f, 1202g (**C.C.Q.** 656, 657, 659, 1709, 2847; **C.P.C.** 683 ss.)

Art. 1697. Le débiteur libéré a le droit d'obtenir quittance du créancier.

Si ce dernier refuse, le débiteur peut s'adresser au tribunal pour faire constater sa libération. Le jugement qui la constate vaut quittance à l'égard du créancier.

Art. 1697. A debtor, on being released, is entitled to an acquittance from his creditor.

If the creditor refuses to grant the acquittance, the debtor may move that the court declare his release. The judgment attesting the release is equivalent to an acquittance with respect to the creditor.

1991, c. 64, a. 1697 (1994-01-01).

C.C.B.C. 1202h (**C.C.Q.** 1568, 1695, 3065)

Art. 1698. La libération du débiteur principal entraîne la libération de ses cautions et de ses autres garants, qui peuvent exercer les mêmes droits que le débiteur principal, même indépendamment de lui.

1991, c. 64, a. 1698 (1994-01-01).

C.C.B.C. 1202i (**C.C.Q.** 2333, 2346, 2353, 2366)

Art. 1698. Release of the principal debtor entails release of his sureties and other warrantors, who may exercise the same rights as the principal debtor, even independently of him.

CHAPITRE NEUVIÈME
DE LA RESTITUTION DES PRESTATIONS

SECTION I
DES CIRCONSTANCES DANS LESQUELLES A LIEU LA RESTITUTION

Art. 1699. La restitution des prestations a lieu chaque fois qu'une personne est, en vertu de la loi, tenue de rendre à une autre des biens qu'elle a reçus sans droit ou par erreur, ou encore en vertu d'un acte juridique qui est subséquemment anéanti de façon rétroactive ou dont les obligations deviennent impossibles à exécuter en raison d'une force majeure.

Le tribunal peut, exceptionnellement, refuser la restitution lorsqu'elle aurait pour effet d'accorder à l'une des parties, débiteur ou créancier, un avantage indu, à moins qu'il ne juge suffisant, dans ce cas, de modifier plutôt l'étendue ou les modalités de la restitution.

1991, c. 64, a. 1699 (1994-01-01).

(**D.T.** 97; **C.C.Q.** 1422, 1491 ss., 1554, 1606, 1694, 1700 ss., 1707, 1838)

SECTION II
DES MODALITÉS DE LA RESTITUTION

Art. 1700. La restitution des prestations se fait en nature, mais si elle ne peut se faire ainsi en raison d'une impossibilité ou d'un inconvénient sérieux, elle se fait par équivalent.

L'équivalence s'apprécie au moment où le débiteur a reçu ce qu'il doit restituer.

1991, c. 64, a. 1700 (1994-01-01).

C.C.B.C. 1047 al. 1 (**D.T.** 97; **C.C.Q.** 1701, 1702)

Art. 1701. En cas de perte totale ou d'aliénation du bien sujet à restitution, celui qui a l'obligation de restituer est tenu de rendre la valeur du bien, considérée au moment de sa réception, de sa perte ou aliénation, ou encore au moment de la restitution, suivant la moindre de ces valeurs; mais s'il est de mauvaise foi ou si la cause de restitution est due à sa faute, la restitution se fait suivant la valeur la plus élevée.

CHAPTER IX
RESTITUTION OF PRESTATIONS

SECTION I
CIRCUMSTANCES IN WHICH RESTITUTION TAKES PLACE

Art. 1699. Restitution of prestations takes place where a person is bound by law to return to another person the property he has received, either unlawfully or by error, or under a juridical act which is subsequently annulled retroactively or under which the obligations become impossible to perform by reason of superior force.

The court may, exceptionally, refuse restitution where it would have the effect of according an undue advantage to one party, whether the debtor or the creditor, unless it deems it sufficient, in that case, to modify the scope or mode of the restitution instead.

SECTION II
MODE OF RESTITUTION

Art. 1700. Restitution of prestations is made in kind, but, if this is impossible or cannot be done without serious inconvenience, it may be made by equivalence.

Equivalence is estimated at the time when the debtor received what he is liable to restore.

Art. 1701. In the case of total loss or alienation of property subject to restitution, the person liable to make the restitution is bound to return the value of the property, considered when it was received, or at the time of its loss or alienation, or at the time of its restitution, whichever value is the lowest, or, if the person is in bad faith or if the restitution is due to his fault, whichever value is the highest.

Le débiteur est cependant dispensé de toute restitution si le bien a péri par force majeure, mais il doit alors céder au créancier, le cas échéant, l'indemnité qu'il a reçue pour cette perte, ou le droit à cette indemnité s'il ne l'a pas déjà reçue; lorsque le débiteur est de mauvaise foi ou que la cause de restitution est due à sa faute, il n'est dispensé de la restitution que si le bien eût également péri entre les mains du créancier.

1991, c. 64, a. 1701 (1994-01-01).

C.C.B.C. 1050, 1051 (D.T. 97; C.C.Q. 1470, 1693, 1713)

Art. 1702. Lorsque le bien qu'il rend a subi une perte partielle, telle une détérioration ou une autre dépréciation de valeur, celui qui a l'obligation de restituer est tenu d'indemniser le créancier pour cette perte, à moins que celle-ci ne résulte de l'usage normal du bien.

1991, c. 64, a. 1702 (1994-01-01).

(D.T. 97; C.C.Q. 1562)

Art. 1703. Le droit d'être remboursé des impenses faites au bien sujet à la restitution est réglé conformément aux dispositions du livre Des biens applicables au possesseur de bonne foi ou, s'il y a mauvaise foi ou si la cause de la restitution est due à la faute de celui qui a l'obligation de restituer, à celles qui sont applicables au possesseur de mauvaise foi.

1991, c. 64, a. 1703 (1994-01-01).

C.C.B.C. 417, 1052 (D.T. 97; C.C.Q. 931-933, 958-963, 972-974)

Art. 1704. Celui qui a l'obligation de restituer fait siens les fruits et revenus produits par le bien qu'il rend et il supporte les frais qu'il a engagés pour les produire. Il ne doit aucune indemnité pour la jouissance du bien, à moins que cette jouissance n'ait été l'objet principal de la prestation ou que le bien était susceptible de se déprécier rapidement.

Cependant, s'il est de mauvaise foi, ou si la cause de la restitution est due à sa faute, il est tenu, après avoir compensé les frais, de rendre ces fruits et revenus et d'indemniser le créancier pour la jouissance qu'a pu lui procurer le bien.

1991, c. 64, a. 1704 (1994-01-01).

(D.T. 97; C.P.C. 470)

If the property has perished by superior force, however, the debtor is exempt from making restitution, but he shall then assign to the creditor, as the case may be, the indemnity he has received for the loss of the property or, if he has not already received it, the right to the indemnity. If the debtor is in bad faith or if the restitution is due to his fault, he is not exempt from making restitution unless the property would also have perished if it had been in the hands of the creditor.

Art. 1702. Where the property he returns has suffered partial loss, for example a deterioration or any other depreciation in value, the person who is liable to make restitution is bound to indemnify the creditor for such loss, unless it results from normal use of the property.

Art. 1703. The right to reimbursement for expenses incurred in respect of property subject to restitution is governed by the provisions of the Book on Property, applicable to a possessor in good faith or, in case of bad faith or if the restitution is due to the fault of the person who is bound to make restitution, by those applicable to possessors in bad faith.

Art. 1704. The fruits and revenues of the property being restored belong to the person who is bound to make restitution, and he bears the costs he has incurred to produce them. He owes no indemnity for enjoyment of the property unless that was the primary object of the prestation or unless the property was subject to rapid depreciation.

If the person who is bound to make restitution is in bad faith or if the restitution is due to his fault, he is bound, after compensating for the costs, to return the fruits and revenues and indemnify the creditor for any enjoyment he has derived from the property.

Art. 1705. Les frais de la restitution sont supportés par les parties, en proportion, le cas échéant, de la valeur des prestations qu'elles se restituent mutuellement.

Toutefois, lorsque l'une d'elles est de mauvaise foi ou que la cause de la restitution est due à sa faute, elle seule supporte les frais de la restitution.
1991, c. 64, a. 1705 (1994-01-01).

(**D.T.** 97)

Art. 1706. Les personnes protégées ne sont tenues à la restitution des prestations que jusqu'à concurrence de l'enrichissement qu'elles en conservent; la preuve de cet enrichissement incombe à celui qui exige la restitution.

Elles peuvent, toutefois, être tenues à la restitution intégrale lorsqu'elles ont rendu impossible la restitution par leur faute intentionnelle ou lourde.
1991, c. 64, a. 1706 (1994-01-01).

C.C.B.C. 1011 (**D.T.** 97; **C.C.Q.** 1493, 1558, 2282)

SECTION III
DE LA SITUATION DES TIERS À L'ÉGARD DE LA RESTITUTION

Art. 1707. Les actes d'aliénation à titre onéreux faits par celui qui a l'obligation de restituer, s'ils ont été accomplis au profit d'un tiers de bonne foi, sont opposables à celui à qui est due la restitution. Ceux à titre gratuit sont inopposables, sous réserve des règles relatives à la prescription.

Les autres actes accomplis au profit d'un tiers de bonne foi sont opposables à celui à qui est due la restitution.
1991, c. 64, a. 1707 (1994-01-01).

(**D.T.** 97; **C.C.Q.** 1699, 2660, 2917 ss., 2962 ss.)

Art. 1705. Costs of restitution are borne by the parties, in proportion, where applicable, to the value of the prestations mutually restored.

Where one party is in bad faith, however, or where the restitution is due to his fault, the costs are borne by that party alone.

Art. 1706. Protected persons are bound to make restitution of prestations to the extent of the enrichment they derive from them; proof of such enrichment is borne by the person claiming restitution.

A protected person may, however, be bound to make full restitution where restitution has become impossible through his intentional or gross fault.

SECTION III
EFFECTS OF RESTITUTION ON THIRD PERSONS

Art. 1707. Acts of alienation by onerous title performed by a person who is bound to make restitution, if made in favour of a third person in good faith, may be set up against the person to whom restitution is owed. Acts of alienation by gratuitous title may not be set up, subject to the rules on prescription.

Any other acts performed in favour of a third person in good faith may be set up against the person to whom restitution is owed.

TITRE DEUXIÈME
DES CONTRATS NOMMÉS

TITLE TWO
NOMINATE CONTRACTS

CHAPITRE PREMIER
DE LA VENTE

CHAPTER I
SALE

SECTION I
DE LA VENTE EN GÉNÉRAL

SECTION I
SALE IN GENERAL

§ 1. — *Dispositions générales*

§ 1. — *General provisions*

Art. 1708. La vente est le contrat par lequel une personne, le vendeur, transfère la propriété d'un bien à une autre personne, l'acheteur, moyennant un prix en argent que cette dernière s'oblige à payer.

Le transfert peut aussi porter sur un démembrement du droit de propriété ou sur tout autre droit dont on est titulaire.

1991, c. 64, a. 1708 (1994-01-01).

Art. 1708. Sale is a contract by which a person, the seller, transfers ownership of property to another person, the buyer, for a price in money which the latter obligates himself to pay.

A dismemberment of the right of ownership, or any other right held by the person, may also be transferred by sale.

C.C.B.C. 1472 (**C.C.Q.** 25, 412, 916, 1119, 1373, 1374, 1377 ss., 1385 ss., 1388, 1411, 1453 ss., 1604, 1606, 2938; **L.R.Q.**, c. P-40.1)

Art. 1709. Celui qui est chargé de vendre le bien d'autrui ne peut, même par partie interposée, se rendre acquéreur d'un tel bien; il en est de même de celui qui est chargé d'administrer le bien d'autrui ou de surveiller l'administration qui en est faite, sous réserve cependant, quant à l'administrateur, de l'article 1312.

Celui qui ne peut acquérir ne peut, non plus, vendre ses propres biens, moyennant un prix provenant du bien ou du patrimoine qu'il administre ou dont il surveille l'administration.

Ces personnes ne peuvent en aucun cas demander la nullité de la vente.

1991, c. 64, a. 1709 (1994-01-01).

Art. 1709. A person charged with the sale of property of another may not acquire such property, even through an intermediary; the same applies to a person charged with administration of property of another or with supervision of its administration, subject, for the administrator, to article 1312.

Furthermore, such a person may not sell his own property for a price paid out of the property or patrimony which he administers or of which he supervises the administration.

In no case may such a person apply for annulment of the sale.

C.C.B.C. 1484; **C.C.Q. (1980)** 1352 (**C.C.Q.** 177 ss., 192 ss., 281 ss., 285 ss., 1299 ss., 1308 ss., 1312, 1416 ss., 1422, 1713 ss., 2147; **C.P.C.** 110, 610, 686, 688)

§ 2. — *De la promesse*

§ 2. — *Promise*

Art. 1710. La promesse de vente accompagnée de délivrance et possession actuelle équivaut à vente.

1991, c. 64, a. 1710 (1994-01-01).

Art. 1710. The promise of sale with delivery and actual possession is equivalent to sale.

C.C.B.C. 1478 (**C.C.Q.** 921 ss., 1396, 1415, 1712, 1717)

Art. 1711. Toute somme versée à l'occasion d'une promesse de vente est présumée être un acompte sur le prix, à moins que le contrat n'en dispose autrement.

1991, c. 64, a. 1711 (1994-01-01).

_____

C.C.B.C. 1477

Art. 1712. Le défaut par le promettant vendeur ou le promettant acheteur de passer titre confère au bénéficiaire de la promesse le droit d'obtenir un jugement qui en tienne lieu.

1991, c. 64, a. 1712 (1994-01-01).

_____

C.C.B.C. 1476 (**C.C.Q.** 1396, 1397, 1710; **C.P.C.** 110, 189, 733, 751 ss.)

§ 3. — De la vente du bien d'autrui

Art. 1713. La vente d'un bien par une personne qui n'en est pas propriétaire ou qui n'est pas chargée ni autorisée à le vendre, peut être frappée de nullité.

Elle ne peut plus l'être si le vendeur devient propriétaire du bien.

1991, c. 64, a. 1713 (1994-01-01).

_____

C.C.B.C. 1487, 1488 (**C.C.Q.** 627, 1323, 1420, 1422, 1707, 1715, 1716, 2160, 2163, 2962; **C.P.C.** 612)

Art. 1714. Le véritable propriétaire peut demander la nullité de la vente et revendiquer contre l'acheteur le bien vendu, à moins que la vente n'ait eu lieu sous l'autorité de la justice ou que l'acheteur ne puisse opposer une prescription acquisitive.

Il est tenu, si le bien est un meuble qui a été vendu dans le cours des activités d'une entreprise, de rembourser à l'acheteur de bonne foi le prix qu'il a payé.

1991, c. 64, a. 1714 (1994-01-01).

_____

C.C.B.C. 1489, 1490 (**C.C.Q.** 921 ss., 928, 930, 939, 946, 958, 1420, 1525 al. 3, 1701, 2805, 2910, 2917 ss., 2919, 2962; **C.P.C.** 110, 569, 577, 597, 612, 675)

Art. 1715. L'acheteur peut aussi demander la nullité de la vente.

Il n'est pas, toutefois, admis à la faire lorsque le propriétaire n'est pas lui-même admis à revendiquer le bien.

1991, c. 64, a. 1715 (1994-01-01).

_____

(**C.C.Q.** 1420, 1714, 2962)

Art. 1711. Any amount paid on the occasion of a promise of sale is presumed to be a deposit on the price unless otherwise stipulated in the contract.

Art. 1712. Failure by the promisor, whether he be the seller or the buyer, to execute the deed entitles the beneficiary of the promise to obtain a judgment in lieu thereof.

§ 3. — Sale of property of another

Art. 1713. The sale of property by a person other than the owner or than a person charged with its sale or authorized to sell it may be declared null.

The sale may not be declared null, however, if the seller becomes the owner of the property.

Art. 1714. The true owner may apply for the annulment of the sale and revendicate the sold property from the buyer unless the sale was made under judicial authority or unless the buyer can set up positive prescription.

If the property is a movable sold in the ordinary course of business of an enterprise, the owner is bound to reimburse the buyer in good faith for the price he has paid.

Art. 1715. The buyer as well may apply for the annulment of the sale.

He may not do so, however, where the owner himself is not entitled to revendicate the property.

§ 4. — *Des obligations du vendeur*

Art. 1716. Le vendeur est tenu de délivrer le bien, et d'en garantir le droit de propriété et la qualité.

Ces garanties existent de plein droit, sans qu'il soit nécessaire de les stipuler dans le contrat de vente.

1991, c. 64, a. 1716 (1994-01-01).

§ 4. — *Obligations of the seller*

Art. 1716. The seller is bound to deliver the property and to warrant the ownership and quality of the property.

These warranties exist of right whether or not they are stipulated in the contract of sale.

C.C.B.C. 1491, 1506, 1507 (**D.T.** 83; **C.C.Q.** 1458, 1590, 1601 ss., 1717 ss., 1723 ss., 1726 ss., 1732, 1733)

I — DE LA DÉLIVRANCE

Art. 1717. L'obligation de délivrer le bien est remplie lorsque le vendeur met l'acheteur en possession du bien ou consent à ce qu'il en prenne possession, tous obstacles étant écartés.

1991, c. 64, a. 1717 (1994-01-01).

I — DELIVERY

Art. 1717. The obligation to deliver the property is fulfilled when the seller puts the buyer in possession of the property or consents to his taking possession of it and all hindrances are removed.

C.C.B.C. 1492, 1493 (**C.C.Q.** 1456, 1577, 1716, 1718, 1721, 1736, 1737, 1740; **C.P.C.** 697)

Art. 1718. Le vendeur est tenu de délivrer le bien dans l'état où il se trouve lors de la vente, avec tous ses accessoires.

1991, c. 64, a. 1718 (1994-01-01).

Art. 1718. The seller is bound to deliver the property in the state it is in at the time of the sale, with all its accessories.

C.C.B.C. 1498, 1499 (**C.C.Q.** 949, 1456, 1561-1563, 1638, 1719; **C.P.C.** 695)

Art. 1719. Le vendeur est tenu de remettre à l'acheteur les titres de propriété qu'il possède, ainsi que, s'il s'agit d'une vente immobilière, une copie de l'acte d'acquisition de l'immeuble, de même qu'une copie des titres antérieurs et du certificat de localisation qu'il possède.

1991, c. 64, a. 1719 (1994-01-01).

Art. 1719. The seller is bound to surrender to the buyer the titles of ownership in his possession and, in the case of the sale of an immovable, a copy of the deed of acquisition of the immovable, of any previous titles and of any location certificate in his possession.

Art. 1720. Le vendeur est tenu de délivrer la contenance ou la quantité indiquée au contrat, que la vente ait été faite à raison de tant la mesure ou pour un prix global, à moins qu'il ne soit évident que le bien individualisé a été vendu sans égard à cette contenance ou à cette quantité.

1991, c. 64, a. 1720 (1994-01-01).

Art. 1720. The seller is bound to deliver the area, contents or quantity specified in the contract, whether the sale was made for a price based on measurements or for a flat price, unless it is obvious that the certain and determinate property was sold without regard to such area, contents or quantity.

C.C.B.C. 1500, 1503 (**C.C.Q.** 1737; **C.P.C.** 695)

Art. 1721. Le vendeur qui a accordé un délai pour le paiement n'est pas tenu de délivrer le bien si, depuis la vente, l'acheteur est devenu insolvable.

1991, c. 64, a. 1721 (1994-01-01).

Art. 1721. A seller having granted a term for payment is not bound to deliver the property if the buyer has become insolvent since the sale.

C.C.B.C. 1497 (**C.C.Q.** 1514, 1515, 1740)

Art. 1722. Les frais de délivrance sont à la charge du vendeur; ceux d'enlèvement sont à la charge de l'acheteur.

1991, c. 64, a. 1722 (1994-01-01).

C.C.B.C. 1495 (**C.C.Q.** 1734; **C.P.C.** 540)

II — DE LA GARANTIE DU DROIT DE PROPRIÉTÉ

Art. 1723. Le vendeur est tenu de garantir à l'acheteur que le bien est libre de tous droits, à l'exception de ceux qu'il a déclarés lors de la vente.

Il est tenu de purger le bien des hypothèques qui le grèvent, même déclarées ou inscrites, à moins que l'acheteur n'ait assumé la dette ainsi garantie.

1991, c. 64, a. 1723 (1994-01-01).

C.C.B.C. 1508 (**D.T.** 83; **C.C.Q.** 404, 405, 1725, 1738, 1766, 1779, 2794, 2943, 2962; **C.P.C.** 216 ss., 1012)

Art. 1724. Le vendeur se porte garant envers l'acheteur de tout empiétement exercé par lui-même, à moins qu'il ne l'ait déclaré lors de la vente.

Il se porte garant, de même, de tout empiétement qu'un tiers aurait, à sa connaissance, commencé d'exercer avant la vente.

1991, c. 64, a. 1724 (1994-01-01).

(**C.C.Q.** 930, 955 ss., 992, 1738, 2910 ss., 2921 ss.; **C.P.C.** 751 ss.)

Art. 1725. Le vendeur d'un immeuble se porte garant envers l'acheteur de toute violation aux limitations de droit public qui grèvent le bien et qui échappent au droit commun de la propriété.

Le vendeur n'est pas tenu à cette garantie lorsqu'il a dénoncé ces limitations à l'acheteur lors de la vente, lorsqu'un acheteur prudent et diligent aurait pu les découvrir par la nature, la situation et l'utilisation des lieux ou lorsqu'elles ont fait l'objet d'une inscription au bureau de la publicité des droits.

1991, c. 64, a. 1725 (1994-01-01).

(**C.C.Q.** 1738, 2934 ss., 2943)

III — DE LA GARANTIE DE QUALITÉ

Art. 1726. Le vendeur est tenu de garantir à l'acheteur que le bien et ses accessoires sont, lors de la vente, exempts de vices cachés qui le rendent impropre à l'usage auquel on le destine ou qui diminuent tellement son utilité que l'acheteur ne l'aurait pas acheté, ou n'aurait pas donné si haut prix, s'il les avait connus.

Art. 1722. Delivery expenses are assumed by the seller and removal expenses, by the buyer.

II — WARRANTY OF OWNERSHIP

Art. 1723. The seller is bound to warrant the buyer that the property is free of all rights except those he has declared at the time of the sale.

The seller is bound to discharge the property of all hypothecs, even declared or registered, unless the buyer has assumed the debt so secured.

Art. 1724. The seller is warrantor towards the buyer for any encroachment on his part unless he has declared it at the time of the sale.

The seller is also warrantor for any encroachment commenced with his knowledge by a third person before the sale.

Art. 1725. The seller of an immovable is warrantor towards the buyer for any violation of restrictions of public law affecting the property which are exceptions to the ordinary law of ownership.

The seller is not warrantor towards the buyer where he has given notice of these restrictions to the buyer at the time of the sale, where a prudent and diligent buyer could have discovered them by reason of the nature, location and use of the premises or where such restrictions have been registered in the registry office.

III — WARRANTY OF QUALITY

Art. 1726. The seller is bound to warrant the buyer that the property and its accessories are, at the time of the sale, free of latent defects which render it unfit for the use for which it was intended or which so diminish its usefulness that the buyer would not have bought it or paid so high a price if he had been aware of them.

Il n'est, cependant, pas tenu de garantir le vice caché connu de l'acheteur ni le vice apparent; est apparent le vice qui peut être constaté par un acheteur prudent et diligent sans avoir besoin de recourir à un expert.

1991, c. 64, a. 1726 (1994-01-01).

The seller is not bound, however, to warrant against any latent defect known to the buyer or any apparent defect; an apparent defect is a defect that can be perceived by a prudent and diligent buyer without any need of expert assistance.

C.C.B.C. 1522-1524 (**D.T.** 57, 83; **C.C.Q.** 1081, 1442, 1728, 1739, 2118)

Art. 1727. Lorsque le bien périt en raison d'un vice caché qui existait lors de la vente, la perte échoit au vendeur, lequel est tenu à la restitution du prix; si la perte résulte d'une force majeure ou est due à la faute de l'acheteur, ce dernier doit déduire, du montant de sa réclamation, la valeur du bien, dans l'état où il se trouvait lors de la perte.

1991, c. 64, a. 1727 (1994-01-01).

Art. 1727. If the property perishes by reason of a latent defect that existed at the time of the sale, the loss is borne by the seller, who is bound to restore the price; if the loss results from superior force or is due to the fault of the buyer, the buyer shall deduct from his claim the value of the property in the state it was in at the time of the loss.

C.C.B.C. 1529 (**D.T.** 57; **C.C.Q.** 1081, 1470, 1728)

Art. 1728. Si le vendeur connaissait le vice caché ou ne pouvait l'ignorer, il est tenu, outre la restitution du prix, de tous les dommages-intérêts soufferts par l'acheteur.

1991, c. 64, a. 1728 (1994-01-01).

Art. 1728. If the seller was aware or could not have been unaware of the latent defect, he is bound not only to restore the price, but to pay all damages suffered by the buyer.

C.C.B.C. 1527, 1528 (**C.C.Q.** 1607, 1611 ss., 1727, 1733)

Art. 1729. En cas de vente par un vendeur professionnel, l'existence d'un vice au moment de la vente est présumée, lorsque le mauvais fonctionnement du bien ou sa détérioration survient prématurément par rapport à des biens identiques ou de même espèce; cette présomption est repoussée si le défaut est dû à une mauvaise utilisation du bien par l'acheteur.

1991, c. 64, a. 1729 (1994-01-01).

Art. 1729. A defect is presumed to have existed at the time of a sale by a professional seller if the property malfunctions or deteriorates prematurely in comparison with identical items of property or items of the same type; such a presumption is not made, however, where the defect is due to improper use of the property by the buyer.

L.R.Q., c. P-40.1, a. 38 (**C.C.Q.** 1733, 2847)

Art. 1730. Sont également tenus à la garantie du vendeur, le fabricant, toute personne qui fait la distribution du bien sous son nom ou comme étant son bien et tout fournisseur du bien, notamment le grossiste et l'importateur.

1991, c. 64, a. 1730 (1994-01-01).

Art. 1730. The manufacturer, any person who distributes the property under his name or as his own, and any supplier of the property, in particular the wholesaler and the importer, are also bound to warrant the buyer in the same manner as the seller.

(**C.C.Q.** 1468, 1473, 1723 ss., 1726 ss., 1733)

Art. 1731. La vente faite sous l'autorité de la justice ne donne lieu à aucune obligation de garantie de qualité du bien vendu.

1991, c. 64, a. 1731 (1994-01-01).

Art. 1731. Sale under judicial authority does not give rise to any obligation of warranty of the quality of the sold property.

C.C.B.C. 1531 (**C.C.Q.** 1714, 1726 ss., 1757 ss.; **C.P.C.** 605 ss., 695 ss.)

IV — DE LA GARANTIE CONVENTIONNELLE

Art. 1732. Les parties peuvent, dans leur contrat, ajouter aux obligations de la garantie légale, en diminuer les effets, ou l'exclure entièrement, mais le vendeur ne peut, en aucun cas, se dégager de ses faits personnels.

1991, c. 64, a. 1732 (1994-01-01).

C.C.B.C. 1507, 1509 (**D.T.** 83; **C.C.Q.** 8, 9, 1474, 1476, 1716, 1723 ss., 1726 ss., 1733;
C.P.C. 168 al. 1(5), 216 ss., 1012)

Art. 1733. Le vendeur ne peut exclure ni limiter sa responsabilité s'il n'a pas révélé les vices qu'il connaissait ou ne pouvait ignorer et qui affectent le droit de propriété ou la qualité du bien.

Cette règle reçoit exception lorsque l'acheteur achète à ses risques et périls d'un vendeur non professionnel.

1991, c. 64, a. 1733 (1994-01-01).

C.C.B.C. 1510, 1524 (**C.C.Q.** 9, 1375, 1474, 1716, 1723-1732; **C.P.C.** 168 al. 1(5), 216 ss., 1012)

§ 5. — *Des obligations de l'acheteur*

Art. 1734. L'acheteur est tenu de prendre livraison du bien vendu et d'en payer le prix au moment et au lieu de la délivrance. Il est aussi tenu, le cas échéant, de payer les frais de l'acte de vente.

1991, c. 64, a. 1734 (1994-01-01).

C.C.B.C. 1479, 1532, 1533 (**D.T.** 87; **C.C.Q.** 1514, 1553 ss., 1566, 1721, 1722, 1740 ss., 1768;
C.P.C. 194 al. 1(3))

Art. 1735. L'acheteur doit l'intérêt du prix de la vente, à compter de la délivrance du bien ou de l'expiration du délai convenu entre les parties.

1991, c. 64, a. 1735 (1994-01-01).

C.C.B.C. 1534 (**C.C.Q.** 1561, 1565, 1600, 1617, 1734, 1740 ss.; **C.P.C.** 27)

§ 6. — *Des règles particulières à l'exercice des droits des parties*

I — DES DROITS DE L'ACHETEUR

Art. 1736. L'acheteur d'un bien meuble peut, lorsque le vendeur ne délivre pas le bien, considérer la vente comme résolue si le vendeur est en demeure de plein droit d'exécuter son obligation ou s'il ne l'exécute pas dans le délai fixé par la mise en demeure.

1991, c. 64, a. 1736 (1994-01-01).

(**C.C.Q.** 1594 ss., 1605, 1606, 1716)

IV — CONVENTIONAL WARRANTY

Art. 1732. The parties may, in their contract, add to the obligations of legal warranty, diminish its effects or exclude it altogether but in no case may the seller exempt himself from his personal fault.

Art. 1733. A seller may not exclude or limit his liability unless he has disclosed the defects of which he was aware or could not have been unaware and which affect the right of ownership or the quality of the property.

An exception may be made to this rule where a buyer buys property at his own risk from a seller who is not a professional seller.

§ 5. — *Obligations of the buyer*

Art. 1734. The buyer is bound to take delivery of the property sold, and to pay the price thereof at the time and place of delivery. He is also bound to pay any expenses related to the deed of sale.

Art. 1735. The buyer owes interest on the sale price from the time of delivery of the property or the expiry of the period agreed by the parties.

§ 6. — *Special rules regarding the exercise of the rights of the parties*

I — RIGHTS OF THE BUYER

Art. 1736. The buyer of movable property may, if the seller fails to deliver it, consider the sale resolved if the seller is in default by operation of law or if he fails to perform his obligation within the time allowed in the notice of default.

Art. 1737. Lorsque le vendeur est tenu de délivrer la contenance ou la quantité indiquée au contrat et qu'il est dans l'impossibilité de le faire, l'acheteur peut obtenir une diminution du prix ou, si la différence lui cause un préjudice sérieux, la résolution de la vente.

Toutefois, l'acheteur est tenu, lorsque la contenance ou la quantité excède celle qui est indiquée au contrat, de payer l'excédent ou de remettre celui-ci au vendeur.

1991, c. 64, a. 1737 (1994-01-01).

Art. 1737. Where the seller is bound to deliver the area, contents or quantity specified in the contract and is unable to do so, the buyer may obtain a reduction of the price or, if the difference causes him serious prejudice, resolution of the sale.

Where the area, contents or quantity exceeds that specified in the contract, the buyer is bound to pay for the excess or to restore it to the seller.

C.C.B.C. 1500-1502 (**C.C.Q.** 1458, 1604 ss., 1720; **C.P.C.** 110, 695, 699)

Art. 1738. L'acheteur qui découvre un risque d'atteinte à son droit de propriété doit, par écrit et dans un délai raisonnable depuis sa découverte, dénoncer au vendeur le droit ou la prétention du tiers, en précisant la nature de ce droit ou de cette prétention.

Le vendeur qui connaissait ou ne pouvait ignorer ce droit ou cette prétention ne peut, toutefois, se prévaloir d'une dénonciation tardive de l'acheteur.

1991, c. 64, a. 1738 (1994-01-01).

Art. 1738. A buyer who discovers a risk of infringement of his right of ownership shall, within a reasonable time after discovering it, give notice to the seller, in writing, of the right or claim of the third person, specifying its nature.

The seller may not invoke tardy notice from the buyer if he was aware of the right or claim or could not have been unaware of it.

C.C.B.C. 1520 (**C.C.Q.** 1723, 1725, 1733, 2923, 2925; **C.P.C.** 168 al. 1(5), 171, 216 ss.)

Art. 1739. L'acheteur qui constate que le bien est atteint d'un vice doit, par écrit, le dénoncer au vendeur dans un délai raisonnable depuis sa découverte. Ce délai commence à courir, lorsque le vice apparaît graduellement, du jour où l'acheteur a pu en soupçonner la gravité et l'étendue.

Le vendeur ne peut se prévaloir d'une dénonciation tardive de l'acheteur s'il connaissait ou ne pouvait ignorer le vice.

1991, c. 64, a. 1739 (1994-01-01).

Art. 1739. A buyer who ascertains that the property is defective may give notice in writing of the defect to the seller only within a reasonable time after discovering it. The time begins to run, where the defect appears gradually, on the day that the buyer could have suspected the seriousness and extent of the defect.

The seller may not invoke tardy notice from the buyer if he was aware of the defect or could not have been unaware of it.

C.C.B.C. 1530 (**C.C.Q.** 1726 ss., 1733, 2118, 2923, 2925)

II — DES DROITS DU VENDEUR

II — RIGHTS OF THE SELLER

Art. 1740. Le vendeur d'un bien meuble peut, lorsque l'acheteur n'en paie pas le prix et n'en prend pas délivrance, considérer la vente comme résolue si l'acheteur est en demeure de plein droit d'exécuter ses obligations ou s'il ne les a pas exécutées dans le délai fixé par la mise en demeure.

Art. 1740. The seller of movable property may, if the buyer fails to pay the sale price and to accept delivery of it, consider the sale resolved if the buyer is in default by operation of law or if he fails to perform his obligations within the time allowed in the notice of default.

Il peut aussi, lorsqu'il apparaît que l'acheteur n'exécutera pas une partie substantielle de ses obligations, arrêter la livraison du bien en cours de transport.

1991, c. 64, a. 1740 (1994-01-01).

The seller may also, where it appears that the buyer will not perform a substantial part of his obligations, stop delivery of the property in transit.

C.C.B.C. 1544 (**D.T.** 87-89; **C.C.Q.** 1594 ss., 1600, 1605, 1606, 1734, 1736, 1741; **C.P.C.** 187 ss.)

Art. 1741. Lorsque la vente d'un bien meuble a été faite sans terme, le vendeur peut, dans les trente jours de la délivrance, considérer la vente comme résolue et revendiquer le bien, si l'acheteur, alors qu'il est en demeure, fait défaut de payer le prix et si le meuble est encore entier et dans le même état, sans être passé entre les mains d'un tiers qui en a payé le prix ou d'un créancier hypothécaire qui a obtenu le délaissement du bien.

La saisie par un tiers, alors que l'acheteur est en demeure de payer le prix et que le bien est dans les conditions prescrites pour la résolution, ne fait pas obstacle au droit du vendeur.

1991, c. 64, a. 1741 (1994-01-01).

Art. 1741. Except in the case of a sale with a term, the seller of movable property may, within thirty days of delivery, consider the sale resolved and revendicate the property if the buyer, being in default, has failed to pay the price and if the property is still entire and in the same condition and has not passed into the hands of a third person who has paid the price thereof, or of a hypothecary creditor who has obtained surrender thereof.

Where the buyer is in default to pay the price and the property meets the conditions prescribed for resolution of the sale, the seizure of the property by a third person is no hindrance to the rights of the seller.

C.C.B.C. 1998-2000 (**D.T.** 87-89; **C.C.Q.** 1590, 1591, 1594 ss., 1605, 1606, 2651, 2763 ss.; **C.P.C.** 580 ss., 597, 604, 620, 652, 734 ss.)

Art. 1742. Le vendeur d'un bien immeuble ne peut demander la résolution de la vente, faute par l'acheteur d'exécuter l'une de ses obligations, que si le contrat contient une stipulation particulière à cet effet.

S'il est dans les conditions pour demander la résolution, il est tenu d'exercer son droit dans un délai de cinq ans à compter de la vente.

1991, c. 64, a. 1742 (1994-01-01).

Art. 1742. The seller of immovable property may not apply for resolution of the sale for failure by the buyer to perform one of his obligations unless the contract specially stipulates that right.

If the seller meets the conditions for applying for resolution, he is bound to exercise his right within five years after the sale.

C.C.B.C. 1536, 1537 (**D.T.** 133; **C.C.Q.** 1507, 1604 ss., 1743, 2758, 2761, 2762, 2781; **C.P.C.** 110, 604, 697, 734)

Art. 1743. Le vendeur d'un bien immeuble qui veut se prévaloir d'une clause résolutoire doit mettre en demeure l'acheteur et, le cas échéant, tout acquéreur subséquent, de remédier au défaut dans les soixante jours qui suivent l'inscription de la mise en demeure au registre foncier; les règles relatives à la prise en paiement énoncées au livre Des priorités et des hypothèques, ainsi que les mesures préalables à l'exercice de ce droit s'appliquent à la résolution de la vente, compte tenu des adaptations nécessaires.

Art. 1743. A seller of immovable property wishing to avail himself of a resolutory clause shall make a demand to the buyer and, where applicable, any subsequent acquirer, to remedy his default within sixty days after the demand is entered in the land register; the rules pertaining to taking in payment set out in the Book on Preference and Hypothec and the measures to be taken prior to the exercise of that right apply, adapted as required, to the resolution of the sale.

Le vendeur qui reprend le bien par suite de l'exercice d'une telle clause le reprend libre de toutes les charges dont l'acheteur a pu le grever après que le vendeur a inscrit ses droits.

1991, c. 64, a. 1743 (1994-01-01).

A seller who takes back property by exercising a resolutory clause takes it back free of any charges which the buyer may have placed on it after the seller registered his rights.

C.C.B.C. 1040a, 1537, 2102 (**D.T.** 89; **C.C.Q.** 1497-1499, 1594 ss., 1742, 2660 ss., 2749 ss., 2757 ss., 2778 ss., 2939; **C.P.C.** 120 ss.)

§ 7. — De diverses modalités de la vente

§ 7. — Various modes of sale

I — DE LA VENTE À L'ESSAI

I — TRIAL SALES

Art. 1744. La vente à l'essai d'un bien est présumée faite sous condition suspensive.

Lorsque la durée de l'essai n'est pas stipulée, la condition est réalisée par le défaut de l'acheteur de faire connaître son refus au vendeur dans les trente jours de la délivrance du bien.

1991, c. 64, a. 1744 (1994-01-01).

Art. 1744. The sale of property on trial is presumed to be made under a suspensive condition.

Where the trial period is not stipulated, the condition is fulfilled upon the buyer's failure to inform the seller of his refusal within thirty days after delivery of the property.

C.C.B.C. 1475 (**C.C.Q.** 1301 ss., 1497 ss., 1507, 1699, 1717 ss.)

II — DE LA VENTE À TEMPÉRAMENT

II — INSTALMENT SALES

Art. 1745. La vente à tempérament est une vente à terme par laquelle le vendeur se réserve la propriété du bien jusqu'au paiement total du prix de vente.

La réserve de propriété d'un véhicule routier ou d'un autre bien meuble déterminés par règlement, de même que celle de tout bien meuble acquis pour le service ou l'exploitation d'une entreprise, n'est opposable aux tiers que si elle est publiée; cette opposabilité est acquise à compter de la vente si la réserve est publiée dans les quinze jours. La cession d'une telle réserve n'est également opposable aux tiers que si elle est publiée.

1991, c. 64, a. 1745 (1994-01-01); 1998, c. 5, a. 2 (1999-09-17).

Art. 1745. An instalment sale is a term sale by which the seller reserves ownership of the property until full payment of the sale price.

A reservation of ownership in respect of a road vehicle or other movable property determined by regulation, or in respect of any movable property acquired for the service or operation of an enterprise, has effect against third persons only if it has been published; effect against third persons operates from the date of the sale provided the reservation of ownership is published within fifteen days. As well, the transfer of such a reservation has effect against third persons only if it has been published.

L.R.Q., c. P-40.1, a. 15, 132, 133 (**C.C.Q.** 1508 ss., 1525 al. 3, 1749, 2683, 2934, 2938, 2939)

Art. 1746. La vente à tempérament transfère à l'acheteur les risques de perte du bien à moins qu'il ne s'agisse d'un contrat de consommation ou que les parties n'aient stipulé autrement.

1991, c. 64, a. 1746 (1994-01-01).

Art. 1746. An instalment sale transfers to the buyer the risks of loss of the property, except in the case of a consumer contract or where the parties have stipulated otherwise.

(**D.T.** 99; **C.C.Q.** 1384)

Art. 1747. Le solde dû par l'acheteur devient exigible lorsque le bien est vendu sous l'autorité de la justice ou que l'acheteur, sans le consentement du vendeur, cède à un tiers le droit qu'il a sur le bien.

1991, c. 64, a. 1747 (1994-01-01).

L.R.Q., c. P-40.1, a. 137 (C.C.Q. 1514, 1748; C.P.C. 605 ss., 683 ss.)

Art. 1748. Lorsque l'acheteur fait défaut de payer le prix de vente selon les modalités du contrat, le vendeur peut exiger le paiement immédiat des versements échus ou reprendre le bien vendu; si le contrat contient une clause de déchéance du terme, il peut plutôt exiger le paiement du solde du prix de vente.

1991, c. 64, a. 1748 (1994-01-01).

L.R.Q., c. P-40.1, a. 138 (C.C.Q. 1514, 1515)

Art. 1749. Le vendeur ou le cessionnaire qui, en cas de défaut de l'acheteur, choisit de reprendre le bien vendu est assujetti aux règles relatives à l'exercice des droits hypothécaires énoncées au livre Des priorités et des hypothèques; toutefois, en cas de contrat de consommation, seules les règles de la Loi sur la protection du consommateur sont applicables à l'exercice du droit de reprise du vendeur ou cessionnaire.

Si la réserve de propriété devait être publiée mais ne l'a pas été, le vendeur ou cessionnaire ne peut reprendre le bien vendu qu'entre les mains de l'acheteur immédiat du bien; il reprend alors le bien dans l'état où il se trouve et sujet aux droits et charges dont l'acheteur a pu le grever.

Si la réserve de propriété devait être publiée mais ne l'a été que tardivement, le vendeur ou cessionnaire ne peut, de même, reprendre le bien vendu qu'entre les mains de l'acheteur immédiat du bien, à moins que la réserve n'ait été publiée antérieurement à la vente du bien par cet acheteur, auquel cas il peut aussi le reprendre entre les mains de tout acquéreur subséquent; dans tous les cas, le vendeur ou cessionnaire reprend le bien dans l'état où il se trouve, mais sujet aux seuls droits et charges dont l'acheteur avait pu le grever au moment de la publication de la réserve et qui avaient alors été publiés.

1991, c. 64, a. 1749 (1994-01-01); 1998, c. 5, a. 3 (1999-09-17).

C.C.B.C. 1040a; L.R.Q., c. P-40.1, a. 138-140 (C.C.Q. 1594 ss., 1745, 2757 ss., 2778 ss., 2934, 2938, 2939; C.P.C. 120 ss.)

Art. 1747. The balance owing by the buyer becomes exigible where the property is sold under judicial authority or where the buyer assigns his right in the property to a third person without the consent of the seller.

Art. 1748. Where the buyer fails to pay the sale price in accordance with the terms and conditions of the contract, the seller may exact immediate payment of the instalments due or take back the sold property; if the contract contains a clause of forfeiture of benefit of the term, the seller may instead exact payment of the balance of the sale price.

Art. 1749. A seller or transferee who, upon the default of the buyer, elects to take back the property sold is governed by the rules regarding the exercise of hypothecary rights set out in the Book on Prior Claims and Hypothecs; however, in the case of a consumer contract, only the rules contained in the Consumer Protection Act are applicable to the exercise by the seller or transferee of the right of repossession.

If the reservation of ownership required publication but was not published, the seller or transferee may take the property back only if it is in the hands of the original buyer; the seller or transferee takes the property back in its existing condition and subject to the rights and charges with which the buyer may have encumbered it.

If the reservation of ownership required publication but was published late, the seller or transferee may likewise take the property back only if it is in the hands of the original buyer, unless the reservation was published before the sale of the property by the original buyer, in which case the seller or transferee may also take the property back if it is in the hands of a subsequent acquirer; in all cases, the seller or transferee takes the property back in its existing condition, but subject only to such rights and charges with which the original buyer may have encumbered it at the time of the publication of the reservation of ownership and which had already been published.

III — DE LA VENTE AVEC FACULTÉ DE RACHAT

Art. 1750. La vente faite avec faculté de rachat, aussi appelée vente à réméré, est une vente sous condition résolutoire par laquelle le vendeur transfère la propriété d'un bien à l'acheteur en se réservant la faculté de le racheter.

La faculté de rachat d'un véhicule routier ou d'un autre bien meuble déterminés par règlement, de même que celle de tout bien meuble acquis pour le service ou l'exploitation d'une entreprise, n'est opposable aux tiers que si elle est publiée; cette opposabilité est acquise à compter de la vente si la faculté est publiée dans les quinze jours. La cession d'une telle faculté n'est également opposable aux tiers que si elle est publiée.

1991, c. 64, a. 1750 (1994-01-01); 1998, c. 5, a. 4 (1999-09-17).

C.C.B.C. 1546, 2102 (**C.C.Q.** 933, 949, 950, 955 ss., 1456, 1507, 1525 al. 3, 1742, 1743, 2934 ss., 2938, 2939)

Art. 1751. Le vendeur qui désire exercer la faculté de rachat et reprendre le bien doit donner un avis de son intention à l'acheteur et, si la faculté de rachat a été publiée, à tout acquéreur subséquent contre lequel il entend exercer son droit. Cet avis doit, si la faculté de rachat a été publiée, être lui-même publié; il s'agit, en ce cas, d'un avis de vingt jours si le bien est un meuble et d'un avis de soixante jours s'il est un immeuble. Le délai de vingt jours est porté à trente jours s'il s'agit d'un contrat de consommation.

1991, c. 64, a. 1751 (1994-01-01); 1998, c. 5, a. 5 (1999-09-17).

C.C.B.C. 1040a, 1546, 1552 (**C.C.Q.** 1756, 2934 ss.; **C.P.C.** 120 ss., 540, 565 ss., 676, 677)

Art. 1752. Lorsque le vendeur exerce la faculté de rachat, il reprend le bien libre de toutes les charges dont l'acheteur a pu le grever, pourvu que le droit du vendeur, s'il devait être publié, l'ait été en temps utile et conformément aux règles relatives à la publicité des droits.

1991, c. 64, a. 1752 (1994-01-01); 1998, c. 5, a. 6 (1999-09-17).

C.C.B.C. 1547 (**C.C.Q.** 1506, 1507, 1750, 1751, 1886, 1887, 1937, 2682, 2934 ss., 2939, 2941, 2945; **C.P.C.** 676, 677)

Art. 1753. La faculté de rachat ne peut être stipulée pour un terme excédant cinq ans; s'il excède cinq ans, le terme est réduit à cette durée.

1991, c. 64, a. 1753 (1994-01-01).

C.C.B.C. 1548, 1549, 1551 (**D.T.** 100; **C.C.Q.** 1508, 1517, 2878; **C.P.C.** 9)

III — SALES WITH RIGHT OF REDEMPTION

Art. 1750. A sale with a right of redemption is a sale under a resolutory condition by which the seller transfers ownership of property to the buyer while reserving the right to redeem it.

A right of redemption in respect of a road vehicle or other movable property determined by regulation, or in respect of any movable property acquired for the service or operation of an enterprise, has effect against third persons only if it has been published; effect against third persons operates from the date of the sale provided the right of redemption is published within fifteen days. As well, the transfer of such a right of redemption has effect against third persons only if it has been published.

Art. 1751. A seller wishing to exercise his right of redemption and take back property shall give notice of his intention to the buyer and, if the right of redemption has been published, to any subsequent acquirer against whom he intends to exercise his right. If the right of redemption has been published, the notice must also be published; in that case, the notice is of twenty days in the case of movable property and sixty days in the case of an immovable. In the case of a consumer contract, the twenty days' notice is increased to thirty days.

Art. 1752. Where the seller exercises his right of redemption, he takes back the property free of any charges which the buyer may have encumbered it with, provided the seller's right, if it required publication, was published in due time and in accordance with the rules regarding the publication of rights.

Art. 1753. The right of redemption may not be stipulated for a term exceeding five years. If the term exceeds five years, it is reduced to five years.

Art. 1754. Si l'acheteur d'une partie indivise d'un bien sujet à la faculté de rachat devient, par l'effet d'un partage, acquéreur de la totalité, il peut obliger le vendeur qui veut exercer la faculté à reprendre la totalité du bien.

1991, c. 64, a. 1754 (1994-01-01).

Art. 1754. If the buyer of an undivided part of a property subject to a right of redemption acquires the whole property through the effect of a partition, he may oblige the seller, if the seller wishes to exercise his right, to take back the whole property.

___

C.C.B.C. 1555 (**C.C.Q.** 1012 ss., 1030 ss., 1755; **C.P.C.** 809-811)

Art. 1755. Lorsque la vente a été faite par plusieurs personnes conjointement et par un seul contrat ou lorsque le vendeur a laissé plusieurs héritiers, l'acheteur peut s'opposer à la reprise partielle du bien et exiger que le covendeur ou le cohéritier reprenne la totalité du bien.

Pour le reste, les règles relatives à l'obligation conjointe ou divisible s'appliquent, compte tenu des adaptations nécessaires, à l'exercice de la faculté de rachat qui existe au profit de plusieurs vendeurs, à l'encontre de plusieurs acheteurs, ou entre leurs héritiers.

1991, c. 64, a. 1755 (1994-01-01).

Art. 1755. Where a sale is made by several persons jointly by way of a single contract or where the seller has left several heirs, the buyer may object to the taking back of part of the property and require the joint seller or coheir to take back the whole property.

In other respects, the rules pertaining to joint or divisible obligations, adapted as required, apply to the exercise of the right of redemption existing for the benefit of several sellers, against several buyers, or between their heirs.

___

C.C.B.C. 1556-1560 (**C.C.Q.** 837, 843, 1030, 1518 ss., 1754)

Art. 1756. Si la faculté de rachat a pour objet de garantir un prêt, le vendeur est réputé emprunteur et l'acquéreur est réputé créancier hypothécaire. Le vendeur ne pourra toutefois perdre le droit d'exercer la faculté de rachat, à moins que l'acquéreur ne suive les règles prévues au livre Des priorités et des hypothèques pour l'exercice des droits hypothécaires.

1991, c. 64, a. 1756 (1994-01-01).

Art. 1756. Where the object of the right of redemption is to secure a loan, the seller is deemed to be a borrower and the acquirer is deemed to be a hypothecary creditor. The seller does not, however, lose the right to exercise his right of redemption unless the acquirer follows the rules respecting the exercise of hypothecary rights laid down in the Book on Prior Claims and Hypothecs.

___

C.C.B.C. 1040d (**C.C.Q.** 1507, 1514, 2312 ss., 2660 ss., 2664 ss., 2748 ss., 2751, 2757 ss.)

IV — DE LA VENTE AUX ENCHÈRES

Art. 1757. La vente aux enchères est celle par laquelle un bien est offert en vente à plusieurs personnes par l'entremise d'un tiers, l'encanteur, et est déclaré adjugé au plus offrant et dernier enchérisseur.

1991, c. 64, a. 1757 (1994-01-01).

IV — AUCTION SALES

Art. 1757. An auction sale is a sale by which property is offered for sale to several persons through the intermediary of a third person, the auctioneer, and declared sold to the last and highest bidder.

___

(**C.P.C.** 686, 900)

Art. 1758. La vente aux enchères est volontaire ou forcée; en ce dernier cas, la vente est alors soumise aux règles prévues au Code de procédure civile, ainsi qu'aux règles du présent sous-paragraphe, s'il n'y a pas incompatibilité.

1991, c. 64, a. 1758 (1994-01-01).

Art. 1758. An auction sale is either voluntary or forced; forced sales are subject to the rules contained in the Code of Civil Procedure and to the rules contained under this subheading, so far as they are consistent.

C.C.B.C. 1564, 1588, 1591 (**C.C.Q.** 942, 943, 945, 1233, 1695, 1714, 1731, 1741, 1757 ss., 2387, 2754, 2779, 2784, 2788, 2794, 2919, 2958, 3001, 3069, 3115; **C.P.C.** 577, 605 ss., 670, 673, 676, 682, 683 ss., 690, 693, 695 ss., 698 ss., 701, 730, 808, 900)

Art. 1759. Le vendeur peut fixer une mise à prix ou d'autres conditions à la vente. Celles-ci ne sont, néanmoins, opposables à l'adjudicataire que si l'encanteur les a communiquées aux personnes présentes avant de recevoir les enchères.

1991, c. 64, a. 1759 (1994-01-01).

Art. 1759. The seller may fix a reserve price or any other conditions of sale. The conditions of sale may not be set up against the successful bidder unless the auctioneer communicates them to the persons present before receiving bids.

C.C.B.C. 1567 (**C.C.Q.** 1762, 1765; **C.P.C.** 577, 684, 688, 690, 695 ss.)

Art. 1760. Le vendeur peut refuser de divulguer son identité lors des enchères, mais si celle-ci n'est pas divulguée à l'adjudicataire, l'encanteur est tenu personnellement de toutes les obligations du vendeur.

1991, c. 64, a. 1760 (1994-01-01).

Art. 1760. The seller may refuse to disclose his identity at the auction but, if his identity is not disclosed to the successful bidder, the auctioneer becomes personally bound by all the obligations of the seller.

Art. 1761. L'enchérisseur ne peut, en aucun temps, retirer son enchère.

1991, c. 64, a. 1761 (1994-01-01).

Art. 1761. At no time may a bidder withdraw his bid.

(**C.C.Q.** 1765)

Art. 1762. La vente aux enchères est parfaite par l'adjudication du bien, par l'encanteur, au dernier enchérisseur. L'inscription, au registre de l'encanteur, du nom de l'adjudicataire et de son enchère fait preuve de la vente, mais, à défaut d'inscription, la preuve testimoniale est admise.

1991, c. 64, a. 1762 (1994-01-01).

Art. 1762. An auction sale is completed when the auctioneer declares the property sold to the last bidder. Entry of the name and bid of the successful bidder in the auctioneer's register makes proof of the sale; failing such entry, proof by testimony is admissible.

C.C.B.C. 1567 (**C.C.Q.** 1453, 1455, 1695, 1731, 2794, 2843 ss., 3001, 3069; **C.P.C.** 577, 684, 688, 688.1, 690, 695 ss.)

Art. 1763. Le vendeur et l'adjudicataire d'un immeuble doivent passer l'acte de vente dans les dix jours de la demande de l'une des parties.

1991, c. 64, a. 1763 (1994-01-01).

Art. 1763. The seller of an immovable and the successful bidder shall sign the deed of sale within ten days after either party so requests.

(**C.C.Q.** 1455, 2938 ss., 3069)

Art. 1764. Abrogé.

2002, c. 19, a. 8 (2002-06-13).

Art. 1764. Repealed.

Art. 1765. Le défaut de l'acheteur de payer le prix, selon les conditions de la vente, permet à l'encanteur, outre les recours ordinaires du vendeur, de revendre le bien à la folle enchère, selon l'usage et après un avis suffisant.

Le fol enchérisseur ne peut, alors, enchérir de nouveau et il est tenu, le cas échéant, de payer la différence entre le prix de son adjudication et le prix moindre de la revente, sans qu'il puisse réclamer l'excédent. Il est aussi, en cas de vente forcée, responsable envers le vendeur, le saisi et les créanciers qui ont obtenu un jugement, des intérêts, des frais et des dommages-intérêts résultant de son défaut.

1991, c. 64, a. 1765 (1994-01-01).

Art. 1765. If the buyer fails to pay the price in compliance with the conditions of the sale, the auctioneer may, in addition to the ordinary remedies of a seller, resell the property for false bidding, according to usage and after sufficient notice.

A false bidder may not bid again at a resale on default. He is bound to pay the difference between the price at which the property was sold to him and the resale price, if lesser, but is not entitled to claim any excess amount. He is also, in the case of a forced sale, liable towards the seller, the person from whom the property was seized and the creditors having obtained the judgment, for all interest, costs and damages arising from his default.

C.C.B.C. 1568; **C.P.C.** 686*d*), 694 (**C.C.Q.** 1566, 1601 ss., 1604 ss., 1607 ss., 1611 ss., 1734, 1735, 1742; **C.P.C.** 686*d*), 688.1, 690(5), 691-694, 730)

Art. 1766. L'adjudicataire dont le droit de propriété sur un bien acquis lors d'une vente aux enchères est atteint à la suite d'une saisie exercée par un créancier du vendeur, peut recouvrer du vendeur le prix qu'il a payé, avec les intérêts et les frais; il peut aussi recouvrer des créanciers du vendeur le prix qui leur a été remis, avec intérêts, sous réserve de se faire opposer le bénéfice de discussion.

Il peut réclamer du créancier saisissant les dommages-intérêts qui résultent des irrégularités de la saisie ou de la vente.

1991, c. 64, a. 1766 (1994-01-01).

Art. 1766. A successful bidder whose right of ownership of property acquired at an auction sale is infringed as a result of seizure of the property by a creditor of the seller may recover the price paid, with interest and costs, from the seller. He may also recover the price, with interest, from the creditors of the seller to whom it has been remitted, but they may set up the benefit of discussion against him.

He may claim damages resulting from any irregularity in the seizure or sale from the seizing creditor.

C.C.B.C. 1586, 1587 (**C.C.Q.** 1607 ss., 1611 ss., 1714, 1731, 2794; **C.P.C.** 110, 580, 581 ss., 612, 660 ss., 695, 696 ss., 698 ss., 731, 732, 733 ss.)

§ 8. — De la vente d'entreprise

Art. 1767-1778. Abrogés.

2002, c. 19, a. 8 (2002-06-13).

§ 8. — Sale of an enterprise

Art. 1767-1778. Repealed.

§ 9. — De la vente de certains biens incorporels

§ 9. — Sale of certain incorporeal property

I — DE LA VENTE DE DROITS SUCCESSORAUX

I — SALE OF RIGHTS OF SUCCESSION

Art. 1779. Le vendeur de droits successoraux, s'il ne spécifie pas en détail les biens sur lesquels portent les droits, ne garantit que sa qualité d'héritier.

1991, c. 64, a. 1779 (1994-01-01).

Art. 1779. A person who sells rights of succession without specifying in detail the property affected warrants only his quality as an heir.

C.C.B.C. 1579 (**C.C.Q.** 631, 641, 848, 884, 1708, 1716, 1732 ss., 2938, 2998, 2999)

Art. 1780. Le vendeur est tenu de remettre à l'acheteur les fruits et revenus qu'il a perçus, de même que le capital de la créance échue et le prix des biens qu'il a vendus et qui faisaient partie de la succession.

1991, c. 64, a. 1780 (1994-01-01).

C.C.B.C. 1580 (**C.C.Q.** 878, 1718)

Art. 1781. L'acheteur est tenu de rembourser au vendeur les dettes de la succession et les frais de liquidation de celle-ci que le vendeur a payés, de même que les sommes que la succession lui doit.

Il doit aussi acquitter les dettes de la succession dont le vendeur est tenu.

1991, c. 64, a. 1781 (1994-01-01).

C.C.B.C. 1581 (**C.C.Q.** 823 ss., 1455, 1734, 1735, 1740 ss., 2938)

II — DE LA VENTE DE DROITS LITIGIEUX

Art. 1782. Un droit est litigieux lorsqu'il est incertain, disputé ou susceptible de dispute par le débiteur, que l'action soit intentée ou qu'il y ait lieu de présumer qu'elle sera nécessaire.

1991, c. 64, a. 1782 (1994-01-01).

C.C.B.C. 1583

Art. 1783. Les juges, avocats, notaires et officiers de justice ne peuvent se porter acquéreurs de droits litigieux, sous peine de nullité absolue de la vente.

1991, c. 64, a. 1783 (1994-01-01).

C.C.B.C. 1485 (**C.C.Q.** 1418, 1422, 1782; **C.P.C.** 610, 686)

Art. 1784. Lorsqu'une vente de droits litigieux a lieu, celui de qui ils sont réclamés est entièrement déchargé en remboursant à l'acheteur le prix de cette vente, les frais et les intérêts sur le prix, à compter du jour où le paiement a été fait.

Ce droit de retrait ne peut être exercé lorsque la vente est faite à un créancier en paiement de ce qui lui est dû ou à un cohéritier ou copropriétaire du droit vendu, ou encore au possesseur du bien qui est l'objet du droit. Il ne peut l'être, non plus, lorsque le tribunal a rendu un jugement maintenant le droit vendu ou lorsque le droit a été établi et que le litige est en état d'être jugé.

1991, c. 64, a. 1784 (1994-01-01).

C.C.B.C. 1582, 1584 (**C.C.Q.** 1553 ss.; **C.P.C.** 166, 187 ss.)

Art. 1780. The seller is bound to hand over the fruits and revenues he has received to the buyer, together with the capital of any claim due and the price of any property he has sold which formed part of the succession.

Art. 1781. The buyer is bound to reimburse the seller for the debts and liquidation expenses of the succession that he has paid and all amounts owed to him by the succession.

The buyer shall also pay the debts of the succession for which the seller is liable.

II — SALE OF LITIGIOUS RIGHTS

Art. 1782. A right is litigious when it is uncertain, contested or contestable by the debtor, whether an action is pending or there is reason to presume that it will become necessary.

Art. 1783. No judge, advocate, notary or officer of justice may acquire litigious rights, on pain of absolute nullity of the sale.

Art. 1784. Where litigious rights are sold, the person from whom they are claimed is fully discharged by paying to the buyer the sale price, the costs related to the sale and interest on the price computed from the day on which the buyer paid it.

This right of redemption may not be exercised where the sale is made to a creditor in payment of what is due to him, to a coheir or co-owner of the rights sold or to the possessor of the property subject to the right. Nor may it be exercised where a court has rendered a judgment affirming the rights sold or where the rights have been established and the case is ready for judgment.

SECTION II
DES RÈGLES PARTICULIÈRES À LA VENTE D'IMMEUBLES À USAGE D'HABITATION

Art. 1785. Dès lors que la vente d'un immeuble à usage d'habitation, bâti ou à bâtir, est faite par le constructeur de l'immeuble ou par un promoteur à une personne physique qui l'acquiert pour l'occuper elle-même, elle doit, que cette vente comporte ou non le transfert à l'acquéreur des droits du vendeur sur le sol, être précédée d'un contrat préliminaire par lequel une personne promet d'acheter l'immeuble.

Le contrat préliminaire doit contenir une stipulation par laquelle le promettant acheteur peut, dans les dix jours de l'acte, se dédire de la promesse.
1991, c. 64, a. 1785 (1994-01-01).

(**C.C.Q.** 1786, 1793, 1794)

Art. 1786. Outre qu'il doit indiquer les nom et adresse du vendeur et du promettant acheteur, les ouvrages à réaliser, le prix de vente, la date de délivrance et les droits réels qui grèvent l'immeuble, le contrat préliminaire doit contenir les informations utiles relatives aux caractéristiques de l'immeuble et mentionner, si le prix est révisable, les modalités de la révision.

Lorsque le contrat préliminaire prescrit une indemnité en cas d'exercice de la faculté de dédit, celle-ci ne peut excéder 0,5 p. 100 du prix de vente convenu.
1991, c. 64, a. 1786 (1994-01-01).

(**C.C.Q.** 1785)

Art. 1787. Lorsque la vente porte sur une fraction de copropriété divise ou sur une part indivise d'un immeuble à usage d'habitation et que cet immeuble comporte ou fait partie d'un ensemble qui comporte au moins dix unités de logement, le vendeur doit remettre au promettant acheteur, lors de la signature du contrat préliminaire, une note d'information; il doit également remettre cette note lorsque la vente porte sur une résidence faisant partie d'un ensemble comportant dix résidences ou plus et ayant des installations communes.

La vente qui porte sur la même fraction de copropriété faite à plusieurs personnes qui acquièrent ainsi sur cette fraction un droit de jouissance, périodique et successif, est aussi subordonnée à la remise d'une note d'information.
1991, c. 64, a. 1787 (1994-01-01).

(**D.T.** 56; **C.C.Q.** 1012 ss., 1038 ss., 1058, 1788, 1793)

SECTION II
SPECIAL RULES REGARDING SALE OF RESIDENTIAL IMMOVABLES

Art. 1785. The sale of an existing or planned residential immovable by the builder or a promoter to a natural person who acquires it to occupy it shall be preceded by a preliminary contract by which a person promises to buy the immovable, whether or not the sale includes the transfer to him of the seller's rights over the land.

A stipulation that the promisor may withdraw his promise within ten days after signing it shall be included in the preliminary contract.

Art. 1786. In a preliminary contract, in addition to the name and address of the seller and of the promisor, an indication shall be included of the work to be performed, the sale price, the date of delivery and the real rights affecting the immovable, as well as any useful information pertaining to the features of the immovable and, where the sale price is subject to review, the terms and conditions of revision.

Where the preliminary contract provides for an indemnity in case of exercise of the right of withdrawal, the indemnity never exceeds one-half of one per cent of the agreed sale price.

Art. 1787. Where a fraction of an immovable under divided co-ownership or an undivided part of a residential immovable comprising or forming part of a development which comprises at least ten dwellings is sold, the seller shall give the promisor a memorandum, at the time of signing the preliminary contract; he shall also furnish the memorandum where a residence forming part of a development comprising at least ten residences and having common facilities is sold.

A memorandum shall also be given where the same fraction of an immovable under co-ownership is sold to several persons who thereby acquire a right of enjoyment in the fraction, periodically and successively.

Art. 1788. La note d'information complète le contrat préliminaire. Elle énonce les noms des architectes, ingénieurs, constructeurs et promoteurs et contient un plan de l'ensemble du projet immobilier et, s'il y a lieu, le plan général de développement du projet, ainsi que le sommaire d'un devis descriptif; elle fait état du budget prévisionnel, indique les installations communes et fournit les renseignements sur la gérance de l'immeuble, ainsi que, s'il y a lieu, sur les droits d'emphytéose et les droits de propriété superficiaire dont l'immeuble fait l'objet.

Une copie ou un résumé de la déclaration de copropriété ou de la convention d'indivision et du règlement de l'immeuble, même si ces documents sont à l'état d'ébauche, doit être annexé à la note d'information.

1991, c. 64, a. 1788 (1994-01-01).

(C.C.Q. 1012 ss., 1052 ss., 1093, 1110 ss., 1195 ss., 1787, 1789, 1791)

Art. 1789. Lorsque la vente porte sur une fraction de copropriété divise, la note d'information contient un état des baux consentis par le promoteur ou le constructeur sur les parties privatives ou communes de l'immeuble et indique le nombre maximum de fractions destinées par eux à des fins locatives.

1991, c. 64, a. 1789 (1994-01-01).

(C.C.Q. 1038 ss., 1790)

Art. 1790. Lorsque le promoteur ou le constructeur consent un bail au-delà du maximum indiqué à la note d'information, le syndicat des copropriétaires peut, après avoir avisé le locateur et le locataire, demander la résiliation du bail. S'il y a plusieurs baux qui excèdent ce maximum, les baux les plus récents doivent d'abord être résiliés.

1991, c. 64, a. 1790 (1994-01-01).

(C.C.Q. 1039, 1604 ss., 1789, 1851 ss.; **C.P.C.** 110)

Art. 1791. Le budget prévisionnel doit être établi sur une base annuelle d'occupation complète de l'immeuble; dans le cas d'une copropriété divise, il est établi pour une période débutant le jour où la déclaration de copropriété est inscrite.

Art. 1788. The memorandum complements the preliminary contract. It contains the names of the architects, engineers, builders and promoters, a plan of the overall real estate development project and, where applicable, the general development plan of the project and a summary of the descriptive specifications. It also contains the budget forecast, indicates the common facilities and contains information on the management of the immovable and, where applicable, on the right of emphyteusis or superficies affecting the immovable.

A copy or summary of the declaration of co-ownership or indivision agreement and of the by-laws of the immovable shall be appended to the memorandum even if they are draft documents.

Art. 1789. Where a fraction of an immovable under divided co-ownership is sold, the memorandum contains a statement of the leases granted by the promoter or the builder on the private or common portions of the immovable and indicates the maximum number of fractions intended for lease by the promoter or builder.

Art. 1790. Where the promoter or builder, by granting a lease, exceeds the maximum number indicated in the memorandum, the syndicate of co-owners, after notifying the lessor and the lessee, may demand the resiliation of the lease. If there are several leases in excess of the maximum number, the most recent leases shall be resiliated first.

Art. 1791. The budget forecast shall be prepared on the basis of one year of full occupancy of the immovable; in the case of an immovable under divided co-ownership, it is prepared for a period beginning on the date of registration of the declaration of co-ownership.

Le budget comprend, notamment, un état des dettes et des créances, des recettes et débours et des charges communes. Il indique aussi, pour chaque fraction, les impôts fonciers susceptibles d'être dus, le taux de ceux-ci, et les charges annuelles à payer, y compris, le cas échéant, la contribution au fonds de prévoyance.

1991, c. 64, a. 1791 (1994-01-01).

(**C.C.Q.** 1059 ss., 1788)

Art. 1792. La vente d'une fraction de copropriété peut être résolue sans formalités lorsque la déclaration de copropriété n'est pas inscrite dans un délai de trente jours, à compter de la date où elle peut l'être suivant le livre De la publicité des droits.

1991, c. 64, a. 1792 (1994-01-01).

(**C.C.Q.** 1038 ss., 1059 ss., 1062, 1604 ss., 2934 ss., 3030, 3041)

Art. 1793. La vente d'un immeuble à usage d'habitation qui n'est pas précédée du contrat préliminaire peut être annulée à la demande de l'acheteur, si celui-ci démontre qu'il en subit un préjudice sérieux.

1991, c. 64, a. 1793 (1994-01-01).

L.R.Q., c. P-40.1, a. 271 (**C.C.Q.** 1416 ss., 1420, 1422, 1785, 1787)

Art. 1794. La vente par un entrepreneur d'un fonds qui lui appartient, avec un immeuble à usage d'habitation bâti ou à bâtir, est assujettie aux règles du contrat d'entreprise ou de service relatives aux garanties, compte tenu des adaptations nécessaires. Les mêmes règles s'appliquent à la vente faite par un promoteur immobilier.

1991, c. 64, a. 1794 (1994-01-01).

(**C.C.Q.** 1785, 2098 ss., 2101 ss., 2110 ss., 2117 ss., 2121, 2124)

A budget includes, in particular, a statement of debts and claims, revenues and expenditures and common expenses. It also indicates, for each fraction, the likely amount of real estate taxes, the rate of such taxes and the annual expenses payable, including, where applicable, the contribution to the contingency fund.

Art. 1792. The sale of a fraction of an immovable under co-ownership may be resolved without formality where the declaration of co-ownership is not registered within thirty days after the date on which it may be registered pursuant to the Book on the Publication of Rights.

Art. 1793. The sale of a residential immovable that is not preceded by the preliminary contract may be annulled on the application of the buyer if he shows that he suffers serious prejudice therefrom.

Art. 1794. The sale, by a contractor, of land belonging to him together with an existing or planned residential immovable is subject to the rules regarding contracts for work or services pertaining to warranties, adapted as required. Those rules also apply to sales by a real estate promoter.

SECTION III
DE DIVERS CONTRATS APPARENTÉS À LA VENTE

SECTION III
VARIOUS CONTRACTS SIMILAR TO SALE

§ 1. — De l'échange

§ 1. — Exchange

Art. 1795. L'échange est le contrat par lequel les parties se transfèrent respectivement la propriété d'un bien, autre qu'une somme d'argent.

1991, c. 64, a. 1795 (1994-01-01).

C.C.B.C. 1596 (**C.C.Q.** 1377 ss., 1453, 1455)

Art. 1795. Exchange is a contract by which the parties transfer ownership of property other than money to each other.

Art. 1796. Lorsque l'une des parties, même après avoir reçu le bien qui lui est transféré en échange, prouve que l'autre partie n'en est pas propriétaire, elle ne peut être forcée à délivrer celui qu'elle a promis en contre-échange, mais seulement à rendre celui qu'elle a reçu.

1991, c. 64, a. 1796 (1994-01-01).

Art. 1796. Where one of the parties proves, even after having received the property transferred to him in exchange, that the other party was not the owner of the property, he may not be compelled to deliver the property he had promised in exchange, but only to return the property he has received.

C.C.B.C. 1597

Art. 1797. La partie qui est évincée du bien qu'elle a reçu en échange peut réclamer des dommages-intérêts ou reprendre le bien qu'elle a transféré.

1991, c. 64, a. 1797 (1994-01-01).

Art. 1797. A party who is evicted of the property he has received in exchange may claim damages or recover the property he has transferred.

C.C.B.C. 1598 (**C.C.Q.** 1591, 1601 ss., 1607 ss., 1611 ss., 1723)

Art. 1798. Les règles du contrat de vente sont, pour le reste, applicables au contrat d'échange.

1991, c. 64, a. 1798 (1994-01-01).

Art. 1798. In all other respects, the rules pertaining to contracts of sale apply to contracts of exchange.

C.C.B.C. 1599 (**C.C.Q.** 1708 ss.)

§ 2. — De la dation en paiement

Art. 1799. La dation en paiement est le contrat par lequel un débiteur transfère la propriété d'un bien à son créancier qui accepte de la recevoir, à la place et en paiement d'une somme d'argent ou de quelque autre bien qui lui est dû.

1991, c. 64, a. 1799 (1994-01-01).

§ 2. — Giving in payment

Art. 1799. Giving in payment is a contract by which a debtor transfers ownership of property to his creditor, who is willing to take it in place and payment of a sum of money or some other property due to him.

(**C.C.Q.** 2778, 2782, 2783)

Art. 1800. La dation en paiement est assujettie aux règles du contrat de vente et celui qui transfère ainsi un bien est tenu aux mêmes garanties que le vendeur.

Toutefois, la dation en paiement n'est parfaite que par la délivrance du bien.

1991, c. 64, a. 1800 (1994-01-01).

Art. 1800. Giving in payment is subject to the rules pertaining to contracts of sale and the person who so transfers property is bound to the same warranties as a seller.

Giving in payment is perfected only by delivery of the property.

C.C.B.C. 1592 (**C.C.Q.** 1553 ss., 1561, 1708 ss., 1716, 2366)

Art. 1801. Est réputée non écrite toute clause selon laquelle, pour garantir l'exécution de l'obligation de son débiteur, le créancier se réserve le droit de devenir propriétaire irrévocable du bien ou d'en disposer.

1991, c. 64, a. 1801 (1994-01-01).

Art. 1801. Any clause by which a creditor, with a view to securing the performance of the obligation of his debtor, reserves the right to become the irrevocable owner of the property or to dispose of it is deemed not written.

(**D.T.** 102; **C.C.Q.** 2757 ss., 2778 ss.)

§ 3. — *Du bail à rente*

Art. 1802. Le bail à rente est le contrat par lequel le bailleur transfère la propriété d'un immeuble moyennant une rente foncière que le preneur s'oblige à payer.

La rente est payable en numéraire ou en nature; les redevances sont dues à la fin de chaque année et elles sont comptées à partir de la constitution de la rente.

1991, c. 64, a. 1802 (1994-01-01).

§ 3. — *Alienation for rent*

Art. 1802. Alienation for rent is a contract by which the lessor transfers the ownership of an immovable to a lessee in return for a ground rent which the latter obligates himself to pay.

The rent is payable in money or in kind, at the end of each year, from the date of constitution of the rent.

C.C.B.C. 1593, 1594 (**D.T.** 59; **C.C.Q.** 2367 ss., 2371 ss., 2377 ss., 2938 ss., 2941 ss., 2959, 3067)

Art. 1803. Le preneur peut toujours se libérer du service de la rente en offrant de rembourser la valeur de la rente en capital et en renonçant à la répétition des redevances payées; mais il ne peut, pour le service de la rente, se faire remplacer par un assureur.

1991, c. 64, a. 1803 (1994-01-01).

Art. 1803. The lessee may free himself at any time from the annual payments of rent by offering to reimburse the capital value of the rent and renouncing the recovery of the payments made, but he may not substitute an insurer to make the payments in his place.

C.C.B.C. 389 al. 3, 393 (**C.C.Q.** 2367 ss., 2388)

Art. 1804. Le preneur est tenu personnellement de la rente envers le bailleur. Le fait qu'il abandonne l'immeuble ou que celui-ci soit détruit par force majeure ne le libère pas de son obligation.

1991, c. 64, a. 1804 (1994-01-01).

Art. 1804. The lessee is personally liable towards the lessor for the rent. He is not discharged from his obligation by his abandonment of the immovable or its destruction by superior force.

C.C.B.C. 1595 (**C.C.Q.** 2383)

Art. 1805. Les règles relatives au contrat de vente et à la rente sont, pour le reste, applicables au contrat de bail à rente.

1991, c. 64, a. 1805 (1994-01-01).

Art. 1805. In all other respects, the rules pertaining to contracts of sale and to annuities apply to contracts of alienation for rent.

C.C.B.C. 1593, 1594 (**D.T.** 59; **C.C.Q.** 1456, 1708 ss., 2367 ss., 2959, 3067)

CHAPITRE DEUXIÈME
DE LA DONATION

CHAPTER II
GIFTS

SECTION I
DE LA NATURE ET DE L'ÉTENDUE DE LA DONATION

SECTION I
NATURE AND SCOPE OF GIFTS

Art. 1806. La donation est le contrat par lequel une personne, le donateur, transfère la propriété d'un bien à titre gratuit à une autre personne, le donataire; le transfert peut aussi porter sur un démembrement du droit de propriété ou sur tout autre droit dont on est titulaire.

La donation peut être faite entre vifs ou à cause de mort.

1991, c. 64, a. 1806 (1994-01-01).

Art. 1806. Gift is a contract by which a person, the donor, transfers ownership of property by gratuitous title to another person, the donee; a dismemberment of the right of ownership, or any other right held by the person, may also be transferred by gift.

Gifts may be *inter vivos* or *mortis causa*.

C.C.B.C. 755, 795 (**C.C.Q.** 4, 8, 9, 438, 450, 644, 916, 1212-1216, 1377, 1381, 1385, 1386, 1410, 1499, 1807-1809)

Art. 1807. La donation entre vifs est celle qui emporte le dessaisissement actuel du donateur, en ce sens que celui-ci se constitue actuellement débiteur envers le donataire.

Le fait que le transfert du bien ou sa délivrance soient assortis d'un terme, ou que le transfert porte sur un bien individualisé que le donateur s'engage à acquérir, ou sur un bien déterminé quant à son espèce seulement que le donateur s'engage à délivrer, n'empêche pas le dessaisissement du donateur d'être actuel.

1991, c. 64, a. 1807 (1994-01-01).

Art. 1807. A gift which entails actual divesting of the donor in the sense that the donor actually becomes the debtor of the donee is a gift *inter vivos*.

The fact that the transfer or delivery of the property is subject to a term or that the transfer affects a certain and determinate property which the donor undertakes to acquire or a property determinate only as to kind which the donor undertakes to deliver does not prevent the divesting of the donor from being actual divesting.

C.C.B.C. 777 al. 1 et 6 (**C.C.Q.** 385, 386, 510, 520, 644, 1453, 1455, 1508 ss., 1806, 1818, 1822, 1823; **C.P.C.** 540, 565)

Art. 1808. La donation à cause de mort est celle où le dessaisissement du donateur demeure subordonné à son décès et n'a lieu qu'à ce moment.

1991, c. 64, a. 1808 (1994-01-01).

Art. 1808. A gift whereby the divesting of the donor remains conditional on his death and takes place only at that time is a gift *mortis causa*.

C.C.B.C. 757, 758 (**C.C.Q.** 438, 519, 520, 613, 706, 1806, 1819, 1839 ss.)

Art. 1809. L'acte par lequel une personne renonce à exercer un droit qui ne lui est pas encore acquis ou renonce, purement et simplement, à une succession ou à un legs ne constitue pas une donation.

1991, c. 64, a. 1809 (1994-01-01).

Art. 1809. An act by which a person renounces a right that he has not yet acquired or unconditionally renounces a succession or legacy does not constitute a gift.

(**C.C.Q.** 631, 646 ss., 741, 750, 1806)

Art. 1810. La donation rémunératoire ou la donation avec charge ne vaut donation que pour ce qui excède la valeur de la rémunération ou de la charge.

1991, c. 64, a. 1810 (1994-01-01).

—————

(**C.C.Q.** 1806, 1821, 1831-1835)

Art. 1811. La donation indirecte et la donation déguisée sont régies, sauf quant à la forme, par les dispositions du présent chapitre.

1991, c. 64, a. 1811 (1994-01-01).

Art. 1812. La promesse d'une donation n'équivaut pas à donation; elle ne confère au bénéficiaire de la promesse que le droit de réclamer du promettant, à défaut par ce dernier de remplir sa promesse, des dommages-intérêts équivalents aux avantages que ce bénéficiaire a concédés et aux frais qu'il a faits en considération de la promesse.

1991, c. 64, a. 1812 (1994-01-01).

—————

(**D.T.** 103; **C.C.Q.** 1396, 1397, 1607 ss., 1611 ss., 1806 ss.; **C.P.C.** 110)

Art. 1810. A remunerative gift or a gift with a charge constitutes a gift only for the value in excess of that of the remuneration or charge.

1991, c. 64, a. 1810 (1994-01-01).

Art. 1811. Indirect gifts and disguised gifts are governed by this chapter, except as to their form.

1991, c. 64, a. 1811 (1994-01-01).

Art. 1812. The promise of a gift does not constitute a gift but only confers on the beneficiary of the promise the right to claim damages from the promisor, on his failure to fulfil his promise, equivalent to the benefits which the beneficiary has granted and the expenses he has incurred in consideration of the promise.

1991, c. 64, a. 1812 (1994-01-01).

SECTION II
DE CERTAINES CONDITIONS DE LA DONATION

§ 1. — *De la capacité de donner et de recevoir*

Art. 1813. Même représenté par son tuteur ou son curateur, le mineur ou le majeur protégé ne peut donner que des biens de peu de valeur et des cadeaux d'usage, sous réserve des règles relatives au contrat de mariage ou d'union civile.

1991, c. 64, a. 1813 (1994-01-01); 2002, c. 6, a. 50 (2002-06-24).

—————

C.C.B.C. 763 al. 1, 986 (**C.C.Q.** 4, 153, 158, 161, 172, 173, 176, 188, 192, 208, 213, 256, 258, 281, 283-285, 291, 434-436, 1312, 1387, 1390-1394, 1398, 1815, 1816, 1840)

Art. 1814. Les père et mère ou le tuteur peuvent accepter la donation faite à un mineur ou, sous la condition qu'il naisse vivant et viable, à un enfant conçu mais non encore né.

Seul le tuteur ou le curateur peut accepter la donation faite à un majeur protégé. Le mineur et le majeur pourvu d'un tuteur peuvent, néanmoins, accepter seuls la donation de biens de peu de valeur ou de cadeaux d'usage.

1991, c. 64, a. 1814 (1994-01-01).

—————

C.C.B.C. 303, 789 al. 1, 792, 821 (**C.C.Q.** 85, 86, 153, 154, 158, 173, 192, 209-211, 217, 258, 286, 288, 1239, 1289, 1815, 3027)

SECTION II
CERTAIN CONDITIONS PERTAINING TO GIFTS

§ 1. — *Capacity to make and receive gifts*

Art. 1813. Minors and protected persons of full age, even represented by their tutors or curators, may not make gifts except gifts of property of little value or customary presents, subject to the rules pertaining to marriage or civil union contract.

1991, c. 64, a. 1813 (1994-01-01); 2002, c. 6, a. 50 (2002-06-24).

Art. 1814. Fathers and mothers or tutors may accept gifts made to minors or, provided they are born alive and viable, to children conceived but yet unborn.

Only tutors or curators may accept gifts made to protected persons of full age. Minors and persons of full age who have tutors may, nevertheless, accept alone gifts of property of little value or customary presents.

1991, c. 64, a. 1814 (1994-01-01).

Art. 1815. Le majeur à qui il est nommé un conseiller dont l'assistance est requise pour accepter une donation peut aussi donner, s'il est ainsi assisté.

1991, c. 64, a. 1815 (1994-01-01).

Art. 1815. A person of full age who, to accept a gift, requires the assistance of the adviser appointed to him may also make a gift with his assistance.

C.C.B.C. 319, 322, 335.2, 789 (**C.C.Q.** 172, 173, 258, 291-294, 436)

§ 2. — De certaines règles de validité de la donation

§ 2. — Certain rules governing the validity of gifts

Art. 1816. La donation d'un bien par une personne qui n'en est pas propriétaire ou qui n'est pas chargée de le donner ni autorisée à le faire est nulle, à moins que le donateur ne se soit expressément engagé à l'acquérir.

1991, c. 64, a. 1816 (1994-01-01).

Art. 1816. The gift of property by a person who does not own it or who is not charged with giving it or authorized to give it is null, unless the donor has expressly undertaken to acquire the property.

C.C.B.C. 773 (**C.C.Q.** 1312, 1713, 1826, 1827)

Art. 1817. La donation faite au propriétaire, à l'administrateur ou au salarié d'un établissement de santé ou de services sociaux qui n'est ni le conjoint ni un proche parent du donateur est nulle si elle est faite au temps où le donateur y est soigné ou y reçoit des services.

La donation faite à un membre de la famille d'accueil à l'époque où le donateur y demeure est également nulle.

1991, c. 64, a. 1817 (1994-01-01).

Art. 1817. A gift made to the owner, a director or an employee of a health or social services establishment who is neither the spouse nor a close relative of the donor is null if it was made while the donor was receiving care or services at the establishment.

A gift made to a member of a foster family while the donor was residing with that family is also null.

L.R.Q., c. S-4.2, a. 275; **L.R.Q.**, c. S-5, a. 155 (**C.C.Q.** 761, 1416, 1417, 1419; **C.P.C.** 110)

Art. 1818. La donation entre vifs ne peut porter que sur des biens présents.

Celle qui prétendrait porter sur des biens à venir est réputée faite à cause de mort, mais celle qui porte à la fois sur des biens présents et à venir n'est réputée faite à cause de mort qu'à l'égard des biens à venir.

1991, c. 64, a. 1818 (1994-01-01).

Art. 1818. Gifts *inter vivos* are valid only as to present property.

The gift of future property is deemed to be *mortis causa*, but the gift of both present and future property is deemed to be *mortis causa* only with respect to the future property.

C.C.B.C. 778 al. 1 (**C.C.Q.** 415, 418, 1374, 1808, 1819, 2847)

Art. 1819. La donation à cause de mort est nulle, à moins qu'elle ne soit faite par contrat de mariage ou d'union civile ou qu'elle ne puisse valoir comme legs.

1991, c. 64, a. 1819 (1994-01-01); 2002, c. 6, a. 50 (2002-06-24).

Art. 1819. A gift *mortis causa* is null unless it is made by marriage or civil union contract or unless it may be upheld as a legacy.

C.C.B.C. 757, 758, 778 (**C.C.Q.** 431, 613, 704, 731, 1419, 1808, 1818, 1839-1841, 2446, 2455, 2456; **C.P.C.** 110)

Art. 1820. La donation faite durant la maladie réputée mortelle du donateur, suivie ou non de son décès, est nulle comme faite à cause de mort si aucune circonstance n'aide à la valider.

Néanmoins, si le donateur se rétablit et laisse le donataire en possession paisible pendant trois ans, le vice disparaît.

1991, c. 64, a. 1820 (1994-01-01).

Art. 1820. A gift made during the deemed mortal illness of the donor is null as having been made *mortis causa*, whether or not death follows, unless circumstances tend to render it valid.

If the donor recovers and leaves the donee in peaceable possession for three years, the nullity is covered.

C.C.B.C. 762 (**C.C.Q.** 921 ss., 1808, 1819, 1839; **C.P.C.** 110)

Art. 1821. La donation entre vifs qui impose au donataire l'obligation d'acquitter des dettes ou des charges autres que celles qui existent lors de la donation est nulle, à moins que la nature de ces autres dettes ou charges ne soit exprimée au contrat et que leur montant n'y soit déterminé.

1991, c. 64, a. 1821 (1994-01-01).

Art. 1821. A gift *inter vivos* which imposes on the donee the obligation to pay debts or charges other than those existing at the time of the gift is null, unless the nature and amount of those other debts or charges are specified in the contract.

C.C.B.C. 784 (**D.T.** 104; **C.C.Q.** 1212, 1218, 1810, 1831-1835, 1838; **C.P.C.** 110)

Art. 1822. La donation entre vifs stipulée révocable suivant la seule discrétion du donateur est nulle, alors même qu'elle est faite par contrat de mariage ou d'union civile.

1991, c. 64, a. 1822 (1994-01-01); 2002, c. 6, a. 50 (2002-06-24).

Art. 1822. A gift *inter vivos* stipulated to be revocable at the sole discretion of the donor is null, even if it is made by marriage or civil union contract.

C.C.B.C. 782 al. 1, 783 (**C.C.Q.** 431, 1500, 1807, 1840; **C.P.C.** 110)

Art. 1823. La donation entre vifs ne peut être faite qu'à titre particulier; autrement, elle est nulle, de nullité absolue.

1991, c. 64, a. 1823 (1994-01-01).

Art. 1823. A gift *inter vivos* made otherwise than by particular title is absolutely null.

C.C.B.C. 780, 781, 797, 798, 800-802 (**C.C.Q.** 734, 1417, 1418, 1807, 1821, 1830; **C.P.C.** 110)

§ 3. — De la forme et de la publicité de la donation

§ 3. — Form and publication of gifts

Art. 1824. La donation d'un bien meuble ou immeuble s'effectue, à peine de nullité absolue, par acte notarié en minute; elle doit être publiée.

Il est fait exception à ces règles lorsque, s'agissant de la donation d'un bien meuble, le consentement des parties s'accompagne de la délivrance et de la possession immédiate du bien.

1991, c. 64, a. 1824 (1994-01-01).

Art. 1824. The gift of movable or immovable property is made, on pain of absolute nullity, by notarial act *en minute*, and shall be published.

These rules do not apply where, in the case of the gift of movable property, the consent of the parties is accompanied by delivery and immediate possession of the property.

C.C.B.C. 776, 804-810 (**C.C.Q.** 899-907, 921 ss., 1218, 1417, 1418, 1819, 1825, 2814, 2819, 2934, 2938, 2941-2944, 2962, 2970, 2998; **C.P.C.** 110)

SECTION III
DES DROITS ET OBLIGATIONS DES PARTIES

§ 1. — *Dispositions générales*

Art. 1825. Le donateur délivre le bien en mettant le donataire en possession du bien ou en permettant au donataire qu'il en prenne possession, tous obstacles étant écartés.

1991, c. 64, a. 1825 (1994-01-01).

C.C.B.C. 1491-1493 (**C.C.Q.** 921 ss., 1458, 1590, 1601, 1824)

Art. 1826. Le donateur n'est tenu de transférer que les droits qu'il a sur le bien donné.

1991, c. 64, a. 1826 (1994-01-01).

C.C.B.C. 796 al. 1 (**C.C.Q.** 1732, 1816, 1827, 1828)

Art. 1827. Le donataire ne peut recouvrer du donateur le paiement qu'il a fait pour libérer le bien donné d'un droit appartenant à un tiers ou pour exécuter une charge, que dans la mesure où le paiement excède l'avantage qu'il retire de la donation.

Cependant, le donataire évincé peut recouvrer du donateur les frais payés en raison de la donation, au-delà de l'avantage qu'il en retire, si l'éviction, totale ou partielle, provient d'un vice du droit transféré que le donateur connaissait mais n'a pas révélé lors de la donation.

1991, c. 64, a. 1827 (1994-01-01).

C.C.B.C. 796 al. 2 (**C.C.Q.** 1553 ss., 1821; **C.P.C.** 168 al. 1(5), 216)

Art. 1828. Le donateur ne répond pas des vices cachés qui affectent le bien donné.

Toutefois, il est tenu de réparer le préjudice causé au donataire en raison d'un vice qui porte atteinte à son intégrité physique, s'il connaissait ce vice et ne l'a pas révélé lors de la donation.

1991, c. 64, a. 1828 (1994-01-01).

C.C.B.C. 796 al. 1 (**D.T.** 83; **C.C.Q.** 3, 10, 1457, 1471, 1607 ss., 1611 ss., 1806)

Art. 1829. Le donateur paie les frais du contrat; le donataire, ceux de l'enlèvement du bien.

1991, c. 64, a. 1829 (1994-01-01).

(**C.C.Q.** 1722)

§ 2. — *Des dettes du donateur*

Art. 1830. Le donataire n'est tenu que des dettes du donateur qui se rattachent à une univer-

SECTION III
RIGHTS AND OBLIGATIONS OF THE PARTIES

§ 1. — *General provisions*

Art. 1825. The donor delivers the property by putting the donee in possession of it or allowing him to take possession of it, all hindrances being removed.

Art. 1826. The donor is bound to transfer only the rights he holds in the property given.

Art. 1827. The donee may not recover from the donor a payment he has made to free the property of a right vested in a third person or to execute a charge, except so far as the payment exceeds the benefit he derives from the gift.

The evicted donee may, however, recover from the donor the expenses paid in connection with the gift in excess of the benefit he derives from it if the eviction, whether total or partial, results from a defect in the transferred right which the donor was aware of but failed to disclose at the time of the gift.

Art. 1828. The donor is not liable for latent defects in the property given.

He is liable, however, for injury caused to the donee as a result of a defect which impairs his physical integrity, if he was aware of the defect but failed to disclose it at the time of the gift.

Art. 1829. The donor pays the expenses related to the contract and the donee, those related to the removal of the property.

§ 2. — *Debts of the donor*

Art. 1830. Unless otherwise provided in the contract or by law, the donee is only liable for debts of

salité d'actif et de passif qu'il reçoit, à moins qu'il n'en résulte autrement du contrat ou de la loi.

1991, c. 64, a. 1830 (1994-01-01).

C.C.B.C. 797, 799 (**C.C.Q.** 613, 739, 1821, 1823, 1827)

the donor connected with a universality of assets and liabilities he receives.

§ 3. — *Des charges stipulées en faveur d'un tiers*

Art. 1831. La donation peut être assortie d'une charge ou d'une stipulation en faveur d'un tiers.

1991, c. 64, a. 1831 (1994-01-01).

(**C.C.Q.** 1444-1450, 1806, 1810, 1821, 1833, 1838)

§ 3. — *Charges stipulated in favour of third persons*

Art. 1831. A gift may be made with a charge or a stipulation in favour of a third person.

Art. 1832. La charge stipulée au bénéfice de plusieurs personnes, sans détermination de leurs parts respectives, emporte, au décès de l'une, accroissement de sa part en faveur des cobénéficiaires survivants.

Toutefois, lorsque les parts respectives des bénéficiaires sont déterminées, le décès de l'un n'emporte pas accroissement.

1991, c. 64, a. 1832 (1994-01-01).

(**C.C.Q.** 1444 ss., 1831, 1833, 1834)

Art. 1832. A charge stipulated in favour of several persons with no determination of their respective shares entails, upon the death of one of them, the accretion of his share in favour of the surviving co-beneficiaries.

Where the respective shares of the beneficiaries are determined, the death of one of them does not entail accretion.

Art. 1833. Le donataire est tenu personnellement des charges grevant le bien donné.

1991, c. 64, a. 1833 (1994-01-01).

(**C.C.Q.** 1831, 1832, 1834)

Art. 1833. The donee is personally liable for charges on the property given.

Art. 1834. La charge qui, en raison de circonstances imprévisibles lors de l'acceptation de la donation, devient impossible ou trop onéreuse pour le donataire, peut être modifiée ou révoquée par le tribunal, compte tenu de la valeur de la donation, de l'intention du donateur et des circonstances.

1991, c. 64, a. 1834 (1994-01-01).

(**C.C.Q.** 771, 1835)

Art. 1834. A charge which, owing to circumstances unforeseeable at the time of the acceptance of the gift, becomes impossible or too burdensome for the donee may be varied or revoked by the court, taking account of the value of the gift, the intention of the donor and the circumstances.

Art. 1835. La révocation ou la caducité de la charge stipulée en faveur d'un tiers profite au donataire, à moins qu'un autre bénéficiaire ne soit désigné.

1991, c. 64, a. 1835 (1994-01-01).

(**C.C.Q.** 1252, 1835)

Art. 1835. The revocation or lapse of a charge stipulated in favour of a third person benefits the donee, unless another beneficiary is designated.

SECTION IV
DE LA RÉVOCATION DE LA DONATION POUR CAUSE D'INGRATITUDE

Art. 1836. Toute donation entre vifs peut être révoquée pour cause d'ingratitude.

Il y a cause d'ingratitude lorsque le donataire a eu envers le donateur un comportement gravement répréhensible, eu égard à la nature de la donation, aux facultés des parties et aux circonstances.

1991, c. 64, a. 1836 (1994-01-01).

C.C.B.C. 811, 813 (**C.C.Q.** 520, 620, 621, 1407, 1739, 1806, 1822, 1837; **C.P.C.** 110)

Art. 1837. L'action en révocation doit être intentée du vivant du donataire et dans l'année qui suit la cause d'ingratitude ou le jour où le donateur en a eu connaissance.

Le décès du donateur, dans les délais utiles à l'exercice de l'action, n'éteint pas le droit, mais ses héritiers doivent agir dans l'année du décès.

1991, c. 64, a. 1837 (1994-01-01).

C.C.B.C. 814 (**C.C.Q.** 1627, 1836, 2878, 2929)

Art. 1838. La révocation de la donation oblige le donataire à restituer au donateur ce qu'il a reçu en vertu du contrat, suivant les règles du présent livre relatives à la restitution des prestations.

Elle emporte extinction, pour l'avenir, des charges qui y sont stipulées.

1991, c. 64, a. 1838 (1994-01-01).

C.C.B.C. 815 (**C.C.Q.** 1699-1707, 1831; **C.P.C.** 540)

SECTION V
DE LA DONATION PAR CONTRAT DE MARIAGE OU D'UNION CIVILE

Art. 1839. Les donations consenties dans un contrat de mariage ou d'union civile peuvent être entre vifs ou à cause de mort.

Elles ne sont valides que si le contrat prend lui-même effet.

1991, c. 64, a. 1839 (1994-01-01); 2002, c. 6, a. 50 (2002-06-24).

C.C.B.C. 758, 817, 822 (**C.C.Q.** 385, 386, 431, 433, 434, 438, 510, 519, 520, 1806-1808, 1813, 1819, 1840, 1841)

SECTION IV
REVOCATION OF GIFTS ON ACCOUNT OF INGRATITUDE

Art. 1836. Gifts *inter vivos* may be revoked on account of ingratitude.

Ingratitude is a ground of revocation where the donee has behaved in a seriously reprehensible manner towards the donor, having regard to the nature of the gift, the faculties of the parties and the circumstances.

Art. 1837. The action in revocation may be brought only during the lifetime of the donee and within one year after the ingratitude became a ground or the day the donor became aware of it.

The death of the donor within the time for bringing an action does not extinguish the right of action, but the heirs of the donor may act only within one year after his death.

Art. 1838. The revocation of a gift obliges the donee to restore to the donor what he has received under the contract, in accordance with the rules of this Book pertaining to the restitution of prestations.

The revocation extinguishes, for the future, the charges stipulated in the contract.

SECTION V
GIFTS MADE BY MARRIAGE OR CIVIL UNION CONTRACT

Art. 1839. Gifts made by marriage or civil union contract may be *inter vivos* or *mortis causa*.

They are valid only if the contract takes effect.

Art. 1840. Toute personne peut faire une donation entre vifs par contrat de mariage ou d'union civile, mais seuls peuvent être donataires les futurs conjoints, les conjoints, leurs enfants respectifs et leurs enfants communs nés et à naître, s'ils naissent vivants et viables.

La donation à cause de mort ne peut avoir lieu qu'entre les personnes qui peuvent être bénéficiaires d'une donation entre vifs par contrat de mariage ou d'union civile.

1991, c. 64, a. 1840 (1994-01-01); 2002, c. 6, a. 51 (2002-06-24).

Art. 1840. Any person may make a gift *inter vivos* by marriage or civil union contract but only the future spouses, the spouses, their respective children and their common children born or yet unborn, if they are born alive and viable, may be donees.

The only persons between whom gifts *mortis causa* may be made are those entitled to be beneficiaries of gifts *inter vivos* made by marriage or civil union contract.

C.C.B.C. 818-820 (**D.T.** 105; **C.C.Q.** 290, 431, 434-436, 438, 439, 522, 1807, 1808, 1839)

Art. 1841. La donation à cause de mort, même faite à titre particulier, est révocable.

Toutefois, lorsque le donateur a stipulé l'irrévocabilité de la donation, il ne peut disposer des biens à titre gratuit par acte entre vifs ou par testament, à moins d'avoir obtenu le consentement du donataire et de tous les autres intéressés ou qu'il ne s'agisse de biens de peu de valeur ou de cadeaux d'usage; il demeure, cependant, titulaire des droits sur les biens donnés et libre de les aliéner à titre onéreux.

1991, c. 64, a. 1841 (1994-01-01).

Art. 1841. Gifts *mortis causa*, even those made by particular title, are revocable.

If a donor has stipulated that a gift is irrevocable, however, he may not dispose of the property gratuitously by an act *inter vivos* or by will without the consent of the donee and of all other interested persons, unless the gift consists of property of little value or customary presents. The donor continues nonetheless to hold his rights in the property given and he remains free to alienate it by onerous title.

C.C.B.C. 823 (**D.T.** 106; **C.C.Q.** 438, 613, 703-706, 764, 1378, 1381, 1708, 1806-1808, 1840)

CHAPITRE TROISIÈME
DU CRÉDIT-BAIL

Art. 1842. Le crédit-bail est le contrat par lequel une personne, le crédit-bailleur, met un meuble à la disposition d'une autre personne, le crédit-preneur, pendant une période de temps déterminée et moyennant une contrepartie.

Le bien qui fait l'objet du crédit-bail est acquis d'un tiers par le crédit-bailleur, à la demande du crédit-preneur et conformément aux instructions de ce dernier.

Le crédit-bail ne peut être consenti qu'à des fins d'entreprise.

1991, c. 64, a. 1842 (1994-01-01).

C.C.B.C. 1603 (**C.C.Q.** 2683)

Art. 1843. Le bien qui fait l'objet du crédit-bail conserve sa nature mobilière tant que dure le contrat, même s'il est rattaché ou réuni à un immeuble, pourvu qu'il ne perde pas son individualité.

1991, c. 64, a. 1843 (1994-01-01).

(**C.C.Q.** 903)

Art. 1844. Le crédit-bailleur doit dénoncer le contrat de crédit-bail dans l'acte d'achat.

1991, c. 64, a. 1844 (1994-01-01).

(**C.C.Q.** 1845)

Art. 1845. Le vendeur du bien est directement tenu envers le crédit-preneur des garanties légales et conventionnelles inhérentes au contrat de vente.

1991, c. 64, a. 1845 (1994-01-01).

C.C.B.C. 1603 (**D.T.** 83; **C.C.Q.** 1716 ss., 1723 ss., 1726 ss., 1732 ss., 1844)

Art. 1846. Le crédit-preneur assume, à compter du moment où il en prend possession, tous les risques de perte du bien, même par force majeure.

Il en assume, de même, les frais d'entretien et de réparation.

1991, c. 64, a. 1846 (1994-01-01).

(**C.C.Q.** 1456, 1470, 1746)

Art. 1847. Les droits de propriété du crédit-bailleur ne sont opposables aux tiers que s'ils sont publiés; cette opposabilité est acquise à compter du crédit-bail si ces droits sont publiés dans les quinze jours.

CHAPTER III
LEASING

Art. 1842. Leasing is a contract by which a person, the lessor, puts movable property at the disposal of another person, the lessee, for a fixed term and in return for payment.

The lessor acquires the property that is the subject of the leasing from a third person, at the demand and in accordance with the instructions of the lessee.

Leasing may be entered into for business purposes only.

Art. 1843. Property that is the subject of a leasing, even if attached or joined to an immovable, retains its movable nature for as long as the contract lasts, provided it does not lose its individuality.

Art. 1844. The lessor shall disclose the contract of leasing in the deed of purchase.

Art. 1845. The seller of the property is directly bound towards the lessee by the legal and conventional warranties inherent in the contract of sale.

Art. 1846. The lessee assumes all risks of loss of the property, even by superior force, from the time he takes possession of it.

He likewise assumes all maintenance and repair expenses.

Art. 1847. The rights of ownership of the lessor have effect against third persons only if they have been published; effect against third persons operates from the date of the leasing contract provided the rights are published within fifteen days.

La cession des droits de propriété du crédit-bailleur n'est également opposable aux tiers que si elle est publiée.

1991, c. 64, a. 1847 (1994-01-01); 1998, c. 5, a. 7 (1999-09-17).

As well, the transfer of the lessor's rights of ownership has effect against third persons only if it has been published.

(**C.C.Q.** 2934)

Art. 1848. Le crédit-preneur peut, après que le crédit-bailleur est en demeure, considérer le contrat de crédit-bail comme étant résolu si le bien ne lui est pas délivré dans un délai raisonnable depuis le contrat ou dans le délai fixé dans la mise en demeure.

1991, c. 64, a. 1848 (1994-01-01).

Art. 1848. If the property is not delivered to the lessee within a reasonable time after the formation of the contract or within the time fixed in the demand for delivery, the lessee may, once the lessor is in default, consider the contract of leasing resolved.

(**C.C.Q.** 1594, 1595, 1605, 1606, 1699 ss., 1736, 1740)

Art. 1849. Lorsque le contrat de crédit-bail est résolu et que le crédit-preneur a retiré un avantage du contrat, le crédit-bailleur peut déduire, lors de la restitution des prestations qu'il a reçues du crédit-preneur, une somme raisonnable qui tienne compte de cet avantage.

1991, c. 64, a. 1849 (1994-01-01).

Art. 1849. Where the contract of leasing is resolved and the lessee has derived a benefit from the contract, the lessor, when returning the prestations he has received from the lessee, may deduct a reasonable sum to take account of such benefit.

(**C.C.Q.** 1605, 1606, 1699 ss., 1704)

Art. 1850. Lorsque le contrat de crédit-bail prend fin, le crédit-preneur est tenu de rendre le bien au crédit-bailleur, à moins qu'il ne se soit prévalu, le cas échéant, de la faculté que lui réserve le contrat de l'acquérir.

1991, c. 64, a. 1850 (1994-01-01).

Art. 1850. Upon termination of the contract of leasing, the lessee is bound to return the property to the lessor unless, where applicable, he has availed himself of the option to acquire it given to him by the contract.

CHAPITRE QUATRIÈME
DU LOUAGE

CHAPTER IV
LEASE

SECTION I
DE LA NATURE DU LOUAGE

SECTION I
NATURE OF LEASE

Art. 1851. Le louage, aussi appelé bail, est le contrat par lequel une personne, le locateur, s'engage envers une autre personne, le locataire, à lui procurer, moyennant un loyer, la jouissance d'un bien, meuble ou immeuble, pendant un certain temps.

Le bail est à durée fixe ou indéterminée.

1991, c. 64, a. 1851 (1994-01-01).

Art. 1851. Lease is a contract by which a person, the lessor, undertakes to provide another person, the lessee, in return for a rent, with the enjoyment of a movable or immovable property for a certain time.

The term of a lease is fixed or indeterminate.

C.C.B.C. 1600-1602 (**C.C.Q.** 1863, 1877, 2695; **L.R.Q.**, c. P-40.1, a. 34-54)

Art. 1852. Les droits résultant du bail peuvent être publiés.

Sont toutefois soumis à la publicité les droits résultant du bail d'une durée de plus d'un an portant sur un véhicule routier ou un autre bien meuble déterminés par règlement, ou sur tout bien meuble requis pour le service ou l'exploitation d'une entreprise, sous réserve, en ce dernier cas, des exclusions prévues par règlement; l'opposabilité de ces droits est acquise à compter du bail s'ils sont publiés dans les quinze jours. Le bail qui prévoit une période de location d'un an ou moins est réputé d'une durée de plus d'un an lorsque, par l'effet d'une clause de renouvellement, de reconduction ou d'une autre convention de même effet, cette période peut être portée à plus d'un an.

La cession des droits résultant du bail est admise ou soumise à la publicité, selon que ces droits sont eux-mêmes admis ou soumis à la publicité.

1991, c. 64, a. 1852 (1994-01-01); 1998, c. 5, a. 8 (1999-09-17).

Art. 1852. The rights resulting from the lease may be published.

Publication is required, however, in the case of rights under a lease with a term of more than one year in respect of a road vehicle or other movable property determined by regulation, or of any movable property required for the service or operation of an enterprise, subject, in the latter case, to regulatory exclusions; effect of such rights against third persons operates from the date of the lease provided they are published within fifteen days. A lease with a term of one year or less is deemed to have a term of more than one year if, by the operation of a renewal clause or other covenant to the same effect, the term of the lease may be increased to more than one year.

The transfer of rights under a lease requires or is open to publication, according to whether the rights themselves require or are open to publication.

(**C.C.Q.** 2938, 2939)

Art. 1853. Le bail portant sur un bien meuble ne se présume pas; la personne qui utilise le bien, avec la tolérance du propriétaire, est présumée l'avoir emprunté en vertu d'un prêt à usage.

Le bail portant sur un bien immeuble est, pour sa part, présumé lorsqu'une personne occupe les lieux avec la tolérance du propriétaire. Ce bail est à durée indéterminée; il prend effet dès l'occupation et comporte un loyer correspondant à la valeur locative.

1991, c. 64, a. 1853 (1994-01-01).

Art. 1853. The lease of movable property is not presumed; a person using the property by sufferance of the owner is presumed to have borrowed it by virtue of a loan for use.

The lease of immovable property is presumed where a person occupies the premises by sufferance of the owner. The term of the lease is indeterminate; the lease takes effect upon occupancy and entails the obligation to pay a rent corresponding to the rental value.

C.C.B.C. 1634 (**C.C.Q.** 1877, 1878, 2313, 2317 ss.)

SECTION II
DES DROITS ET OBLIGATIONS RÉSULTANT DU BAIL

§ 1. — Dispositions générales

Art. 1854. Le locateur est tenu de délivrer au locataire le bien loué en bon état de réparation de toute espèce et de lui en procurer la jouissance paisible pendant toute la durée du bail.

Il est aussi tenu de garantir au locataire que le bien peut servir à l'usage pour lequel il est loué, et de l'entretenir à cette fin pendant toute la durée du bail.

1991, c. 64, a. 1854 (1994-01-01).

C.C.B.C. 1604, 1606 (**D.T.** 83; **C.C.Q.** 1863, 1864, 1890, 1893, 1910; **C.P.C.** 168 al. 1(5), 216 ss.)

Art. 1855. Le locataire est tenu, pendant la durée du bail, de payer le loyer convenu et d'user du bien avec prudence et diligence.

1991, c. 64, a. 1855 (1994-01-01).

C.C.B.C. 1617(1), 1617(2) (**C.C.Q.** 1883, 1903, 1904, 1911, 1971)

Art. 1856. Ni le locateur ni le locataire ne peuvent, au cours du bail, changer la forme ou la destination du bien loué.

1991, c. 64, a. 1856 (1994-01-01).

C.C.B.C. 1607, 1618 (**C.C.Q.** 1893)

Art. 1857. Le locateur a le droit de vérifier l'état du bien loué, d'y effectuer des travaux et, s'il s'agit d'un immeuble, de le faire visiter à un locataire ou à un acquéreur éventuel; il est toutefois tenu d'user de son droit de façon raisonnable.

1991, c. 64, a. 1857 (1994-01-01).

C.C.B.C. 1622, 1645 (**C.C.Q.** 1885, 1893, 1930 ss.)

Art. 1858. Le locateur est tenu de garantir le locataire des troubles de droit apportés à la jouissance du bien loué.

Le locataire, avant d'exercer ses recours, doit d'abord dénoncer le trouble au locateur.

1991, c. 64, a. 1858 (1994-01-01).

C.C.B.C. 1609 (**D.T.** 83; **C.C.Q.** 1893; **C.P.C.** 168 al. 1(5), 216)

SECTION II
RIGHTS AND OBLIGATIONS RESULTING FROM LEASE

§ 1. — General provisions

Art. 1854. The lessor is bound to deliver the leased property to the lessee in a good state of repair in all respects and to provide him with peaceable enjoyment of the property throughout the term of the lease.

He is also bound to warrant the lessee that the property may be used for the purpose for which it was leased and to maintain the property for that purpose throughout the term of the lease.

Art. 1855. The lessee is bound to pay the agreed rent and to use the property with prudence and diligence during the term of the lease.

Art. 1856. Neither the lessor nor the lessee may change the form or destination of the leased property during the term of the lease.

Art. 1857. The lessor has the right to ascertain the condition of the leased property, to carry out work thereon and, in the case of an immovable, to have it visited by a prospective lessee or acquirer, but he is bound to exercise his right in a reasonable manner.

Art. 1858. The lessor is bound to warrant the lessee against legal disturbances of enjoyment of the leased property.

Before pursuing his remedies, the lessee shall notify the lessor of the disturbance.

Art. 1859. Le locateur n'est pas tenu de réparer le préjudice qui résulte du trouble de fait qu'un tiers apporte à la jouissance du bien; il peut l'être lorsque le tiers est aussi locataire de ce bien ou est une personne à laquelle le locataire permet l'usage ou l'accès à celui-ci.

Toutefois, si la jouissance du bien en est diminuée, le locataire conserve ses autres recours contre le locateur.

1991, c. 64, a. 1859 (1994-01-01).

_____

C.C.B.C. 1608, 1635, 1636 (**C.C.Q.** 1860, 1861; **C.P.C.** 34 al. 1(3))

Art. 1860. Le locataire est tenu de se conduire de manière à ne pas troubler la jouissance normale des autres locataires.

Il est tenu, envers le locateur et les autres locataires, de réparer le préjudice qui peut résulter de la violation de cette obligation, que cette violation soit due à son fait ou au fait des personnes auxquelles il permet l'usage du bien ou l'accès à celui-ci.

Le locateur peut, au cas de violation de cette obligation, demander la résiliation du bail.

1991, c. 64, a. 1860 (1994-01-01).

_____

C.C.B.C. 1635 (**C.C.Q.** 1457, 1607 ss., 1611 ss., 1859, 1882, 1893; **C.P.C.** 34 al. 1(3), 110)

Art. 1861. Le locataire, troublé par un autre locataire ou par les personnes auxquelles ce dernier permet l'usage du bien ou l'accès à celui-ci, peut obtenir, suivant les circonstances, une diminution de loyer ou la résiliation du bail, s'il a dénoncé au locateur commun le trouble et que celui-ci persiste.

Il peut aussi obtenir des dommages-intérêts du locateur commun, à moins que celui-ci ne prouve qu'il a agi avec prudence et diligence; le locateur peut s'adresser au locataire fautif, afin d'être indemnisé pour le préjudice qu'il a subi.

1991, c. 64, a. 1861 (1994-01-01).

_____

C.C.B.C. 1636 (**C.C.Q.** 1457, 1604 ss., 1607 ss., 1611 ss., 1859, 1893; **C.P.C.** 34 al. 1(3), 110)

Art. 1862. Le locataire est tenu de réparer le préjudice subi par le locateur en raison des pertes survenues au bien loué, à moins qu'il ne prouve que ces pertes ne sont pas dues à sa faute ou à celle des personnes à qui il permet l'usage du bien ou l'accès à celui-ci.

Art. 1859. The lessor is not liable for damage resulting from the disturbance of enjoyment of the property by the act of a third person; he may be so liable where the third person is also a lessee of that property or is a person whom the lessee allows to use or to have access to the property.

If the enjoyment of the property is diminished by the disturbance, however, the lessee retains his other remedies against the lessor.

Art. 1860. A lessee is bound to act in such a way as not to disturb the normal enjoyment of the other lessees.

He is liable, towards the lessor and the other lessees, for damage that may result from a violation of that obligation, whether the violation is due to his own act or to the act of persons he allows to use or to have access to the property.

In case of violation of this obligation, the lessor may demand resiliation of the lease.

Art. 1861. A lessee who is disturbed by another lessee or by persons whom another lessee allows to use or to have access to the property may obtain, according to the circumstances, a reduction of rent or the resiliation of the lease, if he notified the common lessor of the disturbance and if the disturbance persists.

He may also recover damages from the common lessor unless the lessor proves that he acted with prudence and diligence; the lessor has a recourse against the lessee at fault for compensation for the injury suffered by him.

Art. 1862. The lessee is liable for damage suffered by the lessor by reason of loss affecting the leased property unless he proves that the loss is not due to his fault or that of persons he allows to use or to have access to the property.

Néanmoins, lorsque le bien loué est un immeuble, le locataire n'est tenu des dommages-intérêts résultant d'un incendie que s'il est prouvé que celui-ci est dû à sa faute ou à celle des personnes à qui il a permis l'accès à l'immeuble.

Where the leased property is an immovable, the lessee is not liable for damages resulting from a fire unless it is proved that the fire was due to his fault or that of persons he allowed to have access to the immovable.

1991, c. 64, a. 1862 (1994-01-01); 2002, c. 19, a. 15 (2002-06-13).

C.C.B.C. 1621, 1643 (**C.C.Q.** 1457, 1607 ss., 1611 ss., 1893; **C.P.C.** 110)

Art. 1863. L'inexécution d'une obligation par l'une des parties confère à l'autre le droit de demander, outre des dommages-intérêts, l'exécution en nature, dans les cas qui le permettent. Si l'inexécution lui cause à elle-même ou, s'agissant d'un bail immobilier, aux autres occupants, un préjudice sérieux, elle peut demander la résiliation du bail.

Art. 1863. The nonperformance of an obligation by one of the parties entitles the other party to apply for, in addition to damages, specific performance of the obligation in cases which admit of it. He may apply for the resiliation of the lease where the nonperformance causes serious injury to him or, in the case of the lease of an immovable, to the other occupants.

L'inexécution confère, en outre, au locataire le droit de demander une diminution de loyer; lorsque le tribunal accorde une telle diminution de loyer, le locateur qui remédie au défaut a néanmoins le droit au rétablissement du loyer pour l'avenir.

The nonperformance also entitles the lessee to apply for a reduction of rent; where the court grants it, the lessor, upon remedying his default, is entitled to reestablish the rent for the future.

1991, c. 64, a. 1863 (1994-01-01).

C.C.B.C. 1610, 1611, 1628, 1656 (**C.C.Q.** 1457, 1591, 1601 ss., 1604 ss., 1607 ss., 1611 ss., 1867, 1868, 1893, 1907, 1971, 1973, 1975; **C.P.C.** 34 al. 1(3), 110, 751, 752)

§ 2. — Des réparations

§ 2. — Repairs

Art. 1864. Le locateur est tenu, au cours du bail, de faire toutes les réparations nécessaires au bien loué, à l'exception des menues réparations d'entretien; celles-ci sont à la charge du locataire, à moins qu'elles ne résultent de la vétusté du bien ou d'une force majeure.

Art. 1864. The lessor is bound, during the term of the lease, to make all necessary repairs to the leased property other than lesser maintenance repairs, which are assumed by the lessee unless they result from normal aging of the property or superior force.

1991, c. 64, a. 1864 (1994-01-01).

C.C.B.C. 1605, 1627 (**C.C.Q.** 1470)

Art. 1865. Le locataire doit subir les réparations urgentes et nécessaires pour assurer la conservation ou la jouissance du bien loué.

Art. 1865. The lessee shall allow urgent and necessary repairs to be made to ensure the preservation or enjoyment of the leased property.

Le locateur qui procède à ces réparations peut exiger l'évacuation ou la dépossession temporaire du locataire, mais il doit, s'il ne s'agit pas de réparations urgentes, obtenir l'autorisation préalable du tribunal, lequel fixe alors les conditions requises pour la protection des droits du locataire.

A lessor who makes such repairs may require the lessee to vacate or be dispossessed of the property temporarily but, if the repairs are not urgent, he shall first obtain the authorization of the court, which also fixes the conditions required to protect the rights of the lessee.

Le locataire conserve néanmoins, suivant les circonstances, le droit d'obtenir une diminution de loyer, celui de demander la résiliation du bail ou, en cas d'évacuation ou de dépossession temporaire, celui d'exiger une indemnité.

1991, c. 64, a. 1865 (1994-01-01),

_____

C.C.B.C. 1625, 1626 (**C.C.Q.** 1604 ss., 1893, 1922 ss.;

Art. 1866. Le locataire qui a connaissance d'une défectuosité ou d'une détérioration substantielles du bien loué, est tenu d'en aviser le locateur dans un délai raisonnable.

1991, c. 64, a. 1866 (1994-01-01).

_____

C.C.B.C. 1652.6 (**C.C.Q.** 1595, 1863, 1893)

Art. 1867. Lorsque le locateur n'effectue pas les réparations ou améliorations auxquelles il est tenu, en vertu du bail ou de la loi, le locataire peut s'adresser au tribunal afin d'être autorisé à les exécuter.

Le tribunal, s'il autorise les travaux, en détermine le montant et fixe les conditions pour les effectuer. Le locataire peut alors retenir sur son loyer les dépenses faites pour l'exécution des travaux autorisés, jusqu'à concurrence du montant ainsi fixé.

1991, c. 64, a. 1867 (1994-01-01).

_____

C.C.B.C. 1612-1614 (**C.C.Q.** 1868, 1869, 1907; **C.P.C.** 885a))

Art. 1868. Le locataire peut, après avoir tenté d'informer le locateur ou après l'avoir informé si celui-ci n'agit pas en temps utile, entreprendre une réparation ou engager une dépense, même sans autorisation du tribunal, pourvu que cette réparation ou cette dépense soit urgente et nécessaire pour assurer la conservation ou la jouissance du bien loué. Le locateur peut toutefois intervenir à tout moment pour poursuivre les travaux.

Le locataire a le droit d'être remboursé des dépenses raisonnables qu'il a faites dans ce but; il peut, si nécessaire, retenir sur son loyer le montant de ces dépenses.

1991, c. 64, a. 1868 (1994-01-01).

_____

C.C.B.C. 1644, 1653.4 al. 1 (**C.C.Q.** 1867, 1869, 1893, 1902; **C.P.C.** 414, 532, 547 al. 1c))

The lessee retains, according to the circumstances, the right to obtain a reduction of rent, to apply for the resiliation of the lease or, if he vacates or is dispossessed of the property temporarily, to demand compensation.

C.P.C. 46, 110, 547 al. 1c), 885a))

Art. 1866. A lessee who becomes aware of a serious defect or deterioration of the leased property is bound to inform the lessor within a reasonable time.

Art. 1867. Where a lessor fails to make the repairs or improvements he is bound to make under the lease or by law, the lessee may apply to the court for authorization to carry them out himself.

If the court grants authorization to make the repairs or improvements, it determines their amount and fixes the conditions to be observed in carrying them out. The lessee may then withhold from his rent the amount of the expenses incurred to carry out the authorized work, up to the amount fixed by the court.

Art. 1868. Where the lessee has attempted to inform the lessor, or has informed him but the lessor has not acted in due course, the lessee may undertake repairs or incur expenses, even without the authorization of the court, provided they are urgent and necessary to ensure the preservation or enjoyment of the leased property. The lessor may intervene at any time, however, to pursue the work.

The lessee is entitled to reimbursement of the reasonable expenses he incurred for that purpose; he may, if necessary, withhold the amount of such expenses from his rent.

Art. 1869. Le locataire est tenu de rendre compte au locateur des réparations ou améliorations effectuées au bien et des dépenses engagées, de lui remettre les pièces justificatives de ces dépenses et, s'il s'agit d'un meuble, de lui remettre les pièces remplacées.

Le locateur, pour sa part, est tenu de rembourser la somme qui excède le loyer retenu, mais il n'est tenu, le cas échéant, qu'à concurrence de la somme que le locataire a été autorisé à débourser.

1991, c. 64, a. 1869 (1994-01-01).

Art. 1869. The lessee is bound to render an account to the lessor of the repairs or improvements made to the property and the expenses incurred and to deliver to him the vouchers for such expenses and, in the case of movable property, the replaced parts.

The lessor is bound to reimburse the lessee for any amount in excess of the rent withheld, but not in excess of the amount the lessee was authorized to disburse, where that is the case.

C.C.B.C. 1614, 1615, 1653.4 al. 2 (**C.C.Q.** 1863, 1867, 1868, 1893, 1907; **C.P.C.** 414, 532 ss.)

§ 3. — *De la sous-location du bien et de la cession du bail*

Art. 1870. Le locataire peut sous-louer tout ou partie du bien loué ou céder le bail. Il est alors tenu d'aviser le locateur de son intention, de lui indiquer le nom et l'adresse de la personne à qui il entend sous-louer le bien ou céder le bail et d'obtenir le consentement du locateur à la sous-location ou à la cession.

1991, c. 64, a. 1870 (1994-01-01).

§ 3. — *Sublease of property and assignment of lease*

Art. 1870. A lessee may sublease all or part of the leased property or assign his lease. In either case, he is bound to give notice of his intention and the name and address of the intended sublessee or assignee to the lessor and to obtain his consent.

C.C.B.C. 1619 al. 1, 1655 al. 1 (**C.C.Q.** 1863, 1893, 1981, 1995)

Art. 1871. Le locateur ne peut refuser de consentir à la sous-location du bien ou à la cession du bail sans un motif sérieux.

Lorsqu'il refuse, le locateur est tenu d'indiquer au locataire, dans les quinze jours de la réception de l'avis, les motifs de son refus; s'il omet de le faire, il est réputé avoir consenti.

1991, c. 64, a. 1871 (1994-01-01).

Art. 1871. The lessor may not refuse to consent to the sublease of the property or the assignment of the lease without a serious reason.

If he refuses, he is bound to inform the lessee of his reasons for refusing within fifteen days after receiving the notice; otherwise, he is deemed to have consented to the sublease or assignment.

C.C.B.C. 1619 al. 1 et 2, 1655 al. 2 (**C.C.Q.** 1863, 1893)

Art. 1872. Le locateur qui consent à la sous-location ou à la cession ne peut exiger que le remboursement des dépenses raisonnables qui peuvent résulter de la sous-location ou de la cession.

1991, c. 64, a. 1872 (1994-01-01).

Art. 1872. A lessor who consents to the sublease of the property or the assignment of the lease may not exact any payment other than the reimbursement of any reasonable expenses resulting from the sublease or assignment.

C.C.B.C. 1619 al. 3, 1655 al. 3 (**C.C.Q.** 1863, 1893)

Art. 1873. La cession de bail décharge l'ancien locataire de ses obligations, à moins que, s'agissant d'un bail autre que le bail d'un logement, les parties n'aient convenu autrement.

1991, c. 64, a. 1873 (1994-01-01).

Art. 1873. The assignment of a lease acquits the former lessee of his obligations, unless, where the lease is not a lease of a dwelling, the parties agree otherwise.

(**C.C.Q.** 1892)

Art. 1874. Lorsqu'une action est intentée par le locateur contre le locataire, le sous-locataire n'est tenu, envers le locateur, qu'à concurrence du loyer de la sous-location dont il est lui-même débiteur envers le locataire; il ne peut opposer les paiements faits par anticipation.

Le paiement fait par le sous-locataire soit en vertu d'une stipulation portée à son bail et dénoncée au locateur, soit conformément à l'usage des lieux, n'est pas considéré fait par anticipation.

1991, c. 64, a. 1874 (1994-01-01).

C.C.B.C. 1620 (**C.C.Q.** 1553 ss., 1569)

Art. 1875. Lorsque l'inexécution d'une obligation par le sous-locataire cause un préjudice sérieux au locateur ou aux autres locataires ou occupants, le locateur peut demander la résiliation de la sous-location.

1991, c. 64, a. 1875 (1994-01-01).

C.C.B.C. 1655.1 (**C.C.Q.** 1604 ss., 1893; **C.P.C.** 110)

Art. 1876. Faute par le locateur d'exécuter les obligations auxquelles il est tenu, le sous-locataire peut exercer les droits et recours appartenant au locataire du bien pour les faire exécuter.

1991, c. 64, a. 1876 (1994-01-01).

(**C.C.Q.** 1893)

SECTION III
DE LA FIN DU BAIL

Art. 1877. Le bail à durée fixe cesse de plein droit à l'arrivée du terme. Le bail à durée indéterminée cesse lorsqu'il est résilié par l'une ou l'autre des parties.

1991, c. 64, a. 1877 (1994-01-01).

C.C.B.C. 1629, 1630 (**C.C.Q.** 1594, 1879, 1882, 1941, 1983)

Art. 1878. Le bail à durée fixe peut être reconduit. Cette reconduction doit être expresse, à moins qu'il ne s'agisse du bail d'un immeuble, auquel cas elle peut être tacite.

1991, c. 64, a. 1878 (1994-01-01).

(**C.C.Q.** 1853, 1941 ss.)

Art. 1879. Le bail est reconduit tacitement lorsque le locataire continue, sans opposition de la part du locateur, d'occuper les lieux plus de dix jours après l'expiration du bail.

Art. 1874. Where the lessor brings an action against the lessee, the sublessee may not be bound towards the lessor for any amount except the rent for the sublease which he owes to the lessee; the sublessee may not set up advance payments.

Payments made by the sublessee under a stipulation included in his lease and notified to the lessor, or in accordance with local usage are not considered to be advance payments.

Art. 1875. Where the nonperformance of an obligation by a sublessee causes serious damage to the lessor or the other lessees or occupants, the lessor may apply for the resiliation of the sublease.

Art. 1876. Where a lessor fails to perform his obligations, the sublessee may exercise the rights and remedies of the lessee to have them performed.

SECTION III
TERMINATION OF THE LEASE

Art. 1877. A lease with a fixed term terminates of right upon expiry of the term. A lease with an indeterminate term terminates upon resiliation by one of the parties.

Art. 1878. A lease with a fixed term may be renewed. It may only be renewed expressly, but the lease of an immovable may be renewed tacitly.

Art. 1879. A lease is renewed tacitly where the lessee continues to occupy the premises for more than ten days after the expiry of the lease without opposition from the lessor.

Dans ce cas, le bail est reconduit pour un an ou pour la durée du bail initial, si celle-ci était inférieure à un an, aux mêmes conditions. Le bail reconduit est lui-même sujet à reconduction.

1991, c. 64, a. 1879 (1994-01-01).

___

C.C.B.C. 1641

Art. 1880. La durée du bail ne peut excéder cent ans. Si elle excède cent ans, elle est réduite à cette durée.

1991, c. 64, a. 1880 (1994-01-01).

___

(**C.C.Q.** 1123, 1197, 2376)

Art. 1881. La sûreté consentie par un tiers pour garantir l'exécution des obligations du locataire ne s'étend pas au bail reconduit.

1991, c. 64, a. 1881 (1994-01-01).

___

C.C.B.C. 1642 (**C.C.Q.** 2335, 2343)

Art. 1882. La partie qui entend résilier un bail à durée indéterminée doit donner à l'autre partie un avis à cet effet.

L'avis est donné dans le même délai que le terme fixé pour le paiement du loyer ou, si le terme excède trois mois, dans un délai de trois mois. Toutefois, lorsque le bien loué est un bien meuble, ce délai est de dix jours, quel que soit le terme fixé pour le paiement du loyer.

1991, c. 64, a. 1882 (1994-01-01).

___

C.C.B.C. 1630, 1631 (**C.C.Q.** 1877, 1898, 1941)

Art. 1883. Le locataire poursuivi en résiliation du bail pour défaut de paiement du loyer peut éviter la résiliation en payant, avant jugement, outre le loyer dû et les frais, les intérêts au taux fixé en application de l'article 28 de la Loi sur le ministère du Revenu ou à un autre taux convenu avec le locateur si ce taux est moins élevé.

1991, c. 64, a. 1883 (1994-01-01).

___

C.C.B.C. 1633, 1656.5 (**C.C.Q.** 1893, 1971, 1973; **C.P.C.** 187 ss.)

Art. 1884. Le décès de l'une des parties n'emporte pas résiliation du bail.

1991, c. 64, a. 1884 (1994-01-01).

___

C.C.B.C. 1632 (**C.C.Q.** 1938, 1939, 1944, 1948)

In that case, the lease is renewed for one year or for the term of the initial lease, if that was less than one year, on the same conditions. The renewed lease is also subject to renewal.

Art. 1880. The term of a lease may not exceed one hundred years. If it exceeds one hundred years, it is reduced to that term.

Art. 1881. Security given by a third person to secure the performance of the obligations of the lessee does not extend to a renewed lease.

Art. 1882. A party who intends to resiliate a lease with an indeterminate term shall give the other party notice to that effect.

The term of the notice is of the same duration as the term fixed for payment of the rent, but may not be of more than three months. Where the leased property is a movable, however, the notice is of ten days, whatever the period fixed for payment of the rent may be.

Art. 1883. A lessee against whom proceedings for resiliation of a lease are brought for non-payment of the rent may avoid the resiliation by paying, before judgment, in addition to the rent due and costs, interest at the rate fixed in accordance with section 28 of the Act respecting the Ministère du Revenu or at any other lower rate agreed with the lessor.

Art. 1884. A lease is not resiliated by the death of either party.

Art. 1885. Lorsque le bail d'un immeuble est à durée fixe, le locataire doit, aux fins de location, permettre la visite des lieux et l'affichage au cours des trois mois qui précèdent l'expiration du bail, ou au cours du mois qui précède si le bail est de moins d'un an.

Lorsque le bail est à durée indéterminée, le locataire est tenu à cette obligation à compter de l'avis de résiliation.

1991, c. 64, a. 1885 (1994-01-01).

C.C.B.C. 1645 (C.C.Q. 1857, 1930 ss.)

Art. 1886. L'aliénation volontaire ou forcée du bien loué, de même que l'extinction du titre du locateur pour toute autre cause, ne met pas fin de plein droit au bail.

1991, c. 64, a. 1886 (1994-01-01).

C.C.B.C. 1646 al. 1, 1647 al. 1 (C.C.Q. 1937; C.P.C. 684, 696.1)

Art. 1887. L'acquéreur ou celui qui bénéficie de l'extinction du titre peut résilier le bail à durée indéterminée en suivant les règles ordinaires de résiliation prévues à la présente section.

S'il s'agit d'un bail immobilier à durée fixe et qu'il reste à courir plus de douze mois à compter de l'aliénation ou de l'extinction du titre, il peut le résilier à l'expiration de ces douze mois en donnant par écrit un préavis de six mois au locataire. Si le bail a été inscrit au bureau de la publicité des droits avant que l'ait été l'acte d'aliénation ou l'acte à l'origine de l'extinction du titre, il ne peut résilier le bail.

S'il s'agit d'un bail mobilier à durée fixe, l'avis est d'un mois.

1991, c. 64, a. 1887 (1994-01-01).

C.C.B.C. 1646 al. 2 et 3, 1647 al. 2 (C.C.Q. 1882, 1937, 2934 ss.; C.P.C. 696.1)

Art. 1888. L'expropriation totale du bien loué met fin au bail à compter de la date à laquelle l'expropriant peut prendre possession du bien selon la Loi sur l'expropriation.

Si l'expropriation est partielle, le locataire peut, suivant les circonstances, obtenir une diminution du loyer ou la résiliation du bail.

1991, c. 64, a. 1888 (1994-01-01).

C.C.B.C. 1649 (C.C.Q. 1863; C.P.C. 110; L.R.Q., c. E-24, a. 45, 46, 66, 67)

Art. 1885. Where the lease of an immovable is for a fixed term, the lessee shall allow the premises to be visited and signs to be posted, for leasing purposes, during the three months preceding the expiry of the lease, or during the month preceding it if the lease is for less than one year.

Where the lease is for an indeterminate term, the lessee is bound to allow such activities from the date of the notice of resiliation.

Art. 1886. Voluntary or forced alienation of leased property or extinction of the lessor's title for any other reason does not terminate the lease of right.

Art. 1887. The acquirer or the person who benefits from the extinction of title may resiliate the lease, if it is a lease with an indeterminate term, in accordance with the ordinary rules pertaining to resiliation contained in this section.

In the case of the lease of an immovable with a fixed term and if more than twelve months remain from the date of alienation or extinction of title, he may resiliate it upon expiry of the twelve months by giving the lessee written notice of six months. He may not resiliate the lease if it was registered in the registry office before the deed of alienation or the act by which the title is extinguished was so registered.

In the case of the lease of a movable with a fixed term, notice is of one month.

Art. 1888. The total expropriation of leased property terminates the lease from the date on which the expropriating party is allowed to take possession of the property in accordance with the Expropriation Act.

In the case of partial expropriation, the lessee may, according to the circumstances, obtain a reduction of rent or the resiliation of his lease.

Art. 1889. Le locateur d'un immeuble peut obtenir l'expulsion du locataire qui continue d'occuper les lieux loués après la fin du bail ou après la date convenue au cours du bail pour la remise des lieux; le locateur d'un meuble peut, dans les mêmes circonstances, obtenir la remise du bien.

1991, c. 64, a. 1889 (1994-01-01).

Art. 1889. The lessor of an immovable may obtain the eviction of a lessee who continues to occupy the leased premises after the expiry of the lease or after the date for surrender of the premises agreed upon during the term of the lease; the lessor of a movable may, in the same circumstances, obtain the handing over of the property.

C.C.B.C. 1648 (**C.C.Q.** 1458, 1604 ss., 1607 ss., 1611 ss., 1877, 1940; **C.P.C.** 547 al. 1*d*))

Art. 1890. Le locataire est tenu, à la fin du bail, de remettre le bien dans l'état où il l'a reçu, mais il n'est pas tenu des changements résultant de la vétusté, de l'usure normale du bien ou d'une force majeure.

L'état du bien peut être constaté par la description ou les photographies qu'en ont faites les parties; à défaut de constatation, le locataire est présumé avoir reçu le bien en bon état au début du bail.

1991, c. 64, a. 1890 (1994-01-01).

Art. 1890. Upon termination of the lease, the lessee is bound to surrender the property in the condition in which he received it but he is not liable for changes resulting from aging or fair wear and tear of the property or superior force.

The condition of the property may be established by the description made or the photographs taken by the parties; if it is not so established, the lessee is presumed to have received the property in good condition at the beginning of the lease.

C.C.B.C. 1617(3), 1623 (**C.C.Q.** 1458, 1470, 1854, 1864, 1911)

Art. 1891. Le locataire est tenu, à la fin du bail, d'enlever les constructions, ouvrages ou plantations qu'il a faits.

S'ils ne peuvent être enlevés sans détériorer le bien, le locateur peut les conserver en en payant la valeur au locataire ou forcer celui-ci à les enlever et à remettre le bien dans l'état où il l'a reçu.

Si la remise en l'état est impossible, le locateur peut les conserver sans indemnité.

1991, c. 64, a. 1891 (1994-01-01).

Art. 1891. Upon termination of the lease, the lessee is bound to remove all the constructions, works or plantations he has made.

If they cannot be removed without deteriorating the property, the lessor may retain them by paying the value thereof to the lessee or compel the lessee to remove them and to restore the property to the condition in which it was when he received it.

If the property cannot be restored to its original condition, the lessor may retain the constructions, works or plantations without compensation.

C.C.B.C. 1624 (**C.C.Q.** 1863; **C.P.C.** 110)

SECTION IV
RÈGLES PARTICULIÈRES AU BAIL D'UN LOGEMENT

§ 1. — *Du domaine d'application*

Art. 1892. Sont assimilés à un bail de logement, le bail d'une chambre, celui d'une maison mobile placée sur un châssis, qu'elle ait ou non une fondation permanente, et celui d'un terrain destiné à recevoir une maison mobile.

SECTION IV
SPECIAL RULES RESPECTING LEASES OF DWELLINGS

§ 1. — *Application*

Art. 1892. The lease of a room, of a mobile home placed on a chassis, with or without a permanent foundation, or of land intended for the emplacement of a mobile home is deemed to be the lease of a dwelling.

Les dispositions de la présente section régissent également les baux relatifs aux services, accessoires et dépendances du logement, de la chambre, de la maison mobile ou du terrain.

Cependant, ces dispositions ne s'appliquent pas aux baux suivants:

1° Le bail d'un logement loué à des fins de villégiature;

2° Le bail d'un logement dont plus du tiers de la superficie totale est utilisée à un autre usage que l'habitation;

3° Le bail d'une chambre située dans un établissement hôtelier;

4° Le bail d'une chambre située dans la résidence principale du locateur, lorsque deux chambres au maximum y sont louées ou offertes en location et que la chambre ne possède ni sortie distincte donnant sur l'extérieur ni installations sanitaires indépendantes de celles utilisées par le locateur;

5° Le bail d'une chambre située dans un établissement de santé et de services sociaux, sauf en application de l'article 1974.

1991, c. 64, a. 1892 (1994-01-01).

The provisions of this section also govern leases relating to the services, accessories and dependencies attached to a dwelling, a room, a mobile home or land.

The provisions of this section do not apply to

(1) the lease of a dwelling leased as a vacation resort;

(2) the lease of a dwelling in which over one-third of the total floor area is used for purposes other than residential purposes;

(3) the lease of a room situated in a hotel establishment;

(4) the lease of a room situated in the principal residence of the lessor, if not more than two rooms are rented or offered for rent and if the room has neither a separate entrance from the outside nor sanitary facilities separate from those used by the lessor;

(5) the lease of a room situated in a health or social services institution, except pursuant to article 1974.

C.C.B.C. 1650-1650.3 (**C.C.Q.** 1974; **C.P.C.** 34; **L.R.Q.**, c. C-12, a. 14; **L.R.Q.**, c. C-19, a. 412.1(2); **L.R.Q.**, c. C-27.1, a. 495(2); **L.R.Q.**, c. E-15.1; **L.R.Q.**, c. S-4.2)

Art. 1893. Est sans effet la clause d'un bail portant sur un logement, qui déroge aux dispositions de la présente section, à celles du deuxième alinéa de l'article 1854 ou à celles des articles 1856 à 1858, 1860 à 1863, 1865, 1866, 1868 à 1872, 1875, 1876 et 1883.

1991, c. 64, a. 1893 (1994-01-01).

Art. 1893. A clause in a lease respecting a dwelling which is inconsistent with the provisions of this section, the second paragraph of article 1854 or articles 1856 to 1858, 1860 to 1863, 1865, 1866, 1868 to 1872, 1875, 1876 and 1883 is without effect.

C.C.B.C. 1650.4, 1664 (**C.C.Q.** 1854, 1856-1858, 1860-1863, 1865, 1866, 1868-1872, 1875, 1876, 1883)

§ 2. — Du bail

Art. 1894. Le locateur est tenu, avant la conclusion du bail, de remettre au locataire, le cas échéant, un exemplaire du règlement de l'immeuble portant sur les règles relatives à la jouissance, à l'usage et à l'entretien des logements et des lieux d'usage commun.

Ce règlement fait partie du bail.

1991, c. 64, a. 1894 (1994-01-01).

§ 2. — Lease

Art. 1894. Before entering into a lease, the lessor is bound to give the lessee, where applicable, a copy of the by-laws of the immovable which pertain to the rules respecting the enjoyment, use and maintenance of the dwelling and of the common premises.

The by-laws form part of the lease.

C.C.B.C. 1651 (**C.C.Q.** 1863, 1893, 1897)

Art. 1895. Le locateur est tenu, dans les dix jours de la conclusion du bail, de remettre un exemplaire du bail au locataire ou, dans le cas d'un bail verbal, de lui remettre un écrit indiquant le nom et l'adresse du locateur, le nom du locataire, le loyer et l'adresse du logement loué et reproduisant les mentions prescrites par les règlements pris par le gouvernement. Cet écrit fait partie du bail. Le bail ou l'écrit doit être fait sur le formulaire dont l'utilisation est rendue obligatoire par les règlements pris par le gouvernement.

Il est aussi tenu, lorsque le bail est reconduit et que les parties conviennent de le modifier, de remettre au locataire, avant le début de la reconduction, un écrit qui constate les modifications au bail initial.

Le locataire ne peut, toutefois, demander la résiliation du bail si le locateur fait défaut de se conformer à ces prescriptions.

1991, c. 64, a. 1895 (1994-01-01); 1995, c. 61, a. 2 (1996-09-01).

Art. 1895. Within ten days after entering into the lease, the lessor is bound to give the lessee a copy of the lease or, in the case of an oral lease, a writing setting forth the name and address of the lessor, the name of the lessee, the rent and the address of the leased property, and containing the text of the particulars prescribed by the regulations of the Government. The writing forms part of the lease. The lease or writing shall be made on the form the use of which is made mandatory by the regulations of the Government.

Where the lease is renewed and the parties agree to modify it, the lessor is bound to give a writing evidencing the modifications to the initial lease to the lessee before the beginning of the renewal.

The lessee may not apply for resiliation of the lease on the ground that the lessor has failed to comply with these prescriptions.

C.C.B.C. 1651.1 (**C.C.Q.** 1897, 1941 ss.; **C.P.C.** 34 al. 1(3); **R.R.Q.**, 1981, c. R-8.1, r. 2)

Art. 1896. Le locateur doit, lors de la conclusion du bail, remettre au nouveau locataire un avis indiquant le loyer le plus bas payé au cours des douze mois précédant le début du bail ou, le cas échéant, le loyer fixé par le tribunal au cours de la même période, ainsi que toute autre mention prescrite par les règlements pris par le gouvernement.

Il n'est pas tenu de cette obligation lorsque le bail porte sur un logement visé aux articles 1955 et 1956.

1991, c. 64, a. 1896 (1994-01-01).

Art. 1896. At the time of entering into a lease, the lessor shall give a notice to the new lessee, indicating the lowest rent paid in the twelve months preceding the beginning of the lease or the rent fixed by the court during the same period, as the case may be, and containing any other particular prescribed by the regulations of the Government.

The lessor is not bound to give the notice in the case of the lease of an immovable referred to in articles 1955 and 1956.

C.C.B.C. 1651.2 (**C.C.Q.** 1863, 1906, 1950, 1951, 1955, 1956; **R.R.Q.**, 1981, c. R-8.1, r. 2)

Art. 1897. Le bail, ainsi que le règlement de l'immeuble, doivent être rédigés en français. Ils peuvent cependant être rédigés dans une autre langue si telle est la volonté expresse des parties.

1991, c. 64, a. 1897 (1994-01-01).

Art. 1897. The lease and the by-laws of the immovable shall be drawn up in French. They may, however, be drawn up in another language at the express wish of the parties.

C.C.B.C. 1651.3 (**C.C.Q.** 1863, 1895; **L.R.Q.**, c. C-11, a. 55)

Art. 1898. Tout avis relatif au bail, à l'exception de celui qui est donné par le locateur afin d'avoir accès au logement, doit être donné par écrit à l'adresse indiquée dans le bail, ou à la nouvelle adresse d'une partie lorsque l'autre en a été avisée après la conclusion du bail; il doit être rédigé dans la même langue que le bail et respecter les règles prescrites par règlement.

Art. 1898. Every notice relating to a lease, except notice given by the lessor with a view to having access to the dwelling, shall be given in writing at the address indicated in the lease or, after the lease has been entered into, at the new address of the party, if the other party has been informed of it; the notice shall be drawn up in the same language as the lease and conform to the rules prescribed by regulation.

L'avis qui ne respecte pas ces exigences est inopposable au destinataire, à moins que la personne qui a donné l'avis ne démontre au tribunal que le destinataire n'en subit aucun préjudice.

1991, c. 64, a. 1898 (1994-01-01).

C.C.B.C. 1651.4, 1664.7 (**C.C.Q.** 1893, 1931; **R.R.Q.**, 1981, c. R-8.1, r. 2)

Art. 1899. Le locateur ne peut refuser de consentir un bail à une personne, refuser de la maintenir dans ses droits ou lui imposer des conditions plus onéreuses pour le seul motif qu'elle est enceinte ou qu'elle a un ou plusieurs enfants, à moins que son refus ne soit justifié par les dimensions du logement; il ne peut, non plus, agir ainsi pour le seul motif que cette personne a exercé un droit qui lui est accordé en vertu du présent chapitre ou en vertu de la Loi sur la Régie du logement.

Il peut être attribué des dommages-intérêts punitifs en cas de violation de cette disposition.

1991, c. 64, a. 1899 (1994-01-01).

C.C.B.C. 1665 (**C.C.Q.** 1457, 1607 ss., 1611 ss., 1621, 1863, 1900)

Art. 1900. Est sans effet la clause qui limite la responsabilité du locateur, l'en exonère ou rend le locataire responsable d'un préjudice causé sans sa faute.

Est aussi sans effet la clause visant à modifier les droits du locataire en raison de l'augmentation du nombre d'occupants, à moins que les dimensions du logement n'en justifient l'application, ou la clause limitant le droit du locataire d'acheter des biens ou d'obtenir des services de personnes de son choix, suivant les modalités dont lui-même convient.

1991, c. 64, a. 1900 (1994-01-01).

C.C.B.C. 1664.4-1664.6, 1664.9 (**C.C.Q.** 1457)

Art. 1901. Est abusive la clause qui stipule une peine dont le montant excède la valeur du préjudice réellement subi par le locateur, ainsi que celle qui impose au locataire une obligation qui est, en tenant compte des circonstances, déraisonnable.

Cette clause est nulle ou l'obligation qui en découle, réductible.

1991, c. 64, a. 1901 (1994-01-01).

C.C.B.C. 1664.10, 1664.11 (**C.C.Q.** 1437, 1622 ss., 1872, 1893)

A notice that does not conform to the prescribed requirements may not be set up against the addressee unless the person who gave it proves to the court that the addressee has not suffered any damage as a consequence.

Art. 1899. A lessor may not refuse to enter into a lease with a person or to maintain the person in his or her rights, or impose more onerous conditions on the person for the sole reason that the person is pregnant or has one or several children, unless the refusal is warranted by the size of the dwelling; nor can he so act for the sole reason that the person has exercised his or her rights under this chapter or the Act respecting the Régie du logement.

Punitive damages may be awarded in cases where this provision is violated.

Art. 1900. A clause which limits the liability of the lessor or exempts him from liability or renders the lessee liable for damage caused without his fault is without effect.

A clause to modify the rights of a lessee by reason of an increase in the number of occupants, unless the size of the dwelling warrants it, or to limit the right of a lessee to purchase property or obtain services from such persons as he chooses, and on such terms and conditions as he sees fit, is also without effect.

Art. 1901. A clause stipulating a penalty in an amount exceeding the value of the damage actually suffered by the lessor, or imposing an obligation on the lessee which is unreasonable in the circumstances, is an abusive clause.

Such a clause is null or any obligation arising from it may be reduced.

Art. 1902. Le locateur ou toute autre personne ne peut user de harcèlement envers un locataire de manière à restreindre son droit à la jouissance paisible des lieux ou à obtenir qu'il quitte le logement.

Le locataire, s'il est harcelé, peut demander que le locateur ou toute autre personne qui a usé de harcèlement soit condamné à des dommages-intérêts punitifs.

1991, c. 64, a. 1902 (1994-01-01).

_____

(**C.C.Q.** 1457, 1607 ss., 1611 ss., 1621, 1863, 1893, 1968)

§ 3. — Du loyer

Art. 1903. Le loyer convenu doit être indiqué dans le bail.

Il est payable par versements égaux, sauf le dernier qui peut être moindre; il est aussi payable le premier jour de chaque terme, à moins qu'il n'en soit convenu autrement.

1991, c. 64, a. 1903 (1994-01-01).

_____

C.C.B.C. 1651.5 al. 1, 1651.6 (**C.C.Q.** 1855, 1863, 1893)

Art. 1904. Le locateur ne peut exiger que chaque versement excède un mois de loyer; il ne peut exiger d'avance que le paiement du premier terme de loyer ou, si ce terme excède un mois, le paiement de plus d'un mois de loyer.

Il ne peut, non plus, exiger une somme d'argent autre que le loyer, sous forme de dépôt ou autrement, ou exiger, pour le paiement, la remise d'un chèque ou d'un autre effet postdaté.

1991, c. 64, a. 1904 (1994-01-01).

_____

C.C.B.C. 1651.5 al. 2, 1665.1, 1665.2 (**C.C.Q.** 1863, 1893)

Art. 1905. Est sans effet la clause d'un bail stipulant que le loyer total sera exigible en cas de défaut du locataire d'effectuer un versement.

1991, c. 64, a. 1905 (1994-01-01).

_____

C.C.B.C. 1664.2 (**C.C.Q.** 1508 ss.)

Art. 1906. Est sans effet, dans un bail à durée fixe de douze mois ou moins, la clause stipulant le réajustement du loyer en cours de bail.

Art. 1902. Neither the lessor nor any other person may harass a lessee in such a manner as to limit his right to peaceable enjoyment of the premises or to induce him to leave the dwelling.

A lessee who suffers harassment may demand that the lessor or any other person who has harassed him be condemned to pay punitive damages.

§ 3. — Rent

Art. 1903. The rent agreed upon shall be indicated in the lease.

It is payable in equal instalments, except the last, which may be less; it is payable on the first day of each payment period, unless otherwise agreed.

Art. 1904. The lessor may not exact any instalment in excess of one month's rent; he may not exact payment of rent in advance for more than the first payment period or, if that period exceeds one month, payment of more than one month's rent.

Nor may he exact any amount of money other than the rent, in the form of a deposit or otherwise, or demand that payment be made by postdated cheque or any other postdated instrument.

Art. 1905. A clause in a lease stipulating that the full amount of the rent will be exigible in the event of the failure by the lessee to pay an instalment is without effect.

Art. 1906. A clause in a lease with a fixed term of twelve months or less providing for an adjustment of the rent during the term of the lease is without effect.

Est également sans effet, dans un bail dont la durée excède douze mois, la clause stipulant le réajustement du loyer au cours des douze premiers mois du bail ou plus d'une fois au cours de chaque période de douze mois.

1991, c. 64, a. 1906 (1994-01-01).

A clause in a lease with a term of more than twelve months providing for an adjustment of the rent during the first twelve months of the lease or more than once during each twelve month period is also without effect.

C.C.B.C. 1658.13 al. 1 et 2, 1664.3 (**C.C.Q.** 1896, 1949)

Art. 1907. Lorsque le locateur n'exécute pas les obligations auxquelles il est tenu, le locataire peut s'adresser au tribunal afin d'être autorisé à les exécuter. Les parties sont alors soumises aux dispositions des articles 1867 et 1869.

Le locataire peut aussi déposer son loyer au greffe du tribunal, s'il donne au locateur un préavis de dix jours indiquant le motif du dépôt et si le tribunal, considérant que le motif est sérieux, autorise le dépôt et en fixe le montant et les conditions.

1991, c. 64, a. 1907 (1994-01-01).

Art. 1907. Where the lessor fails to perform his obligations, the lessee may apply to the court for authorization to perform them himself. The parties are then subject to the provisions of articles 1867 and 1869.

The lessee may also deposit his rent in the office of the court, if he gives the lessor prior notice of ten days indicating the grounds for depositing it and if the court, considering that the grounds are serious, authorizes the deposit and fixes the amount and conditions of the deposit.

C.C.B.C. 1656 (**C.C.Q.** 1863, 1867, 1869, 1893, 1909; **C.P.C.** 34 al. 1(3))

Art. 1908. Le locataire qui, lors de l'aliénation de l'immeuble, de l'inscription d'une hypothèque sur les loyers ou d'une cession de créance, n'a pas été personnellement avisé du nom et de l'adresse du nouveau locateur ou de la personne à qui il doit payer le loyer, peut déposer son loyer au greffe du tribunal s'il obtient l'autorisation de celui-ci.

Le dépôt peut aussi être autorisé lorsque, pour tout autre motif sérieux, le locataire n'est pas certain de l'identité de la personne à qui il doit payer le loyer, lorsque le locateur ne peut être trouvé ou lorsqu'il refuse le paiement du loyer.

1991, c. 64, a. 1908 (1994-01-01).

Art. 1908. Where, following the alienation of an immovable, the registration of a hypothec against the rent or an assignment of claim, the lessee is not personally informed of the name and address of the new lessor or of the person to whom he owes payment of the rent, he may, with the authorization of the court, deposit his rent in the office of the court.

Deposit may also be authorized where, for any other serious reason, the lessee is not certain of the identity of the person to whom he owes payment of the rent, where the lessor cannot be found or where he refuses payment of the rent.

C.C.B.C. 1651.7 (**C.C.Q.** 1637 ss., 1893, 1909, 2660, 2663)

Art. 1909. Le tribunal autorise la remise du dépôt lorsque la personne à qui le locataire doit verser le loyer est identifiée ou a été trouvée ou, selon le cas, lorsque le locateur exécute ses obligations; autrement, il peut permettre au locataire de continuer à déposer son loyer jusqu'à ce que cette identification soit faite ou que le locateur ait rempli ses obligations. Il peut aussi autoriser la remise du dépôt au locataire pour lui permettre d'exécuter les obligations du locateur.

1991, c. 64, a. 1909 (1994-01-01).

Art. 1909. The court authorizes the remittance of the deposit where the person to whom the lessee owes payment of the rent is identified or has been found or where the lessor performs his obligations; otherwise, it may permit the lessee to continue to deposit his rent until the identification is made or until the lessor performs his obligations. The court may also authorize the remittance of the deposit to the lessee to enable him to perform the obligations of the lessor.

C.C.B.C. 1656.1 (**C.C.Q.** 1893, 1907, 1908; **C.P.C.** 34 al. 1(1))

§ 4. — De l'état du logement

Art. 1910. Le locateur est tenu de délivrer un logement en bon état d'habitabilité; il est aussi tenu de le maintenir ainsi pendant toute la durée du bail.

La stipulation par laquelle le locataire reconnaît que le logement est en bon état d'habitabilité est sans effet.

1991, c. 64, a. 1910 (1994-01-01).

C.C.B.C. 1652, 1664.1 (**C.C.Q.** 1863, 1893, 1907, 1913; **L.R.Q.**, c. Q-2, a. 71, 82)

Art. 1911. Le locateur est tenu de délivrer le logement en bon état de propreté; le locataire est, pour sa part, tenu de maintenir le logement dans le même état.

Lorsque le locateur effectue des travaux au logement, il doit remettre celui-ci en bon état de propreté.

1991, c. 64, a. 1911 (1994-01-01).

C.C.B.C. 1652.1, 1652.3, 1653.3 (**C.C.Q.** 1863, 1893, 1907)

Art. 1912. Donnent lieu aux mêmes recours qu'un manquement à une obligation du bail:

1° Tout manquement du locateur ou du locataire à une obligation imposée par la loi relativement à la sécurité ou à la salubrité d'un logement;

2° Tout manquement du locateur aux exigences minimales fixées par la loi, relativement à l'entretien, à l'habitabilité, à la sécurité et à la salubrité d'un immeuble comportant un logement.

1991, c. 64, a. 1912 (1994-01-01).

C.C.B.C. 1652.2, 1652.4 (**C.C.Q.** 1863, 1893, 1907; **L.R.Q.**, c. C-19, a. 413(8); **L.R.Q.**, c. Q-2, a. 71, 82; **L.R.Q.**, c. S-3, a. 2, 4)

Art. 1913. Le locateur ne peut offrir en location ni délivrer un logement impropre à l'habitation.

Est impropre à l'habitation le logement dont l'état constitue une menace sérieuse pour la santé ou la sécurité des occupants ou du public, ou celui qui a été déclaré tel par le tribunal ou par l'autorité compétente.

1991, c. 64, a. 1913 (1994-01-01).

C.C.B.C. 1652.8, 1665.3 (**C.C.Q.** 1863, 1893, 1907, 1910, 1912, 1917, 1972, 1975)

§ 4. — Condition of dwelling

Art. 1910. A lessor is bound to deliver a dwelling in good habitable condition; he is bound to maintain it in that condition throughout the term of the lease.

A stipulation whereby a lessee acknowledges that the dwelling is in good habitable condition is without effect.

Art. 1911. The lessor is bound to deliver the dwelling in clean condition and the lessee is bound to keep it so.

Where the lessor carries out work in the dwelling, he shall restore it to clean condition.

Art. 1912. The following give rise to the same remedies as failure to perform an obligation under the lease:

(1) failure on the part of the lessor or the lessee to comply with an obligation imposed by law with respect to the safety and sanitation of dwellings;

(2) failure on the part of the lessor to comply with the minimum requirements fixed by law with respect to the maintenance, habitability, safety and sanitation of immovables comprising a dwelling.

Art. 1913. The lessor may not offer for rent or deliver a dwelling that is unfit for habitation.

A dwelling is unfit for habitation if it is in such a condition as to be a serious danger to the health or safety of its occupants or the public, or if it has been declared so by the court or by a competent authority.

Art. 1914. Le locataire peut refuser de prendre possession du logement qui lui est délivré s'il est impropre à l'habitation; le bail est alors résilié de plein droit.

1991, c. 64, a. 1914 (1994-01-01).

(**C.C.Q.** 1604 ss., 1893)

Art. 1915. Le locataire peut abandonner son logement s'il devient impropre à l'habitation. Il est alors tenu d'aviser le locateur de l'état du logement, avant l'abandon ou dans les dix jours qui suivent.

Le locataire qui donne cet avis est dispensé de payer le loyer pour la période pendant laquelle le logement est impropre à l'habitation, à moins que l'état du logement ne résulte de sa faute.

1991, c. 64, a. 1915 (1994-01-01).

C.C.B.C. 1652.9 (**C.C.Q.** 1457 ss., 1893, 1898, 1913, 1916, 1972, 1975)

Art. 1916. Dès que le logement redevient propre à l'habitation, le locateur est tenu d'en aviser le locataire, si ce dernier l'a avisé de sa nouvelle adresse; le locataire est alors tenu, dans les dix jours, d'aviser le locateur de son intention de réintégrer ou non le logement.

Si le locataire n'a pas avisé le locateur de sa nouvelle adresse ou de son intention de réintégrer le logement, le bail est résilié de plein droit et le locateur peut consentir un bail à un nouveau locataire.

1991, c. 64, a. 1916 (1994-01-01).

C.C.B.C. 1652.10 (**C.C.Q.** 1604 ss., 1898)

Art. 1917. Le tribunal peut, à l'occasion de tout litige relatif au bail, déclarer, même d'office, qu'un logement est impropre à l'habitation; il peut alors statuer sur le loyer, fixer les conditions nécessaires à la protection des droits du locataire et, le cas échéant, ordonner que le logement soit rendu propre à l'habitation.

1991, c. 64, a. 1917 (1994-01-01).

C.C.B.C. 1652.11 (**C.C.Q.** 1913)

Art. 1918. Le locataire peut requérir du tribunal qu'il enjoigne au locateur d'exécuter ses obligations relativement à l'état du logement lorsque leur inexécution risque de rendre le logement impropre à l'habitation.

1991, c. 64, a. 1918 (1994-01-01).

C.C.B.C. 1656.3 (**C.P.C.** 751 ss.)

Art. 1914. A lessee may refuse to take possession of a dwelling delivered to him if it is unfit for habitation; in such a case, the lease is resiliated of right.

Art. 1915. A lessee may abandon his dwelling if it becomes unfit for habitation, but he is bound to inform the lessor of the condition of the dwelling before abandoning it or within the following ten days.

A lessee who gives such a notice to the lessor is exempt from rent for the period during which the dwelling is unfit for habitation, unless the condition of the dwelling is the result of his own fault.

Art. 1916. As soon as the dwelling becomes fit for habitation again, the lessor is bound to inform the lessee, if the lessee has given him his new address; the lessee is then bound to notify the lessor within the following ten days as to whether or not he intends to return to the dwelling.

Where the lessee has not given the lessor his new address or fails to notify him that he intends to return to the dwelling, the lease is resiliated of right and the lessor may enter into a lease with a new lessee.

Art. 1917. The court, when seised of any dispute in connection with a lease, may, even of its own motion, declare that the dwelling is unfit for habitation; it may then rule on the rent, fix the conditions necessary for the protection of the rights of the lessee and, where applicable, order that the dwelling be made fit for habitation again.

Art. 1918. The lessee may apply to the court for an order enjoining the lessor to perform his obligations regarding the condition of the dwelling, where their nonperformance threatens to make the dwelling unfit for habitation.

Art. 1919. Le locataire ne peut, sans le consentement du locateur, employer ou conserver dans un logement une substance qui constitue un risque d'incendie ou d'explosion et qui aurait pour effet d'augmenter les primes d'assurance du locateur.

1991, c. 64, a. 1919 (1994-01-01).

_____

C.C.B.C. 1665.5 (**C.C.Q.** 1863)

Art. 1920. Le nombre d'occupants d'un logement doit être tel qu'il permet à chacun de vivre dans des conditions normales de confort et de salubrité.

1991, c. 64, a. 1920 (1994-01-01).

_____

C.C.B.C. 1652.5 (**C.C.Q.** 1855)

Art. 1921. Lorsqu'une personne handicapée, sérieusement restreinte dans ses déplacements, occupe un logement, qu'elle soit ou non elle-même locataire, le locateur est tenu, à la demande du locataire, d'identifier le logement, conformément à la Loi assurant l'exercice des droits des personnes handicapées.

1991, c. 64, a. 1921 (1994-01-01).

_____

C.C.B.C. 1665.4 (**C.C.Q.** 1863; **L.R.Q.**, c. E-20.1, a. 31)

§ 5. — _De certaines modifications au logement_

Art. 1922. Une amélioration majeure ou une réparation majeure non urgente, ne peut être effectuée dans un logement avant que le locateur n'en ait avisé le locataire et, si l'évacuation temporaire du locataire est prévue, avant que le locateur ne lui ait offert une indemnité égale aux dépenses raisonnables qu'il devra assumer en raison de cette évacuation.

1991, c. 64, a. 1922 (1994-01-01).

_____

C.C.B.C. 1653 (**C.C.Q.** 1863, 1893, 1898, 1929)

Art. 1923. L'avis indique la nature des travaux, la date à laquelle ils débuteront et l'estimation de leur durée, ainsi que, s'il y a lieu, la période d'évacuation nécessaire; il précise aussi, le cas échéant, le montant de l'indemnité offerte, ainsi que toutes autres conditions dans lesquelles s'effectueront les travaux, si elles sont susceptibles de diminuer substantiellement la jouissance des lieux.

Art. 1919. The lessee may not, without the consent of the lessor, use or keep in a dwelling a substance which constitutes a risk of fire or explosion and which would lead to an increase in the insurance premiums of the lessor.

Art. 1920. The occupants of a dwelling shall be of such a number as to allow each of them to live in normal conditions of comfort and sanitation.

Art. 1921. Where a handicapped person significantly limited in his movements occupies a dwelling, whether or not that person is the lessee, the lessor is bound, at the demand of the lessee, to identify the dwelling in accordance with the Act to secure the handicapped in the exercise of their rights.

§ 5. — _Certain changes to dwelling_

Art. 1922. No major improvements or repairs other than urgent improvements or repairs may be made in a dwelling without prior notice from the lessor to the lessee nor, if it is necessary for the lessee to vacate temporarily, until the lessor has offered an indemnity to him equal to the reasonable expenses he will have to incur by reason of the vacancy.

Art. 1923. The notice given to the lessee indicates the nature of the work, the date on which it is to begin and an estimation of its duration and, where required, the necessary period of vacancy; it also specifies the amount of the indemnity offered, where applicable, and any other conditions under which the work will be carried out, if it is of such a nature as to cause a substantial reduction of the enjoyment of the premises.

L'avis doit être donné au moins dix jours avant la date prévue pour le début des travaux ou, s'il est prévu une période d'évacuation de plus d'une semaine, au moins trois mois avant celle-ci.

1991, c. 64, a. 1923 (1994-01-01).

_____

C.C.B.C. 1653.1 (**C.C.Q.** 1893)

Art. 1924. L'indemnité due au locataire en cas d'évacuation temporaire est payable à la date de l'évacuation.

Si l'indemnité se révèle insuffisante, le locataire peut être remboursé des dépenses raisonnables faites en surplus.

Le locataire peut aussi obtenir, selon les circonstances, une diminution de loyer ou la résiliation du bail.

1991, c. 64, a. 1924 (1994-01-01).

_____

C.C.B.C. 1653.1.1 (**C.C.Q.** 1604 ss., 1863, 1865)

Art. 1925. Lorsque l'avis du locateur prévoit une évacuation temporaire, le locataire doit, dans les dix jours de la réception de l'avis, aviser le locateur de son intention de s'y conformer ou non; s'il omet de le faire, il est réputé avoir refusé de quitter les lieux.

En cas de refus du locataire, le locateur peut, dans les dix jours du refus, demander au tribunal de statuer sur l'opportunité de l'évacuation.

1991, c. 64, a. 1925 (1994-01-01).

_____

C.C.B.C. 1653.1.2 (**C.C.Q.** 1898, 1927)

Art. 1926. Lorsque aucune évacuation temporaire n'est exigée ou lorsque l'évacuation est acceptée par le locataire, celui-ci peut, dans les dix jours de la réception de l'avis, demander au tribunal de modifier ou de supprimer une condition abusive.

1991, c. 64, a. 1926 (1994-01-01).

_____

C.C.B.C. 1653.1.3 (**C.C.Q.** 1927)

Art. 1927. La demande du locateur ou celle du locataire est instruite et jugée d'urgence. Elle suspend l'exécution des travaux, à moins que le tribunal n'en décide autrement.

Le tribunal peut imposer les conditions qu'il estime justes et raisonnables.

1991, c. 64, a. 1927 (1994-01-01).

_____

C.C.B.C. 1653.1.2-1653.1.4

The notice shall be given at least ten days before the date on which the work is to begin or, if a period of vacancy of more than one week is necessary, at least three months before that date.

Art. 1924. The indemnity due to a lessee by reason of temporary vacancy is payable on the date he vacates.

If the indemnity proves inadequate, the lessee may be reimbursed for any reasonable expenses incurred beyond the amount of the indemnity.

The lessee may also, depending on the circumstances, obtain a reduction of rent or resiliation of the lease.

Art. 1925. If the notice of the lessor provides for temporary vacancy, the lessee shall notify the lessor within ten days after receiving it that he intends or does not intend to comply with it; otherwise, he is deemed to have refused to vacate the premises.

If the lessee refuses to vacate, the lessor may apply to the court within ten days after the refusal for a ruling on the expediency of the vacancy.

Art. 1926. Where temporary vacancy is not required or the lessee agrees to vacate, the lessee, within ten days after receiving the notice, may apply to the court for the modification or suppression of any abusive condition.

Art. 1927. The application of the lessor or of the lessee is heard and decided by preference. It suspends the carrying out of the work unless the court orders otherwise.

The court may impose such conditions as it considers just and reasonable.

Art. 1928. Il appartient au locateur, lorsque le tribunal est saisi d'une demande sur les conditions dans lesquelles les travaux seront effectués, de démontrer le caractère raisonnable de ces travaux et de ces conditions, ainsi que la nécessité de l'évacuation.

1991, c. 64, a. 1928 (1994-01-01).

Art. 1928. Where the court is adjudicating upon an application respecting the conditions under which work is to be carried out, it is for the lessor to show that such work and conditions are reasonable and that the vacancy is necessary.

C.C.B.C. 1653.1.5 (**C.C.Q.** 1893)

Art. 1929. Aucun avis n'est requis et aucune contestation n'est possible lorsque les modifications effectuées ont fait l'objet d'une entente entre le locateur et le locataire, dans le cadre d'un programme public de conservation et de remise en état des logements.

1991, c. 64, a. 1929 (1994-01-01).

Art. 1929. No notice is required and no contestation is allowed where the alterations made have been the subject of an agreement between the lessor and the lessee within the scope of a public housing preservation and restoration programme.

C.C.B.C. 1653.2

§ 6. — *De l'accès et de la visite du logement*

Art. 1930. Le locataire qui avise le locateur de la non-reconduction du bail ou de sa résiliation est tenu de permettre la visite du logement et l'affichage, dès qu'il a donné cet avis.

1991, c. 64, a. 1930 (1994-01-01).

§ 6. — *Access to and visit of dwelling*

Art. 1930. Where a lessee gives notice of non-renewal or resiliation of the lease to the lessor, he is bound to allow the dwelling to be visited and signs to be posted from the time he gives the notice.

C.C.B.C. 1654 (**C.C.Q.** 1863, 1893, 1898)

Art. 1931. Le locateur est tenu, à moins d'une urgence, de donner au locataire un préavis de vingt-quatre heures de son intention de vérifier l'état du logement, d'y effectuer des travaux ou de le faire visiter par un acquéreur éventuel.

1991, c. 64, a. 1931 (1994-01-01).

Art. 1931. The lessor is bound, except in case of emergency, to give the lessee a prior notice of twenty-four hours of his intention to ascertain the condition of the dwelling, to carry out work in the dwelling or to have it visited by a prospective acquirer.

C.C.B.C. 1654.1 (**C.C.Q.** 1857, 1863, 1893, 1898)

Art. 1932. Le locataire peut, à moins d'une urgence, refuser que le logement soit visité par un locataire ou un acquéreur éventuel, si la visite doit avoir lieu avant 9 heures et après 21 heures; il en est de même dans le cas où le locateur désire en vérifier l'état.

Il peut, dans tous les cas, refuser la visite si le locateur ne peut être présent.

1991, c. 64, a. 1932 (1994-01-01).

Art. 1932. The lessee may, except in case of emergency, refuse to allow the dwelling to be visited by a prospective lessee or acquirer before 9 a.m. or after 9 p.m.; the same rule applies where the lessor wishes to ascertain the condition of the dwelling.

The lessee may, in any case, refuse to allow the dwelling to be visited if the lessor is unable to be present.

C.C.B.C. 1654.2, 1654.3

Art. 1933. Le locataire ne peut refuser l'accès du logement au locateur, lorsque celui-ci doit y effectuer des travaux.

Art. 1933. The lessee may not refuse to allow the lessor to have access to the dwelling to carry out work.

Il peut, néanmoins, en refuser l'accès avant 7 heures et après 19 heures, à moins que le locateur ne doive y effectuer des travaux urgents.

1991, c. 64, a. 1933 (1994-01-01).

He may deny him access before 7 a.m. and after 7 p.m., however, unless the work is urgent.

C.C.B.C. 1653.5 (**C.C.Q.** 1863, 1931)

Art. 1934. Aucune serrure ou autre mécanisme restreignant l'accès à un logement ne peut être posé ou changé sans le consentement du locateur et du locataire.

Le tribunal peut ordonner à la partie qui ne se conforme pas à cette obligation de permettre à l'autre l'accès au logement.

1991, c. 64, a. 1934 (1994-01-01).

Art. 1934. No lock or other device restricting access to a dwelling may be installed or changed without the consent of the lessor and the lessee.

If either party fails to comply with his obligation, the court may order him to allow the other party to have access to the dwelling.

C.C.B.C. 1654.4 (**C.C.Q.** 1863, 1893)

Art. 1935. Le locateur ne peut interdire l'accès à l'immeuble ou au logement à un candidat à une élection provinciale, fédérale, municipale ou scolaire, à un délégué officiel nommé par un comité national ou à leur représentant autorisé, à des fins de propagande électorale ou de consultation populaire en vertu d'une loi.

1991, c. 64, a. 1935 (1994-01-01).

Art. 1935. The lessor may not prohibit a candidate in a provincial, federal, municipal or school election, an official delegate appointed by a national committee or the authorized representative of either from having access to the immovable or dwelling for the purposes of an election campaign or a legally constituted referendum.

C.C.B.C. 1665.6 (**C.C.Q.** 1863; **L.R.Q.**, c. E-3.3, a. 551(6))

§ 7. — *Du droit au maintien dans les lieux*

I — DES BÉNÉFICIAIRES DU DROIT

Art. 1936. Tout locataire a un droit personnel au maintien dans les lieux; il ne peut être évincé du logement loué que dans les cas prévus par la loi.

1991, c. 64, a. 1936 (1994-01-01).

§ 7. — *Right to maintain occupancy*

I — HOLDERS OF THE RIGHT

Art. 1936. Every lessee has a personal right to maintain occupancy; he may not be evicted from the leased dwelling, except in the cases provided for by law.

C.C.B.C. 1657 (**C.C.Q.** 1863, 1893, 1959, 1979, 1980; **L.R.Q.**, c. C-19, a. 412.12; **L.R.Q.**, c. C-27.1, a. 506)

Art. 1937. L'aliénation volontaire ou forcée d'un immeuble comportant un logement, ou l'extinction du titre du locateur, ne permet pas au nouveau locateur de résilier le bail. Celui-ci est continué et peut être reconduit comme tout autre bail.

Le nouveau locateur a, envers le locataire, les droits et obligations résultant du bail.

1991, c. 64, a. 1937 (1994-01-01).

Art. 1937. The voluntary or forced alienation of an immovable comprising a dwelling or the extinction of the title of the lessor does not permit the new lessor to resiliate the lease, which is continued and may be renewed in the same manner as any other lease.

The new lessor has, towards the lessee, the rights and obligations resulting from the lease.

C.C.B.C. 1650.4, 1657.1 (**C.C.Q.** 1863, 1886, 1893, 1941 ss.; **C.P.C.** 696.1)

Art. 1938. L'époux ou le conjoint uni civilement d'un locataire ou, s'il habite avec ce dernier depuis au moins six mois, son conjoint de fait, un parent ou un allié, a droit au maintien dans les lieux et devient locataire si, lorsque cesse la cohabitation, il continue d'occuper le logement et avise le locateur de ce fait dans les deux mois de la cessation de la cohabitation.

La personne qui habite avec le locataire au moment de son décès a le même droit et devient locataire, si elle continue d'occuper le logement et avise le locateur de ce fait dans les deux mois du décès; cependant, si elle ne se prévaut pas de ce droit, le liquidateur de la succession ou, à défaut, un héritier, peut dans le mois qui suit l'expiration de ce délai de deux mois, résilier le bail en donnant au locateur un avis d'un mois.

1991, c. 64, a. 1938 (1994-01-01); 2002, c. 6, a. 52 (2002-06-24).

C.C.B.C. 1657.2, 1657.3 (**C.C.Q.** 1863, 1884, 1893, 1898)

Art. 1939. Si personne n'habite avec le locataire au moment du décès, le liquidateur de la succession ou, à défaut, un héritier, peut résilier le bail en donnant au locateur dans les six mois du décès, un avis de trois mois.

1991, c. 64, a. 1939 (1994-01-01).

C.C.B.C. 1657.4 (**C.C.Q.** 1893, 1898, 1944)

Art. 1940. Le sous-locataire d'un logement ne bénéficie pas du droit au maintien dans les lieux.

La sous-location prend fin au plus tard à la date à laquelle prend fin le bail du logement; le sous-locataire n'est cependant pas tenu de quitter les lieux avant d'avoir reçu du sous-locateur ou, en cas de défaut de sa part, du locateur principal, un avis de dix jours à cette fin.

1991, c. 64, a. 1940 (1994-01-01).

C.C.B.C. 1650.5, 1657.5 (**D.T.** 108; **C.C.Q.** 1877, 1898)

II — DE LA RECONDUCTION ET DE LA MODIFICATION DU BAIL

Art. 1941. Le locataire qui a droit au maintien dans les lieux a droit à la reconduction de plein droit du bail à durée fixe lorsque celui-ci prend fin.

Art. 1938. The married or civil union spouse of a lessee, or a person who has been living with the lessee for at least six months, being the *de facto* spouse or blood relative of the lessee or a person connected to the lessee by marriage or a civil union, is entitled to maintain occupancy if he or she continues to occupy the dwelling after the cessation of cohabitation and gives notice to that effect to the lessor within two months after the cessation of cohabitation. He or she becomes the lessee from that moment.

A person living with the lessee at the time of death of the lessee has the same right and becomes the lessee if he or she continues to occupy the dwelling and gives notice to that effect to the lessor within two months after the death. If the person does not avail himself or herself of this right, the liquidator of the succession or, failing him or her, an heir may, in the month which follows the expiry of the period of two months, resiliate the lease by giving notice of one month to that effect to the lessor.

Art. 1939. If no one is living with the lessee at the time of his death, the liquidator of the succession or, failing him, an heir may resiliate the lease by giving notice of three months to the lessor within six months after the death.

Art. 1940. The sublessee of a dwelling is not entitled to maintain occupancy.

The sublease terminates not later than the date on which the lease of the dwelling terminates; however, the sublessee is not required to vacate the premises before receiving notice of ten days to that effect from the sublessor or, failing him, from the principal lessor.

II — RENEWAL AND MODIFICATION OF LEASE

Art. 1941. A lessee entitled to maintain occupancy and having a lease with a fixed term is entitled of right to its renewal at term.

Le bail est, à son terme, reconduit aux mêmes conditions et pour la même durée ou, si la durée du bail initial excède douze mois, pour une durée de douze mois. Les parties peuvent, cependant, convenir d'un terme de reconduction différent.

1991, c. 64, a. 1941 (1994-01-01).

The lease is renewed at term on the same conditions and for the same term or, if the term of the initial lease exceeds twelve months, for a term of twelve months. The parties may, however, agree on a different renewal term.

C.C.B.C. 1658 (**C.C.Q.** 1863, 1877, 1893, 1944, 1969, 1977, 1991)

Art. 1942. Le locateur peut, lors de la reconduction du bail, modifier les conditions de celui-ci, notamment la durée ou le loyer; il ne peut cependant le faire que s'il se donne un avis de modification au locataire, au moins trois mois, mais pas plus de six mois, avant l'arrivée du terme. Si la durée du bail est de moins de douze mois, l'avis doit être donné, au moins un mois, mais pas plus de deux mois, avant le terme.

Lorsque le bail est à durée indéterminée, le locateur ne peut le modifier, à moins de donner au locataire un avis d'au moins un mois, mais d'au plus deux mois.

Ces délais sont respectivement réduits à dix jours et vingt jours s'il s'agit du bail d'une chambre.

1991, c. 64, a. 1942 (1994-01-01).

Art. 1942. At the renewal of the lease, the lessor may modify its conditions, particularly the term or the rent, but only if he gives notice of the modification to the lessee not less than three months nor more than six months before term. If the term of the lease is less than twelve months, the notice shall be given not less than one month nor more than two months before term.

A lessor may not modify a lease with an indeterminate term unless he gives the lessee a notice of not less than one month nor more than two months.

The notice is of not less than ten days nor more than twenty days in the case of the lease of a room.

C.C.B.C. 1658.1 al. 1, 1658.8 (**C.C.Q.** 1877, 1893, 1896, 1898, 1943, 1946, 1947)

Art. 1943. L'avis de modification qui vise à augmenter le loyer doit indiquer en dollars le nouveau loyer proposé, ou l'augmentation en dollars ou en pourcentage du loyer en cours. Cette augmentation peut être exprimée en pourcentage du loyer qui sera déterminé par le tribunal, si ce loyer fait déjà l'objet d'une demande de fixation ou de révision.

L'avis doit, de plus, indiquer la durée proposée du bail, si le locateur propose de la modifier, et le délai accordé au locataire pour refuser la modification proposée.

1991, c. 64, a. 1943 (1994-01-01).

Art. 1943. In every notice of modification with a view to an increase of the rent an indication shall be made of the new proposed rent in dollars or the increase expressed in dollars or as a percentage of the rent in force. The increase may be expressed as a percentage of the rent to be determined by the court, where an application for the fixing or review of the rent has been filed.

Where the lessor proposes to modify the term of the lease, the proposed term shall also be indicated in the notice, and the time granted to the lessee to refuse the proposed modification.

C.C.B.C. 1658.1 al. 2, 3 et 4 (**C.C.Q.** 1893, 1896, 1942, 1945)

Art. 1944. Le locateur peut, lorsque le locataire a sous-loué le logement pendant plus de douze mois, éviter la reconduction du bail, s'il avise le locataire et le sous-locataire de son intention d'y mettre fin, dans les mêmes délais que s'il y apportait une modification.

Art. 1944. The lessor may avoid the renewal of the lease where the lessee has subleased the dwelling for more than twelve months by giving notice, within the same time as for modification of the lease, of his intention to terminate it to the lessee and to the sublessee.

Il peut de même, lorsque le locataire est décédé et que personne n'habitait avec lui lors de son décès, éviter la reconduction en avisant l'héritier ou le liquidateur de la succession.

The lessor may similarly avoid the renewal of the lease where the lessee has died and no one was living with him at the time of the death, by giving the notice to the heir or to the liquidator of the succession.

1991, c. 64, a. 1944 (1994-01-01).

C.C.B.C. 1658.2, 1658.3 (**C.C.Q.** 1893, 1898, 1941, 1948)

Art. 1945. Le locataire qui refuse la modification proposée par le locateur est tenu, dans le mois de la réception de l'avis de modification du bail, d'aviser le locateur de son refus ou de l'aviser qu'il quitte le logement; s'il omet de le faire, il est réputé avoir accepté la reconduction du bail aux conditions proposées par le locateur.

Art. 1945. A lessee who objects to the modification proposed by the lessor is bound to notify the lessor, within one month after receiving the notice of modification of the lease, that he objects or that he is vacating the dwelling; otherwise, he is deemed to have agreed to the renewal of the lease on the conditions proposed by the lessor.

Toutefois, lorsque le bail porte sur un logement visé à l'article 1955, le locataire qui refuse la modification proposée doit quitter le logement à la fin du bail.

In the case of a lease of a dwelling described in article 1955, however, the lessee shall vacate the dwelling upon termination of the lease if he objects to the proposed modification.

1991, c. 64, a. 1945 (1994-01-01).

C.C.B.C. 1658.5 (**C.C.Q.** 1877, 1893, 1898, 1947, 1955)

Art. 1946. Le locataire qui n'a pas reçu du locateur un avis de modification des conditions du bail peut éviter la reconduction d'un bail à durée fixe ou mettre fin à un bail à durée indéterminée, en donnant au locateur un avis de non-reconduction ou de résiliation du bail, dans les mêmes délais que ceux que doit respecter le locateur lorsqu'il donne un avis de modification.

Art. 1946. A lessee who has not received a notice of modification of the conditions of the lease from the lessor may avoid the renewal of a lease with a fixed term or terminate a lease with an indeterminate term by giving notice of non-renewal or resiliation of the lease to the lessor, within the same time as a lessor giving notice of modification.

1991, c. 64, a. 1946 (1994-01-01).

C.C.B.C. 1658.4, 1658.8 (**C.C.Q.** 1898, 1942)

III — DE LA FIXATION DES CONDITIONS DU BAIL

III — FIXING CONDITIONS OF LEASE

Art. 1947. Le locateur peut, lorsque le locataire refuse la modification proposée, s'adresser au tribunal dans le mois de la réception de l'avis de refus, pour faire fixer le loyer ou, suivant le cas, faire statuer sur toute autre modification du bail; s'il omet de le faire, le bail est reconduit de plein droit aux conditions antérieures.

Art. 1947. Where a lessee objects to the proposed modification, the lessor may apply to the court, within one month after receiving the notice of objection, for the fixing of the rent or for a ruling on any other modification of the lease, as the case may be; otherwise, the lease is renewed of right on the same conditions.

1991, c. 64, a. 1947 (1994-01-01).

C.C.B.C. 1658.6 (**C.C.Q.** 1893, 1896, 1952, 1953, 1955, 1956)

Art. 1948. Le locataire qui a sous-loué son logement pendant plus de douze mois, ainsi que l'héritier ou le liquidateur de la succession d'un locataire décédé, peut, dans le mois de la réception d'un avis donné par le locateur pour éviter la reconduction du bail, s'adresser au tribunal pour en contester le bien-fondé; s'il omet de le faire, il est réputé avoir accepté la fin du bail.

Si le tribunal accueille la demande du locataire, mais que sa décision est rendue après l'expiration du délai pour donner un avis de modification du bail, celui-ci est reconduit, mais le locateur peut alors s'adresser au tribunal pour faire fixer un nouveau loyer, dans le mois de la décision finale.

1991, c. 64, a. 1948 (1994-01-01).

Art. 1948. A lessee who has subleased his dwelling for more than twelve months, or an heir or the liquidator of the succession of a lessee who has died may, within one month after receiving notice of the intention of the lessor to avoid the renewal of the lease, contest the notice on its merits before the court; otherwise, he is deemed to have agreed to terminate the lease.

Where the court grants the application of the lessee after the expiry of the time for giving notice of modification of the lease, the lease is renewed but the lessor may, within one month after the final judgment, apply to the court for the fixing of a new rent.

C.C.B.C. 1658.7, 1658.9 (**C.C.Q.** 1896, 1942, 1944, 1953, 1955, 1956)

Art. 1949. Lorsque le bail prévoit le réajustement du loyer, les parties peuvent s'adresser au tribunal pour contester le caractère excessif ou insuffisant du réajustement proposé ou convenu et faire fixer le loyer.

La demande doit être faite dans le mois où le réajustement doit prendre effet.

1991, c. 64, a. 1949 (1994-01-01).

Art. 1949. Where the lease provides for the adjustment of the rent, the parties may apply to the court to contest the excessive or inadequate nature of the proposed or agreed adjustment and for the fixing of the rent.

The application shall be made within one month from the date on which the adjustment is to take effect.

C.C.B.C. 1658.13 al. 3 (**C.C.Q.** 1896, 1906, 1953, 1955, 1956)

Art. 1950. Un nouveau locataire ou un sous-locataire peut faire fixer le loyer par le tribunal lorsqu'il paie un loyer supérieur au loyer le moins élevé des douze mois qui précèdent le début du bail ou, selon le cas, de la sous-location, à moins que ce loyer n'ait déjà été fixé par le tribunal.

La demande doit être présentée dans les dix jours de la conclusion du bail ou de la sous-location. Elle doit l'être dans les deux mois du début du bail ou de la sous-location lorsqu'elle est présentée par un nouveau locataire ou par un sous-locataire qui n'ont pas reçu du locateur, lors de la conclusion du bail ou de la sous-location, l'avis indiquant le loyer le moins élevé de l'année précédente; si le locateur a remis un avis comportant une fausse déclaration, la demande doit être présentée dans les deux mois de la connaissance de ce fait.

1991, c. 64, a. 1950 (1994-01-01).

Art. 1950. A new lessee or a sublessee may apply to the court for the fixing of the rent if his rent is higher than the lowest rent paid during the twelve months preceding the beginning of the lease or sublease, as the case may be, unless that rent has already been fixed by the court.

He may apply only within ten days after the lease or sublease has been entered into. If at the time the lease or sublease is entered into he has not received the notice from the lessor indicating the lowest rent paid in the preceding year, he may apply no later than two months after the beginning of the lease or sublease; where the lessor has given a notice containing a false statement, the new lessee or sublessee may apply no later than two months after becoming aware of that fact.

C.C.B.C. 1658.10, 1658.11, 1658.14 (**C.C.Q.** 1893, 1896)

Art. 1951. N'est pas considéré comme nouveau locataire celui à qui la loi reconnaît le droit d'être maintenu dans les lieux et de devenir locataire lorsque cesse la cohabitation avec le locataire ou que celui-ci décède.

1991, c. 64, a. 1951 (1994-01-01).

C.C.B.C. 1658.12 (**C.C.Q.** 1896, 1938)

Art. 1952. Le tribunal qui autorise la modification d'une condition du bail fixe le loyer exigible pour le logement, compte tenu de la valeur relative de la modification par rapport au loyer du logement.

1991, c. 64, a. 1952 (1994-01-01).

C.C.B.C. 1658.16 (**C.C.Q.** 1896, 1942)

Art. 1953. Le tribunal saisi d'une demande de fixation ou de réajustement de loyer détermine le loyer exigible, en tenant compte des normes fixées par les règlements.

Le loyer qu'il fixe est en vigueur pour la même durée que le bail reconduit ou pour celle qu'il détermine, mais qui ne peut excéder douze mois.

S'il accorde une augmentation de loyer, il peut échelonner le paiement des arriérés sur une période qui n'excède pas le terme du bail reconduit.

1991, c. 64, a. 1953 (1994-01-01).

C.C.B.C. 1658.15, 1658.17, 1658.18, 1658.20 (**C.C.Q.** 1893, 1896, 1941, 1949; **R.R.Q.**, 1981, c. R-8.1, r. 1.01)

Art. 1954. Lorsque le tribunal fixe le loyer à la demande d'un nouveau locataire, il le détermine pour la durée du bail.

Si la durée du bail excède douze mois, le locateur peut, néanmoins, en obtenir la fixation annuelle. La demande doit être faite trois mois avant l'expiration de chaque période de douze mois, après la date à laquelle la fixation du loyer a pris effet.

1991, c. 64, a. 1954 (1994-01-01).

C.C.B.C. 1658.18, 1658.19 (**C.C.Q.** 1896, 1950)

Art. 1955. Ni le locateur ni le locataire d'un logement loué par une coopérative d'habitation à l'un de ses membres, ne peut faire fixer le loyer ni modifier d'autres conditions du bail par le tribunal.

Art. 1951. A person entitled by law to maintain occupancy and to become lessee upon the cessation of cohabitation with the lessee or the death of the lessee is not considered to be a new lessee.

Art. 1952. Where the court authorizes the modification of a condition of a lease, it fixes the rent payable for the dwelling, taking into consideration the relative value of the modification in relation to the rent for the dwelling.

Art. 1953. Where the court has an application before it for the fixing or adjustment of rent, it takes into consideration the standards prescribed by regulation.

The rent fixed by the court is in force for the term of the renewed lease or for such term, not in excess of twelve months, as it determines.

If the court grants an increase of rent, it may spread the payment of the arrears over a period not exceeding the term of the renewed lease.

Art. 1954. Where the court fixes the rent on the application of a new lessee, it does so for the term of the lease.

Where the term of the lease exceeds twelve months, the lessor may nevertheless have the rent fixed annually. The application may be made no later than three months before the expiry of each period of twelve months from the date on which the fixed rent took effect.

Art. 1955. Neither the lessor nor the lessee of a dwelling leased by a housing cooperative to one of its members may apply to the court for the fixing of the rent or the modification of any other condition of the lease.

De même, ni le locateur ni le locataire d'un logement situé dans un immeuble nouvellement bâti ou dont l'utilisation à des fins locatives résulte d'un changement d'affectation récent ne peut exercer un tel recours, dans les cinq années qui suivent la date à laquelle l'immeuble est prêt pour l'usage auquel il est destiné.

Le bail d'un tel logement doit toutefois mentionner ces restrictions, à défaut de quoi le locateur ne peut les invoquer à l'encontre du locataire.

1991, c. 64, a. 1955 (1994-01-01).

C.C.B.C. 1658.21 (D.T. 109; C.C.Q. 1893, 1896, 1945)

Art. 1956. Le locateur ou le locataire d'un logement à loyer modique ne peut faire fixer le loyer ou modifier d'autres conditions du bail que conformément aux dispositions particulières à ce type de bail.

1991, c. 64, a. 1956 (1994-01-01).

C.C.B.C. 1658.22 (C.C.Q. 1896, 1984, 1992, 1993)

IV — DE LA REPRISE DU LOGEMENT ET DE L'ÉVICTION

Art. 1957. Le locateur d'un logement, s'il en est le propriétaire, peut le reprendre pour l'habiter lui-même ou y loger ses ascendants ou descendants au premier degré, ou tout autre parent ou allié dont il est le principal soutien.

Il peut aussi le reprendre pour y loger un conjoint dont il demeure le principal soutien après la séparation de corps, le divorce ou la dissolution de l'union civile.

1991, c. 64, a. 1957 (1994-01-01); 2002, c. 6, a. 53 (2002-06-24).

C.C.B.C. 1659 al. 1 (C.C.Q. 1893)

Art. 1958. Le propriétaire d'une part indivise d'un immeuble ne peut reprendre aucun logement s'y trouvant, à moins qu'il n'y ait qu'un seul autre propriétaire et que ce dernier soit son conjoint.

1991, c. 64, a. 1958 (1994-01-01); 2002, c. 6, a. 54 (2002-06-24).

C.C.B.C. 1659 al. 2(1) (D.T. 110; C.C.Q. 1010, 1893)

Nor may the lessor or the lessee of a dwelling situated in a recently erected immovable or an immovable used for renting as a result of a recent change of destination pursue the remedy referred to in the first paragraph within five years after the date on which the immovable is ready for its intended use.

Such restrictions shall be mentioned, however, in the lease of such a dwelling; if they are not mentioned, they may not be set up by the lessor against the lessee.

Art. 1956. The lessor or lessee of a dwelling in low-rental housing may not apply for the fixing of the rent or for the modification of any other condition of the lease except in accordance with the provisions specific to that type of lease.

IV — REPOSSESSION OF A DWELLING AND EVICTION

Art. 1957. The lessor of a dwelling who is the owner of the dwelling may repossess it as a residence for himself or herself or for ascendants or descendants in the first degree or for any other relative or person connected by marriage or a civil union of whom the lessor is the main support.

The lessor may also repossess the dwelling as a residence for a spouse of whom the lessor remains the main support after a separation from bed and board or divorce or the dissolution of a civil union.

Art. 1958. The owner of an undivided share of an immovable may not repossess any dwelling in the immovable unless the only other owner is his or her spouse.

Art. 1959. Le locateur d'un logement peut en évincer le locataire pour subdiviser le logement, l'agrandir substantiellement ou en changer l'affectation.

1991, c. 64, a. 1959 (1994-01-01).

_____

C.C.B.C. 1660 (**C.C.Q.** 1893, 1966, 1967)

Art. 1960. Le locateur qui désire reprendre le logement ou évincer le locataire doit aviser celui-ci, au moins six mois avant l'expiration du bail à durée fixe; si la durée du bail est de six mois ou moins, l'avis est d'un mois.

Toutefois, lorsque le bail est à durée indéterminée, l'avis doit être donné six mois avant la date de la reprise ou de l'éviction.

1991, c. 64, a. 1960 (1994-01-01).

_____

C.C.B.C. 1659.1 al. 1, 1660.1 al. 1 (**C.C.Q.** 1877, 1896, 1898)

Art. 1961. L'avis de reprise doit indiquer la date prévue pour l'exercer, le nom du bénéficiaire et, s'il y a lieu, le degré de parenté ou le lien du bénéficiaire avec le locateur.

L'avis d'éviction doit indiquer le motif et la date de l'éviction.

Toutefois, la reprise ou l'éviction peut prendre effet à une date postérieure, à la demande du locataire et sur autorisation du tribunal.

1991, c. 64, a. 1961 (1994-01-01).

_____

C.C.B.C. 1659.1, 1660.1 (**C.C.Q.** 1893, 1969)

Art. 1962. Dans le mois de la réception de l'avis de reprise, le locataire est tenu d'aviser le locateur de son intention de s'y conformer ou non; s'il omet de le faire, il est réputé avoir refusé de quitter le logement.

1991, c. 64, a. 1962 (1994-01-01).

_____

C.C.B.C. 1659.2 (**C.C.Q.** 1898, 1963)

Art. 1963. Lorsque le locataire refuse de quitter le logement, le locateur peut, néanmoins, le reprendre, avec l'autorisation du tribunal.

Cette demande doit être présentée dans le mois du refus et le locateur doit alors démontrer qu'il entend réellement reprendre le logement pour la fin mentionnée dans l'avis et qu'il ne s'agit pas d'un prétexte pour atteindre d'autres fins.

1991, c. 64, a. 1963 (1994-01-01).

_____

C.C.B.C. 1659.3 (**C.C.Q.** 1893, 1962, 2805)

Art. 1959. The lessor of a dwelling may evict the lessee to divide the dwelling, enlarge it substantially or change its destination.

Art. 1960. A lessor wishing to repossess a dwelling or to evict a lessee shall notify him at least six months before the expiry of the lease in the case of a lease with a fixed term; if the term of the lease is six months or less, the notice is of one month.

In the case of a lease with an indeterminate term, the notice shall be given six months before the date of repossession or eviction.

Art. 1961. In a notice of repossession, the date fixed for the dwelling to be repossessed, the name of the beneficiary and, where applicable, the degree of relationship or the bond between the beneficiary and the lessor shall be indicated.

In a notice of eviction, the reason for and the date of eviction shall be indicated.

Repossession or eviction may take effect on a later date, however, upon the application of the lessee and with the authorization of the court.

Art. 1962. Within one month after receiving notice of repossession, the lessee is bound to notify the lessor as to whether or not he intends to comply with the notice; otherwise, he is deemed to refuse to vacate the dwelling.

Art. 1963. If the lessee refuses to vacate the dwelling, the lessor may repossess it with the authorization of the court.

Application for authorization may be made only within one month after the refusal by the lessee; the lessor shall show the court that he truly intends to repossess the dwelling for the purpose mentioned in the notice and not as a pretext for other purposes.

Art. 1964. Le locateur ne peut, sans le consentement du locataire, se prévaloir du droit à la reprise, s'il est propriétaire d'un autre logement qui est vacant ou offert en location à la date prévue pour la reprise, et qui est du même genre que celui occupé par le locataire, situé dans les environs et d'un loyer équivalent.

1991, c. 64, a. 1964 (1994-01-01).

C.C.B.C. 1659.4 (**C.C.Q.** 1893)

Art. 1965. Le locateur doit payer au locataire évincé une indemnité de trois mois de loyer et des frais raisonnables de déménagement. Si le locataire considère que le préjudice qu'il subit justifie des dommages-intérêts plus élevés, il peut s'adresser au tribunal pour en faire fixer le montant.

L'indemnité est payable à l'expiration du bail et les frais de déménagement le sont, sur présentation de pièces justificatives.

1991, c. 64, a. 1965 (1994-01-01).

C.C.B.C. 1660.4 (**C.C.Q.** 1967)

Art. 1966. Le locataire peut, dans le mois de la réception de l'avis d'éviction, s'adresser au tribunal pour s'opposer à la subdivision, à l'agrandissement ou au changement d'affectation du logement; s'il omet de le faire, il est réputé avoir consenti à quitter les lieux.

S'il y a opposition, il revient au locateur de démontrer qu'il entend réellement subdiviser le logement, l'agrandir ou en changer l'affectation et que la loi le permet.

1991, c. 64, a. 1966 (1994-01-01).

C.C.B.C. 1660.2, 1660.3 (**C.C.Q.** 1959-1961)

Art. 1967. Lorsque le tribunal autorise la reprise ou l'éviction, il peut imposer les conditions qu'il estime justes et raisonnables, y compris, en cas de reprise, le paiement au locataire d'une indemnité équivalente aux frais de déménagement.

1991, c. 64, a. 1967 (1994-01-01).

C.C.B.C. 1659.7 (**C.C.Q.** 1893, 1959, 1965)

Art. 1968. Le locataire peut recouvrer les dommages-intérêts résultant d'une reprise ou d'une éviction obtenue de mauvaise foi, qu'il ait consenti ou non à cette reprise ou éviction.

Art. 1964. The lessor may not, without the consent of the lessee, avail himself of the right to repossess the dwelling where he owns another dwelling that is vacant or offered for rent on the date fixed for repossession, and that is of the same type as that occupied by the lessee, situated in the same neighbourhood and at equivalent rent.

Art. 1965. The lessor shall pay an indemnity equal to three months' rent and reasonable moving expenses to the evicted lessee. If the lessee considers that the prejudice he sustains warrants a greater amount of damages, he may apply to the court for the fixing of the amount of the indemnity.

The indemnity is payable at the expiry of the lease; the moving expenses are payable on presentation of vouchers.

Art. 1966. Within one month after receiving the notice of eviction, the lessee may apply to the court to object to the division, enlargement or change of destination of the dwelling; otherwise, he is deemed to have consented to vacate the premises.

Where an objection is brought, the burden is on the lessor to show that he truly intends to divide, enlarge or change the destination of the dwelling and that he is permitted to do so by law.

Art. 1967. Where the court authorizes repossession or eviction, it may impose such conditions as it considers just and reasonable, including, in the case of repossession, payment to the lessee of an indemnity equivalent to his moving expenses.

Art. 1968. The lessee may recover damages resulting from repossession or eviction in bad faith, whether or not he has consented to it.

Il peut aussi demander que celui qui a ainsi obtenu la reprise ou l'éviction soit condamné à des dommages-intérêts punitifs.

1991, c. 64, a. 1968 (1994-01-01).

He may also apply for punitive damages against the person who has repossessed the dwelling or evicted him in bad faith.

C.C.B.C. 1659.8 (**C.C.Q.** 1457, 1607 ss., 1611 ss., 1621, 2805)

Art. 1969. Lorsque le locateur n'exerce pas ses droits de reprise ou d'éviction à la date prévue, le bail est reconduit de plein droit, pour autant que le locataire continue d'occuper le logement et que le locateur y consente. Le locateur peut alors, dans le mois de la date prévue pour la reprise ou l'éviction, s'adresser au tribunal pour faire fixer un nouveau loyer.

Le bail est aussi reconduit lorsque le tribunal refuse la demande de reprise ou d'éviction et que cette décision est rendue après l'expiration des délais prévus pour éviter la reconduction du bail ou pour modifier celui-ci. Le locateur peut alors présenter au tribunal, dans le mois de la décision finale, une demande de fixation de loyer.

1991, c. 64, a. 1969 (1994-01-01).

Art. 1969. Where the lessor does not exercise his right of repossession or eviction on the fixed date, the lease is renewed of right provided the lessee continues to occupy the dwelling with the consent of the lessor. In that case, the lessor, within one month after the date fixed for repossession or eviction, may apply to the court for the fixing of a new rent.

The lease is also renewed where the court refuses an application for repossession or eviction and renders its decision after expiry of the period provided to avoid the renewal of the lease or to modify it. The lessor may then, within one month after the final decision, apply to the court to fix the rent.

C.C.B.C. 1658.9, 1659.5, 1660.5 (**C.C.Q.** 1941, 1942, 1946, 1953)

Art. 1970. Un logement qui a fait l'objet d'une reprise ou d'une éviction ne peut être loué ou utilisé pour une fin autre que celle pour laquelle le droit a été exercé, sans que le tribunal l'autorise.

Si le tribunal autorise la location du logement, il en fixe le loyer.

1991, c. 64, a. 1970 (1994-01-01).

Art. 1970. A dwelling that has been the subject of a repossession or eviction may not, without the authorization of the court, be leased or used for a purpose other than that for which the right was exercised.

If the court gives authorization to lease the dwelling, it fixes the rent.

C.C.B.C. 1659.6, 1660.5 (**C.C.Q.** 1896, 1953)

§ 8. — De la résiliation du bail

Art. 1971. Le locateur peut obtenir la résiliation du bail si le locataire est en retard de plus de trois semaines pour le paiement du loyer ou, encore, s'il en subit un préjudice sérieux, lorsque le locataire en retarde fréquemment le paiement.

1991, c. 64, a. 1971 (1994-01-01).

§ 8. — Resiliation of lease

Art. 1971. The lessor may obtain the resiliation of the lease if the lessee is over three weeks late in paying the rent or, if he suffers serious prejudice as a result, where the lessee is frequently late in paying it.

C.C.B.C. 1656.4 (**C.C.Q.** 1863, 1883, 1893, 1907, 1973; **C.P.C.** 34 al. 1(3), 547 al. 1*d*))

Art. 1972. Le locateur ou le locataire peut demander la résiliation du bail lorsque le logement devient impropre à l'habitation.

1991, c. 64, a. 1972 (1994-01-01).

Art. 1972. The lessor or the lessee may apply for the resiliation of the lease if the dwelling becomes unfit for habitation.

C.C.B.C. 1661.1 (**C.C.Q.** 1893, 1913 ss.)

Art. 1973. Lorsque l'une ou l'autre des parties demande la résiliation du bail, le tribunal peut l'accorder immédiatement ou ordonner au débiteur d'exécuter ses obligations dans le délai qu'il détermine, à moins qu'il ne s'agisse d'un retard de plus de trois semaines dans le paiement du loyer.

Si le débiteur ne se conforme pas à la décision du tribunal, celui-ci, à la demande du créancier, résilie le bail.

1991, c. 64, a. 1973 (1994-01-01).

Art. 1973. Where either of the parties applies for the resiliation of the lease, the court may grant it immediately or order the debtor to perform his obligations within the period it determines, except where payment of the rent is over three weeks late.

Where the debtor does not comply with the decision of the court, the court resiliates the lease on the application of the creditor.

C.C.B.C. 1656.2, 1656.6 (**C.C.Q.** 1863, 1883, 1893, 1971; **C.P.C.** 34 al. 1(3))

Art. 1974. Un locataire peut résilier le bail en cours, s'il lui est attribué un logement à loyer modique ou si, en raison d'une décision du tribunal, il est relogé dans un logement équivalent qui correspond à ses besoins; il peut aussi le résilier s'il ne peut plus occuper son logement en raison d'un handicap ou, s'il s'agit d'une personne âgée, s'il est admis de façon permanente dans un centre d'hébergement et de soins de longue durée ou dans un foyer d'hébergement, qu'il réside ou non dans un tel endroit au moment de son admission.

À moins que les parties n'en conviennent autrement, la résiliation prend effet trois mois après l'envoi d'un avis au locateur, accompagné d'une attestation de l'autorité concernée, ou un mois après cet avis lorsque le bail est à durée indéterminée ou de moins de douze mois.

1991, c. 64, a. 1974 (1994-01-01).

Art. 1974. A lessee may resiliate the current lease if he is allocated a dwelling in low-rental housing or if, by reason of a decision of the court, he is relocated in an equivalent dwelling corresponding to his needs; he may also resiliate the current lease if he can no longer occupy his dwelling because of a handicap or, in the case of an elderly person, if he is admitted permanently to a residential and long-term care centre or to a foster home, whether or not he resides in such a place at the time of his admission.

Unless otherwise agreed by the parties, resiliation takes effect three months after the sending of a notice to the lessor, with an attestation from the authority concerned, or one month after the notice if the lease is for an indeterminate term or a term of less than twelve months.

C.C.B.C. 1661 (**C.C.Q.** 1892, 1893, 1898, 1984, 1990; **C.P.C.** 34 al. 1(3); **L.R.Q.**, c. S-4.2)

Art. 1975. Le bail est résilié de plein droit lorsque, sans motif, un locataire déguerpit en emportant ses effets mobiliers; il peut être résilié, sans autre motif, lorsque le logement est impropre à l'habitation et que le locataire l'abandonne sans en aviser le locateur.

1991, c. 64, a. 1975 (1994-01-01).

Art. 1975. The lease is resiliated of right where a lessee abandons the dwelling without any reason, taking his movable effects with him; it may also be resiliated without further reason, where the dwelling is unfit for habitation and the lessee abandons it without notifying the lessor.

C.C.B.C. 1652.9, 1661.2 (**C.C.Q.** 1863, 1893, 1913 ss., 1915, 1972)

Art. 1976. Sauf stipulation contraire dans le contrat de travail, l'employeur peut résilier le bail accessoire à un tel contrat lorsque le salarié cesse d'être à son service, en lui donnant un préavis d'un mois.

Art. 1976. An employer may, where an employee ceases to be in his employ, resiliate a lease that is accessory to the contract of employment by giving the employee prior notice of one month, unless otherwise stipulated in the contract.

Le salarié peut résilier un tel bail lorsque le contrat de travail a pris fin, s'il donne à l'employeur un préavis d'un mois, sauf stipulation contraire dans le contrat.

1991, c. 64, a. 1976 (1994-01-01).

C.C.B.C. 1661.4 (**C.C.Q.** 1412, 1893, 1898)

Art. 1977. Lorsque le tribunal rejette une demande de résiliation de bail et que cette décision est rendue après les délais prévus pour éviter la reconduction du bail ou pour modifier celui-ci, le bail est reconduit de plein droit. Le locateur peut alors présenter au tribunal, dans le mois de la décision finale, une demande de fixation de loyer.

1991, c. 64, a. 1977 (1994-01-01).

C.C.B.C. 1658.9 (**C.C.Q.** 1941, 1942, 1953)

Art. 1978. Le locataire doit, lorsque le bail est résilié ou qu'il quitte le logement, laisser celui-ci libre de tous effets mobiliers autres que ceux qui appartiennent au locateur. S'il laisse des effets à la fin de son bail ou après avoir abandonné le logement, le locateur en dispose conformément aux règles prescrites au livre Des biens pour le détenteur du bien confié et oublié.

1991, c. 64, a. 1978 (1994-01-01).

C.C.B.C. 1652.7 (**C.C.Q.** 939 ss., 945, 1863, 1893)

§ 9. — *Des dispositions particulières à certains baux*

I — DU BAIL DANS UN ÉTABLISSEMENT D'ENSEIGNEMENT

Art. 1979. La personne aux études qui loue un logement d'un établissement d'enseignement a droit au maintien dans les lieux pour toute période pendant laquelle elle est inscrite à temps plein dans cet établissement, mais elle n'y a pas droit si elle loue un logement dans un établissement autre que celui où elle est inscrite.

Celle à qui est consenti un bail pour la seule période estivale n'a pas non plus droit au maintien dans les lieux.

1991, c. 64, a. 1979 (1994-01-01).

(**C.C.Q.** 1863, 1980)

Art. 1980. La personne aux études qui désire bénéficier du droit au maintien dans les lieux doit donner un avis d'un mois avant le terme du bail indiquant son intention de le reconduire.

An employee may resiliate such a lease upon the termination of the contract of employment by giving prior notice of one month to his employer, unless otherwise stipulated in the contract.

Art. 1977. The lease is renewed of right where the court refuses an application for resiliation thereof and renders its decision after expiry of the period provided to avoid the renewal of the lease or to modify it. The lessor may then, within one month after the final decision, apply to the court to fix the rent.

Art. 1978. The lessee, on resiliation of the lease or when he vacates the dwelling, shall leave it free of all movable effects except those which belong to the lessor. If the lessee leaves movable effects at the end of the lease or after abandoning the dwelling, the lessor may dispose of them in accordance with the rules prescribed in the Book on Property which apply to the holder of property entrusted and forgotten.

§ 9. — *Special provisions respecting certain leases*

I — LEASE WITH AN EDUCATIONAL INSTITUTION

Art. 1979. Every person pursuing studies who leases a dwelling from an educational institution is entitled to maintain occupancy for any period during which he is enrolled in the institution as a full-time student, but is not so entitled if he leases a dwelling from an institution other than the one in which he is enrolled.

A person having a lease for the summer period only is not entitled to maintain occupancy.

Art. 1980. A person pursuing studies who wishes to avail himself of the right to maintain occupancy shall give notice of one month before the expiry of the lease that he intends to renew it.

L'établissement d'enseignement peut toutefois, pour des motifs sérieux, la reloger dans un logement de même genre que celui qu'elle occupe, situé dans les environs et de loyer équivalent.

1991, c. 64, a. 1980 (1994-01-01).

(**C.C.Q.** 1877, 1898, 1979)

Art. 1981. La personne aux études ne peut sous-louer son logement ou céder son bail.

1991, c. 64, a. 1981 (1994-01-01).

C.C.B.C. 1655.2 (**C.C.Q.** 1863)

Art. 1982. L'établissement d'enseignement peut résilier le bail d'une personne qui cesse d'étudier à plein temps; il doit cependant lui donner un préavis d'un mois, lequel peut être contesté, quant à son bien-fondé, dans le mois de sa réception. La personne aux études peut, pareillement, résilier le bail.

1991, c. 64, a. 1982 (1994-01-01).

C.C.B.C. 1661.5 (**C.C.Q.** 1604 ss., 1898, 1979)

Art. 1983. Le bail d'une personne aux études cesse de plein droit lorsqu'elle termine ses études ou lorsqu'elle n'est plus inscrite à l'établissement d'enseignement.

1991, c. 64, a. 1983 (1994-01-01).

II — DU BAIL D'UN LOGEMENT À LOYER MODIQUE

Art. 1984. Est à loyer modique le logement situé dans un immeuble d'habitation à loyer modique dont est propriétaire ou administratrice la Société d'habitation du Québec ou une personne morale dont les coûts d'exploitation sont subventionnés en totalité ou en partie par la Société, ou le logement situé dans un autre immeuble, mais dont le loyer est déterminé conformément aux règlements de la Société.

Est aussi à loyer modique le logement pour lequel la Société d'habitation du Québec convient de verser une somme à l'acquit du loyer, mais, en ce cas, les dispositions relatives au registre des demandes de location et à la liste d'admissibilité ne s'y appliquent pas lorsque le locataire est sélectionné par une association ayant la personnalité morale constituée à cette fin en vertu de la Loi sur la Société d'habitation du Québec.

1991, c. 64, a. 1984 (1994-01-01).

C.C.B.C. 1662 (**C.C.Q.** 1974; **L.R.Q.**, c. S-8, a. 57, 59-62)

The educational institution may, however, for serious reasons, relocate the person in a dwelling of the same type as that which he occupies, situated in the same neighbourhood and at equivalent rent.

Art. 1981. A person pursuing studies may not sublease the dwelling or assign his lease.

Art. 1982. The educational institution may resiliate the lease of a person who ceases to be a full-time student. It shall give him prior notice of one month, which may be contested, on its merits, within one month after it is received. The person pursuing studies may, similarly, resiliate the lease.

Art. 1983. The lease of a person pursuing studies is resiliated of right when he ends his studies or ceases to be enrolled in the educational institution.

II — LEASE OF A DWELLING IN LOW-RENTAL HOUSING

Art. 1984. A dwelling situated in low-rental housing owned or administered by the Société d'habitation du Québec or by a legal person whose operating expenses are met, in whole or in part, by a subsidy from the Société d'habitation du Québec, or a dwelling which is not so situated but whose rent is fixed by by-law of the Société d'habitation du Québec is a dwelling in low-rental housing.

A dwelling for which the Société d'habitation du Québec agrees to pay an amount toward the rent is also a dwelling in low-rental housing but, in this case, the provisions pertaining to the register of lease applications and to the eligible list do not apply where the lessee is selected by an association that is a legal person constituted for that purpose under the Act respecting the Société d'habitation du Québec.

Art. 1985. Le locateur d'un logement à loyer modique doit tenir à jour un registre des demandes de location et une liste d'admissibilité à la location d'un logement, conformément aux règlements de la Société d'habitation du Québec et, le cas échéant, aux règlements qu'il est autorisé à prendre lui-même en application des règlements de la Société.

Lorsqu'un logement est vacant, il doit l'offrir à une personne inscrite sur la liste d'admissibilité, dans les conditions prévues par ces règlements.

1991, c. 64, a. 1985 (1994-01-01).

_____

C.C.B.C. 1662.1, 1662.2 (**C.C.Q.** 1984; **L.R.Q.**, c. S-8, a. 86(n), (o); **R.R.Q.**, 1981, c. S-8, r. 1.1.1; **R.R.Q.**, 1981, c. S-8, r. 1.3)

Art. 1986. Une personne peut, si le locateur refuse d'inscrire sa demande au registre ou de l'inscrire sur la liste d'admissibilité, s'adresser au tribunal, dans le mois du refus, pour faire réviser la décision du locateur.

La personne radiée de la liste ou inscrite dans une catégorie de logement, incluant une sous-catégorie, autre que celle à laquelle elle a droit peut, pareillement, faire réviser la décision du locateur, dans le mois qui suit la décision.

En ces cas, il incombe au locateur d'établir qu'il a agi dans les conditions prévues par les règlements. Le tribunal peut, le cas échéant, ordonner l'inscription de la demande au registre ou l'inscription, la réinscription ou le reclassement de la personne sur la liste d'admissibilité.

1991, c. 64, a. 1986 (1994-01-01).

_____

C.C.B.C. 1662.3 (**C.C.Q.** 1896, 1984)

Art. 1987. Si le locateur attribue un logement à une personne autre que celle qui y a droit en vertu des règlements, celle qui y a droit peut, dans le mois de l'attribution du logement, s'adresser au tribunal pour faire réviser la décision du locateur.

Il incombe au locateur d'établir qu'il a agi dans les conditions prévues par les règlements et s'il ne l'établit pas, le tribunal peut ordonner de loger la personne dans un logement de la catégorie à laquelle elle a droit ou, si aucun n'est vacant, de lui attribuer le prochain logement vacant de cette catégorie. Il peut aussi, s'il y a urgence, ordonner de la loger dans un logement équivalent, à loyer modique ou non, qui correspond à la catégorie de logement à laquelle elle a droit. Si le loyer de ce logement est plus élevé que celui que cette personne aurait payé

Art. 1985. The lessor of a dwelling in low-rental housing shall keep an up-to-date register of lease applications and an eligible list for the lease of a dwelling, in accordance with the by-laws of the Société d'habitation du Québec and with any by-law made by the lessor himself as authorized by and pursuant to the by-laws of the Société d'habitation du Québec.

Where a dwelling is vacant, the lessor shall offer it to a person entered on the eligible list according to the conditions prescribed in the by-laws.

Art. 1986. If a lessor refuses to enter the application of a person in the register or to enter his name on the eligible list, the person may apply to the court within one month after the refusal for a review of the decision.

A person whose name is removed from the list or entered on the list for a dwelling of a category or subcategory other than that to which he is entitled may also, within one month after the decision, apply to the court to have the decision of the lessor revised.

In such cases, the lessor has the burden of establishing that he acted within the conditions prescribed in the by-laws. The court may, as the case may be, order the application entered in the register or the name of the person entered, re-entered or re-classified on the eligible list.

Art. 1987. If the lessor assigns a dwelling to a person other than the person entitled to it under the by-laws, the person entitled to the dwelling may apply to the court within one month thereafter for a review of the decision.

The lessor has the burden of establishing that he acted within the conditions prescribed in the by-laws; if he fails to do so, the court may order him to house the person in a dwelling of the category to which he is entitled or, if none is vacant, to assign him the next dwelling of that category that becomes vacant. The court may also, in case of emergency, order the lessor to house him in an equivalent dwelling, whether in low-rental housing or not, corresponding to the category of dwelling to which he is entitled. If the rent for that dwelling is higher than

pour le logement auquel elle a droit, le locateur est tenu d'en payer l'excédent.

1991, c. 64, a. 1987 (1994-01-01).

C.C.B.C. 1662.4, 1662.5 (**C.C.Q.** 1896, 1984)

Art. 1988. Lorsqu'un logement à loyer modique est attribué à la suite d'une fausse déclaration du locataire, le locateur peut, dans les deux mois où il a connaissance de la fausse déclaration, demander au tribunal la résiliation du bail ou la modification de certaines conditions du bail si, sans cela, il n'aurait pas attribué le logement au locataire ou l'aurait fait à des conditions différentes.

1991, c. 64, a. 1988 (1994-01-01).

(**D.T.** 111; **C.C.Q.** 1893)

Art. 1989. Le locataire qui occupe un logement d'une catégorie autre que celle à laquelle il aurait droit doit s'adresser au locateur afin d'être réinscrit sur la liste d'admissibilité.

Si le locateur refuse de réinscrire le locataire ou l'inscrit dans une catégorie de logement autre que celle à laquelle il a droit, ce dernier peut, dans le mois de la réception de l'avis de refus du locateur ou de l'attribution du logement, s'adresser au tribunal pour contester la décision du locateur.

1991, c. 64, a. 1989 (1994-01-01).

C.C.B.C. 1662.6 (**C.C.Q.** 1984)

Art. 1990. Le locateur peut, en tout temps, reloger le locataire qui occupe un logement d'une catégorie autre que celle à laquelle il aurait droit dans un logement approprié, s'il lui donne un avis de trois mois.

Le locataire peut faire réviser cette décision par le tribunal dans le mois de la réception de l'avis.

1991, c. 64, a. 1990 (1994-01-01).

C.C.B.C. 1662.7 (**C.C.Q.** 1984)

Art. 1991. En cas de cessation de cohabitation avec le locataire ou en cas de décès de celui-ci, la personne qui bénéficie du droit au maintien dans les lieux n'a pas droit à la reconduction de plein droit du bail si elle ne satisfait plus aux conditions d'attribution prévues par les règlements.

the rent the person would have paid for the dwelling he is entitled to, the lessor is bound to pay the excess amount.

Art. 1988. Where a dwelling in low-rental housing is assigned following a false statement of the lessee, the lessor may, within two months after becoming aware of the false statement, apply to the court for the resiliation of the lease or the modification of certain conditions of the lease if, were it not for the false statement, he would not have assigned the dwelling to the lessee or would have done so on different conditions.

Art. 1989. A lessee who occupies a dwelling of a category other than that to which he is entitled may apply to the lessor to have his name re-entered on the eligible list.

If the lessor refuses to re-enter the lessee's name or enters it on the list for a category of dwelling other than that to which he is entitled, the lessee may apply to the court to contest his decision within one month after receiving notice of the refusal or the assignment of the dwelling.

Art. 1990. The lessor may, at any time, relocate a lessee who occupies a dwelling of a category other than that to which he is entitled in a dwelling of the appropriate category or subcategory on giving him three months' notice.

The lessee may apply to the court for review of the decision within one month after receiving the notice.

Art. 1991. If a person who benefits from the right to maintain occupancy ceases to cohabit with the lessee or if the lessee dies, that person is not entitled to renewal of the lease of right if he no longer meets the conditions of allocation prescribed by the by-laws.

Le locateur peut alors résilier le bail en donnant un avis de trois mois avant la fin du bail.

1991, c. 64, a. 1991 (1994-01-01).

(**C.C.Q.** 1893, 1898, 1938, 1993)

Art. 1992. Le locateur qui avise le locataire de son intention d'augmenter le loyer n'est pas tenu d'indiquer le nouveau loyer ou le montant de l'augmentation et le locataire n'est pas tenu de répondre à cet avis.

Cependant, si le loyer n'est pas déterminé conformément aux règlements de la Société d'habitation du Québec, le locataire peut, dans les deux mois qui suivent la détermination du loyer, s'adresser au tribunal pour le faire réviser.

1991, c. 64, a. 1992 (1994-01-01).

C.C.B.C. 1658.22, 1662.8 (**C.C.Q.** 1896, 1956)

Art. 1993. Le locataire qui reçoit un avis de modification de la durée ou d'une autre condition du bail peut, dans le mois de la réception de l'avis, s'adresser au tribunal pour faire statuer sur la durée ou sur la modification demandée, sinon il est réputé avoir accepté les nouvelles conditions.

Celui qui bénéficie du droit au maintien dans les lieux et qui reçoit un avis de résiliation du bail peut, pareillement, s'adresser au tribunal pour s'opposer au bien-fondé de la résiliation, sinon il est réputé l'avoir acceptée.

1991, c. 64, a. 1993 (1994-01-01).

C.C.B.C. 1662.9 (**C.C.Q.** 1896, 1936 ss., 1991)

Art. 1994. Le locateur est tenu, au cours du bail et à la demande d'un locataire qui a subi une diminution de revenu ou un changement dans la composition de son ménage, de réduire le loyer conformément aux règlements de la Société d'habitation du Québec; s'il refuse ou néglige de le faire, le locataire peut s'adresser au tribunal pour obtenir la réduction.

Toutefois, si le revenu du locataire redevient égal ou supérieur à ce qu'il était, le loyer antérieur est rétabli; le locataire peut, dans le mois du rétablissement de loyer, s'adresser au tribunal pour contester ce rétablissement.

1991, c. 64, a. 1994 (1994-01-01).

C.C.B.C. 1662.10 (**C.C.Q.** 1863, 1896)

The lessor may, in such a case, resiliate the lease by giving the person three months' notice before termination of the lease.

Art. 1992. A lessor who notifies the lessee of his intention to increase the rent is not bound to indicate the new rent or the amount of the increase, and the lessee is not bound to respond to such a notice.

However, if the rent is not fixed in accordance with the by-laws of the Société d'habitation du Québec, the lessee may apply to the court, within two months after the fixing of the rent, for its review.

Art. 1993. A lessee, within one month after receiving notice of modification of the term or of another condition of the lease, may apply to the court for a ruling on the requested term or modification; otherwise, he is deemed to consent to the new conditions.

A person who benefits from the right to maintain occupancy and who receives a notice of resiliation of the lease may, similarly, contest the resiliation on its merits before the court; otherwise, he is deemed to have agreed to it.

Art. 1994. The lessor, at the request of a lessee who has suffered a reduction of income or a change in the composition of his household, is bound to reduce his rent during the term of the lease in accordance with the by-laws of the Société d'habitation du Québec; if he refuses or neglects to do so, the lessee may apply to the court for the reduction.

If the income of the lessee returns to or becomes greater than what it was, the former rent is re-established; the lessee may contest the re-establishment of the rent within one month after it is re-established.

Art. 1995. Le locataire d'un logement à loyer modique ne peut sous-louer le logement ou céder son bail.

Il peut cependant, en tout temps, résilier le bail en donnant un avis de trois mois au locateur.

1991, c. 64, a. 1995 (1994-01-01).

Art. 1995. The lessee of a dwelling in low-rental housing may not sublease the dwelling or assign his lease.

He may resiliate the lease at any time by giving three months' notice to the lessor.

C.C.B.C. 1662.11, 1662.12 (**C.C.Q.** 1863, 1893, 1898, 1974)

III — DU BAIL D'UN TERRAIN DESTINÉ À L'INSTALLATION D'UNE MAISON MOBILE

III — LEASE OF LAND INTENDED FOR THE INSTALLATION OF A MOBILE HOME

Art. 1996. Le locateur d'un terrain destiné à l'installation d'une maison mobile est tenu de délivrer le terrain et de l'entretenir en conformité avec les normes d'aménagement établies par la loi. Ces obligations font partie du bail.

1991, c. 64, a. 1996 (1994-01-01).

Art. 1996. The lessor of land intended for the installation of a mobile home is bound to deliver the land and maintain it in accordance with the development standards prescribed by law. These obligations form part of the lease.

C.C.B.C. 1663 (**C.C.Q.** 1863; **L.R.Q.**, c. A-19.1, a. 113(17); **L.R.Q.**, c. C-19, a. 415(3); **L.R.Q.**, c. C-27.1, a. 627(13); **L.R.Q.**, c. R-8.1, a. 2)

Art. 1997. Le locateur ne peut exiger de procéder lui-même au déplacement de la maison mobile du locataire.

1991, c. 64, a. 1997 (1994-01-01).

Art. 1997. No lessor may require that he, the lessor, remove the mobile home of the lessee.

C.C.B.C. 1663.4

Art. 1998. Le locateur ne peut restreindre le droit du locataire du terrain de remplacer sa maison par une autre maison mobile de son choix.

Il ne peut, non plus, limiter le droit du locataire d'aliéner ou de louer la maison mobile; il ne peut davantage exiger d'agir comme mandataire ou de choisir la personne qui agira comme mandataire du locataire pour l'aliénation ou la location de la maison mobile.

Le locataire qui aliène sa maison mobile doit toutefois en aviser immédiatement le locateur du terrain.

1991, c. 64, a. 1998 (1994-01-01).

Art. 1998. The lessor may not limit the right of the lessee of the land to replace his mobile home by another mobile home of his choice.

The lessor may not limit the right of the lessee to alienate or lease his mobile home; nor may he require that he, the lessor, act as the mandatary or that he select the person to act as the mandatary of the lessee for the alienation or lease of the mobile home.

A lessee who alienates his mobile home shall, however, notify the lessor of the land immediately.

C.C.B.C. 1663.1, 1663.2, 1664.8 (**C.C.Q.** 2000; **L.R.Q.**, c. R-8.1, a. 2)

Art. 1999. Le locateur ne peut exiger du locataire de somme d'argent en raison de l'aliénation ou de la location de la maison mobile, à moins qu'il n'agisse comme mandataire du locataire pour l'aliénation ou la location de cette maison.

1991, c. 64, a. 1999 (1994-01-01).

Art. 1999. The lessor may not require any amount of money from the lessee by reason of the alienation or lease of the mobile home, unless he acts as the mandatary of the lessee for alienation or lease.

C.C.B.C. 1663.3 (**C.C.Q.** 2130 ss.; **L.R.Q.**, c. R-8.1, a. 2)

Art. 2000. L'acquéreur d'une maison mobile située sur un terrain loué devient locataire du terrain, à moins qu'il n'avise le locateur de son intention de quitter les lieux dans le mois de l'acquisition. 1991, c. 64, a. 2000 (1994-01-01).

C.C.B.C. 1663.5 (**C.C.Q.** 1892; **L.R.Q.**, c. R-8.1, a. 2)

Art. 2000. The acquirer of a mobile home situated on leased land becomes the lessee of the land unless he notifies the lessor of his intention to leave the premises within one month after the acquisition.

CHAPITRE CINQUIÈME
DE L'AFFRÈTEMENT

CHAPTER V
AFFREIGHTMENT

SECTION I
DISPOSITIONS GÉNÉRALES

SECTION I
GENERAL PROVISIONS

Art. 2001. L'affrètement est le contrat par lequel une personne, le fréteur, moyennant un prix, aussi appelé fret, s'engage à mettre à la disposition d'une autre personne, l'affréteur, tout ou partie d'un navire, en vue de le faire naviguer.

Le contrat, lorsqu'il est écrit, est constaté par une chartepartie qui énonce, outre le nom des parties, les engagements de celles-ci et les éléments d'individualisation du navire.

1991, c. 64, a. 2001 (1994-01-01).

Art. 2001. Affreightment is a contract by which a person, the lessor, for a price, also called freight, undertakes to place all or part of a ship at the disposal of another person, the charterer, for navigation.

The contract, if in writing, is evidenced by a charterparty containing the names of the parties, their undertakings under the contract and particulars identifying the ship.

C.C.B.C. 2407, 2414, 2415 (**C.C.Q.** 1372, 1377 ss., 2007, 2014, 2021, 2059 ss., 2505 ss., 2826 ss.; **M.M.** 573; **L.R.C.** (1985), ch. C-27)

Art. 2002. L'affréteur est tenu de payer le prix de l'affrètement. Si aucun prix n'a été convenu, il doit payer une somme qui tienne compte des conditions du marché, au lieu et au moment de la conclusion du contrat.

1991, c. 64, a. 2002 (1994-01-01).

Art. 2002. The charterer is bound to pay freight. If no freight has been agreed, he shall pay an amount consistent with market conditions, at the place and time of the contract.

C.C.B.C. 2437, 2443 (**C.C.Q.** 1553 ss., 2019, 2027, 2028)

Art. 2003. Le fréteur qui n'est pas payé lors du déchargement de la cargaison du navire peut retenir les biens transportés jusqu'au paiement de ce qui lui est dû, y compris les frais raisonnables et les dommages qui résultent de cette rétention.

1991, c. 64, a. 2003 (1994-01-01).

Art. 2003. Where the lessor has not been paid at the time of discharge of the cargo from the ship, he may retain the property carried until payment of what is due to him, including the reasonable expenses and damages resulting from the retention.

C.C.B.C. 2385(3), 2453 (**C.C.Q.** 1458, 1592, 1593, 1607 ss., 1611 ss., 2651 ss.; **M.M.** 596 ss.)

Art. 2004. Les dispositions relatives aux avaries communes sont celles admises par les règles et les usages maritimes conventionnels, au lieu et au moment de la conclusion du contrat.

1991, c. 64, a. 2004 (1994-01-01).

Art. 2004. General average is governed by conventional maritime rules and customs at the place and time of concluding the contract.

C.C.B.C. 2677 (**C.C.Q.** 2018, 2077, 2599 ss.)

Art. 2005. L'affréteur peut sous-fréter le navire, avec le consentement du fréteur, ou l'utiliser à des transports sous connaissements; dans l'un ou l'autre cas, il demeure tenu envers le fréteur des obligations résultant du contrat d'affrètement.

Le fréteur peut, dans la mesure de ce qui lui est dû par l'affréteur, agir contre le sous-affréteur en paiement du fret dû par celui-ci, mais le sous-

Art. 2005. The charterer may sublet the ship with the consent of the lessor or use it for carriage under bills of lading; in either case, he remains liable to the lessor for his obligations under the contract of affreightment.

The lessor may, to the extent of what is due to him by the charterer, bring action against the subcharterer for payment of the freight due by the latter, but

affrètement n'établit pas d'autres relations directes entre le fréteur et le sous-affréteur.

1991, c. 64, a. 2005 (1994-01-01).

___

(**C.C.Q.** 1601 ss.)

Art. 2006. La prescription des actions nées des contrats d'affrètement court, pour l'affrètement coque-nue ou à temps, depuis l'expiration de la durée du contrat ou l'interruption définitive de son exécution, et, pour l'affrètement au voyage, depuis le déchargement complet des biens transportés ou l'événement qui a mis fin au voyage.

La prescription des actions nées des contrats de sous-affrètement court dans les mêmes conditions.
1991, c. 64, a. 2006 (1994-01-01).

___

(**C.C.Q.** 2875 ss.)

the subletting of the ship establishes no other direct relationship between the lessor and the subcharterer.

Art. 2006. Prescription of an action arising out of a contract of affreightment runs, in the case of a bareboat or time charter, from the expiry of the contract or permanent interruption of its performance or, in the case of a voyage charter, from the complete discharge of the property carried or the event which put an end to the voyage.

Prescription of an action arising out of a contract for the subletting of a ship runs likewise.

SECTION II

DES RÈGLES PARTICULIÈRES AUX DIFFÉRENTS CONTRATS D'AFFRÈTEMENT

§ 1. — *De l'affrètement coque-nue*

Art. 2007. L'affrètement coque-nue est le contrat par lequel le fréteur met, pour un temps défini, un navire sans armement ni équipement, ou avec un armement et un équipement incomplets, à la disposition de l'affréteur et lui transfère la gestion nautique et la gestion commerciale du navire.

1991, c. 64, a. 2007 (1994-01-01).

SECTION II

SPECIAL RULES GOVERNING DIFFERENT CONTRACTS OF AFFREIGHTMENT

§ 1. — *Bareboat charter*

Art. 2007. A bareboat charter is a contract of affreightment by which a lessor places an unmanned and unequipped or partly manned and partly equipped ship at the disposal of a charterer for a determinate time, and transfers to him the navigation, management, employment and agency of the ship.

___

C.C.B.C. 2391 (**C.C.Q.** 1372, 1377 ss., 2001, 2010, 2014, 2021; **M.M.** 573, 577)

Art. 2008. Le fréteur présente, au lieu et au moment convenus, le navire en bon état de navigabilité et apte au service auquel il est destiné.
1991, c. 64, a. 2008 (1994-01-01).

___

(**C.C.Q.** 2015, 2022)

Art. 2009. L'affréteur peut utiliser le navire à toutes les fins conformes à sa destination normale, mais le fréteur peut, dans le contrat, imposer des restrictions quant à cette utilisation.
1991, c. 64, a. 2009 (1994-01-01).

___

(**C.C.Q.** 2001, 2017)

Art. 2010. L'affréteur a l'usage du matériel et de l'équipement de bord du navire.

Art. 2008. The lessor delivers the ship in a seaworthy condition and fit for the service for which it is intended, at the agreed place and time.

Art. 2009. The charterer may use the ship for any purpose for which it is intended, but the lessor may stipulate restrictions as to the use of the ship.

Art. 2010. The charterer may use the ship's stores and equipment.

Il assure le navire et en supporte tous les frais d'exploitation. Il recrute l'équipage et assume toutes les dépenses liées à l'entretien de celui-ci.

1991, c. 64, a. 2010 (1994-01-01).

(**C.C.Q.** 2007, 2505 ss.)

Art. 2011. L'affréteur est tenu de garantir le fréteur contre tous les recours des tiers qui sont la conséquence de l'exploitation du navire.

1991, c. 64, a. 2011 (1994-01-01).

Art. 2012. L'affréteur est tenu de procéder à l'entretien du navire et d'effectuer les réparations et les remplacements nécessaires.

Le fréteur est, pour sa part, tenu des réparations et des remplacements occasionnés par les vices propres dont les effets se manifestent dans l'année de la remise du navire à l'affréteur et, si le navire est immobilisé par suite d'un tel vice, ce dernier ne doit aucun fret pendant l'immobilisation, si celle-ci dépasse vingt-quatre heures.

1991, c. 64, a. 2012 (1994-01-01).

Art. 2013. L'affréteur restitue le navire, en fin de contrat, au lieu où il en a pris livraison et dans l'état où il l'a reçu; il n'est pas tenu d'indemniser le fréteur pour l'usure normale du navire, du matériel et de l'équipement de bord.

Il est cependant tenu, alors, de restituer la même quantité et la même qualité de matériel, de provisions et d'équipement de bord que ceux qu'il a reçus lorsqu'il a pris livraison du navire.

1991, c. 64, a. 2013 (1994-01-01).

(**C.C.Q.** 2020)

§ 2. — De l'affrètement à temps

Art. 2014. L'affrètement à temps est le contrat par lequel le fréteur met à la disposition de l'affréteur, pour un temps défini, un navire armé et équipé, dont il conserve la gestion nautique, alors qu'il en transfère la gestion commerciale à l'affréteur.

1991, c. 64, a. 2014 (1994-01-01).

C.C.B.C. 2423 (**C.C.Q.** 1372, 1377 ss., 2001, 2007, 2015, 2017, 2018, 2021)

Art. 2015. Le fréteur présente, au lieu et au moment convenus, le navire en bon état de navigabilité, armé et équipé convenablement pour accomplir les opérations auxquelles il est destiné.

1991, c. 64, a. 2015 (1994-01-01).

(**C.C.Q.** 2008, 2014, 2020, 2022)

He insures the ship and bears all operating costs. He hires and maintains the crew.

Art. 2011. The charterer is bound to warrant the lessor against all remedies of third persons arising out of the operation of the ship.

Art. 2012. The charterer is bound to maintain the ship and make the necessary repairs and replacements.

The lessor is bound to make the repairs and replacements required by inherent defects which appear within one year after delivery of the ship to the charterer and if the ship is detained for more than twenty-four hours by reason of such a defect, no freight is payable by the charterer during the detention.

Art. 2013. At the expiry of the contract, the charterer returns the ship at the place where it was delivered and in the state in which it was delivered; he is not bound to indemnify the lessor for fair wear and tear of the ship, stores and equipment.

He is bound, however, to return stores, provisions and equipment in quantity and of quality identical to those he received when the ship was delivered to him.

§ 2. — Time charter

Art. 2014. A time charter is a contract of affreightment by which a lessor places a fully-equipped and manned ship at the disposal of a charterer for a fixed time and under which he retains the navigation and management of the ship but transfers its employment and agency to the charterer.

Art. 2015. The lessor delivers the ship in a seaworthy condition and properly manned and equipped for the service for which it is intended, at the agreed place and time.

Art. 2016. L'affréteur assume les frais inhérents à l'exploitation commerciale du navire, notamment les droits de quai, de même que les frais de pilotage et de canaux.

Il acquiert et paie les soutes qui sont à bord du navire au moment où celui-ci lui est remis, ainsi que celles dont il doit le pourvoir et qui sont d'une qualité propre à assurer son bon fonctionnement.

1991, c. 64, a. 2016 (1994-01-01).

(**C.C.Q.** 2002, 2014, 2505 ss.)

Art. 2017. Le capitaine du navire doit obéir, dans les limites fixées par le contrat, aux instructions que lui donne l'affréteur pour tout ce qui a trait à la gestion commerciale du navire.

Si ces instructions sont incompatibles avec les droits que détient le fréteur en vertu du contrat, le capitaine peut refuser de s'y conformer. Si, néanmoins, il s'y conforme, il le fait, en ce cas, sans porter préjudice au recours du fréteur contre l'affréteur.

1991, c. 64, a. 2017 (1994-01-01).

C.C.B.C. 2424-2427 (**C.C.Q.** 1458 ss., 1607 ss., 1611 ss., 2001, 2009, 2014, 2024)

Art. 2018. L'affréteur est tenu d'indemniser le fréteur des pertes et des avaries qui sont causées au navire et qui résultent de son exploitation commerciale, exception faite de l'usure normale.

1991, c. 64, a. 2018 (1994-01-01).

(**C.C.Q.** 2004, 2014, 2596 ss.)

Art. 2019. Le fret court à compter du jour où le navire est remis à l'affréteur, conformément aux conditions du contrat.

Il est dû jusqu'au jour de la restitution du navire au fréteur; il n'est pas dû, cependant, pour les périodes où le fonctionnement du navire est entravé par force majeure ou pour une cause imputable à un tiers ou au fréteur.

1991, c. 64, a. 2019 (1994-01-01).

C.C.B.C. 2440, 2442, 2444, 2445 (**C.C.Q.** 1458, 1470, 1553 ss., 2001, 2002)

Art. 2020. L'affréteur restitue le navire au lieu et dans les délais convenus; il en informe le fréteur, au préalable, dans un délai raisonnable. Si aucun lieu n'a été convenu pour la restitution, elle est faite au lieu où le navire a été présenté.

1991, c. 64, a. 2020 (1994-01-01).

(**C.C.Q.** 2013, 2015)

Art. 2016. The charterer bears the cost of the commercial operation of the ship, in particular wharfage, pilotage and canal dues.

He acquires and pays for the fuel on board when the ship is delivered to him and thereafter provides and pays for fuel of such a grade as to ensure the proper working of the ship.

Art. 2017. The master of the ship shall, within the limits stipulated in the contract, follow the instructions of the charterer with respect to the employment and agency of the ship.

If the instructions are inconsistent with the rights of the lessor under the contract, the master may refuse to follow them. If he follows them, he does so without prejudice to the lessor's remedy against the charterer.

Art. 2018. The charterer shall indemnify the lessor for any loss or damage caused to the ship as a result of its commercial operation, fair wear and tear excepted.

Art. 2019. Freight runs from the day the ship is delivered to the charterer, in accordance with the terms of the contract.

Freight is payable until the day the ship is returned to the lessor; it is not payable, however, for periods during which the working of the ship is prevented by superior force or by a cause imputable to a third person or to the lessor.

Art. 2020. The charterer returns the ship at the agreed place and within the agreed time; he gives reasonable prior notice to the lessor. If no place has been agreed for the return of the ship, it is returned at the place at which it was delivered.

§ 3. — *De l'affrètement au voyage*

Art. 2021. L'affrètement au voyage est le contrat par lequel le fréteur met à la disposition de l'affréteur, en tout ou en partie, un navire armé et équipé dont il conserve la gestion nautique et la gestion commerciale, en vue d'accomplir, relativement à une cargaison, un ou plusieurs voyages déterminés.

Le contrat définit la nature et l'importance de la cargaison; il précise également les lieux de chargement et de déchargement, ainsi que le temps prévu pour effectuer ces opérations.

1991, c. 64, a. 2021 (1994-01-01).

C.C.B.C. 2423 (**C.C.Q.** 1372, 1377 ss., 2001, 2007, 2014)

Art. 2022. Le fréteur présente, au lieu et au moment convenus, le navire en bon état de navigabilité, armé et équipé convenablement pour accomplir le voyage prévu.

Il s'oblige, en outre, à maintenir le navire en bon état de navigabilité et à faire toutes diligences qui dépendent de lui pour exécuter le voyage.

1991, c. 64, a. 2022 (1994-01-01).

(**C.C.Q.** 2008, 2015; **M.M.** 335 ss.)

Art. 2023. Le fréteur est responsable de la perte ou de l'avarie des biens reçus à bord, dans les limites prévues par le contrat. Il peut cependant se libérer de cette responsabilité en établissant que les dommages ne résultent pas d'un manquement à ses obligations.

1991, c. 64, a. 2023 (1994-01-01).

C.C.B.C. 2427 (**C.C.Q.** 1457 ss., 1607 ss., 1611 ss.)

Art. 2024. L'affréteur est tenu de mettre à bord la cargaison, suivant la quantité et la qualité convenues; s'il ne le fait pas, il est néanmoins tenu de payer le fret prévu.

Il peut, cependant, résilier le contrat avant de commencer le chargement; il doit alors au fréteur une indemnité correspondant au préjudice subi par ce dernier, mais qui ne peut excéder le montant du fret.

1991, c. 64, a. 2024 (1994-01-01).

C.C.B.C. 2439 (**C.C.Q.** 1604 ss., 1607 ss., 1611 ss., 2002)

Art. 2025. L'affréteur doit charger et décharger la cargaison dans les délais alloués par le contrat ou, à défaut, dans un délai raisonnable ou suivant l'usage du port.

§ 3. — *Voyage charter*

Art. 2021. A voyage charter is a contract of affreightment by which a lessor places all or part of a fully-equipped and manned ship at the disposal of a charterer for the carriage of cargo on one or more specified voyages and under which he retains the navigation, management, employment and agency of the ship.

The contract specifies the nature and quantity of the cargo as well as the place of loading and discharge and the time allowed for those operations.

Art. 2022. The lessor presents the ship in a seaworthy condition and properly manned and equipped for the voyage, at the agreed place and time.

Moreover, he is bound to maintain the ship in a seaworthy condition and to use all diligence within his means to prosecute the voyage.

Art. 2023. The lessor is responsible, within the limits stipulated in the contract, for loss or damage of the property received on board. He may, however, relieve himself from liability by proving that the damage did not result from failure on his part to perform his obligations.

Art. 2024. The charterer is bound to load cargo of the agreed quality in the agreed quantity; if he does not, he is nevertheless bound to pay the stipulated freight.

The charterer may resiliate the contract before loading begins, however; in that case, he shall pay to the lessor an indemnity equal to the loss he suffers, but in no case greater than the amount of the freight.

Art. 2025. The charterer shall load and discharge the cargo within the time allowed by the contract or, failing such a stipulation, within a reasonable period or according to the custom of the port.

Si le contrat établit distinctement les délais pour le chargement et le déchargement, ces délais ne sont pas réversibles et doivent être décomptés séparément.
1991, c. 64, a. 2025 (1994-01-01).

(C.C.Q. 2026, 2027)

Art. 2026. Les délais pour charger ou décharger courent à compter du moment où le fréteur informe l'affréteur que le navire est prêt à charger ou à décharger, après son arrivée au port.
1991, c. 64, a. 2026 (1994-01-01).

(C.C.Q. 2025, 2027)

Art. 2027. En cas de dépassement des délais alloués, pour une cause qui n'est pas imputable au fréteur, l'affréteur doit, à compter de la fin du délai alloué pour charger ou décharger, des surestaries; celles-ci sont considérées comme un supplément du fret et sont dues pour toute la période additionnelle effectivement requise pour les opérations de chargement ou de déchargement.

Les surestaries qui ne sont pas prévues au contrat sont calculées à un taux raisonnable, suivant l'usage du port où ont lieu les opérations ou, à défaut, suivant les usages maritimes.
1991, c. 64, a. 2027 (1994-01-01).

(C.C.Q. 1553 ss., 2025, 2026, 2028)

Art. 2028. Le fret est dû à la fin du voyage. Il n'est toutefois pas dû en toutes circonstances.

Ainsi, lorsque l'achèvement du voyage devient impossible, l'affréteur n'est tenu au fret que si cette impossibilité est due à une cause non imputable au fréteur. Toutefois, le fret dû est alors limité au fret de distance.
1991, c. 64, a. 2028 (1994-01-01).

C.C.B.C. 2410-2412, 2445-2455 **(C.C.Q.** 1553 ss., 2002, 2019, 2027)

Art. 2029. Le contrat est résolu de plein droit, sans dommages-intérêts de part et d'autre, si, avant le commencement du voyage, il survient une force majeure qui rend impossible l'exécution du voyage.

Toutefois, il subsiste si la force majeure n'empêche que pour un temps la sortie du navire ou la poursuite du voyage; en ce cas, il n'y a pas lieu à une réduction du fret ou à des dommages-intérêts en raison du retard.
1991, c. 64, a. 2029 (1994-01-01).

C.C.B.C. 2410, 2411 **(C.C.Q.** 1458, 1470, 1604 ss., 2001)

Where the periods for loading and discharging are fixed separately by the contract, they are not interchangeable and the time used for each operation is computed separately.

Art. 2026. The time for loading or discharging runs from the moment the lessor informs the charterer that the ship is ready to load or ready to discharge, after its arrival at port.

Art. 2027. Where the time allowed for loading or discharging is exceeded for any reason not imputable to the lessor, the charterer shall pay demurrage from the expiry of the allowed time; demurrage is considered a supplement to freight and is payable for the entire additional time actually required for loading or discharging.

Demurrage not fixed by the contract is calculated at a reasonable rate, according to the custom of the port of loading or discharge or, failing that, according to general custom.

Art. 2028. Freight is payable on completion of the voyage. However, it is not due in all circumstances.

Where completion of the voyage is prevented, the charterer is bound to pay freight only if it was prevented by a cause not imputable to the lessor. In that case, freight is due only proportionately to the distance travelled.

Art. 2029. The contract is resolved by operation of law, with no claim for damages on either part, if superior force prevents the voyage before its commencement.

The contract stands, however, if superior force prevents the sailing of the ship or the prosecution of the voyage for a time only; in that case, no reduction of freight or damages may be claimed by reason of the delay.

CHAPITRE SIXIÈME
DU TRANSPORT

CHAPTER VI
CARRIAGE

SECTION I
DES RÈGLES APPLICABLES À TOUS LES MODES DE TRANSPORT

SECTION I
RULES APPLICABLE TO ALL MEANS OF TRANSPORTATION

§ 1. — *Dispositions générales*

§ 1. — *General provisions*

Art. 2030. Le contrat de transport est celui par lequel une personne, le transporteur, s'oblige principalement à effectuer le déplacement d'une personne ou d'un bien, moyennant un prix qu'une autre personne, le passager, l'expéditeur ou le destinataire du bien, s'engage à lui payer, au temps convenu.

1991, c. 64, a. 2030 (1994-01-01).

Art. 2030. A contract of carriage is a contract by which one person, the carrier, undertakes principally to carry a person or property from one place to another, in return for a price which another person, the passenger or the shipper or receiver of the property, undertakes to pay at the agreed time.

C.C.B.C. 1665a, 1666(2) (**C.C.Q.** 1377 ss., 2036 ss., 2040 ss., 2059 ss.)

Art. 2031. Le transport successif est celui qui est effectué par plusieurs transporteurs qui se succèdent en utilisant le même mode de transport; le transport combiné est celui où les transporteurs se succèdent en utilisant des modes différents de transport.

1991, c. 64, a. 2031 (1994-01-01).

Art. 2031. Successive carriage is effected by several carriers in succession, using the same means of transportation; combined carriage is effected by several carriers in succession, using different means of transportation.

Art. 2032. Sauf s'il est effectué par un transporteur qui offre ses services au public dans le cours des activités de son entreprise, le transport à titre gratuit d'une personne ou d'un bien n'est pas régi par les règles du présent chapitre et celui qui offre le transport n'est tenu, en ces cas, que d'une obligation de prudence et de diligence.

1991, c. 64, a. 2032 (1994-01-01).

Art. 2032. Except where it is effected by a carrier offering his services to the public in the course of the activities of his enterprise, gratuitous carriage of a person or property is not governed by the rules contained in this chapter and the carrier is bound only by an obligation of prudence and diligence.

(**C.C.Q.** 1457)

Art. 2033. Le transporteur qui offre ses services au public doit transporter toute personne qui le demande et tout bien qu'on lui demande de transporter, à moins qu'il n'ait un motif sérieux de refus; mais le passager, l'expéditeur ou le destinataire est tenu de suivre les instructions données par le transporteur, conformément à la loi.

1991, c. 64, a. 2033 (1994-01-01).

Art. 2033. A carrier who provides services to the general public shall carry any person requesting it and any property he is requested to carry, unless he has serious cause for refusal; the passenger, shipper or receiver is bound to follow the instructions given, according to law, by the carrier.

C.C.B.C. 1673; **L.R.Q.**, c. C-12, a. 15 (**L.R.Q.**, c. T-12, a. 2; **M.M.** 585)

Art. 2034. Le transporteur ne peut exclure ou limiter sa responsabilité que dans la mesure et aux conditions prévues par la loi.

Art. 2034. A carrier may not exclude or limit his liability except to the extent and subject to the conditions established by law.

Il est tenu de réparer le préjudice résultant du retard, à moins qu'il ne prouve la force majeure.

1991, c. 64, a. 2034 (1994-01-01).

He is liable for any damage resulting from delay, unless he proves superior force.

C.C.B.C. 1678 (**C.C.Q.** 1457, 1458, 1470, 1474 ss., 1590, 1607 ss., 1611 ss., 2037-2039, 2049 ss., 2070, 2083 ss.)

Art. 2035. Lorsque le transporteur se substitue un autre transporteur pour exécuter, en tout ou en partie, son obligation, la personne qu'il se substitue est réputée être partie au contrat de transport.

Le paiement effectué par l'expéditeur à l'un des transporteurs est libératoire.

1991, c. 64, a. 2035 (1994-01-01).

Art. 2035. Where the carrier entrusts another carrier with the performance of all or part of his obligation, the substitute carrier is deemed to be a party to the contract.

The shipper is discharged by payment to one of the carriers.

§ 2. — *Du transport de personnes*

Art. 2036. Le transport de personnes couvre, outre les opérations de transport, celles d'embarquement et de débarquement.

1991, c. 64, a. 2036 (1994-01-01).

§ 2. — *Carriage of persons*

Art. 2036. Carriage of persons includes, in addition to carriage itself, embarking and disembarking operations.

(**C.C.Q.** 2030 ss.)

Art. 2037. Le transporteur est tenu de mener le passager, sain et sauf, à destination.

Il est tenu de réparer le préjudice subi par le passager, à moins qu'il n'établisse que ce préjudice résulte d'une force majeure, de l'état de santé du passager ou de la faute de celui-ci. Il est aussi tenu à réparation lorsque le préjudice résulte de son état de santé ou de celui d'un de ses préposés, ou encore de l'état ou du fonctionnement du véhicule.

1991, c. 64, a. 2037 (1994-01-01).

Art. 2037. The carrier is bound to take his passengers safe and sound to their destination.

The carrier is liable for injury suffered by a passenger unless he proves it was caused by superior force or by the state of health or fault of the passenger. He is also liable where the injury is caused by his state of health or that of one of his servants or by the condition or working of the vehicle.

(**C.C.Q.** 1457, 1458, 1470, 1474 ss., 1590, 1607 ss., 1611 ss., 2034, 2038)

Art. 2038. Le transporteur est responsable de la perte des bagages et des autres effets qui lui ont été confiés par le passager, à moins qu'il ne prouve la force majeure, le vice propre du bien ou la faute du passager.

Cependant, il n'est pas responsable de la perte de documents, d'espèces ou d'autres biens de grande valeur, à moins que la nature ou la valeur du bien ne lui ait été déclarée et qu'il n'ait accepté de le transporter; il n'est pas, non plus, responsable de la perte des bagages à main et des autres effets qui ont été laissés sous la surveillance du passager, à moins que ce dernier ne prouve la faute du transporteur.

1991, c. 64, a. 2038 (1994-01-01).

Art. 2038. The carrier is liable for any loss of the luggage or other effects placed in his care by a passenger, unless he proves superior force, an inherent defect in the property or the fault of the passenger.

However, the carrier is not liable for any loss of documents, money or other property of great value, unless he agreed to carry the property after its nature or value was declared to him; moreover, the carrier is not liable for any loss of hand luggage or other effects which remain in the care of the passenger, unless the passenger proves the fault of the carrier.

C.C.B.C. 1675, 1677 (**C.C.Q.** 1457, 1458, 1470, 1590, 1607 ss., 1611 ss., 2034, 2036, 2053)

Art. 2039. En cas de transport successif ou combiné de personnes, celui qui effectue le transport au cours duquel le préjudice est survenu en est responsable, à moins que, par stipulation expresse, l'un des transporteurs n'ait assumé la responsabilité pour tout le voyage.

1991, c. 64, a. 2039 (1994-01-01).

(**C.C.Q.** 2031, 2032, 2037, 2038, 2049, 2051)

§ 3. — Du transport de biens

Art. 2040. Le transport de biens couvre la période qui s'étend de la prise en charge du bien par le transporteur, en vue de son déplacement, jusqu'à la délivrance.

1991, c. 64, a. 2040 (1994-01-01).

C.C.B.C. 1674 (**C.C.Q.** 2030 ss.; **M.M.** 586)

Art. 2041. Le connaissement est l'écrit qui constate le contrat de transport de biens.

Il mentionne, entre autres, les noms de l'expéditeur, du destinataire, du transporteur et, s'il y a lieu, de celui qui doit payer le fret et les frais de transport. Il mentionne également les lieu et date de la prise en charge du bien, les points de départ et de destination, le fret, ainsi que la nature, la quantité, le volume ou le poids et l'état apparent du bien et, s'il y a lieu, son caractère dangereux.

1991, c. 64, a. 2041 (1994-01-01).

C.C.B.C. 2420 al. 2 (**C.C.Q.** 2005, 2043, 2059 ss., 2065, 2708, 2831 ss.; **L.R.C.** (1985), ch. B-5; **L.R.C.** (1985), ch. C-27, a. 2)

Art. 2042. Le connaissement est établi en plusieurs exemplaires; le transporteur qui l'émet en conserve un, il en remet un à l'expéditeur et un autre accompagne le bien jusqu'à sa destination.

Il fait foi, jusqu'à preuve du contraire, de la prise en charge, de la nature et de la quantité, ainsi que de l'état apparent du bien.

1991, c. 64, a. 2042 (1994-01-01).

C.C.B.C. 2420 al. 1 (**C.C.Q.** 2831 ss.; **L.R.C.** (1985), ch. B-5; **L.R.C.** (1985), ch. C-27, a. 2)

Art. 2043. Le connaissement n'est pas négociable, à moins que la loi ou le contrat ne prévoie le contraire.

Art. 2039. In the case of successive or combined carriage of persons, the carrier who effects the carriage during which the injury occurs is liable therefor, unless one of the carriers has, by express stipulation, assumed liability for the entire journey.

§ 3. — Carriage of property

Art. 2040. Carriage of property extends from the time the carrier receives the property into his charge for carriage until its delivery.

Art. 2041. A bill of lading is a writing which evidences a contract for the carriage of property.

A bill of lading states the names of the shipper, receiver and carrier and, where applicable, of the person who is to pay the freight and carriage charges. It also states the place and date of receipt of the property by the carrier into his charge, the points of origin and destination, the freight as well as the nature, quantity, volume or weight, and apparent condition of the property and any dangerous properties it may have.

Art. 2042. The bill of lading is issued in several copies; the issuing carrier keeps a copy and gives one to the shipper; another copy accompanies the property to its destination.

In the absence of any evidence to the contrary, the bill of lading is proof of the receipt of the property by the carrier into his charge and of its nature, quantity and apparent condition.

Art. 2043. A bill of lading is not negotiable, unless otherwise provided by law or by the contract.

Lorsqu'il est négociable, la négociation a lieu soit par endossement et délivrance, soit par la seule délivrance, s'il est au porteur.

1991, c. 64, a. 2043 (1994-01-01).

C.C.B.C. 2421 (**C.C.Q.** 1647 ss., 2709; **L.R.C.** (1985), ch. B-5; **L.R.C.** (1985), ch. C-27, a. 2)

Art. 2044. Le transporteur est tenu de délivrer le bien transporté au destinataire ou au détenteur du connaissement.

Le détenteur d'un connaissement est tenu de le remettre au transporteur lorsqu'il exige la délivrance du bien transporté.

1991, c. 64, a. 2044 (1994-01-01).

C.C.B.C. 2421, 2422 (**C.C.Q.** 1717; **L.R.C.** (1985), ch. B-5; **L.R.C.** (1985), ch. C-27, a. 2)

Art. 2045. Sous réserve des droits de l'expéditeur, le destinataire, par son acceptation du bien ou du contrat, acquiert les droits et assume les obligations résultant du contrat.

1991, c. 64, a. 2045 (1994-01-01).

Art. 2046. Le transporteur est tenu d'informer le destinataire de l'arrivée du bien et du délai imparti pour son enlèvement, à moins que la délivrance du bien ne s'effectue à la résidence ou à l'établissement du destinataire.

1991, c. 64, a. 2046 (1994-01-01).

(**C.C.Q.** 2040)

Art. 2047. Lorsque le destinataire est introuvable ou qu'il refuse ou néglige de prendre délivrance du bien, ou que, pour toute autre raison, le transporteur ne peut, sans qu'il y ait faute de sa part, effectuer la délivrance, ce dernier doit, sans délai, en aviser l'expéditeur et lui demander des instructions sur la façon de disposer du bien; il n'y est pas tenu, cependant, s'il y a urgence et si le bien est périssable, auquel cas il peut en disposer sans avis.

Faute d'avoir reçu, lorsqu'il y a lieu, des instructions dans les quinze jours de l'avis, le transporteur peut retourner les biens à l'expéditeur, aux frais de celui-ci ou en disposer conformément aux règles prescrites au livre Des biens pour le détenteur du bien confié et oublié.

1991, c. 64, a. 2047 (1994-01-01).

(**C.C.Q.** 939 ss.)

Negotiation of a negotiable bill of lading is effected by endorsement and delivery, or by mere delivery if the bill is made to bearer.

Art. 2044. The carrier is bound to deliver the property to the receiver or to the holder of the bill of lading.

The holder of a bill of lading shall hand it over to the carrier when he demands delivery of the property.

Art. 2045. Subject to the rights of the shipper, the receiver upon accepting the property or the contract acquires the rights and assumes the obligations arising out of the contract.

Art. 2046. The carrier is bound to notify the receiver of the arrival of the property and of the time allowed to remove it, unless it is delivered to the receiver's residence or premises.

Art. 2047. Where the receiver cannot be found or refuses or neglects to take delivery of the property or where, for any other reason, the carrier cannot deliver the property through no fault of his own, the carrier shall notify the shipper without delay and request instructions as to disposal of the property; in an emergency, however, the carrier may dispose of perishable property without notice.

If the carrier receives no instructions within fifteen days of notification, he may return the property to the shipper's expense or dispose of it in accordance with the rules contained in Book Four on Property concerning the holder of property entrusted and forgotten.

Art. 2048. À l'expiration du délai d'enlèvement, ou à compter de l'avis donné à l'expéditeur, les obligations du transporteur deviennent celles d'un dépositaire à titre gratuit; néanmoins, il a droit, pour la conservation ou l'entreposage du bien, à une rémunération raisonnable, qui est à la charge du destinataire ou, à défaut, de l'expéditeur.

1991, c. 64, a. 2048 (1994-01-01).

Art. 2048. From the expiry of the time allowed for removal or from notification of the shipper, the obligations of the carrier are those of a gratuitous depositary; he is entitled, however, to reasonable remuneration for the preservation and storage of the property, payable by the receiver or, failing him, by the shipper.

(**C.C.Q.** 2046, 2047, 2280, 2289, 2290, 2292)

Art. 2049. Le transporteur est tenu de transporter le bien à destination.

Il est tenu de réparer le préjudice résultant du transport, à moins qu'il ne prouve que la perte résulte d'une force majeure, du vice propre du bien ou d'une freinte normale.

1991, c. 64, a. 2049 (1994-01-01).

Art. 2049. The carrier is bound to carry the property to its destination.

He is liable for any injury resulting from the carriage, unless he proves that the loss was caused by superior force, an inherent defect in the property or natural shrinkage.

C.C.B.C. 1675 (**C.C.Q.** 1457, 1458, 1470, 1474, 1590, 1607 ss., 1611 ss., 2034, 2039, 2051, 2052, 2071, 2083 ss.)

Art. 2050. Le délai de prescription de l'action en dommages-intérêts contre un transporteur court à compter de la délivrance du bien ou de la date à laquelle il aurait dû être délivré.

L'action n'est pas recevable à moins qu'un avis écrit de réclamation n'ait été préalablement donné au transporteur, dans les soixante jours à compter de la délivrance du bien, que la perte survenue au bien soit apparente ou non, ou, s'il n'est pas délivré, dans les neuf mois à compter de la date de son expédition. Aucun avis n'est nécessaire si l'action est intentée dans ce délai.

1991, c. 64, a. 2050 (1994-01-01).

Art. 2050. Prescription of any action in damages against a carrier runs from the delivery of the property or from the date on which it should have been delivered.

The action is not admissible unless a notice of the claim is priorly given to the carrier in writing within sixty days after the delivery of the property, whether or not the loss is apparent, or if the property is not delivered, within nine months after the date on which it was sent. No notice is required if the action is brought within that time.

C.C.B.C. 1680 (**D.T.** 112; **C.C.Q.** 1457 ss., 2079, 2875 ss., 2921 ss.)

Art. 2051. En cas de transport successif ou combiné de biens, l'action en responsabilité peut être exercée contre le transporteur avec qui le contrat a été conclu ou le dernier transporteur.

1991, c. 64, a. 2051 (1994-01-01).

Art. 2051. In the case of successive or combined carriage of property, an action in liability may be brought against the carrier with whom the contract was made or the last carrier.

(**C.C.Q.** 1457 ss., 2031, 2032, 2039, 2049, 2050)

Art. 2052. La responsabilité du transporteur, en cas de perte, ne peut excéder la valeur du bien déclarée par l'expéditeur.

À défaut de déclaration, la valeur du bien est établie suivant sa valeur au lieu et au moment de l'expédition.

1991, c. 64, a. 2052 (1994-01-01).

Art. 2052. The liability of the carrier, in the case of loss, may not exceed the value of the property declared by the shipper.

If no value has been declared, it is established on the basis of the value of the property at the place and time of shipment.

(**C.C.Q.** 2049, 2811, 2831)

Art. 2053. Le transporteur n'est pas tenu de transporter des documents, des espèces ou des biens de grande valeur.

S'il accepte de transporter ce type de bien, il n'est responsable de la perte que dans le cas où la nature ou la valeur du bien lui a été déclarée; la déclaration mensongère qui trompe sur la nature ou qui augmente la valeur du bien l'exonère de toute responsabilité.

1991, c. 64, a. 2053 (1994-01-01).

Art. 2053. No carrier is bound to carry documents, money or property of great value.

If a carrier agrees to carry that type of property, he is not liable for loss unless its nature or value has been declared to him; any declaration which is deliberately misleading as to the nature of the property or deliberately inflates its value exempts the carrier from all liability.

C.C.B.C. 1677 (**C.C.Q.** 1457, 1458, 1607 ss., 1611 ss., 2034, 2038; **M.M.** 587)

Art. 2054. L'expéditeur qui remet au transporteur un bien dangereux, sans en avoir fait connaître au préalable la nature exacte, doit indemniser le transporteur du préjudice que celui-ci subit en raison de ce transport.

De plus, il doit, le cas échéant, acquitter les frais d'entreposage de ce bien et en assumer les risques.

1991, c. 64, a. 2054 (1994-01-01).

Art. 2054. A shipper who places dangerous property into the charge of a carrier without prior disclosure of its exact nature shall indemnify the carrier for any loss he suffers by reason of carriage of the property.

Moreover, the shipper shall pay any storage charges and assume all risks.

(**C.C.Q.** 1457, 1607 ss., 1611 ss., 2076; **L.C.** 1992, ch. 34; **M.M.** 389 ss.)

Art. 2055. L'expéditeur est tenu de réparer le préjudice subi par le transporteur lorsque ce préjudice résulte du vice propre du bien ou de l'omission, de l'insuffisance ou de l'inexactitude de ses déclarations relativement au bien transporté.

Toutefois, le transporteur demeure responsable envers les tiers qui subissent un préjudice en raison de l'un de ces faits, sous réserve de son recours contre l'expéditeur.

1991, c. 64, a. 2055 (1994-01-01).

Art. 2055. The shipper is bound to compensate any loss suffered by the carrier as a result of an inherent defect in the property or any omission, deficiency or inaccuracy in the shipper's declarations as to the property carried.

However, the carrier remains liable towards third persons who suffer loss as a result of any of these acts or omissions, subject to his remedy against the shipper.

(**C.C.Q.** 1457, 1607 ss., 1611 ss.)

Art. 2056. Le fret et les frais de transport sont payables avant la délivrance, à moins de stipulation contraire sur le connaissement.

Dans l'un ou l'autre cas, si le bien n'est pas de la même nature que celui décrit dans le contrat ou si sa valeur est supérieure au montant déclaré, le transporteur peut réclamer le prix qu'il aurait pu exiger pour ce transport.

1991, c. 64, a. 2056 (1994-01-01).

Art. 2056. The freight and carriage charges are payable before delivery, unless otherwise stipulated in the bill of lading.

In either case, if the property is not as described in the contract or if its value is greater than the declared amount, the carrier may claim the amount he could have charged for its carriage.

(**C.C.Q.** 2001, 2040)

Art. 2057. Lorsque le prix du bien transporté est payable lors de la délivrance, le transporteur ne doit le délivrer qu'après avoir reçu le paiement.

Art. 2057. Where the price of the property carried is payable on delivery, the carrier shall not deliver the property until he receives payment.

À moins que l'expéditeur ne donne des instructions contraires sur le connaissement, les frais sont à sa charge.

1991, c. 64, a. 2057 (1994-01-01).

The shipper pays the charges unless he has instructed otherwise on the bill of lading.

Art. 2058. Le transporteur a le droit de retenir le bien transporté jusqu'au paiement du fret, des frais de transport et, le cas échéant, des frais raisonnables d'entreposage.

Si, selon les instructions de l'expéditeur, ces sommes sont dues par le destinataire, le transporteur qui n'en exige pas l'exécution perd son droit de les réclamer de l'expéditeur.

1991, c. 64, a. 2058 (1994-01-01).

Art. 2058. The carrier may retain the property carried until the freight, the carriage charges and any reasonable storage charges are paid.

If, according to the shipper's instructions, those amounts are payable by the receiver and the carrier does not demand payment according to instructions, he loses his right to claim payment from the shipper.

C.C.B.C. 1679 (**C.C.Q.** 1592 ss., 2651(3°))

SECTION II
DES RÈGLES PARTICULIÈRES AU TRANSPORT MARITIME DE BIENS

§ 1. — *Dispositions générales*

Art. 2059. À moins que les parties n'en conviennent autrement, la présente section s'applique au transport de biens par voie d'eau, lorsque les ports de départ et de destination sont situés au Québec.

1991, c. 64, a. 2059 (1994-01-01).

SECTION II
SPECIAL RULES GOVERNING CARRIAGE OF PROPERTY BY WATER

§ 1. — *General provisions*

Art. 2059. Unless otherwise agreed by the parties, this section applies to carriage of property by water where the ports of sailing and of destination are situated in Québec.

(**C.C.Q.** 2001 ss., 2505 ss.)

Art. 2060. Le transport de biens couvre la période de la prise en charge des biens par le transporteur jusqu'à leur délivrance.

1991, c. 64, a. 2060 (1994-01-01).

Art. 2060. Carriage of property extends from the time the carrier receives the property into his charge until its delivery.

(**C.C.Q.** 2040)

§ 2. — *Des obligations des parties*

Art. 2061. L'expéditeur ou chargeur doit le fret.

Le destinataire en est également débiteur lorsque le fret est payable à destination et qu'il accepte la délivrance du bien.

1991, c. 64, a. 2061 (1994-01-01).

§ 2. — *Obligations of parties*

Art. 2061. Freight is payable by the shipper.

Freight is also payable by the receiver where he takes delivery of property in respect of which freight is payable on arrival.

C.C.B.C. 2428 (**C.C.Q.** 2001, 2056, 2075; **L.R.C.** (1985), ch. P-29)

Art. 2062. Le chargeur doit présenter le bien, au lieu et au moment fixés par la convention des parties ou l'usage du port de chargement. À défaut, il doit payer au transporteur une indemnité correspondant au préjudice subi par celui-ci, sans toutefois excéder le montant du fret convenu.

1991, c. 64, a. 2062 (1994-01-01).

_____

(**C.C.Q.** 1457, 1458, 1607 ss., 1611 ss.)

Art. 2063. Le transporteur est tenu, au début du trans port et même avant, de faire diligence pour mettre le navire en état de navigabilité, pour convenablement l'armer, l'équiper et l'approvisionner, et pour approprier et mettre en bon état toute partie de navire où les biens doivent être chargés et conservés pendant le transport.

1991, c. 64, a. 2063 (1994-01-01).

_____

C.C.B.C. 2423 (**C.C.Q.** 2008, 2015, 2022, 2051, 2071; **L.R.C.** (1985), ch. C-27; **M.M.** 335 ss.)

Art. 2064. Le transporteur est tenu de procéder, de façon appropriée, au chargement, à la manutention, à l'arrimage, au transport, à la garde et au déchargement des biens transportés.

Sauf dans le petit cabotage, il commet une faute si, en l'absence de consentement du chargeur ou de règlements ou d'usages qui le permettent, il arrime le bien sur le pont du navire. Ce consentement est présumé en cas de chargement en conteneur, lorsque le navire est approprié pour ce type de transport.

1991, c. 64, a. 2064 (1994-01-01).

_____

C.C.B.C. 2424, 2425 (**C.C.Q.** 1457, 1590, 1607 ss., 1611 ss., 2051, 2067, 2070 ss., 2080)

Art. 2065. Le transporteur doit, sur demande du chargeur, lui délivrer un connaissement qu'il établit d'après les déclarations du chargeur.

Outre les mentions propres au connaissement, celui-ci porte les inscriptions qui permettent d'identifier clairement les biens à transporter, en indiquant les marques principales et les renseignements pertinents.

Le transporteur peut refuser d'inscrire des indications sur le connaissement lorsqu'il a des motifs sérieux de douter de leur exactitude ou qu'il n'a pas eu les moyens de les vérifier.

1991, c. 64, a. 2065 (1994-01-01); 2002, c. 19, a. 15 (2002-06-13).

_____

(**C.C.Q.** 2041, 2054, 2067, 2076)

Art. 2062. The shipper shall present the property at the time and place fixed by agreement between the parties or according to the custom of the port of loading, failing which he shall pay to the carrier an indemnity equal to the loss he suffers, but in no case greater than the amount of the freight.

Art. 2063. At the beginning of the voyage and even before, the carrier is bound to exercise diligence to make the ship seaworthy, properly man, equip and supply it, and make fit and safe all parts of the ship where property is to be loaded and kept during the voyage.

Art. 2064. The carrier is bound to proceed in an appropriate manner with the loading, handling, stowing, carrying, keeping and discharging of the property carried.

Except in the coasting trade, a fault is committed by the carrier if, without the consent of the shipper and in the absence of rules or custom so permitting, he stows the property on deck. Consent is presumed where containers are loaded on a ship fitted for the carriage of containers.

Art. 2065. The carrier shall issue to the shipper, at his request, a bill of lading based on the declarations of the shipper.

In addition to the usual particulars, such a bill of lading contains entries allowing the property to be carried to be clearly identified, including the leading marks appearing on it, and any relevant information.

The carrier may refuse to include in the bill of lading any particular whose accuracy he has serious reason to suspect or which he has had no means of verifying.

Art. 2066. Le chargeur est garant au moment du chargement de l'exactitude des déclarations qu'il a faites et il est responsable du préjudice qu'il cause au transporteur en raison de leur inexactitude.

Le transporteur ne peut se prévaloir de ce droit qu'à l'égard du chargeur.

1991, c. 64, a. 2066 (1994-01-01).

(C.C.Q. 1457, 1607 ss., 1611 ss., 2076)

Art. 2067. Lorsque le chargeur fait, sciemment, une déclaration inexacte de la nature ou de la valeur du bien, le transporteur n'encourt aucune responsabilité pour la perte qui survient.

1991, c. 64, a. 2067 (1994-01-01).

(C.C.Q. 2076)

Art. 2068. L'enlèvement du bien fait présumer que celui-ci a été reçu par le destinataire dans l'état indiqué au connaissement ou, en l'absence d'indication, dans l'état où il était lors du chargement, à moins que, par écrit, le destinataire ne dénonce la perte du bien au transporteur, ou à son représentant au port du déchargement, au plus tard au moment de l'enlèvement du bien ou, si la perte n'est pas apparente, dans les trois jours de l'enlèvement.

Le transporteur et le destinataire peuvent, lors de l'enlèvement, requérir une constatation de l'état du bien.

1991, c. 64, a. 2068 (1994-01-01).

(C.C.Q. 2041, 2065, 2846 ss.)

Art. 2069. En cas de perte du bien, certaine ou présumée, le transporteur et le destinataire sont tenus de se donner réciproquement les moyens d'inspecter le bien et de vérifier le nombre de colis.

1991, c. 64, a. 2069 (1994-01-01).

(C.C.Q. 2846 ss.)

Art. 2070. Est nulle toute stipulation du contrat qui exonère le transporteur ou le propriétaire du navire de l'obligation de réparer le préjudice résultant des pertes survenues aux biens transportés, à moins qu'il ne s'agisse du transport d'animaux vivants ou de marchandises en pontée, mais non, en ce cas, du transport de conteneurs chargés à bord, si le navire est muni d'installations appropriées pour ce type de transport.

Art. 2066. The shipper is warrantor for the accuracy of his declarations at the time of shipment and is liable for any injury the carrier may suffer as a result of inaccuracies in his declarations.

The carrier may exercise his rights under this article against no person other than the shipper.

Art. 2067. Where the nature or value of the property is knowingly misstated by the shipper, the carrier is not liable for any loss.

Art. 2068. Removal of the property creates a presumption of delivery of the property to the receiver in the condition indicated in the bill of lading or, failing such an indication, in its condition at the time of shipment, unless the receiver gives notice in writing to the carrier or his representative at the port of discharge, of any loss of the property, not later than upon removal or, if the loss is not apparent, not later than three days after removal.

The carrier and the receiver may, at the time of removal, require a statement as to the condition of the property.

Art. 2069. In the case of any actual or apprehended loss of the property, the carrier and the receiver are bound to give each other facilities for inspecting and tallying the items of property.

Art. 2070. Any stipulation in a contract whereby the carrier or the lessor is relieved from the obligation to make reparation for injury resulting from the loss sustained by the property carried, except in the case of carriage of live animals or property stowed on deck other than containers loaded on a ship fitted for the carriage of containers, is null.

Une clause cédant le bénéfice de l'assurance au transporteur ou toute clause semblable est considérée comme une stipulation exonérant le transporteur.

1991, c. 64, a. 2070 (1994-01-01).

(**C.C.Q.** 2034, 2528 ss.)

Art. 2071. Le transporteur est responsable de la perte survenue aux biens transportés, depuis la prise en charge jusqu'à la délivrance.

Il l'est, notamment, si la perte résulte de l'état d'innavigabilité du navire, à moins qu'il n'établisse avoir fait diligence pour mettre le navire en état.

1991, c. 64, a. 2071 (1994-01-01).

(**C.C.Q.** 1457, 1458, 1607 ss., 1611 ss., 2074)

Art. 2072. Le transporteur n'est pas responsable de la perte du bien résultant:

1° Des fautes nautiques du capitaine, du pilote ou des préposés du transporteur;

2° D'un incendie, à moins qu'il ne soit causé par son fait ou sa faute;

3° D'une force majeure;

4° D'une faute du propriétaire du bien ou du chargeur, notamment dans l'emballage, le conditionnement ou le marquage du bien;

5° Du vice propre du bien ou de la freinte;

6° D'un acte ou d'une tentative de sauvetage de vies ou de biens au cours du transport ou d'un déroutement à cette fin.

1991, c. 64, a. 2072 (1994-01-01).

(**C.C.Q.** 1457, 1458, 1470, 2071)

Art. 2073. Le chargeur n'est pas responsable du préjudice subi par le transporteur ni du dommage causé au navire sans qu'il y ait eu faute de sa part ou de ses préposés.

1991, c. 64, a. 2073 (1994-01-01).

(**C.C.Q.** 1457, 1463, 1607 ss., 1611 ss.)

Art. 2074. Le transporteur est tenu de la perte du bien transporté jusqu'à concurrence de la somme fixée par règlement du gouvernement, mais il peut convenir avec le chargeur d'une indemnité différente, dans la mesure où elle est supérieure à celle fixée par règlement.

Any clause assigning the benefit of insurance to the carrier or any similar clause is considered to be a stipulation relieving the carrier from liability.

Art. 2071. The carrier is liable for any loss sustained by the property from the time he receives it into his charge until delivery.

He is liable, in particular, for any loss resulting from unseaworthiness unless he proves that he exercised diligence to make the ship seaworthy.

Art. 2072. The carrier is not liable for any loss of the property resulting from

(1) fault in the navigation and management of the ship by the master, pilot or other servants of the carrier;

(2) fire, unless caused by an act or the fault of the carrier;

(3) superior force;

(4) fault of the owner of the property or shipper, particularly in packing, packaging or marking the property;

(5) an inherent defect in the property or natural shrinkage;

(6) an act or attempt to save life or property in the course of a carriage or a deviation for that purpose.

Art. 2073. The shipper is not liable for any injury suffered by the carrier or for any damage caused to the ship, if it is not due to his fault or that of his servants.

Art. 2074. The carrier is liable for any loss of the property carried up to the sum fixed by government regulation, unless a higher indemnity has been fixed by agreement between him and the shipper.

Il peut être tenu au-delà du montant fixé par règlement lorsqu'il y a eu dol de sa part, ou que la nature et la valeur des biens ont été déclarées par le chargeur avant leur embarquement et que cette déclaration a été jointe au connaissement. Pareille déclaration fait foi à l'égard du transporteur, sauf preuve contraire de sa part.

1991, c. 64, a. 2074 (1994-01-01).

He may be held liable beyond the amount fixed by regulation if he committed fraud or if the nature and value of the property were declared by the shipper before shipment and the declaration was attached to the bill of lading. The shipper's declaration is binding on the carrier, saving his right to make proof to the contrary.

(**C.C.Q.** 1401, 2071, 2083, 2803)

Art. 2075. Il n'est dû aucun fret pour les biens perdus par fortune de mer ou par suite de la négligence du transporteur à mettre le navire en état de navigabilité.

1991, c. 64, a. 2075 (1994-01-01).

Art. 2075. No freight is payable in respect of property lost by reason of perils of the sea or the carrier's neglect to make the ship seaworthy.

(**C.C.Q.** 2001, 2049, 2056, 2061, 2071)

Art. 2076. Le transporteur peut débarquer, détruire ou rendre inoffensifs les biens dangereux, à l'embarquement desquels il n'aurait pas consenti s'il avait connu leur nature ou leur caractère.

Le chargeur de ces biens est responsable du préjudice qui résulte de leur embarquement et des dépenses faites par le transporteur pour se départir de ces biens ou les rendre inoffensifs.

1991, c. 64, a. 2076 (1994-01-01).

Art. 2076. The carrier may land, destroy or render innocuous any dangerous property if he would not have consented to its shipment had he been aware of its nature or properties.

The shipper of such property is liable for any injury resulting from its shipment and for any expense incurred by the carrier to dispose of it or render it innocuous.

(**C.C.Q.** 1457, 1607 ss., 1611 ss., 2054, 2077)

Art. 2077. Lorsqu'un bien dangereux a été embarqué à la connaissance et avec le consentement du transporteur et qu'il devient un danger pour le navire ou la cargaison, il peut néanmoins être débarqué, détruit ou rendu inoffensif par le transporteur, sans responsabilité de sa part, si ce n'est qu'à titre d'avaries communes, s'il y a lieu.

1991, c. 64, a. 2077 (1994-01-01).

Art. 2077. Where dangerous property shipped with the knowledge and consent of the carrier becomes a danger to the ship or cargo, it may be landed, destroyed or rendered innocuous by the carrier without any liability on his part except by way of general average, if any.

(**C.C.Q.** 1398 ss., 2051, 2054, 2599)

Art. 2078. Le contrat est résolu, sans dommages-intérêts de part et d'autre si, en raison d'une force majeure, le départ du navire qui devait effectuer le transport est empêché ou retardé d'une manière telle que le transport ne puisse plus se faire utilement pour le chargeur et sans risque d'engager sa responsabilité à l'égard du transporteur.

1991, c. 64, a. 2078 (1994-01-01).

Art. 2078. The contract is resolved with no claim for damages on either part if, by reason of superior force, the sailing of the ship which was to effect the carriage is prevented or so delayed that carriage can no longer be effected usefully for the shipper and without the risk of his incurring liability to the carrier.

C.C.B.C. 2410 (**C.C.Q.** 1458, 1470, 1606, 1693, 2030)

Art. 2079. Toute action contre le transporteur, le chargeur ou le destinataire, en raison du contrat de transport, se prescrit par un an à compter de la délivrance du bien ou, en cas de perte totale, de la date à laquelle il eût dû être délivré.

1991, c. 64, a. 2079 (1994-01-01).

___

(**C.C.Q.** 2580, 2921 ss.)

§ 3. — *De la manutention des biens*

Art. 2080. L'entrepreneur de manutention est chargé de toutes les opérations de mise à bord et de débarquement des biens, y compris les opérations qui en sont le préalable ou la suite nécessaire.

Il est présumé, dans ses activités, avoir reçu le bien tel qu'il a été déclaré par le déposant.

1991, c. 64, a. 2080 (1994-01-01).

___

(**D.T.** 113; **C.C.Q.** 2080, 2082, 2846)

Art. 2081. L'entrepreneur de manutention agit pour le compte de celui qui a requis ses services, et sa responsabilité n'est engagée qu'envers celui-ci qui seul a une action contre lui.

1991, c. 64, a. 2081 (1994-01-01).

___

(**D.T.** 113; **C.C.Q.** 1607 ss., 1611 ss.)

Art. 2082. L'entrepreneur de manutention peut, éventuellement, être appelé à effectuer pour le compte du transporteur, du chargeur ou du destinataire la réception et la reconnaissance à terre des biens à embarquer, ainsi que leur garde jusqu'à leur embarquement; il peut, de même, être appelé à effectuer la réception et la reconnaissance à terre des biens débarqués, ainsi que leur garde et leur délivrance.

Ces services supplémentaires sont dus s'ils sont convenus ou sont conformes aux usages du port.

1991, c. 64, a. 2082 (1994-01-01).

___

(**D.T.** 113; **C.C.Q.** 2080)

Art. 2083. L'entrepreneur de manutention peut être exonéré de sa responsabilité pour la perte d'un bien pour les mêmes motifs que le transporteur; néanmoins, le demandeur peut, dans ces cas, faire la preuve que la perte est due à une faute de l'entrepreneur ou de ses préposés.

Art. 2079. Any action against the carrier, shipper or receiver under a contract of carriage is prescribed one year after the delivery of the property or, in the case of total loss, one year after the date it should have been delivered.

§ 3. — *Handling of property*

Art. 2080. The handling contractor is in charge of all loading and discharging operations, including all necessary operations prior and subsequent to loading and discharge.

For the purposes of his activities, the handling contractor is presumed to have received the property as declared by the depositor.

Art. 2081. The handling contractor acts on behalf of the person who hired his services and is liable only to that person, who alone has an action against him.

Art. 2082. The handling contractor may be called upon to receive, tally and keep property on land until loading, on behalf of the carrier, shipper or receiver; he may likewise be called upon to receive, tally and keep property on land after its discharge as well as to deliver it.

These additional services are due if they have been agreed or if they are consistent with the custom of the port.

Art. 2083. The handling contractor may be exonerated from liability for any loss of property for the same reasons as the carrier; however, the plaintiff may in those cases establish that the loss is due to the fault of the handling contractor or his servants.

L'entrepreneur de manutention ne peut en aucun cas être tenu au-delà de la somme fixée par règlement du gouvernement, à moins qu'il n'y ait eu dol de sa part ou qu'une déclaration de la valeur du bien ne lui ait été notifiée.

1991, c. 64, a. 2083 (1994-01-01).

_____

(**D.T.** 113; **C.C.Q.** 1401, 1457, 1463, 2072, 2074)

Art. 2084. Est inopposable au chargeur et au destinataire, toute clause ayant pour objet ou pour effet de dégager l'entrepreneur de manutention de sa responsabilité, de renverser la charge de la preuve qui lui incombe, de limiter sa responsabilité à une somme inférieure à celle fixée par règlement, ou de lui céder le bénéfice d'une assurance du bien.

1991, c. 64, a. 2084 (1994-01-01).

_____

(**D.T.** 113; **C.C.Q.** 2528 ss.)

The liability of the handling contractor may not exceed the sum fixed by government regulation, unless he committed fraud or has been notified of a declaration of the value of the property.

Art. 2084. No clause for the purpose or to the effect of relieving the handling contractor from liability, shifting the burden of proof to the other party, limiting his liability to a sum lower than that fixed by regulation or assigning the benefit of insurance to him may be set up against the shipper or the receiver.

CHAPITRE SEPTIÈME
DU CONTRAT DE TRAVAIL

CHAPTER VII
CONTRACT OF EMPLOYMENT

Art. 2085. Le contrat de travail est celui par lequel une personne, le salarié, s'oblige, pour un temps limité et moyennant rémunération, à effectuer un travail sous la direction ou le contrôle d'une autre personne, l'employeur.

1991, c. 64, a. 2085 (1994-01-01).

Art. 2085. A contract of employment is a contract by which a person, the employee, undertakes for a limited period to do work for remuneration, according to the instructions and under the direction or control of another person, the employer.

C.C.B.C. 1665a, 1667 al. 1 (**C.C.Q.** 156, 1377-1383, 1385, 1425-1437, 1463, 1566, 2086, 2098, 2099, 2726, 3118, 3149; **C.P.C.** 553 al. 1(11), 641-659.0.1, 659.5; **L.R.Q.**, c. A-3.001; **L.R.Q.**, c. C-27; **L.R.Q.**, c. N-1.1; **L.R.Q.**, c. S-2.1; **L.R.C.** (1985), ch. L-2)

Art. 2086. Le contrat de travail est à durée déterminée ou indéterminée.

1991, c. 64, a. 2086 (1994-01-01).

Art. 2086. A contract of employment is for a fixed term or an indeterminate term.

C.C.B.C. 1667 al. 1 (**C.C.Q.** 1383, 1517, 2090, 2091, 2093, 2094, 2097)

Art. 2087. L'employeur, outre qu'il est tenu de permettre l'exécution de la prestation de travail convenue et de payer la rémunération fixée, doit prendre les mesures appropriées à la nature du travail, en vue de protéger la santé, la sécurité et la dignité du salarié.

1991, c. 64, a. 2087 (1994-01-01).

Art. 2087. The employer is bound not only to allow the performance of the work agreed upon and to pay the remuneration fixed, but also to take any measures consistent with the nature of the work to protect the health, safety and dignity of the employee.

(**C.C.Q.** 3, 6, 1375, 1434, 1597, 1605, 2096; **L.R.Q.**, c. A-3.001; **L.R.Q.**, c. S-2.1)

Art. 2088. Le salarié, outre qu'il est tenu d'exécuter son travail avec prudence et diligence, doit agir avec loyauté et ne pas faire usage de l'information à caractère confidentiel qu'il obtient dans l'exécution ou à l'occasion de son travail.

Ces obligations survivent pendant un délai raisonnable après cessation du contrat, et survivent en tout temps lorsque l'information réfère à la réputation et à la vie privée d'autrui.

1991, c. 64, a. 2088 (1994-01-01).

Art. 2088. The employee is bound not only to carry on his work with prudence and diligence, but also to act faithfully and honestly and not to use any confidential information he may obtain in carrying on or in the course of his work.

These obligations continue for a reasonable time after cessation of the contract, and permanently where the information concerns the reputation and private life of another person.

(**C.C.Q.** 3, 35-41, 322, 1309, 1375, 1434, 1472, 1612, 2089, 2094, 2095, 2138, 2929)

Art. 2089. Les parties peuvent, par écrit et en termes exprès, stipuler que, même après la fin du contrat, le salarié ne pourra faire concurrence à l'employeur ni participer à quelque titre que ce soit à une entreprise qui lui ferait concurrence.

Toutefois, cette stipulation doit être limitée, quant au temps, au lieu et au genre de travail, à ce qui est nécessaire pour protéger les intérêts légitimes de l'employeur.

Art. 2089. The parties may stipulate in writing and in express terms that, even after the termination of the contract, the employee may neither compete with his employer nor participate in any capacity whatsoever in an enterprise which would then compete with him.

Such a stipulation shall be limited, however, as to time, place and type of employment, to whatever is necessary for the protection of the legitimate interests of the employer.

Il incombe à l'employeur de prouver que cette stipulation est valide.

1991, c. 64, a. 2089 (1994-01-01).

(**C.C.Q.** 1385, 1437, 1525, 1612, 2095, 2097)

Art. 2090. Le contrat de travail est reconduit tacitement pour une durée indéterminée lorsque, après l'arrivée du terme, le salarié continue d'effectuer son travail durant cinq jours, sans opposition de la part de l'employeur.

1991, c. 64, a. 2090 (1994-01-01).

C.C.B.C. 1667 al. 2 (**C.C.Q.** 1439, 1517, 2086)

Art. 2091. Chacune des parties à un contrat à durée indéterminée peut y mettre fin en donnant à l'autre un délai de congé.

Le délai de congé doit être raisonnable et tenir compte, notamment, de la nature de l'emploi, des circonstances particulières dans lesquelles il s'exerce et de la durée de la prestation de travail.

1991, c. 64, a. 2091 (1994-01-01).

C.C.B.C. 1668 al. 3 (**C.C.Q.** 6, 7, 1375, 1439, 1479, 1693, 1694, 1976, 2092; **L.R.Q.**, c. N-1.1, a. 82, 83, 124)

Art. 2092. Le salarié ne peut renoncer au droit qu'il a d'obtenir une indemnité en réparation du préjudice qu'il subit, lorsque le délai de congé est insuffisant ou que la résiliation est faite de manière abusive.

1991, c. 64, a. 2092 (1994-01-01).

(**C.C.Q.** 6, 7, 9, 317, 1375, 1457, 1590, 1601, 2091, 2094, 2631, 2925; **C.P.C.** 110)

Art. 2093. Le décès du salarié met fin au contrat de travail.

Le décès de l'employeur peut aussi, suivant les circonstances, y mettre fin.

1991, c. 64, a. 2093 (1994-01-01).

C.C.B.C. 1668 al. 1 et 2 (**C.C.Q.** 1439, 1441, 2097, 2128)

Art. 2094. Une partie peut, pour un motif sérieux, résilier unilatéralement et sans préavis le contrat de travail.

1991, c. 64, a. 2094 (1994-01-01).

(**C.C.Q.** 6, 7, 1375, 1439, 1472, 1590, 1601, 1604, 1612, 1976, 2088, 2091, 2925)

The burden of proof that the stipulation is valid is on the employer.

Art. 2090. A contract of employment is tacitly renewed for an indeterminate term where the employee continues to carry on his work for five days after the expiry of the term, without objection from the employer.

Art. 2091. Either party to a contract with an indeterminate term may terminate it by giving notice of termination to the other party.

The notice of termination shall be given in reasonable time, taking into account, in particular, the nature of the employment, the special circumstances in which it is carried on and the duration of the period of work.

Art. 2092. The employee may not renounce his right to obtain compensation for any injury he suffers where insufficient notice of termination is given or where the manner of resiliation is abusive.

Art. 2093. A contract of employment terminates upon the death of the employee.

Depending on the circumstances, it may also terminate upon the death of the employer.

Art. 2094. One of the parties may, for a serious reason, unilaterally resiliate the contract of employment without prior notice.

Art. 2095. L'employeur ne peut se prévaloir d'une stipulation de non-concurrence, s'il a résilié le contrat sans motif sérieux ou s'il a lui-même donné au salarié un tel motif de résiliation.

1991, c. 64, a. 2095 (1994-01-01).

(**C.C.Q.** 7, 2087, 2089, 2094)

Art. 2096. Lorsque le contrat prend fin, l'employeur doit fournir au salarié qui le demande un certificat de travail faisant état uniquement de la nature et de la durée de l'emploi et indiquant l'identité des parties.

1991, c. 64, a. 2096 (1994-01-01).

L.R.Q., c. N-1.1, a. 84 (**C.C.Q.** 37, 2091, 2093, 2094)

Art. 2097. L'aliénation de l'entreprise ou la modification de sa structure juridique par fusion ou autrement, ne met pas fin au contrat de travail.

Ce contrat lie l'ayant cause de l'employeur.

1991, c. 64, a. 2097 (1994-01-01); 2002, c. 19, a. 15 (2002-06-13).

L.R.Q., c. C-27, a. 45 (**C.C.Q.** 1440, 1525, 1767, 2089, 2091, 2093; **L.R.Q.**, c. N-1.1, a. 96, 97)

Art. 2095. An employer may not avail himself of a stipulation of non-competition if he has resiliated the contract without a serious reason or if he has himself given the employee such a reason for resiliating the contract.

Art. 2096. Upon termination of the contract, the employer shall furnish to the employee, at his request, a certificate of employment, showing only the nature and duration of the employment and indicating the identities of the parties.

Art. 2097. A contract of employment is not terminated by alienation of the enterprise or any change in its legal structure by way of amalgamation or otherwise.

The contract is binding on the successor of the employer.

CHAPITRE HUITIÈME
DU CONTRAT D'ENTREPRISE OU DE SERVICE

SECTION I
DE LA NATURE ET DE L'ÉTENDUE DU CONTRAT

Art. 2098. Le contrat d'entreprise ou de service est celui par lequel une personne, selon le cas l'entrepreneur ou le prestataire de services, s'engage envers une autre personne, le client, à réaliser un ouvrage matériel ou intellectuel ou à fournir un service moyennant un prix que le client s'oblige à lui payer.

1991, c. 64, a. 2098 (1994-01-01).

C.C.B.C. 1665a, 1666(3) (**C.C.Q.** 1376, 1377, 1379, 1388 ss., 1432, 1435, 1436, 1525, 1611, 1794, 2085, 2103, 2106, 2108, 2124, 2138, 2861, 2862)

Art. 2099. L'entrepreneur ou le prestataire de services a le libre choix des moyens d'exécution du contrat et il n'existe entre lui et le client aucun lien de subordination quant à son exécution.

1991, c. 64, a. 2099 (1994-01-01).

(**C.C.Q.** 2085, 2098, 2117, 2119)

Art. 2100. L'entrepreneur et le prestataire de services sont tenus d'agir au mieux des intérêts de leur client, avec prudence et diligence. Ils sont aussi tenus, suivant la nature de l'ouvrage à réaliser ou du service à fournir, d'agir conformément aux usages et règles de leur art, et de s'assurer, le cas échéant, que l'ouvrage réalisé ou le service fourni est conforme au contrat.

Lorsqu'ils sont tenus du résultat, ils ne peuvent se dégager de leur responsabilité qu'en prouvant la force majeure.

1991, c. 64, a. 2100 (1994-01-01).

(**C.C.Q.** 1375, 1457, 1458, 1470, 2102-2104, 2115, 2119, 2120, 2122)

SECTION II
DES DROITS ET OBLIGATIONS DES PARTIES

§ 1. — *Dispositions générales applicables tant aux services qu'aux ouvrages*

Art. 2101. À moins que le contrat n'ait été conclu en considération de ses qualités personnelles ou que cela ne soit incompatible avec la nature même

---

CHAPTER VIII
CONTRACT OF ENTERPRISE OR FOR SERVICES

SECTION I
NATURE AND SCOPE OF THE CONTRACT

Art. 2098. A contract of enterprise or for services is a contract by which a person, the contractor or the provider of services, as the case may be, undertakes to carry out physical or intellectual work for another person, the client or to provide a service, for a price which the client binds himself to pay.

1991, c. 64, a. 2098 (1994-01-01).

Art. 2099. The contractor or the provider of services is free to choose the means of performing the contract and no relationship of subordination exists between the contractor or the provider of services and the client in respect of such performance.

1991, c. 64, a. 2099 (1994-01-01).

Art. 2100. The contractor and the provider of services are bound to act in the best interests of their client, with prudence and diligence. Depending on the nature of the work to be carried out or the service to be provided, they are also bound to act in accordance with usual practice and the rules of art, and, where applicable, to ensure that the work done or service provided is in conformity with the contract.

Where they are bound to produce results, they may not be relieved from liability except by proving superior force.

SECTION II
RIGHTS AND OBLIGATIONS OF THE PARTIES

§ 1. — *General provisions applicable to both services and works*

Art. 2101. Unless a contract has been entered into specifically in view of his personal qualities or unless the very nature of the contract prevents it,

du contrat, l'entrepreneur ou le prestataire de services peut s'adjoindre un tiers pour l'exécuter; il conserve néanmoins la direction et la responsabilité de l'exécution.

1991, c. 64, a. 2101 (1994-01-01).

(**C.C.Q.** 1458, 1553-1555, 2128)

Art. 2102. L'entrepreneur ou le prestataire de services est tenu, avant la conclusion du contrat, de fournir au client, dans la mesure où les circonstances le permettent, toute information utile relativement à la nature de la tâche qu'il s'engage à effectuer ainsi qu'aux biens et au temps nécessaires à cette fin.

1991, c. 64, a. 2102 (1994-01-01).

(**C.C.Q.** 6, 7, 1375, 1416 ss., 1457 ss., 2104, 2107, 2108, 2117)

Art. 2103. L'entrepreneur ou le prestataire de services fournit les biens nécessaires à l'exécution du contrat, à moins que les parties n'aient stipulé qu'il ne fournirait que son travail.

Les biens qu'il fournit doivent être de bonne qualité; il est tenu, quant à ces biens, des mêmes garanties que le vendeur.

Il y a contrat de vente, et non contrat d'entreprise ou de service, lorsque l'ouvrage ou le service n'est qu'un accessoire par rapport à la valeur des biens fournis.

1991, c. 64, a. 2103 (1994-01-01).

C.C.B.C. 1683 (**C.C.Q.** 1726-1731, 2098, 2104, 2105, 2118, 2120; **L.R.Q.**, c. Q-1, a. 26)

Art. 2104. Lorsque les biens sont fournis par le client, l'entrepreneur ou le prestataire de services est tenu d'en user avec soin et de rendre compte de cette utilisation; si les biens sont manifestement impropres à l'utilisation à laquelle ils sont destinés ou s'ils sont affectés d'un vice apparent ou d'un vice caché qu'il devait connaître, l'entrepreneur ou le prestataire de services est tenu d'en informer immédiatement le client, à défaut de quoi il est responsable du préjudice qui peut résulter de l'utilisation des biens.

1991, c. 64, a. 2104 (1994-01-01).

(**C.C.Q.** 899, 900, 1457, 2105, 2115, 2119)

Art. 2105. Si les biens nécessaires à l'exécution du contrat périssent par force majeure, leur perte est à la charge de la partie qui les fournit.

1991, c. 64, a. 2105 (1994-01-01).

(**C.C.Q.** 950, 1470, 1475, 2115)

the contractor or the provider of services may employ a third person to perform the contract, but its performance remains under his supervision and responsibility.

Art. 2102. Before the contract is entered into, the contractor or the provider of services is bound to provide the client, as far as circumstances permit, with any useful information concerning the nature of the task which he undertakes to perform and the property and time required for that task.

Art. 2103. The contractor or the provider of services furnishes the property necessary for the performance of the contract, unless the parties have stipulated that only his work is required.

He shall furnish only property of good quality; he is bound by the same warranties in respect of the property as a seller.

A contract is a contract of sale, and not a contract of enterprise or for services, where the work or service is merely accessory to the value of the property supplied.

Art. 2104. Where the property is provided by the client, the contractor or the provider of services is bound to use it with care and to account for its use; where the property is evidently unfit for its intended use or where it has an apparent or latent defect of which the contractor or the provider of services should be aware, he is bound to inform the client immediately, failing which he is liable for any injury which may result from the use of the property.

Art. 2105. If the property necessary for the performance of the contract perishes by superior force, the party that furnished it bears the loss.

Art. 2106. Le prix de l'ouvrage ou du service est déterminé par le contrat, les usages ou la loi, ou encore d'après la valeur des travaux effectués ou des services rendus.

1991, c. 64, a. 2106 (1994-01-01).

_____

(**C.C.Q.** 1426, 2107-2109, 2134)

Art. 2107. Si, lors de la conclusion du contrat, le prix des travaux ou des services a fait l'objet d'une estimation, l'entrepreneur ou le prestataire de services doit justifier toute augmentation du prix.

Le client n'est tenu de payer cette augmentation que dans la mesure où elle résulte de travaux, de services ou de dépenses qui n'étaient pas prévisibles par l'entrepreneur ou le prestataire de services au moment de la conclusion du contrat.

1991, c. 64, a. 2107 (1994-01-01).

_____

(**C.C.Q.** 1470, 2109; **L.R.Q.**, c. P-40.1, a. 171, 172, 187)

Art. 2108. Lorsque le prix est établi en fonction de la valeur des travaux exécutés, des services rendus ou des biens fournis, l'entrepreneur ou le prestataire de services est tenu, à la demande du client, de lui rendre compte de l'état d'avancement des travaux, des services déjà rendus et des dépenses déjà faites.

1991, c. 64, a. 2108 (1994-01-01).

_____

(**C.C.Q.** 2117)

Art. 2109. Lorsque le contrat est à forfait, le client doit payer le prix convenu et il ne peut prétendre à une diminution du prix en faisant valoir que l'ouvrage ou le service a exigé moins de travail ou a coûté moins cher qu'il n'avait été prévu.

Pareillement, l'entrepreneur ou le prestataire de services ne peut prétendre à une augmentation du prix pour un motif contraire.

Le prix forfaitaire reste le même, bien que des modifications aient été apportées aux conditions d'exécution initialement prévues, à moins que les parties n'en aient convenu autrement.

1991, c. 64, a. 2109 (1994-01-01).

_____

C.C.B.C. 1690 (**C.C.Q.** 2098, 2107)

Art. 2106. The price of the work or services is fixed by the contract, by usage or by law or on the basis of the value of the work carried out or the services rendered.

Art. 2107. Where the price of the work or services is estimated at the time the contract is entered into, the contractor or the provider of the services shall give the reasons for any increase of the price.

The client is bound to pay such increase only to the extent that it results from work, services or expenses that the contractor or the provider of services could not foresee at the time the contract was entered into.

Art. 2108. Where the price is fixed according to the value of the work performed, the services rendered or the property furnished, the contractor or the provider of services is bound, at the request of the client, to give him an account of the progress of the work or of the services rendered and expenses incurred so far.

Art. 2109. Where the price is fixed by the contract, the client shall pay the price agreed, and may not claim a reduction of the price on the ground that the work or service required less effort or cost less than had been foreseen.

Similarly, the contractor or the provider of services may not claim an increase of the price for the opposite reason.

Unless otherwise agreed by the parties, the price fixed by the contract remains unchanged notwithstanding any modification of the original terms and conditions of performance.

§ 2. — *Dispositions particulières aux ouvrages*

I — DISPOSITIONS GÉNÉRALES

Art. 2110. Le client est tenu de recevoir l'ouvrage à la fin des travaux; celle-ci a lieu lorsque l'ouvrage est exécuté et en état de servir conformément à l'usage auquel on le destine.

La réception de l'ouvrage est l'acte par lequel le client déclare l'accepter, avec ou sans réserve.

1991, c. 64, a. 2110 (1994-01-01).

(**C.C.Q.** 2111, 2114, 2115, 2116, 2118, 2727)

Art. 2111. Le client n'est pas tenu de payer le prix avant la réception de l'ouvrage.

Lors du paiement, il peut retenir sur le prix, jusqu'à ce que les réparations ou les corrections soient faites à l'ouvrage, une somme suffisante pour satisfaire aux réserves faites quant aux vices ou malfaçons apparents qui existaient lors de la réception de l'ouvrage.

Le client ne peut exercer ce droit si l'entrepreneur lui fournit une sûreté suffisante garantissant l'exécution de ses obligations.

1991, c. 64, a. 2111 (1994-01-01).

(**C.C.Q.** 2110, 2112, 2114, 2120, 2123)

Art. 2112. Si les parties ne s'entendent pas sur la somme à retenir et les travaux à compléter, l'évaluation est faite par un expert que désignent les parties ou, à défaut, le tribunal.

1991, c. 64, a. 2112 (1994-01-01).

(**C.C.Q.** 2111; **C.P.C.** 885*b*))

Art. 2113. Le client qui accepte sans réserve, conserve, néanmoins, ses recours contre l'entrepreneur aux cas de vices ou malfaçons non apparents.

1991, c. 64, a. 2113 (1994-01-01).

(**C.C.Q.** 1726 ss., 2110, 2111, 2118, 2120)

Art. 2114. Si l'ouvrage est exécuté par phases successives, il peut être reçu par parties; le prix afférent à chacune d'elles est payable au moment de la délivrance et de la réception de cette partie et le paiement fait présumer qu'elle a été ainsi reçue, à moins que les sommes versées ne doivent être considérées comme de simples acomptes sur le prix.

1991, c. 64, a. 2114 (1994-01-01).

C.C.B.C. 1687 (**C.C.Q.** 2110, 2115)

§ 2. — *Special provisions respecting works*

I — GENERAL PROVISIONS

Art. 2110. The client is bound to accept the work when work is completed; work is completed when the work has been produced and is ready to be used for its intended purpose.

Acceptance of the work is the act by which the client declares that he accepts it, with or without reservation.

Art. 2111. The client is not bound to pay the price before the work is accepted.

At the time of payment, the client may deduct from the price, until the repairs or corrections are made to the work, a sufficient amount to meet the reservations which he made as to the apparent defects or poor workmanship that existed when he accepted the work.

The client may not exercise this right if the contractor furnishes him with sufficient security to guarantee the performance of his obligations.

Art. 2112. If the parties do not agree on the amount to be deducted and on the work to be completed, an assessment is made by an expert designated by the parties or, failing that, by the court.

Art. 2113. A client who accepts without reservation retains his right to pursue his remedies against the contractor in cases of nonapparent defects or nonapparent poor workmanship.

Art. 2114. Where the work is performed in successive phases, it may be accepted in parts; the price for each part is payable upon delivery and acceptance of the part; payment creates a presumption that the part has been accepted, unless the sums paid are to be considered as merely partial payments on the price.

Art. 2115. L'entrepreneur est tenu de la perte de l'ouvrage qui survient avant sa délivrance, à moins qu'elle ne soit due à la faute du client ou que celui-ci ne soit en demeure de recevoir l'ouvrage.

Toutefois, si les biens sont fournis par le client, l'entrepreneur n'est pas tenu de la perte de l'ouvrage, à moins qu'elle ne soit due à sa faute ou à un autre manquement de sa part. Il ne peut réclamer le prix de son travail que si la perte de l'ouvrage résulte du vice propre des biens fournis ou d'un vice du bien qu'il ne pouvait déceler, ou encore si la perte est due à la faute du client.

1991, c. 64, a. 2115 (1994-01-01).

Art. 2115. The contractor is liable for loss of the work occurring before its delivery, unless it is due to the fault of the client or the client is in default to receive the work.

Where the property is furnished by the client, the contractor is not liable for the loss of the work unless it is due to his fault or some other failure on his part. He may not claim the price of his work except where the loss of the work results from an inherent defect in the property furnished or a defect in the property that he was unable to detect, or where the loss is due to the fault of the client.

_____

C.C.B.C. 1684-1686 (**C.C.Q.** 1457, 1458, 1594 ss., 1693, 1717 ss., 2104, 2105, 2110, 2114)

Art. 2116. La prescription des recours entre les parties ne commence à courir qu'à compter de la fin des travaux, même à l'égard de ceux qui ont fait l'objet de réserves lors de la réception de l'ouvrage.

1991, c. 64, a. 2116 (1994-01-01).

Art. 2116. The prescription of rights to pursue remedies between the parties begins to run only from the time that work is completed, even in respect of work that was subject to reservations at the time of acceptance of the work.

_____

(**C.C.Q.** 2110, 2111, 2118, 2120, 2925, 2926)

II — DES OUVRAGES IMMOBILIERS

II — IMMOVABLE WORKS

Art. 2117. À tout moment de la construction ou de la rénovation d'un immeuble, le client peut, mais de manière à ne pas nuire au déroulement des travaux, vérifier leur état d'avancement, la qualité des matériaux utilisés et celle du travail effectué, ainsi que l'état des dépenses faites.

1991, c. 64, a. 2117 (1994-01-01).

Art. 2117. At any time during the construction or renovation of an immovable, the client, provided he does not interfere with the work, may examine the progress of the work, the quality of the materials used and of the work performed, and the statement of expenses incurred so far.

_____

(**C.C.Q.** 2099, 2108, 2119 al. 3)

Art. 2118. À moins qu'ils ne puissent se dégager de leur responsabilité, l'entrepreneur, l'architecte et l'ingénieur qui ont, selon le cas, dirigé ou surveillé les travaux, et le sous-entrepreneur pour les travaux qu'il a exécutés, sont solidairement tenus de la perte de l'ouvrage qui survient dans les cinq ans qui suivent la fin des travaux, que la perte résulte d'un vice de conception, de construction ou de réalisation de l'ouvrage, ou, encore, d'un vice du sol.

1991, c. 64, a. 2118 (1994-01-01).

Art. 2118. Unless they can be relieved from liability, the contractor, the architect and the engineer who, as the case may be, directed or supervised the work, and the subcontractor with respect to work performed by him, are solidarily liable for the loss of the work occurring within five years after the work was completed, whether the loss results from faulty design, construction or production of the work, or the unfavourable nature of the ground.

_____

C.C.B.C. 1688 (**D.T.** 114; **C.C.Q.** 9, 1457, 1474, 1523, 1525, 1590, 1611, 2104, 2116, 2119-2121, 2124, 2724-2728, 2847, 2925, 2926, 2952; **C.P.C.** 110; **L.R.Q.**, c. A-21; **L.R.Q.**, c. I-9; **L.R.Q.**, c. Q-1)

Art. 2119. L'architecte ou l'ingénieur ne sera dégagé de sa responsabilité qu'en prouvant que les vices de l'ouvrage ou de la partie qu'il a réalisée ne résultent ni d'une erreur ou d'un défaut dans les expertises ou les plans qu'il a pu fournir, ni d'un manquement dans la direction ou dans la surveillance des travaux.

L'entrepreneur n'en sera dégagé qu'en prouvant que ces vices résultent d'une erreur ou d'un défaut dans les expertises ou les plans de l'architecte ou de l'ingénieur choisi par le client. Le sous-entrepreneur n'en sera dégagé qu'en prouvant que ces vices résultent des décisions de l'entrepreneur ou des expertises ou plans de l'architecte ou de l'ingénieur.

Chacun pourra encore se dégager de sa responsabilité en prouvant que ces vices résultent de décisions imposées par le client dans le choix du sol ou des matériaux, ou dans le choix des sous-entrepreneurs, des experts ou des méthodes de construction.

1991, c. 64, a. 2119 (1994-01-01).

_____

(**D.T.** 114; **C.C.Q.** 9, 1570, 2104, 2118, 2121, 2124; **C.P.C.** 110)

Art. 2119. The architect or the engineer may be relieved from liability only by proving that the defects in the work or in the part of it completed do not result from any erroneous or faulty expert opinion or plan he may have submitted or from any failure to direct or supervise the work.

The contractor may be relieved from liability only by proving that the defects result from an erroneous or faulty expert opinion or plan of the architect or engineer selected by the client. The subcontractor may be relieved from liability only by proving that the defects result from decisions made by the contractor or from the expert opinions or plans furnished by the architect or engineer.

They may, in addition, be relieved from liability by proving that the defects result from decisions imposed by the client in selecting the land or materials, or the subcontractors, experts, or construction methods.

Art. 2120. L'entrepreneur, l'architecte et l'ingénieur pour les travaux qu'ils ont dirigés ou surveillés et, le cas échéant, le sous-entrepreneur pour les travaux qu'il a exécutés, sont tenus conjointement pendant un an de garantir l'ouvrage contre les malfaçons existantes au moment de la réception, ou découvertes dans l'année qui suit la réception.

1991, c. 64, a. 2120 (1994-01-01); 2002, c. 19, a. 15 (2002-06-13).

_____

(**D.T.** 114; **C.C.Q.** 1518, 1590 ss., 2110, 2111, 2113, 2118, 2121, 2124, 2925)

Art. 2120. The contractor, the architect and the engineer, in respect of work they directed or supervised, and, where applicable, the subcontractor, in respect of work he performed, are jointly liable to warrant the work for one year against poor workmanship existing at the time of acceptance or discovered within one year after acceptance.

Art. 2121. L'architecte et l'ingénieur qui ne dirigent pas ou ne surveillent pas les travaux, ne sont responsables que de la perte qui résulte d'un défaut ou d'une erreur dans les plans ou les expertises qu'ils ont fournis.

1991, c. 64, a. 2121 (1994-01-01).

_____

C.C.B.C. 1689 (**D.T.** 114; **C.C.Q.** 1525, 2110, 2118, 2120)

Art. 2121. An architect or an engineer who does not direct or supervise work is liable only for the loss occasioned by a defect or error in the plans or in the expert opinions furnished by him.

Art. 2122. Pendant la durée des travaux, l'entrepreneur peut, si la convention le prévoit, exiger des acomptes sur le prix du contrat pour la valeur des travaux exécutés et des matériaux nécessaires à la réalisation de l'ouvrage; il est tenu, préalablement, de fournir au client un état des sommes payées aux sous-entrepreneurs, à ceux qui ont fourni ces matériaux et aux autres personnes qui ont participé à

Art. 2122. During the performance of the work, the contractor may, if so provided in the agreement, require partial payments on the price of the contract for the value of the work performed and of the materials needed to produce the work; before doing so, he is bound to furnish the client with a statement of the amounts paid to the subcontractors, to the persons having supplied the materials and to any other

ces travaux, et des sommes qu'il leur doit encore pour terminer les travaux.

1991, c. 64, a. 2122 (1994-01-01).

person having participated in the work, and of the amounts he still owes them for the completion of the work.

C.C.B.C. 2013d (**C.C.Q.** 2123)

Art. 2123. Au moment du paiement, le client peut retenir, sur le prix du contrat, une somme suffisante pour acquitter les créances des ouvriers, de même que celles des autres personnes qui peuvent faire valoir une hypothèque légale sur l'ouvrage immobilier et qui lui ont dénoncé leur contrat avec l'entrepreneur, pour les travaux faits ou les matériaux ou services fournis après cette dénonciation.

Cette retenue est valable tant que l'entrepreneur n'a pas remis au client une quittance de ces créances.

Il ne peut exercer ce droit si l'entrepreneur lui fournit une sûreté suffisante garantissant ces créances.

1991, c. 64, a. 2123 (1994-01-01).

Art. 2123. At the time of payment, the client may deduct from the price of the contract an amount sufficient to pay the claims of the workman, and those of other persons who may exercise a legal hypothec on the immovable work and who have given him notice of their contract with the contractor in respect of the work performed or the materials or services supplied after such notice was given.

The deduction is valid until such time as the contractor gives the client an acquittance of such claims.

The client may not exercise the right set out in the first paragraph if the contractor furnishes him with sufficient security to guarantee the claims.

C.C.B.C. 2013d-2013f (**C.C.Q.** 2111, 2724, 2726-2728, 2952, 3061; **C.P.C.** 168 al. 1(5), 216 ss., 414 ss.)

Art. 2124. Pour l'application des dispositions du présent chapitre, le promoteur immobilier qui vend, même après son achèvement, un ouvrage qu'il a construit ou a fait construire est assimilé à l'entrepreneur.

1991, c. 64, a. 2124 (1994-01-01); 1992, c. 57, a. 716 (1994-01-01).

Art. 2124. For the purposes of this chapter, the promoter of an immovable who sells the work which he has built or caused to be built, even after its completion, is deemed to be a contractor.

(**D.T.** 114; **C.C.Q.** 1785-1794, 2098, 2117-2123; **C.P.C.** 110)

SECTION III

DE LA RÉSILIATION DU CONTRAT

SECTION III

RESILIATION OF THE CONTRACT

Art. 2125. Le client peut, unilatéralement, résilier le contrat, quoique la réalisation de l'ouvrage ou la prestation du service ait déjà été entreprise.

1991, c. 64, a. 2125 (1994-01-01).

Art. 2125. The client may unilaterally resiliate the contract even though the work or provision of service is already in progress.

C.C.B.C. 1691 (**C.C.Q.** 1439, 1590, 1604 ss., 1607 ss., 1611 ss., 2126, 2128, 2129)

Art. 2126. L'entrepreneur ou le prestataire de services ne peut résilier unilatéralement le contrat que pour un motif sérieux et, même alors, il ne peut le faire à contretemps; autrement, il est tenu de réparer le préjudice causé au client par cette résiliation.

Art. 2126. The contractor or the provider of services may not resiliate the contract unilaterally except for a serious reason, and never at an inopportune moment; otherwise, he is liable for any injury caused to the client as a result of the resiliation.

Il est tenu, lorsqu'il résilie le contrat, de faire tout ce qui est immédiatement nécessaire pour prévenir une perte.

1991, c. 64, a. 2126 (1994-01-01).

(**C.C.Q.** 1591 ss., 2125, 2129)

Art. 2127. Le décès du client ne met fin au contrat que si cela rend impossible ou inutile l'exécution du contrat.

1991, c. 64, a. 2127 (1994-01-01).

C.C.B.C. 1694 (**C.C.Q.** 1671, 2126, 2128)

Art. 2128. Le décès ou l'inaptitude de l'entrepreneur ou du prestataire de services ne met pas fin au contrat, à moins qu'il n'ait été conclu en considération de ses qualités personnelles ou qu'il ne puisse être continué de manière adéquate par celui qui lui succède dans ses activités, auquel cas le client peut résilier le contrat.

1991, c. 64, a. 2128 (1994-01-01).

C.C.B.C. 1692 (**C.C.Q.** 1671, 2101, 2125, 2127)

Art. 2129. Le client est tenu, lors de la résiliation du contrat, de payer à l'entrepreneur ou au prestataire de services, en proportion du prix convenu, les frais et dépenses actuelles, la valeur des travaux exécutés avant la fin du contrat ou avant la notification de la résiliation, ainsi que, le cas échéant, la valeur des biens fournis, lorsque ceux-ci peuvent lui être remis et qu'il peut les utiliser.

L'entrepreneur ou le prestataire de services est tenu, pour sa part, de restituer les avances qu'il a reçues en excédent de ce qu'il a gagné.

Dans l'un et l'autre cas, chacune des parties est aussi tenue de tout autre préjudice que l'autre partie a pu subir.

1991, c. 64, a. 2129 (1994-01-01).

C.C.B.C. 1691, 1693 (**C.C.Q.** 1607 ss., 1611 ss., 2125-2128)

Where the contractor or the provider of services resiliates the contract, he is bound to do all that is immediately necessary to prevent any loss.

Art. 2127. The death of the client does not terminate the contract unless its performance thereby becomes impossible or useless.

Art. 2128. The contract is not terminated by the death or incapacity of the contractor or the provider of services unless it has been entered into specifically in view of his personal qualifications or cannot be adequately continued by his successor in his professional activities, in which case the client may resiliate it.

Art. 2129. Upon resiliation of the contract, the client is bound to pay to the contractor or the provider of services, in proportion to the agreed price, the actual costs and expenses, the value of the work performed before the end of the contract or before the notice of resiliation and, as the case may be, the value of the property furnished, where it can be returned to him and used by him.

For his part, the contractor or the provider of services is bound to repay any advances he has received in excess of what he has earned.

In either case, each party is liable for any other injury that the other party may have suffered.

CHAPITRE NEUVIÈME
DU MANDAT

SECTION I
DE LA NATURE ET DE L'ÉTENDUE DU MANDAT

Art. 2130. Le mandat est le contrat par lequel une personne, le mandant, donne le pouvoir de la représenter dans l'accomplissement d'un acte juridique avec un tiers, à une autre personne, le mandataire qui, par le fait de son acceptation, s'oblige à l'exercer.

Ce pouvoir et, le cas échéant, l'écrit qui le constate, s'appellent aussi procuration.

1991, c. 64, a. 2130 (1994-01-01).

CHAPTER IX
MANDATE

SECTION I
NATURE AND SCOPE OF MANDATE

Art. 2130. Mandate is a contract by which a person, the mandator, empowers another person, the mandatary, to represent him in the performance of a juridical act with a third person, and the mandatary, by his acceptance, binds himself to exercise the power.

The power and, where applicable, the writing evidencing it are called the power of attorney.

C.C.B.C. 1701 al. 1 (**C.C.Q.** 4, 9, 155, 397, 398, 1299, 1373, 1385, 1398, 1409-1411; **C.P.C.** 59, 61, 1003)

Art. 2131. Le mandat peut aussi avoir pour objet les actes destinés à assurer, en prévision de l'inaptitude du mandant à prendre soin de lui-même ou à administrer ses biens, la protection de sa personne, l'administration, en tout ou en partie, de son patrimoine et, en général, son bien-être moral et matériel.

1991, c. 64, a. 2131 (1994-01-01); 2002, c. 19, a. 15 (2002-06-13).

Art. 2131. The object of the mandate may also be the performance of acts intended to ensure the personal protection of the mandator, the administration, in whole or in part, of his patrimony as well as his moral and material well-being, should he become incapable of taking care of himself or administering his property.

C.C.B.C. 1701.1 (**C.C.Q.** 4, 11 ss., 2166 ss.; **C.P.C.** 884.1 ss.)

Art. 2132. L'acceptation du mandat est expresse ou tacite; elle est tacite lorsqu'elle s'induit des actes et même du silence du mandataire.

1991, c. 64, a. 2132 (1994-01-01).

Art. 2132. Acceptance of a mandate may be express or tacit. Tacit acceptance may be inferred from the acts and even from the silence of the mandatary.

C.C.B.C. 1701 al. 2 (**C.C.Q.** 1385, 1386)

Art. 2133. Le mandat est à titre gratuit ou à titre onéreux. Le mandat conclu entre deux personnes physiques est présumé à titre gratuit, mais le mandat professionnel est présumé à titre onéreux.

1991, c. 64, a. 2133 (1994-01-01).

Art. 2133. Mandate is either by gratuitous title or by onerous title. A mandate entered into between two natural persons is presumed to be by gratuitous title but a professional mandate is presumed to be given by onerous title.

C.C.B.C. 1702 (**C.C.Q.** 1359, 1367, 1426, 2148, 2150, 2155, 2178)

Art. 2134. La rémunération, s'il y a lieu, est déterminée par le contrat, les usages ou la loi, ou encore d'après la valeur des services rendus.

1991, c. 64, a. 2134 (1994-01-01).

Art. 2134. Remuneration, if any, is determined by the contract, usage or law or on the basis of the value of the services rendered.

(**C.C.Q.** 1300, 2150)

Art. 2135. Le mandat peut être soit spécial pour une affaire particulière, soit général pour toutes les affaires du mandant.

Le mandat conçu en termes généraux ne confère que le pouvoir de passer des actes de simple administration. Il doit être exprès lorsqu'il confère le pouvoir de passer des actes autres que ceux-là, à moins que, s'agissant d'un mandat donné en prévision d'une inaptitude, il ne confie la pleine administration.

1991, c. 64, a. 2135 (1994-01-01).

C.C.B.C. 1703 (**C.C.Q.** 1301, 1306, 1431, 2136, 2168)

Art. 2136. Les pouvoirs du mandataire s'étendent non seulement à ce qui est exprimé dans le mandat, mais encore à tout ce qui peut s'en déduire. Le mandataire peut faire tous les actes qui découlent de ces pouvoirs et qui sont nécessaires à l'exécution du mandat.

1991, c. 64, a. 2136 (1994-01-01).

C.C.B.C. 1704 (**C.C.Q.** 1305, 1431, 1434, 2135, 2137, 2157, 2158, 2160; **C.P.C.** 59)

Art. 2137. Les pouvoirs que l'on donne à des personnes de faire un acte qui n'est pas étranger à la profession ou aux fonctions qu'elles exercent, mais se déduisent de leur nature, n'ont pas besoin d'être mentionnés expressément.

1991, c. 64, a. 2137 (1994-01-01).

C.C.B.C. 1705 (**C.C.Q.** 2136; **C.P.C.** 59, 492)

Art. 2135. A mandate may be special, namely for a particular business, or general, namely for all the business of the mandator.

A mandate expressed in general terms confers the power to perform acts of simple administration only. The power to perform other acts is conferred only by express mandate, except where, in the case of a mandate given in anticipation of the mandator's incapacity, that mandate confers full administration.

Art. 2136. The powers of a mandatary extend not only to what is expressed in the mandate, but also to anything that may be inferred therefrom. The mandatary may carry out all acts which are incidental to such powers and which are necessary for the performance of the mandate.

Art. 2137. Powers granted to persons to perform an act which is an ordinary part of their profession or calling or which may be inferred from the nature of such profession or calling, need not be mentioned expressly.

SECTION II
DES OBLIGATIONS DES PARTIES ENTRE ELLES

§ 1. — *Des obligations du mandataire envers le mandant*

Art. 2138. Le mandataire est tenu d'accomplir le mandat qu'il a accepté et il doit, dans l'exécution de son mandat, agir avec prudence et diligence.

Il doit également agir avec honnêteté et loyauté dans le meilleur intérêt du mandant et éviter de se placer dans une situation de conflit entre son intérêt personnel et celui de son mandant.

1991, c. 64, a. 2138 (1994-01-01).

SECTION II
OBLIGATIONS BETWEEN PARTIES

§ 1. — *Obligations of the mandatary towards the mandator*

Art. 2138. A mandatary is bound to fulfill the mandate he has accepted, and he shall act with prudence and diligence in performing it.

He shall also act honestly and faithfully in the best interests of the mandator, and avoid placing himself in a position that puts his own interest in conflict with that of his mandator.

C.C.B.C. 1710 al. 1 (**C.C.Q.** 1309, 1310, 1312, 1457, 1458, 1484, 1709, 2139, 2147; **C.P.C.** 478)

Art. 2139. Au cours du mandat, le mandataire est tenu, à la demande du mandant ou lorsque les circonstances le justifient, de l'informer de l'état d'exécution du mandat.

Art. 2139. During the mandate, the mandatary is bound to inform the mandator, at his request or where circumstances warrant it, of the stage reached in the performance of the mandate.

Il doit, sans délai, faire savoir au mandant qu'il a accompli son mandat.

1991, c. 64, a. 2139 (1994-01-01).

_____

(**C.C.Q.** 1400, 1434, 2117, 2138)

Art. 2140. Le mandataire est tenu d'accomplir personnellement le mandat, à moins que le mandant ne l'ait autorisé à se substituer une autre personne pour exécuter tout ou partie du mandat.

Il doit cependant, si l'intérêt du mandant l'exige, se substituer un tiers, lorsque des circonstances imprévues l'empêchent d'accomplir le mandat et qu'il ne peut en aviser le mandant en temps utile.

1991, c. 64, a. 2140 (1994-01-01).

_____

(**C.C.Q.** 1337, 2141, 2161)

Art. 2141. Le mandataire répond, comme s'il les avait personnellement accomplis, des actes de la personne qu'il s'est substituée, lorsqu'il n'était pas autorisé à le faire; s'il était autorisé à se substituer quelqu'un, il ne répond que du soin avec lequel il a choisi son substitut et lui a donné ses instructions.

Dans tous les cas, le mandant a une action directe contre la personne que le mandataire s'est substituée.

1991, c. 64, a. 2141 (1994-01-01).

_____

C.C.B.C. 1711 (**C.C.Q.** 1333, 1458, 2140, 2142, 2148, 2149, 2160, 2161; **C.P.C.** 110)

Art. 2142. Le mandataire peut, dans l'exécution du mandat, se faire assister par une autre personne et lui déléguer des pouvoirs à cette fin, à moins que le mandant ou l'usage ne l'interdise.

Il demeure tenu, à l'égard du mandant, des actes accomplis par la personne qui l'a assisté.

1991, c. 64, a. 2142 (1994-01-01).

_____

(**C.C.Q.** 2141)

Art. 2143. Un mandataire qui accepte de représenter, pour un même acte, des parties dont les intérêts sont en conflit ou susceptibles de l'être, doit en informer chacun des mandants, à moins que l'usage ou leur connaissance respective du double mandat ne l'en dispense, et il doit agir envers chacun d'eux avec impartialité.

The mandatary shall inform the mandator without delay that he has fulfilled his mandate.

Art. 2140. The mandatary is bound to fulfill the mandate in person unless he is authorized by the mandator to appoint another person to perform all or part of it in his place.

If the interests of the mandator so require, however, the mandatary shall appoint a third person to replace him where unforeseen circumstances prevent him from fulfilling the mandate and he is unable to inform the mandator thereof in due time.

Art. 2141. The mandatary is accountable for the acts of the person he has appointed without authorization as his substitute as if he had performed them in person; where he was authorized to make such an appointment, he is accountable only for the care with which he selected his substitute and gave him instructions.

In any case, the mandator has a direct action against the person appointed by the mandatary as his substitute.

Art. 2142. In the performance of the mandate, the mandatary, unless prohibited by the mandator or usage, may require the assistance of another person and delegate powers to him for that purpose.

The mandatary remains liable towards the mandator for the acts of the person assisting him.

Art. 2143. A mandatary who agrees to represent, in the same act, persons whose interests conflict or could conflict shall so inform each of the mandators, unless he is exempted by usage or the fact that each of the mandators is aware of the double mandate; he shall act impartially towards each of them.

Le mandant qui n'était pas en mesure de connaître le double mandat peut, s'il en subit un préjudice, demander la nullité de l'acte du mandataire.

1991, c. 64, a. 2143 (1994-01-01).

(**C.P.C.** 110)

Art. 2144. Lorsque plusieurs mandataires sont nommés ensemble pour la même affaire, le mandat n'a d'effet que s'il est accepté par tous.

Ils doivent agir de concert quant à tous les actes visés par le mandat, à moins d'une stipulation contraire ou que cela ne découle implicitement du mandat. Ils sont tenus solidairement à l'exécution de leurs obligations.

1991, c. 64, a. 2144 (1994-01-01).

C.C.B.C. 1712 (**C.C.Q.** 787, 1332, 1337, 1525, 2145, 2156)

Art. 2145. Le mandataire qui exerce seul des pouvoirs qu'il est chargé d'exercer avec un autre excède ses pouvoirs, à moins qu'il ne les ait exercés d'une manière plus avantageuse pour le mandant que celle qui était convenue.

1991, c. 64, a. 2145 (1994-01-01).

C.C.B.C. 1718, 1719 (**C.C.Q.** 1321, 2144)

Art. 2146. Le mandataire ne peut utiliser à son profit l'information qu'il obtient ou le bien qu'il est chargé de recevoir ou d'administrer dans l'exécution de son mandat, à moins que le mandant n'y ait consenti ou que l'utilisation ne résulte de la loi ou du mandat.

Outre la compensation à laquelle il peut être tenu pour le préjudice subi, le mandataire doit, s'il utilise le bien ou l'information sans y être autorisé, indemniser le mandant en payant, s'il s'agit d'une information, une somme équivalant à l'enrichissement qu'il obtient ou, s'il s'agit d'un bien, un loyer approprié ou l'intérêt sur les sommes utilisées.

1991, c. 64, a. 2146 (1994-01-01).

C.C.B.C. 1714 (**C.C.Q.** 1314, 1366, 1434, 1594, 1600, 1617, 2148, 2184)

Art. 2147. Le mandataire ne peut se porter partie, même par personne interposée, à un acte qu'il a accepté de conclure pour son mandant, à moins que celui-ci ne l'autorise, ou ne connaisse sa qualité de cocontractant.

Seul le mandant peut se prévaloir de la nullité résultant de la violation de cette règle.

1991, c. 64, a. 2147 (1994-01-01).

C.C.B.C. 1484, 1706 (**C.C.Q.** 1310 ss., 1709, 2138; **C.P.C.** 110, 610, 686, 688)

Where a mandator was not in a position to know of the double mandate, he may have the act of the mandatary declared null if he suffers injury as a result.

Art. 2144. Where several mandataries are appointed in respect of the same business, the mandate has effect only if it is accepted by all of them.

The mandataries shall act jointly for all acts contemplated in the mandate, unless otherwise stipulated or implied by the mandate. They are solidarily liable for the performance of their obligations.

Art. 2145. A mandatary who exercises alone powers that his mandate requires him to exercise with another person exceeds his powers, unless he exercises them more advantageously for the mandator than agreed.

Art. 2146. The mandatary may not use for his benefit any information he obtains or any property he is charged with receiving or administering in carrying out his mandate, unless the mandator consents to such use or such use arises from the law or the mandate.

If the mandatary uses the property or information without authorization, he shall, in addition to the compensation for which he may be liable for injury suffered, compensate the mandator by paying, in the case of information, an amount equal to the enrichment he obtains or, in the case of property, an appropriate rent or the interest on the sums used.

Art. 2147. The mandatary may not, even through an intermediary, become a party to an act which he has agreed to perform for his mandator, unless the mandator authorizes it or is aware of his quality as a contracting party.

Only the mandator may avail himself of the nullity resulting from the violation of this rule.

Art. 2148. Si le mandat est gratuit, le tribunal peut, lorsqu'il apprécie l'étendue de la responsabilité du mandataire, réduire le montant des dommages-intérêts dont il est tenu.

1991, c. 64, a. 2148 (1994-01-01).

C.C.B.C. 1710 al. 2 (**C.C.Q.** 1318, 2133, 2147; **C.P.C.** 478)

§ 2. — Des obligations du mandant envers le mandataire

Art. 2149. Le mandant est tenu de coopérer avec le mandataire de manière à favoriser l'accomplissement du mandat.

1991, c. 64, a. 2149 (1994-01-01).

Art. 2150. Le mandant, s'il en est requis, avance au mandataire les sommes nécessaires à l'exécution du mandat. Il rembourse au mandataire les frais raisonnables que celui-ci a engagés et lui verse la rémunération à laquelle il a droit.

1991, c. 64, a. 2150 (1994-01-01).

C.C.B.C. 1722, 1723 (**C.C.Q.** 1300, 1486, 2133, 2134, 2151, 2205)

Art. 2151. Le mandant doit l'intérêt sur les frais engagés par le mandataire dans l'exécution de son mandat, à compter du jour où ils ont été déboursés.

1991, c. 64, a. 2151 (1994-01-01).

C.C.B.C. 1724 (**C.C.Q.** 1565, 2150, 2330)

Art. 2152. Le mandant est tenu de décharger le mandataire des obligations que celui-ci a contractées envers les tiers dans les limites du mandat.

Il n'est pas tenu envers le mandataire pour l'acte qui excède les limites du mandat; mais ses obligations sont entières s'il ratifie cet acte ou si le mandataire, au moment où il agit, ignorait la fin du mandat.

1991, c. 64, a. 2152 (1994-01-01).

C.C.B.C. 1720, 1760 (**C.C.Q.** 1319, 1320, 1355, 1356, 1362, 1482 ss., 2153, 2157, 2158, 2175)

Art. 2153. Le mandant est présumé avoir ratifié l'acte qui excède les limites du mandat, lorsque cet acte a été accompli d'une manière qui lui est plus avantageuse que celle même qu'il avait indiquée.

1991, c. 64, a. 2153 (1994-01-01).

C.C.B.C. 1718 (**C.C.Q.** 2136, 2152)

Art. 2148. Where the mandate is by gratuitous title, the court may, after assessing the extent of the mandatary's liability, reduce the amount of damages for which he is liable.

§ 2. — Obligations of the mandator towards the mandatary

Art. 2149. The mandator is bound to cooperate with the mandatary to facilitate the fulfilment of the mandate.

Art. 2150. Where required, the mandator advances to the mandatary the necessary sums for the performance of the mandate. He reimburses the mandatary for any reasonable expenses he has incurred and pays him the remuneration to which he is entitled.

Art. 2151. The mandator owes interest on expenses incurred by the mandatary in the performance of his mandate from the day they are disbursed.

Art. 2152. The mandator is bound to discharge the mandatary from the obligations he has contracted towards third persons within the limits of the mandate.

The mandator is not liable to the mandatary for any act which exceeds the limits of the mandate. He is fully liable, however, if he ratifies such act or if the mandatary, at the time he acted, was unaware that the mandate had terminated.

Art. 2153. The mandator is presumed to have ratified an act which exceeds the limits of the mandate where the act has been performed more advantageously for him than he had indicated.

Art. 2154. Le mandant est tenu d'indemniser le mandataire qui n'a commis aucune faute, du préjudice que ce dernier a subi en raison de l'exécution du mandat.

1991, c. 64, a. 2154 (1994-01-01).

C.C.B.C. 1725 (**C.C.Q.** 1486, 2138, 2155)

Art. 2155. Si aucune faute n'est imputable au mandataire, les sommes qui lui sont dues le sont lors même que l'affaire n'aurait pas réussi.

1991, c. 64, a. 2155 (1994-01-01).

C.C.B.C. 1722 al. 2 (**C.C.Q.** 1486, 2154)

Art. 2156. Si le mandat a été donné par plusieurs personnes, leur obligation à l'égard du mandataire est solidaire.

1991, c. 64, a. 2156 (1994-01-01).

C.C.B.C. 1726 (**C.C.Q.** 1334, 1370, 1525)

SECTION III

DES OBLIGATIONS DES PARTIES ENVERS LES TIERS

§ 1. — *Des obligations du mandataire envers les tiers*

Art. 2157. Le mandataire qui, dans les limites de son mandat, s'oblige au nom et pour le compte du mandant, n'est pas personnellement tenu envers le tiers avec qui il contracte.

Il est tenu envers lui lorsqu'il agit en son propre nom, sous réserve des droits du tiers contre le mandant, le cas échéant.

1991, c. 64, a. 2157 (1994-01-01).

C.C.B.C. 1715, 1716 (**C.C.Q.** 1319, 1489, 2136, 2152)

Art. 2158. Le mandataire qui outrepasse ses pouvoirs est personnellement tenu envers le tiers avec qui il contracte, à moins que le tiers n'ait eu une connaissance suffisante du mandat, ou que le mandant n'ait ratifié les actes que le mandataire a accomplis.

1991, c. 64, a. 2158 (1994-01-01).

C.C.B.C. 1717, 1718 (**C.C.Q.** 1320, 2152, 2160)

Art. 2159. Le mandataire s'engage personnellement, s'il convient avec le tiers que, dans un délai fixé, il révélera l'identité de son mandant et qu'il omet de le faire.

Art. 2154. Where the mandatary is not at fault, the mandator is bound to compensate him for any injury he has suffered by reason of the performance of the mandate.

Art. 2155. If no fault is imputable to the mandatary, the sums owed to him are payable even though the business has not been successfully concluded.

Art. 2156. If a mandate is given by several persons, their obligations towards the mandatary are solidary.

SECTION III

OBLIGATIONS OF PARTIES TOWARDS THIRD PERSONS

§ 1. — *Obligations of the mandatary towards third persons*

Art. 2157. Where a mandatary binds himself, within the limits of his mandate, in the name and on behalf of the mandator, he is not personally liable to the third person with whom he contracts.

The mandatary is liable to the third person if he acts in his own name, subject to any rights the third person may have against the mandator.

Art. 2158. Where a mandatary exceeds his powers, he is personally liable to the third person with whom he contracts, unless the third person was sufficiently aware of the mandate, or unless the mandator has ratified the acts performed by the mandatary.

Art. 2159. Where the mandatary agrees with a third person to disclose the identity of his mandator within a fixed period and fails to do so, he is personally liable.

Il s'engage aussi personnellement s'il est tenu de taire le nom du mandant ou s'il sait que celui qu'il déclare est insolvable, mineur ou placé sous un régime de protection et qu'il omet de le mentionner.

1991, c. 64, a. 2159 (1994-01-01).

(**C.C.Q.** 2165)

§ 2. — *Des obligations du mandant envers les tiers*

Art. 2160. Le mandant est tenu envers le tiers pour les actes accomplis par le mandataire dans l'exécution et les limites du mandat, sauf si, par la convention ou les usages, le mandataire est seul tenu.

Il est aussi tenu des actes qui excédaient les limites du mandat et qu'il a ratifiés.

1991, c. 64, a. 2160 (1994-01-01).

C.C.B.C. 1727 (**C.C.Q.** 1320, 1486, 2136, 2158)

Art. 2161. Le mandant peut, s'il en subit un préjudice, répudier les actes de la personne que le mandataire s'est substituée lorsque cette substitution s'est faite sans l'autorisation du mandant ou sans que son intérêt ou les circonstances justifient la substitution.

1991, c. 64, a. 2161 (1994-01-01).

C.C.B.C. 1711 al. 1 (**C.C.Q.** 1338, 1458, 2140, 2141)

Art. 2162. Le mandant ou, à son décès, ses héritiers, sont tenus envers le tiers des actes accomplis par le mandataire dans l'exécution et les limites du mandat après la fin de celui-ci, lorsque ces actes étaient la suite nécessaire de ceux déjà accomplis ou qu'ils ne pouvaient être différés sans risque de perte, ou encore lorsque la fin du mandat est restée inconnue du tiers.

1991, c. 64, a. 2162 (1994-01-01).

C.C.B.C. 1728, 1729 (**C.C.Q.** 1251, 1355, 1356, 1361, 1362, 2152, 2175, 2182, 2183)

Art. 2163. Celui qui a laissé croire qu'une personne était son mandataire est tenu, comme s'il y avait eu mandat, envers le tiers qui a contracté de bonne foi avec celle-ci, à moins qu'il n'ait pris des mesures appropriées pour prévenir l'erreur dans des circonstances qui la rendaient prévisible.

1991, c. 64, a. 2163 (1994-01-01).

C.C.B.C. 1730 (**C.C.Q.** 1323)

The mandatary is also personally liable if he is bound to conceal the name of the mandator or if he knows that the person whose identity he discloses is insolvent, is a minor or is under protective supervision and he fails to mention this fact.

§ 2. — *Obligations of the mandator towards third persons*

Art. 2160. A mandator is liable to third persons for the acts performed by the mandatary in the performance and within the limits of his mandate unless, under the agreement or by virtue of usage, the mandatary alone is liable.

The mandator is also liable for any acts which exceed the limits of the mandate, if he has ratified them.

Art. 2161. The mandator may repudiate the acts of the person appointed by the mandatary as his substitute if he suffers any injury thereby, where the appointment was made without his authorization or where his interest or the circumstances did not warrant the appointment.

Art. 2162. The mandator or, upon his death, his heirs are liable to third persons for acts done by the mandatary in the performance and within the limits of the mandate after the termination of the mandate, where the acts were the necessary consequence of those already performed or could not be deferred without risk of loss, or where the third person was unaware of the termination of the mandate.

Art. 2163. A person who has allowed it to be believed that a person was his mandatary is liable, as if he were his mandatary, to the third person who has contracted in good faith with the latter, unless, in circumstances in which the error was foreseeable, he has taken appropriate measures to prevent it.

Art. 2164. Le mandant répond du préjudice causé par la faute du mandataire dans l'exécution de son mandat, à moins qu'il ne prouve, lorsque le mandataire n'était pas son préposé, qu'il n'aurait pas pu empêcher le dommage.

1991, c. 64, a. 2164 (1994-01-01).

C.C.B.C. 1731 (**C.C.Q.** 1457, 1463)

Art. 2165. Le mandant peut, après avoir révélé au tiers le mandat qu'il avait consenti, poursuivre directement le tiers pour l'exécution des obligations contractées par ce dernier à l'égard du mandataire qui avait agi en son propre nom; toutefois, le tiers peut lui opposer l'incompatibilité du mandat avec les stipulations ou la nature de son contrat et les moyens respectivement opposables au mandant et au mandataire.

Si une action est déjà intentée par le mandataire contre le tiers, le droit du mandant ne peut alors s'exercer que par son intervention dans l'instance.

1991, c. 64, a. 2165 (1994-01-01).

(**C.P.C.** 110)

SECTION IV
DES RÈGLES PARTICULIÈRES AU MANDAT DONNÉ EN PRÉVISION DE L'INAPTITUDE DU MANDANT

Art. 2166. Le mandat donné par une personne majeure en prévision de son inaptitude à prendre soin d'elle-même ou à administrer ses biens est fait par acte notarié en minute ou devant témoins.

Son exécution est subordonnée à la survenance de l'inaptitude et à l'homologation par le tribunal, sur demande du mandataire désigné dans l'acte.

1991, c. 64, a. 2166 (1994-01-01).

C.C.B.C. 1731.1, 1731.3 (**C.C.Q.** 11 ss., 26 ss., 256 ss., 1461, 1462, 2131, 2132, 2135, 2144, 2167, 2172-2175, 2177, 2183, 2189; **C.P.C.** 56, 394.1 ss., 547 al. 1 e), 862, 884.1 ss., 885a))

Art. 2167. Le mandat devant témoins est rédigé par le mandant ou par un tiers.

Le mandant, en présence de deux témoins qui n'ont pas d'intérêt à l'acte et qui sont en mesure de constater son aptitude à agir, déclare la nature de l'acte mais sans être tenu d'en divulguer le contenu. Il signe cet acte à la fin ou, s'il l'a déjà signé, il reconnaît sa signature; il peut aussi le faire signer par

Art. 2164. A mandator is liable for any injury caused by the fault of the mandatary in the performance of his mandate unless he proves, where the mandatary was not his servant, that he could not have prevented the injury.

Art. 2165. A mandator, after disclosing to a third person the mandate he had given, may take action directly against the third person for the performance of the obligations he contracted towards the mandatary, who was acting in his own name. However, the third person may plead the inconsistency of the mandate with the stipulations or nature of his contract and the defenses which can be set up against the mandator and the mandatary, respectively.

If proceedings have already been instituted against the third person by the mandatary, the mandator may exercise his right only by intervening in the proceedings.

SECTION IV
SPECIAL RULES GOVERNING THE MANDATE GIVEN IN ANTICIPATION OF THE MANDATOR'S INCAPACITY

Art. 2166. A mandate given by a person of full age in anticipation of his incapacity to take care of himself or to administer his property is made by a notarial act *en minute* or in the presence of witnesses.

The performance of the mandate is subordinate to the occurrence of the incapacity and to homologation by the court, at the request of the mandatary designated in the act.

Art. 2167. A mandate given in the presence of witnesses is written by the mandator or by a third person.

The mandator, in the presence of two witnesses who have no interest in the act and who are in a position to ascertain whether he is capable of acting, declares the nature of the act but need not disclose its contents. The mandator signs the act at the end or, if he has already signed it, recognizes his signa-

un tiers pour lui, en sa présence et suivant ses instructions. Les témoins signent aussitôt le mandat en présence du mandant.

1991, c. 64, a. 2167 (1994-01-01).

C.C.B.C. 1731.2 (**C.C.Q.** 727, 1385, 1398)

Art. 2167.1 Le tribunal peut, au cours de l'instance d'homologation du mandat ou même avant si une demande d'homologation est imminente et qu'il y a lieu d'agir pour éviter au mandant un préjudice sérieux, rendre toute ordonnance qu'il estime nécessaire pour assurer la protection de la personne du mandant, sa représentation dans l'exercice de ses droits civils ou l'administration de ses biens.

L'acte par lequel le mandant a déjà chargé une autre personne de l'administration de ses biens continue de produire ses effets malgré l'instance, à moins que, pour un motif sérieux, cet acte ne soit révoqué par le tribunal.

2002, c. 19, a. 9 (2002-06-13).

Art. 2168. Lorsque la portée du mandat est douteuse, le mandataire l'interprète selon les règles relatives à la tutelle au majeur.

Si, alors, des avis, consentements ou autorisations sont requis en application des règles relatives à l'administration du bien d'autrui, le mandataire les obtient du curateur public ou du tribunal.

1991, c. 64, a. 2168 (1994-01-01).

C.C.B.C. 1731.4 (**C.C.Q.** 285 ss., 1299 ss., 2169; **C.P.C.** 885*a*))

Art. 2169. Lorsque le mandat ne permet pas d'assurer pleinement les soins de la personne ou l'administration de ses biens, un régime de protection peut être établi pour le compléter; le mandataire poursuit alors l'exécution de son mandat et fait rapport, sur demande et au moins une fois l'an, au tuteur ou au curateur et, à la fin du mandat, il leur rend compte.

Le mandataire n'est tenu de ces obligations qu'à l'égard du tuteur ou curateur à la personne. S'il assure lui-même la protection de la personne, le tuteur ou le curateur aux biens est tenu aux mêmes obligations envers le mandataire.

1991, c. 64, a. 2169 (1994-01-01).

C.C.B.C. 1731.5 (**C.C.Q.** 256, 261, 266, 281, 285, 2168, 2175; **C.P.C.** 877 ss.)

ture; he may also have a third person sign the writing for him in his presence and according to his instructions. The witnesses sign the mandate forthwith in the presence of the mandator.

Art. 2167.1 During homologation proceedings or even before if a request for homologation is imminent and it is necessary to act to prevent serious harm to the mandator, the court may issue any order it considers necessary to ensure the personal protection of the mandator, his representation in the exercise of civil rights or the administration of his property.

An act under which the mandator has entrusted the administration of his property to another person continues to produce its effects notwithstanding the proceedings, unless the act is revoked by the court for a serious reason.

Art. 2168. Where the scope of the mandate is in doubt, the mandatary interprets it according to the rules respecting tutorship to persons of full age.

If any notice, consent or authorization is then required pursuant to the rules respecting the administration of the property of others, the mandatary may obtain it from the Public Curator or from the court.

Art. 2169. Where the mandate is not such as to fully ensure the care of the person or the administration of his property, protective supervision may be instituted to complete it; the mandatary then proceeds to carry out the mandate and makes a report, on application and at least once each year, to the tutor or curator. At the end of the mandate, he renders an account to the tutor or curator.

The mandatary is bound by such obligations only with respect to the tutor or curator to the person. If the protection of the person is assumed by the mandatary himself, the tutor or curator to property is bound by the same obligations towards the mandatary.

Art. 2170. Les actes faits antérieurement à l'homologation du mandat peuvent être annulés ou les obligations qui en découlent réduites, sur la seule preuve que l'inaptitude était notoire ou connue du cocontractant à l'époque où les actes ont été passés.

1991, c. 64, a. 2170 (1994-01-01).

C.C.B.C. 1731.6 (**C.C.Q.** 284, 290, 3086; **C.P.C.** 110)

Art. 2171. Sauf stipulation contraire dans le mandat, le mandataire est autorisé à exécuter à son profit les obligations du mandant prévues aux articles 2150 à 2152 et 2154.

1991, c. 64, a. 2171 (1994-01-01).

C.C.B.C. 1731.7 (**C.C.Q.** 2150-2152, 2154, 2184)

Art. 2172. Le mandat cesse d'avoir effet lorsque le tribunal constate que le mandant est redevenu apte; ce dernier peut alors, s'il le considère approprié, révoquer son mandat.

1991, c. 64, a. 2172 (1994-01-01).

C.C.B.C. 1731.8 (**C.C.Q.** 2173, 2180)

Art. 2173. S'il constate que le mandant est redevenu apte, le directeur général de l'établissement de santé ou de services sociaux qui prodigue des soins ou procure des services au mandant doit attester cette aptitude dans un rapport qu'il dépose au greffe du tribunal. Ce rapport est constitué, entre autres, de l'évaluation médicale et psychosociale.

Le greffier avise de ce dépôt le mandataire, le mandant et les personnes habilitées à intervenir à une demande d'ouverture de régime de protection. À défaut d'opposition dans les trente jours, la constatation de l'aptitude du mandant par le tribunal est présumée et le greffier doit transmettre un avis de la cessation des effets du mandat, sans délai, au mandant, au mandataire et au curateur public.

1991, c. 64, a. 2173 (1994-01-01).

C.C.B.C. 1731.9 (**C.C.Q.** 269, 279, 280, 2172)

Art. 2174. Le mandataire ne peut, malgré toute stipulation contraire, renoncer à son mandat sans avoir au préalable pourvu à son remplacement si le mandat y pourvoit, ou sans avoir demandé l'ouverture d'un régime de protection à l'égard du mandant.

1991, c. 64, a. 2174 (1994-01-01).

C.C.B.C. 1731.11 (**C.C.Q.** 269, 2140, 2175; **C.P.C.** 877 ss.)

Art. 2170. Acts performed before the homologation of the mandate may be annulled or the resulting obligations may be reduced, on the mere proof that the mandator's incapacity was notorious or known to the other party at the time that the acts were entered into.

Art. 2171. Unless otherwise stipulated in the mandate, the mandatary is authorized to perform, to his benefit, the obligations of the mandator provided in articles 2150 to 2152 and 2154.

Art. 2172. The mandate ceases to have effect when the court ascertains that the mandator has again become capable; the mandator may then revoke his mandate if he considers it appropriate to do so.

Art. 2173. If the director general of the health and social services establishment which provides care or services to the mandator ascertains that the mandator has again become capable, he shall attest to such capacity in a report filed in the office of the court. Such a report includes the medical and psychosocial assessment.

The clerk informs the mandatary, the mandator and the persons qualified to intervene in an application for the institution of protective supervision that the report has been filed. If no objection is made within thirty days, the court is presumed to have found that the mandator has again become capable, and the clerk shall, without delay, transmit a notice of cessation of the effects of the mandate to the mandator, the mandatary and the Public Curator.

Art. 2174. The mandatary may not, notwithstanding any provision to the contrary, renounce his mandate unless he has previously provided for his replacement if the mandate provides therefor or has applied for the institution of protective supervision in respect of the mandator.

SECTION V
DE LA FIN DU MANDAT

Art. 2175. Outre les causes d'extinction communes aux obligations, le mandat prend fin par la révocation qu'en fait le mandant, par la renonciation du mandataire ou par l'extinction du pouvoir qui lui a été donné, ou encore par le décès de l'une ou l'autre des parties.

Il prend aussi fin par la faillite, sauf dans le cas où le mandat a été donné en prévision de l'inaptitude d'une personne, à titre gratuit; il peut également prendre fin, en certains cas, par l'ouverture d'un régime de protection à l'égard de l'une ou l'autre des parties.

1991, c. 64, a. 2175 (1994-01-01).

C.C.B.C. 1755 (**C.C.Q.** 285 ss., 1439, 1671, 2152, 2162, 2169, 2176-2178, 2182, 2183; **C.P.C.** 877 ss.)

Art. 2176. Le mandant peut révoquer le mandat et contraindre le mandataire à lui remettre la procuration, pour qu'il y fasse mention de la fin du mandat. Le mandataire a le droit d'exiger du mandant qu'il lui fournisse un double de la procuration portant cette mention.

Si la procuration est faite par acte notarié en minute, le mandant effectue la mention sur une copie et peut donner avis de la fin du mandat au dépositaire de la minute, lequel est tenu d'en faire mention sur celle-ci et sur toute copie qu'il en délivre.

1991, c. 64, a. 2176 (1994-01-01).

C.C.B.C. 1756 (**C.C.Q.** 1439, 2213, 2177, 2179-2181; **C.P.C.** 59, 252)

Art. 2177. Lorsque le mandant est inapte, toute personne intéressée, y compris le curateur public, peut, si le mandat n'est pas fidèlement exécuté ou pour un autre motif sérieux, demander au tribunal de révoquer le mandat, d'ordonner la reddition de compte du mandataire et d'ouvrir un régime de protection à l'égard du mandant.

1991, c. 64, a. 2177 (1994-01-01).

C.C.B.C. 1756.1 (**C.C.Q.** 2176; **C.P.C.** 884.5)

Art. 2178. Le mandataire peut renoncer au mandat qu'il a accepté, en notifiant sa renonciation au mandant. Il a alors droit, si le mandat était donné à titre onéreux, à la rémunération qu'il a gagnée jusqu'au jour de sa renonciation.

SECTION V
TERMINATION OF MANDATE

Art. 2175. In addition to the causes of extinction common to obligations, revocation of the mandate by the mandator, renunciation by the mandatary, the extinction of the power conferred on the mandatary or the death of one of the parties terminates the mandate.

The mandate is also terminated by bankruptcy, except where it was given by gratuitous title in anticipation of the mandator's incapacity; it may be terminated as well, in certain cases, by the institution of protective supervision in respect of one of the parties.

Art. 2176. The mandator may revoke the mandate and compel the mandatary to return to him the power of attorney in order to make a notation therein of the termination of the mandate. The mandatary has a right to require the mandator to furnish him with a duplicate of the power of attorney containing such notation.

Where the power of attorney is made by notarial act *en minute*, the mandator makes the notation on a copy and may give notice of termination of the mandate to the depositary of the document, who, on being notified, is bound to note it on the document and on every copy of it which he issues.

Art. 2177. Where the mandator is incapable, any interested person, including the Public Curator, may, if the mandate is not faithfully performed or for any other serious reason, apply to the court for the revocation of the mandate, the rendering of an account by the mandatary and the institution of protective supervision in respect of the mandator.

Art. 2178. A mandatary may renounce the mandate he has accepted by so notifying the mandator. He is thereupon entitled, if the mandate was given by onerous title, to the remuneration he has earned until the day of his renunciation.

Toutefois, il est tenu de réparer le préjudice causé au mandant par la renonciation faite sans motif sérieux et à contretemps.

The mandatary is liable for injury caused to the mandator by his renunciation, if he submits it without a serious reason and at an inopportune moment.

1991, c. 64, a. 2178 (1994-01-01).

C.C.B.C. 1759 (**C.C.Q.** 1355-1357, 1359, 1367, 1458, 1590, 1597, 1601, 1602, 1604, 1611 ss., 2138, 2175, 2179, 2182; **C.P.C.** 59, 249)

Art. 2179. Le mandant peut, pour une durée déterminée ou pour assurer l'exécution d'une obligation particulière, renoncer à son droit de révoquer unilatéralement le mandat.

Le mandataire peut, de la même façon, s'engager à ne pas exercer le droit qu'il a de renoncer.

La révocation unilatérale ou la renonciation faite, selon le cas, par le mandant ou le mandataire malgré son engagement met fin au mandat.

Art. 2179. The mandator may, for a determinate term or to ensure the performance of a special obligation, renounce his right to revoke the mandate unilaterally.

The mandatary may, in the same manner, undertake not to exercise his right of renunciation.

Unilateral revocation or renunciation by the mandator or the mandatary, as the case may be, despite his undertaking terminates the mandate.

1991, c. 64, a. 2179 (1994-01-01); 2002, c. 19, a. 10 (2002-06-13).

Art. 2180. La constitution par le mandant d'un nouveau mandataire, pour la même affaire, vaut révocation du premier mandataire, à compter du jour où elle lui a été notifiée.

Art. 2180. The appointment of a new mandatary by the mandator for the same business is equivalent to revocation of the first mandatary from the day the first mandatary was notified of the new appointment.

1991, c. 64, a. 2180 (1994-01-01).

C.C.B.C. 1757 (**C.C.Q.** 1355, 1356, 1360, 2175, 2176; **C.P.C.** 252)

Art. 2181. Le mandant qui révoque le mandat demeure tenu d'exécuter ses obligations envers le mandataire; il est aussi tenu de réparer le préjudice causé au mandataire par la révocation faite sans motif sérieux et à contretemps.

Si avis n'en a été donné qu'au mandataire, la révocation ne peut affecter le tiers qui, dans l'ignorance de cette révocation, traite avec lui, sauf le recours du mandant contre le mandataire.

Art. 2181. A mandator who revokes a mandate remains bound to perform his obligations towards the mandatary; he is also liable for any injury caused to the mandatary as a result of a revocation made without a serious reason and at an inopportune moment.

Where notice of the revocation has been given only to the mandatary, the revocation does not affect a third person who deals with him while unaware of the revocation, without prejudice, however, to the remedy of the mandator against the mandatary.

1991, c. 64, a. 2181 (1994-01-01).

C.C.B.C. 1758 (**C.C.Q.** 1362, 2162, 2178, 2233, 2262; **C.P.C.** 110, 252)

Art. 2182. Lorsque le mandat prend fin, le mandataire est tenu de faire ce qui est la suite nécessaire de ses actes ou ce qui ne peut être différé sans risque de perte.

Art. 2182. Upon termination of the mandate, the mandatary is bound to do everything which is a necessary consequence of his acts or which cannot be deferred without risk of loss.

1991, c. 64, a. 2182 (1994-01-01).

C.C.B.C. 1709 (**C.C.Q.** 1361, 1362, 1458, 1590, 1601, 1602, 1604, 2162, 2183)

Art. 2183. En cas de décès du mandataire ou en cas d'ouverture à son égard d'un régime de protection, le liquidateur, tuteur ou curateur qui connaît le mandat et qui n'est pas dans l'impossibilité d'agir est tenu d'en aviser le mandant et de faire, dans les affaires commencées, tout ce qui ne peut être différé sans risque de perte.

Si le mandat a été donné en prévision de l'inaptitude du mandant, le liquidateur du mandataire est tenu, dans les mêmes circonstances, d'aviser le curateur public du décès du mandataire.

1991, c. 64, a. 2183 (1994-01-01).

_____

C.C.B.C. 1761 (**C.C.Q.** 1355, 1356, 1361, 2175; **C.P.C.** 250)

Art. 2183. Upon the death of the mandatary or his being placed under protective supervision, the liquidator, tutor or curator, if aware of the mandate and able to act, is bound to notify the mandator of the death and, in respect of any business already begun, to do everything which cannot be deferred without risk of loss.

In the case of a mandate given in anticipation of the mandator's incapacity, the liquidator of the mandatary is bound, in the same circumstances, to give notice of the mandatary's death to the Public Curator.

Art. 2184. À la fin du mandat, le mandataire est tenu de rendre compte et de remettre au mandant tout ce qu'il a reçu dans l'exécution de ses fonctions, même si ce qu'il a reçu n'était pas dû au mandant.

Il doit l'intérêt des sommes qu'il a reçues et qui constituent le reliquat du compte, depuis la demeure.

1991, c. 64, a. 2184 (1994-01-01).

_____

C.C.B.C. 1713, 1714 (**C.C.Q.** 1351, 1363 ss., 2146, 2185; **C.P.C.** 414, 532 ss., 547 al. 1*f*))

Art. 2184. Upon termination of the mandate, the mandatary is bound to render an account and return to the mandator everything he has received in the performance of his duties, even if what he has received was not due to the mandator.

The mandatary owes interest, computed from the time he is in default, on any balance in the account consisting of sums he has received.

Art. 2185. Le mandataire a le droit de déduire, des sommes qu'il doit remettre, ce que le mandant lui doit en raison du mandat.

Il peut aussi retenir, jusqu'au paiement des sommes qui lui sont dues, ce qui lui a été confié par le mandant pour l'exécution du mandat.

1991, c. 64, a. 2185 (1994-01-01).

_____

C.C.B.C. 1713 (**C.C.Q.** 1369, 2184)

Art. 2185. A mandatary is entitled to deduct what the mandator owes him by reason of the mandate from the sums he is required to remit.

The mandatary may also retain what was entrusted to him by the mandator for the performance of the mandate until payment of the sums due to him.

CHAPITRE DIXIÈME
DU CONTRAT DE SOCIÉTÉ ET D'ASSOCIATION

CHAPTER X
CONTRACTS OF PARTNERSHIP AND OF ASSOCIATION

SECTION I
DISPOSITIONS GÉNÉRALES

SECTION I
GENERAL PROVISIONS

Art. 2186. Le contrat de société est celui par lequel les parties conviennent, dans un esprit de collaboration, d'exercer une activité, incluant celle d'exploiter une entreprise, d'y contribuer par la mise en commun de biens, de connaissances ou d'activités et de partager entre elles les bénéfices pécuniaires qui en résultent.

Le contrat d'association est celui par lequel les parties conviennent de poursuivre un but commun autre que la réalisation de bénéfices pécuniaires à partager entre les membres de l'association.

1991, c. 64, a. 2186 (1994-01-01).

Art. 2186. A contract of partnership is a contract by which the parties, in a spirit of cooperation, agree to carry on an activity, including the operation of an enterprise, to contribute thereto by combining property, knowledge or activities and to share any resulting pecuniary profits.

A contract of association is a contract by which the parties agree to pursue a common goal other than the making of pecuniary profits to be shared between the members of the association.

C.C.B.C. 1830 (**C.C.Q.** 328, 909, 1339(6°), 1339(10°), 1525, 1778, 2201, 2203, 2212, 2250, 2267; **C.P.C.** 60, 629, 1003; **Charte canadienne des droits et libertés**, a. 2(d))

Art. 2187. La société ou l'association est formée dès la conclusion du contrat, si une autre époque n'y est indiquée.

1991, c. 64, a. 2187 (1994-01-01).

Art. 2187. The partnership or association is created upon the formation of the contract if no other date is indicated in the contract.

C.C.B.C. 1832

Art. 2188. La société est en nom collectif, en commandite ou en participation.

Elle peut être aussi par actions; dans ce cas, elle est une personne morale.

1991, c. 64, a. 2188 (1994-01-01).

Art. 2188. Partnerships are either general partnerships, limited partnerships or undeclared partnerships.

Partnerships may also be joint-stock companies, in which case they are legal persons.

C.C.B.C. 1857-1864, 1870, 1889-1891 (**D.T.** 115-118; **C.C.Q.** 298 ss., 2198 ss., 2236, 2250 ss.; **C.P.C.** 409; **L.R.Q.**, c. C-38; **L.R.C.** (1985), ch. C-44)

Art. 2189. La société en nom collectif ou en commandite est formée sous un nom commun aux associés.

Elle est tenue de se déclarer, de la manière prescrite par les lois relatives à la publicité légale des sociétés; à défaut, elle est réputée être une société en participation, sous réserve des droits des tiers de bonne foi.

1991, c. 64, a. 2189 (1994-01-01).

Art. 2189. A general or limited partnership is formed under a name that is common to the partners.

It is bound to make declarations in the manner prescribed by the legislation concerning the legal publication of partnerships; failing that, it is deemed to be an undeclared partnership, subject to the rights of third persons in good faith.

C.C.B.C. 1834, 1837, 1865, 1871, 1877, 1878 (**D.T.** 115, 118; **C.C.Q.** 2195, 2197, 2219 ss., 2238, 2243, 2246, 2247; **L.R.Q.**, c. C-11, a. 63-69; **L.R.Q.**, c. D-1)

Art. 2190. La déclaration de société doit indiquer, outre les renseignements prescrits par les lois relatives à la publicité légale des sociétés, l'objet de la société et mentionner qu'aucune autre personne que celles qui y sont nommées ne fait partie de la société.

La déclaration d'une société en commandite doit, de plus, indiquer les nom et domicile des commandités et des commanditaires connus lors de la conclusion du contrat, en distinguant les premiers des seconds, et faire état du lieu où peut être consulté le registre dans lequel est inscrite l'information mise à jour concernant les nom et domicile de tous les commanditaires et tous les renseignements concernant les apports des associés au fonds commun.

1991, c. 64, a. 2190 (1994-01-01).

_____

C.C.B.C. 1877 (**D.T.** 115; **C.C.Q.** 348, 2239)

Art. 2191. Lorsque la déclaration de société est incomplète, inexacte ou irrégulière, elle peut être rectifiée par un acte de régularisation.

1991, c. 64, a. 2191 (1994-01-01).

_____

L.R.Q., c. C-38, a. 123.140 (**C.C.Q.** 2192, 2193)

Art. 2192. L'acte de régularisation qui porterait atteinte aux droits des associés ou des tiers est sans effet à leur égard, à moins qu'ils n'y aient consenti ou que le tribunal n'ait ordonné le dépôt de l'acte, après avoir entendu les intéressés et modifié, au besoin, l'acte proposé.

1991, c. 64, a. 2192 (1994-01-01).

_____

L.R.Q., c. C-38, a. 123.141 (**C.C.Q.** 350, 2191, 2193, 2198 ss., 2219 ss., 2236 ss., 2238, 2246)

Art. 2193. La régularisation est réputée faire partie de la déclaration et avoir pris effet au même moment, à moins qu'une date ultérieure ne soit prévue à l'acte de régularisation ou au jugement.

1991, c. 64, a. 2193 (1994-01-01).

_____

L.R.Q., c. C-38, a. 123.143 (**C.C.Q.** 2191, 2192)

Art. 2194. Tout changement apporté au contenu de la déclaration de société doit faire l'objet d'une déclaration modificative.

1991, c. 64, a. 2194 (1994-01-01).

_____

C.C.B.C. 1835 (*in fine*), 1879 al. 1

Art. 2190. In every declaration of partnership, the object of the partnership shall be set forth, together with the information prescribed by the legislation concerning legal publication of partnerships, and an indication that no person other than the persons named therein is a member of the partnership.

In a declaration of limited partnership, the name and domicile of each of the known partners at the time the contract is entered into shall also be set forth, distinguishing which are general partners and which are special partners, and specifying the place where the register containing up-to-date information on the name and domicile of each special partner and all information relating to the contributions of partners to the common stock may be consulted.

Art. 2191. Where the declaration of partnership is incomplete, inaccurate or irregular, it may be rectified by a regularizing document.

Art. 2192. A regularizing document that may infringe upon the rights of the partners or of third persons has no effect in their regard unless they consented to it or unless the court, after hearing the interested persons and, if necessary, amending the proposed document, has ordered that it be filed.

Art. 2193. The regularizing document is deemed to be part of the declaration and to have taken effect simultaneously with it unless a later date is provided in the regularizing document or in the judgment.

Art. 2194. Any change to the content of the declaration of partnership shall be set forth in an amending declaration.

Art. 2195. La déclaration de société et la déclaration modificative sont opposables aux tiers à compter du moment où elles sont faites; elles font preuve de leur contenu, en faveur des tiers de bonne foi, tant qu'une déclaration modificative ne leur apporte pas de changement ou que la déclaration de société n'est pas radiée.

Les tiers peuvent contredire les mentions d'une déclaration par tous moyens.

1991, c. 64, a. 2195 (1994-01-01).

_____

C.C.B.C. 1835 (**C.C.Q.** 323, 324, 2222, 2234, 2263, 2811, 2863)

Art. 2196. Si la déclaration de société est incomplète, inexacte ou irrégulière ou si, malgré un changement intervenu dans la société, la déclaration modificative n'est pas faite, les associés sont responsables, envers les tiers, des obligations de la société qui en résultent; cependant, les commanditaires qui ne sont pas par ailleurs tenus des obligations de la société n'encourent pas cette responsabilité.

1991, c. 64, a. 2196 (1994-01-01).

_____

C.C.B.C. 1880 (**D.T.** 119; **C.C.Q.** 2244, 2246, 2247)

Art. 2197. La société en nom collectif ou en commandite doit, dans le cours de ses activités, indiquer sa forme juridique dans son nom même ou à la suite de celui-ci.

À défaut d'une telle mention dans un acte conclu par la société, le tribunal peut, pour statuer sur l'action d'un tiers de bonne foi, décider que la société et les associés seront tenus, à l'égard de cet acte, au même titre qu'une société en participation et ses associés.

1991, c. 64, a. 2197 (1994-01-01); 2002, c. 19, a. 15 (2002-06-13).

_____

C.C.B.C. 1883 al. 1 (**C.C.Q.** 2253)

SECTION II

DE LA SOCIÉTÉ EN NOM COLLECTIF

§ 1. — *Des rapports des associés entre eux et envers la société*

Art. 2198. L'associé est débiteur envers la société de tout ce qu'il promet d'y apporter.

Art. 2195. The declaration of partnership and the amending declaration may be set up against third persons from the time they are made; they are proof of their content, in favour of third persons in good faith, until an amending declaration is made or the declaration of partnership is cancelled.

Third persons may submit any proof to refute the statements contained in a declaration.

Art. 2196. If the declaration of partnership is incomplete, inaccurate or irregular or if, although a change has been made in the partnership, no amending declaration has been made, the partners are liable towards third persons for the resulting obligations of the partnership; however, special partners who are not otherwise liable for the obligations of the partnership are not liable under this article.

Art. 2197. A general or limited partnership shall, in carrying on business, indicate its juridical form in its name or after its name.

Failing such indication in an act concluded by the partnership, the court, in ruling on the action of a third person in good faith, may decide that the partnership and its partners are liable, in respect of that act, in the same manner as an undeclared partnership and its partners.

SECTION II

GENERAL PARTNERSHIPS

§ 1. — *Relations of partners between themselves and with the partnership*

Art. 2198. A partner is a debtor to the partnership for everything he promises to contribute to it.

Celui qui a promis d'apporter une somme d'argent et qui manque de le faire est tenu des intérêts, à compter du jour où son apport devait être versé, sous réserve des dommages-intérêts additionnels qui peuvent lui être réclamés.

1991, c. 64, a. 2198 (1994-01-01).

Where a person undertakes to contribute a sum of money and fails to do so, he is liable for interest from the day his contribution ought to have been made, subject to any additional damages which may be claimed from him.

C.C.B.C. 1839 al. 1, 1840 al. 1, 1841 (**C.C.Q.** 1458, 1565, 1607 ss., 1611 ss., 2261)

Art. 2199. L'apport de biens est réalisé par le transfert des droits de propriété ou de jouissance et par la mise des biens à la disposition de la société.

Dans ses rapports avec la société, celui qui apporte des biens en est garant, de la même manière que le vendeur l'est envers l'acheteur, lorsque son apport est en propriété; lorsque son apport est en jouissance, il en est garant comme le locateur l'est envers le locataire.

L'apport en jouissance de biens normalement appelés à être renouvelés pendant la durée de la société transfère la propriété des biens à la société, à la charge, pour celle-ci, d'en rendre une pareille quantité, qualité et valeur.

1991, c. 64, a. 2199 (1994-01-01).

Art. 2199. A contribution of property is made by transferring rights of ownership or of enjoyment and by placing the property at the disposal of the partnership.

In his relations with the partnership, the person who contributes property is warrantor therefor in the same manner as a seller towards a buyer where his contribution consists in property; he is warrantor therefor in the same manner as a lessor towards a lessee, where his contribution consists in the enjoyment of property.

A contribution consisting in the enjoyment of property that would normally be required to be renewed during the term of the partnership transfers ownership of the property to the partnership, which becomes liable to return property of the same quantity, quality and value.

C.C.B.C. 1839 al. 2, 1846 (**C.C.Q.** 1453 ss., 1716 ss., 1854, 1858, 2221)

Art. 2200. L'apport de connaissances ou d'activités est dû de façon continue, tant que l'associé qui s'est engagé à fournir un tel apport est membre de la société; l'associé est tenu envers cette dernière des bénéfices qu'il réalise par cet apport.

1991, c. 64, a. 2200 (1994-01-01).

Art. 2200. A contribution consisting in knowledge or activities is owed continuously so long as the partner who undertook to make such a contribution is a member of the partnership; the partner is liable to the partnership for any profit he realizes from the contribution.

(**C.C.Q.** 2204)

Art. 2201. La participation aux bénéfices d'une société emporte l'obligation de partager les pertes.

1991, c. 64, a. 2201 (1994-01-01).

Art. 2201. Participation in the profits of a partnership entails the obligation to share in the losses.

C.C.B.C. 1831 al. 1 (**C.C.Q.** 2186, 2202, 2203, 2221, 2223)

Art. 2202. La part de chaque associé dans l'actif, dans les bénéfices et dans la contribution aux pertes est égale si elle n'est pas déterminée par le contrat.

Art. 2202. The share of each partner in the assets, profits and losses is equal if it is not fixed in the contract.

Si le contrat ne détermine que la part de chacun dans l'actif, dans les bénéfices ou dans la contribution aux pertes, cette détermination est présumée faite pour les trois cas.

1991, c. 64, a. 2202 (1994-01-01).

C.C.B.C. 1848 (**C.C.Q.** 2203)

Art. 2203. La stipulation qui exclut un associé de la participation aux bénéfices de la société est sans effet.

Celle qui dispense l'associé de l'obligation de partager les pertes est inopposable aux tiers.

1991, c. 64, a. 2203 (1994-01-01).

C.C.B.C. 1831 al. 2 et 3 (**C.C.Q.** 2186, 2201)

Art. 2204. L'associé ne peut, pour son compte ou celui d'un tiers, faire concurrence à la société ni participer à une activité qui prive celle-ci des biens, des connaissances ou de l'activité qu'il est tenu d'y apporter; le cas échéant, les bénéfices qui en résultent sont acquis à la société, sans préjudice des recours que celle-ci peut exercer.

1991, c. 64, a. 2204 (1994-01-01).

C.C.B.C. 1842 (**C.C.Q.** 1458, 1607 ss., 1611 ss.)

Art. 2205. L'associé a le droit, s'il était de bonne foi, de recouvrer la somme qu'il a déboursée pour le compte de la société et d'être indemnisé en raison des obligations qu'il a contractées et des pertes qu'il a subies en agissant pour celle-ci.

1991, c. 64, a. 2205 (1994-01-01).

C.C.B.C. 1847 (**C.C.Q.** 2150, 2152, 2154, 2155; **C.P.C.** 55)

Art. 2206. Lorsque l'un des associés est, pour son propre compte, créancier d'une personne qui est aussi débitrice de la société, et que les dettes sont également exigibles, l'imputation de ce qu'il reçoit de ce débiteur doit se faire sur les deux créances dans la proportion de leur montant respectif.

1991, c. 64, a. 2206 (1994-01-01).

C.C.B.C. 1843 (**C.C.Q.** 1569 ss.)

If the contract fixes the share of each partner in only the assets, profits or losses, it is presumed to fix the share for all three cases.

Art. 2203. Any stipulation whereby a partner is excluded from participation in the profits is without effect.

Any stipulation whereby a partner is exempt from the obligation to share in the losses may not be set up against third persons.

Art. 2204. A partner may not compete with the partnership on his own account or on behalf of a third person or take part in an activity which deprives the partnership of the property, knowledge or activity he is bound to contribute to it; any profits arising from such competition belong to the partnership, without prejudice to any remedy it may pursue.

Art. 2205. A partner is entitled to recover the amount of the disbursements he has made on behalf of the partnership and to be indemnified for the obligations he has contracted or the losses he has suffered in acting for the partnership if he was in good faith.

Art. 2206. Where one of the partners is, on his own account, the creditor of a person who is also indebted to the partnership, and the debts are exigible to the same degree, the amounts he receives from the debtor shall be allocated to both claims in proportion to the amount of each.

Art. 2207. Lorsque l'un des associés a reçu sa part entière d'une créance de la société et que le débiteur devient insolvable, cet associé est tenu de rapporter à la société ce qu'il a reçu, encore qu'il ait donné quittance pour sa part.

1991, c. 64, a. 2207 (1994-01-01).

C.C.B.C. 1844

Art. 2208. Chaque associé peut utiliser les biens de la société pourvu qu'il les emploie dans l'intérêt de la société et suivant leur destination, et de manière à ne pas empêcher les autres associés d'en user selon leur droit.

Chacun peut aussi, dans le cours des activités de la société, lier celle-ci, sauf le droit qu'ont les associés de s'opposer à l'opération avant qu'elle ne soit conclue ou de limiter le droit d'un associé de lier la société.

1991, c. 64, a. 2208 (1994-01-01).

C.C.B.C. 1851(1), 1851(2), 1851(4) (**C.C.Q.** 2135, 2136, 2212, 2213, 2215, 2217, 2219)

Art. 2209. Un associé peut, sans le consentement des autres associés, s'associer un tiers relativement à la part qu'il a dans la société; mais il ne peut, sans ce consentement, l'introduire dans la société.

Tout associé peut, dans les soixante jours où il apprend qu'une personne étrangère à la société a acquis, à titre onéreux, la part d'un associé, l'écarter de la société en remboursant à cette personne le prix de la part et les frais qu'elle a acquittés. Ce droit ne peut être exercé que dans l'année qui suit l'acquisition de la part.

1991, c. 64, a. 2209 (1994-01-01).

C.C.B.C. 1853 (**D.T.** 120; **C.C.Q.** 2216)

Art. 2210. Lorsqu'un associé cède sa part dans la société à un autre associé ou à la société, ou que celle-ci la lui rachète, la valeur de cette part, si les parties ne s'entendent pas pour la fixer, est déterminée par un expert que désignent les parties ou, à défaut, le tribunal.

1991, c. 64, a. 2210 (1994-01-01).

(**C.C.Q.** 2227; **C.P.C.** 885b))

Art. 2207. Where a partner has been paid his full share of a debt due to the partnership, and the debtor becomes insolvent, the partner is bound to return to the partnership what he has received, even though he may have given an acquittance for his share.

Art. 2208. Each partner may use the property of the partnership, provided he uses it in the interest of the partnership and according to its destination, and in such a way as not to prevent the other partners from using it as they are entitled.

Each partner may also bind the partnership in the course of its activities, but the partners may oppose the transaction before it is entered into or restrict the right of a partner to bind the partnership.

Art. 2209. A partner may associate a third person with himself in his share in the partnership without the consent of the other partners, but he may not make him a member of the partnership without their consent.

Within sixty days after becoming aware that a person who is not a member of the partnership has acquired the share of a partner by onerous title, any partner may exclude the person from the partnership by reimbursing him for the price of the share and the expenses he has paid. This right lapses one year from the acquisition of the share.

Art. 2210. Where a partner transfers his share in the partnership to a partner or to the partnership or where the partnership redeems it, the value of the share, if the parties fail to agree on it, is determined by an expert designated by the parties or, failing that, by the court.

Art. 2211. La part d'un associé dans l'actif ou dans les bénéfices de la société peut faire l'objet d'une hypothèque. Cependant, l'hypothèque qui porte sur la part d'un associé dans l'actif n'est possible que si les autres associés y consentent ou si le contrat le prévoit.

1991, c. 64, a. 2211 (1994-01-01).

Art. 2211. The share of a partner in the assets or profits of the partnership may be charged with a hypothec. However, the share of a partner in the assets may be hypothecated only with the consent of the other partners or if so provided in the contract.

(**C.C.Q.** 2209, 2660 ss.)

Art. 2212. Les associés peuvent faire entre eux toute convention qu'ils jugent appropriée quant à leurs pouvoirs respectifs dans la gestion des affaires de la société.

1991, c. 64, a. 2212 (1994-01-01).

Art. 2212. The partners may enter into such agreements between themselves as they consider appropriate with regard to their respective powers in the management of the affairs of the partnership.

C.C.B.C. 1851, 1866 (**C.C.Q.** 2208, 2213, 2215, 2217-2219, 2238)

Art. 2213. Les associés peuvent nommer l'un ou plusieurs d'entre eux, ou même un tiers, pour gérer les affaires de la société.

L'administrateur peut faire, malgré l'opposition des associés, tous les actes qui dépendent de sa gestion, pourvu que ce soit sans fraude. Ce pouvoir de gestion ne peut être révoqué sans motif sérieux tant que dure la société; mais s'il a été donné par un acte postérieur au contrat de société, il est révocable comme un simple mandat.

1991, c. 64, a. 2213 (1994-01-01).

Art. 2213. The partners may appoint one or more fellow partners or even a third person to manage the affairs of the partnership.

The manager, notwithstanding the opposition of the partners, may perform any act within his powers, provided he does not act fraudulently. The powers of management may not be revoked without a serious reason during the existence of the partnership, except where they were conferred by an act subsequent to the contract of partnership, in which case they may be revoked in the same manner as a simple mandate.

C.C.B.C. 1849 (**C.C.Q.** 2176, 2181, 2212)

Art. 2214. Lorsque plusieurs administrateurs sont chargés de la gestion sans que celle-ci soit partagée entre eux et sans qu'il soit stipulé que l'un ne pourra agir sans les autres, chacun d'eux peut agir séparément; mais si cette stipulation existe, l'un d'eux ne peut agir en l'absence des autres, lors même qu'il est impossible à ces derniers de concourir à l'acte.

1991, c. 64, a. 2214 (1994-01-01).

Art. 2214. Where several persons are entrusted with the management and there is no stipulation dividing it between them nor any stipulation preventing one from acting without the others, each of them may act separately; where there is such a stipulation, however, none of them may act without the others, even where it is impossible for the others to join in the act.

C.C.B.C. 1850

Art. 2215. À défaut de stipulation sur le mode de gestion, les associés sont réputés s'être donné réciproquement le pouvoir de gérer les affaires de la société.

Tout acte accompli par un associé concernant les activités communes oblige les autres associés, sauf le droit de ces derniers, ensemble ou séparément, de s'opposer à l'acte avant que celui-ci ne soit accompli.

Art. 2215. Failing any stipulation respecting the mode of management, the partners are deemed to have conferred the power to manage the affairs of the partnership on one another.

Any act performed by a partner in respect of the common activities binds the other partners, without prejudice to their right to object, jointly or separately, to the act before it is performed.

De plus, chaque associé peut contraindre ses coassociés aux dépenses nécessaires à la conservation des biens mis en commun, mais un associé ne peut changer l'état de ces biens sans le consentement des autres, si avantageux que soit le changement.

1991, c. 64, a. 2215 (1994-01-01).

In addition, each partner may compel the other partners to incur any expenses necessary for the preservation of the common property but one partner may not change the condition of that property without the consent of the others, regardless of how advantageous such changes may be.

C.C.B.C. 1851(1), 1851(3), 1851(4) (**C.C.Q.** 2135, 2136, 2212)

Art. 2216. Tout associé a le droit de participer aux décisions collectives et le contrat de société ne peut empêcher l'exercice de ce droit.

À moins de stipulation contraire dans le contrat, ces décisions se prennent à la majorité des voix des associés, sans égard à la valeur de l'intérêt de ceux-ci dans la société, mais celles qui ont trait à la modification du contrat de société se prennent à l'unanimité.

1991, c. 64, a. 2216 (1994-01-01).

Art. 2216. Every partner is entitled to participate in collective decisions, and he may not be prevented from exercising that right by the contract of partnership.

Unless otherwise stipulated in the contract, decisions are taken by the vote of a majority of the partners, regardless of the value of their interests in the partnership. However, decisions to amend the contract of partnership are taken by a unanimous vote.

Art. 2217. L'associé sans pouvoir de gestion ne peut ni aliéner ni autrement disposer des biens mis en commun, sous réserve des droits des tiers de bonne foi.

1991, c. 64, a. 2217 (1994-01-01).

Art. 2217. A partner without powers of management may not alienate or otherwise dispose of common property, subject to the rights of third persons in good faith.

C.C.B.C. 1852 (**C.C.Q.** 2218, 2219)

Art. 2218. Tout associé, même s'il est exclu de la gestion, et malgré toute stipulation contraire, a le droit de se renseigner sur l'état des affaires de la société et d'en consulter les livres et registres.

Il est tenu d'exercer ce droit de manière à ne pas entraver indûment les opérations de la société ou à ne pas empêcher les autres associés d'exercer ce même droit.

1991, c. 64, a. 2218 (1994-01-01).

Art. 2218. Notwithstanding any stipulation to the contrary, any partner may inform himself of the affairs of the partnership and consult its books and records even if he is excluded from management.

In exercising this right, the partner is bound not to impede the operations of the partnership unduly nor to prevent the other partners from exercising the same right.

C.C.B.C. 1887 al. 1 (**C.C.Q.** 2249, 2251)

§ 2. — Des rapports de la société et des associés envers les tiers

§ 2. — Relations of the partnership and the partners with third persons

Art. 2219. À l'égard des tiers de bonne foi, chaque associé est mandataire de la société et lie celle-ci pour tout acte conclu au nom de la société dans le cours de ses activités.

Toute stipulation contraire est inopposable aux tiers de bonne foi.

1991, c. 64, a. 2219 (1994-01-01).

Art. 2219. Each partner is a mandatary of the partnership in respect of third persons in good faith and binds the partnership for every act performed in its name in the ordinary course of its business.

No stipulation to the contrary may be set up against third persons in good faith.

C.C.B.C. 1855, 1856 (**D.T.** 115, 121; **C.C.Q.** 2160 ss., 2212, 2233, 2234)

Art. 2220. L'obligation contractée par un associé en son nom propre lie la société lorsqu'elle s'inscrit dans le cours des activités de celle-ci ou a pour objet des biens dont cette dernière a l'usage.

Le tiers peut, toutefois, cumuler les moyens opposables à l'associé et à la société, et faire valoir qu'il n'aurait pas contracté s'il avait su que l'associé agissait pour le compte de la société.

1991, c. 64, a. 2220 (1994-01-01).

Art. 2220. An obligation contracted by a partner in his own name binds the partnership when it comes within the scope of the business of the partnership or when its object is property used by the partnership.

A third person, however, may cumulate the defences which may be set up against the partner and the partnership and claim that he would not have entered into the contract if he had known that the partner was acting on behalf of the partnership.

C.C.B.C. 1867 (**C.C.Q.** 2157, 2165, 2219, 2221)

Art. 2221. À l'égard des tiers, les associés sont tenus conjointement des obligations de la société; mais ils en sont tenus solidairement si les obligations ont été contractées pour le service ou l'exploitation d'une entreprise de la société.

Les créanciers ne peuvent poursuivre le paiement contre un associé qu'après avoir, au préalable, discuté les biens de la société; même alors, les biens de l'associé ne sont affectés au paiement des créanciers de la société qu'après paiement de ses propres créanciers.

1991, c. 64, a. 2221 (1994-01-01).

Art. 2221. In respect of third persons, the partners are jointly liable for the obligations contracted by the partnership but they are solidarily liable if the obligations have been contracted for the service or operation of an enterprise of the partnership.

Before instituting proceedings for payment against a partner, the creditors shall first discuss the property of the partnership; if proceedings are instituted, the property of the partner is not applied to the payment of creditors of the partnership until after his own creditors are paid.

C.C.B.C. 1854, 1865 (*in fine*), 1899 (**C.C.Q.** 1518, 1523, 1525, 2203, 2233, 2234)

Art. 2222. La personne qui donne à croire qu'elle est un associé, bien qu'elle ne le soit pas, peut être tenue comme un associé envers les tiers de bonne foi agissant suivant cette croyance.

La société n'est cependant obligée envers les tiers que si elle a elle-même donné à croire qu'une telle personne était un associé et qu'elle n'a pas pris de mesures pour prévenir l'erreur des tiers dans des circonstances qui la rendaient prévisible.

1991, c. 64, a. 2222 (1994-01-01).

Art. 2222. A person who gives reason to believe that he is a partner, although he is not, may be held liable as a partner towards third persons in good faith acting in that belief.

The partnership is not liable towards third persons, however, unless it gave reason to believe that such person was a partner and it failed to take measures to prevent third persons from being mistaken in circumstances that made such a mistake predictable.

C.C.B.C. 1869 (**C.C.Q.** 2163)

Art. 2223. L'associé non déclaré est tenu envers les tiers aux mêmes obligations que l'associé déclaré.

1991, c. 64, a. 2223 (1994-01-01).

Art. 2223. Silent partners are liable towards third persons for the same obligations as declared partners.

C.C.B.C. 1868

Art. 2224. La société ne peut faire publiquement appel à l'épargne ou émettre des titres négociables, à peine de nullité des contrats conclus ou des titres émis et de l'obligation de réparer le préjudice qu'elle a causé aux tiers de bonne foi.

Les associés sont, en ce cas, tenus solidairement des obligations de la société.

1991, c. 64, a. 2224 (1994-01-01).

Art. 2224. A partnership may not make a distribution of securities to the public or issue negotiable instruments, on pain of nullity of the contracts entered into or of the securities or instruments issued and of the obligation to compensate for any injury it causes to third persons in good faith.

In such a case, the partners are solidarily liable for the obligations of the partnership.

C.C.B.C. 1883.1 (**C.C.Q.** 1457, 1523 ss., 1607 ss., 1611 ss., 2237; **C.P.C.** 110)

Art. 2225. La société peut ester en justice sous le nom qu'elle déclare et elle peut être poursuivie sous ce nom.

1991, c. 64, a. 2225 (1994-01-01).

Art. 2225. A partnership may sue and be sued in a civil action under the name it declares.

(**C.C.Q.** 2249; **C.P.C.** 60)

§ 3. — De la perte de la qualité d'associé

Art. 2226. Outre qu'il cesse d'être membre de la société par la cession de sa part ou par son rachat, un associé cesse également de l'être par son décès, par l'ouverture à son égard d'un régime de protection, par sa faillite ou par l'exercice de son droit de retrait; il cesse aussi de l'être par sa volonté, par son expulsion ou par un jugement autorisant son retrait ou ordonnant la saisie de sa part.

1991, c. 64, a. 2226 (1994-01-01).

§ 3. — Loss of the quality of partner

Art. 2226. A partner ceases to be a member of the partnership by the transfer or redemption of his share or upon his death, upon being placed under protective supervision or becoming bankrupt, or by the exercise of his right of withdrawal; he also ceases to be a member where such is his will, by his expulsion or by a judgment authorizing his withdrawal or ordering the seizure of his share.

C.C.B.C. 1892 al. 1 et 3, 1894 (**C.C.Q.** 256, 2210, 2228, 2229; **C.P.C.** 631; **L.R.C.** (1985), ch. B-3, a. 85)

Art. 2227. L'associé qui cesse d'être membre de la société autrement que par suite de la cession ou de la saisie de sa part a le droit d'obtenir la valeur de sa part au moment où il cesse d'être associé et les autres associés sont tenus au paiement, dès que le montant en est établi, avec intérêts à compter du jour où l'associé cesse d'être membre.

En l'absence de stipulation du contrat de société ou d'accord entre les intéressés sur la valeur de la part, cette valeur est déterminée par un expert que désignent les intéressés ou, à défaut, le tribunal. L'expert ou le tribunal peut, toutefois, différer l'évaluation d'éléments éventuels qui sont compris dans l'actif ou le passif.

1991, c. 64, a. 2227 (1994-01-01).

Art. 2227. A partner who ceases to be a member of the partnership otherwise than by the transfer or seizure of his share may obtain the value of his share upon ceasing to be a partner, and the other partners are bound to pay him the amount of the value as soon as it is established, with interest from the day on which his membership ceased.

Failing stipulations in the contract of partnership or failing agreement among the interested persons as to the value of the share, the value is determined by an expert designated by the interested persons or, failing that, by the court. The expert or the court may, however, defer the assessment of contingent assets or liabilities.

(**C.C.Q.** 1565; **C.P.C.** 110)

Art. 2228. L'associé d'une société dont la durée n'est pas fixée ou dont le contrat réserve le droit de retrait peut se retirer de la société en donnant, de bonne foi et non à contretemps, un avis de son retrait à la société.

L'associé d'une société dont la durée est fixée ne peut se retirer qu'avec l'accord de la majorité des autres associés, à moins que le contrat ne règle autrement ce cas.

1991, c. 64, a. 2228 (1994-01-01).

C.C.B.C. 1833, 1895 (**C.C.Q.** 2226)

Art. 2229. Les associés peuvent, à la majorité, convenir de l'expulsion d'un associé qui manque à ses obligations ou nuit à l'exercice des activités de la société.

Dans les mêmes circonstances, un associé peut demander au tribunal l'autorisation de se retirer de la société; il est fait droit à cette demande, à moins que le tribunal ne juge plus approprié d'ordonner l'expulsion de l'associé fautif.

1991, c. 64, a. 2229 (1994-01-01).

C.C.B.C. 1896 (**C.P.C.** 885*a*))

§ 4. — *De la dissolution et de la liquidation de la société*

Art. 2230. La société, outre les causes de dissolution prévues par le contrat, est dissoute par l'accomplissement de son objet ou l'impossibilité de l'accomplir, ou, encore, du consentement de tous les associés. Elle peut aussi être dissoute par le tribunal, pour une cause légitime.

On procède alors à la liquidation de la société.

1991, c. 64, a. 2230 (1994-01-01).

C.C.B.C. 1892, 1896 (**C.C.Q.** 2235; **C.P.C.** 110, 631)

Art. 2231. La société constituée pour une durée déclarée peut être continuée du consentement de tous les associés.

1991, c. 64, a. 2231 (1994-01-01).

Art. 2232. La réunion de toutes les parts sociales entre les mains d'un seul associé n'emporte pas la dissolution de la société, pourvu que, dans les cent vingt jours, au moins un autre associé se joigne à la société.

1991, c. 64, a. 2232 (1994-01-01).

Art. 2228. A partner of a partnership constituted for a term that is not fixed or whose contract of partnership reserves the right of withdrawal may withdraw from the partnership by giving it notice of his withdrawal, in good faith and not at an inopportune moment.

A partner of a partnership constituted for a term that is fixed may withdraw only with the agreement of a majority of the other partners, unless other rules for that eventuality are contained in the contract of partnership.

Art. 2229. The partners may, by a majority vote, agree on the expulsion of a partner who fails to perform his obligations or hinders the carrying on of the activities of the partnership.

A partner may, in similar circumstances, apply to the court for authorization to withdraw from the partnership; the court grants such a demand unless it considers it more appropriate to order the expulsion of the partner at fault.

§ 4. — *Dissolution and liquidation of the partnership*

Art. 2230. A partnership is dissolved by the causes of dissolution provided in the contract, by the accomplishment of its object or the impossibility of accomplishing it, or by consent of all the partners. It may also be dissolved by the court for a legitimate cause.

Liquidation of the partnership is then proceeded with.

Art. 2231. Any partnership constituted for an agreed term may be continued by consent of all the partners.

Art. 2232. The uniting of all the shares in the hands of a single partner does not entail dissolution of the partnership, provided at least one other partner joins the partnership within one hundred and twenty days.

Art. 2233. Les pouvoirs des associés d'agir pour la société cessent avec la dissolution de celle-ci, sauf quant aux actes qui sont une suite nécessaire des opérations en cours.

Néanmoins, tout ce qui est fait dans le cours des activités de la société par un associé agissant de bonne foi et dans l'ignorance de la dissolution de la société, lie cette dernière et les autres associés, comme si la société subsistait.

1991, c. 64, a. 2233 (1994-01-01).

___

C.C.B.C. 1897 (**C.C.Q.** 2152, 2162, 2235)

Art. 2234. La dissolution de la société ne porte pas atteinte aux droits des tiers de bonne foi qui contractent subséquemment avec un associé ou un mandataire agissant pour le compte de la société.

1991, c. 64, a. 2234 (1994-01-01).

___

C.C.B.C. 1900 (**C.C.Q.** 2162)

Art. 2235. On suit, pour la liquidation de la société, les règles prévues aux articles 358 à 364 du livre Des personnes, compte tenu des adaptations nécessaires et du fait que les avis requis par ces règles doivent être déposés conformément aux lois relatives à la publicité légale des sociétés.

1991, c. 64, a. 2235 (1994-01-01).

C.C.B.C. 1896a, 1898, 1899 (**D.T.** 125; **C.C.Q.** 358-364; **C.P.C.** 547 ss., 809 ss.; **L.R.Q.**, c. D-1)

SECTION III
DE LA SOCIÉTÉ EN COMMANDITE

Art. 2236. La société en commandite est constituée entre un ou plusieurs commandités, qui sont seuls autorisés à administrer la société et à l'obliger, et un ou plusieurs commanditaires qui sont tenus de fournir un apport au fonds commun de la société.

1991, c. 64, a. 2236 (1994-01-01).

___

C.C.B.C. 1872, 1873, 1876 (**C.P.C.** 540)

Art. 2237. La société en commandite peut faire publiquement appel à l'épargne de tiers pour la constitution ou l'augmentation du fonds commun et émettre des titres négociables.

Art. 2233. The powers of the partners to act on behalf of the partnership cease upon the dissolution of the partnership, except in respect of acts which are a necessary consequence of business already begun.

Anything done, however, in the ordinary course of business of the partnership by a partner unaware of the dissolution of the partnership and acting in good faith binds the partnership and the other partners as if the partnership were still in existence.

Art. 2234. Dissolution of the partnership does not affect the rights of third persons in good faith who subsequently enter into a contract with a partner or a mandatary acting on behalf of the partnership.

Art. 2235. Liquidation of the partnership is subject to the rules provided in articles 358 to 364 of the Book on Persons, adapted as required. The notices required by those rules shall be filed in accordance with the legislation concerning the legal publication of partnerships.

SECTION III
LIMITED PARTNERSHIPS

Art. 2236. A limited partnership is a partnership consisting of one or more general partners who are the sole persons authorized to administer and bind the partnership, and of one or more special partners who are bound to furnish a contribution to the common stock of the partnership.

Art. 2237. A limited partnership may make a distribution of securities to the public to establish or increase the common stock, and issue negotiable instruments.

Le tiers qui s'engage à fournir un apport devient commanditaire de la société.

1991, c. 64, a. 2237 (1994-01-01).

A third person who undertakes to make a contribution becomes a special partner of the partnership.

C.C.B.C. 1883.1 (**C.C.Q.** 2224; **L.R.Q.**, c. V-1.1)

Art. 2238. Les commandités ont les pouvoirs, droits et obligations des associés de la société en nom collectif, mais ils sont tenus de rendre compte de leur administration aux commanditaires.

Ils sont tenus, envers ces derniers, des mêmes obligations que celles auxquelles l'administrateur chargé de la pleine administration du bien d'autrui est tenu envers le bénéficiaire de l'administration.

Les clauses limitant les pouvoirs des commandités sont inopposables aux tiers de bonne foi.

1991, c. 64, a. 2238 (1994-01-01).

Art. 2238. General partners have the powers, rights and obligations of the partners of a general partnership but they are bound to render an account of their administration to the special partners.

The general partners are bound by the same obligations towards the special partners as those binding an administrator charged with full administration of the property of others towards the beneficiary of the administration.

Clauses restricting the powers of the general partners may not be set up against third persons in good faith.

C.C.B.C. 1876, 1888 (**C.C.Q.** 1306, 1307, 1308 ss., 2208, 2212, 2215, 2246; **C.P.C.** 478, 532 ss.)

Art. 2239. Les commandités tiennent, au lieu du principal établissement de la société, un registre dans lequel sont inscrits les nom et domicile des commanditaires et tous les renseignements concernant leur apport au fonds commun.

1991, c. 64, a. 2239 (1994-01-01).

Art. 2239. The general partners keep a register at the place of the principal establishment of the partnership, containing the name and domicile of each of the special partners and any information concerning their contributions to the common stock.

C.C.B.C. 1881 (**C.C.Q.** 2190, 2218, 2249)

Art. 2240. L'apport du commanditaire, lorsque cet apport consiste en une somme d'argent ou en un autre bien, est fourni lors de la constitution du fonds commun ou en tout autre temps, comme apport additionnel à ce fonds.

Le commanditaire assume jusqu'à la délivrance, les risques de perte, par force majeure, de l'apport convenu.

1991, c. 64, a. 2240 (1994-01-01).

Art. 2240. The contribution of a special partner, where it consists of a sum of money or of any other property, is furnished at the time of establishment of the common stock or at any other time as an additional contribution to the common stock.

The special partner assumes the risk of loss of the agreed contribution by superior force until it is delivered.

C.C.B.C. 1873, 1874 (**C.C.Q.** 1470 al. 2)

Art. 2241. Pendant la durée de la société, le commanditaire ne peut, de quelque manière, retirer une partie de son apport en biens au fonds commun, à moins d'obtenir le consentement de la majorité des autres associés et que suffisamment de biens subsistent, après ce retrait, pour acquitter les dettes de la société.

1991, c. 64, a. 2241 (1994-01-01).

Art. 2241. While the partnership exists, no special partner may withdraw part of his contribution in property to the common stock, in any way, unless he obtains the consent of a majority of the other partners and the property remaining after the withdrawal is sufficient to discharge the debts of the partnership.

C.C.B.C. 1885

Art. 2242. Le commandidaire a le droit de recevoir sa part des bénéfices, mais si le paiement de ces bénéfices entame le fonds commun, le commandidaire qui les reçoit est tenu de remettre la somme nécessaire pour couvrir sa part du déficit, avec intérêts.

Dans le cas d'une société dont le capital comprend des biens qui se consomment par l'exploitation qu'elle en fait, le commanditaire ne peut recevoir sa part des bénéfices que si suffisamment de biens subsistent, après ce paiement, pour acquitter les dettes de la société.

1991, c. 64, a. 2242 (1994-01-01).

_____

C.C.B.C. 1886 (**C.C.Q.** 1565)

Art. 2243. La part d'un commanditaire dans le fonds commun de la société est cessible.

À l'égard des tiers, le cédant demeure tenu des obligations pouvant résulter de sa participation à la société, alors qu'il en était encore commanditaire.

1991, c. 64, a. 2243 (1994-01-01).

_____

C.C.B.C. 1882 (**C.C.Q.** 2246)

Art. 2244. Les commanditaires ne peuvent donner que des avis de nature consultative concernant la gestion de la société.

Ils ne peuvent négocier aucune affaire pour le compte de la société, ni agir pour celle-ci comme mandataire ou agent, ni permettre que leur nom soit utilisé dans un acte de la société; le cas échéant, ils sont tenus, comme un commandité, des obligations de la société résultant de ces actes et, suivant l'importance ou le nombre de ces actes, ils peuvent être tenus, comme celui-ci, de toutes les obligations de la société.

1991, c. 64, a. 2244 (1994-01-01).

_____

C.C.B.C. 1887 (**D.T.** 122)

Art. 2245. Les commanditaires peuvent faire les actes de simple administration que requiert la gestion de la société, lorsque les commandités ne peuvent plus agir.

Si les commandités ne sont pas remplacés dans les cent vingt jours, la société est dissoute.

1991, c. 64, a. 2245 (1994-01-01).

_____

(**D.T.** 123)

Art. 2242. A special partner is entitled to receive his share of the profits, but if the payment of the profits reduces the common stock, every special partner who receives such a payment is bound to restore the sum necessary to cover his share of the deficit, with interest.

In the case of a partnership whose capital includes property that is consumed by its exploitation by the partnership, the special partner may receive his share of the profits only if the property remaining after the payment is sufficient to discharge the debts of the partnership.

1991, c. 64, a. 2242 (1994-01-01).

Art. 2243. The share of a special partner in the common stock of the partnership is transferable.

In respect of third persons, the transferor remains liable for the obligations which may result from his share in the partnership while he was still a special partner.

1991, c. 64, a. 2243 (1994-01-01).

Art. 2244. A special partner may not give other than an advisory opinion with regard to the management of the partnership.

A special partner may not negotiate any business on behalf of the partnership or act as mandatary or agent for the partnership or allow his name to be used in any act of the partnership; otherwise, he is liable in the same manner as a general partner for the obligations of the partnership resulting from such acts and, according to the importance or number of such acts, he may be liable in the same manner as a general partner for all the obligations of the partnership.

1991, c. 64, a. 2244 (1994-01-01).

Art. 2245. Where the general partners can no longer act, the special partners may perform any act of simple administration required for the management of the partnership.

If the general partners are not replaced within one hundred and twenty days, the partnership is dissolved.

1991, c. 64, a. 2245 (1994-01-01).

Art. 2246. En cas d'insuffisance des biens de la société, chaque commandité est tenu solidairement des dettes de la société envers les tiers; le commanditaire y est tenu jusqu'à concurrence de l'apport convenu, malgré toute cession de part dans le fonds commun.

Est sans effet la stipulation qui oblige le commanditaire à cautionner ou à assumer les dettes de la société au-delà de l'apport convenu.

1991, c. 64, a. 2246 (1994-01-01).

_____

C.C.B.C. 1875, 1899 (**D.T.** 124; **C.C.Q.** 1523 ss., 2243, 2244)

Art. 2247. Le commanditaire dont le nom apparaît dans le nom de la société, répond des obligations de la société de la même manière qu'un commandité, à moins que sa qualité de commanditaire ne soit clairement indiquée.

1991, c. 64, a. 2247 (1994-01-01).

_____

C.C.B.C. 1883 al. 2 (**C.C.Q.** 2197)

Art. 2248. Dans le cas d'insuffisance des biens de la société, le commanditaire ne peut, en cette qualité, réclamer comme créancier avant que les autres créanciers de la société n'aient été satisfaits.

1991, c. 64, a. 2248 (1994-01-01).

_____

C.C.B.C. 1888a

Art. 2249. Les règles relatives à la société en nom collectif sont, pour le reste, applicables à la société en commandite, compte tenu des adaptations nécessaires.

1991, c. 64, a. 2249 (1994-01-01).

_____

(**D.T.** 121)

Art. 2246. Where the property of the partnership is insufficient, the general partners are solidarily liable for the debts of the partnership in respect of third persons; a special partner is liable for the debts up to the agreed amount of his contribution, notwithstanding any transfer of his share in the common stock.

Any stipulation whereby a special partner is bound to secure or assume the debts of the partnership beyond the agreed amount of his contribution is without effect.

Art. 2247. A special partner whose name appears in the firm name of the partnership is liable for the obligations of the partnership in the same manner as a general partner, unless his quality of special partner is clearly indicated.

Art. 2248. Where the property of the partnership is insufficient, a special partner may not, in that quality, claim as a creditor until the other creditors of the partnership are satisfied.

Art. 2249. In all other respects, the rules governing general partnerships, adapted as required, apply to limited partnerships.

SECTION IV
DE LA SOCIÉTÉ EN PARTICIPATION

§ 1. — _De la constitution de la société_

Art. 2250. Le contrat constitutif de la société en participation est écrit ou verbal. Il peut aussi résulter de faits manifestes qui indiquent l'intention de s'associer.

SECTION IV
UNDECLARED PARTNERSHIPS

§ 1. — _Establishment of an undeclared partnership_

Art. 2250. The contract by which an undeclared partnership is established may be written or verbal. It may also arise from an overt act indicating the intention to form an undeclared partnership.

La seule indivision de biens existant entre plusieurs personnes ne fait pas présumer leur intention de s'associer.

1991, c. 64, a. 2250 (1994-01-01).

___

(**D.T.** 116, 118; **C.C.Q.** 1012 ss.)

Mere indivision of property existing between several persons does not create a presumption of their intention to form an undeclared partnership.

§ 2. — *Des rapports des associés entre eux*

Art. 2251. Les associés conviennent de l'objet, du fonctionnement, de la gestion et des autres modalités de la société en participation.

En l'absence de convention particulière, les rapports des associés entre eux sont réglés par les dispositions qui régissent les rapports des associés en nom collectif, entre eux et envers leur société, compte tenu des adaptations nécessaires.

1991, c. 64, a. 2251 (1994-01-01).

___

(**C.C.Q.** 2198 ss.)

§ 2. — *Relations of the partners between themselves*

Art. 2251. The partners agree upon the object, operation, management and any other terms and conditions of an undeclared partnership.

Failing any special agreement, the relations of the partners between themselves are subject to the provisions governing the relations of general partners between themselves and with the partnership, adapted as required.

§ 3. — *Des rapports des associés envers les tiers*

Art. 2252. À l'égard des tiers, chaque associé demeure propriétaire des biens constituant son apport à la société.

Sont indivis entre les associés, les biens dont l'indivision existait avant la mise en commun de leur apport, ou a été convenue par eux, et ceux acquis par l'emploi de sommes indivises pendant que subsiste le contrat de société.

1991, c. 64, a. 2252 (1994-01-01).

___

(**C.C.Q.** 1012-1037, 2265)

§ 3. — *Relations of the partners with third persons*

Art. 2252. In respect of third persons, each partner retains the ownership of the property constituting his contribution to the undeclared partnership.

Property that was undivided before the combination of the contributions of the partners or that is undivided by agreement of the partners, or any property acquired by the use of undivided sums during the term of the contract of partnership is undivided property in respect of the partners.

Art. 2253. Chaque associé contracte en son nom personnel et est seul obligé à l'égard des tiers.

Toutefois, lorsque les associés agissent en qualité d'associés à la connaissance des tiers, chaque associé est tenu à l'égard de ceux-ci des obligations résultant des actes accomplis en cette qualité par l'un des autres associés.

1991, c. 64, a. 2253 (1994-01-01).

___

(**C.C.Q.** 2256, 2257, 2262, 2263)

Art. 2253. Each partner contracts in his own name and is alone liable towards third persons.

Where, however, to the knowledge of third persons, the partners act in the quality of partners, each partner is liable towards the third persons for the obligations resulting from acts performed in that quality by any of the other partners.

Art. 2254. Les associés ne sont pas tenus solidairement des dettes contractées dans l'exercice de leur activité, à moins que celles-ci n'aient été contractées pour le service ou l'exploitation d'une entreprise commune; ils sont tenus envers le créancier, chacun pour une part égale, encore que leurs parts dans la société soient inégales.

1991, c. 64, a. 2254 (1994-01-01).

C.C.B.C. 1854 (**C.C.Q.** 1523, 1525)

Art. 2255. Toute stipulation qui limite l'étendue de l'obligation des associés envers les tiers est inopposable à ces derniers.

1991, c. 64, a. 2255 (1994-01-01).

Art. 2256. Les associés peuvent exercer tous les droits résultant des contrats conclus par un autre associé, mais le tiers n'est lié qu'envers l'associé avec lequel il a contracté, sauf si cet associé a déclaré sa qualité.

1991, c. 64, a. 2256 (1994-01-01).

(**C.C.Q.** 2253)

Art. 2257. Toute action qui peut être intentée contre tous les associés peut aussi l'être contre l'un ou plusieurs d'entre eux, en tant qu'associés d'autres personnes, sans que celles-ci y soient nommées.

Si le jugement est rendu contre celui ou ceux des associés qui sont poursuivis, tous les autres peuvent ensuite être poursuivis ensemble ou séparément, sur la même cause d'action. Si l'action est fondée sur une obligation constatée dans un écrit où sont nommés tous les associés obligés, tous doivent être partie à l'action pour que le jugement leur soit opposable.

1991, c. 64, a. 2257 (1994-01-01).

C.C.B.C. 1836, 1837 (**C.C.Q.** 2253)

§ 4. — *De la fin du contrat de société*

Art. 2258. Le contrat de société, outre sa résiliation du consentement de tous les associés, prend fin par l'arrivée du terme ou l'avènement de la condition apposée au contrat, par l'accomplissement de l'objet du contrat ou par l'impossibilité d'accomplir cet objet.

Art. 2254. The partners are not solidarily liable for debts contracted in carrying on their business unless the debts have been contracted for the use or operation of a common enterprise; they are liable towards the creditor, each for an equal share, even if their shares in the undeclared partnership are unequal.

Art. 2255. No stipulation limiting the extent of the partners' obligation towards third persons may be set up against the third persons.

Art. 2256. The partners may exercise all the rights arising from contracts entered into by another partner, but the third person is bound only towards the partner with whom he entered into the contract, unless the partner declared his quality.

Art. 2257. Any action which may be brought against all the partners may also be brought against one or more of them, as partners of other persons, without naming the other persons in the action.

Where judgment is rendered against the partner or partners sued, all the other partners may be sued jointly or separately on the same cause of action. Where the action is founded on an obligation evidenced in a writing naming all the partners bound thereby, the judgment may not be set up against them unless all of them are parties to the action.

§ 4. — *Termination of the contract of undeclared partnership*

Art. 2258. A contract of undeclared partnership is terminated by consent of all the partners or by the expiry of its term or the fulfilment of the condition attached to the contract, by the accomplishment or impossibility of accomplishing the object of the contract.

Il prend fin aussi par le décès ou la faillite de l'un des associés, par l'ouverture à son égard d'un régime de protection ou par un jugement ordonnant la saisie de sa part.

1991, c. 64, a. 2258 (1994-01-01).

It is also terminated by the death or bankruptcy of one of the partners, by his being placed under protective supervision or by a judgment ordering the seizure of his share.

C.C.B.C. 1892 (**D.T.** 125; **C.C.Q.** 256, 1604 ss., 2260, 2261; **C.P.C.** 631; **L.R.C.** (1985), ch. B-3, a. 85)

Art. 2259. Il est permis de stipuler qu'advenant le décès de l'un des associés, la société continuera avec ses représentants légaux ou entre les associés survivants. Dans le second cas, les représentants de l'associé défunt ont droit au partage des biens de la société seulement telle qu'elle existait au moment du décès de cet associé. Ils ne peuvent réclamer le bénéfice des opérations subséquentes, à moins qu'elles ne soient la suite nécessaire des opérations faites avant le décès.

1991, c. 64, a. 2259 (1994-01-01).

Art. 2259. It may be stipulated that in the case of death of one of the partners the undeclared partnership will continue with his legal representatives or among the surviving partners. In the latter case, the representatives of the deceased partner are entitled to the partition of the property of the undeclared partnership only as it existed at the time of death of the partner. They may not claim benefits arising from subsequent transactions unless they are a necessary consequence of transactions carried out before the death.

C.C.B.C. 1894

Art. 2260. Le contrat de société dont la durée n'est pas fixée ou qui réserve un droit de retrait peut prendre fin à tout moment sur simple avis adressé par un associé aux autres associés, pourvu que cet avis soit donné de bonne foi et non à contretemps.

1991, c. 64, a. 2260 (1994-01-01).

Art. 2260. Where a contract of undeclared partnership is made for a term that is not fixed or where it reserves a right of withdrawal, it may be terminated at any time by mere notice from one of the partners to the other partners, provided it is given in good faith and not at an inopportune moment.

C.C.B.C. 1895 (**C.C.Q.** 2228)

Art. 2261. Le contrat de société peut être résilié pour une cause légitime, notamment si l'un des associés manque à ses obligations ou nuit à l'exercice de l'activité des associés.

1991, c. 64, a. 2261 (1994-01-01).

Art. 2261. A contract of undeclared partnership may be resiliated for a legitimate cause, in particular where one of the partners fails to perform his obligations or hinders the carrying on of the business of the partners.

C.C.B.C. 1896 (**C.C.Q.** 2258)

Art. 2262. Les pouvoirs des associés d'agir en vertu du contrat de société cessent avec la fin de celui-ci, sauf quant aux actes qui sont une suite nécessaire des opérations en cours.

Néanmoins, tout ce qui est fait dans le cours des activités de la société par un associé agissant de bonne foi et dans l'ignorance de la fin du contrat lie tous les associés comme si la société subsistait.

1991, c. 64, a. 2262 (1994-01-01).

Art. 2262. The powers of the partners to act under the contract of undeclared partnership cease upon the termination of the contract, except as regards necessary consequences of business transactions already begun.

Anything done, however, in the course of activities of the undeclared partnership by a partner who is unaware of the termination of the contract and is acting in good faith binds all the partners as if the undeclared partnership continued to exist.

C.C.B.C. 1897 (**C.C.Q.** 2152, 2162)

Art. 2263. La fin du contrat de société ne porte pas atteinte aux droits des tiers de bonne foi qui contractent subséquemment avec un associé ou un autre mandataire de tous les associés.

1991, c. 64, a. 2263 (1994-01-01).

C.C.B.C. 1900 (**C.C.Q.** 2162, 2234)

Art. 2264. À défaut d'accord sur le mode de liquidation de la société ou sur le choix d'un liquidateur, tout intéressé peut s'adresser au tribunal afin qu'un liquidateur soit nommé.

1991, c. 64, a. 2264 (1994-01-01).

C.C.B.C. 1896a al. 1 (**C.P.C.** 809 ss., 885*b*))

Art. 2265. L'associé a le droit d'obtenir la restitution des biens correspondant à la part dont il a la propriété, et d'exiger l'attribution, en nature ou par équivalent, des biens dont il a la propriété indivise dans la société, au moment où le contrat prend fin.

En l'absence d'accord sur la valeur d'une part, cette valeur est déterminée par le liquidateur ou, à défaut, par le tribunal. Le liquidateur ou le tribunal peut, toutefois, différer l'évaluation d'éléments éventuels qui sont compris dans l'actif ou le passif.

1991, c. 64, a. 2265 (1994-01-01).

(**C.C.Q.** 1030 ss., 2252; **C.P.C.** 110, 809 ss.)

Art. 2266. Le liquidateur a la saisine des biens mis en commun et agit à titre d'administrateur du bien d'autrui chargé de la pleine administration.

Il procède au paiement des dettes, puis au remboursement des apports et, ensuite, au partage de l'actif entre les associés.

1991, c. 64, a. 2266 (1994-01-01).

C.C.B.C. 1896a (**D.T.** 125; **C.C.Q.** 1306 ss., 1308 ss.; **C.P.C.** 809)

SECTION V
DE L'ASSOCIATION

Art. 2267. Le contrat constitutif de l'association est écrit ou verbal. Il peut aussi résulter de faits manifestes qui indiquent l'intention de s'associer.

1991, c. 64, a. 2267 (1994-01-01).

(**C.C.Q.** 2186 al. 2; **C.P.C.** 60, 115, 129)

Art. 2263. The termination of a contract of undeclared partnership does not affect the rights of third persons in good faith who subsequently contract with a partner or any other mandatary of all the partners.

Art. 2264. Failing agreement as to the mode of liquidation of the undeclared partnership or the selection of a liquidator, any interested person may apply to the court for the appointment of a liquidator.

Art. 2265. A partner is entitled to restitution of the property corresponding to the share he owns, and to demand the apportionment of the undivided property he owns in the undeclared partnership, in kind or in equivalence, upon termination of the contract.

Failing agreement as to the value of the share, the liquidator or, failing him, the court determines it. The liquidator or the court may, however, defer assessment of contingent assets or liabilities.

Art. 2266. The liquidator has the seisin of the common property and acts as an administrator of the property of others entrusted with full administration.

The liquidator first pays the debts, then reimburses the contributions and, finally, partitions the assets among the partners.

SECTION V
ASSOCIATIONS

Art. 2267. The contract by which an association is established may be written or verbal. It may also arise from overt acts indicating the intention to form an association.

Art. 2268. Le contrat d'association régit l'objet, le fonctionnement, la gestion et les autres modalités de l'association.

Il est présumé permettre l'admission de membres autres que les membres fondateurs.

1991, c. 64, a. 2268 (1994-01-01).

Art. 2269. En l'absence de règles particulières dans le contrat d'association, les administrateurs de l'association sont choisis parmi ses membres, et les membres fondateurs sont, de plein droit, les administrateurs jusqu'à ce qu'ils soient remplacés.

1991, c. 64, a. 2269 (1994-01-01).

(C.C.Q. 2271; C.P.C. 55, 59, 60)

Art. 2270. Les administrateurs agissent à titre de mandataire des membres de l'association.

Ils n'ont pas d'autres pouvoirs que ceux qui leur sont conférés par le contrat d'association ou par la loi, ou qui découlent de leur mandat.

1991, c. 64, a. 2270 (1994-01-01).

(C.C.Q. 1299 ss., 2130 ss., 2274 ss.)

Art. 2271. Les administrateurs peuvent ester en justice pour faire valoir les droits et les intérêts de l'association.

1991, c. 64, a. 2271 (1994-01-01).

C.P.C. 60 (C.P.C. 55, 59, 115, 129)

Art. 2272. Tout membre a le droit de participer aux décisions collectives et le contrat d'association ne peut empêcher l'exercice de ce droit.

Ces décisions, y compris celles qui ont trait à la modification du contrat d'association, se prennent à la majorité des voix des membres, sauf stipulation contraire dudit contrat.

1991, c. 64, a. 2272 (1994-01-01).

(C.C.Q. 2216, 2276, 2277)

Art. 2273. Tout membre, même s'il est exclu de la gestion, et malgré toute stipulation contraire, a le droit de se renseigner sur l'état des affaires de l'association et de consulter les livres et registres de celle-ci.

Art. 2268. The contract of association governs the object, functioning, management and other terms and conditions of the association.

It is presumed to allow the admission of members other than the founding members.

Art. 2269. Failing any special rules in the contract of association, the directors of the association are elected from among its members, and the founding members are, of right, the directors of the association until they are replaced.

Art. 2270. The directors act as mandataries of the members of the association.

Their only powers are those conferred on them by the contract of association or by law, or those arising from their mandate.

Art. 2271. The directors may sue and be sued to assert the rights and interests of the association.

Art. 2272. Every member is entitled to participate in collective decisions, and he may not be prevented from exercising that right by the contract of association.

Collective decisions, including those to amend the contract of association, are taken by a majority vote of the members, unless otherwise stipulated in the contract.

Art. 2273. Notwithstanding any stipulation to the contrary, any member may inform himself of the affairs of the association and consult its books and records even if he is excluded from management.

Il est tenu d'exercer ce droit de manière à ne pas entraver indûment les activités de l'association ou à ne pas empêcher les autres membres d'exercer ce même droit.

1991, c. 64, a. 2273 (1994-01-01).

C.C.B.C. 1887 al. 1 (**C.C.Q.** 2218)

Art. 2274. En cas d'insuffisance des biens de l'association, les administrateurs et tout membre qui administre de fait les affaires de l'association, sont solidairement ou conjointement tenus des obligations de l'association qui résultent des décisions auxquelles ils ont souscrit pendant leur administration, selon que ces obligations ont été, ou non, contractées pour le service ou l'exploitation d'une entreprise de l'association.

Toutefois, les biens de chacune de ces personnes ne sont affectés au paiement des créanciers de l'association qu'après paiement de leurs propres créanciers.

1991, c. 64, a. 2274 (1994-01-01).

(**C.C.Q.** 1518 ss., 1523, 1525, 2221)

Art. 2275. Le membre qui n'a pas administré l'association n'est tenu des dettes de celle-ci qu'à concurrence de la contribution promise et des cotisations échues.

1991, c. 64, a. 2275 (1994-01-01).

Art. 2276. Un membre peut, malgré toute stipulation contraire, se retirer de l'association, même constituée pour une durée déterminée; le cas échéant, il est tenu au paiement de la contribution promise et des cotisations échues.

Il peut être exclu de l'association par une décision des membres.

1991, c. 64, a. 2276 (1994-01-01).

(**C.C.Q.** 2272)

Art. 2277. Le contrat d'association prend fin par l'arrivée du terme ou l'avènement de la condition apposée au contrat, par l'accomplissement de l'objet du contrat ou par l'impossibilité d'accomplir cet objet.

En outre, il prend fin par une décision des membres.

1991, c. 64, a. 2277 (1994-01-01).

(**C.C.Q.** 2272)

In exercising this right, the member is bound not to impede the activities of the association unduly nor to prevent the other members from exercising the same right.

Art. 2274. Where the property of the association is insufficient, the directors and any member administering in fact the affairs of the association are solidarily or jointly liable for the obligations of the association resulting from decisions to which they gave their approval during their administration, whether or not the obligations have been contracted for the service or operation of an enterprise of the association.

The property of each of these persons is not applied to the payment of creditors of the association, however, until after his own creditors are paid.

Art. 2275. A member who has not administered the association is liable for the debts of the association only up to the promised contribution and the subscriptions due for payment.

Art. 2276. Notwithstanding any stipulation to the contrary, a member may withdraw from the association, even if it has been established for a fixed term; if he withdraws, he is bound to pay the promised contribution and any subscriptions due.

A member may be excluded from the association by decision of the members.

Art. 2277. A contract of association is terminated by the expiry of its term or the fulfilment of the condition attached to the contract, or by the accomplishment or impossibility of accomplishing the object of the contract.

It is also terminated by decision of the members.

Art. 2278. Lorsque le contrat prend fin, l'association est liquidée par une personne nommée par les administrateurs ou, à défaut, par le tribunal.

1991, c. 64, a. 2278 (1994-01-01).

_____

(**C.P.C.** 885*b*))

Art. 2279. Après le paiement des dettes, les biens qui restent sont dévolus conformément aux règles du contrat d'association ou, en l'absence de règles particulières, partagés entre les membres, en parts égales.

Toutefois, les biens qui proviennent des contributions de tiers sont, malgré toute stipulation contraire, dévolus à une association, à une personne morale ou à une fiducie partageant des objectifs semblables à l'association; si les biens ne peuvent être ainsi employés, ils sont dévolus à l'État et administrés par le curateur public comme des biens sans maître ou, s'ils sont de peu d'importance, partagés également entre les membres.

1991, c. 64, a. 2279 (1994-01-01).

_____

(**C.C.Q.** 934 ss.)

Art. 2278. When a contract of association is terminated, the association is liquidated by a person appointed by the directors or, failing that, by the court.

Art. 2279. After payment of the debts, the remaining property devolves in accordance with the rules respecting the contract of association or, failing special rules, it is shared equally among the members.

However, any property derived from contributions of third persons devolves, notwithstanding any stipulation to the contrary, to an association, legal person or trust sharing objectives similar to those of the association; if that is not possible, it devolves to the State and is administered by the Public Curator as property without an owner or, if of little value, is shared equally among the members.

CHAPITRE ONZIÈME
DU DÉPÔT

SECTION I
DU DÉPÔT EN GÉNÉRAL

§ 1. — *Dispositions générales*

Art. 2280. Le dépôt est le contrat par lequel une personne, le déposant, remet un bien meuble à une autre personne, le dépositaire, qui s'oblige à garder le bien pendant un certain temps et à le restituer.

Le dépôt est à titre gratuit; il peut, cependant, être à titre onéreux lorsque l'usage ou la convention le prévoit.

1991, c. 64, a. 2280 (1994-01-01).

C.C.B.C. 1795, 1796 (**C.C.Q.** 905, 2295 ss., 2298 ss., 2305 ss.)

Art. 2281. La remise du bien est essentielle pour que le contrat de dépôt soit parfait.

La remise feinte suffit quand le dépositaire détient déjà le bien à un autre titre.

1991, c. 64, a. 2281 (1994-01-01).

C.C.B.C. 1797

Art. 2282. Si le dépôt a été fait à une personne mineure ou placée sous un régime de protection, le déposant peut revendiquer le bien déposé, tant qu'il demeure entre les mains de cette personne; il a le droit, si la restitution en nature est impossible, de demander la valeur du bien, jusqu'à concurrence de l'enrichissement qu'en a retiré celle qui l'a reçu.

1991, c. 64, a. 2282 (1994-01-01).

C.C.B.C. 1801 (**C.C.Q.** 256 ss., 1416 ss., 1699 ss., 1706; **C.P.C.** 110)

§ 2. — *Des obligations du dépositaire*

Art. 2283. Le dépositaire doit agir, dans la garde du bien, avec prudence et diligence; il ne peut se servir du bien sans la permission du déposant.

1991, c. 64, a. 2283 (1994-01-01).

C.C.B.C. 1802, 1803

CHAPTER XI
DEPOSIT

SECTION I
DEPOSIT IN GENERAL

§ 1. — *General provisions*

Art. 2280. Deposit is a contract by which a person, the depositor, hands over movable property to another person, the depositary, who undertakes to keep it for a certain time and to restore it to him.

Deposit is gratuitous but may be by onerous title where permitted by usage or an agreement.

Art. 2281. Handing over of the property to be deposited is essential for the completion of the contract of deposit.

Fictitious handing over is sufficient where the depositary already has detention of the property under another title.

Art. 2282. Where the deposit has been made with a minor person or with a person under protective supervision, the depositor may revendicate the property deposited so long as it remains in the hands of that person; where restitution in kind is impossible, he is entitled to claim the value of the property up to the amount of the enrichment of the person who received it.

§ 2. — *Obligations of the depositary*

Art. 2283. The depositary shall act with prudence and diligence in the safekeeping of the property; he may not use it without the permission of the depositor.

Art. 2284. Le dépositaire ne peut exiger du déposant la preuve qu'il est propriétaire du bien déposé; il ne peut l'exiger, non plus, de la personne à qui le bien doit être restitué.

1991, c. 64, a. 2284 (1994-01-01).

—————
C.C.B.C. 1808 (**C.C.Q.** 928)

Art. 2285. Le dépositaire est tenu de restituer au déposant le bien déposé, dès que ce dernier le demande, alors même qu'un terme aurait été fixé pour la restitution.

Il peut, s'il a émis un reçu ou un autre titre qui constate le dépôt ou donne à celui qui le détient le droit de retirer le bien, exiger la remise de ce titre.

1991, c. 64, a. 2285 (1994-01-01).

—————
C.C.B.C. 1810 (**C.C.Q.** 1511, 1512, 2291-2294)

Art. 2286. Le dépositaire doit rendre le bien même qu'il a reçu en dépôt.

S'il a reçu quelque chose en remplacement du bien qui a péri par force majeure, il doit rendre au déposant ce qu'il a ainsi reçu.

1991, c. 64, a. 2286 (1994-01-01).

—————
C.C.B.C. 1804 (**C.C.Q.** 1470 al. 2)

Art. 2287. Le dépositaire est tenu de restituer les fruits et les revenus qu'il a perçus du bien déposé.

Il ne doit les intérêts des sommes déposées que lorsqu'il est en demeure de les restituer.

1991, c. 64, a. 2287 (1994-01-01).

—————
C.C.B.C. 1807 (**C.C.Q.** 1565, 1594, 1600, 1617)

Art. 2288. L'héritier ou un autre représentant légal du dépositaire, qui vend de bonne foi le bien dont il ignorait le dépôt, n'est tenu que de rendre le prix qu'il a reçu, ou de céder son droit contre l'acheteur si le prix n'a pas été payé.

1991, c. 64, a. 2288 (1994-01-01).

—————
C.C.B.C. 1806 (**C.C.Q.** 1637 ss., 1740 ss., 2805)

Art. 2284. The depositary may not require the depositor to prove that he is the owner of the property deposited, or require such proof of the person to whom the property is to be restored.

Art. 2285. The depositary is bound to restore the deposited property to the depositor on demand, even if a term has been fixed for restitution.

Where the depositary has issued a receipt or any other document evidencing the deposit or giving the person holding it the right to withdraw the property, he may require that the document be returned to him.

Art. 2286. The depositary shall return the identical property he received on deposit.

Where the depositary has received something to replace property that had perished by superior force, he shall return what he has received to the depositor.

Art. 2287. The depositary is bound to restore the fruits and revenues he has received from the property deposited.

The depositary owes interest on money deposited only when he is in default to restore the money.

Art. 2288. Where the heir or other legal representative of the depositary sells in good faith property deposited without his knowledge, he is bound only to return the price he has received or to assign his claim against the purchaser if the price has not been paid.

Art. 2289. Le dépositaire est tenu, si le dépôt est à titre gratuit, de la perte du bien déposé qui survient par sa faute; si le dépôt est à titre onéreux ou s'il a été exigé par le dépositaire, celui-ci est tenu de la perte du bien, à moins qu'il ne prouve la force majeure.

1991, c. 64, a. 2289 (1994-01-01).

Art. 2289. Where a deposit is gratuitous, the depositary is liable for the loss of the property deposited, if caused by his fault; where a deposit is by onerous title or where it was required by the depositary, he is liable for the loss of the property, unless he proves superior force.

C.C.B.C. 1805 (**C.C.Q.** 1457, 1458, 1470 al. 2, 1562, 1607 ss., 1611 ss., 2283, 2296, 2298)

Art. 2290. Le tribunal peut réduire les dommages-intérêts dus par le dépositaire, lorsque le dépôt est à titre gratuit ou que le dépositaire a reçu en dépôt des documents, espèces ou autres biens de valeur, sans que le déposant ait déclaré leur nature ou leur valeur.

1991, c. 64, a. 2290 (1994-01-01).

Art. 2290. The court may reduce the damages payable by the depositary where the deposit is gratuitous or where the depositary received in deposit documents, money or other valuables whose nature or value was not declared by the depositor.

Art. 2291. La restitution du bien se fait au lieu où le bien a été remis en dépôt, à moins que les parties n'aient convenu d'un autre lieu.

1991, c. 64, a. 2291 (1994-01-01).

Art. 2291. The property is restored at the place where it was handed over for deposit, unless the parties have agreed on another place.

C.C.B.C. 1809 (**C.C.Q.** 1566)

Art. 2292. Lorsque le dépôt est à titre gratuit, les frais de la restitution sont à la charge du déposant; cependant, ils sont à la charge du dépositaire si celui-ci a, à l'insu du déposant, transporté le bien ailleurs qu'au lieu convenu pour la restitution, à moins qu'il ne l'ait fait pour en assurer la conservation.

Lorsque le dépôt est à titre onéreux, les frais de la restitution sont à la charge du dépositaire.

1991, c. 64, a. 2292 (1994-01-01).

Art. 2292. Where the deposit is gratuitous, the cost of restitution of the property is borne by the depositor, but it is borne by the depositary if he, without the knowledge of the depositor, has transported the property elsewhere than the place agreed for its restitution, unless he did it to preserve the property.

Where the deposit is by onerous title, the cost of restitution is borne by the depositary.

C.C.B.C. 1809 (**C.C.Q.** 1567)

§ 3. — *Des obligations du déposant*

Art. 2293. Le déposant est tenu de rembourser au dépositaire les dépenses faites pour la conservation du bien, de l'indemniser de toute perte que le bien lui a causée et de lui verser la rémunération convenue.

Le dépositaire a le droit de retenir le bien déposé jusqu'au paiement.

1991, c. 64, a. 2293 (1994-01-01).

§ 3. — *Obligations of the depositor*

Art. 2293. The depositor is bound to reimburse the depositary for any expenses he has incurred for the preservation of the property, to indemnify him for any loss the property may have caused him and to pay him the agreed remuneration.

The depositary is entitled to retain the deposited property until he is paid.

C.C.B.C. 1812 (**C.C.Q.** 1591 ss.)

Art. 2294. Le déposant est tenu d'indemniser le dépositaire du préjudice que lui cause la restitution anticipée du bien si le terme a été convenu dans le seul intérêt du dépositaire.

1991, c. 64, a. 2294 (1994-01-01).

(**C.C.Q.** 1458, 1607 ss., 1611 ss.)

SECTION II
DU DÉPÔT NÉCESSAIRE

Art. 2295. Il y a dépôt nécessaire lorsqu'une personne est contrainte par une nécessité imprévue et pressante provenant d'un accident ou d'une force majeure de remettre à une autre la garde d'un bien.

1991, c. 64, a. 2295 (1994-01-01).

C.C.B.C. 1813 (**C.C.Q.** 1470 al. 2; **L.R.Q.**, c. P-38.1)

Art. 2296. Le dépositaire ne peut refuser de recevoir le bien, à moins qu'il n'ait un motif sérieux de le faire.

Il est tenu de la perte du bien, de la même façon qu'un dépositaire à titre gratuit.

1991, c. 64, a. 2296 (1994-01-01).

(**C.C.Q.** 2289, 2290)

Art. 2297. Le dépôt d'un bien dans un établissement de santé ou de services sociaux est présumé être un dépôt nécessaire.

1991, c. 64, a. 2297 (1994-01-01).

(**L.R.Q.**, c. S-4.2)

SECTION III
DU DÉPÔT HÔTELIER

Art. 2298. La personne qui offre au public des services d'hébergement, appelée l'hôtelier, est tenue de la perte des effets personnels et des bagages apportés par ceux qui logent chez elle, de la même manière qu'un dépositaire à titre onéreux, jusqu'à concurrence de dix fois le prix quotidien du logement qui est affiché ou, s'il s'agit de biens qu'elle a acceptés en dépôt, jusqu'à concurrence de cinquante fois ce prix.

1991, c. 64, a. 2298 (1994-01-01).

C.C.B.C. 1814, 1815 (**D.T.** 126; **C.C.Q.** 2289, 2301; **L.R.Q.**, c. E-15.1)

Art. 2294. The depositor is liable to indemnify the depositary for any injury caused to him by the premature restitution of the property if the term was agreed upon in the sole interest of the depositary.

SECTION II
NECESSARY DEPOSIT

Art. 2295. Necessary deposit takes place where a person is compelled, by an unforeseen and urgent necessity due to an accident or to superior force, to entrust the custody of property to another person.

Art. 2296. The depositary may not refuse to accept the property without a serious reason.

The depositary is liable for loss of the property in the same manner as a depositary by gratuitous title.

Art. 2297. The deposit of property in a health or social services establishment is presumed to be a necessary deposit.

SECTION III
DEPOSIT WITH AN INNKEEPER

Art. 2298. A person who offers lodging to the public, called an innkeeper, is liable in the same manner as a depositary by onerous title for the loss of the personal effects and baggage brought by persons who lodge with him, up to ten times the displayed cost of lodging for one day or, in the case of property he has accepted for deposit, up to fifty times such cost.

Art. 2299. L'hôtelier est tenu d'accepter en dépôt les documents, les espèces et les autres biens de valeur apportés par ses clients; il ne peut les refuser que si, compte tenu de l'importance ou des conditions d'exploitation de l'hôtel, les biens paraissent d'une valeur excessive ou sont encombrants, ou encore s'ils sont dangereux.

Il peut examiner les biens qui lui sont remis en dépôt et exiger qu'ils soient placés dans un réceptacle fermé ou scellé.

1991, c. 64, a. 2299 (1994-01-01).

___
C.C.B.C. 1815 (**C.C.Q.** 2301)

Art. 2300. L'hôtelier qui met à la disposition de ses clients un coffre-fort dans la chambre même, n'est pas réputé avoir accepté en dépôt les biens qui y sont déposés par les clients.

1991, c. 64, a. 2300 (1994-01-01).

Art. 2301. Malgré ce qui précède, la responsabilité de l'hôtelier est illimitée lorsque la perte d'un bien apporté par un client provient de la faute intentionnelle ou lourde de l'hôtelier ou d'une personne dont celui-ci est responsable.

La responsabilité de l'hôtelier est encore illimitée lorsqu'il refuse le dépôt de biens qu'il est tenu d'accepter, ou lorsqu'il n'a pas pris les moyens nécessaires pour informer le client des limites de sa responsabilité.

1991, c. 64, a. 2301 (1994-01-01).

___
C.C.B.C. 1815 (**C.C.Q.** 1459 ss., 1474, 2304)

Art. 2302. L'hôtelier a le droit, en garantie du paiement du prix du logement, ainsi que des services et prestations effectivement fournis par lui, de retenir les effets et les bagages apportés par le client à l'hôtel, à l'exclusion des papiers et des effets personnels de ce dernier qui n'ont pas de valeur marchande.

1991, c. 64, a. 2302 (1994-01-01).

___
C.C.B.C. 1816a al. 1 (**C.C.Q.** 1591 ss.)

Art. 2303. L'hôtelier peut disposer des biens retenus, à défaut de paiement, conformément aux règles prescrites au livre Des biens pour le détenteur du bien confié et oublié.

1991, c. 64, a. 2303 (1994-01-01).

___
C.C.B.C. 1816a al. 2, 3 et 4 (**C.C.Q.** 945)

Art. 2299. An innkeeper is bound to accept for deposit the documents, sums of money and other valuables brought by his guests; he may not refuse them unless, given the size and operating conditions of the hotel, they appear to be of excessive value or cumbersome, or unless they are dangerous.

The innkeeper may examine the property handed over to him for deposit and require it to be placed in a closed or sealed receptacle.

Art. 2300. An innkeeper who places a safe at the disposal of guests in the room itself is not deemed to have accepted for deposit the property placed in such a safe by a guest.

Art. 2301. Notwithstanding the foregoing, the liability of the innkeeper is unlimited where the loss of property brought by a guest is caused by the intentional or gross fault of the innkeeper or of a person for whom he is responsible.

The liability of the innkeeper is also unlimited where he refuses the deposit of property he is bound to accept, or where he has not taken the necessary measures to inform the guest of the limits of his liability.

Art. 2302. The innkeeper is entitled to retain, as security for payment of the cost of lodging and services actually provided by him, the effects and baggage brought into the hotel by the guest, except his personal documents and effects of no market value.

Art. 2303. The innkeeper may dispose of the property retained, failing payment, in accordance with the rules prescribed in the Book on Property, which apply to the holder of property entrusted and forgotten.

Art. 2304. L'hôtelier est tenu d'afficher, dans les bureaux, les salles et les chambres de son établissement, le texte, imprimé en caractères lisibles, des articles de la présente section.

1991, c. 64, a. 2304 (1994-01-01).

C.C.B.C. 1815 al. 4 (**C.C.Q.** 2301)

SECTION IV
DU SÉQUESTRE

Art. 2305. Le séquestre est le dépôt par lequel des personnes remettent un bien qu'elles se disputent entre les mains d'une autre personne de leur choix qui s'oblige à ne le restituer qu'à celle qui y aura droit, une fois la contestation terminée.

1991, c. 64, a. 2305 (1994-01-01).

C.C.B.C. 1818; **C.P.C.** 742 (**C.C.Q.** 1145, 2311; **C.P.C.** 742 ss.)

Art. 2306. Le séquestre peut porter tant sur un bien immeuble que sur un bien meuble.

La remise de l'immeuble s'effectue par l'abandon de la détention de l'immeuble au dépositaire chargé d'agir à titre de séquestre.

1991, c. 64, a. 2306 (1994-01-01).

C.C.B.C. 1820; **C.P.C.** 540 (**C.C.Q.** 921, 2764; **C.P.C.** 540)

Art. 2307. Les parties choisissent le séquestre d'un commun accord; elles peuvent désigner l'une d'entre elles pour agir à ce titre.

Si elles ne s'accordent pas sur le choix de la personne à nommer ou sur certaines conditions de sa charge, elles peuvent demander au tribunal d'en décider.

1991, c. 64, a. 2307 (1994-01-01).

(**C.P.C.** 885*b*))

Art. 2308. Le séquestre ne peut faire, relativement au bien sous séquestre, ni impense ni aucun acte autre que de simple administration, à moins de stipulation contraire ou d'autorisation du tribunal.

Il peut, cependant, avec le consentement des parties ou, à défaut, avec l'autorisation du tribunal, aliéner, sans délai ni formalités, les biens dont la garde ou l'entretien entraîne des frais disproportionnés par rapport à leur valeur.

1991, c. 64, a. 2308 (1994-01-01).

C.P.C. 745, 747 (**C.C.Q.** 1301 ss.; **C.P.C.** 745, 885*a*))

Art. 2304. The innkeeper is bound to post up the text of the articles of this section, printed in legible type, in the offices, public rooms and bedrooms of his establishment.

SECTION IV
SEQUESTRATION

Art. 2305. Sequestration is the deposit by which persons place property over which they are in dispute in the hands of another person chosen by them, who binds himself to restore it, once the issue is decided, to the person who will then be entitled to it.

Art. 2306. The object of sequestration may be immovable property as well as movable property.

An immovable is handed over by abandoning detention of the immovable to the depositary charged with acting as sequestrator.

Art. 2307. The parties elect the sequestrator by mutual agreement; they may elect one of their number to act as sequestrator.

Where the parties disagree on the election of a sequestrator or on certain conditions attached to his duties, they may apply to the court for a ruling on the issue.

Art. 2308. A sequestrator may not make any disbursement or perform any act other than acts of simple administration in respect of the sequestered property unless otherwise stipulated or unless authorized by the court.

He may, however, with the consent of the parties or, failing that, with the authorization of the court, alienate, without delay or formalities, property which entails costs of custody or maintenance disproportionate to its value.

Art. 2309. Le séquestre est déchargé, lorsque la contestation est terminée, par la restitution du bien à celui qui y a droit.

Il ne peut, auparavant, être déchargé et restituer le bien que si toutes les parties y consentent ou, à défaut d'accord, s'il existe une cause suffisante; en ce dernier cas, la décharge doit être autorisée par le tribunal.

1991, c. 64, a. 2309 (1994-01-01).

C.C.B.C. 1821; **C.P.C.** 748 (**C.P.C.** 885*a*))

Art. 2310. Le séquestre doit rendre compte de sa gestion à la fin de son administration, et même auparavant si les parties le requièrent ou si le tribunal l'ordonne.

1991, c. 64, a. 2310 (1994-01-01).

C.P.C. 749 (**C.C.Q.** 1351 ss.; **C.P.C.** 532 ss., 885*a*))

Art. 2311. Le séquestre peut être constitué par l'autorité judiciaire; il est alors soumis aux dispositions du Code de procédure civile, ainsi qu'aux règles du présent chapitre, s'il n'y a pas incompatibilité.

1991, c. 64, a. 2311 (1994-01-01).

C.C.B.C. 1823, 1827; **C.P.C.** 742 (**C.C.Q.** 2280; **C.P.C.** 742 ss.)

Art. 2309. The sequestrator is discharged, upon the termination of the contestation, by the restitution of the property to the person entitled to it.

The sequestrator may not be discharged and restore the property before the contestation is terminated except with the consent of all the parties or, failing that, for sufficient cause; in this last case, he may be discharged only with the authorization of the court.

Art. 2310. The sequestrator shall render an account of his management at the end of his administration, and also earlier at the request of the parties or by order of the court.

Art. 2311. A sequestrator may be appointed by judicial authority; in such a case, he is subject to the provisions of the Code of Civil Procedure and to the rules contained in this chapter, so far as they are consistent.

CHAPITRE DOUZIÈME
DU PRÊT

CHAPTER XII
LOAN

SECTION I
DES ESPÈCES DE PRÊT ET DE LEUR NATURE

SECTION I
NATURE AND KINDS OF LOANS

Art. 2312. Il y a deux espèces de prêt: le prêt à usage et le simple prêt.

1991, c. 64, a. 2312 (1994-01-01).

Art. 2312. There are two kinds of loans: loan for use and simple loan.

C.C.B.C. 1762 (**C.C.Q.** 2313, 2314, 2317 ss., 2327 ss.; **L.R.Q.**, c. P-16, a. 44-50; **L.R.Q.**, c. P-40.1, a. 73-79)

Art. 2313. Le prêt à usage est le contrat à titre gratuit par lequel une personne, le prêteur, remet un bien à une autre personne, l'emprunteur, pour qu'il en use, à la charge de le lui rendre après un certain temps.

1991, c. 64, a. 2313 (1994-01-01).

Art. 2313. Loan for use is a gratuitous contract by which a person, the lender, hands over property to another person, the borrower, for his use, under the obligation to return it to him after a certain time.

C.C.B.C. 1763 (**C.C.Q.** 1853)

Art. 2314. Le simple prêt est le contrat par lequel le prêteur remet une certaine quantité d'argent ou d'autres biens qui se consomment par l'usage à l'emprunteur, qui s'oblige à lui en rendre autant, de même espèce et qualité, après un certain temps.

1991, c. 64, a. 2314 (1994-01-01).

Art. 2314. A simple loan is a contract by which the lender hands over a certain quantity of money or other property that is consumed by the use made of it, to the borrower, who binds himself to return a like quantity of the same kind and quality to the lender after a certain time.

C.C.B.C. 1777, 1782 (**C.C.Q.** 2315, 2319; **L.R.Q.**, c. P-40.1, a. 73-79; **L.C.** 1991, ch. 46, a. 425-436)

Art. 2315. Le simple prêt est présumé fait à titre gratuit, à moins de stipulation contraire ou qu'il ne s'agisse d'un prêt d'argent, auquel cas il est présumé fait à titre onéreux.

1991, c. 64, a. 2315 (1994-01-01).

Art. 2315. A simple loan is presumed to be made by gratuitous title unless otherwise stipulated or unless it is a loan of money, in which case it is presumed to be made by onerous title.

(**C.C.Q.** 2330)

Art. 2316. La promesse de prêter ne confère au bénéficiaire de la promesse, à défaut par le promettant de l'exécuter, que le droit de réclamer des dommages-intérêts de ce dernier.

1991, c. 64, a. 2316 (1994-01-01).

Art. 2316. A promise to lend confers on the beneficiary of the promise, failing fulfilment of the promise by the promisor, only the right to claim damages from the promisor.

(**C.C.Q.** 1458, 1607 ss., 1611)

SECTION II
DU PRÊT À USAGE

Art. 2317. L'emprunteur est tenu, quant à la garde et à la conservation du bien prêté, d'agir avec prudence et diligence.

1991, c. 64, a. 2317 (1994-01-01).

C.C.B.C. 1766 al. 1 (C.C.Q. 1470)

Art. 2318. L'emprunteur ne peut se servir du bien prêté que pour l'usage auquel ce bien est destiné; il ne peut, non plus, permettre qu'un tiers l'utilise, à moins que le prêteur ne l'autorise.

1991, c. 64, a. 2318 (1994-01-01).

C.C.B.C. 1766 al. 2 (C.C.Q. 2319, 2322)

Art. 2319. Le prêteur peut réclamer le bien avant l'échéance du terme, ou, si le terme est indéterminé, avant que l'emprunteur ait cessé d'en avoir besoin, lorsqu'il en a lui-même un besoin urgent et imprévu, lorsque l'emprunteur décède ou lorsqu'il manque à ses obligations.

1991, c. 64, a. 2319 (1994-01-01).

C.C.B.C. 1773, 1774 (C.C.Q. 1508, 1512-1514, 2317, 2318)

Art. 2320. L'emprunteur a le droit d'être remboursé des dépenses nécessaires et urgentes faites pour la conservation du bien.

Il supporte seul les dépenses qu'il a dû faire pour utiliser le bien.

1991, c. 64, a. 2320 (1994-01-01).

C.C.B.C. 1771, 1775 (C.C.Q. 2324)

Art. 2321. Le prêteur qui connaissait les vices cachés du bien prêté et n'en a pas averti l'emprunteur, est tenu de réparer le préjudice qui en résulte pour ce dernier.

1991, c. 64, a. 2321 (1994-01-01).

C.C.B.C. 1776 (C.C.Q. 1457, 1607 ss., 1611 ss., 1726 ss., 1854 ss., 2328)

Art. 2322. L'emprunteur n'est pas tenu de la perte du bien qui résulte de l'usage pour lequel il est prêté.

SECTION II
LOAN FOR USE

Art. 2317. The borrower is bound to act with prudence and diligence in the safekeeping and preservation of the property loaned.

Art. 2318. The borrower may not put the property loaned to a use other than that for which it is intended; nor may he allow a third person to use it without the authorization of the lender.

Art. 2319. The lender may claim the property before the due term or, if the term is indeterminate, before the borrower ceases to need it, where he himself is in urgent and unforeseen need of the property or where the borrower dies or fails to perform his obligations.

Art. 2320. The borrower is entitled to the reimbursement of any necessary and urgent expenses incurred for the preservation of the property.

The borrower alone bears the expenses he has incurred in using the property.

Art. 2321. Where the lender knew that the property loaned had latent defects but failed to inform the borrower, he is liable for any injury suffered by the borrower as a result.

Art. 2322. The borrower is not liable for loss of the property resulting from the use for which it is loaned.

Cependant, s'il emploie le bien à un usage autre que celui auquel il est destiné ou pour un temps plus long qu'il ne le devait, il est tenu de la perte, même si celle-ci résulte d'une force majeure, sauf dans le cas où la perte se serait, de toute façon, produite en raison de cette force majeure.

1991, c. 64, a. 2322 (1994-01-01).

Where, however, the borrower puts the property to a use other than that for which it is intended, or uses it for a longer time than agreed, he is liable for its loss even where caused by superior force, unless the superior force would in any case have caused the loss of the property.

C.C.B.C. 1767, 1769 (**C.C.Q.** 1470 al. 2, 1562, 1594, 1595, 1597, 1600)

Art. 2323. Si le bien prêté périt par force majeure, alors que l'emprunteur pouvait le protéger en employant le sien propre, ou si, ne pouvant en sauver qu'un, il a préféré le sien, il est tenu de la perte.

1991, c. 64, a. 2323 (1994-01-01).

Art. 2323. Where the property loaned perishes by superior force and the borrower could have protected it by using his own property or if, being unable to save both, he chose to save his own, he is liable for the loss.

C.C.B.C. 1768 (**C.C.Q.** 1470 al. 2)

Art. 2324. L'emprunteur ne peut retenir le bien pour ce que le prêteur lui doit, à moins que la dette ne consiste en une dépense nécessaire et urgente faite pour la conservation du bien.

1991, c. 64, a. 2324 (1994-01-01).

Art. 2324. The borrower may not retain the property for what the lender owes him unless the debt is an urgent and necessary expense incurred for the preservation of the property.

C.C.B.C. 1770 (**C.C.Q.** 1561, 1592, 1676, 2320)

Art. 2325. L'action en réparation du dommage causé par la faute d'un tiers au bien prêté appartient au plus diligent du prêteur ou de l'emprunteur.

1991, c. 64, a. 2325 (1994-01-01).

Art. 2325. An action in damages for injury caused by the fault of a third person to the property loaned may be taken by the lender or the borrower, whichever is the more diligent.

(**C.C.Q.** 1457, 1607 ss., 1611 ss., 2313; **C.P.C.** 110)

Art. 2326. Si plusieurs personnes ont emprunté ensemble le même bien, elles en sont solidairement responsables envers le prêteur.

1991, c. 64, a. 2326 (1994-01-01).

Art. 2326. Where several persons borrow the same property together, they are solidarily liable towards the lender.

C.C.B.C. 1772 (**C.C.Q.** 1523 ss.)

SECTION III
DU SIMPLE PRÊT

Art. 2327. Par le simple prêt, l'emprunteur devient le propriétaire du bien prêté et il en assume, dès la remise, les risques de perte.

1991, c. 64, a. 2327 (1994-01-01).

SECTION III
SIMPLE LOAN

Art. 2327. By simple loan, the borrower becomes the owner of the property loaned and he bears the risks of loss of the property from the time it is handed over to him.

C.C.B.C. 1778, 1781

Art. 2328. Le prêteur est tenu, de la même manière que le prêteur à usage, du préjudice causé par les défauts ou les vices du bien prêté.

1991, c. 64, a. 2328 (1994-01-01).

Art. 2328. The lender is liable, in the same manner as the lender for use, for any injury resulting from defects in the property loaned.

C.C.B.C. 1776, 1781 (**C.C.Q.** 1457, 1607 ss., 1611 ss., 1726 ss., 1854 ss., 2321)

Art. 2329. L'emprunteur est tenu de rendre la même quantité et qualité de biens qu'il a reçue et rien de plus, quelle que soit l'augmentation ou la diminution de leur prix.

Si le prêt porte sur une somme d'argent, il n'est tenu de rendre que la somme nominale reçue, malgré toute variation de valeur du numéraire.

1991, c. 64, a. 2329 (1994-01-01).

Art. 2329. The borrower is bound to return the same quantity and quality of property as he received and nothing more, notwithstanding any increase or reduction of its price.

In the case of a loan of a sum of money, the borrower is bound to return only the nominal amount received, notwithstanding any variation in its value.

C.C.B.C. 1779, 1780 (**C.C.Q.** 1561, 1563, 2314; ; **L.R.C.** (1985), ch. C-52, a. 13)

Art. 2330. Le prêt d'une somme d'argent porte intérêt à compter de la remise de la somme à l'emprunteur.

1991, c. 64, a. 2330 (1994-01-01).

Art. 2330. The loan of a sum of money bears interest from the date the money is handed over to the borrower.

C.C.B.C. 1785 (**C.C.Q.** 1565, 1600, 1617, 2315; **L.R.Q.**, c. P-40.1, a. 81; **L.R.C.** (1985), ch. I-15; **L.C.** 1991, ch. 46, a. 449 ss.)

Art. 2331. La quittance du capital d'un prêt d'une somme d'argent emporte celle des intérêts.

1991, c. 64, a. 2331 (1994-01-01).

Art. 2331. The discharge of the capital of a loan of money entails the discharge of the interest.

C.C.B.C. 1786 (**C.C.Q.** 1570)

Art. 2332. Lorsque le prêt porte sur une somme d'argent, le tribunal peut prononcer la nullité du contrat, ordonner la réduction des obligations qui en découlent ou, encore, réviser les modalités de leur exécution dans la mesure où il juge, eu égard au risque et à toutes les circonstances, qu'il y a eu lésion à l'égard de l'une des parties.

1991, c. 64, a. 2332 (1994-01-01).

Art. 2332. In the case of a loan of a sum of money, the court may pronounce the nullity of the contract, order the reduction of the obligations arising from the contract or revise the terms and conditions of the performance of the obligations to the extent that it finds that, having regard to the risk and to all the circumstances, one of the parties has suffered lesion.

C.C.B.C. 1040c, 1149 al. 2 et 3 (**D.T.** 127; **C.C.Q.** 1406, 1416 ss., 1609, 1699; **C.P.C.** 110; **L.R.Q.**, c. P-40.1, a. 8, 9)

CHAPITRE TREIZIÈME
DU CAUTIONNEMENT

SECTION I
DE LA NATURE, DE L'OBJET ET DE L'ÉTENDUE DU CAUTIONNEMENT

Art. 2333. Le cautionnement est le contrat par lequel une personne, la caution, s'oblige envers le créancier, gratuitement ou contre rémunération, à exécuter l'obligation du débiteur si celui-ci n'y satisfait pas.

1991, c. 64, a. 2333 (1994-01-01).

C.C.B.C. 1929 (C.C.Q. 2346)

Art. 2334. Outre qu'il puisse résulter d'une convention, le cautionnement peut être imposé par la loi ou ordonné par jugement.

1991, c. 64, a. 2334 (1994-01-01).

C.C.B.C. 1930 (C.C.Q. 790, 1324, 2347; C.P.C. 65, 152, 153, 497, 501, 525, 677, 716, 739, 755, 839, 842, 855, 860; L. 155)

Art. 2335. Le cautionnement ne se présume pas; il doit être exprès.

1991, c. 64, a. 2335 (1994-01-01).

C.C.B.C. 1935 (C.C.Q. 1398-1409, 1881)

Art. 2336. On peut se rendre caution d'une obligation sans ordre de celui pour lequel on s'oblige, et même à son insu.

On peut aussi se rendre caution non seulement du débiteur principal, mais encore de celui qui l'a cautionné.

1991, c. 64, a. 2336 (1994-01-01).

C.C.B.C. 1934 (C.C.Q. 2347, 2356)

Art. 2337. Le débiteur tenu de fournir une caution doit en présenter une qui a et maintient au Québec des biens suffisants pour répondre de l'objet de l'obligation et qui a son domicile au Canada; à défaut de quoi, il doit en donner une autre.

Cette règle ne s'applique pas lorsque le créancier a exigé pour caution une personne déterminée.

1991, c. 64, a. 2337 (1994-01-01).

C.C.B.C. 1938, 1940 (C.C.Q. 75, 2334, 2339; C.P.C. 525 ss.)

CHAPTER XIII
SURETYSHIP

SECTION I
NATURE, OBJECT AND EXTENT OF SURETYSHIP

Art. 2333. Suretyship is a contract by which a person, the surety, binds himself towards the creditor, gratuitously or for remuneration, to perform the obligation of the debtor if he fails to fulfil it.

Art. 2334. Suretyship may result from an agreement, or may be imposed by law or ordered by judgment.

Art. 2335. Suretyship is not presumed; it is effected only if it is express.

Art. 2336. A person may become surety for an obligation without the order or even the knowledge of the person for whom he binds himself.

A person may also become surety not only for the principal debtor but also for his surety.

Art. 2337. A debtor bound to furnish a surety shall offer a surety having and maintaining sufficient property in Québec to meet the object of the obligation and having his domicile in Canada; otherwise, he shall furnish another surety.

This rule does not apply where the creditor has required that a specific person should be the surety.

Art. 2338. Le débiteur tenu de fournir une caution, légale ou judiciaire, peut donner à la place une autre sûreté suffisante.

1991, c. 64, a. 2338 (1994-01-01).

C.C.B.C. 1963 (**C.C.Q.** 2339, 2681, 2702; **C.P.C.** 531)

Art. 2338. Where a debtor is bound to furnish a legal or judicial surety, he may offer any other sufficient security instead.

Art. 2339. S'il y a litige quant à la suffisance des biens de la caution ou quant à la suffisance de la sûreté offerte, il est tranché par le tribunal.

1991, c. 64, a. 2339 (1994-01-01).

(**C.C.Q.** 2337, 2338)

Art. 2339. Any dispute as to the sufficiency of the property of the surety or the sufficiency of the security offered is decided by the court.

Art. 2340. Le cautionnement ne peut exister que pour une obligation valable.

On peut cautionner l'obligation dont le débiteur principal peut se faire décharger en invoquant son incapacité, à la condition d'en avoir connaissance, ainsi que l'obligation naturelle.

1991, c. 64, a. 2340 (1994-01-01).

C.C.B.C. 1932 (**C.C.Q.** 1554, 2353, 2357)

Art. 2340. Suretyship may be contracted only for a valid obligation.

It may be for the fulfilment of an obligation from which the principal debtor may be discharged by invoking his incapacity, provided the surety is aware of this, or the fulfilment of a purely natural obligation.

Art. 2341. Le cautionnement ne peut excéder ce qui est dû par le débiteur, ni être contracté à des conditions plus onéreuses.

Le cautionnement qui ne respecte pas cette exigence n'est pas nul pour autant; il est seulement réductible à la mesure de l'obligation principale.

1991, c. 64, a. 2341 (1994-01-01).

C.C.B.C. 1933 al. 1 et 3 (**C.C.Q.** 2342, 2354, 2359)

Art. 2341. Suretyship may not be contracted for an amount in excess of that owed by the debtor or under more onerous conditions.

Suretyship which does not meet that requirement is not null; it is only reducible to the measure of the principal obligation.

Art. 2342. Le cautionnement peut être contracté pour une partie de l'obligation principale seulement et à des conditions moins onéreuses.

1991, c. 64, a. 2342 (1994-01-01).

C.C.B.C. 1933 al. 2 (**C.C.Q.** 2341)

Art. 2342. Suretyship may be contracted for part of the principal obligation and under less onerous conditions.

Art. 2343. Le cautionnement ne peut être étendu au-delà des limites dans lesquelles il a été contracté.

1991, c. 64, a. 2343 (1994-01-01).

C.C.B.C. 1935 (**C.C.Q.** 1426, 1432, 1645, 1881, 2335, 2362)

Art. 2343. A suretyship may not be extended beyond the limits for which it was contracted.

Art. 2344. Le cautionnement d'une obligation principale s'étend à tous les accessoires de la dette, même aux frais de la première demande et à tous ceux qui sont postérieurs à la dénonciation qui en est faite à la caution.

1991, c. 64, a. 2344 (1994-01-01).

C.C.B.C. 1936 (**C.C.Q.** 2342)

SECTION II
DES EFFETS DU CAUTIONNEMENT

§ 1. — *Des effets entre le créancier et la caution*

Art. 2345. Le créancier est tenu de fournir à la caution, sur sa demande, tout renseignement utile sur le contenu et les modalités de l'obligation principale et sur l'état de son exécution.

1991, c. 64, a. 2345 (1994-01-01).

(**C.C.Q.** 6, 7, 1375, 1435, 2355, 2757, 2761)

Art. 2346. La caution n'est tenue de satisfaire à l'obligation du débiteur qu'à défaut par celui-ci de l'exécuter.

1991, c. 64, a. 2346 (1994-01-01).

C.C.B.C. 1931, 1941 (**C.C.Q.** 1523, 1537, 2333, 2347, 2352, 2365)

Art. 2347. La caution conventionnelle ou légale jouit du bénéfice de discussion, à moins qu'elle n'y renonce expressément.

Celui qui a cautionné la caution judiciaire ne peut demander la discussion du débiteur principal, ni de la caution.

1991, c. 64, a. 2347 (1994-01-01).

C.C.B.C. 1941, 1964, 1965 (**C.C.Q.** 1523, 1537, 2336, 2352; **C.P.C.** 168 al. 1(2), 525 ss.)

Art. 2348. La caution qui se prévaut du bénéfice de discussion doit l'invoquer dans l'action intentée contre elle, indiquer au créancier les biens saisissables du débiteur principal en lui avançant les sommes nécessaires pour la discussion.

Le créancier qui néglige de procéder à la discussion est tenu, à l'égard de la caution et jusqu'à concurrence de la valeur des biens indiqués, de l'insolvabilité du débiteur principal survenue après l'indication, par la caution, des biens saisissables du débiteur principal.

1991, c. 64, a. 2348 (1994-01-01).

C.C.B.C. 1942-1944 (**C.C.Q.** 2347; **C.P.C.** 168 al. 1(2), 216)

Art. 2344. Suretyship extends to all the accessories of the principal obligation, even to the costs of the original action, and to all costs subsequent to notice of such action given to the surety.

SECTION II
EFFECTS OF SURETYSHIP

§ 1. — *Effects between the creditor and the surety*

Art. 2345. At the request of the surety, the creditor is bound to provide him with any useful information respecting the content and the terms and conditions of the principal obligation and the progress made in its performance.

Art. 2346. The surety is bound to fulfil the obligation of the debtor only if the debtor fails to perform it.

Art. 2347. A conventional or legal surety enjoys the benefit of discussion unless he renounces it expressly.

A person who is surety of a judicial surety may not demand the discussion of the principal debtor nor of the surety.

Art. 2348. A surety who avails himself of the benefit of discussion shall invoke it in any action taken against him and indicate to the creditor the seizable property of the principal debtor advancing to him the sums required for the costs of discussion.

Where the creditor neglects to carry out the discussion, he is liable towards the surety, up to the value of the property indicated, for any insolvency of the principal debtor occurring after the surety has indicated the seizable property of the principal debtor.

Art. 2349. Lorsque plusieurs personnes se sont rendues cautions d'un même débiteur pour une même dette, chacune d'elles est obligée à toute la dette, mais elle peut invoquer le bénéfice de division si elle n'y a pas renoncé expressément à l'avance.

Les cautions qui se prévalent du bénéfice de division peuvent exiger que le créancier divise son action et la réduise à la part et portion de chacune d'elles.

1991, c. 64, a. 2349 (1994-01-01).

C.C.B.C. 1945, 1946 al. 1 (**C.C.Q.** 1528, 2350; **C.P.C.** 168 al. 1(4), 199)

Art. 2350. Lorsque, dans le temps où l'une des cautions a fait prononcer la division, il y en avait d'insolvables, cette caution est proportionnellement tenue de ces insolvabilités; mais elle ne peut plus être recherchée en raison des insolvabilités survenues depuis la division.

1991, c. 64, a. 2350 (1994-01-01).

C.C.B.C. 1946 al. 2 (**C.C.Q.** 2349)

Art. 2351. Si le créancier a divisé lui-même et volontairement son action, il ne peut remettre en cause cette division, quoiqu'il y eût, même antérieurement au moment où il l'a ainsi consentie, des cautions insolvables.

1991, c. 64, a. 2351 (1994-01-01).

C.C.B.C. 1947 (**C.C.Q.** 2349, 2350)

Art. 2352. Lorsque la caution s'oblige, avec le débiteur principal, en prenant la qualification de caution solidaire ou de codébiteur solidaire, elle ne peut plus invoquer les bénéfices de discussion et de division; les effets de son engagement se règlent par les principes établis pour les dettes solidaires, dans la mesure où ils sont compatibles avec la nature du cautionnement.

1991, c. 64, a. 2352 (1994-01-01).

C.C.B.C. 1941 (**C.C.Q.** 1523 ss., 1537, 2347)

Art. 2353. La caution, même qualifiée de solidaire, peut opposer au créancier tous les moyens que pouvait opposer le débiteur principal, sauf ceux qui sont purement personnels à ce dernier ou qui sont exclus par les termes de son engagement.

1991, c. 64, a. 2353 (1994-01-01).

C.C.B.C. 1958 (**C.C.Q.** 1530, 1539, 1678, 1679, 1692, 2340; **C.P.C.** 163, 165, 168, 172)

Art. 2349. Where several persons become sureties of the same debtor for the same debt, each of them is liable for the whole debt but may invoke the benefit of division if he has not renounced it expressly in advance.

Each surety who avails himself of the benefit of division may require the creditor to divide his action and to reduce it to the amount of the share and portion of each surety.

Art. 2350. If, at the time division was obtained by one of the sureties, some of them were insolvent, that surety is proportionately liable for their insolvency, but he may not be made liable for insolvencies occurring after the division.

Art. 2351. Where the creditor has himself voluntarily divided his action, he may not call the division into question, although at the time some of the sureties had become insolvent.

Art. 2352. Where the surety binds himself with the principal debtor as solidary surety or solidary codebtor, he may no longer invoke the benefits of discussion and division; the effects of his undertaking are governed by the rules established with respect to solidary debts so far as they are consistent with the nature of the suretyship.

Art. 2353. A surety, whether or not he is a solidary surety, may set up against the creditor all the defences of the principal debtor, except those which are purely personal to the principal debtor or that are excluded by the terms of his undertaking.

Art. 2354. La caution n'est point déchargée par la simple prorogation du terme accordée par le créancier au débiteur principal; de même, la déchéance du terme encourue par le débiteur principal produit ses effets à l'égard de la caution.

1991, c. 64, a. 2354 (1994-01-01).

Art. 2354. The surety is not discharged by mere prorogation of the term granted by the creditor to the principal debtor; in the same way, forfeiture of the term by the principal debtor produces its effects in respect of the surety.

C.C.B.C. 1961 (**D.T.** 128; **C.C.Q.** 1514, 1515, 2359, 2362)

Art. 2355. La caution ne peut renoncer à l'avance au droit à l'information et au bénéfice de subrogation.

1991, c. 64, a. 2355 (1994-01-01).

Art. 2355. A surety may not renounce in advance the right to be provided with information or the benefit of subrogation.

(**D.T.** 129; **C.C.Q.** 2345, 2365)

§ 2. — Des effets entre le débiteur et la caution

§ 2. — Effects between the debtor and the surety

Art. 2356. La caution qui s'est obligée avec le consentement du débiteur peut lui réclamer ce qu'elle a payé en capital, intérêts et frais, outre les dommages-intérêts pour la réparation de tout préjudice qu'elle a subi en raison du cautionnement; elle peut aussi exiger des intérêts sur toute somme qu'elle a dû verser au créancier, même si la dette principale ne produisait pas d'intérêts.

Celle qui s'est obligée sans le consentement du débiteur ne peut recouvrer de ce dernier que ce qu'il aurait été tenu de payer, y compris les dommages-intérêts, si le cautionnement n'avait pas eu lieu, sauf les frais subséquents à la dénonciation du paiement, lesquels sont à la charge du débiteur.

1991, c. 64, a. 2356 (1994-01-01).

Art. 2356. A surety who has bound himself with the consent of the debtor may claim from him what he has paid in capital, interest and costs, in addition to damages for any injury he has suffered by reason of the suretyship; he may also charge interest on any sum he has had to pay to the creditor, even if the principal debt was not producing interest.

A surety who has bound himself without the consent of the debtor may only recover from him what the debtor would have been bound to pay, including damages, if there had been no suretyship; however, costs subsequent to indication of the payment are payable by the debtor.

C.C.B.C. 1948, 1949 (**C.C.Q.** 1656, 2336, 2355, 2357, 2358; **C.P.C.** 55)

Art. 2357. Lorsque le débiteur principal s'est fait décharger de son obligation en invoquant son incapacité, la caution a, dans la mesure de l'enrichissement qu'en conserve ce débiteur, un recours en remboursement contre lui.

1991, c. 64, a. 2357 (1994-01-01).

Art. 2357. Where the principal debtor has been released from his obligation by invoking his incapacity, the surety has, to the extent of the resulting enrichment of the debtor, a remedy for reimbursement against him.

(**C.C.Q.** 2340; **C.P.C.** 110)

Art. 2358. La caution qui a payé une dette n'a point de recours contre le débiteur principal qui l'a payée ultérieurement, lorsqu'elle ne l'a pas averti du paiement.

Art. 2358. A surety having paid a debt has no remedy against the principal debtor who pays it subsequently, if he failed to inform the debtor that he had paid it.

Celle qui a payé sans avertir le débiteur principal n'a point de recours contre lui si, au moment du paiement, le débiteur avait des moyens pour faire déclarer la dette éteinte. Elle n'a, dans les mêmes circonstances, de recours que pour la somme que le débiteur aurait pu être appelé à payer, dans la mesure où ce dernier pouvait opposer au créancier d'autres moyens pour faire réduire la dette.

Dans tous les cas, la caution conserve son action en répétition contre le créancier.

1991, c. 64, a. 2358 (1994-01-01).

_____

C.C.B.C. 1952 (**C.C.Q.** 1554)

Art. 2359. La caution qui s'est obligée avec le consentement du débiteur peut agir contre lui, même avant d'avoir payé, lorsqu'elle est poursuivie en justice pour le paiement ou que le débiteur est insolvable, ou que celui-ci s'est obligé à lui rapporter sa quittance dans un certain temps.

Il en est de même lorsque la dette est devenue exigible par l'arrivée de son terme, abstraction faite du délai que le créancier a, sans le consentement de la caution, accordé au débiteur ou lorsque, en raison de pertes subies par le débiteur ou d'une faute que ce dernier a commise, elle court des risques sensiblement plus élevés qu'au moment où elle s'est obligée.

1991, c. 64, a. 2359 (1994-01-01).

_____

C.C.B.C. 1953, 1961 (**C.C.Q.** 2341, 2343, 2354; **C.P.C.** 110)

§ 3. — *Des effets entre les cautions*

Art. 2360. Lorsque plusieurs personnes ont cautionné un même débiteur pour une même dette, la caution qui a acquitté la dette a, outre l'action subrogatoire, une action personnelle contre les autres cautions, chacune pour sa part et portion.

Cette action personnelle n'a lieu que lorsque la caution a payé dans l'un des cas où elle pouvait agir contre le débiteur, avant d'avoir payé.

S'il y a insolvabilité de l'une des cautions, elle se répartit par contribution entre les autres et celle qui a fait le paiement.

1991, c. 64, a. 2360 (1994-01-01).

_____

C.C.B.C. 1118, 1955 (**C.C.Q.** 1536, 1538, 1651, 1652, 2349, 2359; **C.P.C.** 55, 110)

A surety who has paid without informing the principal debtor has no remedy against him if, at the time of the payment, the debtor had defences that could have enabled him to have the debt declared extinguished. In these circumstances, the surety has a remedy only for the sum the debtor could have been required to pay, to the extent that the debtor could set up other defences against the creditor to cause the debt to be reduced.

In any case, the surety retains his right of action for recovery against the creditor.

Art. 2359. A surety who has bound himself with the consent of the debtor may take action against him, even before paying, if he is sued for payment or the debtor is insolvent, or if the debtor has bound himself to effect his acquittance within a certain time.

The same rule applies where the debt becomes payable by the expiry of its term, disregarding any extension granted to the debtor by the creditor without the consent of the surety, or where, by reason of losses incurred by the debtor or of any fault committed by the debtor, the surety is at appreciably higher risk than at the time he bound himself.

§ 3. — *Effects between sureties*

Art. 2360. Where several persons have become sureties of the same debtor for the same debt, the surety who has paid the debt has in addition to the action in subrogation, a personal right of action against the other sureties, each for his share and portion.

The personal right of action may only be exercised where the surety has paid in one of the cases in which he could take action against the debtor before paying.

Where one of the sureties is insolvent, his insolvency is apportioned by contribution among the other sureties, including the surety who made the payment.

SECTION III
DE LA FIN DU CAUTIONNEMENT

Art. 2361. Le décès de la caution met fin au cautionnement, malgré toute stipulation contraire.

1991, c. 64, a. 2361 (1994-01-01).

C.C.B.C. 1937 (**D.T.** 130; **C.C.Q.** 625, 2364)

Art. 2362. Le cautionnement consenti en vue de couvrir des dettes futures ou indéterminées, ou encore pour une période indéterminée, comporte, après trois ans et tant que la dette n'est pas devenue exigible, la faculté pour la caution d'y mettre fin en donnant un préavis suffisant au débiteur, au créancier et aux autres cautions.

Cette règle ne s'applique pas dans le cas d'un cautionnement judiciaire.

1991, c. 64, a. 2362 (1994-01-01).

C.C.B.C. 1953(5), 1954 (**C.C.Q.** 2343, 2363)

Art. 2363. Le cautionnement attaché à l'exercice de fonctions particulières prend fin lorsque cessent ces fonctions.

1991, c. 64, a. 2363 (1994-01-01).

(**D.T.** 131)

Art. 2364. Lorsque le cautionnement prend fin, la caution demeure tenue des dettes existantes à ce moment, même si elles sont soumises à une condition ou à un terme.

1991, c. 64, a. 2364 (1994-01-01).

C.C.B.C. 1937 (**C.C.Q.** 2361)

Art. 2365. Lorsque la subrogation aux droits du créancier ne peut plus, par le fait de ce dernier, s'opérer utilement en faveur de la caution, celle-ci est déchargée dans la mesure du préjudice qu'elle en subit.

1991, c. 64, a. 2365 (1994-01-01).

C.C.B.C. 1959 (**C.C.Q.** 1656 ss., 2355, 2356)

Art. 2366. L'acceptation volontaire que le créancier a faite d'un bien, en paiement de la dette principale, décharge la caution, encore que le créancier vienne à être évincé.

1991, c. 64, a. 2366 (1994-01-01).

C.C.B.C. 1960 (**C.C.Q.** 1561, 1713)

SECTION III
TERMINATION OF SURETYSHIP

Art. 2361. Notwithstanding any contrary provision, the death of the surety terminates the suretyship.

Art. 2362. Where the suretyship is contracted with a view to covering future or indeterminate debts, or for an indeterminate period, the surety may terminate it after three years, so long as the debt has not become exigible, by giving prior and sufficient notice to the debtor, the creditor and the other sureties.

This rule does not apply in the case of a judicial suretyship.

Art. 2363. A suretyship attached to the performance of special duties is terminated upon cessation of the duties.

Art. 2364. Upon termination of the suretyship, the surety remains liable for debts existing at that time, even if those debts are subject to a condition or a term.

Art. 2365. Where, as a result of the act of the creditor, the surety can no longer be usefully subrogated to his rights, the surety is discharged to the extent of the prejudice he has suffered.

Art. 2366. Where a creditor voluntarily accepts property in payment of the capital debt, the surety is discharged even if the creditor is subsequently evicted.

CHAPITRE QUATORZIÈME
DE LA RENTE

CHAPTER XIV
ANNUITIES

SECTION I
DE LA NATURE DU CONTRAT ET DE LA PORTÉE DES RÈGLES QUI LE RÉGISSENT

SECTION I
NATURE OF THE CONTRACT AND SCOPE OF THE RULES GOVERNING IT

Art. 2367. Le contrat constitutif de rente est celui par lequel une personne, le débirentier, gratuitement ou moyennant l'aliénation à son profit d'un capital, s'oblige à servir périodiquement et pendant un certain temps des redevances à une autre personne, le crédirentier.

Le capital peut être constitué d'un bien immeuble ou meuble; s'il s'agit d'une somme d'argent, il peut être payé au comptant ou par versements.

1991, c. 64, a. 2367 (1994-01-01).

Art. 2367. A contract for the constitution of an annuity is a contract by which a person, the debtor, undertakes, gratuitously or in exchange for the alienation of capital for his benefit, to make periodical payments to another person, the annuitant, for a certain time.

The capital may consist of immovable or movable property; if it is a sum of money, it may be paid in cash or by instalments.

C.C.B.C. 1787 (**C.C.Q.** 1806, 2370, 2393, 2959, 2960; **L.R.Q.**, c. R-9)

Art. 2368. Lorsque le débirentier s'oblige au service de la rente moyennant le transfert, à son profit, de la propriété d'un immeuble, le contrat est dit bail à rente et est principalement régi par les règles du contrat de vente auquel il s'apparente.

1991, c. 64, a. 2368 (1994-01-01).

Art. 2368. Where the debtor undertakes to pay the annuity in return for the transfer, for his benefit, of ownership of an immovable, the contract is called alienation for rent and it is principally governed by the rules respecting the contract of sale, to which it is similar.

C.C.B.C. 1593-1595 (**C.C.Q.** 1281, 1802-1807, 2367, 2369, 2373, 2376, 2383, 2386-2388, 2959, 3067, 3068)

Art. 2369. La rente peut être constituée au profit d'une personne autre que celle qui en fournit le capital.

En ce cas, le contrat n'est point assujetti aux formes requises pour les donations, bien que la rente ainsi constituée soit reçue à titre gratuit par le crédirentier.

1991, c. 64, a. 2369 (1994-01-01).

Art. 2369. An annuity may be constituted for the benefit of a person other than the person who furnishes the capital.

In such a case, the contract is not subject to the forms required for gifts even though the annuity so constituted is received gratuitously by the annuitant.

C.C.B.C. 1904 (**C.C.Q.** 1432)

Art. 2370. Outre qu'elle puisse être constituée par contrat, la rente peut l'être aussi par testament, par jugement ou par la loi.

Les règles du présent chapitre s'appliquent à ces rentes, compte tenu des adaptations nécessaires.

1991, c. 64, a. 2370 (1994-01-01).

Art. 2370. An annuity may be constituted by contract, will, judgment or law.

The rules of this chapter, adapted as required, apply to such annuities.

C.C.B.C. 1788, 1901 (**C.C.Q.** 703, 743, 825, 1171, 2376)

SECTION II
DE L'ÉTENDUE DU CONTRAT

Art. 2371. La rente peut être viagère ou non viagère.

Elle est viagère lorsque la durée de son service est limitée au temps de la vie d'une ou de plusieurs personnes.

Elle est non viagère lorsque la durée de son service est autrement déterminée.

1991, c. 64, a. 2371 (1994-01-01).

C.C.B.C. 1903 al. 1 (**C.C.Q.** 2376)

Art. 2372. La rente viagère peut être établie pour la durée de la vie de la personne qui la constitue ou qui la reçoit, ou pour la vie d'un tiers qui n'a aucun droit de jouir de cette rente.

Néanmoins, il peut être stipulé que le service de la rente se continuera au-delà du décès de la personne en fonction de laquelle la durée du service a été établie, au profit, selon le cas, d'une personne déterminée ou des héritiers du crédirentier.

1991, c. 64, a. 2372 (1994-01-01).

C.C.B.C. 1902

Art. 2373. Est sans effet la rente viagère établie pour la durée de la vie d'une personne qui est décédée au jour où le débirentier doit commencer à servir la rente, ou qui décède dans les trente jours qui suivent.

De même, est sans effet la rente viagère établie pour la durée de la vie d'une personne n'existant pas encore au jour où le débirentier doit commencer à servir la rente, à moins que cette personne n'ait été alors conçue et qu'elle naisse vivante et viable.

1991, c. 64, a. 2373 (1994-01-01).

C.C.B.C. 1905, 1906 (**C.C.Q.** 2381; **C.P.C.** 110)

Art. 2374. La rente viagère qui est établie pour la durée de la vie de plusieurs personnes successivement n'a d'effet que si la première d'entre elles existe au jour où le débirentier doit commencer à servir la rente ou si, étant alors conçue, elle naît vivante et viable.

SECTION II
SCOPE OF THE CONTRACT

Art. 2371. An annuity may be constituted for life or for a fixed term.

A life annuity is an annuity payable for a duration limited to the lifetime of one or several persons.

A fixed term annuity is an annuity payable for a duration determined otherwise.

Art. 2372. A life annuity may be set up for the lifetime of the person who constitutes it or receives it or for the lifetime of a third person who has no entitlement whatever to enjoyment of the annuity.

It may be stipulated, however, that the payment of the annuity will continue beyond the death of the person for whose lifetime the duration of payment was constituted, for the benefit, as the case may be, of a determinate person or of the heirs of the annuitant.

Art. 2373. A life annuity set up for the lifetime of a person who is dead on the day the debtor is to begin paying the annuity or who dies within the following thirty days is without effect.

Similarly, a life annuity set up for the lifetime of a person who does not exist on the day on which the debtor is to begin paying the annuity, unless the person was conceived at that time and is born alive and viable, is without effect.

Art. 2374. Where a life annuity is set up for the lifetime of several persons successively, it has effect only if the first of those persons exists on the day the debtor is to begin paying the annuity or if he is conceived at that time and is born alive and viable.

Elle prend fin lorsque les personnes visées sont décédées ou lorsqu'elles ne sont pas nées vivantes et viables, mais au plus tard, cent ans après sa constitution.

1991, c. 64, a. 2374 (1994-01-01).

C.C.B.C. 389, 391, 1903 (**C.C.Q.** 2371, 2376)

Art. 2375. Le prêt à fonds perdu est présumé constituer une rente viagère au profit du prêteur et pour la durée de sa vie.

1991, c. 64, a. 2375 (1994-01-01).

(**C.C.Q.** 2371)

Art. 2376. La durée du service de toute rente, qu'elle soit viagère ou non, est dans tous les cas limitée ou réduite à cent ans depuis la constitution de la rente, même si le contrat prévoit une durée plus longue ou constitue une rente successive.

1991, c. 64, a. 2376 (1994-01-01).

C.C.B.C. 389, 391, 1789, 1903 al. 2

SECTION III
DE CERTAINS EFFETS DU CONTRAT

Art. 2377. La rente ne peut être stipulée insaisissable et inaliénable que lorsqu'elle est reçue à titre gratuit par le crédirentier; même alors, la stipulation n'a d'effet qu'à concurrence du montant de la rente qui est nécessaire au crédirentier en tant qu'aliments.

1991, c. 64, a. 2377 (1994-01-01).

C.C.B.C. 1911 (**C.C.Q.** 1212, 2378, 2393, 2457, 2645; **C.P.C.** 553 al. 1(3), 553 al. 1(4), 737)

Art. 2378. Le capital accumulé pour le service de la rente est insaisissable, lorsque la rente doit être servie à un crédirentier et à celui qui lui est substitué, tant que ce capital demeure affecté au service d'une rente.

Il ne l'est, cependant, que pour cette partie du capital qui, suivant l'appréciation du créancier saisissant, du débirentier et du crédirentier ou, s'ils ne s'entendent pas, du tribunal, serait nécessaire pour servir, pendant la durée prévue au contrat, une rente qui satisferait les besoins d'aliments du crédirentier.

1991, c. 64, a. 2378 (1994-01-01).

(**C.C.Q.** 2377, 2393)

It terminates where the persons concerned are dead or are not born alive and viable, but not later than one hundred years after it is constituted.

Art. 2375. A non-returnable loan is presumed to constitute a life annuity for the benefit and for the lifetime of the lender.

Art. 2376. The duration of payment of any annuity, whether or not it is a life annuity, is in all cases limited or reduced to one hundred years after the annuity is constituted even if the contract provides for a longer duration or constitutes a successive annuity.

SECTION III
CERTAIN EFFECTS OF THE CONTRACT

Art. 2377. A stipulation to the effect that the annuity is unseizable and inalienable is without effect unless the annuity is received gratuitously by the annuitant and, even in such a case, the stipulation has effect only up to the amount of the annuity necessary for the annuitant as support.

Art. 2378. Any capital accumulated for the payment of the annuity is unseizable where the annuity is payable to the annuitant and to the person substituted for him, so long as the capital is applied to the payment of an annuity.

Only that part of the capital is unseizable, however, which, in the estimation of the seizing creditor, the debtor and the annuitant or, if they disagree, the court, would be necessary, for the duration fixed in the contract, for the payment of an annuity which would meet the requirements of the annuitant for support.

Art. 2379. La désignation ou la révocation d'un crédirentier autre que la personne qui a fourni le capital de la rente, est régie par les règles de la stipulation pour autrui.

Toutefois, la désignation ou la révocation d'un crédirentier, au titre de rentes pratiquées par les assureurs ou dans le cadre d'un régime de retraite, est régie par les règles du contrat d'assurance relatives aux bénéficiaires et aux titulaires subrogés, compte tenu des adaptations nécessaires.

1991, c. 64, a. 2379 (1994-01-01).

_____

(**C.C.Q.** 1444 ss., 2445 ss.)

Art. 2380. La rente viagère constituée au profit de deux ou plusieurs crédirentiers conjointement peut être stipulée réversible, au décès de l'un d'eux, sur la tête des crédirentiers qui lui survivent.

Celle qui est, de même, constituée au profit de conjoints est, au décès de l'un d'eux, présumée réversible sur la tête du conjoint survivant.

1991, c. 64, a. 2380 (1994-01-01).

Art. 2381. La rente viagère n'est due au crédirentier, que dans la proportion du nombre de jours qu'a vécu la personne en fonction de laquelle la durée du service de la rente a été établie, et le crédirentier n'en peut demander le paiement qu'en justifiant l'existence de cette personne.

Toutefois, s'il a été stipulé que la rente serait payée d'avance, ce qui a dû être payé est acquis du jour où le paiement a dû en être fait.

1991, c. 64, a. 2381 (1994-01-01).

_____

C.C.B.C. 1910, 1913 (**C.C.Q.** 1504, 1590 ss., 2373, 2803)

Art. 2382. Les redevances se paient à la fin de chaque période prévue, laquelle ne peut excéder un an; elles sont comptées à partir du jour où le débirentier doit commencer à servir la rente.

1991, c. 64, a. 2382 (1994-01-01).

_____

(**C.C.Q.** 1802, 2386)

Art. 2379. The designation or revocation of an annuitant, other than the person who furnished the capital of the annuity, is governed by the rules respecting stipulation for another.

However, the designation or revocation of an annuitant, in respect of annuities transacted by insurers or of retirement plan annuities, is governed by those rules respecting the contract of insurance which relate to beneficiaries and subrogated holders, adapted as required.

Art. 2380. A stipulation may be made to the effect that a life annuity constituted for the benefit of two or more annuitants jointly is revertible, on the death of one of them, upon the life of the annuitants who survive him.

Similarly, a life annuity constituted for the benefit of spouses is presumed, on the death of either spouse, to be revertible upon the life of the surviving spouse.

Art. 2381. The life annuity is due to the annuitant only in proportion to the number of days in the lifetime of the person upon whose life the duration of payment of the annuity was established, and the annuitant may not require payment of the annuity unless he establishes the existence of the person.

Where it was stipulated that the annuity would be paid in advance, however, every amount that should have been paid is acquired from the day payment was to have been made.

Art. 2382. Payments are made at the end of each payment period, which may not exceed one year; the amount due is computed from the day the debtor is bound to begin paying the annuity.

Art. 2383. Le débirentier ne peut se libérer du service de la rente en offrant de rembourser la valeur de la rente en capital et en renonçant à la répétition des redevances payées; il est tenu de servir la rente pendant toute la durée prévue au contrat.

1991, c. 64, a. 2383 (1994-01-01).

C.C.B.C. 389, 394, 1909, 1912 (**C.C.Q.** 1554, 1803, 2376, 2384, 2385, 2387)

Art. 2384. Le débirentier a la faculté de se faire remplacer par un assureur autorisé en lui versant la valeur de la rente qu'il doit.

De même, le propriétaire d'un immeuble grevé d'une sûreté pour la garantie du service de la rente, a la faculté de substituer la sûreté attachée à cette rente par celle qui est offerte par un assureur autorisé.

Le crédirentier ne peut s'opposer à la substitution, mais il peut demander que l'achat de la rente se fasse auprès d'un autre assureur ou contester la valeur du capital arrêté ou celle de la rente en découlant.

1991, c. 64, a. 2384 (1994-01-01).

C.C.B.C. 389, 394 (**C.C.Q.** 1803, 2383, 2385)

Art. 2385. La substitution libère le débirentier ou le propriétaire de l'immeuble grevé d'une sûreté pour la garantie du service de la rente, dès le paiement du capital requis; elle oblige l'assureur envers le crédirentier et, le cas échéant, emporte extinction de l'hypothèque garantissant le service de la rente.

1991, c. 64, a. 2385 (1994-01-01).

(**C.C.Q.** 2383, 2384)

Art. 2386. Le seul défaut du paiement des redevances n'est pas une cause qui permette au crédirentier d'exiger la remise du capital aliéné pour constituer la rente; il ne lui permet, outre d'exiger le paiement de ce qui est dû, que de saisir et vendre les biens du débirentier et de faire consentir ou ordonner, sur le produit de la vente, l'emploi d'une somme suffisante pour le service de la rente ou d'exiger que le débirentier soit remplacé par un assureur autorisé.

Art. 2383. In no case may the debtor free himself from the payment of the annuity by offering to reimburse the capital value of the annuity and renouncing the recovery of the annuity payments made; he is bound to pay the annuity for the whole duration stipulated in the contract.

Art. 2384. The debtor of an annuity may appoint an authorized insurer to replace him, by paying him the value of the annuity.

Similarly, the owner of an immovable charged as security for the payment of the annuity may substitute the security offered by an authorized insurer for that securing the annuity.

The annuitant may not object to the substitution, but he may require that the purchase of the annuity be made with another insurer, or he may contest the determined capital value or the value of the annuity arising therefrom.

Art. 2385. The substitution releases the debtor or the owner of the immovable charged as security for the payment of the annuity, upon payment of the required capital; it binds the insurer towards the annuitant and, as the case may be, entails the extinction of the hypothec securing the payment of the annuity.

Art. 2386. The non-payment of the annuity is not a reason to permit the annuitant to demand recovery of the capital alienated for the constitution of the annuity; it only allows him, beyond demanding payment of the amount due, to seize and sell the property of the debtor, and to require or order the use of a sufficient amount, from the proceeds of the sale, to ensure payment of the annuity or to require that the debtor be replaced by an authorized insurer.

La remise du capital peut néanmoins être exigée si le débirentier devient insolvable, est déclaré failli ou diminue, par son fait et sans le consentement du crédirentier, les sûretés qu'il a consenties pour la garantie du service de la rente.

1991, c. 64, a. 2386 (1994-01-01).

C.C.B.C. 1790, 1907 (**C.C.Q.** 1514, 1590 ss.)

Art. 2387. Lorsque le service de la rente est garanti par une hypothèque sur un bien qui doit faire l'objet d'une vente forcée, le crédirentier ne peut demander que la vente soit réalisée à charge de sa rente; mais il peut, si son hypothèque est de premier rang, exiger que le créancier lui fournisse caution suffisante pour que la rente continue d'être servie.

Le défaut de fournir caution confère au crédirentier le droit de recevoir, suivant son rang, la valeur de la rente en capital, au jour de la collocation ou de la distribution.

1991, c. 64, a. 2387 (1994-01-01).

C.C.B.C. 1792, 1908, 1914 (**D.T.** 132; **C.C.Q.** 1802, 1805, 2368; **C.P.C.** 719)

Art. 2388. La valeur de la rente en capital est toujours estimée égale au montant qui serait suffisant pour acquérir d'un assureur autorisé une rente de même valeur.

1991, c. 64, a. 2388 (1994-01-01).

C.C.B.C. 1915

Payment of the capital may be required, however, if the debtor becomes insolvent or bankrupt or decreases, by his act and without the consent of the annuitant, the security he has furnished to ensure the payment of the annuity.

Art. 2387. Where the payment of an annuity is secured by a hypothec on property that is to be the subject of a forced sale, the annuitant may not require that the sale be carried out subject to his annuity but if his hypothec ranks first, he may require the creditor to furnish him with sufficient surety to ensure that the annuity continues to be paid.

Failure to furnish a surety entitles the annuitant, according to his rank, to receive the capital value of the annuity on the day of collocation or distribution.

Art. 2388. The capital value of an annuity is always estimated to be equal to the amount that would be sufficient to acquire an annuity of equivalent value from an authorized insurer.

CHAPITRE QUINZIÈME
DES ASSURANCES

SECTION I
DISPOSITIONS GÉNÉRALES

§ 1. — *De la nature du contrat et des diverses espèces d'assurance*

Art. 2389. Le contrat d'assurance est celui par lequel l'assureur, moyennant une prime ou cotisation, s'oblige à verser au preneur ou à un tiers une prestation dans le cas où un risque couvert par l'assurance se réalise.

L'assurance est maritime ou terrestre.

1991, c. 64, a. 2389 (1994-01-01).

C.C.B.C. 2468, 2469 (**C.C.Q.** 1444, 1555, 2469, 3119, 3150; **L.R.Q.**, c. A-32)

Art. 2390. L'assurance maritime a pour objet d'indemniser l'assuré des sinistres qui peuvent résulter des risques relatifs à une opération maritime.

1991, c. 64, a. 2390 (1994-01-01).

C.C.B.C. 2470 (**C.C.Q.** 2505 ss.)

Art. 2391. L'assurance terrestre comprend l'assurance de personnes et l'assurance de dommages.

1991, c. 64, a. 2391 (1994-01-01).

C.C.B.C. 2471 (**C.C.Q.** 2392, 2395, 2415, 2463, 3119)

Art. 2392. L'assurance de personnes porte sur la vie, l'intégrité physique ou la santé de l'assuré.

L'assurance de personnes est individuelle ou collective.

L'assurance collective de personnes couvre, en vertu d'un contrat-cadre, les personnes adhérant à un groupe déterminé et, dans certains cas, leur famille ou les personnes à leur charge.

1991, c. 64, a. 2392 (1994-01-01).

C.C.B.C. 2472

Art. 2393. L'assurance sur la vie garantit le paiement de la somme convenue, au décès de l'assuré; elle peut aussi garantir le paiement de cette somme du vivant de l'assuré, que celui-ci soit encore en vie à une époque déterminée ou qu'un événement touchant son existence arrive.

CHAPTER XV
INSURANCE

SECTION I
GENERAL PROVISIONS

§ 1. — *Nature of the contract of insurance and classes of insurance*

Art. 2389. A contract of insurance is a contract whereby the insurer undertakes, for a premium or assessment, to make a payment to the client or a third person if an event covered by the insurance occurs.

Insurance is divided into marine insurance and non-marine insurance.

Art. 2390. The object of marine insurance is to indemnify the insured against losses incident to marine adventure.

Art. 2391. Non-marine insurance is divided into insurance of persons and damage insurance.

Art. 2392. Insurance of persons deals with the life, physical integrity or health of the insured.

Insurance of persons is divided into individual insurance and group insurance.

Group insurance of persons, under a master policy, covers the participants in a specified group and, in some cases, their families or dependants.

Art. 2393. Life insurance guarantees payment of the agreed amount upon the death of the insured; it may also guarantee payment of the agreed amount during the lifetime of the insured, on his surviving a specified period or on the occurrence of an event related to his existence.

Les rentes viagères ou à terme, pratiquées par les assureurs, sont assimilées à l'assurance sur la vie, mais elles demeurent aussi régies par les dispositions du chapitre De la rente. Cependant, les règles du présent chapitre sur l'insaisissabilité s'appliquent en priorité.

1991, c. 64, a. 2393 (1994-01-01).

C.C.B.C. 2473 (**C.C.Q.** 2367 ss., 2377-2379, 2457)

Art. 2394. Les clauses d'assurance contre la maladie ou les accidents qui sont accessoires à un contrat d'assurance sur la vie, et les clauses d'assurance sur la vie qui sont accessoires à un contrat d'assurance contre la maladie ou les accidents, sont, les unes et les autres, régies par les dispositions relatives au contrat principal.

1991, c. 64, a. 2394 (1994-01-01).

C.C.B.C. 2474 (**C.C.Q.** 1427)

Art. 2395. L'assurance de dommages garantit l'assuré contre les conséquences d'un événement pouvant porter atteinte à son patrimoine.

1991, c. 64, a. 2395 (1994-01-01).

C.C.B.C. 2475 al. 1 (**C.C.Q.** 2396, 2463, 2498)

Art. 2396. L'assurance de dommages comprend l'assurance de biens, qui a pour objet d'indemniser l'assuré des pertes matérielles qu'il subit, et l'assurance de responsabilité, qui a pour objet de garantir l'assuré contre les conséquences pécuniaires de l'obligation qui peut lui incomber, en raison d'un fait dommageable, de réparer le préjudice causé à autrui.

1991, c. 64, a. 2396 (1994-01-01).

C.C.B.C. 2475 al. 2 (**C.C.Q.** 2395, 2498)

Art. 2397. Le contrat de réassurance n'a d'effet qu'entre l'assureur et le réassureur.

1991, c. 64, a. 2397 (1994-01-01).

C.C.B.C. 2493 (**C.C.Q.** 2591)

§ 2. — *De la formation et du contenu du contrat*

Art. 2398. Le contrat d'assurance est formé dès que l'assureur accepte la proposition du preneur.

1991, c. 64, a. 2398 (1994-01-01).

C.C.B.C. 2476 (**C.C.Q.** 1387, 2163, 2425, 2426)

Life or fixed-term annuities transacted by insurers are assimilated to life insurance but remain also governed by the chapter on Annuities. However, the rules in this chapter relating to unseizability apply to such annuities with priority.

Art. 2394. Clauses of accident and sickness insurance which are accessory to a contract of life insurance and clauses of life insurance which are accessory to a contract of accident and sickness insurance are governed by the rules governing the principal contract.

Art. 2395. Damage insurance protects the insured from the consequences of an event that may adversely affect his patrimony.

Art. 2396. Damage insurance includes property insurance, the object of which is to indemnify the insured for material loss, and liability insurance, the object of which is to protect the insured against the pecuniary consequences of the liability he may incur for damage to a third person by reason of an injurious act.

Art. 2397. The contract of reinsurance has effect only between the insurer and the reinsurer.

§ 2. — *Formation and content of the contract*

Art. 2398. A contract of insurance is formed upon acceptance by the insurer of the application of the client.

Art. 2399. La police est le document qui constate l'existence du contrat d'assurance.

Elle doit indiquer, outre le nom des parties au contrat et celui des personnes à qui les sommes assurées sont payables ou, si ces personnes sont indéterminées, le moyen de les identifier, l'objet et le montant de l'assurance, la nature des risques, le moment à partir duquel ils sont garantis et la durée de la garantie, ainsi que le montant ou le taux des primes et les dates auxquelles celles-ci viennent à échéance.

1991, c. 64, a. 2399 (1994-01-01).

C.C.B.C. 2477, 2480 (**C.C.Q.** 2400, 2414, 2415, 2480, 3119)

Art. 2400. En matière d'assurance terrestre, l'assureur est tenu de remettre la police au preneur, ainsi qu'une copie de toute proposition écrite faite par ce dernier ou pour lui.

En cas de divergence entre la police et la proposition, cette dernière fait foi du contrat, à moins que l'assureur n'ait, dans un document séparé, indiqué par écrit au preneur les éléments sur lesquels il y a divergence.

1991, c. 64, a. 2400 (1994-01-01).

C.C.B.C. 2478 (**C.C.Q.** 2403; **C.P.C.** 69)

Art. 2401. L'assureur délivre la police d'assurance collective au preneur et il lui remet également les attestations d'assurance que ce dernier doit distribuer aux adhérents.

L'adhérent et le bénéficiaire ont le droit de consulter la police à l'établissement du preneur et d'en prendre copie et, en cas de divergence entre la police et l'attestation d'assurance, ils peuvent invoquer l'une ou l'autre, selon leur intérêt.

1991, c. 64, a. 2401 (1994-01-01).

C.C.B.C. 2505 (**C.C.Q.** 2406)

Art. 2402. En matière d'assurance terrestre, est réputée non écrite la clause générale par laquelle l'assureur est libéré de ses obligations en cas de violation de la loi, à moins que cette violation ne constitue un acte criminel.

Art. 2399. The policy is the document evidencing the existence of the contract of insurance.

In addition to the names of the parties to the contract and the names of the persons to whom the insured sums are payable or, if those persons are not determined, a means to identify them, the object of the insurance shall be set out in the policy, together with the amount of coverage, the nature of the risks insured, the time from which the risks are covered and the term of the coverage as well as the amount and rate of the premiums and the dates on which they are due.

Art. 2400. In non-marine insurance, the insurer shall remit the policy to the client, together with a copy of any application made in writing by the client or on his behalf.

In case of discrepancy between the policy and the application, the latter prevails unless the insurer has, in a separate document, indicated the particulars in respect of which there is discrepancy to the client.

Art. 2401. In group insurance, the insurer issues the group insurance policy to the client and remits to him the insurance certificates, which he shall distribute to the participants.

Participants and beneficiaries may examine and make copies of the policy at the place of business of the client and, in case of discrepancies between the policy and the insurance certificate, they may invoke either one according to their interest.

Art. 2402. In non-marine insurance, any general clause whereby the insurer is released from his obligations if the law is violated is deemed not written, unless the violation is an indictable offence.

Est aussi réputée non écrite la clause de la police par laquelle l'assuré consent en faveur de son assureur, en cas de sinistre, une cession de créance qui aurait pour effet d'accorder à ce dernier plus de droits que ceux que lui confèrent les règles de la subrogation.

1991, c. 64, a. 2402 (1994-01-01).

Any clause of a policy whereby the insured consents, in case of loss, to effect an assignment of claim to his insurer that would result in granting his insurer more rights than he would have under the rules on subrogation is also deemed not written.

C.C.B.C. 2481 (**C.C.Q.** 1438, 1651, 2414, 2464)

Art. 2403. Sous réserve des dispositions particulières à l'assurance maritime, l'assureur ne peut invoquer des conditions ou déclarations qui ne sont pas énoncées par écrit dans le contrat.

1991, c. 64, a. 2403 (1994-01-01).

Art. 2403. Subject to the special provisions on marine insurance, the insurer may not invoke conditions or representations not written in the contract.

C.C.B.C. 2482 al. 1 (**C.C.Q.** 2417, 2526, 2569, 2570)

Art. 2404. En matière d'assurance de personnes, l'assureur ne peut invoquer que les exclusions ou les clauses de réduction de garantie qui sont clairement indiquées sous un titre approprié.

1991, c. 64, a. 2404 (1994-01-01).

Art. 2404. In insurance of persons, the insurer may not invoke any exclusions or clauses of reduction of coverage except those clearly indicated under an appropriate heading.

C.C.B.C. 2502 al. 2 (**C.C.Q.** 2416, 2417, 2441)

Art. 2405. En matière d'assurance terrestre, les modifications que les parties apportent au contrat sont constatées par un avenant à la police.

Toutefois, l'avenant constatant une réduction des engagements de l'assureur ou un accroissement des obligations de l'assuré autre que l'augmentation de la prime, n'a d'effet que si le titulaire de la police consent, par écrit, à cette modification.

Lorsqu'une telle modification est faite à l'occasion du renouvellement du contrat, l'assureur doit l'indiquer clairement à l'assuré dans un document distinct de l'avenant qui la constate. La modification est présumée acceptée par l'assuré trente jours après la réception du document.

1991, c. 64, a. 2405 (1994-01-01).

Art. 2405. In non-marine insurance, changes to the contract made by the parties are evidenced by riders attached to the policy.

Any rider stipulating a reduction of the insurer's liability or an increase in the insured's obligations, other than an increased premium, has no effect unless the policyholder consents to the change in writing.

Where such a change is made upon renewal of the contract, the insurer shall indicate it clearly to the insured in a separate document from the rider which stipulates it. The change is presumed to be accepted by the insured thirty days after receipt of the document.

C.C.B.C. 2482 al. 2

Art. 2406. Les déclarations de celui qui adhère à une assurance collective ne lui sont opposables que si l'assureur lui en a remis copie.

1991, c. 64, a. 2406 (1994-01-01).

Art. 2406. The representations of a participant in group insurance may be invoked against him only if the insurer has furnished him with a copy of them.

C.C.B.C. 2483 (**C.C.Q.** 2401)

Art. 2407. Le certificat de participation dans une société mutuelle peut établir les droits et obligations des membres par référence aux statuts de la société, mais seuls l'acte constitutif et les règlements qui sont précisément indiqués dans le certificat sont opposables aux membres.

Tout membre a le droit d'obtenir une copie des statuts de la société qui sont en vigueur.

1991, c. 64, a. 2407 (1994-01-01).

C.C.B.C. 2484 (**L.R.Q.**, c. A-32, a. 1)

§ 3. — *Des déclarations et engagements du preneur en assurance terrestre*

Art. 2408. Le preneur, de même que l'assuré si l'assureur le demande, est tenu de déclarer toutes les circonstances connues de lui qui sont de nature à influencer de façon importante un assureur dans l'établissement de la prime, l'appréciation du risque ou la décision de l'accepter, mais il n'est pas tenu de déclarer les circonstances que l'assureur connaît ou est présumé connaître en raison de leur notoriété, sauf en réponse aux questions posées.

1991, c. 64, a. 2408 (1994-01-01).

C.C.B.C. 2485, 2486 al. 2 (**C.C.Q.** 1401, 2409, 2410, 2411, 2413, 2424, 2546, 2547, 2550)

Art. 2409. L'obligation relative aux déclarations est réputée correctement exécutée lorsque les déclarations faites sont celles d'un assuré normalement prévoyant, qu'elles ont été faites sans qu'il y ait de réticence importante et que les circonstances en cause sont, en substance, conformes à la déclaration qui en est faite.

1991, c. 64, a. 2409 (1994-01-01).

C.C.B.C. 2486 (**C.C.Q.** 2408, 2410, 2424)

Art. 2410. Sous réserve des dispositions relatives à la déclaration de l'âge et du risque, les fausses déclarations et les réticences du preneur ou de l'assuré à révéler les circonstances en cause entraînent, à la demande de l'assureur, la nullité du contrat, même en ce qui concerne les sinistres non rattachés au risque ainsi dénaturé.

1991, c. 64, a. 2410 (1994-01-01).

C.C.B.C. 2487 (**C.C.Q.** 1401, 2408, 2409, 2411, 2420, 2424, 2472, 2552; **C.P.C.** 110)

Art. 2407. A certificate of participation in a mutual association may establish the rights and obligations of the members by reference to the articles of the association, but only the constituting instrument and those by-laws which are specifically indicated in the certificate may be invoked against the members.

Every member is entitled to a copy of the articles of the association in force.

§ 3. — *Representations and warranties of insured in non-marine insurance*

Art. 2408. The client, and the insured if the insurer requires it, is bound to represent all the facts known to him which are likely to materially influence an insurer in the setting of the premium, the appraisal of the risk or the decision to cover it, but he is not bound to represent facts known to the insurer or which from their notoriety he is presumed to know, except in answer to inquiries.

Art. 2409. The obligation respecting representations is deemed properly met if the representations are such as a normally provident insured would make, if they were made without material concealment and if the facts are substantially as represented.

Art. 2410. Subject to the provisions on statement of age and risk, any misrepresentation or concealment of relevant facts by either the client or the insured nullifies the contract at the instance of the insurer, even in respect of losses not connected with the risks so misrepresented or concealed.

Art. 2411. En matière d'assurance de dommages, à moins que la mauvaise foi du preneur ne soit établie ou qu'il ne soit démontré que le risque n'aurait pas été accepté par l'assureur s'il avait connu les circonstances en cause, ce dernier demeure tenu de l'indemnité envers l'assuré, dans le rapport de la prime perçue à celle qu'il aurait dû percevoir.

1991, c. 64, a. 2411 (1994-01-01).

Art. 2411. In damage insurance, unless the bad faith of the client is established or unless it is established that the insurer would not have covered the risk if he had known the true facts, the insurer remains liable towards the insured for such proportion of the indemnity as the premium he collected bears to the premium he should have collected.

C.C.B.C. 2488 (**C.C.Q.** 2389, 2408-2410, 2424, 2466, 2805)

Art. 2412. Les manquements aux engagements formels aggravant le risque suspendent la garantie. La suspension prend fin dès que l'assureur donne son acquiescement ou que l'assuré respecte à nouveau ses engagements.

1991, c. 64, a. 2412 (1994-01-01).

Art. 2412. A breach of warranty aggravating the risk suspends the coverage. The suspension ceases upon the acquiescence of the insurer or the remedy of the breach.

C.C.B.C. 2489 (**C.C.Q.** 2553)

Art. 2413. Lorsque les déclarations contenues dans la proposition d'assurance y ont été inscrites ou suggérées par le représentant de l'assureur ou par tout courtier d'assurance, la preuve testimoniale est admise pour démontrer qu'elles ne correspondent pas à ce qui a été effectivement déclaré.

1991, c. 64, a. 2413 (1994-01-01).

Art. 2413. Where the representations contained in the application for insurance have been entered or suggested by the representative of the insurer or by an insurance broker, proof may be made by testimony that they do not correspond to what was actually represented.

C.C.B.C. 2491 (**C.C.Q.** 2549, 2843, 2864)

§ 4. — Disposition particulière

§ 4. — Special provision

Art. 2414. Toute clause d'un contrat d'assurance terrestre qui accorde au preneur, à l'assuré, à l'adhérent, au bénéficiaire ou au titulaire du contrat moins de droits que les dispositions du présent chapitre est nulle.

Est également nulle la stipulation qui déroge aux règles relatives à l'intérêt d'assurance ou, en matière d'assurance de responsabilité, à celles protégeant les droits du tiers lésé.

1991, c. 64, a. 2414 (1994-01-01).

Art. 2414. Any clause in a non-marine insurance contract which grants the client, the insured, the participant, the beneficiary or the policyholder fewer rights than are granted by the provisions of this chapter is null.

Any stipulation which derogates from the rules on insurable interest or, in liability insurance, from those protecting the rights of injured third persons is also null.

C.C.B.C. 2500 (**C.C.Q.** 8, 9, 1438, 2402, 2418 ss., 3081)

DES ASSURANCES DE PERSONNES

§ 1. — *Du contenu de la police d'assurance*

Art. 2415. Outre les mentions prescrites pour toute police d'assurance, la police d'assurance de personnes doit, le cas échéant, indiquer le nom de l'assuré ou un moyen de l'identifier, les délais de paiement de prime et les droits de participation aux bénéfices, ainsi que la méthode et le tableau devant servir à établir la valeur de rachat et les droits à la valeur de rachat et aux avances sur police.

Elle doit aussi indiquer, le cas échéant, les conditions de remise en vigueur, les droits de transformation de l'assurance, les modalités de paiement des sommes dues et la période durant laquelle les prestations sont payables.

1991, c. 64, a. 2415 (1994-01-01); 2002, c. 19, a. 15 (2002-06-13).

C.C.B.C. 2501 (**C.C.Q.** 2399)

Art. 2416. L'assureur doit, dans une police d'assurance contre la maladie ou les accidents, indiquer expressément et en caractères apparents la nature de la garantie qui y est stipulée.

Lorsque l'assurance porte sur l'invalidité, il doit indiquer, de la même manière, les conditions de paiement des indemnités, ainsi que la nature et le caractère de l'invalidité assurée. À défaut d'indication claire dans la police concernant la nature et le caractère de l'invalidité assurée, cette invalidité est l'inaptitude à exercer le travail habituel.

1991, c. 64, a. 2416 (1994-01-01).

C.C.B.C. 2502 (**C.C.Q.** 2404, 2436)

Art. 2417. En matière d'assurance contre la maladie ou les accidents, si l'affection est déclarée dans la proposition, l'assureur ne peut, sauf en cas de fraude, exclure ou réduire la garantie en raison de cette affection, si ce n'est en vertu d'une clause la désignant nommément.

L'assureur ne peut, par une clause générale, exclure ou limiter la garantie d'assurance en raison d'une affection non déclarée dans la proposition, à moins que cette affection ne se manifeste dans les deux premières années de l'assurance ou qu'il n'y ait fraude.

1991, c. 64, a. 2417 (1994-01-01).

C.C.B.C. 2503, 2504 (**C.C.Q.** 2424, 2434)

INSURANCE OF PERSONS

§ 1. — *Content of policy*

Art. 2415. In addition to the particulars prescribed for policies generally, an indication shall be made, where applicable, in a policy of insurance of persons, of the name of the insured or a means to identify him, the time limits for payment of premiums, the right of the holder to participate in the profits, the method and table according to which the surrender value is established and the rights relating to the surrender value of or advances on the policy.

The conditions of reinstatement, the right to convert the insurance, the terms and conditions of payment of sums due and the period during which benefits are payable shall also be set out in the policy, where applicable.

Art. 2416. In an accident and sickness policy, the insurer shall set out, expressly and in clearly legible characters, the nature of the coverage stipulated in it.

Where the contract provides coverage against disability, he shall set out in the same manner the terms and conditions of payment of the indemnities and the nature and extent of the disability covered. Failing clear indication as to the nature and extent of the disability covered, the inability to carry on one's usual occupation constitutes the disability.

Art. 2417. In accident and sickness insurance, the insurer may not, except in case of fraud, exclude or reduce the coverage by reason of a disease or ailment disclosed in the application except under a clause referring by name to the disease or ailment.

Except in the case of fraud, an insurer may not, by a general clause, exclude or limit the coverage by reason of a disease or ailment not disclosed in the application unless the disease or ailment appears within the first two years of the insurance.

§ 2. — De l'intérêt d'assurance

Art. 2418. Le contrat d'assurance individuelle est nul si, au moment où il est conclu, le preneur n'a pas un intérêt susceptible d'assurance dans la vie ou la santé de l'assuré, à moins que ce dernier n'y consente par écrit.

Sous cette même réserve, la cession d'un tel contrat est aussi nulle lorsque, au moment où elle est consentie, le cessionnaire n'a pas l'intérêt requis.

1991, c. 64, a. 2418 (1994-01-01).

C.C.B.C. 2506, 2508, 2509 (**C.C.Q.** 2475, 2484, 3150; **C.P.C.** 110)

Art. 2419. Une personne a un intérêt susceptible d'assurance dans sa propre vie et sa propre santé, ainsi que dans la vie et la santé de son conjoint, de ses descendants et des descendants de son conjoint ou des personnes qui contribuent à son soutien ou à son éducation.

Elle a aussi un intérêt dans la vie et la santé de ses préposés et de son personnel, ou des personnes dont la vie et la santé présentent pour elle un intérêt moral ou pécuniaire.

1991, c. 64, a. 2419 (1994-01-01).

C.C.B.C. 2507

§ 3. — De la déclaration de l'âge et du risque

Art. 2420. La fausse déclaration sur l'âge de l'assuré n'entraîne pas la nullité de l'assurance. Dans ce cas, la somme assurée est ajustée suivant le rapport de la prime perçue à celle qui aurait dû être perçue.

Toutefois, si l'assurance porte sur la maladie ou les accidents, l'assureur peut choisir de redresser la prime pour la rendre conforme aux tarifs applicables à l'âge véritable de l'assuré.

1991, c. 64, a. 2420 (1994-01-01).

C.C.B.C. 2510, 2511 al. 1 et 2 (**C.C.Q.** 2410, 2421)

Art. 2421. L'assureur est fondé à demander la nullité du contrat d'assurance sur la vie lorsque l'âge de l'assuré se trouve, au moment où se forme le contrat, hors des limites d'âge fixées par les tarifs de l'assureur.

§ 2. — Insurable interest

Art. 2418. In individual insurance, a contract is null if at the time the contract is made the client has no insurable interest in the life or health of the insured, unless the insured consents in writing.

Subject to the same reservation, the assignment of such a contract is null if the assignee does not have the required interest at the time of the assignment.

Art. 2419. A person has an insurable interest in his own life and health and in the life and health of his spouse, of his descendants and the descendants of his spouse, or of persons who contribute to his support or education.

He also has an interest in the life and health of his employees and staff or of persons in whose life and health he has a pecuniary or moral interest.

§ 3. — Representation of age and risk

Art. 2420. Misrepresentation of the age of the insured does not entail the nullity of the insurance. In such circumstances, the sum insured is adjusted in such proportion as the premium collected bears to the premium that should have been collected.

In accident and sickness insurance, however, the insurer may elect to adjust the premium to make it correspond to the premium applicable to the true age of the insured.

Art. 2421. In life insurance, the insurer may bring an action for the annulment of the contract if, at the time of formation of the contract, the age of the insured exceeds the limits fixed by the insurer's rates.

Ce dernier est tenu d'agir dans les trois ans de la conclusion du contrat, pourvu qu'il le fasse du vivant de l'assuré et dans les soixante jours de la connaissance de l'erreur par l'assureur.

1991, c. 64, a. 2421 (1994-01-01).

The insurer may bring the action only within three years of the making of the contract, during the lifetime of the insured and within sixty days after becoming aware of the error.

C.C.B.C. 2512 (**C.C.Q.** 1400, 1401, 1407, 2420, 2927; **C.P.C.** 110)

Art. 2422. Seul l'âge véritable est déterminant lorsque le début ou la fin d'un contrat d'assurance contre la maladie ou les accidents dépend de l'âge de l'assuré.

Cet âge détermine aussi la fin d'un contrat d'assurance sur la vie lorsque l'assurance doit prendre fin à un âge donné et que la fausse déclaration est découverte avant le décès de l'assuré.

1991, c. 64, a. 2422 (1994-01-01).

Art. 2422. In accident and sickness insurance, the true age is the determining factor in cases where the commencement or termination of the insurance depends on the age of the insured.

In life insurance, the true age is also the determining factor for termination of a contract which is to terminate at a specified age, where the misrepresentation of age is discovered before the death of the insured.

C.C.B.C. 2511 al. 3, 2513

Art. 2423. Les fausses déclarations et les réticences de l'adhérent à un contrat d'assurance collective, sur l'âge ou le risque, n'ont d'effet que sur l'assurance des personnes qui en font l'objet.

1991, c. 64, a. 2423 (1994-01-01).

Art. 2423. In group insurance, misrepresentation or concealment by a participant as to age or risk affects only the insurance of the persons who are the subject of the misrepresentation or concealment.

C.C.B.C. 2514

Art. 2424. En l'absence de fraude, la fausse déclaration ou la réticence portant sur le risque ne peut fonder la nullité ou la réduction de l'assurance qui a été en vigueur pendant deux ans.

Toutefois, cette règle ne s'applique pas à l'assurance portant sur l'invalidité si le début de celle-ci est survenu durant les deux premières années de l'assurance.

1991, c. 64, a. 2424 (1994-01-01).

Art. 2424. In the absence of fraud, misrepresentation or concealment as to risk does not justify the annulment or reduction of insurance which has been in force for two years.

This rule does not apply in the case of disability insurance if the disability begins during the first two years of the insurance.

C.C.B.C. 2515 (**C.C.Q.** 2408-2411, 2417, 2434; **C.P.C.** 110)

§ 4. — De la prise d'effet de l'assurance

Art. 2425. L'assurance sur la vie prend effet au moment de l'acceptation de la proposition par l'assureur, pour autant que cette dernière ait été acceptée sans modification, que la première prime ait été versée et qu'aucun changement ne soit intervenu dans le caractère assurable du risque depuis la signature de la proposition.

1991, c. 64, a. 2425 (1994-01-01).

§ 4. — Effective date

Art. 2425. Life insurance takes effect when the application is accepted by the insurer, provided that it is accepted without modification, that the initial premium has been paid, and that there has been no change in the insurability of the risk since the application was signed.

C.C.B.C. 2516 (**C.C.Q.** 2398, 2426, 2427)

Art. 2426. L'assurance contre la maladie ou les accidents prend effet au moment de la délivrance de la police au preneur, même si cette délivrance n'est pas le fait d'un représentant de l'assureur.

La police est aussi valablement délivrée lorsqu'elle est établie conformément à la proposition et remise à un représentant de l'assureur pour délivrance au preneur, sans réserve.

1991, c. 64, a. 2426 (1994-01-01).

___

C.C.B.C. 2517, 2518 (**C.C.Q.** 2398, 2425)

Art. 2426. Accident and sickness insurance takes effect upon the delivery of the policy to the client, even if it is delivered by a person other than a representative of the insurer.

A policy issued in accordance with the application and given to a representative of the insurer for unconditional delivery to the client is also validly delivered.

§ 5. — Des primes, des avances et de la remise en vigueur de l'assurance

§ 5. — Premiums, advances and reinstatement

Art. 2427. Le titulaire d'une police d'assurance sur la vie bénéficie pour le paiement de chaque prime, sauf la première, d'un délai de trente jours; l'assurance reste en vigueur pendant ce délai, mais le défaut de paiement à l'intérieur de ce délai met fin à l'assurance.

Le délai court en même temps que tout autre délai consenti par l'assureur, mais aucune convention ne peut le réduire.

1991, c. 64, a. 2427 (1994-01-01).

___

C.C.B.C. 2519 (**C.C.Q.** 1605, 2425, 2431)

Art. 2427. In life insurance, the policyholder is entitled to thirty days for the payment of each premium, except the initial premium; the insurance remains in force during the thirty days, but failure to pay the premium within that period terminates the insurance.

The period runs concurrently with any other period granted by the insurer, but it may not be reduced by agreement.

Art. 2428. Lorsque le paiement est fait au moyen d'une lettre de change, il est réputé fait si la lettre est payée dès la première présentation.

Il l'est également si le défaut de paiement est attribuable au décès de celui qui a émis la lettre de change, sous réserve du paiement de la prime.

1991, c. 64, a. 2428 (1994-01-01).

___

C.C.B.C. 2522 (**C.C.Q.** 1564)

Art. 2428. When payment is made by bill of exchange, it is deemed made only if the bill is honoured when first presented.

The payment is also deemed made when the bill is not honoured by reason of the death of the person who issued the bill of exchange, subject to payment of the premium.

Art. 2429. La prime ne porte pas intérêt durant le délai de paiement, sauf en assurance collective.

Lorsque l'assureur a droit à des intérêts sur la prime échue, ceux-ci ne peuvent être supérieurs au taux fixé par les règlements pris à ce sujet par le gouvernement.

1991, c. 64, a. 2429 (1994-01-01).

___

C.C.B.C. 2520, 2521 (**C.C.Q.** 1565)

Art. 2429. The premium does not bear interest during the period allowed for payment, except in group insurance.

Where the insurer is entitled to interest on a premium due, the interest may not be at a higher rate than that fixed by the regulations made to that effect by the Government.

Art. 2430. Le contrat d'assurance contre la maladie ou les accidents, lorsqu'il est en vigueur, ne peut être résilié pour défaut de paiement de la prime, à moins que le débiteur n'en ait été avisé par écrit au moins quinze jours auparavant.

1991, c. 64, a. 2430 (1994-01-01).

C.C.B.C. 2523 (**C.C.Q.** 1439)

Art. 2431. L'assureur est tenu de remettre en vigueur l'assurance individuelle sur la vie qui a été résiliée pour défaut de paiement de la prime, si le titulaire de la police lui en fait la demande dans les deux ans de la date de la résiliation et s'il établit que l'assuré remplit encore les conditions nécessaires pour être assurable au titre du contrat résilié. Le titulaire est alors tenu de payer les primes en souffrance et de rembourser les avances qu'il a reçues sur la police, avec un intérêt n'excédant pas le taux fixé par les règlements pris à ce sujet par le gouvernement.

Toutefois, l'assureur n'est pas tenu de le faire lorsque la valeur de rachat de la police a été payée ou que le titulaire a opté pour la réduction ou la prolongation de l'assurance.

1991, c. 64, a. 2431 (1994-01-01).

C.C.B.C. 2524, 2525 (**C.C.Q.** 2427)

Art. 2432. Le remboursement qui doit être effectué pour la remise en vigueur d'un contrat peut se faire au moyen des avances à recevoir sur la police, jusqu'à concurrence de la somme stipulée par le contrat.

1991, c. 64, a. 2432 (1994-01-01).

C.C.B.C. 2526 (**C.C.Q.** 2454)

Art. 2433. L'assureur peut exiger le paiement des primes échues lorsqu'il s'agit d'exécuter un contrat d'assurance collective sur la vie ou un contrat d'assurance contre la maladie ou les accidents.

Il peut, pour tout contrat d'assurance individuelle, retenir le montant de la prime due sur les prestations qu'il doit verser.

1991, c. 64, a. 2433 (1994-01-01).

C.C.B.C. 2527 (**C.C.Q.** 2543)

Art. 2430. No accident and sickness insurance contract that is in force may be cancelled for nonpayment of the premium unless fifteen day's prior notice in writing is given to the debtor.

Art. 2431. The insurer is bound to reinstate individual life insurance that has been cancelled for non-payment of the premium if the policyholder applies to him therefor within two years from the date of the cancellation and establishes that the insured still meets the conditions required to be insured under the cancelled contract. The policyholder is bound in that case to pay the overdue premiums and repay the advances he has obtained on the policy, with interest at a rate not exceeding the rate fixed by the regulations made to that effect by the Government.

The insurer is not bound by the first paragraph if the surrender value has been paid or if the policyholder has elected for a reduction or extension of coverage.

Art. 2432. Any amount payable for the reinstatement of a contract may be made out of advances receivable on the policy up to the sum stipulated in the contract.

Art. 2433. The insurer may require the payment of overdue premiums when settling a claim under a group life insurance contract or an accident and sickness insurance contract.

The insurer may, for any personal insurance contract, deduct the amount of any overdue premium out of the benefits payable.

Art. 2434. Dès que le contrat d'assurance est remis en vigueur, le délai de deux ans pendant lequel l'assureur est fondé à demander la nullité du contrat ou la réduction de l'assurance pour les fausses déclarations ou réticences relatives à la déclaration du risque, ou l'exécution d'une clause d'exclusion de garantie en cas de suicide de l'assuré, court à nouveau.

1991, c. 64, a. 2434 (1994-01-01).

C.C.B.C. 2524 al. 2 (**C.C.Q.** 2417, 2424, 2441, 2903)

§ 6. — *De l'exécution du contrat d'assurance*

Art. 2435. Le titulaire, le bénéficiaire ou l'assuré d'une police d'assurance contre la maladie ou les accidents est tenu d'informer l'assureur, par écrit, du sinistre dans les trente jours de celui où il en a eu connaissance. Il doit également, dans les quatre-vingt-dix jours, transmettre à l'assureur tous les renseignements auxquels ce dernier peut raisonnablement s'attendre sur les circonstances et sur l'étendue du sinistre.

Lorsque la personne qui a droit à la prestation démontre qu'il lui a été impossible d'agir dans les délais impartis, elle n'est pas pour autant empêchée de toucher la prestation, pourvu que l'information soit transmise à l'assureur dans l'année du sinistre.

1991, c. 64, a. 2435 (1994-01-01).

C.C.B.C. 2535 (**C.C.Q.** 2436, 2470, 2471, 2575)

Art. 2436. L'assureur est tenu de payer les sommes assurées et les autres avantages prévus au contrat, suivant les conditions qui y sont fixées, dans les trente jours suivant la réception de la justification requise pour le paiement.

Toutefois, ce délai est de soixante jours lorsque l'assurance porte sur la maladie ou les accidents, à moins que l'assurance ne couvre la perte de revenus occasionnée par l'invalidité.

1991, c. 64, a. 2436 (1994-01-01).

C.C.B.C. 2528 (**C.C.Q.** 2416, 2435, 2437)

Art. 2437. Lorsque l'assurance couvre la perte de revenus occasionnée par l'invalidité et que le contrat stipule un délai de carence, le délai de trente jours pour payer la première indemnité court à compter de l'expiration du délai de carence.

Art. 2434. Upon the reinstatement of a contract of insurance, the two year period during which the insurer may bring an action for the annulment of the contract or reduction of coverage by reason of misrepresentation or concealment relating to the risk, or by reason of the application of a clause of exclusion of coverage in case of the suicide of the insured, runs again.

§ 6. — *Performance of the contract of insurance*

Art. 2435. The holder of an accident and sickness policy or the beneficiary or insured shall give written notice of loss to the insurer within thirty days of acquiring knowledge of it. He shall also, within ninety days, transmit all the information to the insurer that he may reasonably expect as to the circumstances and extent of the loss.

The person entitled to the payment is not prevented from receiving it if he proves that it was impossible for him to act within the prescribed time, provided the notice is sent to the insurer within one year of the loss.

Art. 2436. The insurer is bound to pay the sums insured and the other benefits provided in the policy, in accordance with the conditions of the policy, within thirty days after receipt of the required proof of loss.

In accident and sickness insurance, the period is of sixty days, unless the policy covers losses of income due to disability.

Art. 2437. Where the insurance covers losses of income due to disability and the policy stipulates a waiting period, the thirty day period for payment of the first indemnity runs from the expiry of the waiting period.

Les paiements ultérieurs sont effectués à des intervalles d'au plus trente jours, pourvu que justification soit fournie à l'assureur sur demande.

1991, c. 64, a. 2437 (1994-01-01).

C.C.B.C. 2537 (**C.C.Q.** 2436)

Art. 2438. L'assuré doit se soumettre à un examen médical, lorsque l'assureur est justifié de le demander en raison de la nature de l'invalidité.

1991, c. 64, a. 2438 (1994-01-01).

C.C.B.C. 2536 (**C.C.Q.** 11)

Art. 2439. L'assureur peut, lorsqu'il y a eu aggravation du risque professionnel persistant pendant six mois ou plus, réduire l'indemnité prévue par le contrat d'assurance contre la maladie ou les accidents, à la somme qui aurait été payable en fonction de la prime stipulée au contrat, pour le nouveau risque.

Cependant, lorsqu'il y a diminution du risque professionnel, il est tenu, à compter de l'avis qu'il en reçoit, de réduire le taux de la prime ou de prolonger l'assurance en fonction du taux correspondant au nouveau risque, au choix du preneur.

1991, c. 64, a. 2439 (1994-01-01).

C.C.B.C. 2533 (**C.C.Q.** 2466)

Art. 2440. Les héritiers du bénéficiaire d'une assurance peuvent exiger de l'assureur qu'il leur escompte en un paiement unique toutes les sommes payables par versements.

1991, c. 64, a. 2440 (1994-01-01).

C.C.B.C. 2531 (**C.C.Q.** 2456)

Art. 2441. L'assureur ne peut refuser de payer les sommes assurées en raison du suicide de l'assuré, à moins qu'il n'ait stipulé l'exclusion de garantie expresse pour ce cas. Même alors, la stipulation est sans effet si le suicide survient après deux ans d'assurance ininterrompue.

Toute modification du contrat portant augmentation du montant d'assurance est, en ce qui a trait au montant additionnel, sujette à la clause d'exclusion initialement stipulée pour une période de deux ans d'assurance ininterrompue s'appliquant à compter de la prise d'effet de l'augmentation.

1991, c. 64, a. 2441 (1994-01-01); 2002, c. 70, a. 156 (2003-02-12).

C.C.B.C. 2532 (**C.C.Q.** 2404, 2425, 2434)

Subsequent payments are made at intervals of not more than thirty days, provided that proof is furnished to the insurer on request.

Art. 2438. The insured shall submit to a medical examination when the insurer is entitled to require it owing to the nature of the disability.

Art. 2439. In accident and sickness insurance, where an aggravation of the occupational risk has lasted for six months or more, the insurer may reduce the indemnity provided under the policy to the sum payable for the new risk according to the premium stipulated in the policy.

Where there is a reduction of the occupational risk, the insurer is bound, from receipt of a notice to that effect, to reduce the rate of the premium or to extend the insurance by applying the rate corresponding to the new risk, as the client may elect.

Art. 2440. The heirs of the beneficiary of an insurance contract may require the insurer to make a single lump sum payment to them of any sums payable by instalments.

Art. 2441. The insurer may not refuse payment of the sums insured by reason of the suicide of the insured unless he stipulated an express exclusion of coverage in such a case and, even then, the stipulation is without effect if the suicide occurs after two years of uninterrupted insurance.

Any change made to a contract to increase the insurance coverage is, in respect of the additional coverage, subject to the clause of exclusion initially stipulated for a period of two years of uninterrupted insurance beginning on the effective date of the increase.

Art. 2442. Le contrat d'assurance de frais funéraires par lequel une personne, moyennant une prime payée en une seule fois ou par versements, s'engage à fournir des services ou effets lors du décès d'une autre personne, à acquitter des frais funéraires ou à affecter une somme d'argent à cette fin, est nul.

La nullité de ce contrat, de même que la répétition de la prime payée, ne peut être demandée que par ceux qui ont payé la prime ou fait des versements, ou par l'inspecteur général des institutions financières agissant en leur nom.

1991, c. 64, a. 2442 (1994-01-01).

Art. 2442. A contract of insurance for funeral expenses whereby a person undertakes, for a premium paid in a single payment or by instalments, to provide services or goods upon the death of another person, to pay funeral expenses or to set aside a sum of money for that purpose is null.

Only the person who paid the premium or instalments or the Inspector General of Financial Institutions acting on his behalf may bring an action for the annulment of the contract or recovery of the premium.

C.C.B.C. 2538a), 2539 (**C.C.Q.** 1411, 1554; **C.P.C.** 110; **L.R.Q.**, c. A-23.001)

Art. 2443. L'attentat à la vie de l'assuré par le titulaire de la police entraîne de plein droit la résiliation de l'assurance et le paiement de la valeur de rachat.

L'attentat à la vie de l'assuré par toute autre personne n'entraîne la déchéance qu'à l'égard du droit de cette personne à la garantie.

1991, c. 64, a. 2443 (1994-01-01).

Art. 2443. An attempt on the life of the insured by the policyholder entails, by operation of law, cancellation of the insurance and payment of the surrender value.

An attempt on the life of the insured by a person other than the policyholder entails forfeiture only in respect of that person's right to the coverage.

C.C.B.C. 2559, 2560 (**C.C.Q.** 620, 621, 1836)

Art. 2444. Les avantages établis en faveur d'un membre d'une société de secours mutuels, de son époux ou son conjoint uni civilement, de ses ascendants et de ses descendants, sont insaisissables, tant pour les dettes de ce membre que pour celles des personnes avantagées.

1991, c. 64, a. 2444 (1994-01-01); 2002, c. 6, a. 55 (2002-06-24).

Art. 2444. The benefits established in favour of a member of a mutual benefit association, or of his or her married or civil union spouse, ascendants or descendants are unseizable either for debts of the member or for debts of the beneficiaries.

C.C.B.C. 2561

§ 7. — *De la désignation des bénéficiaires et des titulaires subrogés*

I — DES CONDITIONS DE LA DÉSIGNATION

Art. 2445. La somme assurée peut être payable au titulaire de la police, à l'adhérent ou à un bénéficiaire déterminé.

Lorsqu'une assurance individuelle porte sur la tête d'un tiers, le titulaire de la police peut désigner un titulaire subrogé qui le remplacera à son décès; il peut aussi désigner plusieurs titulaires subrogés et déterminer l'ordre dans lequel chacun succédera au titulaire précédent.

La police d'assurance-vie ne peut être payable au porteur.

1991, c. 64, a. 2445 (1994-01-01).

§ 7. — *Designation of beneficiaries and subrogated policyholders*

I — CONDITIONS OF DESIGNATION

Art. 2445. The sum insured may be payable to the policyholder, the participant or a specified beneficiary.

In individual insurance, the holder of a policy on the life of a third person may designate a subrogated policyholder to replace him upon his death; he may also designate several subrogated policyholders and specify the order in which they will succeed to any preceding policyholder.

The proceeds of a life insurance policy may not be payable to bearer.

C.C.B.C. 2540 (**C.C.Q.** 1444, 2372)

Art. 2446. La désignation de bénéficiaires ou de titulaires subrogés se fait dans la police ou dans un autre écrit revêtu, ou non, de la forme testamentaire.

1991, c. 64, a. 2446 (1994-01-01).

C.C.B.C. 2541

Art. 2447. Il n'est pas nécessaire que le bénéficiaire ou le titulaire subrogé existe lors de la désignation, ni qu'il soit alors expressément déterminé; il suffit qu'à l'époque où son droit devient exigible, le bénéficiaire ou le titulaire subrogé existe ou, s'il est conçu, mais non encore né, qu'il naisse vivant et viable, et que sa qualité soit reconnue.

La désignation de bénéficiaire est présumée faite sous la condition de l'existence de la personne bénéficiaire à l'époque de l'exigibilité de la somme assurée; celle du titulaire subrogé, sous la condition de l'existence de la personne ainsi désignée au décès du titulaire précédent de la police.

1991, c. 64, a. 2447 (1994-01-01).

C.C.B.C. 2543, 2544 (**C.C.Q.** 1445, 2373)

Art. 2448. Lorsque l'assuré et le bénéficiaire décèdent en même temps ou dans des circonstances qui ne permettent pas d'établir l'ordre des décès, l'assuré est, aux fins de l'assurance, réputé avoir survécu au bénéficiaire. Dans le cas où l'assuré décède *ab intestat* et ne laisse aucun héritier au degré successible, le bénéficiaire est réputé avoir survécu à l'assuré. De même, entre le titulaire précédent et le titulaire subrogé, le premier est réputé avoir survécu au second.

1991, c. 64, a. 2448 (1994-01-01).

C.C.B.C. 2545 (**C.C.Q.** 616)

Art. 2449. La désignation de la personne à laquelle il est marié ou uni civilement à titre de bénéficiaire, par le titulaire de la police ou l'adhérent, dans un écrit autre qu'un testament, est irrévocable, à moins de stipulation contraire. La désignation de toute autre personne à titre de bénéficiaire est révocable, sauf stipulation contraire dans la police ou dans un écrit distinct autre qu'un testament. La désignation d'une personne en tant que titulaire subrogé est toujours révocable.

Art. 2446. The designation of beneficiaries or of subrogated policyholders is made in the policy or in another writing which may or may not be in the form of a will.

Art. 2447. The beneficiary or the subrogated policyholder need not exist at the time of designation or be then expressly determined; it is sufficient that at the time his right becomes exigible he exist or, if he is conceived but not born, that he be born alive and viable and that his quality be recognized.

The designation of a beneficiary is presumed made on the condition that the beneficiary exists at the time the proceeds of the insurance become exigible; the designation of the subrogated policyholder is presumed made on the condition that the person so designated exists at the death of the preceding policyholder.

Art. 2448. Where the insured and the beneficiary die at the same time or in circumstances which make it impossible to determine which of them died first, the insured is, for the purposes of the insurance, deemed to have survived the beneficiary. Where the insured dies intestate, leaving no heir within the degrees of succession, the beneficiary is deemed to have survived the insured. In similar circumstances, the preceding policyholder is deemed to have survived the subrogated policyholder.

Art. 2449. The designation in a writing other than a will, by the policyholder or participant, of his or her married or civil union spouse as beneficiary is irrevocable unless otherwise stipulated. The designation of any other person as beneficiary is revocable unless otherwise stipulated in the policy or in a separate writing other than a will. The designation of a person as subrogated policyholder is always revocable.

Lorsqu'elle peut être faite, la révocation doit résulter d'un écrit; il n'est pas nécessaire, toutefois, qu'elle soit expresse.

1991, c. 64, a. 2449 (1994-01-01); 2002, c. 6, a. 56 (2002-06-24).

C.C.B.C. 2546, 2547 (**C.C.Q.** 2452, 2459)

Art. 2450. La désignation ou la révocation contenue dans un testament nul pour vice de forme n'est pas nulle pour autant; mais elle l'est si le testament est révoqué.

Cependant, la désignation ou la révocation contenue dans un testament ne vaut pas à l'encontre d'une autre désignation ou révocation postérieure à la signature du testament. Elle ne vaut pas, non plus, à l'encontre d'une désignation antérieure à la signature du testament, à moins que le testament ne mentionne la police d'assurance en cause ou que l'intention du testateur à cet égard ne soit évidente.

1991, c. 64, a. 2450 (1994-01-01).

C.C.B.C. 2542, 2546 al. 3 (**C.C.Q.** 713, 763)

Art. 2451. Toute désignation de bénéficiaire demeure révocable tant que l'assureur ne l'a pas reçue, quels que soient les termes employés.

1991, c. 64, a. 2451 (1994-01-01).

C.C.B.C. 2548

Art. 2452. Les désignation et révocation ne sont opposables à l'assureur que du jour où il les a reçues; lorsque plusieurs désignations de bénéficiaires irrévocables sont faites, sans être conjointes ou simultanées, la priorité est donnée suivant les dates auxquelles l'assureur les reçoit.

Le paiement que l'assureur fait de bonne foi, suivant ces règles, à la dernière personne connue qui y a droit, est libératoire.

1991, c. 64, a. 2452 (1994-01-01).

C.C.B.C. 2549, 2557

II — DES EFFETS DE LA DÉSIGNATION

Art. 2453. Le bénéficiaire et le titulaire subrogé sont créanciers de l'assureur; toutefois, l'assureur peut alors opposer les causes de nullité ou de déchéance susceptibles d'être invoquées contre le titulaire ou l'adhérent.

1991, c. 64, a. 2453 (1994-01-01).

C.C.B.C. 2550 al. 1

Where revocation is permitted, it may only result from a writing but it need not be express.

Art. 2450. A designation or revocation contained in a will that is null by reason of a defect of form is not null for that sole reason; such a designation or revocation is null, however, if the will is revoked.

A designation or revocation made in a will does not avail against another designation or revocation subsequent to the signing of the will. Nor does it avail against a designation prior to the signing of the will unless the will refers to the insurance policy in question or unless the intention of the testator in that respect is manifest.

Art. 2451. Regardless of the terms used, every designation of beneficiaries remains revocable until received by the insurer.

Art. 2452. Designations and revocations may be set up against the insurer only from the day he receives them; where several irrevocable designations of beneficiaries are made separately and at different times, they are given priority according to their dates of receipt by the insurer.

The insurer is discharged by payment in good faith in accordance with these rules to the last known person entitled to it.

II — EFFECTS OF DESIGNATION

Art. 2453. Beneficiaries and subrogated policyholders are the creditors of the insurer but the insurer may set up against them the causes of nullity or forfeiture that may be invoked against the policyholder or participant.

Art. 2454. Le titulaire de la police a le droit de participer aux bénéfices et aux autres avantages qui lui sont conférés par le contrat, même si le bénéficiaire a été désigné irrévocablement.

Les participations et avantages doivent être imputés par l'assureur à toute prime échue afin de maintenir l'assurance en vigueur.

Dans les deux cas, le contrat peut en disposer autrement.

1991, c. 64, a. 2454 (1994-01-01).

C.C.B.C. 2553 (**C.C.Q.** 1572)

Art. 2455. La somme assurée payable à un bénéficiaire ne fait pas partie de la succession de l'assuré. De même, le contrat transmis au titulaire subrogé ne fait pas partie de la succession du titulaire précédent.

1991, c. 64, a. 2455 (1994-01-01).

C.C.B.C. 2550 al. 2 (**C.C.Q.** 2453, 2456)

Art. 2456. L'assurance payable à la succession ou aux ayants cause, héritiers, liquidateurs ou autres représentants légaux d'une personne, en vertu d'une stipulation employant ces expressions ou des expressions analogues, fait partie de la succession de cette personne.

Les règles sur la représentation successorale ne jouent pas en matière d'assurance, mais celles sur l'accroissement au profit des légataires particuliers s'appliquent entre cobénéficiaires et entre cotitulaires subrogés.

1991, c. 64, a. 2456 (1994-01-01).

C.C.B.C. 2540 al. 2 (**C.C.Q.** 660-665, 749, 755, 756, 2453, 2455)

Art. 2457. Lorsque le bénéficiaire désigné de l'assurance est l'époux ou le conjoint uni civilement, le descendant ou l'ascendant du titulaire ou de l'adhérent, les droits conférés par le contrat sont insaisissables, tant que le bénéficiaire n'a pas touché la somme assurée.

1991, c. 64, a. 2457 (1994-01-01); 2002, c. 6, a. 57 (2002-06-24).

C.C.B.C. 2552 (**C.C.Q.** 2444)

Art. 2458. La stipulation d'irrévocabilité lie le titulaire de la police, même si le bénéficiaire désigné n'en a pas connaissance. Tant que la désignation à titre irrévocable subsiste, les droits conférés par le contrat au titulaire, à l'adhérent et au bénéficiaire sont insaisissables.

1991, c. 64, a. 2458 (1994-01-01).

C.C.B.C. 2554 (**C.C.Q.** 2460)

Art. 2454. The policyholder is entitled to the profits and other benefits conferred on him by the contract even if the beneficiary has been designated irrevocably.

Profits and benefits shall be applied by the insurer to any premium due to keep the insurance in force.

In either case, the contract may provide otherwise.

Art. 2455. Sums insured payable to a beneficiary do not form part of the succession of the insured. Similarly, a contract transferred to a subrogated policyholder does not form part of the succession of the preceding policyholder.

Art. 2456. Insurance payable to the succession or to the assigns, heirs, liquidators or other legal representatives of a person pursuant to a stipulation in which those terms or similar terms are employed forms part of the succession of such person.

The rules respecting representation of heirs do not apply to insurance matters but those respecting accretion to the benefit of particular legatees apply among co-beneficiaries or subrogated co-policyholders.

Art. 2457. Where the designated beneficiary of the insurance is the married or civil union spouse, descendant or ascendant of the policyholder or of the participant, the rights under the contract are exempt from seizure until the beneficiary receives the sum insured.

Art. 2458. A stipulation of irrevocable designation binds the policyholder even if the designated beneficiary has no knowledge of it. As long as the designation remains irrevocable, the rights conferred by the contract on the policyholder, participant or beneficiary are exempt from seizure.

Art. 2459. La séparation de corps ne porte pas atteinte aux droits du conjoint, qu'il soit bénéficiaire ou titulaire subrogé. Toutefois, le tribunal peut, au moment où il prononce la séparation, les déclarer révocables ou caducs.

Le divorce ou la nullité du mariage et la dissolution ou la nullité d'une union civile rendent caduques toute désignation du conjoint à titre de bénéficiaire ou de titulaire subrogé.

1991, c. 64, a. 2459 (1994-01-01); 2002, c. 6, a. 58 (2002-06-24).

C.C.B.C. 2555 (**C.C.Q.** 385, 386, 510, 519, 520, 2449)

Art. 2460. Même si le bénéficiaire a été désigné à titre irrévocable, le titulaire de la police et l'adhérent peuvent disposer de leurs droits, sous réserve des droits du bénéficiaire.

1991, c. 64, a. 2460 (1994-01-01).

C.C.B.C. 2556 (**C.C.Q.** 1841, 2454, 2458, 2461, 2462)

§ 8. — De la cession et de l'hypothèque d'un droit résultant d'un contrat d'assurance

Art. 2461. La cession ou l'hypothèque d'un droit résultant d'un contrat d'assurance n'est opposable à l'assureur, au bénéficiaire ou aux tiers qu'à compter du moment où l'assureur en reçoit avis.

En présence de plusieurs cessions ou hypothèques d'un droit résultant d'un contrat d'assurance, la priorité est fonction de la date à laquelle l'assureur est avisé.

1991, c. 64, a. 2461 (1994-01-01).

C.C.B.C. 2557 (**C.C.Q.** 1637 ss., 2418, 2462, 2475, 2478, 2663)

Art. 2462. La cession d'une assurance confère au cessionnaire tous les droits et obligations du cédant; elle entraîne la révocation de la désignation du bénéficiaire révocable et du titulaire subrogé.

Cependant, l'hypothèque d'un droit résultant d'un contrat d'assurance ne confère de droits au créancier hypothécaire qu'à concurrence du solde de la créance, des intérêts et des accessoires; elle n'emporte révocation du bénéficiaire révocable et du titulaire subrogé que pour ces sommes.

1991, c. 64, a. 2462 (1994-01-01).

C.C.B.C. 2558 (**C.C.Q.** 2460, 2461, 2661, 2665)

Art. 2459. Separation from bed and board does not affect the rights of the spouse, whether a beneficiary or a subrogated policyholder, but the court may declare them revocable or lapsed when granting a separation.

Divorce or nullity of marriage or the dissolution or nullity of a civil union causes any designation of the spouse as beneficiary or subrogated policyholder to lapse.

Art. 2460. Even if the beneficiary has been designated irrevocably, the policyholder and the participant may dispose of their rights, subject to the rights of the beneficiary.

§ 8. — Assignment and hypothecation of a right under a contract of insurance

Art. 2461. The assignment or hypothecation of a right resulting from a contract of insurance may not be set up against the insurer, the beneficiary or third persons until the insurer receives notice thereof.

Where a right under a contract of insurance is subject to several assignments or hypothecations priority is determined by the date on which the insurer is notified.

Art. 2462. The assignment of insurance confers on the assignee all the rights and obligations of the assignor and entails the revocation of any revocable designation of a beneficiary and of any designation of a subrogated policyholder.

The hypothecation of a right arising out of a contract of insurance confers on the hypothecary creditor only a right to the balance of the debt, interest and accessories and entails revocation of the revocable designation of the beneficiary or the subrogated policyholder only in respect of those amounts.

SECTION III	SECTION III
DE L'ASSURANCE DE DOMMAGES	**DAMAGE INSURANCE**

§ 1. — *Dispositions communes à l'assurance de biens et de responsabilité*

§ 1. — *Provisions common to property insurance and liability insurance*

I — DU CARACTÈRE INDEMNITAIRE DE L'ASSURANCE

I — PRINCIPLE OF INDEMNITY

Art. 2463. L'assurance de dommages oblige l'assureur à réparer le préjudice subi au moment du sinistre, mais seulement jusqu'à concurrence du montant de l'assurance.

1991, c. 64, a. 2463 (1994-01-01).

C.C.B.C. 2562 (**C.C.Q.** 2395, 2396, 2490 ss.)

Art. 2463. In damage insurance, the insurer is obliged to compensate for any injury suffered at the time of the loss but only up to the amount of the insurance.

Art. 2464. L'assureur est tenu de réparer le préjudice causé par une force majeure ou par la faute de l'assuré, à moins qu'une exclusion ne soit expressément et limitativement stipulée dans le contrat. Il n'est toutefois jamais tenu de réparer le préjudice qui résulte de la faute intentionnelle de l'assuré. En cas de pluralité d'assurés, l'obligation de garantie demeure à l'égard des assurés qui n'ont pas commis de faute intentionnelle.

Lorsque l'assureur est garant du préjudice que l'assuré est tenu de réparer en raison du fait d'une autre personne, l'obligation de garantie subsiste quelles que soient la nature et la gravité de la faute commise par cette personne.

1991, c. 64, a. 2464 (1994-01-01).

C.C.B.C. 2563, 2564 (**C.C.Q.** 1457 ss., 1470 ss., 1478, 2402, 2485, 2486, 2494, 2576)

Art. 2464. The insurer is liable to compensate for injury resulting from superior force or the fault of the insured, unless an exclusion is expressly and restrictively stipulated in the policy. However, the insurer is never liable to compensate for injury resulting from the insured's intentional fault. Where there is more than one insured, the obligation of coverage remains in respect of those insured who have not committed an intentional fault.

Where the insurer is liable for injury caused by a person for whose acts the insured is liable, the obligation of coverage subsists regardless of the nature or gravity of the fault committed by that person.

Art. 2465. L'assureur n'est pas tenu d'indemniser le préjudice qui résulte des freintes, diminutions ou pertes du bien et qui proviennent de son vice propre ou de la nature de celui-ci.

1991, c. 64, a. 2465 (1994-01-01).

C.C.B.C. 2565 (**C.C.Q.** 2577)

Art. 2465. The insurer is not liable to indemnify for injury resulting from natural loss, diminution or losses sustained by the property arising from an inherent defect in or the nature of the property.

II — DE L'AGGRAVATION DU RISQUE

II — MATERIAL CHANGE IN RISK

Art. 2466. L'assuré est tenu de déclarer à l'assureur, promptement, les circonstances qui aggravent les risques stipulés dans la police et qui résultent de ses faits et gestes si elles sont de nature à influencer de façon importante un assureur dans l'établissement du taux de la prime, l'appréciation du risque ou la décision de maintenir l'assurance.

Art. 2466. The insured shall promptly notify the insurer of any change that increases the risks stipulated in the policy and that results from events within his control if it is likely to materially influence an insurer in setting the rate of the premium, appraising the risk or deciding to continue to insure it.

Lorsque l'assuré ne remplit pas cette obligation, les dispositions de l'article 2411 s'appliquent, compte tenu des adaptations nécessaires.

1991, c. 64, a. 2466 (1994-01-01).

C.C.B.C. 2566 al. 1 et 4 (**C.C.Q.** 2408, 2411, 2439, 2467)

Art. 2467. L'assureur qui est informé des nouvelles circonstances peut résilier le contrat ou proposer, par écrit, un nouveau taux de prime, auquel cas l'assuré est tenu d'accepter et d'acquitter la prime ainsi fixée, dans les trente jours de la proposition qui lui est faite, à défaut de quoi la police cesse d'être en vigueur.

Toutefois, s'il continue d'accepter les primes ou s'il paie une indemnité après un sinistre, il est réputé avoir acquiescé au changement qui lui a été déclaré.

1991, c. 64, a. 2467 (1994-01-01).

C.C.B.C. 2566 al. 2 et 3 (**C.C.Q.** 2466, 2477)

Art. 2468. L'inoccupation d'une résidence ne constitue pas une aggravation du risque lorsqu'elle ne dure pas plus de trente jours consécutifs ou que l'assurance porte sur une résidence secondaire désignée comme telle.

Ne constitue pas, non plus, une aggravation du risque le fait d'y laisser entrer des gens de métier pour effectuer des travaux d'entretien ou de réparation d'une durée d'au plus trente jours.

1991, c. 64, a. 2468 (1994-01-01).

C.C.B.C. 2597 (**C.C.Q.** 2414)

III — DU PAIEMENT DE LA PRIME

Art. 2469. L'assureur n'a droit à la prime qu'à compter du moment où le risque commence, et uniquement pour sa durée si le risque disparaît totalement par suite d'un événement qui ne fait pas l'objet de l'assurance.

Il peut poursuivre le paiement de la prime ou la déduire de l'indemnité qu'il doit verser.

1991, c. 64, a. 2469 (1994-01-01).

C.C.B.C. 2570, 2571 (**C.C.Q.** 1672, 1673)

IV — DE LA DÉCLARATION DE SINISTRE ET DU PAIEMENT DE L'INDEMNITÉ

Art. 2470. L'assuré doit déclarer à l'assureur tout sinistre de nature à mettre en jeu la garantie, dès qu'il en a eu connaissance. Tout intéressé peut faire cette déclaration.

If the insured fails to discharge his obligation, the provisions of article 2411 apply, adapted as required.

Art. 2467. On being notified of any material change in the risk, the insurer may cancel the contract or propose, in writing, a new rate of premium. Unless the new premium is accepted and paid by the insured within thirty days of the proposal, the policy ceases to be in force.

If the insurer continues to accept the premiums or if he pays an indemnity after a loss, he is deemed to have acquiesced in the change notified to him.

Art. 2468. The lack of occupation of a residence does not constitute a change which increases the risk if it does not last more than thirty consecutive days or if the insurance relates to a second residence designated as such.

Nor does the admission of tradesmen into the residence to do maintenance or repair work for a period of not more than thirty days constitute a change which increases the risk.

III — PAYMENT OF PREMIUM

Art. 2469. The insurer is entitled to the premium only from the time the risk begins, and only for its duration if the risk disappears completely as a result of an event that is not covered by the insurance.

The insurer may bring an action for payment of the premium or deduct it from the indemnity payable.

IV — NOTICE OF LOSS AND PAYMENT OF INDEMNITY

Art. 2470. The insured shall notify the insurer of any loss which may give rise to an indemnity, as soon as he becomes aware of it. Any interested person may give such notice.

Lorsque l'assureur n'a pas été ainsi informé et qu'il en a subi un préjudice, il est admis à invoquer, contre l'assuré, toute clause de la police qui prévoit la déchéance du droit à l'indemnisation dans un tel cas.

1991, c. 64, a. 2470 (1994-01-01).

C.C.B.C. 2572 (**C.C.Q.** 2435, 2472, 2575)

Art. 2471. À la demande de l'assureur, l'assuré doit, le plus tôt possible, faire connaître à l'assureur toutes les circonstances entourant le sinistre, y compris sa cause probable, la nature et l'étendue des dommages, l'emplacement du bien, les droits des tiers et les assurances concurrentes; il doit aussi lui fournir les pièces justificatives et attester, sous serment, la véracité de celles-ci.

Lorsque l'assuré ne peut, pour un motif sérieux, remplir cette obligation, il a droit à un délai raisonnable pour l'exécuter.

À défaut par l'assuré de se conformer à son obligation, tout intéressé peut le faire à sa place.

1991, c. 64, a. 2471 (1994-01-01).

C.C.B.C. 2573 (**C.P.C.** 69)

Art. 2472. Toute déclaration mensongère entraîne pour son auteur la déchéance de son droit à l'indemnisation à l'égard du risque auquel se rattache ladite déclaration.

Toutefois, si la réalisation du risque a entraîné la perte à la fois de biens mobiliers et immobiliers, ou à la fois de biens à usage professionnel et à usage personnel, la déchéance ne vaut qu'à l'égard de la catégorie de biens à laquelle se rattache la déclaration mensongère.

1991, c. 64, a. 2472 (1994-01-01).

C.C.B.C. 2574 (**C.C.Q.** 2410, 2552)

Art. 2473. L'assureur est tenu de payer l'indemnité dans les soixante jours suivant la réception de la déclaration de sinistre ou, s'il en a fait la demande, des renseignements pertinents et des pièces justificatives.

1991, c. 64, a. 2473 (1994-01-01).

C.C.B.C. 2575 (**C.C.Q.** 2436, 2471)

Art. 2474. L'assureur est subrogé dans les droits de l'assuré contre l'auteur du préjudice, jusqu'à concurrence des indemnités qu'il a payées. Quand, du fait de l'assuré, il ne peut être ainsi subrogé, il peut être libéré, en tout ou en partie, de son obligation envers l'assuré.

An insurer who has not been so notified may, where he sustains injury therefrom, set up against the insured any clause of the policy providing for forfeiture of the right to indemnity in such a case.

Art. 2471. At the request of the insurer, the insured shall inform the insurer as soon as possible of all the circumstances surrounding the loss, including its probable cause, the nature and extent of the damage, the location of the insured property, the rights of third persons, and any concurrent insurance; he shall also furnish him with vouchers and attest under oath to the truth of the information.

Where, for a serious reason, the insured is unable to fulfil such obligation, he is entitled to a reasonable time in which to do so.

If the insured fails to fulfil his obligation, any interested person may do so on his behalf.

Art. 2472. Any deceitful representation entails the loss of the right of the person making it to any indemnity in respect of the risk to which the representation relates.

However, if the occurrence of the event insured against entails the loss of both movable and immovable property or of both property for occupational use and personal property, forfeiture is incurred only with respect to the class of property to which the representation relates.

Art. 2473. The insurer is bound to pay the indemnity within sixty days after receiving the notice of loss or, at his request, the relevant information and vouchers.

Art. 2474. The insurer is subrogated to the rights of the insured against the person responsible for the loss, up to the amount of indemnity paid. The insurer may be fully or partly released from his obligation towards the insured where, owing to any act of the insured, he cannot be so subrogated.

L'assureur ne peut jamais être subrogé contre les personnes qui font partie de la maison de l'assuré.

1991, c. 64, a. 2474 (1994-01-01).

C.C.B.C. 2576 (**C.C.Q.** 1531, 1608, 1651; **C.P.C.** 257(1), 397, 398)

V — DE LA CESSION DE L'ASSURANCE

Art. 2475. Le contrat d'assurance ne peut être cédé qu'avec le consentement de l'assureur et qu'en faveur d'une personne ayant un intérêt d'assurance dans le bien assuré.

1991, c. 64, a. 2475 (1994-01-01).

C.C.B.C. 2577 (**C.C.Q.** 2461, 2478, 2528)

Art. 2476. Lors du décès de l'assuré, de sa faillite ou de la cession, entre coassurés, de leur intérêt dans l'assurance, celle-ci continue au profit de l'héritier, du syndic ou de l'assuré restant, à charge pour eux d'exécuter les obligations dont l'assuré était tenu.

1991, c. 64, a. 2476 (1994-01-01).

C.C.B.C. 2578

VI — DE LA RÉSILIATION DU CONTRAT

Art. 2477. L'assureur peut résilier le contrat moyennant un préavis qui doit être envoyé à chacun des assurés nommés dans la police. La résiliation a lieu quinze jours après la réception du préavis par l'assuré à sa dernière adresse connue.

Le contrat d'assurance peut aussi être résilié sur simple avis écrit donné à l'assureur par chacun des assurés nommés dans la police. La résiliation a lieu dès la réception de l'avis.

Les assurés nommés dans la police peuvent toutefois confier à un ou plusieurs d'entre eux le mandat de recevoir ou d'expédier l'avis de résiliation.

1991, c. 64, a. 2477 (1994-01-01).

C.C.B.C. 2567 (**C.C.Q.** 1439, 2430)

Art. 2478. Lorsque le droit à l'indemnité a été hypothéqué et que notification en a été faite à l'assureur, le contrat ne peut être ni résilié ni modifié au détriment du créancier hypothécaire, à moins que l'assureur n'ait avisé ce dernier au moins quinze jours à l'avance.

1991, c. 64, a. 2478 (1994-01-01).

C.C.B.C. 2568

The insurer may not be subrogated against persons who are members of the household of the insured.

V — ASSIGNMENT

Art. 2475. A contract of insurance may be assigned only with the consent of the insurer and in favour of a person who has an insurable interest in the insured property.

Art. 2476. Upon the death or bankruptcy of the insured or the assignment of his interest in the insurance to a co-insured, the insurance continues in favour of the heir, trustee in bankruptcy or remaining insured, subject to his performing the obligations that were incumbent upon the insured.

VI — CANCELLATION OF THE CONTRACT

Art. 2477. The insurer may cancel the contract on prior notice which shall be sent to every insured named in the policy. The cancellation takes place fifteen days after notice is received by the insured at his last known address.

A contract of insurance may also be cancelled on mere notice in writing given to the insurer by each of the insured named in the policy. The cancellation takes place upon receipt of the notice.

The insured named in the policy may, however, give one or more of their number the mandate of receiving or sending the notice of cancellation.

Art. 2478. Where the right to the indemnity has been hypothecated and notice has been given to the insurer, the contract may not be cancelled or amended to the detriment of the hypothecary creditor unless the insurer has given him prior notice of at least fifteen days.

Art. 2479. Lorsque l'assurance est résiliée, l'assureur n'a droit qu'à la portion de prime acquise, calculée au jour le jour si la résiliation procède de lui ou d'après le taux à court terme si elle procède de l'assuré; il est alors tenu de rembourser le trop-perçu de prime.

1991, c. 64, a. 2479 (1994-01-01).

C.C.B.C. 2569 (**C.C.Q.** 1606)

Art. 2479. Where the insurance is cancelled the insurer is entitled to only the earned portion of the premium, computed day by day if the contract is cancelled by the insurer, or at the short-term rate if cancelled by the insured; the insurer is bound to refund any overpayment of premium.

§ 2. — *Des assurances de biens*

I — DU CONTENU DE LA POLICE

Art. 2480. Outre les mentions prescrites pour toute police d'assurance, la police d'assurance de biens doit indiquer les exclusions de garantie qui ne résultent pas du sens courant des mots ou les limitations qui s'appliquent à des objets ou à des catégories d'objets déterminés, et préciser les conditions de résiliation du contrat par l'assuré, ainsi que les conditions de rétablissement ou de continuation de l'assurance après un sinistre.

1991, c. 64, a. 2480 (1994-01-01).

C.C.B.C. 2579 (**C.C.Q.** 2399, 2403, 3119)

§ 2. — *Property insurance*

I — CONTENT OF POLICY

Art. 2480. In addition to the particulars prescribed for insurance policies generally, an indication shall be made in a property insurance policy of any exclusion of coverage not resulting from the ordinary meaning of the words or any limitation of coverage applying to specified objects or classes of objects, specifying the conditions on which the contract may be cancelled by the insured, as well as those on which the insurance may be reinstated or continued after a loss.

II — DE L'INTÉRÊT D'ASSURANCE

Art. 2481. Une personne a un intérêt d'assurance dans un bien lorsque la perte de celui-ci peut lui causer un préjudice direct et immédiat.

L'intérêt doit exister au moment du sinistre, mais il n'est pas nécessaire que le même intérêt ait existé pendant toute la durée du contrat.

1991, c. 64, a. 2481 (1994-01-01).

C.C.B.C. 2580 al. 1, 2581 (**C.C.Q.** 1073, 2484, 2511, 3150)

II — INSURABLE INTEREST

Art. 2481. A person has an insurable interest in a property where the loss or deterioration of the property may cause him direct and immediate damage.

It is necessary that the insurable interest exist at the time of the loss but not necessary that the same interest have existed throughout the duration of the contract.

Art. 2482. Les biens à venir et les biens incorporels peuvent faire l'objet d'un contrat d'assurance.

1991, c. 64, a. 2482 (1994-01-01).

C.C.B.C. 2580 al. 2

Art. 2482. Future property and incorporeal property may be the subject of a contract of insurance.

Art. 2483. L'assurance de biens peut être contractée pour le compte de qui il appartiendra. La clause vaut, tant comme assurance au profit du titulaire de la police que comme stipulation pour autrui au profit du bénéficiaire connu ou éventuel de ladite clause.

Art. 2483. Property insurance may be contracted on behalf of whomever it may concern. The clause is valid as insurance for the benefit of the policyholder or as a stipulation for a third person in favour of the beneficiary of the clause, whether known or contingent.

Le titulaire de la police est seul tenu au paiement de la prime envers l'assureur; les exceptions que l'assureur pourrait lui opposer sont également opposables au bénéficiaire du contrat, quel qu'il soit.

1991, c. 64, a. 2483 (1994-01-01).

___

(C.C.Q. 1444)

Art. 2484. L'assurance d'un bien dans lequel l'assuré n'a aucun intérêt d'assurance est nulle.

1991, c. 64, a. 2484 (1994-01-01).

___

C.C.B.C. 2582 (C.C.Q. 2418, 2481)

III — DE L'ÉTENDUE DE LA GARANTIE

Art. 2485. L'assureur qui assure un bien contre l'incendie est tenu de réparer le préjudice qui est une conséquence immédiate du feu ou de la combustion, quelle qu'en soit la cause, y compris le dommage subi par le bien en cours de transport, ou occasionné par les moyens employés pour éteindre le feu, sauf les exceptions particulières contenues dans la police. Il est aussi garant de la disparition des objets assurés survenue pendant l'incendie, à moins qu'il ne prouve qu'elle provient d'un vol qu'il n'assure pas.

Il n'est cependant pas tenu de réparer le préjudice occasionné uniquement par la chaleur excessive d'un appareil de chauffage ou par une opération comportant l'application de la chaleur, lorsqu'il n'y a ni incendie ni commencement d'incendie mais, même en l'absence d'incendie, il est tenu de réparer le préjudice causé par la foudre ou l'explosion d'un combustible.

1991, c. 64, a. 2485 (1994-01-01).

___

C.C.B.C. 2590, 2591, 2594 al. 2 (C.C.Q. 1919, 2464, 2487)

Art. 2486. L'assureur qui assure un bien contre l'incendie n'est pas garant du préjudice causé par les incendies ou les explosions résultant d'une guerre étrangère ou civile, d'une émeute ou d'un mouvement populaire, d'une explosion nucléaire, d'une éruption volcanique, d'un tremblement de terre ou d'autres cataclysmes.

1991, c. 64, a. 2486 (1994-01-01).

___

C.C.B.C. 2592, 2593 (L.R.Q., c. P-38.1)

The policyholder alone is liable for payment of the premium to the insurer; any exception that the insurer may set up against him may also be set up against the beneficiary of the contract, whoever he may be.

Art. 2484. The insurance of a property in which the insured has no insurable interest is null.

III — EXTENT OF COVERAGE

Art. 2485. In fire insurance, the insurer is bound to repair any damage which is an immediate consequence of fire or combustion, whatever the cause, including damage to the property during removal or that caused by the means employed to extinguish the fire, subject to the exceptions specified in the policy. The insurer is also liable for the disappearance of insured things during the fire, unless he proves that the disappearance is due to theft which is not covered.

The insurer is not liable for damage caused solely by excessive heat from a heating apparatus or by any process involving the application of heat where there is no fire or commencement of fire but, even where there is no fire, the insurer is liable for damage caused by lightning or the explosion of fuel.

Art. 2486. An insurer who insures a property against fire is not liable for damage due to fires or explosions caused by foreign or civil war, riot or civil disturbance, nuclear explosion, volcanic eruption, earthquake or other cataclysm.

Art. 2487. L'assureur est tenu de réparer le dommage causé au bien assuré par les mesures de secours ou de sauvetage.

1991, c. 64, a. 2487 (1994-01-01).

C.C.B.C. 2594 al. 1 (**C.C.Q.** 2485)

Art. 2488. L'assurance portant sur des objets désignés généralement comme se trouvant en un lieu couvre tous les objets du même genre qui s'y trouvent au moment du sinistre.

1991, c. 64, a. 2488 (1994-01-01).

C.C.B.C. 2595

Art. 2489. L'assurance d'une résidence meublée et celle des meubles en général couvre toutes les catégories de meubles, à l'exception de ce qui est exclu expressément ou de ce qui n'est assuré que pour un montant limité.

1991, c. 64, a. 2489 (1994-01-01).

C.C.B.C. 2596 (**C.C.Q.** 2480)

IV — DU MONTANT D'ASSURANCE

Art. 2490. La valeur du bien assuré s'établit de la manière habituelle lorsque le contrat ne prévoit pas de formule d'évaluation particulière.

1991, c. 64, a. 2490 (1994-01-01).

C.C.B.C. 2583 al. 1 (**C.C.Q.** 2491)

Art. 2491. Dans les contrats à valeur indéterminée, le montant de l'assurance ne fait pas preuve de la valeur du bien assuré.

Dans les contrats à valeur agréée, la valeur convenue fait pleinement foi, entre l'assureur et l'assuré, de la valeur du bien.

1991, c. 64, a. 2491 (1994-01-01).

C.C.B.C. 2583 al. 2 et 3 (**C.C.Q.** 2490, 2604, 2606)

Art. 2492. Le contrat fait sans fraude pour un montant supérieur à la valeur du bien est valable jusqu'à concurrence de cette valeur; l'assureur n'a pas le droit d'exiger une prime pour l'excédent, mais celles qui ont été payées ou sont échues lui restent acquises.

1991, c. 64, a. 2492 (1994-01-01).

C.C.B.C. 2584

Art. 2487. The insurer is liable for damage to the insured property caused by measures taken to save or protect it.

Art. 2488. Insurance of things generally described as being in a certain place covers all things of the same kind which are in that place at the time of the loss.

Art. 2489. The insurance of a furnished residence and that of movable property in general covers every class of movable property except what is expressly excluded or what is insured for only a limited amount.

IV — AMOUNT OF INSURANCE

Art. 2490. The value of the insured property is determined in the ordinary manner unless a special valuation formula is contained in the policy.

Art. 2491. In unvalued policies, the amount of insurance does not make proof of the value of the insured property.

In valued policies, the agreed value makes complete proof, between the insurer and the insured, of the value of the insured property.

Art. 2492. A contract made without fraud for an amount greater than the value of the insured property is valid up to that value; the insurer has no right to charge any premium for the excess but premiums paid or due remain vested in him.

Art. 2493. L'assureur ne peut, pour la seule raison que le montant de l'assurance est inférieur à la valeur du bien, refuser de couvrir le risque. En pareil cas, l'assureur est libéré par le paiement du montant de l'assurance, s'il y a perte totale, ou d'une indemnité proportionnelle, s'il y a perte partielle.

1991, c. 64, a. 2493 (1994-01-01).

Art. 2493. The insurer may not refuse to cover a risk for the sole reason that the amount of insurance is less than the value of the insured property. In such a case, he is released by paying the amount of the insurance in the event of total loss or a proportional indemnity in the event of partial loss.

V — DU SINISTRE ET DU PAIEMENT DE L'INDEMNITÉ

V — LOSSES, AND PAYMENT OF INDEMNITY

Art. 2494. Sous réserve des droits des créanciers prioritaires et hypothécaires, l'assureur peut se réserver la faculté de réparer, de reconstruire ou de remplacer le bien assuré. Il bénéficie alors du droit au sauvetage et peut récupérer le bien.

1991, c. 64, a. 2494 (1994-01-01).

Art. 2494. Subject to the rights of preferred and hypothecary creditors, the insurer may reserve the right to repair, rebuild or replace the insured property. He is then entitled to salvage and may take over the property.

C.C.B.C. 2586 al. 3 (**C.C.Q.** 2497)

Art. 2495. L'assuré ne peut abandonner le bien endommagé en l'absence de convention à cet effet.

Il doit faciliter le sauvetage du bien assuré et les vérifications de l'assureur. Il doit, notamment, permettre à l'assureur et à ses représentants de visiter les lieux et d'examiner le bien assuré.

1991, c. 64, a. 2495 (1994-01-01).

Art. 2495. The insured may not abandon the damaged property if there is no agreement to that effect.

The insured shall facilitate the salvage and inspection of the insured property by the insurer. He shall, in particular, permit the insurer and his representatives to visit the premises and examine the insured property.

C.C.B.C. 2588, 2589 (**C.C.Q.** 2587)

Art. 2496. Celui qui, sans fraude, est assuré auprès de plusieurs assureurs, par plusieurs polices, pour un même intérêt et contre un même risque, de telle sorte que le total des indemnités qui résulteraient de leur exécution indépendante dépasse le montant du préjudice subi, peut se faire indemniser par le ou les assureurs de son choix, chacun n'étant tenu que pour le montant auquel il s'est engagé.

Est inopposable à l'assuré la clause qui suspend, en tout ou en partie, l'exécution du contrat en cas de pluralité d'assurances.

Entre les assureurs, à moins d'entente contraire, l'indemnité est répartie en proportion de la part de chacun dans la garantie totale, sauf en ce qui concerne une assurance spécifique, laquelle constitue une assurance en première ligne.

1991, c. 64, a. 2496 (1994-01-01).

Art. 2496. Any person who, without fraud, is insured by several insurers, under several policies, for the same interest and against the same risk so that the total amount of indemnity that would result from the separate performance of such policies would exceed the loss incurred may be indemnified by the insurer or insurers of his choice, each being liable only for the amount he has contracted for.

No clause suspending all or part of the performance of the contract by reason of plurality of insurance may be set up against the insured.

Unless otherwise agreed, the indemnity is apportioned among the insurers in proportion to the share of each in the total coverage, except in respect of individual insurance, which constitutes first line insurance.

C.C.B.C. 2585 (**C.C.Q.** 2621)

Art. 2497. Les indemnités dues à l'assuré sont attribuées aux créanciers prioritaires ou aux créanciers titulaires d'une hypothèque sur le bien endommagé, suivant leur rang et sans délégation expresse, moyennant une simple dénonciation et justification de leur part, malgré toute disposition contraire.

Néanmoins, les paiements faits de bonne foi par l'assureur, avant la dénonciation, sont libératoires.

1991, c. 64, a. 2497 (1994-01-01).

C.C.B.C. 2586 al. 1 et 2 (**C.C.Q.** 2452, 2494)

§ 3. — *Des assurances de responsabilité*

Art. 2498. La responsabilité civile, contractuelle ou extracontractuelle, peut faire l'objet d'un contrat d'assurance.

1991, c. 64, a. 2498 (1994-01-01).

C.C.B.C. 2600 (**C.C.Q.** 1457 ss., 2503)

Art. 2499. Outre les mentions prescrites pour toute police d'assurance, la police d'assurance de responsabilité doit indiquer la relation entre les personnes et les biens, ainsi que celle entre les personnes et les faits, qui entraîne la responsabilité, de même que les montants et les exclusions de garantie, le caractère obligatoire ou facultatif de l'assurance et les bénéficiaires directs et indirects de celle-ci.

1991, c. 64, a. 2499 (1994-01-01).

C.C.B.C. 2601 (**C.C.Q.** 2399)

Art. 2500. Le montant de l'assurance est affecté exclusivement au paiement des tiers lésés.

1991, c. 64, a. 2500 (1994-01-01).

C.C.B.C. 2602

Art. 2501. Le tiers lésé peut faire valoir son droit d'action contre l'assuré ou l'assureur ou contre l'un et l'autre.

Le choix fait par le tiers lésé à cet égard n'emporte pas renonciation à ses autres recours.

1991, c. 64, a. 2501 (1994-01-01).

C.C.B.C. 2603 (**C.C.Q.** 2414, 2628; **C.P.C.** 69, 110)

Art. 2497. Notwithstanding any contrary provision, the indemnities due to the insured are apportioned among the prior creditors or creditors holding hypothecs on the damaged property, according to their rank and without express delegation, upon mere notice and proof by them.

However, payments made in good faith before the notice discharge the insurer.

§ 3. — *Liability insurance*

Art. 2498. Civil liability, whether contractual or extracontractual, may be the subject of a contract of insurance.

Art. 2499. In addition to the particulars prescribed for insurance policies generally, in a liability insurance policy the relation between persons and property and between persons and acts which entails liability shall be specified, together with the amounts of and exclusions from coverage, and the compulsory or optional nature of the insurance and the direct and indirect beneficiaries of it.

Art. 2500. The proceeds of the insurance are applied exclusively to the payment of third persons injured.

Art. 2501. An injured third person may bring an action directly against the insured or against the insurer, or against both.

The option chosen in this respect by the third person injured does not deprive him of his other recourses.

Art. 2502. L'assureur peut opposer au tiers lésé les moyens qu'il aurait pu faire valoir contre l'assuré au jour du sinistre, mais il ne peut opposer ceux qui sont relatifs à des faits survenus postérieurement au sinistre; l'assureur dispose, quant à ceux-ci, d'une action récursoire contre l'assuré.

1991, c. 64, a. 2502 (1994-01-01).

(**C.P.C.** 110)

Art. 2503. L'assureur est tenu de prendre fait et cause pour toute personne qui a droit au bénéfice de l'assurance et d'assumer sa défense dans toute action dirigée contre elle.

Les frais et dépens qui résultent des actions contre l'assuré, y compris ceux de la défense, ainsi que les intérêts sur le montant de l'assurance, sont à la charge de l'assureur, en plus du montant d'assurance.

1991, c. 64, a. 2503 (1994-01-01).

C.C.B.C. 2604 al. 1, 2605 (**C.C.Q.** 2504; **C.P.C.** 168, 397, 398, 477)

Art. 2504. Aucune transaction conclue sans le consentement de l'assureur ne lui est opposable.

1991, c. 64, a. 2504 (1994-01-01).

C.C.B.C. 2604 al. 2 (**C.C.Q.** 1609, 2631)

SECTION IV
DE L'ASSURANCE MARITIME

§ 1. — *Dispositions générales*

Art. 2505. Outre les risques relatifs à une opération maritime, l'assurance maritime peut couvrir les risques découlant d'opérations analogues aux opérations maritimes, les risques terrestres qui se rattachent à une opération maritime, de même que les risques relatifs à la construction, à la réparation et au lancement des navires.

1991, c. 64, a. 2505 (1994-01-01).

C.C.B.C. 2610 (**C.C.Q.** 2001 ss., 2059 ss., 2389, 2390, 2506; **L.C.**, 1993, ch. 22)

Art. 2506. Il y a risque relatif à une opération maritime, notamment lorsqu'un navire, des marchandises ou d'autres biens meubles sont exposés à des périls de la mer ou lorsqu'en raison de ces périls, la responsabilité civile d'une personne qui a un intérêt dans les biens assurables ou à leur égard peut être engagée.

Art. 2502. The insurer may set up against the injured third person any grounds he could have invoked against the insured at the time of the loss, but not grounds pertaining to facts that occurred after the loss; the insurer has a right of action against the insured in respect of facts that occurred after the loss.

Art. 2503. The insurer is bound to take up the interest of any person entitled to the benefit of the insurance and assume his defence in any action brought against him.

Costs and expenses resulting from actions against the insured, including those of the defence, and interest on the proceeds of the insurance are borne by the insurer over and above the proceeds of the insurance.

Art. 2504. No transaction made without the consent of the insurer may be set up against him.

SECTION IV
MARINE INSURANCE

§ 1. — *General provisions*

Art. 2505. In addition to providing coverage against the losses incident to marine adventure, marine insurance may cover the risks of any adventure analogous to a marine adventure, land risks which are incidental to a marine adventure or risks incident to the building, repair and launch of a ship.

Art. 2506. In particular, there is a marine adventure where any ship, goods or other movables are exposed to maritime perils or where by reason of such perils, civil liability may be incurred by any person interested in, or responsible for, insurable property.

Il en est de même lorsque des avances, notamment le fret, le prix de passage, la commission et la sûreté donnée pour les avances, les prêts ou les débours, sont compromises parce que les biens assurables en cause sont exposés à des périls de la mer.

1991, c. 64, a. 2506 (1994-01-01).

There is also a marine adventure where the earning or acquisition of any freight, passage money, commission or other pecuniary benefit, or the security for any advances, loan or disbursements, is endangered by the exposure of insurable property to maritime perils.

(**C.C.Q.** 2505, 2507)

Art. 2507. Les périls de la mer sont notamment ceux mentionnés dans la police et ceux qui sont connexes à la navigation ou qui en découlent, comme les fortunes de mer, le fait des écumeurs de mer, les contraintes, le jet à la mer et la baraterie, ainsi que la prise, la contrainte, la saisie ou la détention du navire ou des autres biens assurables par un gouvernement.

1991, c. 64, a. 2507 (1994-01-01).

Art. 2507. Maritime perils include the perils designated by the policy and the perils consequent on or incidental to navigation such as perils of the sea, piracy, restraints, jettisons and barratry, and the capture, restraint, seizure or detainment of the ship or other insurable property by a government.

C.C.B.C. 2613, 2634 (**C.C.Q.** 2506, 2562)

Art. 2508. L'assurance d'un navire porte tant sur la coque du navire que sur l'armement, les approvisionnements, les machines et chaudières et, dans le cas d'un navire affecté à un transport particulier, sur les accessoires prévus à cette fin, de même que sur les approvisionnements des machines et le carburant qui appartiennent à l'assuré.

1991, c. 64, a. 2508 (1994-01-01).

Art. 2508. The insurance of a ship covers the hull of the ship as well as her outfit, stores and provisions, the machinery and boilers and, in the case of a ship engaged in a special trade, the ordinary fittings requisite for that trade, and, if owned by the insured, the bunkers and engine stores.

Art. 2509. L'assurance du fret porte tant sur le profit que peut retirer un armateur de l'emploi de son navire au transport de ses propres marchandises ou de ses autres biens meubles, que sur le fret payable par un tiers, mais elle ne couvre pas le prix du passage.

1991, c. 64, a. 2509 (1994-01-01).

Art. 2509. Insurance on freight covers the profit derivable by a shipowner from the employment of his ship to carry his own goods or other movables as well as freight payable by a third party, but does not include passage money.

(**C.C.Q.** 2001, 2019, 2028)

Art. 2510. L'assurance des biens meubles porte sur tous les meubles non couverts par l'assurance du navire.

1991, c. 64, a. 2510 (1994-01-01).

Art. 2510. The insurance on movables covers all movables not covered by the insurance on the ship.

(**C.C.Q.** 2508, 2563)

§ 2. — *De l'intérêt d'assurance*

I — DE LA NÉCESSITÉ DE L'INTÉRÊT

§ 2. — *Insurable interest*

I — NECESSITY OF INTEREST

Art. 2511. Il n'est pas nécessaire que l'intérêt d'assurance existe à la conclusion du contrat, mais il doit exister au moment du sinistre.

Art. 2511. It is not necessary that the insurable interest exist when the contract is made but it is necessary that it exist at the time of the loss.

L'acquisition d'un intérêt après la survenance du sinistre ne rend pas l'assurance valide. Toutefois, l'assurance sur bonnes ou mauvaises nouvelles est valide, que l'assuré ait acquis son intérêt avant ou après le sinistre, pourvu, en ce dernier cas, qu'au moment de la conclusion du contrat, l'assuré n'ait pas été au courant du sinistre.

1991, c. 64, a. 2511 (1994-01-01).

_____

C.C.B.C. 2608, 2618 (**C.C.Q.** 2513, 2516, 2540)

Art. 2512. Un contrat d'assurance maritime par manière de jeu ou de pari est nul, de nullité absolue.

Il y a contrat de jeu ou de pari lorsque l'assuré n'a pas d'intérêt d'assurance et que le contrat est conclu sans l'attente d'en acquérir un.

Sont réputés des contrats de jeu et pari ceux qui comportent des stipulations comme «intérêt ou sans intérêt», ou «sans autre preuve d'intérêt que la police elle-même», de même que ceux qui stipulent qu'il n'y aura pas de délaissement en faveur de l'assureur alors que, dans les faits, il y a possibilité de délaissement.

1991, c. 64, a. 2512 (1994-01-01).

_____

C.C.B.C. 2611 al. 2 (**C.C.Q.** 2513, 2541; **C.P.C.** 110)

II — DES CAS D'INTÉRÊT D'ASSURANCE

Art. 2513. L'intérêt d'assurance existe lorsqu'une personne est intéressée dans une opération maritime et, particulièrement, lorsqu'il existe, entre cette personne et l'opération ou entre elle et le bien assurable, un rapport de nature telle que sa responsabilité puisse être engagée ou qu'elle puisse tirer un avantage de la sécurité ou de la bonne arrivée du bien assurable ou subir un préjudice en cas de détention, perte ou avarie.

1991, c. 64, a. 2513 (1994-01-01).

_____

C.C.B.C. 2607 (**C.C.Q.** 2511, 2515, 2516)

Art. 2514. Un intérêt d'assurance annulable, éventuel ou partiel peut faire l'objet du contrat d'assurance maritime.

1991, c. 64, a. 2514 (1994-01-01).

_____

(**C.C.Q.** 2513, 2541)

The acquisition of an interest after a loss does not validate the insurance. However, where the property is insured "lost or not lost", the insurance is valid although the insured may not have acquired his interest until after the loss provided that, at the time of making the contract, the insured was not aware of the loss.

Art. 2512. Every contract of marine insurance by way of gaming or wagering is absolutely null.

There is a gaming or wagering contract where the insured has no insurable interest and the contract is entered into with no expectation of acquiring such an interest.

A contract of marine insurance is deemed to be a gaming or wagering contract where the policy is made "interest or no interest" or "without further proof of interest than the policy itself", or "without benefit of abandonment to the insurer" where there is in fact a possibility of abandonment.

II — INSTANCES OF INSURABLE INTEREST

Art. 2513. Insurable interest exists where a person is interested in a marine adventure and, in particular, where the relation between that person and the adventure or the insurable property is such that he may incur liability in respect thereof or derive benefit from the safety or due arrival of the insurable property or be prejudiced in case of detainment, loss or damage.

Art. 2514. A contingent or partial insurable interest subject to annulment may be the subject of a contract of marine insurance.

Art. 2515. Ont, notamment, un intérêt d'assurance, l'assureur, pour le risque qu'il assure, l'assuré, pour les frais de l'assurance souscrite et pour assurer la solvabilité de son assureur, ainsi que le capitaine du navire ou un membre de l'équipage, pour son salaire.

Ont aussi un tel intérêt la personne qui paie le fret à l'avance lorsqu'il ne lui est pas remboursable en cas de sinistre, l'acheteur de marchandises, même s'il est en droit de refuser les marchandises ou de les considérer aux risques du vendeur, ainsi que le débiteur hypothécaire, pour le plein montant de la valeur du bien hypothéqué, et le créancier hypothécaire, sur le bien hypothéqué, à concurrence de sa créance.

1991, c. 64, a. 2515 (1994-01-01).

C.C.B.C. 2610 (**C.C.Q.** 2513)

III — DE L'ÉTENDUE DE L'INTÉRÊT D'ASSURANCE

Art. 2516. Toute personne ayant un intérêt dans le bien assuré peut souscrire une assurance aussi bien pour son propre compte que pour celui d'un tiers qui y a un intérêt.

1991, c. 64, a. 2516 (1994-01-01).

(**C.C.Q.** 2533)

Art. 2517. L'intérêt d'assurance du propriétaire d'un bien est la valeur de celui-ci, sans qu'il y ait lieu de considérer l'obligation qu'un tiers pourrait avoir de l'indemniser en cas de sinistre.

1991, c. 64, a. 2517 (1994-01-01).

---

§ 3. — De la détermination de la valeur assurable des biens

Art. 2518. La valeur assurable des biens est la valeur des biens qui, au moment où le contrat est formé, est aux risques de l'assuré.

Elle comprend aussi les frais d'assurance sur les biens.

1991, c. 64, a. 2518 (1994-01-01).

C.C.B.C. 2658, 2659

Art. 2519. La valeur assurable d'un navire comprend, outre la valeur du navire, celle des débours et des avances sur le salaire des membres de l'équipage, ainsi que la valeur des dépenses faites pour réaliser le voyage ou l'opération prévue au contrat.

Art. 2515. Insurable interest exists, in particular, for the insurer in respect of the risk insured, for the insured in respect of the charges of insurance effected and the solvency of his insurer and for the master or any member of the crew of a ship in respect of his wages.

Insurable interest also exists for the person advancing freight so far as it is not repayable in case of loss, the purchaser of goods even where he is entitled to reject the goods or treat them as at the seller's risk, and for the hypothecary debtor in respect of the full value of the hypothecated property, and the hypothecary creditor up to the amount of his claim.

III — EXTENT OF INSURABLE INTEREST

Art. 2516. A person having an interest in the insured property may insure on behalf and for the benefit of other persons interested as well as for his own benefit.

Art. 2517. The owner of insurable property has an insurable interest in respect of the full value thereof, notwithstanding that some third person might have agreed, or be liable, to indemnify him in case of loss.

§ 3. — Measure of insurable value

Art. 2518. The insurable value is the amount at the risk of the insured when the policy attaches.

The insurable value includes the charges of insurance on the property.

Art. 2519. In insurance on ship, the insurable value is the value of the ship plus the money advanced for seamen's wages and any other disbursements incurred to make the ship fit for the voyage or adventure contemplated by the policy.

Celle du fret est le montant brut du fret aux risques de l'assuré, qu'il ait été payé à l'avance ou autrement et celle des marchandises est le prix coûtant de celles-ci, augmenté des frais d'embarquement et de ceux s'y rattachant.

1991, c. 64, a. 2519 (1994-01-01).

C.C.B.C. 2658, 2659 (**C.C.Q.** 2001, 2508, 2509)

§ 4. — *Du contrat et de la police*

I — DE LA SOUSCRIPTION

Art. 2520. La souscription de chaque assureur constitue un contrat distinct avec l'assuré.
1991, c. 64, a. 2520 (1994-01-01).

II — DES ESPÈCES DE CONTRATS

Art. 2521. Les contrats sont au voyage ou de durée; ils peuvent faire l'objet d'une seule et même police.

Ils sont aussi à valeur agréée, à valeur indéterminée ou flottants.
1991, c. 64, a. 2521 (1994-01-01).

C.C.B.C. 2611, 2612

Art. 2522. Le contrat au voyage couvre l'assuré d'un lieu de départ à un ou plusieurs lieux d'arrivée et, lorsque le contrat le précise, au lieu de départ même.

Le contrat de durée couvre l'assuré pour la période stipulée.
1991, c. 64, a. 2522 (1994-01-01).

C.C.B.C. 2612 (**C.C.Q.** 2560, 2561, 2565, 2566)

Art. 2523. Le contrat à valeur agréée fixe la valeur convenue du bien assuré.

En l'absence de fraude, la valeur ainsi fixée fait foi, entre l'assureur et l'assuré, de la valeur du bien, qu'il y ait perte totale ou seulement avarie, mais elle ne les lie pas lorsqu'il s'agit de déterminer s'il y a perte totale implicite.

1991, c. 64, a. 2523 (1994-01-01).

(**C.C.Q.** 2581, 2606)

Art. 2524. Le contrat à valeur indéterminée ne fixe pas la valeur du bien assuré, mais permet, sans excéder le montant de la garantie, d'établir ultérieurement la valeur qui était assurable.

In insurance on freight, whether paid in advance or otherwise, the insurable value is the gross amount of the freight at the risk of the insured; in insurance on goods, the insurable value is the cost price of the goods plus the expenses of and incidental to shipping.

§ 4. — *Contract and policy*

I — SUBSCRIPTION

Art. 2520. The subscription of each insurer constitutes a distinct contract with the insured.

II — KINDS OF CONTRACT

Art. 2521. A contract may be for a voyage or for a period of time; a contract for both voyage and time may be included in the same policy.

A contract may be valued, unvalued or floating.

Art. 2522. A voyage contract covers the insured from one place to another or others and, where specified in the policy, at the place of departure.

A time contract covers the insured for the period of time specified in the policy.

Art. 2523. A valued contract is a contract which specifies the agreed value of the insured property.

In the absence of fraud, the value fixed by the policy is, as between the insurer and the insured, conclusive of the value of the insured property whether the loss be total or partial, but is not conclusive for the purpose of determining whether there has been a constructive total loss.

Art. 2524. An unvalued contract is a contract which does not specify the value of the insured property but, without exceeding the amount of coverage, leaves the insurable value to be subsequently ascertained.

Lorsque la valeur d'un bien assuré n'est pas déclarée avant l'avis de l'arrivée ou de la perte, le contrat est considéré à valeur indéterminée en ce qui concerne ce bien, à moins que la police n'en dispose autrement.

1991, c. 64, a. 2524 (1994-01-01).

C.C.B.C. 2611 al. 1 (**C.C.Q.** 2606)

Art. 2525. Le contrat flottant décrit l'assurance en termes généraux et permet de déclarer ultérieurement les précisions nécessaires, dont le nom du navire.

1991, c. 64, a. 2525 (1994-01-01).

(**C.C.Q.** 2526)

Art. 2526. Les déclarations peuvent être faites au moyen d'une mention dans la police ou de toute autre manière consacrée par l'usage, mais, lorsqu'elles concernent des biens à expédier ou à charger, elles doivent, à moins que la police n'en dispose autrement, être faites dans l'ordre d'expédition ou de chargement, indiquer la valeur de ces biens et porter sur tous les envois visés par la police.

Les omissions et les déclarations erronées, faites de bonne foi, peuvent être corrigées, même après le sinistre ou après l'arrivée des biens à destination.

1991, c. 64, a. 2526 (1994-01-01).

(**C.C.Q.** 1375, 2041, 2403, 2525, 2545 ss., 2805)

III — DU CONTENU DE LA POLICE D'ASSURANCE

Art. 2527. Une police d'assurance maritime doit, outre le nom de l'assureur, de l'assuré ou de la personne qui effectue l'assurance pour son compte, spécifier le bien assuré, le risque contre lequel il est assuré et les sommes assurées, ainsi que le voyage ou la période de temps couverts par l'assurance, la date et le lieu de la souscription, le montant ou le taux des primes et les dates de leur échéance.

1991, c. 64, a. 2527 (1994-01-01).

C.C.B.C. 2609

IV — DE LA CESSION DE LA POLICE D'ASSURANCE

Art. 2528. La cession de l'assurance est permise, que ce soit avant ou après le sinistre.

Where a declaration of the value of an insured property is not made until after notice of loss or arrival, the contract is treated as an unvalued contract as regards that property, unless the policy provides otherwise.

Art. 2525. A floating contract is a contract which describes the insurance in general terms and leaves the necessary particulars such as the name of the ship to be defined by subsequent declaration.

Art. 2526. Subsequent declarations may be made by indorsement on the policy or in other customary manner but, where they pertain to goods to be dispatched or shipped, they shall, unless the policy provides otherwise, be made in the order of dispatch or shipment, state the value of the goods and comprise all consignments within the terms of the policy.

Omissions or erroneous declarations made in good faith may be rectified even after loss or arrival.

III — CONTENT OF THE POLICY

Art. 2527. In addition to the name of the insurer and of the insured or of the person who effects the insurance on his behalf, in a marine insurance policy, the property insured and the risk insured against shall be specified, together with the sums insured, the voyage or period of time covered by the insurance, the date and place of subscription, the amount and rate of the premiums and the dates on which they become due.

IV — ASSIGNMENT OF POLICY

Art. 2528. A marine policy may be assigned either before or after loss.

Elle se fait au moyen d'une mention dans la police ou de toute autre manière consacrée par l'usage.

1991, c. 64, a. 2528 (1994-01-01).

C.C.B.C. 2615 (**C.C.Q.** 2511 ss.)

Art. 2529. L'assuré qui a aliéné ou perdu son intérêt dans le bien assuré ne peut céder l'assurance, à moins qu'il n'ait, auparavant ou à ce moment, convenu expressément ou implicitement de la céder.

1991, c. 64, a. 2529 (1994-01-01).

C.C.B.C. 2616 (**C.C.Q.** 2530)

Art. 2530. L'aliénation du bien assuré n'emporte pas la cession de l'assurance, à moins qu'elle ne résulte d'une transmission qui a lieu par l'effet de la loi ou par succession au profit d'un héritier.

1991, c. 64, a. 2530 (1994-01-01).

C.C.B.C. 2578, 2616 (**C.C.Q.** 625, 2529)

Art. 2531. Le cessionnaire peut faire valoir ses droits contre l'assureur directement, mais celui-ci peut lui opposer tous les moyens découlant du contrat qu'il aurait pu invoquer contre l'assuré.

1991, c. 64, a. 2531 (1994-01-01).

(**C.C.Q.** 2529, 2530)

V — DE LA PREUVE ET DE LA RATIFICATION DU CONTRAT

Art. 2532. Le contrat ne se prouve que par la production de la police d'assurance, mais lorsque celle-ci a été établie, les attestations d'assurance, comme la note de couverture, sont recevables comme preuve, notamment pour établir la teneur véritable du contrat et le moment où l'assureur a accepté la demande d'assurance.

1991, c. 64, a. 2532 (1994-01-01).

Art. 2533. Lorsqu'un contrat est fait de bonne foi pour le compte d'un tiers, ce dernier peut le ratifier, même après avoir eu connaissance du sinistre.

1991, c. 64, a. 2533 (1994-01-01).

(**C.C.Q.** 1375, 2516, 2545, 2805)

A marine policy may be assigned by indorsement on the policy or in other customary manner.

Art. 2529. Where the insured has alienated or lost his interest in the insured property, and has not, before or at the time of so doing expressly or impliedly agreed to assign the policy, he may not subsequently assign the policy.

Art. 2530. The alienation of the insured property does not assign the insurance except in the case of transmission by operation of law or by succession.

Art. 2531. The assignee may enforce his rights directly against the insurer but the insurer may make any defense arising out of the contract which he would have been entitled to make against the insured.

V — EVIDENCE AND RATIFICATION OF THE CONTRACT

Art. 2532. A contract is inadmissible in evidence unless it is embodied in an insurance policy, but once the po licy has been issued, customary memorandums of the contract such as the slip or covering note are admissible in evidence for the purpose of determining the actual terms of the contract and showing when the proposal was accepted.

Art. 2533. Where a contract is effected in good faith on behalf of another person, that person may ratify it even after he is aware of a loss.

§ 5. — *Des droits et obligations des parties relativement à la prime*

Art. 2534. L'assureur n'est pas tenu de délivrer la police avant qu'il n'y ait eu paiement de la prime ou que des offres réelles de paiement ne lui aient été faites.

1991, c. 64, a. 2534 (1994-01-01).

_____

(**C.C.Q.** 1573 ss.)

Art. 2535. Lorsque l'assurance souscrite prévoit que le montant de la prime doit être établi par une entente ultérieure et que celle-ci n'intervient pas, l'assuré doit néanmoins une prime raisonnable.

Il en est de même lorsque l'assurance est souscrite à la condition qu'une prime supplémentaire soit fixée dans une éventualité donnée et que celle-ci se présente sans que cette prime ait été fixée.

1991, c. 64, a. 2535 (1994-01-01).

Art. 2536. Le courtier doit la prime à l'assureur lorsque la police est obtenue par son intermédiaire; sinon, elle est due par l'assuré.

1991, c. 64, a. 2536 (1994-01-01).

_____

(**C.C.Q.** 2543, 2544)

Art. 2537. L'assureur est redevable des sommes exigibles envers l'assuré. Lors d'un sinistre ou d'une ristourne de la prime, l'assureur doit ces sommes à l'assuré, qu'il ait ou non perçu la prime du courtier.

1991, c. 64, a. 2537 (1994-01-01).

Art. 2538. L'assureur est tenu de restituer la prime quand la contrepartie du paiement de celle-ci fait totalement défaut et qu'il n'y a eu ni fraude ni illégalité de la part de l'assuré.

Si la contrepartie du paiement de la prime est divisible et qu'une fraction de cette contrepartie fait totalement défaut, l'assureur est également tenu, aux mêmes conditions, de restituer la prime, en proportion de l'absence de contrepartie.

1991, c. 64, a. 2538 (1994-01-01).

_____

C.C.B.C. 2621, 2622

§ 5. — *Rights and obligations of the parties as regards the premium*

Art. 2534. The insurer is not bound to issue the policy until payment or tender of the premium.

Art. 2535. Where an insurance is effected at a premium to be arranged, and no arrangement is made, a reasonable premium is payable.

The same applies where an insurance is effected on the terms that an additional premium is to be arranged in a given event and that event happens but no arrangement is made.

Art. 2536. Where a marine policy is effected on behalf of the insured by a broker, the broker is responsible to the insurer for the premium. In other cases, the insured is responsible.

Art. 2537. The insurer is responsible to the insured for the amounts payable. In the event of a loss or return of premium, the insurer is responsible to the insured for such amounts whether or not he has collected the premium from the broker.

Art. 2538. Where the consideration for the payment of the premium totally fails and there has been no fraud or illegality on the part of the insured, the premium is returnable to the insured.

Where the consideration for the payment of the premium is apportionable and there is a total failure of any apportionable part of the consideration, a proportionable part of the premium is, under the same conditions, returnable to the insured.

Art. 2539. Lorsque la police est nulle ou qu'elle est annulée par l'assureur avant le commencement du risque, ce dernier doit restituer la prime, pourvu qu'il n'y ait eu ni fraude ni illégalité de la part de l'assuré; toutefois, lorsque le risque n'est pas divisible et qu'il a commencé à courir, cette restitution n'est pas due.

1991, c. 64, a. 2539 (1994-01-01).

___

C.C.B.C. 2621, 2622

Art. 2540. Il y a lieu à une ristourne intégrale lorsque les biens assurés n'ont jamais été exposés au risque; il y a lieu à une ristourne partielle lorsqu'une partie seulement des biens assurés n'a pas été exposée au risque.

Toutefois, en assurance sur bonnes ou mauvaises nouvelles, lorsque les biens assurés étaient déjà arrivés à destination en bon état, au moment de la conclusion du contrat, il n'y a lieu à une ristourne que si l'assureur était déjà au courant de la bonne arrivée.

1991, c. 64, a. 2540 (1994-01-01).

___

C.C.B.C. 2618, 2621, 2622 (**C.C.Q.** 2511)

Art. 2541. Il y a lieu à une ristourne lorsque l'assuré n'a eu aucun intérêt d'assurance pendant toute la durée du risque et qu'il ne s'agit pas d'un contrat de jeu ou de pari.

Cependant, il n'a pas ce droit lorsque l'intérêt d'assurance est annulable et qu'il prend fin pendant la durée du risque.

1991, c. 64, a. 2541 (1994-01-01).

___

C.C.B.C. 2621 (**C.C.Q.** 2511, 2512, 2514, 2629)

Art. 2542. L'assurance souscrite pour un montant supérieur à la valeur du bien, dans un contrat à valeur indéterminée, donne lieu à une restitution proportionnelle de la prime.

Il en est de même de la surassurance résultant du cumul de contrats, survenue hors de la connaissance de l'assuré. Toutefois, lorsque les contrats ont pris effet à des époques différentes et qu'un des contrats, à un moment donné, a couvert seul l'intégralité du risque, ou si, encore, une indemnité a été acquittée par l'assureur en regard du plein montant de l'assurance, il n'y a pas lieu à la restitution de la prime de ce contrat.

1991, c. 64, a. 2542 (1994-01-01).

___

C.C.B.C. 2639-2641 (**C.C.Q.** 2524, 2621)

Art. 2539. Where the policy is null or is cancelled by the insurer before the commencement of the risk, the premium is returnable provided there has been no fraud or illegality on the part of the insured; but if the risk is not apportionable, and has once attached, the premium is not returnable.

Art. 2540. Where the insured property, or part thereof, has never been imperilled, the premium, or a proportionate part thereof, is returnable.

Where the property has been insured "lost or not lost" and has arrived in safety at the time when the contract is concluded, the premium is not returnable unless, at such time, the insurer knew of the safe arrival.

Art. 2541. Where the insured has no insurable interest throughout the currency of the risk, the premium is returnable, provided the contract was not effected by way of gaming or wagering.

Where the insured has an interest subject to annulment which is terminated during the currency of the risk, the premium is not returnable.

Art. 2542. Where the insured has over-insured under an unvalued contract, a proportionate part of the premium is returnable.

The same applies in the case of over-insurance resulting from several contracts, if effected without the knowledge of the insured. But if the contracts have become effective at different times, and any of the contracts has, at any time, borne the entire risk or if a claim has been paid by the insurer in respect of the full sum insured thereby, no premium is returnable in respect of that contract.

Art. 2543. Le courtier a le droit de retenir la police pour le montant de la prime et des frais engagés pour la souscription de la police.

Lorsque le courtier a fait affaire avec une personne comme si cette dernière agissait pour son propre compte, il a également le droit de retenir la police pour le solde de tout compte d'assurance qui peut lui être dû par cette personne, à moins qu'au moment où la dette a été contractée, il n'ait eu de bonnes raisons de croire que cette personne n'agissait que pour le compte d'autrui.

1991, c. 64, a. 2543 (1994-01-01).

(C.C.Q. 2534, 2544)

Art. 2544. Lorsque la police obtenue par un courtier mentionne que la prime a été payée, cette mention, en l'absence de fraude, fait foi entre l'assureur et l'assuré, mais non entre l'assureur et le courtier.

1991, c. 64, a. 2544 (1994-01-01).

(C.C.Q. 2536, 2543)

§ 6. — Des déclarations

Art. 2545. La formation du contrat d'assurance maritime nécessite la plus absolue bonne foi.

Si celle-ci n'est pas observée par l'une des parties, l'autre peut demander la nullité du contrat.

1991, c. 64, a. 2545 (1994-01-01).

C.C.B.C. 2623, 2626 (**C.C.Q.** 1375, 2533, 2805; **C.P.C.** 110)

Art. 2546. L'assuré doit, avant la formation du contrat, déclarer toutes les circonstances qu'il connaît et qui sont de nature à influencer de façon importante un assureur dans l'établissement de la prime, l'appréciation du risque ou la décision de l'accepter; ces déclarations doivent être vraies.

L'obligation de déclaration s'étend aux communications qui ont été faites à l'assuré et aux renseignements reçus par lui.

1991, c. 64, a. 2546 (1994-01-01).

C.C.B.C. 2623 (**C.C.Q.** 2547, 2550, 2552)

Art. 2547. S'il n'est pas interrogé, l'assuré n'est pas tenu de déclarer les circonstances qui ont pour effet de réduire le risque, de même que celles qu'il est superflu de déclarer en raison d'engagements exprès ou implicites.

Art. 2543. The broker has a right of retention upon the policy for the amount of the premium and his charges in respect of effecting the policy.

Where the broker has dealt with a person as if that person were a principal, he also has a right of retention upon the policy in respect of any balance on any insurance account which may be due to him from such person, unless, when the debt was incurred, he had reason to believe that such person was only acting on behalf of another.

Art. 2544. Where a policy effected by a broker acknowledges the receipt of the premium, the acknowledgement is, in the absence of fraud, conclusive as between the insurer and the insured, but not as between the insurer and the broker.

§ 6. — Disclosure and representations

Art. 2545. A contract of marine insurance is a contract based upon the utmost good faith.

If the utmost good faith is not observed by either party, the other party may bring an action for the annulment of the contract.

Art. 2546. The insured shall disclose to the insurer, before the formation of the contract, all circumstances known to him which would materially influence an insurer in fixing the premium, appreciating the risk or determining whether he will take it; the insured shall make only true representations.

Circumstances requiring disclosure include any communication made to or information received by the insured.

Art. 2547. In the absence of inquiry, the insured need not disclose circumstances which diminish the risk and circumstances which it is superfluous to disclose by reason of an express or implied warranty.

De même, il n'est pas tenu de déclarer ce qui est de notoriété, ni les circonstances que l'assureur connaît ou sur lesquelles il renonce à être informé.

1991, c. 64, a. 2547 (1994-01-01).

C.C.B.C. 2624 (**C.C.Q.** 2550)

Art. 2548. Les déclarations portant sur des faits sont réputées vraies lorsque la différence entre la réalité et ce qui est déclaré n'est pas de nature à influencer, de façon importante, le jugement d'un assureur.

Les déclarations exprimant des attentes ou des croyances sont réputées vraies lorsqu'elles sont faites de bonne foi.

1991, c. 64, a. 2548 (1994-01-01).

C.C.B.C. 2627 (**C.C.Q.** 1375, 2545, 2805)

Art. 2549. Lorsque l'assurance est conclue par un représentant de l'assuré, le représentant est soumis aux mêmes obligations que l'assuré quant aux déclarations à faire.

Toutefois, on ne peut pas lui imputer d'omission lorsque les circonstances sont arrivées trop tard à la connaissance de l'assuré pour lui être communiquées.

1991, c. 64, a. 2549 (1994-01-01).

(**C.C.Q.** 2546, 2547)

Art. 2550. L'assuré et l'assureur, de même que leurs représentants, sont réputés connaître toutes les circonstances qui, dans le cours de leurs activités, devraient être connues d'eux.

1991, c. 64, a. 2550 (1994-01-01).

(**C.C.Q.** 2547, 2846, 2847)

Art. 2551. Les déclarations peuvent être rectifiées ou retirées avant la formation du contrat.

1991, c. 64, a. 2551 (1994-01-01).

Art. 2552. Toute omission ou fausse déclaration de la part de l'assuré entraîne la nullité du contrat à la demande de l'assureur, même en ce qui concerne les pertes et dommages qui ne sont pas rattachés aux risques ainsi dénaturés.

1991, c. 64, a. 2552 (1994-01-01).

C.C.B.C. 2625 (**C.C.Q.** 2546; **C.P.C.** 110)

Similarly, the insured need not disclose matters of common notoriety or circumstances which are known to the insurer or as to which information is waived by the insurer.

Art. 2548. A representation as to a matter of fact is deemed true if the difference between what is represented and what is actually correct would not materially influence the judgment of an insurer.

A representation as to a matter of expectation or belief is deemed true if it is made in good faith.

Art. 2549. Where insurance is effected for an insured by a person acting on behalf of the insured, that person is subject to the same obligations as the insured with respect to representations and disclosures.

The person acting on behalf of the insured may not be held responsible for the non-disclosure of circumstances which come to the knowledge of the insured too late to be communicated to him.

Art. 2550. The insured and the insurer as well as persons acting on their behalf are deemed to know every circumstance which, in the ordinary course of business, they ought to know.

Art. 2551. A representation may be withdrawn or corrected before the formation of the contract.

Art. 2552. If the insured fails to make a disclosure or if a representation made by him is untrue, the insurer may apply for annulment of the contract, even with respect to losses or damage not connected with the risks misrepresented or not disclosed.

§ 7. — *Des engagements*

Art. 2553. Il y a engagement lorsque l'assuré affirme ou nie l'existence d'un certain état de fait ou lorsqu'il s'oblige à ce qu'une chose soit faite ou ne soit pas faite ou que certaines conditions soient remplies.

L'affirmation ou la négation d'un état de fait sous-entend nécessairement que cet état ne variera pas.

1991, c. 64, a. 2553 (1994-01-01).

Art. 2554. Les engagements doivent être respectés intégralement, qu'ils soient susceptibles ou non d'influencer de façon importante le jugement d'un assureur.

S'ils ne sont pas ainsi respectés, l'assureur est libéré de ses obligations, à compter de la violation de l'engagement, quant à tout sinistre qui survient ultérieurement; l'assuré ne peut invoquer en défense le fait qu'il a été remédié à la violation et que l'on s'est conformé à l'engagement avant le sinistre.

1991, c. 64, a. 2554 (1994-01-01).

—————

(**C.C.Q.** 2553, 2555, 2560-2563)

Art. 2555. L'assuré n'est pas obligé de respecter les engagements qui sont devenus illégaux ou qui, en raison d'un changement de circonstances, ne sont plus pertinents au contrat.

1991, c. 64, a. 2555 (1994-01-01).

—————

(**C.C.Q.** 2553, 2554, 2564)

Art. 2556. L'engagement peut être exprès ou implicite. L'engagement exprès n'est soumis à aucune forme particulière, mais il doit figurer dans la police ou dans un document qui y est intégré par un avenant.

Un engagement exprès n'exclut pas un engagement implicite, à moins qu'il n'y ait incompatibilité entre les deux.

1991, c. 64, a. 2556 (1994-01-01).

—————

(**C.C.Q.** 2553)

Art. 2557. L'engagement exprès portant sur la neutralité d'un navire ou d'autres biens assurables comporte l'engagement implicite que la neutralité existe au commencement du risque et que, dans la mesure où l'assuré en a le contrôle, elle sera maintenue pendant la durée du risque.

§ 7. — *Warranties*

Art. 2553. A warranty is an undertaking by the insured whereby he affirms or negatives the existence of a particular state of facts or promises that some particular thing will or will not be done or that some condition will be fulfilled.

The affirmation or negation of a particular state of facts necessarily implies that such state of facts will not vary.

Art. 2554. A warranty shall be exactly complied with whether or not it may materially influence the judgment of an insurer.

Where a warranty is not complied with, the insurer is discharged from liability as from the date of the breach of warranty with respect to any loss which occurs subsequently; the insured may not avail himself of the defence that the breach has been remedied, and the warranty complied with, before the loss.

Art. 2555. The insured is not required to comply with a warranty which has become unlawful or which has ceased, by reason of a change of circumstances, to be applicable to the circumstances of the contract.

Art. 2556. A warranty may be express or implied. An express warranty may be in any form of words but shall be written in the policy or contained in a document incorporated into the policy by way of a rider.

An express warranty does not exclude an implied warranty, unless it is inconsistent therewith.

Art. 2557. Where insurable property, whether ship or goods, is expressly warranted "neutral", there is an implied warranty that the property will have a neutral character at the commencement of the risk and that, so far as the insured can control the matter, its neutral character will be preserved during the risk.

L'engagement exprès portant sur la neutralité d'un navire comporte également l'engagement implicite que, dans la mesure où l'assuré en a le contrôle, le navire aura à son bord les documents nécessaires à l'établissement de sa neutralité, que ces documents ne seront ni supprimés ni falsifiés et que des faux ne seront pas utilisés. Si un sinistre survient par suite de la violation de cet engagement implicite, le contrat peut être annulé à la demande de l'assureur.

1991, c. 64, a. 2557 (1994-01-01).

Where a ship is expressly warranted "neutral" there is also an implied warranty that, so far as the insured can control the matter, she will carry the necessary papers to establish her neutrality and that she will not falsify or suppress her papers or use simulated papers. If any loss occurs through breach of this implied warranty, the insurer may bring an action for the annulment of the contract.

_____

(**C.P.C.** 110)

Art. 2558. Il n'y a pas d'engagement implicite quant à la nationalité du navire ou au maintien de cette nationalité pendant la durée du risque.

1991, c. 64, a. 2558 (1994-01-01).

Art. 2558. There is no implied warranty as to the nationality of a ship, or that her nationality will not be changed during the risk.

Art. 2559. Lorsqu'il y a engagement que les biens assurés sont en bon état ou en sécurité un jour donné, il suffit qu'ils le soient à un moment de cette journée.

1991, c. 64, a. 2559 (1994-01-01).

Art. 2559. Where the insured property is warranted well or in good safety on a particular day, it is sufficient if it be safe at any time during that day.

Art. 2560. Dans un contrat au voyage, il y a engagement implicite que le navire est, au commencement du voyage, en bon état de navigabilité pour l'opération maritime assurée.

Si le risque commence alors que le navire est au port, il y a engagement implicite que le navire sera, alors, en état de faire face aux périls ordinaires du port; si les diverses étapes d'un voyage exigent une préparation ou un armement différent ou supplémentaire pour le navire, il y a engagement implicite que le navire sera en bon état de navigabilité au début de chaque étape.

1991, c. 64, a. 2560 (1994-01-01).

Art. 2560. In a voyage policy, there is an implied warranty that at the commencement of the voyage the ship will be seaworthy for the purpose of the particular adventure insured.

Where the risk attaches while the ship is in port, there is also an implied warranty that, at the commencement of the risk, she will be fit to encounter the ordinary perils of the port; where the different stages of a voyage require different kinds of or further preparation or equipment for the ship, there is an implied warranty that the ship will be seaworthy at the commencement of each stage.

_____

C.C.B.C. 2629 (**C.C.Q.** 2522, 2554, 2562, 2563)

Art. 2561. Dans un contrat de durée, il n'y a pas d'engagement implicite que le navire est en bon état de navigabilité.

Toutefois, lorsque, au su de l'assuré, le navire prend la mer en état d'innavigabilité, l'assureur n'est pas tenu des pertes et des dommages qui en résultent.

1991, c. 64, a. 2561 (1994-01-01).

Art. 2561. In a time policy there is no implied warranty that the ship is seaworthy.

Where, with the knowledge of the insured, the ship is sent to sea in an unseaworthy state, the insurer is not liable for any loss attributable to such unseaworthiness.

_____

C.C.B.C. 2629 (**C.C.Q.** 2522, 2562)

Art. 2562. Un navire est réputé en bon état de navigabilité lorsqu'il est, à tous égards, en état de faire face aux périls habituels de la mer durant l'opération maritime assurée.

1991, c. 64, a. 2562 (1994-01-01).

C.C.B.C. 2629 (**C.C.Q.** 2507, 2560)

Art. 2563. Lorsque l'assurance porte sur des marchandises ou d'autres biens meubles, il n'y a pas d'engagement implicite garantissant que ces biens sont en état de voyager par mer.

Cependant, si le contrat est au voyage, il y a engagement implicite qu'au commencement du voyage, le navire est en bon état de navigabilité et qu'il est en état de transporter ces biens à la destination envisagée.

1991, c. 64, a. 2563 (1994-01-01).

(**C.C.Q.** 2510, 2522, 2560, 2562)

Art. 2564. Il y a engagement implicite que l'opération maritime assurée n'est pas prohibée par la loi et que, dans la mesure du possible pour l'assuré, l'opération maritime sera exécutée conformément à la loi.

1991, c. 64, a. 2564 (1994-01-01).

C.C.B.C. 2630 (**C.C.Q.** 2555)

§ 8. — *Du voyage*

I — DU DÉPART

Art. 2565. Le contrat au voyage comporte une condition implicite que si, lors de la conclusion du contrat, le navire n'est pas au lieu de départ qui y est indiqué, l'opération maritime commencera, néanmoins, dans un délai raisonnable.

Si tel n'est pas le cas, le contrat peut être annulé à la demande de l'assureur, à moins que l'assuré ne démontre que le retard était dû à des circonstances connues de l'assureur avant la conclusion du contrat.

1991, c. 64, a. 2565 (1994-01-01).

(**C.C.Q.** 2522; **C.P.C.** 110)

Art. 2566. Lorsque le navire prend la mer d'un lieu de départ autre que celui indiqué au contrat, le risque n'est pas assuré.

Art. 2562. A ship is deemed to be seaworthy when she is fit in all respects to encounter the ordinary perils of the seas of the adventure insured.

Art. 2563. In a contract of insurance on goods or other movables, there is no implied warranty that the goods or movables are seaworthy.

In a voyage policy there is an implied warranty that, at the commencement of the voyage, the ship is seaworthy and that she is fit to carry the goods to the destination contemplated.

Art. 2564. There is an implied warranty that the adventure insured is not unlawful and that, so far as the insured can control the matter, the adventure will be carried out in a lawful manner.

§ 8. — *The voyage*

I — COMMENCEMENT

Art. 2565. In a voyage contract there is an implied condition that if, when the contract is made the ship is not at the place of departure specified therein, the adventure will nevertheless commence within a reasonable time.

If the adventure is not so commenced, the insurer may apply for the annulment of the contract unless the insured shows that the delay was caused by circumstances known to the insurer before the contract was made.

Art. 2566. Where the ship sails from a place other than the place of departure specified in the contract the risk does not attach.

Il en est de même lorsque le navire, au départ, prend la mer pour une destination autre que celle indiquée au contrat.

1991, c. 64, a. 2566 (1994-01-01).

_____

(**C.C.Q.** 2522)

II — DU CHANGEMENT DE VOYAGE

Art. 2567. Il y a changement de voyage dès que se manifeste, après le début du risque, la décision de changer volontairement la destination du navire de celle indiquée au contrat.

L'assureur est libéré de ses obligations dès ce changement, que l'itinéraire ait ou non, en fait, été changé au moment du sinistre.

1991, c. 64, a. 2567 (1994-01-01).

_____

C.C.B.C. 2632

III — DU DÉROUTEMENT

Art. 2568. Il y a déroutement lorsque le navire s'écarte effectivement de l'itinéraire indiqué au contrat ou, lorsque aucun itinéraire n'étant indiqué, il s'écarte de l'itinéraire habituel.

L'assureur est libéré de ses obligations, dès qu'il y a déroutement sans excuse légitime, que le navire ait ou non repris son itinéraire avant le sinistre.

1991, c. 64, a. 2568 (1994-01-01).

_____

C.C.B.C. 2632 (**C.C.Q.** 2569, 2570, 2572)

Art. 2569. Lorsque le contrat indique plusieurs lieux de déchargement, il n'est pas obligatoire que le navire se rende à tous ces lieux.

Toutefois, en l'absence d'usage contraire ou d'excuse légitime, il doit se rendre aux lieux qu'il touchera, en suivant l'ordre indiqué au contrat, sans quoi il y a déroutement.

1991, c. 64, a. 2569 (1994-01-01).

_____

C.C.B.C. 2632 (**C.C.Q.** 2568, 2570, 2572)

Art. 2570. Lorsque le contrat désigne les lieux de déchargement d'une région, généralement et sans les nommer, le navire doit, en l'absence d'usage contraire ou d'excuse légitime, se rendre aux lieux qu'il touchera dans l'ordre géographique, sans quoi il y a déroutement.

1991, c. 64, a. 2570 (1994-01-01).

_____

C.C.B.C. 2632 (**C.C.Q.** 2568, 2569, 2572)

The same applies where the ship sails for a destination other than that specified in the contract.

II — CHANGE OF VOYAGE

Art. 2567. There is a change of voyage from such time as, after the commencement of the risk, the determination to voluntarily change the destination specified in the contract is manifested.

The insurer is discharged from liability from the time of the change whether or not the course has in fact been changed when the loss occurs.

III — DEVIATION

Art. 2568. There is a deviation where the ship departs in fact from the course specified in the contract or, if none is specified, where the usual and customary course is departed from.

The insurer is discharged from liability from the time of a deviation without lawful excuse, whether or not the ship has regained her route before any loss occurs.

Art. 2569. Where several places of discharge are specified in the contract, the ship may proceed to all or any of them.

In the absence of any usage or lawful excuse to the contrary, the ship shall proceed to such of the places as she goes to in the order specified in the contract; if she does not, there is a deviation.

Art. 2570. Where several places of discharge within a given area are referred to in the contract in general terms but are not named, the ship shall, in the absence of any usage or lawful excuse to the contrary, proceed to such of them as she goes to in their geographical order; if she does not, there is a deviation.

IV — DU RETARD

Art. 2571. Lorsque le contrat est au voyage, l'opération maritime doit être poursuivie avec diligence; si, sans excuse légitime, elle ne se poursuit pas ainsi, l'assureur est libéré de ses obligations à compter du moment où l'absence de diligence devient manifeste.

1991, c. 64, a. 2571 (1994-01-01).

C.C.B.C. 2633 (**C.C.Q.** 2522, 2572, 2573)

V — DES RETARDS ET DES DÉROUTEMENTS EXCUSABLES

Art. 2572. Les déroutements et les retards dans la poursuite du voyage sont excusés lorsqu'ils sont autorisés par le contrat ou qu'ils sont rendus nécessaires pour respecter un engagement prévu au contrat; ils le sont, aussi, lorsqu'ils sont causés par des circonstances qui échappent au contrôle du capitaine et de son employeur ou qu'ils sont rendus nécessaires pour la sécurité des biens assurés.

Ils sont également excusés lorsqu'il s'agit de sauver des vies humaines ou de rendre des services de sauvetage à un navire en détresse, à bord duquel des vies humaines peuvent être en danger, ou qu'ils sont nécessaires en vue de procurer des soins médicaux ou chirurgicaux à une personne à bord du navire, ou encore lorsqu'ils sont causés par la baraterie du capitaine ou de l'équipage, à condition que la baraterie soit un risque assuré.

1991, c. 64, a. 2572 (1994-01-01).

C.C.B.C. 2632 (**C.C.Q.** 2507, 2568-2571, 2573)

Art. 2573. Lorsque la cause excusant le déroutement ou le retard disparaît, le navire doit, avec diligence, reprendre son itinéraire et poursuivre son voyage.

1991, c. 64, a. 2573 (1994-01-01).

(**C.C.Q.** 2572)

Art. 2574. L'assureur n'est pas libéré de ses obligations lorsque, par suite de la réalisation d'un risque couvert par l'assurance, le voyage est interrompu dans un lieu intermédiaire, dans des circonstances qui, à moins de stipulation particulière dans le contrat d'affrètement, autorisent le capitaine à débarquer et à rembarquer les marchandises ou autres biens meubles ou à les transborder et à les envoyer à leur destination.

1991, c. 64, a. 2574 (1994-01-01).

(**C.C.Q.** 2001)

IV — DELAY

Art. 2571. In the case of a voyage contract, the adventure shall be prosecuted with dispatch and, if without lawful excuse it is not so prosecuted, the insurer is discharged from liability from the time when the lack of dispatch becomes manifest.

V — EXCUSES FOR DEVIATION OR DELAY

Art. 2572. Deviation or delay in prosecuting the voyage is excused where authorized by the contract or necessary in order to comply with an express or implied warranty or where caused by circumstances beyond the control of the master and his employer or necessary for the safety of the insured property.

Deviation or delay is also excused where it occurs for the purpose of saving human life or aiding a ship in distress where human life may be in danger or where necessary for the purpose of obtaining medical or surgical aid for any person on board the ship, or where caused by the barratrous conduct of the master or crew, provided barratry is one of the perils insured against.

Art. 2573. When the cause excusing the deviation or delay ceases to operate, the ship shall resume her course, and prosecute her voyage with reasonable dispatch.

Art. 2574. Where, by the occurrence of an event insured against, the voyage is interrupted at an intermediate place under such circumstances as, apart from any special stipulation in the contract of affreightment, to justify the master in landing and reshipping the goods or other movables, or in transhipping them, and sending them on to their destination, the liability of the insurer continues.

§ 9. — De la déclaration du sinistre, des pertes et des dommages

Art. 2575. La déclaration d'un sinistre obéit aux règles applicables à l'assurance terrestre de dommages.

1991, c. 64, a. 2575 (1994-01-01).

C.C.B.C. 2645 (**C.C.Q.** 2470 ss.)

Art. 2576. L'assureur n'est tenu que des pertes et des dommages résultant directement d'un risque couvert par la police.

Il est libéré de ses obligations lorsque ces pertes et dommages résultent de la faute intentionnelle de l'assuré, mais il ne l'est pas s'ils résultent de la faute du capitaine ou de l'équipage.

1991, c. 64, a. 2576 (1994-01-01).

C.C.B.C. 2631, 2633

Art. 2577. L'assureur du navire ou des marchandises est libéré de ses obligations lorsque les pertes et dommages résultent directement du retard, même si le retard est imputable à la réalisation d'un risque couvert.

Il l'est également si les dommages causés aux machines ne résultent pas directement d'un péril de la mer ou si les pertes et les dommages proviennent directement du fait des rats et de la vermine, de l'usure, du coulage et du bris qui se produisent normalement au cours d'un voyage, ou de la nature même du bien assuré ou de son vice propre.

1991, c. 64, a. 2577 (1994-01-01).

C.C.B.C. 2632, 2633 (**C.C.Q.** 2507, 2571, 2572)

Art. 2578. Le préjudice subi par l'assuré peut être soit une avarie, soit la perte totale des biens assurés.

Les pertes totales sont réelles ou implicites.

Seules les pertes visées au présent paragraphe peuvent être considérées comme des pertes totales.

1991, c. 64, a. 2578 (1994-01-01).

C.C.B.C. 2646-2648 (**C.C.Q.** 2580-2582, 2596 ss.)

§ 9. — Notice of loss

Art. 2575. The notice of loss is governed by the rules applicable in non-marine damage insurance.

Art. 2576. The insurer is liable only for losses directly caused by a peril insured against.

The insurer is not liable for any such loss caused by the wilful misconduct of the insured, but he is liable if it is caused by the misconduct of the master or crew.

Art. 2577. The insurer on ship or goods is not liable for any loss directly caused by delay, although the delay may be attributable to the occurrence of an event insured against.

The insurer is not liable for any injury to machinery not directly caused by maritime perils nor for any loss directly caused by rats or vermin, nor for ordinary wear and tear, leakage and breakage during a voyage, or inherent defect or nature of the insured property.

Art. 2578. A loss may be either total or partial.

A total loss may be either an actual total loss or a constructive total loss.

Only a loss contemplated by this subsection may be considered a total loss.

Art. 2579. L'assurance contre les pertes totales comprend tant celles qui sont réelles que celles qui sont implicites, à moins que les conditions du contrat n'autorisent des conclusions différentes.

1991, c. 64, a. 2579 (1994-01-01).

___

(**C.C.Q.** 2580, 2581)

Art. 2580. La perte est totale et réelle lorsque l'assuré est irrémédiablement privé du bien assuré ou que celui-ci est détruit ou endommagé à un point tel qu'il perd son identité. Elle est présumée telle lorsque le navire a disparu et qu'on n'a pas reçu de ses nouvelles pendant une période de temps raisonnable.

1991, c. 64, a. 2580 (1994-01-01).

___

C.C.B.C. 2671 (**C.C.Q.** 2581, 2847)

Art. 2581. La perte est totale et implicite lorsque le bien assuré est abandonné et qu'il l'a été parce que la perte totale réelle paraissait inévitable ou qu'elle ne pouvait être évitée qu'en engageant des frais excédant la valeur du bien assuré.

Elle l'est également lorsque l'assuré est privé de la possession du bien assuré, en raison de la réalisation d'un risque couvert par l'assurance, et qu'il est soit improbable qu'il puisse recouvrer le bien, soit trop onéreux de le tenter; elle l'est encore lorsque le bien est endommagé et qu'il serait trop onéreux de le réparer.

1991, c. 64, a. 2581 (1994-01-01).

___

C.C.B.C. 2647 (**C.C.Q.** 2580, 2582, 2583)

Art. 2582. Le recouvrement ou la réparation est présumé trop onéreux lorsque le coût excéderait la valeur du bien au moment où il serait fait, ou lorsque les frais à engager pour la réparation des biens et leur envoi à destination excéderaient leur valeur à l'arrivée ou lorsque les frais à engager pour la réparation du navire excéderaient sa valeur une fois réparé.

1991, c. 64, a. 2582 (1994-01-01).

___

C.C.B.C. 2647 (**C.C.Q.** 2581, 2847)

Art. 2583. Les contributions d'avarie commune à percevoir d'un tiers pour la réparation d'un navire ne sont pas comptées pour calculer les frais à engager pour cette réparation.

Art. 2579. Unless a different intention appears from the terms of the policy, an insurance against total loss includes a constructive total loss as well as an actual total loss.

Art. 2580. There is an actual total loss where the insured is irretrievably deprived of the insured property or where it is destroyed or so damaged as to cease to be a thing of the kind insured. An actual total loss may be presumed where the ship is missing and no news of her has been received for a reasonable period of time.

Art. 2581. There is a constructive total loss where the insured property is abandoned on account of its actual total loss appearing to be unavoidable, or because it could not be preserved from actual total loss without an expenditure which would exceed the value of the insured property.

There is also a constructive total loss where the insured is deprived of the possession of the insured property by a peril insured against and it is either unlikely that he can recover it, or too costly to attempt to do so; there is also constructive total loss where repairing the damage to the insured property would be too costly.

Art. 2582. Recovery or repair is presumed to be too costly where the cost would exceed the value of the insured property at the time the expense is incurred or where the cost of repairing the damage and forwarding the goods to their destination would exceed their value on arrival or where the cost of repairing the damage to the ship would exceed the value of the ship when repaired.

Art. 2583. In estimating the cost of repairs, no deduction is to be made in respect of general average contributions to those repairs payable by other interests.

Cependant, on tient compte des frais d'opération de sauvetage et des contributions d'avarie commune auxquels serait tenu le navire s'il était réparé.

However, account is to be taken of the expense of future salvage operations and of any future general average contributions to which the ship would be liable if repaired.

1991, c. 64, a. 2583 (1994-01-01).

(**C.C.Q.** 2581, 2582, 2598 ss.)

Art. 2584. L'assuré a le choix de considérer les pertes totales implicites soit comme des avaries, soit, en délaissant les biens assurés à l'assureur, comme des pertes totales réelles.

Art. 2584. Where there is a constructive total loss, the insured may either treat the loss as a partial loss, or abandon the insured property to the insurer and treat the loss as if it were an actual total loss.

1991, c. 64, a. 2584 (1994-01-01).

C.C.B.C. 2647, 2663 (**C.C.Q.** 2578, 2581, 2585, 2587 ss.)

Art. 2585. Lorsque l'assuré intente une action pour une perte totale et que la preuve révèle qu'il n'y a eu qu'avarie, il a quand même le droit d'être indemnisé pour le préjudice subi, à moins que le contrat ne couvre pas les avaries.

Art. 2585. Where the insured brings an action for a total loss and the evidence proves only a partial loss, he may nevertheless recover for a partial loss, unless partial losses are not covered by the contract.

1991, c. 64, a. 2585 (1994-01-01).

(**C.C.Q.** 2578, 2584; **C.P.C.** 110)

Art. 2586. L'impossibilité d'identifier les marchandises, à destination, pour quelque raison que ce soit et notamment par suite de l'oblitération des marques, ne donne droit qu'à une action d'avaries.

Art. 2586. Where goods that have reached their destination are incapable of identification by reason of obliteration of marks or otherwise, the insured has a right of action for partial loss only.

1991, c. 64, a. 2586 (1994-01-01).

(**C.C.Q.** 2578; **C.P.C.** 110)

§ 10. — *Du délaissement*

§ 10. — *Abandonment*

Art. 2587. L'assuré qui choisit de délaisser le bien assuré doit donner un avis de délaissement; il est dispensé de donner l'avis lorsque la perte est totale et réelle. Autrement, il n'a droit qu'à une action d'avaries.

Art. 2587. Where the insured elects to abandon the insured property, he shall give notice of abandonment, except in the case of total actual loss. If he fails to do so, he has a right of action for partial loss only.

1991, c. 64, a. 2587 (1994-01-01).

C.C.B.C. 2647, 2663, 2668 (**C.C.Q.** 2578, 2580, 2581, 2584, 2590, 2592, 2594; **C.P.C.** 110)

Art. 2588. Il n'y a aucune exigence particulière quant à la forme ou à la teneur de l'avis de délaissement, mais l'intention de l'assuré d'effectuer un délaissement sans condition doit être manifeste.

Art. 2588. There are no special requirements as to the form or substance of the notice of abandonment but the insured shall make his intention to effect unconditional abandonment manifest.

1991, c. 64, a. 2588 (1994-01-01).

C.C.B.C. 2664, 2669 (**C.C.Q.** 2587)

Art. 2589. L'avis de délaissement doit être donné avec diligence, dès que l'assuré est informé, de sources dignes de foi, de la survenance d'un sinistre.

Cependant, lorsque la nature des renseignements est douteuse, l'assuré a droit à un délai raisonnable pour faire enquête.

1991, c. 64, a. 2589 (1994-01-01).

_____
C.C.B.C. 2666 (**C.C.Q.** 2587)

Art. 2590. L'avis de délaissement n'est pas nécessaire si, au moment où l'assuré a été mis au courant de la perte, l'assureur n'aurait pu de toute façon tirer aucun avantage du délaissement, même si l'avis lui avait été donné.

1991, c. 64, a. 2590 (1994-01-01).

_____
(**C.C.Q.** 2587)

Art. 2591. L'assureur n'est pas tenu de donner un avis du délaissement à son réassureur.

1991, c. 64, a. 2591 (1994-01-01).

Art. 2592. L'assureur peut accepter ou refuser le délaissement qui lui est valablement offert. Il peut aussi renoncer à l'avis de délaissement.

L'acceptation du délaissement est expresse ou découle de la conduite de l'assureur, mais son silence ne constitue pas une acceptation.

1991, c. 64, a. 2592 (1994-01-01).

_____
C.C.B.C. 2672 (**C.C.Q.** 1394, 2587, 2593-2595)

Art. 2593. L'acceptation de l'avis en justifie la validité, rend le délaissement irrévocable et comporte reconnaissance de la part de l'assureur de son obligation d'indemniser l'assuré.

1991, c. 64, a. 2593 (1994-01-01).

_____
C.C.B.C. 2674

Art. 2594. L'assureur qui accepte le délaissement devient propriétaire, à compter du sinistre, tant de l'intérêt de l'assuré dans tout ce qui peut subsister du bien assuré que des droits qui y sont afférents. Il assume, en même temps, les obligations qui s'y rattachent.

Art. 2589. Notice of abandonment shall be given with diligence after the receipt of reliable information of the loss.

Where the information is of a doubtful character the insured is entitled to a reasonable time to make inquiry.

Art. 2590. Notice of abandonment is unnecessary if, at the time the insured receives information of the loss, there would be no possibility of benefit to the insurer if notice were given to him.

Art. 2591. The insurer need not give notice of the abandonment to his reinsurer.

Art. 2592. The insurer may either accept or refuse an abandonment validly tendered. He may also waive notice of abandonment.

The acceptance of an abandonment may be either express or implied from the conduct of the insurer, but the mere silence of the insurer is not an acceptance.

Art. 2593. The acceptance of the notice admits sufficiency of the notice, renders the abandonment irrevocable and conclusively admits the insurer's liability for the insured's loss.

Art. 2594. Where the insurer accepts the abandonment, he becomes, from the time of the loss, the owner of the interest of the insured in whatever may remain of the insured property and all rights and obligations incidental thereto.

L'assureur qui a accepté le délaissement d'un navire a droit au fret gagné après le sinistre, déduction faite des frais engagés, après le sinistre, pour le gagner. De plus, quand le navire transporte les marchandises du propriétaire du navire, l'assureur a droit à une rémunération raisonnable pour le transport effectué après le sinistre.

1991, c. 64, a. 2594 (1994-01-01).

An insurer who has accepted the abandonment of a ship is entitled to any freight earned after the loss, less the expenses of earning it incurred after the loss. And, where the ship is carrying the ship owner's goods, the insurer is entitled to a reasonable remuneration for the carriage of them subsequent to the loss.

C.C.B.C. 2672, 2673 (**C.C.Q.** 2001, 2019, 2028, 2587, 2592)

Art. 2595. Le refus de l'assureur d'accepter le délaissement, alors même que l'avis en a été valablement donné, ne porte pas atteinte aux droits de l'assuré, notamment à celui d'être indemnisé pour une perte totale implicite.

L'assuré conserve son intérêt dans tout ce qui peut subsister du bien assuré, ainsi que les droits et les obligations qui s'y rattachent, même si l'assureur l'indemnise des pertes et des dommages qui ont donné lieu au délaissement.

1991, c. 64, a. 2595 (1994-01-01).

Art. 2595. Where the notice of abandonment is properly given, the rights of the insured, particularly the right of recovery for a constructive total loss, are not prejudiced by the fact that the insurer refuses to accept the abandonment.

The insured retains his interest in whatever may remain of the insured property and all incidental rights and obligations, even if the insurer indemnifies him for the loss or damage which gave rise to the abandonment.

C.C.B.C. 2675 (**C.C.Q.** 2581, 2584, 2592)

§ 11. — *Des espèces d'avaries*

Art. 2596. Ne sont considérées comme avaries particulières que les avaries matérielles causées par la réalisation d'un risque assuré et qui ne résultent pas d'un fait d'avarie commune.

1991, c. 64, a. 2596 (1994-01-01).

§ 11. — *Kinds of average loss*

Art. 2596. A particular average loss is a partial loss of the insured property, caused by a peril insured against, and which is not a general average loss.

C.C.B.C. 2652 (**C.C.Q.** 2599)

Art. 2597. Les avaries-frais sont les frais engagés par l'assuré, ou pour son compte, pour la préservation ou la sécurité du bien assuré, à l'exclusion des frais d'avarie commune et de sauvetage.

Elles ne sont pas comprises dans les avaries particulières.

1991, c. 64, a. 2597 (1994-01-01).

Art. 2597. Expenses incurred by or on behalf of the insured for the preservation or safety of the insured property, other than general average and salvage charges, are called particular charges.

Particular charges are not included in particular average.

Art. 2598. Les frais de sauvetage engagés pour prévenir des pertes et des dommages résultant de la réalisation d'un risque assuré peuvent être recouvrés comme une perte causée par ces risques.

Art. 2598. Salvage charges incurred in preventing a loss by perils insured against may be recovered as a loss by those perils.

On entend par frais de sauvetage, les frais qui, en vertu du droit maritime, peuvent être recouvrés par un sauveteur agissant sans contrat de sauvetage. Ils ne comprennent pas les frais pour les services de sauvetage rendus par l'assuré ou son mandataire, ou par toute autre personne employée par eux, à seule fin d'éviter la réalisation du risque, à moins que ces frais ne soient justifiés, auquel cas ils peuvent être recouvrés à titre d'avaries-frais ou de pertes par avarie commune, compte tenu des circonstances dans lesquelles ils ont été engagés.

1991, c. 64, a. 2598 (1994-01-01).

___

(**C.C.Q.** 2583, 2597, 2599, 2612)

Art. 2599. La perte par avarie commune est celle qui résulte d'un fait d'avarie commune.

Il y a fait d'avarie commune lorsqu'un sacrifice ou une dépense extraordinaire est volontairement et raisonnablement consenti à un moment périlleux, dans le but de préserver les biens en péril.

1991, c. 64, a. 2599 (1994-01-01).

___

C.C.B.C. 2677 (**C.C.Q.** 2507, 2583, 2600)

Art. 2600. Sous réserve des règles du droit maritime, la perte par avarie commune donne le droit, à la partie qui la subit, d'exiger une contribution proportionnelle des autres intéressés; cette contribution est dite contribution d'avarie commune.

1991, c. 64, a. 2600 (1994-01-01).

___

(**C.C.Q.** 2599, 2601, 2602)

Art. 2601. L'assuré qui a engagé une dépense d'avarie commune peut se faire indemniser par l'assureur, dans la mesure et la proportion de la perte qui lui incombe; celui qui a consenti un sacrifice d'avarie commune peut se faire indemniser par l'assureur de la totalité de la perte qu'il a subie, sans être tenu d'exiger une contribution des autres parties.

1991, c. 64, a. 2601 (1994-01-01).

___

C.C.B.C. 2676, 2677 (**C.C.Q.** 2599, 2600, 2602)

"Salvage charges" means the charges recoverable under maritime law by a salvor independently of contract. They do not include the expenses of services in the nature of salvage rendered by the insured or by persons acting on his behalf, or any person employed for hire by them, for the sole purpose of averting a peril insured against, unless such expenses are properly incurred, in which case they may be recovered as particular charges or as a general average loss, according to the circumstances in which they were incurred.

Art. 2599. A general average loss is a loss caused by a general average act.

There is a general average act where any extraordinary sacrifice or expense is intentionally and reasonably made or incurred in time of peril for the purpose of preserving the property imperilled.

Art. 2600. Where there is a general average loss, the party on whom it falls is entitled, subject to the conditions imposed by maritime law, to a rateable contribution from other interested persons, and such contribution is called a general average contribution.

Art. 2601. Where the insured has incurred a general average expenditure, he may recover from the insurer in respect of the proportion of the loss which falls upon him, if any; in the case of a general average sacrifice, he may recover from the insurer in respect of the whole loss without having enforced his right of contribution from the other parties.

Art. 2602. L'assureur n'est pas tenu d'indemniser les pertes par avarie commune ou les contributions à leur égard si les dommages n'ont pas été subis dans le but d'éviter la réalisation d'un risque couvert ou s'ils ne se rattachent pas à des mesures prises pour l'éviter.

1991, c. 64, a. 2602 (1994-01-01).

(C.C.Q. 2599-2601)

Art. 2602. The insurer is not liable for any general average loss or contribution where the loss was not incurred for the purpose of avoiding, or in connection with the avoidance of, a peril insured against.

Art. 2603. Lorsque le navire, le fret, les marchandises ou d'autres biens meubles, ou au moins deux d'entre eux, sont la propriété d'un même assuré, la responsabilité de l'assureur, en ce qui concerne les pertes par avarie commune ou les contributions à leur égard, est établie comme si les biens appartenaient à des personnes différentes.

1991, c. 64, a. 2603 (1994-01-01).

(C.C.Q. 2599, 2601, 2602)

Art. 2603. Where the ship, freight, and cargo, or other movable property, or any two of them, are owned by the same insured, the liability of the insurer in respect of general average losses or contributions is to be determined as if those properties were owned by different persons.

§ 12. — Du calcul de l'indemnité

Art. 2604. L'indemnité exigible se calcule en fonction de la pleine valeur assurable, si le contrat est à valeur indéterminée, ou en fonction de la somme fixée au contrat, si celui-ci est à valeur agréée.

1991, c. 64, a. 2604 (1994-01-01).

(C.C.Q. 2523, 2524)

§ 12. — Measure of indemnity

Art. 2604. The measure of indemnity is the sum recoverable, to the full extent of the insurable value in the case of an unvalued policy or, in the case of a valued policy, to the full extent of the value fixed in the policy.

Art. 2605. Lorsqu'une perte ou une avarie donne le droit d'exiger une indemnité, l'assureur ou chacun d'eux, s'il y en a plusieurs, est tenu de payer une indemnité égale au rapport existant entre, d'une part, le montant de sa souscription et, d'autre part, soit la valeur fixée au contrat, si celui-ci est à valeur agréée, soit la valeur assurable, si le contrat est à valeur indéterminée.

1991, c. 64, a. 2605 (1994-01-01).

(C.C.Q. 2520, 2523, 2524)

Art. 2605. Where there is a loss recoverable under the contract, the insurer, or each insurer if there are more than one, is liable for such proportion of the measure of indemnity as the amount of his subscription bears to the value fixed in the policy in the case of a valued policy, or to the insurable value in the case of an unvalued policy.

Art. 2606. L'indemnité pour la perte totale est la somme fixée au contrat, s'il est à valeur agréée, ou la valeur assurable du bien assuré, si le contrat est à valeur indéterminée.

1991, c. 64, a. 2606 (1994-01-01).

(C.C.Q. 2523, 2524, 2578, 2580, 2581)

Art. 2606. The measure of indemnity for a total loss is the sum fixed in the contract in the case of a valued policy, or the insurable value of the insured property in the case of an unvalued policy.

Art. 2607. L'indemnité due pour la perte de fret est déterminée par comparaison entre la valeur globale du fret assuré et celle du fret obtenu, le taux de dépréciation ainsi obtenu devant être appliqué sur la valeur agréée, le cas échéant, sinon sur la valeur assurable.

1991, c. 64, a. 2607 (1994-01-01).

(**C.C.Q.** 2509, 2519, 2523, 2524)

Art. 2608. L'avarie d'un navire donne droit aux indemnités qui suivent:

1° Lorsque le navire a été réparé, l'assuré a droit au coût raisonnable des réparations, moins les déductions habituelles, mais sans que l'indemnité puisse excéder, pour un sinistre, la somme assurée;

2° Lorsque le navire n'a été que partiellement réparé, l'assuré a droit au coût raisonnable des réparations, calculé conformément au paragraphe 1°; il a également le droit d'être indemnisé pour la dépréciation raisonnable résultant des dommages non réparés, sans toutefois que le montant total de l'indemnité puisse excéder le coût de la réparation de la totalité des dommages;

3° Lorsque le navire n'a pas été réparé et n'a pas été vendu dans son état d'avarie pendant la durée du risque, l'assuré a droit à une indemnité pour la dépréciation raisonnable résultant des dommages non réparés sans, toutefois, que l'indemnité puisse excéder le coût raisonnable et la réparation de ces dommages, calculé conformément au paragraphe 1°.

1991, c. 64, a. 2608 (1994-01-01).

(**C.C.Q.** 2508, 2519, 2578, 2580, 2581, 2596)

Art. 2609. L'indemnité due pour la perte totale d'une partie des marchandises ou des autres biens meubles assurés par un contrat à valeur agréée est égale à la somme fixée au contrat, multipliée par le rapport existant entre la valeur assurable de la partie perdue et la valeur assurable du tout, ces deux valeurs étant établies de la même façon que s'il s'agissait d'un contrat à valeur indéterminée.

Celle due pour la perte totale d'une partie des biens assurés par un contrat à valeur indéterminée est la valeur assurable de la partie perdue, établie de la même façon que s'il s'agissait d'une perte totale de tous les biens.

1991, c. 64, a. 2609 (1994-01-01).

(**C.C.Q.** 2510, 2519, 2523, 2524, 2606)

Art. 2607. Where freight is lost, the measure of indemnity is such proportion of the sum fixed in the policy, in the case of a valued policy, or of the insurable value, in the case of an unvalued policy, as the proportion of freight lost bears to the whole insured freight.

Art. 2608. Where a ship is damaged, but is not totally lost, the measure of indemnity is as follows:

(1) where the ship has been repaired, the insured is entitled to the reasonable cost of the repairs, less the customary deductions, but not exceeding the sum insured in respect of any one casualty;

(2) where the ship has been only partially repaired, the insured is entitled to the reasonable cost of such repairs computed as in paragraph 1, and also to be indemnified for the reasonable depreciation arising from the unrepaired damage, provided that the aggregate amount does not exceed the cost of repairing the whole damage;

(3) where the ship has not been repaired, and has not been sold in her damaged state during the risk, the insured is entitled to be indemnified for the reasonable depreciation arising from the unrepaired damage, but not exceeding the reasonable cost of repairing such damage, computed as in paragraph 1.

Art. 2609. Where part of the goods or other movable property insured by a valued contract is totally lost, the measure of indemnity is such proportion of the sum fixed in the contract as the insurable value of the part lost bears to the insurable value of the whole, ascertained as in the case of an unvalued contract.

Where part of the property insured by an unvalued contract is totally lost, the measure of indemnity is the insurable value of the part lost, ascertained as in case of total loss.

Art. 2610. Lorsque la totalité ou une partie quelconque des marchandises ou des autres biens meubles assurés a été livrée à destination en état d'avarie, l'indemnité due est déterminée par comparaison entre la valeur brute à l'état sain et la valeur brute en état d'avarie, le taux de dépréciation ainsi obtenu devant être appliqué sur la valeur agréée, le cas échéant, sinon sur la valeur assurable.

On entend par valeur brute, le prix de gros au lieu de destination ou, à défaut, l'estimation de la valeur des biens en y ajoutant, dans chaque cas, les droits acquittés à l'avance, ainsi que les frais de débarquement et le fret ou, pour les marchandises qui se vendent ordinairement en entrepôt, le prix en entrepôt.

1991, c. 64, a. 2610 (1994-01-01).

C.C.B.C. 2660 (**C.C.Q.** 2510, 2523, 2524)

Art. 2611. La ventilation de la valeur assurée de biens de nature différente ayant fait l'objet d'une évaluation globale se fait en proportion de la valeur assurable de chaque groupe; de même, la ventilation de la valeur assurée de chacun des éléments d'un groupe se fait en proportion de la valeur assurable de chacun des éléments du groupe.

La ventilation de la valeur assurée de marchandises de nature différente dont il est impossible de déterminer séparément le prix facturé, la qualité ou le genre peut se faire en fonction de la valeur nette des marchandises saines à destination.

1991, c. 64, a. 2611 (1994-01-01).

Art. 2612. L'assuré appelé à contribuer aux pertes par avarie commune a droit à une indemnité pour le montant total de sa contribution, si le bien est assuré pour sa pleine valeur contributive. S'il n'est pas ainsi assuré ou s'il n'est assuré qu'en partie, l'indemnité est réduite en proportion de la sous-assurance.

La somme attribuée en compensation du préjudice subi par l'assuré, en raison d'une avarie particulière garantie par l'assureur et déductible de la valeur contributive, doit être déduite de la valeur assurée, afin d'établir le montant de la contribution qui incombe à l'assureur.

Art. 2610. Where the whole or any part of the goods or other movable property insured has been delivered damaged at its destination, the measure of indemnity is such proportion of the sum fixed or, as the case may be, of the insurable value, as the difference between the gross sound and damaged values bears to the gross sound value.

"Gross value" means the wholesale price at destination or, if there is no such price, the estimated value of the property with, in either case, freight, landing charges and duty paid beforehand or, in the case of goods customarily sold in bond, the bonded price.

Art. 2611. Where different species of property are insured under a single valuation, the valuation is apportioned over the different species in proportion to their respective insurable values; similarly, the insured value of any part of a species is such proportion of the total insured value of that species as the insurable value of the part bears to the insurable value of the whole.

Where the valuation of the insured value of different species of goods has to be apportioned, and particulars of the invoice value, quality, or description of each separate species cannot be ascertained, the division of the valuation may be made over the net arrived sound values of the goods.

Art. 2612. Where the insured has paid, or is liable for, any general average contribution, the measure of indemnity is the full amount of such contribution if the property is insured for its full contributory value; if the property is not insured for its full contributory value or if only part of it is insured, the indemnity is reduced in proportion to the under-insurance.

The amount awarded as compensation for damage suffered by the insured by reason of a particular average loss which constitutes a deduction from the contributory value, and for which the insurer is liable, shall be deducted from the insured value in order to ascertain what the insurer is liable to contribute.

Ces règles s'appliquent également pour calculer les frais de sauvetage que l'assureur est tenu de rembourser.

1991, c. 64, a. 2612 (1994-01-01).

(**C.C.Q.** 2596, 2598, 2600, 2601, 2626)

Art. 2613. L'indemnité exigible en vertu d'une assurance de responsabilité civile est la somme payée ou payable aux tiers, jusqu'à concurrence du montant de l'assurance.

1991, c. 64, a. 2613 (1994-01-01).

Art. 2614. Lorsque les pertes ou les dommages subis ne sont pas visés par le présent paragraphe, l'indemnité s'établit néanmoins, autant que possible, conformément à celui-ci.

1991, c. 64, a. 2614 (1994-01-01).

Art. 2615. Lorsque le bien est assuré franc d'avaries particulières, l'assuré n'a pas droit à une indemnité pour la perte partielle du bien assuré, à moins que la perte ne résulte d'un sacrifice d'avarie commune ou que le contrat ne puisse faire l'objet d'un fractionnement.

Dans ce dernier cas, l'assuré a droit à une indemnité pour la perte totale de toute fraction du bien assuré.

1991, c. 64, a. 2615 (1994-01-01).

(**C.C.Q.** 2578, 2596, 2601, 2616)

Art. 2616. Lorsque le bien est assuré franc d'avaries particulières, soit totalement, soit en deçà d'un certain pourcentage, l'assureur est néanmoins tenu aux frais de sauvetage, de même qu'aux frais engagés pour éviter une perte couverte par l'assurance et, notamment, aux avaries-frais et aux frais engagés conformément à la clause sur les mesures conservatoires et préventives.

On ne peut ajouter les avaries communes aux avaries particulières pour atteindre le pourcentage stipulé au contrat. De la même façon, on ne tient pas compte des avaries-frais et des frais engagés pour établir le montant du préjudice subi.

1991, c. 64, a. 2616 (1994-01-01).

(**C.C.Q.** 2596-2599, 2615, 2618)

Art. 2617. Sous réserve des dispositions du présent paragraphe, l'assureur est garant des sinistres successifs, même si le montant total des pertes et des dommages dépasse la somme assurée.

The extent of the insurer's liability for salvage charges is determined on the same principle.

Art. 2613. The measure of indemnity payable under a civil liability insurance contract is the sum paid or payable to third persons, up to the amount of insurance.

Art. 2614. Where the loss sustained is not expressly provided for in this subsection, the measure of indemnity is ascertained, as nearly as may be, in accordance with this subsection.

Art. 2615. Where the insured property is warranted free from particular average, the insured may not recover for a loss of part of the insured property other than a loss incurred by a general average sacrifice, unless the contract is apportionable.

If the contract is apportionable, the insured may recover for a total loss of any apportionable part of the insured property.

Art. 2616. Where the insured property is warranted free from particular average, either wholly or under a certain percentage, the insurer is nevertheless liable for salvage charges, and for particular charges and other expenses properly incurred pursuant to the provisions of the suing and labouring clause in order to avert a loss insured against.

A general average loss may not be added to a particular average loss to make up the percentage stipulated in the contract. Likewise, no regard is had to particular charges and the expenses of and incidental to ascertaining the loss.

Art. 2617. Subject to the provisions of this subsection, the insurer is liable for successive losses, even though the total amount of such losses may exceed the sum insured.

Toutefois, lorsque des avaries sont suivies d'une perte totale, l'assuré ne peut, en vertu d'un même contrat, recouvrer que l'indemnité due pour la perte totale, à moins que l'avarie n'ait déjà fait l'objet de réparations ou d'un remplacement.

Les obligations de l'assureur, en vertu de la clause sur les mesures conservatoires et préventives, demeurent.

1991, c. 64, a. 2617 (1994-01-01).

(**C.C.Q.** 2578, 2580, 2581, 2596, 2618)

Art. 2618. La clause sur les mesures conservatoires et préventives est réputée supplémentaire au contrat d'assurance; l'assuré peut, en vertu de cette clause, recouvrer tous les frais qu'il a engagés, même si l'assureur a déjà réglé les dommages sur la base d'une perte totale ou même si le bien a été assuré franc d'avaries particulières, totalement ou en deçà d'un certain pourcentage.

Cette clause ne couvre cependant pas les pertes par avarie commune, les contributions aux avaries communes, les frais de sauvetage, ni les frais engagés pour éviter ou limiter des pertes ou des dommages non couverts par le contrat.

1991, c. 64, a. 2618 (1994-01-01).

(**C.C.Q.** 2597-2600, 2612, 2615-2617)

Art. 2619. Il est du devoir de l'assuré et de ses représentants de prendre, dans tous les cas, les mesures raisonnables afin d'éviter ou de limiter les pertes et les dommages.

1991, c. 64, a. 2619 (1994-01-01).

C.C.B.C. 2662

§ 13. — *Dispositions diverses*

I — DE LA SUBROGATION

Art. 2620. Lorsque l'assureur indemnise l'assuré en raison d'une perte totale, soit pour le tout, soit, s'il s'agit de marchandises, pour une partie divisible du bien assuré, il acquiert de ce fait le droit de recueillir l'intérêt de l'assuré dans tout ce qui peut subsister du bien qu'il assurait; il est, par là même, subrogé dans tous les droits et recours de l'assuré relativement à ce bien, depuis le moment de l'événement qui a causé la perte.

Where, under the same policy, a partial loss which has not been the subject of repairs or replacement is followed by a total loss, the insured may only recover in respect of the total loss.

The liability of the insurer under the suing and labouring clause is not affected.

Art. 2618. A suing and labouring clause is deemed to be supplementary to the contract of insurance; the insured may recover from the insurer any expenses properly incurred pursuant to the clause, notwithstanding that the insurer may have paid for a total loss, or that the property may have been warranted free from particular average, either wholly or under a certain percentage.

General average losses and contributions, salvage charges, and expenses incurred for the purpose of averting or diminishing any loss not covered by the contract are not recoverable under the suing and labouring clause.

Art. 2619. It is the duty of the insured and of persons acting on his behalf, in all cases, to take reasonable measures for the purpose of averting or minimizing a loss.

§ 13. — *Miscellaneous provisions*

I — SUBROGATION

Art. 2620. Where the insurer pays for a total loss, either of the whole, or, in the case of goods, of any apportionable part of the insured property, he becomes entitled to take over the interest of the insured in whatever may remain of the property so paid for and he is thereby subrogated to all the rights and remedies of the insured in and in respect of the insured property from the time of the event causing the loss.

Cependant, l'indemnisation de l'assuré pour des avaries particulières ne confère à l'assureur aucun droit dans le bien assuré ou dans ce qui peut en rester. L'assureur est de ce fait subrogé, à compter du sinistre, dans tous les droits de l'assuré relativement à ce bien, jusqu'à concurrence de l'indemnité d'assurance payée.

1991, c. 64, a. 2620 (1994-01-01).

_____

(**C.C.Q.** 1651 ss., 2596, 2606, 2609, 2615)

II — DU CUMUL DE CONTRATS

Art. 2621. Il y a cumul de contrats lorsque plusieurs polices d'assurance sont établies par l'assuré ou pour son compte, couvrant en tout ou en partie le même intérêt d'assurance et la même opération maritime, et que les sommes assurées sont supérieures au montant de l'indemnité exigible.

1991, c. 64, a. 2621 (1994-01-01).

_____

C.C.B.C. 2640 (**C.C.Q.** 2622, 2625)

Art. 2622. L'assuré peut, en cas de cumul de contrats, exiger le paiement de ses assureurs dans l'ordre de son choix, mais, en aucun cas, il ne peut recevoir une somme supérieure à l'indemnité exigible.

1991, c. 64, a. 2622 (1994-01-01).

_____

C.C.B.C. 2640, 2641 (**C.C.Q.** 2542, 2623, 2624)

Art. 2623. Lorsque le contrat est à valeur agréée, l'assuré doit déduire, jusqu'à concurrence de l'évaluation, les sommes qu'il a reçues en vertu d'un autre contrat, sans égard à la valeur réelle du bien assuré.

Lorsque le contrat est à valeur indéterminée, il doit déduire, jusqu'à concurrence de la pleine valeur d'assurance, les sommes qu'il a reçues en vertu d'un autre contrat.

1991, c. 64, a. 2623 (1994-01-01).

_____

(**C.C.Q.** 2523, 2524, 2604, 2606, 2622)

Art. 2624. L'assuré qui recouvre une somme supérieure à l'indemnité exigible est réputé détenir cette somme pour le compte des assureurs, selon leurs droits respectifs.

1991, c. 64, a. 2624 (1994-01-01).

_____

(**C.C.Q.** 2604 ss., 2622)

Subject to the foregoing provisions, where the insurer pays for a particular average loss, he acquires no right to the insured property, or to any part of it that may remain, but he is thereupon subrogated to all rights and remedies of the insured in or in respect of the property from the time of the event causing the loss, up to the indemnity paid.

II — DOUBLE INSURANCE

Art. 2621. Where two or more insurance policies are effected by or on behalf of the insured on the same adventure and interest or any part thereof and the sums insured exceed the indemnity recoverable, the insured is said to be over-insured by double insurance.

Art. 2622. Where the insured is over-insured by double insurance, he may claim payment from the insurers in such order as he may think fit, but in no case is he entitled to receive any sum in excess of the indemnity recoverable.

Art. 2623. Where the contract under which the insured claims is a valued policy, the insured shall give credit as against the valuation for any sum received by him under any other policy without regard to the actual value of the insured property.

Where the contract under which the insured claims is an unvalued policy, the insured shall give credit, as against the full insurable value, for any sum received by him under any other policy.

Art. 2624. Where the insured receives any sum in excess of the indemnity recoverable, he is deemed to hold such sum on behalf of the insurers according to their right of contribution among themselves.

Art. 2625. Lorsqu'il y a cumul de contrats, chaque assureur est tenu à l'égard des autres de contribuer à l'indemnisation de l'assuré, proportionnellement à la somme qu'il assure aux termes de son contrat.

L'assureur qui contribue au-delà de sa part a le droit de recouvrer l'excédent des autres assureurs, de la même manière que la caution qui contribue au-delà de sa part.

1991, c. 64, a. 2625 (1994-01-01).

C.C.B.C. 2643 (**C.C.Q.** 2333, 2341, 2621-2623)

III — DE LA SOUS-ASSURANCE

Art. 2626. Lorsque l'assuré est couvert pour une somme inférieure à la valeur assurable ou, si le contrat est à valeur agréée, pour une somme inférieure à la valeur convenue, l'assuré est son propre assureur pour la différence.

1991, c. 64, a. 2626 (1994-01-01).

(**C.C.Q.** 2518, 2519, 2523, 2524, 2612)

IV — DE L'ASSURANCE MUTUELLE

Art. 2627. L'assurance est mutuelle lorsque plusieurs personnes décident de s'assurer les unes les autres contre des risques maritimes.

Elle obéit aux règles de la présente section, sauf quant à la prime et les parties peuvent substituer toute autre forme d'engagement à celle-ci.

1991, c. 64, a. 2627 (1994-01-01).

(**C.C.Q.** 2534 ss.)

V — DE L'ACTION DIRECTE

Art. 2628. Les articles 2500 à 2502, relatifs à l'action directe du tiers lésé, s'appliquent à l'assurance maritime. Toute stipulation qui déroge à ces règles est nulle.

1991, c. 64, a. 2628 (1994-01-01).

(**C.C.Q.** 1421; **C.P.C.** 110)

Art. 2625. Where the insured is over-insured by double insurance, each insurer is bound, as between himself and the other insurers, to contribute to the loss rateably to the amount for which he is liable under his contract.

If any insurer pays more than his proportion of the loss, he is entitled to recover the excess from the other insurers in the same manner as a surety who has paid more than his proportion of the debt.

III — UNDER-INSURANCE

Art. 2626. Where the insured is insured for an amount less than the insurable value or, in the case of a valued policy, for an amount less than the policy valuation, the insured is deemed to be his own insurer in respect of the uninsured balance.

IV — MUTUAL INSURANCE

Art. 2627. Where two or more persons mutually agree to insure each other against marine losses there is said to be a mutual insurance.

Mutual insurance is governed by the provisions of this section except those relating to the premium but such arrangement as may be agreed upon may be substituted for the premium.

V — DIRECT ACTION

Art. 2628. Articles 2500 to 2502 respecting the direct action of injured third persons apply to marine insurance. Any stipulation that is inconsistent with such rules is null.

CHAPITRE SEIZIÈME
DU JEU ET DU PARI

Art. 2629. Les contrats de jeu et de pari sont valables dans les cas expressément autorisés par la loi.

Ils le sont aussi lorsqu'ils portent sur des exercices et des jeux licites qui tiennent à la seule adresse des parties ou à l'exercice de leur corps, à moins que la somme en jeu ne soit excessive, compte tenu des circonstances, ainsi que de l'état et des facultés des parties.

1991, c. 64, a. 2629 (1994-01-01).

C.C.B.C. 1928 (**C.C.Q.** 9, 1400, 2512, 2541; **C.P.C.** 165(4); **L.R.Q.**, c. L-6)

Art. 2630. Lorsque le jeu et le pari ne sont pas expressément autorisés, le gagnant ne peut exiger le paiement de la dette et le perdant ne peut répéter la somme payée.

Toutefois, il y a lieu à répétition dans les cas de fraude ou de supercherie, ou lorsque le perdant est un mineur ou un majeur protégé ou non doué de raison.

1991, c. 64, a. 2630 (1994-01-01).

C.C.B.C. 1927 (**C.C.Q.** 9, 1398, 1400, 1554, 1699; **C.P.C.** 110, 165(4))

CHAPTER XVI
GAMING AND WAGERING

Art. 2629. Gaming and wagering contracts are valid in the cases expressly authorized by law.

They are also valid where related to lawful activities and games requiring only skill or bodily exercises on the part of the parties, unless the amount at stake is immoderate according to the circumstances and in view of the condition and means of the parties.

Art. 2630. Where gaming and wagering contracts are not expressly authorized by law, the winning party may not exact payment of the debt and the losing party may not recover the sum paid.

The losing party may recover the sum paid, however, in cases of fraud or trickery or where the losing party is a minor or a person of full age who is protected or not endowed with reason.

CHAPITRE DIX-SEPTIÈME
DE LA TRANSACTION

Art. 2631. La transaction est le contrat par lequel les parties préviennent une contestation à naître, terminent un procès ou règlent les difficultés qui surviennent lors de l'exécution d'un jugement, au moyen de concessions ou de réserves réciproques.

Elle est indivisible quant à son objet.

1991, c. 64, a. 2631 (1994-01-01).

CHAPTER XVII
TRANSACTION

Art. 2631. Transaction is a contract by which the parties prevent a future contestation, put an end to a lawsuit or settle difficulties arising in the execution of a judgment, by way of mutual concessions or reservations.

A transaction is indivisible as to its object.

C.C.B.C. 1918 (**C.C.Q.** 209, 212, 885, 1431, 1609, 2504, 2896; **C.P.C.** 1025)

Art. 2632. On ne peut transiger relativement à l'état ou à la capacité des personnes ou sur les autres questions qui intéressent l'ordre public.

1991, c. 64, a. 2632 (1994-01-01).

Art. 2632. No transaction may be made with respect to the status or capacity of persons or to other matters of public order.

C.C.B.C. 1926.2 (**C.C.Q.** 9, 153 ss., 1409, 1411, 1499, 1609, 2639, 3081; **C.P.C.** 457)

Art. 2633. La transaction a, entre les parties, l'autorité de la chose jugée.

La transaction n'est susceptible d'exécution forcée qu'après avoir été homologuée.

1991, c. 64, a. 2633 (1994-01-01).

Art. 2633. A transaction has, between the parties, the authority of a final judgment (*res judicata*).

A transaction is not subject to compulsory execution until it is homologated.

C.C.B.C. 1920 (**C.C.Q.** 2504, 2848, 2968, 3163; **C.P.C.** 885*a*))

Art. 2634. L'erreur de droit n'est pas une cause de nullité de la transaction. Sauf cette exception, la transaction peut être annulée pour les mêmes causes que les contrats en général.

1991, c. 64, a. 2634 (1994-01-01).

Art. 2634. Error of law is not a cause for annulling a transaction. Apart from such exception, a transaction may be annulled for lesion or any other cause of nullity of contracts in general.

C.C.B.C. 1921 (**C.C.Q.** 1399, 1407, 1411, 1413; **C.P.C.** 110)

Art. 2635. La transaction fondée sur un titre nul est également nulle, à moins que les parties n'aient expressément traité sur la nullité.

Celle fondée sur des pièces qui ont depuis été reconnues fausses est aussi nulle.

1991, c. 64, a. 2635 (1994-01-01).

Art. 2635. A transaction based on a title that is null is also null, unless the parties have expressly referred to and covered the nullity.

A transaction based on writings later found to be false is also null.

C.C.B.C. 1922, 1923 (**C.C.Q.** 1410, 1411, 1423; **C.P.C.** 483)

Art. 2636. La transaction sur un procès est nulle si les parties, ou l'une d'elles, ignoraient qu'un jugement passé en force de chose jugée avait terminé le litige.

1991, c. 64, a. 2636 (1994-01-01).

Art. 2636. A transaction based on a lawsuit is null if either party was unaware that the litigation had been terminated by a judgment having acquired the authority of a final judgment (*res judicata*).

C.C.B.C. 1924 (**C.C.Q.** 2848)

Art. 2637. Lorsque les parties ont transigé sur l'ensemble de leurs affaires, la découverte subséquente de documents qui leur étaient alors inconnus n'est pas une cause de nullité de la transaction, à moins qu'ils n'aient été retenus par le fait de l'une des parties ou, à sa connaissance, par un tiers.

Cependant, la transaction est nulle si elle n'a qu'un objet et que les documents nouvellement découverts établissent que l'une des parties n'y avait aucun droit.

1991, c. 64, a. 2637 (1994-01-01).

C.C.B.C. 1925

Art. 2637. Where the parties have made a transaction on all matters between them, the subsequent discovery of documents of which they were unaware at the time of the transaction does not constitute a cause for annulling the transaction, unless the documents were withheld by one of the parties or, to his knowledge, by a third person.

However, the transaction is null if it relates to only one object and if the documents later discovered prove that one of the parties had no rights in it.

CHAPITRE DIX-HUITIÈME
DE LA CONVENTION D'ARBITRAGE

Art. 2638. La convention d'arbitrage est le contrat par lequel les parties s'engagent à soumettre un différend né ou éventuel à la décision d'un ou de plusieurs arbitres, à l'exclusion des tribunaux.

1991, c. 64, a. 2638 (1994-01-01).

C.C.B.C. 1926.1 (**C.C.Q.** 1372, 1410, 1434, 2895, 3121, 3133; **C.P.C.** 940 ss.)

Art. 2639. Ne peut être soumis à l'arbitrage, le différend portant sur l'état et la capacité des personnes, sur les matières familiales ou sur les autres questions qui intéressent l'ordre public.

Toutefois, il ne peut être fait obstacle à la convention d'arbitrage au motif que les règles applicables pour trancher le différend présentent un caractère d'ordre public.

1991, c. 64, a. 2639 (1994-01-01).

C.C.B.C. 1926.2 (**C.C.Q.** 9, 153 ss., 1409, 1411, 2632, 3081; **C.P.C.** 940)

Art. 2640. La convention d'arbitrage doit être constatée par écrit; elle est réputée l'être si elle est consignée dans un échange de communications qui en atteste l'existence ou dans un échange d'actes de procédure où son existence est alléguée par une partie et non contestée par l'autre.

1991, c. 64, a. 2640 (1994-01-01).

C.C.B.C. 1926.3 (**C.C.Q.** 2826, 2863)

Art. 2641. Est nulle la stipulation qui confère à une partie une situation privilégiée quant à la désignation des arbitres.

1991, c. 64, a. 2641 (1994-01-01).

C.C.B.C. 1926.4 (**C.C.Q.** 9, 1410, 1411; **C.P.C.** 110)

Art. 2642. Une convention d'arbitrage contenue dans un contrat est considérée comme une convention distincte des autres clauses de ce contrat et la constatation de la nullité du contrat par les arbitres ne rend pas nulle pour autant la convention d'arbitrage.

1991, c. 64, a. 2642 (1994-01-01).

C.C.B.C. 1926.5 (**C.C.Q.** 1385 ss., 1438)

CHAPTER XVIII
ARBITRATION AGREEMENTS

Art. 2638. An arbitration agreement is a contract by which the parties undertake to submit a present or future dispute to the decision of one or more arbitrators, to the exclusion of the courts.

Art. 2639. Disputes over the status and capacity of persons, family matters or other matters of public order may not be submitted to arbitration.

An arbitration agreement may not be opposed on the ground that the rules applicable to settlement of the dispute are in the nature of rules of public order.

Art. 2640. An arbitration agreement shall be evidenced in writing; it is deemed to be evidenced in writing if it is contained in an exchange of communications which attest to its existence or in an exchange of proceedings in which its existence is alleged by one party and is not contested by the other party.

Art. 2641. A stipulation which places one party in a privileged position with respect to the designation of the arbitrators is null.

Art. 2642. An arbitration agreement contained in a contract is considered to be an agreement separate from the other clauses of the contract and the ascertainment by the arbitrators that the contract is null does not entail the nullity of the arbitration agreement.

Art. 2643. Sous réserve des dispositions de la loi auxquelles on ne peut déroger, la procédure d'arbitrage est réglée par le contrat ou, à défaut, par le Code de procédure civile.

1991, c. 64, a. 2643 (1994-01-01).

Art. 2643. Subject to the peremptory provisions of law, the procedure of arbitration is governed by the contract or, failing that, by the Code of Civil Procedure.

C.C.B.C. 1926.6; **C.P.C.** 940 (**C.C.Q.** 3121; **C.P.C.** 940 ss.)

LIVRE SIXIÈME
DES PRIORITÉS ET DES HYPOTHÈQUES

BOOK SIX
PRIOR CLAIMS AND HYPOTHECS

TITRE PREMIER
DU GAGE COMMUN DES CRÉANCIERS

TITLE ONE
COMMON PLEDGE OF CREDITORS

Art. 2644. Les biens du débiteur sont affectés à l'exécution de ses obligations et constituent le gage commun de ses créanciers.

1991, c. 64, a. 2644 (1994-01-01).

Art. 2644. The property of a debtor is charged with the performance of his obligations and is the common pledge of his creditors.

C.C.B.C. 1981 (**D.T.** 133; **C.C.Q.** 2, 302, 320, 915, 1626, 1627, 2645-2649)

Art. 2645. Quiconque est obligé personnellement est tenu de remplir son engagement sur tous ses biens meubles et immeubles, présents et à venir, à l'exception de ceux qui sont insaisissables et de ceux qui font l'objet d'une division de patrimoine permise par la loi.

Toutefois, le débiteur peut convenir avec son créancier qu'il ne sera tenu de remplir son engagement que sur les biens qu'ils désignent.

1991, c. 64, a. 2645 (1994-01-01).

Art. 2645. Any person under a personal obligation charges, for its performance, all his property, movable and immovable, present and future, except property which is exempt from seizure or property which is the object of a division of patrimony permitted by law.

However, the debtor may agree with his creditor to be bound to fulfil his obligation only from the property they designate.

C.C.B.C. 1980 (**C.C.Q.** 625, 739, 780-782, 1215, 1223, 1257, 1261, 2221, 2246-2248, 2377, 2393, 2444, 2457, 2644, 2648, 2649, 2668, 2753; **C.P.C.** 94.9, 552-553.2, 572, 596, 597, 651-652, 660, 733, 734, 736, 737)

Art. 2646. Les créanciers peuvent agir en justice pour faire saisir et vendre les biens de leur débiteur.

En cas de concours entre les créanciers, la distribution du prix se fait en proportion de leur créance, à moins qu'il n'y ait entre eux des causes légitimes de préférence.

1991, c. 64, a. 2646 (1994-01-01).

Art. 2646. Creditors may institute judicial proceedings to cause the property of their debtor to be seized and sold.

If the creditors rank equally, the price is distributed proportionately to their claims, unless some of them have a legal cause of preference.

C.C.B.C. 1981 (**C.C.Q.** 1590, 1627, 1631-1636, 2221 al. 2, 2274 al. 2, 2647, 2648, 2651, 2656, 2660, 2748, 2956; **C.P.C.** 552, 553, 578, 604-607, 613-616, 660)

Art. 2647. Les causes légitimes de préférence sont les priorités et les hypothèques.

1991, c. 64, a. 2647 (1994-01-01).

Art. 2647. Prior claims and hypothecs are the legal causes of preference.

C.C.B.C. 1982 (**C.C.Q.** 2650 ss., 2660 ss.; **C.P.C.** 604)

Art. 2648. Peuvent être soustraits à la saisie, dans les limites fixées par le Code de procédure civile, les meubles du débiteur qui garnissent sa résidence principale, servent à l'usage du ménage et sont nécessaires à la vie de celui-ci, sauf si ces meubles sont saisis pour les sommes dues sur le prix.

Peuvent l'être aussi, dans les limites ainsi fixées, les instruments de travail nécessaires à l'exercice personnel d'une activité professionnelle, sauf si ces meubles sont saisis par un créancier détenant une hypothèque sur ceux-ci.

1991, c. 64, a. 2648 (1994-01-01).

Art. 2648. The movable property of the debtor which furnishes his main residence, used by and necessary for the life of the household, may be exempted from seizure to the extent fixed by the Code of Civil Procedure, except where such movables are seized for sums owed on the price.

The same rule applies to instruments of work needed for the personal exercise of a professional activity, except where such movables are seized by a creditor holding a hypothec thereon.

C.P.C. 552 (**C.C.Q.** 401, 450(6°), 1525, 1740, 1741, 2651, 2668, 2748; **C.P.C.** 552, 553, 553.2, 569, 652)

Art. 2649. La stipulation d'insaisissabilité est sans effet, à moins qu'elle ne soit faite dans un acte à titre gratuit et qu'elle ne soit temporaire et justifiée par un intérêt sérieux et légitime; néanmoins, le bien demeure saisissable dans la mesure prévue au Code de procédure civile.

Elle n'est opposable aux tiers que si elle est publiée au registre approprié.

1991, c. 64, a. 2649 (1994-01-01); 2002, c. 19, a. 15 (2002-06-13).

Art. 2649. A stipulation of unseizability is without effect, unless it is made in an act by gratuitous title and is temporary and justified by a serious and legitimate interest. Nevertheless, the property remains liable to seizure to the extent provided in the Code of Civil Procedure.

It may be set up against third persons only if it is published in the appropriate register.

C.P.C. 553 al. 1(3), 553 al. 1(4) (**C.C.Q.** 1212-1217, 2377, 2668, 2970; **C.P.C.** 553)

TITRE DEUXIÈME
DES PRIORITÉS

Art. 2650. Est prioritaire la créance à laquelle la loi attache, en faveur d'un créancier, le droit d'être préféré aux autres créanciers, même hypothécaires, suivant la cause de sa créance.

La priorité est indivisible.

1991, c. 64, a. 2650 (1994-01-01).

TITLE TWO
PRIOR CLAIMS

Art. 2650. A claim to which the law attaches the right of the creditor to be preferred over the other creditors, even the hypothecary creditors, is a prior claim.

The priority of a claim is indivisible.

C.C.B.C. 1983 (**D.T.** 134; **C.C.Q.** 1051, 1233, 1682, 1691, 1768, 1769, 2659, 2662; **C.P.C.** 572, 604)

Art. 2651. Les créances prioritaires sont les suivantes et, lorsqu'elles se rencontrent, elles sont, malgré toute convention contraire, colloquées dans cet ordre:

1° Les frais de justice et toutes les dépenses faites dans l'intérêt commun;

2° La créance du vendeur impayé pour le prix du meuble vendu à une personne physique qui n'exploite pas une entreprise;

3° Les créances de ceux qui ont un droit de rétention sur un meuble, pourvu que ce droit subsiste;

4° Les créances de l'État pour les sommes dues en vertu des lois fiscales;

5° Les créances des municipalités et des commissions scolaires pour les impôts fonciers sur les immeubles qui y sont assujettis de même que celles des municipalités, spécialement prévues par les lois qui leur sont applicables, pour les taxes autres que foncières sur les immeubles et les meubles en raison desquels ces taxes sont dues.

1991, c. 64, a. 2651 (1994-01-01); 1999, c. 90, a. 41 (1999-12-20).

Art. 2651. The following are the prior claims and, notwithstanding any agreement to the contrary, they are in all cases collocated in the order here set out:

(1) legal costs and all expenses incurred in the common interest;

(2) the claim of a vendor who has not been paid the price of a movable sold to a natural person who does not operate an enterprise;

(3) the claims of persons having the right to retain movable property, provided that the right subsists;

(4) claims of the State for amounts due under fiscal laws;

(5) claims of municipalities and school boards for property taxes on taxable immovables as well as claims of municipalities, specially provided for by laws applicable to them, for taxes other than property taxes on immovables and movables in respect of which the taxes are due.

C.C.B.C. 1989, 1994, 2009, 2011, 2014 (**C.C.Q.** 875, 946, 974, 1250, 1369, 1592, 1593, 2003, 2058, 2185, 2293, 2302, 2324, 2433, 2497, 2652-2654, 2658, 2724, 2725 al. 3, 2770; **C.P.C.** 597 ss., 604, 614-616, 696 al. 2, 714, 734, 1035)

Art. 2652. La créance prioritaire couvrant les frais de justice et les dépenses faites dans l'intérêt commun peut être exécutée sur les biens meubles ou immeubles.

1991, c. 64, a. 2652 (1994-01-01).

Art. 2652. Prior claims covering legal costs and expenses incurred in the common interest may be executed on movable or immovable property.

C.C.B.C. 1992, 1994, 1995, 1996, 2009; **C.P.C.** 616, 714 (**C.C.Q.** 2651(1°); **C.P.C.** 613-616, 647, 648)

Art. 2653. La créance prioritaire de l'État pour les sommes dues en vertu des lois fiscales peut être exécutée sur les biens meubles.

1991, c. 64, a. 2653 (1994-01-01).

Art. 2653. Prior claims of the State for sums due under fiscal laws may be executed on movable property.

C.C.B.C. 1989, 1994, 2006a (**C.C.Q.** 2651(4°), 2724)

Art. 2654. Le créancier qui procède à une saisie-exécution ou celui qui, titulaire d'une hypothèque mobilière, a inscrit un préavis d'exercice de ses droits hypothécaires, peut demander à l'État de dénoncer le montant de sa créance prioritaire. Cette demande doit être inscrite et la preuve de sa notification présentée au bureau de la publicité des droits.

Dans les trente jours qui suivent la notification, l'État doit dénoncer et inscrire, au registre des droits personnels et réels mobiliers, le montant de sa créance; cette dénonciation n'a pas pour effet de limiter la priorité de l'État au montant inscrit.

1991, c. 64, a. 2654 (1994-01-01).

Art. 2654. A creditor who takes procedures in execution or who, as holder of a movable hypothec, has registered a prior notice of his intention to exercise his hypothecary rights, may apply to the State to declare the amount of its prior claim. The application shall be registered and proof of notification shall be filed in the registry office.

Within thirty days following the notification, the State shall declare the amount of its claim and enter it in the register of personal and movable real rights; such a declaration does not have the effect of limiting the priority of the State's claim to the amount entered.

(**C.C.Q.** 1596, 1769, 2757 ss., 2782-2789, 3000, 3017 al. 2; **C.P.C.** 604, 613-616, 796 ss.)

Art. 2654.1 Les créances prioritaires des municipalités et des commissions scolaires pour les impôts fonciers sont constitutives d'un droit réel.

Elles confèrent à leur titulaire le droit de suivre les biens qui y sont assujettis en quelques mains qu'ils soient.

1999, c. 90, a. 42 (1999-12-20).

Art. 2654.1 Prior claims of municipalities and school boards for property taxes constitute a real right.

They confer on the holder of the claims the right to follow the taxable property into whosoever hands it may be.

Art. 2655. Les créances prioritaires sont opposables aux autres créanciers, ou à tous les tiers lorsqu'elles sont constitutives d'un droit réel, sans qu'il soit nécessaire de les publier.

1991, c. 64, a. 2655 (1994-01-01); 1999, c. 90, a. 43 (1999-12-20).

Art. 2655. Prior claims may be set up against other creditors, or against all third persons if they constitute a real right, without being published.

C.C.B.C. 2015, 2084 (**C.C.Q.** 2663, 2693 ss., 2696 ss., 2703, 2707, 2711, 2716, 2725 ss., 2782, 2938; **C.P.C.** 710, 713, 715)

Art. 2656. Outre leur action personnelle ou réelle, le cas échéant, et les mesures provisionnelles prévues au Code de procédure civile, les créanciers prioritaires peuvent, pour faire valoir et réaliser leur priorité, exercer les recours que leur confère la loi.

1991, c. 64, a. 2656 (1994-01-01); 1999, c. 90, a. 44 (1999-12-20).

Art. 2656. In addition to their personal or, as the case may be, real right of action and the provisional measures provided in the Code of Civil Procedure, prior creditors may exercise their remedies under the law for the enforcement and realization of their prior claim.

(**C.C.Q.** 815 ss., 1233, 1590 ss., 1626 ss., 1636, 1775, 2748 ss., 3022; **C.P.C.** 554 ss., 733 ss.)

Art. 2657. Les créances prioritaires prennent rang, suivant leur ordre respectif, avant les hypothèques mobilières ou immobilières, quelle que soit leur date.

Si elles prennent le même rang, elles viennent en proportion du montant de chacune des créances.

1991, c. 64, a. 2657 (1994-01-01).

Art. 2657. Prior claims rank, according to their order among themselves, and without regard to their date, before movable or immovable hypothecs.

Prior claims of the same rank come in proportion to the amount of each claim.

C.C.B.C. 1984, 1985, 2094, 2130 (**C.C.Q.** 2497, 2750, 2945 ss.)

Art. 2658. Lorsqu'il y a lieu à distribution ou à collocation entre plusieurs créanciers prioritaires, celui dont la créance est indéterminée ou non liquidée, ou suspendue par une condition, est colloqué suivant son rang, sujet cependant aux conditions prescrites par le Code de procédure civile.

1991, c. 64, a. 2658 (1994-01-01).

Art. 2658. In a case of distribution or collocation among several prior creditors, the creditor of an indeterminate, unliquidated or conditional claim is collocated according to his rank, but subject to the conditions prescribed in the Code of Civil Procedure.

C.C.B.C. 2008, 2051; **C.P.C.** 716, 717 (**C.C.Q.** 1497 ss., 2680; **C.P.C.** 614 ss., 647, 711 ss., 716, 717)

Art. 2659. La priorité accordée par la loi à certaines créances cesse de plein droit lorsque l'obligation qui en est la cause s'éteint.

1991, c. 64, a. 2659 (1994-01-01).

Art. 2659. The priority granted by law to certain claims ceases by operation of law when the obligation which is its cause is extinguished.

C.C.B.C. 2081 (**C.C.Q.** 1507, 1517, 1660, 1671, 2797)

TITRE TROISIÈME
DES HYPOTHÈQUES

TITLE THREE
HYPOTHECS

CHAPITRE PREMIER
DISPOSITIONS GÉNÉRALES

CHAPTER I
GENERAL PROVISIONS

SECTION I
DE LA NATURE DE L'HYPOTHÈQUE

SECTION I
NATURE OF HYPOTHECS

Art. 2660. L'hypothèque est un droit réel sur un bien, meuble ou immeuble, affecté à l'exécution d'une obligation; elle confère au créancier le droit de suivre le bien en quelques mains qu'il soit, de le prendre en possession ou en paiement, de le vendre ou de le faire vendre et d'être alors préféré sur le produit de cette vente suivant le rang fixé dans le présent code.

1991, c. 64, a. 2660 (1994-01-01).

Art. 2660. A hypothec is a real right on a movable or immovable property made liable for the performance of an obligation. It confers on the creditor the right to follow the property into whosoever hands it may be, to take possession of it or to take it in payment, or to sell it or cause it to be sold and, in that case, to have a preference upon the proceeds of the sale ranking as determined in this Code.

C.C.B.C. 2016, 2022, 2056 (**C.C.Q.** 899-907, 911, 1662, 1707, 2644 ss., 2661, 2663-2666, 2693, 2696, 2748 ss., 2941, 2945 ss.; **C.P.C.** 73, 94.9, 473, 565 ss., 614 ss., 676, 695 ss., 711 ss., 718, 796 ss., 800 ss., 804 ss.)

Art. 2661. L'hypothèque n'est qu'un accessoire et ne vaut qu'autant que l'obligation dont elle garantit l'exécution subsiste.

1991, c. 64, a. 2661 (1994-01-01).

Art. 2661. A hypothec is merely an accessory right, and subsists only as long as the obligation whose performance it secures continues to exist.

C.C.B.C. 2017 al. 4 (**C.C.Q.** 1638, 1662, 1663, 1691, 2659, 2660, 2669, 2682, 2688, 2797, 3074; **C.P.C.** 716)

Art. 2662. L'hypothèque est indivisible et subsiste en entier sur tous les biens qui sont grevés, sur chacun d'eux et sur chaque partie de ces biens, malgré la divisibilité du bien ou de l'obligation.

1991, c. 64, a. 2662 (1994-01-01).

Art. 2662. A hypothec is indivisible and subsists in its entirety over all the charged properties, over each of them and over every part of them, even where the property or obligation is divisible.

C.C.B.C. 1976, 2017 al. 1 (**C.C.Q.** 1051, 1519, 2650, 2671-2677, 2679, 2742, 2753; **C.P.C.** 572)

Art. 2663. L'hypothèque doit être publiée, conformément au présent livre ou au livre De la publicité des droits, pour que les droits hypothécaires qu'elle confère soient opposables aux tiers.

1991, c. 64, a. 2663 (1994-01-01).

Art. 2663. The hypothecary rights conferred by a hypothec may be set up against third persons only when the hypothec is published in accordance with this Book or the Book on Publication of Rights.

C.C.B.C. 2130 al. 6 (**D.T.** 134, 158; **C.C.Q.** 2655, 2702 ss., 2710 ss., 2714, 2716, 2725 ss., 2938, 2941, 2945, 2947, 2948, 2956, 2970, 2983, 3000, 3003, 3013)

SECTION II
DES ESPÈCES D'HYPOTHÈQUE

Art. 2664. L'hypothèque n'a lieu que dans les conditions et suivant les formes autorisées par la loi.

Elle est conventionnelle ou légale.

1991, c. 64, a. 2664 (1994-01-01).

SECTION II
KINDS OF HYPOTHEC

Art. 2664. Hypothecation may take place only on the conditions and according to the formalities authorized by law.

A hypothec may be conventional or legal.

C.C.B.C. 2018-2020 (**D.T.** 134; **C.C.Q.** 2681 ss., 2724 ss.)

Art. 2665. L'hypothèque est mobilière ou immobilière, selon qu'elle grève un meuble ou un immeuble, ou une universalité soit mobilière, soit immobilière.

L'hypothèque mobilière a lieu avec dépossession ou sans dépossession du meuble hypothéqué. Lorsqu'elle a lieu avec dépossession, elle est aussi appelée gage.

1991, c. 64, a. 2665 (1994-01-01).

Art. 2665. A hypothec is movable or immovable depending on whether the object charged is movable or immovable property or a universality of movable or immovable property.

A movable hypothec may be created with or without delivery of the movable hypothecated. Where it is created with delivery, it may also be called a pledge.

C.C.B.C. 1968, 2016, 2022 (**C.C.Q.** 899-907, 2666 ss., 2693 ss., 2696 ss., 2702 ss., 2710 ss., 2714; **C.P.C.** 571)

SECTION III
DE L'OBJET ET DE L'ÉTENDUE DE L'HYPOTHÈQUE

Art. 2666. L'hypothèque grève soit un ou plusieurs biens particuliers, corporels ou incorporels, soit un ensemble de biens compris dans une universalité.

1991, c. 64, a. 2666 (1994-01-01).

SECTION III
OBJECT AND EXTENT OF HYPOTHECS

Art. 2666. A hypothec is a charge on one or several specific corporeal or incorporeal properties, or on all the properties included in a universality.

(**C.C.Q.** 2462, 2670, 2673-2676)

Art. 2667. L'hypothèque garantit, outre le capital, les intérêts qu'il produit et les frais, autres que les honoraires extrajudiciaires, légitimement engagés pour les recouvrer ou pour conserver le bien grevé.

1991, c. 64, a. 2667 (1994-01-01); 2002, c. 19, a. 11, 15 (2002-06-13).

Art. 2667. A hypothec secures the capital, the interest accrued thereon and the legitimate costs, other than extra-judicial professional fees, incurred for their recovery or for conserving the charged property.

C.C.B.C. 2017 al. 3 (**C.C.Q.** 1565, 1570, 1582, 1596, 1617, 2689, 2728, 2740, 2761, 2762, 2959, 2960; **C.P.C.** 720)

Art. 2668. L'hypothèque ne peut grever des biens insaisissables.

Elle ne peut non plus grever les meubles du débiteur qui garnissent sa résidence principale, servent à l'usage du ménage et sont nécessaires à la vie de celui-ci.

1991, c. 64, a. 2668 (1994-01-01).

Art. 2668. Property exempt from seizure may not be hypothecated.

The same rule applies to movable property belonging to a debtor which furnishes his main residence and which is used by and is necessary for the life of the household.

C.P.C. 552, 553 (**C.C.Q.** 401, 415, 1215, 2645, 2648, 2649, 2683, 2684; **C.P.C.** 94.9, 552-553.2, 569, 596, 651-652, 737)

Art. 2669. L'hypothèque constituée sur la nue-propriété ne s'étend pas à la pleine propriété lors de l'extinction du démembrement du droit de propriété.

1991, c. 64, a. 2669 (1994-01-01).

(C.C.Q. 1162(3°), 1208(4°), 2752)

Art. 2670. L'hypothèque sur le bien d'autrui ou sur un bien à venir ne grève ce bien qu'à compter du moment où le constituant devient le titulaire du droit hypothéqué.

1991, c. 64, a. 2670 (1994-01-01).

Art. 2669. A hypothec granted on the bare ownership does not extend to the full ownership upon extinction of the dismemberment of the right of ownership.

Art. 2670. A hypothec on the property of another or on future property begins to affect it only when the grantor acquires title to the hypothecated right.

C.C.B.C. 2043, 2098 al. 7 (**C.C.Q.** 1374, 1713-1715, 2681, 2694, 2697, 2948, 2954, 3063; **C.P.C.** 669, 800 ss.)

Art. 2671. L'hypothèque s'étend à tout ce qui s'unit au bien par accession.

1991, c. 64, a. 2671 (1994-01-01).

Art. 2671. A hypothec extends to everything united to the property by accession.

C.C.B.C. 2017 al. 2 (**C.C.Q.** 948, 954-975, 2673, 2796)

Art. 2672. Les meubles grevés d'hypothèque qui sont, à demeure, matériellement attachés ou réunis à l'immeuble, sans perdre leur individualité et sans y être incorporés, sont considérés, pour l'exécution de l'hypothèque, conserver leur nature mobilière tant que subsiste l'hypothèque.

1991, c. 64, a. 2672 (1994-01-01).

Art. 2672. Movables charged with a hypothec which are permanently physically attached or joined to an immovable without losing their individuality and without being incorporated with the immovable are deemed, for the enforcement of the hypothec, to retain their movable character for as long as the hypothec subsists.

(D.T. 48; **C.C.Q.** 903, 2796, 2951; **C.P.C.** 571)

Art. 2673. L'hypothèque subsiste sur le meuble nouveau qui résulte de la transformation d'un bien grevé d'hypothèque et s'étend à celui qui résulte du mélange ou de l'union de plusieurs meubles dont certains sont ainsi grevés. Celui qui acquiert la propriété du nouveau bien, notamment par application des règles de l'accession mobilière, est tenu de cette hypothèque.

1991, c. 64, a. 2673 (1994-01-01).

Art. 2673. A hypothec subsists on the new movable resulting from the transformation of property charged with a hypothec and extends to property resulting from the mixture or combination of several movables of which some are so charged. A person acquiring ownership of the new property, particularly through application of the rules on movable accession, is bound by such hypothecs.

(C.C.Q. 948, 971 ss., 2671, 2953)

Art. 2674. L'hypothèque qui grève une universalité de biens subsiste mais se reporte sur le bien de même nature qui remplace celui qui a été aliéné dans le cours des activités de l'entreprise.

Celle qui grève un bien individualisé ainsi aliéné se reporte sur le bien qui le remplace, par l'inscription d'un avis identifiant ce nouveau bien.

Art. 2674. A hypothec on a universality of property subsists but extends to any property of the same nature which replaces property that has been alienated in the ordinary course of business of an enterprise.

A hypothec on an individual property alienated in the same way extends to property that replaces it, by the registration of a notice identifying the new property.

Si aucun bien ne remplace le bien aliéné, l'hypothèque ne subsiste et n'est reportée que sur les sommes d'argent provenant de l'aliénation, pourvu que celles-ci puissent être identifiées.
1991, c. 64, a. 2674 (1994-01-01).

If no property replaces the alienated property, the hypothec subsists but extends only to the proceeds of the alienation, provided they may be identified.

(**C.C.Q.** 2751, 2949, 2950)

Art. 2675. L'hypothèque qui grève une universalité de biens subsiste, malgré la perte des biens hypothéqués, lorsque le débiteur ou le constituant les remplace dans un délai qui, eu égard à la quantité et à la nature de ces biens, revêt un caractère raisonnable.
1991, c. 64, a. 2675 (1994-01-01).

Art. 2675. A hypothec on a universality of property subsists notwithstanding the loss of the hypothecated property where the debtor or the grantor replaces it in a reasonable time, having regard to the quantity and nature of the property.

(**C.C.Q.** 2734, 2739, 2795, 2949, 2950)

Art. 2676. L'hypothèque qui grève une universalité de créances ne s'étend pas aux nouvelles créances de celui qui a constitué l'hypothèque, quand celles-ci résultent de la vente de ses autres biens, faite par un tiers dans l'exercice de ses droits.

Elle ne s'étend pas, non plus, à la créance qui résulte d'un contrat d'assurance sur les autres biens du constituant.
1991, c. 64, a. 2676 (1994-01-01); 2002, c. 19, a. 15 (2002-06-13).

Art. 2676. A hypothec on a universality of claims does not extend to the subsequent claims of the person granting the hypothec when such claims result from the sale of his other property by a third person exercising his rights.

Nor does it extend to a claim under an insurance contract on the other property of the grantor.

(**C.C.Q.** 2642, 2710 ss., 2718, 2743 ss.)

Art. 2677. L'hypothèque sur des actions du capital-actions d'une personne morale subsiste sur les actions ou autres valeurs mobilières reçues ou émises lors de l'achat, du rachat, de la conversion ou de l'annulation, ou d'une autre transformation des actions hypothéquées, si son inscription est renouvelée sur les actions ou les autres valeurs reçues ou émises.

Le créancier ne peut s'opposer à ces transformations en raison de son hypothèque.
1991, c. 64, a. 2677 (1994-01-01).

Art. 2677. A hypothec on shares of the capital stock of a legal person subsists on the shares or other securities received or issued on the purchase, redemption, conversion or cancellation or any other transformation of the hypothecated shares, provided the registration of the hypothec is renewed against the shares or other securities received or issued.

The creditor may not object to the transformation on the ground of his hypothec.

(**C.C.Q.** 2756)

Art. 2678. Lorsque ce qui est dû au créancier fait l'objet d'offres réelles ou d'une consignation selon les termes du présent code, le tribunal peut, à la demande du débiteur qui les fait, autoriser le report de l'hypothèque sur le bien offert ou consigné, et permettre la réduction du montant initialement inscrit.

Dès lors que la réduction du montant initial est inscrite au registre approprié, le débiteur ne peut plus retirer ses offres ou le bien consigné.

1991, c. 64, a. 2678 (1994-01-01).

Art. 2678. Where what is owed to the creditor is the object of a tender or deposit in accordance with this Code, the court may, following an application by the debtor making the tender or deposit, authorize the extension of the hypothec on the property tendered or deposited, and it may allow the amount initially registered to be reduced.

Once the reduction of the initial amount is entered in the appropriate register, the debtor is no longer entitled to withdraw his tender or the property deposited.

(**C.C.Q.** 1573-1589, 3066; **C.P.C.** 804)

Art. 2679. L'hypothèque sur une partie indivise d'un bien subsiste si, par le partage ou par un autre acte déclaratif ou attributif de propriété, le constituant ou son ayant cause conserve des droits sur quelque partie de ce bien, sous réserve des dispositions du livre Des successions.

Si le constituant ne conserve aucun droit sur le bien, l'hypothèque subsiste néanmoins, mais elle est reportée, selon son rang, sur le prix de la cession qui revient au constituant, sur le paiement résultant de l'exercice d'un droit de retrait ou d'un pacte de préférence, ou sur la soulte payable au constituant.

1991, c. 64, a. 2679 (1994-01-01).

Art. 2679. A hypothec on an undivided share of a property subsists if the grantor or his successor preserves rights over some part of the property by partition or other act declaratory or act of attribution of ownership, subject to the Book on Successions.

If the grantor does not preserve any rights over the property, the hypothec nevertheless subsists and extends, according to its rank, to the price of transfer payable to the grantor, to the payment resulting from the exercise of a right of redemption or a first refusal agreement, or to the balance payable to the grantor.

C.C.B.C. 2021 (**C.C.Q.** 884, 885, 1021, 1022, 1023, 1035, 1037; **C.P.C.** 804)

Art. 2680. Lorsqu'il y a lieu à distribution ou à collocation entre plusieurs créanciers hypothécaires, celui dont la créance est indéterminée ou non liquidée, ou suspendue par une condition, est colloqué suivant son rang, sujet cependant aux conditions prescrites par le Code de procédure civile.

1991, c. 64, a. 2680 (1994-01-01).

Art. 2680. In the case of distribution or collocation among several hypothecary creditors, the creditor of an indeterminate, unliquidated or conditional claim is collocated according to his rank, but subject to the conditions prescribed in the Code of Civil Procedure.

C.C.B.C. 2051; **C.P.C.** 716, 717 (**C.C.Q.** 1497 ss., 2658; **C.P.C.** 614 ss., 647, 711 ss., 716, 717)

CHAPITRE DEUXIÈME
DE L'HYPOTHÈQUE CONVENTIONNELLE

CHAPTER II
CONVENTIONAL HYPOTHECS

SECTION I
DU CONSTITUANT DE L'HYPOTHÈQUE

SECTION I
THE GRANTOR OF A HYPOTHEC

Art. 2681. L'hypothèque conventionnelle ne peut être consentie que par celui qui a la capacité d'aliéner les biens qu'il y soumet.

Elle peut être consentie par le débiteur de l'obligation qu'elle garantit ou par un tiers.

1991, c. 64, a. 2681 (1994-01-01).

Art. 2681. A conventional hypothec may be granted only by a person having the capacity to alienate the property hypothecated.

It may be granted by the debtor of the obligation secured or by a third person.

C.C.B.C. 1966 al. 2, 2037 (**C.C.Q.** 153 ss., 303, 401, 404, 405, 1015, 1229, 1305, 1307, 1385 ss., 1409, 2211, 2670, 3083)

Art. 2682. Celui qui n'a sur un bien qu'un droit conditionnel ou susceptible d'être frappé de nullité ne peut consentir qu'une hypothèque sujette à la même condition ou nullité.

1991, c. 64, a. 2682 (1994-01-01).

Art. 2682. A person whose right in a property is conditional or open to an attack in nullity may only grant a hypothec subject to the same condition or nullity.

C.C.B.C. 2038 (**C.C.Q.** 1229, 1497 ss., 1508 ss., 1742-1744, 1752, 2661, 2680, 2939; **C.P.C.** 716, 717)

*Art. 2683. À moins qu'elle n'exploite une entreprise et que l'hypothèque ne grève les biens de l'entreprise, une personne physique ne peut consentir une hypothèque mobilière sans dépossession que dans les conditions et sur les véhicules routiers et autres biens meubles déterminés par règlement.

L'acte constitutif de l'hypothèque est, s'il s'agit d'un acte accessoire à un contrat de consommation, assujetti aux règles de forme et de contenu prévues par le présent livre ou par règlement.

1991, c. 64, a. 2683 (1994-01-01); 1998, c. 5, a. 9 (1999-09-17).

(C.C.Q. 1525 al. 3, 2696 ss.)

* Voir le Règlement sur le registre des droits personnels et réels mobiliers, a. 15.01 et 15.02.
(D. 1594-93, (1993) 125 G.O. 2, 8058.)

*Art. 2683. Except where he operates an enterprise and the hypothec is charged on the property of that enterprise, a natural person may grant a movable hypothec without delivery only on road vehicles or other movable property determined by regulation and subject to the conditions determined by regulation.

Where the act constituting the hypothec is accessory to a consumer contract, it is subject to the rules as to form and contents prescribed by this Book or by regulation.

* See the Regulation respecting the register of personal and movable real rights, s. 15.01 and 15.02.
(O.C. 1594-93, (1993) 125 G.O. 2, 6215.)

Art. 2684. Seule la personne ou le fiduciaire qui exploite une entreprise peut consentir une hypothèque sur une universalité de biens, meubles ou immeubles, présents ou à venir, corporels ou incorporels.

Celui qui exploite l'entreprise peut, ainsi, hypothéquer les animaux, l'outillage ou le matériel d'équipement professionnel, les créances et comptes clients, les brevets et marques de commerce, ou encore les meubles corporels qui font partie de l'actif de l'une ou l'autre de ses entreprises et qui sont détenus afin d'être vendus, loués ou traités dans le processus de fabrication ou de transformation d'un bien destiné à la vente, à la location ou à la prestation de services.

1991, c. 64, a. 2684 (1994-01-01).

C.C.B.C. 1979a, 1979e (C.C.Q. 1278, 1307, 1525 al. 3, 2696 ss., 2949)

Art. 2684. Only a person or a trustee carrying on an enterprise may grant a hypothec on a universality of property, movable or immovable, present or future, corporeal or incorporeal.

The person or trustee may thus hypothecate animals, tools or equipment pertaining to the enterprise, claims and customer accounts, patents and trademarks, or corporeal movables included in the assets of any of his enterprises kept for sale, lease or processing in the manufacture or transformation of property intended for sale, for lease or for use in providing a service.

Art. 2685. Seule la personne qui exploite une entreprise peut consentir une hypothèque sur un meuble représenté par un connaissement.

1991, c. 64, a. 2685 (1994-01-01).

(C.C.Q. 1525 al. 3, 2041, 2699, 2708)

Art. 2685. Only a person carrying on an enterprise may grant a hypothec on a movable represented by a bill of lading.

Art. 2686. Seule la personne ou le fiduciaire qui exploite une entreprise peut consentir une hypothèque ouverte sur les biens de l'entreprise.

1991, c. 64, a. 2686 (1994-01-01).

(C.C.Q. 1278, 1307, 1525 al. 3, 2715 ss., 2755, 2955)

Art. 2686. Only a person or a trustee carrying on an enterprise may grant a floating hypothec on the property of the enterprise.

SECTION II
DE L'OBLIGATION GARANTIE PAR HYPOTHÈQUE

Art. 2687. L'hypothèque peut être consentie pour quelque obligation que ce soit.

1991, c. 64, a. 2687 (1994-01-01).

_____

C.C.B.C. 2046 (**C.C.Q.** 1371 ss., 2688-2692)

Art. 2688. L'hypothèque constituée pour garantir le paiement d'une somme d'argent est valable, encore qu'au moment de sa constitution le débiteur n'ait pas reçu ou n'ait reçu que partiellement la prestation en raison de laquelle il s'est obligé.

Cette règle s'applique, notamment, en matière d'ouverture de crédit ou d'émission d'obligations et autres titres d'emprunt.

1991, c. 64, a. 2688 (1994-01-01).

_____

(**C.C.Q.** 2314, 2691, 2692, 2797)

Art. 2689. L'acte constitutif d'hypothèque doit indiquer la somme déterminée pour laquelle elle est consentie.

Cette règle s'applique alors même que l'hypothèque est constituée pour garantir l'exécution d'une obligation dont la valeur ne peut être déterminée ou est incertaine.

1991, c. 64, a. 2689 (1994-01-01).

_____

C.C.B.C. 2044 (**C.C.Q.** 1373, 1374, 2667, 2690)

Art. 2690. La somme pour laquelle l'hypothèque est consentie n'est pas considérée indéterminée si l'acte, plutôt que de stipuler un taux fixe d'intérêt, contient les éléments nécessaires à la détermination du taux d'intérêt effectif de cette somme.

1991, c. 64, a. 2690 (1994-01-01).

_____

(**C.C.Q.** 2689)

Art. 2691. Si le créancier refuse de remettre les sommes d'argent qu'il s'est engagé à prêter et en garantie desquelles il détient une hypothèque, le débiteur ou le constituant peut obtenir, aux frais du créancier, la réduction ou la radiation de l'hypothèque, sur paiement, en ce dernier cas, des seules sommes alors dues.

1991, c. 64, a. 2691 (1994-01-01).

_____

(**C.C.Q.** 1591, 2329 al. 2, 3057)

SECTION II
OBLIGATIONS SECURED BY HYPOTHECS

Art. 2687. A hypothec may be granted to secure any obligation whatever.

Art. 2688. A hypothec granted to secure payment of a sum of money is valid even if, when it is granted, the debtor has not received the prestation in consideration of which he has undertaken the obligation or has received only part of it.

This rule is applicable in particular to lines of credit and the issue of bonds or other titles of indebtedness.

Art. 2689. An act validly constituting a hypothec indicates the specific sum for which it is granted.

The same rule applies even where the hypothec is constituted to secure the performance of an obligation of which the value cannot be determined or is uncertain.

Art. 2690. The sum for which the hypothec is granted is not considered to be indeterminate where the act, rather than stipulating a fixed rate of interest, contains the necessary particulars for determining the actual rate of interest on the obligation.

Art. 2691. Where the creditor refuses to hand over the sums of money he has undertaken to lend and for which he holds a hypothec as security, the debtor or the grantor may, at the expense of the creditor, cause the hypothec to be reduced or cancelled, upon payment, in the latter case, of only the amounts that may then be due.

Art. 2692. L'hypothèque qui garantit le paiement des obligations ou autres titres d'emprunt, émis par le fiduciaire, la société en commandite ou la personne morale autorisée à le faire en vertu de la loi, doit, à peine de nullité absolue, être constituée par acte notarié en minute, en faveur du fondé de pouvoir des créanciers.

1991, c. 64, a. 2692 (1994-01-01).

(C.C.Q. 2237, 2819)

Art. 2692. A hypothec securing payment of bonds or other titles of indebtedness issued by a trustee, a limited partnership or a legal person authorized to do so by law shall, on pain of absolute nullity, be granted by notarial act *en minute* in favour of the person holding the power of attorney of the creditors.

SECTION III
DE L'HYPOTHÈQUE IMMOBILIÈRE

Art. 2693. L'hypothèque immobilière doit, à peine de nullité absolue, être constituée par acte notarié en minute.

1991, c. 64, a. 2693 (1994-01-01).

SECTION III
IMMOVABLE HYPOTHECS

Art. 2693. An immovable hypothec is, on pain of absolute nullity, granted by notarial act *en minute*.

C.C.B.C. 2040 (**C.C.Q.** 1416, 2695, 2799, 2819; **C.P.C.** 223 ss.)

Art. 2694. L'hypothèque immobilière n'est valable qu'autant que l'acte constitutif désigne de façon précise le bien hypothéqué.

1991, c. 64, a. 2694 (1994-01-01).

Art. 2694. An immovable hypothec is valid only so far as the constituting act specifically designates the hypothecated property.

C.C.B.C. 2042 (**C.C.Q.** 2949, 3026 ss.; **C.P.C.** 801b), 805, 806)

Art. 2695. Sont considérées comme immobilières l'hypothèque des loyers, présents et à venir, que produit un immeuble, et celle des indemnités versées en vertu des contrats d'assurance qui couvrent ces loyers.

Ces hypothèques sont publiées au registre foncier.

1991, c. 64, a. 2695 (1994-01-01).

Art. 2695. Hypothecs on the present and future rents produced by an immovable and hypothecs on the indemnities paid under the insurance contracts covering the rents are considered to be immovable hypothecs.

Such hypothecs are published in the land register.

(D.T. 134, 136; **C.C.Q.** 2693, 2941, 2943, 2972 ss.)

SECTION IV
DE L'HYPOTHÈQUE MOBILIÈRE

§ 1. — *Dispositions particulières à l'hypothèque mobilière sans dépossession*

Art. 2696. L'hypothèque mobilière sans dépossession doit, à peine de nullité absolue, être constituée par écrit.

1991, c. 64, a. 2696 (1994-01-01).

SECTION IV
MOVABLE HYPOTHECS

§ 1. — *Movable hypothecs without delivery*

Art. 2696. A movable hypothec without delivery shall, on pain of absolute nullity, be granted in writing.

C.C.B.C. 1979b, 1979f (**D.T.** 157, 157.1, 157.2, 164; **C.C.Q.** 1416, 1417, 2665, 2683, 2693, 2798, 2995, 3024)

Art. 2697. L'acte constitutif d'une hypothèque mobilière doit contenir une description suffisante du bien qui en est l'objet ou, s'il s'agit d'une universalité de meubles, l'indication de la nature de cette universalité.

1991, c. 64, a. 2697 (1994-01-01).

Art. 2697. A sufficient description of the hypothecated property shall be contained in the act constituting a movable hypothec or, in the case of a universality of movables, an indication of the nature of that universality.

_____

C.C.B.C. 1979b, 1979f (**C.C.Q.** 2674 al. 2, 2684, 2694, 2696, 2700 al. 3, 2950, 2981, 3024)

Art. 2698. L'hypothèque mobilière grevant les fruits et les produits du sol, ainsi que les matériaux ou d'autres choses qui font partie intégrante d'un immeuble, prend effet au moment où ceux-ci deviennent des meubles ayant une entité distincte. Elle prend rang à compter de son inscription au registre des droits personnels et réels mobiliers.

1991, c. 64, a. 2698 (1994-01-01).

Art. 2698. A movable hypothec charging the fruits and products of the soil, and the materials and other things forming an integral part of an immovable, takes effect when they become movables with a separate existence. It ranks from its date of registration in the register of personal and movable real rights.

_____

(**C.C.Q.** 901-903, 2795, 2945, 2980)

Art. 2699. L'hypothèque mobilière qui grève des biens représentés par un connaissement ou un autre titre négociable ou qui grève des créances est opposable aux créanciers du constituant depuis le moment où le créancier a exécuté sa prestation, si elle est inscrite dans les dix jours qui suivent.

1991, c. 64, a. 2699 (1994-01-01).

Art. 2699. A movable hypothec on property represented by a bill of lading or other negotiable instrument or on claims may be set up against the creditors of the grantor from the time the creditor gives value, provided it is registered within the following ten days.

_____

(**C.C.Q.** 2041, 2685, 2708, 2710 ss., 2941, 2945)

Art. 2700. L'hypothèque mobilière sur un bien qui n'est pas aliéné dans le cours des activités de l'entreprise et qui n'est pas inscrite sur une fiche établie sous la description de ce bien est conservée par la production au registre des droits personnels et réels mobiliers, d'un avis de conservation de l'hypothèque.

Cet avis doit être inscrit dans les quinze jours qui suivent le moment où le créancier a été informé, par écrit, du transfert du bien et du nom de l'acquéreur ou le moment où il a consenti par écrit à ce transfert; dans le même délai, le créancier transmet une copie de l'avis à l'acquéreur.

L'avis doit indiquer le nom du débiteur ou du constituant, de même que celui de l'acquéreur, et contenir une description du bien.

1991, c. 64, a. 2700 (1994-01-01); 1998, c. 5, a. 10 (1998-07-01).

Art. 2700. A movable hypothec on property that is not alienated in the ordinary course of business of an enterprise and that is not registered in a file opened under the description of the property is preserved by filing a notice of preservation of hypothec in the register of personal and movable real rights.

The notice shall be registered within fifteen days after the creditor is informed in writing of the transfer of the property and the name of the purchaser, or after he consents in writing to the transfer. The creditor transmits a copy of the notice to the purchaser within the same time.

The name of the debtor or grantor and of the purchaser and a description of the property shall be indicated in the notice.

_____

(**D.T.** 138, 157.1, 157.2; **C.C.Q.** 1525 al. 3, 1767, 2674, 2683, 2701, 2732, 2980, 3106 *in fine*)

Art. 2701. L'hypothèque mobilière assumée par un acquéreur peut être publiée.

1991, c. 64, a. 2701 (1994-01-01).

Art. 2701. A movable hypothec assumed by a purchaser may be published.

§ 2. — *Dispositions particulières à l'hypothèque mobilière avec dépossession*

Art. 2702. L'hypothèque mobilière avec dépossession est constituée par la remise du bien ou du titre au créancier ou, si le bien est déjà entre ses mains, par le maintien de la détention, du consentement du constituant, afin de garantir sa créance.

1991, c. 64, a. 2702 (1994-01-01).

C.C.B.C. 1966 al. 1 (**C.C.Q.** 2665, 2707, 2708, 2712, 2736 ss., 2756, 2798 al. 2)

Art. 2703. L'hypothèque mobilière avec dépossession est publiée par la détention du bien ou du titre qu'exerce le créancier, et elle ne le demeure que si la détention est continue.

1991, c. 64, a. 2703 (1994-01-01).

C.C.B.C. 1970 (**C.C.Q.** 2704, 2705, 2756, 2798)

Art. 2704. La détention demeure continue même si son exercice est empêché par le fait d'un tiers, sans que le créancier y ait consenti, ou même si cet exercice est interrompu, temporairement, par la remise du bien ou du titre au constituant, ou à un tiers, afin qu'il l'évalue, le répare, le transforme ou l'améliore.

1991, c. 64, a. 2704 (1994-01-01).

(**C.C.Q.** 2703, 2706)

Art. 2705. Le créancier peut, avec l'accord du constituant, exercer sa détention par l'intermédiaire d'un tiers, mais, en ce cas, la détention par le tiers n'équivaut à publicité qu'à compter du moment où celui-ci reçoit une preuve écrite de l'hypothèque.

1991, c. 64, a. 2705 (1994-01-01).

C.C.B.C. 1970 (**C.C.Q.** 2703)

Art. 2706. Le créancier qui est empêché d'exercer sa détention peut revendiquer le bien de celui qui le détient, à moins que l'empêchement ne résulte de l'exercice, par un autre créancier, de ses droits hypothécaires ou d'une procédure de saisie-exécution.

1991, c. 64, a. 2706 (1994-01-01).

(**C.C.Q.** 2704, 2748; **C.P.C.** 580 ss.)

Art. 2707. L'hypothèque mobilière avec dépossession peut être, postérieurement à sa constitution, publiée par inscription, pourvu qu'il n'y ait pas interruption de publicité.

1991, c. 64, a. 2707 (1994-01-01).

(**C.C.Q.** 2703, 2704, 2945, 2981)

§ 2. — *Movable hypothecs with delivery*

Art. 2702. A movable hypothec with delivery is granted by delivery of the property or title to the creditor or, if the property is already in his hands, by his continuing to hold it, with the grantor's consent, to secure his claim.

Art. 2703. A movable hypothec with delivery is published by the creditor's holding the property or title, and remains so only as long as he continues to hold it.

Art. 2704. Holding is continuous even if its exercise is prevented by the act of a third person without the consent of the creditor or is temporarily interrupted by the handing over of the property or title to the grantor or to a third person for evaluation, repair, transformation or improvement.

Art. 2705. The creditor, with the consent of the grantor, may hold the property through a third person, but if so, detention by the third person effects publication only from the time the third person receives evidence in writing of the hypothec.

Art. 2706. A creditor prevented from holding the property may revendicate it from the person holding it, unless he is prevented as a result of the exercise of hypothecary rights or a seizure in execution by another creditor.

Art. 2707. A movable hypothec granted with delivery may be published by registration at a later date, provided publication is not interrupted.

Art. 2708. L'hypothèque mobilière qui grève des biens représentés par un connaissement ou un autre titre négociable ou qui grève des créances, est opposable aux créanciers du constituant depuis le moment où le créancier a exécuté sa prestation, si le titre lui est remis dans les dix jours qui suivent.

1991, c. 64, a. 2708 (1994-01-01).

Art. 2708. A movable hypothec on property represented by a bill of lading or other negotiable instrument or on claims may be set up against the creditors of the grantor from the time the creditor gives value, provided the title is remitted to him within ten days from that time.

(**C.C.Q.** 2041, 2043, 2685, 2699, 2709; **C.P.C.** 570)

Art. 2709. Si le titre est négociable par endossement et délivrance, ou par délivrance seulement, la remise au créancier a lieu par l'endossement et la délivrance, ou par la délivrance seulement.

1991, c. 64, a. 2709 (1994-01-01).

Art. 2709. Where the title is negotiable by endorsement and delivery, or delivery alone, its remittance to the creditor takes place by endorsement and delivery, or by delivery alone.

C.C.B.C. 1573 al. 2 (**C.C.Q.** 2043, 2708; **C.P.C.** 570)

§ 3. — Dispositions particulières à l'hypothèque mobilière sur des créances

§ 3. — Movable hypothecs on claims

Art. 2710. L'hypothèque mobilière qui grève une créance que détient le constituant contre un tiers, ou une universalité de créances, peut être constituée avec ou sans dépossession.

Cependant, dans l'un et l'autre cas, le créancier ne peut faire valoir son hypothèque à l'encontre des débiteurs des créances hypothéquées tant qu'elle ne leur est pas rendue opposable de la même manière qu'une cession de créance.

1991, c. 64, a. 2710 (1994-01-01).

Art. 2710. A movable hypothec on a claim held by the grantor against a third person or on a universality of claims may be granted with or without delivery.

However, in either case the creditor may not set up his hypothec against the debtors of hypothecated claims as long as it may not be set up against them in the same way as an assignment of claim.

C.C.B.C. 1571-1571d, 1578 (**C.C.Q.** 1641, 1642, 1680, 1908, 2676, 2695, 2710, 2718, 2743 ss., 3014, 3120; **C.P.C.** 637)

Art. 2711. L'hypothèque qui grève une universalité de créances doit, même lorsqu'elle est constituée par la remise du titre au créancier, être inscrite au registre approprié.

1991, c. 64, a. 2711 (1994-01-01).

Art. 2711. A hypothec on a universality of claims, even when granted by the remittance of the title to the creditor, shall be entered in the proper register.

C.C.B.C. 1571d, 1578 (**C.C.Q.** 1642, 2676, 2708, 2718)

Art. 2712. L'hypothèque qui grève une créance que détient le constituant contre un tiers, créance qui est elle-même garantie par une hypothèque inscrite, doit être publiée par inscription; le créancier doit remettre une copie d'un état certifié de l'inscription au débiteur de la créance hypothéquée.

1991, c. 64, a. 2712 (1994-01-01).

Art. 2712. A hypothec on a claim held by the grantor against a third person shall, where the claim is itself secured by a registered hypothec, be published by registration; the creditor shall remit a copy of a certified statement of registration of the hypothecated claim to the debtor.

C.C.B.C. 2127 (**C.C.Q.** 1638)

Art. 2713. Dans tous les cas, le créancier ou le constituant peut, en mettant l'autre en cause, intenter une action en recouvrement d'une créance hypothéquée.

1991, c. 64, a. 2713 (1994-01-01).

———

(**C.C.Q.** 2735, 2743, 2746; **C.P.C.** 216 ss.)

Art. 2713. In all cases, either the creditor or the grantor may institute proceedings in recovery of a hypothecated claim, provided he impleads the other.

———

§ 4. — Dispositions particulières à l'hypothèque mobilière sur navire, cargaison ou fret

Art. 2714. L'hypothèque mobilière qui grève un navire n'a d'effet que si, au moment où elle est publiée, le navire qui en fait l'objet n'est pas immatriculé en vertu de la Loi sur la marine marchande du Canada ou en vertu d'une loi étrangère équivalente.

L'hypothèque peut aussi être constituée sur la cargaison d'un navire immatriculé ou sur le fret, que les biens soient ou non à bord, mais elle est alors assujettie, le cas échéant, aux droits que d'autres personnes peuvent avoir sur les biens en vertu de telles lois.

1991, c. 64, a. 2714 (1994-01-01).

———

C.C.B.C. 2374 (**M.M.** 4)

§ 4. — Movable hypothecs on ships, cargo or freight

Art. 2714. A movable hypothec on a ship is effective only if at the time of publication the ship is not registered under the Canada Shipping Act or under an equivalent foreign law.

A movable hypothec may also be granted on the cargo of a registered ship or on the freight, whether or not the property is on board, but in that case it is subject to any rights over the property which other persons may have under such legislation.

SECTION V
DE L'HYPOTHÈQUE OUVERTE

Art. 2715. L'hypothèque ouverte est celle dont certains des effets sont suspendus jusqu'au moment où, le débiteur ou le constituant ayant manqué à ses obligations, le créancier provoque la clôture de l'hypothèque en leur signifiant un avis dénonçant le défaut et la clôture de l'hypothèque.

Le caractère ouvert de l'hypothèque doit être expressément stipulé dans l'acte.

1991, c. 64, a. 2715 (1994-01-01).

———

(**C.C.Q.** 2686, 2693, 2696, 2755)

SECTION V
FLOATING HYPOTHECS

Art. 2715. A hypothec is a floating hypothec when some of the effects are suspended until, the debtor or grantor having defaulted, the creditor provokes crystallization of the hypothec by serving a notice of default and crystallization of the hypothec on the debtor or grantor.

The floating character of the hypothec shall be expressly stipulated in the act.

Art. 2716. Il est nécessaire pour que l'hypothèque ouverte produise ses effets qu'elle ait été publiée au préalable et, dans le cas d'une affectation de biens immeubles, qu'elle ait été inscrite contre chacun des biens.

Elle n'est opposable aux tiers que par l'inscription de l'avis de clôture.

1991, c. 64, a. 2716 (1994-01-01).

———

(**C.C.Q.** 2665, 2693-2695, 2722, 2755, 2949, 2955)

Art. 2716. A floating hypothec has effect only if it was published beforehand and, if immovable properties are charged, only if it was registered against each of them.

It may not be set up against third persons except by registration of the notice of crystallization.

Art. 2717. Les conditions ou restrictions stipulées à l'acte constitutif quant au droit du constituant d'aliéner, d'hypothéquer ou de disposer des biens grevés ont effet entre les parties avant même la clôture.

1991, c. 64, a. 2717 (1994-01-01).

(**C.C.Q.** 1440, 2715, 2720, 2721)

Art. 2718. L'hypothèque ouverte qui grève plusieurs créances produit ses effets à l'égard des débiteurs des créances hypothéquées dès l'inscription de l'avis de clôture, à condition que cet avis soit publié dans un journal distribué dans la localité de la dernière adresse connue du constituant de l'hypothèque ouverte ou, si celui-ci exploite une entreprise, dans la localité où son principal établissement est situé.

La publication de l'avis n'est pas nécessaire si l'hypothèque et l'avis de clôture sont rendus opposables aux débiteurs des créances hypothéquées, de la même manière qu'une cession de créance.

1991, c. 64, a. 2718 (1994-01-01).

(**C.C.Q.** 1641, 1642, 2686, 2710 ss., 2716, 2955)

Art. 2719. L'hypothèque ouverte emporte, par sa clôture, les effets d'une hypothèque, mobilière ou immobilière, à l'égard des droits que le constituant peut encore avoir, à ce moment, dans les biens grevés; si, parmi ceux-ci, se trouve une universalité, elle grève aussi les biens acquis par le constituant après la clôture.

1991, c. 64, a. 2719 (1994-01-01).

(**C.C.Q.** 2955)

Art. 2720. La vente d'entreprise consentie par le constituant n'est pas opposable au titulaire de l'hypothèque ouverte; il en est de même de la fusion ou de la réorganisation dont l'entreprise fait l'objet.

1991, c. 64, a. 2720 (1994-01-01).

(**C.C.Q.** 1767 ss., 2686, 2717)

Art. 2721. Le créancier titulaire d'une hypothèque ouverte grevant une universalité de biens peut, à compter de l'inscription de l'avis de clôture, prendre possession des biens pour les administrer, par préférence à tout autre créancier qui n'aurait publié son hypothèque qu'après l'inscription de l'hypothèque ouverte.

1991, c. 64, a. 2721 (1994-01-01).

(**C.C.Q.** 2674-2676, 2757, 2758, 2768, 2773 ss.)

Art. 2717. Any condition or restriction stipulated in the constituting act in respect of the right of the grantor to alienate, hypothecate or dispose of the charged property has effect between the parties even before crystallization.

Art. 2718. A floating hypothec on more than one claim has effect in respect of the debtors of hypothecated claims, upon registration of the notice of crystallization, provided the notice has been published in a newspaper circulated in the locality of the last known address of the grantor of the floating hypothec or, where he carries on an enterprise, in the locality where the enterprise has its principal establishment.

The notice need not be published if the hypothec and the notice of crystallization may be set up against the debtors of the hypothecated claims in the same way as an assignment of claim.

Art. 2719. By crystallization, a floating hypothec has all the effects of a movable or immovable hypothec in respect of whatever rights the grantor may have at that time in the charged property; if the property includes a universality, the hypothec also charges properties acquired by the grantor after crystallization.

Art. 2720. The sale of an enterprise by the grantor may not be set up against the holder of a floating hypothec. The same applies to a merger or reorganization of an enterprise.

Art. 2721. The creditor holding a floating hypothec on a universality of property may, from registration of the notice of crystallization, take possession of the property to administer it in preference to any other creditor having published his hypothec after the date of registration of the floating hypothec.

Art. 2722. Lorsque plusieurs hypothèques ouvertes grèvent les mêmes biens, la clôture de l'une d'elles permet aux autres créanciers d'inscrire eux-mêmes un avis de clôture au bureau de la publicité des droits.

1991, c. 64, a. 2722 (1994-01-01).

(**C.C.Q.** 2955)

Art. 2723. Lorsqu'il est remédié au défaut du débiteur, le créancier requiert l'officier de la publicité des droits de radier l'avis de clôture.

Les effets de la clôture cessent à compter de cette radiation et les effets de l'hypothèque sont à nouveau suspendus.

1991, c. 64, a. 2723 (1994-01-01); 2000, c. 42, a. 4 (2000-12-05).

(**D.T.** 139; **C.C.Q.** 2715, 3057)

CHAPITRE TROISIÈME
DE L'HYPOTHÈQUE LÉGALE

Art. 2724. Les seules créances qui peuvent donner lieu à une hypothèque légale sont les suivantes:

1° Les créances de l'État pour les sommes dues en vertu des lois fiscales, ainsi que certaines autres créances de l'État ou de personnes morales de droit public, spécialement prévues dans les lois particulières;

2° Les créances des personnes qui ont participé à la construction ou à la rénovation d'un immeuble;

3° La créance du syndicat des copropriétaires pour le paiement des charges communes et des contributions au fonds de prévoyance;

4° Les créances qui résultent d'un jugement.

1991, c. 64, a. 2724 (1994-01-01).

C.C.B.C. 442k, 2006a, 2013, 2024, 2034; **L.R.Q.**, c. M-31, a. 12 (**D.T.** 134, 157, 157.1, 157.2; **C.C.Q.** 2651, 2653, 2664, 2725-2730, 2800, 2952, 2995, 3061, 3068)

Art. 2725. Les hypothèques légales de l'État, y compris celles pour les sommes dues en vertu des lois fiscales, de même que les hypothèques des personnes morales de droit public, peuvent grever des biens meubles ou immeubles.

Ces hypothèques ne sont acquises que par leur inscription sur le registre approprié. La réquisition d'inscription se fait par la présentation d'un avis qui indique la loi créant l'hypothèque, les biens du débiteur sur lesquels le créancier entend la faire valoir, la cause et le montant de la créance. L'avis doit être signifié au débiteur.

Art. 2722. Where there are several floating hypothecs on the same property, crystallization of one of them enables the creditors holding the others to register their own notice of crystallization at the registry office.

Art. 2723. Where the default of the debtor has been remedied, the creditor requires the registrar to cancel the notice of crystallization.

The effects of crystallization cease with the cancellation, and the effects of the hypothec are again suspended.

CHAPTER III
LEGAL HYPOTHECS

Art. 2724. Only the following claims may give rise to a legal hypothec:

(1) claims of the State for sums due under fiscal laws, and certain other claims of the State or of legal persons established in the public interest, under specific provision of law;

(2) claims of persons having taken part in the construction or renovation of an immovable;

(3) the claim of a syndicate of co-owners for payment of the common expenses and contributions to the contingency fund;

(4) claims under a judgment.

Art. 2725. The legal hypothecs of the State, including those for sums due under fiscal laws, and the hypothecs of legal persons established in the public interest may be charged on movable or immovable property.

Such hypothecs take effect only from their registration in the proper register. Application for registration is made by filing a notice indicating the legislation granting the hypothec, the property of the debtor on which the creditor intends to exercise it, and stating the cause and the amount of the claim. The notice shall be served on the debtor.

L'inscription, par l'État, d'une hypothèque légale mobilière pour les sommes dues en vertu des lois fiscales, ne l'empêche pas de se prévaloir plutôt de sa créance prioritaire.

1991, c. 64, a. 2725 (1994-01-01).

Registration by the State of a legal movable hypothec for sums due under fiscal laws does not prevent it from exercising its prior claim.

C.C.B.C. 2026, 2121 (**C.C.Q.** 1672, 2651, 2653, 2654, 2724(1°), 2731, 2732, 2964, 2981, 3017, 3068)

Art. 2726. L'hypothèque légale en faveur des personnes qui ont participé à la construction ou à la rénovation d'un immeuble ne peut grever que cet immeuble. Elle n'est acquise qu'en faveur des architecte, ingénieur, fournisseur de matériaux, ouvrier, entrepreneur ou sous-entrepreneur, à raison des travaux demandés par le propriétaire de l'immeuble, ou à raison des matériaux ou services qu'ils ont fournis ou préparés pour ces travaux. Elle existe sans qu'il soit nécessaire de la publier.

1991, c. 64, a. 2726 (1994-01-01); 1992, c. 57, a. 716 (1994-01-01).

Art. 2726. A legal hypothec in favour of the persons having taken part in the construction or renovation of an immovable may not charge any other immovable. It exists only in favour of the architect, engineer, supplier of materials, workman and contractor or sub-contractor in proportion to the work requested by the owner of the immovable or to the materials or services supplied or prepared by them for the work. It is not necessary to publish a legal hypothec for it to exist.

C.C.B.C. 2013, 2013a, 2013d al. 1, 2013e al. 1, 2013f al. 1 (**C.C.Q.** 915, 916, 1200, 2123, 2724(2°), 2727, 2728, 2952, 3061; **C.P.C.** 721; **L.R.Q.**, c. A-21, a. 22; **L.R.Q.**, c. Q-1, a. 4, 26)

Art. 2727. L'hypothèque légale en faveur des personnes qui ont participé à la construction ou à la rénovation d'un immeuble subsiste, quoiqu'elle n'ait pas été publiée, pendant les trente jours qui suivent la fin des travaux.

Elle est conservée si, avant l'expiration de ce délai, il y a eu inscription d'un avis désignant l'immeuble grevé et indiquant le montant de la créance. Cet avis doit être signifié au propriétaire de l'immeuble.

Elle s'éteint six mois après la fin des travaux à moins que, pour conserver l'hypothèque, le créancier ne publie une action contre le propriétaire de l'immeuble ou qu'il n'inscrive un préavis d'exercice d'un droit hypothécaire.

1991, c. 64, a. 2727 (1994-01-01).

Art. 2727. A legal hypothec in favour of persons having taken part in the construction or renovation of an immovable subsists, even if it has not been published, for thirty days after the work has been completed.

It subsists if, before the thirty-day period expires, a notice describing the charged immovable and indicating the amount of the claim is registered. The notice shall be served on the owner of the immovable.

It is extinguished six months after the work is completed, unless, to preserve the hypothec, the creditor publishes an action against the owner of the immovable or registers a prior notice of the exercise of a hypothecary right.

C.C.B.C. 2013d, 2013e, 2013f (**D.T.** 140; **C.C.Q.** 1051, 2110, 2123, 2724(2°), 2726, 2728, 2735, 2748 ss., 2757 ss., 2783, 2952, 2981, 2991, 3032, 3061; **C.P.C.** 721)

Art. 2728. L'hypothèque garantit la plus-value donnée à l'immeuble par les travaux, matériaux ou services fournis ou préparés pour ces travaux; mais, lorsque ceux en faveur de qui elle existe n'ont pas eux-mêmes contracté avec le propriétaire, elle est limitée aux travaux, matériaux ou services qui suivent la dénonciation écrite du contrat au propriétaire. L'ouvrier n'est pas tenu de dénoncer son contrat.

1991, c. 64, a. 2728 (1994-01-01).

Art. 2728. The hypothec secures the increase in value added to the immovable by the work, materials or services supplied or prepared for the work. However, where those in favour of whom it exists did not themselves enter into a contract with the owner, the hypothec is limited to the work, materials or services supplied after written declaration of the contract to the owner. A workman is not bound to declare his contract.

C.C.B.C. 2013, 2013d, 2013e, 2013f (**C.C.Q.** 2123, 2724(2°), 2726, 2727, 2783, 2952, 3061)

Art. 2729. L'hypothèque légale du syndicat des copropriétaires grève la fraction du copropriétaire en défaut, pendant plus de trente jours, de payer sa quote-part des charges communes ou sa contribution au fonds de prévoyance; elle n'est acquise qu'à compter de l'inscription d'un avis indiquant la nature de la réclamation, le montant exigible au jour de l'inscription de l'avis, le montant prévu pour les charges et créances de l'année financière en cours et celles des deux années qui suivent.

1991, c. 64, a. 2729 (1994-01-01).

Art. 2729. The legal hypothec of a syndicate of co-owners charges the fraction of the co-owner who has defaulted for more than thirty days on payment of his common expenses or his contribution to the contingency fund, and has effect only upon registration of a notice indicating the nature of the claim, the amount exigible on the day the notice is registered, and the expected amount of charges and claims for the current financial year and the next two years.

C.C.B.C. 442k (**C.C.Q.** 1039, 1064, 1071, 1072, 2724(3°), 2800, 3061)

Art. 2730. Tout créancier en faveur de qui un tribunal ayant compétence au Québec a rendu un jugement portant condamnation à verser une somme d'argent, peut acquérir une hypothèque légale sur un bien, meuble ou immeuble, de son débiteur.

Il l'acquiert par l'inscription d'un avis désignant le bien grevé par l'hypothèque et indiquant le montant de l'obligation, et, s'il s'agit de rente ou d'aliments, le montant des versements et, le cas échéant, l'indice d'indexation. L'avis est présenté avec une copie du jugement; il doit être signifié au débiteur.

1991, c. 64, a. 2730 (1994-01-01); 2000, c. 42, a. 5 (2000-12-05).

Art. 2730. Every creditor in whose favour a judgment awarding a sum of money has been rendered by a court having jurisdiction in Québec may acquire a legal hypothec on the movable or immovable property of his debtor.

He may acquire it by registering a notice describing the property charged with the hypothec and specifying the amount of the obligation, and, in the case of an annuity or support, the amount of the instalments and, where applicable, the annual Pension Index. The notice is filed with a copy of the judgment; it must be served on the debtor.

C.C.B.C. 2034, 2121 (**C.C.Q.** 2724(4°), 2731; **C.P.C.** 46, 469)

Art. 2731. À moins que l'hypothèque légale ne soit celle de l'État ou d'une personne morale de droit public, le tribunal peut, à la demande du propriétaire du bien grevé d'une hypothèque légale, déterminer le bien que l'hypothèque pourra grever, réduire le nombre de ces biens ou permettre au requérant de substituer à cette hypothèque une autre sûreté suffisante pour garantir le paiement; il peut alors ordonner la radiation de l'inscription de l'hypothèque légale.

1991, c. 64, a. 2731 (1994-01-01).

Art. 2731. Except in the case of the legal hypothec of the State or of a legal person established in the public interest, the court, on application of the owner of the property charged with a legal hypothec, may determine which property the hypothec may charge, reduce the number of the properties or give leave to the applicant to substitute other security for the hypothec sufficient to secure payment; it may thereupon order the registration of the legal hypothec to be cancelled.

C.C.B.C. 2036 al. 3 (**D.T.** 135; **C.C.Q.** 2725, 2753; **C.P.C.** 472, 543, 804 ss., 813.4)

Art. 2732. Le créancier qui a inscrit son hypothèque légale conserve son droit de suite sur le bien meuble qui n'est pas aliéné dans le cours des activités d'une entreprise, de la même manière que s'il était titulaire d'une hypothèque conventionnelle.

1991, c. 64, a. 2732 (1994-01-01).

Art. 2732. A creditor who has registered his legal hypothec preserves his right to follow it on movable property which is not alienated in the ordinary course of business of an enterprise, as though he were the holder of a conventional hypothec.

(**C.C.Q.** 2700, 2751)

CHAPITRE QUATRIÈME
DE CERTAINS EFFETS DE L'HYPOTHÈQUE

SECTION I
DISPOSITIONS GÉNÉRALES

Art. 2733. L'hypothèque ne dépouille ni le constituant ni le possesseur qui continuent de jouir des droits qu'ils ont sur les biens grevés et peuvent en disposer, sans porter atteinte aux droits du créancier hypothécaire.

1991, c. 64, a. 2733 (1994-01-01).

CHAPTER IV
CERTAIN EFFECTS OF HYPOTHECS

SECTION I
GENERAL PROVISIONS

Art. 2733. A hypothec does not divest the grantor or the person in possession, who continue to enjoy their rights over the charged property and may dispose of it, subject to the rights of the hypothecary creditor.

1991, c. 64, a. 2733 (1994-01-01).

C.C.B.C. 2053 (**C.C.Q.** 2660, 2665, 2717, 2751, 2760, 2783, 2790; **M.M.** 50, 51)

Art. 2734. Ni le constituant ni son ayant cause ne peuvent détruire ou détériorer le bien hypothéqué, ou en diminuer sensiblement la valeur, si ce n'est par une utilisation normale ou en cas de nécessité.

Dans le cas où il en subit une perte, le créancier peut, outre ses autres recours et encore que sa créance ne soit ni liquide ni exigible, recouvrer des dommages-intérêts compensatoires jusqu'à concurrence de sa créance et au même titre d'hypothèque; la somme ainsi perçue est imputée sur sa créance.

1991, c. 64, a. 2734 (1994-01-01).

Art. 2734. Neither the grantor nor his successor may destroy or deteriorate the hypothecated property or materially reduce its value except by normal use or in case of necessity.

Where he suffers a loss, the creditor may, in addition to his other remedies, and even though his claim is neither liquid nor exigible, recover damages and interest in compensation up to the amount of his claim and with the same right of hypothec; the amount so collected is imputed upon his claim.

1991, c. 64, a. 2734 (1994-01-01).

C.C.B.C. 2054, 2055 (**C.C.Q.** 1067, 1168, 1204, 1457, 1514, 1590, 1601, 1607, 1611 ss., 2494, 2497, 2675, 2739, 2748, 2795; **C.P.C.** 55, 733, 751-753)

Art. 2735. Les créanciers hypothécaires peuvent agir en justice pour faire reconnaître leur hypothèque et interrompre la prescription, encore que leur créance ne soit ni liquide ni exigible.

1991, c. 64, a. 2735 (1994-01-01).

Art. 2735. Hypothecary creditors may institute legal proceedings to have their hypothec recognized and interrupt prescription, even though their claims are neither liquid nor exigible.

1991, c. 64, a. 2735 (1994-01-01).

C.C.B.C. 2057; **C.P.C.** 771 (**C.C.Q.** 818, 912, 1233, 1504, 1626, 1775, 2727, 2746, 2748, 2889 ss., 2923, 2925, 2957; **C.P.C.** 55, 470, 473, 796 ss.)

SECTION II
DES DROITS ET OBLIGATIONS DU CRÉANCIER QUI DÉTIENT LE BIEN HYPOTHÉQUÉ

Art. 2736. Le créancier d'une hypothèque mobilière avec dépossession doit faire tous les actes nécessaires à la conservation du bien grevé dont il a la détention; il ne peut l'utiliser sans la permission du constituant.

1991, c. 64, a. 2736 (1994-01-01).

SECTION II
RIGHTS AND OBLIGATIONS OF CREDITORS IN POSSESSION OF HYPOTHECATED PROPERTY

Art. 2736. Where the creditor of a movable hypothec with delivery holds the property charged, he shall do whatever is necessary to preserve it; he may not use it without the permission of the grantor.

1991, c. 64, a. 2736 (1994-01-01).

C.C.B.C. 1972 (**C.C.Q.** 2283, 2702 ss., 2733, 2739, 2740)

Art. 2737. Le créancier perçoit les fruits et revenus du bien hypothéqué.

À moins d'une stipulation contraire, le créancier remet au constituant les fruits qu'il a perçus et il impute les revenus perçus, d'abord au paiement des frais, puis des intérêts qui lui sont dus, et enfin au paiement du capital de la dette.

1991, c. 64, a. 2737 (1994-01-01).

Art. 2737. The fruits and revenues of the hypothecated property are collected by the creditor.

Unless otherwise stipulated, the creditor hands over the fruits collected to the grantor, and applies the revenues collected, first, to expenses, then to any interest owing to him, and lastly to the capital of the debt.

C.C.B.C. 1967, 1974 (**C.C.Q.** 910, 949, 1126, 1302, 1349, 1570, 2287, 2738, 2743 ss.)

Art. 2738. Dans le cas de rachat en espèces des actions du capital-actions d'une personne morale par l'émetteur, le créancier qui reçoit le prix l'impute comme s'il s'agissait de revenus.

1991, c. 64, a. 2738 (1994-01-01).

Art. 2738. Where shares of the capital stock of a legal person are redeemed for cash by the issuer, the creditor collecting the price applies it as if it were revenue.

(**C.C.Q.** 910, 2737, 2756)

Art. 2739. Le créancier ne répond pas de la perte du bien hypothéqué, survenue par suite de force majeure ou résultant de la vétusté du bien, de son dépérissement ou de son usage normal et autorisé.

1991, c. 64, a. 2739 (1994-01-01).

Art. 2739. The creditor is not liable for loss of the hypothecated property by superior force or as a result of its ageing, perishability, or normal and authorized use.

C.C.B.C. 1805, 1973 al. 1 (**C.C.Q.** 950, 1160, 1161, 1167, 1308, 1562, 1701, 1702, 1846, 2049, 2072, 2289, 2322, 2675, 2734, 2736)

Art. 2740. Le constituant est tenu de rembourser au créancier les impenses faites par ce dernier pour la conservation du bien.

1991, c. 64, a. 2740 (1994-01-01).

Art. 2740. The grantor is bound to repay to the creditor his expenses incurred for the preservation of the property.

C.C.B.C. 1812, 1973 al. 2 (**C.C.Q.** 958 ss., 1020, 1137, 1210, 1248, 1488, 1582, 1703, 2293, 2667, 2736)

Art. 2741. Le constituant ne peut obtenir la restitution du bien hypothéqué qu'après l'exécution de l'obligation, à moins que le créancier n'abuse du bien.

Le créancier tenu de restituer le bien en vertu d'un jugement perd alors son hypothèque.

1991, c. 64, a. 2741 (1994-01-01).

Art. 2741. The grantor may not recover possession of the hypothecated property until performance of his obligation, unless the creditor abuses the property.

The creditor loses his hypothec upon a judgment compelling him to return the property.

C.C.B.C. 1975 al. 1 (**C.C.Q.** 7, 1168, 2691, 2703, 2736, 2802; **C.P.C.** 734)

Art. 2742. L'héritier du débiteur, qui paie sa part de la dette, ne peut demander sa portion du bien hypothéqué tant qu'une partie de la dette reste due.

L'héritier du créancier qui reçoit sa portion de la dette, ne peut remettre le bien hypothéqué au préjudice de ceux de ses cohéritiers qui n'ont pas été payés.

1991, c. 64, a. 2742 (1994-01-01).

Art. 2742. An heir of the debtor who has paid his share of the debt may not demand his share of the hypothecated property until the whole debt is paid.

An heir of the creditor may not, on receiving his share of the debt, return the hypothecated property to the prejudice of any unpaid coheir.

C.C.B.C. 1976 (**C.C.Q.** 823, 827, 1519, 1520, 1540, 2662)

SECTION III
DES DROITS ET OBLIGATIONS DU CRÉANCIER TITULAIRE D'UNE HYPOTHÈQUE SUR DES CRÉANCES

Art. 2743. Le créancier titulaire d'une hypothèque sur une créance perçoit les revenus qu'elle produit, ainsi que le capital qui échoit durant l'existence de l'hypothèque; il donne aussi quittance des sommes qu'il perçoit.

À moins d'une stipulation contraire, il impute les sommes perçues au paiement de l'obligation, même non encore exigible, suivant les règles générales du paiement.

1991, c. 64, a. 2743 (1994-01-01).

C.C.B.C. 1974 (**C.C.Q.** 1570, 2695, 2710 ss., 2737, 2745, 2747)

Art. 2744. Le créancier peut, dans l'acte d'hypothèque, autoriser le constituant à percevoir, à leur échéance, les remboursements de capital ou les revenus des créances hypothéquées.

1991, c. 64, a. 2744 (1994-01-01).

(**C.C.Q.** 2695, 2713, 2743, 2745)

Art. 2745. Le créancier peut, à tout moment, retirer l'autorisation de percevoir qu'il a donnée au constituant. Il doit alors notifier le constituant et le débiteur des droits hypothéqués qu'il percevra désormais lui-même les sommes exigibles. Le retrait d'autorisation doit être inscrit.

1991, c. 64, a. 2745 (1994-01-01); 1998, c. 5, a. 11 (1998-07-01).

(**C.C.Q.** 2695, 2743, 2744, 2941)

Art. 2746. Le créancier n'est pas tenu, durant l'existence de l'hypothèque, d'agir en justice pour recouvrer les droits hypothéqués, en capital ou en intérêts, mais il doit, dans un délai raisonnable, informer le constituant de toute irrégularité dans le paiement des sommes exigibles sur ces droits.

1991, c. 64, a. 2746 (1994-01-01).

(**C.C.Q.** 2713)

Art. 2747. Le créancier rend au constituant les sommes perçues qui excèdent l'obligation due en capital, intérêts et frais, malgré toute stipulation selon laquelle le créancier les conserverait, à quelque titre que ce soit.

1991, c. 64, a. 2747 (1994-01-01).

(**C.C.Q.** 1617, 2287, 2661, 2689, 2737, 2743)

SECTION III
RIGHTS AND OBLIGATIONS OF CREDITORS HOLDING HYPOTHECATED CLAIMS

Art. 2743. A creditor holding a hypothec on a claim collects the revenues it produces, together with the capital falling due while the hypothec is in effect; he also gives an acquittance for the sums he collects.

Unless otherwise stipulated, he applies the amounts collected to payment of the obligation, even if it is not yet exigible, according to the rules governing payment generally.

Art. 2744. The creditor may, in the act constituting the hypothec, authorize the grantor to collect repayments of capital or the revenues from the hypothecated claims as they fall due.

Art. 2745. The creditor may at any time withdraw his authorization to the grantor to collect. To do so he shall notify the grantor and the debtor of the hypothecated rights that he himself will thenceforth collect the sums falling due. The withdrawal of authorization shall be registered.

Art. 2746. While the hypothec is in effect, the creditor need not sue in order to recover the capital or interest of the hypothecated rights, but he shall inform the grantor within a reasonable time of any irregularity in the payment of any sums exigible on the rights.

Art. 2747. The creditor remits to the grantor any sums collected over and above the obligation owed in capital, interest and expenses, notwithstanding any stipulation by which the creditor may keep them on any ground whatever.

CHAPITRE CINQUIÈME
DE L'EXERCICE DES DROITS HYPOTHÉCAIRES

SECTION I
DISPOSITION GÉNÉRALE

Art. 2748. Outre leur action personnelle et les mesures provisionnelles prévues au Code de procédure civile, les créanciers ne peuvent, pour faire valoir et réaliser leur sûreté, exercer que les droits hypothécaires prévus au présent chapitre.

Ils peuvent ainsi, lorsque leur débiteur est en défaut et que leur créance est liquide et exigible, exercer les droits hypothécaires suivants: ils peuvent prendre possession du bien grevé pour l'administrer, le prendre en paiement de leur créance, le faire vendre sous contrôle de justice ou le vendre eux-mêmes.

1991, c. 64, a. 2748 (1994-01-01).

C.C.B.C. 2057, 2058 (**C.C.Q.** 818, 1508 ss., 1514, 2695, 2706, 2734, 2735, 2749 ss., 2757 ss., 2763, 2773 ss., 2778 ss., 2784 ss., 2791 ss., 2923, 2925, 3069; **C.P.C.** 34, 35, 55, 73, 470, 473, 565, 614, 615, 689, 715, 718, 733 ss., 742 ss., 796 ss.)

SECTION II
DES CONDITIONS GÉNÉRALES D'EXERCICE DES DROITS HYPOTHÉCAIRES

Art. 2749. Les créanciers ne peuvent exercer leurs droits hypothécaires avant l'expiration du délai imparti pour délaisser le bien tel qu'il est fixé par l'article 2758.

1991, c. 64, a. 2749 (1994-01-01).

(**C.C.Q.** 2758 al. 2, 2761, 2763 ss., 2767, 2779)

Art. 2750. Celui des créanciers dont le rang est antérieur a priorité, pour l'exercice de ses droits hypothécaires, sur ceux qui viennent après lui.

Il peut cependant être tenu de payer les frais engagés par un créancier subséquent si, étant avisé de l'exercice d'un droit hypothécaire par cet autre créancier, il néglige, dans un délai raisonnable, d'invoquer l'antériorité de ses droits.

1991, c. 64, a. 2750 (1994-01-01).

(**C.C.Q.** 2721, 2762, 2945 ss.)

Art. 2751. Le créancier exerce ses droits hypothécaires en quelques mains que le bien se trouve.

1991, c. 64, a. 2751 (1994-01-01).

CHAPTER V
EXERCISE OF HYPOTHECARY RIGHTS

SECTION I
GENERAL PROVISION

Art. 2748. In addition to their personal right of action and the provisional measures provided in the Code of Civil Procedure, creditors have only the hypothecary rights provided in this chapter for the enforcement and realization of their security.

Thus, where their debtor is in default and their claim is liquid and exigible, they may exercise the following hypothecary rights: they may take possession of the charged property to administer it, take it in payment of their claim, have it sold by judicial authority or sell it themselves.

SECTION II
GENERAL CONDITIONS FOR THE EXERCISE OF HYPOTHECARY RIGHTS

Art. 2749. Creditors may not exercise their hypothecary rights before the period established in article 2758 for surrender of the property has expired.

Art. 2750. Earlier ranking creditors take priority over later creditors when exercising their hypothecary rights.

An earlier ranking creditor may, however, be liable for payment of expenses of a later creditor if, after being notified of the exercise of a hypothecary right by the latter, he delays unreasonably before invoking the priority of his rights.

Art. 2751. The creditor may exercise his hypothecary rights in whosever hands the property lies.

C.C.B.C. 2016, 2056 (**C.C.Q.** 921, 928, 2660, 2663, 2674, 2732, 2733, 2757, 2760; **C.P.C.** 94.9, 565 ss., 676, 695 ss., 796 ss., 800 ss.)

Art. 2752. Lorsque le bien grevé d'une hypothèque fait subséquemment l'objet d'un usufruit, les droits hypothécaires doivent être exercés simultanément contre le nu-propriétaire et contre l'usufruitier, ou dénoncés à celui contre qui ils n'ont pas été exercés en premier.

1991, c. 64, a. 2752 (1994-01-01).

Art. 2752. Where property charged with a hypothec subsequently comes under usufruct, the hypothecary rights shall be exercised against the bare owner and the usufructuary simultaneously, or notified to whichever of them they are not exercised against first.

C.C.B.C. 2059 (**C.C.Q.** 1120 ss., 2660, 2669, 2733, 2757; **C.P.C.** 168, 207)

Art. 2753. Le créancier dont l'hypothèque grève plusieurs biens peut exercer ses droits hypothécaires, simultanément ou successivement, sur les biens qu'il juge à propos.

1991, c. 64, a. 2753 (1994-01-01).

Art. 2753. A creditor whose hypothec charges more than one property may exercise his hypothecary rights simultaneously or successively against such properties as he sees fit.

C.C.B.C. 2049 al. 1 (**C.C.Q.** 1051, 2662, 2666, 2671, 2674, 2675, 2754; **C.P.C.** 660 ss.)

Art. 2754. Lorsque des créanciers de rang postérieur n'ont d'hypothèque à faire valoir que sur un seul des biens grevés en faveur d'un même créancier, l'hypothèque de ce dernier se répartit, si au moins deux de ces biens sont vendus sous l'autorité de la justice et que le prix à distribuer soit suffisant pour acquitter sa créance, proportionnellement à ce qui reste à distribuer sur leurs prix respectifs.

1991, c. 64, a. 2754 (1994-01-01).

Art. 2754. Where later ranking creditors are secured by a hypothec on only one of the properties charged in favour of one and the same creditor, his hypothec is spread among them, where two or more of the properties are sold under judicial authority and the proceeds still to be distributed are sufficient to pay his claim, proportionately over what remains to be distributed of their respective prices.

C.C.B.C. 2049 al. 2 (**C.C.Q.** 2750, 2753, 2791 ss., 2945 ss.)

Art. 2755. Le titulaire d'une hypothèque ouverte ne peut exercer ses droits hypothécaires qu'après l'inscription de l'avis de clôture.

1991, c. 64, a. 2755 (1994-01-01).

Art. 2755. The holder of a floating hypothec may not exercise his hypothecary rights until after registration of notice of crystallization.

(**C.C.Q.** 2715 ss., 2716 al. 2, 2719, 2722, 2955)

Art. 2756. Le titulaire d'une hypothèque mobilière avec dépossession, qui grève des actions du capital-actions d'une personne morale, n'est pas tenu de dénoncer son droit à celui qui a émis les actions; dans tous les cas, cependant, l'exercice de ses droits hypothécaires est soumis aux dispositions et conventions qui régissent le transfert des actions hypothéquées.

1991, c. 64, a. 2756 (1994-01-01).

Art. 2756. The holder of a movable hypothec with delivery on shares of the capital stock of a legal person need not notify the person who issued the shares of his right, but the exercise of his hypothecary rights is, in all cases, subject to the provisions and agreements governing the transfer of the hypothecated shares.

(**C.C.Q.** 2677, 2702 ss., 2738)

SECTION III
DES MESURES PRÉALABLES À L'EXERCICE DES DROITS HYPOTHÉCAIRES

§ 1. — *Du préavis*

Art. 2757. Le créancier qui entend exercer un droit hypothécaire doit produire au bureau de la publicité des droits un préavis, accompagné de la preuve de la signification au débiteur et, le cas échéant, au constituant, ainsi qu'à toute autre personne contre laquelle il entend exercer son droit.

L'inscription de ce préavis est dénoncée conformément au livre De la publicité des droits.

1991, c. 64, a. 2757 (1994-01-01).

SECTION III
PRELIMINARY MEASURES

§ 1. — *Prior notice*

Art. 2757. A creditor intending to exercise a hypothecary right shall file a prior notice at the registry office, together with evidence that it has been served on the debtor and, where applicable, on the grantor and on any other person against whom he intends to exercise his right.

Registration of such a notice is made in accordance with the Book on Publication of Rights.

C.C.B.C. 1040a, 1979c, 1979i (**D.T.** 133; **C.C.Q.** 2660 ss., 2749, 2751, 2752, 2756, 2758, 2759, 2934 ss., 2991 ss., 3017, 3022, 3023, 3069; **C.P.C.** 91, 120 ss., 604, 665, 800 ss.)

Art. 2758. Le préavis d'exercice d'un droit hypothécaire doit dénoncer tout défaut par le débiteur d'exécuter ses obligations et rappeler le droit, le cas échéant, du débiteur ou d'un tiers, de remédier à ce défaut. Il doit aussi indiquer le montant de la créance en capital et intérêts, s'il en existe, et la nature du droit hypothécaire que le créancier entend exercer, fournir une description du bien grevé et sommer celui contre qui le droit hypothécaire est exercé de délaisser le bien, avant l'expiration du délai imparti.

Ce délai est de vingt jours à compter de l'inscription du préavis s'il s'agit d'un bien meuble, de soixante jours s'il s'agit d'un bien immeuble, ou de dix jours lorsque l'intention du créancier est de prendre possession du bien; il est toutefois de trente jours pour tout préavis relatif à un bien meuble grevé d'une hypothèque dont l'acte constitutif est accessoire à un contrat de consommation.

1991, c. 64, a. 2758 (1994-01-01); 1998, c. 5, a. 12 (1999-09-17).

Art. 2758. In a prior notice of the exercise of a hypothecary right, any failure by the debtor to fulfil his obligations shall be indicated, together with a reminder, where necessary, that the debtor or a third person has a right to remedy the default. In addition, the amount of the claim in capital and interest, if any, and the nature of the hypothecary right which the creditor intends to exercise shall be included in the notice, together with a description of the charged property and a call on the person against whom the right is to be exercised to surrender the property before the expiry of the period specified in the notice.

This period is of twenty days after registration of the notice in the case of a movable property, sixty days in the case of an immovable property, or ten days if the creditor intends to take possession of the property; however, the period is of thirty days in the case of a notice relating to movable property charged with a hypothec constituted by an act accessory to a consumer contract.

C.C.B.C. 1040a, 1040b, 1979c, 1979i (**C.C.Q.** 2748, 2761, 2767; **C.P.C.** 597)

Art. 2759. Les courtiers en valeurs mobilières qui, à titre de créanciers, ont une hypothèque sur les valeurs qu'ils détiennent pour leur débiteur peuvent, dans l'exercice de leurs fonctions et si les règles et les usages qui s'appliquent au lieu où ils transigent, ainsi que la convention qu'ils ont avec leur débiteur le permettent, vendre ces valeurs ou les prendre en paiement, sans être tenus de donner un préavis ou de respecter les délais prescrits par le présent titre.

1991, c. 64, a. 2759 (1994-01-01).

Art. 2759. A dealer in securities who, as creditor, has a hypothec on the securities he holds for his debtor may, in the ordinary course of his duties and where allowed by the regulations and usages observed where he trades and by his agreement with his debtor, sell the securities or take them in payment without giving prior notice or observing any time limits prescribed in this Title.

Art. 2760. L'aliénation volontaire du bien grevé d'une hypothèque, faite après l'inscription par le créancier du préavis d'exercice d'un droit hypothécaire, est inopposable à ce créancier, à moins que l'acquéreur, avec le consentement du créancier, n'assume personnellement la dette, ou que ne soit consignée une somme suffisante pour couvrir le montant de la dette, les intérêts dus et les frais engagés par le créancier.

1991, c. 64, a. 2760 (1994-01-01).

Art. 2760. The voluntary alienation of property charged with a hypothec, effected after the creditor has registered a prior notice of the exercise of a hypothecary right, may not be set up against the creditor unless the acquirer, with the consent of the creditor, personally assumes the debt, or unless a sum sufficient to cover the amount of the debt, interest and costs due to the creditor is deposited.

C.C.B.C. 2074 (**C.C.Q.** 1583 ss., 2667, 2733, 2748, 2757 ss., 2783, 2790, 2794; **C.P.C.** 669, 696)

§ 2. — *Des droits du débiteur ou de celui contre qui le droit hypothécaire est exercé*

§ 2. — *Rights of the debtor or person against whom a hypothecary right is exercised*

Art. 2761. Le débiteur ou celui contre qui le droit hypothécaire est exercé, ou tout autre intéressé, peut faire échec à l'exercice du droit du créancier en lui payant ce qui lui est dû ou en remédiant à l'omission ou à la contravention mentionnée dans le préavis et à toute omission ou contravention subséquente et, dans l'un ou l'autre cas, en payant les frais engagés.

Il peut exercer ce droit jusqu'à ce que le bien ait été pris en paiement ou vendu ou, si le droit exercé est la prise de possession, à tout moment.

1991, c. 64, a. 2761 (1994-01-01).

Art. 2761. A debtor or a person against whom a hypothecary right is exercised, or any other interested person, may defeat exercise of the right by paying the creditor the amount due to him or, where that is the case, by remedying the omission or breach set forth in the prior notice and any subsequent omission or breach, and, in either case, by paying the costs incurred.

This right may be exercised before the property is taken in payment or sold, or, if the right exercised is taking in possession, at any time.

C.C.B.C. 1040b al. 1, 2079, 2080 (**C.C.Q.** 1573 ss., 1586, 1588, 2758, 2762, 2773, 2775, 2781; **C.P.C.** 189 ss., 540 ss., 577, 596, 597, 674)

Art. 2762. Le créancier qui a donné un préavis d'exercice d'un droit hypothécaire n'a le droit d'exiger du débiteur aucune indemnité autre que les intérêts échus et les frais engagés.

Nonobstant toute stipulation contraire, les frais engagés excluent les honoraires extrajudiciaires dus par le créancier pour des services professionnels qu'il a requis pour recouvrer le capital et les intérêts garantis par l'hypothèque ou pour conserver le bien grevé.

1991, c. 64, a. 2762 (1994-01-01); 2002, c. 19, a. 12 (2002-06-13).

Art. 2762. A creditor having given prior notice of the exercise of a hypothecary right is not entitled to demand any indemnity from the debtor except interest owing and costs.

Notwithstanding any stipulation to the contrary, costs exclude extra-judicial professional fees payable by the creditor for services required by the creditor in order to recover the capital and interest secured by the hypothec or to conserve the charged property.

C.C.B.C. 1040b al. 2 (**C.C.Q.** 1565, 1617, 2667, 2689, 2757, 2758, 2761, 2959, 2960)

§ 3. — *Du délaissement*

§ 3. — *Surrender*

Art. 2763. Le délaissement est volontaire ou forcé.

1991, c. 64, a. 2763 (1994-01-01).

Art. 2763. Surrender is voluntary or forced.

C.C.B.C. 2061, 2075 (**C.C.Q.** 2758; **C.P.C.** 540 ss., 565 ss., 660 ss.)

Art. 2764. Le délaissement est volontaire lorsque, avant l'expiration du délai indiqué dans le préavis, celui contre qui le droit hypothécaire est exercé abandonne le bien au créancier afin qu'il en prenne possession ou consent, par écrit, à le remettre au créancier au moment convenu.

Si le droit hypothécaire exercé est la prise en paiement, le délaissement volontaire doit être constaté dans un acte consenti par celui qui délaisse le bien et accepté par le créancier.

1991, c. 64, a. 2764 (1994-01-01); 2000, c. 42, a. 6 (2000-12-05).

Art. 2764. Surrender is voluntary where, before the period indicated in the prior notice expires, the person against whom the hypothecary right is exercised abandons the property to the creditor in order that the creditor may take possession of it or consents in writing to turn it over to the creditor at the agreed time.

If the hypothecary right exercised is taking in payment, voluntary surrender shall be attested in a deed made by the person surrendering the property and accepted by the creditor.

C.C.B.C. 2075, 2077; **C.P.C.** 540, 541 (**C.C.Q.** 2749, 2758, 2761, 2763, 2768, 2778, 2781; **C.P.C.** 540 ss.)

Art. 2765. Le délaissement est forcé lorsque le tribunal l'ordonne, après avoir constaté l'existence de la créance, le défaut du débiteur, le refus de délaisser volontairement et l'absence d'une cause valable d'opposition.

Le jugement fixe le délai dans lequel le délaissement doit s'opérer, en détermine la manière et désigne la personne en faveur de qui il a lieu.

1991, c. 64, a. 2765 (1994-01-01).

Art. 2765. Surrender is forced where the court orders it after ascertaining the existence of the claim, the debtor's default, the refusal to surrender voluntarily and the absence of a valid cause for objection.

The judgment fixes the period within which surrender shall be effected, determines the manner of effecting it and designates the person in whose favour it is carried out.

C.C.B.C. 2061, 2075 (**C.C.Q.** 1887, 2748, 2761, 2763, 2767-2769, 2781; **C.P.C.** 540 ss., 565 ss., 596, 674)

Art. 2766. Si la bonne foi du créancier ou son aptitude à administrer le bien dont il demande le délaissement, ou son habileté à le vendre est mise en doute, le tribunal peut ordonner au créancier de fournir une sûreté pour garantir l'exécution de ses obligations.

1991, c. 64, a. 2766 (1994-01-01).

Art. 2766. If the good faith of the creditor or his capacity to administer or ability to sell the property to which his motion of surrender applies is challenged, the court may order the creditor to furnish a surety to guarantee performance of his obligations.

(**C.C.Q.** 6, 7, 2805)

Art. 2767. Le délaissement est également forcé lorsque le tribunal, à la demande du créancier, ordonne le délaissement du bien, avant même que le délai indiqué dans le préavis ne soit expiré, parce qu'il est à craindre que, sans cette mesure, le recouvrement de sa créance ne soit mis en péril, ou lorsque le bien est susceptible de dépérir ou de se déprécier rapidement. En ces derniers cas, le créancier est autorisé à exercer immédiatement ses droits hypothécaires.

La demande n'a pas à être signifiée à celui contre qui le droit hypothécaire est exercé, mais l'ordonnance doit l'être. Si celle-ci est annulée par la suite, le créancier est tenu de remettre le bien ou de rembourser le prix de l'aliénation.

1991, c. 64, a. 2767 (1994-01-01).

Art. 2767. Surrender is also forced where the court, on a motion of the creditor, orders surrender of the property before the period indicated in the prior notice expires, where there is reason to fear that otherwise recovery of his claim may be endangered, or where the property may perish or deteriorate rapidly. In the latter cases, the creditor is authorized to exercise his hypothecary rights immediately.

The motion need not be served on the person against whom the hypothecary right is exercised, but the order shall be served on him. If the order is subsequently rescinded, the creditor is bound to return the property or pay back the price of alienation.

C.P.C. 575, 733, 747 (**C.C.Q.** 644, 1305 al. 2, 2748, 2749, 2758, 2765; **C.P.C.** 575, 733, 742 ss., 799)

Art. 2768. Le créancier qui a obtenu le délaissement du bien en a la simple administration jusqu'à ce que le droit hypothécaire qu'il entend exercer soit effectivement exercé.

1991, c. 64, a. 2768 (1994-01-01).

_____

(**C.C.Q.** 1301 ss., 2749, 2763, 2765)

Art. 2769. Celui contre qui le droit hypothécaire est exercé et qui n'est pas tenu de la dette en devient personnellement responsable s'il fait défaut de délaisser le bien dans le délai imparti par le jugement.

1991, c. 64, a. 2769 (1994-01-01).

_____

C.C.B.C. 2075, 2076 (**C.C.Q.** 2761, 2770-2772; **C.P.C.** 540 ss., 565 ss., 797)

Art. 2770. Lorsque celui contre qui le droit hypothécaire est exercé a une créance prioritaire en raison du droit qu'il a de retenir le meuble, il est tenu de le délaisser, mais à charge de sa priorité.

1991, c. 64, a. 2770 (1994-01-01).

_____

C.C.B.C. 2072 (**C.C.Q.** 875, 946, 974, 1250, 1369, 2058, 2185, 2293, 2302, 2324, 2651, 2655, 2657, 2771; **C.P.C.** 604)

Art. 2771. Celui contre qui le droit hypothécaire est exercé peut, lorsqu'il a reçu le bien en paiement de sa créance, prioritaire ou hypothécaire, antérieure à celle visée au préavis, ou lorsqu'il a acquitté des créances prioritaires ou hypothécaires antérieures, exiger que le créancier procède lui-même à la vente du bien ou le fasse vendre sous contrôle de justice; il n'est alors tenu de délaisser le bien qu'à condition que le créancier lui donne caution que la vente du bien se fera à un prix suffisamment élevé qu'il sera payé intégralement de ses créances prioritaires ou hypothécaires antérieures.

1991, c. 64, a. 2771 (1994-01-01).

_____

C.C.B.C. 2073 (**C.C.Q.** 1656, 2334, 2779, 2784, 2791; **C.P.C.** 605 ss., 677, 683 ss.)

Art. 2772. Les droits réels que celui contre qui le droit hypothécaire est exercé avait sur le bien au moment où il l'a acquis, ou qu'il a éteints durant sa possession, renaissent après le délaissement s'ils n'ont pas été radiés.

1991, c. 64, a. 2772 (1994-01-01).

_____

C.C.B.C. 2078 al. 1 (**C.C.Q.** 1686, 2783, 2938, 3057 ss., 3097; **C.P.C.** 704)

Art. 2768. A creditor who has obtained surrender of the property has simple administration thereof until the hypothecary right he intends to exercise has in fact been exercised.

Art. 2769. The person against whom the hypothecary right is exercised and who is not responsible for the debt becomes personally liable therefor if he fails to surrender the property within the time allotted by the judgment.

Art. 2770. Where the person against whom the hypothecary right is exercised has a prior claim by reason of his right to hold the movable property, he is bound to surrender it, subject to his priority.

Art. 2771. The person against whom the hypothecary right is exercised may, where he has received the property in payment of his prior or hypothecary claim, which is anterior to the claim contemplated in the prior notice, or where he has paid the prior or hypothecary claims anterior to his own, require that the creditor himself sell the property or cause it to be sold by court order; he is then bound to surrender the property only subject to the creditor's giving him security that the property will be sold at a sufficient price to ensure full payment of his anterior prior or hypothecary claim.

Art. 2772. Real rights which the person against whom the hypothecary right is exercised had in the property when he acquired it, or that he extinguished while it was in his possession, revive after surrender unless they have been cancelled.

SECTION IV
DE LA PRISE DE POSSESSION À DES FINS D'ADMINISTRATION

Art. 2773. Le créancier qui détient une hypothèque sur les biens d'une entreprise peut prendre temporairement possession des biens hypothéqués et les administrer ou en déléguer généralement l'administration à un tiers. Le créancier, ou celui à qui il a délégué l'administration, agit alors à titre d'administrateur du bien d'autrui chargé de la pleine administration.

1991, c. 64, a. 2773 (1994-01-01).

SECTION IV
TAKING POSSESSION FOR PURPOSES OF ADMINISTRATION

Art. 2773. A creditor who holds a hypothec on the property of an enterprise may temporarily take possession of the hypothecated property and administer it or generally delegate its administration to a third person. The creditor or the person to whom he has delegated the administration acts in such a case as administrator of the property of others entrusted with full administration.

(C.C.Q. 1299 ss., 1306 ss., 1337, 1525 al. 3, 2695, 2721, 2758 al. 2, 2761, 2766, 2768; **C.P.C.** 796 ss.)

Art. 2774. La prise de possession du bien ne porte pas atteinte aux droits du locataire.

1991, c. 64, a. 2774 (1994-01-01).

Art. 2774. The taking of possession of a property does not affect the rights of the lessee.

(C.C.Q. 1877 ss., 1908, 1936, 1937)

Art. 2775. Outre qu'elle cesse lorsque le créancier est satisfait de sa créance en capital, intérêts et frais, ou lorsqu'il est fait échec à l'exercice de son droit, ou lorsque le créancier a publié un préavis d'exercice d'un autre droit hypothécaire, la prise de possession prend fin dans les circonstances où prend fin l'administration du bien d'autrui. La faillite de celui contre qui le droit hypothécaire est exercé ne met pas fin à la prise de possession.

1991, c. 64, a. 2775 (1994-01-01).

Art. 2775. Taking of possession terminates under the same circumstances as administration of the property of others, and also where the creditor is satisfied with his claim in capital, interest and costs, or where he fails in the attempt to exercise his right, or where the creditor has published a prior notice of the exercise of another hypothecary right. The bankruptcy of the person against whom the hypothecary right is exercised does not terminate taking of possession.

(C.C.Q. 1355 ss., 2747, 2757, 2761, 2776, 2777)

Art. 2776. À la fin de la possession, le créancier doit rendre compte de son administration et, à moins qu'il n'ait publié un préavis d'exercice d'un autre droit hypothécaire, remettre les biens possédés à celui contre qui le droit hypothécaire a été exercé, ou encore à ses ayants cause, au lieu préalablement convenu ou, à défaut, au lieu où ils se trouvent.

Il inscrit au registre approprié un avis de remise des biens.

1991, c. 64, a. 2776 (1994-01-01).

Art. 2776. When possession ends, the creditor shall render account of his administration and, unless he has published a prior notice of the exercise of another hypothecary right, return the property in possession to the person against whom the hypothecary right was exercised, or to his successors, at the previously agreed place or, failing that, at the place where it is.

He registers a notice of return of property in the proper register.

(C.C.Q. 1355 ss., 1363 ss., 2775; **C.P.C.** 532 ss.)

Art. 2777. Le créancier qui, en raison de son administration, obtient le paiement de la dette, est tenu de remettre à celui contre qui le droit hypothécaire a été exercé, outre le bien, tout surplus restant entre ses mains après l'acquittement de la dette,

Art. 2777. A creditor who has, through his administration, obtained payment of the debt, is bound to return to the person against whom the hypothecary right was exercised, in addition to the property, any surplus remaining in his hands after payment of

des dépenses de l'administration et des frais engagés pour exercer la possession du bien.

1991, c. 64, a. 2777 (1994-01-01).

(**C.C.Q.** 1366, 2667, 2747, 2775, 2776)

SECTION V
DE LA PRISE EN PAIEMENT

Art. 2778. À moins que celui contre qui le droit est exercé ne délaisse volontairement le bien, le créancier doit obtenir l'autorisation du tribunal pour exercer la prise en paiement lorsque le débiteur a déjà acquitté, au moment de l'inscription du préavis du créancier, la moitié, ou plus, de l'obligation garantie par hypothèque.

1991, c. 64, a. 2778 (1994-01-01).

(**C.C.Q.** 2761, 2764, 2768)

Art. 2779. Les créanciers hypothécaires subséquents ou le débiteur peuvent, dans les délais impartis pour délaisser, exiger que le créancier abandonne la prise en paiement et procède lui-même à la vente du bien ou le fasse vendre sous contrôle de justice; ils doivent, au préalable, avoir inscrit un avis à cet effet, remboursé les frais engagés par le créancier et avancé les sommes nécessaires à la vente du bien.

L'avis doit être signifié au créancier, au constituant ou au débiteur, ainsi qu'à celui contre qui le droit hypothécaire est exercé et son inscription est dénoncée, conformément au livre De la publicité des droits.

Les créanciers subséquents qui exigent que le créancier procède à la vente du bien doivent, en outre, lui donner caution que la vente se fera à un prix suffisamment élevé qu'il sera payé intégralement de sa créance.

1991, c. 64, a. 2779 (1994-01-01); 1992, c. 57, a. 716 (1994-01-01); 2002, c. 19, a. 15 (2002-06-13).

(**C.C.Q.** 2749, 2750, 2758, 2765, 2771, 2780, 2781, 2783, 2784, 2791)

Art. 2780. Le créancier requis de vendre doit procéder à la vente, à moins qu'il ne préfère désintéresser les créanciers subséquents qui ont inscrit l'avis ou, si l'avis a été inscrit par le débiteur, que le tribunal n'autorise le créancier, aux conditions qu'il détermine, à prendre en paiement.

À défaut par le créancier d'agir, le tribunal peut permettre à celui qui a inscrit l'avis exigeant la vente, ou à toute autre personne qu'il désigne, d'y procéder.

1991, c. 64, a. 2780 (1994-01-01).

(**C.C.Q.** 2779, 2784, 2791)

the debt, the expenses of administration and the costs incurred for the exercise of possession of the property.

SECTION V
TAKING IN PAYMENT

Art. 2778. Where, at the time of registration of the creditor's prior notice, the debtor has already discharged one-half or more of the obligation secured by the hypothec, the creditor shall obtain authorization from the court before taking property in payment, except where the person against whom the right is exercised has voluntarily surrendered the property.

Art. 2779. Subsequent hypothecary creditors or the debtor may, within the time allotted for surrender, require the creditor to abandon the taking in payment and sell the property himself or have it sold by judicial authority; they shall have registered a notice beforehand to that effect, reimbursed the creditor for the costs he has incurred and advanced the amounts needed for the sale of the property.

The notice shall be served on the creditor, the grantor or the debtor and the person against whom the hypothecary right is exercised, and registration thereof is made in accordance with the Book on Publication of Rights.

Subsequent creditors who require the creditor to proceed with the sale shall also furnish him with a security guaranteeing that the property will be sold at a sufficiently high price to enable his claim to be paid in full.

Art. 2780. A creditor required to sell shall proceed to do so unless he prefers to pay the subsequent creditors who registered the notice or, if the notice was registered by the debtor, unless the court authorizes the creditor to take the property in payment on such conditions as it determines.

If the creditor does not act, the court may allow the person who registered the notice requiring the sale, or any other person designated by him, to proceed with it.

Art. 2781. Lorsqu'il n'a pas été remédié au défaut ou que le paiement n'a pas été fait dans le délai imparti pour délaisser, le créancier prend le bien en paiement par l'effet du jugement en délaissement, ou par un acte volontairement consenti par celui contre qui le droit hypothécaire est exercé, et accepté par le créancier, si les créanciers subséquents ou le débiteur n'ont pas exigé qu'il procède à la vente.

Le jugement en délaissement ou l'acte volontairement consenti et accepté constitue le titre de propriété du créancier.

1991, c. 64, a. 2781 (1994-01-01); 2000, c. 42, a. 7 (2000-12-05).

Art. 2781. Where the default has not been remedied or the payment has not been made in the time allotted for surrender, the creditor takes the property in payment by the effect of the judgment of surrender, or of a deed voluntarily made by the person against whom the hypothecary right is exercised, and accepted by the creditor, if neither the subsequent creditors nor the debtor have required him to proceed with the sale.

The judgment of surrender or the deed voluntarily made and accepted constitutes the creditor's title of ownership.

C.C.B.C. 1040b al. 1 (**C.C.Q.** 2758, 2761, 2763, 2764 al. 2, 2765, 2767, 2771, 2779, 2780, 2800; **C.P.C.** 473)

Art. 2782. La prise en paiement éteint l'obligation.

Le créancier qui a pris le bien en paiement ne peut réclamer ce qu'il paie à un créancier prioritaire ou hypothécaire qui lui est préférable. Il n'a pas droit, dans tel cas, à subrogation contre son ancien débiteur.

1991, c. 64, a. 2782 (1994-01-01).

Art. 2782. Taking in payment extinguishes the obligation.

A creditor who has taken property in payment may not claim what he pays to a prior or hypothecary creditor whose claim is preferred to his. In such a case, he is not entitled to subrogation against his former debtor.

(**C.C.Q.** 1656, 1799, 2660, 2764, 2771, 2797)

Art. 2783. Le créancier qui a pris le bien en paiement en devient le propriétaire à compter de l'inscription du préavis. Il le prend dans l'état où il se trouvait alors, mais libre des hypothèques publiées après la sienne.

Les droits réels créés après l'inscription du préavis ne sont pas opposables au créancier s'il n'y a pas consenti.

1991, c. 64, a. 2783 (1994-01-01); 1992, c. 57, a. 716 (1994-01-01).

Art. 2783. A creditor who has taken property in payment becomes the owner of it from the time of registration of prior notice. He takes it as it then stood, but free of all hypothecs published after his.

Real rights created after registration of the notice may not be set up against the creditor if he did not consent to them.

(**C.C.Q.** 2497, 2757, 2772, 2779, 2790, 2801, 3069)

SECTION VI
DE LA VENTE PAR LE CRÉANCIER

Art. 2784. Le créancier qui détient une hypothèque sur les biens d'une entreprise peut, s'il a présenté au bureau de la publicité des droits un préavis indiquant son intention de vendre lui-même le bien grevé et, après avoir obtenu le délaissement du bien, procéder à la vente de gré à gré, par appel d'offres ou aux enchères.

1991, c. 64, a. 2784 (1994-01-01).

SECTION VI
SALE BY THE CREDITOR

Art. 2784. A creditor who holds a hypothec on the property of an enterprise and who has filed a prior notice at the registry office indicating his intention to sell the charged property himself may, after obtaining surrender of the property, proceed with the sale by agreement, by a call for tenders or by public auction.

C.C.B.C. 1979c, 1979i; **L.R.Q.**, c. C-53, a. 34 (**C.C.Q.** 2749, 2757, 2758, 2761, 2764, 2765, 2779; **C.P.C.** 796 ss.)

Art. 2785. Le créancier doit vendre le bien sans retard inutile, pour un prix commercialement raisonnable, et dans le meilleur intérêt de celui contre qui le droit hypothécaire est exercé.

S'il y a plus d'un bien, il peut les vendre ensemble ou séparément.

1991, c. 64, a. 2785 (1994-01-01).

_____

(C.C.Q. 6, 7, 1778, 2753, 2754; **C.P.C.** 610, 686)

Art. 2786. Le créancier qui vend lui-même le bien agit au nom du propriétaire et il est tenu de dénoncer sa qualité à l'acquéreur lors de la vente.

1991, c. 64, a. 2786 (1994-01-01).

_____

(C.C.Q. 1695, 1716 ss., 2157, 2761, 2790, 2793)

Art. 2787. Le créancier qui procède par appel d'offres peut le faire par la voie des journaux ou sur invitation.

L'appel d'offres doit contenir les renseignements suffisants pour permettre à toute personne intéressée de présenter, en temps et lieu, une soumission.

Le créancier est tenu d'accepter la soumission la plus élevée, à moins que les conditions dont elle est assortie ne la rendent moins avantageuse qu'une autre offrant un prix moins élevé, ou que le prix offert ne soit pas un prix commercialement raisonnable.

1991, c. 64, a. 2787 (1994-01-01).

_____

(C.C.Q. 2785, 2788; **C.P.C.** 899)

Art. 2788. Le créancier qui procède à la vente aux enchères doit le faire aux date, heure et lieu fixés dans l'avis de vente signifié à celui contre qui le droit hypothécaire est exercé et au constituant, et notifié aux autres créanciers qui ont publié leur droit à l'égard du bien.

Il doit, en outre, informer de ses démarches les personnes intéressées qui lui en font la demande.

1991, c. 64, a. 2788 (1994-01-01).

_____

(C.C.Q. 1757 ss., 2787, 3115; **C.P.C.** 89, 660, 670, 691 ss.)

Art. 2789. Le créancier impute le produit de la vente au paiement des frais engagés pour l'exercer, au paiement des créances primant ses droits, puis à celui de sa créance.

Art. 2785. The creditor shall sell the property without unnecessary delay, at a commercially reasonable price, and in the best interest of the person against whom the hypothecary right is exercised.

If there is more than one property, he may sell them together or separately.

Art. 2786. A creditor who sells the property himself acts in the name of the owner and is bound to declare his quality to the purchaser at the time of the sale.

Art. 2787. A creditor who proceeds by a call for tenders may do so through the newspapers or by invitation.

Sufficient information shall be included in the call for tenders to enable any interested person to make an offer at the proper time and place.

The creditor is bound to accept the highest offer unless the conditions attached to it render it less advantageous than another lower offer, or unless the price offered is not commercially reasonable.

Art. 2788. A creditor who proceeds with a sale by public auction shall hold it at the date, time and place fixed in the notice of sale served on the person against whom the hypothecary right is exercised and the grantor and notified to the other creditors who have published their right in respect of the property.

He shall also inform any interested person who requests such information of what he is doing.

Art. 2789. The creditor imputes the proceeds of the sale to payment of the costs of exercising the right, payment of the claims prior to his rights, and, finally, payment of his claim.

Si d'autres créanciers ont des droits à faire valoir, le créancier qui a vendu le bien rend compte du produit de la vente au greffier du tribunal compétent et lui remet ce qui reste du prix après l'imputation; dans le cas contraire, il doit, dans les dix jours, rendre compte du produit de la vente au propriétaire des biens et lui remettre le surplus, s'il en existe; la reddition de compte peut être contestée de la manière établie au Code de procédure civile.

Si le produit de la vente ne suffit pas à payer sa créance et les frais, le créancier conserve, à l'encontre de son débiteur, une créance pour ce qui lui reste dû.

1991, c. 64, a. 2789 (1994-01-01).

C.C.B.C. 1979c, 1979j (**C.C.Q.** 1570, 2737, 2747, 2779, 2945 ss.)

Art. 2790. L'acquéreur prend le bien à charge des droits réels qui le grevaient au moment de l'inscription du préavis, à l'exclusion de l'hypothèque du créancier qui a vendu le bien et des créances qui primaient les droits de ce dernier.

Les droits réels créés après l'inscription du préavis ne sont pas opposables à l'acquéreur s'il n'y a pas consenti.

1991, c. 64, a. 2790 (1994-01-01).

(**C.C.Q.** 2757, 2760, 2783, 2789, 2945, 3069)

SECTION VII

DE LA VENTE SOUS CONTRÔLE DE JUSTICE

Art. 2791. La vente a lieu sous contrôle de justice lorsque le tribunal désigne la personne qui y procédera, détermine les conditions et les charges de la vente, indique si elle peut être faite de gré à gré, par appel d'offres ou aux enchères et, s'il le juge opportun, fixe, après s'être enquis de la valeur du bien, une mise à prix.

1991, c. 64, a. 2791 (1994-01-01).

(**C.C.Q.** 1731, 3000; **C.P.C.** 605 ss., 683 ss., 897 ss., 903, 910.1-910.3)

Art. 2792. Un créancier ne peut demander que la vente ait lieu à charge de son hypothèque.

1991, c. 64, a. 2792 (1994-01-01).

(**C.C.Q.** 2387, 2790, 2794; **C.P.C.** 604, 614, 714, 715, 910)

If other creditors have rights to be claimed, the creditor who sold the property renders account of the proceeds of the sale to the clerk of the competent court and remits what remains of the price after imputation; where no such creditors exist, he shall, within ten days, render account of the proceeds of the sale to the owner of the property and remit any surplus to him; the rendering of account may be opposed in the manner established in the Code of Civil Procedure.

Where the proceeds of the sale are insufficient to pay his claim and costs, the creditor retains a claim against his debtor for the balance due to him.

Art. 2790. The purchaser takes the property subject to the real rights charging it at the time of registration of the prior notice, except the hypothec of the creditor who sold the property and the claims which ranked ahead of his rights.

Real rights created after registration of the prior notice may not be set up against the purchaser if he did not consent to them.

SECTION VII

SALE BY JUDICIAL AUTHORITY

Art. 2791. A sale takes place by judicial authority where the court designates the person who will proceed with it, fixes the conditions and charges of the sale, indicates whether it may be made by agreement, a call for tenders or public auction and, if it considers it expedient, after enquiring as to the value of the property, fixes the upset price.

Art. 2792. No creditor may require that the sale be subject to his hypothec.

Art. 2793. La personne chargée de vendre le bien est tenue, outre de suivre les règles prescrites au Code de procédure civile pour la vente du bien d'autrui, d'informer de ses démarches les parties intéressées si celles-ci le demandent.

Elle agit au nom du propriétaire et elle est tenue de dénoncer sa qualité à l'acquéreur.

1991, c. 64, a. 2793 (1994-01-01).

Art. 2793. The person entrusted with the sale of the property is bound to observe the rules prescribed in the Code of Civil Procedure for the sale of the property of another and, in addition to inform the interested parties of the steps he is taking if they require him to do so.

The person acts in the name of the owner and is bound to declare his quality to the purchaser.

(**C.C.Q.** 1695, 2768, 2786, 2788; **C.P.C.** 897 ss.)

Art. 2794. La vente sous contrôle de justice purge les droits réels dans la mesure prévue au Code de procédure civile quant à l'effet du décret d'adjudication.

1991, c. 64, a. 2794 (1994-01-01).

Art. 2794. Sale by judicial authority purges the real rights to the extent provided by the Code of Civil Procedure in respect of the effect of the order to sell.

C.C.B.C. 2081(6) (**C.C.Q.** 1695, 2792, 3069; **C.P.C.** 604, 614, 676, 677, 696, 704, 707, 714, 715, 804 ss.)

CHAPITRE SIXIÈME
DE L'EXTINCTION DES HYPOTHÈQUES

CHAPTER VI
EXTINCTION OF HYPOTHECS

Art. 2795. Les hypothèques s'éteignent par la perte du bien grevé, son changement de nature, sa mise hors commerce ou son expropriation, lorsque ces événements portent sur la totalité du bien.

1991, c. 64, a. 2795 (1994-01-01).

Art. 2795. Hypothecs are extinguished by the loss, change of nature, exclusion from being an object of commerce or expropriation of the charged property, where such events affect the property as a whole.

C.C.B.C. 2081(1), 2081(6) (**C.C.Q.** 899-907, 2672 ss., 2796 ss., 2802, 3057 ss.; **C.P.C.** 804 ss.)

Art. 2796. Lorsqu'un bien meuble est incorporé à un immeuble, l'hypothèque mobilière peut subsister, à titre d'hypothèque immobilière, si elle est inscrite sur le registre foncier, malgré le changement de nature du bien; elle prend rang selon les règles établies au livre De la publicité des droits.

1991, c. 64, a. 2796 (1994-01-01).

Art. 2796. Where a movable property is incorporated in an immovable, the movable hypothec may subsist as an immovable hypothec, notwithstanding the change of nature of the property, provided it is registered in the land register; it is ranked according to the rules set out in the Book on Publication of Rights.

(**C.C.Q.** 901-903, 2671, 2945, 2951, 2972 ss.)

Art. 2797. L'hypothèque s'éteint par l'extinction de l'obligation dont elle garantit l'exécution. Cependant, dans le cas d'une ouverture de crédit et dans tout autre cas où le débiteur s'oblige à nouveau en vertu d'une stipulation dans l'acte constitutif d'hypothèque, celle-ci subsiste malgré l'extinction de l'obligation, à moins qu'elle n'ait été radiée.

1991, c. 64, a. 2797 (1994-01-01).

Art. 2797. A hypothec is extinguished by the extinction of the obligation whose performance it secures. In the case of a line of credit or in any other case where the debtor obligates himself again under a provision of the deed of hypothec, the hypothec, unless cancelled, subsists notwithstanding the extinction of the obligation.

C.C.B.C. 2081(5) (**C.C.Q.** 1553 ss., 1588, 1662, 1663, 1671 ss., 1686, 1691, 2661, 2688, 3065; **C.P.C.** 804 ss.)

Art. 2798. L'hypothèque mobilière s'éteint au plus tard dix ans après son inscription ou après l'inscription d'un avis qui lui donne effet ou la renouvelle.

Le gage s'éteint lorsque cesse la détention.

1991, c. 64, a. 2798 (1994-01-01).

Art. 2798. A movable hypothec is extinguished not later than ten years after the date of its registration or registration of a notice giving it effect or renewing it.

Pledge is extinguished upon termination of detention.

C.C.B.C. 1970, 2081a al. 1 (**C.C.Q.** 2665, 2702-2705, 2937, 2942, 2983, 3058, 3059)

Art. 2799. L'hypothèque immobilière s'éteint au plus tard trente ans après son inscription ou après l'inscription d'un avis qui lui donne effet ou la renouvelle.

Cette règle ne reçoit pas application dans le cas d'une hypothèque garantissant le prix de l'emphytéose, la rente créée pour le prix de l'immeuble, la rente viagère ou l'usufruit viager, d'une hypothèque constituée en faveur de La Financière agricole du Québec ou de la Société d'habitation du Québec, ou d'une hypothèque constituée en faveur d'un fondé de pouvoir des créanciers pour garantir le paiement d'obligations ou autres titres d'emprunt.

1991, c. 64, a. 2799 (1994-01-01); 2000, c. 42, a. 8 (2000-12-05); 2000, c. 53, a. 67 (2001-04-17).

Art. 2799. An immovable hypothec is extinguished not later than thirty years after the date of its registration or registration of a notice giving it effect or renewing it.

This rule does not apply in the case of hypothecs securing the price of emphyteusis, a rent constituted for the price of an immovable, a life annuity or a usufruct for life, hypothecs given in favour of La Financière agricole du Québec or the Société d'habitation du Québec, or hypothecs in favour of a person holding a power of attorney from the creditors to secure payment of bonds or other evidences of indebtedness.

C.C.B.C. 2081a al. 1 (**C.C.Q.** 2937, 2942, 2983, 3058, 3059)

Art. 2800. L'hypothèque légale du syndicat des copropriétaires sur la fraction d'un copropriétaire s'éteint trois ans après son inscription, à moins que le syndicat, afin de la conserver, ne publie une action contre le propriétaire en défaut ou n'inscrive un préavis d'exercice d'un droit hypothécaire.

1991, c. 64, a. 2800 (1994-01-01).

Art. 2800. The legal hypothec of a syndicate of co-owners on the fraction of a co-owner is extinguished three years after it is registered, unless the syndicate publishes an action in default against the owner to preserve it or registers a prior notice of the exercise of a hypothecary right.

C.C.B.C. 442k (**C.C.Q.** 2724, 2729, 2757, 3061)

Art. 2801. Dans le cas où un créancier hypothécaire prend le bien hypothéqué en paiement, l'hypothèque des créanciers de rang postérieur ne s'éteint que par l'inscription de l'acte volontairement consenti et accepté ou du jugement en délaissement.

1991, c. 64, a. 2801 (1994-01-01); 2000, c. 42, a. 9 (2000-12-05).

Art. 2801. Where a hypothecary creditor takes the hypothecated property in payment, the hypothec of the creditors ranking behind him is not extinguished except by registration of the deed voluntarily made and accepted or of the judgment of surrender.

(**C.C.Q.** 2764, 2765, 2781, 2783)

Art. 2802. L'hypothèque s'éteint aussi par les autres causes prévues par la loi.

1991, c. 64, a. 2802 (1994-01-01).

Art. 2802. Other causes of extinction of hypothecs are provided by law.

(**C.C.Q.** 1662, 1686, 1691)

LIVRE SEPTIÈME
DE LA PREUVE

BOOK SEVEN
EVIDENCE

TITRE PREMIER
DU RÉGIME GÉNÉRAL DE LA PREUVE

TITLE ONE
GENERAL RULES OF EVIDENCE

CHAPITRE PREMIER
DISPOSITIONS GÉNÉRALES

CHAPTER I
GENERAL PROVISIONS

Art. 2803. Celui qui ve.ut faire valoir un droit doit prouver les faits qui soutiennent sa prétention.

Celui qui prétend qu'un droit est nul, a été modifié ou est éteint doit prouver les faits sur lesquels sa prétention est fondée.

1991, c. 64, a. 2803 (1994-01-01).

Art. 2803. A person wishing to assert a right shall prove the facts on which his claim is based.

A person who alleges the nullity, modification or extinction of a right shall prove the facts on which he bases his allegation.

C.C.B.C. 1203 (**C.C.Q.** 2805, 2818, 2829, 2833, 2834; **C.P.C.** 77, 89, 165, 172, 192, 318, 483, 944)

Art. 2804. La preuve qui rend l'existence d'un fait plus probable que son inexistence est suffisante, à moins que la loi n'exige une preuve plus convaincante.

1991, c. 64, a. 2804 (1994-01-01).

Art. 2804. Evidence is sufficient if it renders the existence of a fact more probable than its non-existence, unless the law requires more convincing proof.

Art. 2805. La bonne foi se présume toujours, à moins que la loi n'exige expressément de la prouver.

1991, c. 64, a. 2805 (1994-01-01).

Art. 2805. Good faith is always presumed, unless the law expressly requires that it be proved.

C.C.B.C. 2202 (**C.C.Q.** 7, 1375, 1633, 2803; **C.P.C.** 4.1, 76)

CHAPITRE DEUXIÈME
DE LA CONNAISSANCE D'OFFICE

CHAPTER II
JUDICIAL NOTICE

Art. 2806. Nul n'est tenu de prouver ce dont le tribunal est tenu de prendre connaissance d'office.

1991, c. 64, a. 2806 (1994-01-01).

Art. 2806. No proof is required of a matter of which judicial notice shall be taken.

Art. 2807. Le tribunal doit prendre connaissance d'office du droit en vigueur au Québec.

Doivent cependant être allégués les textes d'application des lois en vigueur au Québec, qui ne sont pas publiés à la Gazette officielle du Québec ou d'une autre manière prévue par la loi, les traités et accords internationaux s'appliquant au Québec qui ne sont pas intégrés dans un texte de loi, ainsi que le droit international coutumier.

1991, c. 64, a. 2807 (1994-01-01).

Art. 2807. Judicial notice shall be taken of the law in force in Québec.

However, statutory instruments in force in Québec but not published in the Gazette officielle du Québec or in any other manner prescribed by law, international treaties and agreements applicable to Québec but not contained in a text of law, and customary international law, shall be pleaded.

Art. 2808. Le tribunal doit prendre connaissance d'office de tout fait dont la notoriété rend l'existence raisonnablement incontestable.

1991, c. 64, a. 2808 (1994-01-01).

Art. 2809. Le tribunal peut prendre connaissance d'office du droit des autres provinces ou territoires du Canada et du droit d'un État étranger, pourvu qu'il ait été allégué. Il peut aussi demander que la preuve en soit faite, laquelle peut l'être, entre autres, par le témoignage d'un expert ou par la production d'un certificat établi par un jurisconsulte.

Lorsque ce droit n'a pas été allégué ou que sa teneur n'a pas été établie, il applique le droit en vigueur au Québec.

1991, c. 64, a. 2809 (1994-01-01); 2002, c. 19, a. 15 (2002-06-13).

C.P.C. 76 ss. (C.C.Q. 568; C.P.C. 76 ss.)

Art. 2810. Le tribunal peut, en toute matière, prendre connaissance des faits litigieux, en présence des parties ou lorsque celles-ci ont été dûment appelées. Il peut procéder aux constatations qu'il estime nécessaires, et se transporter, au besoin, sur les lieux.

1991, c. 64, a. 2810 (1994-01-01).

C.P.C. 290, 312 (C.C.Q. 2854-2856, 2868; C.P.C. 290, 292, 294, 312, 318, 426 ss.)

Art. 2808. Judicial notice shall be taken of any fact that is so generally known that it cannot reasonably be questioned.

Art. 2809. Judicial notice may be taken of the law of other provinces or territories of Canada and of that of a foreign state, provided it has been pleaded. The court may also require that proof be made of such law; this may be done, among other means, by expert testimony or by the production of a certificate drawn up by a jurisconsult.

Where such law has not been pleaded or its content has not been established, the court applies the law in force in Québec.

Art. 2810. The court may, in any matter, take judicial notice of the facts in dispute in the presence of the parties or where the parties have been duly called. It may make any verifications it considers necessary and go to the scene, if need be.

TITRE DEUXIÈME
DES MOYENS DE PREUVE

Art. 2811. La preuve d'un acte juridique ou d'un fait peut être établie par écrit, par témoignage, par présomption, par aveu ou par la présentation d'un élément matériel, conformément aux règles énoncées dans le présent livre et de la manière indiquée par le Code de procédure civile ou par quelque autre loi.

1991, c. 64, a. 2811 (1994-01-01).

C.C.B.C. 1205 (**C.P.C.** 274 ss., 289, 294.1, 306-315, 323, 331.1 ss., 402.1, 404, 426, 523)

TITLE TWO
PROOF

Art. 2811. Proof of a fact or juridical act may be made by a writing, by testimony, by presumption, by admission or by the production of material things, according to the rules set forth in this Book and in the manner provided in the Code of Civil Procedure or in any other Act.

CHAPITRE PREMIER
DE L'ÉCRIT

SECTION I
DES COPIES DE LOIS

Art. 2812. Les copies de lois qui ont été ou sont en vigueur au Canada, et qui sont attestées par un officier public compétent ou publiées par un éditeur autorisé, font preuve de l'existence et de la teneur de ces lois, sans qu'il soit nécessaire de prouver la signature ni le sceau y apposés, non plus que la qualité de l'officier ou de l'éditeur.

1991, c. 64, a. 2812 (1994-01-01).

C.C.B.C. 1207 (**C.C.Q.** 2806-2809; **C.P.C.** 223)

CHAPTER I
WRITINGS

SECTION I
COPIES OF STATUTES

Art. 2812. Copies of statutes which have been or are in force in Canada, attested by a competent public officer or published by an authorized publisher, make proof of the existence and content of such statutes, and neither the signature or seal appended to such a copy nor the quality of the officer or publisher need be proved.

SECTION II
DES ACTES AUTHENTIQUES

Art. 2813. L'acte authentique est celui qui a été reçu ou attesté par un officier public compétent selon les lois du Québec ou du Canada, avec les formalités requises par la loi.

L'acte dont l'apparence matérielle respecte ces exigences est présumé authentique.

1991, c. 64, a. 2813 (1994-01-01).

C.C.B.C. 1207 (**D.T.** 141; **C.C.Q.** 107, 144, 2814, 2821; **C.P.C.** 223 ss.)

SECTION II
AUTHENTIC ACTS

Art. 2813. An authentic act is one that has been received or attested by a competent public officer according to the laws of Québec or of Canada, with the formalities required by law.

Every act whose material appearance satisfies such requirements is presumed to be authentic.

Art. 2814. Sont authentiques, notamment les documents suivants, s'ils respectent les exigences de la loi:

1° Les documents officiels du Parlement du Canada et du Parlement du Québec;

2° Les documents officiels émanant du gouvernement du Canada ou du Québec, tels les lettres patentes, les décrets et les proclamations;

Art. 2814. The following documents in particular are authentic if they conform to the requirements of law:

(1) official documents of the Parliament of Canada or the Parliament of Québec;

(2) official documents issued by the government of Canada or of Québec, such as letters patent, orders and proclamations;

3° Les registres des tribunaux judiciaires ayant juridiction au Québec;

4° Les registres et les documents officiels émanant des municipalités et des autres personnes morales de droit public constituées par une loi du Québec;

5° Les registres à caractère public dont la loi requiert la tenue par des officiers publics;

6° L'acte notarié;

7° Le procès-verbal de bornage.

1991, c. 64, a. 2814 (1994-01-01).

(3) records of the courts of justice having jurisdiction in Québec;

(4) records of and official documents issued by municipalities and other legal persons established in the public interest by an Act of Québec;

(5) public records required by law to be kept by public officers;

(6) notarial acts;

(7) minutes of determination of boundaries.

C.C.B.C. 1207, 1208 (**C.C.Q.** 103, 716, 718, 721-723, 725, 759, 760, 978, 2813, 2819, 2821, 2969, 2989, 2996; **C.P.C.** 223 ss., 787 ss.)

Art. 2815. La copie de l'original d'un acte authentique ou, en cas de perte de l'original, la copie d'une copie authentique de tel acte est authentique lorsqu'elle est attestée par l'officier public qui en est le dépositaire.

1991, c. 64, a. 2815 (1994-01-01).

Art. 2815. A copy of the original of an authentic act or, where the original is lost, a copy of an authentic copy of the act is authentic if it is attested by the public officer having custody of it.

C.C.B.C. 1207, 1215, 1217 (**C.C.Q.** 2821; **C.P.C.** 223 ss., 871.1-871.4)

Art. 2816. Lorsque l'original d'un document, inscrit sur un registre dont la loi requiert la tenue et conservé par l'officier chargé du registre, est perdu ou est en la possession de la partie adverse ou d'un tiers, sans la collusion de la partie qui l'invoque, la copie de ce document est aussi authentique, si elle est attestée par l'officier public qui en est le dépositaire ou, si elle a été versée ou déposée aux archives nationales, par le Conservateur des archives nationales du Québec.

1991, c. 64, a. 2816 (1994-01-01).

Art. 2816. Where the original of a document entered in a register kept as required by law, and retained by the officer in charge of the register, is lost or in the possession of the adverse party or of a third person with out collusion on the part of the person invoking it, the copy of the document is also authentic if it is attested by the public officer having custody of it or, if it has been deposited or filed in the Archives nationales, by the Keeper of the Archives nationales du Québec.

C.C.B.C. 1217-1219 (**C.C.Q.** 775, 2815, 2860-2862, 3019; **C.P.C.** 870, 871.1-871.4)

Art. 2817. L'extrait qui reproduit textuellement une partie d'un acte authentique est lui-même authentique lorsqu'il est certifié par le dépositaire de l'acte, pourvu qu'il indique la date de la délivrance et mentionne, quant à l'acte original, la date et la nature de celui-ci, le lieu où il a été passé et, le cas échéant, le nom des parties à l'acte et celui de l'officier public qui l'a rédigé.

1991, c. 64, a. 2817 (1994-01-01).

Art. 2817. An extract which textually reproduces part of an authentic act is itself authentic if it is certified by the person having lawful custody of the act, provided the extract bears its date of issue and indicates the date, nature and place of execution of the original act and, where such is the case, the names of the parties and of the public officer who drew it up.

C.C.B.C. 1216 (**C.C.Q.** 2820, 2982; **C.P.C.** 871.1-871.4)

Art. 2818. Les énonciations, dans l'acte authentique, des faits que l'officier public avait mission de constater ou d'inscrire, font preuve à l'égard de tous.

1991, c. 64, a. 2818 (1994-01-01).

Art. 2818. The recital, in an authentic act, of the facts which the public officer had the task of observing or recording makes proof against all persons.

C.C.B.C. 1210 (**C.C.Q.** 2813, 2815, 2821)

Art. 2819. L'acte notarié, pour être authentique, doit être signé par toutes les parties; il fait alors preuve, à l'égard de tous, de l'acte juridique qu'il renferme et des déclarations des parties qui s'y rapportent directement.

Lorsque les parties ne peuvent pas signer, leur déclaration ou consentement doit être reçu en présence d'un témoin qui signe. Ne peuvent servir de témoins, les mineurs, les majeurs inaptes à consentir, de même que les personnes qui ont un intérêt dans l'acte.

1991, c. 64, a. 2819 (1994-01-01).

Art. 2819. To be authentic, a notarial act shall be signed by all the parties; it then makes proof against all persons of the juridical act which it sets forth and of those declarations of the parties which directly relate to the act.

Where the parties are unable to sign, their declaration or consent shall be given before a witness who signs. Minors, persons of full age who are unable to give consent and persons who have an interest in the act may not be witnesses.

C.C.B.C. 1208, 1210 (**C.C.Q.** 716-718, 721-723, 725, 2813-2815, 2818; **C.P.C.** 223 ss., 887 ss.)

Art. 2820. La copie authentique d'un document fait preuve, à l'égard de tous, de sa conformité à l'original et supplée à ce dernier.

L'extrait authentique fait preuve de sa conformité avec la partie du document qu'il reproduit.

1991, c. 64, a. 2820 (1994-01-01).

Art. 2820. An authentic copy of a document makes proof against all persons of its conformity to the original and replaces it.

An authentic extract makes proof of its conformity to the part of the document which it reproduces.

C.C.B.C. 1215, 1216 (**C.C.Q.** 2815, 2819)

Art. 2821. L'inscription de faux n'est nécessaire que pour contredire les énonciations dans l'acte authentique des faits que l'officier public avait mission de constater.

Elle n'est pas requise pour contester la qualité de l'officier public et des témoins ou la signature de l'officier public.

1991, c. 64, a. 2821 (1994-01-01).

Art. 2821. Improbation is necessary only to contradict the recital in the authentic act of the facts which the public officer had the task of observing.

Improbation is not required to contest the quality of the public officer or witnesses or the signature of the public officer.

C.C.B.C. 1211 (**C.C.Q.** 2818; **C.P.C.** 223 ss., 947)

SECTION III
DES ACTES SEMI-AUTHENTIQUES

Art. 2822. L'acte qui émane apparemment d'un officier public étranger compétent fait preuve, à l'égard de tous, de son contenu, sans qu'il soit nécessaire de prouver la qualité ni la signature de cet officier.

De même, la copie d'un document dont l'officier public étranger est dépositaire fait preuve, à l'égard de tous, de sa conformité à l'original et supplée à ce dernier, si elle émane apparemment de cet officier.

1991, c. 64, a. 2822 (1994-01-01).

SECTION III
SEMI-AUTHENTIC ACTS

Art. 2822. An act purporting to be issued by a competent foreign public officer makes proof of its content against all persons and neither the quality nor the signature of the officer need be proved.

Similarly, a copy of a document in the custody of the foreign public officer makes proof of its conformity to the original against all persons, and replaces the original if it purports to be issued by the officer.

C.C.B.C. 1220 (**C.C.Q.** 2823-2825; **C.P.C.** 89 al. 1(3), 90, 136)

Art. 2823. Fait également preuve, à l'égard de tous, la procuration sous seing privé faite hors du Québec lorsqu'elle est certifiée par un officier public compétent qui a vérifié l'identité et la signature du mandant.

1991, c. 64, a. 2823 (1994-01-01).

Art. 2823. A power of attorney under a private writing made outside Québec also makes proof against all persons where it is certified by a competent public officer who has verified the identity and signature of the mandator.

C.C.B.C. 1220(5), 1220(5a), 1220(7 al. 2) (**C.C.Q.** 2130 ss., 2826 ss.; **C.P.C.** 136)

Art. 2824. Les actes, copies et procurations mentionnés dans la présente section peuvent être déposés chez un notaire pour qu'il en délivre copie.

La copie fait preuve de sa conformité au document déposé et supplée à ce dernier.

1991, c. 64, a. 2824 (1994-01-01).

Art. 2824. Acts, copies and powers of attorney mentioned in this section may be deposited with a notary, who may then issue copies of them.

Such a copy makes proof of its conformity to the deposited document and replaces it.

C.C.B.C. 1220(7) (**C.P.C.** 89, 90, 136)

Art. 2825. Lorsqu'ont été contestés les actes et copies émanant d'un officier public étranger, de même que les procurations certifiées par un officier public étranger, il incombe à celui qui les invoque de faire la preuve de leur authenticité.

1991, c. 64, a. 2825 (1994-01-01).

Art. 2825. Where an act or copy issued by a foreign public officer or a power of attorney certified by a foreign public officer has been contested, the person invoking it has the burden of proving that it is authentic.

(**C.C.Q.** 2822; **C.P.C.** 89, 90)

SECTION IV
DES ACTES SOUS SEING PRIVÉ

SECTION IV
PRIVATE WRITINGS

Art. 2826. L'acte sous seing privé est celui qui constate un acte juridique et qui porte la signature des parties; il n'est soumis à aucune autre formalité.

1991, c. 64, a. 2826 (1994-01-01).

Art. 2826. A private writing is a writing setting forth a juridical act and bearing the signature of the parties; it is not subject to any other formality.

C.C.B.C. 1221 (**C.C.Q.** 713, 1655)

Art. 2827. La signature consiste dans l'apposition qu'une personne fait à un acte de son nom ou d'une marque qui lui est personnelle et qu'elle utilise de façon courante, pour manifester son consentement.

1991, c. 64, a. 2827 (1994-01-01); 2001, c. 32, a. 77 (2001-11-01).

Art. 2827. A signature is the affixing by a person, to a writing, of his name or the distinctive mark which he regularly uses to signify his intention.

Art. 2828. Celui qui invoque un acte sous seing privé doit en faire la preuve.

Toutefois, l'acte opposé à celui qui paraît l'avoir signé ou à ses héritiers est tenu pour reconnu s'il n'est pas contesté de la manière prévue au Code de procédure civile.

1991, c. 64, a. 2828 (1994-01-01).

Art. 2828. A person who invokes a private writing has the burden of proving it.

Where a writing is set up against the person purporting to have signed it or his heirs, it is presumed to be admitted unless it is contested in the manner provided in the Code of Civil Procedure.

C.C.B.C. 1223, 1224 (**C.C.Q.** 2826, 2835, 2863; **C.P.C.** 89, 403, 887)

Art. 2829. L'acte sous seing privé fait preuve, à l'égard de ceux contre qui il est prouvé, de l'acte juridique qu'il renferme et des déclarations des parties qui s'y rapportent directement.

1991, c. 64, a. 2829 (1994-01-01).

Art. 2829. A private writing makes proof, in respect of the persons against whom it is proved, of the juridical act which it sets forth and of the statements of the parties directly relating to the act.

C.C.B.C. 1222 (**C.C.Q.** 2819, 2826, 2828, 2863; **C.P.C.** 89, 403)

Art. 2830. L'acte sous seing privé n'a point de date contre les tiers, mais celle-ci peut être établie contre eux par tous moyens.

Néanmoins, les actes passés dans le cours des activités d'une entreprise sont présumés l'avoir été à la date qui y est inscrite.

1991, c. 64, a. 2830 (1994-01-01).

Art. 2830. A private writing does not make proof of its date against third persons but that date may be established against them in any manner.

However, writings relating to acts carried out in the ordinary course of business of an enterprise are presumed to have been made on the date they bear.

C.C.B.C. 1225, 1226 (**C.C.Q.** 1525, 2826, 2862, 2870; **C.P.C.** 631)

SECTION V
DES AUTRES ÉCRITS

SECTION V
OTHER WRITINGS

Art. 2831. L'écrit non signé, habituellement utilisé dans le cours des activités d'une entreprise pour constater un acte juridique, fait preuve de son contenu.

1991, c. 64, a. 2831 (1994-01-01).

Art. 2831. An unsigned writing regularly used in the ordinary course of business of an enterprise to evidence a juridical act makes proof of its content.

(**C.C.Q.** 2836)

Art. 2832. L'écrit ni authentique ni semi-authentique qui rapporte un fait peut, sous réserve des règles contenues dans ce livre, être admis en preuve à titre de témoignage ou à titre d'aveu contre son auteur.

1991, c. 64, a. 2832 (1994-01-01).

Art. 2832. A writing that is neither authentic nor semi-authentic which relates a fact is admissible as proof against the person who wrote it, subject to the rules of this Book, by way of testimony or admission.

(**C.C.Q.** 2836, 2869 ss.)

Art. 2833. Les papiers domestiques qui énoncent un paiement reçu ou qui contiennent la mention que la note suppléa au défaut de titre en faveur de celui au profit duquel ils énoncent une obligation, font preuve contre leur auteur.

1991, c. 64, a. 2833 (1994-01-01).

Art. 2833. A domestic paper stating that payment has been received or mentioning that it supplies the lack of a title in favour of the person for whose benefit it sets forth an obligation makes proof against the person who wrote it.

C.C.B.C. 1227 (**C.C.Q.** 534, 1553, 2836)

Art. 2834. La mention libératoire apposée par le créancier sur le titre, ou une copie de celui-ci qui est toujours restée en sa possession, bien que non signée ni datée, fait preuve contre lui.

Art. 2834. A release, although unsigned and undated, inscribed by a creditor on the title of his debt or on a copy thereof which has always remained in his possession makes proof against him.

Cependant, la mention n'est pas admise comme preuve de paiement, si elle a pour effet de soustraire la dette aux règles relatives à la prescription.
1991, c. 64, a. 2834 (1994-01-01).

The release is not admissible in proof of payment, however, if it has the effect of withdrawing the debt from the rules governing prescription.

C.C.B.C. 1228, 1229 (**C.C.Q.** 2833, 2836, 2863)

Art. 2835. Celui qui invoque un écrit non signé doit prouver que cet écrit émane de celui qu'il prétend en être l'auteur.
1991, c. 64, a. 2835 (1994-01-01).

Art. 2835. A person who invokes an unsigned writing shall prove that it originates from the person whom he claims to be its author.

(**C.C.Q.** 2828, 2836)

Art. 2836. Les écrits visés par la présente section peuvent être contredits par tous moyens.
1991, c. 64, a. 2836 (1994-01-01).

Art. 2836. Writings contemplated in this section may be contested in any manner.

SECTION VI
DES SUPPORTS DE L'ÉCRIT ET DE LA NEUTRALITÉ TECHNOLOGIQUE

SECTION VI
MEDIA FOR WRITINGS AND TECHNOLOGICAL NEUTRALITY

Art. 2837. L'écrit est un moyen de preuve quel que soit le support du document, à moins que la loi n'exige l'emploi d'un support ou d'une technologie spécifique.

Art. 2837. A writing is a means of proof whatever the medium, unless the use of a specific medium or technology is required by law.

Lorsque le support de l'écrit fait appel aux technologies de l'information, l'écrit est qualifié de document technologique au sens de la Loi concernant le cadre juridique des technologies de l'information.

Where a writing is in a medium that is based on information technology, the writing is referred to as a technology-based document within the meaning of the Act to establish a legal framework for information technology.

1991, c. 64, a. 2837 (1994-01-01); 2001, c. 32, a. 78 (2001-11-01).

Art. 2838. Outre les autres exigences de la loi, il est nécessaire, pour que la copie d'une loi, l'acte authentique, l'acte semi-authentique ou l'acte sous seing privé établi sur un support faisant appel aux technologies de l'information fasse preuve au même titre qu'un document de même nature établi sur support papier, que son intégrité soit assurée.

Art. 2838. In addition to meeting all other legal requirements, the integrity of a copy of a statute, an authentic writing, a semi-authentic writing or a private writing drawn up in a medium based on information technology must be ensured for it to be used to adduce proof in the same way as a writing of the same kind drawn up as a paper document.

1991, c. 64, a. 2838 (1994-01-01); 2001, c. 32, a. 78 (2001-11-01).

Art. 2839. L'intégrité d'un document est assurée, lorsqu'il est possible de vérifier que l'information n'en est pas altérée et qu'elle est maintenue dans son intégralité, et que le support qui porte cette information lui procure la stabilité et la pérennité voulue.

Art. 2839. The integrity of a document is ensured if it is possible to verify that the information it contains has not been altered and has been maintained in its entirety, and that the medium used provides stability and the required perennity to the information.

Lorsque le support ou la technologie utilisé ne permet ni d'affirmer ni de dénier que l'intégrité du document est assurée, celui-ci peut, selon les circonstances, être reçu à titre de témoignage ou d'élément matériel de preuve et servir de commencement de preuve.

Where the medium or technology used does not allow the integrity of the document to be confirmed or denied, the document may, depending on the circumstances, be admitted as testimonial evidence or real evidence and serve as commencement of proof.

1991, c. 64, a. 2839 (1994-01-01); 1992, c. 57, a. 16 (1994-01-01); 2001, c. 32, a. 78 (2001-11-01).

Art. 2840. Il n'y a pas lieu de prouver que le support du document ou que les procédés, systèmes ou technologies utilisés pour communiquer au moyen d'un document permettent d'assurer son intégrité, à moins que celui qui conteste l'admissibilité du document n'établisse, par prépondérance de preuve, qu'il y a eu atteinte à l'intégrité du document.

1991, c. 64, a. 2840 (1994-01-01); 2001, c. 32, a. 78 (2001-11-01).

Art. 2840. It is not necessary to prove that the medium of a document or that the processes, systems or technology used to communicate by means of a document ensure its integrity, unless the person contesting the admission of the document establishes, upon a preponderance of evidence, that the integrity of the document has been affected.

SECTION VII

DES COPIES ET DES DOCUMENTS RÉSULTANT D'UN TRANSFERT

SECTION VII

COPIES AND DOCUMENTS RESULTING FROM A TRANSFER

Art. 2841. La reproduction d'un document peut être faite soit par l'obtention d'une copie sur un même support ou sur un support qui ne fait pas appel à une technologie différente, soit par le transfert de l'information que porte le document vers un support faisant appel à une technologie différente.

Lorsqu'ils reproduisent un document original ou un document technologique qui remplit cette fonction aux termes de l'article 12 de la Loi concernant le cadre juridique des technologies de l'information, la copie, si elle est certifiée, et le document résultant du transfert de l'information, s'il est documenté, peuvent légalement tenir lieu du document reproduit.

La certification est faite, dans le cas d'un document en la possession de l'État, d'une personne morale, d'une société ou d'une association, par une personne en autorité ou responsable de la conservation du document.

1991, c. 64, a. 2841 (1994-01-01); 2001, c. 32, a. 78 (2001-11-01).

Art. 2841. A document may be reproduced either by generating a copy in the same medium or in a medium that is based on the same technology, or by transferring the information contained in the document to a medium based on different technology.

Where it reproduces an original document or a technology-based document fulfilling the functions of an original as provided for in section 12 of the Act to establish a legal framework for information technology, a copy, provided it is certified, or a document resulting from the transfer of information, provided it is documented, may legally replace the reproduced document.

In the case of a document in the possession of the State, a legal person, a partnership or an association, certification is effected by a person in authority or the person responsible for document retention.

Art. 2842. La copie certifiée est appuyée, au besoin, d'une déclaration établissant les circonstances et la date de la reproduction, le fait que la copie porte la même information que le document reproduit et l'indication des moyens utilisés pour assurer l'intégrité de la copie. Cette déclaration est faite par la personne responsable de la reproduction ou qui l'a effectuée.

Le document résultant du transfert de l'information est appuyé, au besoin, de la documentation visée à l'article 17 de la Loi concernant le cadre juridique des technologies de l'information.

1991, c. 64, a. 2842 (1994-01-01); 2001, c. 32, a. 78 (2001-11-01).

Art. 2842. A certified copy is supported, if necessary, by a statement establishing the circumstances and the date of the reproduction, attesting that the copy contains the same information as the reproduced document and indicating the means used to ensure the integrity of the copy. The statement is made by the person responsible for document reproduction or by the person who reproduced the document.

A document resulting from the transfer of information is supported, if necessary, by the documentation referred to in section 17 of the Act to establish a legal framework for information technology.

CHAPITRE DEUXIÈME
DU TÉMOIGNAGE

CHAPTER II
TESTIMONY

Art. 2843. Le témoignage est la déclaration par laquelle une personne relate les faits dont elle a eu personnellement connaissance ou par laquelle un expert donne son avis.

Il doit, pour faire preuve, être contenu dans une déposition faite à l'instance, sauf du consentement des parties ou dans les cas prévus par la loi.

1991, c. 64, a. 2843 (1994-01-01).

Art. 2843. Testimony is a statement whereby a person relates facts of which he has personal knowledge or whereby an expert gives his opinion.

To make proof, testimony shall be given by deposition in a judicial proceeding unless otherwise agreed by the parties or provided by law.

C.P.C. 294, 402.1, 771 (**C.C.Q.** 2862, 2864, 2869, 2870, 2874; **C.P.C.** 294 ss., 397 ss., 402.1)

Art. 2844. La preuve par témoignage peut être apportée par un seul témoin.

L'enfant qui, de l'avis du juge, ne comprend pas la nature du serment, peut être admis à rendre témoignage sans cette formalité, si le juge estime qu'il est assez développé pour pouvoir rapporter des faits dont il a eu connaissance, et qu'il comprend le devoir de dire la vérité; toutefois, un jugement ne peut être fondé sur la foi de ce seul témoignage.

1991, c. 64, a. 2844 (1994-01-01).

Art. 2844. Proof by testimony may be adduced by a single witness.

A child who, in the opinion of the judge, does not understand the nature of an oath, may be permitted to testify without that formality, if the judge is of the opinion that he is sufficiently mature to be able to report the facts of which he had knowledge, and that he understands the duty to tell the truth. However, a judgment may not be based upon such testimony alone.

C.P.C. 293, 301 (**C.C.Q.** 2845; **C.P.C.** 299)

Art. 2845. La force probante du témoignage est laissée à l'appréciation du tribunal.

1991, c. 64, a. 2845 (1994-01-01).

Art. 2845. The probative force of testimony is left to the appraisal of the court.

(**C.C.Q.** 2844)

CHAPITRE TROISIÈME
DE LA PRÉSOMPTION

CHAPTER III
PRESUMPTIONS

Art. 2846. La présomption est une conséquence que la loi ou le tribunal tire d'un fait connu à un fait inconnu.

1991, c. 64, a. 2846 (1994-01-01).

Art. 2846. A presumption is an inference established by law or the court from a known fact to an unknown fact.

C.C.B.C. 1238 (**C.C.Q.** 2811, 2849)

Art. 2847. La présomption légale est celle qui est spécialement attachée par la loi à certains faits; elle dispense de toute autre preuve celui en faveur de qui elle existe.

Art. 2847. A legal presumption is one that is specially attached by law to certain facts; it exempts the person in whose favour it exists from making any other proof.

Celle qui concerne des faits présumés est simple et peut être repoussée par une preuve contraire; celle qui concerne des faits réputés est absolue et aucune preuve ne peut lui être opposée.

1991, c. 64, a. 2847 (1994-01-01).

A presumption concerning presumed facts is simple and may be rebutted by proof to the contrary; a presumption concerning deemed facts is absolute and irrebuttable.

C.C.B.C. 1239 (**D.T.** 141; **C.C.Q.** 69, 80, 85, 127, 156, 194, 337, 387, 398, 423, 447, 460, 469, 487, 525, 561, 603, 628, 633, 647, 650, 651, 745, 746, 756, 849, 884, 887, 918, 921, 923, 925, 928, 934, 955, 1003, 1028, 1045, 1253, 1282, 1285, 1329, 1335, 1336, 1339, 1343, 1421, 1422, 1525, 1606, 1632, 1633, 1689, 1696, 1744, 1756, 1853, 1871, 1890, 1925, 1945, 1948, 1962, 1966, 1993, 2064, 2080, 2133, 2153, 2215, 2268, 2297, 2315, 2375, 2428, 2448, 2467, 2512, 2550, 2562, 2582, 2624, 2805, 2813, 2830, 2848, 2870, 2943, 2968, 3027, 3113; **C.P.C.** 650, 659)

Art. 2848. L'autorité de la chose jugée est une présomption absolue; elle n'a lieu qu'à l'égard de ce qui a fait l'objet du jugement, lorsque la demande est fondée sur la même cause et mue entre les mêmes parties, agissant dans les mêmes qualités, et que la chose demandée est la même.

Cependant, le jugement qui dispose d'un recours collectif a l'autorité de la chose jugée à l'égard des parties et des membres du groupe qui ne s'en sont pas exclus.

1991, c. 64, a. 2848 (1994-01-01).

Art. 2848. The authority of a final judgment (*res judicata*) is an absolute presumption; it applies only to the object of the judgment when the demand is based on the same cause and is between the same parties acting in the same qualities and the thing applied for is the same.

However, a judgment deciding a class action has the authority of a final judgment in respect of the parties and the members of the group who have not excluded themselves therefrom.

C.C.B.C. 1241; **C.P.C.** 1007 (**C.C.Q.** 2633, 2896, 3155; **C.P.C.** 165, 271, 273, 817.4, 999, 1007, 1030, 1038)

Art. 2849. Les présomptions qui ne sont pas établies par la loi sont laissées à l'appréciation du tribunal qui ne doit prendre en considération que celles qui sont graves, précises et concordantes.

1991, c. 64, a. 2849 (1994-01-01).

Art. 2849. Presumptions which are not established by law are left to the discretion of the court which shall take only serious, precise and concordant presumptions into consideration.

C.C.B.C. 1242 (**C.C.Q.** 2846)

CHAPITRE QUATRIÈME
DE L'AVEU

CHAPTER IV
ADMISSIONS

Art. 2850. L'aveu est la reconnaissance d'un fait de nature à produire des conséquences juridiques contre son auteur.

1991, c. 64, a. 2850 (1994-01-01).

Art. 2850. An admission is the acknowledgment of a fact which may produce legal consequences against the person who makes it.

(**C.C.Q.** 2867)

Art. 2851. L'aveu peut être exprès ou implicite.

Il ne peut toutefois résulter du seul silence que dans les cas prévus par la loi.

1991, c. 64, a. 2851 (1994-01-01).

Art. 2851. An admission may be express or implied.

An admission may not be inferred from mere silence, however, except in the cases provided by law.

(**C.P.C.** 85, 86, 89, 403, 411, 413)

Art. 2852. L'aveu fait par une partie au litige, ou par un mandataire autorisé à cette fin, fait preuve contre elle, s'il est fait au cours de l'instance où il est invoqué. Il ne peut être révoqué, à moins qu'on ne prouve qu'il a été la suite d'une erreur de fait.

La force probante de tout autre aveu est laissée à l'appréciation du tribunal.

1991, c. 64, a. 2852 (1994-01-01).

Art. 2852. An admission made by a party to a dispute or by an authorized mandatary makes proof against him if it is made in the proceeding in which it is invoked. It may not be revoked, unless it is proved to have been made through an error of fact.

The probative force of any other admission is left to the appraisal of the court.

C.C.B.C. 1245 (**C.C.Q.** 2866, 2867; **C.P.C.** 199, 331, 457)

Art. 2853. L'aveu ne peut être divisé, à moins qu'il ne contienne des faits étrangers à la contestation liée, que la partie contestée de l'aveu soit invraisemblable ou contredite par des indices de mauvaise foi ou par une preuve contraire, ou qu'il n'y ait pas de connexité entre les faits mentionnés dans l'aveu.

1991, c. 64, a. 2853 (1994-01-01).

Art. 2853. An admission may not be divided except where it contains facts which are foreign to the issue, or where the part of the admission objected to is improbable or contradicted by indications of bad faith or by contrary evidence, or where the facts contained in the admission are unrelated to each other.

C.C.B.C. 1243 (**C.C.Q.** 2865; **C.P.C.** 85, 331, 457 ss., 723, 1014)

CHAPITRE CINQUIÈME
DE LA PRÉSENTATION D'UN ÉLÉMENT MATÉRIEL

CHAPTER V
PRODUCTION OF MATERIAL THINGS

Art. 2854. La présentation d'un élément matériel constitue un moyen de preuve qui permet au juge de faire directement ses propres constatations. Cet élément matériel peut consister en un objet, de même qu'en la représentation sensorielle de cet objet, d'un fait ou d'un lieu.

1991, c. 64, a. 2854 (1994-01-01).

Art. 2854. The production of material things is a means of proof which allows the judge to make his own findings. Such a material thing may consist of an object, as well as the sense impression of an object, fact or place.

C.P.C. 290, 312 (**C.C.Q.** 2810, 2858, 2868; **C.P.C.** 290, 312, 331.1 ss., 331.6, 331.8, 402, 403)

Art. 2855. La présentation d'un élément matériel, pour avoir force probante, doit au préalable faire l'objet d'une preuve distincte qui en établisse l'authenticité. Cependant, lorsque l'élément matériel est un document technologique au sens de la Loi concernant le cadre juridique des technologies de l'information, cette preuve d'authenticité n'est requise que dans le cas visé au troisième alinéa de l'article 5 de cette loi.

1991, c. 64, a. 2855 (1994-01-01); 2001, c. 32, a. 79 (2001-11-01).

Art. 2855. The production of material things does not have probative force until their authenticity has been established by separate proof. However, where the material thing produced is a technology-based document within the meaning of the Act to establish a legal framework for information technology, authenticity need only be established in cases to which the third paragraph of section 5 of that Act applies.

(**C.C.Q.** 2858, 2874; **C.P.C.** 331.1 ss., 331.6, 331.8)

Art. 2856. Le tribunal peut tirer de la présentation d'un élément matériel toute conclusion qu'il estime raisonnable.

1991, c. 64, a. 2856 (1994-01-01).

Art. 2856. The court may draw any inference it considers reasonable from the production of a material thing.

(**C.C.Q.** 2868; **C.P.C.** 331.1 ss., 331.6, 331.8)

TITRE TROISIÈME
DE LA RECEVABILITÉ DES ÉLÉMENTS ET DES MOYENS DE PREUVE

TITLE THREE
ADMISSIBILITY OF EVIDENCE AND PROOF

CHAPITRE PREMIER
DES ÉLÉMENTS DE PREUVE

Art. 2857. La preuve de tout fait pertinent au litige est recevable et peut être faite par tous moyens.

1991, c. 64, a. 2857 (1994-01-01).

(**C.C.Q.** 2860 ss., 2874)

Art. 2858. Le tribunal doit, même d'office, rejeter tout élément de preuve obtenu dans des conditions qui portent atteinte aux droits et libertés fondamentaux et dont l'utilisation est susceptible de déconsidérer l'administration de la justice.

Il n'est pas tenu compte de ce dernier critère lorsqu'il s'agit d'une violation du droit au respect du secret professionnel.

1991, c. 64, a. 2858 (1994-01-01).

(**C.C.Q.** 36, 1458, 2859; **C.P.C.** 307, 308)

CHAPITRE DEUXIÈME
DES MOYENS DE PREUVE

Art. 2859. Le tribunal ne peut suppléer d'office les moyens d'irrecevabilité résultant des dispositions du présent chapitre qu'une partie présente ou représentée a fait défaut d'invoquer.

1991, c. 64, a. 2859 (1994-01-01).

(**C.C.Q.** 2858)

Art. 2860. L'acte juridique constaté dans un écrit ou le contenu d'un écrit doit être prouvé par la production de l'original ou d'une copie qui légalement en tient lieu.

Toutefois, lorsqu'une partie ne peut, malgré sa bonne foi et sa diligence, produire l'original de l'écrit ou la copie qui légalement en tient lieu, la preuve peut être faite par tous moyens.

À l'égard d'un document technologique, la fonction d'original est remplie par un document qui répond aux exigences de l'article 12 de la Loi concernant le cadre juridique des technologies de l'information et celle de copie qui en tient lieu, par la

CHAPTER I
EVIDENCE

Art. 2857. All evidence of any fact relevant to a dispute is admissible and may be presented by any means.

CHAPTER II
PROOF

Art. 2859. The court may not of its own motion invoke grounds of inadmissibility under this chapter which a party who is present or represented has failed to invoke.

Art. 2858. The court shall, even of its own motion, reject any evidence obtained under such circumstances that fundamental rights and freedoms are breached and that its use would tend to bring the administration of justice into disrepute.

The latter criterion is not taken into account in the case of violation of the right of professional privilege.

Art. 2860. A juridical act set forth in a writing or the content of a writing shall be proved by the production of the original or a copy which legally replaces it.

However, where a party acting in good faith and with dispatch is unable to produce the original of a writing or a copy which legally replaces it, proof may be made by any other means.

In the case of technology-based documents, the functions of the original are fulfilled by a document meeting the requirements of section 12 of the Act to establish a legal framework for information technology and the functions of the copy replacing the

copie d'un document certifié qui satisfait aux exigences de l'article 16 de cette loi.

1991, c. 64, a. 2860 (1994-01-01); 2001, c. 32, a. 80 (2001-11-01).

___

C.C.B.C. 1204, 1233 (**C.C.Q.** 2816, 2861, 2863; **C.P.C.** 292, 483)

Art. 2861. Lorsqu'il n'a pas été possible à une partie, pour une raison valable, de se ménager la preuve écrite d'un acte juridique, la preuve de cet acte peut être faite par tous moyens.

1991, c. 64, a. 2861 (1994-01-01).

___

C.C.B.C. 1233 (**C.C.Q.** 1482, 1484, 1486, 1489, 1491, 1492, 1609, 1618, 1619, 1700, 1701, 1703, 2860)

Art. 2862. La preuve d'un acte juridique ne peut, entre les parties, se faire par témoignage lorsque la valeur du litige excède 1 500 $.

Néanmoins, en l'absence d'une preuve écrite et quelle que soit la valeur du litige, on peut prouver par témoignage tout acte juridique dès lors qu'il y a commencement de preuve; on peut aussi prouver par témoignage, contre une personne, tout acte juridique passé par elle dans le cours des activités d'une entreprise.

1991, c. 64, a. 2862 (1994-01-01).

___

C.C.B.C. 1233 (**C.C.Q.** 1525, 2860, 2861, 2865)

Art. 2863. Les parties à un acte juridique constaté par un écrit ne peuvent, par témoignage, le contredire ou en changer les termes, à moins qu'il n'y ait un commencement de preuve.

1991, c. 64, a. 2863 (1994-01-01).

___

C.C.B.C. 1234 (**C.C.Q.** 2109, 2833, 2836, 2865)

Art. 2864. La preuve par témoignage est admise lorsqu'il s'agit d'interpréter un écrit, de compléter un écrit manifestement incomplet ou d'attaquer la validité de l'acte juridique qu'il constate.

1991, c. 64, a. 2864 (1994-01-01).

___

(**C.C.Q.** 2863)

Art. 2865. Le commencement de preuve peut résulter d'un aveu ou d'un écrit émanant de la partie adverse, de son témoignage ou de la présentation d'un élément matériel, lorsqu'un tel moyen rend vraisemblable le fait allégué.

1991, c. 64, a. 2865 (1994-01-01).

___

C.C.Q. (1980) 590 (**C.C.Q.** 534, 2832, 2853, 2862, 2863)

original are fulfilled by a certified copy of the document meeting the requirements of section 16 of that Act.

Art. 2861. Where a party has been unable, for a valid reason, to produce written proof of a juridical act, such an act may be proved by any other means.

Art. 2862. Proof of a juridical act may not be made, between the parties, by testimony where the value in dispute exceeds $1 500.

However, failing proof in writing and regardless of the value in dispute, proof may be made by testimony of any juridical act where there is a commencement of proof; proof may also be made by testimony, against a person, of a juridical act carried out by him in the ordinary course of business of an enterprise.

Art. 2863. The parties to a juridical act set forth in a writing may not contradict or vary the terms of the writing by testimony unless there is a commencement of proof.

Art. 2864. Proof by testimony is admissible to interpret a writing, to complete a clearly incomplete writing or to impugn the validity of the juridical act which the writing sets forth.

Art. 2865. A commencement of proof may arise where an admission or writing of the adverse party, his testimony or the production of a material thing gives an indication that the alleged fact may have occurred.

Art. 2866. Nulle preuve n'est admise contre une présomption légale, lorsque, à raison de cette présomption, la loi annule certains actes ou refuse l'action en justice, sans avoir réservé la preuve contraire.

Toutefois, cette présomption peut être contredite par un aveu fait à l'instance au cours de laquelle la présomption est invoquée, lorsqu'elle n'est pas d'ordre public.

1991, c. 64, a. 2866 (1994-01-01).

C.C.B.C. 1240 (**C.C.Q.** 2847, 2848, 2852)

Art. 2867. L'aveu, fait en dehors de l'instance où il est invoqué, se prouve par les moyens recevables pour prouver le fait qui en est l'objet.

1991, c. 64, a. 2867 (1994-01-01).

C.C.B.C. 1244 (**C.C.Q.** 1609, 2852)

Art. 2868. La preuve par la présentation d'un élément matériel est admise conformément aux règles de recevabilité prévues pour prouver l'objet, le fait ou le lieu qu'il représente.

1991, c. 64, a. 2868 (1994-01-01).

(**C.C.Q.** 2810, 2854)

CHAPITRE TROISIÈME
DE CERTAINES DÉCLARATIONS

Art. 2869. La déclaration d'une personne qui ne témoigne pas à l'instance ou celle d'un témoin faite antérieurement à l'instance est admise à titre de témoignage si les parties y consentent; est aussi admise à titre de témoignage la déclaration qui respecte les exigences prévues par le présent chapitre ou par la loi.

1991, c. 64, a. 2869 (1994-01-01).

C.P.C. 294.1, 320, 404 (**C.C.Q.** 2832, 2843, 2870, 2871; **C.P.C.** 294.1, 404)

Art. 2870. La déclaration faite par une personne qui ne comparaît pas comme témoin, sur des faits au sujet desquels elle aurait pu légalement déposer, peut être admise à titre de témoignage, pourvu que, sur demande et après qu'avis en ait été donné à la partie adverse, le tribunal l'autorise.

Celui-ci doit cependant s'assurer qu'il est impossible d'obtenir la comparution du déclarant comme témoin, ou déraisonnable de l'exiger, et que les circonstances entourant la déclaration donnent à celle-ci des garanties suffisamment sérieuses pour pouvoir s'y fier.

Art. 2866. No proof is admitted to rebut a legal presumption where, on the ground of such presumption, the law annuls certain acts or disallows an action, unless the law has reserved the right to make proof to the contrary.

However, the presumption, if not of public order, may be rebutted by an admission made during the proceeding in which the presumption is invoked.

Art. 2867. An admission made outside the proceeding in which it is invoked is proved by the means admissible as proof of the fact which is its object.

Art. 2868. Proof by the production of a material thing is admissible in accordance with the relevant rules on admissibility as proof of the object, the fact or the place represented by it.

CHAPTER III
CERTAIN STATEMENTS

Art. 2869. A statement made by a person who does not testify in a judicial proceeding or by a witness prior to a judicial proceeding is admissible as testimony if the parties consent thereto; a statement that meets the requirements of this chapter or of the law is also admissible as testimony.

Art. 2870. A statement made by a person who does not appear as a witness, concerning facts to which he could legally testify, is admissible as testimony on application and after notice is given to the adverse party, provided the court authorizes it.

The court shall, however, ascertain that it is impossible for the declarant to appear as a witness, or that it is unreasonable to require him to do so, and that the reliability of the statement is sufficiently guaranteed by the circumstances in which it is made.

Sont présumés présenter ces garanties, notamment, les documents établis dans le cours des activités d'une entreprise et les documents insérés dans un registre dont la tenue est exigée par la loi, de même que les déclarations spontanées et contemporaines de la survenance des faits.

1991, c. 64, a. 2870 (1994-01-01).

The reliability of documents drawn up in the ordinary course of business of an enterprise, of documents entered in a register kept as required by law and of spontaneous and contemporaneous statements concerning the occurrence of facts is, in particular, presumed to be sufficiently guaranteed.

(C.C.Q. 2830, 2843)

Art. 2871. Lorsqu'une personne comparaît comme témoin, ses déclarations antérieures sur des faits au sujet desquels elle peut légalement déposer peuvent être admises à titre de témoignage, si elles présentent des garanties suffisamment sérieuses pour pouvoir s'y fier.

1991, c. 64, a. 2871 (1994-01-01).

Art. 2871. Previous statements by a person who appears as a witness, concerning facts to which he may legally testify, are admissible as testimony if their reliability is sufficiently guaranteed.

(C.C.Q. 2869)

Art. 2872. Doit être prouvée par la production de l'écrit, la déclaration qui a été faite sous cette forme.

Toute autre déclaration ne peut être prouvée que par la déposition de l'auteur ou de ceux qui en ont eu personnellement connaissance, sauf les exceptions prévues aux articles 2873 et 2874.

1991, c. 64, a. 2872 (1994-01-01).

Art. 2872. Statements thus made shall be proved by producing the writing.

No other statement may be proved except by the testimony of the declarant or of the persons having had personal knowledge of it, unless otherwise provided in articles 2873 and 2874.

(C.C.Q. 2873, 2874)

Art. 2873. La déclaration, consignée dans un écrit par une personne autre que celle qui l'a faite, peut être prouvée par la production de cet écrit lorsque le déclarant a reconnu qu'il reproduisait fidèlement sa déclaration.

Il en est de même lorsque l'écrit a été rédigé à la demande de celui qui a fait la déclaration ou par une personne agissant dans l'exercice de ses fonctions, s'il y a lieu de présumer, eu égard aux circonstances, que l'écrit reproduit fidèlement la déclaration.

1991, c. 64, a. 2873 (1994-01-01).

Art. 2873. A statement recorded in writing by a person other than the declarant may be proved by producing the writing if the declarant has acknowledged that the writing faithfully reproduces his statement.

The same rule applies where the writing was drawn up at the request of the declarant or by a person acting in the performance of his duties, if there is reason to presume, having regard to the circumstances, that the writing accurately reproduces the statement.

(C.C.Q. 2872)

Art. 2874. La déclaration qui a été enregistrée sur ruban magnétique ou par une autre technique d'enregistrement à laquelle on peut se fier, peut être prouvée par ce moyen, à la condition qu'une preuve distincte en établisse l'authenticité. Cependant, lorsque l'enregistrement est un document technologique au sens de la Loi concernant le cadre juridique des technologies de l'information, cette preuve d'authenticité n'est requise que dans le cas visé au troisième alinéa de l'article 5 de cette loi.

1991, c. 64, a. 2874 (1994-01-01); 2001, c. 32, a. 81 (2001-11-01).

Art. 2874. A statement recorded on magnetic tape or by any other reliable recording technique may be proved by such means, provided its authenticity is separately proved. However, where the recording is a technology-based document within the meaning of the Act to establish a legal framework for information technology, authenticity need only be established in cases to which the third paragraph of section 5 of that Act applies.

(C.C.Q. 2855)

LIVRE HUITIÈME
DE LA PRESCRIPTION

BOOK EIGHT
PRESCRIPTION

TITRE PREMIER
DU RÉGIME DE LA PRESCRIPTION

TITLE ONE
RULES GOVERNING PRESCRIPTION

CHAPITRE PREMIER
DISPOSITIONS GÉNÉRALES

CHAPTER I
GENERAL PROVISIONS

Art. 2875. La prescription est un moyen d'acquérir ou de se libérer par l'écoulement du temps et aux conditions déterminées par la loi: la prescription est dite acquisitive dans le premier cas et, dans le second, extinctive.

1991, c. 64, a. 2875 (1994-01-01).

Art. 2875. Prescription is a means of acquiring or of being released by the lapse of time and according to the conditions fixed by law: prescription is called acquisitive in the first case and extinctive in the second.

C.C.B.C. 2183 al. 1 (**C.C.Q.** 916, 1517, 1671, 2880, 2884, 2910 ss., 2917 ss., 2921 ss., 2957; **C.P.C.** 805)

Art. 2876. Ce qui est hors commerce, incessible ou non susceptible d'appropriation, par nature ou par affectation, est imprescriptible.

1991, c. 64, a. 2876 (1994-01-01).

Art. 2876. That which is not an object of commerce, not transferable or not susceptible of appropriation by reason of its nature or appropriation may not be prescribed.

C.C.B.C. 2201 al. 1 (**C.C.Q.** 913, 915, 916, 918, 919, 936, 1173, 2877)

Art. 2877. La prescription s'accomplit en faveur ou à l'encontre de tous, même de l'État, sous réserve des dispositions expresses de la loi.

1991, c. 64, a. 2877 (1994-01-01).

Art. 2877. Prescription takes effect in favour of or against all persons, including the State, subject to express provision of law.

C.C.B.C. 2232 (**C.C.Q.** 916 al. 2, 976, 2876, 2904 ss., 2913, 2915, 2933)

Art. 2878. Le tribunal ne peut suppléer d'office le moyen résultant de la prescription.

Toutefois, le tribunal doit déclarer d'office la déchéance du recours, lorsque celle-ci est prévue par la loi. Cette déchéance ne se présume pas; elle résulte d'un texte exprès.

1991, c. 64, a. 2878 (1994-01-01).

Art. 2878. The court may not, of its own motion, supply the plea of prescription.

However, it shall, of its own motion, declare the remedy forfeited where so provided by law. Such forfeiture is never presumed; it is effected only where it is expressly stated in the text.

C.C.B.C. 2188, 2267 (**C.C.Q.** 9, 435, 436, 1635, 3081; **C.P.C.** 9, 77, 165, 292)

Art. 2879. Le délai de prescription se compte par jour entier. Le jour à partir duquel court la prescription n'est pas compté dans le calcul du délai.

Art. 2879. The period of time required for prescription is reckoned by full days. The day on which prescription begins to run is not counted in computing such period.

La prescription n'est acquise que lorsque le dernier jour du délai est révolu. Lorsque le dernier jour est un samedi ou un jour férié, la prescription n'est acquise qu'au premier jour ouvrable qui suit.

1991, c. 64, a. 2879 (1994-01-01).

C.C.B.C. 2240; **C.P.C.** 7 (**C.C.Q.** 2875, 2880, 2910, 2917, 2921, 2922)

Art. 2880. La dépossession fixe le point de départ du délai de la prescription acquisitive.

Le jour où le droit d'action a pris naissance fixe le point de départ de la prescription extinctive.

1991, c. 64, a. 2880 (1994-01-01).

C.C.B.C. 2236, 2268 (**C.C.Q.** 929, 931, 939, 946, 1454, 1497, 1508, 1690, 1713, 1714, 1742, 1743, 2910, 2918, 2919, 2921, 2932)

Art. 2881. La prescription peut être opposée en tout état de cause, même en appel, à moins que la partie qui n'aurait pas opposé le moyen n'ait, en raison des circonstances, manifesté son intention d'y renoncer.

1991, c. 64, a. 2881 (1994-01-01).

Art. 2882. Même si le délai pour s'en prévaloir par action directe est expiré, le moyen qui tend à repousser une action peut toujours être invoqué, à la condition qu'il ait pu constituer un moyen de défense valable à l'action, au moment où il pouvait encore fonder une action directe.

Ce moyen, s'il est reçu, ne fait pas revivre l'action directe prescrite.

1991, c. 64, a. 2882 (1994-01-01).

C.C.B.C. 2246 (**C.C.Q.** 2883 ss.; **C.P.C.** 172)

CHAPITRE DEUXIÈME
DE LA RENONCIATION À LA PRESCRIPTION

Art. 2883. On ne peut pas renoncer d'avance à la prescription, mais on peut renoncer à la prescription acquise et au bénéfice du temps écoulé pour celle commencée.

1991, c. 64, a. 2883 (1994-01-01).

C.C.B.C. 2184 (**C.C.Q.** 2885, 2886, 2898)

Art. 2884. On ne peut pas convenir d'un délai de prescription autre que celui prévu par la loi.

1991, c. 64, a. 2884 (1994-01-01).

(**C.C.Q.** 9)

Prescription is acquired only when the last day of the period has elapsed. Where the last day is a Saturday or a non-juridical day, prescription is acquired only on the following juridical day.

Art. 2880. Dispossession fixes the beginning of the period of acquisitive prescription.

The day on which the right of action arises fixes the beginning of the period of extinctive prescription.

Art. 2881. Prescription may be pleaded at any stage of judicial proceedings, even in appeal, unless the party who has not pleaded prescription has, in light of the circumstances, demonstrated his intention of renouncing it.

Art. 2882. A ground of defence that may be raised to defeat an action may still be invoked, even if the time for using it by way of a direct action has expired, provided such ground could have constituted a valid defence to an action at the time when it could have served as the basis of a direct action.

Maintenance of this ground does not revive a direct action that is prescribed.

CHAPTER II
RENUNCIATION OF PRESCRIPTION

Art. 2883. Prescription may not be renounced in advance, but prescription which has been acquired or any benefit of time elapsed by which prescription has begun may be renounced.

Art. 2884. No prescriptive period other than that provided by law may be agreed upon.

Art. 2885. La renonciation à la prescription est soit expresse, soit tacite; elle est tacite lorsqu'elle résulte d'un fait qui suppose l'abandon du droit acquis.

Toutefois, la renonciation à la prescription acquise de droits réels immobiliers doit être publiée au bureau de la publicité des droits.

1991, c. 64, a. 2885 (1994-01-01).

Art. 2885. Renunciation of prescription is either express or tacit; tacit renunciation results from an act which implies the abandonment of an acquired right.

However, renunciation of prescription which has been acquired in respect of immovable real rights shall be published at the registry office.

C.C.B.C. 2185 (**C.C.Q.** 2881, 2883, 2898, 2938)

Art. 2886. Celui qui ne peut aliéner ne peut renoncer à la prescription acquise.

1991, c. 64, a. 2886 (1994-01-01).

Art. 2886. A person who may not alienate may not renounce any prescription that is acquired.

C.C.B.C. 2186 (**C.C.Q.** 153 ss., 173, 174, 213, 283, 285, 652, 1305, 1307, 1409, 2135, 2883, 2885)

Art. 2887. Toute personne ayant intérêt à ce que la prescription soit acquise peut l'opposer, lors même que le débiteur ou le possesseur y renonce.

1991, c. 64, a. 2887 (1994-01-01).

Art. 2887. Any person who has an interest in the acquisition of prescription may plead it, even if the debtor or the possessor renounces it.

C.C.B.C. 2187 (**C.C.Q.** 1626, 1627, 1631)

Art. 2888. Après la renonciation, la prescription recommence à courir par le même laps de temps.

1991, c. 64, a. 2888 (1994-01-01).

Art. 2888. Following renunciation, prescription begins to run again for the same period.

C.C.B.C. 2264 (**C.C.Q.** 2903)

CHAPITRE TROISIÈME
DE L'INTERRUPTION DE LA PRESCRIPTION

CHAPTER III
INTERRUPTION OF PRESCRIPTION

Art. 2889. La prescription peut être interrompue naturellement ou civilement.

1991, c. 64, a. 2889 (1994-01-01).

Art. 2889. Prescription may be interrupted naturally or civilly.

C.C.B.C. 2222 (**C.C.Q.** 2903, 2957)

Art. 2890. Il y a interruption naturelle de la prescription acquisitive lorsque le possesseur est privé, pendant plus d'un an, de la jouissance du bien.

1991, c. 64, a. 2890 (1994-01-01).

Art. 2890. Acquisitive prescription is interrupted naturally where the possessor is deprived of the enjoyment of the property for more than one year.

C.C.B.C. 2223 (**C.C.Q.** 922, 925, 929, 2923)

Art. 2891. Il y a interruption naturelle de la prescription extinctive lorsque le titulaire d'un droit, après avoir omis de s'en prévaloir, exerce ce droit.

1991, c. 64, a. 2891 (1994-01-01).

Art. 2891. Extinctive prescription is interrupted naturally where the holder of a right, having failed to avail himself of it, exercises that right.

(**C.C.Q.** 1162(5°) (*a contrario*), 1191(5°) (*a contrario*))

Art. 2892. Le dépôt d'une demande en justice, avant l'expiration du délai de prescription, forme une interruption civile, pourvu que cette demande soit signifiée à celui qu'on veut empêcher de prescrire, au plus tard dans les soixante jours qui suivent l'expiration du délai de prescription.

La demande reconventionnelle, l'intervention, la saisie et l'opposition sont considérées comme des demandes en justice. Il en est de même de l'avis exprimant l'intention d'une partie de soumettre un différend à l'arbitrage, pourvu que cet avis expose l'objet du différend qui y sera soumis et qu'il soit signifié suivant les règles et dans les délais applicables à la demande en justice.

1991, c. 64, a. 2892 (1994-01-01).

Art. 2892. The filing of a judicial demand before the expiry of the prescriptive period constitutes a civil interruption, provided the demand is served on the person to be prevented from prescribing not later than sixty days following the expiry of the prescriptive period.

Cross demands, interventions, seizures and oppositions are considered to be judicial demands. The notice expressing the intention by one party to submit a dispute to arbitration is also considered to be a judicial demand, provided it describes the object of the dispute to be submitted and is served in accordance with the rules and time limits applicable to judicial demands.

C.C.B.C. 2224 al. 1 et 4 (**C.C.Q.** 2894-2897, 2908; **C.P.C.** 110, 119.2 ss., 123, 172, 208, 554, 944)

Art. 2893. Interrompt également la prescription, toute demande faite par un créancier en vue de participer à une distribution en concurrence avec d'autres créanciers.

1991, c. 64, a. 2893 (1994-01-01).

Art. 2893. Any application by a creditor to share in a distribution with other creditors also interrupts prescription.

C.C.B.C. 2224 al. 5 (**C.P.C.** 643, 655.1)

Art. 2894. L'interruption n'a pas lieu s'il y a rejet de la demande, désistement ou péremption de l'instance.

1991, c. 64, a. 2894 (1994-01-01).

Art. 2894. Interruption does not occur if the application is dismissed, the suit discontinued or perempted.

C.C.B.C. 2226 (**C.C.Q.** 2892, 2895, 2924; **C.P.C.** 75.1, 163, 165, 262)

Art. 2895. Lorsque la demande d'une partie est rejetée sans qu'une décision ait été rendue sur le fond de l'affaire et que, à la date du jugement, le délai de prescription est expiré ou doit expirer dans moins de trois mois, le demandeur bénéficie d'un délai supplémentaire de trois mois à compter de la signification du jugement, pour faire valoir son droit.

Il en est de même en matière d'arbitrage; le délai de trois mois court alors depuis le dépôt de la sentence, la fin de la mission des arbitres ou la signification du jugement d'annulation de la sentence.

1991, c. 64, a. 2895 (1994-01-01).

Art. 2895. Where the application of a party is dismissed without a decision having been made on the merits of the action and where, on the date of the judgment, the prescriptive period has expired or will expire in less than three months, the plaintiff has an additional period of three months from service of the judgment in which to claim his right.

The same applies to arbitration; the three-month period then runs from the time the award is made, from the end of the arbitrators' mandate, or from the service of the judgment annulling the award.

(**C.C.Q.** 2638-2643, 2894; **C.P.C.** 163 ss., 940 ss.)

Art. 2896. L'interruption résultant d'une demande en justice se continue jusqu'au jugement passé en force de chose jugée ou, le cas échéant, jusqu'à la transaction intervenue entre les parties.

Art. 2896. An interruption resulting from a judicial demand continues until the judgment acquires the authority of a final judgment (*res judicata*) or, as the case may be, until a transaction is agreed between the parties.

Elle a son effet, à l'égard de toutes les parties, pour tout droit découlant de la même source.

1991, c. 64, a. 2896 (1994-01-01).

C.C.B.C. 2224 al. 2 (**C.C.Q.** 2631-2637, 2848, 2897; **C.P.C.** 165, 273, 1030, 1038)

Art. 2897. L'interruption qui résulte de l'exercice d'un recours collectif profite à tous les membres du groupe qui n'ont pas demandé à en être exclus.

1991, c. 64, a. 2897 (1994-01-01).

C.C.B.C. 2224 al. 3 (**C.C.Q.** 2896; **C.P.C.** 1007, 1008)

Art. 2898. La reconnaissance d'un droit, de même que la renonciation au bénéfice du temps écoulé, interrompt la prescription.

1991, c. 64, a. 2898 (1994-01-01).

C.C.B.C. 2227 (**C.C.Q.** 2834, 2883-2888)

Art. 2899. La demande en justice, ou tout autre acte interruptif contre le débiteur principal ou contre la caution, interrompt la prescription à l'égard de l'un et de l'autre.

1991, c. 64, a. 2899 (1994-01-01).

C.C.B.C. 2228 (**C.C.Q.** 2333 ss.)

Art. 2900. L'interruption à l'égard de l'un des créanciers ou des débiteurs d'une obligation solidaire ou indivisible produit ses effets à l'égard des autres.

1991, c. 64, a. 2900 (1994-01-01).

C.C.B.C. 2230 al. 1, 2231 al. 1 (**C.C.Q.** 1519 ss., 1523 ss., 2909; **C.P.C.** 1002)

Art. 2901. L'interruption à l'égard de l'un des créanciers ou débiteurs conjoints d'une obligation divisible ne produit pas d'effet à l'égard des autres.

1991, c. 64, a. 2901 (1994-01-01).

C.C.B.C. 2230 al. 3, 2231 al. 3 (**C.C.Q.** 1518, 1519)

Art. 2902. L'interruption à l'égard de l'un des cohéritiers d'un créancier ou débiteur solidaire d'une obligation divisible ne produit ses effets, à l'égard des autres créanciers ou débiteurs solidaires, que pour la part de cet héritier.

1991, c. 64, a. 2902 (1994-01-01).

C.C.B.C. 2230 al. 3, 2231 al. 4 (**C.C.Q.** 823 ss., 1519, 1523 ss.)

The interruption has effect with regard to all the parties in respect of any right arising from the same source.

Art. 2897. An interruption which results from the bringing of a class action benefits all the members of the group who have not requested their exclusion from the group.

Art. 2898. Acknowledgement of a right, as well as renunciation of the benefit of a period of time which has elapsed, interrupts prescription.

Art. 2899. A judicial demand or any other act of interruption against the principal debtor or against a surety interrupts prescription with regard to both.

Art. 2900. Interruption with regard to one of the creditors or debtors of a solidary or indivisible obligation has effect with regard to the others.

Art. 2901. Interruption with regard to one of the joint creditors or debtors of a divisible obligation has no effect with regard to the others.

Art. 2902. Interruption with regard to one of the coheirs of a solidary creditor or debtor of a divisible obligation has effect, with regard to the other solidary creditors or debtors, only as regards the portion of that heir.

Art. 2903. Après l'interruption, la prescription recommence à courir par le même laps de temps.

1991, c. 64, a. 2903 (1994-01-01).

Art. 2903. Following interruption, prescription begins to run again for the same period.

C.C.B.C. 2255, 2264 (**C.C.Q.** 2892, 2896)

CHAPITRE QUATRIÈME
DE LA SUSPENSION DE LA PRESCRIPTION

CHAPTER IV
SUSPENSION OF PRESCRIPTION

Art. 2904. La prescription ne court pas contre les personnes qui sont dans l'impossibilité en fait d'agir soit par elles-mêmes, soit en se faisant représenter par d'autres.

1991, c. 64, a. 2904 (1994-01-01).

Art. 2904. Prescription does not run against persons if it is impossible in fact for them to act by themselves or to be represented by others.

C.C.B.C. 2232 al. 1 (**C.C.Q.** 84 ss., 2877)

Art. 2905. La prescription ne court pas contre l'enfant à naître.

Elle ne court pas, non plus, contre le mineur ou le majeur sous curatelle ou sous tutelle, à l'égard des recours qu'ils peuvent avoir contre leur représentant ou contre la personne qui est responsable de leur garde.

1991, c. 64, a. 2905 (1994-01-01).

Art. 2905. Prescription does not run against a child yet unborn.

Nor does it run against a minor or a person of full age under curatorship or tutorship with respect to remedies he may have against his representative or against the person entrusted with his custody.

C.C.B.C. 2232 al. 2 (**C.C.Q.** 155 ss., 162, 163, 177 ss., 256 ss.)

Art. 2906. La prescription ne court point entre les époux ou les conjoints unis civilement pendant la vie commune.

1991, c. 64, a. 2906 (1994-01-01); 2002, c. 6, a. 59 (2002-06-24).

Art. 2906. Married or civil union spouses do not prescribe against each other during cohabitation.

C.C.B.C. 2233, 2261.1 (**C.C.Q.** 392, 397, 398, 402-405, 416, 435, 436, 447, 462, 466, 493, 515, 595, 596, 603, 2925, 2962)

Art. 2907. La prescription ne court pas contre l'héritier, à l'égard des créances qu'il a contre la succession.

1991, c. 64, a. 2907 (1994-01-01).

Art. 2907. Prescription does not run against an heir with respect to his claims against the succession.

C.C.B.C. 2237 al. 1 (**C.C.Q.** 625, 639, 642, 649, 697, 698, 739, 780, 801)

Art. 2908. La requête pour obtenir l'autorisation d'exercer un recours collectif suspend la prescription en faveur de tous les membres du groupe auquel elle profite ou, le cas échéant, en faveur du groupe que décrit le jugement qui fait droit à la requête.

Art. 2908. A motion for leave to bring a class action suspends prescription in favour of all the members of the group for whose benefit it is made or, as the case may be, in favour of the group described in the judgment granting the motion.

Cette suspension dure tant que la requête n'est pas rejetée, annulée ou que le jugement qui y fait droit n'est pas annulé; par contre, le membre qui demande à être exclu du recours, ou qui en est exclu par la description que fait du groupe le jugement qui autorise le recours, un jugement interlocutoire ou le jugement qui dispose du recours, cesse de profiter de la suspension de la prescription.

Toutefois, s'il s'agit d'un jugement, la prescription ne recommence à courir qu'au moment où le jugement n'est plus susceptible d'appel.

1991, c. 64, a. 2908 (1994-01-01).

C.C.B.C. 2233a (**C.P.C.** 1002 ss.)

Art. 2909. La suspension de la prescription des créances solidaires et des créances indivisibles produit ses effets à l'égard des créanciers ou débiteurs et de leurs héritiers suivant les règles applicables à l'interruption de la prescription de ces mêmes créances.

1991, c. 64, a. 2909 (1994-01-01).

C.C.B.C. 2239 (**C.C.Q.** 1520, 1523 ss., 2900-2903)

The suspension lasts until the motion is dismissed or annulled or until the judgment granting the motion is set aside; however, a member requesting to be excluded from the action or who is excluded therefrom by the description of the group made by the judgment on the motion, an interlocutory judgment or the judgment on the action ceases to benefit from the suspension of prescription.

In the case of a judgment, however, prescription runs again only when the judgment is no longer susceptible of appeal.

Art. 2909. Suspension of prescription of solidary claims and indivisible claims produces its effects in respect of creditors and debtors and their heirs in accordance with the rules applicable to interruption of prescription of such claims.

TITRE DEUXIÈME
DE LA PRESCRIPTION ACQUISITIVE

CHAPITRE PREMIER
DES CONDITIONS D'EXERCICE DE LA PRESCRIPTION ACQUISITIVE

Art. 2910. La prescription acquisitive est un moyen d'acquérir le droit de propriété ou l'un de ses démembrements, par l'effet de la possession.

1991, c. 64, a. 2910 (1994-01-01).

C.C.B.C. 2183 al. 2 (**C.C.Q.** 916, 921 ss., 1119 ss., 2917, 2957)

Art. 2911. La prescription acquisitive requiert une possession conforme aux conditions établies au livre Des biens.

1991, c. 64, a. 2911 (1994-01-01).

(**C.C.Q.** 921-933)

Art. 2912. L'ayant cause à titre particulier peut, pour compléter la prescription, joindre à sa possession celle de ses auteurs.

L'ayant cause universel ou à titre universel continue la possession de son auteur.

1991, c. 64, a. 2912 (1994-01-01).

C.C.B.C. 2200 (**C.C.Q.** 625, 925-927, 2920, 2957)

Art. 2913. La détention ne peut fonder la prescription, même si elle se poursuit au-delà du terme convenu.

1991, c. 64, a. 2913 (1994-01-01).

C.C.B.C. 2203 al. 1 (**C.C.Q.** 99, 921, 923, 924, 941, 942, 944-946, 2737, 2914)

Art. 2914. Un titre précaire peut être interverti au moyen d'un titre émanant d'un tiers ou d'un acte du détenteur inconciliable avec la précarité.

L'interversion rend la possession utile à la prescription, à compter du moment où le propriétaire a connaissance du nouveau titre ou de l'acte du détenteur.

1991, c. 64, a. 2914 (1994-01-01).

C.C.B.C. 2205, 2208 (**C.C.Q.** 921, 923, 2916)

Art. 2915. Les tiers peuvent prescrire contre le propriétaire durant le démembrement ou la précarité.

1991, c. 64, a. 2915 (1994-01-01).

C.C.B.C. 2206 (**C.C.Q.** 626, 1136, 1176, 1182, 1199, 2918)

TITLE TWO
ACQUISITIVE PRESCRIPTION

CHAPTER I
CONDITIONS OF ACQUISITIVE PRESCRIPTION

Art. 2910. Acquisitive prescription is a means of acquiring a right of ownership, or one of its dismemberments, through the effect of possession.

Art. 2911. Acquisitive prescription requires possession in accordance with the conditions laid down in the Book on Property.

Art. 2912. A successor by particular title may join to his possession that of his predecessors in order to complete prescription.

A successor by universal title or by general title continues the possession of his predecessor.

Art. 2913. Detention does not serve as the basis for prescription, even if it extends beyond the term agreed upon.

Art. 2914. A precarious title may be interverted by a title proceeding from a third person or by an act performed by the holder which is incompatible with precarious holding.

Interversion renders the possession available for prescription from the time the owner learns of the new title or of the act of the holder.

Art. 2915. Third persons may prescribe against the owner of property during its dismemberment or when it is held precariously.

Art. 2916. Le grevé et ses ayants cause universels ou à titre universel ne peuvent prescrire contre l'appelé avant l'ouverture de la substitution.

1991, c. 64, a. 2916 (1994-01-01).

___

C.C.B.C. 2207 al. 1 et 6 (**C.C.Q.** 1223, 1230, 1243, 2914)

Art. 2916. The institute and his successors by universal title or by general title do not prescribe against the substitute before the opening of the substitution.

CHAPITRE DEUXIÈME
DES DÉLAIS DE LA PRESCRIPTION ACQUISITIVE

CHAPTER II
PERIODS OF ACQUISITIVE PRESCRIPTION

Art. 2917. Le délai de prescription acquisitive est de dix ans, s'il n'est autrement fixé par la loi.

1991, c. 64, a. 2917 (1994-01-01).

___

C.C.B.C. 2242 (**C.C.Q.** 922, 1123, 1176, 2903, 2915, 2919)

Art. 2917. The period for acquisitive prescription is ten years, except as otherwise fixed by law.

*****Art. 2918.** Celui qui, pendant dix ans, a possédé un immeuble à titre de propriétaire ne peut en acquérir la propriété qu'à la suite d'une demande en justice.

1991, c. 64, a. 2918 (1994-01-01); 2000, c. 42, a. 10 (2001-10-09).

___

(**D.T.** 143; **C.C.Q.** 922, 928, 930, 936, 2915, 2934, 2943, 2944, 2957, 2969, 3026, 3030; **C.P.C.** 805)

*****Art. 2918.** A person who has for ten years possessed an immovable as its owner may acquire the ownership of it only upon a judicial demand.

___

* Voir les dispositions transitoires, 2000, c. 42, a. 239, dans l'appendice du Code civil du Québec.

* See the transitional provisions, 2000, c. 42, s. 239, in the Appendix of the Civil Code of Québec.

___

Art. 2919. Le possesseur de bonne foi d'un meuble en acquiert la propriété par trois ans à compter de la dépossession du propriétaire.

Tant que ce délai n'est pas expiré, le propriétaire peut revendiquer le meuble, à moins qu'il n'ait été acquis sous l'autorité de la justice.

1991, c. 64, a. 2919 (1994-01-01).

___

C.C.B.C. 1027 al. 2, 2268 al. 1, 2 et 5 (**C.C.Q.** 905, 925-928, 930, 932, 935, 939, 941, 1454, 1713-1715, 1723, 2282, 2670, 2880, 2912; **C.P.C.** 612, 734(1))

Art. 2919. The possessor in good faith of movable property acquires the ownership of it by three years running from the dispossession of the owner.

Until the expiry of that period, the owner may revendicate the movable property, unless it has been acquired under judicial authority.

Art. 2920. Pour prescrire, il suffit que la bonne foi des tiers acquéreurs ait existé lors de l'acquisition, quand même leur possession utile n'aurait commencé que depuis cette date.

Il en est de même en cas de jonction des possessions, à l'égard de chaque acquéreur précédent.

1991, c. 64, a. 2920 (1994-01-01).

___

C.C.B.C. 2253 (**D.T.** 143; **C.C.Q.** 226, 925-927, 932, 2912)

Art. 2920. To prescribe, a subsequent acquirer need have been in good faith only at the time of the acquisition, even where his effective possession began only after that time.

The same applies where there is joinder of possession, with respect to each previous acquirer.

TITRE TROISIÈME
DE LA PRESCRIPTION EXTINCTIVE

TITLE THREE
EXTINCTIVE PRESCRIPTION

Art. 2921. La prescription extinctive est un moyen d'éteindre un droit par non-usage ou d'opposer une fin de non-recevoir à une action.
1991, c. 64, a. 2921 (1994-01-01).

Art. 2921. Extinctive prescription is a means of extinguishing a right which has not been used or of pleading the non-admissibility of an action.

C.C.B.C. 2183 al. 3 (**C.C.Q.** 1123, 1162, 1176, 1191, 1208, 1671, 2880, 2891)

Art. 2922. Le délai de la prescription extinctive est de dix ans, s'il n'est autrement fixé par la loi.
1991, c. 64, a. 2922 (1994-01-01).

Art. 2922. The period for extinctive prescription is ten years, except as otherwise fixed by law.

C.C.B.C. 2242 (**C.C.Q.** 531, 536, 894, 1162, 1163, 1176, 1191 ss., 1635, 2079, 2421, 2903, 2915, 2917, 2923, 2925, 2928, 2929)

Art. 2923. Les actions qui visent à faire valoir un droit réel immobilier se prescrivent par dix ans.

Toutefois, l'action qui vise à conserver ou obtenir la possession d'un immeuble doit être exercée dans l'année où survient le trouble ou la dépossession.
1991, c. 64, a. 2923 (1994-01-01).

Art. 2923. Actions to enforce immovable real rights are prescribed by ten years.

However, an action to retain or obtain possession of an immovable may be brought only within one year from the disturbance or dispossession.

C.P.C. 770 (**C.C.Q.** 904, 912, 928, 929, 1119, 1125, 1176, 1200)

Art. 2924. Le droit qui résulte d'un jugement se prescrit par dix ans s'il n'est pas exercé.
1991, c. 64, a. 2924 (1994-01-01).

Art. 2924. A right resulting from a judgment is prescribed by ten years if it is not exercised.

C.C.B.C. 2265 (**C.P.C.** 469-470)

Art. 2925. L'action qui tend à faire valoir un droit personnel ou un droit réel mobilier et dont le délai de prescription n'est pas autrement fixé se prescrit par trois ans.
1991, c. 64, a. 2925 (1994-01-01).

Art. 2925. An action to enforce a personal right or movable real right is prescribed by three years, if the prescriptive period is not otherwise established.

(**C.C.Q.** 912, 939, 953, 1714, 2925, 2927, 2966)

Art. 2926. Lorsque le droit d'action résulte d'un préjudice moral, corporel ou matériel qui se manifeste graduellement ou tardivement, le délai court à compter du jour où il se manifeste pour la première fois.
1991, c. 64, a. 2926 (1994-01-01).

Art. 2926. Where the right of action arises from moral, corporal or material damage appearing progressively or tardily, the period runs from the day the damage appears for the first time.

C.C.B.C. 2260a (**C.C.Q.** 1457, 1458, 1474, 1607, 1609, 1614, 1615, 1739, 2904, 2929, 2930)

Art. 2927. Le délai de prescription de l'action en nullité d'un contrat court à compter de la connaissance de la cause de nullité par celui qui l'invoque, ou à compter de la cessation de la violence ou de la crainte.
1991, c. 64, a. 2927 (1994-01-01).

Art. 2927. In an action in nullity of contract, the prescriptive period runs from the day the person invoking the cause of nullity becomes aware of such cause or, in the case of violence or fear, from the day it ceases.

C.C.B.C. 2258 (**C.C.Q.** 435, 436, 1399 ss., 1407, 1411, 1413, 1416-1422, 1424, 1606, 2642, 2925)

Art. 2928. La demande du conjoint survivant pour faire établir la prestation compensatoire se prescrit par un an à compter du décès de son conjoint.

1991, c. 64, a. 2928 (1994-01-01).

C.C.B.C. 2261.2 (**C.C.Q.** 427-430, 809; **C.P.C.** 827.1)

Art. 2928. The application by a surviving spouse for the fixing of the compensatory allowance is prescribed by one year from the death of his spouse.

Art. 2929. L'action fondée sur une atteinte à la réputation se prescrit par un an, à compter du jour où la connaissance en fut acquise par la personne diffamée.

1991, c. 64, a. 2929 (1994-01-01).

C.C.B.C. 2262(1) (**C.C.Q.** 35, 2925, 2926)

Art. 2929. An action for defamation is prescribed by one year from the day on which the defamed person learned of the defamation.

Art. 2930. Malgré toute disposition contraire, lorsque l'action est fondée sur l'obligation de réparer le préjudice corporel causé à autrui, l'exigence de donner un avis préalablement à l'exercice d'une action, ou d'intenter celle-ci dans un délai inférieur à trois ans, ne peut faire échec au délai de prescription prévu par le présent livre.

1991, c. 64, a. 2930 (1994-01-01).

(**C.C.Q.** 1457, 1458, 1607, 1609, 1615, 2926)

Art. 2930. Notwithstanding any stipulation to the contrary, where an action is founded on the obligation to make reparation for bodily injury caused to another, the requirement that notice be given prior to the bringing of the action or that proceedings be instituted within a period not exceeding three years does not hinder a prescriptive period provided for by this Book.

Art. 2931. Lorsque le contrat est à exécution successive, la prescription des paiements dus a lieu quoique les parties continuent d'exécuter l'une ou l'autre des obligations du contrat.

1991, c. 64, a. 2931 (1994-01-01).

C.C.B.C. 2266 (**C.C.Q.** 1378, 1383, 1604, 2932)

Art. 2931. In the case of a contract of successive performance, prescription runs in respect of payments due, even though the parties continue to perform one or another of their obligations under the contract.

Art. 2932. Le délai de prescription de l'action en réduction d'une obligation qui s'exécute de manière successive, que cette obligation résulte d'un contrat, de la loi ou d'un jugement, court à compter du jour où l'obligation est devenue exigible.

1991, c. 64, a. 2932 (1994-01-01).

(**C.C.Q.** 1378, 1383, 1604, 2880, 2931)

Art. 2932. In an action to reduce an obligation which is performed successively, the prescriptive period runs from the day the obligation becomes exigible, whether the obligation arises from a contract, the law or a judgment.

Art. 2933. Le détenteur ne peut se libérer par prescription de la prestation attachée à sa détention, mais la quotité et les arrérages en sont prescriptibles.

1991, c. 64, a. 2933 (1994-01-01).

C.C.B.C. 2203 al. 3 (**C.C.Q.** 99, 921, 923, 946, 2737)

Art. 2933. No holder may be released by prescription from the prestation attached to his detention; the amount may be prescribed, however, as may the instalments.

LIVRE NEUVIÈME
DE LA PUBLICITÉ DES DROITS

TITRE PREMIER
DU DOMAINE DE LA PUBLICITÉ

CHAPITRE PREMIER
DISPOSITIONS GÉNÉRALES

Art. 2934. La publicité des droits résulte de l'inscription qui en est faite sur le registre des droits personnels et réels mobiliers ou sur le registre foncier, à moins que la loi ne permette expressément un autre mode.

L'inscription profite aux personnes dont les droits sont ainsi rendus publics.

1991, c. 64, a. 2934 (1994-01-01).

BOOK NINE
PUBLICATION OF RIGHTS

TITLE ONE
NATURE AND SCOPE OF PUBLICATION

CHAPTER I
GENERAL PROVISIONS

Art. 2934. The publication of rights is effected by their registration in the register of personal and movable real rights or in the land register, unless some other mode is expressly permitted by law.

Registration benefits the persons whose rights are thereby published.

(D.T. 149.1, 149.2; **C.C.Q.** 2703, 2939, 2941, 2943-2945, 2963, 2972, 2980)

Art. 2934.1 L'inscription des droits sur le registre foncier consiste à indiquer sommairement la nature du document présenté à l'officier de la publicité des droits et à faire référence à la réquisition en vertu de laquelle elle est faite.

Cette inscription ne vaut que pour les droits soumis ou admis à la publicité qui sont mentionnés dans la réquisition ou, lorsque celle-ci prend la forme d'un sommaire, dans le document qui l'accompagne.

2000, c. 42, a. 11 (2001-10-09).

Art. 2935. La publication d'un droit peut être requise par toute personne, même mineure ou placée sous un régime de protection, pour elle-même ou pour une autre.

1991, c. 64, a. 2935 (1994-01-01).

C.C.B.C. 2087, 2129b (**C.C.Q.** 2938, 2964)

Art. 2936. Toute renonciation ou restriction au droit de publier un droit soumis ou admis à la publicité, ainsi que toute clause pénale qui s'y rapporte, sont sans effet.

1991, c. 64, a. 2936 (1994-01-01).

(C.C.Q. 1438, 1622, 1852, 2938-2940, 2966, 2967)

Art. 2937. La publicité d'un droit peut être renouvelée à la demande de toute personne intéressée.

1991, c. 64, a. 2937 (1994-01-01).

Art. 2934.1 The registration of rights in the land register is effected by indicating summarily the nature of the document presented to the registrar and making a reference to the application pursuant to which registration is effected.

The registration is valid only for the rights requiring or admissible for publication that are mentioned in the application, or where the application is in the form of a summary, in the accompanying document.

Art. 2935. Any person, even a minor or a protected person, may request the publication of a right, on his own behalf or on behalf of another.

Art. 2936. Any renunciation or restriction of the right to publish a right which shall or may be published, as well as any penal clause relating thereto, is without effect.

Art. 2937. Publication of a right may be renewed at the request of any interested person.

C.C.B.C. 2131 al. 3 (**D.T.** 157; **C.C.Q.** 2798, 2799, 2942, 2953, 3014)

CHAPITRE DEUXIÈME

DES DROITS SOUMIS OU ADMIS À LA PUBLICITÉ

CHAPTER II

RIGHTS REQUIRING OR ADMISSIBLE FOR PUBLICATION

Art. 2938. Sont soumises à la publicité, l'acquisition, la constitution, la reconnaissance, la modification, la transmission et l'extinction d'un droit réel immobilier.

Art. 2938. The acquisition, creation, recognition, modification, transmission or extinction of an immovable real right requires publication.

Le sont aussi la renonciation à une succession, à un legs, à une communauté de biens, au partage de la valeur des acquêts ou du patrimoine familial, ainsi que le jugement qui annule la renonciation.

Renunciation of a succession, legacy, community of property, partition of the value of acquests or of the family patrimony, and the judgment annulling renunciation, also require publication.

Les autres droits personnels et les droits réels mobiliers sont soumis à la publicité dans la mesure où la loi prescrit ou autorise expressément leur publication. La modification ou l'extinction d'un droit ainsi publié est soumise à la publicité.

Other personal rights and movable real rights require publication to the extent prescribed or expressly authorized by law. Modification or extinction of a published right shall also be published.

1991, c. 64, a. 2938 (1994-01-01).

C.C.B.C. 2098 al. 1, 4 et 5, 2101 al. 1, 2108-2110, 2116a, 2116b, 2120a, 2121, 2126 (**C.C.Q.** 423, 469, 646 ss., 904, 1014, 1455, 1745 al. 2, 1750 al. 2, 1824, 1847, 1852, 2649, 2663, 2885, 2940, 2941, 2956, 2966, 2967, 2998, 3057 ss.; **C.P.C.** 116, 470, 804 ss.)

Art. 2939. Les restrictions au droit de disposer qui ne sont pas purement personnelles, ainsi que les droits de résolution, de résiliation ou d'extinction éventuelle d'un droit soumis ou admis à la publicité, sont aussi soumises ou admises à la publicité, de même que la cession ou la transmission de ces droits.

Art. 2939. Restrictions on the right to alienate, other than purely personal restrictions, and clauses of resolution, resiliation or eventual extinction of any right which shall or may be published, and any transfer or transmission of such rights, themselves shall or may be published.

1991, c. 64, a. 2939 (1994-01-01); 1992, c. 57, a. 716 (1994-01-01).

C.C.B.C. 2102, 2108 (**C.C.Q.** 1014, 1214, 1218 ss., 1750, 1847, 2938, 2961, 2981, 2982)

Art. 2940. Les transferts d'autorité relatifs à des immeubles par le gouvernement du Québec en faveur du gouvernement du Canada, et inversement, sont admis à la publicité.

Art. 2940. Transfers of authority over immovables between the governments of Québec and Canada may be published.

Il en est de même des transferts d'autorité par le gouvernement du Canada ou par le gouvernement du Québec en faveur de personnes morales de droit public, et inversement.

Transfers of authority between the government of Québec or Canada and legal persons established in the public interest may also be published.

L'inscription du transfert s'obtient par la présentation d'un avis qui désigne l'immeuble visé, précise l'étendue de l'autorité transférée, ainsi que la durée du transfert, et qui indique la loi en vertu de laquelle le transfert est fait.

Registration of a transfer is obtained by filing a notice describing the immovable to be transferred and specifying the extent of the authority transferred, the term of the transfer and under which Act it is made.

1991, c. 64, a. 2940 (1994-01-01).

(**C.C.Q.** 918, 2964)

TITRE DEUXIÈME
DES EFFETS DE LA PUBLICITÉ

CHAPITRE PREMIER
DE L'OPPOSABILITÉ

Art. 2941. La publicité des droits les rend opposables aux tiers, établit leur rang et, lorsque la loi le prévoit, leur donne effet.

Entre les parties, les droits produisent leurs effets, encore qu'ils ne soient pas publiés, sauf disposition expresse de la loi.

1991, c. 64, a. 2941 (1994-01-01).

C.C.B.C. 2082, 2083 (**C.C.Q.** 1062, 1440, 1455, 2655, 2716, 2726-2728, 2938, 2945-2948, 2951-2955)

Art. 2942. Le renouvellement de la publicité d'un droit se fait par avis, de la manière prescrite par les règlements pris en application du présent livre; ce renouvellement conserve à ce droit son caractère d'opposabilité à son rang initial.

1991, c. 64, a. 2942 (1994-01-01).

C.C.B.C. 2131 al. 3 (**D.T.** 157, 157.1, 157.2, 159, 160; **C.C.Q.** 2798, 2799, 2937, 2953, 3014, 3024)

Art. 2943. Un droit inscrit sur les registres à l'égard d'un bien est présumé connu de celui qui acquiert ou publie un droit sur le même bien.

La personne qui s'abstient de consulter le registre approprié et, dans le cas d'un droit inscrit sur le registre foncier, la réquisition à laquelle il est fait référence dans l'inscription, ainsi que le document qui l'accompagne lorsque cette réquisition prend la forme d'un sommaire, ne peut repousser cette présomption en invoquant sa bonne foi.

1991, c. 64, a. 2943 (1994-01-01); 2000, c. 42, a. 13 (2001-10-09).

(**C.C.Q.** 1725, 2847, 2944, 2964, 3026, 3027)

Art. 2943.1 L'inscription sur le registre foncier d'un droit réel établi par une convention ou d'une convention afférente à un droit réel ne prend effet qu'à compter de l'inscription du titre du constituant ou du dernier titulaire du droit visé.

Cette règle ne s'applique ni aux cas où le droit du constituant ou du dernier titulaire a été acquis sans titre, notamment par accession naturelle, ni à ceux où le titre visé est un titre originaire de l'État.

2000, c. 42, a. 14 (2001-10-09).

TITLE TWO
EFFECTS OF PUBLICATION

CHAPTER I
SETTING UP OF RIGHTS

Art. 2941. Publication of rights allows them to be set up against third persons, establishes their rank and, where the law so provides, gives them effect.

Rights produce their effects between the parties even before publication, unless the law expressly provides otherwise.

Art. 2942. The publication of a right is renewed by notice, in the manner prescribed in the regulations under this Book; such renewal preserves the opposability of the right at its original rank.

Art. 2943. A right that is registered in a register in respect of property is presumed known to any person acquiring or publishing a right in the same property.

A person who does not consult the appropriate register or, in the case of a right registered in the land register, the application to which the registration refers, and the accompanying document if the application is in the form of a summary, may not invoke good faith to rebut the presumption.

Art. 2943.1 The registration in the land register of a real right established by agreement or of an agreement concerning a real right takes effect only from the registration of the title of the grantor or last holder of the right.

This rule does not apply where the right of the grantor or last holder was acquired without a title, in particular by natural accession, or where the title concerned is an original title of the State.

Art. 2944. L'inscription d'un droit sur le registre des droits personnels et réels mobiliers ou sur le registre foncier emporte, à l'égard de tous, présomption simple de l'existence de ce droit.

Art. 2944. Registration of a right in the register of personal and movable real rights or the land register carries, in respect of all persons, simple presumption of the existence of that right.

1991, c. 64, a. 2944 (1994-01-01); 2000, c. 42, a. 15 (2001-10-09).

(**D.T.** 143; **C.C.Q.** 2847, 2918, 2943, 2957)

CHAPITRE DEUXIÈME
DU RANG DES DROITS

CHAPTER II
RANKING OF RIGHTS

*****Art. 2945.** À moins que la loi n'en dispose autrement, les droits prennent rang suivant la date, l'heure et la minute inscrites sur le bordereau de présentation ou, si la réquisition qui les concerne est présentée au registre foncier, dans le livre de présentation, pourvu que les inscriptions soient faites sur les registres appropriés.

*****Art. 2945.** Unless otherwise provided by law, rights rank according to the date, hour and minute entered on the memorial of presentation or, in the case of an application for registration in the land register, in the book of presentation, provided that the entries have been made in the proper registers.

Lorsque la loi autorise ce mode de publicité, les droits prennent rang suivant le moment de la remise du bien ou du titre au créancier.

Where publication by delivery is authorized by law, rights rank according to the time at which the property or title is delivered to the creditor.

1991, c. 64, a. 2945 (1994-01-01); 2000, c. 42, a. 16 (2001-10-09).

C.C.B.C. 2130 al. 3 et 5, 2132 al. 2, 2136 al. 2, 2161(3) (**C.C.Q.** 2699, 2703, 2707, 2708, 2934, 2946 ss., 2971, 3007, 3012, 3016; **C.P.C.** 711 ss.)

* Voir les dispositions transitoires, 2000, c. 42, a. 238(2), dans l'appendice du Code civil du Québec.

* See the transitional provisions, 2000, c. 42, s. 238(2), in the Appendix of the Civil Code of Québec.

Art. 2946. De deux acquéreurs d'un immeuble qui tiennent leur titre du même auteur, le droit est acquis à celui qui, le premier, publie son droit.

Art. 2946. Where two acquirers of an immovable hold their title from the same predecessor in title, the right is acquired by the acquirer who first publishes his right.

1991, c. 64, a. 2946 (1994-01-01).

C.C.B.C. 2089 (**C.C.Q.** 1454, 1455, 2945, 2947, 2963)

Art. 2947. Lorsque des inscriptions concernant le même bien et des droits de même nature sont requises en même temps, les droits viennent en concurrence.

Art. 2947. Where several registrations concerning the same property and rights of the same nature are requested at the same time, the rights rank concurrently.

1991, c. 64, a. 2947 (1994-01-01).

C.C.B.C. 2130 al. 4 et 5 (**C.C.Q.** 3012)

Art. 2948. L'hypothèque immobilière ne prend rang qu'à compter de l'inscription du titre du constituant, mais après l'hypothèque du vendeur créée dans l'acte d'acquisition du constituant.

Art. 2948. An immovable hypothec ranks only from registration of the grantor's title, but after the vendor's hypothec created in the grantor's act of acquisition.

Si plusieurs hypothèques ont été inscrites avant le titre du constituant, elles prennent rang suivant l'ordre de leur inscription respective.

1991, c. 64, a. 2948 (1994-01-01).

If several hypothecs have been registered before the grantor's title, they rank in the order of their respective registrations.

C.C.B.C. 2043, 2083, 2098 al. 7, 2100 (**C.C.Q.** 2663, 2670, 2945, 2954; **C.P.C.** 805 ss.)

Art. 2949. L'hypothèque qui grève une universalité d'immeubles ne prend rang, à l'égard de chaque immeuble, qu'à compter de l'inscription de l'hypothèque sur chacun d'eux.

L'inscription de l'hypothèque sur les immeubles acquis postérieurement s'obtient par la présentation d'un avis désignant l'immeuble acquis, faisant référence à l'acte constitutif d'hypothèque et indiquant la somme déterminée pour laquelle cette hypothèque a été consentie.

Toutefois, si l'hypothèque n'a pas été publiée dans le livre foncier de la circonscription foncière où se trouve l'immeuble acquis postérieurement, l'inscription de l'hypothèque s'obtient par le moyen d'un sommaire de l'acte constitutif, qui contient la désignation de l'immeuble acquis.

Art. 2949. A hypothec affecting a universality of immovables ranks, in respect of each immovable, only from the time of registration of the hypothec against each.

Registration of a hypothec against immovables acquired subsequently is obtained by presenting a notice containing the description of the immovable acquired and a reference to the act creating the hypothec, and setting forth the specific amount for which the hypothec was granted.

However, if the hypothec was not published in the land book for the registration division in which the immovable acquired subsequently is located, its registration is obtained by means of a summary of the act creating the hypothec, containing a description of the acquired immovable.

1991, c. 64, a. 2949 (1994-01-01); 2000, c. 42, a. 17 (2001-10-09).

C.C.B.C. 2120a (**C.C.Q.** 2684, 2945, 2982 al. 2)

Art. 2950. L'hypothèque qui grève une universalité de meubles ne prend rang, à l'égard de chaque meuble composant l'universalité, qu'à compter de l'inscription qui en est faite sur le registre, sous la désignation du constituant et sous l'indication de la nature de l'universalité.

1991, c. 64, a. 2950 (1994-01-01).

Art. 2950. A hypothec affecting a universality of movables ranks, in respect of each movable included in the universality, only from registration thereof in the register, under the description of the grantor and under the indication of the nature of the universality.

(**C.C.Q.** 2674, 2675, 2697)

Art. 2951. L'hypothèque qui grevait un meuble incorporé ultérieurement à un immeuble et devenue immobilière ne peut être opposée aux tiers qu'à compter de son inscription sur le registre foncier.

Entre l'hypothèque qui grevait un meuble ultérieurement incorporé à un immeuble et l'hypothèque immobilière qui concerne le même immeuble, la priorité de rang est acquise à la première hypothèque inscrite sur le registre foncier.

L'inscription sur le registre foncier de l'hypothèque qui grevait le meuble s'obtient par la présentation d'un avis désignant l'immeuble visé, faisant référence à l'acte constitutif d'hypothèque, à l'inscription de celle-ci sur le registre des droits person-

Art. 2951. A hypothec on a movable subsequently incorporated into an immovable, having become an immovable hypothec, may not be set up against third persons before its registration in the land register.

The first hypothec registered in the land register has priority of rank, whether it be the hypothec on the movable subsequently incorporated into the immovable, or the immovable hypothec on the same immovable.

Registration in the land register of the hypothec on the movable is obtained by presenting a notice containing the description of the immovable concerned, a reference to the act creating the hypothec and its registration in the register of personal and

nels et réels mobiliers et indiquant la somme déterminée pour laquelle cette hypothèque a été consentie.

1991, c. 64, a. 2951 (1994-01-01).

_____

(C.C.Q. 901, 2796, 2945)

Art. 2952. Les hypothèques légales en faveur des personnes qui ont participé à la construction ou à la rénovation d'un immeuble prennent rang avant toute autre hypothèque publiée, pour la plus-value apportée à l'immeuble; entre elles, ces hypothèques viennent en concurrence, proportionnellement à la valeur de chacune des créances.

1991, c. 64, a. 2952 (1994-01-01).

_____

C.C.B.C. 2013, 2013c **(C.C.Q.** 2123, 2724(2°), 2726-2728, 3061; **C.P.C.** 721)

Art. 2953. Les hypothèques grevant des meubles qui ont été transformés, mélangés ou unis, de telle sorte qu'un meuble nouveau en est résulté, prennent le rang de la première hypothèque qui a été publiée sur l'un des biens qui ont servi à former le meuble nouveau, pourvu que la publicité de l'hypothèque grevant le meuble qui a été transformé, mélangé ou uni ait été renouvelée sur le meuble nouveau; ces hypothèques viennent alors en concurrence, proportionnellement à la valeur respective des meubles ainsi transformés, mélangés ou unis.

1991, c. 64, a. 2953 (1994-01-01); 2002, c. 19, a. 15 (2002-06-13).

_____

(C.C.Q. 971 ss., 2673)

Art. 2954. L'hypothèque mobilière qui, au moment où elle a été acquise, l'a été sur le meuble d'autrui ou sur un meuble à venir, prend rang à compter du moment où elle a été publiée, mais, le cas échéant, après l'hypothèque du vendeur créée dans l'acte d'acquisition du constituant si cette hypothèque est publiée dans les quinze jours de la vente.

1991, c. 64, a. 2954 (1994-01-01).

_____

(C.C.Q. 2670, 2948)

Art. 2955. L'inscription de l'avis de clôture détermine le rang de l'hypothèque ouverte.

Si plusieurs hypothèques ouvertes ont fait l'objet d'un avis de clôture, elles prennent rang suivant leur inscription respective, sans égard à l'inscription des avis de clôture.

1991, c. 64, a. 2955 (1994-01-01).

_____

(C.C.Q. 2663, 2715 ss., 2755)

movable real rights, and an indication of the particular sum for which the hypothec was granted.

Art. 2952. Legal hypothecs in favour of persons having taken part in the construction or renovation of an immovable are ranked before any other published hypothec, for the increase in value added to the immovable; such hypothecs rank concurrently among themselves, in proportion to the value of each claim.

Art. 2953. Hypothecs on movables that have been transformed, mixed or combined so as to form a new movable take the rank of the first hypothec published against any property having served to form the new movable, provided that the registration of the hypothec on the movable that was transformed, mixed or combined has been renewed against the new movable; if that is the case, the hypothecs rank concurrently, in proportion to the value of each movable thus transformed, mixed or combined.

Art. 2954. A movable hypothec acquired on the movable of another or on a future movable ranks from the time of its registration but after the vendor's hypothec, if any, created in the grantor's act of acquisition, provided it is published within fifteen days after the sale.

Art. 2955. Registration of the notice of crystallization determines the rank of a floating hypothec.

If several floating hypothecs are the subject of notices of crystallization, they rank among themselves from their respective registrations, regardless of the registration of the notices of crystallization.

Art. 2956. La cession de rang entre créanciers hypothécaires doit être publiée.

Lorsqu'elle a lieu, une interversion s'opère entre les créanciers dans la mesure de leurs créances respectives, mais de manière à ne pas nuire aux créanciers intermédiaires, s'il s'en trouve.

1991, c. 64, a. 2956 (1994-01-01).

C.C.B.C. 2048, 2127 al. 1

Art. 2956. Cession of rank between hypothecary creditors shall be published.

Where it occurs, the rank of the creditors is inverted, to the extent of their respective claims, but in such a manner as not to prejudice any intermediate creditors.

CHAPITRE TROISIÈME
DE CERTAINS AUTRES EFFETS

CHAPTER III
OTHER EFFECTS

Art. 2957. La publicité n'interrompt pas le cours de la prescription.

1991, c. 64, a. 2957 (1994-01-01); 2000, c. 42, a. 18 (2001-10-09).

Art. 2957. Publication does not interrupt prescription.

C.C.B.C. 2095 (**D.T.** 143; **C.C.Q.** 2912, 2918, 2943, 2944, 3026 ss.)

Art. 2958. Le créancier qui saisit un immeuble ne peut se voir opposer les droits publiés après l'inscription du procès-verbal de saisie, pourvu que celle-ci soit suivie d'une vente en justice.

1991, c. 64, a. 2958 (1994-01-01).

Art. 2958. Rights published after the registration of the minutes of the creditor's seizure of an immovable may not be set up against that creditor, provided the seizure is followed by a judicial sale.

C.C.B.C. 2091 (**C.C.Q.** 1015, 1199, 2646, 2963, 3069; **C.P.C.** 569, 660 ss., 677, 695-696.1)

Art. 2959. L'inscription d'une hypothèque conserve au créancier, au même rang que le capital, les intérêts échus de l'année courante et des trois années précédentes.

De même, l'inscription d'un droit de rente conserve au crédirentier, au même rang que la prestation, les redevances de l'année courante et les arrérages des trois années précédentes.

1991, c. 64, a. 2959 (1994-01-01).

Art. 2959. Registration of a hypothec preserves, in favour of the creditor, the same rank for the interest due for the current year and the three preceding years as for the capital.

Similarly, the registration of an annuity preserves, in favour of the annuitant, the same rank for the periodic payments for the current year and the arrears for the three preceding years as for the prestation.

C.C.B.C. 2122-2124 (**C.C.Q.** 1565, 2367-2388, 2667, 2762, 2960; **C.P.C.** 670, 720)

Art. 2960. Le créancier ou le crédirentier n'a d'hypothèque pour le surplus des intérêts échus ou des arrérages de rente, qu'à compter de l'inscription d'un avis indiquant le montant réclamé.

Néanmoins, les intérêts échus ou les arrérages dus lors de l'inscription de l'hypothèque ou de la rente et dont le montant est indiqué dans la réquisition sont conservés par cette inscription.

1991, c. 64, a. 2960 (1994-01-01).

Art. 2960. The creditor or annuitant has a hypothec for the surplus of interest due or arrears of annuity only from the time of registration of a notice setting forth the amount claimed.

However, interest due or arrears owing at the time of registration of the hypothec or annuity are preserved by the registration if the amount is stated in the application.

C.C.B.C. 2125, 2125a (**C.C.Q.** 2959)

Art. 2961. La substitution n'a d'effet, à l'égard des biens acquis en remploi de biens substitués, que s'il en est fait mention dans l'acte d'acquisition et que cette substitution est publiée.

Art. 2961. Substitution has no effect in respect of property acquired in replacement of substituted property unless the substitution is mentioned in the act of acquisition and is published.

La publicité de la substitution ne porte pas atteinte aux droits des tiers qui ont déjà publié les droits qu'ils tiennent du grevé en vertu d'un acte à titre onéreux.

1991, c. 64, a. 2961 (1994-01-01).

Publication of the substitution does not affect the rights of third persons who have already published the rights they derive from the institute under an act by onerous title.

C.C.B.C. 2108, 2109 (**D.T.** 69; **C.C.Q.** 1218 ss., 1229, 1231, 1244)

Art. 2961.1 L'inscription de réserves de propriété, de facultés de rachat ou de leur cession consenties entre des personnes qui exploitent une entreprise, lorsqu'elle porte sur l'universalité des biens meubles d'une même nature susceptibles d'être l'objet de ventes ou de cessions entre ces personnes dans le cours de leurs activités, conserve au vendeur ou au cessionnaire tous ses droits, non seulement sur ces biens, mais aussi sur tous les biens de même nature qui font l'objet, entre ces mêmes personnes, de réserves, de facultés ou de cessions consenties postérieurement à l'inscription. Toutefois, ces réserves, facultés ou cessions ne sont pas opposables au tiers qui acquiert l'un de ces biens dans le cours des activités de l'entreprise de son vendeur.

L'inscription vaut pour une période de dix ans; elle peut néanmoins valoir pour une période plus longue si elle est renouvelée.

Ces règles sont également applicables à l'inscription de droits de propriété résultant de crédits-bails, de droits résultant de baux de plus d'un an ou de leur cession consentis entre des personnes qui exploitent une entreprise, lorsque l'inscription porte sur une universalité de biens meubles d'une même nature susceptibles d'être l'objet de tels contrats entre ces personnes dans le cours de leurs activités.

1998, c. 5, a. 13 (1999-09-17).

Art. 2961.1 The registration of reservations of ownership or rights of redemption, or of any transfer thereof, in respect of a universality of movable property of the same kind that may be involved in sales or transfers in the ordinary course of business between persons operating enterprises preserves all the rights of the seller or transferee not only in that property but also in any property of the same kind involved in reservations of ownership, rights of redemption or transfers between those persons subsequent to the registration. However, such reservations, rights or transfers do not have effect against a third person who acquires any such property in the ordinary course of business of the seller's enterprise.

Registration preserves the rights for a period of ten years; the period may be extended if the registration is renewed.

These rules also apply to the registration of rights of ownership under leasing contracts and of rights under leases with a term of more than one year, or of any transfer thereof, in respect of a universality of movable property of the same kind that may be involved in such contracts in the ordinary course of business between persons operating enterprises.

(**C.C.Q.** 1842 ss.)

CHAPITRE QUATRIÈME
DE LA PROTECTION DES TIERS DE BONNE FOI

CHAPTER IV
PROTECTION OF THIRD PERSONS IN GOOD FAITH

Art. 2962. Abrogé.

1991, c. 64, a. 2962 (1994-01-01); 2000, c. 42, a. 19 (2001-10-09).

Art. 2962. Repealed.

Art. 2963. L'avis donné ou la connaissance acquise d'un droit non publié ne supplée jamais le défaut de publicité.

1991, c. 64, a. 2963 (1994-01-01).

Art. 2963. Notice given or knowledge acquired of a right that has not been published never compensates for absence of publication.

C.C.B.C. 2085 (**C.C.Q.** 1452, 1455, 2934, 2941, 2946, 2964)

Art. 2964. Le défaut de publicité peut être opposé par tout intéressé à toute personne, même mineure ou placée sous un régime de protection, ainsi qu'à l'État.

1991, c. 64, a. 2964 (1994-01-01).

Art. 2964. Absence of publication may be set up by any interested person against any person, even a minor or a protected person, and against the State.

C.C.B.C. 2086 (**C.C.Q.** 916, 918, 936, 2935, 2940, 2963)

Art. 2965. Tout intéressé peut demander au tribunal, en cas d'erreur, de faire rectifier ou radier une inscription.

1991, c. 64, a. 2965 (1994-01-01).

Art. 2965. Every interested person may apply to the court, in cases of error, to obtain the correction or cancellation of a registered entry.

(**C.C.Q.** 3002, 3016, 3063, 3073, 3075; **C.P.C.** 804, 808)

CHAPITRE CINQUIÈME
DE LA PRÉINSCRIPTION

CHAPTER V
ADVANCE REGISTRATION

Art. 2966. Toute demande en justice qui concerne un droit réel soumis ou admis à l'inscription sur le registre foncier, peut, au moyen d'un avis, faire l'objet d'une préinscription.

La demande en justice qui concerne un droit réel mobilier qui a été inscrit sur le registre des droits personnels et réels mobiliers, peut aussi, au moyen d'un avis, faire l'objet d'une préinscription.

1991, c. 64, a. 2966 (1994-01-01).

Art. 2966. Any judicial demand concerning a real right which shall or may be published in the land register may, by means of a notice, be the subject of an advance registration.

A judicial demand concerning a movable real right entered in the register of personal and movable real rights may also, by means of a notice, be the subject of an advance registration.

(**D.T.** 143, 158; **C.C.Q.** 2938 ss., 2967, 2968; **C.P.C.** 813.4)

Art. 2967. Lorsque, par suite du recel, de la suppression ou de la contestation d'un testament, ou à cause de tout autre obstacle, une personne se trouve, sans sa faute, hors d'état de publier un droit résultant de ce testament, elle peut, pour conserver ce droit, procéder, dans l'année qui suit le décès, à la préinscription du droit auquel elle prétend par la présentation d'un avis.

1991, c. 64, a. 2967 (1994-01-01).

Art. 2967. Where a person is, through no fault of his own, prevented from publishing a right arising from a will by reason of the concealment, destruction or contestation of the will or of any other obstacle, he may, to preserve that right, make an advance registration of the right he claims by presenting a notice within one year after the testator's death.

C.C.B.C. 2111, 2112 (**C.C.Q.** 626-629, 772-775, 1707, 2968, 2998; **C.P.C.** 887 ss.)

Art. 2968. Sont réputés publiés à compter de la préinscription les droits qui font l'objet du jugement ou de la transaction qui met fin à l'action, pourvu qu'ils soient publiés dans les trente jours qui suivent celui où le jugement est passé en force de chose jugée ou celui de la transaction.

Art. 2968. Rights which are the object of a judgment or transaction terminating an action are deemed published from the time of their advance registration, provided they are published within thirty days after the judgment acquires the authority of a final judgment (*res judicata*) or the transaction takes place.

Sont aussi réputés publiés depuis la préinscription les droits résultant d'un testament que l'on était empêché de publier, pourvu que le testament soit publié dans les trente jours qui suivent celui où l'obstacle a cessé, ou encore celui où il a été obtenu ou vérifié, et, au plus tard, dans les trois ans de l'ouverture de la succession.

1991, c. 64, a. 2968 (1994-01-01).

Rights under a will that was prevented from being published are also deemed published from the time of their advance registration, provided the will is published within thirty days after the obstacle is removed or after the will is obtained or probated and within three years from the opening of the succession.

C.C.B.C. 2111, 2112 (**C.C.Q.** 626-629, 772-775, 1707, 2966, 2967, 2998; **C.P.C.** 887 ss.)

TITRE TROISIÈME
DES MODALITÉS DE LA PUBLICITÉ

TITLE THREE
FORMALITIES OF PUBLICATION

CHAPITRE PREMIER
DES REGISTRES OÙ SONT INSCRITS LES DROITS

CHAPTER I
REGISTERS OF RIGHTS

SECTION I
DISPOSITIONS GÉNÉRALES

SECTION I
GENERAL PROVISIONS

*Art. 2969. Il est tenu, au Bureau de la publicité foncière, un registre foncier et un registre des mentions, de même que tout autre registre dont la tenue est prescrite par la loi ou par les règlements pris en application du présent livre.

Il est aussi tenu, au Bureau de la publicité des droits personnels et réels mobiliers, un registre des droits personnels et réels mobiliers.

L'Officier de la publicité foncière et l'Officier de la publicité des droits personnels et réels mobiliers sont respectivement chargés de la tenue de ces registres.

*Art. 2969. A land register and a register of mentions are kept in the Land Registry Office, together with any other register the keeping of which is prescribed by law or the regulations under this Book.

In addition, a register of personal and movable real rights is kept in the Personal and Movable Real Rights Registry Office.

The Land Registrar and the Personal and Movable Real Rights Registrar are charged, respectively, with keeping such registers.

1991, c. 64, a. 2969 (1994-01-01); 1998, c. 5, a. 14 (1998-07-01); 2000, c. 42, a. 20 (2001-10-09).

C.C.B.C. 2161 (**D.T.** 164; **C.C.Q.** 2970, 2972 ss., 2980 ss., 3007)

---

* Voir les dispositions transitoires, 2000, c. 42, a. 238(3), dans l'appendice du Code civil du Québec.

* See the transitional provisions, 2000, c. 42, s. 238(3), in the Appendix of the Civil Code of Québec.

---

*Art. 2970. La publicité des droits qui concernent un immeuble se fait au registre foncier, dans le livre foncier de la circonscription foncière dans laquelle est situé l'immeuble.

La publicité des droits qui concernent un meuble et celle de tout autre droit s'opère par l'inscription du droit sur le registre des droits personnels et réels mobiliers; si le droit réel mobilier porte aussi sur un immeuble, l'inscription doit également être faite sur le registre foncier suivant les normes applicables à ce registre et déterminées par le présent livre ou par les règlements pris en application du présent livre.

*Art. 2970. Publication of rights concerning an immovable is made in the land register, in the land book for the registration division in which the immovable is situated.

Rights concerning a movable and any other rights are published by registration in the register of personal and movable real rights; if the movable real right also pertains to an immovable, registration shall also be made in the land register in accordance with the standards applicable to that register and determined by this Book or by the regulations under this Book.

1991, c. 64, a. 2970 (1994-01-01); 2000, c. 42, a. 21 (2001-10-09).

C.C.B.C. 661, 804 al. 2, 1979b al. 2, 1979g al. 1, 2092, 2126, 2158 (**C.C.Q.** 2938 ss., 2982, 2983)

---

* Voir les dispositions transitoires, 2000, c. 42, a. 238(4), dans l'appendice du Code civil du Québec.

* See the transitional provisions, 2000, c. 42, s. 238(4), in the Appendix of the Civil Code of Québec.

Art. 2971. Les registres et les autres documents conservés dans les bureaux de la publicité des droits à des fins de publicité sont des documents publics; les règlements pris en application du présent livre prévoient les modalités de consultation de ces documents.

1991, c. 64, a. 2971 (1994-01-01); 2000, c. 42, a. 22 (2000-12-05).

Art. 2971. The registers and other documents kept for publication purposes in registry offices are public documents; the consultation procedure is prescribed by the regulations under this Book.

C.C.B.C. 2179 (**C.C.Q.** 3007, 3018, 3019)

Art. 2971.1 Nul ne peut utiliser les renseignements figurant sur les registres et autres documents conservés dans les bureaux de la publicité des droits de manière à porter atteinte à la réputation ou à la vie privée d'une personne désignée dans ces registres et documents.

1998, c. 5, a. 15 (1998-07-01); 2000, c. 42, a. 23 (2000-12-05).

Art. 2971.1 No one may use the information contained in the registers and other documents kept in registry offices in such a manner as to damage the reputation or invade the privacy of a person identified in such a register or document.

(**C.C.Q.** 35 ss.)

SECTION II
DU REGISTRE FONCIER

***Art. 2972.** Le registre foncier est constitué d'autant de livres fonciers qu'il y a de circonscriptions foncières au Québec.

Chaque livre foncier est constitué à son tour d'un index des immeubles, d'un registre des droits réels d'exploitation de ressources de l'État, d'un registre des réseaux de services publics et des immeubles situés en territoire non cadastré et d'un index des noms. L'index des noms renferme toutes les inscriptions qui ne peuvent être faites dans l'index des immeubles ou les autres registres tenus par l'Officier de la publicité foncière.

1991, c. 64, a. 2972 (1994-01-01); 2000, c. 42, a. 24 (2001-10-09).

SECTION II
LAND REGISTER

***Art. 2972.** The land register contains one land book for each registration division in Québec.

Each land book contains an index of immovables, a register of real rights of State resource development, a register of public service networks and immovables situated in territory without a cadastral survey and an index of names. The index of names comprises all the entries that cannot be made in the index of immovables or the other registers kept by the Land Registrar.

C.C.B.C. 2161(2), 2161(6), 2170, 2171 (**C.C.Q.** 2969, 3026 ss., 3028, 3034, 3035, 3038, 3040)

* Voir les dispositions transitoires, 2000, c. 42, a. 238(1), dans l'appendice du Code civil du Québec.

* See the transitional provisions, 2000, c. 42, s. 238(1), in the Appendix of the Civil Code of Québec.

Art. 2972.1 L'index des immeubles comprend autant de fiches immobilières qu'il y a d'immeubles immatriculés sur le plan cadastral afférent à la circonscription foncière.

2000, c. 42, a. 24 (2001-10-09).

Art. 2972.1 The index of immovables contains one land file for each immatriculated immovable on the cadastral plan for the registration division.

Art. 2972.2 Le registre des droits réels d'exploitation de ressources de l'État comprend autant de fiches immobilières établies sous un numéro d'ordre qu'il y a de tels droits réels dont l'assiette n'est pas immatriculée dans la circonscription foncière.

Art. 2972.2 The register of real rights of State resource development contains one land file, identified by a serial number, for each such real right in the registration division the *situs* of which is not immatriculated.

Le registre des réseaux de services publics et des immeubles situés en territoire non cadastré comprend, de même, autant de fiches immobilières établies sous un numéro d'ordre qu'il y a de tels réseaux ou immeubles non immatriculés dans la circonscription foncière, même si ces réseaux ou immeubles appartiennent à un même propriétaire.

Un répertoire des titulaires de droits réels complète ces deux registres.

2000, c. 42, a. 24 (2001-10-09).

Art. 2972.3 Les fiches immobilières relatives à des immeubles, droits ou réseaux situés dans un territoire non cadastré et, lorsque la loi le permet, en territoire cadastré, sont établies de la manière prévue par règlement.

2000, c. 42, a. 24 (2001-10-09).

Art. 2972.4 Chaque fiche immobilière comprise dans l'index des immeubles, dans le registre des droits réels d'exploitation de ressources de l'État ou dans le registre des réseaux de services publics et des immeubles situés en territoire non cadastré répertorie les inscriptions qui concernent l'immeuble, les droits réels ou le réseau.

2000, c. 42, a. 24 (2001-10-09).

Art. 2973-2977. Abrogés.

1991, c. 64, a. 2973-2977 (1994-01-01); 2000, c. 42, a. 25 (2001-10-09).

Art. 2978. Le propriétaire de plusieurs immeubles non immatriculés mais contigus, grevés des mêmes droits réels et situés dans une même circonscription foncière, peut requérir de l'officier de la publicité des droits qu'il regroupe, sur une même fiche immobilière, les fiches établies pour chacun des immeubles.

Le titulaire d'un droit réel d'exploitation de ressources de l'État dont l'assiette n'est pas immatriculée peut faire la même réquisition, pourvu que les droits réels d'exploitation soient de même nature, de même durée, contigus et grevés des mêmes droits réels.

Le propriétaire ou le titulaire présente une réquisition désignant l'immeuble qui résulte de ce regroupement, indiquant les fiches visées et les inscriptions subsistantes à reporter sur la nouvelle fiche. L'officier de la publicité indique la concordance entre les fiches anciennes et la nouvelle et procède au report des inscriptions.

1991, c. 64, a. 2978 (1994-01-01).

The register of public service networks and immovables situated in territory without a cadastral survey contains one land file, identified by a serial number, for each such non-immatriculated network or immovable in the registration division, even if two or more networks or immovables belong to the same owner.

A directory of real right holders completes the two registers.

Art. 2972.3 Land files relating to immovables, rights or networks situated in territory without a cadastral survey and, where permitted by law, in territory with a cadastral survey, are opened in the manner prescribed in the regulations.

Art. 2972.4 Each land file contained in the index of immovables, the register of real rights of State resource development or the register of public service networks and immovables situated in territory without a cadastral survey lists the entries made concerning the immovable, the real rights or the network concerned.

Art. 2973-2977. Repealed.

Art. 2978. The owner of several immovables not immatriculated but contiguous, charged with the same real rights and situated in the same registration division, may require the registrar to consolidate the files opened for each immovable into a single file.

The same applies to the holder of a real right of State resource development of which the *situs* is not immatriculated, provided the real rights of development are of the same nature, of the same duration, contiguous and charged with the same real rights.

The owner or holder presents an application containing the description of the immovable resulting from the consolidation and identifying the related land files and any subsisting entries to be carried over to the new land file. The registrar indicates the correspondence between the old and the new land files and carries over the entries.

C.C.B.C. 2129k (**C.C.Q.** 3036-3040)

Art. 2979. Tout morcellement d'un immeuble non immatriculé donne lieu à l'établissement de nouvelles fiches immobilières.

Le document constatant le morcellement doit comporter une déclaration, incluse ou annexée, désignant les immeubles visés et indiquant la fiche primitive et les inscriptions à reporter sur les nouvelles fiches.

L'officier de la publicité établit la concordance entre l'ancienne fiche et les nouvelles et procède au report des inscriptions.

1991, c. 64, a. 2979 (1994-01-01).

C.C.B.C. 2129l (**C.C.Q.** 3043-3045, 3054-3056)

SECTION III
DU REGISTRE DES MENTIONS

*__Art. 2979.1__ Le registre des mentions porte, dans les cas prévus par la loi, les mentions et inscriptions requises par celle-ci ou par les règlements pris en application du présent livre relativement à des inscriptions faites sur le registre foncier ou sur les autres registres tenus par l'Officier de la publicité foncière.

2000, c. 42, a. 26 (2001-10-09).

---

* Voir les dispositions transitoires, 2000, c. 42, a. 243 et 244, dans l'appendice du Code civil du Québec.

SECTION IV
DU REGISTRE DES DROITS PERSONNELS ET RÉELS MOBILIERS

*__Art. 2980.__ Le registre des droits personnels et réels mobiliers est constitué, en ce qui concerne les droits personnels, de fiches tenues par ordre alphabétique, alphanumérique ou numérique, sous la désignation des personnes nommées dans les réquisitions d'inscription et, en ce qui concerne les droits réels mobiliers, de fiches tenues par catégories de biens ou d'universalités, sous la désignation des meubles grevés ou l'indication de la nature de l'universalité ou, encore, de fiches tenues sous le nom du constituant.

Les droits résultant de baux mobiliers sont inscrits sur des fiches tenues sous la seule désignation des locataires nommés dans les réquisitions dans tous les cas où les biens visés par celles-ci donnent lieu, par ailleurs, à l'établissement de fiches tenues sous leur numéro d'identification.

Art. 2979. Upon any partition of an immovable which has not been immatriculated, new land files are opened.

In the document evidencing the partition shall be included a declaration containing a description of the immovables concerned and identifying the original land file and any subsisting entries to be carried over to the new land files.

The registrar establishes the correspondence between the old and the new land files and carries over the entries.

SECTION III
REGISTER OF MENTIONS

*__Art. 2979.1__ The register of mentions contains, in the cases prescribed by law, the mentions and entries required by law or by the regulations under this Book in connection with entries made in the land register or the other registers kept by the Land Registrar.

---

* See the transitional provisions, 2000, c. 42, ss. 243 and 244, in the Appendix of the Civil Code of Québec.

SECTION IV
REGISTER OF PERSONAL AND MOVABLE REAL RIGHTS

*__Art. 2980.__ The register of personal and movable real rights consists, with respect to personal rights, of files kept in alphabetical, alphanumerical or numerical order, under the description of the persons named in the application for registration and, with respect to movable real rights, of files kept by categories of property or of universalities, under the designation of the movables charged or the indication of the nature of the universality, or of files under the name of the grantor.

Rights under a lease on movable property are registered in files kept solely under the description of the lessee named in the application whenever a file is otherwise kept under the identification number of the leased property.

Sur chaque fiche sont répertoriées les inscriptions qui concernent la personne ou le meuble.

1991, c. 64, a. 2980 (1994-01-01); 2000, c. 42, a. 27 (2000-12-05).

***

(**D.T.** 157, 157.1, 157.2, 163, 164; **C.C.Q.** 442, 795, 822, 2696 ss., 2938, 2970)

***

* Voir les dispositions transitoires, 2000, c. 42, a. 248, dans l'appendice du Code civil du Québec.

The registrations pertaining to the person or the movable property are listed in each file.

* See the transitional provisions, 2000, c. 42, s. 248, in the Appendix of the Civil Code of Québec.

CHAPITRE DEUXIÈME
DES RÉQUISITIONS D'INSCRIPTION

SECTION I
RÈGLES GÉNÉRALES

Art. 2981. Les réquisitions d'inscription sur le registre foncier portent notamment, outre les mentions prescrites par la loi ou par les règlements pris en application du présent livre, la désignation des titulaires et constituants des droits qui en sont l'objet, de même que la désignation des biens qui y sont visés.

Les réquisitions d'inscription sur le registre des droits personnels et réels mobiliers désignent les titulaires et constituants des droits, qualifient ces droits, désignent les biens visés et mentionnent tout autre fait pertinent à des fins de publicité, ainsi qu'il est prescrit par la loi ou par les règlements pris en application du présent livre.

1991, c. 64, a. 2981 (1994-01-01); 2000, c. 42, a. 28 (2001-10-09).

***

(**D.T.** 149.1, 149.2; **C.C.Q.** 2939, 3012)

*Art. 2981.1 À moins qu'elle ne concerne un immeuble à l'égard duquel une fiche tenue sous un numéro d'ordre est établie, la réquisition d'inscription sur le registre foncier doit indiquer le nom de la circonscription foncière dans laquelle est situé l'immeuble qui y est visé.

2000, c. 42, a. 29 (2001-10-09).

***

* Voir les dispositions transitoires, 2000, c. 42, a. 238(5), dans l'appendice du Code civil du Québec.

Art. 2981.2 La réquisition d'inscription sur le registre foncier d'une hypothèque, d'une restriction au droit de disposer, ou d'un droit dont la durée est déterminée, peut fixer la date extrême d'effet de l'inscription.

CHAPTER II
APPLICATIONS FOR REGISTRATION

SECTION I
GENERAL RULES

Art. 2981. Applications for registration in the land register, in addition to identifying the holders and grantors of the rights to be registered, contain, in particular, the description of the property concerned and the mentions prescribed by law or by the regulations under this Book.

Applications for registration in the register of personal and movable real rights identify the holders and grantors of the rights, state the nature of the rights, describe the property concerned and mention any other fact that is relevant for registration purposes, as prescribed by law or by the regulations under this Book.

*Art. 2981.1 Unless a land file identified by a serial number has been opened for the immovable concerned, an application for registration in the land register must include the name of the registration division in which the immovable is situated.

* See the transitional provisions, 2000, c. 42, s. 238(5), in the Appendix of the Civil Code of Québec.

Art. 2981.2 An application for registration in the land register of a hypothec, a restriction on the right to dispose of property or a right of fixed duration may fix the date after which the registration ceases to have effect.

Celle qui est présentée au registre des droits personnels et réels mobiliers relativement à une hypothèque, à une telle restriction ou à un tel droit doit fixer la date extrême d'effet de l'inscription.

2000, c. 42, a. 29 (2001-10-09).

*Art. 2982. La réquisition d'inscription sur le registre foncier est présentée au Bureau de la publicité foncière ou, si la réquisition est présentée sur support papier, au bureau de la publicité des droits établi pour la circonscription foncière dans laquelle est situé l'immeuble.

La réquisition se fait par la présentation de l'acte lui-même ou d'un extrait authentique de celui-ci, par le moyen d'un sommaire qui résume le document ou encore, lorsque la loi le prévoit, au moyen d'un avis.

1991, c. 64, a. 2982 (1994-01-01); 2000, c. 42, a. 30 (2001-10-09).

C.C.B.C. 2092, 2131 al. 1 et 2, 2158 (**C.C.Q.** 2799, 2800, 2817, 2970 al. 1, 2985, 2987, 2991, 2992, 2994, 3005, 3033, 3059 ss.)

* Voir les dispositions transitoires, 2000, c. 42, a. 238(6), dans l'appendice du Code civil du Québec.

Art. 2983. La réquisition d'inscription sur le registre des droits personnels et réels mobiliers est produite en un seul exemplaire au Bureau de la publicité des droits personnels et réels mobiliers; elle se fait par la présentation d'un avis, à moins que la loi ou les règlements n'en disposent autrement.

1991, c. 64, a. 2983 (1994-01-01); 2000, c. 42, a. 31 (2001-10-09).

(**C.C.Q.** 2798, 2969 al. 2, 2970 al. 2, 2995 al. 1, 3008, 3059 ss.)

Art. 2984. Les réquisitions d'inscription sont signées, attestées et présentées de la manière prévue par la loi, le présent titre ou les règlements.

1991, c. 64, a. 2984 (1994-01-01).

(**C.C.Q.** 2982, 2983, 2988 ss., 2995, 3008, 3009, 3024)

Art. 2985. La personne qui requiert une inscription sur le registre foncier est tenue de présenter, à des fins de conservation et de consultation, avec le sommaire, l'acte, l'extrait ou tout autre document qui en fait l'objet.

1991, c. 64, a. 2985 (1994-01-01); 1992, c. 57, a. 716 (1994-01-01).

C.C.B.C. 2140 (**C.C.Q.** 2987, 3006)

Art. 2986. Quelle que soit la forme que prenne la réquisition d'inscription sur le registre des droits personnels et réels mobiliers, seuls y sont publiés les droits qui sont énoncés à la réquisition et qui doivent être inscrits sur ce registre.

An application for registration in the register of personal and movable real rights of a hypothec or of such a restriction or right must fix the date after which the registration ceases to have effect.

*Art. 2982. An application for registration in the land register is presented at the Land Registry Office or, if the application is presented in paper form, at the registry office established for the registration division in which the immovable is situated.

The application is made by presenting the act itself or an authentic extract of the act, by presenting a summary of the act or, where the law so provides, by means of a notice.

* See the transitional provisions, 2000, c. 42, s. 238(6), in the Appendix of the Civil Code of Québec.

Art. 2983. A single copy of an application for registration in the register of personal and movable real rights is filed in the Personal and Movable Real Rights Registry Office; application is made by the presentation of a notice, unless otherwise provided by law or the regulations.

Art. 2984. Applications for registration are signed, certified and presented in the manner prescribed by law, this Title or the regulations.

Art. 2985. Every person requiring registration in the land register is bound to present, in addition to the summary, the act itself, the extract or any document summarized in the extract or summary, for conservation and consultation.

Art. 2986. Whatever the form of the application for registration in the register of personal and movable real rights, only those rights which are set out in the application and which shall be entered in the register are published therein.

Néanmoins, pour préciser l'assiette ou l'étendue du droit, il est permis, lorsque les règlements l'autorisent, de faire référence, dans l'inscription, au document en vertu duquel celle-ci est requise.

1991, c. 64, a. 2986 (1994-01-01); 2000, c. 42, a. 32 (2001-10-09).

C.C.B.C. 2136 (**C.C.Q.** 2938 ss.)

Art. 2987. Lorsque la réquisition d'inscription se fait par la présentation d'un sommaire, on ne peut utiliser le même sommaire pour résumer des documents qui ne se complètent pas ou qui n'ont aucune relation entre eux.

Il suffit cependant d'un seul sommaire lorsque le droit qu'on entend publier est constaté dans plusieurs documents.

1991, c. 64, a. 2987 (1994-01-01).

C.C.B.C. 2138, 2138a (**C.C.Q.** 2985)

SECTION II
DES ATTESTATIONS

Art. 2988. Le notaire qui reçoit un acte donnant lieu à l'inscription ou à la suppression d'un droit sur le registre foncier, ou à la réduction d'une inscription, atteste, par sa seule signature, qu'il a vérifié l'identité, la qualité et la capacité des parties, et que le document traduit la volonté exprimée par elles.

1991, c. 64, a. 2988 (1994-01-01); 2000, c. 42, a. 33 (2000-12-05).

(**D.T.** 156; **C.C.Q.** 2984, 2992, 3005, 3009)

Art. 2989. L'arpenteur-géomètre qui dresse un procès-verbal de bornage amiable, même celui fait sans formalité, atteste, par sa seule signature, qu'il a vérifié l'identité, la qualité et la capacité des parties et que le document traduit la volonté exprimée par elles.

1991, c. 64, a. 2989 (1994-01-01); 2000, c. 42, a. 34 (2000-12-05).

(**D.T.** 156; **C.C.Q.** 978, 2814(7°), 2984, 2996, 3009)

Art. 2990. Les officiers de justice, les secrétaires ou greffiers municipaux, ainsi que les autres rédacteurs d'actes authentiques publics autres que les actes juridictionnels, doivent attester qu'ils ont vérifié l'identité des parties aux actes dressés par eux et soumis à la publicité foncière.

1991, c. 64, a. 2990 (1994-01-01); 2000, c. 42, a. 35 (2000-12-05).

(**D.T.** 156; **C.C.Q.** 2984, 3009)

Nevertheless, where authorized by regulation, reference in the registration to the document under which registration is required is permitted to identify the *situs* of the right or the extent of the right.

Art. 2987. Where an application for registration is made by the presentation of a summary, that summary may not be used to summarize non-complementary or unrelated documents.

However, one summary is sufficient where the right intended to be published is evidenced in several documents.

SECTION II
CERTIFICATES

Art. 2988. A notary who executes an act requiring the registration of a right in or the removal of a right from the land register, or the reduction of an entry, certifies, merely by signing the document, that he has verified the identity, quality and capacity of the parties, and that the document represents the will expressed by the parties.

Art. 2989. A land surveyor who draws up the minutes following a voluntary determination of boundaries, even one done informally, certifies, merely by signing the document, that he has verified the identity, quality and capacity of the parties and that the document represents the will expressed by the parties.

Art. 2990. Officers of justice, municipal clerks or secretaries and other drafters of public authentic acts other than adjudicative acts must certify that they have verified the identity of the parties to the acts drawn up by them which require publication by registration in the land register.

Art. 2991. L'acte sous seing privé donnant lieu à l'inscription ou à la suppression d'un droit sur le registre foncier, ou à la réduction d'une inscription, doit indiquer la date et le lieu où il a été dressé; il y est joint l'attestation par un notaire ou un avocat qu'il a vérifié l'identité, la qualité et la capacité des parties, la validité de l'acte quant à sa forme et que le document traduit la volonté exprimée par les parties.

1991, c. 64, a. 2991 (1994-01-01); 2000, c. 42, a. 36 (2000-12-05).

(**D.T.** 156; **C.C.Q.** 2826 ss., 2982, 2984, 2992, 3005)

Art. 2992. Lorsque l'inscription sur le registre foncier est requise au moyen d'un sommaire, l'attestation du notaire ou de l'avocat qui dresse le sommaire du document porte en outre sur l'exactitude du contenu du sommaire.

1991, c. 64, a. 2992 (1994-01-01).

(**C.C.Q.** 2982, 2985, 2991, 2994, 3005, 3009)

Art. 2993. Sauf dans les cas où elle résulte de la signature du notaire ou de l'arpenteur-géomètre, l'attestation est consignée dans une déclaration qui énonce obligatoirement, outre la date à laquelle elle est faite, les nom et qualité de son auteur et le lieu où il exerce ses fonctions ou sa profession.

1991, c. 64, a. 2993 (1994-01-01); 1995, c. 33, a. 30 (1995-06-22); 2000, c. 42, a. 37 (2000-12-05).

(**C.C.Q.** 2988-2991; **C.P.C.** 91)

Art. 2994. Lorsque l'attestation requise relativement à un acte soumis ou admis à la publicité foncière est impossible, le tribunal peut autoriser la publicité des droits constatés dans cet acte malgré le défaut d'attestation.

La réquisition d'inscription doit être accompagnée d'une copie du jugement; elle n'est recevable que si ce jugement a acquis force de chose jugée.

1991, c. 64, a. 2994 (1994-01-01); 2000, c. 42, a. 38 (2000-12-05).

(**D.T.** 156; **C.C.Q.** 2984, 2988, 2991, 3005)

Art. 2995. Aucune attestation de vérification n'est requise pour l'inscription sur le registre des droits personnels et réels mobiliers.

Pour l'inscription sur le registre foncier des déclarations de résidence familiale, des baux immobiliers ou des avis prévus par la loi, à l'exception des avis requis pour l'inscription d'une hypothèque légale ou mobilière, ou de l'avis cadastral d'inscription d'un droit, les documents présentés n'ont pas à être at-

Art. 2991. An act in private writing requiring the registration of a right in or the removal of a right from the land register, or the reduction of an entry, must indicate the date and place it is drawn up and be accompanied with a certificate of a notary or advocate attesting that he has verified the identity, quality and capacity of the parties and the validity of the act as to form, and that the document represents the will expressed by the parties.

Art. 2992. Where registration in the land register is required by means of a summary, the certificate of the notary or advocate who draws up the document also attests that the summary is accurate.

Art. 2993. Unless implicit in the signature of the notary or land surveyor, the certification is recorded in a declaration which must contain, in addition to the date on which it is made, the name and quality of the declarer and the place where the declarer exercises his functions or practises his profession.

Art. 2994. Where an act requiring or admissible for publication by registration in the land register cannot be certified as required, the court may authorize publication of the rights evidenced in the act despite the lack of certification.

The application for registration must be accompanied with a copy of the judgment; the application is not admissible unless the judgment has acquired the authority of *res judicata*.

Art. 2995. No certificate of verification is required for the registration in the register of personal and movable real rights.

Documents presented for registration in the land register of declarations of family residence, immovable leases or notices prescribed by law, other than notices required for the registration of a legal or movable hypothec or the cadastral notice for the registration of a right, need not be certified by a no-

testés par un notaire ou un avocat, mais par deux témoins, dont l'un sous serment.

1991, c. 64, a. 2995 (1994-01-01).

C.C.B.C. 2131 al. 5 (**C.C.Q.** 407, 1852, 2696 ss., 2724 ss., 2951, 2983, 3009 al. 3, 3033 al. 3)

SECTION III
DE CERTAINES RÈGLES D'INSCRIPTION

Art. 2996. Le procès-verbal de bornage est accompagné du plan qui s'y rapporte. Le cas échéant, le procès-verbal est présenté avec la réquisition d'inscription du jugement qui l'homologue. Il doit mentionner expressément que la limite entre les propriétés bornées coïncide avec la limite cadastrale des lots qui y sont visés.

À défaut de cette mention, l'inscription du procès-verbal sur le registre foncier doit être refusée jusqu'à ce qu'une modification du plan soit indiquée sur le registre foncier et qu'un avis de la modification relatif aux lots visés soit inscrit sur ce registre.

1991, c. 64, a. 2996 (1994-01-01); 2000, c. 42, a. 39 (2000-12-05).

C.C.B.C. 2173.7 (**D.T.** 155(1°); **C.C.Q.** 978 al. 3, 2982, 2989, 2994, 3009; **C.P.C.** 792)

Art. 2997. La publicité d'un plan dont le dépôt au bureau de la publicité des droits est exigé en vertu d'une loi s'obtient par la présentation, avec le plan même, d'un avis désignant l'immeuble visé par ce plan.

La présente disposition ne s'applique pas aux plans cadastraux.

1991, c. 64, a. 2997 (1994-01-01); 2000, c. 42, a. 40 (2000-12-05).

C.C.B.C. 2129a (**C.C.Q.** 3026 ss.)

Art. 2998. Les droits de l'héritier et du légataire particulier dans un immeuble de la succession sont publiés par l'inscription d'une déclaration faite par acte notarié en minute.

Toutefois, en matière mobilière, l'inscription du droit de l'héritier et du légataire particulier est admise seulement si elle concerne la transmission d'une créance hypothécaire, d'une restriction au droit de disposer, ou une préinscription. La déclaration prend la forme d'un avis, lequel fait référence, le cas échéant, au testament.

1991, c. 64, a. 2998 (1994-01-01).

C.C.B.C. 2098 al. 4, 5 et 6, 2110 (**C.C.Q.** 625, 627, 822, 1824, 2938 ss., 2999; **C.P.C.** 116)

Art. 2999. La déclaration indique, quant au défunt, son nom, l'adresse de son dernier domicile, la date et le lieu de sa naissance, la date et le lieu de

---

tary or advocate, but by two witnesses, including one under oath.

SECTION III
SPECIAL REGISTRATION RULES

Art. 2996. The minutes of boundary determination are presented with the related plan and, where applicable, with the application for registration of the judgment of homologation. An express statement that the boundary between the properties coincides with the boundaries between the corresponding lots on the cadastre shall be included in the minutes.

If the minutes do not state that the boundaries coincide, registration of the minutes in the land register shall be refused until an amendment to the plan is indicated in the land register and notice of the amendment relating to the lots concerned is registered in that register.

Art. 2997. Where the deposit of a plan in the registry office is required by an Act, publication of the plan is obtained by presenting the plan and a notice describing the immovable represented on the plan.

This provision does not apply to cadastral plans.

Art. 2998. The rights of an heir or of a legatee by particular title in an immovable of the succession are published by registration of a declaration made by notarial act *en minute*.

However, where movable property is concerned, the right of an heir or of a legatee by particular title may be registered only if it relates to the transmission of a hypothecary claim or of a restriction on the right to alienate, or to an advance registration. The declaration takes the form of a notice in which, where applicable, reference is made to the will.

Art. 2999. The declaration sets forth the name and last domiciliary address, the date and place of birth and of death, the nationality and civil status,

son décès, sa nationalité et son état civil, ainsi que son régime matrimonial ou d'union civile, s'il y a lieu.

Elle indique également la nature légale ou testamentaire de la succession, la qualité d'héritier, de légataire particulier, d'époux ou de conjoint uni civilement, de même que le degré de parenté de chacun des héritiers avec le défunt, les renonciations, la désignation des biens et des personnes visées, ainsi que le droit de chacun dans les biens.

1991, c. 64, a. 2999 (1994-01-01); 2002, c. 6, a. 60 (2002-06-24).

C.C.B.C. 2098 al. 4 et 5 (**C.C.Q.** 613, 619, 627, 738, 739, 2938 al. 2, 2998, 3098-3101; **C.P.C.** 116)

*Art. 2999.1 L'inscription des droits résultant d'un bail immobilier autre qu'un bail relatif à un logement, de même que celle de la cession d'un tel bail, peuvent, outre les autres modes prévus par le présent livre, s'obtenir par la présentation d'un avis à l'officier de la publicité foncière.

L'avis fait référence au bail auquel il se rapporte, identifie les locateur et locataire et contient la désignation de l'immeuble où sont situés les lieux loués. À moins que l'inscription ne vise la cession du bail ou l'extinction des droits résultant du bail, l'avis indique aussi, notamment, la date du début et, le cas échéant, de la fin du bail ou les éléments nécessaires à leur détermination, ainsi que les droits de renouvellement ou de reconduction du bail, s'il en est.

L'exactitude du contenu de l'avis doit, dans tous les cas, être attestée par un notaire ou un avocat.

1999, c. 49, a. 2 (1999-11-05); 2000, c. 42, a. 41 (2000-12-05); 2000, c. 42, a. 41 (2001-10-09).

---

* Les droits résultant d'un bail immobilier autre qu'un bail relatif à un logement, de même que toute cession d'un tel bail, sont, si l'acte ou le document qui les constate a fait l'objet, depuis le 1er janvier 1994, d'une inscription sur les registres fonciers, réputés valablement publiés dès lors que cet acte ou ce document contient au moins les mentions requises par l'article 2999.1 du Code civil introduit par la présente loi.

La référence au bail auquel se rapporte l'acte ou le document inscrit et l'indication des droits de renouvellement ou de reconduction du bail ne sont toutefois pas requises pour l'application de la présente règle.

1999, c. 49, a. 3.

Art. 3000. Les avis de vente forcée et les autres avis prescrits au livre Des priorités et des hypothèques doivent être publiés.

Lorsqu'un immeuble fait l'objet d'une vente forcée ou consécutive à l'exercice d'un droit hypothécaire, il ne peut être délivré copie de l'acte constatant la

and the matrimonial or civil union regime, if any, of the deceased.

It also sets forth whether the succession is legal or testamentary, the quality of the declarant as heir, legatee by particular title or married or civil union spouse, the degree of relationship between each of the heirs and the deceased, any renunciations, the description of the property and of the persons concerned, and the right of each in the property.

*Art. 2999.1 Registration of rights under a lease on an immovable other than a dwelling or of the assignment of such a lease may be obtained, in addition to the other modes provided for in this Book, by presenting a notice to the land registrar.

The notice must refer to the lease concerned, identify the lessor and the lessee and contain the description of the immovable in which the leased premises are situated. It must also, unless the registration concerns the assignment of the lease or the extinction of rights under the lease, indicate, in particular, the effective date of the lease and the date of expiry, if any, or the particulars needed to determine such dates, as well as any rights existing in respect of the renewal of the lease.

The accuracy of the content of the notice must in all cases be verified by a notary or an advocate.

---

* Rights under a lease on an immovable other than a dwelling or the assignment of such a lease that are or is evidenced by an act or document registered in a land register on or after 1 January 1994 shall be deemed validly published provided that the act or document contains at the least the particulars required by article 2999.1 of the Civil Code enacted by this Act.

However, for the purposes of this rule, a reference to the lease to which the act or document relates and an indication of the rights existing in respect of the renewal of the lease are not required.

1999, c. 49, s. 3.

Art. 3000. Notices of forced sales and other notices prescribed in the Book on Prior Claims and Hypothecs shall be published.

Where an immovable is sold by way of a forced sale or a sale following the exercise of a hypothecary right, no copy of the act evidencing the sale

vente avant que celle-ci n'ait été publiée, aux frais de l'acquéreur, par la personne habilitée à procéder à la vente.

1991, c. 64, a. 3000 (1994-01-01); 1998, c. 5, a. 16 (1998-07-01).

may be issued before the sale is published, at the purchaser's expense, by the person entrusted with the sale.

C.C.B.C. 2155, 2156, 2161d (**C.C.Q.** 2727, 2757, 2783, 2784 ss., 2791 ss., 2800, 3017, 3069, 3070; **C.P.C.** 660, 663-665, 670, 682)

Art. 3001. La personne habilitée à procéder à la vente aux enchères pour défaut de paiement de l'impôt foncier est tenue de présenter, dans les dix jours de l'adjudication, une liste désignant les immeubles vendus, leur acquéreur et leur dernier propriétaire et indiquant le mode d'acquisition et le numéro d'inscription du titre du dernier propriétaire.

La vente est inscrite avec la mention qu'il s'agit d'une adjudication pour défaut de paiement de l'impôt foncier.

1991, c. 64, a. 3001 (1994-01-01).

Art. 3001. The person entrusted with an auction sale for non-payment of immovable taxes is bound to present, within ten days after adjudication, a list identifying each immovable sold, its purchaser and last owner and indicating the mode of acquisition and the registration number of the title of the last owner.

The sale is registered with the mention that it was an adjudication for non-payment of immovable taxes.

C.C.B.C. 2161i (**C.C.Q.** 1757 ss., 3070; **C.P.C.** 683 ss.; **L.R.Q.**, c. C-19, a. 552; **L.R.Q.**, c. C-27.1, a. 1041, 1042, 1057)

Art. 3002. La réquisition fondée sur un jugement qui ordonne la rectification d'une inscription sur le registre foncier ou qui prononce la reconnaissance du droit de propriété dans un immeuble n'est admise que si le jugement est passé en force de chose jugée.

1991, c. 64, a. 3002 (1994-01-01).

Art. 3002. An application based on a judgment ordering the correction of an entry in the land register or pronouncing the recognition of a right of ownership in an immovable may be made only if the judgment has acquired the authority of a final judgment (*res judicata*).

(**D.T.** 143; **C.C.Q.** 2918, 2965, 2966, 2968 al. 1, 3002, 3063, 3073; **C.P.C.** 804 ss.)

*Art. 3003. Lorsqu'une hypothèque a été acquise par subrogation ou cession, la publicité de la subrogation ou de la cession se fait au registre foncier ou au registre des droits personnels et réels mobiliers, selon la nature immobilière ou mobilière de l'hypothèque.

Un état certifié de l'inscription, auquel sont joints, dans le cas d'une inscription faite sur le registre foncier, la réquisition et, lorsque celle-ci prend la forme d'un sommaire, le document qui l'accompagne, doit être fourni au débiteur.

À défaut de l'accomplissement de ces formalités, la subrogation ou la cession est inopposable au cessionnaire subséquent qui s'y est conformé.

1991, c. 64, a. 3003 (1994-01-01); 2000, c. 42, a. 42 (2001-10-09).

*Art. 3003. Where a hypothec is transferred by subrogation or assignment, the subrogation or assignment is published in the land register or in the register of personal and movable real rights, according to the immovable or movable nature of the hypothec.

A certified statement of registration must be furnished to the debtor, together with the application for registration in the case of registration in the land register and, if such application is in the form of a summary, the accompanying document.

If these formalities are not observed, the subrogation or assignment may not be set up against a subsequent assignee who has observed them.

C.C.B.C. 2127 al. 1, 2 et 3 (**C.C.Q.** 1637 ss., 1651 ss., 1680, 1908, 2710 ss., 3004, 3014; **C.P.C.** 637)

---

* Voir les dispositions transitoires, 2000, c. 42, a. 238(7), dans l'appendice du Code civil du Québec.

* See the transitional provisions, 2000, c. 42, s. 238(7), in the Appendix of the Civil Code of Québec.

Art. 3004. Lorsque la subrogation à une créance hypothécaire est acquise de plein droit, la publicité de la subrogation s'opère par l'inscription de l'acte dont elle résulte; en l'absence d'acte, elle s'opère par la présentation d'un avis énonçant les causes de la subrogation.

1991, c. 64, a. 3004 (1994-01-01).

C.C.B.C. 2127 al. 4 (**C.C.Q.** 1656 ss., 3003)

Art. 3005. Le sommaire attesté par un notaire peut énoncer le numéro de lot, au cadastre ou à l'arpentage primitif, attribué à l'immeuble sur lequel s'exerce le droit ou le numéro de la fiche tenue sous un numéro d'ordre qui s'y attache avec, le cas échéant, l'indication de ses tenants et aboutissants ou, encore, énoncer les coordonnées géographiques ou les coordonnées planes ou rectangulaires permettant de désigner l'immeuble, même si ces informations ne figurent pas dans le document que le sommaire résume.

Le sommaire attesté par un avocat ou par un notaire peut, même si l'acte n'en fait pas mention, contenir l'indication du nom de la municipalité ou de la circonscription foncière dans laquelle est situé l'immeuble, ou de la date et du lieu de naissance des personnes nommées dans l'acte, ainsi que les déclarations qu'exige la loi pour certaines mutations immobilières.

1991, c. 64, a. 3005 (1994-01-01); 2000, c. 42, a. 43 (ptie) (2000-10-09); 2002, c. 19, a. 13 (2002-06-13).

C.C.B.C. 2139 al. 4 (**C.C.Q.** 2694, 2994, 3033, 3034, 3035 ss.)

Art. 3006. Lorsque la loi prescrit que la réquisition doit être présentée accompagnée de documents, ces documents, s'il sont rédigés dans une langue autre que le français ou l'anglais, doivent, en plus, être accompagnés d'une traduction vidimée au Québec.

1991, c. 64, a. 3006 (1994-01-01).

(**C.C.Q.** 2985)

Art. 3004. Where subrogation to a hypothecary claim is acquired by operation of law, publication of the subrogation is effected by registering the act from which it derives; if there is no act, publication of the subrogation is effected by presenting a notice stating the causes of the subrogation.

Art. 3005. A summary certified by a notary may set forth the lot number assigned to the immovable in which the right is held in the cadastre or the original survey, or the serial land file number assigned to the immovable with, if applicable, its description by metes and bounds, or may state the geographic coordinates or the plane rectangular coordinates by which the immovable may be described, even if such information does not appear in the document summarized.

A summary certified by an advocate or a notary may include, even if the act contains no mention thereof, the name of the municipality or registration division in which the immovable is situated, and the date and place of birth of the persons named in the act, as well as the declarations required by law for certain transfers of immovables.

Art. 3006. Where the law prescribes that the application shall, upon presentation, be accompanied with other documents, any such documents drawn up in a language other than French or English shall themselves be accompanied with a translation authenticated in Québec.

CHAPITRE TROISIÈME
DES DEVOIRS ET FONCTIONS DE L'OFFICIER DE LA PUBLICITÉ DES DROITS

*Art. 3006.1 L'officier de la publicité des droits, en matière foncière, reçoit les réquisitions et porte, dans le livre de présentation, la date, l'heure et la minute exactes de leur présentation, ainsi que les mentions nécessaires pour les identifier. Il procède aussi, lorsqu'elles sont présentées sur un support papier, à la reproduction des réquisitions, avec les

CHAPTER III
DUTIES AND FUNCTIONS OF THE REGISTRAR

*Art. 3006.1 For purposes of land registration, the registrar receives applications and enters the exact date, hour and minute of their presentation in the book of presentation, together with the particulars required to identify each application. Where an application is presented in paper form, the registrar converts the application and the accompanying

documents qui les accompagnent, sur un support informatique et à leur transmission, sur ce support, au Bureau de la publicité foncière, puis les remet aux requérants.

Ensuite, dans l'ordre de la présentation des réquisitions, l'officier fait, avec la plus grande diligence, les inscriptions, mentions ou références prescrites par la loi ou par les règlements pris en application du présent livre sur le registre approprié. Celles découlant de réquisitions d'inscription de droits sont faites au jour le jour et, dans tous les cas, prioritairement à celles découlant de réquisitions visant la suppression ou la réduction d'une inscription antérieure.

2000, c. 42, a. 44 (2001-10-09).

* Voir les dispositions transitoires, 2000, c. 42, a. 238(8), dans l'appendice du Code civil du Québec.

documents to electronic form and forwards them in electronic form to the Land Registry Office, and returns the originals to the applicant.

Subsequently, in the order of presentation of the applications and with all possible diligence, the registrar makes the entries, mentions and references prescribed by law or by the regulations under this Book, in the appropriate register. The entries, mentions and references required by applications for the registration of rights are made day by day, giving priority in all cases to those entries, mentions and references over any that are required by applications to strike or reduce an earlier entry.

* See the transitional provisions, 2000, c. 42, s. 238(8), in the Appendix of the Civil Code of Québec.

Art. 3007. L'Officier de la publicité des droits personnels et réels mobiliers reçoit les réquisitions et délivre à celui qui les présente un bordereau sur lequel il indique la date, l'heure et la minute exactes de leur présentation, ainsi que les mentions nécessaires pour identifier la réquisition.

Ensuite, au jour le jour, dans l'ordre de la présentation des réquisitions, il fait, avec la plus grande diligence, les inscriptions prescrites par la loi ou par les règlements pris en application du présent livre sur le registre.

1991, c. 64, a. 3007 (1994-01-01); 2000, c. 42, a. 45 (2001-10-09).

Art. 3007. The Personal and Movable Real Rights Registrar receives the applications and issues to the person presenting them a memorandum on which he indicates the exact date, hour and minute of presentation, as well as the particulars necessary for identifying the application.

Subsequently, day by day, in the order of presentation of applications, and with all possible diligence, he makes the entries prescribed by law or by the regulations under this Book in the register.

C.C.B.C. 2132 al. 1, 2134 al. 1, 2136, 2145, 2171, 2180 al. 1 (**D.T.** 159; **C.C.Q.** 2945, 2963, 2971, 2985, 2986, 3008, 3011, 3012, 3015, 3016, 3024, 3025)

Art. 3008. L'officier s'assure que la réquisition présentée à l'appui d'une inscription sur un registre contient les mentions prescrites et qu'elle satisfait aux dispositions de la loi et des règlements pris en application du présent livre et, le cas échéant, que les documents qui doivent l'accompagner sont aussi présentés.

1991, c. 64, a. 3008 (1994-01-01).

Art. 3008. The registrar ascertains that the application presented in support of an entry in a register contains the prescribed particulars and meets the requirements prescribed by law and the regulations under this Book and, where applicable, that the required documents are also presented.

C.C.B.C. 2132 al. 1, 2134 al. 1, 2159 (**C.C.Q.** 2982, 2985, 3006, 3010, 3014, 3024, 3067; **C.P.C.** 707, 804 ss.)

Art. 3009. Lorsque la réquisition d'inscription sur le registre foncier a été attestée par un avocat ou un notaire, l'identité et la capacité des parties sont tenues pour vérifiées et le sommaire du document est tenu pour être exact. Il en est de même de l'identité et de la capacité des parties à un procès-verbal de bornage attesté par un arpenteur-géomètre.

Art. 3009. Where the application for registration in the land register has been attested by an advocate or a notary, the identity and capacity of the parties are held to have been verified and the summary of the document is held to be accurate. The same rule applies to the identity and capacity of the parties to minutes of boundary determination attested by a land surveyor.

L'identité des personnes est aussi tenue pour vérifiée lorsqu'elle est attestée par l'une des personnes visées à l'article 2990.

L'identité des parties à toute réquisition d'inscription sur le registre foncier ou sur le registre des droits personnels et réels mobiliers est présumée exacte et leur capacité tenue pour vérifiée.

1991, c. 64, a. 3009 (1994-01-01).

(**C.C.Q.** 2988-2995)

Art. 3010. Lorsque la réquisition présentée est irrecevable, ou qu'elle contient des inexactitudes ou des irrégularités, l'officier ne fait aucune inscription sur les registres; il informe le requérant des motifs du refus d'inscription.

1991, c. 64, a. 3010 (1994-01-01).

(**C.C.Q.** 2996, 3008, 3014, 3033 ss.)

*Art. 3011. L'officier remet au requérant un état certifié de l'inscription qu'il a faite sur le registre, sur le fondement de la réquisition présentée. Un double de cet état certifié est, en matière foncière, joint à la réquisition conservée dans le Bureau de la publicité foncière.

1991, c. 64, a. 3011 (1994-01-01); 2000, c. 42, a. 46 (2001-10-09).

C.C.B.C. 2134, 2145 (**C.C.Q.** 2945, 3003, 3007, 3019, 3020)

* Voir les dispositions transitoires, 2000, c. 42, a. 238(9), dans l'appendice du Code civil du Québec.

Art. 3012. Les réquisitions sont réputées présentées dès le moment de leur réception par l'officier du bureau de la publicité des droits où elles doivent être présentées.

Si plusieurs réquisitions parviennent au bureau de la publicité par le même courrier ou sont présentées par le même porteur, elles sont réputées présentées simultanément. Les réquisitions acheminées en bloc par un moyen technologique déterminé par les règlements sont assimilées à des réquisitions présentées simultanément; elles portent, toutefois, la date, l'heure et la minute de la réception de la dernière réquisition ainsi acheminée.

Les réquisitions qui parviennent au bureau de la circonscription foncière dans laquelle est situé l'immeuble, ou au Bureau de la publicité des droits personnels et réels mobiliers, en dehors des heures prévues pour la présentation des documents ou alors que le bureau est fermé sont réputées présentées à l'heure de la reprise de l'activité dans le bu-

The identity of the persons is also held to have been verified where it is attested by one of the persons mentioned in article 2990.

The identity of parties to any other application for registration in the land register or in the register of personal and movable real rights is presumed to be accurate and their capacity is held to have been verified.

Art. 3010. Where the application presented is not admissible or contains inaccuracies or irregularities, the registrar makes no entry in the registers, but informs the applicant of the reasons for refusing registration.

*Art. 3011. The registrar remits to the applicant a certified statement of the entry he has made in the register, on the basis of the application presented. As regards land registration, a duplicate of the certified statement is appended to the application kept in the Land Registry Office.

* See the transitional provisions, 2000, c. 42, s. 238(9), in the Appendix of the Civil Code of Québec.

Art. 3012. Applications are deemed presented from the time they are received by the registrar of the registry office where they are to be presented.

If several applications are delivered to the registry office by the same mail delivery or are presented by the same bearer, they are deemed presented simultaneously. Applications forwarded in bulk by a technological means determined by regulation are considered to be presented simultaneously; however, they all bear the date, hour and minute of reception of the last application forwarded in that way.

Applications delivered to the registry office of the registration division in which the immovable concerned is situated, or to the Personal and Movable Real Rights Registry Office, outside the hours for the presentation of documents or when the office is closed, are deemed presented at the time activities resume in the office; applications delivered to the

reau; celles qui parviennent au Bureau de la publicité foncière, en dehors des heures prévues pour la présentation des documents au bureau de la circonscription foncière dans laquelle est situé l'immeuble, ou alors que ce bureau est fermé, sont réputées présentées à l'heure de la reprise de l'activité dans ce dernier bureau.

1991, c. 64, a. 3012 (1994-01-01); 2000, c. 42, a. 47 (2001-10-09).

Land Registry Office outside the hours for the presentation of documents at the registry office of the registration division in which the immovable concerned is situated, or when the latter registry office is closed, are deemed presented at the time activities resume in the latter registry office.

C.C.B.C. 2160.1 al. 2, 2180 al. 2 (**C.C.Q.** 2945, 2947, 3007)

Art. 3013. Abrogé.

1991, c. 64, a. 3013 (1994-01-01); 2000, c. 42, a. 48 (2001-10-09).

Art. 3013. Repealed.

*Art. 3014.** Avant d'inscrire sur le registre approprié une subrogation, une cession de créance, un préavis d'exercice d'un droit hypothécaire ou le renouvellement de la publicité d'un droit, l'officier doit vérifier le numéro d'inscription, s'il en existe, du titre de créance. En cas d'inexactitude, il refuse l'inscription.

Lorsque l'inscription est faite sur le registre foncier, mention de la subrogation, de la cession ou du renouvellement, avec l'indication de son numéro d'inscription, est portée au registre des mentions.

1991, c. 64, a. 3014 (1994-01-01); 2000, c. 42, a. 49 (2001-10-09).

*Art. 3014.** Before registering a subrogation, the assignment of a claim, prior notice of the exercise of a hypothecary right or the renewal of the registration of a right in the proper register, the registrar shall verify the registration number, if any, of the title of indebtedness. If the number is inaccurate, he refuses registration.

Where the registration is made in the land register, a mention of the subrogation, assignment or renewal, together with its registration number, is entered in the register of mentions.

C.C.B.C. 2127 al. 5 (**D.T.** 158; **C.C.Q.** 1637 ss., 1651 ss., 3003, 3004, 3008, 3010; **C.P.C.** 637)

---

* Voir les dispositions transitoires, 2000, c. 42, a. 238(10), dans l'appendice du Code civil du Québec.

* See the transitional provisions, 2000, c. 42, s. 238(10), in the Appendix of the Civil Code of Québec.

Art. 3014.1 Lors de l'inscription sur le registre foncier d'une hypothèque sur une créance assortie d'une hypothèque immobilière, mention de cette hypothèque, avec l'indication de son numéro d'inscription, est portée au registre des mentions.

2000, c. 42, a. 50 (2001-10-09).

Art. 3014.1 Upon registration in the land register of a hypothec on a claim secured by an immovable hypothec, a mention of the hypothec, together with its registration number, is entered in the register of mentions.

Art. 3015. L'officier doit, lorsqu'il reçoit un avis du changement de nom du titulaire ou du constituant d'un droit publié, contenant la référence au numéro d'inscription de ce droit et accompagné d'une copie certifiée du document constatant le changement, porter celui-ci sur le registre approprié, établir la concordance entre le nom ancien et le nouveau et indiquer le numéro d'inscription du droit visé.

Pour obtenir l'inscription du changement de nom sur le registre foncier, l'avis doit aussi désigner l'immeuble visé.

1991, c. 64, a. 3015 (1994-01-01).

Art. 3015. The registrar, upon receiving notice of a change of name of the holder or grantor of a published right, containing a reference to the registration number of that right and accompanied with a certified copy of the document evidencing the change, shall enter the change in the proper register, establish the correspondence between the former name and the new name and indicate the registration number of the right concerned.

To obtain registration of a change of name in the land register, the description of the immovable concerned shall also be included in the notice.

(**C.C.Q.** 67, 129, 308, 3023)

*Art. 3016. Lorsque l'officier constate une erreur matérielle dans un registre, dans l'état certifié d'une inscription ou dans une mention faite en marge d'un document, ou qu'il constate l'omission d'une inscription ou d'une mention dans un registre ou en marge d'un document, il procède à la rectification ou à l'inscription, ou effectue la mention, de la manière prescrite par règlement.

Tout intéressé peut, s'il constate de telles erreurs ou omissions, demander à l'officier de procéder à la rectification ou à l'inscription ou d'effectuer la mention; le requérant qui les constate est tenu de le faire.

Dans tous les cas, l'officier indique la date, l'heure et la minute de la rectification de l'inscription ou de la mention.

1991, c. 64, a. 3016 (1994-01-01); 2000, c. 42, a. 51 (2001-10-09).

*Art. 3016. Where the registrar notes a clerical error in a register, a certified statement or a mention in the margin of a document, or the omission of an entry or of a mention in a register or in the margin of a document, he corrects the error or makes the entry or mention in the manner prescribed by regulation.

Any interested person may, upon noting such an error or omission, request the registrar to make the appropriate correction, entry or mention; if an applicant notes such an error or omission, he is bound to make such a request.

In all cases, the registrar indicates the date, hour and minute the correction, entry or mention is made.

(**D.T.** 161; **C.C.Q.** 2945, 2965, 3002, 3011, 3020, 3063, 3073; **C.P.C.** 804 ss.)

---

* Voir les dispositions transitoires, 2000, c. 42, a. 238(11), dans l'appendice du Code civil du Québec.

* See the transitional provisions, 2000, c. 42, s. 238(11), in the Appendix of the Civil Code of Québec.

Art. 3017. L'officier est tenu de notifier, dans les meilleurs délais, à chaque personne qui a requis l'inscription de son adresse, que le bien sur lequel son droit est publié est l'objet d'un préavis d'exercice d'un droit hypothécaire ou d'un préavis de vente pour défaut de paiement de l'impôt foncier. Il fait de même lorsqu'un avis exige l'abandon de la prise en paiement ou lorsque le bien doit être vendu sous l'autorité de la justice ou, s'il s'agit d'un immeuble a été adjugé pour défaut de paiement de l'impôt foncier ou fait l'objet d'une saisie; l'officier indique, le cas échéant, le lieu et la date de la vente.

Une telle notification doit être faite au procureur général lorsqu'il s'agit d'un bien grevé d'une hypothèque ou s'il s'agit d'une créance prioritaire publiée en faveur de l'État.

La personne qui a requis l'inscription d'une adresse électronique est réputée avoir été notifiée sur simple preuve de la transmission, à cette adresse, des renseignements exigés de l'officier.

1991, c. 64, a. 3017 (1994-01-01); 2000, c. 42, a. 52 (2001-10-09).

Art. 3017. The registrar is bound to notify, as soon as possible, each person having required registration of his address, that the property in which he holds a published right is the subject of a notice of intention to exercise a hypothecary right or a prior notice of sale for non-payment of immovable taxes. He does the same where a notice requires the abandonment of a taking in payment or where the property is to be sold by judicial authority or, in the case of an immovable, has been adjudicated for non-payment of immovable taxes, or is under seizure; the registrar indicates the place and date of any sale.

Similar notification shall be sent to the Attorney General in the case of any property charged with a hypothec or in the case of a published prior claim in favour of the State.

A person having required the registration of an electronic address is deemed to have been notified upon simple proof that the information the registrar is required to notify has been transmitted to that address.

C.C.B.C. 2161e (**D.T.** 159 al. 3; **C.C.Q.** 2651(4°), 2757, 2779, 3000, 3001, 3022; **C.P.C.** 665; **L.R.Q.**, c. C-19, a. 514; **L.R.Q.**, c. C-27.1, a. 1027)

Art. 3018. L'officier ne peut, si ce n'est pour des fins prévues par règlement, utiliser les registres et les autres documents qu'il conserve à d'autres fins que d'assurer, conformément à la loi, la publicité des droits qui y sont inscrits ou mentionnés, notamment pour les rendre opposables aux tiers, établir leur rang ou leur donner effet.

Il ne peut, non plus, utiliser les registres et documents pour fournir à quiconque une liste de propriétaires, de créanciers hypothécaires ou d'autres titulaires de droits, une liste de débiteurs ou de constituants de droits ou une liste des biens qu'une personne possède. De plus, aucune recherche effectuée à partir du nom d'une personne n'est admise dans les registres et documents conservés par un officier de la publicité foncière, à moins qu'elle ne concerne les avis d'adresse ou qu'elle ne soit faite dans l'index des noms ou relativement à un immeuble, un droit réel d'exploitation de ressources de l'État ou un réseau de services publics qui n'est pas immatriculé.

1991, c. 64, a. 3018 (1994-01-01); 1998, c. 5, a. 17 (1998-07-01); 2000, c. 42, a. 53 (2000-12-05).

C.C.B.C. 2129n (**C.C.Q.** 1464, 2971, 3019, 3020)

*__Art. 3019.__ L'officier est tenu de délivrer à toute personne qui le requiert un état certifié des droits réels, ou des seules hypothèques ou charges, subsistant à l'égard d'un immeuble déterminé ou de son propriétaire ou, lorsque la demande concerne le registre des droits personnels et réels mobiliers, un état certifié des droits inscrits sur ce registre; l'état énonce la date, l'heure et la minute de mise à jour du registre et il doit, s'il est délivré par un officier de la publicité foncière, faire mention de la demande.

Il est aussi tenu de fournir, à toute personne qui le demande, une copie des documents conservés dans les bureaux de la publicité des droits, ou un état certifié d'une inscription particulière.

1991, c. 64, a. 3019 (1994-01-01); 2000, c. 42, a. 54 (2001-10-09).

C.C.B.C. 2177, 2178 (**D.T.** 164; **C.C.Q.** 2816 ss., 2969 ss.; **C.P.C.** 703 ss., 712, 731)

---

* Voir les dispositions transitoires, 2000, c. 42, a. 238(12), dans l'appendice du Code civil du Québec.

* See the transitional provisions, 2000, c. 42, s. 238(12), in the Appendix of the Civil Code of Québec.

Art. 3020. L'officier n'est pas responsable du préjudice pouvant résulter des renseignements qu'il a fournis, par suite d'une erreur qui n'est pas de son fait, dans l'identification d'une personne ou la désignation d'un bien.

1991, c. 64, a. 3020 (1994-01-01).

(**C.C.Q.** 1464, 3011, 3019)

Art. 3018. The registrar may not, except for purposes prescribed by regulation, use the registers, or the other documents he keeps, for purposes other than ensuring, in accordance with the law, the publication of the rights registered or mentioned therein, particularly so as to render them effective against third persons, establish their rank and give them effect.

Nor may the registrar use the registers or documents to furnish to any person a list of owners, hypothecary creditors or other holders of rights, a list of debtors or grantors of rights or a list of the properties owned by a person. Furthermore, no search by reference to a person's name is permitted in the registers and documents kept by a land registrar, unless it concerns a notice of address, is carried out in the index of names or concerns an immovable, a real right of State resource development or public service network which is not immatriculated.

*__Art. 3019.__ The registrar is bound to issue to any person who applies therefor a certified statement of the real rights, or of the hypothecs or charges, subsisting against a determined immovable or its owner or, where the application concerns the register of personal and movable real rights, a certified statement of the rights entered in that register; the statement indicates the date, hour and minute of updating of the register and if it is issued by a land registrar, it refers to the application.

The registrar is also bound to issue, to any person requesting it, a copy of documents kept in the registry offices or a certified statement of a particular entry.

Art. 3020. The registrar is not liable for any prejudice which may result from information furnished by him as a result of an error not due to his act or omission in the identification of a person or the description of a property.

Art. 3021. Les officiers sont tenus:

1° De conserver dans les bureaux de la publicité des droits, sur leur support d'origine ou sur un autre support, les documents qui leur sont transmis à des fins de publicité;

2° De faire les inscriptions sur les registres de manière à assurer l'intégrité de l'information;

3° De préserver les inscriptions contre toute altération;

4° D'établir et de conserver dans un autre lieu que les bureaux de la publicité, en sûreté, un exemplaire des registres et autres documents tenus sur support informatique;

5° De maintenir, à des fins d'archives, le relevé des inscriptions sur le registre des droits personnels et réels mobiliers qui n'ont plus d'effet;

6° De conserver à des fins d'archives, dans les bureaux de la publicité ou dans tout autre lieu, les registres et documents sur support papier qui ont fait l'objet, conformément à un arrêté ministériel pris en application de la Loi sur les bureaux de la publicité des droits, d'une opération visant à les reproduire sur un support informatique.

Les officiers ne peuvent ni se départir des registres et documents, ni être requis d'en produire une copie hors du bureau, sauf en justice, dans le cadre d'une procédure d'inscription en faux ou d'une contestation portant sur l'authenticité d'un document.

De même, ils ne peuvent ni corriger ni modifier les plans cadastraux; s'il s'y trouve des omissions ou des erreurs dans la description, l'étendue ou le numéro d'un lot, dans le nom du propriétaire, le mode d'acquisition ou le numéro d'inscription du titre, ils doivent en faire rapport au ministre responsable du cadastre qui peut, chaque fois qu'il y a lieu, en corriger l'original ainsi que la copie, certifiant la correction.

1991, c. 64, a. 3021 (1994-01-01); 2000, c. 42, a. 55 (2001-10-09).

Art. 3021. Registrars are bound

(1) to keep, in their original form or in any other form, in the registry offices, the documents transmitted to them for publication purposes;

(2) to make entries in the registers so as to ensure the integrity of the information;

(3) to protect the entries in the registers against any alteration;

(4) to establish and keep in a safe place other than the registry offices, a copy of the registers and other documents kept on a computer system;

(5) for archival purposes, to maintain a record of entries in the register of personal and movable real rights which are no longer effective;

(6) for archival purposes, to keep, in the registry offices or in any other place, the registers and documents in paper form which were converted to electronic form pursuant to a ministerial order under the Act respecting registry offices.

Registrars may not surrender the registers and documents or be required to produce a copy of them outside the registry office except in judicial proceedings in improbation or in contestation of the authenticity of a document.

In addition, they may not correct or amend the cadastral plans; if there are omissions or errors in the description, dimensions or number of any lot, or in the name of the owner, the mode of acquisition or the registration number of the title, they shall report the error or omission to the Minister responsible for the cadastre who may, where necessary, correct the original and the copy and certify the correction.

C.C.B.C. 2174 al. 1, 2182 (**C.C.Q.** 2821, 2985, 3007, 3024, 3043; **C.P.C.** 223 ss., 281, 311, 707)

CHAPITRE QUATRIÈME
DE L'INSCRIPTION DES ADRESSES

CHAPTER IV
REGISTRATION OF ADDRESSES

***Art. 3022.** Les créanciers prioritaires ou hypothécaires, ou leurs ayants cause, les titulaires d'un droit réel, les époux ou conjoints unis civilement qui publient une déclaration de résidence familiale ou les bénéficiaires de cette déclaration, ou encore toute autre personne intéressée, peuvent requérir, de la manière prévue par les règlements, l'inscription de leur adresse afin que l'officier leur notifie certains événements qui touchent leur droit. Ils ne peuvent, toutefois, requérir cette inscription en regard d'un droit publié à l'index des noms du registre foncier.

***Art. 3022.** The prior or hypothecary creditors or their successors, holders of real rights, married or civil union spouses having published a declaration of family residence or beneficiaries under such a declaration, or any other interested persons, may require their addresses to be registered, in the manner prescribed by regulation, in order to receive notification from the registrar of certain events affecting their rights. They may not require that their address be registered in connection with a right published in the index of names of the land register.

L'inscription d'une adresse sur le registre foncier vaut pour une période de trente ans; elle peut être renouvelée. Celle qui est faite sur le registre des droits personnels et réels mobiliers vaut tant que subsiste la publicité du droit auquel elle se rapporte.

Les réquisitions d'inscription d'une adresse ne sont soumises à aucune exigence d'attestation.

1991, c. 64, a. 3022 (1994-01-01); 2000, c. 42, a. 56 (2001-10-09); 2002, c. 6, a. 61 (2002-06-24).

C.C.B.C. 2161b, 2161c al. 1

* Voir les dispositions transitoires, 2000, c. 42, a. 238(13), dans l'appendice du Code civil du Québec.

Registration of an address in the land register is valid for a period of thirty years; it may be renewed. Registration of an address in the register of personal and movable real rights is valid for as long as the publication of the right to which it relates subsists.

Applications for the registration of an address require no certification.

* See the transitional provisions, 2000, c. 42, s. 238(13), in the Appendix of the Civil Code of Québec.

Art. 3023. La personne qui bénéficie de l'inscription d'une adresse peut, au moyen d'un avis, requérir l'officier d'apporter des modifications dans cette adresse ou dans son nom, ou dans la référence faite au numéro d'inscription de l'adresse.

Elle peut aussi, par le même moyen, requérir l'officier de porter sur le registre une référence omise au numéro d'inscription de l'adresse.

1991, c. 64, a. 3023 (1994-01-01); 2000, c. 42, a. 57 (2001-10-09).

C.C.B.C. 2161c al. 2 et 3 (**C.C.Q.** 3015, 3022)

Art. 3023.1 Il suffit, pour désigner un immeuble visé par une réquisition présentée en vertu des dispositions du présent chapitre, d'indiquer dans la réquisition le numéro de lot au cadastre qui a été attribué à l'immeuble ou le numéro de la fiche immobilière tenue sous un numéro d'ordre qui le concerne.

La désignation d'un immeuble n'est pas requise dans le cas d'un avis de modification dans l'adresse ou dans le nom d'une personne inscrit sur le registre.

2000, c. 42, a. 58 (2001-10-09).

Art. 3023. The person for whose benefit an address is registered may, by means of a notice, require the registrar to effect a change in the address or in the person's name, or in the reference to the registration number of the address.

The person may also, by means of a notice, require the registrar to enter in the register an omitted reference to the registration number of the address.

Art. 3023.1 To describe an immovable in an application presented pursuant to the provisions of this chapter, it is sufficient to indicate the lot number assigned to the immovable in the cadastre or the serial number of the land file concerning the immovable.

However, the immovable need not be described in a notice to change the address or name of a person that is registered in the register.

CHAPITRE CINQUIÈME
DES RÈGLEMENTS D'APPLICATION

Art. 3024. Le gouvernement peut, par règlement, prendre toute mesure nécessaire à la mise en application du présent livre; il peut notamment établir les normes de présentation des réquisitions d'inscription et en déterminer la forme et le contenu; il peut déterminer également la forme et le contenu des documents, avis, attestations et déclarations qui ne sont pas régis par la loi.

CHAPTER V
REGULATIONS

Art. 3024. The Government may, by regulation, take all the necessary steps for the implementation of the provisions of this Book; it may, in particular, establish the standards of presentation of applications for registration and determine the form and content thereof; it may also determine the form and content of documents, notices, certificates and declarations which are not specified by law.

Le gouvernement peut aussi déterminer les normes et les critères permettant l'individualisation particulière d'un bien meuble et son identification spécifique, les catégories et les abréviations qui peuvent être utilisées pour désigner un bien meuble et la manière d'établir, de tenir et de clôturer les fiches.

Le gouvernement peut déterminer en outre la forme, le support et la teneur de tout registre et fiche tenus par un officier de la publicité, le support de conservation des réquisitions, le mode de numérotation de toute fiche immobilière, la manière de faire les différentes inscriptions sur les registres. Il fixe aussi les jours et les heures d'ouverture des bureaux, les modalités de consultation des registres et les formalités de délivrance des relevés ou des certificats.

The Government may also determine the standards and criteria which allow the particulars identifying a movable to be specified, the categories and abbreviations which may be used in the description of a movable and the manner of opening, keeping and closing files.

The Government may also determine the form, medium and content of any register or file kept by a registrar, the system for keeping applications, the method of numbering the land files of immovables, the manner of making various entries in the registers. It also fixes the business days and business hours of the registry offices, the procedure for examining registers and the rules governing the issuance of statements or certificates.

1991, c. 64, a. 3024 (1994-01-01); 1992, c. 57, a. 716 (1994-01-01).

C.C.B.C. 2129q, 2160 al. 1, 2161(6), 2164; **L.R.Q.**, c. B-9, a. 37 (**C.C.Q.** 2697, 2942, 2969-2971, 2973-2975, 2977, 2981-2984, 2986, 3007, 3008, 3012, 3016, 3022, 3023, 3025, 3033, 3048, 3050; **L.R.Q.**, c. M-19, a. 3)

Art. 3025. Si les circonstances l'exigent, le ministre chargé de la direction de l'organisation et de l'inspection d'un bureau de la publicité des droits peut, par arrêté, modifier les heures d'ouverture de ce bureau ou prévoir sa fermeture temporaire.

Art. 3025. Where required by the circumstances, the minister in charge of the organization and inspection of a registry office may, by order, change the business hours of the registry office or close the registry office temporarily.

1991, c. 64, a. 3025 (1994-01-01); 2000, c. 42, a. 59 (2000-12-05).

C.C.B.C. 2160 al. 2 (**C.C.Q.** 3024; **L.R.Q.**, c. M-19, a. 3)

TITRE QUATRIÈME
DE L'IMMATRICULATION DES IMMEUBLES

CHAPITRE PREMIER
DU PLAN CADASTRAL

Art. 3026. L'immatriculation consiste à situer les immeubles en position relative sur un plan cadastral, à indiquer leurs limites, leurs mesures et leur contenance et à leur attribuer un numéro particulier.

Elle est complétée par l'identification du propriétaire, par l'indication du mode d'acquisition et du numéro d'inscription du titre et, le cas échéant, par l'établissement de la concordance entre les numéros cadastraux ancien et nouveau, ou entre le numéro d'ordre de la fiche de l'immeuble et le numéro cadastral nouveau.

1991, c. 64, a. 3026 (1994-01-01); 2000, c. 42, a. 60 (2001-10-09).

(**C.C.Q.** 2918, 2943, 2944, 2972 ss., 3030, 3054 ss.)

Art. 3027. Le plan cadastral est établi conformément à la loi et fait partie du registre foncier; il est présumé exact.

S'il y a discordance entre les limites, les mesures et la contenance indiquées sur le plan et celles mentionnées dans les documents présentés, l'exactitude des premières est présumée.

Le plan cadastral transmis sur support papier est, s'il n'est pas reproduit sur un support informatique, conservé dans le bureau de la publicité des droits de la circonscription foncière dans laquelle les immeubles visés par ce plan sont situés.

1991, c. 64, a. 3027 (1994-01-01); 2000, c. 42, a. 61 (2001-10-09).

C.C.B.C. 2166, 2167 (**D.T.** 155; **C.C.Q.** 2814(5°), 2847 al. 2)

Art. 3028. Le plan cadastral entre en vigueur le jour de l'établissement de la fiche immobilière au registre foncier.

L'établissement d'une fiche doit se faire dans l'ordre de la réception de chaque plan cadastral, avec la plus grande diligence.

1991, c. 64, a. 3028 (1994-01-01); 2000, c. 42, a. 62 (2001-10-09).

C.C.B.C. 2169, 2170 (**C.C.Q.** 2972, 3024, 3032, 3033)

Art. 3028.1 La publicité d'une hypothèque sur un immeuble faisant l'objet d'un plan cadastral établi en vertu de l'article 1 de la Loi sur le cadastre doit, sauf si l'hypothèque a été inscrite sur la fiche sous un numéro d'ordre établie pour cet immeuble, être renouvelée dans les deux ans de l'établissement de la fiche immobilière à l'index des immeubles.

TITLE FOUR
IMMATRICULATION OF IMMOVABLES

CHAPTER I
CADASTRAL PLAN

Art. 3026. The immatriculation of an immovable consists in establishing its relative position on a cadastral plan, indicating its boundaries, measurements and area and assigning a number to it.

Immatriculation is completed by the identification of the owner, an indication of the mode of acquisition, the registration number of the title and, where applicable, the correspondence between the old and new cadastral numbers, or between the serial number of the file for the immovable, and the new cadastral number.

Art. 3027. The cadastral plan is drawn up according to law and forms part of the land register; it is presumed accurate.

In the case of discrepancy between the boundaries, measurements and area shown on the plan and those mentioned in the documents presented, those on the plan are presumed accurate.

The cadastral plan, if transmitted in paper form and not converted to electronic form, is kept in the registry office for the registration division in which the immovables represented on the plan are situated.

Art. 3028. The cadastral plan comes into force on the day the land file is opened in the land register.

The opening of land files shall be made in the order of receipt of cadastral plans, with all possible diligence.

Art. 3028.1 The publication of a hypothec on an immovable represented on a cadastral plan established pursuant to section 1 of the Cadastre Act must, except if the hypothec has been entered in a serially-numbered land file opened for that immovable, be renewed within two years following the opening of the land file in the index of immovables.

En l'absence de renouvellement, les droits conservés par l'inscription initiale n'ont aucun effet à l'égard des autres créanciers, ou des acquéreurs subséquents, dont les droits sont régulièrement publiés.

2000, c. 42, a. 63 (2000-12-05).

Art. 3029. Tout plan cadastral doit être soumis au ministre responsable du cadastre, qui, s'il le trouve conforme à la loi et correct, en transmet pour dépôt une copie qu'il certifie au bureau de la publicité des droits; il en transmet aussi une copie au greffe de la municipalité de la situation de l'immeuble.

1991, c. 64, a. 3029 (1994-01-01); 2000, c. 42, a. 64 (2001-10-09).

C.C.B.C. 2166, 2175

Art. 3030. À moins qu'il ne porte sur un immeuble situé en territoire non cadastré, aucun droit de propriété ne peut être publié au registre foncier si l'immeuble visé n'est pas identifié par un numéro de lot distinct au cadastre.

Aucune déclaration de copropriété ou de coemphytéose ne peut être inscrite, à moins que l'immeuble n'ait fait l'objet d'un plan cadastral qui pourvoit à l'immatriculation des parties privatives et communes.

1991, c. 64, a. 3030 (1994-01-01).

C.C.B.C. 2173.2, 2175 al. 3 (**D.T.** 155(1°); **C.C.Q.** 1051, 3026, 3036, 3041, 3054-3056)

Art. 3031. L'assiette d'un droit réel d'exploitation de ressources de l'État, que la loi déclare propriété distincte de celle du sol sur lequel il porte, tel un droit minier, ainsi que celle d'un réseau de voies ferrées, ou d'un réseau de télécommunication par câble, de distribution d'eau ou de gaz, de lignes électriques, de canalisations pour le transport de produits pétroliers ou l'évacuation des eaux usées, peut être immatriculée.

Toutefois, le raccordement du réseau et des immeubles desservis n'est pas marqué sur le plan cadastral.

1991, c. 64, a. 3031 (1994-01-01); 1995, c. 33, a. 31 (1995-06-22).

(**D.T.** 146; **C.C.Q.** 3026, 3038-3040, 3071)

Art. 3032. Dès le jour de l'entrée en vigueur du plan cadastral, le numéro donné à un lot est sa seule désignation et suffit dans tout document qui y fait référence.

Lorsque le droit à publier porte sur un immeuble formé de plusieurs lots entiers, chacun des lots doit être individuellement désigné.

1991, c. 64, a. 3032 (1994-01-01).

C.C.B.C. 2168 al. 1, 2169 (**C.C.Q.** 2727, 2981, 3028, 3033; **C.P.C.** 118, 470, 664, 670, 787, 801, 805)

If the publication is not renewed, the rights recorded by the initial registration have no effect with respect to other creditors or subsequent purchasers whose rights are duly published.

Art. 3029. Every cadastral plan shall be submitted to the Minister responsible for the cadastre, who, if satisfied that the plan is made according to law and is accurate, transmits a copy certified by him for deposit in the registry office; he also sends a copy to the office of the municipality where the immovable is situated.

Art. 3030. Except where it pertains to an immovable situated in territory without a cadastral survey, no right of ownership may be published in the land register unless the immovable concerned is identified by a separate lot number on the cadastre.

No declaration of co-ownership or of co-emphyteusis may be registered unless a cadastral plan of the immovable has been made, and contains the immatriculation of the private and common portions.

Art. 3031. The *situs* of a real right of State resource development which the law declares to be property separate from the land on which it is exercisable, such as a mining right, or the *situs* of a railway network or a network of cable communications, water or gas distribution, power lines, oil or gas pipelines or sewage conduits may be immatriculated.

However, connections between a network and the immovables served by it are not shown on the cadastral plan.

Art. 3032. From the day a cadastral plan comes into force, the number assigned to a lot is its sole description and is sufficient description in any document referring to it.

Where the right which is to be published pertains to an immovable composed of several whole lots, each lot shall be individually described.

Art. 3033. Dès l'entrée en vigueur du plan cadastral, toute personne qui rédige un acte soumis ou admis à la publicité est tenue de désigner les immeubles par le numéro qui leur est attribué sur le plan.

À défaut de cette désignation, la réquisition d'inscription d'un droit doit être refusée, à moins qu'un avis désignant l'immeuble visé ne soit présenté, avec l'acte même, l'extrait de celui-ci ou le sommaire, suivant les règles établies au présent livre.

L'avis cadastral d'inscription du droit doit être fait de la manière prescrite par les règlements pris en application du présent livre.

1991, c. 64, a. 3033 (1994-01-01); 1992, c. 57, a. 716 (1994-01-01).

Art. 3033. From the day a cadastral plan comes into force, every person drafting an act which shall or may be published is bound to describe immovables by the number assigned to them on the cadastral plan.

Failing such description, the application for registration of a right shall be refused, unless a notice containing the description of the immovable is presented, with the act itself or an extract or summary thereof, in accordance with the rules established in this Book.

The cadastral notice for registration of the right shall be made in the manner prescribed in the regulations made under this Book.

C.C.B.C. 2168 al. 3, 2173.2 al. 3 (**C.C.Q.** 2694, 2725, 2727, 2729, 2730, 2981, 2982, 2995, 3028, 3032)

Art. 3034. Dès l'établissement, à la réquisition du propriétaire d'un immeuble situé en territoire non cadastré ou d'un réseau, ou du titulaire d'un droit réel d'exploitation de ressources de l'État, d'une fiche immobilière sous un numéro d'ordre, ce numéro est la seule désignation de l'immeuble qui fait l'objet de la fiche et suffit dans tout document qui y fait référence.

Après l'établissement de la fiche, toute personne qui rédige un acte soumis ou admis à la publicité est tenue de désigner l'immeuble qui a fait l'objet de l'établissement de la fiche par le numéro qui lui a été attribué et de préciser que cet immeuble correspond en tout ou en partie à celui qui a justifié l'établissement de la fiche. Faute de ces précisions, l'inscription doit être refusée.

1991, c. 64, a. 3034 (1994-01-01); 2000, c. 42, a. 65 (2001-10-09).

Art. 3034. When, on an application from the owner of an immovable situated in a territory without a cadastral survey or of a network or the holder of a real right of State resource development, a land file is opened under a serial number, that number is the sole description of the immovable to which the file applies, and is sufficient in any document making reference thereto.

After the file is opened, any person who drafts an act which shall or may be published is bound to describe the immovable to which the file applies by the number assigned to it, and to indicate that the immovable corresponds, wholly or in part, to the immovable for which the file was opened. If this indication does not appear in the application, the registration shall be refused.

(**C.C.Q.** 2978, 3031, 3035, 3039, 3040)

Art. 3035. L'officier ne peut accepter la réquisition relative à un immeuble situé en territoire non cadastré, à un réseau, ou à un droit réel d'exploitation de ressources de l'État, lorsqu'elle ne contient pas la désignation de la fiche immobilière visée ou qu'elle n'est pas accompagnée d'un avis qui fait référence à cette fiche, à moins qu'elle ne comprenne ou ne soit accompagnée d'une réquisition visant l'établissement d'une fiche.

La réquisition visant l'établissement d'une fiche n'est toutefois pas nécessaire lorsque la réquisition relative à l'immeuble, au réseau ou au droit visé ne constate aucun droit réel établi par une convention ni convention afférente à un droit réel; mais l'inscription ne peut en ce cas, jusqu'à l'établissement d'une fiche, être faite qu'à l'index des noms.

Art. 3035. In no case may the registrar accept an application in respect of an immovable situated in a territory which has no cadastral survey, or in respect of a network or a real right of State resource development, which does not contain the description of the land file concerned or is not accompanied with a notice making reference to the file, except where the application includes or is accompanied with an application for the opening of a file.

No application for the opening of a file is necessary, if the application in respect of the immovable, network or right does not pertain to any real right established by agreement or to any agreement relating to a real right; however, until a land file is opened, registration may only be effected in the index of names.

Un droit réel d'exploitation de ressources de l'État ne peut donner lieu à l'établissement d'une fiche immobilière sous un numéro d'ordre que si la loi le déclare propriété distincte de celle du sol sur lequel il porte.

A land file identified by a serial number cannot be opened in respect of a real right of State resource development unless the right is declared by law to be property separate from the land in which it is held.

1991, c. 64, a. 3035 (1994-01-01); 2000, c. 42, a. 66 (2000-12-05).

C.C.B.C. 2129g (C.C.Q. 3034, 3038, 3040)

Art. 3036. Dans un territoire non cadastré et, le cas échéant, en territoire cadastré, lorsque la loi le permet, l'immeuble doit être désigné par la mention de ses tenants et aboutissants et de ses mesures; la désignation doit aussi contenir les éléments utiles pour situer l'immeuble en position relative et faire état de l'absence de fiche.

Art. 3036. In territory without a cadastral survey and also in territory with a cadastral survey if permitted by law, an immovable shall be described by metes and bounds and by its measurements; an indication of the elements useful for locating the relative position of the immovable and a statement that no land file exists, shall also be included in the description.

La désignation d'un immeuble, faite par référence à l'arpentage primitif ou au moyen de coordonnées géographiques ou de coordonnées planes ou rectangulaires, est néanmoins admise en territoire non cadastré pourvu que cette désignation, qui doit aussi faire état de l'absence de fiche, permette de bien identifier l'immeuble et le situer en position relative. La désignation d'un immeuble par référence à l'arpentage primitif doit, lorsqu'elle porte sur des parties de lots, être complétée par la mention des tenants et aboutissants et des mesures de chacune des parties.

The description of an immovable by reference to the original survey or by means of geographic coordinates or plane rectangular coordinates is nevertheless admissible in a territory without a cadastral survey, provided that the description, which must also state that no land file exists, allows the immovable to be properly identified and its relative position to be properly located. Where the description of an immovable by reference to the original survey refers to parts of lots, it must be completed by a description by metes and bounds and the measurements of each of those parts.

1991, c. 64, a. 3036 (1994-01-01); 2002, c. 19, a. 14 (2002-06-13).

C.C.B.C. 2129l al. 1, 2168 al. 1 (D.T. 155(2); C.C.Q. 3030, 3037, 3043, 3054)

Art. 3037. Lorsqu'un immeuble est formé de parties de plusieurs lots, chacune des parties de lot doit être désignée par ses tenants, aboutissants et mesures respectifs.

Art. 3037. Where an immovable consists of parts of several lots, each part of a lot shall be described by metes and bounds and its measurements.

La désignation d'une partie de lot par distraction des parties de ce lot, ou par la seule mention du nom des propriétaires des tenants et aboutissants, n'est pas admise.

The description of a part of lot as the remainder after separation of other parts of the lot, or by reference to the names of the owners of its adjoining properties, is not admissible.

1991, c. 64, a. 3037 (1994-01-01).

C.C.B.C. 2168 al. 1 (D.T. 155(2); C.C.Q. 3036, 3054 ss.)

Art. 3038. La désignation d'un réseau de voies ferrées, de télécommunication par câble, de distribution d'eau ou de gaz, de lignes électriques, de canalisations pour le transport de produits pétroliers ou l'évacuation des eaux usées comprend, outre l'indication de sa nature générale:

Art. 3038. The description of a railway network, or a network of cable communications, water or gas distribution, power lines, oil or gas pipelines or sewage conduits includes, apart from an indication of its general nature,

1° S'il est immatriculé, la désignation du numéro cadastral qui lui est attribué;

(1) if the network is immatriculated, the cadastral number assigned to it;

2° S'il n'est pas immatriculé, la désignation des cadastres qu'il traverse ou, en territoire non cadastré, une désignation suffisante pour l'identifier, à moins qu'une fiche immobilière n'ait été établie pour le réseau.

La réquisition d'établissement de la fiche immobilière d'un réseau qui n'est pas immatriculé doit désigner les cadastres ou le territoire qu'il dessert.

1991, c. 64, a. 3038 (1994-01-01); 1995, c. 33, a. 32 (1995-06-22).

(C.C.Q. 3031, 3034, 3035, 3038-3040)

Art. 3039. L'assiette du droit réel d'exploitation de ressources de l'État qui est immatriculée est désignée par le numéro d'immatriculation qui lui est donné. Ce numéro et l'indication de la nature du droit suffisent dans tout document qui y fait référence.

L'attribution d'un numéro d'immatriculation comprend aussi la désignation des immeubles sur lesquels s'exerce le droit réel d'exploitation de ressources de l'État, afin que les concordances soient portées sur le registre foncier.

1991, c. 64, a. 3039 (1994-01-01).

(C.C.Q. 3031, 3035, 3040, 3071)

Art. 3040. L'assiette du droit réel d'exploitation de ressources de l'État qui n'est pas immatriculée est désignée par la mention de la nature du droit et la description du lieu où il s'exerce, à moins qu'une fiche immobilière n'ait été établie pour l'assiette du droit visé.

La réquisition d'établissement de la fiche immobilière de ce droit doit désigner le numéro de la fiche des immeubles sur lesquels il s'exerce, afin que les concordances soient portées sur le registre foncier, soit à l'index des immeubles, soit au registre des réseaux de services publics et des immeubles situés en territoire non cadastré; le droit n'est opposable aux tiers qu'à compter du moment où ces concordances sont ainsi portées sur le registre.

1991, c. 64, a. 3040 (1994-01-01); 2000, c. 42, a. 68 (2000-12-05).

C.C.B.C. 2129d, 2129h, 2129i (C.C.Q. 2978, 3031, 3034, 3071)

Art. 3041. L'immatriculation des parties privatives et communes d'une copropriété divise verticale ne peut se faire avant que le gros oeuvre du bâtiment dans lequel elles sont situées ne permette de les mesurer et d'en déterminer les limites.

1991, c. 64, a. 3041 (1994-01-01).

(C.C.Q. 1042 ss., 1049, 1055, 1060, 1100, 1108, 3030)

(2) if the network is not immatriculated, the description of the cadastres traversed by it or, in territory without a cadastral survey, a description sufficient to identify it, unless a land file has been opened for the network.

In an application for the opening of a land file for a network which is not immatriculated, a description shall be given of the cadastres or territory served by it.

Art. 3039. The *situs* of a real right of State resource development which has been immatriculated is described by the immatriculation number assigned to it. That number, with an indication of the nature of the right, is sufficient description in any document which refers to it.

The assignment of an immatriculation number includes the description of the immovables on which the real right of State resource development is exercised, in order that the relevant correspondences be entered in the land register.

Art. 3040. The *situs* of a real right of State resource development which is not immatriculated is described by the mention of the nature of the right and a description of the place where it is exercised, unless a land file has been opened for the *situs* of the right in question.

The number of the land files of the immovables on which the right is exercised shall be included in the application for the opening of the land file of that right, so that the relevant correspondences may be entered in the land register, either in the index of immovables or in the register of public service networks and immovables situated in territory without a cadastral survey; the right is enforceable against third persons only from the time the relevant correspondences are entered in the register.

Art. 3041. The immatriculation of the private and common portions of a vertical divided co-ownership may not take place before the foundation and main walls of the building in which they are situated allow measurement of their boundaries.

Art. 3042. Celui qui est autorisé à exproprier doit, en territoire cadastré, soumettre au ministre responsable du cadastre un plan, qu'il signe pour le propriétaire, afin que soient immatriculées la partie requise et la partie résiduelle; il doit, en outre, s'il s'agit d'un plan comportant une nouvelle numérotation, notifier ce dépôt à toute personne qui a fait inscrire son adresse, mais le consentement des créanciers et du bénéficiaire d'une déclaration de résidence familiale n'est pas requis pour l'obtention de la nouvelle numérotation cadastrale.

L'inscription du transfert visé par la Loi sur l'expropriation, ou de la cession de la partie de lot requise, ne peut être faite avant l'entrée en vigueur du plan.

Le premier alinéa s'applique également aux municipalités qui sont autorisées par la loi à s'approprier, sans formalité ni indemnité à verser, un droit de propriété en superficie, en surface ou dans le tréfonds d'un immeuble, pour une cause d'utilité publique.

1991, c. 64, a. 3042 (1994-01-01); 2000, c. 42, a. 69 (2001-10-09).

C.C.B.C. 2173.6 (**D.T.** 155(3°); **C.C.Q.** 3017, 3022, 3028, 3043, 3044; **L.R.Q.**, c. E-24)

Art. 3042. A person authorized to expropriate shall, in territory with a cadastral survey, submit to the minister responsible for the cadastre a plan, signed by that person on behalf of the owner, in order that the required part and the remainder be immatriculated; he shall, in addition, in the case of a plan involving a renumbering, give notice of the deposit to every person having caused his address to be registered, but the consent of the creditors and the beneficiary of a declaration of family residence is not required for the obtention of the new cadastral numbering.

No transfer under the Expropriation Act nor cession of the required part of the lot may be registered before the plan comes into force.

The first paragraph also applies to municipalities authorized by law to appropriate, without formality or indemnity, a right of superficies above, on or under an immovable, for public use.

CHAPITRE DEUXIÈME
DES MODIFICATIONS DU CADASTRE

CHAPTER II
AMENDMENTS TO THE CADASTRE

Art. 3043. Toute personne peut soumettre au ministre responsable du cadastre un plan, signé par elle, pour modifier par subdivision ou autrement le plan d'un lot dont elle est propriétaire; elle peut aussi demander le numérotage d'un lot, l'annulation ou le remplacement de la numérotation existante ou en obtenir une nouvelle ou pour modifier par morcellement le plan d'un lot sur lequel elle a acquis, autrement qu'à la suite d'une convention, un droit de propriété.

L'acceptation, par le ministre, d'un plan visant à modifier par morcellement le plan d'un lot sur lequel une personne a acquis un droit de propriété autrement qu'à la suite d'une convention supplée à la signature de toute personne ayant des droits sur le lot visé par le plan.

Le ministre peut aussi, en cas d'erreur, corriger un plan ou modifier la numérotation d'un lot, ajouter la numérotation omise, ou annuler ou remplacer la numérotation existante. Il doit alors notifier la modification au propriétaire inscrit sur le registre foncier et à toute personne qui a fait inscrire son adresse. La notification est motivée; il y est joint un extrait des plans cadastraux ancien et nouveau.

Art. 3043. Any person may submit a plan, signed by him, to the minister responsible for the cadastre in order to amend, by subdivision or otherwise, the plan of a lot he owns or to amend, by parcelling, the plan of a lot the ownership of which he has acquired otherwise than by agreement; he may also request the numbering of a lot, the striking out or replacement of the existing numbering or obtain a new numbering.

The acceptance by the minister of a plan the purpose of which is to amend, by parcelling, the plan of a lot the ownership of which has been acquired by a person otherwise than by agreement compensates for the absence of the signature of any other person having rights in the lot represented on the plan.

The minister may also, in case of error, correct a plan or change the number of a lot, supply any omitted number or strike out or replace the existing numbering. He shall in such a case notify the amendment to the owner registered in the land register and any person having caused his address to be registered. Such notification includes reasons and is accompanied with extracts from the old and the new cadastral plans.

Le morcellement d'un lot oblige à l'immatriculation simultanée des parties qui résultent de ce morcellement.

Upon the dividing up of a lot, the parts resulting therefrom shall be immatriculated simultaneously.

1991, c. 64, a. 3043 (1994-01-01); 2000, c. 42, a. 70 (2000-12-05).

C.C.B.C. 2174 al. 1 et 2, 2174a, 2174b al. 1, 2175 al. 1 et 2 (**D.T.** 155(1°); **C.C.Q.** 3021, 3022, 3029, 3030, 3032, 3037, 3042, 3044, 3045, 3054)

*Art. 3044. Le consentement des créanciers hypothécaires et du bénéficiaire d'une déclaration de résidence familiale est nécessaire pour l'obtention par le propriétaire d'une modification cadastrale qui entraîne une nouvelle numérotation.

Ce consentement, donné par acte notarié en minute, doit être publié et communiqué, avec un état certifié de l'inscription, au ministre responsable du cadastre.

*Art. 3044. The consent of the hypothecary creditors and of the beneficiary of a declaration of family residence is required for the proprietor to obtain a cadastral amendment involving a renumbering.

The consent is given by notarial act *en minute*, and shall be registered and transmitted, with a certified statement of registration, to the minister responsible for the cadastre.

1991, c. 64, a. 3044 (1994-01-01); 2000, c. 42, a. 71 (2001-10-09).

(**C.C.Q.** 3042, 3043)

* Voir les dispositions transitoires, 2000, c. 42, a. 238(11), dans l'appendice du Code civil du Québec.

* See the transitional provisions, 2000, c. 42, s. 238(11), in the Appendix of the Civil Code of Québec.

Art. 3045. L'officier de la publicité des droits indique au registre, sous le numéro du lot visé, la nature de toute modification apportée au plan qui ne modifie pas le numéro cadastral.

Lors de l'établissement d'une fiche immobilière exigée par une nouvelle numérotation cadastrale, il établit, le cas échéant, suivant les données du plan, la concordance entre l'ancien numéro de lot ou l'ancien numéro d'ordre de la fiche immobilière et le numéro de lot nouveau.

Art. 3045. The registrar indicates in the register, under the number of the lot concerned, the nature of any amendment made to the plan which does not affect the cadastral number.

When opening a land file required by a cadastral renumbering, the registrar establishes, where applicable, according to what is shown on the plan, the correspondence between the old lot number or the old serial number of the land file and the new lot number.

1991, c. 64, a. 3045 (1994-01-01); 2000, c. 42, a. 72 (2001-10-09).

C.C.B.C. 2174b al. 4 (**C.C.Q.** 2972, 3021, 3026, 3030, 3042, 3043, 3054)

CHAPITRE TROISIÈME
ABROGÉ

CHAPTER III
REPEALED

Art. 3046-3053. Abrogés.

Art. 3046-3053. Repealed.

1991, c. 64, a. 3046-3053 (1994-01-01); 2000, c. 42, a. 73 (2001-10-09).

CHAPITRE QUATRIÈME
DES PARTIES DE LOT

CHAPTER IV
PARTS OF LOTS

Art. 3054. Les droits énoncés dans la réquisition qui constate l'acquisition d'une partie de lot ne peuvent être inscrits sur le registre foncier, jusqu'à ce qu'une modification cadastrale attribue:

Art. 3054. Rights set forth in an application evidencing the acquisition of a part of a lot may not be registered in the land register until a cadastral amendment assigns

1° Soit un numéro cadastral distinct à la partie acquise et à la partie résiduelle; ou,

2° Soit, lorsque la partie acquise est fusionnée à un lot contigu, un numéro cadastral distinct à l'immeuble qui résulte du fusionnement, ainsi qu'à l'immeuble qui résulte du morcellement.

1991, c. 64, a. 3054 (1994-01-01); 2000, c. 42, a. 74 (2001-10-09).

C.C.B.C. 2173.2 al. 3 et 4 (**D.T.** 155(1°); **C.C.Q.** 3028, 3030, 3037, 3043 ss.)

Art. 3055. Sur la recommandation du ministre responsable du cadastre, le gouvernement peut, par décret, permettre, aux conditions qu'il détermine, dans un territoire qui a fait l'objet d'une rénovation cadastrale, l'inscription sur le registre foncier de l'aliénation d'une partie de lot qui est située dans une zone agricole établie en vertu de la Loi sur la protection du territoire et des activités agricoles, ou qui est située à plus de 345 kilomètres du bureau de la publicité des droits de la circonscription foncière dans laquelle le lot est situé.

Le décret est publié dans la Gazette officielle du Québec; il entre en vigueur à la date, ultérieure à sa publication, qui y est fixée.

1991, c. 64, a. 3055 (1994-01-01); 1996, c. 26, a. 85 (1997-06-20); 2000, c. 42, a. 75 (2001-10-09).

C.C.B.C. 2173.3 al. 1 et 2, 2173.4 (**C.C.Q.** 3030, 3036, 3037, 3054, 3056)

Art. 3056. L'officier transmet au ministre responsable du cadastre une copie de tout document énonçant une aliénation qu'il a inscrite sur le registre foncier, sous l'autorité du décret.

Sur réception du document, le ministre prépare la modification qui donne lieu à l'attribution d'un numéro cadastral distinct à chacune des parties de lot qui résulte de l'aliénation.

1991, c. 64, a. 3056 (1994-01-01).

C.C.B.C. 2173.3 al. 3 et 4, 2173.4 (**C.C.Q.** 3055)

(1) a separate cadastral number to the acquired part and to the remainder; or

(2) a separate cadastral number, where the acquired part is amalgamated with a contiguous lot, to the immovable resulting from the amalgamation and to the immovable resulting from the partition.

Art. 3055. On the recommendation of the minister responsible for the cadastre, the Government, by order and on the conditions it determines, and in a territory that has been the subject of a cadastral renovation, may allow registration in the land register of the alienation of part of a lot situated in an agricultural zone established under the Act respecting the preservation of agricultural land and agricultural activities, or situated over 345 kilometres from the registry office for the registration division in which the lot is situated.

The order is published in the Gazette officielle du Québec; it comes into force on such date after its publication as is fixed therein.

Art. 3056. The registrar transmits to the minister responsible for the cadastre a copy of any document evidencing an alienation registered by him in the land register on the authority of the order.

On receipt of the document, the minister prepares the amendment providing a separate cadastral number for each part of a lot resulting from the alienation.

TITRE CINQUIÈME
DE LA RADIATION

CHAPITRE PREMIER
DES CAUSES DE RADIATION

*Art. 3057. La radiation résulte d'une inscription qui vise la suppression d'une inscription antérieure sur le registre approprié.

L'inscription est faite, en matière foncière, sur le registre des mentions.

1991, c. 64, a. 3057 (1994-01-01); 2000, c. 42, a. 76 (2001-10-09).

C.C.B.C. 2148 al. 1, 2149, 2152 (**C.C.Q.** 2965, 2981 ss., 2988 ss., 2995, 3058 ss., 3063, 3073; **C.P.C.** 804 ss.)

---

* Voir les dispositions transitoires, 2000, c. 42, a. 238(14), dans l'appendice du Code civil du Québec.

Art. 3057.1 La radiation s'obtient, à moins que la loi n'en dispose autrement, par la présentation d'une réquisition faite suivant les règles applicables au registre foncier ou au registre des droits personnels et réels mobiliers. Cependant, les réquisitions de radiation sur le registre foncier ne peuvent prendre la forme d'un sommaire que dans les cas prévus par la loi.

La radiation est volontaire ou, à défaut, judiciaire; elle peut aussi être légale.

2000, c. 42, a. 76 (2001-10-09).

*Art. 3057.2 La radiation qui résulte d'une inscription sur le registre des mentions doit faire l'objet d'une indication sur le registre foncier, sauf à l'index des noms.

2000, c. 42, a. 76 (2001-10-09).

---

* Voir les dispositions transitoires, 2000, c. 42, a. 238(15), dans l'appendice du Code civil du Québec.

Art. 3058. L'inscription dont la date extrême d'effet est limitée par la loi, ou par la réquisition d'inscription, est périmée de plein droit le lendemain, à zéro heure, de la date d'expiration du délai fixé par la loi ou par la réquisition et inscrit, le cas échéant, sur le registre, si elle n'a pas préalablement été renouvelée.

1991, c. 64, a. 3058 (1994-01-01); 2000, c. 42, a. 77 (2001-10-09).

(**C.C.Q.** 1742, 1753, 2798-2800, 2937, 2942, 2982 al. 3, 2983 al. 2, 3022 al. 2, 3069)

TITLE FIVE
CANCELLATION

CHAPTER I
CAUSES OF CANCELLATION

*Art. 3057. Cancellation arises from an entry to strike an earlier registration from a register.

To cancel a registration in the land register, the entry is made in the register of mentions.

---

* See the transitional provisions, 2000, c. 42, s. 238(14), in the Appendix of the Civil Code of Québec.

Art. 3057.1 Unless otherwise provided by law, cancellation is obtained by presenting an application made in accordance with the rules applicable to the land register or the register of personal and movable real rights. However, applications for cancellation of a registration in the land register may be presented in the form of a summary only in the cases determined by law.

Cancellation is voluntary or, failing that, judicial; it may also be legal.

*Art. 3057.2 Cancellation arising from an entry in the register of mentions must be noted in the land register, except in the index of names.

---

* See the transitional provisions, 2000, c. 42, s. 238(15), in the Appendix of the Civil Code of Québec.

Art. 3058. Registration for which the date after which it will cease to be effective is restricted by law or by the application for registration expires by operation of law at midnight on the expiry date of the period fixed by law or by the application and, where applicable, entered in the register, if it has not been renewed before that time.

Art. 3059. L'inscription d'un droit est radiée, du consentement du titulaire ou du bénéficiaire de ce droit.

Néanmoins, l'inscription sur le registre foncier d'une hypothèque ou d'une restriction au droit de disposer, ou de tout autre droit dont la durée est déterminée, qui est périmée par l'arrivée de sa date extrême d'effet, peut, de même que celle d'une hypothèque éteinte par l'écoulement du temps prévu par la loi, être radiée sur présentation d'une réquisition faite par toute personne intéressée; et l'inscription sur le registre des droits personnels et réels mobiliers d'une hypothèque, ou d'une telle restriction ou d'un tel autre droit, qui, d'après le registre, est périmée, de même que celle de l'adresse qui n'a plus d'effet, peut être radiée d'office par l'officier. La radiation de l'inscription sur le registre des droits personnels et réels mobiliers doit être motivée et datée.

Art. 3059. The registration of a right is cancelled with the consent of the holder of, or beneficiary under, that right.

Nevertheless, the registration in the land register of a hypothec or of a restriction to the right to dispose of property, or of any other right with a fixed term, which has expired because the date after which it ceases to be effective has arrived, or the registration of a hypothec which is extinguished because the time prescribed by law has elapsed, may be cancelled on presentation of an application made by any interested person; the registration in the register of personal and movable real rights of a hypothec, or of such a restriction or right which, according to the register, has expired, or the registration of an address that no longer has effect, may be cancelled by the registrar on his own initiative. The cancellation of a registration in the register of personal and movable real rights must give reasons and be dated.

1991, c. 64, a. 3059 (1994-01-01); 2000, c. 42, a. 78 (2001-10-09).

C.C.B.C. 2148 al. 1 (**C.C.Q.** 1742, 1753, 2798-2800, 2982 al. 3, 2983 al. 2, 3022 al. 2, 3058, 3069)

Art. 3060. Abrogé.

Art. 3060. Repealed.

1991, c. 64, a. 3060 (1994-01-01); 2000, c. 42, a. 79 (2000-12-05).

Art. 3061. L'inscription de l'hypothèque légale des personnes qui ont participé à la construction ou à la rénovation d'un immeuble est radiée, à la réquisition de tout intéressé, lorsque dans les six mois qui suivent soit la date de l'inscription, soit la date de la fin des travaux, selon la dernière éventualité, aucune action n'a été intentée et publiée ou aucun préavis d'exercice d'un droit hypothécaire n'a été publié; la réquisition doit faire état de ces causes de radiation et être accompagnée d'une preuve qu'elle a été signifiée aux créanciers au moins dix jours précédant sa présentation à l'officier de la publicité des droits.

L'inscription de l'hypothèque légale du syndicat des copropriétaires sur la fraction d'une copropriété est radiée, à la réquisition de tout intéressé, à l'expiration des trois ans de sa date, à moins qu'une action n'ait été préalablement intentée et publiée.

Toutefois, si une action a été intentée et publiée, la radiation s'obtient par l'inscription du jugement rejetant l'action ou ordonnant la radiation, ou par la présentation d'un certificat du greffier du tribunal attestant que l'action a été discontinuée.

Art. 3061. The registration of the legal hypothec of persons having participated in the construction or renovation of an immovable is cancelled, on the application of any interested person, where, within six months after the later of the date of registration and the date of completion of the work, no action has been brought and published or no prior notice of the exercise of a hypothecary right has been published; the application must state the reasons for the cancellation and be presented with proof that it was served upon the creditors not less than ten days before its presentation to the registrar.

The registration of the legal hypothec of a syndicate of co-owners on a fraction of the co-ownership is cancelled, on the application of any interested person, upon the expiry of three years after its date, unless an action has previously been brought and published.

However, where an action has been brought and published, cancellation is obtained by registering the judgment dismissing the action or ordering the cancellation, or by filing a certificate of the clerk of the court attesting that the action has been discontinued.

1991, c. 64, a. 3061 (1994-01-01); 2000, c. 42, a. 80 (2000-12-05).

C.C.B.C. 2103(4), 2103(5) (**C.C.Q.** 2724(2°), 2724(3°), 2726-2729, 2800, 2952, 3073)

Art. 3062. L'inscription d'une déclaration de résidence familiale n'est radiée, à la réquisition de tout intéressé, que dans les cas suivants: les époux ou conjoints unis civilement y consentent, l'un des conjoints est décédé et sa succession est liquidée, les conjoints sont séparés de corps ou divorcés, l'union civile est dissoute, la nullité du mariage ou de l'union civile est prononcée ou l'immeuble a été aliéné du consentement des conjoints ou avec l'autorisation du tribunal.

Art. 3062. Registration of a declaration of family residence is cancelled, on the application of any interested person, only in the following cases: where the married or civil union spouses consent, where one of the spouses has died and his succession is liquidated, where the spouses are separated from bed and board or are divorced, where the civil union has been dissolved, the marriage or civil union has been annulled, or where the immovable has been alienated with the consent of the spouses or with the authorization of the court.

Hormis le cas où les conjoints y consentent, la réquisition doit être accompagnée d'un certificat de décès et d'une déclaration attestée de la liquidation de la succession ou d'une copie du jugement ou de la déclaration commune notariée de dissolution, selon le cas.

Except where the spouses consent to the cancellation, the application shall be accompanied with a death certificate and an attested declaration of the liquidation of the succession or a copy of the judgment or the notarized joint declaration of dissolution, as the case may be.

1991, c. 64, a. 3062 (1994-01-01); 2002, c. 6, a. 62 (2002-06-24).

C.C.B.C. 2148.1 (**C.C.Q.** 395, 407, 2995, 3063; **C.P.C.** 813.4, 885*a*))

Art. 3063. La radiation d'une inscription peut être ordonnée par le tribunal lorsque l'inscription a été faite sans droit ou irrégulièrement, sur un titre nul ou informe, ou lorsque le droit inscrit est annulé, résolu, résilié ou éteint par prescription ou autrement.

Art. 3063. The court may order the cancellation of a registration effected without right or irregularly, or on the basis of a title that is null or that is irregular as to form or where the registered right has been annulled, rescinded, resiliated or extinguished by prescription or otherwise.

Elle est aussi ordonnée lorsque l'immeuble sur lequel une déclaration de résidence familiale avait été inscrite a cessé de servir à cette fin.

It may also order cancellation where the immovable against which a declaration of family residence that had been registered has ceased to be used for that purpose.

1991, c. 64, a. 3063 (1994-01-01).

C.C.B.C. 2150 (**C.C.Q.** 395, 404-407, 2727, 2729, 2795 ss., 2800, 2965, 2995, 3057, 3061, 3062, 3073; **C.P.C.** 804)

Art. 3064. Abrogé.

Art. 3064. Repealed.

1991, c. 64, a. 3064 (1994-01-01); 2000, c. 42, a. 81 (2001-10-09).

Art. 3065. La quittance totale d'une créance emporte le consentement à la radiation. La quittance partielle n'entraîne que le consentement à une réduction équivalente.

Art. 3065. Total acquittance of a debt entails consent to its cancellation. Partial acquittance entails consent to only an equivalent reduction.

Le créancier est tenu de faire inscrire la quittance, s'il reçoit une somme suffisante pour acquitter les frais d'inscription et les frais d'acheminement de la réquisition au bureau de la publicité des droits; il ne peut exiger aucune autre somme, malgré toute stipulation contraire.

The creditor is bound to register the acquittance if he receives a sufficient amount to pay the registration fee and the costs of sending the application to the registry office; he may not claim any other amount, notwithstanding any stipulation to the contrary.

1991, c. 64, a. 3065 (1994-01-01).

C.C.B.C. 2148 al. 2 et 4 (**C.C.Q.** 1557, 1567, 1568, 2661, 2797, 3012, 3059)

Art. 3066. La réduction de l'hypothèque garantissant la créance que la consignation d'une somme d'argent est destinée à payer, se fait par l'inscription du jugement qui déclare les offres valables et qui, le cas échéant, détermine la personne qui a droit à la somme consignée, ou par l'inscription du jugement qui autorise, à la demande du débiteur, la réduction de l'hypothèque et le report de celle-ci sur le bien offert ou consigné.

1991, c. 64, a. 3066 (1994-01-01).

_____

(**C.C.Q.** 1573 ss., 2678, 3073)

CHAPITRE DEUXIÈME
DE CERTAINES RADIATIONS

Art. 3066.1 L'inscription de l'adresse d'un indivisaire peut être radiée à la réquisition de tout intéressé.

La réquisition doit contenir, outre une référence à l'acte constitutif de l'indivision et à celui qui y met fin à l'égard de l'indivisaire, la désignation de cet indivisaire et l'indication du numéro d'inscription de son adresse sur le registre.

2000, c. 42, a. 82 (2000-12-05).

Art. 3066.2 L'avis de préinscription d'une demande en justice est radié par l'inscription d'un jugement rejetant la demande ou ordonnant la radiation, ou par la présentation d'un certificat du greffier du tribunal attestant que la demande a été discontinuée.

L'avis de préinscription de droits résultant d'un testament est radié à la réquisition de tout intéressé, lorsque le testament n'a pas été publié dans les trois ans de la date de l'ouverture de la succession. La réquisition doit être accompagnée de l'acte de décès du testateur.

2000, c. 42, a. 82 (2000-12-05).

Art. 3067. L'inscription d'un droit viager ou de l'hypothèque qui le garantit ne peut être radiée que du consentement du titulaire ou du bénéficiaire; s'il est décédé, la personne qui requiert la radiation doit présenter l'acte de décès, accompagné d'une déclaration sous serment concernant l'identité du défunt.

1991, c. 64, a. 3067 (1994-01-01).

Art. 3066. Reduction of a hypothec securing a claim to be paid with a sum of money deposited for that purpose is made by registering the judgment declaring the tender to be valid and specifying, where applicable, the person entitled to the sum of money deposited, or by registering the judgment authorizing, at the debtor's request, the reduction of the hypothec and its transfer onto the property tendered or deposited.

CHAPTER II
CERTAIN CASES OF CANCELLATION

Art. 3066.1 Registration of the address of a co-owner in indivision may be cancelled on the application of any interested person.

The application for cancellation must refer to the act constituting the undivided co-ownership and the act terminating the undivided co-ownership with respect to the co-owner and contain the description of the co-owner and the registration number of his adress in the register.

Art. 3066.2 A notice of advance registration of a judicial demand is cancelled upon registration of a judgment dismissing the demand or ordering the cancellation, or upon presentation of a certificate of the clerk of the court stating that the demand has been discontinued.

A notice of advance registration of rights arising from a will is cancelled upon the application of any interested person, if the will was not published within three years of the date of opening of the succession. The application must be accompanied with the act of death of the testator.

Art. 3067. Registration of a right ending at death or of a hypothec securing it may not be cancelled without the consent of the holder or beneficiary; after his death, the person requiring the cancellation shall present the act of death and a sworn statement as to the identity of the deceased.

_____

C.C.B.C. 2151 al. 4 et 5 (**C.C.Q.** 92, 102, 107, 122 ss., 144 ss., 2371 ss., 2387, 2959, 2960; **C.P.C.** 804 ss., 865.1 ss.)

Art. 3068. L'inscription d'une hypothèque en faveur de l'État est radiée ou réduite par la présentation d'un certificat du procureur général ou du sous-procureur général du Québec, ou d'une personne désignée par le procureur général, énonçant que telle hypothèque est éteinte ou réduite.

Elle l'est aussi par la présentation d'un certificat du ministre ou du sous-ministre du Revenu, ou d'une personne désignée par le ministre du Revenu, énonçant que telle hypothèque est éteinte ou réduite, si cette hypothèque a été constituée en vertu d'une loi dont l'application relève de ce ministre.

Elle peut l'être encore par la présentation d'une copie d'un décret du gouvernement, certifiée par le greffier du Conseil exécutif.

1991, c. 64, a. 3068 (1994-01-01).

C.C.B.C. 2151 al. 3 (**C.C.Q.** 2724(1°), 2725, 3017)

Art. 3069. L'inscription des droits éteints par l'exercice des droits hypothécaires, par la vente forcée ou par la vente définitive du bien pour défaut de paiement de l'impôt foncier est radiée à la suite de l'inscription de la vente ou de la prise en paiement. Toutes les inscriptions des procès-verbaux de saisie, des préavis de vente, des préavis d'exercice d'un recours ou d'un droit et, le cas échéant, d'un avis exigeant l'abandon de la prise en paiement en vertu du livre Des priorités et des hypothèques, sont alors radiées par l'officier.

Cependant, lorsqu'il n'est pas procédé à la vente, les inscriptions des procès-verbaux, des préavis et des avis ne sont radiées que par la présentation d'un certificat constatant le fait et délivré par le greffier du tribunal ou par la personne désignée pour procéder à la vente.

Les réquisitions de radiation des inscriptions sur le registre foncier visées par le présent article peuvent prendre la forme d'un sommaire du document.

1991, c. 64, a. 3069 (1994-01-01); 1992, c. 57, a. 716 (1994-01-01); 2000, c. 42, a. 83 (2001-10-09).

C.C.B.C. 2157, 2161d, 2161g, 2161h (**C.C.Q.** 2748 ss., 2783, 2794, 3000, 3001, 3017, 3070; **C.P.C.** 660 ss., 663, 665, 670, 696, 696.1, 698 ss., 703, 704, 796 ss., 804)

Art. 3070. L'inscription du préavis de vente pour défaut de paiement de l'impôt foncier et celle de l'adjudication sont radiées à la suite de l'inscription de la vente définitive consentie par l'autorité municipale ou scolaire ou de l'acte constatant que l'immeuble a fait l'objet d'un retrait.

L'inscription du préavis de vente pour défaut de paiement de l'impôt foncier est aussi radiée à la suite de la présentation de la liste des immeubles non vendus.

Art. 3068. Registration of a hypothec in favour of the State is cancelled or the registered amount thereof is reduced by filing a certificate of the Attorney General or Deputy Attorney General of Québec, or of a person designated by the Attorney General, stating that the hypothec is extinguished or reduced.

It is also cancelled by filing a certificate of the Minister or Deputy Minister of Revenue or of a person designated by the Minister of Revenue, stating that the hypothec is extinguished or reduced, if the hypothec was created by virtue of an Act under the administration of that Minister.

It may further be cancelled by filing a copy of an order of the Government, certified by the clerk of the Executive Council.

Art. 3069. Registration of rights extinguished by the exercise of hypothecary rights, by forced sale or by definitive sale of the property for failure to pay immovable taxes are cancelled following registration of the sale or of the taking in payment. All registrations of minutes of seizure, prior notices of sale, notices of intention to pursue a remedy or the exercise of a right and notices requiring abandonment of the taking in payment under the Book on Prior Claims and Hypothecs are thereupon cancelled by the registrar.

Where the sale is not proceeded with, registration of minutes of seizure and notices is cancelled only upon the filing of a certificate attesting to that fact issued by the clerk of the court or by the person designated to proceed with the sale.

Applications for the cancellation of a registration in the land register under this article may be in the form of a summary of the document.

Art. 3070. Registration of a notice of sale for non-payment of immovable taxes and of the adjudication are cancelled following the registration of the definitive sale made by the municipal or school authority or by the act evidencing the redemption of the immovable.

Registration of the prior notice of sale for non-payment of immovable taxes is also cancelled following the production of the list of immovables that have not been sold.

La radiation de ces inscriptions peut être requise au moyen d'un sommaire du document.

The cancellation of a registration under this article may be applied for by means of a summary of the document.

1991, c. 64, a. 3070 (1994-01-01); 2000, c. 42, a. 84 (2001-10-09).

C.C.B.C. 2161h al. 2, 2161i, 2161k (**C.C.Q.** 3001, 3017, 3069)

Art. 3071. L'inscription d'un droit réel d'exploitation de ressources de l'État est radiée, lorsque le ministre responsable de la loi qui régit ce droit avise l'officier de la publicité des droits de l'abandon ou de la révocation du droit qui n'est pas exempté de l'inscription.

Art. 3071. Registration of a real right of State resource development is cancelled when the minister responsible for the Act governing the right notifies the registrar of the abandonment or revocation of the right not exempt from registration.

L'avis doit désigner le droit abandonné ou révoqué et identifier la fiche immobilière visée; l'abandon ou la révocation est inscrite sur cette fiche, ainsi que sur celle de l'immeuble sur lequel s'exerçait le droit.

In the notice, the minister shall include the description of the abandoned or revoked right and identify the land file concerned; the abandonment or revocation is entered on the land file concerned and on the land file of the immovable on which the right was exercised.

Lorsque l'abandon ou la révocation concerne un droit dont l'assiette a été immatriculée, l'officier en donne avis au ministre responsable du cadastre afin qu'il puisse, d'office, annuler l'immatriculation du droit.

Where the abandonment or revocation concerns a right of which the *situs* has been immatriculated, the registrar informs the minister responsible for the cadastre so that he may, by virtue of his office, cancel the immatriculation of the right.

1991, c. 64, a. 3071 (1994-01-01).

C.C.B.C. 2129p (**C.C.Q.** 2978, 3031, 3034, 3039, 3040)

CHAPITRE TROISIÈME
DES FORMALITÉS ET DES EFFETS DE LA RADIATION

CHAPTER III
FORMALITIES AND EFFECTS OF CANCELLATION

Art. 3072. La réquisition qui vise la réduction d'une inscription suit les règles applicables au registre approprié.

Art. 3072. Applications for the reduction of a registration are made in accordance with the rules applicable to the appropriate register.

1991, c. 64, a. 3072 (1994-01-01).

(**C.C.Q.** 2981 ss., 3066, 3073)

Art. 3072.1 La réquisition qui vise la radiation ou la réduction d'une inscription sur le registre foncier n'a pas à contenir la désignation des biens qui y sont visés, sauf lorsqu'il s'agit de réduire l'assiette même du droit inscrit.

Art. 3072.1 Applications for the cancellation of a registration or the reduction of an entry in the land register need not contain the description of the property concerned, except where a reduction in the *situs* of the registered right is applied for.

2000, c. 42, a. 85 (2001-10-09).

Art. 3073. La réquisition fondée sur un jugement qui ordonne la radiation d'un droit publié ou la réduction d'une inscription n'est admise que si ce jugement est passé en force de chose jugée.

Art. 3073. An application based on a judgment ordering the cancellation of a published right or the reduction of a registration is not admissible unless the judgment has acquired the authority of a final judgment (*res judicata*).

L'exécution provisoire n'est pas admise lorsque le jugement porte sur la rectification, la réduction ou la radiation d'une inscription.

Provisional execution of a judgment relating to the correction, reduction or cancellation of a registration is not admissible.

Le greffier du tribunal est tenu de délivrer un certificat attestant que le jugement n'est pas susceptible d'appel ou que, les délais d'appel étant expirés, il n'y a pas eu d'appel ou encore qu'à l'expiration d'un délai de trente jours de la date du jugement aucune demande en rétractation de jugement n'a été présentée.

1991, c. 64, a. 3073 (1994-01-01).

_____

C.C.B.C. 2148 al. 1, 2153 (**C.C.Q.** 2848, 2965, 3057; **C.P.C.** 482 ss., 494, 497, 547)

Art. 3074. La radiation de l'inscription d'un droit principal autorise la radiation de l'inscription des droits accessoires et de toutes les mentions relatives à ces inscriptions.

1991, c. 64, a. 3074 (1994-01-01).

_____

(**C.C.Q.** 2661, 3022, 3065)

Art. 3075. L'inscription de la radiation faite sans droit ou à la suite d'une erreur est radiée sur ordonnance du tribunal, à la demande de toute personne intéressée.

L'inscription de l'ordonnance ne peut porter atteinte aux droits du tiers de bonne foi qui a publié son droit après la radiation faite sans droit ou à la suite d'une erreur.

1991, c. 64, a. 3075 (1994-01-01).

_____

(**C.C.Q.** 2943, 2944; **C.P.C.** 804)

*Art. 3075.1 Toute réquisition présentée à un officier de la publicité foncière, y compris celle présentée en vertu des articles 3069 et 3070, qui vise à la fois l'inscription d'un droit et la radiation ou la réduction d'une inscription sur le registre foncier, doit, de la manière prescrite par règlement, indiquer expressément à quelles fins la réquisition est présentée.

À défaut d'une telle indication, l'officier n'est tenu de procéder qu'à l'inscription du droit visé.

2000, c. 42, a. 86 (2001-10-09).

The clerk of the court is bound to issue a certificate attesting that no appeal lies from the judgment or that, the time for appeal having expired, no appeal has been taken or that, on the lapse of thirty days from the date of judgment, no motion in revocation of judgment has been filed.

Art. 3074. Cancellation of the registration of a principal right authorizes cancellation of the registration of rights accessory to that right and of all references to such registrations.

Art. 3075. Registration of a cancellation made without right or by error may be cancelled by order of the court on the application of any interested person.

In no case does registration of such an order affect the rights of a third person in good faith who published his right after a cancellation made without right or following an error.

*Art. 3075.1 Any application presented to a land registrar, including an application under article 3069 or 3070, for both the registration of a right and the cancellation of a registration or the reduction of an entry in the land register must indicate expressly, in the manner prescribed by regulation, for what purposes the application is presented.

In the absence of such indication, the registrar is only required to proceed with the registration of the right.

_____

* Voir les dispositions transitoires, 2000, c. 42, a. 238(16), dans l'appendice du Code civil du Québec.

* See the transitional provisions, 2000, c. 42, s. 238(16), in the Appendix of the Civil Code of Québec.

_____

LIVRE DIXIÈME
DU DROIT INTERNATIONAL PRIVÉ

BOOK TEN
PRIVATE INTERNATIONAL LAW

TITRE PREMIER
DISPOSITIONS GÉNÉRALES

TITLE ONE
GENERAL PROVISIONS

Art. 3076. Les règles du présent livre s'appliquent sous réserve des règles de droit en vigueur au Québec dont l'application s'impose en raison de leur but particulier.

1991, c. 64, a. 3076 (1994-01-01).

Art. 3076. The rules contained in this Book apply subject to those rules of law in force in Québec which are applicable by reason of their particular object.

(C.C.Q. 3079)

Art. 3077. Lorsqu'un État comprend plusieurs unités territoriales ayant des compétences législatives distinctes, chaque unité territoriale est considérée comme un État.

Lorsqu'un État comprend plusieurs systèmes juridiques applicables à différentes catégories de personnes, toute référence à la loi de cet État vise le système juridique déterminé par les règles en vigueur dans cet État; à défaut de telles règles, la référence vise le système juridique ayant les liens les plus étroits avec la situation.

1991, c. 64, a. 3077 (1994-01-01).

Art. 3077. Where a country comprises several territorial units having different legislative jurisdictions, each territorial unit is regarded as a country.

Where a country comprises several legal systems applicable to different categories of persons, any reference to a law of that country is a reference to the legal system prescribed by the rules in force in that country; in the absence of such rules, any such reference is a reference to the legal system most closely connected with the situation.

(**C.C.Q.** 3080)

Art. 3078. La qualification est demandée au système juridique du tribunal saisi; toutefois, la qualification des biens, comme meubles ou immeubles, est demandée à la loi du lieu de leur situation.

Lorsque le tribunal ignore une institution juridique ou qu'il ne la connaît que sous une désignation ou avec un contenu distincts, la loi étrangère peut être prise en considération.

1991, c. 64, a. 3078 (1994-01-01).

Art. 3078. Characterization is made according to the legal system of the court seised of the matter; however, characterization of property as movable or immovable is made according to the law of the place where it is situated.

Where a legal institution is unknown to the court or known to it under a different designation or with a different content, foreign law may be taken into account.

C.C.B.C. 6 al. 2

Art. 3079. Lorsque des intérêts légitimes et manifestement prépondérants l'exigent, il peut être donné effet à une disposition impérative de la loi d'un autre État avec lequel la situation présente un lien étroit.

Pour en décider, il est tenu compte du but de la disposition, ainsi que des conséquences qui découleraient de son application.

1991, c. 64, a. 3079 (1994-01-01).

Art. 3079. Where legitimate and manifestly preponderant interests so require, effect may be given to a mandatory provision of the law of another country with which the situation is closely connected.

In deciding whether to do so, consideration is given to the purpose of the provision and the consequences of its application.

(**C.C.Q.** 3076)

Art. 3080. Lorsqu'en vertu des règles du présent livre la loi d'un État étranger s'applique, il s'agit des règles du droit interne de cet État, à l'exclusion de ses règles de conflits de lois.

1991, c. 64, a. 3080 (1994-01-01).

(C.C.Q. 3080)

Art. 3081. L'application des dispositions de la loi d'un État étranger est exclue lorsqu'elle conduit à un résultat manifestement incompatible avec l'ordre public tel qu'il est entendu dans les relations internationales.

1991, c. 64, a. 3081 (1994-01-01).

C.C.B.C. 6 al. 2, 13 **(C.C.Q.** 3155(5°))

Art. 3082. À titre exceptionnel, la loi désignée par le présent livre n'est pas applicable si, compte tenu de l'ensemble des circonstances, il est manifeste que la situation n'a qu'un lien éloigné avec cette loi et qu'elle se trouve en relation beaucoup plus étroite avec la loi d'un autre État. La présente disposition n'est pas applicable lorsque la loi est désignée dans un acte juridique.

1991, c. 64, a. 3082 (1994-01-01).

Art. 3080. Where, under the provisions of this Book, the law of a foreign country applies, the law in question is the internal law of that country, but not its rules governing conflict of laws.

Art. 3081. The provisions of the law of a foreign country do not apply if their application would be manifestly inconsistent with public order as understood in international relations.

Art. 3082. Exceptionally, the law designated by this Book is not applicable if, in the light of all attendant circumstances, it is clear that the situation is only remotely connected with that law and is much more closely connected with the law of another country. This provision does not apply where the law is designated in a juridical act.

TITRE DEUXIÈME
DES CONFLITS DE LOIS

TITLE TWO
CONFLICT OF LAWS

CHAPITRE PREMIER
DU STATUT PERSONNEL

CHAPTER I
PERSONAL STATUS

SECTION I
DISPOSITIONS GÉNÉRALES

SECTION I
GENERAL PROVISIONS

Art. 3083. L'état et la capacité d'une personne physique sont régis par la loi de son domicile.

L'état et la capacité d'une personne morale sont régis par la loi de l'État en vertu de laquelle elle est constituée, sous réserve, quant à son activité, de la loi du lieu où elle s'exerce.

1991, c. 64, a. 3083 (1994-01-01).

Art. 3083. The status and capacity of a natural person are governed by the law of his domicile.

The status and capacity of a legal person are governed by the law of the country under which it was formed subject, with respect to its activities, to the law of the place where they are carried on.

C.C.B.C. 6 al. 4 (**C.C.Q.** 50, 75, 153 ss., 298 ss., 307, 3085-3091; **C.P.C.** 57; **L.R.Q.**, c. C-38; **L.R.C.** (1985) ch. C-44)

Art. 3084. En cas d'urgence ou d'inconvénients sérieux, la loi du tribunal saisi peut être appliquée à titre provisoire, en vue d'assurer la protection d'une personne ou de ses biens.

1991, c. 64, a. 3084 (1994-01-01).

Art. 3084. In cases of emergency or serious inconvenience, the law of the court seised of the matter may be applied provisionally to ensure the protection of a person or of his property.

C.C.B.C. 6 al. 3 (**C.C.Q.** 3140)

SECTION II
DISPOSITIONS PARTICULIÈRES

SECTION II
SPECIAL PROVISIONS

§ 1. — *Des incapacités*

§ 1. — *Incapacity*

Art. 3085. Le régime juridique des majeurs protégés et la tutelle du mineur sont régis par la loi du domicile des personnes qui en font l'objet.

Lorsqu'un mineur ou un majeur protégé domicilié hors du Québec possède des biens au Québec ou a des droits à y exercer et que la loi de son domicile ne pourvoit pas à ce qu'il ait un représentant, il peut lui être nommé un tuteur ou un curateur pour le représenter dans tous les cas où un tuteur ou un curateur peut représenter un mineur ou un majeur protégé d'après les lois du Québec.

1991, c. 64, a. 3085 (1994-01-01).

Art. 3085. Protective supervision of persons of full age and tutorship to minors are governed by the law of the domicile of each person subject thereto.

Whenever a minor or a protected person of full age domiciled outside Québec possesses property in Québec or has rights to be exercised and the law of his domicile does not provide for him to have a representative, a tutor or a curator may be appointed to represent him in all cases where a tutor or a curator may represent a minor or a protected person of full age under the laws of Québec.

C.C.B.C. 6 al. 4, 348a (**C.C.Q.** 177 ss., 256 ss., 3083, 3086)

Art. 3086. La partie à un acte juridique qui est incapable selon la loi de l'État de son domicile ne peut pas invoquer cette incapacité si elle était capable selon la loi de l'État du domicile de l'autre partie

Art. 3086. A party to a juridical act who is incapable under the law of the country of his domicile may not invoke his incapacity if he was capable under the law of the country in which the other party

lorsque l'acte a été passé dans cet État, à moins que cette autre partie n'ait connu ou dû connaître cette incapacité.

1991, c. 64, a. 3086 (1994-01-01); 2002, c. 19, a. 15 (2002-06-13).

was domiciled when the act was formed in that country, unless the other party was or should have been aware of the incapacity.

(**C.C.Q.** 3083, 3085)

Art. 3087. La personne morale qui est partie à un acte juridique ne peut pas invoquer les restrictions au pouvoir de représentation des personnes qui agissent pour elle si ces restrictions n'existaient pas selon la loi de l'État du domicile de l'autre partie lorsque l'acte a été passé dans cet État, à moins que cette autre partie n'ait connu ou dû connaître ces restrictions en raison de sa fonction ou de sa relation avec la partie qui les invoque.

1991, c. 64, a. 3087 (1994-01-01); 2002, c. 19, a. 15 (2002-06-13).

Art. 3087. A legal person who is a party to a juridical act may not invoke restrictions upon the power of representation of the persons acting for it if the restrictions did not exist under the law of the country in which the other party was domiciled when the act was formed in that country, unless the other party was or should have been aware of the restrictions by virtue of his position with or relationship to the party invoking them.

(**C.C.Q.** 321, 3083)

§ 2. — *Du mariage*

Art. 3088. Le mariage est régi, quant à ses conditions de fond, par la loi applicable à l'état de chacun des futurs époux.

Il est régi, quant à ses conditions de forme, par la loi du lieu de sa célébration ou par la loi de l'État du domicile ou de la nationalité de l'un des époux.

1991, c. 64, a. 3088 (1994-01-01).

§ 2. — *Marriage*

Art. 3088. Marriage is governed with respect to its essential validity by the law applicable to the status of each of the intended spouses.

With respect to its formal validity, it is governed by the law of the place of its solemnization or by the law of the country of domicile or of nationality of one of the spouses.

C.C.B.C. 6 al. 4, 7.1 (**D.T.** 167; **C.C.Q.** 365 ss., 380 ss., 3083)

Art. 3089. Les effets du mariage, notamment ceux qui s'imposent à tous les époux quel que soit leur régime matrimonial, sont soumis à la loi de leur domicile.

Lorsque les époux sont domiciliés dans des États différents, la loi du lieu de leur résidence commune s'applique ou, à défaut, la loi de leur dernière résidence commune ou, à défaut, la loi du lieu de la célébration du mariage.

1991, c. 64, a. 3089 (1994-01-01).

Art. 3089. The effects of marriage, particularly, those which are binding on all spouses regardless of their matrimonial regime, are subject to the law of the domicile of the spouses.

Where the spouses are domiciled in different countries, the applicable law is the law of their common residence or, failing that, the law of their last common residence or, failing that, the law of the place of solemnization of the marriage.

C.C.B.C. 6 al. 4 (**C.C.Q.** 82, 391, 414 ss., 3083, 3123, 3145)

§ 3. — *De la séparation de corps*

Art. 3090. La séparation de corps est régie par la loi du domicile des époux.

Lorsque les époux sont domiciliés dans des États différents, la loi du lieu de leur résidence commune s'applique ou, à défaut, la loi de leur dernière résidence commune ou, à défaut, la loi du tribunal saisi.

§ 3. — *Separation from bed and board*

Art. 3090. Separation from bed and board is governed by the law of the domicile of the spouses.

Where the spouses are domiciled in different countries, the applicable law is the law of their common residence or, failing that, the law of their last common residence or, failing that, the law of the court seised of the case.

Les effets de la séparation de corps sont soumis à la loi qui a été appliquée à la séparation de corps. 1991, c. 64, a. 3090 (1994-01-01).

The effects of separation from bed and board are subject to the law governing the separation.

C.C.B.C. 6 al. 4 (**C.C.Q.** 493 ss., 3083, 3096, 3146)

§ 3.1 — De l'union civile

Art. 3090.1 L'union civile est régie, quant à ses conditions de fond et de forme, par la loi du lieu où elle est célébrée.

La même loi s'applique aux effets de l'union civile, à l'exception de ceux qui s'imposent aux conjoints quel que soit leur régime d'union, lesquels sont soumis à la loi de leur domicile.

2002, c. 6, a. 63 (2002-06-24).

Art. 3090.2 La dissolution de l'union civile est régie par la loi du domicile des conjoints ou par la loi du lieu de la célébration de l'union. Les effets de la dissolution sont soumis à la loi qui a été appliquée à la dissolution de l'union.

2002, c. 6, a. 63 (2002-06-24).

Art. 3090.3 Lorsque les conjoints sont domiciliés dans des États différents, la loi du lieu de leur résidence commune s'applique ou, à défaut, la loi de leur dernière résidence commune ou, à défaut, la loi du lieu de la célébration de leur union civile ou du tribunal saisi de la demande en dissolution, selon le cas.

2002, c. 6, a. 63 (2002-06-24).

§ 4. — De la filiation par le sang et de la filiation adoptive

Art. 3091. L'établissement de la filiation est régi par la loi du domicile ou de la nationalité de l'enfant ou de l'un de ses parents, lors de la naissance de l'enfant, selon celle qui est la plus avantageuse pour celui-ci.

Ses effets sont soumis à la loi du domicile de l'enfant.

1991, c. 64, a. 3091 (1994-01-01).

C.C.B.C. 6 al. 4 (**C.C.Q.** 523 ss., 3083, 3147, 3166)

Art. 3092. Les règles relatives au consentement et à l'admissibilité à l'adoption d'un enfant sont celles que prévoit la loi de son domicile.

Les effets de l'adoption sont soumis à la loi du domicile de l'adoptant.

1991, c. 64, a. 3092 (1994-01-01).

C.C.Q. (1980) 596 al. 2 (**C.C.Q.** 563-565, 574, 575, 581, 3147)

§ 3.1 — Civil union

Art. 3090.1 A civil union is governed with respect to its essential and formal validity by the law of the place of its solemnization.

That law also applies to the effects of a civil union, except those binding all spouses regardless of the civil union regime, which are subject to the law of the country of domicile of the spouses.

Art. 3090.2 The dissolution of a civil union is governed by the law of the country of domicile of the spouses or by the law of the place of its solemnization. The effects of the dissolution are subject to the law governing the dissolution.

Art. 3090.3 Where the spouses are domiciled in different countries, the applicable law is the law of their common place of residence or, failing that, the law of their last common place of residence or, failing that, the law of the place of solemnization of the civil union or the law of the court seized of the application for dissolution, as the case may be.

§ 4. — Filiation by blood or through adoption

Art. 3091. Filiation is established in accordance with the law of the domicile or nationality of the child or of one of his parents, at the time of the child's birth, whichever is more beneficial to the child.

The effects of filiation are subject to the law of the domicile of the child.

Art. 3092. The rules respecting consent to the adoption and the eligibility of the child for adoption are those provided by the law of his domicile.

The effects of adoption are subject to the law of the domicile of the adopter.

Art. 3093. La garde de l'enfant est régie par la loi de son domicile.

1991, c. 64, a. 3093 (1994-01-01).

Art. 3093. Custody of the child is governed by the law of his domicile.

C.C.B.C. 6 al. 4 (**C.C.Q.** 33, 80, 514, 521, 599, 3140, 3142)

§ 5. — De l'obligation alimentaire

§ 5. — Obligation of support

Art. 3094. L'obligation alimentaire est régie par la loi du domicile du créancier. Toutefois, lorsque le créancier ne peut obtenir d'aliments du débiteur en vertu de cette loi, la loi applicable est celle du domicile de ce dernier.

1991, c. 64, a. 3094 (1994-01-01).

Art. 3094. The obligation of support is governed by the law of the domicile of the creditor. However, where the creditor cannot obtain support from the debtor under that law, the applicable law is that of the domicile of the debtor.

C.C.B.C. 6 al. 4 (**C.C.Q.** 585, 3095, 3096, 3160)

Art. 3095. La créance alimentaire d'un collatéral ou d'un allié est irrecevable si, selon la loi de son domicile, il n'existe pour le débiteur aucune obligation alimentaire à l'égard du demandeur.

1991, c. 64, a. 3095 (1994-01-01); 2002, c. 6, a. 235 (2002-06-24).

Art. 3095. No claim of support of a collateral relation or a person connected by marriage or a civil union is admissible if, under the law of his domicile, there is no obligation for the debtor to provide support to the plaintiff.

(**C.C.Q.** 585, 3094, 3160)

Art. 3096. L'obligation alimentaire entre époux divorcés ou séparés de corps, entre conjoints unis civilement dont l'union est dissoute ou entre conjoints dont le mariage ou l'union civile a été déclaré nul est régie par la loi applicable au divorce, à la séparation de corps, à la dissolution de l'union civile ou à la nullité d'une union.

1991, c. 64, a. 3096 (1994-01-01); 2002, c. 6, a. 64 (2002-06-24).

Art. 3096. The obligation of support between spouses who are divorced or separated from bed and board, between spouses whose civil union is dissolved or spouses whose marriage or union has been declared null is governed by the law applicable to the divorce, separation from bed and board, dissolution of the civil union or annulment of the marriage or civil union.

(**C.C.Q.** 389, 511, 517, 3090, 3094, 3143, 3144, 3146)

CHAPITRE DEUXIÈME
DU STATUT RÉEL

CHAPTER II
STATUS OF PROPERTY

SECTION I
DISPOSITION GÉNÉRALE

SECTION I
GENERAL PROVISION

Art. 3097. Les droits réels ainsi que leur publicité sont régis par la loi du lieu de la situation du bien qui en fait l'objet.

Cependant, les droits réels sur des biens en transit sont régis par la loi de l'État du lieu de leur destination.

1991, c. 64, a. 3097 (1994-01-01).

Art. 3097. Real rights and their publication are governed by the law of the place where the property concerned is situated.

However, real rights on property in transit are governed by the law of the country of their place of destination.

C.C.B.C. 6 al. 1 et 2 (**C.C.Q.** 911, 3102, 3152)

SECTION II
DISPOSITIONS PARTICULIÈRES
§ 1. — *Des successions*

Art. 3098. Les successions portant sur des meubles sont régies par la loi du dernier domicile du défunt; celles portant sur des immeubles sont régies par la loi du lieu de leur situation.

Cependant, une personne peut désigner, par testament, la loi applicable à sa succession à la condition que cette loi soit celle de l'État de sa nationalité ou de son domicile au moment de la désignation ou de son décès ou, encore, celle de la situation d'un immeuble qu'elle possède, mais en ce qui concerne cet immeuble seulement.

1991, c. 64, a. 3098 (1994-01-01).

C.C.B.C. 6 al. 1 et 2 (**D.T.** 168; **C.C.Q.** 613 ss., 703 ss.; 3100, 3109, 3153)

Art. 3099. La désignation d'une loi applicable à la succession est sans effet dans la mesure où la loi désignée prive, dans une proportion importante, l'époux ou le conjoint uni civilement ou un enfant du défunt d'un droit de nature successorale auquel il aurait eu droit en l'absence d'une telle désignation.

Elle est aussi sans effet dans la mesure où elle porte atteinte aux régimes successoraux particuliers auxquels certains biens sont soumis par la loi de l'État de leur situation en raison de leur destination économique, familiale ou sociale.

1991, c. 64, a. 3099 (1994-01-01); 2002, c. 6, a. 65 (2002-06-24).

(**C.C.Q.** 416 ss., 684 ss., 855 ss.)

Art. 3100. Dans la mesure où l'application de la loi successorale sur des biens situés à l'étranger ne peut se réaliser, des correctifs peuvent être apportés à même les biens situés au Québec notamment au moyen d'un rétablissement des parts, d'une nouvelle participation aux dettes ou d'un prélèvement compensatoire constatés par un partage rectificatif.

1991, c. 64, a. 3100 (1994-01-01).

(**D.T.** 169; **C.C.Q.** 895, 3098, 3153)

Art. 3101. Lorsque la loi régissant la succession du défunt ne pourvoit pas à ce qu'il y ait un administrateur ou un liquidateur capable d'agir au Québec, mais que les héritiers ont des droits à y exercer ou que certains biens de la succession s'y trouvent, il peut lui en être nommé un suivant la loi du Québec.

1991, c. 64, a. 3101 (1994-01-01).

C.C.B.C. 348a (**C.C.Q.** 783 ss., 1299 ss., 3153; **C.P.C.** 58, 885 ss.)

SECTION II
SPECIAL PROVISIONS
§ 1. — *Successions*

Art. 3098. Succession to movable property is governed by the law of the last domicile of the deceased; succession to immovable property is governed by the law of the place where the property is situated.

However, a person may designate, in a will, the law applicable to his succession, provided it is the law of the country of his nationality or of his domicile at the time of the designation or of his death or that of the place where an immovable owned by him is situated, but only with regard to that immovable.

Art. 3099. The designation of a law applicable to the succession is without effect to the extent that the law designated deprives the married or civil union spouse or a child of the deceased, to a large degree, of a right of succession to which, but for such designation, he or she would have been entitled.

In addition, the designation has no effect to the extent that it affects special rules of inheritance to which certain categories of property are subject under the law of the country in which they are situated because of their economic, family or social destination.

Art. 3100. To the extent that the law on successions may not be enforced in respect of property situated outside Québec, corrective measures may be applied to property situated in Québec, in particular, by means of the restoration of shares, a new debt sharing or a compensatory deduction established by a rectified partition.

Art. 3101. Where the law governing the succession of the deceased does not provide for him to have an administrator or liquidator authorized to act in Québec and the heirs have rights to be exercised in Québec or certain property of the succession is situated in Québec, an administrator or a liquidator may be appointed under the law of Québec.

§ 2. — *Des sûretés mobilières*

Art. 3102. La validité d'une sûreté mobilière est régie par la loi de l'État de la situation du bien qu'elle grève au moment de sa constitution.

La publicité et ses effets sont régis par la loi de l'État de la situation actuelle du bien grevé.

1991, c. 64, a. 3102 (1994-01-01).

C.C.B.C. 6 al. 2 (**C.C.Q.** 2696 ss., 2934, 3097, 3103-3105)

Art. 3103. Tout meuble qui n'est pas destiné à rester dans l'État où il se trouve peut être grevé d'une sûreté suivant la loi de l'État de sa destination; cette sûreté peut être publiée suivant la loi de cet État, mais la publicité n'a d'effet que si le bien y parvient effectivement dans les trente jours de la constitution de la sûreté.

1991, c. 64, a. 3103 (1994-01-01).

(**C.C.Q.** 3097, 3102, 3104)

Art. 3104. La sûreté qui a été publiée selon la loi de l'État où le bien était situé au moment de sa constitution sera réputée publiée au Québec, à compter de la première publication, si elle est publiée au Québec avant que se réalise la première des éventualités suivantes:

1° La publicité dans l'État où était situé le bien lors de la constitution de la sûreté cesse d'avoir effet;

2° Un délai de trente jours s'est écoulé depuis le moment où le bien est parvenu au Québec;

3° Un délai de quinze jours s'est écoulé depuis le moment où le créancier a été avisé que le bien est parvenu au Québec.

Toutefois, la sûreté n'est pas opposable à l'acheteur qui a acquis le bien dans le cours des activités du constituant.

1991, c. 64, a. 3104 (1994-01-01); 1992, c. 57, a. 716 (1994-01-01).

(**C.C.Q.** 2847, 3102, 3103, 3106)

Art. 3105. La validité d'une sûreté grevant un meuble corporel ordinairement utilisé dans plus d'un État ou de celle grevant un meuble incorporel est régie par la loi de l'État où était domicilié le constituant au moment de sa constitution.

La publicité et ses effets sont régis par la loi de l'État du domicile actuel du constituant.

§ 2. — *Movable securities*

Art. 3102. The validity of a movable security is governed by the law of the country in which the property charged with it is situated at the time of creation of the security.

Publication and its effects are governed by the law of the country in which the property charged with the security is currently situated.

Art. 3103. Any movable that is not intended to remain in the country in which it is situated may be charged with a security according to the law of the country for which it is destined; the security may be published according to the law of that country, but publication has effect only if the property actually reaches the country within thirty days of the creation of the security.

Art. 3104. A security published according to the law of the country where the property was situated at the time of creation of the security will be deemed to be published in Québec, from the first publication, if it is published in Québec before any of the following events, whichever occurs first:

(1) the cessation of effect of publication in the country where the property was situated at the time of creation of the security;

(2) the expiry of thirty days from the time the property reaches Québec;

(3) the expiry of fifteen days from the time the creditor is advised that the property has arrived in Québec.

However, the security may not be set up against a buyer who has acquired the property in the ordinary course of the activities of the grantor.

Art. 3105. The validity of a security charged on a corporeal movable ordinarily used in more than one country or charged on an incorporeal movable is governed by the law of the country where the grantor was domiciled at the time of creation of the security.

Publication and its effects are governed by the law of the country in which the grantor is currently domiciled.

La présente disposition ne s'applique ni à la sûreté grevant un meuble incorporel constaté par un titre au porteur ni à celle publiée par la détention du titre qu'exerce le créancier.

However, the provisions of this article do not apply to a security encumbering an incorporeal movable established by a title in bearer form or to a security published by the holding of the title exercised by the creditor.

1991, c. 64, a. 3105 (1994-01-01); 1992, c. 57, a. 716 (1994-01-01); 1998, c. 5, a. 18 (1998-07-01).

(C.C.Q. 2703, 3102, 3106)

Art. 3106. La sûreté régie, au moment de sa constitution, par la loi de l'État du domicile du constituant et qui a été publiée, sera réputée publiée au Québec, à compter de la première publication, si elle est publiée au Québec avant que se réalise la première des éventualités suivantes:

1° La publicité dans l'État de l'ancien domicile du constituant cesse d'avoir effet;

2° Un délai de trente jours s'est écoulé depuis le moment où le constituant a établi son nouveau domicile au Québec;

3° Un délai de quinze jours s'est écoulé depuis que le créancier a été avisé du nouveau domicile du constituant au Québec.

Toutefois, la sûreté n'est pas opposable à l'acheteur qui a acquis le bien dans le cours des activités du constituant.

1991, c. 64, a. 3106 (1994-01-01).

Art. 3106. A security which, when it is created, is governed by the law of the country where the grantor is then domiciled and which has been published will be deemed to have been published in Québec, from the first publication, provided it is published in Québec before any of the following events, whichever occurs first:

(1) the cessation of effect of publication in the country where the grantor was formerly domiciled;

(2) the expiry of thirty days from the time the grantor established his new domicile in Québec;

(3) the expiry of fifteen days from the time the creditor was advised of the new domicile of the grantor in Québec.

However, the security may not be set up against a buyer who has acquired the property in the ordinary course of the activities of the grantor.

(C.C.Q. 3104, 3105)

§ 3. — De la fiducie

Art. 3107. À défaut d'une loi désignée expressément dans l'acte ou dont la désignation résulte d'une façon certaine des dispositions de cet acte, ou si la loi désignée ne connaît pas l'institution, la loi applicable à la fiducie créée par acte juridique est celle qui présente avec la fiducie les liens les plus étroits.

Afin de déterminer la loi applicable, il est tenu compte, notamment, du lieu où la fiducie est administrée, de la situation des biens, de la résidence ou de l'établissement du fiduciaire, de la finalité de la fiducie et des lieux où celle-ci s'accomplit.

Un élément de la fiducie susceptible d'être isolé, notamment son administration, peut être régi par une loi distincte.

1991, c. 64, a. 3107 (1994-01-01).

§ 3. — Trusts

Art. 3107. Where no law is expressly designated by, or may be inferred with certainty from, the terms of the act creating a trust, or where the law designated does not recognize the institution, the applicable law is that with which the trust is most closely connected.

To determine the applicable law, account is taken in particular of the place of administration of the trust, the place where the trust property is situated, the residence or the establishment of the trustee, the objects of the trust and the places where they are to be fulfilled.

Any severable aspect of a trust, particularly its administration, may be governed by a different law.

(C.C.Q. 1260 ss., 3108)

Art. 3108. La loi qui régit la fiducie détermine si la question soumise concerne sa validité ou son administration.

Art. 3108. The law governing the trust determines whether the question to be resolved concerns the validity or the administration of the trust.

Cette loi détermine également la possibilité et les conditions de son remplacement, ainsi que du remplacement de la loi applicable à un élément de la fiducie susceptible d'être isolé, par la loi d'un autre État.

1991, c. 64, a. 3108 (1994-01-01).

(**C.C.Q.** 1260 ss., 3107)

It also determines whether that law or the law governing a severable aspect of the trust may be replaced by the law of another country and, if so, the conditions of replacement.

CHAPITRE TROISIÈME
DU STATUT DES OBLIGATIONS

CHAPTER III
STATUS OF OBLIGATIONS

SECTION I
DISPOSITIONS GÉNÉRALES

SECTION I
GENERAL PROVISIONS

§ 1. — *De la forme des actes juridiques*

§ 1. — *Form of juridical acts*

Art. 3109. La forme d'un acte juridique est régie par la loi du lieu où il est passé.

Est néanmoins valable l'acte qui est fait dans la forme prescrite par la loi applicable au fond de cet acte ou par celle du lieu où, lors de sa conclusion, sont situés les biens qui en font l'objet ou, encore, par celle du domicile de l'une des parties lors de la conclusion de l'acte.

Une disposition testamentaire peut, en outre, être faite dans la forme prescrite par la loi du domicile ou de la nationalité du testateur soit au moment où il a disposé, soit au moment de son décès.

1991, c. 64, a. 3109 (1994-01-01).

Art. 3109. The form of a juridical act is governed by the law of the place where it is made.

A juridical act is nevertheless valid if it is made in the form prescribed by the law applicable to the content of the act, by the law of the place where the property which is the object of the act is situated when it is made or by the law of the domicile of one of the parties when the act is made.

A testamentary disposition may be made in the form prescribed by the law of the domicile or nationality of the testator either at the time of the disposition or at the time of his death.

C.C.B.C. 7 (**C.C.Q.** 712 ss., 1385 ss., 3098; **L.** 159 ss.)

Art. 3110. Un acte peut être reçu hors du Québec par un notaire du Québec lorsqu'il porte sur un droit réel dont l'objet est situé au Québec, ou lorsque l'une des parties y a son domicile.

1991, c. 64, a. 3110 (1994-01-01).

Art. 3110. An act may be made outside Québec before a Québec notary if it pertains to a real right the object of which is situated in Québec or if one of the parties is domiciled in Québec.

C.C.B.C. 1208 al. 5

§ 2. — *Du fond des actes juridiques*

§ 2. — *Content of juridical acts*

Art. 3111. L'acte juridique, qu'il présente ou non un élément d'extranéité, est régi par la loi désignée expressément dans l'acte ou dont la désignation résulte d'une façon certaine des dispositions de cet acte.

Néanmoins, s'il ne présente aucun élément d'extranéité, il demeure soumis aux dispositions impératives de la loi de l'État qui s'appliquerait en l'absence de désignation.

Art. 3111. A juridical act, whether or not it contains any foreign element, is governed by the law expressly designated in the act or the designation of which may be inferred with certainty from the terms of the act.

A juridical act containing no foreign element remains, nevertheless, subject to the mandatory provisions of the law of the country which would apply if none were designated.

On peut désigner expressément la loi applicable à la totalité ou à une partie seulement d'un acte juridique.

1991, c. 64, a. 3111 (1994-01-01).

C.C.B.C. 8 (C.C.Q. 1426, 3112, 3113, 3122)

Art. 3112. En l'absence de désignation de la loi dans l'acte ou si la loi désignée rend l'acte juridique invalide, les tribunaux appliquent la loi de l'État qui, compte tenu de la nature de l'acte et des circonstances qui l'entourent, présente les liens les plus étroits avec cet acte.

1991, c. 64, a. 3112 (1994-01-01).

C.C.B.C. 8 (C.C.Q. 3111, 3113)

Art. 3113. Les liens les plus étroits sont présumés exister avec la loi de l'État dans lequel la partie qui doit fournir la prestation caractéristique de l'acte a sa résidence ou, si celui-ci est conclu dans le cours des activités d'une entreprise, son établissement.

1991, c. 64, a. 3113 (1994-01-01).

(C.C.Q. 3111, 3112, 3114)

SECTION II
DISPOSITIONS PARTICULIÈRES
§ 1. — *De la vente*

Art. 3114. En l'absence de désignation par les parties, la vente d'un meuble corporel est régie par la loi de l'État où le vendeur avait sa résidence ou, si la vente est conclue dans le cours des activités d'une entreprise, son établissement, au moment de la conclusion du contrat. Toutefois, la vente est régie par la loi de l'État où l'acheteur avait sa résidence ou son établissement, au moment de la conclusion du contrat, dans l'un ou l'autre des cas suivants:

1° Des négociations ont été menées et le contrat a été conclu dans cet État;

2° Le contrat prévoit expressément que l'obligation de délivrance doit être exécutée dans cet État;

3° Le contrat est conclu sous les conditions fixées principalement par l'acheteur, en réponse à un appel d'offres.

En l'absence de désignation par les parties, la vente d'un immeuble est régie par la loi de l'État où il est situé.

1991, c. 64, a. 3114 (1994-01-01).

(C.C.Q. 1708 ss., 3112, 3113, 3115)

The law of a country may be expressly designated as applicable to the whole or a part only of a juridical act.

Art. 3112. If no law is designated in the act or if the law designated invalidates the juridical act, the courts apply the law of the country with which the act is most closely connected, in view of its nature and the attendant circumstances.

Art. 3113. A juridical act is presumed to be most closely connected with the law of the country where the party who is to perform the prestation which is characteristic of the act has his residence or, if the act is made in the ordinary course of business of an enterprise, his establishment.

SECTION II
SPECIAL PROVISIONS
§ 1. — *Sale*

Art. 3114. If no law is designated by the parties, the sale of a corporeal movable is governed by the law of the country where the seller had his residence or, if the sale is made in the ordinary course of business of an enterprise, his establishment, at the time of formation of the contract. However, the sale is governed by the law of the country in which the buyer had his residence or his establishment at the time of formation of the contract in any of the following cases:

(1) negotiations have taken place and the contract has been formed in that country;

(2) the contract provides expressly that delivery shall be made in that country;

(3) the contract is formed on terms determined mainly by the buyer, in response to a call for tenders.

If no law is designated by the parties, the sale of immovable property is governed by the law of the country where it is situated.

Art. 3115. En l'absence de désignation par les parties, la vente aux enchères ou la vente réalisée dans un marché de bourse est régie par la loi de l'État où sont effectuées les enchères ou celle de l'État où se trouve la bourse.

1991, c. 64, a. 3115 (1994-01-01).

(**C.C.Q.** 1757 ss., 3114)

§ 2. — *De la représentation conventionnelle*

Art. 3116. L'existence et l'étendue des pouvoirs du représentant dans ses relations avec un tiers, ainsi que les conditions auxquelles sa responsabilité ou celle du représenté peut être engagée, sont régies par la loi désignée expressément par le représenté et le tiers ou, à défaut, par la loi de l'État où le représentant a agi si le représenté ou le tiers a son domicile ou sa résidence dans cet État.

1991, c. 64, a. 3116 (1994-01-01).

C.C.B.C. 1738 (**C.C.Q.** 2130 ss., 2157 ss.)

§ 3. — *Du contrat de consommation*

Art. 3117. Le choix par les parties de la loi applicable au contrat de consommation ne peut avoir pour résultat de priver le consommateur de la protection que lui assurent les dispositions impératives de la loi de l'État où il a sa résidence si la conclusion du contrat a été précédée, dans ce lieu, d'une offre spéciale ou d'une publicité et que les actes nécessaires à sa conclusion y ont été accomplis par le consommateur, ou encore, si la commande de ce dernier y a été reçue.

Il en est de même lorsque le consommateur a été incité par son cocontractant à se rendre dans un État étranger afin d'y conclure le contrat.

En l'absence de désignation par les parties, la loi de la résidence du consommateur est, dans les mêmes circonstances, applicable au contrat de consommation.

1991, c. 64, a. 3117 (1994-01-01).

L.R.Q., c. P-40.1, a. 19 (**C.C.Q.** 1378, 1384, 3149)

§ 4. — *Du contrat de travail*

Art. 3118. Le choix par les parties de la loi applicable au contrat de travail ne peut avoir pour résultat de priver le travailleur de la protection que lui assurent les dispositions impératives de la loi de l'État où il accomplit habituellement son travail,

Art. 3115. Failing any designation by the parties, a sale by auction or on a stock exchange is governed by the law of the country where the auction takes place or the exchange is situated.

§ 2. — *Conventional representation*

Art. 3116. The existence and scope of the powers of a representative in his relations with a third person and the conditions under which his personal liability or that of the person he represents may be incurred are governed by the law expressly designated by the person represented and the third person or, where none is designated, by the law of the country in which the representative acted if the person he represents or the third person has his domicile or residence in that country.

§ 3. — *Consumer contract*

Art. 3117. The choice by the parties of the law applicable to a consumer contract does not result in depriving the consumer of the protection to which he is entitled under the mandatory provisions of the law of the country where he has his residence if the formation of the contract was preceded by a special offer or an advertisement in that country and the consumer took all the necessary steps for the formation of the contract in that country or if the order was received from the consumer in that country.

The same rule also applies where the consumer was induced by the other contracting party to travel to a foreign country for the purpose of forming the contract.

If no law is designated by the parties, the law of the place where the consumer has his residence is, in the same circumstances, applicable to the consumer contract.

§ 4. — *Contract of employment*

Art. 3118. The designation by the parties of the law applicable to a contract of employment does not result in depriving the worker of the protection to which he is entitled under the mandatory provisions of the law of the country where the worker habitually

même s'il est affecté à titre temporaire dans un autre État ou, s'il n'accomplit pas habituellement son travail dans un même État, de la loi de l'État où son employeur a son domicile ou son établissement.

En l'absence de désignation par les parties, la loi de l'État où le travailleur accomplit habituellement son travail ou la loi de l'État où son employeur a son domicile ou son établissement sont, dans les mêmes circonstances, applicables au contrat de travail.

1991, c. 64, a. 3118 (1994-01-01).

_____

(**C.C.Q.** 2085 ss., 3149)

§ 5. — *Du contrat d'assurance terrestre*

Art. 3119. Malgré toute convention contraire, le contrat d'assurance qui porte sur un bien ou un intérêt situé au Québec ou qui est souscrit au Québec par une personne qui y réside, est régi par la loi du Québec dès lors que le preneur en fait la demande au Québec ou que l'assureur y signe ou y délivre la police.

De même, le contrat d'assurance collective de personnes est régi par la loi du Québec, lorsque l'adhérent a sa résidence au Québec au moment de son adhésion.

Toute somme due en vertu d'un contrat d'assurance régi par la loi du Québec est payable au Québec.

1991, c. 64, a. 3119 (1994-01-01); 1992, c. 57, a. 716 (1994-01-01).

_____

C.C.B.C. 2496-2498, 2500 (**C.C.Q.** 2392, 3150)

§ 6. — *De la cession de créance*

Art. 3120. Le caractère cessible de la créance, ainsi que les rapports entre le cessionnaire et le débiteur cédé, sont soumis à la loi qui régit les rapports entre le cédé et le cédant.

1991, c. 64, a. 3120 (1994-01-01).

_____

(**C.C.Q.** 1637 ss.)

§ 7. — *De l'arbitrage*

Art. 3121. En l'absence de désignation par les parties, la convention d'arbitrage est régie par la loi applicable au contrat principal ou, si cette loi a pour effet d'invalider la convention, par la loi de l'État où l'arbitrage se déroule.

1991, c. 64, a. 3121 (1994-01-01).

_____

(**C.C.Q.** 2638 ss., 3133, 3165)

carries on his work, even if he is on temporary assignment in another country or, if the worker does not habitually carry on his work in any one country, the mandatory provisions of the law of the country where his employer has his domicile or establishment.

If no law is designated by the parties, the law of the country where the worker habitually carries on his work or the law of the country where his employer has his domicile or establishment is, in the same circumstances, applicable to the contract of employment.

§ 5. — *Contract of non-marine insurance*

Art. 3119. Notwithstanding any agreement to the contrary, a contract of insurance respecting property or an interest situated in Québec or subscribed in Québec by a person resident in Québec is governed by the law of Québec if the policyholder applies therefor in Québec or the insurer signs or delivers the policy in Québec.

Similarly, a contract of group insurance of persons is governed by the law of Québec where the participant has his residence in Québec at the time he becomes a participant.

Any sum due under a contract of insurance governed by the law of Québec is payable in Québec.

§ 6. — *Assignment of claim*

Art. 3120. The assignability of a claim and relations between the assignee and the assigned debtor are governed by the law governing relations between the assigned debtor and the assignor.

§ 7. — *Arbitration*

Art. 3121. Failing any designation by the parties, an arbitration agreement is governed by the law applicable to the principal contract or, where that law invalidates the agreement, by the law of the country where arbitration takes place.

§ 8. — *Du régime matrimonial ou d'union civile*

Art. 3122. La loi applicable au régime matrimonial ou d'union civile conventionnel est déterminée par les règles générales applicables au fond des actes juridiques.

1991, c. 64, a. 3122 (1994-01-01); 2002, c. 6, a. 67 (2002-06-24).

(**C.C.Q.** 431 ss., 3111 ss., 3124)

Art. 3123. Le régime matrimonial ou d'union civile des conjoints qui se sont unis sans passer de conventions matrimoniales ou d'union civile est régi par la loi de leur domicile au moment de leur union.

Lorsque les conjoints sont alors domiciliés dans des États différents, la loi de leur première résidence commune s'applique ou, à défaut, la loi de leur nationalité commune ou, à défaut, la loi du lieu de la célébration de leur union.

1991, c. 64, a. 3123 (1994-01-01); 2002, c. 6, a. 68 (2002-06-24).

(**C.C.Q.** 432, 438, 448 ss., 3089, 3124)

Art. 3124. La validité d'une modification conventionnelle du régime matrimonial ou d'union civile est régie par la loi du domicile des conjoints au moment de la modification.

Si les conjoints sont alors domiciliés dans des États différents, la loi applicable est celle de leur résidence commune ou, à défaut, la loi qui gouverne leur régime.

1991, c. 64, a. 3124 (1994-01-01); 2002, c. 6, a. 69 (2002-06-24).

(**C.C.Q.** 433, 438, 3122, 3123)

§ 9. — *De certaines autres sources de l'obligation*

Art. 3125. Les obligations fondées sur la gestion d'affaires, la réception de l'indu ou l'enrichissement injustifié sont régies par la loi du lieu de survenance du fait dont elles résultent.

1991, c. 64, a. 3125 (1994-01-01).

(**C.C.Q.** 1482, 1491, 1493)

§ 10. — *De la responsabilité civile*

Art. 3126. L'obligation de réparer le préjudice causé à autrui est régie par la loi de l'État où le fait générateur du préjudice est survenu. Toutefois, si le préjudice est apparu dans un autre État, la loi de cet État s'applique si l'auteur devait prévoir que le préjudice s'y manifesterait.

§ 8. — *Matrimonial or civil union regime*

Art. 3122. The law applicable to a conventional matrimonial or civil union regime is determined according to the general rules applicable to the content of juridical acts.

Art. 3123. The matrimonial or civil union regime of spouses who have not entered into matrimonial or civil union agreements is governed by the law of their country of domicile at the time of their marriage or civil union.

If the spouses are at that time domiciled in different countries, the applicable law is the law of their first common residence or, failing that, the law of their common nationality or, failing that, the law of the place of solemnization of their marriage or civil union.

Art. 3124. The validity of any agreed change to a matrimonial or civil union regime is governed by the law of the domicile of the spouses at the time of the change.

If the spouses are at that time domiciled in different countries, the applicable law is the law of their common residence or, failing that, the law governing their matrimonial or civil union regime.

§ 9. — *Certain other sources of obligations*

Art. 3125. Obligations based on management of the business of another, reception of a thing not due or unjust enrichment are governed by the law of the place of occurrence of the act from which they derive.

§ 10. — *Civil liability*

Art. 3126. The obligation to make reparation for injury caused to another is governed by the law of the country where the injurious act occurred. However, if the injury appeared in another country, the law of the latter country is applicable if the person who committed the injurious act should have foreseen that the damage would occur.

Dans tous les cas, si l'auteur et la victime ont leur domicile ou leur résidence dans le même État, c'est la loi de cet État qui s'applique.

1991, c. 64, a. 3126 (1994-01-01).

C.C.B.C. 6 al. 3 (**C.C.Q.** 1457 ss., 3127-3129, 3148)

Art. 3127. Lorsque l'obligation de réparer un préjudice résulte de l'inexécution d'une obligation contractuelle, les prétentions fondées sur l'inexécution sont régies par la loi applicable au contrat.

1991, c. 64, a. 3127 (1994-01-01).

(**C.C.Q.** 1458, 3126, 3128, 3148)

Art. 3128. La responsabilité du fabricant d'un bien meuble, quelle qu'en soit la source, est régie, au choix de la victime:

1° Par la loi de l'État dans lequel le fabricant a son établissement ou, à défaut, sa résidence;

2° Par la loi de l'État dans lequel le bien a été acquis.

1991, c. 64, a. 3128 (1994-01-01).

(**C.C.Q.** 1468, 1469, 1473, 3126, 3127, 3148)

Art. 3129. Les règles du présent code s'appliquent de façon impérative à la responsabilité civile pour tout préjudice subi au Québec ou hors du Québec et résultant soit de l'exposition à une matière première provenant du Québec, soit de son utilisation, que cette matière première ait été traitée ou non.

1991, c. 64, a. 3129 (1994-01-01).

C.C.B.C. 8.1 (**C.C.Q.** 3126, 3148, 3151)

§ 11. — De la preuve

Art. 3130. La preuve est régie par la loi qui s'applique au fond du litige, sous réserve des règles du tribunal saisi qui sont plus favorables à son établissement.

1991, c. 64, a. 3130 (1994-01-01).

(**C.C.Q.** 2803 ss.)

§ 12. — De la prescription

Art. 3131. La prescription est régie par la loi qui s'applique au fond du litige.

1991, c. 64, a. 3131 (1994-01-01).

C.C.B.C. 2189-2191 (**C.C.Q.** 2875 ss.)

In any case where the person who committed the injurious act and the victim have their domiciles or residences in the same country, the law of that country applies.

Art. 3127. Where an obligation to make reparation for injury arises from nonperformance of a contractual obligation, claims based on the nonperformance are governed by the law applicable to the contract.

Art. 3128. The liability of the manufacturer of a movable, whatever the source thereof, is governed, at the choice of the victim,

(1) by the law of the country where the manufacturer has his establishment or, failing that, his residence, or

(2) by the law of the country where the movable was acquired.

Art. 3129. The application of the rules of this Code is imperative in matters of civil liability for damage suffered in or outside Québec as a result of exposure to or the use of raw materials, whether processed or not, originating in Québec.

§ 11. — Evidence

Art. 3130. Evidence is governed by the law applicable to the merits of the dispute, subject to any rules of the court seised of the matter which are more favourable to the establishment of evidence.

§ 12. — Prescription

Art. 3131. Prescription is governed by the law applicable to the merits of the dispute.

CHAPITRE QUATRIÈME
DU STATUT DE LA PROCÉDURE

Art. 3132. La procédure est régie par la loi du tribunal saisi.

1991, c. 64, a. 3132 (1994-01-01).

C.C.B.C. 6 al. 2

Art. 3133. La procédure de l'arbitrage est régie par la loi de l'État où il se déroule lorsque les parties n'ont pas désigné soit la loi d'un autre État, soit un règlement d'arbitrage institutionnel ou particulier.

CHAPTER IV
STATUS OF PROCEDURE

Art. 3132. Procedure is governed by the law of the court seised of the matter.

Art. 3133. Arbitration proceedings are governed by the law of the country where arbitration takes place unless either the law of another country or an institutional or special arbitration procedure has been designated by the parties.

1991, c. 64, a. 3133 (1994-01-01); 1992, c. 57, a. 716 (1994-01-01).

(C.C.Q. 2643, 3121, 3132, 3165; **C.P.C.** 940 ss.)

TITRE TROISIÈME
DE LA COMPÉTENCE INTERNATIONALE DES AUTORITÉS DU QUÉBEC

TITLE THREE
INTERNATIONAL JURISDICTION OF QUÉBEC AUTHORITIES

CHAPITRE PREMIER
DISPOSITIONS GÉNÉRALES

CHAPTER I
GENERAL PROVISIONS

Art. 3134. En l'absence de disposition particulière, les autorités du Québec sont compétentes lorsque le défendeur a son domicile au Québec.

1991, c. 64, a. 3134 (1994-01-01).

C.C.B.C. 28 (**C.C.Q.** 3135, 3148; **C.P.C.** 68)

Art. 3134. In the absence of any special provision, the Québec authorities have jurisdiction when the defendant is domiciled in Québec.

1991, c. 64, a. 3134 (1994-01-01).

Art. 3135. Bien qu'elle soit compétente pour connaître d'un litige, une autorité du Québec peut, exceptionnellement et à la demande d'une partie, décliner cette compétence si elle estime que les autorités d'un autre État sont mieux à même de trancher le litige.

1991, c. 64, a. 3135 (1994-01-01).

(**C.C.Q.** 3078, 3082, 3134, 3137, 3148)

Art. 3135. Even though a Québec authority has jurisdiction to hear a dispute, it may exceptionally and on an application by a party, decline jurisdiction if it considers that the authorities of another country are in a better position to decide.

Art. 3136. Bien qu'une autorité québécoise ne soit pas compétente pour connaître d'un litige, elle peut, néanmoins, si une action à l'étranger se révèle impossible ou si on ne peut exiger qu'elle y soit introduite, entendre le litige si celui-ci présente un lien suffisant avec le Québec.

1991, c. 64, a. 3136 (1994-01-01).

Art. 3136. Even though a Québec authority has no jurisdiction to hear a dispute, it may hear it, if the dispute has a sufficient connection with Québec, where proceedings cannot possibly be instituted outside Québec or where the institution of such proceedings outside Québec cannot reasonably be required.

Art. 3137. L'autorité québécoise, à la demande d'une partie, peut, quand une action est introduite devant elle, surseoir à statuer si une autre action entre les mêmes parties, fondée sur les mêmes faits et ayant le même objet, est déjà pendante devant une autorité étrangère, pourvu qu'elle puisse donner lieu à une décision pouvant être reconnue au Québec, ou si une telle décision a déjà été rendue par une autorité étrangère.

1991, c. 64, a. 3137 (1994-01-01).

(**C.C.Q.** 2848, 3135, 3155 ss.)

Art. 3137. On the application of a party, a Québec authority may stay its ruling on an action brought before it if another action, between the same parties, based on the same facts and having the same object is pending before a foreign authority, provided that the latter action can result in a decision which may be recognized in Québec, or if such a decision has already been rendered by a foreign authority.

Art. 3138. L'autorité québécoise peut ordonner des mesures provisoires ou conservatoires, même si elle n'est pas compétente pour connaître du fond du litige.

1991, c. 64, a. 3138 (1994-01-01).

Art. 3138. A Québec authority may order provisional or conservatory measures even if it has no jurisdiction over the merits of the dispute.

Art. 3139. L'autorité québécoise, compétente pour la demande principale, est aussi compétente pour la demande incidente ou reconventionnelle.

1991, c. 64, a. 3139 (1994-01-01).

C.P.C. 172 (**C.P.C.** 172, 199)

Art. 3140. En cas d'urgence ou d'inconvénients sérieux, les autorités québécoises sont compétentes pour prendre les mesures qu'elles estiment nécessaires à la protection d'une personne qui se trouve au Québec ou à la protection de ses biens s'ils y sont situés.

1991, c. 64, a. 3140 (1994-01-01).

(**C.C.Q.** 3084)

Art. 3139. Where a Québec authority has jurisdiction to rule on the principal demand, it also has jurisdiction to rule on an incidental demand or a cross demand.

Art. 3140. In cases of emergency or serious inconvenience, Québec authorities may also take such measures as they consider necessary for the protection of the person or property of a person present in Québec.

CHAPITRE DEUXIÈME
DISPOSITIONS PARTICULIÈRES

CHAPTER II
SPECIAL PROVISIONS

SECTION I
DES ACTIONS PERSONNELLES À CARACTÈRE EXTRAPATRIMONIAL ET FAMILIAL

SECTION I
PERSONAL ACTIONS OF AN EXTRAPATRIMONIAL AND FAMILY NATURE

Art. 3141. Les autorités du Québec sont compétentes pour connaître des actions personnelles à caractère extrapatrimonial et familial, lorsque l'une des personnes concernées est domiciliée au Québec.

1991, c. 64, a. 3141 (1994-01-01).

C.P.C. 70

Art. 3142. Les autorités québécoises sont compétentes pour statuer sur la garde d'un enfant pourvu que ce dernier soit domicilié au Québec.

1991, c. 64, a. 3142 (1994-01-01).

C.P.C. 70 (**C.C.Q.** 33, 80, 514, 521, 599, 3093, 3141)

Art. 3143. Les autorités québécoises sont compétentes pour statuer sur une action en matière d'aliments ou sur la demande de révision d'un jugement étranger rendu en matière d'aliments qui peut être reconnu au Québec lorsque l'une des parties a son domicile ou sa résidence au Québec.

1991, c. 64, a. 3143 (1994-01-01).

Art. 3141. A Québec authority has jurisdiction to hear personal actions of an extrapatrimonial and family nature when one of the persons concerned is domiciled in Québec.

Art. 3142. A Québec authority has jurisdiction to rule on the custody of a child provided he is domiciled in Québec.

Art. 3143. A Québec authority has jurisdiction to decide cases of support or applications for review of a foreign judgment which may be recognized in Québec respecting support when one of the parties has his domicile or residence in Québec.

C.P.C. 70 (**C.C.Q.** 502, 511, 517, 585, 3094-3096, 3155 ss., 3160; **C.P.C.** 70)

Art. 3144. En matière de nullité du mariage et en matière de nullité ou de dissolution de l'union civile, les autorités québécoises sont compétentes lorsque l'un des conjoints a son domicile ou sa résidence au Québec et que l'union y a été célébrée.

Art. 3144. A Québec authority has jurisdiction in matters relating to the nullity of a marriage or the dissolution or nullity of a civil union when the domicile or place of residence of one of the spouses or the place of solemnization of their marriage or civil union is in Québec.

1991, c. 64, a. 3144 (1994-01-01); 2002, c. 6, a. 70 (2002-06-24).

C.P.C. 70 (**C.C.Q.** 380 ss., 3088; **C.P.C.** 70)

Art. 3145. Pour ce qui est des effets du mariage ou de l'union civile, notamment ceux qui s'imposent à tous les conjoints quel que soit leur régime matrimonial ou d'union civile, les autorités québécoises sont compétentes lorsque l'un des conjoints a son domicile ou sa résidence au Québec.

Art. 3145. As regards the effects of marriage or a civil union, particularly those that are binding on all spouses regardless of their matrimonial or civil union regime, a Québec authority has jurisdiction when the domicile or place of residence of one of the spouses is in Québec.

1991, c. 64, a. 3145 (1994-01-01); 2002, c. 6, a. 71 (2002-06-24).

C.P.C. 70 (**C.C.Q.** 391, 3089, 3123)

Art. 3146. Les autorités québécoises sont compétentes pour statuer sur la séparation de corps, lorsque l'un des époux a son domicile ou sa résidence au Québec à la date de l'introduction de l'action.

Art. 3146. A Québec authority has jurisdiction to rule on separation from bed and board when one of the spouses has his domicile or residence in Québec at the time of the institution of the proceedings.

1991, c. 64, a. 3146 (1994-01-01).

C.P.C. 70 (**C.C.Q.** 493 ss., 3090, 3096)

Art. 3147. Les autorités québécoises sont compétentes, en matière de filiation, si l'enfant ou l'un de ses parents a son domicile au Québec.

En matière d'adoption, elles sont compétentes si l'enfant ou le demandeur est domicilié au Québec.

Art. 3147. A Québec authority has jurisdiction in matters of filiation if the child or one of his parents is domiciled in Québec.

It has jurisdiction in matters of adoption if the child or plaintiff is domiciled in Québec.

1991, c. 64, a. 3147 (1994-01-01).

C.P.C. 70 (**C.C.Q.** 522 ss., 543 ss., 3091, 3092, 3166; **C.P.C.** 70)

SECTION II
DES ACTIONS PERSONNELLES À CARACTÈRE PATRIMONIAL

Art. 3148. Dans les actions personnelles à caractère patrimonial, les autorités québécoises sont compétentes dans les cas suivants:

1° Le défendeur a son domicile ou sa résidence au Québec;

2° Le défendeur est une personne morale qui n'est pas domiciliée au Québec mais y a un établissement et la contestation est relative à son activité au Québec;

3° Une faute a été commise au Québec, un préjudice y a été subi, un fait dommageable s'y est produit ou l'une des obligations découlant d'un contrat devait y être exécutée;

SECTION II
PERSONAL ACTIONS OF A PATRIMONIAL NATURE

Art. 3148. In personal actions of a patrimonial nature, a Québec authority has jurisdiction where

(1) the defendant has his domicile or his residence in Québec;

(2) the defendant is a legal person, is not domiciled in Québec but has an establishment in Québec, and the dispute relates to its activities in Québec;

(3) a fault was committed in Québec, damage was suffered in Québec, an injurious act occurred in Québec or one of the obligations arising from a contract was to be performed in Québec;

4° Les parties, par convention, leur ont soumis les litiges nés ou à naître entre elles à l'occasion d'un rapport de droit déterminé;

5° Le défendeur a reconnu leur compétence.

Cependant, les autorités québécoises ne sont pas compétentes lorsque les parties ont choisi, par convention, de soumettre les litiges nés ou à naître entre elles, à propos d'un rapport juridique déterminé, à une autorité étrangère ou à un arbitre, à moins que le défendeur n'ait reconnu la compétence des autorités québécoises.

1991, c. 64, a. 3148 (1994-01-01).

(4) the parties have by agreement submitted to it all existing or future disputes between themselves arising out of a specified legal relationship;

(5) the defendant submits to its jurisdiction.

However, a Québec authority has no jurisdiction where the parties, by agreement, have chosen to submit all existing or future disputes between themselves relating to a specified legal relationship to a foreign authority or to an arbitrator, unless the defendant submits to the jurisdiction of the Québec authority.

C.P.C. 68 (**C.C.Q.** 307, 3126, 3129, 3134, 3135, 3149-3151, 3168)

Art. 3149. Les autorités québécoises sont, en outre, compétentes pour connaître d'une action fondée sur un contrat de consommation ou sur un contrat de travail si le consommateur ou le travailleur a son domicile ou sa résidence au Québec; la renonciation du consommateur ou du travailleur à cette compétence ne peut lui être opposée.

1991, c. 64, a. 3149 (1994-01-01).

Art. 3149. A Québec authority also has jurisdiction to hear an action involving a consumer contract or a contract of employment if the consumer or worker has his domicile or residence in Québec; the waiver of such jurisdiction by the consumer or worker may not be set up against him.

C.C.B.C. 85 al. 3 (**C.C.Q.** 1384, 2085, 3117, 3118, 3148; **L.R.Q.**, c. P-40.1)

Art. 3150. Les autorités québécoises ont également compétence pour décider de l'action fondée sur un contrat d'assurance lorsque le titulaire, l'assuré ou le bénéficiaire du contrat a son domicile ou sa résidence au Québec, lorsque le contrat porte sur un intérêt d'assurance qui y est situé, ou encore lorsque le sinistre y est survenu.

1991, c. 64, a. 3150 (1994-01-01).

Art. 3150. A Québec authority has jurisdiction to hear an action based on a contract of insurance where the holder, the insured or the beneficiary of the contract is domiciled or resident in Québec, the contract is related to an insurable interest situated in Québec or the loss took place in Québec.

C.P.C. 69 (**C.C.Q.** 2389 ss., 3119, 3148; **C.P.C.** 69)

Art. 3151. Les autorités québécoises ont compétence exclusive pour connaître en première instance de toute action fondée sur la responsabilité prévue à l'article 3129.

1991, c. 64, a. 3151 (1994-01-01).

Art. 3151. A Québec authority has exclusive jurisdiction to hear in first instance all actions founded on liability under article 3129.

C.P.C. 21.1 (**C.C.Q.** 3129, 3148, 3165, 3168)

SECTION III
DES ACTIONS RÉELLES ET MIXTES

Art. 3152. Les autorités québécoises sont compétentes pour connaître d'une action réelle si le bien en litige est situé au Québec.

1991, c. 64, a. 3152 (1994-01-01).

SECTION III
REAL AND MIXED ACTIONS

Art. 3152. A Québec authority has jurisdiction over a real action if the property in dispute is situated in Québec.

C.P.C. 73 (**C.C.Q.** 3097)

Art. 3153. En matière successorale, les autorités québécoises sont compétentes lorsque la succession est ouverte au Québec ou lorsque le défendeur ou l'un des défendeurs y a son domicile ou, encore, lorsque le défunt a choisi le droit québécois pour régir sa succession.

Elles le sont, en outre, lorsque des biens du défunt sont situés au Québec et qu'il s'agit de statuer sur leur dévolution ou leur transmission.

1991, c. 64, a. 3153 (1994-01-01).

C.P.C. 74 (**C.C.Q.** 613 ss., 3098-3101, 3154)

Art. 3154. Les autorités québécoises sont compétentes en matière de régime matrimonial ou d'union civile dans les cas suivants:

1° Le régime est dissous par le décès de l'un des conjoints et les autorités sont compétentes quant à la succession de ce conjoint;

2° L'objet de la procédure ne concerne que des biens situés au Québec.

Dans les autres cas, les autorités québécoises sont compétentes lorsque l'un des conjoints a son domicile ou sa résidence au Québec à la date de l'introduction de l'action.

1991, c. 64, a. 3154 (1994-01-01); 2002, c. 6, a. 72 (2002-06-24).

(**C.C.Q.** 431 ss., 3122, 3123, 3153)

Art. 3153. A Québec authority has jurisdiction in matters of succession if the succession opens in Québec, the defendant or one of the defendants is domiciled in Québec or the deceased had elected that Québec law should govern his succession.

It also has jurisdiction if any property of the deceased is situated in Québec and a ruling is required as to the devolution or transmission of the property.

Art. 3154. A Québec authority has jurisdiction in matters relating to a matrimonial or civil union regime in the following cases:

(1) the regime is dissolved by the death of one of the spouses and the authority has jurisdiction in respect of the succession of that spouse;

(2) the object of the proceedings relates only to property situated in Québec.

In other cases, a Québec authority has jurisdiction if one of the spouses has his or her domicile or residence in Québec on the date of institution of the proceedings.

TITRE QUATRIÈME
DE LA RECONNAISSANCE ET DE L'EXÉCUTION DES DÉCISIONS ÉTRANGÈRES ET DE LA COMPÉTENCE DES AUTORITÉS ÉTRANGÈRES

CHAPITRE PREMIER
DE LA RECONNAISSANCE ET DE L'EXÉCUTION DES DÉCISIONS ÉTRANGÈRES

Art. 3155. Toute décision rendue hors du Québec est reconnue et, le cas échéant, déclarée exécutoire par l'autorité du Québec, sauf dans les cas suivants:

1° L'autorité de l'État dans lequel la décision a été rendue n'était pas compétente suivant les dispositions du présent titre;

2° La décision, au lieu où elle a été rendue, est susceptible d'un recours ordinaire, ou n'est pas définitive ou exécutoire;

3° La décision a été rendue en violation des principes essentiels de la procédure;

4° Un litige entre les mêmes parties, fondé sur les mêmes faits et ayant le même objet, a donné lieu au Québec à une décision passée ou non en force de chose jugée, ou est pendant devant une autorité québécoise, première saisie, ou a été jugé dans un État tiers et la décision remplit les conditions nécessaires pour sa reconnaissance au Québec;

5° Le résultat de la décision étrangère est manifestement incompatible avec l'ordre public tel qu'il est entendu dans les relations internationales;

6° La décision sanctionne des obligations découlant des lois fiscales d'un État étranger.

1991, c. 64, a. 3155 (1994-01-01).

TITLE FOUR
RECOGNITION AND ENFORCEMENT OF FOREIGN DECISIONS AND JURISDICTION OF FOREIGN AUTHORITIES

CHAPTER I
RECOGNITION AND ENFORCEMENT OF FOREIGN DECISIONS

Art. 3155. A Québec authority recognizes and, where applicable, declares enforceable any decision rendered outside Québec except in the following cases:

(1) the authority of the country where the decision was rendered had no jurisdiction under the provisions of this Title;

(2) the decision is subject to ordinary remedy or is not final or enforceable at the place where it was rendered;

(3) the decision was rendered in contravention of the fundamental principles of procedure;

(4) a dispute between the same parties, based on the same facts and having the same object has given rise to a decision rendered in Québec, whether it has acquired the authority of a final judgment (*res judicata*) or not, or is pending before a Québec authority, in first instance, or has been decided in a third country and the decision meets the necessary conditions for recognition in Québec;

(5) the outcome of a foreign decision is manifestly inconsistent with public order as understood in international relations;

(6) the decision enforces obligations arising from the taxation laws of a foreign country.

(**D.T.** 170; **C.C.Q.** 565, 574, 581, 3081, 3137, 3143, 3157, 3160, 3162-3164; **C.P.C.** 785)

Art. 3156. Une décision rendue par défaut ne sera reconnue et déclarée exécutoire que si le demandeur prouve que l'acte introductif d'instance a été régulièrement signifié à la partie défaillante, selon la loi du lieu où elle a été rendue.

Art. 3156. A decision rendered by default may not be recognized or declared enforceable unless the plaintiff proves that the act of procedure initiating the proceedings was duly served on the defaulting party in accordance with the law of the place where the decision was rendered.

Toutefois, l'autorité pourra refuser la reconnaissance ou l'exécution si la partie défaillante prouve que, compte tenu des circonstances, elle n'a pu prendre connaissance de l'acte introductif d'instance ou n'a pu disposer d'un délai suffisant pour présenter sa défense.

1991, c. 64, a. 3156 (1994-01-01).

(**C.C.Q.** 3155)

Art. 3157. La reconnaissance ou l'exécution ne peut être refusée pour la seule raison que l'autorité d'origine a appliqué une loi autre que celle qui aurait été applicable, d'après les règles du présent livre.

1991, c. 64, a. 3157 (1994-01-01).

(**C.C.Q.** 3155)

Art. 3158. L'autorité québécoise se limite à vérifier si la décision dont la reconnaissance ou l'exécution est demandée remplit les conditions prévues au présent titre, sans procéder à l'examen au fond de cette décision.

1991, c. 64, a. 3158 (1994-01-01).

Art. 3159. Si la décision statue sur plusieurs demandes qui sont dissociables, la reconnaissance ou l'exécution peut être accordée partiellement.

1991, c. 64, a. 3159 (1994-01-01).

Art. 3160. La décision rendue hors du Québec qui accorde des aliments par versements périodiques peut être reconnue et déclarée exécutoire pour les versements échus et à échoir.

1991, c. 64, a. 3160 (1994-01-01).

(**C.C.Q.** 585, 3094-3096, 3143, 3155(2°))

Art. 3161. Lorsqu'une décision étrangère condamne le débiteur au paiement d'une somme d'argent exprimée dans une monnaie étrangère, l'autorité québécoise convertit cette somme en monnaie canadienne, au cours du jour où la décision est devenue exécutoire au lieu où elle a été rendue.

La détermination des intérêts que peut porter une décision étrangère est régie par la loi de l'autorité qui l'a rendue, jusqu'à sa conversion.

1991, c. 64, a. 3161 (1994-01-01).

However, the authority may refuse recognition or enforcement if the defaulting party proves that, owing to the circumstances, he was unable to learn of the act of procedure initiating the proceedings or was not given sufficient time to offer his defence.

Art. 3157. Recognition or enforcement may not be refused on the sole ground that the original authority applied a law different from the law that would be applicable under the rules contained in this Book.

Art. 3158. A Québec authority confines itself to verifying whether the decision in respect of which recognition or enforcement is sought meets the requirements prescribed in this Title, without entering into any examination of the merits of the decision.

Art. 3159. Recognition or enforcement may be granted partially if the decision deals with several claims that can be dissociated.

Art. 3160. A decision rendered outside Québec awarding periodic payments of support may be recognized and declared enforceable in respect of both payments due and payments to become due.

Art. 3161. Where a foreign decision orders a debtor to pay a sum of money expressed in foreign currency, a Québec authority converts the sum into Canadian currency at the rate of exchange prevailing on the day the decision became enforceable at the place where it was rendered.

The determination of interest payable under a foreign decision is governed by the law of the authority that rendered the decision until its conversion.

Art. 3162. L'autorité du Québec reconnaît et sanctionne les obligations découlant des lois fiscales d'un État qui reconnaît et sanctionne les obligations découlant des lois fiscales du Québec.

1991, c. 64, a. 3162 (1994-01-01).

C.P.C. 21 (**C.C.Q.** 3155(6°))

Art. 3163. Les transactions exécutoires au lieu d'origine sont reconnues et, le cas échéant, déclarées exécutoires au Québec aux mêmes conditions que les décisions judiciaires pour autant que ces conditions leur sont applicables.

1991, c. 64, a. 3163 (1994-01-01); 2002, c. 19, a. 15 (2002-06-13).

(**C.C.Q.** 2631, 2633, 3155)

Art. 3162. A Québec authority recognizes and enforces the obligations resulting from the taxation laws of foreign countries in which the obligations resulting from the taxation laws of Québec are recognized and enforced.

Art. 3163. A transaction enforceable in the place of origin is recognized and, as the case may be, declared to be enforceable in Québec on the same conditions as a judicial decision, to the extent that those conditions apply to the transaction.

CHAPITRE DEUXIÈME
DE LA COMPÉTENCE DES AUTORITÉS ÉTRANGÈRES

Art. 3164. La compétence des autorités étrangères est établie suivant les règles de compétence applicables aux autorités québécoises en vertu du titre troisième du présent livre dans la mesure où le litige se rattache d'une façon importante à l'État dont l'autorité a été saisie.

1991, c. 64, a. 3164 (1994-01-01).

(**C.C.Q.** 3134-3154, 3166, 3168)

Art. 3165. La compétence des autorités étrangères n'est pas reconnue par les autorités québécoises dans les cas suivants:

1° Lorsque, en raison de la matière ou d'une convention entre les parties, le droit du Québec attribue à ses autorités une compétence exclusive pour connaître de l'action qui a donné lieu à la décision étrangère;

2° Lorsque le droit du Québec admet, en raison de la matière ou d'une convention entre les parties, la compétence exclusive d'une autre autorité étrangère;

3° Lorsque le droit du Québec reconnaît une convention par laquelle la compétence exclusive a été attribuée à un arbitre.

1991, c. 64, a. 3165 (1994-01-01).

C.P.C. 180.1 (**C.C.Q.** 3121, 3151)

CHAPTER II
JURISDICTION OF FOREIGN AUTHORITIES

Art. 3164. The jurisdiction of foreign authorities is established in accordance with the rules on jurisdiction applicable to Québec authorities under Title Three of this Book, to the extent that the dispute is substantially connected with the country whose authority is seised of the case.

Art. 3165. The jurisdiction of a foreign authority is not recognized by Québec authorities in the following cases:

(1) where, by reason of the subject matter or an agreement between the parties, Québec law grants exclusive jurisdiction to its authorities to hear the action which gave rise to the foreign decision;

(2) where, by reason of the subject matter or an agreement between the parties, Québec law recognizes the exclusive jurisdiction of another foreign authority;

(3) where Québec law recognizes an agreement by which exclusive jurisdiction has been conferred upon an arbitrator.

Art. 3166. La compétence des autorités étrangères est reconnue en matière de filiation lorsque l'enfant ou l'un de ses parents est domicilié dans cet État ou a la nationalité qui y est rattachée.

1991, c. 64, a. 3166 (1994-01-01).

(C.C.Q. 523 ss., 3091, 3092, 3147, 3164)

Art. 3167. Dans les actions en matière de divorce, la compétence des autorités étrangères est reconnue soit que l'un des époux avait son domicile dans l'État où la décision a été rendue, ou y résidait depuis au moins un an, avant l'introduction de l'action, soit que les époux ont la nationalité de cet État, soit que la décision serait reconnue dans l'un de ces États.

Dans les actions en matière de dissolution de l'union civile, la compétence des autorités étrangères n'est reconnue que si l'État connaît cette institution; elle l'est alors aux mêmes conditions que s'il s'agissait d'un divorce.

1991, c. 64, a. 3167 (1994-01-01); 2002, c. 6, a. 73 (2002-06-24).

(C.C.Q. 3141; **Loi sur le divorce, L.R.C.** (1985), ch. 3 (2ᵉ suppl.))

Art. 3168. Dans les actions personnelles à caractère patrimonial, la compétence des autorités étrangères n'est reconnue que dans les cas suivants:

1° Le défendeur était domicilié dans l'État où la décision a été rendue;

2° Le défendeur avait un établissement dans l'État où la décision a été rendue et la contestation est relative à son activité dans cet État;

3° Un préjudice a été subi dans l'État où la décision a été rendue et il résulte d'une faute qui y a été commise ou d'un fait dommageable qui s'y est produit;

4° Les obligations découlant d'un contrat devaient y être exécutées;

5° Les parties leur ont soumis les litiges nés ou à naître entre elles à l'occasion d'un rapport de droit déterminé; cependant, la renonciation du consommateur ou du travailleur à la compétence de l'autorité de son domicile ne peut lui être opposée;

6° Le défendeur a reconnu leur compétence.

1991, c. 64, a. 3168 (1994-01-01).

(C.C.Q. 307, 3148-3150, 3164)

Art. 3166. The jurisdiction of a foreign authority is recognized in matters of filiation where the child or either of his parents is domiciled in that country or is a national thereof.

Art. 3167. The jurisdiction of a foreign authority is recognized in actions relating to divorce if one of the spouses had his or her domicile in the country where the decision was rendered or had his or her residence in that country for at least one year before the institution of the proceedings, or if the spouses are nationals of that country or, again, if the decision has been recognized in that country.

In actions relating to the dissolution of a civil union, the jurisdiction of a foreign authority is recognized only if the country concerned recognizes that institution; where that is the case, its jurisdiction is recognized subject to the same conditions as in matters of divorce.

Art. 3168. In personal actions of a patrimonial nature, the jurisdiction of a foreign authority is recognized only in the following cases:

(1) the defendant was domiciled in the country where the decision was rendered;

(2) the defendant possessed an establishment in the country where the decision was rendered and the dispute relates to its activities in that country;

(3) a prejudice was suffered in the country where the decision was rendered and it resulted from a fault which was committed in that country or from an injurious act which took place in that country;

(4) the obligations arising from a contract were to be performed in that country;

(5) the parties have submitted to the foreign authority disputes which have arisen or which may arise between them in respect of a specific legal relationship; however, renunciation by a consumer or a worker of the jurisdiction of the authority of his place of domicile may not be set up against him;

(6) the defendant has recognized the jurisdiction of the foreign authority.

DISPOSITIONS FINALES

Le présent code remplace le Code civil du Bas Canada adopté par le chapitre 41 des lois de 1865 de la législature de la province du Canada, Acte concernant le Code civil du Bas Canada, tel qu'il a été modifié. Il remplace aussi l'article premier du chapitre 39 des lois de 1980, Loi instituant un nouveau Code civil et portant réforme du droit de la famille, tel qu'il a été modifié, ainsi que le chapitre 18 des lois de 1987, Loi portant réforme au Code civil du Québec du droit des personnes, des successions et des biens.

Le présent code entrera en vigueur à la date qui sera fixée par le gouvernement, conformément à ce qui sera prévu dans la loi relative à l'application de la réforme du Code civil.

FINAL PROVISIONS

This Code replaces the Civil Code of Lower Canada adopted by chapter 41 of the statutes of 1865 of the Legislature of the Province of Canada, An Act respecting the Civil Code of Lower Canada, as amended. It also replaces the first section of chapter 39 of the statutes of 1980, An Act to establish a new Civil Code and to reform family law, as amended, and chapter 18 of the statutes of 1987, An Act to add the reformed law of persons, successions and property to the Civil Code of Québec.

This Code will come into force on the date to be fixed by the Government, in accordance with the provisions of the legislation respecting the implementation of the Civil Code reform.

APPENDICE
LOI MODIFIANT LE CODE CIVIL ET D'AUTRES DISPOSITIONS LÉGISLATIVES RELATIVEMENT À LA PUBLICITÉ FONCIÈRE
(2000, c. 42)

DISPOSITIONS TRANSITOIRES

Art. 237. Jusqu'à la date fixée dans un avis du ministre des Ressources naturelles, publié à la *Gazette officielle du Québec*, indiquant qu'un bureau de la publicité des droits établi dans l'une des circonscriptions foncières du Québec est pleinement informatisé en ce qui a trait à la publicité foncière, l'application des dispositions de la présente loi est, relativement à ce bureau, assujettie aux réserves exprimées dans les articles qui suivent.

L'avis peut, pour la période qui y est indiquée, suspendre temporairement certains services informatisés du bureau, de même que d'autres services touchés par son informatisation, notamment les services de consultation des documents conservés dans le bureau; le bureau est considéré comme étant pleinement informatisé malgré cette suspension.

Un avis de la publication à la *Gazette officielle du Québec* est donné dans un quotidien ou hebdomadaire circulant dans la circonscription foncière visée.

Art. 238. Jusqu'à la date fixée dans l'avis du ministre des Ressources naturelles indiquant qu'un bureau de la publicité des droits est pleinement informatisé en ce qui a trait à la publicité foncière, les dispositions du Code civil, telles que modifiées par la présente loi, doivent être considérées avec les réserves qui suivent:

1° le registre foncier au sens de l'article 2972 et des autres articles s'y rapportant s'entend du registre foncier tenu dans ce bureau, constitué d'un index des noms, d'un index des immeubles, d'un registre des droits réels d'exploitation de ressources de l'État, d'un registre des réseaux de services publics et des immeubles situés en territoire non cadastré et du répertoire complétant ces deux derniers registres; en outre, les fiches immobilières au sens de ces articles s'entendent des feuillets de l'index des immeubles, du registre des droits réels d'exploitation de ressources de l'État ou du registre des réseaux de services publics et des immeubles situés en territoire non cadastré;

APPENDIX
AN ACT TO AMEND THE CIVIL CODE AND OTHER LEGISLATIVE PROVISIONS RELATING TO LAND REGISTRATION
(2000, c. 42)

TRANSITIONAL PROVISIONS

Art. 237. Until the date fixed in a notice published in the *Gazette officielle du Québec* by the Minister of Natural Resources stating that a registry office established in a registration division in Québec is fully computerized for land registration purposes, the application of the provisions of this Act as they concern that registry office is subject to the restrictions contained in the following sections.

The notice may suspend temporarily, for the period indicated, certain computerized services at the registry office, or other services affected by the computerization such as consultation of documents kept at the registry office; the registry office shall be considered to be fully computerized despite such suspension.

Notice of the publication in the *Gazette officielle du Québec* shall be published in a daily or weekly newspaper circulated in the registration division concerned.

Art. 238. Until the date fixed in the notice of the Minister of Natural Resources stating that a registry office is fully computerized for land registration purposes, the provisions of the Civil Code, as amended by this Act, shall apply subject to the following restrictions:

(1) the land register within the meaning of article 2972 and the other articles that refer thereto means the land register kept in that registry office, consisting of an index of names, an index of immovables, a register of real rights of State resource development, a register of public service networks and immovables situated in territory without a cadastral survey and the directory which completes the latter two registers; in addition, a land file within the meaning of those articles means a leaf of the index of immovables, the register of real rights of State resource development or the register of public service networks and immovables situated in territory without a cadastral survey;

2° la date, l'heure et la minute auxquelles les droits publiés sur le registre foncier tenu dans ce bureau prennent rang, suivant l'article 2945, sont inscrites sur un bordereau de présentation;

3° nonobstant l'article 2969, les registres et documents tenus ou conservés dans ce bureau le 8 octobre 2001, continuent d'y être tenus ou conservés;

4° la publicité des droits qui concernent un immeuble situé dans la circonscription foncière pour laquelle le bureau est établi se fait, pour l'application de l'article 2970, au registre foncier tenu dans ce bureau;

5° l'article 2981.1 ne reçoit pas application dans ce bureau;

6° les réquisitions d'inscription qui concernent un immeuble situé dans la circonscription foncière pour laquelle le bureau est établi ne peuvent, nonobstant l'article 2982, être présentées qu'à ce bureau, sur un support papier;

7° la publicité de la subrogation ou de la cession visée à l'article 3003 se fait au registre foncier tenu dans ce bureau, lorsque l'hypothèque en cause y avait été publiée, et les documents qui doivent être remis au débiteur en vertu de cet article sont la réquisition présentée portant certificat d'inscription et, lorsque cette réquisition prend la forme d'un sommaire, le document qui l'accompagne;

8° pour l'application de l'article 3006.1, l'officier de la publicité affecté à ce bureau porte la date, l'heure et la minute de la présentation des réquisitions sur un bordereau de présentation, qu'il remet ensuite aux requérants; il ne procède ni au transfert des réquisitions et documents sur un support informatique et à leur transmission, sur ce support, au Bureau de la publicité foncière, ni à la remise subséquente des réquisitions aux requérants;

9° l'état certifié que l'officier affecté à ce bureau doit remettre au requérant en vertu de l'article 3011 s'entend d'un double de la réquisition présentée portant certificat d'inscription; de même, pour l'application de cet article, l'officier conserve dans le bureau un double de la réquisition présentée portant certificat d'inscription;

10° l'officier de la publicité n'a pas, dans ce bureau, à effectuer les vérifications requises par l'article 3014 relativement au titre de créance et les mentions exigées par cet article, avec les indications qui s'y rattachent, sont portées en marge de la réquisition constatant le droit ou la créance visé;

11° l'état certifié visé aux articles 3016 et 3044, s'entend, dans ce bureau, d'un certificat d'inscription;

(2) the date, hour and minute according to which the rights published in the land register kept in that registry office rank pursuant to article 2945 shall be entered on the memorial of presentation;

(3) notwithstanding article 2969, the registers and documents kept or preserved in that registry office on 8 October 2001 shall continue to be kept or preserved in that registry office;

(4) rights concerning an immovable situated in the registration division for which the registry office is established shall, for the purposes of article 2970, be published in the land register kept in that registry office;

(5) article 2981.1 is not applicable in that registry office;

(6) notwithstanding article 2982, an application for registration concerning an immovable situated in the registration division for which the registry office is established can only be presented at that registry office and in paper form;

(7) a subrogation or assignment referred to in article 3003 shall be published in the land register kept in that registry office if the hypothec concerned was also published in that registry office, and the documents that must be furnished to the debtor pursuant to that article are the application presented, bearing the registration certificate, and, where if application is in the form of a summary, the accompanying document;

(8) for the purposes of article 3006.1, the registrar assigned to that registry office shall enter the date, hour and minute of presentation of an application on a memorial of presentation which he shall give to the applicant; the registrar shall neither convert the application or the documents to electronic form, transmit them in electronic form to the Land Registry Office, nor return the originals to the applicant;

(9) the certified statement that the registrar assigned to that registry office must remit to the applicant pursuant to article 3011 means a duplicate of the application presented, bearing the registration certificate; as well, for the purposes of that article, the registrar shall keep a duplicate of the application presented, bearing the registration certificate;

(10) the registrar is not required, in that registry office, to make the verifications prescribed by article 3014 concerning the title of indebtedness, and the mentions required by that article, with the related indications, shall be entered in the margin of the application relating to the right or the debt concerned;

(11) the certified statement referred to in articles 3016 and 3044 means, in that registry office, the registration certificate;

12° l'état certifié d'une inscription particulière visé au deuxième alinéa de l'article 3019 s'entend, dans ce bureau, d'un certificat d'inscription apposé sur une copie authentique de la réquisition, lorsque celle-ci est authentique sans être notariée en brevet, ou sur un double de la réquisition, lorsqu'elle est notariée en brevet ou sous seing privé;

13° on ne peut, pour l'application de l'article 3022, requérir de l'officier de la publicité l'inscription, dans ce bureau, d'une adresse électronique;

14° la radiation, dans ce bureau, d'une inscription au sens de l'article 3057 s'entend d'une radiation résultant d'une inscription faite en marge du document ou de la réquisition constatant le droit dont la radiation est recherchée; il est fait référence sur le registre approprié, à l'exclusion de l'index des noms, au numéro d'inscription de la réquisition qui autorise la radiation;

15° l'article 3057.2 ne reçoit pas application dans ce bureau;

16° les dispositions suivantes s'appliquent, dans ce bureau, en lieu et place des dispositions de l'article 3075.1:

«**3075.1.** Nonobstant les articles 3069 et 3070, si, dans un même document, on vise à la fois l'inscription d'un droit et la radiation ou la réduction d'une inscription, l'inscription, de même que la radiation ou la réduction, doivent être demandées séparément au moyen de réquisitions distinctes ou par la présentation d'un exemplaire additionnel du document.».

Art. 239. Jusqu'à la date fixée dans l'avis du ministre des Ressources naturelles indiquant qu'un premier bureau de la publicité des droits est pleinement informatisé en ce qui a trait à la publicité foncière, un immeuble visé par l'article 2918 du Code civil doit être considéré comme étant non immatriculé pour l'application de cet article.

...

Art. 242. Les index des immeubles tenus dans un bureau de la publicité des droits à la date fixée dans l'avis du ministre des Ressources naturelles indiquant que ce bureau est pleinement informatisé en ce qui a trait à la publicité foncière sont réputés authentiques malgré toute anomalie qui aurait pu, avant cette date, se produire dans l'ouverture ou la retranscription de fiches immobilières à ces index, dans le format ou la présentation matérielle de ces index ou dans l'indication qui y est faite de dénominations cadastrales.

(12) the certified statement of a particular entry referred to in the second paragraph of article 3019 means, in that registry office, the registration certificate affixed to an authentic copy of the application, if the application is authentic but not notarized *en brevet*, or on a duplicate of the application, where it is notarized *en brevet* or in private writing;

(13) for the purposes of article 3022, the registrar may not be required in that registry office to register an electronic address;

(14) the cancellation, in that registry office, of a registration within the meaning of article 3057 means a cancellation arising from an entry made in the margin of the document or application relating to the right to be cancelled; a reference to the registration number of the application requiring the cancellation shall be made in the appropriate register, except the index of names;

(15) article 3057.2 is not applicable in that registry office;

(16) the following provisions apply, in that registry office, in place of the provisions of article 3075.1:

"**3075.1.** Notwithstanding articles 3069 and 3070, if a single document requires both the registration of a right and the cancellation of a registration or the reduction of an entry, the registration and the cancellation or reduction must be applied for separately by means of separate applications or by the presentation of an additional copy of the document."

Art. 239. Until the date fixed in the notice of the Minister of Natural Resources stating that a first registry office is fully computerized for land registration purposes, any immovable to which article 2918 of the Civil Code applies must be considered as non-registered for the purposes of that article.

...

Art. 242. The indexes of immovables kept in a registry office on the date fixed in the notice of the Minister of Natural Resources stating that the registry office is fully computerized for land registration purposes are deemed to be authentic despite any irregularity that may, before that date, have occurred in the opening or transfer of land files in or to those indexes, in the format or physical presentation of those indexes or in references to cadastral designations in those indexes.

Art. 243. À compter de la date fixée dans l'avis du ministre des Ressources naturelles indiquant qu'un bureau de la publicité des droits est pleinement informatisé en ce qui a trait à la publicité foncière, les corrections d'erreurs matérielles relativement aux mentions et inscriptions faites en marge des réquisitions ou sur le registre complémentaire, de même que les mentions ou inscriptions omises en marge des réquisitions ou sur ce registre complémentaire sont portées au registre des mentions prévu à l'article 2979.1 du Code civil introduit par l'article 26 de la présente loi, pour tout document publié dans ce bureau avant la date fixée dans l'avis du ministre. De même, les corrections d'erreurs matérielles relativement aux états certifiés d'inscription sont portées dans ce registre pour tout acte publié dans ce bureau avant la date fixée dans l'avis du ministre.

Art. 244. À la date fixée dans l'avis du ministre des Ressources naturelles indiquant que le bureau de la publicité des droits de la circonscription foncière de Montréal est pleinement informatisé en ce qui a trait à la publicité foncière, les mentions et inscriptions contenues dans le registre des mentions des actes microfilmés tenu pour ce bureau sont portées dans le registre des mentions prévu à l'article 2979.1 du Code civil introduit par l'article 26 de la présente loi.

Art. 245. Les registres et documents suivants, tenus ou conservés dans un bureau de la publicité des droits à la date fixée dans l'avis du ministre des Ressources naturelles indiquant que ce bureau est pleinement informatisé en ce qui a trait à la publicité foncière, sont conservés dans ce bureau: l'index des noms, le livre de présentation, le registre des nantissements agricoles et forestiers, le registre des nantissements commerciaux, le registre des procès-verbaux, actes d'accord ou règlements relatifs aux chemins, aux ponts et aux cours d'eau, la liste visée au paragraphe 2 de l'article 2161 du Code civil du Bas Canada, tel qu'il se lisait le 31 décembre 1993, le registre des adresses et le répertoire des bordereaux de présentation.

L'index des noms tenu dans les bureaux établis pour les circonscriptions foncières de Laval et de Montréal n'y est cependant conservé que pour la période antérieure au 1er janvier 1994.

...

Art. 243. From the date fixed in the notice of the Minister of Natural Resources stating that a registry office is fully computerized for land registration purposes, corrections of clerical errors in the mentions or entries made in the margin of applications or in the complementary register, as well as mentions and entries omitted in the margin of applications or in the complementary register are entered in the register of mentions provided for in article 2979.1 of the Civil Code, introduced by section 26, as regards any document published in that registry office before the date fixed in the Minister's notice. Likewise, corrections of clerical errors in certified statements of registration are entered in the register of mentions as regards any act published in that registry office before the date fixed in the Minister's notice.

Art. 244. As of the date fixed in the notice of the Minister of Natural Resources stating that the registry office for the registration division of Montréal is fully computerized for land registration purposes, mentions and entries contained in the register of mentions for microfilmed acts kept for that office are entered in the register of mentions provided for in article 2979.1 of the Civil Code, introduced by section 26.

Art. 245. The following registers and documents, kept or preserved in a registry office on the date fixed in the notice of the Minister of Natural Resources stating that the office is fully computerized for land registration purposes, shall be preserved in that registry office: the index of names, the book of presentation, the register of farm and forest pledges, the register of commercial pledges, the register of *procès-verbaux*, deeds of agreement or by-laws relating to roads, bridges and watercourses, the list referred to in paragraph 2 of article 2161 of the Civil Code of Lower Canada, as it read on 31 December 1993, the register of addresses and the list of memorials of presentation.

The index of names kept in the registry offices established for the registration divisions of Laval and Montréal shall be preserved only for the period preceding 1 January 1994.

...

Art. 248. L'Officier de la publicité des droits personnels et réels mobiliers peut, lorsque sont remplies les conditions d'application du deuxième alinéa de l'article 2980 du Code civil introduit par l'article 27 de la présente loi, supprimer toutes les inscriptions faites avant le 5 décembre 2000 sur les fiches tenues sous la désignation des locateurs ou cessionnaires des biens loués.

...

Art. 248. The Personal and Movable Real Rights Registrar may, where the conditions under which the second paragraph of article 2980 of the Civil Code introduced by section 27 of this Act are fulfilled, strike all entries made before 5 December 2000 in the files kept under the description of lessors or transferors of leased property.

...

LISTE DES BUREAUX DE LA PUBLICITÉ DES DROITS POUR LESQUELS LE MINISTRE DES RESSOURCES NATURELLES A DONNÉ UN AVIS À L'EFFET QU'ILS SONT PLEINEMENT INFORMATISÉS EN CE QUI A TRAIT À LA PUBLICITÉ FONCIÈRE

LIST OF REGISTRY OFFICES FOR WHICH THE MINISTER OF NATURAL RESOURCES HAS GIVEN A NOTICE THAT THEY ARE FULLY COMPUTERIZED FOR LAND REGISTRATION PURPOSES

Avis numéro 1

Le Bureau de la publicité des droits établi dans la circonscription foncière de Saint-Hyacinthe sera pleinement informatisé à compter du 9 octobre 2001.

Avis, (2001) 133 G.O. 1, 1022.

Avis numéro 2

Le Bureau de la publicité des droits établi dans la circonscription foncière de Montmagny sera pleinement informatisé à compter du 7 janvier 2002.

Avis, (2002) 134 G.O. 1, 10.

Avis numéro 3

Le Bureau de la publicité des droits établi dans la circonscription foncière de L'Islet sera pleinement informatisé à compter du 14 janvier 2002.

Avis, (2002) 134 G.O. 1, 10.

Avis numéro 4

Le Bureau de la publicité des droits établi dans la circonscription foncière de Lotbinière sera pleinement informatisé à compter du 21 janvier 2002.

Avis, (2002) 134 G.O. 1, 10.

Avis numéro 5

Le Bureau de la publicité des droits établi dans la circonscription foncière de Belle-chasse sera pleinement informatisé à compter du 28 janvier 2002.

Avis, (2002) 134 G.O. 1, 10.

Avis numéro 6

Le Bureau de la publicité des droits établi dans la circonscription foncière de Dor-chester sera pleinement informatisé à compter du 4 février 2002.

Avis, (2002) 134 G.O. 1, 91.

Avis numéro 7

Le Bureau de la publicité des droits établi dans la circonscription foncière de Ka-mouraska sera pleinement informatisé à compter du 11 février 2002.

Avis, (2002) 134 G.O. 1, 91.

Avis numéro 8

Le Bureau de la publicité des droits établi dans la circonscription foncière de Coati-cook sera pleinement informatisé à compter du 18 février 2002.

Avis, (2002) 134 G.O. 1, 91.

Avis numéro 9

Le Bureau de la publicité des droits établi dans la circonscription foncière de Comp-ton sera pleinement informatisé à compter du 25 février 2002.

Avis, (2002) 134 G.O. 1, 91.

Avis numéro 10

Le Bureau de la publicité des droits établi dans la circonscription foncière de Stanstead sera pleinement informatisé à compter du 4 mars 2002.

Avis, (2002) 134 G.O. 1, 213.

Avis numéro 11

Le Bureau de la publicité des droits établi dans la circonscription foncière de Richelieu sera pleinement informatisé à compter du 11 mars 2002.

Avis, (2002) 134 G.O. 1, 212.

Avis numéro 12

Le Bureau de la publicité des droits établi dans la circonscription foncière de Rimouski sera pleinement informatisé à compter du 25 mars 2002. Toutefois, certaines réquisitions d'inscription ne pourront être consultées, sur support informatique, que le mardi 26 mars 2002.

Avis, (2002) 134 G.O. 1, 212.

Avis numéro 13

Le Bureau de la publicité des droits établi dans la circonscription foncière de Saint-Jean sera pleinement informatisé à compter du 2 avril 2002. Toutefois, certaines réquisitions d'inscription ne pourront être consultées, sur support informatique, que le mercredi 3 avril 2002.

Avis, (2002) 134 G.O. 1, 212.

Avis numéro 14

Le Bureau de la publicité des droits établi dans la circonscription foncière de Pontiac sera pleinement informatisé à compter du 8 avril 2002.

Avis, (2002) 134 G.O. 1, 379.

Avis numéro 15

Le Bureau de la publicité des droits établi dans la circonscription foncière de Lévis sera pleinement informatisé à compter du 15 avril 2002. Toutefois, certaines réquisitions d'inscription ne pourront être consultées, sur support informatique, que le mercredi 17 avril 2002.

Avis, (2002) 134 G.O. 1, 379.

Avis numéro 16

Le Bureau de la publicité des droits établi dans la circonscription foncière de Matane sera pleinement informatisé à compter du 22 avril 2002.

Avis, (2002) 134 G.O. 1, 379.

Avis numéro 17

Le Bureau de la publicité des droits établi dans la circonscription foncière de Labelle sera pleinement informatisé à compter du 29 avril 2002.

Avis, (2002) 134 G.O. 1, 379.

Avis numéro 18

Le Bureau de la publicité des droits établi dans la circonscription foncière de La Tuque sera pleinement informatisé à compter du 13 mai 2002.

Avis, (2002) 134 G.O. 1, 473.

Avis numéro 19

Le Bureau de la publicité des droits établi dans la circonscription foncière de Sherbrooke sera pleinement informatisé à compter du 21 mai 2002. Toutefois, certaines réquisitions d'inscription ne pourront être consultées, sur support informatique, qu'à compter du mercredi 22 mai 2002.

Avis, (2002) 134 G.O. 1, 473.

Avis numéro 20

Le Bureau de la publicité des droits établi dans la circonscription foncière de Matapédia sera pleinement informatisé à compter du 27 mai 2002.

Avis, (2002) 134 G.O. 1, 473.

Avis numéro 21

Le Bureau de la publicité des droits établi dans la circonscription foncière de Gatineau sera pleinement informatisé à compter du 3 juin 2002.

Avis, (2002) 134 G.O. 1, 663.

Avis numéro 22

Le Bureau de la publicité des droits établi dans la circonscription foncière de Rouville sera pleinement informatisé à compter du 10 juin 2002.

Avis, (2002) 134 G.O. 1, 702.

Avis numéro 23

Le Bureau de la publicité des droits établi dans la circonscription foncière de Témiscouata sera pleinement informatisé à compter du 17 juin 2002.

Avis, (2002) 134 G.O. 1, 702.

Avis numéro 24

Le Bureau de la publicité des droits établi dans la circonscription foncière de Chicoutimi sera pleinement informatisé à compter du 25 juin 2002.

Avis, (2002) 134 G.O. 1, 731.

Avis numéro 25

Le Bureau de la publicité des droits établi dans la circonscription foncière de Hull sera pleinement informatisé à compter du 2 juillet 2002. Toutefois, certaines réquisitions d'inscription ne pourront être consultées, sur support informatique, qu'à compter du mercredi 3 juillet 2002.

Avis, (2002) 134 G.O. 1, 758.

Avis numéro 26

Le Bureau de la publicité des droits établi dans la circonscription foncière de Trois-Rivières sera pleinement informatisé à compter du 15 juillet 2002.

Avis, (2002) 134 G.O. 1, 816.

Avis numéro 27

Le Bureau de la publicité des droits établi dans la circonscription foncière de Lac-Saint-Jean-Est sera pleinement informatisé à compter du 22 juillet 2002.

Avis, (2002) 134 G.O. 1, 840.

Avis numéro 28

Le Bureau de la publicité des droits établi dans la circonscription foncière de Shawinigan sera pleinement informatisé à compter du 29 juillet 2002.

Avis, (2002) 134 G.O. 1, 888.

Avis numéro 29

Le Bureau de la publicité des droits établi dans la circonscription foncière de Lac-Saint-Jean-Ouest sera pleinement informatisé à compter du 5 août 2002.

Avis, (2002) 134 G.O. 1, 907.

Avis numéro 30

Le Bureau de la publicité des droits établi dans la circonscription foncière de Papineau sera pleinement informatisé à compter du 12 août 2002.

Avis, (2002) 134 G.O. 1, 927.

Avis numéro 31

Le Bureau de la publicité des droits établi dans la circonscription foncière de Nicolet sera pleinement informatisé à compter du 19 août 2002.

Avis, (2002) 134 G.O. 1, 956.

Avis numéro 32

Le Bureau de la publicité des droits établi dans la circonscription foncière de Champlain sera pleinement informatisé à compter du 3 septembre 2002.

Avis, (2002) 134 G.O. 1, 996.

Avis numéro 33

Le Bureau de la publicité des droits établi dans la circonscription foncière de Maskinongé sera pleinement informatisé à compter du 9 septembre 2002.

Avis, (2002) 134 G.O. 1, 1036.

Avis numéro 34

Le Bureau de la publicité des droits établi dans la circonscription foncière de Berthier sera pleinement informatisé à compter du 16 septembre 2002.

Avis, (2002) 134 G.O. 1, 1058.

Avis numéro 35

Le Bureau de la publicité des droits établi dans la circonscription foncière de L'Assomption sera pleinement informatisé à compter du 23 septembre 2002. Toutefois, certaines réquisitions d'inscription ne pourront être consultées, sur support informatique, qu'à compter du mercredi 25 septembre 2002.

_____

Avis, (2002) 134 G.O. 1, 1086.

Avis numéro 36

Le Bureau de la publicité des droits établi dans la circonscription foncière de Montcalm sera pleinement informatisé à compter du 7 octobre 2002.

_____

Avis, (2002) 134 G.O. 1, 1137.

Avis numéro 37

Le Bureau de la publicité des droits établi dans la circonscription foncière d'Abitibi sera pleinement informatisé à compter du 15 octobre 2002.

_____

Avis, (2002) 134 G.O. 1, 1166.

Avis numéro 38

Le Bureau de la publicité des droits établi dans la circonscription foncière de Joliette sera pleinement informatisé à compter du 21 octobre 2002.

_____

Avis, (2002) 134 G.O. 1, 1197.

Avis numéro 39

Le Bureau de la publicité des droits établi dans la circonscription foncière de Montréal sera pleinement informatisé à compter du 28 octobre 2002. À compter de cette date, les réquisitions d'inscription pourront être consultées, sur support informatique, au fur et à mesure de leur numérisation qui sera complétée le lundi 16 décembre 2002. De même, les registres pourront être consultés, sur support informatique, à compter du 28 octobre 2002, à l'exception des inscriptions faites à l'index des immeubles antérieurement à cette date, qui ne pourront être consultées, sur support informatique, qu'à compter du lundi 4 novembre 2002.

Avis, (2002) 134 G.O. 1, 1228.

Avis numéro 40

Le Bureau de la publicité des droits établi dans la circonscription foncière de Laval sera pleinement informatisé à compter du 30 décembre 2002. Toutefois, certaines réquisitions d'inscription ne pourront être consultées, sur support informatique, qu'à compter du mardi 7 janvier 2003.

Avis, (2002) 134 G.O. 1, 1480.

Avis numéro 41

Le Bureau de la publicité des droits établi dans la circonscription foncière de Portneuf sera pleinement informatisé à compter du 3 février 2003.

Avis, (2003) 135 G.O. 1, 99.

Avis numéro 42

Le Bureau de la publicité des droits établi dans la circonscription foncière de Montmorency sera pleinement informatisé à compter du 10 février 2003.

Avis, (2003) 135 G.O. 1, 133.

Avis numéro 43

Le Bureau de la publicité des droits établi dans la circonscription foncière de Québec sera pleinement informatisé à compter du 24 février 2003. Toutefois, certaines réquisitions d'inscription ne pourront être consultées, sur support informatique, qu'à compter du lundi 17 mars 2003.

Avis, (2003) 135 G.O. 1, 197.

Avis numéro 44

Le Bureau de la publicité des droits établi dans la circonscription foncière de Deux-Montagnes sera pleinement informatisé à compter du 24 mars 2003. Toutefois, certaines réquisitions d'inscription ne pourront être consultées, sur support informatique, qu'à compter du mardi 25 mars 2003.

Avis, (2003) 135 G.O. 1, 320.

Avis numéro 45

Le Bureau de la publicité des droits établi dans la circonscription foncière de Châteauguay sera pleinement informatisé à compter du 7 avril 2003. Toutefois, certaines réquisitions d'inscription ne pourront être consultées, sur support informatique, qu'à compter du mardi 8 avril 2003.

Avis, (2003) 135 G.O. 1, 344.

Avis numéro 46

Le Bureau de la publicité des droits établi dans la circonscription foncière de Verchères sera pleinement informatisé à compter du 14 avril 2003. Toutefois, certaines réquisitions d'inscription ne pourront être consultées, sur support informatique, qu'à compter du mardi 15 avril 2003.

Avis, (2003) 135 G.O. 1, 373.

Avis numéro 47

Le Bureau de la publicité des droits établi dans la circonscription foncière de Chambly sera pleinement informatisé à compter du 22 avril 2003. Toutefois, certaines réquisitions d'inscription ne pourront être consultées, sur support informatique, qu'à compter du lundi 5 mai 2003.

Avis, (2003) 135 G.O. 1, 387.

Avis numéro 48

Le Bureau de la publicité des droits établi dans la circonscription foncière de Beauharnois sera pleinement informatisé à compter du 12 mai 2003.

Avis, (2003) 135 G.O. 1, 454.

Avis numéro 49

Le Bureau de la publicité des droits établi dans la circonscription foncière de Vaudreuil sera pleinement informatisé à compter du 20 mai 2003.

Avis, (2003) 135 G.O. 1, 482.

Avis numéro 50

Le Bureau de la publicité des droits établi dans la circonscription foncière de Beauce sera pleinement informatisé à compter du 26 mai 2003.

Avis, (2003) 135 G.O. 1, 507.

Avis numéro 51

Le Bureau de la publicité des droits établi dans la circonscription foncière de La Prairie sera pleinement informatisé à compter du 2 juin 2003. Toutefois, certaines réquisitions d'inscription ne pourront être consultées, sur support informatique, qu'à compter du mardi 3 juin 2003.

Avis, (2003) 135 G.O. 1, 525.

Avis numéro 52

Le Bureau de la publicité des droits établi dans la circonscription foncière de Frontenac sera pleinement informatisé à compter du 9 juin 2003.

Avis, (2003) 135 G.O. 1, 557.

Avis numéro 53

Le Bureau de la publicité des droits établi dans la circonscription foncière de Huntingdon sera pleinement informatisé à compter du 16 juin 2003.

Avis, (2003) 135 G.O. 1, 557.

INDEX
CODE CIVIL DU
QUÉBEC

INDEX
CODE CIVIL DU QUÉBEC

A

Abandon: *Voir aussi* **Délaissement**
— bien 934, 2495, 2581
— emphytéose 1208, 1211
— immeuble 1804
— logement 1915, 1916
— meuble 934, 935
— prise en paiement 2779
— servitude 1185
— usufruit 1162, 1169, 1170

Absent: *Voir aussi* **Tutelle à l'absent; Tuteur à l'absent; Vente du bien d'autrui**
84-102
— décès 90
— définition 84
— dissolution de la société d'acquêts 89, 465, 482
— jugement déclaratif de décès 92-96
— personne empêchée de paraître à son domicile 91
— présumé vivant 85
— preuve de décès 102
— retour 90, 97-101
— succession 96, 617, 638

Abus de droit:
6, 7, 317, 976, 1168, 1403

Acceptation: *Voir aussi* **Offre de contracter**
1387, 2132, 2366, 2398, 2425

Acceptation d'une succession: *Voir aussi* **Succession**
637-645
— acceptation de la transmission d'un emplacement destiné à recevoir corps ou cendres 643
— acte conservatoire 642
— acte notarié 649
— biens dispendieux à conserver 644
— biens périssables 644
— cession des droits successoraux 641
— confusion des biens 639
— déclaration judiciaire 649
— dispense de faire l'inventaire 639
— effet 645

— expresse 637
— mineur émancipé 173
— négligence de faire inventaire 640
— option 630
— présomption 633, 639, 640
— renonciation aux droits successoraux 641
— répartition des effets personnels du défunt 643
— succession dévolue à l'absent 638
— succession dévolue au majeur protégé 638
— succession dévolue au mineur 638
— tacite 637

Accession: *Voir aussi* **Alluvion; Droit de propriété; Impense; Propriété**
954-975
— acquisition de biens 916
— artificielle 955-964
— définition 948
— hypothèque 2671
— immobilière 954-970, 1116
— indivision 1017
— mobilière 971-975
— naturelle 936, 965-970
— novation 1665
— propriété superficiaire 1116
— règle de l'équité 975
— règles applicables 933
— usufruit 1124

Accord international:
2807

Accoucheur: *Voir aussi* **Naissance**
— constat de naissance 111, 112

Achat: *Voir* **Promesse d'achat**

Acheteur: *Voir aussi* **Acquéreur; Vente**
— achat à ses risques et périls 1733
— acquéreur 1754
— annulation vente immeuble à usage d'habitation 1793
— bien d'autrui 1714, 1715
— bien immeuble 1743, 1749
— bonne foi 1714
— cession 1747

– connaissance vice du bien 1726
– défaut de paiement 1740, 1741, 1748, 1765
– délivrance du bien 1736
– dénonciation risque d'atteinte à son droit de propriété
 1738
– dénonciation vice du bien 1739
– diminution du prix 1737
– droits 1715, 1736-1739, 1754
– faute 1727
– frais d'acte de vente 1734
– inexécution de l'obligation 1740-1743, 1749
– insolvabilité 1721
– intérêt du prix de la vente 1735
– livraison 1734
– mise en demeure 1740, 1741, 1743, 1749
– obligations 1722, 1734, 1735, 1737, 1768-1770, 1781
– paiement 1734, 1737, 1770
– partage 1754
– partie indivise d'un bien sujet à faculté de rachat 1754
– promesse 1712, 1785-1787
– résolution de la vente 1736, 1737
– responsabilité 1777

Acquéreur: *Voir aussi* **Acheteur; Vente**
– bail 1887, 1931, 1932
– hypothèque mobilière sans dépossession 2701, 2760
– maison mobile 2000
– mise en demeure 1743, 1749
– rang des droits 2946
– subrogation légale 1656
– substitution 1229
– transfert de droits réels 1454
– vente avec faculté de rachat 1751, 1754, 1756
– vente par créancier de biens hypothéqués 2790

Acte authentique: *Voir aussi* **Acte notarié; Écrit; Inscription de faux; Notaire; Preuve écrite; Testament notarié**
2813-2821
– acte de l'état civil 107
– acte notarié 2814(6), 2819
– contestation 3021(4)
– copie 2815, 2816, 2820
– définition 2813, 2814
– en possession de la partie adverse ou tiers 2816
– extrait 2817, 2820
– inscription de faux 2821, 3021(4)
– perte de l'original 2816
– présomption 2813
– preuve 2818, 2820

Acte criminel:
– administrateur d'une personne morale 329, 330
– assurance 2402

Acte d'union civile: *Voir aussi* **Union civile**
– acte de l'état civil 107
– contenu de la déclaration 121.2

– déclaration 121.1
– signature de la déclaration 121.3

Acte de décès: *Voir aussi* **Décès**
– acte de l'état civil 107
– agent de la paix 123
– annulation 135
– constat de décès 122, 124, 126, 128
– contenu de la déclaration de décès 126
– contenu du constat de décès 124
– date et heure du décès inconnues 127
– déclaration de décès 125
– directeur de funérailles 122, 125
– directeur de l'état civil 133
– exemplaire du constat de décès 122, 126
– identité du défunt inconnue 128
– lieu du décès inconnu 127
– médecin 122
– témoin 125

Acte de l'état civil: *Voir aussi* **Acte d'union civile; Acte de décès; Acte de mariage; Acte de naissance; Directeur de l'état civil; Nom; Publicité du registre de l'état civil; Registre de l'état civil**
– authenticité 107
– confection 108, 109
– contenu 107, 110
– copie 144, 145, 148
– énumération 107
– erreur purement matérielle 142
– fait hors du Québec 137, 138, 139, 140
– insertion au registre 130, 137, 141
– langue 140
– mention contradictoire 131
– nouvel acte 132, 149
– perte ou destruction 139
– reconstitution en cas de perte 143
– rectification 141
– transcription 108
– validité 138

Acte de mariage: *Voir aussi* **Mariage**
– acte de l'état civil 107
– annulation 135
– célébrant 118
– contenu de la déclaration de mariage 119, 120
– défaut de forme 379
– inscription au registre de l'état civil 375
– mention de l'acte de décès 134
– mention du jugement prononçant un divorce 135
– preuve de mariage 378
– signature 121
– témoin 119, 121
– transmission de la déclaration de mariage 118

Acte de naissance: *Voir aussi* **Naissance**
– accoucheur 111
– acte de l'état civil 107

- constat de naissance 111
- contenu de la déclaration de naissance 115, 116
- déclarant 114
- déclaration de naissance 113
- exemplaire du constat de naissance 112
- lieu, date et heure de naissance inconnus 117
- mention des actes de mariage, d'union civile et de décès 134
- mention du jugement prononçant un divorce 135
- parents inconnus 115
- preuve de filiation 523
- témoin 113

Acte notarié: *Voir aussi* **Acte authentique; Notaire; Testament notarié**
- acceptation d'une succession 649
- acte authentique 2814(6), 2819
- consentement des parties 2819
- contrat de mariage 440
- déclaration de copropriété 1059
- déclaration des droits d'héritier et légataire 2998
- donation 1824
- hypothèque immobilière 2693
- inventaire 1327
- mandat donné en prévision de l'inaptitude du mandant 2166
- modification au cadastre 3044
- obligation garantie par hypothèque 2692
- offre réelle 1575
- prêt 1655
- preuve 2819
- procuration 2176
- quittance 1655
- rapport d'actualisation 3048
- renonciation à une fiducie 1285
- renonciation à une succession 646
- renonciation au partage des acquêts 469
- renonciation au partage du patrimoine familial 423
- signature 2819
- témoin 2819
- testament 712, 716-725

Acte semi-authentique: *Voir aussi* **Écrit; Preuve écrite**
2822-2825
- acte juridique fait hors du Québec 137
- contestation 2825
- copie 2822, 2824
- définition 2822
- fardeau de preuve 2825
- notaire 2824
- preuve 2822, 2823, 2824
- procuration sous seing privé faite hors Québec 2823

Acte sous seing privé: *Voir aussi* **Écrit; Preuve écrite**
2826-2830
- date 2830
- définition 2826

- fardeau de preuve 2828
- inscription au registre foncier 2991
- inventaire 1327
- présomption de date 2830
- prêt 1655
- preuve 2829
- quittance 1655
- signature 2826, 2827

Action de corporation:
909
- hypothèque 2677, 2738, 2756
- placement présumé sûr 1339(8)(9)(10)

Action en inopposabilité:
1631-1636
- acte frauduleux 1631-1634
- contrat à titre gratuit 1633
- contrat à titre onéreux 1632
- créance certaine, liquide et exigible 1634
- effet à l'égard des autres créanciers 1636
- prescription 1635
- syndic de faillite 1635

Action en justice: *Voir aussi* **Action en inopposabilité; Action en nullité; Action oblique; Injonction; Pétition d'hérédité; Recours collectif**
- administrateur du bien d'autrui 1316
- aliment 3143
- atteinte à la réputation 2929
- avarie 2586, 2587
- compétence des autorités du Québec en matière d'actions personnelles à caractère extrapatrimonial et familial 3141-3147
- compétence des autorités du Québec en matière d'actions personnelles à caractère patrimonial 3148-3151
- compétence des autorités du Québec en matière d'actions réelles et mixtes 3152-3154
- compétence des autorités étrangères en matière d'actions personnelles à caractère patrimonial 3168
- contestation de paternité 531, 532
- dommages-intérêts 2050
- droit personnel 2925
- droit réel immobilier 912, 953, 2923
- droit réel mobilier 2925
- enrichissement injustifié 1496
- fiducie 1291
- futile ou vexatoire 1103
- garantie des copartageants 894
- grevé de substitution 1226
- immeuble 904
- partage 1048
- péremption d'instance 3052
- passation de titre 1712
- possession immobilière 2923
- prescription extinctive 2923, 2925, 2927, 2929, 2930, 2932

- recouvrement de créance hypothéquée 2713
- récursoire 1077, 2502
- réduction d'une obligation 2932
- rejet 3052
- résiliation du bail 1883
- responsabilité 2051, 2930
- révocation de la donation pour cause d'ingratitude 1837
- usufruit 1158
- vice caché 1081
- vice de conception ou de construction 1081
- vice du sol 1081

Action en nullité: *Voir aussi* **Nullité**
- copropriétaire 1103
- mineur 164, 165
- prescription extinctive 2927

Action en pétition d'hérédité: *Voir* **Pétition d'hérédité**

Action oblique:
1627-1630
- bien recueilli par le créancier 1630
- créance certaine, liquide et exigible 1627, 1628
- opposition 1629
- partage du bien indivis 1035

Action paulienne: *Voir* **Action en inopposabilité**

Adjudicataire:
- substitution 1233
- vente aux enchères 1759, 1760, 1762, 1763, 1766

Adjudication:
- radiation 3070
- vente pour défaut de paiement de l'impôt foncier 3001

Administrateur:
- association 2270, 2271, 2274
- établissement de santé ou de services sociaux 761, 1817
- société en nom collectif 2213, 2214

Administrateur de la personne morale: *Voir aussi* **Conseil d'administration de la personne morale; Personne morale**
- acquisition de biens 325
- acte nul 328
- assemblée extraordinaire des membres 352
- conflit d'intérêt 324-326
- confusion des biens 323
- devoirs 321, 322
- inhabile 327, 329
- interdiction 329, 330
- nomination 338
- responsabilité 337

Administrateur de la succession: *Voir* **Liquidateur de la succession**

Administrateur du bien d'autrui: *Voir aussi* **Administration du bien d'autrui; Bien d'autrui; Inventaire; Reddition de compte; Vente du bien d'autrui**
- absence 1336

- acquisition de droits sur les biens administrés 1312
- acte conservatoire 1301, 1306, 1333
- administration collective 1332-1338, 1353, 1363
- aliénation 1305, 1307
- assurance 1324, 1331
- bénéficiaire 1310
- capacité d'ester en justice 1316
- compte de revenu 1346
- conflit d'intérêts 1310-1312
- confusion 1313
- décès 1355, 1361
- définition 1299
- délégation 1337
- démission 1355, 1357-1359, 1367
- dépôt de sommes d'argent 1341
- devoirs 1308, 1309, 1311
- disposition des biens 1315
- dissidence 1335, 1336
- dommages-intérêts 1318
- empêchement 1333
- excès de pouvoir 1320, 1321
- faillite 1355
- hypothèque 1305
- impartialité 1317
- intérêts 1368
- intervention judiciaire 1316
- inventaire 1324, 1326-1330
- legs rémunératoire 753, 760
- perception des fruits et revenus 1302
- perte du bien 1308
- placement 1304, 1307, 1339-1344
- pleine administration 1306, 1307
- reddition de compte 1351-1354, 1361, 1363-1370
- règles applicables 1299
- remise du bien 1365-1367
- remplacement 1355, 1360, 1367
- rémunération 1300, 1367
- rémunération proportionnelle à la valeur du legs 754
- renonciation aux fonctions 1357
- répartition des dépenses 1345, 1346, 1348-1350
- représentation par un tiers 1337, 1338
- responsabilité 1318-1323, 1334, 1335, 1343
- rétention du bien 1369
- simple administration 1301-1305
- solidarité 1334
- sûreté 1324
- tuteur 1361
- utilisation à son profit 1314
- vente d'entreprise 1778

Administration: *Voir* **Administration du bien d'autrui; Prise de possession à des fins d'administration**

Administration du bien d'autrui: *Voir aussi* **Administrateur du bien d'autrui; Bénéficiaire; Bien d'autrui; Inventaire; Vente du bien d'autrui**
1299-1370

- administration collective 1332-1338
- apparente 1323
- assurance 1324, 1331
- à titre gratuit 1300
- compte annuel 1351-1354
- compte de revenu 1346
- compte du capital 1347
- dépenses 1367
- fin 1355-1362
- fruits et revenus 1302, 1349, 1350
- intérêts 1368
- inventaire 1324-1331
- liquidateur de personne morale 361
- perte du bien 1308
- placement 1304, 1307, 1339-1344
- pleine administration 1306, 1307
- présomption 1329, 1335, 1336, 1343
- reddition de compte 1363-1370
- règles applicables 1299, 1304
- remise du bien 1363-1370
- répartition des bénéfices et des dépenses 1345-1350
- simple administration 1301-1305
- solidarité 1334, 1370
- tiers 1319, 1323, 1362
- vétusté du bien 1308

Adoption: *Voir aussi* **Directeur de la protection de la jeunesse; Enfant; Filiation**
543-584
- âge de l'adoptant 547
- autorité parentale conférée par ordonnance de placement 569
- compétence des autorités du Québec 3147
- conditions 543-548
- conditions pour un mineur 544
- confidentialité des dossiers 582
- conflit de lois 3091-3093
- consentement 556
- consentement de l'adopté 549
- consentement de l'adopté à l'obtention de renseignements sur ses parents naturels 583, 584
- consentement des parents à l'adoption de leur enfant 544, 552
- consentement du parent mineur 554
- consentement du tuteur à l'adoption d'un enfant 544, 553
- consentement d'un des parents 552
- consentement général 555
- consentement par écrit devant témoins 548, 568
- consentement spécial 555
- consultation des dossiers 582
- copie de l'acte primitif 149
- critères d'adoptabilité 559, 561
- décès de l'adoptant 575
- délégation de plein droit de l'autorité parentale 556

- désignation de l'autorité parentale par le tribunal 562
- droit à l' 546
- droits perdus par le tuteur 579
- enfant domicilié hors Québec 563-565, 574
- en faveur d'adoptants dont l'un est décédé 580
- évaluation psychosociale 563, 568, 574
- filiation 551
- filiation de l'adopté 577
- filiation de l'adopté lorsqu'adoption par le conjoint 579
- filiation précédente 579
- intérêt de l'enfant 543
- majeur 545
- nom et prénom de l'adopté 569, 576
- ordonnance de placement 566-572
- parents de même sexe 578.1
- placement de l'enfant 566
- présentation de la demande en déclaration d'adoptabilité 560
- prononciation 566, 575
- refus de l'enfant à être adopté 549, 550
- renseignements sur les parents naturels 583, 584
- rétractation par consentement écrit devant témoins 548, 557, 558
- révocation de l'ordonnace de placement 571, 572
- tutelle légale 199

Affrètement: *Voir aussi* **Affrètement à temps; Affrètement au voyage; Affrètement coque-nue; Fret; Sous-affrètement**
2001-2029
- chartepartie 2001
- définition 2001
- paiement du fret 2002, 2005
- prescription 2006
- règles applicables aux avaries communes 2004
- rétention des biens 2003
- sous-affrètement 2005, 2006
- transport sous connaissements 2005

Affrètement à temps:
2014-2020
- acquisition et paiement des soutes 2016
- définition 2014
- entrave au fonctionnement du navire 2019
- état du navire 2015
- frais d'exploitation commerciale du navire 2016
- fret 2019
- indemnisation des pertes et avaries causées au navire 2018
- obligation du capitaine 2017
- prescription 2006
- restitution du navire 2020

Affrètement au voyage: *Voir aussi* **Assurance maritime; Voyage**
2021-2029
- achèvement impossible du voyage 2028

– avarie des biens 2023
– chargement et déchargement de cargaison 2024-2026
– définition 2021
– dépassement des délais alloués pour charger ou décharger 2027
– état du navire 2022
– fret 2028
– nature du contrat 2021
– obligation du fréteur 2022
– perte des biens 2023
– prescription 2006
– résiliation du contrat 2024
– résolution du contrat de plein droit 2029
– responsabilité du fréteur 2023
– retard 2029
– surestaries 2027

Affrètement coque-nue:
2007-2013
– définition 2007
– entretien du navire 2012
– état du navire 2008
– garantie contre recours des tiers 2011
– immobilisation du navire 2012
– prescription 2006
– réparation du navire 2012
– restitution du navire 2013
– usage du matériel et de l'équipement de bord 2010
– utilisation du navire 2009
– vices propres 2012

Affréteur: *Voir* Affrètement; Affrètement à temps; Affrètement au voyage; Affrètement coque-nue

Agent de la paix:
– bien perdu ou oublié 941
– constat de décès 123
– responsabilité civile 1464

Agriculture:
979, 986, 1140, 1228, 3055

Air:
913

Aliénation: *Voir aussi* Donation; Stipulation d'inaliénabilité; Vente
– administration du bien d'autrui 1305, 1307
– à titre gratuit 1707
– à titre onéreux 1305, 1307, 1707, 1841
– autorisation judiciaire 804, 1213, 1217
– bien assuré 2529, 2530
– bien de la succession 804
– bien dispendieux à conserver 644, 804
– bien donné par contrat de mariage 1841
– bien du mineur 213, 214
– bien hypothéqué 2760
– bien inaliénable 1213, 1217
– bien indivis 1026, 1037

– bien légué 769
– bien légué à titre particulier 813
– bien perdu ou oublié 946
– bien sous séquestre 2308
– bien substitué 1229-1231, 1244, 1246
– bien sujet à restitution 1701
– bien susceptible de se déprécier rapidement 644, 804
– droit réel 1076
– entreprise 2097
– fraction de copropriété divise 1047-1049, 1058, 1076
– immobilière 1097, 1908, 1937
– maison mobile 1998
– nue-propriété 1125
– nullité 1217
– part indivise 1015
– présomption de libéralité 690
– terrain 919
– usufruit 1125

Aliments: *Voir aussi* Obligation alimentaire; Survie de l'obligation alimentaire
– compétence des autorités du Québec 3143
– hypothèque judiciaire 591, 2730
– obligation 585-596
– reconnaissance et exécution d'une décision étrangère 3160
– séparation de corps 511

Alluvion: *Voir aussi* Accession; Eau
– définition 965

Animal:
– croît 910, 1161
– cuir 1161
– en liberté 934
– entraîné sur le fonds d'autrui 989
– hypothèque conventionnelle 2684
– perte 1161
– préjudice causé par 1466
– produit 910
– sauvage 934
– transport maritime 2070

Annulation: *Voir* Nullité

Appelé de substitution: *Voir aussi* Substitution
1235-1239
– acceptation de la substitution 1243, 1253
– acte conservatoire 1235
– caducité de la substitution testamentaire 1252
– curateur à la substitution 1239
– définition 1219
– disposition des biens 1235
– droits 1235, 1236, 1238, 1239, 1241
– enfant du grevé 1253
– inventaire 1236
– non conçu 1239
– opposition à la saisie 1233
– part 1255

- qualité 1242
- renonciation 1235
- révocation de la substitution 1254
- séquestre 1238

Arbitrage: *Voir* Convention d'arbitrage

Arbre: *Voir aussi* Plantation
- abattage 985, 986, 1139
- branche 985
- fruitier 984, 1139
- racine 985

Architecte: *Voir aussi* Construction; Contrat d'entreprise; Immeuble; Ouvrage
- erreur de plan 2121
- exonération de responsabilité 2119
- garantie contre les malfaçons 2120
- hypothèque légale 2726-2728
- prescription 2118
- responsabilité 2118, 2121
- vente d'immeubles à usage d'habitation 1788
- vice de conception, de construction ou de réalisation de l'ouvrage 2118
- vice du sol 2118

Archives nationales du Québec:
2816, 2841

Arpenteur-géomètre: *Voir aussi* Bornage
978, 2989, 2993

Ascendant: *Voir* Ligne directe

Assemblée des copropriétaires: *Voir aussi* Copropriétaire; Copropriété divise
1053, 1070, 1072, 1076, 1087-1103
- acte constitutif de copropriété 1097
- action en annulation d'une décision de l'assemblée 1103
- ajournement 1089
- aliénation 1097, 1098
- assemblée extraordinaire 1104
- avis de convocation 1087
- construction de bâtiments 1097
- décisions du syndicat 1096, 1097, 1102
- déclaration de copropriété 1098
- destination de l'immeuble 1098
- droit de vote 1094, 1095
- élection d'un nouveau conseil d'administration 1104
- états financiers 1105
- nombre de voix 1090-1092, 1096-1099, 1101
- ordre du jour 1088
- parties privatives contiguës 1100
- promoteur de copropriété 1092, 1093, 1099, 1104
- quorum 1089
- rapport financier 1105
- reddition de comptes du conseil d'administration 1105
- travaux de transformation des parties communes 1097

Assemblée des membres: *Voir aussi* Personne morale
- assemblée extraordinaire 352
- avis de convocation 346, 347
- convocation 345
- délibérations 348, 349
- dissolution de la personne morale 356, 358
- renonciation à l'avis de convocation 353
- représentation 350
- résolutions 354
- vote 351

Association: *Voir* Association de syndicats de copropriétés; Associé; Contrat d'association

Association de syndicats de copropriétés: *Voir aussi* Copropriété divise; Syndicat des copropriétaires
1083

Associé: *Voir aussi* Contrat d'association; Société; Société en nom collectif; Société en participation
- acte conjoint 2214
- action en qualité d'associé 2253, 2256
- activité au détriment de société 2204
- apport 2198-2200, 2252
- avis de retrait 2228, 2260
- biens particuliers 2221
- bonne foi 2233, 2262
- cessation des pouvoirs 2233, 2262
- cession de part 2209, 2210, 2226
- choix d'un liquidateur 2264
- concurrence 2204
- consentement 2209, 2231
- consultation des livres et registres 2218
- convention 2251
- créance 2206, 2207
- créancier 2221
- décès 2226, 2258, 2259
- dommages-intérêts 2198
- droit d'écarter une personne étrangère de la société 2209
- droit de lier la société 2208, 2219
- droit de retrait 2226
- droit de se renseigner sur état des affaires de la société 2218
- droit d'obtenir la valeur de part 2227
- droits 2256
- expulsion 2226, 2229
- faillite 2226, 2258
- fautif 2229
- faux associé 2222
- gestion 2215
- hypothèque 2211
- imputation de paiement 2206
- indemnisation 2205
- inexécution des obligations 2261
- intérêt 2198
- intervention du tribunal 2229

– liquidation 2264
– mandataire 2219
– nomination 2213
– non déclaré 2223
– obligation contractée en nom propre 2220
– ouverture d'un régime de protection 2226, 2258
– part dans actif, bénéfices et pertes 2202, 2211
– participation aux bénéfices 2201
– participation aux décisions collectives 2216
– perte de qualité 2226-2229
– pouvoir de gestion 2212-2218
– rapport à la société 2207
– recouvrement de sommes 2205
– représentants légaux 2259
– résiliation de contrat de société 2258
– responsabilité 2200, 2254
– responsabilité envers tiers 2196, 2221-2224, 2253
– responsabilité solidaire 2221, 2224, 2254
– restitution de biens 2265
– retrait 2226, 2228, 2229
– réunion des parts sociales entre les mains d'un seul 2232
– saisie de part 2227, 2258
– sans pouvoir de gestion 2217
– stipulation d'exclusion aux bénéfices 2203
– stipulation d'exemption au partage des pertes 2203
– stipulation limitant l'étendue des obligations envers tiers 2255
– utilisation des biens 2208
– volonté de ne plus être associé 2226

Assurance: *Voir aussi* **Assurance contre la maladie ou les accidents; Assurance contre l'incendie; Assurance de biens; Assurance de dommages; Assurance de personnes; Assurance de responsabilité; Assurance maritime; Assurance sur la vie; Assurance terrestre; Assuré; Assureur; Courtier d'assurance; Police d'assurance; Société mutuelle**
2389-2628
– administration du bien d'autrui 1324, 1331
– capital 909
– compétence des autorités du Québec 3150
– condition non énoncée au contrat 2403
– copropriété 1073
– définition 2389
– espèce 2389-2397
– formation 2398
– hypothécaire 1339(7)
– indemnité 909, 1149, 1150, 1227
– réassurance 2397
– substitution 1227, 1237
– usufruit 1144, 1148-1150, 1163

Assurance contre la maladie ou les accidents:
– affections 2417

– âge déterminant 2422
– clause accessoire 2394
– contenu de la police 2416
– défaut de paiement de prime 2430
– délai d'avis de sinistre 2435
– délai de paiement des sommes assurées 2436
– entrée en vigueur 2426
– examen médical 2438
– fausse déclaration sur l'âge de l'assuré 2420
– invalidité 2416, 2424, 2436, 2437, 2438
– paiement de l'indemnité 2437
– paiement de prime 2433
– prolongation de l'assurance 2439
– réduction de l'indemnité 2439
– réduction du taux de la prime 2439
– résiliation 2430
– risque professionnel 2439
– sinistre 2435
– stipulation expresse 2416

Assurance contre l'incendie: *Voir aussi* **Préjudice**
– dommage causé par mesures de sauvetage 2487
– exclusion 2485, 2486
– objet disparu pendant incendie 2485
– préjudice causé par feu ou combustion 2485
– préjudice causé par foudre ou explosion de combustion 2485

Assurance de biens: *Voir aussi* **Assurance contre l'incendie**
2480-2497
– abandon du bien endommagé 2495
– à venir 2482
– clause suspensive de l'exécution du contrat 2496
– contenu de la police 2480
– contractée pour le compte de qui il appartiendra 2483
– contrat à valeur agréée 2491
– contrat à valeur indéterminée 2491
– définition 2396
– incorporels 2482
– intérêt 2481-2484
– loi applicable 3119
– nullité 2484
– objet 2396, 2482
– objet désigné 2488
– paiement de prime 2483
– paiement des indemnités 2496, 2497
– paiement libératoire 2493, 2497
– pluralité 2496
– résidence meublée 2489
– sauvetage 2494
– spécifique 2496
– valeur du bien 2490
– valeur inférieure à celle du bien 2493
– valeur supérieure à celle du bien 2492

Assurance de dommages: *Voir aussi* **Assurance de biens; Assurance de responsabilité; Préjudice**
2463-2504
– aggravation du risque 2466-2468
– cession 2475, 2476
– créancier hypothécaire 2478
– déclaration 2411
– déclaration de sinistre 2470-2472
– défaut caché 2465
– définition 2395, 2396
– droit à l'indemnité hypothéqué 2478
– effet 2463
– exclusion 2464
– paiement de prime 2469
– résidence inoccupée 2468
– résiliation 2467, 2477-2479
– stipulation expresse 2464
– travaux d'entretien ou de réparation 2468

Assurance de personnes: *Voir aussi* **Assurance contre la maladie ou les accidents; Assurance sur la vie**
2392, 2415-2462
– attentat à la vie de l'assuré 2443
– bénéficiaire 2445, 2453
– bénéficiaire irrévocable 2449, 2452, 2454, 2458, 2460
– cession 2418, 2461-2462
– collective 2392, 2401, 2406, 2423, 2429
– conjoint bénéficiaire 2449
– contenu de la police 2415
– décès simultané assuré et bénéficiaire 2448
– déclaration de l'adhérent 2406, 2424
– définition 2392
– désignation conditionnelle 2447
– désignation déclarée caduque ou révocable 2459
– désignation du conjoint comme bénéficiaire 2449, 2457, 2459
– divorce 2459
– exclusion 2404
– fausse déclaration 2424
– fausse déclaration sur l'âge de l'assuré 2420
– frais funéraires 2442
– hypothèque 2461-2462
– individuelle 2392, 2418, 2445
– insaisissabilité des droits 2457, 2458
– intérêt 2418-2419
– intérêt sur prime échue 2429
– intervention du tribunal 2459
– libéralité 691
– loi applicable à l'assurance collective 3119
– mode de désignation des bénéficiaires 2446
– nullité 2424, 2442
– nullité du mariage 2459
– objet 2392
– paiement de prime par lettre de change 2428
– participations et avantages 2454
– personne susceptible d'intérêt 2419
– prime ne portant pas intérêt 2429
– réduction 2424
– règles applicables 2456
– réticence 2424
– révocation du bénéficiaire 2449-2451
– révocation testamentaire 2450
– séparation de corps 2459
– suicide de l'assuré 2441
– titulaire subrogé 2445-2449, 2453, 2455, 2459, 2462

Assurance de responsabilité:
2498-2504
– définition 2396
– droit de l'assureur 2502
– droit du tiers lésé 2501
– frais et dépens de poursuite 2503
– indemnité 2613
– objet 2396, 2498
– obligation de l'assureur 2503
– paiement des tiers lésés 2500
– police 2499
– stipulation dérogatoire aux droits du tiers lésé 2414
– transaction 2504

Assurance maritime: *Voir aussi* **Affrètement au voyage; Avarie; Délaissement; Engagement; Voyage**
2389, 2505-2628
– action directe du tiers lésé 2628
– annulation de police 2539
– avances 2506
– avarie 2578, 2584, 2585, 2617
– avarie commune 2599
– avarie-frais 2597, 2616
– avarie particulière 2596, 2612
– bien assuré franc d'avaries particulières 2615, 2616, 2618
– bien meuble 2510, 2563
– bonnes ou mauvaises nouvelles 2511, 2540
– calcul de l'indemnité 2604-2619
– cession de police 2528-2531
– clause sur les mesures conservatoires et préventives 2618
– contrat à valeur agréée 2521, 2523, 2604-2606, 2609, 2623, 2626
– contrat à valeur indéterminée 2524, 2542, 2604-2606, 2609, 2623
– contrat au voyage 2522, 2560, 2563, 2565-2574
– contrat de durée 2522, 2561
– contrat de jeu ou de pari 2512
– contrat flottant 2525
– contribution d'avarie commune 2583, 2600, 2602, 2612
– cumul de contrats 2542, 2621-2625
– déclaration 2526, 2545-2552
– déclaration du sinistre 2575

– définition 2390
– délaissement 2584, 2587-2595
– devoir de l'assuré et de ses représentants 2619
– droits du cessionnaire 2531
– engagement 2553-2564
– espèces d'avaries 2596-2603
– espèces de contrats 2521-2526
– fausse déclaration 2526, 2552
– formation du contrat 2545
– frais de sauvetage 2583, 2598
– fret 2509
– impossibilité d'identifier les marchandises 2586
– indemnité 2614
– indemnité pour avarie du navire 2608
– indemnité pour livraison de biens meubles en état d'avarie 2610
– indemnité pour perte de fret 2607
– indemnité pour perte totale 2606
– indemnité pour perte totale d'une partie des biens meubles 2609
– intérêt 2511-2517
– intérêt annulable 2541
– marchandise 2563, 2577, 2586
– montant supérieur à valeur du bien 2542
– mutuelle 2627
– nullité de la police 2539
– nullité du contrat 2512, 2545, 2552, 2557, 2565
– objet 2390, 2508, 2514
– obligations de l'assureur 2617
– obligations du représentant de l'assuré 2549
– omission 2526, 2552
– péril de la mer 2507
– perte et dommage du fait des rats et de la vermine 2577
– perte et dommage par faute du capitaine ou de l'équipage 2576
– perte et dommage par faute intentionnelle de l'assuré 2576
– perte et dommage résultant du retard 2577
– perte par avarie commune 2599, 2600, 2602
– perte par sacrifice d'avarie commune 2615
– perte totale 2578, 2579
– perte totale implicite 2581, 2584
– perte totale réelle 2580
– police 2527
– police obtenue par courtier 2536, 2537, 2544
– preuve 2532
– ratification 2533
– recouvrement présumé trop onéreux 2582
– rectification de déclarations 2551
– réparation présumée trop onéreuse 2582
– retrait de déclarations 2551
– risque indivisible 2539
– risque relatif à une opération maritime 2506
– risques couverts 2505

– ristourne de prime 2537, 2540, 2541
– sinistre 2537
– souscription 2520
– stipulation dérogatoire 2628
– surassurance résultant du cumul de contrats 2542
– transbordement 2574
– valeur assurable des biens 2518
– valeur assurable du fret 2519
– valeur assurable du navire 2519
– valeur brute des biens meubles 2610
– validité 2511
– ventilation de la valeur assurée de biens différents 2611
– vice du bien 2577

Assurance sur la vie: *Voir aussi* **Rente viagère**
– âge de l'assuré hors des limites de tarif 2421
– âge déterminant 2422
– clause accessoire 2394
– collective 2433
– définition 2393
– entrée en vigueur 2425
– fin 2427
– individuelle 2431, 2433
– objet 2393
– paiement de primes 2427, 2433
– police 2445
– prescription triennale 2421
– règles applicables 2393
– remboursement 2432
– remise en vigueur 2431-2434
– suicide de l'assuré 2441

Assurance terrestre: *Voir aussi* **Assurance de dommages; Assurance de personnes**
2389, 2391, 2408-2414
– aggravation du risque 2412
– avenant 2405
– circonstance présumée connue 2408
– clause libératoire 2402
– clause restrictive de droits 2414
– conflit de lois 3119
– déclaration au mandataire de l'assureur 2413
– déclaration du preneur 2408-2413
– déinition 2391
– divergence entre police et proposition 2400
– modification lors du renouvellement du contrat 2405
– nullité du contrat 2410
– obligation de l'assureur 2400
– stipulation dérogatoire à l'intérêt d'assurance 2414

Assuré:
– abandon du bien endommagé 2495
– absence d'intérêt d'assurance 2541
– action d'avaries 2586, 2587
– action pour perte totale 2585
– aliénation du bien assuré 2529, 2530

– attentat à la vie 2443
– avis d'aggravation du risque 2466
– avis de résiliation 2477
– avis de sinistre 2435
– cession de police d'assurance maritime 2529
– connaissance de l'état d'innavigabilité du navire 2561
– consentement écrit en absence d'intérêt 2418
– contribution d'avarie commune 2612
– décès 2476
– décès simultané avec bénéficiaire 2448
– déchéance du droit à l'indemnisation 2472
– déclaration 2408-2410, 2546, 2547
– déclaration de sinistre 2470, 2471
– déduction des sommes reçues en cas de cumul de contrats 2623
– défaut de contrepartie du paiement de prime 2538
– délai de déclaration de sinistre 2471
– délaissement 2584, 2587-2595
– demande de nullité de contrat 2545
– dépense d'avarie commune 2601
– devoir de limiter les pertes et dommages 2619
– droit au coût des réparations du navire 2608(1)(2)
– droit au paiement en cas de cumul de contrats d'assurance maritime 2622
– droit d'indemnisation pour avaries 2585, 2608(2)(3), 2612, 2615
– engagement illégal 2555
– faillite 2476
– fausse déclaration 2410, 2472, 2552
– faute intentionnelle 2464, 2576
– héritier 2476
– indemnisation en cas de pluralité d'assurances de biens 2496
– intérêt d'assurance 2515
– obligation en cas de sauvetage 2495
– omission 2552
– paiement de prime 2535, 2536
– pluralité 2464
– présomption de connaissance des circonstances devant être connues 2550
– présomption de détenir pour le compte des assureurs 2624
– preuve du retard du navire 2565
– recouvrement de frais 2618
– recouvrement d'indemnité 2617
– réticence 2410
– ristourne de la prime 2541
– sacrifice d'avarie commune 2601
– sous-assurance 2612, 2626
– suicide 2441
– syndic 2476
– violation de l'engagement 2554

Assureur:
– acceptation de délaissement 2594

– acceptation de proposition 2398, 2425
– action récursoire contre l'assuré 2502
– annulation de la police d'assurance maritime 2539
– consentement à la cession de l'assurance de dommages 2475
– copie des déclarations d'adhérent 2406
– défaut caché de bien assuré 2465
– délivrance de police 2401, 2534
– demande de nullité de contrat 2410, 2421, 2545, 2552, 2557, 2565
– demande d'examen médical 2438
– divergence entre police et proposition 2400
– droit à fret 2594
– droit à portion de prime acquise 2479
– droit à prime 2469
– droit au sauvetage 2494
– droit de recouvrer l'excédent en cas de cumul de contrats 2625
– droit de rétention 2433
– escompte des sommes dues 2440
– exécution par équivalent 1609
– exclusion de la garantie d'assurance 2417
– fait et cause pour le bénéficiaire de l'assurance de responsabilité 2503
– frais et dépens de poursuite 2503
– garantie de risque 2412
– garantie de sinistres successifs 2617
– imputation des participations et avantages 2454
– intérêt d'assurance 2515
– intérêt sur prime échue 2429
– invocation de clause de déchéance du droit à l'indemnisation 2470
– invocation de conditions absentes du contrat 2403
– invocation d'exclusion 2404
– libération 2474, 2493, 2554, 2567, 2568, 2571, 2576, 2577
– opposition envers bénéficiaire et titulaire subrogé 2453
– opposition envers cessionnaire d'assurance maritime 2531
– opposition envers tiers lésé 2502
– paiement des indemnités 2411, 2437, 2473, 2605
– paiement des sommes assurées 2436, 2441, 2452, 2455, 2493, 2537
– préavis de résiliation 2477
– présomption d'acceptation du risque aggravé 2467
– présomption de connaissance des circonstances devant être connues 2550
– réception avis de cession ou d'hypothèque 2461
– réception de désignation de bénéficiaire 2451, 2452
– recouvrement des primes échues 2433
– redressement de la prime 2420
– refus d'accepter le délaissement 2595
– remboursement de frais de sauvetage 2612
– remboursement d'excédent de prime 2479

– remise de police 2400
– remise de proposition 2400
– remise en vigueur d'assurance sur la vie 2431
– rémunération 2594
– rente viagère 2384, 2385, 2386, 2388
– réparation du préjudice au bien assuré 2464, 2465
– résiliation du contrat causée par aggravation du risque 2467
– responsabilité des dommages en assurance contre l'incendie 2485, 2487
– responsabilité des frais en assurance maritime 2616
– responsabilité des pertes en assurance maritime 2576, 2603
– responsabilité en cas de cumul de contrats d'assurance maritime 2625
– restitution de prime 2538, 2539, 2542
– souscription 2520
– subrogation 2474, 2620

Atteinte à la vie privée: *Voir* Vie privée

Attestation: *Voir aussi* Publicité des droits; Réquisition d'inscription
– acte sous seing privé 2991
– arpenteur-géomètre 2989, 2993
– avis légal 2995
– avocat 2991, 2992, 3005
– bail immobilier 2995
– consignation 2993
– déclaration de résidence familiale 2995
– défaut d'attestation 2994
– notaire 2988, 2991-2993, 3005
– officier de justice 2990
– procès-verbal de bornage 2989
– registre des droits personnels et réels mobiliers 2995
– secrétaire ou greffier municipal 2990
– sommaire 2992, 3005
– syndic de faillite 2990

Autochtone: *Voir* Communautés cries, inuit ou naskapies

Autopsie: *Voir aussi* Décès
46, 47

Autorité parentale: *Voir aussi* Enfant; Parents
597-612
– conjoint 394
– décès d'un des parents 600
– déchéance 197, 199, 606-610, 1459
– délégation 601
– délégation de plein droit lors d'une adoption 556
– désaccord des parents 604
– désignation par le tribunal lors d'une adoption 562
– devoirs des parents 599
– durée 598
– effet de la révocation de l'ordonnance de placement 572
– exercice 600

– intérêt de l'enfant 604
– mineur autorisé à se marier 434
– mineur quittant la demeure familiale 602
– nomination d'un tuteur 607
– obstacle aux relations de l'enfant avec ses grands-parents 611
– respect des parents 597
– responsabilité civile 1459
– restitution 610
– soins prodigués au mineur 14
– tiers 603
– tutelle au mineur 186

Avarie: *Voir aussi* Assurance maritime; Délaissement
2578, 2584, 2585, 2617
– commune 2599
– contribution 2583, 2600, 2602, 2612
– espèces 2596-2603
– frais 2597, 2616
– indemnité 2608
– particulière 2596, 2612

Aveu: *Voir aussi* Preuve
2850-2853
– à l'instance 2852, 2866
– commencement de preuve 2865
– contradiction de présomption légale 2866
– définition 2850
– division 2853
– écrit ni authentique ni semi-authentique rapportant un fait 2832
– en dehors de l'instance 2867
– exprès 2851
– force probante 2852
– implicite 2851
– preuve 2852, 2867

Aveugle:
– testament notarié 720

Avocat:
– attestation 2991, 2992, 3005
– droit litigieux 1783

Ayant cause: *Voir aussi* Héritier; Indivision; Partage de la succession
886, 1023

B

Bail: *Voir aussi* Bail à rente; Bail d'un logement; Locataire; Locateur; Louage; Loyer; Sous-location
– affichage aux fins de location 1885
– aliénation volontaire ou forcée du bien loué 1886, 1887
– attestation 2995
– avis du nouvel acquéreur au locataire 1887
– cession 1870-1873
– copropriété divise 1079

– définition 1851
– durée 1880
– durée fixe 1851, 1877, 1878, 1885, 1887
– durée indéterminée 1851, 1853, 1877, 1882, 1885, 1887
– effet 1853
– expropriation 1888
– extinction du titre du locateur 1886, 1887
– fin 1877-1891
– incendie dans immeuble loué 1862
– présomption 1853
– publicité des droits 1852, 2999.1
– reconduction 1878-1879, 1881
– règles applicables 1887
– renouvellement 910
– résiliation 910, 1079, 1790, 1860-1863, 1883, 1887, 1888
– terme 1879
– tolérance 1853
– vente d'immeubles à usage d'habitation 1789, 1790

Bail à rente: *Voir aussi* **Rente; Vente**
1802-1805
– définition 1802, 2368
– libération du preneur 1803
– obligation du preneur 1804
– paiement de rente 1802
– redevance 1802
– règles applicables 1805

Bail dans un établissement d'enseignement:
1979-1983
– cessation de plein droit 1983
– cession 1981
– maintien dans les lieux 1979
– reconduction 1980
– résiliation 1982
– sous-location 1981

Bail d'un logement: *Voir aussi* **Bail dans un établissement d'enseignement; Bail d'un logement à loyer modique; Bail d'un terrain destiné à l'installation d'une maison mobile; Coopérative d'habitation; Locataire de bail d'un logement; Locateur de bail d'un logement**
1892-2000
– agrandissement 1959
– aliénation volontaire ou forcée de l'immeuble 1908, 1937
– avis écrit 1898
– cession de créance 1908
– changement d'affectation 1959
– clause déraisonnable 1901
– clause dérogatoire 1893
– clause pénale 1901
– coopérative d'habitation 1945, 1955
– définition 1892

– durée fixe 1906, 1941, 1946, 1960
– durée indéterminée 1942, 1946, 1960, 1974
– effet postdaté 1904
– état du logement 1910-1921
– exigibilité du loyer 1905
– extinction du titre du locateur 1937
– hypothèque sur les loyers 1908
– identification de personnes handicapées 1921
– immeuble nouvellement bâti 1955
– impropre à l'habitation 1913-1918, 1972, 1975
– interdiction d'accès 1935
– intervention du tribunal 1909, 1917, 1927, 1934, 1947-1950, 1952-1954, 1961, 1963, 1965-1970, 1969, 1970, 1972, 1977
– langue 1897, 1898
– limitation de responsabilité 1900
– mention 1895
– mode de paiement du loyer 1903
– modification des droits du locataire 1900
– nombre d'occupants 1920
– objet 1892
– paiement d'avance du loyer 1904
– paiement des arriérés 1953
– réajustement du loyer 1906, 1949
– reconduction de plein droit 1941, 1942, 1947, 1948, 1969, 1977
– refus de logement pour cause d'enfant 1899
– remise du dépôt 1909
– réparation 1922, 1929
– résiliation 1924, 1937-1939, 1971-1978
– sous-location 1940, 1944, 1948, 1950
– stipulation d'habitabilité du logement 1910
– subdivision 1959
– substance aggravant le risque d'incendie ou d'explosion 1919
– visite du logement et affichage 1930

Bail d'un logement à loyer modique:
1896, 1956, 1984-1995
– attribution irrégulière du logement 1987
– avis d'augmentation du loyer 1992
– avis de modification de bail 1993
– avis de résiliation du bail 1993, 1995
– cessation de cohabitation avec le locataire 1991
– cession 1995
– décès du locataire 1991
– définition 1984
– détermination du loyer 1992
– fausse déclaration du locataire 1988
– intervention du tribunal 1986-1990, 1992-1994
– liste d'admissibilité 1985
– logement vacant 1985
– non-respect des critères d'attribution 1987
– obligations du locateur 1985-1987, 1994
– réduction de loyer 1994

- refus d'inscription 1986
- registre des demandes de location 1985
- réinscription 1989
- relogement 1989, 1990
- résiliation 1991
- rétablissement de loyer 1994
- sous-location 1995

Bail d'un terrain destiné à l'installation d'une maison mobile:
1996-2000
- acquéreur 2000
- aliénation de la maison mobile 1998, 1999
- déplacement de la maison mobile 1997
- location de la maison mobile 1998, 1999
- obligations du locateur 1996
- remplacement de la maison mobile 1998

Banque internationale pour la reconstruction et le développement:
1339(2)

Bénéfice de discussion:
- associé 2221
- cautionnement 2347, 2348, 2352
- vente aux enchères 1766

Bénéfice de division:
- cautionnement 2349, 2350, 2352
- solidarité entre les débiteurs 1528

Bénéfice du terme: *Voir* Obligation à terme

Bénéficiaire (Administration du bien d'autrui): *Voir aussi* Administration du bien d'autrui
- acceptation du compte 1363
- administrateur 1310
- dépenses de l'administration 1367
- dissidence de l'administrateur 1335, 1336
- examen des livres 1354
- faillite 1355
- fin de l'administration 1360
- pluralité 1317, 1370
- ratification d'actes 1320
- remplacement de l'administrateur 1360
- répartition des bénéfices et des dépenses 1345-1350
- répudiation des actes de l'administration 1338
- responsabilité 1320, 1322, 1323, 1362
- solidarité 1370
- successif 1317

Bénéficiaire (fiducie): *Voir aussi* Fiducie
1261, 1265, 1266
- acceptation 1285
- acte notarié 1285
- action en justice à la place du fiduciaire 1291
- action en justice contre le fiduciaire 1290
- avis 1295
- caducité du droit 1296
- curateur 1289
- droits 1284, 1289, 1290
- durée de la fiducie 1272
- élection 1282, 1283
- fiduciaire 1275
- fraude 1292
- indemnité 1366
- intérêts 1368
- non conçu 1289
- obligations 1322
- part 1282, 1283
- présomption 1285
- qualité 1279, 1280
- renonciation à son droit 1285, 1286, 1296
- responsabilité 1292
- solidarité 1292
- surveillance de l'administration de la fiducie 1287

Berge:
920

Bien: *Voir aussi* Assurance de biens; Bien d'autrui; Immeuble; Meuble; Transport de biens; Transport maritime de biens; Tutelle aux biens
- abandon 934, 2495, 2581
- abus 2741
- affectation 915
- aliénation 946, 1305, 1307, 1701
- assuré franc d'avaries particulières 2615, 2616
- à venir 1374, 2482, 2645, 2670, 2954
- capital 908, 909
- confiscation 916, 917
- consomptible 1127, 1556
- corporel 899, 906, 1268, 2666, 2684
- dangereux 2054
- défaut de sécurité 1469
- dépérissement 644, 804, 942, 1145, 1160, 1308, 1581, 1704, 1864, 1890, 2739, 2767
- dépossession 1593
- destruction 942
- détérioré par l'usage 1128
- déterminé par espèce 1374, 1453, 1563
- distinction 899, 908
- droit de propriété 911-920
- empiètement 953, 992
- État 915-919, 935-939, 966
- expropriation 1164
- fiducie 911, 1297, 1298
- fondation 1257, 1259
- fonds d'autrui 989
- fongible 1673
- frais d'administration 943, 946
- fruit 910
- gardien 1465
- grande valeur 2038, 2053
- hors commerce 2795, 2876
- hors Québec 615, 3100
- incorporel 899, 1779-1784, 2482, 2666, 2684

– individualisé 814, 903, 1453, 1562, 2672, 2674
– indivis 896, 1016, 1018-1020, 1025-1029, 1033, 1036, 1037, 2679
– insaisissable 1676, 2645, 2668
– inventaire par l'usufruitier 1142-1143, 1146
– légué 1220, 1246
– mode d'acquisition 916
– non susceptible d'appropriation 913
– objet d'un droit réel transféré par contrat 1453-1456
– partage 1013
– perdu ou oublié 939-946, 2075
– personne 915
– perte 751, 876, 950, 1115, 1149, 1160, 1161, 1163, 1167, 1168, 1308, 1701, 1702, 1727, 1846, 1862, 2049, 2068-2072, 2074, 2286, 2289, 2293, 2296, 2298, 2301, 2322, 2323, 2577, 2675, 2739, 2795
– possession 911, 921-933
– propriété 947-953
– rapporté 874
– retrouvé 940
– revenu 910
– sans propriétaire 913, 914, 934-938
– soustrait à l'administration du tuteur au mineur 210
– stipulation d'inaliénabilité 1212-1217
– substitué 1223, 1226-1229, 1233-1235, 1244, 1246, 1250
– succession 916
– syndicat 1109
– usufruit 1135, 1157
– vacance 916
– vacant 934-946
– valeur 695, 861, 1004, 2490, 2518, 2519, 2610
– valeur assurable 2518
– vente d'un bien non réclamé 942, 943, 945, 946
– vétusté 1160, 1308, 1864, 1890, 2739

Bien d'autrui: *Voir aussi* **Administrateur du bien d'autrui; Administration du bien d'autrui**
– dépôt 2288
– détention 911
– donation 1816
– échange 1796
– hypothèque 2670
– legs à titre particulier 762
– vente 1709, 1713-1715

Bonne foi:
– absence de droit 6, 7, 1703
– acquéreur de droit réel portant sur bien meuble 1454
– administration du bien d'autrui 1323, 1362
– annulation de mariage 382, 384, 387
– associé 2205, 2233, 2260, 2262
– assurance maritime 2526, 2533, 2545, 2548
– clause abusive 1437
– cocontractant 1404, 1420
– conjoint 624

– consommation de ce qui est dû par le créancier 1556
– contrat 1375
– copropriété divise 1093
– délaissement 2766
– dépôt 2288
– emphytéose 1210
– empiètement 992
– enrichissement injustifié 1495
– exercice des droits civils 6, 7
– gestion d'affaires 1488
– grevé de substitution 1248
– héritier 835
– impense 958-964
– mandat 2163
– meubles de la résidence familiale 402
– obligation 1375
– paiement fait au créancier apparent 1559, 1643
– paiement fait par l'assureur 2452, 2497
– personne morale 317, 318
– porteur d'une créance constatée dans un titre 1649
– possession 931, 932, 958, 959, 961, 963, 2919, 2920
– présomption 2805
– promesse de contracter 1397
– publicité des droits 2943
– réception de l'indu 1491
– restitution des prestations 1701, 1703-1705, 1707
– simulation 1452
– substitution 1248
– tiers 1323, 1362, 1452, 1707, 2163, 2189, 2195, 2197, 2217, 2219, 2222, 2224, 2234, 2238, 2263, 2963-2965, 3075
– transfert d'un droit réel 1454
– usufruit 1137
– vendeur 1714

Bornage: *Voir aussi* **Arpenteur-géomètre; Fonds** 978
– procès-verbal 978, 2814(7), 2989, 2996

Bureau de la publicité des droits: *Voir aussi* **Publicité des droits; Registre foncier**
– clôture d'une hypothèque ouverte 2722
– déclaration de copropriété 1060
– dénonciation du montant d'une créance prioritaire 2654
– dépôt d'un plan 2997
– dissolution d'une personne morale 358
– hypothèque acquise par subrogation ou cession 3003
– indivisaire 1023
– limitation de droit public 1725
– modification du plan de bornage 2996
– mur mitoyen 1006
– préavis d'exercice des droits hypothécaires 2757
– préavis d'intention de vendre le bien grevé 2784
– registre 2971
– règlement d'application 3024, 3025

– substitution 1218

Bureau de la publicité des droits personnels et réels mobiliers:
– réquisition d'inscription sur le registre des droits personnels et réels mobiliers 2983

Bureau de la publicité foncière:
– réquisition d'inscription sur le registre foncier 2982

Bureau général de dépôts: *Voir aussi* **Offre réelle et consignation**
1583

C

Cadastre: *Voir* **Plan cadastral**

Capacité: *Voir aussi* **Émancipation; Majorité; Mineur; Minorité; Régime de protection du majeur**
– majeur sous surveillance 256-294
– mineur 153-166
– mineur émancipé 167-176

Capitaine de navire: *Voir aussi* **Navire**
– baraterie 2572
– faute 2576
– intérêt d'assurance 2515

Capital:
– administration du bien d'autrui 1347
– définition 908, 909
– fiducie 1281, 1284
– intérêts 1620
– usufruit 1131, 1133

Cargaison: *Voir aussi* **Fret; Navire**
– hypothèque mobilière 2714

Cas fortuit: *Voir* **Force majeure**

Caution: *Voir aussi* **Cautionnement**
– à l'insu 2336
– autres sûreté suffisante 2338
– avances 2348
– avis de paiement 2358
– bénéfice de discussion 2347, 2348, 2352
– bénéfice de division 2349-2351
– capacité 2337, 2339
– caution 2336
– cession 1643, 1645
– compensation 1679
– confusion 1684
– débiteur principal 2336
– décès 2361
– décharge 2365, 2366
– définition 2333
– exception 2333
– indemnisation 2359
– indication des biens du débiteur 2348
– insolvabilité 2350, 2351
– libération 1665, 1692, 1698
– novation 1665

– obligation solidaire 1537, 2352
– obligation subsidiaire 2346
– offre réelle 1584, 1585
– opposabilité de la cession 1645
– pluralité 2349
– prescription 2362
– recours contre autre caution 2360
– recours en remboursement 2357
– recours en répétition 2358
– remise de l'obligation 1692
– renonciation à information et subrogation 2355
– responsabilité du créancier 2348
– sans ordre 2336, 2356
– solvabilité 2339
– subrogation 2355, 2365

Cautionnement: *Voir aussi* **Caution; Sûreté**
2333-2366
– accessoire de dette 2344
– conventionnel 2334
– déchéance du terme 2354
– déductibilité 2341
– définition 2333
– effet entre cautions 2360
– effet entre créancier et caution 2345-2355
– effet entre débiteur et caution 2356-2359
– étendue 2344
– exprès 2335
– fin 2361-2366
– fonction particulière 2363
– judiciaire 2334
– légal 2334
– montant 2341
– obligation de renseignement 2345
– obligation valable 2340
– présomption 2335
– validité 2340

Cédant: *Voir aussi* **Cession**
– à titre onéreux 1639, 1640
– opposabilité de la cession 1641, 1643
– paiement en proportion de sa créance 1646

Célébration du mariage: *Voir aussi* **Mariage**
365-377
– autorisation 377
– communauté mohawk 366
– compétence 365, 366, 376
– contrainte 367
– déclaration de mariage 375
– déclaration des époux 374
– dispense de publication 370
– durée de publication 368
– examen médical prénuptial 368
– inscription de l'acte 375
– lecture des droits et devoirs des époux 374
– obligations du célébrant 373

- opposition 372
- perception des droits 376
- publication 368-371
- publique 365
- témoin 365, 369

Cession: *Voir aussi* **Cédant; Cessionnaire; Créance; Créancier; Incessibilité**
- acte 1641, 1644
- avis 1641
- assurance de dommages 2475, 2476
- assurance de personnes 2461, 2462
- bail 1870-1873, 1981, 1995
- clause de garantie 1640
- compensation 1680
- créance 1637-1642, 1680, 1908
- créance constatée dans un titre au porteur 1647-1650
- droit à des dommages-intérêts 1610
- droit d'action 1637
- droit de vote 1095
- emphytéose 1082
- frais judiciaire 1644
- hypothèque 3003
- indemnité 1701
- inscription 1642
- loi applicable à la cession de créance 3120
- opposabilité 1641, 1642
- opposition par le débiteur 1643
- paiement 1646
- part indivise du bien 1022
- police d'assurance maritime 2528-2531
- preuve 1641, 1644
- propriété 952
- propriété superficiaire 1082
- publicité 2939
- rang 2956
- sans garantie 1639
- simple tradition 1647
- société en commandite 2243
- société en nom collectif 2209, 2210
- succession 641
- tiers 1637, 1680
- universalité de créances 1642
- usage 1173
- usufruit 1135

Cessionnaire: *Voir aussi* **Cession**
- acquisition à ses risques et périls 1639
- droits 2531
- opposition du débiteur 1643
- paiement en proportion de sa créance 1646

Chambre:
1892, 1942

Changement de domicile:
76, 308

Changement de la mention du sexe: *Voir aussi* **Acte de l'état civil; Acte de naissance**
- demande 71
- personne compétente à l'autoriser 72
- procédure 73
- révision 74

Changement de nom: *Voir aussi* **Acte de l'état civil; Acte de naissance; Nom**
- abandon par parents 65
- autorisation requise 57
- changement dans la filiation 65
- déchéance de l'autorité parentale 65
- demandeur 59
- devoirs du directeur 63
- d'un mineur 60, 62, 66
- effets 67-70
- modification du registre de l'état civil 129
- motifs 61
- par voie administrative 58-64
- par voie judiciaire 65, 66
- personne compétente à l'autoriser 58
- personne morale 308
- publication 63, 64, 67
- révision 74

Chose:
- consomptible 1556
- non susceptible d'appropriation 913
- sans propriétaire 914

Chose jugée: *Voir aussi* **Jugement**
- interruption de prescription 2896
- jugement condamnant à titre d'héritier 648
- jugement modifiant l'état civil d'une personne 129
- jugement ordonnant la radiation d'un droit ou la réduction d'une inscription 3073
- présomption légale absolue 2848
- recours collectif 2848
- réquisition d'inscription 3002
- transaction 2633, 2636

Choses qui ne peuvent être saisies: *Voir* **Insaisissabilité**

Clause abusive: *Voir aussi* **Contrat; Contrat d'adhésion**
1435-1438, 1901, 1905, 1906, 2084, 2402, 2414, 2936

Clause pénale: *Voir aussi* **Dommages-intérêts**
758, 1216, 1622-1625, 1901, 2936

Clôture: *Voir aussi* **Ouvrage mitoyen**
1002, 1003

Code de procédure civile (L.R.Q., c. C-25):
143, 587.1, 615, 772, 838, 978, 1080, 1215, 1576, 1758, 2311, 2643, 2648, 2649, 2656, 2658, 2680, 2748, 2789, 2793, 2794, 2811, 2828

Coemphytéose: *Voir aussi* **Emphytéose**
1196, 1207, 3030

Collatéral: *Voir* **Ligne collatérale**

Commanditaire: *Voir aussi* Société en commandite
- apparaissant dans nom de la société 2247
- apport 2236, 2240
- bénéfice 2242
- cautionnement des dettes de société 2246
- cession de part 2243
- participation à la gestion 2244, 2245
- perte de l'apport 2240
- recours en cas d'insuffisance des biens de la société 2248
- responsabilité 2244, 2246
- retrait de l'apport 2241
- tiers 2237

Commandité: *Voir aussi* Société en commandite
- clause limitant pouvoirs 2238
- compte 2238
- droits 2238
- obligations 2238
- pouvoir d'administrer 2236
- registre des commanditaires 2239
- remplacement 2245
- responsabilité solidaire 2246

Commettant:
- responsabilité civile 1463, 2164

Commission des valeurs mobilières:
1339(9)

Commission scolaire:
1339(2)(6), 2651(5), 2654.1

Communauté de biens: *Voir aussi* Régime matrimonial
- publicité de la renonciation 2938

Communauté mohawk:
- célébration du mariage 366
- registre de l'état civil 152

Communautés cries, inuit ou naskapies:
- registre de l'état civil 152

Compensation:
1672-1682
- acte fait dans l'intention de nuire 1676
- application 1673-1674, 1676
- bien insaisissable 1676
- caution 1679
- cession de créance à un tiers 1680
- créancier solidaire 1678
- débiteur solidaire 1678
- définition 1672
- délai de grâce 1675
- délégation 1670
- droit acquis à un tiers 1681
- État 1672
- frais de délivrance 1674
- hypothèque 1680, 1682
- impense 958, 959
- imputation des paiements 1677
- légale 1673

- liquidation judiciaire d'une dette 1673
- paiement de dette indue 1682
- plein droit 1673
- priorité 1682
- rapport à la masse 881
- règles applicables 1677
- tiers 1680-1682

Compétence des autorités étrangères: *Voir aussi* Droit international privé
3164-3168
- action personnelle à caractère patrimonial 3168
- dissolution de l'union civile 3167
- divorce 3167
- filiation 3166
- non-reconnaissance par les autorités québécoises 3165
- règles applicables 3164

Compétence internationale des autorités du Québec: *Voir aussi* Droit international privé
3134-3154
- action pendante devant une autorité étrangère 3137
- action personnelle à caractère extrapatrimonial et familial 3141-3147
- action personnelle à caractère patrimonial 3148-3151
- action réelle et mixte 3152-3154
- adoption 3147
- aliments 3143
- cas d'urgence 3140
- compétence 3136
- contrat d'assurance 3150
- contrat de travail 3149
- demande incidente ou reconventionnelle 3139
- dissolution de l'union civile 3144
- domicile du défendeur 3134
- exclusivité 3151
- filiation 3147
- garde d'un enfant 3142
- mariage 3145
- mesure conservatoire ou provisoire 3138
- nullité de l'union civile 3144
- nullité du mariage 3144
- régime d'union civile 3154
- régime matrimonial 3154
- renvoi 3135
- responsabilité civile 3151
- séparation de corps 3146
- succession 3153
- suspension 3137
- union civile 3145

Composition des lots: *Voir aussi* Indivisaire; Indivision; Partage de la succession
849-854
- accord des indivisaires 853
- biens indivis 849

– désaccord des indivisaires 854
– division des entreprises 852
– égalité des parts 850
– expert 854
– inégalité de valeur des lots 852
– inégalité des parts 850
– modalité 832, 851
– morcellement des immeubles 852
– part de biens indivis 847, 849
– soulte 852
– tirage des lots 854

Comptable:
– copropriété 1105, 1106

Compte: *Voir* **Expertise; Reddition de compte**

Condition: *Voir* **Obligation conditionnelle**

Confirmation:
1418, 1420, 1423, 1424

Conflit de lois: *Voir* **Statut de la procédure; Statut des obligations; Statut personnel; Statut réel**

Confusion:
1683-1686
– administrateur du bien d'autrui 1313
– administrateur d'une personne morale 323
– caution 1684
– définition 1683
– emphytéose 1208, 1209
– extinction de l'hypothèque 1686
– extinction de l'obligation 1683
– fin 1683
– nu-propriétaire 1162
– servitude 1191
– solidarité entre les créanciers 1685
– solidarité entre les débiteurs 1685
– substitution 1249
– usufruit 1162

Conjoint: *Voir aussi* **Mariage; Patrimoine familial; Prestation compensatoire; Résidence familiale; Union civile**
– absence 89
– abus de pouvoirs 447
– activité au foyer 396
– attribution préférentielle de la résidence familiale 856
– autorisation judiciaire d'agir seul 399, 444, 445
– bénéficiaire d'assurance de personnes 2449, 2457, 2459
– choix de résidence familiale 395
– compte de l'administration des biens 446
– consentement à un acte relatif aux meubles de la résidence familiale 401, 402
– consentement à la radiation de la déclaration de résidence familiale 3062
– consentement à la séparation de corps 495
– contribution aux charges du mariage 396
– contribution financière à titre d'aliments 687, 688, 689

– décès 465, 516, 521.12, 624, 2380
– déclaration de résidence familiale 407
– désaccord 400
– dette du mariage 397
– devoirs 394
– domicile 82
– emphytéote 406
– état 379
– examen médical prénuptial 368
– exercice des droits civils 393
– legs 757, 764
– locataire 403, 409, 1938
– locateur 1957
– mandat expresse 398, 443
– notaire 723
– obligation alimentaire 585
– obligation mutuelle 392
– pouvoir de contracter 397
– prescription 2906
– présomption de mandat 398
– propriétaire 404, 405
– ratification des actes relatifs à la résidence familiale 403-406, 479
– recel 471
– rente viagère 2380
– représentation des enfants à naître 439
– société d'acquêts 432, 448-491
– solidarité 397
– succession 624, 653, 654, 666, 671, 672, 673
– union civile 521.1-521.19
– usager 406
– usufruit 406
– vie commune 392

Connaissance d'office: *Voir aussi* **Preuve**
2806-2810
– allégation 2807, 2809
– devoir du tribunal 2807, 2808
– droit des autres provinces et d'un État étranger 2809
– droit en vigueur au Québec 2807
– droit international coutumier 2807
– fait litigieux 2810
– fait notoire 2808
– pouvoir du tribunal 2809, 2810
– preuve 2806
– texte d'application des lois en vigueur au Québec 2807
– traités et accords internationaux 2807
– transport sur les lieux du litige 2810

Connaissement: *Voir aussi* **Hypothèque conventionnelle; Hypothèque mobilière; Transport de biens; Transport maritime de biens**
– bien hypothéqué 2685, 2699, 2708
– contenu 2041, 2065
– définition 2041

– délivrance 2044
– forme 2042
– frais de transport 2056, 2057
– fret 2056
– inexactitude des déclarations 2066, 2067
– négociabilité 2043
– preuve 2042

Conseil d'administration de la personne morale: *Voir aussi* **Administrateur de la personne morale; Personne morale**
– décision 336
– désignation des membres 338
– durée du mandat 339
– incapacité d'agir 341
– livres et registres 342, 343
– pouvoirs 335
– responsabilité des administrateurs 337
– réunion 344
– vacance 340

Conseil d'administration du syndicat des copropriétaires: *Voir aussi* **Copropriétaire; Copropriété divise; Syndicat des copropriétaires**
1053, 1070, 1072, 1081, 1084-1086, 1088, 1104, 1105, 1107

Conseil de famille: *Voir* **Conseil de tutelle**

Conseil de tutelle: *Voir aussi* **Tutelle au mineur; Tuteur**
222-239
– acceptation d'une charge 232
– autorisation 213, 215
– avis 23, 87, 220, 233, 288, 607
– charge personnelle et gratuite 232
– composition 222, 226-228, 231
– conservation des archives 239
– constitution 223, 224, 225, 237
– convocation 224-226, 238
– délibération 234
– droits et obligations 233-236
– invitation au tuteur et au mineur 230
– mainlevée de la sûreté 245
– nature et objet de la sûreté 242
– nombre 222, 226, 231
– nombre de voix 234
– nomination d'un tuteur ad hoc 235
– remplacement du tuteur 251
– représentant du mineur bénéficiaire 233
– responsabilité 239
– réunion 234
– révision judiciaire d'une décision 237
– rôle 222
– sommes nécessaires aux charges de la tutelle 219
– suppléant 228, 229
– tutelle dative 205

Conseiller au majeur: *Voir aussi* **Majeur protégé; Régime de protection du majeur**

– acte fait seul par le majeur 294
– actes nécessitant assistance 293
– donation au majeur 1815
– incapacité de tester 711
– nomination 291
– obligation 292

Consentement: *Voir aussi* **Contrat; Crainte; Dol; Erreur; Lésion**
– acte relatif aux meubles de la résidence familiale 401, 402
– adoption 544, 548, 549, 552-556, 568, 583, 584
– bail 1870-1872, 1885, 1930, 1964
– contrat 1385-1408, 1419
– créancier 1555, 1561, 1569, 1570, 1585
– curateur 15
– débiteur 1663
– donataire 1841
– échange 1386, 1387
– expérimentation 20, 21, 24
– garde en établissement en vue d'examen psychiatrique 26
– majeur protégé 15, 16, 18, 31
– mineur 14, 16-18, 31
– offre et acceptation 1388-1397
– organe 24
– personne apte à s'obliger 1398
– qualité 1399
– séparation de corps 495
– soins 11, 12, 14-16, 24
– vendeur 1747
– vice 1399-1408, 1419

Consentement aux soins: *Voir* **Soins**

Consignation: *Voir* **Offre réelle et consignation**

Consommateur: *Voir aussi* **Contrat de consommation**
– interprétation du contrat 1432
– préjudice 1436
– renonciation à la compétence des autorités du Québec 3149

Constituant (fiducie): *Voir aussi* **Fiducie**
1261, 1263, 1266, 1269
– action en justice à la place du fiduciaire 1291
– action en justice contre le fiduciaire 1290
– avis 1295
– but de la fiducie, modification 1294
– créancier 1292
– décès 1287
– désignation du curateur au bénéficiaire 1289
– désignation du fiduciaire 1276, 1277
– dessaisissement des biens 1265
– droits 1281, 1282
– élection des bénéficiaires 1282, 1283
– fiduciaire 1275
– fin de la fiducie 1297
– fraude 1292

– fruits et revenus 1281
– héritier 1287, 1295, 1297
– remplacement du fiduciaire 1276, 1277
– responsabilité 1292
– solidarité 1292
– surveillance de l'administration de la fiducie 1287

Constructeur:
– vente d'immeubles à usage d'habitation 1785, 1788-1790

Construction: *Voir aussi* **Architecte; Hypothèque légale; Immeuble; Impense; Ingénieur; Ouvrage; Ouvrier; Plantation**
933, 951
– acquêts à charge de récompense 455
– acquisition 960, 1118
– démolition 990
– droit d'accession 957
– droit de rétention 963
– emphytéose 1195, 1198, 1203, 1210
– empiètement 992
– enlèvement 959, 1116, 1118, 1891
– expropriation 1115
– fonds d'autrui 987, 990-992
– immeuble 900
– impense faite de bonne foi 958, 959, 961, 963
– impense faite de mauvaise foi 958, 959, 962-964
– indemnisation 959
– matériaux d'autrui 956
– présomption de propriété 955
– propriété superficiaire 1011, 1116-1118
– remboursement des impenses 958, 959, 961
– remise en état 959, 961, 962, 992
– réparation 990
– solidité 991
– vice 1077

Contrat: *Voir aussi* **Clause abusive; Consentement; Contrat d'adhésion; Contrat de consommation; Contrats nommés; Convention matrimoniale; Crainte; Dol; Droit à l'exécution de l'obligation; Engagement; Erreur; Interprétation du contrat; Lésion; Offre de contracter; Promesse de contracter**
916, 1372, 1377-1456
– acceptation de l'offre de contracter 1387, 1393
– administration du bien d'autrui 1312, 1319-1320
– à exécution instantanée 1378, 1388
– à exécution successive 1378, 1383, 1604, 1851, 2931, 2932
– aléatoire 1378, 1382, 2362, 2367, 2389
– apparent 1452
– à titre gratuit 1378, 1381, 1633, 1806, 2133, 2280, 2289, 2290, 2292, 2296, 2313, 2333, 2367, 2377
– à titre onéreux 1378, 1381, 1632, 2133
– avis d'exclusion de l'obligation de réparer 1475
– capacité 1385, 1409

– cause 1385, 1410, 1411
– clause de déchéance du terme 1748
– clause externe 1435
– clause nulle 1435-1438
– clause sans effet ou réputée non écrite 1438
– commutatif 1378, 1382
– conditions de formation 1385-1415
– confirmation 1418, 1420, 1423, 1424
– consentement 1385-1408, 1419
– contre-lettre 1451, 1452
– convention d'arbitrage 2642
– correspondance 1387
– crainte 1399, 1402-1404, 1407
– décès 1441
– définition 1378
– dol 1401, 1407
– dommages-intérêts 1407, 1604, 1613
– droit de passage 999
– effet 1433-1456
– effet à l'égard des tiers 1440-1452
– effet entre les parties 1433-1439
– effet particulier à certains contrats 1453-1456
– emphytéose 1195
– enclave 999
– erreur 1399, 1400, 1407
– espèce 1378
– état de nécessité 1404
– extinction 1606
– fiducie 1262, 1263, 1293
– force obligatoire 1434
– formation 1387
– forme 1385, 1414, 1415
– fraude 1632-1633
– gestion d'affaires 1486, 1487, 1489
– gré à gré 1378, 1379
– indivision 1012
– interprétation 1425-1432
– invalidité 1438
– lésion 1399, 1405-1407
– maintien 1407, 1408
– modification 1439
– nouvelle offre 1393
– nullité 1407, 1411, 1413, 1416-1422, 1424, 1606, 2642
– objet 1385, 1412, 1413
– offre de contracter 1386, 1388-1392, 1396
– pacte de préférence 1397
– préliminaire 1785, 1786
– prescription des paiements dus 2931
– procédure d'arbitrage 2643
– promesse 1396, 1397, 1415
– promesse du fait d'autrui 1443
– réduction de l'obligation 1407, 1604
– règles applicables 1377, 1458
– résiliation 1439, 1590, 1604-1606

– résolution 1439, 1590, 1604-1606
– responsabilité civile 1458, 1475
– révocation 1439
– sanction des conditions de formation 1416-1424
– secret 1451
– servitude 1181
– silence 1394, 1401
– simulation 1451, 1452
– stipulation pour autrui 1444-1450
– synallagmatique 1378, 1380, 1591
– transfert d'un droit réel 1453-1456
– transmission des droits et obligations 1441, 1442
– unilatéral 1378, 1380, 2280, 2281, 2305, 2313, 2314
– usufruit 1121

Contrat d'adhésion:
1378
– clause abusive 1437
– clause externe 1435
– clause illisible ou incompréhensible 1436
– définition 1379
– interprétation 1432
– invalidité 1438

Contrat d'association:
2267-2279
– arrivée du terme 2277
– biens particuliers 2274
– biens provenant des contributions de tiers 2279
– choix des administrateurs 2269
– définition 2186
– droits des membres 2269, 2272, 2273
– durée déterminée 2276
– exclusion d'un membre 2276
– fin 2277
– formation de l'association 2187
– forme 2267
– insuffisance de biens 2274
– intervention du tribunal 2278
– liquidation de l'association 2278
– objet 2268
– obligations des membres 2273, 2276
– participation des membres aux décisions collectives 2272
– pouvoirs des administrateurs 2270, 2271
– règles applicables à la dévolution des biens 2279
– responsabilité des administrateurs 2274
– responsabilité des membres 2275
– retrait d'un membre 2276

Contrat de consommation: *Voir aussi* **Consommateur**
– clause abusive 1437
– clause externe 1435
– clause illisible ou incompréhensible 1436
– compétence des autorités du Québec 3149
– définition 1378, 1384
– invalidité 1438

– loi applicable 3117
– vente à tempérament 1746

Contrat de mariage: *Voir* **Convention matrimoniale**

Contrat d'entreprise: *Voir aussi* **Architecte; Entrepreneur; Entreprise; Ingénieur; Sous-entrepreneur**
2098-2129
– à forfait 2109
– augmentation du prix 2107
– bien fourni par le client 2104, 2115
– bien fourni par l'entrepreneur 2103
– contrat de vente 2103
– décès du client 2127
– décès ou inaptitude de l'entrepreneur 2128
– définition 2098
– droit de rétention 2111, 2112, 2123
– exécution par un tiers 2101
– exonération de responsabilité 2119
– fin des travaux 2110
– frais 2129
– intervention du tribunal 2112
– malfaçon 2111, 2113, 2120
– obligation de l'entrepreneur 2100, 2103, 2104, 2115, 2122, 2126, 2129
– obligation du client 2109
– ouvrage immobilier 2117-2124
– paiement 2111, 2114
– perte de l'ouvrage 2115, 2118
– perte du bien 2105
– prescription 2116, 2118
– prix de l'ouvrage 2106
– promoteur immobilier 2124
– réception de l'ouvrage 2110
– réception de l'ouvrage par parties 2114
– réserve 2111
– résiliation 2125-2129
– responsabilité architecte 2118, 2121
– responsabilité entrepreneur 2104, 2115
– responsabilité ingénieur 2118, 2121
– responsabilité sous-entrepreneur 2118
– vente d'immeubles à usage d'habitation 1794
– vérification état d'avancement des travaux par client 2117
– vice apparent 2104, 2111
– vice caché 2104, 2113

Contrat de service: *Voir aussi* **Prestataire de services**
2098-2129
– à forfait 2109
– augmentation du prix 2107
– bien fourni par le client 2104
– bien fourni par le prestataire de services 2103
– compte des services rendus 2108
– contrat de vente 2103
– décès du client 2127

– décès ou inaptitude du prestataire de services 2128
– définition 2098
– exécution par un tiers 2101
– frais et dépenses 2129
– garantie 2103
– moyens d'exécution du contrat 2099
– obligation du client 2109
– obligation du prestataire de services 2100, 2102, 2103, 2126, 2129
– perte du bien 2105
– prix du service 2106
– résiliation 2125-2129
– responsabilité du prestataire de services 2104
– vice caché 2104

Contrat de société: *Voir* **Société**

Contrat de travail: *Voir aussi* **Employeur; Salarié**
2085-2097
– aliénation de l'entreprise 2097
– certificat de travail 2096
– clause de non-concurrence 2089, 2095
– compétence des autorités du Québec 3149
– décès de l'employeur 2093
– décès du salarié 2093
– définition 2085
– délai de congé 2091
– durée 2086
– fin 2091, 2093, 2096
– loi applicable 3118
– obligations de l'employeur 2087, 2096
– obligations du salarié 2088
– reconduction 2090
– renonciation à une indemnité 2092
– résiliation 2094, 2095

Contrats nommés: *Voir aussi* **Affrètement; Assurance; Bail à rente; Cautionnement; Contrat d'entreprise; Contrat de service; Contrat de travail; Convention d'arbitrage; Crédit-bail; Dation en paiement; Dépôt; Donation; Échange; Jeu et pari; Louage; Mandat; Prêt; Société; Transaction; Transport; Vente**
1708-2643

Contre-lettre: *Voir* **Simulation**

Convention d'arbitrage:
2638-2643
– conflit de lois 3121
– contenue dans un contrat 2642
– définition 2638
– écrite 2640
– interruption de prescription 2892, 2895
– loi applicable à la procédure 3133
– matières non soumises à l'arbitrage 2639
– ordre public 2639
– procédure d'arbitrage 2643
– stipulation nulle 2641

Convention d'indivision: *Voir aussi* **Copropriété par indivision; Indivision**
– droit de préemption 1014, 1022
– durée 1013
– opposabilité 1014
– partage avant terme fixé 1021
– publication 1014
– vente d'immeubles à usage d'habitation 1788

Convention matrimoniale: *Voir aussi* **Donation par contrat de mariage; Mariage; Patrimoine familial; Régime matrimonial**
– absence 432
– acte notarié 440
– changement 437, 438, 441
– contestation 435, 436
– effet 433
– effet de l'absence 465
– enregistrement de l'avis de changement 441, 442
– majeur inapte 436
– mineur 434
– nullité 440
– stipulation 431

Coopérative d'habitation: *Voir aussi* **Bail d'un logement**
1945, 1955

Copropriétaire: *Voir aussi* **Assemblée des copropriétaires; Conseil d'administration du syndicat des copropriétaires; Copropriété divise; Syndicat des copropriétaires**
– action en annulation d'une décision de l'assemblée 1103
– action récursoire 1077
– administrateur 1084-1086
– assemblée 1053, 1070, 1072, 1076, 1087-1104
– assemblée extraordinaire 1104
– assurance 1074, 1075
– ayant cause 1062
– budget 1069
– cession des droits de vote 1095
– charges 1039, 1064, 1068, 1069, 1072, 1086, 1094
– collectivité 1039
– contestation judiciaire de l'évaluation d'une fraction de copropriété divise 1050
– contribution aux charges 1064
– déclaration de copropriété 1056, 1062
– défaut de diligence 1081
– dégradation 1067
– dissolution de la copropriété 1108
– dommages 1077
– droit de propriété indivis 1046
– droit de vote 1094, 1095
– droits et obligations 1056, 1063-1069, 1109
– élection d'un nouveau conseil d'administration 1104
– état des charges communes 1069
– exécution de travaux 1066, 1067

- fonds de prévoyance 1064, 1071, 1072, 1086, 1094
- gérant 1085
- indemnité 1067, 1075
- indivisaire d'une fraction de copropriété 1090
- injonction 1080
- jugement 1078
- location 1065, 1066
- modification des limites des parties privatives contiguës 1100
- mur mitoyen 1007
- nouvel acheteur 1069
- parties privatives 1081, 1100
- personne morale 1039
- préjudice 1067, 1068, 1079, 1080
- réduction du nombre de voix 1099
- refus de se conformer à la déclaration de copropriété
  1080
- registre 1070
- règlement de l'immeuble 1057
- révision de la valeur 1068
- trouble de jouissance 1067
- vendeur 1069

Copropriété divise: *Voir aussi* **Assemblée des copropriétaires; Association de syndicats de copropriétés; Conseil d'administration du syndicat des
copropriétaires; Copropriétaire; Déclaration de copropriété; Promoteur de copropriété divise; Quote-
part; Syndicat des copropriétaires; Vente d'immeubles à usage d'habitation**
1038-1109
- acte constitutif de copropriété 1052, 1053, 1058-1060,
  1075, 1097
- action en partage 1048
- action récursoire 1077
- administrateur 1084-1086, 1106
- administration 1054, 1085
- aliénation 1047-1049, 1076, 1097, 1098
- améliorations 1066, 1067, 1073
- assurance 1073-1075
- budget prévisionnel 1791
- cession 1082
- charges 1039, 1053, 1054, 1064, 1068, 1086, 1094
- comptable 1105, 1106
- construction de bâtiments 1097
- contrat d'entretien de l'immeuble 1107
- créancier 1059, 1075, 1100
- défaut d'entretien 1077
- définition 1010
- dégradation 1067
- désignation cadastrale 1055
- destination 1056, 1063, 1098
- dissolution 358, 1075, 1108, 1109
- documents relatifs à l'immeuble et au syndicat 1070,
  1106

- dommages 1077
- droit de propriété indivis 1046
- droit de révision 1068
- droit réel 1055
- emphytéose 1040, 1059, 1060, 1082, 1196, 1198, 1207
- établissement 1038-1040
- état descriptif des fractions 1052, 1055, 1059, 1060
- fiduciaire 1075
- fonds de prévoyance 1064-1072, 1078, 1086, 1094
- fraction de copropriété 1041-1053, 1058, 1063, 1064,
  1067-1069, 1080, 1102, 1787, 1789
- gérant 1085
- hypothèque 1051, 1055, 1059, 1108
- immatriculation des parties privatives et communes
  1060, 3030, 3041
- inexécution des obligations 1079
- injonction 1080
- inscription 1059-1062, 1068, 1093
- jugement 1078
- locataire 1057, 1065, 1066, 1070, 1079
- locateur 1079
- occupant 1057, 1058, 1079
- parties communes 1039, 1043, 1044, 1046, 1053-
  1055, 1060, 1061, 1063, 1071, 1076-1078, 1097, 1108
- parties communes à usage restreint 1043, 1047,
  1064, 1072
- parties mitoyennes 1045
- parties privatives 1042, 1049, 1053-1055, 1057, 1060-
  1063, 1065, 1073, 1079, 1081, 1108
- perte 1075
- présomption 1044, 1045
- priorité 1051
- promoteur 1081, 1092, 1093, 1099, 1104, 1106
- propriétaire de l'immeuble 1059, 1060
- propriété superficiaire 1040, 1059, 1060, 1082
- reconstruction de l'immeuble 1075
- registre foncier 1060, 1108
- règlement de l'immeuble 1052, 1054, 1057, 1060,
  1063, 1084, 1788
- réparation 1075, 1078
- résiliation du bail 1079
- sûreté 1051, 1055
- tiers 1077
- travaux urgents 1066
- trouble de jouissance 1067
- valeur des fractions 1041
- vente d'immeubles à usage d'habitation 1787-1792
- vice caché 1081
- vice de conception ou de construction 1077, 1081
- vice du sol 1081

Copropriété par indivision: *Voir aussi* **Convention d'indivision; Indivisaire; Indivision**
1012-1037
- acquisition de la part d'un indivisaire 1022

- administration du bien indivis 1025-1029
- charge 1019
- convention d'indivision 1013, 1014, 1788
- définition 1010
- dissolution 358, 1031, 1036
- droits et obligations des indivisaires 1015-1024
- établissement 1012-1014
- frais d'administration 1019
- immeuble à usage d'habitation 1031
- instauration de la copropriété divise 1031
- meuble 973
- partage du bien indivis 1030

Coroner: *Voir aussi* **Décès; Jugement déclaratif de décès**
47, 93

Corporation: *Voir* **Action de corporation; Personne morale; Personne morale de droit public**

Corporation municipale: *Voir* **Municipalité**

Corps humain: *Voir aussi* **Droit médical; Expérimentation; Organe; Soins**
- disposition 42, 48
- prélèvement 43, 45

Cours d'eau: *Voir aussi* **Eau; Flottabilité d'un lac ou d'un cours d'eau**
- circulation 920
- lit abandonné 970
- navigable et flottable 919
- partie enlevée d'un fonds riverain 967
- rivière souterraine 951, 982
- usage 981

Courtier d'assurance: *Voir aussi* **Assurance**
- circonstances réputées connues 2550
- déclarations 2413, 2549
- droit de rétention 2543
- paiement de prime 2536
- police obtenue par 2544

Courtier en valeurs mobilières: *Voir aussi* **Valeur mobilière**
- exercice d'un droit hypothécaire 2759

Crainte: *Voir aussi* **Consentement; Contrat**
- dommages-intérêts 1407
- exercice abusif d'un droit ou d'une autorité 1403
- nullité du contrat 1407
- préjudice sérieux 1404
- réduction de l'obligation 1407
- violence ou menace 1402, 1403

Créance: *Voir aussi* **Cession; Créancier; Hypothèque mobilière sur créances; Priorité**
- administration du bien d'autrui 1302
- alimentaire 3095
- certaine 1627, 1634
- cession 1637-1650, 1680
- constatée dans un titre au porteur 1647-1650

- contre des tiers 888
- État 1619
- exigible 1592, 1627, 1628, 1634
- hypothèque 1339(7), 2676, 3004
- hypothèque légale 2724
- indivisible 2909
- liquidation des droits patrimoniaux des conjoints 809
- liquide 1627, 1628, 1634
- litigieuse 1583
- paiement fait par le liquidateur de la succession 808, 809
- placement présumé sûr 1339(7)
- prescription 1491, 2909
- prioritaire 1656(1), 2650-2659, 2770, 2771
- société en nom collectif 2206, 2207
- solidaire 2909
- subrogation 3004
- substitution 1226, 1249
- universalité 1642, 2676
- usufruit 1132

Créancier: *Voir aussi* **Cession; Créance; Débiteur; Droit à l'exécution de l'obligation; Droit hypothécaire; Gage commun des créanciers; Obligation à terme; Obligation conditionnelle; Obligation solidaire; Paiement; Remise; Solidarité entre les créanciers; Vente par créancier de biens grevés d'une hypothèque**
- acquisition bien sur lequel porte sa créance 1695, 1696
- acquisition hypothèque légale 2730
- acte conservatoire du bien hypothéqué 2736
- action en inopposabilité 1631-1636
- action oblique 1035, 1627-1630
- aliments 684-695, 807, 812
- apparent 1559, 1643
- ayant cause 1023
- bénéfice du terme 1511
- bonne foi 1556
- capacité de recevoir le paiement 1557-1561
- cession de créance 1637
- cession de rang 2956
- cession d'un droit d'action 1637
- choix de codébiteur 1528
- choix de la prestation 1549
- compensation 1678
- confusion 1683-1686
- consentement 1555, 1561, 1569, 1570, 1585, 3044
- contestation de l'inventaire des biens d'une succession 797
- copropriété divise 1059, 1075, 1100
- créance restée impayée 817, 818
- créance résultant de l'administration du bien indivis 1035
- dation en paiement 1801

– déclaration liée au préjudice subi par le créancier 1609
– délaissement 1741
– délégation 1667-1670
– détention du bien hypothéqué 2705, 2706
– devoir d'information sur toute irrégularité de paiement 2746
– division de la dette 1532-1535
– division de l'obligation 1544
– dommages-intérêts 1527, 1604, 1607, 1608, 1610, 1611, 1614-1617, 1622, 1623, 1766, 2734
– droit de suite 2732
– emphytéose 1199, 1204
– époux renonçant au partage des acquêts 470
– éviction 1686
– exclusion ou limitation de l'obligation de réparer 1475
– exécution de l'obligation 1590, 1594-1599
– folle enchère 1765
– frais 1596
– fruits et revenus 2737
– héritier 780-782, 823, 1520, 1522, 1544, 1610, 2742, 2902
– hypothécaire 812, 817, 1021, 1035, 1059, 1075, 1100, 1233, 1636, 1686, 1695, 1741, 1756, 1769-1772, 1775, 2462, 2478, 2494, 2497, 2515, 2680, 2721, 2735, 2779, 2801, 2956, 3022, 3044
– imputation de paiement 1571
– imputation du prix de rachat d'actions 2738
– incapacité de recevoir le paiement 1558
– inconnu 816
– indemnité 1701-1704
– inscription d'adresse 3022
– inscription de quittance 3065
– introuvable 1580, 1583
– legs 748
– libération du débiteur 1531, 1542, 1543
– mesure conservatoire 1504, 1626, 2736
– mineur 1616
– mise en demeure 1555, 1580-1582
– modification au contrat de mariage 438
– novation 1660-1666
– obligation assortie d'une clause pénale 1622-1625
– obligation conjointe 1518, 1520, 1522, 2901
– paiement fait par liquidateur de succession 781, 782, 808, 812, 815
– paiement par tiers 1555
– partage de succession 864
– part indivise du bien 1015, 1021, 1023
– perte d'hypothèque en cas de restitution judiciaire 2741
– perte du recours solidaire contre un débiteur 1534, 1535
– pleine administration 2773
– préavis d'exercice d'un droit hypothécaire 2727
– préjudice 1609, 1614, 1631, 1635

– prioritaire 812, 1075, 1233, 1636, 1695, 1769-1770, 1775, 2494, 2497, 2654, 2656, 2658, 3022
– privation d'une sûreté ou d'un droit 1531
– publication d'une action contre propriétaire d'immeuble hypothéqué 2727
– quittance liée au préjudice subi 1609
– ratification du paiement fait à un tiers 1557
– reconnaissance d'hypothèque 2735
– recours contre cocréanciers 815, 817
– recours contre débiteur 1529, 1532, 1534, 1535, 1549, 1590, 1601-1604, 1622-1625
– recours contre héritier 815-817
– recours contre légataire particulier 815-817
– recours contre liquidateur de la succession 815
– recours en cas de changement au contrat de mariage 438
– recours en cas de liquidation de la succession 815-818
– recouvrement d'une créance hypothéquée 2713
– recouvrement du paiement 1556
– reddition de compte 2776
– refus de l'offre de paiement 1555, 1561, 1573, 1580, 1583
– refus de remettre somme d'argent garantie par hypothèque 2691
– remboursement du prix de l'aliénation 2767
– remise de l'obligation 1543, 1687-1692
– remise des biens 2767, 2776
– remise des sommes excédant l'obligation 2747
– remise du surplus après acquittement de dette 2777
– renonciation à la solidarité 1532, 1533, 1538
– renonciation à priorité ou à hypothèque 1691
– renonciation au partage des acquêts 470
– répétition 1560
– revenus de créances hypothéquées 2744
– saisie 1015, 1136, 1173, 1199, 1233, 1560, 1636, 1766, 2646, 2958
– séparation du patrimoine 780
– simple administration 2768
– société en commandite 2248
– société en nom collectif 2221
– société en participation 2254
– solidarité 1541-1544, 1599, 1666, 1678, 1685, 1689, 2900, 2902
– stipulation pour autrui 1447
– subrogation 1608, 1651-1659
– substitution 1229, 1233-1234, 1249
– succession 780-782, 797
– sûreté 2766
– tiers 1608
– titulaire d'une hypothèque mobilière sur créances 2743-2747
– titulaire d'une hypothèque ouverte 2721
– usufruit 1136, 1168
– vente du bien hypothéqué 2771, 2784-2790

Crédirentier: *Voir aussi* **Rente viagère**
- avis du montant des intérêts ou des arrérages 2960
- décès 2380
- désignation 2379
- droits 2384, 2386, 2387
- pluralité 2380
- révocation 2379

Crédit-bail:
1842-1850
- avantage du contrat 1849
- bien acquis d'un tiers 1842
- bien meuble 1842-1843
- consenti à des fins d'entreprise 1842
- définition 1842
- dénonciation du contrat 1844
- droits de propriété 1847
- fin 1850
- obligation du crédit-bailleur 1844
- obligation du crédit-preneur 1846
- obligation du vendeur du bien 1845
- opposabilité aux tiers 1847
- perte du bien 1846
- remise du bien 1850
- résolution 1848, 1849

Crédit-bailleur: *Voir* **Crédit-bail**

Crédit-preneur: *Voir* **Crédit-bail**

Cris: *Voir* **Communautés cries, inuit ou naskapies**

Curatelle au majeur: *Voir aussi* **Régime de protection du majeur**
- acte fait antérieurement à la curatelle 284
- acte fait seul par le majeur 283
- nomination d'un curateur 281
- obligation du curateur 282
- ouverture 281

Curateur: *Voir aussi* **Curatelle au majeur; Curateur public; Majeur protégé; Régime de protection du majeur; Tuteur**
- acte conservatoire 1361
- administration du bien d'autrui 1361
- consentement aux soins 15
- faute intentionnelle ou lourde 1461
- fiducie 1289
- incapacité de tester 711
- mandataire 2183
- nomination 3085
- reddition de comptes 1361
- remise des biens 1361
- responsabilité civile 1461, 1462
- substitution 1239

Curateur public:
- administration du bien d'autrui 1357
- association 2279
- avis de la fin de la liquidation 700
- avis de la saisine de l'État 699
- bien sans propriétaire 936, 937
- droits et obligations 249
- émancipation d'un mineur 167
- examen des comptes du tuteur 249
- fiducie 1289
- gestion des biens de la succession 701
- jugement déclaratif de décès 92
- liquidateur ad hoc de la succession 805
- liquidateur de la succession 699
- liquidation d'une personne morale 363
- mandat donné en prévision de l'inaptitude du mandant 2168, 2173, 2177, 2183
- reddition de compte 700
- remise du reliquat de la succession 701
- remplacement 252
- remplacement du tuteur au mineur 251
- substitution 1239
- succession 698-701
- tutelle à l'absent 87
- tutelle au mineur 180, 182, 191, 223, 231, 232, 249-252
- tutelle aux biens 180, 221

D

Dation en paiement: *Voir aussi* **Prise en paiement; Vente**
1799-1801
- clause réputée non écrite 1801
- définition 1799
- parfaite 1800
- règles applicables 1800

Débiteur: *Voir aussi* **Créancier; Délégation de paiement; Dommages-intérêts; Droit à l'exécution de l'obligation; Obligation à terme; Obligation conditionnelle; Obligation solidaire; Offre réelle et consignation; Paiement; Solidarité entre les débiteurs**
1498, 1500, 1506
- accession 1665
- acquiescement à la cession 1641
- acte frauduleux 1631-1634
- bénéfice du terme 1511, 1514
- bonne foi 1649, 1701
- caution 1537, 1643, 1645, 1665
- choix de prestation 1546, 1548
- choix du créancier solidaire 1543
- compensation 1679-1682
- confusion 1683-1686
- consentement 1663
- contribution dans paiement d'obligation solidaire 1537
- déchéance du terme 1514, 1516
- délégation 1667-1670
- diminution des sûretés 1514
- division de l'obligation 1540

– dommages-intérêts 1527, 1604, 1607, 1608, 1613, 1624, 1625
– droit d'appeler au procès les débiteurs solidaires 1529
– droit de propriété sur une part indivise du bien 1021
– droit de répétition 1536
– émission d'un titre au porteur 1647-1649
– empêchement à accomplissement d'obligation conditionnelle 1503
– exécution partielle d'une prestation 1547
– exercice du droit hypothécaire par créancier 2761, 2762
– exploitation d'une entreprise 1525, 1641
– faillite 1514
– faute 1527, 1537, 1548, 1549, 1562, 1597, 1613, 1621, 1701
– frais 1567, 1602, 1603, 1644
– garant 1657
– héritier 1520, 1522, 1540, 2742, 2902
– hypothécaire 2515
– impossibilité d'exécuter l'obligation 1693, 1694
– imputation de paiements 1569, 1570, 1677
– inexécution de l'obligation 1590, 1597
– insolvabilité 890, 893, 1514, 1538, 1631-1633, 1690, 2207
– intérêt exclusif 1537
– introuvable 1641
– libération 1531, 1542-1545, 1552, 1562, 1564, 1586, 1665, 1687, 1690, 1693-1698
– mesure conservatoire 1581
– mise en demeure 1527, 1562, 1590, 1594-1597, 1599, 1600, 1644, 1693
– novation 1660-1666
– obligation assortie d'une clause pénale 1622-1625
– obligation conjointe 1518, 1520, 1522, 2901
– obligation de payer la créance constatée dans un titre au porteur 1648-1650
– obligation d'exécuter l'obligation conditionnelle 1507
– offre de paiement 1561, 1573, 1580, 1583
– opposabilité de la cession 1641-1643
– opposition 1530, 1539, 1629, 1643, 1648, 1657, 1663
– patrimoine 1630
– préférence envers créancier 1631
– prêteur 1655
– quittance 1568, 1571, 1609, 1697
– réception acte de cession 1641, 1644
– recours contre codébiteur 1539, 1624, 1625
– recours contre créancier 1560
– réduction ou radiation de l'hypothèque garantissant l'obligation 2691
– répétition 1560
– responsabilité 1458, 1600
– restitution des prestations 1701
– rétention de paiement 1648
– retrait des offres réelles 1584, 1585

– solidarité 1516, 1523-1540, 1599, 1664, 1665, 1678, 1685, 1689, 1690, 2900, 2902
– solvabilité 1640
– subrogation 1531, 1536, 1653, 1655
– substitution 1249
– transaction 1609
– usufruit 1155

Décès: *Voir aussi* Acte de décès; Autopsie; Coroner; Donation à cause de mort; Funérailles; Jugement déclaratif de décès
– absent 85, 90
– administrateur du bien d'autrui 1355, 1361
– associé 2226, 2258, 2259
– assuré 2476
– bénéficiaire de donation 1832
– conjoint 465, 600, 2380
– constatation 48, 122, 123
– crédirentier 2380
– date et lieu 94, 96
– destinataire de l'offre 1392
– donateur 1808, 1820, 1837
– employeur 2093
– grevé de substitution 1221, 1240, 1241
– légataire 750
– locataire 1884, 1938, 1939, 1944, 1948, 1951, 1991
– locateur 1884
– mandant 2162, 2175
– mandataire 2175, 2183
– mineur 255
– non constaté ou déclaré 130
– offrant 1392
– partie contractante 1441
– prélèvement d'organes 45
– preuve 102
– rente viagère 2372-2374
– salarié 2093
– simultané assuré et bénéficiaire 2448
– successible 635
– succession 613
– tiers 1165
– tuteur au mineur 255
– usufruitier 1162, 1166

Déclaration: *Voir aussi* Preuve
– antérieure 2869, 2871
– attestation 2993
– coemphytéose 3030
– écrite 2872, 2873
– enregistrement sur ruban magnétique 2874
– fiducie 1288
– garantie suffisamment sérieuse 2870, 2871
– héritier et légataire particulier 2998, 2999
– intervention du tribunal 2870
– judiciaire 423, 469, 646, 649, 1575, 1576
– preneur en assurance terrestre 2413

- preuve écrite 2872, 2873
- preuve par présentation d'un élément matériel 2874
- preuve par témoignage 2413, 2869, 2870, 2871, 2872
- société 2190, 2195, 2196

Déclaration de copropriété: *Voir aussi* **Copropriété divise**
- acte notarié 1059
- contenu 1052
- correction d'erreur matérielle 1096
- désignation cadastrale 1055
- désignation des parties 1053
- destination de l'immeuble 1053
- droit des copropriétaires 1056
- effet 1062
- fraction détenue par plusieurs personnes 1058
- inscription 1051, 1059-1062, 1068, 1093
- modification 1049, 1100
- publication 1038-1040
- refus de s'y conformer 1080
- règlement de l'immeuble 1054, 1057
- stipulation modifiant le nombre de voix requis 1101
- valeur des fractions de copropriété 1041, 1068
- vente d'immeubles à usage d'habitation 1788, 1791, 1792

Décret:
2814(2), 3055

Définition:
- absent 84
- accession 948
- acte authentique 2813, 2814
- acte semi-authentique 2822
- acte sous seing privé 2826
- administrateur du bien d'autrui 1299
- affrètement 2001, 2007, 2014, 2021
- alluvion 965
- appelé de substitution 1219
- assurance 2389
- assurance de biens 2396
- assurance de dommages 2395, 2396
- assurance de personnes 2392
- assurance de responsabilité 2396
- assurance maritime 2390
- assurance sur la vie 2393
- assurance terrestre 2391
- aveu 2850
- bail 1851
- bail à rente 1802, 2368
- bail d'un logement 1892
- bail d'un logement à loyer modique 1984
- capital 909
- cause du contrat 1410
- cautionnement 2333
- clause abusive 1437
- compensation 1672

- confusion 1683
- connaissement 2041
- consignation 1583
- contrat 1378
- contrat à exécution instantanée 1383
- contrat à exécution successive 1383
- contrat aléatoire 1382
- contrat à titre gratuit 1381
- contrat à titre onéreux 1381
- contrat commutatif 1382
- contrat d'adhésion 1379
- contrat d'association 2186
- contrat d'assurance 2389
- contrat de consommation 1378, 1384
- contrat de gré à gré 1379
- contrat d'entreprise 2098
- contrat de service 2098
- contrat de société 2186
- contrat de transport 2030
- contrat de travail 2085
- contrat synallagmatique 1380
- contrat unilatéral 1380
- convention d'arbitrage 2638
- copie d'un acte de l'état civil 145
- copropriété 1010
- copropriété divise 1010
- copropriété par indivision 1010
- créance prioritaire 2650
- crédit-bail 1842
- dation en paiement 1799
- défaut de sécurité du bien 1469
- délaissement forcé 2765, 2767
- délaissement volontaire 2764
- délégation de paiement 1667
- dépôt 2280, 2295
- déroutement de navire 2568
- détention continue 2704
- domicile 75
- donation 1806-1809
- droit d'accession 948
- droit litigieux 1782
- échange 1795
- emphytéose 1195
- engagement 2553
- exploitation d'une entreprise 1525
- faute lourde 1474
- fiducie 1260, 1268-1270
- fondation 1256
- force majeure 1470
- frais de sauvetage 2597
- fruit 910
- gage commun des créanciers 2644
- gestion d'affaires 1482
- grevé de substitution 1219
- héritier 619

- hypothèque 2660
- hypothèque ouverte 2715
- immatriculation des immeubles 3026
- indication de paiement 1667
- indivision 1010
- ingratitude 1836
- legs à titre particulier 734
- legs à titre universel 733
- legs universel 732
- lésion 1406
- ligne collatérale 659
- ligne directe 657
- liquidation de la succession 776
- logement à loyer modique 1984
- logement impropre à l'habitation 1913
- louage 1851
- mandat 2130
- novation 1660
- objet du contrat 1412
- obligation 1371
- obligation alternative 1545
- obligation à terme extinctif 1517
- obligation à terme suspensif 1508
- obligation conditionnelle 1497
- obligation conjointe 1518
- obligation facultative 1552
- obligation solidaire entre les débiteurs 1523
- offre de contracter 1388
- offre réelle 1573
- paiement 1553
- partage de la succession 885
- perte totale et implicite 2581
- perte totale et réelle 2580
- police d'assurance 2399
- possession 921
- prescription 2875, 2910, 2921
- présentation d'un élément matériel 2854
- présomption 2846, 2847
- prêt 2313, 2314
- priorité 2650
- promoteur de copropriété divise 1093
- propriété 947
- propriété superficiaire 1011
- publicité des droits 2934
- radiation 3057
- remise 1687
- rente 2367, 2368
- représentation 660
- résidence 77
- revenu 910
- séquestre 2305
- service 2098
- servitude 1177
- simulation 1451

- simple prêt 2314
- solidarité entre les débiteurs 1523
- substitution 1218
- syndicat des copropriétaires 1039
- témoignage 2843
- testament 704
- transaction 2631
- travail 2085
- tutelle au mineur 179
- tutelle dative 178
- usage 1172
- usufruit 1119, 1120
- vente 1708
- vente à tempérament 1745
- vente aux enchères 1757
- vente avec faculté de rachat 1750
- vente d'entreprise 1767
- vice apparent 1726
- vice caché 1726

Dégradation:
1067, 1159, 1168, 1204

Délaissement (assurance maritime): *Voir aussi* Avarie
2584, 2587-2595
- absence d'avantage pour assureur 2590
- acceptation 2592, 2594
- acceptation de l'avis 2593
- application 2587
- avis 2587-2591
- délai 2589
- fret 2594
- intention 2588
- irrévocabilité 2593
- pouvoirs de l'assureur 2592
- réassureur 2591
- refus d'acceptation par assureur 2595
- rémunération 2594
- renonciation à l'avis 2592

Délaissement (droit hypothécaire):
2763-2772
- bien susceptible de dépérir ou de se déprécier 2767
- créance prioritaire 2770, 2771
- délai 2758
- droit de celui contre qui le droit est exercé 2771
- forcé 2763, 2765, 2767
- intervention du tribunal 2765-2767
- jugement 2765, 2781
- obligation du créancier 2767
- renaissance des droits réels 2772
- responsabilité de celui contre qui le droit est exercé 2769
- simple administration 2768
- vente par créancier 2771
- vente sous contrôle de justice 2771
- volontaire 2763, 2764

Délégation de paiement: *Voir aussi* Débiteur; Paiement
1667-1670
- acceptation 1668
- définition 1667
- effet 1668
- opposition du délégué 1669, 1670
- paiement 1667

Délivrance: *Voir aussi* Vendeur; Vente
1716-1722
- accessoire 1718
- acte d'acquisition de l'immeuble 1719
- arrêt 1740
- bien loué 1854
- certificat de localisation 1719
- contenance 1720, 1737
- dispense 1721
- état de la chose 1718
- exécution 1717
- frais 1674, 1722
- obligation de l'acheteur 1722
- obligation du vendeur 1716-1722
- promesse de vente 1710
- titre de propriété 1719

Demeure: *Voir* Mise en demeure

Déposant: *Voir aussi* Dépôt
- frais de restitution 2292
- indemnisation des pertes 2293
- indemnisation du préjudice causé par restitution anticipée 2294
- réclamation du bien 2285
- remboursement des dépenses 2293
- remise du bien 2280, 2281
- revendication du bien 2282

Dépositaire: *Voir aussi* Dépôt; Dépôt nécessaire
- dommages-intérêts 2290
- droit de rétention 2293
- frais de restitution 2292
- fruits et revenus 2287
- garde du bien 2280, 2283
- héritier 2288
- intérêt 2287
- perte du bien 2289, 2296
- preuve de propriété 2284
- refus de recevoir le bien 2296
- représentant légal 2288
- restitution du bien 2280, 2285, 2286, 2291
- usage du bien 2283

Dépôt: *Voir aussi* Déposant; Dépositaire; Dépôt hôtelier; Dépôt nécessaire; Séquestre
2280-2311
- à titre gratuit 2280, 2289, 2290, 2292, 2296
- à titre onéreux 2280, 2289, 2292, 2298
- définition 2280
- documents, espèces ou biens de valeur 2290

- intervention du tribunal 2290
- lieu de restitution 2291
- majeur protégé 2282
- mineur 2282
- obligations du déposant 2293-2294
- obligations du dépositaire 2283-2292
- parfait 2281
- recours du déposant 2282
- restitution anticipée 2294
- vente 2288

Dépôt hôtelier: *Voir aussi* Dépôt; Établissement hôtelier; Hôtelier
2298-2304
- affichage 2304
- bien dangereux 2299
- coffre-fort 2300
- disposition des biens retenus 2303
- documents, espèces et biens de valeur 2299
- droit de rétention 2302
- effets personnels et bagages 2298, 2302
- mise en sûreté des biens 2299
- responsabilité de l'hôtelier 2298-2301

Dépôt nécessaire: *Voir aussi* Dépositaire; Dépôt
- définition 2295
- établissement de santé 2297
- responsabilité du dépositaire 2296

Détenteur: *Voir aussi* Détention
- bien perdu ou oublié 941, 942, 944-946
- droit de rétention 946
- impense 964
- présomption 923
- vente à l'enchère du bien trouvé 942, 945

Détention: *Voir aussi* Détenteur; Possession
921
- bien mobilier hypothéqué 2702-2706
- prescription acquisitive 2913
- prescription extinctive 2933

Directeur de la protection de la jeunesse:
- déclaration d'admissibilité à l'adoption 560
- remplacement 252
- tutelle au mineur 182, 183, 191, 221, 223, 231, 232,
  252
- tutelle dative 180, 205, 207
- tutelle légale 199

Directeur de l'état civil: *Voir aussi* Acte de l'état civil;
Publicité du registre de l'état civil; Registre de l'état
civil
- acte de décès 122, 125, 127, 133
- acte de l'état civil 109
- acte de l'état civil fait hors du Québec 137, 139, 140
- acte de mariage 118, 134, 135
- acte de naissance 112, 116, 117, 134, 135
- acte juridique fait hors du Québec 137, 140
- annulation des actes 135

– attribution de nom 52-54
– célébration du mariage 377
– changement de la mention du sexe 71-73
– changement de nom 57-64
– confection des actes de l'état civil 130-133
– correction d'erreur purement matérielle 142
– dissolution de l'union civile 521.16
– enquête sommaire 130
– fonctions 103, 151
– inscription 129, 135, 137
– inscription du jugement d'où résulte la mention 136
– mention 133-136
– nouvel acte de l'état civil 132
– publicité du registre de l'état civil 146, 148, 150
– reconstitution de l'acte perdu ou détruit 143
– refus d'agir en cas de doute sur la validité des actes 138
– révision des décisions 74

Dissolution de l'union civile: *Voir aussi* **Régime d'union civile; Union civile**
– compétence des autorités du Québec 3144
– compétence des autorités étrangères 3167
– contrat de transaction notarié 521.13-521.16
– décès 521.12
– déclaration commune notariée 521.12, 521.13, 521.15, 521.17
– dissolution du régime d'union civile 521.19
– donations 521.19
– droits des enfants 521.18
– jugement du tribunal 521.12, 521.17

Dissolution du mariage: *Voir aussi* **Divorce; Mariage; Patrimoine familial; Prestation compensatoire**
– attribution judiciaire du bail 409
– attribution judiciaire des meubles 410

Distributeur:
– bien meuble 1468, 1473
– garantie de qualité 1730

Divorce: *Voir aussi* **Dissolution du mariage; Mariage; Patrimoine familial; Prestation compensatoire; Séparation de corps**
516-521
– application des règles lors d'une séparation de corps 517
– attribution judiciaire du bail 409
– compétence des autorités étrangères 3167
– contribution des parents à l'entretien et à l'éducation des enfants 514
– dissolution du régime matrimonial 518
– donations à cause de mort 519, 520
– donations entre vifs 520
– droits et devoirs des parents 513
– effet sur la désignation du bénéficiaire d'une assurance de personnes 2459
– effet sur les enfants 521
– garde et entretien des enfants 514
– legs 764
– loi applicable à l'obligation alimentaire entre époux 3096

Document: *Voir* **Document technologique; Écrit; Inscription de faux**

Document technologique: *Voir aussi* **Écrit; Preuve écrite**
– copies et documents résultant d'un transfert 2841, 2842
– élément matériel 2855
– enregistrement 2874
– intégrité du document 2838-2840
– moyen de preuve 2860
– support de l'écrit 2837

Dol: *Voir aussi* **Consentement; Contrat; Fraude**
1401, 1407, 1988, 2074, 2083, 2408-2413, 2417, 2420, 2423, 2424, 2434, 2466, 2472, 2545-2552

Domaine de l'État: *Voir aussi* **État**
966

Domicile: *Voir aussi* **Résidence familiale**
75-83
– changement 76
– conjoint uni civilement 82
– définition 75
– élection 83
– époux 82
– fonctionnaire 79
– majeur en tutelle ou en curatelle 81
– mineur 80
– personne morale 307, 308
– pluralité de résidences 77
– présomption 78

Dommage: *Voir* **Assurance contre l'incendie; Assurance de dommages; Dommages-intérêts; Préjudice; Responsabilité civile**

Dommages-intérêts: *Voir aussi* **Clause pénale; Débiteur; Droit à l'exécution de l'obligation; Indemnité; Intérêt; Obligation; Préjudice; Solidarité entre les débiteurs**
– action futile ou vexatoire 1103
– additionnels 1615, 1617
– administration du bien d'autrui 1318
– bail 1861, 1899, 1902, 1965, 1968
– biens propres 454
– clause pénale 1622-1625
– contrat 1613
– créancier 1604, 1607, 1608, 1610, 1611, 1614-1617, 1622, 1623, 2734
– dépositaire 2290
– détérioration du bien hypothéqué 2734
– droit cessible et transmissible 1610
– droit incessible 1610
– échange 1797

– évaluation 1611-1621, 2926
– évaluation anticipée 1622-1625
– héritier 702
– indemnité 1619
– mandat 2148
– obligation 1604, 1607-1625
– préjudice 1616
– préjudice corporel 1614-1616
– prescription 2926
– promesse de contracter 1397
– punitif 1610, 1621, 1899, 1902, 1968
– rente 1616
– retard dans l'exécution d'une obligation 1617, 1618
– saisie 1766
– secret commercial 1612
– société en nom collectif 2198
– solidarité entre les débiteurs 1527
– succession 702
– transport de biens 2050
– vente aux enchères 1765, 1766
– versement 1616
– vice caché 1728
– vice de consentement 1407

Donataire: *Voir aussi* Donation
– charge 1821, 1833
– consentement 1841
– défense de tester 1220
– dettes du donateur 1830
– donation par contrat de mariage 1840
– droit 1827
– établissement de santé 1817
– éviction 1827
– famille d'accueil 1817
– frais de l'enlèvement du bien 1829
– ingratitude 1836-1838
– obligations 1829, 1830, 1833, 1838
– préjudice 1828
– recouvrement frais de la donation 1827
– restitution des prestations 1838

Donateur: *Voir aussi* Donation
– capacité 1813, 1815
– capacité d'aliéner à titre onéreux 1841
– connaissance vice du droit transféré 1827, 1828
– décès 1808, 1820, 1837
– déclaration de la valeur des biens d'un mineur 217
– délivrance du bien 1825
– dessaisissement 1807, 1808
– dettes 1830
– frais du contrat 1829
– ingratitude du donataire 1836-1838
– maladie réputée mortelle 1820
– obligations 1825, 1826, 1828, 1829
– succession 869
– transfert des droits 1826

– usufruit 1144
– vice caché 1828

Donation: *Voir aussi* Aliénation; Conjoint; Donataire; Donateur; Donation à cause de mort; Donation entre vifs; Donation par contrat d'union civile; Donation par contrat de mariage; Rapport des dons et des legs à la masse; Succession; Testament
1806-1841
– acte de renonciation 1809
– avec charge 1810
– bien d'autrui 1816
– bien meuble ou immeuble 1824
– bien susceptible de dépérissement 644
– capacité de donner 1813, 1815
– capacité de recevoir 1814, 1815
– charge stipulée en faveur d'un tiers 1831-1835
– contrat de mariage 386, 438, 439, 510, 519, 520
– défense de tester 1220
– définition 1806-1808
– déguisée 1811
– dissolution de l'union civile 521.19
– divorce 519, 520
– effet de la nullité du mariage 386
– enfant né ou à naître 1814
– établissement de santé 1817
– famille d'accueil 1817
– fondation 1258
– forme 1824
– frais 1827
– indirecte 1811
– majeur protégé 1813-1815
– mineur 211, 1813, 1814
– nullité 1816, 1817, 1819-1824
– promesse 1812
– publicité 1824
– rémunératoire 1810
– séparation de corps 510
– sous réserve d'usufruit 1144
– stipulation d'inaliénabilité 1212
– substitution 1218, 1220, 1240, 1242, 1253, 1255
– tiers 1827, 1831
– validité 1816-1823

Donation à cause de mort: *Voir aussi* Décès
– définition 1808
– nullité 1819, 1820
– révocation 1841
– succession 613

Donation entre vifs:
– action en révocation 1837
– bien présent 1818
– consenti à l'époux de mauvaise foi au moment de l'annulation du mariage 386
– définition 1807
– effet de la nullité du mariage 385

- effet de la séparation de corps 510
- effet du divorce 520
- irrévocabilité 1822
- nullité 1821-1823
- obligation d'acquitter des dettes ou charges futures 1821
- révocation pour cause d'ingratitude 1836-1838
- titre particulier 1823
- validité 1818

Donation par contrat d'union civile:
- cause de mort 1819, 1839-1841
- enfant né ou à naître 1841
- entre vifs 1822, 1839, 1840
- irrévocabilité 1841
- révocation 1841
- validité 1839

Donation par contrat de mariage: *Voir aussi* **Convention matrimoniale**
- cause de mort 1819, 1839-1841
- changement 438
- divorce 519, 520
- effet de la nullité du mariage 386
- enfant né ou à naître 439, 1840
- entre vifs 1839, 1840
- irrévocabilité 1841
- révocation 1841
- séparation de corps 510
- validité 1839

Dossier: *Voir aussi* **Vie privée**
- communication des renseignements 37, 39
- constitution 37
- consultation et rectification 38, 40, 41
- demande au tribunal 41
- utilisation des renseignements 37

Drainage:
979

Droit: *Voir aussi* **Abus de droit; Accession; Droit à l'exécution de l'obligation; Droit de propriété; Droit de rétention; Droit de se clore; Droit hypothécaire; Droit international coutumier; Droit international privé; Droit médical; Droit minier; Droit public; Droit réel; Droit viager; Droits civils; Passage; Usage; Vente de droits litigieux; Vente de droits successoraux**
- abandon 1169, 1170, 1185, 1208, 1211, 3071
- abus 6, 7, 1403
- acquis 1241, 1681
- autres provinces et territoires du Canada 2809
- connaissance d'office 2807, 2809
- conversion 1162, 1171, 1176
- déchéance 1162, 1168, 1238, 2443, 2470, 2472
- en vigueur au Québec 2807, 2809
- État étranger 2809
- extinction 2802, 2803, 3046

- nullité 2803
- préemption 1014, 1022
- prescription extinctive 2924, 2926
- preuve 2803, 2809
- renonciation 1006, 1809
- retrait 848, 1022-1024, 2226, 2260
- révision 1068
- soumis à la publicité 2938-2940
- vote 1094

Droit à l'exécution de l'obligation: *Voir aussi* **Action en inopposabilité; Action oblique; Contrat; Créancier; Débiteur; Dommages-intérêts; Droit de rétention; Mesure conservatoire; Mise en demeure; Obligation** 1590-1636
- action en inopposabilité 1631-1636
- action oblique 1627-1630
- dépossession involontaire du bien 1593
- droit de rétention 1592, 1593
- exception d'inexécution 1591
- exécution en nature 1590, 1597, 1601-1603
- exécution par équivalent 1607-1625
- louage 1863
- mesure conservatoire 1626
- mise en oeuvre 1590-1625
- protection 1626-1636
- réduction de l'obligation 1604
- règles applicables 1593
- résiliation du contrat 1604-1606
- résolution du contrat 1604-1606

Droit de passage: *Voir* **Passage**

Droit de propriété: *Voir aussi* **Accession; Emphytéose; Propriétaire; Propriété; Propriété superficiaire; Servitude; Usage; Usufruit** 909, 911, 947-953, 1010
- acte de partage du bien indivis 1037
- attribution judiciaire au conjoint 411-413
- cession 952, 1082
- crédit-bail 1848
- démembrement 1119-1211
- indivis 1046
- industriel et intellectuel 458
- part indivise du bien 1021
- titulaire 911, 912

Droit de rétention: *Voir aussi* **Droit à l'exécution de l'obligation** 875, 946, 963, 974, 1250, 1369, 1592, 1593, 2003, 2058, 2111, 2112, 2123, 2293, 2302, 2324, 2433, 2543, 2651(3), 2770

Droit de retrait:
- contrat de société 2226, 2228, 2260
- copropriété par indivision 1022-1024, 2679
- vente de droits litigieux 1784

Droit de se clore: *Voir aussi* **Ouvrage mitoyen** 1002

Droit hypothécaire: *Voir aussi* Créancier; Délaissement; Hypothèque; Prise de possession à des fins d'administration; Prise en paiement; Vente par créancier de biens grevés d'une hypothèque; Vente sous contrôle de justice
2748-2794
- conditions d'exercice 2749-2756
- droit de suite 2751
- droit du débiteur 2761, 2762
- frais 2762
- hypothèque mobilière avec dépossession 2756
- hypothèque ouverte 2755
- inopposabilité de l'aliénation après préavis d'exercice 2760
- pluralité de biens 2753
- préavis d'exercice 2749, 2757-2760
- priorité 2750
- rang 2750, 2754
- répartition 2754
- usufruit 2752
- vente de valeurs mobilières 2759
- vente par créancier 2771
- vente sous contrôle de justice 2771

Droit international coutumier:
2807

Droit international privé: *Voir aussi* Compétence des autorités étrangères; Compétence internationale des autorités du Québec; Jugement étranger; Reconnaissance et exécution des décisions étrangères; Statut de la procédure; Statut des obligations; Statut personnel; Statut réel
3076-3168
- application de la loi d'un État étranger 3079-3081
- compétence des autorités étrangères 3164-3168
- compétence internationale des autorités du Québec 3134-3154
- conflit de lois 3083-3133
- dispositions générales 3076-3082
- institution juridique ignorée du tribunal 3078
- loi désignée inapplicable 3082
- ordre public 3081
- pluralité d'unités territoriales ou de systèmes juridiques 3077
- qualification des biens 3078
- reconnaissance et exécution des décisions étrangères 3155-3163
- statut de la procédure 3132-3133
- statut des obligations 3109-3131
- statut personnel 3083-3096
- statut réel 3097-3108

Droit litigieux: *Voir* Vente de droits litigieux

Droit médical: *Voir aussi* Corps humain; Expérimentation; Médecin; Organe; Procréation médicalement assistée; Soins
10-31, 42-49

Droit minier: *Voir aussi* Mine
3031

Droit public: *Voir aussi* État
- limitation 1725

Droit réel: *Voir aussi* Publicité des droits; Registre des droits personnels et réels mobiliers
911, 921, 928, 1307, 1433
- acte reçu hors Québec par notaire du Québec 3110
- bien en transit 3097
- bien indivis 1026
- copropriété divise 1055
- créances prioritaires des municipalités et commissions scolaires pour impôts fonciers 2654.1
- délaissement 2772
- démembrement de la propriété 1119
- exploitation de ressources de l'État 2978, 3031, 3034, 3035, 3039, 3040, 3071
- immobilier 904, 2885, 2923, 2938, 2962, 2966
- inscription d'adresse du titulaire 3022
- loi applicable 3097
- mobilier 2938, 2966, 2970
- patrimoine fiduciaire 1261
- prescription 2885, 2923, 2925
- prise en paiement 2783
- rapport à la masse 877
- transfert 1453-1456
- vente par créancier de biens grevés d'une hypothèque 2790
- vente sous contrôle de justice 2794

Droit successoral: *Voir* Vente de droits successoraux

Droit viager:
- radiation 3067

Droits civils: *Voir aussi* Personne
- jouissance 1, 4-9
- mineur 155, 176
- personne morale 301
- renonciation 8

E

Eau: *Voir aussi* Alluvion; Cours d'eau; Lac; Mer; Nappe d'eau; Source
913, 966, 979-983
- courante 981-982
- écoulement 979
- pollution ou épuisement 982
- source 980-982

Échange: *Voir aussi* Vente
1795-1798
- bien d'autrui 1796
- définition 1795
- dommages-intérêts 1797
- éviction 1797
- règles applicables 1798

Écrit: *Voir aussi* **Acte authentique; Acte semi-authentique; Acte sous seing privé; Document technologique; Preuve écrite**
- commencement de preuve 2865
- contradiction 2836
- déclaration 2872, 2873
- fardeau de preuve 2835
- mention libératoire 2834
- ni authentique ni semi-authentique 2832
- non signé 2831, 2835
- papier domestique 2833
- preuve 2872, 2873

Écrit sous seing privé: *Voir* **Acte sous seing privé**

Effets du contrat:
1433-1456

Élection de domicile:
83

Élément matériel: *Voir* **Preuve par présentation d'un élément matériel**

Émancipation: *Voir aussi* **Capacité; Enfant; Mineur émancipé**
- assistance du tuteur 169
- demande faite au tuteur 167
- effet 170, 176
- fin de la tutelle au mineur 255
- judiciaire 168, 175
- mariage 175
- pleine 175-176, 255
- prise d'effet 167
- reddition de compte du tuteur 169
- simple 167-174

Emphytéose: *Voir aussi* **Droit de propriété**
1195-1211
- acte constitutif 1200
- aliénation de la résidence familiale 406
- charges foncières 1205
- coemphytéose 1196, 1207, 3030
- copropriété 1040, 1059, 1060, 1082, 1196, 1198, 1207
- créancier 1199, 1204
- déchéance de son droit 1204
- définition 1195
- dégradation 1204
- droit de l'emphytéote 1200
- droit du propriétaire 1207
- droit réel 1119
- durée 1197
- état des immeubles 1201
- fin 1208-1211
- impense 1198, 1210
- indemnité 1204
- inscription de la déclaration de coemphytéose 3030
- nature 1195-1199
- obligation de l'emphytéote 1202, 1203, 1210, 1211
- obligation du propriétaire 1206
- paiement du prix fixé dans l'acte constitutif 1202, 1207
- perte de l'immeuble 1202, 1204, 1210
- registre foncier 2973, 2975
- remise 1209, 1210
- renonciation 1211
- renouvellement 1198
- réparation 1203, 1204
- résiliation 1204, 1207, 1209
- saisie 1199
- sûreté 1204
- vente 1199
- vente d'immeubles à usage d'habitation 1788

Employeur: *Voir aussi* **Contrat de travail; Salarié**
- décès 2093
- obligations 2087, 2096
- résiliation du bail 1976

Emprunteur: *Voir* **Prêt à usage; Prêt d'argent; Simple prêt**

Encanteur: *Voir* **Vente aux enchères**

Enchères: *Voir* **Vente aux enchères; Vente du bien d'autrui**

Enclave:
997-999, 1189

Enfant: *Voir aussi* **Adoption; Autorité parentale; Émancipation; Filiation; Mineur; Mineur émancipé; Parents; Paternité**
- adoption 543-584
- à naître 192, 439, 617, 1239, 1289, 1445, 1814, 1840, 2373, 2374, 2447, 2905
- attribution de nom et prénom 576
- autorité parentale 556, 562, 572, 597-611
- compétence des autorités du Québec relative à la garde 3142
- devoirs du tribunal 34
- droits 32-34
- filiation 523-542, 551, 577, 579
- garde et entretien 195, 501, 513, 514, 599
- intérêt 33, 496, 543, 604
- loi applicable à la garde 3093
- prescription 2905
- recours alimentaire 511
- respect des parents 597
- succession 617
- témoin 2844

Engagement: *Voir aussi* **Assurance maritime; Contrat**
- contrat au voyage 2560
- contrat de durée 2561
- définition 2553
- état des biens assurés 2559, 2563
- état du navire 2560-2563
- exprès 2556, 2557
- illégal 2555
- implicite 2556, 2560, 2563, 2564

– nationalité du navire 2558
– neutralité du navire 2557
– non pertinent au contrat 2555
– opération maritime non prohibée par la loi 2564
– respect 2554
– sécurité des biens assurés 2559
– violation 2554

Enregistrement: *Voir* **Publicité des droits**

Enrichissement injustifié: *Voir aussi* **Indemnité; Prestation compensatoire**
1493-1496
– action contre le tiers bénéficiaire 1496
– indemnité 1493, 1495
– justification 1494
– loi applicable 3125
– mauvaise foi de l'enrichi 1495

Entrepreneur: *Voir aussi* **Contrat d'entreprise; Entreprise; Sous-entrepreneur**
– acompte sur le prix du contrat 2122
– augmentation du prix 2107
– bien fourni par l'entrepreneur 2103
– choix des moyens d'exécution du contrat 2099
– compte de l'état des travaux 2108
– décès ou inaptitude 2128
– état des sommes payées aux sous-entrepreneurs 2122
– exonération de responsabilité 2100, 2119
– garantie 2103, 2120
– hypothèque légale 2726-2728
– information sur la tâche à effectuer 2102
– obligations 2100, 2104, 2129
– prescription 2118
– réclamation du prix du travail 2115
– résiliation du contrat 2126
– responsabilité 2115, 2118
– restitution des avances 2129
– sûreté 2111, 2123
– tiers 2101
– vente d'immeubles à usage d'habitation 1794
– vice de conception 2118
– vice du sol 2118

Entreprise: *Voir aussi* **Contrat d'entreprise; Crédit-bail; Entrepreneur; Sous-entrepreneur**
2098-2129
– aliénation 2097
– attribution par voie de préférence 858, 859
– bien affecté au service ou à l'exploitation 909
– capital 909
– crédit-bail 1842
– division 852
– exploitation 1525
– familiale 839, 841
– fusion ou réorganisation 2720
– legs 746

– maintien de l'indivision 839, 841
– vente 2720

Époux: *Voir* **Conjoint**

Équité:
975

Érablière:
986, 1139

Erreur: *Voir aussi* **Consentement; Contrat**
1399
– aveu 2852
– dol 1401, 1407
– dommages-intérêts 1407
– droit 2634
– inexcusable 1400
– nullité du contrat 1407
– réception de bien non dû 1699
– réduction de l'obligation 1407
– transaction 2634, 2635

Établissement d'enseignement: *Voir* **Bail dans un établissement d'enseignement**

Établissement de santé ou de services sociaux:
– bail 1892
– dépôt 2297
– directeur général 2173
– donation au propriétaire, administrateur ou salarié 1817
– legs au propriétaire, administrateur ou salarié 761

Établissement hôtelier: *Voir aussi* **Dépôt hôtelier; Hôtelier**
1892

Établissement psychiatrique:
26-31

Étang:
980

État: *Voir aussi* **Domaine de l'État; Droit public; État étranger**
– bien 915-919, 935-937, 966
– compensation 1672
– créance 1619
– défaut de publicité 2964
– dénonciation et inscription d'une créance prioritaire 2654
– domicile 966
– droit réel d'exploitation de ressources 2972.2, 2978, 3031, 3034, 3035, 3039, 3040, 3071
– hypothèque 3068
– hypothèque légale 2724(1), 2725, 3068
– obligation 1376
– pluralité d'unités territoriales 3077
– préposé 1464
– prescription 2877
– priorité 2651(4), 2653

– reproduction de documents 2841
– succession 618, 653, 696-702
– vente à l'enchère du bien trouvé 942, 943

État étranger: *Voir aussi* **Droit international privé**
– application de la loi 3078
– application d'une disposition impérative de la loi 3079
– connaissance d'office du droit 2809
– exclusion de l'application de la loi 3081

État mental: *Voir* **Majeur protégé; Régime de protection du ma jeur**

Évaluation psychiatrique: *Voir* **Garde en établissement en vue d'une évaluation psychiatrique**

Éviction: *Voir* **Garantie des copartageants**

Exception d'inexécution:
1591-1593

Exécuteur testamentaire: *Voir* **Liquidateur de la succession**

Exécution de l'obligation: *Voir* **Droit à l'exécution de l'obligation**

Exécution du testament: *Voir* **Liquidation de la succession**

Exécution forcée: *Voir aussi* **Saisie**
1590, 1601, 1604, 1812, 1863
– transaction 2633

Exécution par équivalent: *Voir* **Dommages-intérêts**

Exhaussement:
– mur mitoyen 1007, 1008

Exhumation:
49

Expérimentation: *Voir aussi* **Corps humain; Droit médical; Organe; Soins**
– consentement 20, 21
– consentement écrit 24
– devoirs du tribunal 23
– gratuité 25

Expertise:
– composition des lots 854
– estimation des biens 483, 863
– exhaussement d'un mur 1007
– part dans société en nom collectif 2210, 2227
– part dans société en participation 2265
– part indivise du bien 1034

Expropriation:
952
– bien grevé d'une hypothèque 2795
– bien indivis 1036
– capital 909
– emphytéose 1208
– indemnité 909
– plan cadastral 3042
– propriété superficiaire 1115
– usufruit 1164

Extinction des obligations: *Voir aussi* **Compensation; Confusion; Libération du débiteur; Remise**
1671-1698

F

Fabricant:
– bien meuble 1468
– garantie de qualité 1730
– responsabilité 1468, 1473, 3128

Fabrique:
1339(2)(6)

Faillite: *Voir aussi* **Syndic de faillite**
– administration du bien d'autrui 1355
– associé 2226, 2258
– assuré 2476
– débirentier 2386
– déchéance du terme 1514
– destinataire de l'offre 1392
– mandat 2175
– offrant 1392
– prise de possession à des fins d'administration 2775

Famille d'accueil:
– donation 1817
– legs 761

Faune aquatique:
934

Faute: *Voir aussi* **Responsabilité civile**
– collective 1480, 1481, 1526
– inexécution de l'obligation 1613
– intentionnelle ou lourde 1461, 1471, 1474, 1613, 1706, 2301, 2464, 2576
– perte du bien 1727, 1862, 2038
– préjudice 2037, 2164
– responsabilité civile 1457, 1459-1463, 1465, 1471, 1478
– restitution des prestations 1701, 1703-1706

Faux: *Voir* **Inscription de faux**

Fenêtre:
994

Fiduciaire: *Voir aussi* **Fiducie**
– acceptation 1260, 1264, 1265
– administration 1278
– bénéficiaire 1275
– capacité 1274
– constituant 1275
– contrainte 1290
– copropriété divise 1075
– déclaration de fiducie 1288
– désignation 1276, 1277
– destitution 1290
– droit hypothécaire 1263
– empêchement 1291
– faculté d'élire les bénéficiaires 1282, 1283

– fraude 1290, 1292
– hypothèque conventionnelle 2684, 2686
– négligence 1291
– obligations 1260, 1265, 1288, 1322
– pluralité 1276, 1277
– présomption 1282
– refus d'agir 1291
– remise des biens 1297
– remplacement 1276
– responsabilité 1292
– solidarité 1292
– succession 618

Fiducie: *Voir aussi* **Bénéficiaire; Constituant; Fiduciaire; Fondation**
1260-1298
– acceptation 1264-1265
– accroissement des fruits et revenus 1271
– acte constitutif 1280, 1282, 1284
– administration 1277, 1278, 1287, 1357
– assurance 1331
– augmentation du patrimoine fiduciaire 1293
– capacité 1274
– capital 1281, 1284
– conflit d'intérêt 1311
– constitution 1264
– conventionnelle 1262, 1263
– copropriété divise 1075
– créancier 1292
– curateur 1289
– déclaration 1288
– définition 1260
– dommage 1290
– donation 1279
– durée 1272, 1273
– espèce 1266-1271
– établissement 1262
– fin 1294, 1296-1298
– fondation 1257-1259
– fraude 1290, 1292
– fruits et revenus 1281, 1284
– hypothèque 1263
– identification 1266
– investissement 1269
– judiciaire 1262
– légale 1262
– loi applicable 3107, 3108
– modification 1293-1295
– part 1339(10)
– patrimoine 1261, 1265, 1278, 1290, 1292, 1293
– perpétuelle 1273
– personnelle 1266, 1267, 1271, 1272, 1282, 1285, 1289
– personne morale 1272
– placement 1269, 1339(10)

– présomption 1282, 1285
– règles applicables 1263
– renonciation 1285, 1286
– retraite 1269
– stipulation d'inaliénabilité 1212
– substitution 1271
– succession 617
– surveillance et contrôle 1287-1292
– testament 1262, 1264, 1279
– tiers 1282
– utilité privée 1266, 1268, 1269, 1273, 1282, 1285, 1287-1289, 1357, 1361
– utilité sociale 1257, 1266, 1270, 1273, 1282, 1287, 1288, 1294, 1298, 1357, 1361
– valeur mobilière 909

Filiation: *Voir aussi* **Adoption; Enfant; Parent; Procréation assistée**
522-542
– acte de naissance 114, 523, 530
– adoption 551, 577, 579
– commencement de preuve par écrit 533, 534
– compétence des autorités du Québec 3147
– compétence des autorités étrangères 3166
– contestation de paternité par la mère 531, 532
– contestation d'état 530, 531
– contestation d'état antérieur 532
– contraire à l'acte de naissance 530
– décès de la mère 537
– décès du père présumé 537
– déjà établie 529
– effet 522, 3091
– effet de la reconnaissance 528
– en justice 532
– exercice du droit 537
– loi applicable 3091
– loi applicable à la filiation adoptive 3092
– possession constante d'état 524
– prescription 531, 536
– présomption de paternité 525
– preuve 533, 535, 535.1
– procréation assistée 538-542
– reconnaissance de maternité 527
– reconnaissance de paternité 527
– reconnaissance volontaire 526-529
– recours en désaveu par le père présumé 531, 532
– rejet de présomption de paternité 525
– remariage de la mère 525
– témoin 533

Fleuve: *Voir* **Cours d'eau**

Flottabilité d'un lac ou d'un cours d'eau:
919

Fonctionnaire:
– domicile 79

Fondation: *Voir aussi* **Fiducie**
1256-1259
- conservation des biens 1259
- définition 1256
- établissement 1258
- fiducie 1258, 1259
- objet 1256
- patrimoine 1257, 1259
- règles applicables 1257

Fonds: *Voir aussi* **Bornage; Fonds d'autrui; Sol; Territoire**
- enclavé 997-999
- fruit 910
- inférieur 979
- limite 977
- placement 1339(10)
- riverain 919

Fonds d'autrui: *Voir aussi* **Fonds**
- accès 987-988
- arbre 984-986
- bien entraîné ou transporté 989
- droit de passage 997-1001
- empiètement 992
- préjudice 988, 992
- remise en état 988, 989, 992
- travaux de réparation ou de démolition 990, 991
- trésor 938
- vue 993, 994

Force majeure: *Voir aussi* **Risques**
- affrètement 2019, 2029
- assurance de dommages 2464
- bien entraîné ou transporté sur le fonds d'autrui 989
- changement au bien loué 1890
- définition 1470
- dépôt nécessaire 2295
- impossibilité d'exécuter l'obligation 1693, 1699
- nomination d'un tuteur à la personne empêchée de paraître à son domicile 91
- perte du bien 876, 1160, 1161, 1210, 1308, 1582, 1600, 1727, 1804, 1846, 2049, 2072, 2105, 2240, 2286, 2289
- perte du bien hypothéqué 2739
- réparation d'entretien 1864
- responsabilité 1470, 2100
- restitution des prestations 1701
- transport 2034, 2037, 2038, 2049, 2078

Forêt:
1140, 1228

Fossé:
1002

Fournisseur:
- bien meuble 1468, 1473
- garantie de qualité 1730
- hypothèque légale 2726-2728

Frais: *Voir aussi* **Cautionnement**
- acte de vente 1734
- administration 943, 946, 1019
- affrètement 2010, 2016
- assurance 2515, 2518
- conservation du bien 1582
- consignation du prix 1582
- délivrance 1674, 1722
- demande en justice 1596
- déménagement 1965
- destruction du bien 1603
- donation 1827, 1829
- éducation 692
- enlèvement du bien 1603, 1722, 1829
- entreposage 2054, 2058
- entretien 692, 1846
- exécution de l'obligation 1602
- exercice d'un droit hypothécaire 2762
- fruit et revenu 1704
- funéraires 2442
- judiciaire 1644, 2503, 2651(1), 2652
- liquidation de la succession 792, 821, 1781
- offre réelle et consignation 1582, 1589
- paiement 1567
- recouvrement du prix 1766
- réparation 1846, 2582, 2583
- restitution des prestations 1705
- restitution du bien 2292
- sauvetage 2583, 2598, 2612, 2616
- succession 634
- sûreté 242
- transport 2056, 2058
- vente 1582

Fraude: *Voir aussi* **Dol**
- contrat 1631-1634
- contrat d'assurance 2417, 2424
- fiducie 1290, 1292
- jeu et pari 2630
- possession 927

Fret: *Voir aussi* **Affrètement; Affrètement à temps; Affrètement au voyage; Affrètement coque-nue; Cargaison; Navire; Sous-affrètement**
- assurance maritime 2509, 2519, 2594, 2603, 2607
- hypothèque mobilière 2714
- paiement 2019, 2028
- réduction 2028
- transport maritime 2061

Fréteur: *Voir* **Affrètement; Affrètement à temps; Affrètement au voyage; Affrètement coque-nue; Cargaison; Navire; Sous-affrètement**

Fruit:
- administration du bien d'autrui 1302, 1303, 1348, 1349, 1350
- arbre 984

– bien hypothéqué 2737
– bien indivis 1018
– définition 908, 910
– dépôt 2287
– droit de propriété 949
– fiducie 1281, 1284
– legs 743
– meuble 900
– offre réelle et consignation 1586, 1587
– rapport à la masse 878
– remploi 909
– restitution des prestations 1704
– sol 2698
– succession 1780
– usufruit 1126, 1129

Funérailles: *Voir aussi* **Décès**
42

G

Gage: *Voir* **Hypothèque mobilière avec dépossession**

Gage commun des créanciers: *Voir aussi* **Créancier; Hypothèque; Priorité**
2644-2649
– bien désigné par débiteur 2645
– bien meuble soustrait à la saisie 2648
– bien présent et à venir 2645
– cause légitime de préférence 2647
– concours entre les créanciers 2646
– définition 2644
– objet 2644
– saisie et vente des biens du débiteur 2646
– stipulation d'insaisissabilité 2649

Garant:
– libération 1698
– subrogation 1657

Garantie: *Voir aussi* **Garant; Garantie de qualité; Garantie des copartageants; Garantie du droit de propriété; Vendeur**
– affrètement 2011
– clause 1640
– contrat d'entreprise 2103, 2120
– conventionnelle 1716, 1732, 1733
– exclusion 1732
– fait personnel du vendeur 1732
– immeuble 1725
– légale 1732

Garantie de qualité: *Voir aussi* **Vendeur; Vente; Vice**
1726-1731
– connaissance du vice par acheteur 1726
– connaissance du vice par vendeur 1728, 1733
– distributeur 1730
– dommages-intérêts 1728
– fabricant 1730

– grossiste 1730
– importateur 1730
– perte du bien 1727
– plein droit 1716
– portée 1726
– présomption 1729
– restitution prix du bien 1727, 1728
– vendeur professionnel 1729
– vente judiciaire 1731
– vice apparent 1726
– vice caché 1726-1728

Garantie des copartageants: *Voir aussi* **Partage de la succession**
889-894
– action en garantie 894
– cessation 891
– éviction 889, 891
– indemnisation en cas de perte causée par l'éviction 892
– insolvabilité du débiteur de la succession 890
– répartition de l'indemnité en cas d'insolvabilité 893
– trouble 889

Garantie du droit de propriété: *Voir aussi* **Vendeur; Vente**
1723-1725
– connaissance du vice par vendeur 1733
– empiètement 1724
– hypothèque 1723
– immeuble 1725
– plein droit 1716
– portée 1723
– violation aux limitations de droit public 1725

Garde en établissement en vue d'une évaluation psychiatrique:
– consentement 26
– contenu du rapport 29
– droit d'être informé 31
– en l'absence de consentement 27
– examen psychiatrique 28
– jugement ordonnant la garde 30, 30.1
– rapport au tribunal 29

Gérant:
– bien indivis 1027-1029
– gestion d'affaires 1483, 1484, 1486, 1489
– présomption 1028
– remplacement 1086
– syndicat 1085, 1086

Gestion d'affaires:
1482-1490
– abandon 1484
– conditions 1482
– définition 1482
– dépenses 1486, 1487

– engagement contractuel du gérant envers des tiers 1486, 1489
– impenses 1488
– indemnité 1486
– inopportune 1490
– loi applicable 3125
– obligations du gérant 1483, 1484, 1489
– obligations du géré 1486, 1490
– obligations du liquidateur de la succession du gérant 1485
– reddition de comptes 1485
– règles applicables 1488

Grands-parents: *Voir aussi* **Parenté; Parents**
611

Greffier du tribunal:
216

Greffier municipal: *Voir aussi* **Municipalité**
2990

Grevé de substitution: *Voir aussi* **Substitution**
1223-1234
– accroissement 1221
– acte conservatoire 1226
– action en justice 1226
– aliénation des biens 1229, 1230, 1244, 1246
– assurance 1227, 1237
– caducité de la substitution testamentaire 1252
– confusion 1249
– créance 1249
– décès 1221, 1240, 1241
– déchéance 1238
– définition 1219
– dépenses 1224, 1247
– dette 1247, 1249
– devoirs 1225
– disposition à titre gratuit 1232
– enfant 1253
– exploitation agricole 1228
– faculté de déterminer la part des appelés 1255
– héritier 1251
– hypothèque 1229
– impense 1248
– indemnité 1227
– intérêts 1247, 1249
– inventaire 1224, 1231
– non-exécution des obligations 1238
– paiement des dettes 1226
– perception des créances 1226
– personne morale 1240
– perte 1245
– placement 1229, 1230
– possesseur de bonne foi 1248
– prescription acquisitive 2916
– propriétaire des biens 1223
– reddition de comptes 1244

– remise des biens 1244-1246
– remise des biens par anticipation 1234
– remploi du prix des biens aliénés 1230-1232, 1244
– renonciation 1234
– rétention des biens 1250
– révocation de la substitution 1254
– séquestre 1238
– sûreté 1237

Grossiste:
– garantie de qualité 1730

Groupement de personnes: *Voir* **Association de syndicats de copropriétés; Contrat d'association**

H

Haie:
1002

Héritier: *Voir aussi* **Ayant cause; Partage de la succession; Succession; Testament; Vente de droits successoraux**
– ab intestat 1220
– accord au partage 838
– aliénation des biens de la succession 804
– apparent 96, 101, 627, 628, 629
– assurance de dommages 2476
– assurance de personnes 2440, 2456
– attribution des biens de la succession 846
– attribution par voie de préférence 855, 857, 859
– bonne foi 835
– charge devenue impossible ou trop onéreuse 771
– cohéritier 823, 857, 859, 869, 871, 882
– confusion 801
– constituant (fiducie) 1287, 1295, 1297
– contestation de l'inventaire des biens de la succession 797
– copie des titres de l'héritage 866
– créancier 780, 781, 782, 823, 864
– débiteur 1520, 1522, 1540, 2742
– de créancier 1520, 1522, 1544, 1610, 2742, 2902
– de l'enfant sans filiation établie 536
– délibération et option 635
– dépositaire 2288
– désaccord au partage 838
– désignation du liquidateur de la succession 785
– différend sur une demande d'attribution préférentielle 859
– dommages-intérêts 702
– donateur 1837
– droit d'action 625
– droit dans immeuble de la succession 2998, 2999
– droit de rétention du bien rapporté en nature 875
– droit d'exclusion au partage de la succession 848
– du tuteur 181
– État 697

– indignité 620-623, 628
– indivision 841, 843, 846
– insolvabilité d'un cohéritier 830
– inventaire des biens de la succession 797-800
– légataire universel 738
– legs à titre particulier 826
– liquidateur de la succession 779, 784, 785
– locataire 1938, 1939, 1944, 1948
– mandant 2162
– négligence de procéder à l'inventaire 800
– obligations 779, 801, 823, 834
– paiement de part 846
– paiement des dettes 779, 782, 799-801, 823, 834
– paiement d'une portion supérieure à sa part 829
– partie contractante 1441
– passage 999
– perte du bien 876
– prescription 2902, 2907
– rapport des dettes à la masse 879-883
– rapport des dons et des legs à la masse 867-878
– réclamation de succession 702
– reconstitution du testament 774
– recours contre cohéritiers 829, 832
– remise du bien hypothéqué 2742
– rémunération 789
– rente viagère 2372
– répartition des parts en cas d'insolvabilité 830
– responsabilité, limitation 835
– retour de l'absent 100, 101
– saisine 625, 777
– séparation du patrimoine 780
– stipulation pour autrui 1447-1449
– subrogation 829
– subrogation légale 1656
– substitution 1220, 1251
– successibilité 617-624
– vente avec faculté de rachat 1755
– vérification du testament 772

Hôtelier: *Voir aussi* **Dépôt hôtelier; Établissement hôtelier**
– affichage 2304
– droit de disposer des biens retenus 2303
– droit de rétention des effets 2302
– responsabilité des effets personnels et bagages 2298-2302

Hypothèque: *Voir aussi* **Droit hypothécaire; Gage commun des créanciers; Hypothèque conventionnelle; Hypothèque légale; Obligation garantie par hypothèque; Vente par créancier de biens grevés d'une hypothèque**
2660-2802
– accessoire 2661
– acquisition par subrogation ou cession 3003
– action du capital-actions d'une personne morale 2677

– administration du bien d'autrui 1305
– assurance de personnes 2461-2462
– bail 1908
– bien d'autrui 2670
– bien futur 2670
– bien insaisissable 2668
– bien meuble incorporé à un immeuble 2796
– bien offert ou consigné 2678
– bien particulier 2666
– capital-actions 2677, 2738
– changement de nature du bien 2795, 2796
– collocation 2680
– compensation 1680, 1682
– confusion 1686
– conventionnelle 2664, 2681, 2723
– copropriété divise 1051, 1055, 1108
– créance 1339(7)
– créance indéterminée ou non liquidée 2680
– définition 2660
– détérioration du bien 2734
– droit à l'indemnité 2478
– droit du créancier 2734, 2735, 2751
– espèce 2664, 2665
– État 3068
– étendue 2671, 2673
– expropriation du bien grevé 2795
– extinction 1686, 2795-2802
– extinction de l'obligation garantie par hypothèque 2797
– fiducie 1263
– fruits et revenus 2737
– garantie 2667
– garantie du droit de propriété 1723
– garantie du droit viager 3067
– héritiers 2742
– immobilière 2665, 2693-2695
– impense 2740
– indivisibilité 2662
– jouissance des biens grevés 2733
– légale 2664, 2724-2732
– mise hors commerce du bien grevé 2795
– mobilière 2665, 2696-2714
– novation 1662-1664
– nue-propriété 2669
– objet 2666-2680
– obligation 1339(5)(6)
– ouverture de crédit 2797
– part indivise 1015, 1021, 2679
– perte du bien 2675, 2734, 2739, 2795
– placement présumé sûr 1339(5)(6)(7)
– prise de possession à des fins d'administration 2773-2777
– prise en paiement 2778-2783
– publicité 2663
– radiation 2691, 3059, 3067, 3068

- rapport à la masse 877
- remise 2742
- renonciation 1691
- rente viagère 2385, 2387
- report 2674, 2678, 2679
- réquisition d'inscription 2982
- restitution du bien 2741
- société en nom collectif 2211
- somme d'argent provenant de l'aliénation 2674
- subrogation légale 1656(1)(2)
- substitution 1229
- tiers 1680
- universalité de biens 2666, 2674, 2675
- universalité de créances 2676
- usufruit 2752
- valeur mobilière 2759
- vendeur 2948, 2954
- vente avec faculté de rachat 1756
- vente par créancier 2784-2790
- vente sous contrôle de justice 2791-2794

Hypothèque conventionnelle: *Voir aussi* **Hypothèque immobilière; Hypothèque mobilière; Hypothèque ouverte**
2681-2723
- acte constitutif 2689
- acte notarié 2692
- conditionnelle 2682
- constituant 2681-2686
- entreprise 2684, 2685
- obligation garantie par hypothèque 2687-2692
- réduction 2691
- somme déterminée 2689, 2690
- universalité de biens 2684

Hypothèque immobilière: *Voir aussi* **Immeuble**
2693-2695
- acte notarié 2693
- désignation précise du bien hypothéqué 2694
- extinction 2799
- indemnité d'assurance couvrant les loyers 2695
- loyer 2695
- publicité 2695
- rang 2948, 2949, 2951
- universalité d'immeubles 2949
- validité 2694

Hypothèque légale:
2724-2732
- créances 2724
- délai 2727, 2729
- droit de suite 2732
- État 2724(1), 2725
- extinction 2727, 2800
- inscription 2725
- intervention du tribunal 2731
- jugement 2724(4), 2730

- mobilière 2725
- personne ayant participé à construction ou à rénovation d'immeuble 2724(2), 2726-2728, 2952, 3061
- plus-value donnée à l'immeuble 2728
- radiation 3061
- rang 2952
- syndicat des copropriétaires 2724(3), 2729, 2800, 3061

Hypothèque mobilière: *Voir aussi* **Hypothèque mobilière avec dépossession; Hypothèque mobilière sans dépossession; Hypothèque mobilière sur créances; Meuble**
2696-2714
- étendue 2672, 2673
- extinction 2798
- meuble garnissant résidence principale 2668
- meuble matériellement attaché à l'immeuble 2672, 2796
- meuble nouveau 2673, 2953
- meuble représenté par connaissement 2685
- navire, cargaison ou fret 2714
- rang 2796, 2950, 2953
- universalité de meubles 2950

Hypothèque mobilière avec dépossession:
2702-2709
- bien représenté par connaissement 2708
- constitution 2702
- créance 2708
- définition 2665
- détention continue du bien 2704
- détention par tiers 2705
- empêchement de détention 2706
- exercice d'un droit hypothécaire 2756
- extinction 2798
- obligation du créancier 2736
- publicité 2703, 2707
- remise du titre au créancier 2709

Hypothèque mobilière sans dépossession:
2696-2701
- acte constitutif 2697
- avis de conservation 2700
- bien non aliéné dans le cours d'activités d'entreprise 2700
- bien représenté par connaissement 2699
- condition 2683
- conservation 2700
- créance 2699
- définition 2665
- forme 2696
- fruits et produits du sol 2698
- matériaux faisant partie intégrante d'un immeuble 2698
- opposabilité aux créanciers 2699
- publicité 2701

Hypothèque mobilière sur créances: *Voir aussi* **Créance**
2710-2713
- action en recouvrement d'une créance hypothéquée 2713
- constitution 2710
- créance détenue par constituant contre tiers 2710, 2712
- droits et obligations du créancier 2743-2747
- inscription au registre 2711
- opposabilité aux débiteurs 2710
- publicité 2712
- recouvrement des droits 2746
- réduction 3066
- remise des sommes excédant l'obligation 2747
- revenu et capital 2743-2745
- universalité de créances 2711

Hypothèque ouverte:
2715-2723
- avis de clôture 2718, 2722
- bien d'entreprise 2686
- conditions quant au droit du constituant 2717
- définition 2715
- droit du créancier 2721
- effet de la clôture 2719, 2722
- exercice d'un droit hypothécaire 2755
- inscription en cas d'affectation de biens immeubles 2716
- opposabilité aux tiers 2716
- pluralité 2722
- pluralité de créances 2718
- publicité 2716
- radiation de l'avis de clôture 2723
- rang 2955
- stipulation expresse 2715
- universalité de biens 2721
- vente, fusion ou réorganisation d'entreprise 2720

I

Île:
968-969

Immatriculation des immeubles: *Voir aussi* **Immeuble; Plan cadastral; Publicité des droits**
3026-3056
- assiette d'un droit réel d'exploitation de ressources de l'État 3031, 3039
- consentement à modification cadastrale 3044
- copropriété divise 3030, 3041
- décret autorisant l'inscription de l'aliénation d'une partie de lot 3055
- définition 3026
- fusionnement de lots 3054
- modification cadastrale 3043-3045, 3054
- morcellement d'un lot 3043

- parties de lot 3054-3056
- plan cadastral 3027-3042
- pouvoir du ministre responsable du cadastre 3043
- rénovation cadastrale 3055
- réseau 3031, 3038

Immeuble: *Voir aussi* **Architecte; Bien; Copropriété divise; Copropriété par indivision; Exécution forcée; Hypothèque immobilière; Immatriculation des immeubles; Ingénieur; Plus-value; Propriété immobilière; Saisie; Vente d'immeubles à usage d'habitation; Vente du bien d'autrui**
900-904
- abandon 1804
- accession 954-970
- aliénation 1097, 1908
- attribution par voie de préférence 857, 859
- bail 1851, 1853, 1857, 1862, 1863, 1878, 1885, 1887, 1889
- défaut d'entretien 1467
- destruction 1804
- donation 1824
- droits réels et actions 904
- empiètement 992
- État 936
- fonds d'autrui 992
- incendie 1862
- legs 745
- limitation de droit public 1725
- meubles rattachés 901, 903
- morcellement 852
- nouvellement bâti 1955
- partage de la succession 849
- plan et devis 1070
- préjudice causé par sa ruine 1467
- propriété 976-1008
- sans propriétaire 936
- titre de propriété 1339(1)
- transfert d'un droit réel 1455
- vente 1742
- vente aux enchères 1763
- vente avec indication de contenance 1720, 1737
- vice de construction 1467

Impense: *Voir aussi* **Accession; Construction; Ouvrage; Plantation; Possession**
958-964, 1020
- bien hypothéqué 2740
- emphytéose 1198, 1210
- gestion d'affaires 1488
- restitution des prestations 1703
- substitution 1248
- usufruit 1137, 1138

Importateur:
- garantie de qualité 1730
- responsabilité 1468

Imputation de paiement: *Voir aussi* **Paiement**
1569-1572

Inaliénabilité:
1212-1217

Incapacité: *Voir* **Capacité; Majeur protégé; Mineur; Minorité; Régime de protection du majeur**

Incessibilité: *Voir aussi* **Cession**
- droit à des dommages-intérêts 1610
- droit d'usage 1173

Incidents: *Voir* **Inscription de faux; Péremption d'instance**

Indemnité: *Voir aussi* **Dommages-intérêts; Enrichissement injustifié**
974, 1619
- administration du bien d'autrui 1367
- affrètement 2018
- assurance 751, 909, 1075, 1149, 2411, 2437, 2496
- assurance maritime 2585, 2601, 2604-2619
- bail 1865, 1965
- bien indivis 1016
- cession de la propriété 952
- copropriété divise 1067, 1075
- dépôt 2293, 2294
- droit de passage 997, 999, 1001
- emphytéose 1204
- empiètement 992
- enrichissement injustifié 1493, 1495
- évacuation temporaire 1924
- exhaussement 1007, 1008
- expropriation 909, 1164
- faculté de dédit 1786
- garantie des copartageants 892, 893
- gestion d'affaires 1486
- hypothèque immobilière 2695
- impense 959, 1020
- mandat 2146, 2154, 2155
- possession 933
- rapport à la masse 876
- restitution des prestations 1701, 1702, 1704
- société en nom collectif 2205
- transport de biens 2054
- transport maritime de biens 2062
- usufruit 1129, 1138, 1149, 1164, 1168

Index aux immeubles: *Voir* **Registre foncier**

Indivisaire: *Voir aussi* **Composition des lots; Convention d'indivision; Indivision; Partage de la succession**
- accord quant à la composition des lots 853
- accord quant à la vente des biens à partager 853
- administration 1025-1029
- cession de la part indivise 1022
- charge 1019
- convention d'indivision 1013
- créancier 1015, 1021, 1035
- demande de partage 1030-1031, 1033-1035
- désaccord quant à la composition des lots 854
- dissolution de l'indivision 1031, 1036
- droit d'accession 1017
- droit de préemption 1022
- droit de retrait 1022-1024
- établissement de la copropriété divise 1031
- évaluation de la part indivise du bien 1034
- frais d'administration 1019
- gérant 1027-1029
- impense 1020
- inopposabilité des actes accomplis lors du partage de la succession 886
- inscription de l'adresse 1023
- maintien de l'indivision 1032, 1033
- part 1015, 1022-1024, 1031-1034
- partage de la succession 853
- perte 1020
- radiation de l'inscription de l'adresse 3066.1
- subrogation 1023, 1024
- usage exclusif du bien 1016, 1017

Indivision: *Voir aussi* **Convention d'indivision; Copropriété par indivision; Indivisaire; Partage de la succession**
460, 1012-1037
- définition 1010
- dissolution 1031, 1036, 1037
- effet du partage de la succession 887
- établissement 1012
- expropriation 1036
- fruit et revenu 1018
- intolérable 845
- maintien 215, 839-846, 1032, 1033
- partage 1030-1035, 1037
- partage provisionnel 847, 1018
- perte 1032, 1036
- rapport à la masse 879
- risque pour héritiers 845
- société en participation 2250, 2252
- vente avec faculté de rachat 1754, 1755

Indivision conventionnelle: *Voir* **Convention d'indivision**

Ingénieur: *Voir aussi* **Construction; Contrat d'entreprise; Immeuble; Ouvrage**
- erreur de plan 2121
- exonération de responsabilité 2119
- garantie contre les malfaçons 2120
- hypothèque légale 2726-2728
- prescription 2118
- responsabilité 2118, 2121
- vente d'immeubles à usage d'habitation 1788
- vice de conception, de construction 2118
- vice du sol 2118

Injonction: *Voir aussi* **Action en justice**
1080

Insaisissabilité: *Voir aussi* **Saisie**
- bien 1676, 2645, 2668
- droit d'usage 1173
- droits conférés par contrat d'assurance de personnes 2457, 2458
- société mutuelle 2444
- stipulation d'inaliénabilité 1215, 2649

Inscription de faux: *Voir aussi* **Acte authentique**
2821, 3021(4)

Insolvabilité: *Voir* **Acheteur; Débiteur; Mandant; Solidarité entre les débiteurs**

Inspecteur général des institutions financières:
- avis de dissolution d'une personne morale 358
- nullité du contrat d'assurance de frais funéraires 2442

Instance:
- péremption 3052

Intégrité de la personne: *Voir* **Garde en établissement en vue d'une évaluation psychiatrique; Soins**

Interdiction: *Voir* **Régime de protection du majeur**

Intérêt public: *Voir* **Ordre public**

Intérêts: *Voir aussi* **Dommages-intérêts**
1617-1620
- administration du bien d'autrui 1368
- dépôt 2287
- exercice d'un droit hypothécaire 2762
- hypothèque 2959, 2960
- obligation de l'acheteur 1735
- offre réelle et consignation 1586, 1587
- paiement 1565, 1570
- prime d'assurance 2429
- rapport à la masse 878, 883
- société en nom collectif 2198
- solidarité entre les débiteurs 1534
- substitution 1247, 1249
- usufruitier 1156, 1157

Interprétation du contrat: *Voir aussi* **Contrat**
1425-1432
- adhérent 1432
- clause 1427-1431
- commune intention des parties 1425
- consommateur 1432
- contre le stipulant 1432
- doute 1430, 1432
- terme susceptible de deux sens 1429
- termes généraux 1430, 1431
- usages 1426

Interruption de prescription: *Voir aussi* **Prescription**
2889-2903
- après 2903
- arbitrage 2895
- caution 2899
- chose jugée 2896
- civile 2889, 2892
- cohéritier 2902
- créancier 2893
- créancier conjoint 2901
- créancier solidaire 2900, 2902
- débiteur conjoint 2901
- débiteur solidaire 2900, 2902
- délai supplémentaire 2895
- demande en justice 2892, 2896, 2899
- désistement de l'instance 2894
- mode 2889
- naturelle 2889-2891
- péremption de l'instance 2894
- reconnaissance d'un droit 2898
- recours collectif 2897
- rejet de demande 2894, 2895
- renonciation au bénéfice du temps écoulé 2898
- transaction 2896

Inuit: *Voir* **Communautés cries, inuit ou naskapies**

Inventaire: *Voir aussi* **Administrateur du bien d'autrui; Liquidateur de la succession; Reddition de compte**
- acte notarié 1327
- administration du bien d'autrui 1324, 1326-1330
- avis de clôture 795, 796
- contestation 797
- copie 796
- dispense 639, 799
- liquidation de la succession 794-801
- nouvel 797
- publicité de la clôture 795
- révision 797
- substitution 1224, 1231, 1236
- tutelle au mineur 240, 241
- usufruit 1142, 1143, 1146
- vérification 798

J

Jeu et Pari:
- contrat d'assurance maritime 2512
- fraude 2630
- licite 2629
- majeur protégé 2630
- mineur 2630
- répétition 2630
- supercherie 2630
- validité 2629

Jouissance:
- bien indivis 1016, 1017
- trouble 1067

Juge:
- droit litigieux 1783

Jugement: *Voir aussi* Chose jugée; Jugement déclaratif de décès; Jugement étranger
- bornage 2996
- délaissement forcé 2765
- fiducie 1262
- hypothèque légale 2724(4), 2730
- indivision 1012
- libération du débiteur 1697
- partage reporté du bien indivis 1030
- prescription 2924
- promesse de vendre 1712
- propriété superficiaire 1118
- publicité 2938, 2994
- remplacement du tuteur au mineur 254
- rente viagère 2370
- réquisition d'inscription 2996, 3002
- rétention de paiement d'un titre au porteur 1648
- société en nom collectif 2226
- société en participation 2257
- syndicat 1078
- usufruit 1121, 1158

Jugement déclaratif de décès: *Voir aussi* Coroner; Décès
- annulation 98
- contenu 93
- date et lieu du décès 94, 96
- effet 95, 97
- fin de la tutelle à l'absent 90
- prononcé 92

Jugement étranger: *Voir aussi* Compétence des autorités étrangères; Droit international privé; Reconnaissance et exécution des décisions étrangères
- jugement rendu en matière d'aliments 3143

L

La Financière agricole du Québec:
2799

Lac: *Voir aussi* Eau; Flottabilité d'un lac ou d'un cours d'eau
919-920, 980-982

Légataire: *Voir aussi* Héritier; Légataire à titre universel; Légataire particulier; Légataire universel; Succession
- décès 750
- déclaration de droits dans immeuble de la succession 2998, 2999
- défense de tester 1220
- droit acquis 747
- droit au legs fait sous condition 747
- indignité 750
- nue-propriété 831
- renonciation au legs 750, 1809
- servitude 831

Légataire à titre universel:
- héritier dès l'ouverture de la succession 738
- paiement des dettes 824
- paiement des hypothèques 824
- paiement des rentes ou pensions établies par testateur 825
- règles applicables à la contribution aux dettes 824
- usufruit 824
- usufruit de la totalité de la succession 825

Légataire particulier:
- acquittement des dettes 739
- assimilation à un héritier 739
- charge devenue impossible ou trop onéreuse 771
- contestation de l'inventaire 797
- créancier 780
- délibération et option 741
- demande d'un nouvel inventaire 797
- dispositions applicables 742
- inconnu lors des paiements faits par le liquidateur 816
- indignité 740
- insolvabilité d'un colégataire 830
- libération 813
- omis dans les paiements faits par le liquidateur 815
- paiement des dettes 827, 828
- paiement des legs 827
- paiement d'une portion supérieure à sa part 829
- paiement fait par le liquidateur 781, 808, 812, 814
- partage du solde des biens 814
- qualités requises pour recevoir un legs 740
- reconstitution du testament 774
- recours 826
- recours contre colégataires particuliers 815, 816, 829, 832
- recours contre héritier 815, 816
- recours contre liquidateur de la succession 815
- retour de l'absent 100
- saisine 777
- subrogation 829

Légataire universel:
- héritier dès l'ouverture de la succession 738

Legs: *Voir aussi* Légataire; Legs à titre particulier; Legs à titre universel; Legs universel; Liquidateur de la succession; Rapport des dons et des legs à la masse; Testament
- accessoires 744
- accroissement 755
- administrateur du bien d'autrui 753, 754, 760
- aliénation du bien légué 769
- biens sans disposition testamentaire 736
- caducité 750-753, 768
- charge d'un autre legs 752
- clause pénale 758
- créancier 748
- entreprise 746

– espèce 731
– établissement de santé 761
– exhérédation 758
– expression suffisante de volonté du testateur 737
– fait au conjoint antérieurement au divorce 764
– famille d'accueil 761
– fruits et revenus 743
– immeuble 745
– indemnité d'assurance 751
– intervention du tribunal 771
– limitation des droits du conjoint survivant 757
– liquidateur 753, 754, 760
– modification 771
– notaire 759
– nullité 759-762
– nullité du mariage 764
– ordre public 757
– paiement soumis à un terme 747
– perte du bien légué 751
– publicité de la renonciation 2938
– rature 767
– rémunératoire 753, 754
– représentation 749
– résolution 754
– révocation 763, 764, 767-771
– témoin 760
– tuteur au mineur 753, 754
– valeur mobilière 744

Legs à titre particulier:
731
– accroissement 755
– aliénation d'un bien légué 813
– bien d'autrui 762
– caducité 755
– clause pénale 758
– définition 734
– fait conjointement 755, 827
– héritier 826
– modification 771
– paiement fait par liquidateur de la succession 804, 808-814
– présomption 756
– réduction 813, 814
– représentation 749
– révocation 771
– universalité d'actif et de passif 828

Legs à titre universel:
731
– définition 733
– exception de biens particuliers 735

Legs universel:
731
– définition 732
– exception de biens particuliers 735

Lésion: *Voir aussi* **Consentement; Contrat**
– cause 1406
– définition 1406
– dommages-intérêts 1407
– maintien du contrat 1407, 1408
– majeur protégé 1405, 1406
– mineur 163, 1405, 1406
– nullité du contrat 1407
– partage de la succession 897
– patrimoine familial 424
– présomption 1406
– prêt d'argent 2332
– réduction de l'obligation 1407

Lettre de vérification:
615

Lettre patente:
– acte authentique 2814(2)

Libération du débiteur: *Voir aussi* **Remise**
1531, 1542-1545, 1552, 1562, 1564, 1586, 1665, 1687, 1690, 1693-1698

Ligne collatérale: *Voir aussi* **Parenté; Succession**
– définition 659
– degré 659

Ligne directe: *Voir aussi* **Parenté; Succession**
– ascendante 658
– définition 657
– degré 657
– descendante 658

Liquidateur:
– société en participation 2264-2266

Liquidateur de la succession: *Voir aussi* **Inventaire; Legs; Liquidation de la succession; Succession**
– acceptation 784
– acte conservatoire 787, 1361
– acte fait par une personne se croyant liquidateur 793
– action contre la succession 805
– ad hoc 805
– administrateur du bien d'autrui 802, 1361
– administration 804
– aliénation 804, 813
– assurance 790
– assurance de personnes 2456
– avis de clôture 796
– bail 1938, 1939, 1944, 1948
– capacité 783
– clôture de l'inventaire 795
– compte définitif 820
– constituant de la fiducie 1295
– contribution financière à titre d'aliments 685
– copie de l'inventaire 796
– curateur public 699
– décharge 819, 822
– déchéance 790
– délai de paiement des dettes et legs particuliers 810

- désignation 785, 788
- dispense de faire l'inventaire 639, 799
- empêchement d'un des liquidateurs 787
- état complet des biens 811
- fonctions 802-807
- frais de la reddition de compte 821
- gérant 1485
- géré 1484
- héritier 779, 784, 785, 789
- insuffisance des biens de la succession 811
- intervention du tribunal 788-792, 804, 805, 809
- legs rémunératoire 753, 760
- mandataire 2183
- nomination 792, 3101
- paiement des dettes et legs particuliers 804, 808-814
- personne morale 783
- pluralité 787
- pouvoirs 778
- proposition de paiement 811
- proposition de partage 820
- provisoire 791, 792
- qualité 786
- recherche de testament 803
- reddition de compte 806, 821, 1361
- réduction des legs à titre particulier 813
- refus de fournir une sûreté 790
- refus de procéder à l'inventaire 800
- remboursement des dépenses 789
- remise des biens 822, 1361
- remplacement 785, 788, 791
- rémunération 789
- rémunération proportionnelle à la valeur du legs 754
- responsabilité 1361
- revendication des biens 777
- saisine 777
- simple administration 802
- sûreté 790
- valeur des biens d'un mineur 217
- vérification de l'inventaire 798
- vérification du testament 803
- versement des acomptes 807

Liquidation: *Voir aussi* **Liquidateur; Liquidateur de la succession; Liquidation de la personne morale; Liquidation de la succession**
- association 2278
- compensation 1673
- copropriété divise 1075, 1109
- frais 1781

Liquidation de la personne morale: *Voir aussi* **Personne morale**
- avis de clôture 364
- avis de dissolution 358
- conservation des livres et registres 362
- nomination du liquidateur 359

- paiement des dettes 361
- par le curateur public 363
- personnalité juridique 357
- pleine administration 360
- pouvoirs du liquidateur 360, 361

Liquidation de la succession: *Voir aussi* **Liquidateur de la succession; Succession**
- ab intestat 776
- avis de la saisine de l'État 699
- compte du liquidateur 819-822
- décharge du liquidateur 819
- définition 776
- délai de présentation d'une demande de paiement 816
- droit de l'héritier 835
- droit du testateur 833
- épuisement de l'actif 819
- faits nouveaux 835
- fin 700, 819
- frais 792, 821, 1781
- insolvabilité 830
- insuffisance de provision 817
- intervention du tribunal 835
- inventaire 699
- mesures conservatoires 792
- objet 776
- obligation de l'héritier 823, 826, 834
- obligation du légataire à titre universel de l'usufruit 824, 825
- obligation du légataire de la nue-propriété 831
- obligation du légataire du bien grevé d'une servitude 831
- obligation du légataire particulier 827, 828
- paiement des dettes et legs particuliers 781, 782, 808-814
- prolongation 806
- publicité de la clôture du compte 822
- recours 815-818, 829, 832
- séparation du patrimoine 780
- testamentaire 776

Livraison: *Voir* **Délivrance**

Locataire: *Voir aussi* **Bail**
- cession du bail 1870
- changement au bien 1856
- compte des réparations 1869
- copropriété divise 1057, 1065, 1066, 1070, 1079
- décès 1884
- défaut de paiement 1883
- défectuosité du bien 1866
- dénonciation du trouble au locateur 1858, 1861
- diminution de loyer 1861, 1863, 1865, 1888
- dommages-intérêts 1861, 1862
- droits et recours du sous-locataire 1876

– enlèvement des constructions, ouvrages et plantations 1891
– exécution d'obligation par locateur 1863, 1876
– expulsion 1889
– incendie 1862
– indemnité 1865
– inexécution d'obligation 1863
– inexécution d'obligation par sous-locataire 1875
– jouissance du bien 1859
– obligations du sous-locataire 1874
– paiement avant jugement de résiliation du bail 1883
– paiement du loyer 1855, 1874
– perte 1862
– présomption 1890
– prise de possession à des fins d'administration 2774
– remboursement des dépenses 1868
– remise du bien 1890
– réparation d'entretien 1864
– réparation urgente et nécessaire 1865, 1868
– résiliation du bail 1861, 1863, 1865, 1888
– respect de la jouissance des autres locataires 1860
– retenue de loyer 1867-1868
– sous-location 1870
– substitution 1229
– usage du bien 1855
– vente d'immeubles à usage d'habitation 1790
– visite des lieux 1885

Locataire de bail d'un logement: *Voir aussi* **Bail d'un logement**
– abandon du logement 1915, 1916
– avis de résiliation de bail 1974
– avis de se conformer ou non à l'évacuation temporaire 1925
– cohabitation 1938, 1951
– conjoint 1938
– consentement à reprise de possession 1964
– consentement à visite du logement 1930
– contestation d'augmentation de loyer 1950
– contestation de modification du bail 1948
– contestation d'éviction 1966
– décès 1938-1939, 1944, 1948, 1951
– déguerpissement 1975
– dépôt du loyer 1907-1909
– diminution de loyer 1924
– dommages-intérêts 1965, 1968
– enfants 1899
– enlèvement effets mobiliers 1978
– éviction 1936, 1959
– exécution d'obligation 1907
– femme enceinte 1899
– fixation de loyer 1950
– héritier 1938, 1939, 1944, 1948
– indemnisation en cas de reprise de possession 1967

– indemnisation en cas d'évacuation temporaire 1924
– indemnisation en cas d'éviction 1965, 1967
– liquidateur de la succession 1938, 1939, 1944, 1948
– maintien dans les lieux 1936
– non-paiement du loyer 1915
– non-réception avis de modification du bail 1946
– nouveau 1950, 1951
– présence du locateur à visite 1932
– reconduction du bail 1941
– recours au tribunal 1926, 1927
– refus d'accès au logement 1933
– refus de prendre possession du logement 1914
– refus de quitter le logement 1963
– refus d'évacuation 1925
– refus de visite du logement 1932
– réintégration du loyer 1916
– réponse avis de modification du bail 1945
– réponse avis de reprise de possession 1962
– résiliation du bail 1924, 1972-1974
– retard du paiement du loyer 1971
– salubrité et sécurité du logement 1912
– serrure d'accès au logement 1934
– sous-locataire 1940, 1950

Locateur: *Voir aussi* **Bail**
– changement au bien 1856
– consentement à cession de bail 1870-1872
– consentement à sous-location 1870-1872
– construction, ouvrage et plantation 1891
– décès 1884
– délivrance du bien 1854
– dommages-intérêts 1862
– entretien du bien 1854
– évacuation temporaire du locataire 1865
– exécution d'obligation par locateur 1863
– expiration du délai d'avis 1948
– expulsion du locataire 1889
– inexécution d'obligation 1863, 1867, 1876
– jouissance du bien 1854
– recours contre locataire fautif 1861
– remboursement de l'excédent du loyer retenu 1869
– remise du bien 1889
– réparation 1857, 1864-1868
– résiliation de sous-location 1875
– résiliation du bail 1860, 1863
– rétablissement du loyer 1863
– trouble de droit 1858
– trouble de fait 1859
– vente d'immeubles à usage d'habitation 1790
– vérification du bien 1857
– visite du bien 1857

Locateur de bail d'un logement: *Voir aussi* **Bail d'un logement**
– changement d'affectation du logement 1966
– conjoint 1957

– décès du locataire 1938, 1944
– défaut de remise du bail 1895
– déguerpissement du locataire 1975
– dommages-intérêts 1899, 1902
– effets mobiliers du locataire 1978
– évacuation du logement 1928
– éviction du locataire 1936, 1959-1961, 1970
– expiration des délais d'avis 1977
– fausse déclaration 1950
– fixation du loyer du nouveau locataire 1954
– habitabilité du logement 1910
– harcèlement 1902
– indemnité au locataire en cas d'éviction 1965
– inexécution d'obligation 1907, 1918
– logement redevenu habitable 1916
– modification au bail 1895, 1942, 1943
– nouveau 1937
– occupation de logement devenu vacant 1964
– propreté du logement 1911
– reconduction du bail 1941
– recours au tribunal 1925, 1927, 1947
– règlement de l'immeuble 1894
– remise de l'avis indiquant le loyer le plus bas 1896
– remise du bail 1895
– réparation 1922, 1923, 1928
– reprise de possession du logement 1957, 1960, 1961, 1963, 1964, 1970
– résiliation de bail 1971-1973
– retard de reprise de possession 1969
– retard d'éviction du locataire 1969
– salubrité et sécurité du logement 1912
– serrure d'accès au logement 1934
– subdivision du logement 1966
– visite du logement 1931, 1932

Location: *Voir* Louage

Logement: *Voir* Bail d'un logement; Bail d'un logement à loyer modique; Locataire de bail d'un logement; Locateur de bail d'un logement; Programme public de conservation et de remise en état des logements

Loi assurant l'exercice des droits des personnes handicapées:
1921

Loi concernant le cadre juridique des technologies de l'information:
2837, 2841, 2842, 2855, 2860, 2874

Loi sur la marine marchande du Canada:
2714

Loi sur la protection de la jeunesse:
563, 564, 568, 574

Loi sur la protection des personnes dont l'état mental présente un danger pour elles-mêmes ou pour autrui:
27

Loi sur la protection du territoire et des activités agricoles:
3055

Loi sur la Régie du logement:
1899

Loi sur la Société d'habitation du Québec:
1984

Loi sur le cadastre:
3028.1

Loi sur le curateur public:
701

Loi sur le ministère du Revenu:
1619, 1883

Loi sur l'expropriation:
1888, 3042

Loi sur les assurances:
1339(7)

Loi sur les sociétés de prêts et de placements:
1339(6)

Loi sur les valeurs mobilières:
1339(9),(10)

Lois:
– copie 2812
– relatives à la protection du consommateur 1384
– relatives aux autochtones cris, inuit et naskapis 152

Louage: *Voir aussi* Bail; Locataire; Locateur; Loyer
1851-2000
– bien compris dans l'usufruit 1135
– bien substitué 1229
– définition 1851

Loyer: *Voir aussi* Bail
– fruits et revenus 910
– hypothèque immobilière 2695

M

Maison mobile: *Voir* Bail d'un terrain destiné à l'installation d'une maison mobile

Majeur: *Voir aussi* Majeur protégé; Majorité
– capacité 153, 154
– don d'organes 19
– expérimentation 20
– non doué de raison 1461, 1462, 2630
– témoin au testament notarié 725

Majeur en tutelle ou en curatelle: *Voir* Majeur protégé

Majeur protégé: *Voir aussi* Conseiller au majeur; Curatelle au majeur; Curateur; Mandat d'inaptitude; Régime de protection du majeur
– capacité de donner 1813, 1815
– capacité de tester 710
– consentement aux soins 15, 16, 18, 31
– défaut de publicité des droits 2964
– dépôt 2282

– domicile 81
– domicile hors du Québec 3085
– don d'organes 19
– expérimentation 21
– faute intentionnelle ou lourde 1706
– incapacité de recevoir 1814
– incapacité de tester 710
– jeu et pari 2630
– lésion 1405, 1406
– loi applicable 3085
– mandant 2159
– personne chargée de garder 1461, 1462
– prescription 2904, 2905
– réquisition de publication d'un droit 2935
– restitution des prestations 1706
– succession 638

Majorité: *Voir aussi* **Capacité; Majeur**
– âge 153
– capacité 153, 154
– fin de la tutelle au mineur 255

Mandant:
– acte du mandataire après fin du mandat 2162
– acte du mandataire envers tiers 2152, 2160
– acte du mandataire excédant mandat 2152, 2153, 2158, 2160
– action en cas de substitution 2141
– action contre tiers 2165
– avances 2150
– constitution de nouveau mandataire 2180
– coopération avec le mandataire 2149
– décès 2162, 2175
– définition 2130
– faillite 2175
– faux mandataire 2163
– héritier 2162
– inaptitude 2131, 2135, 2166-2174, 2175, 2177
– indemnisation du mandataire 2154, 2155
– insolvabilité 2159
– intérêt sur frais 2151
– majeur protégé 2159
– mineur 2159
– nullité de l'acte du mandataire 2143, 2147
– obligations 2149-2156, 2160-2165
– ouverture d'un régime de protection 2175, 2177
– préjudice causé par mandataire 2164
– remboursement des frais 2150
– rémunération du mandataire 2150
– renonciation à son droit de révocation 2179
– répudiation acte en cas de substitution 2161
– responsabilité envers mandataire 2152, 2181
– responsabilité envers tiers 2160-2165
– responsabilité solidaire 2156
– révocation du mandat 2175, 2176, 2181

Mandat: *Voir aussi* **Mandant; Mandat d'inaptitude; Mandataire; Représentation**
2130-2185
– acceptation 2130, 2132
– administrateur d'une personne morale 321
– administration du bien d'autrui 1338
– à titre gratuit 2133, 2148, 2175
– à titre onéreux 2133, 2178
– définition 2130
– donné par plusieurs personnes 2156
– double 2143
– exprès 2135
– fin 2175-2185
– général 2135
– intervention du tribunal 2148, 2173, 2177
– objet 2131
– obligation du mandant 2149-2156, 2160-2165
– obligation du mandataire 2138-2148, 2157-2159
– professionnel 2133
– rémunération 2134
– révocation 2175, 2176, 2177, 2181
– spécial 2135
– tutelle légale 194

Mandat d'inaptitude: *Voir aussi* **Majeur protégé; Mandat**
2166-2174
– acte antérieur 2170
– cessation des effets 2172, 2173
– exécution 2166
– fin 2175
– forme 2166, 2167
– homologation 2167.1
– insuffisant 2169
– interprétation 2168
– liquidateur du mandataire 2183
– mandant redevenu apte 2172, 2173
– objet 2131
– obligation 2171
– pleine administration 2135
– remplacement 2174
– révocation 2172, 2177, 2179
– soins 11, 12, 15

Mandataire:
– acceptation 2130, 2144
– acte 2135, 2136, 2182
– acte excédant mandat 2145, 2158
– assistance 2142
– bien ou information utilisé à son profit 2146
– cocontractant 2147
– compensation 2146
– décès 2175, 2183
– définition 2130
– dommages-intérêts 2148
– double mandat 2143
– droit de rétention 2185

– exécution du mandat 2138, 2139
– extinction du pouvoir 2175
– faillite 2175
– identité du mandant 2159
– indemnisation du mandant 2146
– intérêt 2184
– liquidateur, tuteur ou curateur 2183
– obligations 2138-2148, 2157-2159
– ouverture d'un régime de protection 2175
– pouvoir 2136
– pouvoir inféré par nature de profession ou fonction 2137
– reddition de comptes 2177, 2184
– remise de procuration 2176
– rémunération 2178
– renonciation 2175, 2178, 2179
– responsabilité 2178
– responsabilité personnelle envers tiers 2157-2159
– responsabilité solidaire 2144
– révocation du mandat 2179
– substitution 2140, 2141

Mariage: *Voir aussi* **Acte de mariage; Célébration du mariage; Conjoint; Convention matrimoniale; Dissolution du mariage; Divorce; Mariage, Nullité; Opposition au mariage; Patrimoine familial; Prestation compensatoire; Régime matrimonial; Séparation de biens; Séparation de corps**
– célébration 365-377
– compétence des autorités du Québec relative aux effets 3145
– demande de nullité 380-390
– droits et devoirs des conjoints 392-400
– effet 391
– émancipation du mineur 175
– époux domiciliés dans des États différents 3089
– loi applicable 3088
– loi applicable aux effets 3089
– non constaté ou déclaré 130
– nullité 380-390
– opposition 372
– preuve 378, 379
– résidence familiale 401-413
– retour d'un absent 97
– séparation de corps 493-515
– témoin 365, 369

Mariage, nullité: *Voir aussi* **Mariage**
380-390
– avantage des enfants 381
– compétence des autorités du Québec 3144
– donations 385
– donations à cause de mort 386
– donations entre vifs 385
– donations entre vifs consenties à un époux de mauvaise foi 386

– droits et devoirs des parents 381
– effet sur la désignation du bénéficiaire d'une assurance de personnes 2459
– effets civils en faveur des époux 382, 383
– effets civils lorsque les époux sont de bonne foi 382
– effets civils lorsque les époux sont de mauvaise foi 383, 384
– intervention du tribunal 388
– legs 764
– liquidation du régime matrimonial 382
– loi applicable à l'obligation alimentaire entre époux 3096
– présomption de bonne foi 387
– reprise des biens 382-384

Matériaux:
956

Mauvaise foi: *Voir* **Bonne foi**

Médecin: *Voir aussi* **Droit médical**
– constatation de décès 122

Menace:
1402

Mer: *Voir aussi* **Eau**
966

Mère porteuse: *Voir aussi* **Procréation médicalement assistée**
541

Mesure conservatoire: *Voir aussi* **Droit à l'exécution de l'obligation**
– administration du bien d'autrui 1301, 1306, 1333
– créancier 1504, 1626
– débiteur 1581
– liquidation de la succession 792
– obligation conditionnelle 1504
– offre réelle et consignation 1581
– succession 864

Meuble: *Voir aussi* **Bien; Exécution forcée; Hypothèque mobilière; Saisie; Sûreté mobilière; Vente du bien d'autrui**
900, 905-907
– abandon 934, 935
– accession 971-975
– assurance de biens 2489
– assurance maritime 2510, 2563
– autres biens 907
– bail 1851, 1853, 1882, 1887, 1889
– choses qui se transportent 905
– copropriété indivise 97
– crédit-bail 1842, 1843
– défaut de sécurité 1468, 1469, 1473
– distributeur 1468, 1473, 1730
– donation 1824
– État 935
– fabricant 1468, 1473
– fournisseur 1468, 1473

– maintien de l'indivision 840
– municipalité 935
– ondes 906
– perdu ou oublié 939-946
– sans propriétaire 935
– sous séquestre 1147
– transfert d'un droit réel 1454
– usage du ménage 401, 840
– vente 1736, 1740, 1741

Mine: *Voir aussi* **Droit minier**
951, 1228

Minéraux:
– extraction 1141
– immeuble 900

Mineur: *Voir aussi* **Capacité; Mineur émancipé; Minorité; Tutelle au mineur; Vente du bien d'autrui**
– accord avec tuteur sur le compte à la majorité 248
– acte accompli par le tuteur 162
– acte nul 161-163
– acte relatif à l'emploi ou profession 156
– acte sans autorisation 163
– action en justice 159, 160
– adoption 543-584
– âgé de 14 ans et plus 156
– aliments 586
– capacité de contracter pour besoins usuels 157
– changement de nom 60, 62, 66
– confirmation d'actes à la majorité 166
– consentement aux soins 14, 16, 17, 18, 31
– convention matrimoniale 434, 435
– créancier 1616
– décès 255
– déclaration 165
– défaut de publicité 2964
– départ de demeure familiale 602
– dépôt 2282
– domicile 80
– domicile hors du Québec 3085
– donation 1813, 1814
– don d'organes 19
– droit d'intenter des actions 159
– émancipation 167, 168
– exercice des droits civils 155, 158
– expérimentation 21
– fin de l'indivision 215
– gestion du produit de son travail 220
– jeu et pari 2630
– lésion 1405, 1406
– limite à l'action en nullité 164, 165
– loi applicable 3085
– mainlevée d'une sûreté à la majorité 245
– mandant 2159
– nomination d'un tuteur datif 207
– opposition au mariage 372

– prescription 2905
– recours alimentaire 586
– représentant 158
– réputé majeur pour certains actes 156
– réquisition de publication d'un droit 2935
– responsabilité 1459, 1460
– succession 638
– tuteur 158, 162

Mineur émancipé: *Voir aussi* **Émancipation; Mineur**
– acceptation d'une donation avec charge 173
– acte demandant assistance 173, 174
– acte de simple administration 172
– aliénation d'immeubles ou d'entreprises 174
– domicile 171
– exercice des droits civils 176
– prêts et emprunts 174
– renonciation à une succession 173

Ministre de la Santé et des Services sociaux:
564

Ministre des Finances:
701

Ministre responsable de l'état civil:
63, 67, 366, 377

Minorité: *Voir aussi* **Capacité; Mineur**
155-166

Mise en demeure: *Voir aussi* **Droit à l'exécution de l'obligation**
1580, 1581, 1590, 1594-1600
– acheteur 1740-1741, 1743, 1749
– acquéreur 1743
– administration du bien d'autrui 1368
– bornage 978
– choix de la prestation de l'obligation alternative 1546
– contractuelle 1594, 1602
– crédit-bailleur 1848
– délai de grâce 1600
– délivrance du bien 1848
– dommages-intérêts 1527, 1617, 1618
– exécution d'une obligation 1594-1596, 1602, 1736, 1740-1741, 1743
– légale 1594, 1597
– offre de paiement par un tiers 1555
– offre réelle 1580, 1581
– paiement 1562, 1741
– plein droit 1580, 1581, 1597, 1598, 1602, 1605, 1736, 1740
– reprise de possession du bien vendu 1749
– vendeur 1736

Mort: *Voir* **Décès**

Municipalité: *Voir aussi* **Greffier municipal**
1339(6)
– bien perdu ou oublié 941
– copie du plan cadastral 3029
– document officiel 2814(4)

– droit réel 2654.1
– meuble abandonné 935
– placement présumé sûr 1339(2)
– plan cadastral 3042
– priorité 2651(5)
– registre 2814(4)
– vente à l'enchère du bien trouvé 942, 943

Mur mitoyen: *Voir aussi* **Ouvrage mitoyen**
1003-1008
– acquisition 1004
– coût 1004
– droit des copropriétaires 1004-1008
– entretien et réparation 1006
– exhaussement 1007, 1008
– ouvrage 1005
– poutre 1005
– présomption 1003
– reconstruction 1006
– renonciation à l'usage 1006
– solive 1005
– vue 996

N

Naissance: *Voir aussi* **Accoucheur; Acte de naissance; Paternité; Procréation médicalement assistée**
– constat de naissance 111, 112
– non constatée ou déclarée 130

Nappe d'eau: *Voir aussi* **Eau**
951, 982

Naskapis: *Voir* **Communautés cries, inuit ou naskapies**

Navire: *Voir aussi* **Affrètement; Assurance maritime; Avarie; Capitaine de navire; Cargaison; Délaissement; Engagement; Fret; Transport maritime de biens**
– déroutement 2568-2570, 2572, 2573
– entretien 2012
– état de navigabilité 2022, 2560, 2563
– hypothèque mobilière 2714
– restitution 2013
– utilisation 2009
– valeur assurable 2519

Nom: *Voir aussi* **Acte de l'état civil; Changement de nom**
– attribution 50, 576
– composition 51
– désaccord sur le choix 52
– enfant sans filiation 53
– exercice des droits civils 5
– inusité 54
– personne morale 305, 306, 308
– pouvoirs du tribunal 54
– respect 55
– signes diacritiques 108

– société en commandite 2197, 2247
– société en nom collectif 2197
– utilisation 55, 56

Notaire: *Voir aussi* **Acte authentique; Acte notarié; Testament notarié**
– acte reçu hors du Québec 3110
– attestation 2988, 2991-2993, 3005
– avis de contrat de mariage 441, 442
– célébration de mariage 366, 376
– convocation du conseil de tutelle 224
– dépôt d'actes semi-authentiques 2824
– dissolution de l'union civile 521.12
– droit litigieux 1783
– legs 759
– lien de parenté avec testateur 723
– offre réelle 1575
– sommaire 2992, 3005
– testament notarié 716-725

Novation:
1660-1666, 1671
– créancier solidaire 1666
– débiteur solidaire 1664, 1665
– définition 1660
– effet 1663-1665
– hypothèque 1662-1664
– inopposabilité 1666
– intention évidente 1661
– présomption 1661
– substitution d'un nouveau créancier 1660
– substitution d'un nouveau débiteur 1660, 1663

Nu-propriétaire: *Voir aussi* **Nue-propriété; Usufruit; Usufruitier**
– abandon du droit d'usufruit 1170
– aliénation 1125, 1133
– assurance 1150
– bien vétuste 1160
– capital 1156
– contribution aux dettes 824
– conversion du droit d'usufruit en rente 1171
– créance 1132
– créancier 1136
– demande en justice 1158
– dommage causé par un tiers 1159
– droit d'augmenter le capital sujet à l'usufruit 1133
– droit de vote 1134
– exploitation sylvicole 1140
– extinction de l'usufruit 1166
– fruit 1129
– impense 1137-1138
– indemnité 1129, 1150, 1168
– inventaire par l'usufruitier 1142, 1143
– paiement des dettes de la succession 1155-1158
– perte d'animal 1161
– perte de troupeau 1161

– remplacement 1160
– réparation majeure 1151
– réunion des qualités dans une même personne 1162
– revenu 1130
– saisie 1136
– séquestre 1145
– sûreté 1144
– usurpation 1159
– valeur mobilière 1133
– vente des biens soumis à l'usufruit 1157

Nue-propriété: *Voir aussi* **Nu-propriétaire**
– hypothèque 2669
– légataire 831

Nullité: *Voir aussi* **Action en nullité; Mariage, nullité**
– absolue 1417, 1418
– clause 1435-1438
– condition 1499
– contrat 1416-1424
– mariage 380-390
– relative 1419-1421

O

Objet:
– contrat 1412, 1413
– obligation 1371, 1373, 1376

Obligation: *Voir aussi* **Compensation; Confusion; Contrat; Dommages-intérêts; Droit à l'exécution de l'obligation; Enrichissement injustifié; Gestion d'affaires; Novation; Obligation à terme; Obligation alimentaire; Obligation alternative; Obligation conditionnelle; Obligation conjointe; Obligation divisible; Obligation facultative; Obligation garantie par hypothèque; Obligation indivisible; Obligation solidaire; Paiement; Prescription; Réception de l'indu; Remise; Responsabilité civile**
1371-1707
– à exécution successive 1597, 1604
– à plusieurs objets 1545-1552
– à plusieurs sujets 1518-1544
– bonne foi 1375
– clause pénale 1622-1625
– définition 1371
– enrichissement injustifié 1493-1496
– exception d'inexécution 1591
– exécution 1553-1636
– exécution en nature 1590, 1597, 1601-1603, 1622
– exécution par équivalent 1607-1625
– extinction 1671-1698
– gestion d'affaires 1482-1490
– impossibilité d'exécution 1693, 1694, 1699
– libération du débiteur 1695-1698
– modalité complexe 1518-1552
– modalité simple 1497-1517

– objet 1373-1374
– paiement 1553-1589
– pure et simple 1372
– réception de l'indu 1491, 1492
– reconnaissance et exécution des obligations découlant des lois fiscales d'un État étranger 3162
– réduction 1407
– règles applicables 1376
– remise 1687-1692
– responsabilité civile 1457-1481
– restitution des prestations 1699-1707
– source 1372, 1482-1496
– transmission et mutations 1637-1670

Obligation à terme: *Voir aussi* **Créancier; Débiteur; Vente à tempérament**
1508-1517
– bénéfice du terme 1511, 1514, 1515
– cautionnement 2364
– déchéance de terme 1514-1516
– délai sans mention d'une date déterminée 1509
– détermination judiciaire du terme 1512
– donation 1807
– événement tenu pour certain non-réalisé 1510
– exécution à échéance 1513
– exécution anticipée 1513
– prêt 1511, 2319
– renonciation au bénéfice du terme 1511, 1515
– terme extinctif 1517, 1671
– terme suspensif 1508
– vente 1745

Obligation alimentaire: *Voir aussi* **Aliments; Survie de l'obligation alimentaire**
585-596
– arrérages 596
– besoins existant avant la demande 595
– calcul des aliments 587-587.3
– dispense de paiement 592, 609
– fixation des pensions alimentaires pour enfants 587.1-587.3
– hypothèque judiciaire 591
– indexation des pensions 590
– jugement sujet à revision 594
– loi applicable 3094-3096
– paiement 589
– pension provisoire 588
– pluralité de débiteurs 593
– recours 593
– recours alimentaire du mineur 586
– séparation de corps 511
– sujet 585
– sûreté 591

Obligation alternative:
1545-1551
– choix de la prestation 1546, 1548, 1549

– définition 1545
– exécution partielle d'une prestation 1547
– extinction 1550
– mise en demeure 1546
– objet 1545, 1551
– prestation devenue impossible à exécuter 1548-1550
– prestation ne pouvant être l'objet de l'obligation 1545
– règles applicables 1551
– réparation 1549
– responsabilité du débiteur envers le créancier 1548

Obligation conditionnelle: *Voir aussi* **Créancier; Débiteur**
1497-1507
– cautionnement 2364
– cessible 1505
– condition consistant à faire ou ne pas faire quelque chose 1500
– condition contraire à l'ordre public 1499
– condition discrétionnaire 1500
– condition illégale 1499
– condition possible 1499
– condition résolutoire 1507, 1750
– condition suspensive 1507, 1744
– définition 1497
– délai 1501
– effet 1503
– événement déjà arrivé 1498
– événement non-réalisé dans un temps déterminé 1502
– hypothèque 2681
– mesure conservatoire 1504
– nullité 1499, 1500
– restitution des prestations reçues 1507
– transmissible 1505

Obligation conjointe:
1518-1522
– contrat d'entreprise 2120
– définition 1518
– divisible 1519, 1522, 1625, 1755
– héritier du créancier 1520, 1522
– héritier du débiteur 1520, 1522
– indivisible 1520, 1624
– prescription 2901
– solidarité 1520, 1521
– vente avec faculté de rachat 1755

Obligation divisible:
1519, 1522, 1625

Obligation facultative:
1552
– définition 1552
– libération 1552
– prestation principale devenue impossible à exécuter 1552

Obligation garantie par hypothèque: *Voir aussi* **Hypothèque conventionnelle**
2687-2692

Obligation indivisible:
1520, 1522, 1624

Obligation solidaire: *Voir aussi* **Créancier; Débiteur; Solidarité entre les créanciers; Solidarité entre les débiteurs**
1523-1544
– créancier 1541-1544
– débiteur 1523-1540
– prescription 2900

Officier de justice:
– attestation 2990
– droit litigieux 1783

Officier de l'état civil: *Voir* **Directeur de l'état civil**

Officier de la publicité des droits: *Voir aussi* **Publicité des droits**
3007-3021
– accès aux registres 3019
– avis d'immatriculation de l'assiette du droit réel d'exploitation de ressources de l'État 3071
– changement de nom au registre foncier 3015
– concordance entre anciennes et nouvelles fiches immobilières 2978, 2979
– conformité de réquisition 3008
– conservation des documents 3021(1)
– conservation d'exemplaire des registres 3021(4)
– copie des registres 3019, 3021(4)
– divulgation de renseignements 3018, 3020
– erreur matérielle dans registre ou certificat d'inscription 3016
– état certifié des droits 3019
– fiche immobilière 3045
– fonctions et devoirs 3021
– identité et capacité des parties 3009
– inscription 3016, 3021(2)
– liste des propriétaires 3018
– modification des plans cadastraux 3021(4), 3045
– préavis d'exercice d'un droit hypothécaire 3017
– présentation des réquisitions 3012
– préservation des inscriptions contre altération 3021(3)
– radiation d'inscription 3059
– radiation de l'avis de clôture 2723
– rapport des erreurs dans plans cadastraux 3021(4)
– rectification 3016, 3023
– refus d'inscription 3010, 3014, 3035
– registre des mentions 3014, 3014.1
– relevé des inscriptions n'ayant plus d'effet 3021(4)
– report des inscriptions 2978, 2979
– responsabilité 3020
– transmission de copie de document énonçant une aliénation de partie de lot 3056
– vérification du titre 3014

Officier de la publicité des droits personnels et réels mobiliers: *Voir aussi* **Publicité des droits**
– fonctions et devoirs 3007
– tenue des registres 2969

Officier de la publicité foncière: *Voir aussi* **Publicité des droits**
- bail immobilier 2999.1
- fonctions et devoirs 3006.1
- motifs de la réquisition 3075.1
- tenue des registres 2969

Officier public:
1778, 2812-2818, 2821, 2822, 2823, 2825

Offre de contracter: *Voir aussi* **Acceptation; Contrat; Promesse de contracter; Promesse de vendre**
- acceptation 1387, 1393
- caducité 1391-1393
- définition 1388
- délai pour acceptation 1390, 1392
- nouvelle offre 1393
- personne déterminée 1390, 1396
- promesse 1396, 1397
- provenance 1389
- révocation 1390, 1391
- silence 1394

Offre de récompense:
1395

Offre réelle et consignation: *Voir aussi* **Bureau général de dépôts; Débiteur; Paiement**
1573-1589
- acceptation par le créancier 1588, 1589
- acte notarié 1575
- avis écrit au créancier 1577-1579
- consignation 1576, 1583, 1586
- contenu 1579
- déclaration judiciaire 1575, 1576
- définition 1573
- effet 1586, 1588
- engagement irrévocable 1574
- formalité 1575
- frais 1589
- frais de conservation du bien 1582
- frais de vente du bien et de consignation du prix 1582
- hypothèque 2678
- intérêts 1586, 1587
- livraison du bien 1577
- mesure conservatoire 1581
- mise en demeure 1580-1582
- retrait 1584, 1585
- revenu 1586, 1587
- somme d'argent 1574, 1576, 1578, 1583-1585
- valeur mobilière 1576, 1578, 1583-1585
- validité 1574, 1585, 1588, 1589

Ondes ou énergie maîtrisée par l'homme:
906

Opposabilité aux tiers: *Voir aussi* **Tiers**
- abandon du droit d'usufruit 1170
- cession de créance 1641-1643
- cession et hypothèque assurance de personnes 2461

- crédit-bail 1847
- déclaration de société 2195
- déclaration modificative 2195
- droit de rétention 1593
- faculté de rachat d'un bien 1750
- hypothèque grevant un meuble incorporé ultérieurement à un immeuble 2951
- hypothèque ouverte 2716
- indivision conventionnelle 1014
- liquidateur d'une personne morale 359
- publicité des droits 2941-2944
- simulation 1452
- stipulation d'inaliénabilité 1214
- stipulation d'insaisissabilité 2649
- transfert d'un droit réel portant sur un bien immeuble 1455
- vente à tempérament 1745
- vente avec faculté de rachat 1750

Opposition au mariage: *Voir aussi* **Mariage**
- incapacité de contracter 372
- mineur 372

Ordre public:
8, 9, 380, 431, 541, 1373, 1411, 1413, 2632, 2639

Organe: *Voir aussi* **Corps humain; Droit médical; Expérimentation**
- consentement écrit 24
- devoirs du tribunal 23
- don 19
- gratuité 25
- utilisation 22

Organisme de bienfaisance:
644, 942, 945

Ouvrage: *Voir aussi* **Architecte; Construction; Immeuble; Impense; Ingénieur; Ouvrage mitoyen; Plantation**
933, 951
- acquisition 960, 1118
- démolition 990
- droit d'accession 957
- droit de rétention 963
- emphytéose 1195, 1198, 1203, 1210
- enlèvement 959, 1116, 1118, 1891
- expropriation 1115
- fonds d'autrui 987, 990, 991
- immeuble 900
- immobilier 2117-2124
- impense faite de bonne foi 958, 959, 961, 963
- impense faite de mauvaise foi 958, 959, 962-964
- indemnisation 959
- matériaux d'autrui 956
- perte 1115
- pollution ou épuisement de l'eau 982
- présomption de propriété 955
- propriété superficiaire 1011, 1116-1118

– remboursement des impenses 958, 959, 961
– remise en état 959, 961, 962
– réparation 990
– solidité 991

Ouvrage mitoyen: *Voir aussi* **Clôture; Droit de se clore; Fossé; Haie; Mur mitoyen**
1002-1008

Ouvrier: *Voir aussi* **Construction**
– hypothèque légale 2726-2728

P

Paiement: *Voir aussi* **Créancier; Débiteur; Délégation de paiement; Offre réelle et consignation; Prise en paiement; Réception de l'indu**
1553-1589, 1671
– bien déterminé par espèce 1563
– bien individualisé 1562
– bonne foi 1559
– capacité de recevoir 1557, 1558
– chose consomptible 1556
– définition 1553
– délégation 1667-1670
– droit dans ce qui est dû 1556
– frais 1567
– fraude 1632-1633
– imputation 1569-1572, 1677
– indu 1491, 1492
– intérêts 1565, 1570
– legs 747
– lieu 1566
– litige 1561
– loyer 1855, 1874
– mise en demeure 1555
– mode 1564
– non-recouvrement 1556
– obligation naturelle 1554
– obligation personnelle 1555
– obligation solidaire 1528, 1537
– offre réelle et consignation 1573-1589
– par anticipation 1569
– partiel 1561
– personne non autorisée à le faire 1556
– prêt 2329
– quittance 1568, 1571
– réduction des libéralités 694
– remise du titre original de l'obligation 1568
– rente 825
– répétition 1554, 1560
– somme d'argent 1556, 1564
– subrogatoire 1651-1659
– succession 638, 779, 781, 782, 804, 808-814
– tiers 1555, 1557
– validité 1557-1560

Parenté: *Voir aussi* **Grands-parents; Ligne collatérale; Ligne directe; Succession**
– degré 656-659
– fondement 655

Parents: *Voir aussi* **Adoption; Autorité parentale; Enfant; Filiation; Grands-parents; Parenté; Paternité**
– administration tutélaire 209
– charge tutélaire 183
– conseil de tutelle 225
– déclaration de naissance de l'enfant 113, 114
– donation au mineur 1814
– inconnus 116
– tutelle au mineur 183, 209
– tutelle dative 200, 201, 206
– tutelle légale 192-199

Pari: *Voir* **Jeu et Pari**

Partage de la société d'acquêts: *Voir aussi* **Société d'acquêts**
– acceptation du partage des acquêts 467-473
– décès du conjoint 473, 474, 482
– dette 478
– dissolution à cause d'absence 465, 482
– division des biens 475, 481
– enregistrement de renonciation 469, 473, 474
– enrichissement 475, 476
– estimation des biens 483
– immixtion du conjoint 468
– irrévocabilité 472
– paiement du soulte 482
– publicité de la renonciation 2938
– recel 471
– récompense 475-478
– recours des créanciers 484
– renonciation 469, 470, 472
– solde en faveur des acquêts 480
– solde en faveur des propres 480

Partage de la succession: *Voir aussi* **Composition des lots; Garantie des copartageants; Héritier; Indivisaire; Indivision; Rapport des dettes à la masse; Rapport des dons et des legs à la masse; Succession**
836-898
– accord des héritiers 838
– attribution préférentielle 855-858
– composition des lots 832, 849-854
– contestation des cohéritiers 859
– contestation des copartageants 860
– créance contre des tiers 888
– définition 885
– demande 836
– désaccord 838, 863
– différé 837
– droit des créanciers 864
– effet déclaratif de propriété 884, 888

– entreprise 852, 858, 859
– estimation des biens 861, 863
– exclusion 848
– garantie des copartageants 860, 889-894
– immeuble 849, 852, 857, 859
– indivision 887
– inopposabilité des actes accomplis par un indivisaire 886
– intervention du tribunal 845, 859, 860, 863
– lésion 897
– maintien de l'indivision 839-846
– nullité 895, 898
– omission d'un bien indivis 896
– partiel 895
– proposition de partage 838
– provisionnel 847
– rapport des dettes à la masse 879-883
– rapport des dons et des legs à la masse 867-878
– rectitatif 895
– règles applicables à l'attribution des créances 888
– règles applicables aux recours des héritiers ou légataires pour excédent de paiement 832
– remise des titres 865, 866
– résidence familiale 856
– résidu des biens de la succession 846
– souche 665, 668, 676, 850
– soulte 852, 860
– succession dévolue au conjoint survivant et aux ascendants ou collatéraux privilégiés 670-676
– succession dévolue au conjoint survivant et aux descendants 666-669
– succession dévolue aux ascendants et collatéraux ordinaires 677-683
– supplémentaire 895
– suspension 843, 863
– tête 665, 668
– valeurs mobilières 858, 859
– vente des biens à partager 853, 862, 863

Passage: *Voir aussi* **Servitude**
997-1001
– bénéficiaire 1000
– extinction 1001
– indemnité 997, 999, 1001
– localisation 998
– propriétaire enclavé 997
– servitude 1187, 1189
– servitude discontinue 1179, 1189

Paternité: *Voir aussi* **Enfant; Filiation; Naissance; Parents; Procréation médicalement assistée**
– contestation 531, 532

Patrimoine familial: *Voir aussi* **Conjoint; Convention matrimoniale; Dissolution du mariage; Divorce; Mariage; Régime matrimonial**
– aliénation de bien 421

– constitution 414, 415
– exécution du partage 419, 425, 426
– partage 416
– pouvoir du tribunal 417, 420, 422
– publicité de la renonciation 2938
– renonciation 423, 424
– valeur nette 417, 418

Péremption d'instance:
3052

Personnalité juridique:
– être humain 2
– personne morale 298

Personne: *Voir aussi* **Changement de la mention du sexe; Changement de nom; Droits civils; Personnalité juridique; Personne morale; Transport de personnes**
– bien 915
– état et capacité 2632, 2639
– intégrité 3, 10
– inviolabilité 3, 10
– loi applicable à l'état et à la capacité 3083
– non douée de raison 1462
– respect de réputation et vie privée 35-41
– se servant d'un animal 1466
– soins 11-25
– succession 617

Personne morale: *Voir aussi* **Administrateur de la personne morale; Assemblée des membres; Conseil d'administration de la personne morale; Liquidation de la personne morale; Personnalité juridique; Personne morale de droit public**
298-364, 1340, 1342
– action 909
– capacité 303
– constitution 299
– copropriétaire divise d'un immeuble 1039
– de droit privé 2840
– devoirs des administrateurs 321, 322
– dispense de fournir une sûreté 244
– dissolution 355, 356, 1162, 1166
– distincte des membres 309
– dividende et distribution 1349-1350
– domicile 307, 308
– droits civils 301
– droits patrimoniaux 302
– fiducie 1272, 1274, 1298
– fonctionnement 310, 311
– fondation 1257
– grevé de substitution 1240
– liquidateur de la succession 783
– loi applicable à l'état et à la capacité 3083
– nature 314
– nom 305, 306, 308
– obligation des membres 315

– part sociale 909
– personnalité juridique 298, 331-333
– placement présumé sûr 1339(2)
– régie interne 313
– règles applicables 300, 334
– représentation 312
– responsabilité en cas de fraude 316
– restriction au pouvoir de représentation 3087
– siège social 307
– succession 618
– tiers de bonne foi 317, 318
– tutelle et curatelle à la personne 304
– tuteur aux biens 189, 244
– usufruit 1123, 1134, 1162, 1166

Personne morale de droit public: *Voir aussi* **Personne morale**
– bien 916-917
– confiscation 917
– document officiel 2814(4)
– hypothèque légale 2724(1), 2725
– obligation 1376
– préposé 1464
– registre 2814(4)
– reproduction de documents 2840

Perte: *Voir* **Risques**

Pétition d'hérédité: *Voir aussi* **Succession**
– effet 627
– indignité 628
– prescription 626
– remboursement des obligations du défunt 629
– restitution 627

Placement:
– administration du bien d'autrui 1304, 1307, 1339-1344
– fiducie 1269
– présumé sûr 1304, 1339-1344

Plan cadastral: *Voir aussi* **Immatriculation des immeubles**
3026-3042
– avis cadastral d'inscription du droit 3033
– conditionnel 3030
– défaut de désignation de la fiche immobilière 3035
– dépôt au ministre 3029
– désignation de l'assiette du droit réel d'exploitation de ressources de l'État 3034, 3039, 3040
– désignation des immeubles 3033, 3034, 3036
– désignation des lots 3032
– désignation des parties de lot 3037
– désignation des réseaux 3038
– discordance 3027
– droit réel d'exploitation de ressources de l'État 3031, 3035
– entrée en vigueur 3028
– erreur 3021(4)
– établissement 3027

– expropriation 3042
– immeuble formé de parties de plusieurs lots 3037
– limite du fonds et du bornage 977
– modification 1049, 1100, 3045
– modification par subdivision 3043
– morcellement d'un lot 3043
– nouvelle numérotation cadastrale 3042, 3044, 3045
– renouvellement de la publication de l'hypothèque immobilière 3028.1
– réquisition d'établissement de fiche immobilière 3038, 3040
– territoire non cadastré 3030, 3035, 3036

Plantation: *Voir aussi* **Arbre; Construction; Impense; Ouvrage; Végétaux**
933, 951
– acquisition 960, 1118
– droit d'accession 957
– droit de rétention 963
– emphytéose 1195, 1198, 1203, 1210
– enlèvement 959, 1116, 1118, 1891
– expropriation 1115
– fonds d'autrui 987, 991
– impense faite de bonne foi 958, 959, 961, 963
– impense faite de mauvaise foi 958, 959, 962-964
– indemnisation 959
– matériaux d'autrui 956
– perte 1115
– présomption de propriété 955
– propriété superficiaire 1011, 1116-1118
– remboursement des impenses 958-959, 961
– remise en état 959, 961-962
– solidité 991

Plus-value: *Voir aussi* **Immeuble**
959, 961, 1020, 2728, 2952

Police d'assurance: *Voir aussi* **Assurance**
– avenant 2405
– biens 2480
– cession 2528-2531
– clause de cession de créance 2402
– collective 2401
– consultation 2401
– contenu 2399
– définition 2399
– délivrance 2401, 2426, 2534
– divergence avec attestation d'assurance 2401
– divergence avec proposition 2400
– maritime 2527
– nullité 2539
– obtenue par un courtier 2536, 2537, 2544
– personnes 2415
– responsabilité 2499
– vie 2445

Pollution:
– eau 982

Porte:
993

Possession: *Voir aussi* **Détention; Impense**
911, 921-933
- acte de pure faculté 924
- acte de simple tolérance 924
- ayant cause 926, 927
- bonne foi 931, 932, 958, 959, 961-964, 1248
- caractère 922
- conformité aux règles de la prescription 930
- définition 921
- droit de rétention 963
- effet 930
- impense 958-963
- indemnisation 933
- interversion de titre 923, 2914
- jonction 925, 2912, 2920
- partie enlevée d'un fonds riverain 967
- possession continue pendant plus d'un an 929
- pour le compte d'autrui 923
- prescription acquisitive 2911, 2912, 2914, 2918-2920
- présomption 921, 923, 925, 928
- preuve 928
- trouble 929
- utile 2914, 2920
- vice 926-928
- voleur, receleur, fraudeur 927

Poutre:
1005, 1152

Préjudice: *Voir aussi* **Assurance contre l'incendie; Assurance de dommages; Dommages; Dommages-intérêts; Responsabilité civile**
988, 992, 1067, 1079, 1080, 1457
- administration du bien d'autrui 1322, 1338, 1359
- agent de la paix 1464
- aggravation 1479
- animal 1466
- causé par plusieurs personnes 1478-1481
- cocontractant 1458
- corporel 1457, 1458, 1474, 1607, 1609, 1614, 1615
- crainte 1404
- créancier 1609, 1614, 1631, 1635
- défaut de sécurité d'un bien meuble 1468, 1469, 1473
- divulgation d'un secret commercial 1472
- donataire 1829
- droit de passage 997
- fait autonome d'un bien 1465
- force majeure 1470
- futur et certain 1611
- gestion d'affaires 1486
- majeur non doué de raison 1461, 1462
- matériel 1457, 1458, 1474, 1607
- mineur 1459, 1460
- moral 1457, 1458, 1474, 1607, 1609

- personne qui porte secours à autrui 1471
- préposé de l'État 1464
- préposé du commettant 1463
- prescription 2926, 2930
- promesse du fait d'autrui 1443
- retard à exécuter l'obligation 1600
- ruine d'un immeuble 1467
- solidarité entre les débiteurs 1526
- transport 2037, 2049, 2055
- usufruit 1159
- vente d'immeubles à usage d'habitation 1793
- vice de conception ou de construction 1077

Préposé:
- acte illégal 1464
- État 1464
- personne morale de droit public 1464
- préjudice causé par la faute du 1463

Prescription: *Voir aussi* **Interruption de prescription; Prescription acquisitive; Prescription extinctive; Renonciation à une prescription; Suspension de prescription**
2875-2933
- acquisitive 2910-2920
- action contre transporteur, chargeur ou destinataire 2079
- action directe 2882
- action en garantie 894
- action en inopposabilité 1635
- affrètement 2006
- bien imprescriptible 2876
- bien perdu ou oublié 939, 941
- contrat d'assurance sur la vie 2421
- contrat d'entreprise 2116, 2118
- créance 1491
- début 2879
- déchéance du recours 2878
- définition 2875
- délai 2879, 2895
- État 2877
- extinctive 2921-2933
- interruption 2889-2903
- loi applicable 3131
- opposition 2881
- possession 930
- renonciation 2883-2888
- restitution des prestations 1707
- servitude 1192-1194
- suppléance par tribunal 2878
- suspension 2904-2909
- vente du bien d'autrui 1714

Prescription acquisitive:
2875, 2910-2920
- bien 916
- bonne foi 2919, 2920

– début 2880
– définition 2910
– délai 2917-2920
– demande en justice 2918
– dépossession 2880
– détention 2913
– grevé de substitution 2916
– interruption 2890, 2957
– jonction de possession 2912, 2920
– possession 936, 2911, 2918
– possession d'un meuble 2919
– possession précaire 2914, 2915
– possession utile 2914, 2920
– publicité des droits 2957
– tiers acquéreur 2915, 2920
– vente du bien d'autrui 1714

Prescription extinctive:
2875, 2921-2933
– action personnelle 2925
– atteinte à la réputation 2929
– contrat à exécution successive 2931, 2932
– début 2880
– définition 2921
– délai 2922
– droit réel immobilier 2923
– droit réel mobilier 2925
– droit résultant d'un jugement 2924
– interruption naturelle 2891
– nullité de contrat 2927
– obligation 1671
– possession d'un immeuble 2923
– préjudice se manifestant graduellement ou tardivement 2926, 2930
– prestation attachée à la détention 2933
– prestation compensatoire du conjoint survivant 2928

Présomption: *Voir aussi* **Preuve**
2846-2849
– absent 85
– absolue 2847, 2848
– acceptation de la succession 633, 640
– acceptation de la tutelle dative 202
– acceptation du risque aggravé 2566
– acquisition du bien sur lequel porte la créance 1696
– acte authentique 2813
– administration du bien d'autrui 1329, 1335, 1336,
   1343
– aptitude du mandant 2173
– assurance maritime 2548, 2550, 2562, 2580, 2582
– assurance terrestre 2405
– autorité de la chose jugée 2848
– bail 1853
– bon état du bien loué 1890
– bonne foi 2805
– connaissance d'un droit 2943

– consentement à l'arrimage 2064
– contradiction par aveu fait à l'instance 2866
– contrat d'association 2268
– contrat d'entreprise 2114
– copropriété 1044
– date de l'acte sous seing privé 2830
– déchéance du recours 2878
– déclaration 2870, 2873
– définition 2846
– dépôt nécessaire 2297
– désignation de bénéficiaire d'assurance de personnes
   2447
– détention 923
– état de navigabilité du navire 2562
– existence d'un droit 2944
– fiduciaire 1282
– gérant 1028
– inscriptions informatisées 2838
– intervention du tribunal 2849
– inventaire 1329
– irréfragable 2944
– légale 2847, 2866
– legs 745, 746
– legs à titre particulier 756
– lésion 1406
– libéralité 690
– mandat 194, 2133, 2153, 2173
– mitoyenneté 1003, 1045
– novation 1661
– placement 1304, 1339-1344
– plan cadastral 3027
– possession 921, 923, 925, 928
– propriété 955
– publicité des droits 2943, 2944
– remise de l'obligation 1689, 1691
– renonciation à une succession 633, 650
– rente viagère 2375, 2380
– réquisition d'inscription 3009, 3012
– simple 2847
– société en participation 2250
– solidarité entre les débiteurs 1525
– succession 647
– testament notarié 718
– transport maritime de biens 2064, 2068, 2069, 2080
– vente à l'essai 1744
– vice caché 1729

Prestataire de services: *Voir aussi* **Contrat de service**
– bien fourni par 2103
– décès ou inaptitude 2128
– obligation 2100, 2102, 2103, 2126, 2129
– responsabilité 2104

Prestation compensatoire: *Voir aussi* **Conjoint; Dissolution de mariage; Divorce; Enrichissement injustifié; Mariage**

– époux collaborateur 428
– ordonnance du tribunal 427
– paiement 429
– paiement fait par le liquidateur de la succession 809
– paiement pendant mariage 430
– prescription extinctive 2928
– valeur 429

Prêt: *Voir aussi* **Prêt à usage; Prêt d'argent; Simple prêt**
2312-2332
– acte notarié 1655
– à fonds perdu 2375
– définition 2313, 2314
– prêt à usage 2317-2326
– promesse 2316
– simple prêt 2327-2332
– subrogation 1655
– type 2312
– usage 1853
– vente avec faculté de rachat 1756

Prêt à usage:
2317-2326
– définition 2313
– dépense pour usage du bien 2320
– durée indéterminée 2319
– obligations de l'emprunteur 2317, 2318
– perte du bien 2322, 2323
– remboursement des dépenses 2320
– responsabilité du prêteur 2321
– rétention 2324
– retour du bien 2319
– solidarité 2326
– usage du bien 2318, 2322
– vice caché 2321

Prêt d'argent:
2315, 2330-2332
– intérêt 2330
– lésion 2332
– quittance du capital 2331

Prêteur: *Voir* **Prêt; Prêt à usage; Prêt d'argent; Simple prêt**

Preuve: *Voir aussi* **Aveu; Connaissance d'office; Déclaration; Présomption; Preuve écrite; Preuve par présentation d'un élément matériel; Preuve par témoignage; Témoin**
2803-2874
– absence de preuve écrite 2862
– assurance maritime 2532, 2565, 2585
– atteinte aux droits et libertés fondamentaux 2858
– aveu 2811, 2850-2853
– bail 1861, 1862, 1928, 1964, 1966
– bien appartenant à autrui 1796
– bonne foi 2805
– cession de créance 1641

– commencement de preuve 534, 2865
– connaissance d'office 2806-2810
– connaissance par la victime du défaut du bien 1473
– contrat d'entreprise 2119
– décès 102
– déclaration 2869-2874
– déclaration de société 2195
– déclaration modificative 2195
– dépôt 2284
– défaut d'invoquer les moyens d'irrecevabilité 2859
– défaut du bien ne pouvant être connu 1473
– écrite 2811, 2812-2842
– enrichissement 1706
– fardeau 2803
– faute 1459, 1460, 1465, 2083
– force majeure 1693, 2100
– inaptitude du mandant 2170
– irrecevabilité contre présomption légale 2866
– loi applicable 3130
– mandat 2164, 2170
– moyen 2811, 2859-2868
– ouï-dire 2843
– paiement 2834
– présentation d'élément matériel 2854-2856
– présomption 2846-2849
– recevabilité 2857
– rejet 2858
– suffisante 2804
– témoignage 1762, 2413, 2843-2845
– testament 773-775

Preuve écrite: *Voir aussi* **Acte authentique; Acte semi-authentique; Acte sous seing privé; Écrit; Inscription informatisée**
2812-2842, 2860
– acte authentique 2813-2821
– acte semi-authentique 2822-2825
– acte sous seing privé 2826-2830
– certificat établi par jurisconsulte 2809
– copie de lois 2812
– copies et documents résultant d'un transfert 2841, 2842
– déclaration écrite 2872, 2873
– droit des autres provinces et territoires du Canada 2809
– droit d'un État étranger 2809
– écrit 2831-2836
– supports de l'écrit et neutralité technologique 2837-2840

Preuve par présentation d'un élément matériel:
2854-2856
– commencement de preuve 2865
– déclaration enregistrée sur ruban magnétique 2874
– définition 2854
– discrétion du tribunal 2856

– force probante 2855
– recevabilité 2868

Preuve par témoignage: *Voir aussi* **Témoin**
2843-2845
– absence à l'instance 2869, 2870
– commencement de preuve 2862, 2863
– consentement des parties 2869
– créance 2862
– déclaration du preneur en assurance terrestre 2413
– déclaration faite antérieurement 2869, 2871
– droit des autres provinces et territoires du Canada 2809
– droit d'un État étranger 2809
– écrit ni authentique ni semi-authentique rapportant un fait 2832
– enfant 2844
– expert 2809
– force probante 2845
– intervention du tribunal 2870
– irrecevabilité contre preuve écrite 2863
– matière commerciale 2862
– recevabilité 2864
– témoin unique 2844
– testament 775
– vente aux enchères 1762

Priorité: *Voir aussi* **Créance; Gage commun des créanciers**
2650-2659
– cessation 2659
– collocation 2651, 2658
– commission scolaire 2651(5), 2654.1
– compensation 1682
– copropriété divise 1051
– créance indéterminée ou non liquidée 2658
– créance suspendue par une condition 2658
– créancier avec droit de rétention sur meuble 2651(3)
– définition 2650
– dénonciation 2654
– dépenses faites dans intérêt commun 2651(1), 2652
– droit hypothécaire 1756
– État 2651(4), 2653
– étendue 2651
– fiducie 1263
– frais de justice 2651(1), 2652
– indivisibilité 2650
– légale 2659
– municipalité 2651(5), 2654.1
– opposabilité 2655
– prise en paiement 1743, 1749
– rang 2657
– recours des créanciers 2656
– renonciation 1691
– vendeur impayé 2651(2)

Prise de possession à des fins d'administration: *Voir aussi* **Droit hypothécaire**
2773-2777
– biens d'une entreprise 2773
– cessation 2775
– droits du débiteur 2761
– droits du locataire 2774
– reddition de compte 2776
– remise des biens 2776, 2777

Prise en paiement: *Voir aussi* **Dation en paiement; Droit hypothécaire; Paiement**
2778-2783
– abandon 2779
– conditions d'exercice 2778
– défaut de vendre 2780
– délaissement volontaire 2764
– désintéressement des créanciers subséquents 2780
– effet 2782, 2783
– extinction de l'hypothèque des créanciers de rang supérieur 2801
– extinction de l'obligation 2782
– inopposabilité des droits réels au créancier 2783
– intervention du tribunal 2778, 2780
– jugement en délaissement 2781
– radiation de l'avis exigeant l'abandon 3069
– valeur mobilière 2759

Privilège: *Voir* **Priorité**

Procès:
2636

Proclamation:
– acte authentique 2814(2)

Procréation assistée: *Voir aussi* **Droit médical; Filiation; Mère porteuse; Naissance; Paternité**
538-542
– application 538.1
– contestation de filiation 539
– convention de procréation ou de gestation 541
– lien de filiation 538.2
– parent présumé 538.3
– preuve de filiation 538.1
– renseignements confidentiels 542
– responsabilité envers l'enfant 540

Procuration: *Voir* **Mandat**

Procureur général du Québec:
54, 3017, 3068

Prodigalité: *Voir aussi* **Régime de protection du majeur**
258

Programme public de conservation et de remise en état des logements:
1929

Promesse: *Voir* **Promesse d'achat; Promesse de contracter; Promesse de donation; Promesse de vendre**

Promesse d'achat:
– vente d'immeubles à usage d'habitation 1785-1787

Promesse de contracter: *Voir aussi* **Contrat; Offre de contracter**
1396
– donation 1812
– fait d'autrui 1443
– forme 1415
– prêt 2316
– violation 1397

Promesse de donation:
1812

Promesse de vendre: *Voir aussi* **Offre de contracter; Vente**
1710-1712
– acompte sur le prix 1711
– défaut de passer titre 1712
– délivrance et possession actuelle 1710

Promoteur: *Voir aussi* **Immeuble**
– contrat d'entreprise 2124
– vente d'immeubles à usage d'habitation 1785, 1788-1790, 1794

Promoteur de copropriété divise: *Voir aussi* **Copropriété divise**
– assemblée des copropriétaires 1092, 1104
– définition 1093
– nombre de voix 1104
– perte de contrôle sur le syndicat 1081, 1104-1107
– réduction du nombre de voix 1099

Propriétaire: *Voir aussi* **Droit de propriété; Propriété**
– accession immobilière 955-970
– accession mobilière 971-975
– animal 1466
– arbre 984-986
– bien perdu ou oublié 939, 940, 943, 946
– bonne foi 990
– déclaration de copropriété 1059, 1060
– droit de se clore 1002
– enclavé 997-999
– établissement de santé ou de services sociaux 1817
– fonds d'autrui 987-992
– fruit et revenu 949
– immeuble 1467
– indivision 1958
– matériaux de construction 956
– mur mitoyen 1004-1008
– présomption de propriété 955
– risque de perte 950
– riverain 920, 965-970, 981
– tolérance 1853

Propriété: *Voir aussi* **Accession; Copropriété divise; Copropriété par indivision; Droit de propriété; Nupropriétaire; Propriétaire; Propriété immobilière; Propriété superficiaire**
– cession 952
– définition 947

– droit 911-920
– fruits et revenus 949
– immobilière 976-1008
– industrielle 458, 909
– intellectuelle 458, 909
– modalité 1009
– présomption 955
– revendication 953
– sol 951
– titre 1339(1), 2781

Propriété immobilière: *Voir aussi* **Immeuble**
976-1008
– limite du fonds et du bornage 977-978
– voisinage 976

Propriété superficiaire: *Voir aussi* **Droit de propriété; Superficiaire; Tréfonds; Tréfoncier**
1110-1118
– accession 1116
– charges 1112
– copropriété divise 1040, 1059, 1060, 1082
– définition 1011
– dissolution 1114-1118
– droit d'acquérir la propriété du tréfonds 1116, 1117
– établissement 1110-1113
– expiration 1116
– expropriation 1115
– perpétuelle 1113
– perte 1115
– terme 1113
– tiers 1114
– vente d'immeubles à usage d'habitation 1788

Protection du majeur: *Voir* **Régime de protection du majeur**

Publication:
– avis de clôture d'inventaire 795
– avis de clôture d'une hypothèque ouverte 2718
– avis de vente aux enchères 942
– avis d'intention d'exercer la faculté de rachat 1751
– célébration du mariage 368-371
– changement de nom 63, 64, 67
– convention d'indivision 1014
– déclaration de copropriété 1038-1040
– droit de propriété du crédit-bailleur 1847
– faculté de rachat d'un bien 1750, 1751
– indivision conventionnelle d'un immeuble 1014
– réserve de propriété d'un bien 1745, 1749
– stipulation d'inaliénabilité 1214

Publicité des droits: *Voir aussi* **Bureau de la publicité des droits; Hypothèque; Immatriculation des immeubles; Officier de la publicité des droits; Priorité; Radiation; Rang des droits; Registre; Registre des droits personnels et réels mobiliers; Registre foncier; Registre des mentions; Réquisition d'inscription**
2934-3075
– arrérages de rente 2959, 2960

– avis de vente forcée 3000
– bail 1852, 2999.1
– bail d'un véhicule routier autre bien meuble 1852
– cession de rang entre créanciers hypothécaires 2956
– cession d'un droit 2939
– clôture de l'inventaire 795
– clôture du compte du liquidateur de la succession 822
– défaut 2963, 2964
– donation 1824
– droit de résolution 2939
– droit du vendeur avec faculté de rachat 1752
– droit personnel 2938
– droit réel immobilier 2938, 2966
– droit réel mobilier 2938, 2966
– effet 2941, 2957-2961.1
– empêchement 2967, 2968
– énumération des droits 2938
– État 2964
– exploitation d'une entreprise 2961.1
– hypothèque 2663, 2695, 2701, 2703, 2707, 2712, 2716, 2959
– hypothèque acquise par subrogation ou cession 3003
– immatriculation des immeubles 3026-3056
– immeuble faisant l'objet d'une immatriculation 2943, 2944, 2957
– inscription des adresses 3022-3023.1
– inscription des transferts d'autorité gouvernementale 2940
– intérêts 2959, 2960
– interruption de prescription 2957
– intervention du tribunal 2965
– jugement annulant une renonciation 2938
– loi applicable à la sûreté mobilière 3102, 3105
– loi applicable aux droits réels 3097
– majeur protégé 2935, 2964
– mineur 2935, 2964
– mode 2934, 2934.1
– modification ou extinction d'un droit publié 2938
– officier 3007-3021
– opposabilité 2941-2944
– plan 2997
– préinscription 2966-2968
– prescription 2957
– présomption 2943, 2944, 2968
– procès-verbal de saisie 2958
– protection des tiers de bonne foi 2963-2965
– radiation 2965, 3057-3075
– rang des droits 2945-2956
– rectification 2965
– registre des droits personnels et réels mobiliers 2969, 2970, 2980
– registre foncier 2969, 2970, 2972-2972.4, 2978, 2979
– règlements d'application 3024, 3025
– renonciation à communauté de biens 2938
– renonciation à legs 2938
– renonciation à prescription acquise des droits réels immobiliers 2885
– renonciation à succession 2938
– renonciation au partage des acquêts 2938
– renonciation au partage du patrimoine familial 2938
– renonciation ou restriction au droit de publier 2936
– renouvellement 2937, 2942, 2953
– rente 2959, 2960
– réquisition d'inscription 2981-3006
– restriction au droit de disposer 2939
– saisie 2958
– subrogation 3003, 3004
– substitution 2961
– testament 2967, 2968
– transfert d'autorité gouvernementale relatif à des immeubles 2940

Publicité du registre de l'état civil: *Voir aussi* **Acte de l'état civil; Directeur de l'état civil; Registre de l'état civil**
144-150
– attestation 144, 147
– certificat d'état civil 144, 146
– consultation 150
– copie d'actes de l'état civil 144, 145
– modalité 144
– nouvel acte de l'état civil 149
– personnes autorisées à obtenir un document 148, 149
– personnes désignées par le ministre de la justice 151
– règlement d'application 151

Q

Quote-part: *Voir aussi* **Copropriété divise**
– copropriété 1010, 1046-1048, 1053, 1061, 1090, 1094

R

Radiation: *Voir aussi* **Publicité des droits**
3057-3075.1
– adjudication 3070, 3075.1
– adresse d'un indivisaire 3066.1
– avis d'abandon ou de révocation du droit réel d'exploitation de ressources de l'État 3071
– avis de préinscription des droits résultant d'un testament 3066.2
– avis de préinscription d'une demande en justice 3066.2
– avis exigeant l'abandon de la prise en paiement 3069, 3075.1
– caducité de l'inscription dont la date extrême d'effet est limitée 3058
– caractère provisoire de l'inscription d'un droit 3053
– causes 3057-3066
– chose jugée 3073

– consentement 3059, 3062, 3067
– déclaration de résidence familiale 3062, 3063
– droit 3059
– droit accessoire 3074
– droit éteint 3069, 3075.1
– droit incertain 3052
– droit viager 3067
– exécution provisoire 3073
– forcée 3063, 3064, 3075
– hypothèque en faveur de l'État 3068
– hypothèque légale des personnes ayant participé à la construction ou à la rénovation d'un immeuble 3061
– hypothèque légale du syndicat des copropriétaires 3061
– judiciaire 2965, 3057.1, 3061
– légale 3057.1
– motifs de la réquisition 3075.1
– préavis de vente pour défaut de paiement de l'impôt foncier 3069, 3070, 3075.1
– préavis d'exercice d'un recours ou d'un droit 3069, 3075.1
– préinscription d'une demande en justice du titulaire d'un droit incertain 3052, 3053
– présentation de documents 3062, 3067
– procès-verbal de saisie 3069, 3075.1
– quittance 3065
– radiation faite sans droit ou erronée 3075
– réduction d'hypothèque garantissant la créance 3066
– réquisition de réduction d'inscription 3072, 3072.1
– volontaire 3057.1

Rang des droits: *Voir aussi* **Publicité des droits**
2945-2956
– cession 2956
– concurrence 2947
– hypothèque du vendeur 2948, 2954
– hypothèque grevant des meubles transformés 2953
– hypothèque grevant un meuble incorporé ultérieurement à un immeuble 2951
– hypothèque grevant une universalité de meubles 2950
– hypothèque grevant une universalité d'immeubles 2949
– hypothèque immobilière 2948
– hypothèque légale des personnes ayant participé à la construction ou à la rénovation d'un immeuble 2952
– hypothèque mobilière 2954
– hypothèque ouverte 2955
– inscription d'hypothèque sur immeubles acquis postérieurement 2949
– pluralité d'acquéreurs 2946
– pluralité d'hypothèques immobilières 2948
– rang 2945

Rapport des dettes à la masse: *Voir aussi* **Partage de la succession; Succession**
879-883
– compensation 881

– dette excédent la valeur de la part héréditaire 880
– dette non échue 879
– indivision 879
– intérêt 883
– prélèvement 882
– valeur de la dette 883

Rapport des dons et des legs à la masse: *Voir aussi* **Donation; Partage de la succession; Succession**
867-878
– à charge expresse 867
– bien grevé d'une hypothèque ou d'un autre droit réel 877
– destinataire 869
– droit de rétention de l'héritier 875
– en moins prenant 870, 871, 872, 873, 874
– en nature 870, 874, 877, 878
– évaluation du bien rapporté en moins prenant 873
– fruits et revenus 878
– imputation de la somme au lot de l'héritier 872
– perte du bien 876
– prélèvement 871
– représentant 868
– successible renonçant à la succession 867
– valeur du bien rapporté 874

Ratification: *Voir* **Confirmation**

Receleur:
– possession 927

Réception de l'indu: *Voir aussi* **Paiement; Restitution des prestations**
1491-1492, 1554
– loi applicable 3125
– règles applicables 1492
– restitution 1699-1707

Récompense:
1395

Reconnaissance et exécution des décisions étrangères: *Voir aussi* **Droit international privé; Jugement étranger**
3155-3163
– application d'une loi autre que celle applicable 3157
– décision accordant des aliments par versements 3160
– décision condamnant au paiement d'une somme d'argent exprimée dans une monnaie étrangère 3161
– décision rendue par défaut 3156
– décision statuant sur plusieurs demandes dissociables 3159
– exception 3155
– intérêts 3161
– obligation découlant des lois fiscales 3162
– partielle 3159
– refus 3156
– transaction exécutoire au lieu d'origine 3163
– vérification 3158

Recours collectif: *Voir aussi* **Action en justice**
- chose jugée 2848
- interruption de prescription 2897
- suspension de prescription 2908

Reddition de compte: *Voir aussi* **Administrateur du bien d'autrui; Inventaire**
1351-1354, 1361, 1363-1370

Réduction des obligations: *Voir aussi* **Obligation**
1607-1609

Régie de l'assurance-dépôts du Québec:
1341

Régime d'union civile: *Voir aussi* **Dissolution de l'union civile; Union civile**
- compétence des autorités du Québec 3154
- conventionnel 521.8
- dissolution 521.19
- légal 521.8
- loi applicable 3122
- loi applicable à la validité d'une modification 3124
- loi applicable aux conjoints domiciliés dans des États différents 3123
- loi applicable aux conjoints unis sans convention d'union civile 3123

Régime de protection du majeur: *Voir aussi* **Capacité; Conseiller au majeur; Curatelle au majeur; Majeur protégé; Tutelle au majeur; Tuteur; Vente du bien d'autrui**
256-297
- but 256
- cas d'ouverture 258
- choix 259
- conseiller 291-294
- curatelle 281-284
- curateur public 261-264, 267
- défaut de publicité 2964
- dépôt 2282
- fin 295-297
- fin de l'administration du bien d'autrui 1355, 1361
- fin du contrat de société 2258
- intérêt du majeur 257
- loi applicable 3085
- mandat donné en prévision de l'inaptitude du mandant 2169, 2173-2175, 2177, 2183
- nomination d'un tuteur ou d'un curateur 258
- ouverture 257, 268-280
- publication d'un droit 2935
- règles applicables 266
- responsabilité du tuteur ou du curateur 260
- tutelle 285-290

Régime matrimonial: *Voir aussi* **Communauté de biens; Convention matrimoniale; Mariage; Patrimoine familial; Séparation de biens; Société d'acquêts**
- administration des biens 444-447
- changement pendant mariage 433, 438

- compétence des autorités du Québec 3154
- dissolution à la suite d'un divorce 518
- dissolution par l'absence 96
- droits et pouvoirs des conjoints 443-447
- entrée en vigueur 433
- époux domiciliés dans des États différents 3123, 3124
- légal 432
- liquidation à la suite de l'annulation du mariage 382
- loi applicable 3122
- loi applicable aux époux mariés sans convention matrimoniale 3123
- loi applicable à la validité d'une modification 3124
- régimes communautaires 492

Registre: *Voir aussi* **Officier de la publicité des droits; Registre de l'état civil; Registre des droits personnels et réels mobiliers; Registre foncier; Registre des mentions**
- acte authentique 2814(4)(5)
- bureau de la publicité des droits 2971
- municipalité 2814(4)
- personne morale de droit public 2814(4)
- public 2814(5)
- règlement d'application 3024
- tribunaux judiciaires 2814(3)
- utilisation des renseignements figurant sur les registres 2971.1

Registre de l'état civil: *Voir aussi* **Acte de l'état civil; Directeur de l'état civil; Publicité du registre de l'état civil**
- communautés cries, inuit, naskapies ou mohawk 152
- contenu 104
- exemplaire 105, 106
- exemplaire informatique 134, 135, 137, 142
- lieu de conservation 106
- modification 129
- personnes désignées par le directeur de l'état civil 151

Registre des droits personnels et réels mobiliers: *Voir aussi* **Droit réel; Publicité des droits**
- avis de conservation d'hypothèque mobilière sans dépossession 2700
- cession d'une universalité de créances 1642
- clôture de l'inventaire 795
- clôture du compte du liquidateur de la succession 822
- contenu 2980
- créance prioritaire 2654
- fiche 2980
- hypothèque acquise par subrogation ou cession 3003
- hypothèque mobilière sans dépossession 2698
- présomption 2943, 2944
- publicité des droits relatifs à un meuble 2970
- réquisition d'inscription 2981, 2983
- tenue 2969

Registre des mentions: *Voir aussi* **Publicité des droits**
- bureau de la publicité foncière 2969

– contenu 2979.1, 3014, 3014.1
– radiation d'une inscription en matière foncière 3057

Registre foncier: *Voir aussi* **Bureau de la publicité des droits; Publicité des droits**
2972-2979
– avis de dissolution d'un syndicat de copropriétaires 358
– avis de modification du plan de bornage 2996
– avis du curateur public 936
– bail immobilier 2999.1
– bureau de la publicité foncière 2969
– contenu 2972-2972.4
– décision de mettre fin à la copropriété 1108
– déclaration de copropriété 1060
– droit réel établi par convention 2943.1
– droit réel mobilier portant sur un immeuble 2970
– erreur matérielle 3016
– exploitation de ressources de l'État 2976, 2978
– fiche complémentaire 3034
– fiche immobilière 2972-2972.4, 3028, 3034, 3035, 3038, 3040
– hypothèque grevant un meuble incorporé ultérieurement à un immeuble 2951
– hypothèque immobilière 2695
– index des immeubles 2972, 2972.1
– index des noms 2972
– livre foncier 2972
– mise en demeure 1743, 1749
– morcellement d'immeuble non immatriculé 2979
– plan cadastral 3027
– pluralité d'immeubles non immatriculés mais contigus 2978
– présomption 2943, 2944
– procès-verbal de bornage 978
– publicité des droits relatifs à un immeuble 2970
– registre des droits réels d'exploitation des ressources de l'État 2972, 2972.2
– registre des immeubles en territoire non cadastré 2972, 2972.2
– registre des réseaux de services publics 2972, 2972.2
– report des inscriptions 2978
– réquisition d'inscription 2978, 2981, 2982
– tenue 2969

Remise: *Voir aussi* **Créancier; Libération du débiteur**
1687-1692
– à titre gratuit 1688
– à titre onéreux 1688
– caution 1692
– débiteur solidaire 1689, 1690
– définition 1687
– expresse 1688, 1690-1692
– partielle 1687
– présomption 1689, 1691
– renonciation expresse à priorité ou hypothèque 1691

– tacite 1688
– totale 1687

Remise en état: *Voir* **Restitution des prestations**
Renonciation: *Voir aussi* **Renonciation à une prescription; Renonciation à une succession**
– administration du bien d'autrui 1315, 1357
– emphytéose 1211
– fiducie 1285, 1286, 1296
– hypothèque 1691
– priorité 1691
– substitution 1234, 1235
– usage du mur mitoyen 1006

Renonciation à une prescription: *Voir aussi* **Prescription**
2883-2888
– après 2888
– bénéfice du temps écoulé 2883
– délai de prescription 2884
– expresse 2885
– future 2883
– incapacité 2886
– opposition 2887
– prescription acquise 2883
– prescription acquise des droits réels immobiliers 2885
– tacite 2885

Renonciation à une succession: *Voir aussi* **Succession**
646-652
– acceptation d'une succession 641, 649
– acte emportant acceptation 648
– acte notarié 646
– créancier du successible renonçant 652
– déclaration judiciaire 646
– donation 1809
– état de la succession 649
– expresse 646
– frais 634
– jugement passé en chose jugée condamnant à titre d'héritier 648
– légale 646
– mineur émancipé 173
– option 630
– présomption 633, 650, 651
– publicité 2938
– rapport à la massse 867
– recel ou divertissement d'un bien de la succession 651
– représentation 664

Rente: *Voir aussi* **Bail à rente; Rente viagère**
2367-2388
– arrérages 2959, 2960
– à terme 2393
– à titre gratuit 2369, 2377
– bail à rente 1805, 2368
– bénéficiaire 2369

– biens propres à charge de récompense 451
– capital 2367, 2378
– constitution 2370
– conversion du droit d'usufruit 1162, 1171, 1176
– définition 2367, 2368
– désignation ou révocation d'un crédirentier 2379
– dommages-intérêts 1616
– extinction 2799
– inaliénabilité 2377
– insaisissabilité 2377, 2378
– inscription 2959, 2960
– non viagère 2371, 2376
– paiement 825
– redevances 2959
– régime de retraite 2379
– règles applicables 2379
– viagère 2371-2376

Rente viagère: *Voir aussi* Assurance sur la vie; Bail à rente; Crédirentier
– assimilation à assurance sur la vie 2393
– conjoint 2380
– décès 2380
– défaut de fournir caution 2387
– défaut du paiement des redevances 2386
– diminution des sûretés 2386
– droits du crédirentier 2384, 2386, 2387
– durée 2374, 2376, 2381, 2382
– extinction de l'hypothèque 2385
– faillite du débirentier 2386
– fin 2374
– hypothèque 2387
– immeuble grevé d'une sûreté 2384
– insolvabilité du débirentier 2386
– libération du débirentier 2383, 2385
– libération du propriétaire d'un immeuble grevé d'une sûreté 2385
– nullité 2373
– objet 2372, 2373, 2374
– paiement 2381
– paiement des redevances 2382
– plusieurs crédirentiers 2380
– prêt à fonds perdu 2375
– remise du capital 2386
– remplacement du débirentier 2384
– réversibilité 2380
– substitution 2384, 2385
– successive 2374
– valeur 2388

Représentation: *Voir aussi* Mandat
660-665
– administration du bien d'autrui 1337
– admissibilité 661-664
– définition 660
– effet 660
– legs 749

– ligne collatérale 663
– ligne directe 661, 662
– loi applicable 3116
– partage par souche 665, 668
– substitution 1252

Réputation:
– respect 35

Réquisition d'inscription: *Voir aussi* Attestation; Publicité des droits
2981-3006
– arrérages de rente 2960
– attestation 2988-2995, 3009
– chose jugée 3002
– copie du jugement 2994
– créance hypothécaire acquise par subrogation 3004
– date extrême d'effet de l'inscription 2982, 2983, 3058
– dépôt de plan 2997
– désignation 2981
– document à produire 2985
– état certifié de l'inscription 3003, 3011
– exemplaire 2983
– forme 2982-2984
– héritier et légataire 2998, 2999
– hypothèque acquise par subrogation ou cession 3003
– identité et capacité des parties 3009
– inexactitude 3010
– inscription des adresses 3022, 3023
– intérêts 2960
– irrecevabilité 3010
– jugement 2996, 3002
– langue des documents accompagnant la réquisition 3006
– omission 3016
– présentation 2982, 3012
– procès-verbal de bornage 2996
– production 2983
– publicité des droits énoncés 2986
– rang des droits 2947
– refus 3033, 3035
– registre des droits personnels et réels mobiliers 2981, 2983, 2986
– registre foncier 2978, 2981-2982
– règlement d'application 3024
– règles 2996-3006
– regroupement de fiches sur une même fiche immobilière 2978
– signature 2984
– sommaire 2992, 3005
– subrogation 3003, 3004
– traduction des documents accompagnant la réquisition 3006
– vente aux enchères pour défaut de paiement d'impôt foncier 3001
– vente forcée 3000

Résidence familiale: *Voir aussi* Conjoint
- acte sans autorisation du conjoint 408
- aliénation des meubles 401, 402, 410
- attestation des déclarations 2995
- attribution judiciaire des meubles 410
- attribution judiciaire du bail 409
- attribution judiciaire du droit de propriété 411-413
- attribution judiciaire du droit d'habitation 411-413
- attribution judiciaire du droit d'usage 410, 411, 413
- attribution préférentielle au conjoint survivant 856
- choix 395
- conjoint locataire 403, 409
- déclaration 407
- immeuble de moins de cinq logements 404
- immeuble de plus de cinq logements 405
- inscription d'adresse 3022
- maintien de l'indivision 840, 841
- modification cadastrale 3044
- nouvelle numérotation cadastrale 3042
- propriété d'un des conjoints 404, 405
- radiation de la déclaration 3062, 3063
- séparation de corps 409, 410

Résiliation:
1604-1606, 1914-1916, 1971-1978, 2094, 2095, 2125-2129, 2258-2261, 2430, 2443, 2478, 2479

Résolution:
1604-1606
- de plein droit 1605, 1736, 2029

Responsabilité civile: *Voir aussi* Assurance de responsabilité; Clause abusive; Dommages; Dommages-intérêts; Faute; Préjudice
1457-1481
- acceptation de risques par la victime 1477
- avis d'exclusion ou de limitation de l'obligation de réparer 1475, 1476
- commettant 1463
- curateur 1461, 1462
- débiteur 1548
- dénonciation d'un danger 1476
- distributeur d'un bien meuble 1468, 1473
- divulgateur d'un secret commercial 1472
- du fait des biens 1457, 1465-1469
- du fait ou faute d'autrui 1457, 1459-1464
- engagement contractuel 1458
- exonération 1318, 1470-1477, 1481, 2070, 2074
- fabricant 1468, 1473
- force majeure 1470
- gardien d'un bien 1465
- partage 1478-1481
- personne chargée de garder un majeur non doué de raison 1461, 1462
- personne déléguée à la garde d'un mineur 1460
- personne disposant de biens au profit d'autrui 1471
- personne portant secours à autrui 1471

- préjudice résultant de l'utilisation d'une matière provenant du Québec 3151
- preuve 1459, 1460, 1465, 1473
- propriétaire d'un animal 1466
- propriétaire d'un immeuble 1467
- solidarité 1480, 1526
- titulaire de l'autorité parentale 1459
- tuteur 1461, 1462

Restitution des prestations: *Voir aussi* Réception de l'indu
1422, 1694, 1699-1707
- aliénation 1701
- aliénation à titre gratuit 1707
- aliénation à titre onéreux 1707
- bonne foi 1701, 1703-1705, 1707
- circonstance 1699
- crédit-bail 1849
- donation 1838
- en nature 1700
- erreur 1699
- faute 1701, 1703, 1704
- frais 1705
- fruit et revenu 1704
- impense 1703
- indemnité 1701, 1702, 1704
- légale 1699
- modalité 1700-1706
- opposabilité 1707
- par équivalent 1700
- personne protégée 1706
- perte partielle du bien 1702
- perte totale du bien 1701
- prescription 1707
- refus du tribunal 1699
- règles applicables 1703, 1707
- tiers 1707
- valeur 1701

Rétention: *Voir* Droit de rétention
Revenu: *Voir* Fruit
Risques: *Voir aussi* Force majeure
950, 1477, 1582, 1600, 1694, 1701, 1702, 1727, 1733, 1746, 2105, 2115, 2323, 2337, 2739

Rivage: *Voir* Mer
Rive: *Voir* Cours d'eau
Rivière: *Voir* Cours d'eau

S

Saisie: *Voir aussi* Exécution forcée; Insaisissabilité; Séquestre
1636
- bien meuble 1741
- créancier 1560, 1766
- emphytéose 1199

- gage commun des créanciers 2646, 2648
- interruption de prescription 2892
- part indivise 1015
- publicité des droits 2958
- radiation du procès-verbal 3069
- répétition 1560
- société en nom collectif 2226
- société en participation 2258
- tiers 1741
- usage 1173
- usufruit 1136

Salarié: *Voir aussi* **Contrat de travail; Employeur**
- décès 2093
- établissement de santé ou de services sociaux 761, 1817
- obligations 2088
- résiliation du bail 1976

Secret commercial:
- évaluation des dommages-intérêts 1612
- préjudice causé à autrui par sa divulgation 1472

Sentence arbitrale: *Voir* **Convention d'arbitrage**

Séparation de biens: *Voir aussi* **Régime matrimonial; Séparation de biens conventionnelle; Séparation de biens judiciaire**
485-491
- conventionnelle 485-487
- effet de la séparation de corps 508
- judiciaire 488-491

Séparation de biens conventionnelle:
485-487, 489
- administration des biens 486
- biens indivis 487
- établissement 485

Séparation de biens judiciaire:
488-491
- demande par l'un des époux 488
- droits de survie 491
- effet 489
- recours des créanciers 490
- rétroactivité 489

Séparation de corps: *Voir aussi* **Divorce; Mariage**
493-515
- absence de volonté à continuer la vie commune 493
- aliments 511
- application des règles de l'instance de divorce 496
- approbation par le tribunal 495
- attribution judiciaire du bail 409
- attribution judiciaire des meubles 410
- compétence des autorités du Québec 3146
- conciliation des époux 496
- donation 510
- donation entre vifs 510
- droits de survie 509

- effet sur désignation du bénéficiaire d'une assurance de personnes 2459
- effet sur enfants 513, 514
- effet sur mariage 507
- effet sur obligation de vie commune 507
- effets 507-514
- époux domiciliés dans des États différents 3090
- fin 515
- intérêt de l'enfant 496
- intolérabilité de la vie commune 494
- loi applicable 3090
- loi applicable à l'obligation alimentaire entre époux 3096
- loi applicable aux effets 3090
- prestation compensatoire 427-430
- procédure 495, 497
- séparation de biens 508
- vérification des consentements par le tribunal 495

Séquestre: *Voir aussi* **Dépôt; Saisie**
2305-2311
- acte de simple administration 2308
- administration du bien d'autrui 1145
- aliénation des biens 2308
- choix 2307
- décharge 2309
- définition 2305
- intervention du tribunal 2307-2310
- judiciaire 2311
- meuble 1147
- objet 2306
- reddition de compte 2310
- remise de l'immeuble 2306
- substitution 1238
- usufruit 1145, 1147

Service: *Voir aussi* **Contrat de service**
2098-2129
- définition 2098

Servitude: *Voir aussi* **Droit de propriété; Passage**
1177-1194
- abandon 1185
- apparente 1180
- charge 1185
- continue 1179, 1192
- conventionnelle 1181
- définition 1177
- dépenses afférentes aux droits et obligations 1184-1186
- déplacement de l'assiette de la servitude 1186
- discontinue 1179, 1192
- division du fonds 1187, 1188
- droit réel 1119
- droits du propriétaire du fonds dominant 1184, 1188
- droits du propriétaire du fonds servant 1185
- établissement 1181

– étendue 1177
– exercice 1184-1190
– extinction 1191-1194
– légale 1181
– legs 831
– mutation de propriété 1182
– nature 1177-1183
– non apparente 1180
– non-construction 1179
– non-usage 1191
– obligation de faire 1178
– obligations du propriétaire du fonds dominant 1186
– obligations du propriétaire du fonds servant 1178, 1186
– par destination du propriétaire 1181, 1183
– passage 1179, 1187, 1189
– prescription 1192-1194
– rachat 1189, 1190
– remise en état 1184
– renonciation 1191
– réunion des qualités dans une même personne 1191
– terme 1191
– testament 1181
– titre constitutif 1181
– tréfonds 1112
– vue 1179

Siège social:
– personne morale 307

Silence:
1394, 1401, 1878, 1879, 1941-1946, 2090, 2132, 2592, 2851

Simple prêt: *Voir aussi* **Prêt**
2327-2332
– à titre gratuit 2315
– définition 2314
– prêt d'argent 2315, 2330-2332
– propriété du bien 2327
– remise du bien 2329
– responsabilité du prêteur 2321
– vice caché 2321

Simulation:
– définition 1451
– opposabilité aux tiers 1452

Société: *Voir aussi* **Associé; Société en commandite; Société en nom collectif; Société en participation**
2186-2279
– acte de régularisation 2191, 2192
– action 909, 1339(8),(9),(10)
– contrat 2186
– déclaration 2190, 2195, 2196
– déclaration modificative 2194, 2195
– en commandite 2188, 2189, 2236-2249
– en nom collectif 2188, 2189, 2198-2235

– en participation 2188, 2250-2266
– formation 2187
– intervention du tribunal 2192
– investissement 1339(10)
– par actions 2188
– part sociale 909
– prêt 1339(6)
– rectification de la déclaration 2191
– régularisation 2193
– responsabilité des associés 2196
– vente d'entreprise 1778

Société canadienne d'hypothèque et de logements:
1339(7)

Société commerciale: *Voir* **Société en commandite; Société en nom collectif**

Société d'acquêts: *Voir aussi* **Partage de la société d'acquêts; Régime matrimonial**
432, 448-484, 521.8
– acquêts 448, 449, 451-460
– acquêts à charge de récompense 455
– acquêts indivis 460
– administration des biens 461
– autorisation à disposer des acquêts 462
– biens propres 448, 450-458
– biens propres à charge de récompense 451, 457
– conservation des biens propres 467
– désignation de tiers bénéficiaire d'acquêts 463
– dissolution 465-484
– jouissance des biens 461
– partage des acquêts 467-484
– responsabilité dettes 464
– rétroactivité effets de dissolution 466

Société d'habitation du Québec:
1339(7), 1984, 1985, 1992, 1994, 2799

Société en commandite: *Voir aussi* **Commanditaire; Commandité**
1340, 2236-2249
– administration 2236, 2244, 2245
– appel public à l'épargne 2237
– déclaration 2189, 2190
– dissolution 2245
– émission de titres 2237
– formation 2189
– forme juridique 2197
– insuffisance des biens 2246, 2248
– nom 2197, 2247
– obligation du commanditaire 2236
– règles applicables 2249
– responsabilité 2197
– responsabilité des associés 2197
– responsabilité du commanditaire 2240, 2244, 2246
– responsabilité du commandité 2238, 2246
– valeur mobilière 909

Société en nom collectif: *Voir aussi* Associé
2198-2235
- appel public à l'épargne 2224
- continuation 2231
- déclaration 2189
- dissolution et liquidation 2230-2235
- droits des tiers 2234
- durée déclarée 2228, 2231
- durée indéterminée 2228
- émission de titres 2224
- formation 2189
- forme juridique 2197
- gestion 2212-2218
- hypothèque 2211
- intervention du tribunal 2197, 2210, 2230
- nom 2197
- participation aux bénéfices 2201
- perte de la qualité d'associé 2226-2229
- pouvoir d'ester en justice 2225
- pouvoirs des associés 2212, 2233
- rachat de part 2210
- règles applicables 2235
- responsabilité des associés envers tiers 2196, 2197, 2221-2223
- responsabilité envers tiers 2197, 2222-2224
- valeur de la part cédée ou saisie 2210, 2227

Société en participation: *Voir aussi* Associé
2250-2266
- action contre associés 2257
- arrivée du terme 2258
- choix d'un liquidateur 2264
- constitution 2250
- continuation 2259
- décès d'un associé 2258, 2259
- droit de retrait 2260
- droits des associés 2256
- droits des tiers 2263
- durée indéterminée 2260
- faillite d'un associé 2258
- fin du contrat 2258-2266
- indivision de biens 2250, 2252
- intervention du tribunal 2264, 2265
- liquidateur 2265, 2266
- mode de liquidation 2264
- pouvoirs des associés 2262
- règles applicables 2251
- résiliation du contrat 2258, 2261
- responsabilité des associés 2252

Société mutuelle: *Voir aussi* Assurance
- certificat de participation 2407
- droit des membres 2407
- insaisissabilité 2444

Société par actions: *Voir* Personne morale

Soins: *Voir aussi* Corps humain; Droit médical; Expérimentation
- autorisation du tribunal 16
- cas d'urgence 13
- consentement 11
- consentement écrit 24
- consentement pour autrui 11, 12
- devoirs du tribunal 23
- inaptitude d'un majeur 15, 16, 18
- mineur 14, 16-18

Sol: *Voir aussi* Fonds
- exhaussement 1008
- mur mitoyen 1004
- partie commune de la copropriété divise 1044
- produit 900, 2698
- propriété 951
- vice 1081

Solidarité: *Voir aussi* Solidarité entre les créanciers; Solidarité entre les débiteurs
- administration du bien d'autrui 1334, 1370
- association 2274
- contrat d'entreprise 2118
- fiducie 1292
- mandat 2144, 2156
- obligation conjointe 1520-1521
- partage de responsabilité 1480
- prêt à usage 2326
- société en commandite 2246
- société en nom collectif 2221, 2224
- société en participation 2254

Solidarité entre les créanciers: *Voir aussi* Créancier; Obligation solidaire
1541-1544
- compensation 1678
- confusion 1685
- division de l'obligation 1544
- effet 1541
- exécution de l'obligation 1542-1543
- extinction de l'obligation 1543
- héritier 1544
- novation 1666
- prescription 2900, 2902
- remise de l'obligation 1543, 1690
- stipulation expresse 1541

Solidarité entre les débiteurs: *Voir aussi* Débiteur; Dommages-intérêts; Obligation solidaire
1523-1540
- arrérages 1534
- bénéfice de division 1528
- caution 1537
- compensation 1678
- confusion 1685
- déchéance du terme 1516
- définition 1523

- différence d'obligation 1524
- division de l'obligation 1540
- division de la dette 1532-1535
- dommages-intérêts 1527
- droit de répétition 1536
- droit du créancier 1529
- exploitation d'une entreprise 1525
- héritier 1540
- insolvabilité co-débiteur 1538, 1690
- intérêts 1534
- légale 1525
- novation 1664-1665
- obligation devenue impossible à exécuter en nature 1527
- opposition 1530, 1539
- perte du recours solidaire contre un débiteur 1534, 1535
- préjudice causé à autrui 1526
- prescription 2900, 2902
- présomption 1525
- privation d'une sûreté ou d'un droit 1531
- remise de l'obligation 1689, 1690
- renonciation à la solidarité 1532, 1533, 1538
- responsabilité civile 1526
- stipulation expresse 1525
- subrogation 1531, 1536

Solive:
1005

Source: *Voir aussi* Eau
980-982

Sous-affrètement:
2005-2006

Sous-entrepreneur: *Voir aussi* **Contrat d'entreprise; Entrepreneur; Entreprise**
- état des sommes payées 2122
- hypothèque légale 2726-2728
- prescription 2118
- responsabilité 2118
- vice de conception 2118
- vice du sol 2118

Sous-location: *Voir aussi* **Bail; Bail d'un logement; Bail d'un logement à loyer modique; Locataire; Locataire de bail d'un logement**
1870-1872, 1874-1876, 1940, 1944, 1948, 1950, 1981, 1995

Statut de la procédure: *Voir aussi* **Droit international privé**
3132-3133

Statut des obligations: *Voir aussi* **Droit international privé**
3109-3131
- acte juridique 3111
- acte juridique reçu hors Québec par notaire du Québec 3110

- cession de créance 3120
- contrat d'assurance 3119
- contrat de consommation 3117
- contrat de travail 3118
- convention d'arbitrage 3121
- disposition testamentaire 3109
- enrichissement injustifié 3125
- fond d'un acte juridique 3111-3113
- forme d'un acte juridique 3109, 3110
- gestion d'affaires 3125
- loi désignée rendant l'acte juridique invalide 3112
- prescription 3131
- présomption 3113
- preuve 3130
- rapport entre cessionnaire et débiteur 3120
- réception de l'indu 3125
- régime d'union civile 3122-3124
- régime matrimonial 3122-3124
- représentation 3116
- responsabilité civile 3126-3129
- responsabilité du fabriquant 3128
- vente 3114, 3115

Statut personnel: *Voir aussi* **Droit international privé**
3083-3096
- adoption 3092
- cas d'urgence 3084
- état et capacité d'une personne physique et morale 3083
- filiation adoptive 3092
- filiation par le sang 3091
- garde de l'enfant 3093
- incapacité 3086, 3087
- majeur protégé 3085
- mariage 3088, 3089
- obligation alimentaire 3094-3096
- représentation des personnes morales 3087
- séparation de corps 3090
- union civile 3090.1-3090.3

Statut réel: *Voir aussi* **Droit international privé**
3097-3108
- droit réel 3097
- fiducie 3107, 3108
- inopposabilité d'une sûreté mobilière 3104, 3106
- ination d'un administrateur ou d'un liquidateur de succession 3101
- publicité des droits réels 3097
- publicité d'une sûreté grevant un meuble corporel ou incorporel 3105
- publicité d'une sûreté grevant un meuble non destiné à rester dans l'État où il se trouve 3103
- publicité d'une sûreté par détention du titre 3105
- succession 3098-3101
- sûreté grevant une créance 3105

– sûreté mobilière 3102-3106
– sûreté réputée publiée au Québec 3104, 3106

Stipulation d'inaliénabilité: *Voir aussi* **Aliénation**
1212-1217
– aliénation 1213, 1217
– clauses réputées non écrites 1216
– donation 1212
– fiducie 1212
– insaisissabilité 1215
– opposabilité aux tiers 1214
– publication 1214
– substitution 1212
– testament 1212
– validité 1212

Stipulation pour autrui:
1444-1450
– acceptation 1449
– décès du stipulant ou du promettant 1449
– droit du tiers bénéficiaire 1444
– opposition 1450
– révocation 1446-1448, 2449
– tiers bénéficiaire déterminable 1445

Subrogation:
1651-1659
– assurance 2474, 2620
– bien perdu ou oublié 939, 941
– conventionnelle 1652-1655
– créance hypothécaire 3004
– effet 1657-1659
– fondation 1259
– garant 1657
– hypothèque 3003
– indivisaire 1023, 1024
– légale 1652, 1656-1659
– liquidation de la succession 829
– paiement d'obligation 1651-1659
– prêt 1655
– tiers 1608
– validité 1655

Substitution: *Voir aussi* **Appelé; Grevé; Succession**
1218-1255
– acceptation 1243, 1253
– acte constitutif 1232, 1237
– aliénation des biens substitués 1229-1231, 1244
– après l'ouverture 1243-1251
– assurance 1227, 1237
– avant l'ouverture 1223, 1230, 1234, 1235, 1237, 1241, 1253
– caducité 1252
– confusion 1249
– créance 1249
– créancier 1233, 1234, 1249
– curateur 1239
– débiteur 1249

– défense de tester 1220
– définition 1218
– dépense 1247
– dette 1247, 1249
– disposant 1230, 1239, 1240, 1243, 1249, 1255
– disposition des biens 1232, 1235
– donation 1218, 1220, 1222, 1240, 1242, 1253, 1255
– effet 1232
– établissement 1218
– étendue 1221
– héritier 1220, 1251
– impense 1248
– intérêts 1247, 1249
– inventaire 1224, 1231, 1236
– mandat 2140, 2161
– nature 1218-1220
– ouverture 1222, 1229, 1240-1242
– ouverture différée 1241
– part des appelés 1255
– perte 1245
– placement 1229-1230
– possesseur de bonne foi 1248
– publicité 2961
– reddition de compte 1244
– règles applicables 1222, 1228
– remise en état 1245
– remise des biens par anticipation 1234
– remise des biens substitués 1244-1246
– renonciation à ses droits 1234, 1235
– rente viagère 2384
– représentation 1252
– résidu des biens donnés ou légués 1246
– rétention des biens substitués 1250
– révocation 1253-1255
– saisie 1233
– séquestre 1238
– stipulation d'inaliénabilité 1212
– succession 617
– sûreté 1237
– testament 1218, 1220, 1222, 1242, 1252
– transporteur 2035
– usufruit 1228
– vente en justice 1233

Succession: *Voir aussi* **Acceptation d'une succession; Composition des lots; Conjoint; Donation; Héritier; Légataire particulier; Légataire universel; Lettre de vérification; Ligne collatérale; Ligne directe; Liquidateur de la succession; Liquidation de la succession; Parenté; Partage de la succession; Pétition d'hérédité; Rapport des dettes à la masse; Rapport des dons et des legs à la masse; Renonciation à une succession; Représentation; Substitution; Survie de l'obligation alimentaire; Testament; Vente de droits successoraux**
– ab intestat 619, 736, 749, 776

– absent 96, 617, 638
– acceptation 637-645
– acceptation par mineur 173
– administration du bien d'autrui 1312
– annulation de l'option 636
– ascendant ordinaire 677-682
– ascendant privilégié 670, 672, 674, 675
– assurance de personnes 2445, 2455, 2456
– biens 781
– biens situés hors du Québec 615, 3100
– collatéral ordinaire 677-683
– collatéral privilégié 670, 673, 674, 676
– comourants 616
– compétence des autorités du Québec 3153
– confusion 801
– conjoint 624, 652, 653, 666, 671-673
– créancier 780-782, 797
– cumul de vocation successorale 630
– déclaration des droits de l'héritier et du légataire 2998, 2999
– délibération 632, 635
– descendant 666-669
– désignation d'une loi applicable 3098, 3099
– dette 1155-1158, 1781
– dévolution 613, 653-702
– dévolution à un mineur 217
– dévolution à plusieurs héritiers 823
– dévolution au conjoint survivant et aux ascendants ou collatéraux privilégiés 670-676
– dévolution au conjoint survivant et aux descendants 666-669
– dévolution aux ascendants et collatéraux ordinaires 677-683
– donateur 869
– donation à cause de mort 613
– droits de l'État 618, 653, 696-702
– enfant conçu non encore né 617
– fiducie 617, 618
– frais d'inventaire et de scellés 792
– fruit et revenu 1780
– indignité 620-623, 628
– indivision 1012
– insuffisance des biens 811-814, 827
– intervention du tribunal 623
– lettre de vérification 615
– loi applicable 3098-3101
– majeur protégé 638
– mineur 638
– mode d'acquisition 916
– option 630-636
– origine et nature des biens 614
– ouverture 613-616
– paiement des dettes 638, 779, 781, 782, 799-801, 808-814
– parenté 653, 655-659

– partage 665, 666-683, 836-898
– personne morale 618
– pétition d'hérédité 626-629
– prescription 2907
– rapport à la masse 867-883
– réclamation 702
– renonciation 646-652
– représentation 660-665, 668
– saisine 625, 698
– solvabilité 779, 807
– solvabilité non manifeste 810
– substitution 617, 1222, 1240
– successibilité 617-624
– survie de l'obligation alimentaire 684-695
– testamentaire 703-775, 869
– usufruit 1155-1158
– vocation successorale 653, 654

Superficiaire: *Voir aussi* **Propriété superficiaire; Tréfoncier; Tréfonds**
– acquisition de la propriété du tréfonds 1116-1118
– charges 1112
– droits 1111, 1116, 1117
– enlèvement des constructions 1116, 1118

Sûreté: *Voir aussi* **Cautionnement; Sûreté mobilière**
– administration du bien d'autrui 1324
– bail 1881
– copropriété divise 1051, 1055
– emphytéose 1204
– présomption de libéralité 690
– substitution 1237
– tutelle au mineur 242-245
– usufruit 1144-1146
– vente d'entreprise 1768-1772

Sûreté mobilière:
– loi applicable 3102, 3103, 3105
– réputée publiée au Québec 3104, 3106

Survie de l'obligation alimentaire: *Voir aussi* **Aliments; Obligation alimentaire; Succession**
684-695
– actif insuffisant de la succession 689
– conjoint 687-689
– contribution financière 688
– délai de réclamation 684
– descendant 687-689
– droit 684
– évaluation des biens de la succession 695
– ex-conjoint 688
– fixation de la contribution financière 685-687
– forme de la contribution financière 685
– indignité 684
– intervention du tribunal 685, 689, 693, 694
– libéralité 691, 692, 695
– libération du débiteur 694
– présomption 690

– réduction des libéralités 689, 693
– valeur des libéralités 687

Suspension de prescription: *Voir aussi* **Prescription** 2904-2909
– conjoint 2906
– créance solidaire 2909
– enfant à naître 2905
– héritier 2907
– incapacité 2904
– majeur en tutelle ou en curatelle 2905
– mineur 2905
– recours collectif 2908

Syndic de faillite: *Voir aussi* **Faillite**
– action en inopposabilité 1635
– assurance de dommages 2476

Syndicat des copropriétaires: *Voir aussi* **Conseil d'administration du syndicat des copropriétaires; Copropriétaire; Copropriété divise**
– acquisition ou aliénation de fractions de copropriété 1076
– acquisition ou aliénation immobilière 1097
– action 1081
– administration 1085
– association de syndicats de copropriétés 1083
– assurance 1073-1075
– avis relatif aux améliorations et travaux 1066
– cession 1082, 1095
– conseil d'administration 1053, 1070, 1072, 1081, 1084-1086, 1088, 1104, 1107
– contestation judiciaire de l'évaluation d'une fraction de copropriété divise 1050
– décision 1096, 1102
– déclaration de copropriété 1059, 1070, 1100
– défaut de diligence 1081
– définition 1039
– dissolution de la copropriété 1075, 1108
– documents relatifs à l'immeuble et au syndicat 1070
– dommages 1077
– droit de vote 1095
– droits et obligations 1070-1083
– entretien de l'immeuble 1107
– état des charges communes 1069
– états financiers 1105
– extinction de l'hypothèque légale 2800
– fonds de prévoyance 1064, 1071, 1072, 1078
– hypothèque légale 2724(3), 2729, 2800, 3061
– indemnité 1067, 1075
– injonction 1080
– jugement 1078
– liquidation 1075, 1109
– location d'une partie privative 1065, 1079
– modification de la valeur d'une fraction de copropriété 1102
– nom 306

– obligation indivisible 1040
– plan cadastral 1070, 1100
– préjudice 1080
– reddition de comptes 1105
– registre 1070
– règlement de l'immeuble 1057, 1060
– remplacement de l'administrateur ou du gérant 1086
– résiliation du bail 1079, 1790
– responsabilité 1077
– tiers 1082
– travaux urgents 1066

T

Témoignage: *Voir* **Preuve par témoignage**

Témoin: *Voir aussi* **Preuve; Preuve par témoignage; Testament devant témoins**
– acte de décès 125
– acte de mariage 119, 121
– acte de naissance 113
– acte notarié 2819
– adoption 548, 557, 558, 568
– attestation 2995
– célébration du mariage 365, 369
– enfant 2844
– filiation 533
– legs 760
– preuve par témoignage 2844
– testament notarié 716, 717, 719, 720, 725

Terme: *Voir* **Obligation à terme**

Territoire: *Voir aussi* **Fonds**
– droit de propriété 918
– zone agricole 3055

Testament: *Voir aussi* **Ayant cause; Donation; Héritier; Légataire; Légataire à titre universel; Légataire particulier; Légataire universel; Legs; Legs à titre particulier; Legs à titre universel; Legs universel; Notaire; Succession; Testament devant témoins; Testament notarié; Testament olographe; Testateur**
– acte juridique unilatéral 704
– capacité de tester 703, 706, 707, 710
– clause restreignant les pouvoirs ou obligations du liquidateur 778
– confirmation 709
– conjoint 704
– conseiller au majeur 711
– contenu 705
– contestation d'un testament vérifié 773
– curateur 711
– définition 704
– destruction 767, 775
– devant témoins 712, 714, 727-730
– dispositions applicables 3109
– droit de l'État 696

– emphytéose 1195
– enclave 999
– fait après la mise en tutelle du majeur 709
– fiducie 1262, 1264, 1293
– fondation 1258
– forme 704, 712-715
– forme du testament révocatoire 766
– incapacité de tester 708-711
– interdiction d'abdiquer sa faculté de tester 706
– irrégularité 713
– liberté absolue de tester 706
– majeur protégé 709, 710
– mineur 708
– non produit 774, 775
– notarié 712, 716-725
– olographe 712, 714, 726
– partage reporté du bien indivis 1030
– perte 767, 775
– préinscription 2967, 2968
– preuve 773-775
– recherche 803
– reconnaissance 773
– reconstitution 774
– rente viagère 2370
– révocabilité 704
– révocation 706, 763, 765-767, 2450
– révocation du bénéficiaire d'assurance de personnes
  2450
– servitude 1181
– stipulation d'inaliénabilité 1212
– stipulation pour autrui 1448
– substitution 1218, 1220, 1252
– tiers 775
– tuteur 711
– usufruit 1121
– validité 715
– vérification 773, 803

Testament devant témoins: *Voir aussi* **Témoin**
712, 727-730
– déclaration du testateur 727, 729
– destruction, lacération ou rature 767
– écriture 727, 728, 730
– irrégularité 714, 728
– lecture 729
– personne incapable de lire 729
– personne incapable de parler 730
– révocation 767
– signature 727, 728, 729
– témoins 727, 728, 729
– vérification 772

Testament notarié: *Voir aussi* **Acte authentique; Acte
notarié; Notaire**
712, 716-725
– date 716

– déclaration du notaire 720
– déclaration du testateur 717, 719, 721
– formalités 718
– lecture 717, 720, 721
– lieu d'exécution 716
– minute 716
– notaire conjoint, parent ou allié du testateur 723
– personne incapable de s'exprimer de vive voix 722
– personne incapable de signer 719
– présomption d'accomplissement des formalités 718
– signature 717
– sourd 721
– témoins 716, 717, 719, 720, 725

Testament olographe:
712
– destruction, lacération ou rature 767
– écriture 726
– forme 726
– irrégularité 714
– révocation 767
– signature 726
– vérification 772

Testament suivant la loi d'Angleterre: *Voir* **Testament
devant témoins**

Testateur: *Voir aussi* **Testament**
– aliénation du bien légué 769
– capacité 707
– connaissance de destruction ou de perte du testament
  767
– désignation du liquidateur de la succession 786
– legs du bien d'autrui 762
– legs fait au conjoint antérieurement au divorce 764
– modification des pouvoirs et obligations du liquidateur
  778
– modification du mode et des proportions dans paiement des dettes 833
– partage de la succession différé 837
– révocation d'une révocation antérieure 770
– succession 869

Tiers: *Voir aussi* **Opposabilité aux tiers**
– acte sous seing privé 2830
– administration du bien d'autrui 1310, 1319-1320,
  1322-1323, 1337, 1362
– affrètement 2011, 2019
– association 2279
– assurance 2445, 2500-2502
– assurance maritime 2533, 2583, 2628
– bonne foi 1323, 1362, 1452, 1707, 2163, 2189, 2195,
  2197, 2217, 2219, 2222, 2224, 2234, 2263, 2963-
  2965, 3075
– cession 1082, 1637, 1680, 1747
– compensation 1680-1682
– contrat d'entreprise ou de service 2101
– contrat de société 2189, 2192, 2195-2197

- copropriété divise 1077, 1082
- créance contre des tiers 888
- crédit-bail 1842
- dommages 1077, 1159
- donation 1831-1835
- droit acquis 1681
- droit de propriété 1738
- effet du contrat 1440-1452
- effet rétroactif de l'obligation conditionnelle 1506
- empiètement 1724
- encanteur 1757
- enrichissement injustifié 1496
- fiducie 1282
- gardien d'un animal 1466
- gestion d'affaires 1486, 1489
- hypothèque 1680, 2681
- lésé 2414, 2500-2502, 2628
- mandat 2140, 2157-2165, 2181
- mandat donné en prévision de l'inaptitude du mandant 2167
- offre réelle 1585
- paiement 1555, 1557, 1741
- préjudice causé par le défaut de sécurité du bien 1468
- prescription acquisitive 2915, 2920
- promesse du fait d'autrui 1443
- propriété superficiaire 1114
- publicité des droits 2963-2965
- radiation 3075
- rente viagère 2372
- représentation 1337
- restitution des prestations 1707
- saisie 1741
- simulation 1452
- société en commandite 2237
- société en nom collectif 2203, 2204, 2209, 2213, 2217, 2219-2225, 2234
- société en participation 2252-2257, 2263
- stipulation pour autrui 1444-1450
- subrogation 1608
- substitution 2140
- sûreté 1881
- testament 775
- testament devant témoins 727-730
- transaction 2637
- transport de biens 2055
- usufruit 1134, 1159, 1162, 1165
- vente à tempérament 1745

Toit:
983

Traité international:
2807

Transaction:
2631-2637
- absence de droit 2637

- chose jugée 2633, 2636
- découverte subséquente de documents 2637
- définition 2631
- effet 2633
- indivisible 2631
- interruption de prescription 2896
- matières non sujettes à transaction 2632
- nullité 2634-2637
- ordre public 2632
- pièces fausses 2635
- procès 2636
- reconnaissance et exécution des transactions exécutoires au lieu d'origine 3163
- titre nul 2635

Transport: *Voir aussi* Transport de biens; Transport de personnes; Transport maritime de biens
2030-2084
- à titre gratuit 2032
- combiné 2031
- contrat 2030
- destinataire 2033
- expéditeur 2033, 2035
- obligations du transporteur 2033-2034
- paiement libératoire 2035
- passager 2033
- retard 2034
- substitution 2035
- successif 2031

Transport de biens: *Voir aussi* Bien; Transport maritime de biens
2040-2058
- action en dommages-intérêts 2050
- action en responsabilité 2051
- bien dangereux 2054
- combiné 2051
- connaissement 2041-2043
- déclaration mensongère 2053
- délivrance 2057
- destinataire introuvable 2047
- droit de rétention 2058
- droits et obligations du destinataire 2045
- exonération de responsabilité 2053
- frais 2056
- fret 2056
- impossibilité d'effectuer la délivrance 2047
- obligation de l'expéditeur 2054, 2055
- obligation du détenteur d'un connaissement 2044
- obligation du transporteur 2044, 2046-2049
- période couverte 2040
- perte de biens 2050, 2052
- perte de biens de grande valeur 2053
- réclamation du prix 2056
- refus ou négligence de prendre délivrance du bien 2047

– règles applicables 2047
– rémunération du transporteur 2048
– responsabilité du transporteur 2052, 2053, 2055
– retour à l'expéditeur 2047
– successif 2051
– tiers 2055

Transport de personnes:
2036-2039
– combiné 2039
– objet 2036
– obligation du transporteur 2037
– perte de bagages 2038
– perte de biens de grande valeur 2038
– responsabilité du transporteur 2038, 2039
– successif 2039

Transport maritime de biens: *Voir aussi* Bien; Connaissement; Transport de biens
2059-2084
– animal vivant 2070
– arrimage 2064
– bien dangereux 2076, 2077
– bien perdu par fortune de mer 2075
– chargement en conteneur 2064, 2070
– clause de cession du bénéfice de l'assurance 2070, 2084
– clause d'exonération de l'entrepreneur de manutention 2084
– connaissement 2065
– départ du navire empêché ou retardé 2078
– dommage causé au navire 2073
– enlèvement du bien 2068
– état du navire 2063, 2071
– exonération de responsabilité 2083
– fret 2061
– indemnisation pour défaut de présentation du bien 2062
– inexactitude de la déclaration du chargeur 2067
– manutention des biens 2080-2084
– marchandise en pontée 2070
– obligations de l'entrepreneur de manutention 2080, 2083
– obligations de l'expéditeur 2061
– obligations du chargeur 2061, 2062
– obligations du destinataire 2061, 2069
– obligations du transporteur 2063-2065, 2069, 2074
– période couverte 2060
– perte du bien 2068-2072, 2074, 2083
– petit cabotage 2064
– ports de départ et de destination situés au Québec 2059
– préjudice subi par le transporteur 2073
– prescription 2079
– résolution du contrat 2078
– responsabilité de l'entrepreneur de manutention 2081

– responsabilité du chargeur 2066, 2076
– responsabilité du transporteur 2071
– service supplémentaire de l'entrepreneur de manutention 2082
– stipulation d'exonération du transporteur 2070

Transporteur: *Voir* Transport; Transport de biens; Transport de personnes; Transport maritime de biens

Travail: *Voir* Contrat de travail

Tréfoncier: *Voir aussi* Propriété superficiaire; Superficiaire; Tréfonds
1011, 1112, 1114, 1116-1118

Tréfonds: *Voir aussi* Propriété superficiaire; Superficiaire; Tréfoncier
– acquisition 1116-1118
– expropriation 1115
– remise en état 1116

Trésor:
938

Tribunal: *Voir* Greffier du tribunal; Juge; Jugement; Jugement étranger

Trouble:
– jouissance 1067, 1858-1861
– possession 929

Troupeau:
– perte 1161

Tutelle: *Voir* Tutelle à l'absent; Tutelle au majeur; Tutelle au mineur; Tutelle aux biens; Tutelle dative; Tutelle légale

Tutelle à l'absent: *Voir aussi* Absent; Tuteur à l'absent; Vente du bien d'autrui
– fin 90
– ouverture 87
– règles applicables 87

Tutelle au majeur: *Voir aussi* Régime de protection du majeur
– acte fait antérieurement à la tutelle 290
– droit du majeur 289
– nomination d'un tuteur 285
– obligation du tuteur 286
– ouverture 285, 288
– règles applicables 287

Tutelle au mineur: *Voir aussi* Conseil de tutelle; Directeur de la protection de la jeunesse; Mineur; Tutelle aux biens; Tutelle dative; Tutelle légale; Tuteur; Tuteur ad hoc
– acceptation 180
– administrateur provisoire 253
– but 177
– dative 178
– définition 179
– établissement 177
– étendue 185, 186

– exercice 182
– fin 255
– frais de sûreté 242
– gratuité 183
– inventaire 240, 241
– jugement relatif aux intérêts patrimoniaux du mineur 216
– légale 178
– loi applicable 3085
– nature 178
– rémunération 183
– siège 191
– transmission aux héritiers 181
– valeur des biens excédant 25 000 $ 213, 214, 217, 221, 242

Tutelle aux biens: *Voir aussi* **Tutelle au mineur**
– acceptation 180
– déférée au curateur public 221
– personne morale 244

Tutelle dative: *Voir aussi* **Directeur de la protection de la jeunesse; Tutelle au mineur; Tuteur**
200-207
– acceptation 180, 202
– déférée par le tribunal 205
– définition 178
– nomination d'un tuteur 200, 201, 206
– obligations du tuteur 203, 204
– ouverture 207
– refus 204

Tutelle légale: *Voir aussi* **Tutelle au mineur; Tuteur**
178, 192-199
– désaccord des parents 196
– directeur de la protection de la jeunesse 199
– garde de l'enfant 194
– mandat 194
– parent 192-194
– perte 197
– rétablissement 198

Tuteur: *Voir aussi* **Conseil de tutelle; Curateur; Enfant; Majeur protégé; Mineur; Régime de protection du majeur; Tutelle au mineur; Tutelle dative; Tutelle légale; Tuteur à l'absent; Tuteur ad hoc**
– accord avec mineur devenu majeur sur le compte 248
– acte conservatoire 1361
– acte fait sans autorisation du conseil de tutelle 163
– acte fait sans autorisation judiciaire 162
– adoption 544, 553, 579
– à la personne 187, 188, 219, 246, 251
– appel 212
– assurance 242
– aux biens 187-189, 219, 246, 251
– avis de refus ou d'acceptation de la charge 203
– avis régime matrimonial du mineur 434
– biens soustraits à son administration 210
– cessation de la charge 255

– consentement aux soins 14, 15
– constitution du conseil de tutelle 225
– convocation du conseil de tutelle 237
– datif 184, 250
– décès 255
– demande d'autorisation d'agir seul 238
– demande d'être relevé de sa charge 250
– dispense de faire l'inventaire 241
– donation au mineur 211
– droit d'aliéner 213, 214
– droit de grever d'une sûreté 213
– droit d'emprunter 213
– émancipation du mineur 167, 175
– faute intentionnelle ou lourde 1461
– fonctions 208
– géré 1484
– héritier 181
– incapacité de tester 711
– indivision 215
– interdiction 228
– inventaire 240
– legs rémunératoire 753
– mandataire 2183
– nomination 200, 201, 607, 3085
– personne morale 189
– prélèvement 218
– reddition de compte 169, 246, 247, 1361
– remise des biens 1361
– remplacement 251-255
– rémunération 184
– rémunération proportionnelle à la valeur du legs 754
– responsabilité civile 1461, 1462
– simple administration 208
– sommes nécessaires aux charges de la tutelle 219
– sûreté 242, 243
– titulaire de l'autorité parentale 186

Tuteur à l'absent: *Voir aussi* **Absent; Tutelle à l'absent; Tuteur**
– affectation de sommes au paiement des charges du mariage 88
– liquidation des droits patrimoniaux des époux ou des conjoints unis civilement 89
– nomination 86, 91
– partage des acquêts 89

Tuteur ad hoc: *Voir aussi* **Tutelle au mineur; Tuteur**
– nomination par conseil de tutelle 235
– représentation du mineur à l'encontre de son tuteur 190

U

Union civile: *Voir aussi* **Acte d'union civile; Conjoint; Dissolution de l'union civile; Procréation assistée; Régime d'union civile**
– célébration 521.2, 521.3

- compétence des autorités du Québec 3144, 3145
- dissolution 521.12-521.19
- droits et devoirs des conjoints 521.6-521.9
- effets 521.6-521.9, 3145
- formation 521.1-521.5
- loi applicable 3090.1-3090.3
- nullité 521.10, 521.11, 3144
- opposition 521.4
- preuve 521.5
- régime d'union civile 521.8

Urgence:
- consentement aux soins 14, 16

Usage: *Voir aussi* **Droit de propriété; Usufruit**
1172-1176
- aliénation résidence familiale 406
- attribution judiciaire 411, 413
- bien indivis 1016, 1017
- contribution aux charges 1175
- copropriété divise 1047
- définition 1172
- droit réel 1119
- étendue 1174
- fruits et revenus 1175
- incessible et insaisissable 1173
- registre foncier 2974
- règles applicables 1176
- résidence familiale 406

Usage de commerce:
1434

Usufruit: *Voir aussi* **Droit de propriété; Nu-propriétaire; Usage; Usufruitier**
1119-1171, 1176
- abandon du droit 1162, 1169-1170
- accessoire 1124
- aliénation de la résidence familiale 406
- aliénation par le nu-propriétaire 1125, 1133
- bien consomptible 1127
- bien détérioré par l'usage 1128
- cessation 1129, 1158, 1162-1171
- conjoint 1166, 1168, 1171
- conventionnelle 1121
- conversion du droit en rente 1162, 1171
- créance 1132
- déchéance du droit 1162, 1168
- définition 1119, 1120
- dégradation 1159, 1168
- demande en justice 1158, 1170
- dividende 1130
- droit réel 1119
- droits de l'usufruitier 1124-1141
- durée 1123, 1162, 1165
- établissement 1121, 1122
- étendue 1124-1136
- exercice des droits hypothécaires 2752

- expropriation 1164
- extinction 1162-1171, 2799
- gain exceptionnel 1131
- hypothèque 2669
- impense 1137, 1138
- judiciaire 1121
- légale 1121
- legs 824, 825, 831
- non-usage du droit 1162
- obligations de l'usufruitier 1142-1161
- perte du bien 1149, 1160, 1163
- quasi-usufruit 1127
- registre foncier 2974
- résidence familiale 406
- réunion des qualités dans une même personne 1162
- saisie 1136
- successif 1122, 1123, 1166, 1168, 1171
- terme 1162
- testimoniale 1121
- tiers 1134, 1159, 1162, 1165
- viager 1123, 2799

Usufruitier: *Voir aussi* **Nu-propriétaire; Usufruit**
- abandon 1162, 1169, 1170
- abus 1168
- action 1134
- arbre 1139
- assurance 1144, 1148-1150, 1163
- à titre particulier 1155
- à titre universel 1156-1158
- augmentation du capital sujet à l'usufruit 1133
- bien consomptible 1127
- bien détérioré par l'usage 1128
- bien vétuste 1160
- cession 1135
- charges 1154
- comptable 1133
- conjoint 1166, 1168, 1171
- conversion du droit en rente 1162, 1171
- créance 1132
- créancier 1136, 1168
- décès 1162, 1166
- déchéance du droit 1162, 1168
- dégradation 1159, 1168
- demande en justice 1158
- dépens 1158
- dommage causé par un tiers 1159
- droit de vote 1134
- droits 1124-1141
- existence lors de l'ouverture de l'usufruit 1122
- exploitation agricole ou sylvicole 1140
- extraction des minéraux 1141
- dividende 1130
- fraction de copropriété 1134
- fruits et revenus 1126, 1129, 1130, 1146

- gain exceptionnel 1131
- impense 1137-1138
- indemnité 1129, 1138, 1149, 1150, 1164
- intérêts 1156-1157
- inventaire des biens 1142, 1143, 1146
- location 1135
- non-usage du droit 1162
- obligations 1142-1161, 1171
- paiement des dettes de la succession 1155-1158
- part indivise 1134
- personne morale 1123, 1162, 1166
- perte d'animal 1161
- perte de troupeau 1161
- perte du bien 1149, 1160, 1163, 1167, 1168
- quasi-usufruit 1127
- remise en état 1138
- remplacement 1160
- réparation d'entretien 1151
- réparation majeure 1151-1153
- restitution 1167
- réunion des qualités dans une même personne 1162
- saisie 1136
- séquestre 1145, 1147
- successif 1166, 1168, 1171
- sûreté 1144-1146
- usurpation 1159
- valeur mobilière 1131, 1133, 1134

V

Valeur mobilière: *Voir aussi* Courtier en valeurs mobilières
- attribution par voie de préférence 858, 859
- biens propres 456
- conversion 1302
- hypothèque 2759
- legs 744
- offre réelle 1576, 1578, 1583-1585
- prise en paiement 2759
- rachat 1131, 1302
- souscription 909, 1133
- vente 2759
- vote 1134, 1302

Végétaux: *Voir aussi* Plantation
900

Vendeur: *Voir aussi* Délivrance; Garantie; Garantie de qualité; Garantie du droit de propriété
- arrêt de livraison 1740
- avis d'intention d'exercer la faculté de rachat 1751
- bien immeuble 1742, 1743, 1749, 1763
- bien meuble 1740, 1749
- connaissance risque d'atteinte au droit de propriété de l'acheteur 1738
- connaissance vice du bien 1728, 1733, 1739
- consentement 1747

- créancier 1766, 1768, 1770, 1776
- déclaration sous serment 1768
- droits 1740-1743, 1748
- empiètement 1724
- emprunteur 1756
- fait personnel 1732
- héritier 1755
- hypothèque 2948, 2954
- mise à prix 1759
- mise en demeure 1736
- non professionnel 1733
- obligations 1763, 1780, 1787
- obligations de délivrance 1716-1722, 1737
- obligations de garantie 1723-1733, 1845
- priorité 2651(5)
- professionnel 1729
- refus de divulguer son identité 1760
- reprise en possession du bien vendu 1743, 1748-1752, 1754, 1755
- réserve de propriété d'un bien 1745, 1749
- résolution de la vente 1740-1743
- responsabilité 1733, 1777
- restitution du prix du bien 1727, 1728
- revendication du bien 1741
- usufruit 1144

Vente: *Voir aussi* Acheteur; Acquéreur; Aliénation; Bail à rente; Dation en paiement; Délivrance; Échange; Garantie de qualité; Garantie du droit de propriété; Promesse de vendre; Vendeur; Vente à tempérament; Vente aux enchères; Vente avec faculté de rachat; Vente d'immeubles à usage d'habitation; Vente de droits litigieux; Vente de droits successoraux; Vente du bien d'autrui; Vente par créancier de biens grevés d'une hypothèque; Vente sous contrôle de justice
1708-1805
- acquéreur 1743, 1749
- à l'essai 1744
- bail à rente 1805
- bien à partager 853, 862, 863
- bien faisant l'objet d'offre réelle 1581
- bien immeuble 1749, 1763
- bien incorporel 1779-1784
- bien meuble 1749
- bien susceptible de dépérissement 644, 1145
- clause résolutoire 1743
- dation en paiement 1800
- défaut de paiement de l'impôt foncier 3017, 3069, 3070
- définition 1708
- délai de paiement 1721
- diminution du prix 1737
- droit litigieux 1782-1784
- droit successoral 1779-1781

– droits de l'acheteur 1736-1739
– droits du vendeur 1740-1743
– échange 1798
– emphytéose 1199
– enchère 942, 943, 945, 1757-1766
– faculté de rachat 1750-1756
– fraction de copropriété divise 1080
– frais 1582
– forcée 3000, 3069
– immeuble à usage d'habitation 1785-1794
– incapacité d'acheter 1709
– incapacité de vendre 1709
– inexécution de l'obligation 1736
– insolvabilité 1721
– judiciaire 1695, 1747
– libération du débiteur 1695
– loi applicable 3114, 3115
– marché de bourse 3115
– nullité 1709, 1713-1715
– obligations de l'acheteur 1734, 1735
– obligations du vendeur 1716-1733
– prescription acquisitive 1714
– promesse 1710-1712
– radiation du préavis 3069
– règles applicables 1736-1743, 1749
– résolution 1736, 1737, 1740-1743
– revendication du bien 1741
– sans terme 1741
– tempérament 1745-1749

Vente à réméré: *Voir* Vente avec faculté de rachat

Vente à tempérament: *Voir aussi* Obligation à terme
1745-1749
– clause de déchéance du terme 1748
– contrat de consommation 1746
– définition 1745
– opposabilité aux tiers 1745
– paiement des versements échus 1748
– paiement du solde dû par l'acheteur 1747, 1748
– prise de paiement 1749
– reprise de possession du bien vendu 1748, 1749
– réserve de propriété du bien 1745, 1749
– transfert des risques de perte 1746

Vente aux enchères: *Voir aussi* Bénéfice de discussion
1757-1766
– acte de vente 1763
– bien grevé d'une hypothèque 2784, 2788
– bien trouvé 942, 943, 945
– défaut de paiement de l'impôt foncier 3001
– définition 1757
– dommages-intérêts 1765, 1766
– folle enchère 1765
– forcée 1758, 1765
– identité du vendeur 1760

– immeuble 1763
– inscription au registre de l'encanteur 1762
– loi applicable 3115
– mise à prix 1759
– perfection 1762
– preuve 1762
– recouvrement du prix 1766
– règles applicables 1758
– retrait de l'enchère 1761
– saisie 1766
– volontaire 1758

Vente avec faculté de rachat:
1750-1756
– acquéreur 1751, 1754, 1756
– avis d'intention d'exercer la faculté de rachat 1751
– définition 1750
– droit hypothécaire 1756
– exercice 1756
– exercice commun 1754, 1755
– héritier 1755
– indivision 1754, 1755
– obligation conjointe divisible 1755
– opposabilité aux tiers 1750
– prêt 1756
– publicité du droit du vendeur 1752
– règles applicables 1752, 1755, 1756
– reprise de possession du bien vendu 1751-1755
– terme 1753

Vente d'immeubles à usage d'habitation: *Voir aussi* Copropriété divise; Immeuble
1785-1794
– annulation 1793
– bail 1789, 1790
– budget prévisionnel 1791
– constructeur 1785, 1788-1790
– contrat d'entreprise 1794
– contrat préliminaire 1785, 1786
– déclaration de copropriété 1788, 1791, 1792
– entrepreneur 1790
– fraction de copropriété divise 1787, 1789-1792
– indemnité en cas d'exercice de la faculté de dédit 1786
– note d'information 1787-1789
– obligations du vendeur 1787
– promesse d'achat 1785-1788
– promoteur immobilier 1785, 1788-1790, 1794
– règles applicables 1794
– résiliation du bail 1790
– résolution 1792
– syndicat des copropriétaires 1790

Vente de droits litigieux:
1782-1784
– définition 1782

– droit de retrait 1784
– effet 1784
– interdiction acquisition de droits litigieux 1783

Vente de droits successoraux: *Voir aussi* Héritier; Succession
1779-1781
– dette de la succession 1781
– frais de liquidation 1781
– fruits et revenus de la succession 1780
– garantie de la qualité d'héritier 1779
– obligation du vendeur 1780
– obligations de l'acheteur 1781

Vente du bien d'autrui:
1709, 1713-1715

Vente par créancier de biens grevés d'une hypothèque: *Voir aussi* Créancier; Droit hypothécaire; Hypothèque
2784-2790
– acquéreur 2790
– appel d'offres 2787
– bien d'entreprise 2784
– conditions d'exercice 2784, 2785
– délai 2785
– dénonciation de qualité du créancier 2786
– enchères 2788
– imputation de paiement 2789
– inopposabilité des droits réels à l'acquéreur 2790
– pluralité de créanciers 2789
– prix 2785
– reddition de compte 2789

Vente par encan: *Voir* Vente aux enchères

Vente sous contrôle de justice: *Voir aussi* Droit hypothécaire
2791-2794
– charge de la vente 2792
– effet 2794
– garantie de qualité 1731
– intervention du tribunal 2791
– obligations de la personne chargée de vendre le bien 2793

Vente volontaire des biens d'un incapable: *Voir* Vente du bien d'autrui

Verger:
986, 1139

Vice: *Voir aussi* Garantie de qualité
– caché 1081, 1726-1729, 1828, 2104, 2111, 2321
– construction 1077, 1081, 1467, 2118
– dénonciation 1739
– fabrication 1469
– possession 926, 927
– présomption 1729
– sol 1081, 2118

Vice de consentement: *Voir* Crainte; Dol; Erreur; Lésion

Vie privée: *Voir aussi* Dossier
– atteinte 36
– constitution de dossier 37-41
– respect 35

Violence: *Voir* Crainte

Voie publique:
934, 990, 993, 997

Voisinage:
976

Voleur:
– possession 927

Voyage: *Voir aussi* Affrètement au voyage; Assurance maritime
– baraterie 2572
– changement 2566, 2567
– couverture du contrat 2522
– déroutement 2568-2570, 2572, 2573
– état de navigabilité du navire 2560, 2563
– interruption 2574
– lieu de départ 2565, 2566
– pluralité de lieux de déchargement 2569, 2570
– retard 2565, 2571, 2572
– sauvetage 2572

Vues:
993-996, 1179

INDEX
CIVIL CODE OF QUÉBEC

INDEX
CIVIL CODE OF QUÉBEC

A

Abandonment:
- dwelling 1915, 1916
- emphyteusis 1208, 1211
- immovable 1804
- movable 934, 935
- servitude 1185
- taking in payment 2779
- thing 934, 2495, 2581
- usufruct 1162, 1169, 1170

Abandonment (marine insurance): *See also* Average loss
2584, 2587-2595
- acceptance 2592, 2594
- acceptance of notice 2593
- application 2587
- delay 2589
- freight 2594
- intention 2588
- irrevocability 2593
- no possibility of benefit to the insurer 2590
- notice 2587-2591
- powers of the insurer 2592
- refusal to accept by insurer 2595
- reinsurer 2591
- remuneration 2594
- renunciation of the notice 2592

Absentee: *See also* Sale of property of others; Tutor to an absentee; Tutorship to an absentee
84-102
- death 90
- declaratory judgment of death 92-96
- definition 84
- dissolution of partnership of acquests 89, 465, 482
- person prevented from appearing at his domicile 91
- presumed to be alive 85
- proof of death 102
- return 90, 97-101
- succession 96, 617, 638

Abuse of right:
6, 7, 317, 1168, 1403

Abusive clause: *See also* Contract; Contract of adhesion
1435-1438, 1901, 1905, 1906, 2084, 2402, 2414, 2936

Acceptance: *See also* Offer to contract
1387, 2132, 2366, 2398, 2425

Acceptance of succession: *See also* Succession
637-645
- acceptance of the transmission of a site intended for a body or ashes 643
- conservatory act 642
- effect 645
- emancipated minor 173
- exemption to make the inventory 639
- express 637
- judicial declaration 649
- mingling of property 639
- movable property expensive to preserve 644
- negligence to make the inventory 640
- notarial act 649
- option 630
- perishable thing 644
- personal effects of the deceased 643
- presumption 633, 639, 640
- renunciation of succession rights 641
- succession devolving to a minor 638
- succession devolving to a protected person of full age 638
- succession devolving to an absentee 638
- tacit 637
- transfer of rights in a succession 641

Accession: *See also* Alluvion; Disbursement; Ownership; Right of ownership
954-975
- acquisition of property 916
- applicable rules 933
- artificial 955-964
- definition 948
- hypothec 2671

- immovable 954-970, 1116
- indivision 1017
- movable 971-975
- natural 936, 965-970
- novation 1665
- rule of equity 975
- superficies 1116
- usufruct 1124

Accident and sickness insurance:
- accessory clause 2394
- age as determining factor 2422
- cancellation 2430
- content of policy 2416
- delay for payment of the sums insured 2436
- delay of written notice of loss 2435
- disability 2416, 2424, 2436, 2437, 2438
- disease 2417
- effective date 2426
- express stipulation 2416
- loss 2435
- medical examination 2438
- misrepresentation of the age of the insured 2420
- non-payment of the premium 2430
- occupational risk 2439
- payment of indemnity 2437
- payment of premium 2433

Accoucheur: *See also* **Birth**
- attestation of birth 111, 112

Account: *See* **Expert appraisal; Rendering of account**
Accountant:
- co-ownership 1105, 1106

Accounting: *See* **Rendering of account**
Acquirer: *See also* **Buyer; Sale**
- lease 1887, 1931, 1932
- legal subrogation 1656
- mobile home 2000
- movable hypothec without delivery 2701, 2760
- putting in default 1743, 1749
- ranking of rights 2946
- sale by creditor of property charged with hypothec 2790
- sale with right of redemption 1751, 1754, 1756
- substitution 1229
- transfer of real rights 1454

Acquisitive prescription:
2875, 2910-2920
- beginning 2880
- definition 2910
- delay 2917-2920
- detention 2913
- dispossession 2880
- effective possession 2914, 2920
- good faith 2919, 2920
- institute 2916

- interruption 2890, 2957
- judicial demand 2918
- possession 936, 2911, 2912, 2918-2920
- precarious holding 2914, 2915
- property 916
- publication of rights 2957
- sale of the property of another 1714
- subsequent acquirer 2915, 2920

An Act respecting Cree, Inuit and Naskapi native persons:
152

An Act respecting insurance:
1339(7)

An Act respecting the Ministère du Revenu:
1619, 1883

An Act respecting the protection of persons whose mental state presents a danger to themselves or to others:
27

An Act respecting the Régie du logement:
1899

An Act respecting the Société d'habitation du Québec:
1984

An Act respecting the preservation of agricultural land and agricultural activities:
3055

An Act to establish a legal framework for information technology:
2837, 2841, 2842, 2855, 2860, 2874

An Act to secure the handicapped in the exercise of their rights:
1921

Action: *See also* **Action in nullity; Class Action; Injunction; Oblique action; Paulian action; Petition of inheritance**
- administrator of the property of others 1316
- contestation of paternity 531, 532
- counterclaim 1077, 2502
- damages 2050
- defamation 2929
- defect in the ground 1081
- execution of deed 1712
- extinctive prescription 2923, 2925, 2927, 2929, 2930, 2932
- faulty design 1081
- futile or vexatious 1103
- immovable 904
- immovable real right 912, 953, 2923
- institute 1226
- jurisdiction of foreign authorities in matters of personal actions of a patrimonial nature 3168
- jurisdiction of Québec authorities in matters of personal actions of a patrimonial nature 3148-3151

– jurisdiction of Québec authorities in matters of personal actions of an extrapatrimonial and family nature 3141-3147
– jurisdiction of Québec authorities in matters of real and mixed actions 3152-3154
– latent defect 1081
– liability 2051, 2930
– movable real right 2925
– partial loss 2586, 2587
– partition 1048
– peremption of suit 3052
– personal right 2925
– possession of an immovable 2923
– recovery of a hypothecated claim 2713
– reduction of an obligation 2932
– reject 3052
– resiliation of a lease 1883
– revocation of gifts on account of ingratitude 1837
– structural defect 1081
– support 3143
– trust 1291
– unjust enrichment 1496
– usufruct 1158
– warranty of co-partitioners 894

Action in nullity: *See also* **Nullity**
– co-owner 1103
– extinctive prescription 2927
– minor 164, 165

Acts of birth: *See also* **Birth**
– attestation of birth 111
– content of the declaration of birth 115, 116
– copy of the attestation of birth 112
– declarant 114
– declaration of birth 113
– notation of acts of marriage, civil union and of death 134
– notation of judgment granting a divorce 135
– parents unknown 115
– place, date and time of birth unknown 117
– proof of filiation 523
– witness 113

Acts of civil status: *See also* **Acts of birth; Acts of civil union; Acts of death; Acts of marriage; Name; Publication of the register of civil status; Register of civil status; Registrar of civil status**
– authenticity 107
– clerical error 142
– contents 107, 110
– contradictory particular 131
– copy 144, 145, 148
– drawing up 108, 109
– enumeration 107
– insertion in the register 130, 137, 141
– language 140

– loss or destruction 139
– made outside Québec 137-140
– new act 132, 149
– reconstitution 143
– rectification 141
– transcription 108
– validity 138

Acts of civil union: *See also* **Civil union**
– content of the declaration 121.2
– declaration 121.1
– signature of the declaration 121.3

Acts of death: *See also* **Death**
– annulment 135
– attestation of death 122, 124, 126, 128
– content 126
– date, time or place of death unknown 127
– deceased not identified 128
– declaration of death 125
– funeral director 122, 125
– peace officer 123
– physician 122
– registrar of civil status 133
– witness 125

Acts of marriage: *See also* **Marriage**
– annulment 135
– celebrant 118
– content of the declaration of marriage 119, 120
– defect of form 379
– notation of the act of death 134
– notation of the judgment granting a divorce 135
– proof of marriage 378
– registration in the register of civil status 375
– signature 121
– transmission of declaration of marriage 118
– witness 119, 121

Adjudication:
– auction sale for non-payment of immovable taxes 3001
– cancellation 3070

Administration: *See* **Administration of the property of others; Taking possession for purposes of administration**

Administration of the property of others: *See also* **Administrator of the property of others; Beneficiary; Inventory; Property of others; Sale of property of others**
1299-1370
– annual account 1351-1354
– apparent 1323
– applicable rules 1299, 1304
– apportionment of profit and expenditure 1345-1350
– capital account 1347
– delivery of property 1363-1370
– expenses 1367
– fruits and revenues 1302, 1349, 1350

- full administration 1306, 1307
- gratuitous 1300
- insurance 1324, 1331
- interest 1368
- inventory 1324-1331
- investment 1304, 1307, 1339-1344
- joint administration 1332-1338
- liquidator of legal person 361
- loss of the property 1308
- presumption 1329, 1335, 1336, 1343
- rendering of account 1363-1370
- revenue account 1346
- simple administration 1301-1305
- solidarity 1334, 1370
- termination 1355-1362
- third person 1319, 1323, 1362

Administrator of the property of others: *See also* **Administration of the property of others; Inventory; Property of others; Rendering of account; Sale of property of others**
- absence 1336
- acquisition of any right in the administered property 1312
- alienation 1305, 1307
- applicable rules 1299
- apportionment of expenditure 1345, 1346, 1348-1350
- bankruptcy 1355
- beneficiary 1310
- capacity to sue 1316
- conflict of interest 1310-1312, 1314
- confusion 1313
- conservatory act 1301, 1306, 1333
- damages 1318
- death 1355, 1361
- definition 1299
- delegation 1337
- delivery of property 1365-1367
- deposit of the sums of money 1341
- disposal of the property 1315
- dissent 1335, 1336
- duties 1308, 1309, 1311
- excess of power 1320, 1321
- fruits and revenues 1302
- full administration 1306, 1307
- hypothec 1305
- impartiality 1317
- impediment 1333
- insurance 1324, 1331
- interest 1368
- inventory 1324, 1326-1330
- investment 1304, 1307, 1339-1344
- joint administration 1332-1338, 1353, 1363
- judiciary intervention 1316
- liability 1318-1323, 1334, 1335, 1343

- loss of property 1308
- remuneration 754, 1300, 1367
- remunerative legacy 753, 760
- rendering of account 1351-1354, 1361, 1363-1370
- replacement 1355, 1360, 1367
- representation by a third person 1337, 1338
- resignation 1355, 1357-1359, 1367
- retaining of the administered property 1369
- revenue account 1346
- sale of an enterprise 1778
- security 1324
- simple administration 1301-1305
- solidarity 1334
- tutor 1361

Admission: *See also* **Proof**
2850-2853
- commencement of proof 2865
- definition 2850
- division 2853
- express 2851
- made in the proceeding 2852, 2866
- made outside the proceeding 2867
- proof 2852, 2867
- writing neither authentic nor semi-authentic relating to a fact 2832

Adoption: *See also* **Child; Director of youth protection; Filiation**
543-584
- age of the adopter 547
- child domiciled outside Québec 563-565, 574
- conditions 543-548
- confidentiality 582
- conflict of laws 3091-3093
- consent 544, 548, 549, 552, 553, 555, 556, 568
- copy of the original act 149
- criterion of eligibility for adoption 559, 561
- death of the adopter 575
- declaration of eligibility for adoption 560
- examination of the files 582
- filiation 551, 577, 579
- granting 566, 575
- information relating to the natural parents 583, 584
- interest of the child 543
- jurisdiction of Québec authorities 3147
- legal tutorship 199
- name and surname of the adopted person 569, 576
- order of placement 566-572
- parental authority 556, 562, 569
- parents of the same sex 578.1
- person of full age 545
- placement of a child 566
- preceding adoption 579
- psychosocial assessment 563, 568, 574
- refusal by a child 549, 550

- revocation of the order of placement 571, 572
- right 546
- rights lost by the tutor 579
- where one of the adoptants dies 580
- withdrawal of consent given in writing and before witnesses 548, 557, 558

Adviser to person of full age: *See also* **Protected person of full age; Protective supervision of person of full age**
- act performed alone by a person of full age 294
- acts for which the adviser's assistance is required 293
- appointment 291
- gift to person of full age 1815
- obligation 292

Advocate:
- certificate 2991, 2992, 3005
- litigious right 1783

Affreightment: *See also* **Bareboat charter; Freight; Subletting; Time charter; Voyage charter**
2001-2029
- applicable rules to the general average 2004
- carriage under bills of lading 2005
- definition 2001
- payment of freight 2002, 2005
- prescription 2006
- retention of property 2003
- subletting of a ship 2005, 2006

Agent:
- illegal act 1464
- injury caused by the fault of 1463
- legal person established in the public interest 1464
- State 1464

Agreement of indivision: *See* **Indivision agreement**

Agriculture:
979, 986, 1140, 1228, 3055

Air:
913

Alienation: *See also* **Gift; Sale; Stipulation of inalienability**
- administration of the property of others 1305, 1307
- authorization of the court 804, 1213, 1217
- bare ownership 1125
- bequeathed property 769
- bequeathed property as legacies by particular title 813
- by gratuitous title 1707
- by onerous title 1305, 1307, 1707, 1841
- enterprise 2097
- fraction of co-ownership 1047-1049, 1058, 1076
- immovable 1097, 1908, 1937
- inalienable property 1213, 1217
- insured property 2529, 2530
- land 919
- lost or forgotten thing 946
- mobile home 1998
- movable property expensively to preserve 644, 804
- nullity 1217
- perishable thing 644, 804
- presumed to be a liberality 690
- property charged with an hypothec 2760
- property given by marriage contract 1841
- property of the minor 213, 214
- property of the succession 804
- property subject to restitution 1701
- real right 1076
- sequestered property 2308
- substituted property 1229-1231, 1244, 1246
- undivided property 1026, 1037
- undivided share 1015
- usufruct 1125

Alienation for rent: *See also* **Annuity; Sale**
1802-1805
- applicable rules 1805
- definition 1802, 2368
- discharge of lessee 1803
- obligation of lessee 1804

Alluvion: *See also* **Accession; Water**
965

Alternative obligation:
1545-1551
- applicable rules 1551
- choice of the prestation 1546, 1548, 1549
- default 1546
- definition 1545
- extinction 1550
- liability of the debtor 1548
- object 1545, 1551
- partial performance of a prestation 1547
- prestation became impossible to perform 1548-1550
- prestation could not be the object of the obligation 1545
- repair 1549

Animal:
- carriage by water 2070
- conventional hypothec 2684
- in the wild 934
- increase 910, 1161
- injury caused by 1466
- loss 989, 1161
- produce 910

Annuitant: *See also* **Life annuity**
- death 2380
- designation 2379
- notice of amount of interest due or arrears 2960
- plurality 2380
- revocation 2379
- rights 2384, 2386, 2387

Annuity: *See also* **Alienation for rent; Life annuity**
2367-2388

- alienation for rent 1805, 2368
- applicable rules 2379
- arrears 2959, 2960
- beneficiary 2369
- capital 2367, 2378
- constitution 2370
- conversion of the usufruct 1162, 1171, 1176
- damages 1616
- definition 2367, 2368
- designation or revocation of an annuitant 2379
- extinction 2799
- fixed-term 2371, 2376, 2393
- gratuitous 2369, 2377
- inalienability 2377
- life 2371-2376
- payment 825
- periodic payment 2959
- private property subject to compensation 451
- registration 2959, 2960
- retirement plan 2379
- unseizability 2377, 2378

Annulment: See Nullity

Application for registration: See also Certificate
2981-3006
- arrears of annuity 2960
- auction sale for non-payment of immovable taxes 3001
- certificate 2988-2995, 3009
- certified statement of registration 3003
- consolidation of the files into a single file 2978
- copy 2983
- copy of the judgment 2994
- deposit of plan 2997
- document to present 2985
- effect 2982, 2983, 3058
- file 2983
- forced sale 3000
- form 2982-2984
- heir and legatee 2998, 2999
- hypothec acquired by subrogation or assignment 3003
- hypothecary claim acquired by subrogation 3004
- identification 2981
- identity and capacity of the parties 3009
- interest 2960
- irregularity 3010
- judgment 2996, 3002
- land register 2978, 2981-2982
- language of the documents accompanying the application 3006
- minutes of boundary determination 2996
- omission 3016
- presentation 2982, 3012
- publication of the rights enunciated 2986
- ranking of rights 2947
- refusal 3033, 3035

- register of personal and movable real rights 2981, 2983, 2986
- registration of addresses 3022, 3023
- regulation 3024
- res judicata 3002
- rules 2996-3006
- signature 2984
- subrogation 3003, 3004
- summary 2992, 3005
- translation of the documents 3006

Aquatic fauna:
934

Arbitration: See Arbitration agreement

Arbitration agreement:
2638-2643
- applicable law to the procedure 3133
- conflict of laws 3121
- contained in a contract 2642
- definition 2638
- interruption of prescription 2892, 2895
- matter not submitted to arbitration 2639
- null stipulation 2641
- procedure of arbitration 2643
- public order 2639
- written 2640

Architect: See also Construction; Contract of enterprise; Immovable; Work
- error in the plans 2121
- faulty design, construction or production of work 2118
- legal hypothec 2726-2728
- liability 2118-2121
- sale of residential immovable 1788

Archives nationales du Québec:
2816, 2841

Assign: See also Heir; Indivision; Partition of the succession
886, 1023

Assignee: See also Assignment
- acquisition at his own risk 1639
- payment in proportion to the value of his claim 1646
- rights 2531
- setting up against the debtor 1643

Assignment: See also Assignee; Assignor; Claim; Creditor; Non-assignment
- applicable law 3120
- claim 1637-1642, 1680, 1908
- claim attested by bearer instrument 1647-1650
- compensation 1680
- damage insurance 2475, 2476
- deed 1641, 1644
- emphyteusis 1082
- general partnership 2209, 2210
- hypothec 3003
- indemnity 1701

- insurance of persons 2461, 2462
- lease 1870-1873, 1981, 1995
- legal cost 1644
- limited partnership 2243
- mere delivery 1647
- notice 1641
- ownership 952
- payment 1646
- policy of marine insurance 2528-2531
- proof 1641, 1644
- publication 2939
- rank 2956
- registration 1642
- right of action 1637
- right to damages 1610
- setting up 1641-1643
- share of undivided co-owner 1022
- succession 641
- superficies 1082
- third person 1637, 1680
- universality of claims 1642
- use 1173
- usufruct 1135
- voting right 1095
- warranty 1639, 1640

Assignor: *See also* **Assignment**
- by onerous title 1639, 1640
- payment in proportion to the value of his claim 1646
- setting up of assignement 1641, 1643

Assisted procreation: *See also* **Birth; Filiation; Medical right; Paternity; Procreation agreement**
538-542
- applicability 538.1
- confidential information 542
- contestation of filiation 539
- filiation 538.2
- liability towards child 540
- presumed parent 538.3
- procreation or gestation agreement 541
- proof of filiation 538.1

Association: *See* **Association of co-ownership syndicates; Contract of association; Partner**

Association of co-ownership syndicates: *See also* **Divided co-ownership; Syndicate of co-owners**
1083

Attorney General:
54, 3017, 3068

Auction: *See* **Auction sale; Sale of property of others**

Auction sale: *See also* **Benefit of discussion**
1757-1766
- applicable law 3115
- applicable rules 1758
- completed 1762
- damages 1765, 1766
- deed of sale 1763
- definition 1757
- false bidding 1765
- forced 1758, 1765
- forgotten movable 942, 943, 945
- identity of the seller 1760
- immovable 1763
- non-payment of immovable taxes 3001
- proof 1762
- property charged with an hypothec 2784, 2788
- recovery of the price 1766
- registration in the auctioneer's register 1762
- reserve price 1759
- seizure 1766
- voluntary 1758
- withdrawal of bid 1761

Auctioneer: *See* **Auction sale**

Authentic act: *See also* **Notarial act; Improbation; Notarial will; Notary; Proof by a writing; Writing**
2813-2821
- contestation 3021(4)
- copy 2815, 2816, 2820
- definition 2813, 2814
- extract 2817, 2820
- improbation 2821, 3021(4)
- in possession of the adverse party or of third person 2816
- loss of the original 2816
- notarial act 2814(6), 2819
- proof 2818, 2820

Autopsy: *See also* **Death**
46, 47

Average loss: *See also* **Abandonment; Marine insurance**
2578, 2584, 2585, 2617
- charges 2597, 2616
- contribution 2583, 2600, 2602, 2612
- general 2599
- indemnity 2608
- kinds 2596-2603
- particular 2596, 2612

B

Bad faith: *See* **Good faith**

Bank: *See also* **Watercourse**
920

Bankruptcy: *See also* **Trustee in bankruptcy**
- administration of the property of others 1355
- annuitant 2386
- forfeiture of the term 1514
- insured 2476
- mandate 2175

- offeree and offeror 1392
- partner 2226, 2258
- taking possession for purposes of administration 2775

Bare owner: *See also* **Bare ownership; Usufruct; Usufructuary**
- alienation 1125, 1133
- capital 1156
- claim 1132
- contribution to the debts 824
- conversion of his right of usufruct to an annuity 1171
- creditor 1136
- damage caused by third person 1159
- disbursement 1137, 1138
- encroachment 1159
- extinction of usufruct 1166
- fruit 1129
- indemnity 1129, 1150, 1168
- insurance 1150
- inventory by usufructuary 1142, 1143
- loss of animal 1161
- major repair 1151
- payment of debts of the succession 1155-1158
- proceedings 1158
- property sequestrated 1145
- renunciation of the right of usufruct 1170
- replacement 1160
- revenue 1130
- right to increase the capital subject to the usufruct 1133
- sale of the property 1157
- securities 1133
- security 1144
- seizure 1136
- sylvicultural operation 1140
- union of the qualities of usufructuary and bare owner 1162
- voting right 1134

Bare ownership: *See also* **Bare owner**
- hypothec 2669
- legatee 831

Bareboat charter: *See also* **Affreightment**
2007-2013
- condition of the ship 2008
- definition 2007
- maintenance of the ship 2012
- prescription 2006
- repair of the ship 2012
- return of the ship 2013
- use of the ship 2009
- use of the ship's stores and equipment 2010
- warranty against remedies of third persons 2011

Beam:
1005, 1152

Beneficiary (Administration of the property of others):
See also **Administration of the property of others**
- acceptance of account 1363
- administration expenses 1367
- administrator 1310
- apportionment of profit and expenditure 1345-1350
- bankruptcy 1355
- dissent of the administrator 1335, 1336
- examination of the books 1354
- liability 1320, 1322, 1323, 1362
- plurality 1317, 1370
- ratification of the obligations contracted 1320
- replacement of the administrator 1360
- repudiation of the acts of the administration 1338
- successive 1317
- termination of the administration 1360

Beneficiary (Trust): *See also* **Trust**
1261, 1265, 1266
- acceptance 1285
- action against the trustee 1290
- appointment 1282, 1283
- curator 1289
- duration of trust 1272
- fraud 1292
- indemnity 1366
- interest 1368
- lapse of the right 1296
- legal action in the place of the trustee 1291
- liability 1292
- not conceived 1289
- notice 1295
- obligations 1322
- presumption 1285
- quality 1279, 1280
- rights 1284-1286, 1289, 1290, 1296
- share 1282, 1283
- solidarity 1292
- supervision of the administration of the trust 1287
- trustee 1275

Benefit of discussion:
- auction sale 1766
- suretyship 2347, 2348, 2352

Benefit of division:
- solidarity between debtors 1528
- suretyship 2349, 2350, 2352

Benefit of term: *See* **Obligation with a term**

Bill of lading: *See also* **Carriage of property; Carriage of property by water; Conventional hypothec; Movable hypothec**
- carriage charges 2056, 2057
- content 2041, 2065
- definition 2041
- delivery 2044
- form 2042

– freight 2056
– hypothecated property 2685, 2699, 2708
– inaccuracy in the declarations 2066, 2067
– negotiability 2043
– proof 2042

Birth: *See also* Accoucheur; Acts of birth; Medically assisted procreation; Paternity
– attestation of birth 111, 112
– not attested or declared 130

Blind person:
– notarial will 720

Board of directors of the legal person: *See also* Legal person
– books and registers 342, 343
– decision 336
– designation of members 338
– incapacity to act 341
– liability of directors 337
– meeting 344
– powers 335
– term of office 339
– vacancy 340

Board of directors of the syndicate of co-owners: *See also* Co-owner; Divided co-ownership; Syndicate of co-owners
1053, 1070, 1072, 1081, 1084-1086, 1088, 1104, 1105, 1107

Body: *See also* Care; Experiment; Medical right; Organ
– disposal 42, 48
– removal 43, 45

Borrower: *See* Loan of money; Loan for use; Simple loan

Boundary: *See also* Land; Land surveyor
978
– minutes 2814(7), 2989, 2996

Broker: *See also* Insurance
– circumstances deemed to know 2550
– payment of premium 2536
– policy effected by 2544
– representations 2413, 2549
– right of retention 2543

Builder:
– sale of residential immovables 1785, 1788-1790

Buyer: *See also* Acquirer; Sale
– acquirer 1754
– annulment of a residential immovable 1793
– buying at his own risk 1733
– cession 1747
– default 1740, 1741, 1743, 1749
– delivery 1734, 1736
– expenses related to the deed of sale 1734
– failure of payment 1740, 1741, 1748, 1765
– failure to perform his obligations 1740-1743, 1749

– fault 1727
– good faith 1714
– immovable property 1743, 1749
– insolvency 1721
– interest on the sale price 1735
– knowledge of defect 1726
– liability 1777
– notice of defect of the property 1739
– notice of risk of infringement of his right of ownership 1738
– obligations 1722, 1734, 1735, 1737, 1768-1770, 1781
– partition 1754
– payment 1734, 1737, 1770
– promise 1712, 1785-1787
– property of another 1714, 1715
– reduction of the price 1737
– resolution of the sale 1736, 1737
– rights 1715, 1736-1739, 1754

C

Cadastral plan: *See also* Immatriculation of immovables
3026-3042
– absence of description of the land file 3035
– amendment 1049, 1100, 3045
– amendment by subdivision 3043
– application for the opening of a land file 3038, 3040
– cadastral renumbering 3042, 3044, 3045
– came into force 3028
– conditional 3030
– deposit to the Minister 3029
– description of the immovables 3033, 3034, 3036
– description of the lots 3032
– description of the networks 3038
– description of the parts of lot 3037
– description of the situs of real right of State resource development 3034, 3039, 3040
– discrepancy 3027
– dividing up of a lot 3043
– error 3021(4)
– establishment 3027
– expropriation 3042
– limit and boundary of land 977
– real right of State resource development 3031, 3035
– renewal of the publication of an immovable hypothec 3028.1

Cadastre: *See* Cadastral plan

Cadastre Act:
3028.1

Canada Shipping Act:
2714

Cancellation: *See also* Publication of rights
3057-3075

- accessory right 3074
- acquittance 3065
- address of a co-owner in indivision 3066.1
- adjudication 3070, 3075.1
- authority of a final judgment 3073
- caducity of registration 3058
- causes 3057-3066
- consent 3059, 3062, 3067
- declaration of family residence 3062, 3063
- hypothec in favour of the State 3068
- judicial 2965, 3057.1, 3061
- legal 3057.1, 3061
- made without right or following an error 3075
- minutes of seizure 3069, 3075.1
- notice of advance registration of a judicial demand 3066.2
- notice of advance registration of rights arising from a will 3066.2
- notice requiring abandonment of the taking in payment 3029
- order 3063, 3075
- presentation of documents 3062, 3067
- prior notice of sale for failure to pay immovable taxes 3069, 3070, 3075.1
- provisional execution 3073
- purposes of the application 3075.1
- reduction of a hypothec securing a claim 3066
- reduction of a registration 3072, 3072.1
- right ending at death 3067
- right extinguished 3069
- right of State resource development 3071
- voluntary 3057.1

Capacity: *See also* **Emancipation; Majority; Minor; Minority; Protective supervision of person of full age**
- emancipated minor 167-176
- minor 153-166
- protective supervision of a person of full age 256-294

Capital:
- administration of the property of others 1347
- definition 908, 909
- interest 1620
- trust 1281, 1284
- usufruct 1131, 1133

Care: *See also* **Body; Experiment; Medical right**
- authorization of the court 16
- case of emergency 13
- consent 11, 12
- by writing 24
- duties of the court 23
- incapacity of the person of full age 15, 16, 18
- minor 14, 16-18

Cargo: *See also* **Freight; Ship**
2714

Carriage: *See also* **Carriage of persons; Carriage of property; Carriage of property by water**
2030-2084
- contract 2030
- delay 2034
- gratuitous 2032
- obligations of the carrier 2033, 2034
- passenger 2033
- receiver 2033
- shipper 2033, 2035
- substitution 2035
- successive 2031

Carriage of persons: *See also* **Person**
2036-2039
- combined 2039
- liability of the carrier 2037-2039
- loss of luggage 2038
- object 2036
- successive 2039

Carriage of property: *See also* **Carriage of property by water; Property**
2040-2058
- applicable rules 2047
- bill of lading 2041-2043
- charges 2056
- combined 2051
- damages 2050
- dangerous property 2054
- declaration deliberately misleading 2053
- delivery 2057
- demand of the amount 2056
- extent 2040
- freight 2056
- impossibility to deliver the property 2047
- liability of the carrier 2051-2053, 2055
- loss of property 2050, 2052, 2053
- obligation of the carrier 2044, 2046-2049
- obligation of the holder of the bill of lading 2044
- obligation of the shipper 2054, 2055
- refusal or negligence to take delivery of the property 2047
- remuneration of the carrier 2048
- return to the shipper 2047
- right of retention 2058
- rights and obligations of the receiver 2045
- successive 2051
- third person 2055

Carriage of property by water: *See also* **Bill of lading; Carriage of property; Property**
2059-2084
- additional services of the handling contractor 2082
- benefit of insurance 2070, 2084
- bill of lading 2065
- coasting trade 2064

– condition of the ship 2063, 2071
– container loaded on a ship 2064, 2070
– damage caused to the ship 2073
– dangerous property 2076, 2077
– exoneration of liability 2083
– extent 2060
– freight 2061
– handling of property 2080-2084
– indemnity for failure to present the property 2062
– inexact declaration of the shipper 2067
– injury suffered by the carrier 2073
– liability of the carrier 2070, 2071
– liability of the handling contractor 2081, 2084
– liability of the shipper 2066, 2076
– live animal 2070
– loss of property 2068-2072, 2074, 2075, 2083
– obligations of the carrier 2063-2065, 2069, 2074
– obligations of the handling contractor 2080, 2083
– obligations of the receiver 2061, 2069
– obligations of the shipper 2061, 2062
– ports of sailing and of destination situated in Québec 2059
– prescription 2079
– property stowed on deck 2070
– removal of the property 2068
– resolution of the contract 2078
– stowing 2064

Carrier: *See* **Carriage; Carriage of persons; Carriage of property; Carriage of property by water**

Central Mortgage and Housing Corporation:
1339(7)

Certificate: *See also* **Application for registration; Publication of rights**
– advocate 2991, 2992, 3005
– competent persons 2990
– declaration of family residence 2995
– lack of certification 2994
– land surveyor 2989, 2993
– minutes of boundary 2989
– notary 2988, 2991-2993, 3005
– notice prescribed by law 2995
– private writing 2991
– recording 2993
– register of personal and movable real rights 2995
– summary 2992, 3005

Change of designation of sex: *See also* **Acts of birth; Acts of civil status**
– application 71
– person competent to authorize the change 72
– procedure 73
– review 74

Change of domicile:
76, 308

Change of name: *See also* **Acts of birth; Acts of civil status; Name**
– abandonment by parents 65
– alteration of the register of civil status 129
– applicant 59
– authorization 57
– by way of administrative process 58-64
– by way of judicial process 65, 66
– change of filiation 65
– deprivation of parental authority 65
– duties of registrar of civil status 63
– effects 67-70
– legal person 308
– of a minor 60, 62, 66
– person competent to authorize the change 58
– publication 63, 64, 67
– reasons 61
– review 74

Charge: *See* **Expense**

Charitable institution:
644, 942, 945

Charterer: *See* **Affreightment; Bareboat charter; Time charter; Voyage charter**

Child: *See also* **Adoption; Emancipated minor; Emancipation; Filiation; Minor; Parental authority; Parents; Paternity**
– assignation of the name and surname 576
– custody and maintenance 195, 501, 513, 514, 599, 3093, 3142
– duties of the court 34
– filiation 523-542, 551, 577, 579
– interest 33, 496, 543, 604
– parental authority 556, 562, 572, 597-611
– prescription 2095
– respect to parents 597
– rights 32-34
– succession 617
– support 511
– witness 2844
– yet unborn 192, 439, 617, 1239, 1289, 1445, 1814, 1840, 2373, 2374, 2447, 2905

Civil liability: *See also* **Abusive clause; Damage insurance; Damages; Fault**
1457-1481
– act of things 1457, 1465-1469
– act or fault of another 1457, 1459-1464
– assumption of risk by the victim 1477
– conflict of laws 3126-3129
– contractual undertakings 1458
– custody of a minor 1460
– damage as a result of the use of raw materials originating in Québec 3151
– debtor 1548
– distributor of a movable property 1468, 1473

- exemption 1318, 1470-1477, 1481, 2070, 2074
- manufacturer 1468, 1473
- obligation to make reparation 1475, 1476
- owner of an animal 1466
- owner of an immovable 1467
- parental authority 1459
- partition 1478-1481
- person who comes to the assistance of another person 1471
- proof 1459, 1460, 1465, 1473
- solidarity 1480, 1526
- superior force 147
- trade secret 1472
- tutor 1461, 1462
- warning of a danger 1476

Civil rights: *See also* **Person**
- exercising 1, 4-9
- legal person 301
- minor 155, 176
- renunciation 8

Civil union: *See also* **Acts of civil union; Assisted procreation; Civil union regime; Dissolution of civil union; Spouse**
- civil union regime 521.8
- conflict of laws 3090.1-3090.3
- dissolution 521.12-521.19
- effects 521.6-521.9, 3145
- formation 521.1-521.5
- jurisdiction of Québec authorities 3144, 3145
- nullity 521.10, 521.11, 3144
- opposition 521.4
- proof 521.5
- rights and obligations of spouses 521.6-521.9
- solemnization 521.2, 521.3

Civil union regime: *See also* **Dissolution of civil union**
- conflict of laws 3122-3124
- conventional 521.8
- dissolution 521.19
- jurisdiction of Québec authorities 3154
- legal 521.8

Claim: *See also* **Assignment; Creditor; Movable hypothec on claims; Priority**
- administration of the property of others 1302
- against third persons 888
- assignment 1637-1650, 1680
- attested by bearer instrument 1647-1650
- exigible 1592, 1627, 1628, 1634
- general partnership 2206, 2207
- hypothec 1339(7), 2676, 3004
- indivisible 2909
- legal hypothec 2724
- liquidation of the patrimonial rights of spouses 809
- litigious 1583
- payment by the liquidator of the succession 808, 809

- prescription 1491, 2909
- presumed sound investment 1339(7)
- prior 1656(1), 2650-2659, 2770, 2771
- solidary 2909
- State 1619
- subrogation 3004
- substitution 1226, 1249
- support 3095
- universality 1642, 2676
- usufruct 1132

Class action: *See also* **Action**
- interruption of prescription 2897
- res judicata 2848
- suspension of prescription 2908

Clerk of the court:
216

Code of civil procedure (R.S.Q., c. C-25):
143, 587.1, 615, 772, 838, 978, 1080, 1215, 1576, 1758, 2311, 2643, 2648, 2649, 2656, 2658, 2680, 2748, 2789, 2793, 2794, 2811, 2828

Co-emphyteusis: *See also* **Emphyteusis**
1196, 1207, 3030

Collateral line: *See also* **Relationship; Succession**
- definition 659
- degree 659

Commercial partnership: *See* **General partnership; Limited partnership**

Commercial usage:
1434

Commission des valeurs mobilières:
1339(9)

Common pledge of creditors: *See also* **Creditor; Hypothec; Priority**
2644-2649
- definition 2644
- legal cause of preference 2647
- object 2644
- present and future property 2645
- property designated by debtor 2645
- seizure and sale of the debtor's property 2646, 2648
- stipulation of unseizability 2649

Common wall: *See also* **Common work**
1003-1008
- acquisition 1004
- heightening 1007, 1008
- maintenance 1006
- new works 1005
- presumption 1003
- right of co-owners 1004-1008
- view 996

Common work: *See also* **Common wall; Ditch; Fence; Hedge; Right to fence his land**
1002-1008

Community of property: *See also* **Matrimonial regime**
- publication of the renunciation 2938

Compensation:
1672-1682
- acquired rights of a third person 1681
- assignment of claims to a third person 1680
- by operation of law 1673
- cause of the obligation 1676
- definition 1672
- delegation 1670
- disbursement 958, 959
- hypothec 1680, 1682
- judicial liquidation of debt 1673
- legal 1673
- payment of debt 1682
- period of grace 1675
- several debts 1674, 1677
- surety 1679
- solidary debtor 1678
- third person 1680-1682

Compensatory allowance: *See also* **Dissolution of marriage; Divorce; Marriage; Spouse; Unjust enrichment**
- extinctive prescription 2928
- family residence 429
- order of court 427
- payment by the liquidator of the succession 809
- value 429, 430

Composition of shares: *See also* **Indivision; Partition of the succession; Undivided co-owner**
849-854

Compulsory execution: *See also* **Seizure**
1590, 1601, 1604, 1812, 1863
- transaction 2633

Condition: *See* **Conditional obligation**

Conditional obligation: *See also* **Creditor; Debtor**
1497-1507
- absolute 1503
- definition 1497
- delay 1501
- dependent on an event 1498, 1502
- discretionary condition 1500
- hypothec 2681
- nullity 1499, 1500
- public order 1499
- resolutory condition 1507, 1750
- suspensive condition 1507, 1744
- transferable 1505
- useful measure 1504

Confinement in an institution for a psychiatric assessment:
- consent 26, 27
- content of the report 29
- judgment ordering the confinement 30, 30.1
- psychiatric examination 28

- report to the court 29
- right to be informed 31

Confirmation:
1418, 1420, 1423, 1424

Conflict of laws: *See* **Personal status; Status of obligations; Status of procedure; Status of property**

Confusion:
1683-1686
- administrator of the legal person 323
- administrator of the property of others 1313
- bare owner 1162
- definition 1683
- emphyteusis 1208, 1209
- extinction of hypothec 1686
- extinction of obligation 1683
- security 1684
- servitude 1191
- solidarity between creditors or debtors 1685
- substitution 1249
- usufruct 1162

Consent: *See also* **Contract; Error; Fear; Fraud; Lesion**
- act relating to movable property serving for the use of the household 401, 402
- adoption 544, 548-558, 568, 583, 584
- buyer 1747
- cancellation of registration 3059
- care 11, 12, 14-18, 24
- confinement in establishment for psychiatric examination 26
- contract 1385-1408, 1419
- creditor 1555, 1561, 1569, 1570, 1585
- curator 15
- debtor 1663
- donor 1841
- exchange 1386, 1387
- experiment 20, 21, 24
- family residence 401, 403-406
- lease 1870-1872, 1885, 1930, 1964
- minor 14, 16-18, 31
- offer and acceptance 1388-1397
- part of a person's body 24
- protected person of full age 15, 16, 18, 31
- qualities and defects 1398, 1399
- separation from bed and board 495

Consent to care: *See* **Care**

Conservatory measure: *See* **Useful measure**

Consignment: *See* **Tender and deposit**

Consort: *See* **Spouse**

Construction: *See also* **Architect; Disbursement; Immovable; Legal hypothec; Plantation; Work; Workman**
933, 951
- acquest subject to compensation 455

- acquisition 960, 1118
- defect 1077
- demolition 990
- disbursement 958, 959, 961-964
- emphyteusis 1195, 1198, 1203, 1210
- encroachment 992
- expropriation 1115
- immovable 900
- land of another 987, 990-992
- materials of another 956
- presumption of ownership 955
- removal 959, 1116, 1118, 1891
- repair 990
- restoration 959, 961, 962, 992
- right of accession 957
- right of retention 963
- solidity 991
- superficies 1011, 1116-1118

Consumer:
- injury 1436
- interpretation of contract 1432
- waiver of jurisdiction of Québec authorities 3149

Consumer contract:
- abusive clause 1437
- conflict of laws 3117
- definition 1378, 1384
- external clause 1435
- illegible or incomprehensible clause 1436
- instalment sale 1746
- jurisdiction of Québec authorities 3149
- nullity of clause 1438

Contract: *See also* **Abusive clause; Consent; Consumer contract; Contract of adhesion; Error; Fear; Fraud; Interpretation of contract; Lesion; Matrimonial agreement; Nominate contracts; Offer to contract; Promise to contract; Right to enforce performance; Warranty (marine insurance)**
916, 1372, 1377-1456
- abusive clause 1437
- acceptance 1387, 1393, 1394
- administration of the property of others 1312, 1319-1320
- aleatory 1378, 1382, 2362, 2367, 2389
- apparent 1452
- applicable rules 1377, 1458
- arbitration agreement 2642, 2643
- binding force 1434
- capacity 1385, 1409
- cause 1385, 1410, 1411
- civil liability 1458, 1475
- commutative 1382
- confirmation 1418, 1420, 1423, 1424
- consent 1385-1408, 1419
- counter letter 1451, 1452

- damages 1407, 1604, 1613
- death 1441
- definition 1378
- effect 1433-1456
- emphyteusis 1195
- error 1399, 1400, 1407
- external clause 1435
- extinction 1606
- first refusal agreement 1397
- form 1385, 1414, 1415
- formation 1385-1415
- fraud 1401, 1407, 1632, 1633
- gratuitous 1378, 1381, 1633, 1806, 2133, 2280, 2289, 2290, 2292, 2296, 2313, 2333, 2367, 2377
- indivision 1012
- interpretation 1425-1432
- kind 1378
- land enclosed 999
- legal person 320
- lesion 1399, 1405-1407
- management of the business of another 1486, 1487, 1489
- minor 157
- modification 1439
- new offer 1393
- nullity 1407, 1411, 1413, 1416-1422, 1424, 1606, 2147, 2642
- nullity of clause 1435-1438
- object 1385, 1412, 1413
- offer to contract 1386, 1388-1392, 1396
- onerous 1378, 1381, 1632, 2133
- prescription of payment due 2931
- promise 1396, 1397, 1415
- promise for another 1443
- reduction of obligation 1407, 1604
- resiliation 1439, 1590, 1604-1606
- resolution 1439, 1590, 1604-1606
- revocation 1439
- sale of residential immovables 1785
- secret 1451
- servitude 1181
- silence 1394, 1401
- simulation 1451, 1452
- special effect of certain contracts 1453-1456
- state of necessity 1404
- stipulation for another 1444-1450
- successive performance 1378, 1383, 1604, 1851, 2931, 2932
- synallagmatic 1378, 1380, 1591
- transfer of real rights 1453-1456
- transmission of rights and obligations 1441, 1442
- trust 1262, 1263, 1293
- unilateral 1380, 2280, 2281, 2305, 2313, 2314
- usufruct 1121

Contract for services: *See also* **Provider of services**
2098-2129
- account of the services rendered 2108
- contract of sale 2103
- cost and expenses 2129
- death of the client 2127
- death or incapacity of the provider of services 2128
- definition 2098
- increase of the price 2107
- latent defect 2104
- liability of the provider of services 2104
- loss of property 2105
- means of performing the contract 2099
- obligation of the client 2109
- obligation of the provider of services 2100, 2102, 2103, 2126, 2129
- performance by a third person 2101
- price fixed by the contract 2109
- price of the services 2106
- property provided by the client 2104
- property provided by the provider of services 2103
- resiliation 2125-2129
- warranty 2103

Contract of adhesion:
1378
- abusive clause 1437
- definition 1379
- external clause 1435
- illegible or incomprehensible clause 1436
- interpretation 1432
- nullity of clause 1438

Contract of association:
2267-2279
- books and registers 2273
- collective decision 2272
- creation of the association 2187
- definition 2186
- devolution of property 2279
- election of the directors 2269
- exclusion of a member 2276
- expiry of term 2277
- form 2267
- insufficiency of property 2274
- intervention of court 2278
- liability of directors 2274
- liability of members 2275
- liquidation of the association 2278
- object 2268
- particular property 2274
- powers of directors 2270, 2271
- termination 2277

Contract of employment: *See also* **Employee; Employer**
2085-2097
- alienation of the enterprise 2097
- certificate of employment 2096
- conflict of laws 3118
- death of the employee 2093
- death of the employer 2093
- definition 2085
- jurisdiction of Québec authorities 3149
- notice of termination 2091
- obligations of the employee 2088
- obligations of the employer 2087
- renewal 2090
- renunciation of the right to obtain compensation 2092
- resiliation 2094, 2095
- stipulation of non-competition 2089, 2095
- term 2086
- termination 2091

Contract of enterprise: *See also* **Architect; Contractor; Engineer; Enterprise**
2098-2129
- acceptance of the work 2110, 2114
- account of the progress of the work 2108
- cost 2129
- death of the client 2127
- death or incapacity of the contractor 2128
- definition 2098
- examination of the progress of the work by client 2117
- exoneration of liability 2100, 2119
- immovable work 2117-2124
- increase of the price 2107
- intervention of the court 2112
- liability of the architect 2118-2121
- liability of the contractor 2104, 2115, 2118, 2119
- liability of the engineer 2118-2121
- liability of the subcontractor 2118
- loss of property 2105
- loss of work 2115, 2118
- obligation of the contractor 2100, 2103, 2104, 2115, 2122, 2126, 2129
- partial payment 2122
- performance by a third person 2101
- prescription 2116, 2118
- price fixed by the contract 2109
- price of the work 2106
- promoter of an immovable 2124
- property provided by the client 2104
- property provided by the contractor 2103
- resiliation 2125-2129
- right of retention 2111, 2112, 2123
- termination of work 2110

Contract of partnership: *See* **Partnership**

Contractor: *See also* **Contract of enterprise; Enterprise; Subcontractor**
- choice of the means of performing the contract 2099
- death or incapacity 2128
- information concerning the nature of the task 2102

– legal hypothec 2726-2728
– sale of residential immovables 1794
– security 2111, 2123
– third person 2101
– warranty 2103, 2120

Conventional hypothec: *See also* Floating hypothec; Immovable hypothec; Movable hypothec
2681-2723
– condition 2682
– constituting act 2689
– enterprise 2684, 2685
– grantor 2681-2686
– notarial act 2692
– obligation secured by hypothecs 2687-2692
– reduction 2691
– specific sum 2689, 2690
– universality of property 2684

Conventional separation as to property:
485-487

Co-owner: *See also* Board of directors of the syndicate of co-owners; Divided co-ownership; General meeting of co-owners; Syndicate of co-owners
– action in nullity of a decision of the general meeting 1103
– alteration of contiguous private portions 1100
– assignment of the voting rights 1095
– by-laws of the immovable 1057
– cancellation of the registration of the address 3066.1
– carrying out of work 1066
– common wall 1007
– contingency fund 1064, 1071, 1072, 1086, 1094
– damages 1077
– declaration of co-ownership 1056, 1062
– director 1084-1086
– disturbance of enjoyment 1067
– election of a new board of directors 1104
– expenses 1039, 1064, 1068, 1069, 1072, 1086, 1094
– general meeting 1053, 1070, 1072, 1076, 1087-1104
– injunction 1080
– insurance 1074, 1075
– judgment 1078
– lease 1065, 1066
– legal person 1039
– manager 1085
– prejudice 1067, 1068, 1079, 1080
– private portions 1081, 1100
– refusal to comply with the declaration of co-ownership 1080
– register 1070
– registration of the address 1023
– revision of the value of the fraction 1068
– rights and obligations 1056, 1063-1069, 1109
– special meeting 1104
– statement of common expenses 1069

– successor 1062
– termination of co-ownership 1108
– undivided co-owner of a fraction of co-ownership 1090
– undivided right of ownership 1046
– voting right 1094, 1095, 1099

Coroner: *See also* Death; Declaratory judgment of death
47, 93

Corporation: *See* Legal person; Legal person established in the public interest; Share of company

Cost: *See* Expense

Counter letter: *See* Simulation

Counterclaim:
1077, 2502

Court: *See* Clerk of the court; Foreign judgment; Judgment

Creditor: *See also* Assignment; Claim; Common pledge of creditors; Conditional obligation; Debtor; Hypothecary right; Obligation with a term; Payment; Right to enforce performance; Sale by creditor of property charged with a hypothec; Solidarity between creditors; Solidary obligation; Release
– acquisition of legal hypothec 2730
– action against debtor 1529, 1532, 1534, 1535, 1549, 1590, 1601-1604, 1622-1625
– action against legatees by particular title 815-817
– action against other creditors 815, 817
– apparent 1559, 1643
– assignment of claims 1637
– benefit of term 1511
– capacity to receive the payment 1557-1561
– cession of rank 2956
– change to marriage contract 438
– compensation 1678
– confusion 1683-1686
– consent 1555, 1561, 1569, 1570, 1585, 3044
– conservatory act of hypothecated property 2736
– cost 1596
– damages 1527, 1604, 1607, 1608, 1610, 1611, 1614-1617, 1622, 1623, 1766, 2734
– delegation 1667-1670
– deprived of a security or of a right 1531
– detention of hypothecated property 2705, 2706
– discharge of debtor 1531, 1542, 1543
– divided co-ownership 1059, 1075, 1100
– division of debt 1532-1535
– division of obligation 1544
– duty to inform on any irregularity in the payment 2746
– emphyteusis 1199, 1204
– eviction 1686
– exclusion or limitation of obligation to make reparation 1475
– false bidding 1765
– fruits and revenues 2737

- full administration 2773
- general partnership 2221
- giving in payment 1801
- good faith 1556
- heir 780-782, 823, 1520, 1522, 1544, 1610, 2742, 2902
- holding floating hypothec 2721
- holding hypothecated claims 2743-2747
- hypothecary 812, 817, 1021, 1035, 1059, 1075, 1100, 1233, 1636, 1686, 1695, 1741, 1756, 1769-1772, 1775, 2462, 2478, 2494, 2497, 2515, 2680, 2721, 2735, 2779, 2801, 2956, 3022, 3044
- imputation of payment 1571
- imputation of price for repurchase of share of the capital stock 2738
- in default 1555, 1580-1582
- incapacity to receive payment 1558
- indemnity 1701-1704
- injury 1609, 1614, 1631, 1635
- joint obligation 1518, 1520, 1522, 2901
- legacy 748
- limited partnership 2248
- loss of hypothec in case of judiciary restitution 2741
- loss of solidary remedy against a debtor 1534, 1535
- minor 1616
- not to be found 1580, 1583
- novation 1660-1666
- obligation with a penal clause 1622-1625
- oblique action 1627-1630
- option of co-debtors 1528
- option of the prestation 1549
- outstanding claim 817, 818
- partition of the succession 864
- paulian action 1631-1636
- payment by liquidator of succession 781, 782, 808, 812, 815
- payment by third persons 1555
- performance of the obligation 1590, 1594-1599
- preferred 812, 1075, 1233, 1636, 1695, 1769-1770, 1775, 2494, 2497, 2654, 2656, 2658, 3022
- prior notice of the exercise of a hypothecary right 2727
- publication of an action against the owner of the hypothecated immovable 2727
- ratification of payment made to a third person 1557
- recovery of a hypothecated claim 2713
- recovery of payment 1556
- refusal of offer to pay 1555, 1561, 1573, 1580, 1583
- refusal to hand over the sums of money secured by hypothecs 2691
- registration of acquittance 3065
- registration of addresses 3022
- reimbursement of price of alienation 2767
- release of obligation 1543, 1687-1692
- rendering of account 2776
- renunciation of a priority or a hypothec 1691

- renunciation of partition of acquests 470
- renunciation of the solidarity 1532, 1533, 1538
- repetition 1560
- return of property 2767, 2776
- return of sums collected over and above the obligation 2747
- return of surplus after payment of the debt 2777
- revenues from the hypothecated claims 2744
- right of following 2732
- sale of hypothecated property 2771, 2784-2790
- seizure 1015, 1136, 1173, 1199, 1233, 1560, 1636, 1766, 2646, 2958
- separation of patrimony 780
- simple administration 2768
- solidarity 1541-1544, 1599, 1666, 1678, 1685, 1689, 2900, 2902
- spouse who renounces partition of acquests 470
- stipulation for another 1447
- subrogation 1608, 1651-1659
- substitution 1229, 1233-1234, 1249
- succession 780-782, 797, 815-818
- successor 1023
- support 684-695, 807, 812
- surety 2766
- third person 1608
- undeclared partnership 2254
- undivided portion of the property 1015, 1021, 1023
- unknown 816
- useful measure 1504, 1626, 2736
- usufruct 1136, 1168

Cree, Inuit or Naskapi communities:
- register of civil status 152

Curator: See also Curatorship to person of full age; Protected person of full age; Protective supervision of person of full age; Public Curator; Tutor
- administration of the property of others 1361
- appointment 281
- civil liability 1461, 1462
- consent to care 15
- conservatory act 1361
- incapacity to make a will 711
- mandatary 2183
- obligation 282
- rendering of accounts 1361
- return of property 1361
- substitution 1239
- trust 1289

Curatorship to person of full age: See also Protective supervision of person of full age
- act performed alone by a person of full age 283
- institution 281
- previous act 284

Customary international law:
2807

D

Damage: *See also* **Civil liability; Damage insurance; Damages; Fire insurance**
988, 992, 1067, 1079, 1080, 1457
- administration of the property of others 1322, 1338, 1359
- agent of the principal 1463
- agent of the State 1464
- aggravation 1479
- animal 1466
- assistance of another person 1471
- autonomous act of the thing 1465
- bodily 1457, 1458, 1474, 1607, 1609, 1614, 1615
- carriage 2037, 2049, 2055
- caused by several persons 1478-1481
- contracting party 1458
- creditor 1609, 1614, 1631, 1635
- delay in the performance of the obligation 1600
- disclosure of a trade secret 1472
- donee 1829
- faulty design 1077
- fear 1404
- future and certain 1611
- management of the business of another 1486
- material 1457, 1458, 1474, 1607
- minor 1459, 1460
- moral 1457, 1458, 1474, 1607, 1609
- peace officer 1464
- person of full age not endowed with reason 1461, 1462
- prescription 2926, 2930
- promise for another 1443
- right of way 997
- ruin of an immovable 1467
- safety defect in the thing 1468, 1469, 1473
- sale of residential immovables 1793
- solidarity between debtors 1526
- structural defect 1077
- superior force 1470
- usufruct 1159

Damage insurance: *See also* **Damage; Liability insurance; Property insurance**
2463-2504
- assignment 2475, 2476
- cancellation 2467, 2477-2479
- definition 2395, 2396
- effect 2463
- exclusion 2464
- hypothecary creditor 2478
- inherent defect 2465
- material change in risk 2466-2468
- notice of loss 2470-2472
- obligation of the insurer 2463, 2464
- premium 2469
- representation 2411

Damages: *See also* **Debtor; Indemnity; Interest; Obligation; Solidarity between debtors**
- additional 1615, 1617
- administration of the property of others 1318
- affreightment 2003
- anticipated assessment 1622-1625
- assessment 1611-1621, 2926
- assigned or transmitted right 1610
- auction sale 1765, 1766
- bodily injury 1614-1616
- carriage of property 2050
- contract 1613
- creditor 1604, 1607, 1608, 1610, 1611, 1614-1617, 1622, 1623, 2734
- defect of consent 1407
- delay in the performance of an obligation 1617, 1618
- depositary 2290
- deterioration of the hypothecated property 2734
- exchange 1797
- futile or vexatious action 1103
- general partnership 2198
- heir 702
- indemnity 1619
- instalment 1616
- latent defect 1728
- lease 1861, 1899, 1902, 1965, 1968
- mandate 2148
- obligation 1604, 1607-1625
- penal clause 1622-1625
- prescription 2926
- private property 454
- promise to contract 1397
- punitive 1610, 1621, 1899, 1902, 1968
- seizure 1766
- solidary obligation 1527
- succession 702
- trade secret 1612

Dative tutorship: *See also* **Director of youth protection; Tutor; Tutorship to a minor**
200-207
- acceptance 180, 202
- appointment of a tutor 200, 201, 206
- conferred by the court 205
- definition 178
- institution 207
- obligations of the tutor 203, 204
- refusal 204

Dealer in securities:
2759

Death: *See also* **Acts of death; Autopsy; Coroner; Declaratory judgment of death; Funeral; Gift mortis causa**

- absentee 85, 90
- administrator of the property of others 1355, 1361
- annuitant 2380
- at the same time insured and beneficiary 2448
- attestation 48, 122, 123
- beneficiary of gift 1832
- contracting parties 1441
- date and place 94, 96
- donor 1808, 1820, 1837
- employee 2093
- employer 2093
- institute 1221, 1240, 1241
- insured 2476
- legatee 750
- lessee 1884, 1938, 1939, 1944, 1948, 1951, 1991
- lessor 1884
- life annuity 2372-2374
- mandatary 2175, 2183
- mandator 2162, 2175
- minor 255
- not attested or declared 130
- offeree 1392
- offeror 1392
- partner 2226, 2258, 2259
- proof 102
- removal of part of body 45
- spouse 465, 600, 2380
- succession 613
- successor 635
- third person 1165
- tutor to minor 255
- usufructuary 1162, 1166

Debtor: *See also* **Conditional obligation; Creditor; Damages; Delegation; Obligation with a term; Payment; Right to enforce performance; Solidarity between debtors; Solidary obligation; Tender and deposit**
- accession 1665
- acquittance 1568, 1571, 1609, 1697
- action against co-debtors 1539, 1624, 1625
- action against creditor 1560
- bankruptcy 1514
- benefit of term 1511, 1514, 1516
- carrying on of an enterprise 1525, 1641
- choice of the prestation 1546, 1548
- compensation 1679-1682
- conditional obligation 1507
- confusion 1683-1686
- consent 1663
- contribution to the payment of a solidary obligation 1537
- damages 1527, 1604, 1607, 1608, 1613, 1624, 1625
- delegation 1667-1670
- division of the obligation 1540
- exclusive interest 1537

- exercice of hypothecary right by creditor 2761, 2762
- expense 1567, 1602, 1603, 1644
- fault 1527, 1537, 1548, 1549, 1562, 1597, 1613, 1621, 1701
- fraudulent act 1631-1634
- good faith 1649, 1701
- heir 1520, 1522, 1540, 2742, 2902
- hypothecary 2515
- impossibility of performance of the obligation 1693, 1694
- imputation of payment 1569, 1570, 1677
- in default 1527, 1562, 1590, 1594-1597, 1599, 1600, 1644, 1693
- insolvency 890, 893, 1514, 1538, 1631-1633, 1690, 2207
- issue of a bearer instrument 1647-1649
- joint obligation 1518, 1520, 1522, 2901
- lender 1655
- liability 1458, 1600
- not to be found 1641
- novation 1660-1666
- offer to pay 1561, 1573, 1580, 1583
- opposition 1530, 1539, 1629, 1643, 1648, 1657, 1663
- option of solidary creditor 1543
- partial performance of a prestation 1547
- patrimony 1630
- penal clause 1622-1625
- preference towards creditor 1631
- reduction of the security 1514
- reduction or cancellation of the hypothec securing obligation 2691
- release 1531, 1542-1545, 1552, 1562, 1564, 1586, 1665, 1687, 1690, 1693-1698
- repetition 1560
- restitution of prestations 1701
- retention of payment 1648
- right of ownership over undivided portion of the property 1021
- right to implead the other solidary debtors 1529
- right to recover 1536
- setting up of the assignment 1641-1643
- solidarity 1516, 1523-1540, 1599, 1664, 1665, 1678, 1685, 1689, 1690, 2900, 2902
- solvability 1640
- subrogation 1531, 1536, 1653, 1655
- substitution 1249
- surety 1537, 1643, 1645, 1665
- transaction 1609
- useful measure 1581
- usufruct 1155
- warrantor 1657
- withdrawal of tender 1584, 1585

Declaration: *See also* **Proof; Statement**
- attestation 2993

- co-emphyteusis 3030
- judicial 423, 469, 646, 649, 1575, 1576
- partnership 2190, 2195, 2196

Declaration of co-ownership: *See also* **Divided co-ownership**
- alteration 1049, 1100
- by-laws of the immovable 1054, 1057
- cadastral description 1055
- constituting act 1053
- content 1052
- correction of clerical error 1096
- effect 1062
- fraction held by several persons 1058
- notarial act 1059
- publication 1038-1040
- refusal to comply with the declaration 1080
- registration 1051, 1059-1062, 1068, 1093
- right of the co-owners 1056
- sale of residential immovables 1788, 1791, 1792
- stipulation changing the number of votes required 1101
- value of the fractions of co-ownership 1041, 1068

Declaratory judgment of death: *See also* **Coroner; Death**
- annulment 98
- content 93
- date and place of the death 94, 95
- effect 95, 97
- pronounced 92
- termination of the tutorship to an absentee 90

Default: *See also* **Right to enforce performance**
1580, 1581, 1590, 1594-1600
- acquirer 1743
- administration of the property of others 1368
- boundary 978
- buyer 1740-1741, 1743, 1749
- by a judicial demand 1594
- by an extrajudicial demand 1594
- by operation of law 1580, 1581, 1597, 1598, 1602, 1605, 1736, 1740
- by the terms of the contract 1594, 1602
- choice of the prestation of alternative obligation 1546
- damages 1527, 1617, 1618
- delivery of property 1848
- leasing 1848
- offer of payment by a third person 1555
- payment 1562, 1741
- performance of an obligation 1594-1596, 1602, 1736, 1740-1743
- period of grace 1600
- seller 1736
- tender 1580, 1581

Defect: *See also* **Warranty of quality**
- defective possession 926, 927

- denunciation 1739
- latent 1081, 1726-1729, 1828, 2104, 2111, 2321
- presumption 1729
- safety 1469
- structural 1077, 1081, 1467, 2118

Defect of consent: *See* **Error; Fear; Fraud; Lesion**

Definition:
- absentee 84
- actual total loss 2580
- abusive clause 1437
- accession 948
- administrator of the property of others 1299
- admission 2850
- affreightment 2001, 2007, 2014, 2021
- aleatory contract 1382
- alienation for rent 1802, 2368
- alluvion 965
- alternative obligation 1545
- annuity 2367, 2368
- arbitration agreement 2638
- auction sale 1757
- authentic act 2813, 2814
- bill of lading 2041
- cancellation 3057
- capital 909
- carrying on of an enterprise 1525
- cause of contract 1410
- collateral line 659
- common pledge of creditors 2644
- commutative contract 1382
- compensation 1672
- conditional obligation 1497
- confusion 1683
- consignment 1583
- constructive total loss 2581
- consumer contract 1378, 1384
- continuous holding 2704
- contract 1378
- contract by mutual agreement 1379
- contract for services 2098
- contract of adhesion 1379
- contract of association 2186
- contract of carriage 2030
- contract of employment 2085
- contract of enterprise 2098
- contract of instantaneous performance 1383
- contract of insurance 2389
- contract of partnership 2186
- contract of successive performance 1383
- co-ownership 1010
- copy of act of civil status 145
- damage insurance 2395, 2396
- dative tutorship 178
- delegation of payment 1667

– deposit 2280, 2295
– deviation 2568
– direct line 657
– divided co-ownership 1010
– domicile 75
– dwelling in low-rental housing 1984
– dwelling unfit for habitation 1913
– emphyteusis 1195
– employment 2085
– exchange 1795
– facultative obligation 1552
– floating hypothec 2715
– forced surrender 2765, 2767
– foundation 1256
– fruit 910
– gift 1806-1809
– giving in payment 1799
– gratuitous contract 1381
– gross fault 1474
– heir 619
– hypothec 2660
– immatriculation of immovables 3026
– indication of payment 1667
– indivision 1010
– ingratitude 1836
– instalment sale 1745
– institute 1219
– insurance 2389
– insurance of persons 2392
– joint obligation 1518
– latent defect 1726
– lease 1851
– lease of dwelling 1892
– lease of dwelling in low-rental housing 1984
– leasing 1842
– legacy by general title 733
– legacy by particular title 734
– lesion 1406
– liability insurance 2396
– life insurance 2393
– liquidation of succession 776
– litigious right 1782
– loan 2313, 2314
– management of the business of another 1482
– mandate 2130
– marine insurance 2390
– non-marine insurance 2391
– novation 1660
– object of contract 1412
– obligation 1371
– obligation with a suspensive term 1508
– obligation with an extinctive term 1517
– offer to contract 1388
– onerous contract 1381
– ownership 947

– partition of the succession 885
– payment 1553
– policy 2399
– possession 921
– prescription 2875, 2910, 2921
– presumption 2846, 2847
– prior claim 2650
– private writing 2826
– production of material thing 2854
– promoter of divided co-ownership 1093
– property insurance 2396
– publication of rights 2934
– release 1687
– representation (succession) 660
– residence 77
– revenue 910
– right of accession 948
– safety defect of thing 1469
– sale 1708
– sale of an enterprise 1767
– sale with right of redemption 1750
– salvage charges 2597
– semi-authentic act 2822
– sequestration 2305
– service 2098
– servitude 1177
– simple loan 2314
– simulation 1451
– solidarity between debtors 1523
– substitute 1219
– substitution 1218
– superficies 1011
– superior force 1470
– suretyship 2333
– synallagmatic contract 1380
– syndicate of co-owners 1039
– tender 1573
– testimony 2843
– transaction 2631
– trust 1260, 1268-1270
– tutorship to minor 179
– undivided co-ownership 1010
– unilateral contract 1380
– universal legacy 732
– use 1172
– usufruct 1119, 1120
– voluntary surrender 2764
– warranty 2553
– will 704

Delegation: *See also* **Debtor; Payment**
1667-1670
– acceptance 1668
– effect 1668
– opposition of delegate 1669, 1670
– payment 1667

Delivery: *See also* **Sale; Seller**
1716-1722
- area 1720, 1737
- deed of acquisition of the immovable 1719
- execution 1717
- exemption 1721
- expense 1674, 1722
- leased property 1854
- location certificate 1719
- obligation of the buyer 1722
- obligation of the seller 1716-1722
- promise of sale 1710
- state of property 1718
- stoppage 1740
- title of ownership 1719

Deposit: *See also* **Deposit with an innkeeper; Depositary; Depositor; Necessary deposit; Sequestration**
2280-2311
- definition 1583, 2280
- damages 2290
- effect 1586
- expenses 1589
- gratuitous 2280, 2289, 2290, 2292, 2296
- handing over 2281
- intervention of court 2290
- minor 2282
- obligations of the depositary 2283-2292
- obligations of the depositor 2293-2294
- onerous 2280, 2289, 2292, 2298
- person under protective supervision 2282
- place of restoration 2291
- premature restitution 2294
- sale 2288

Deposit with an innkeeper: *See also* **Deposit; Hotel establishment; Innkeeper**
2298-2304
- acceptance 2299
- disposal of the property retained 2303
- documents, money and other valuables 2299
- liability of the innkeeper 2298-2302
- notice 2304
- right of retention 2302, 2303
- safe 2300

Depositary: *See also* **Deposit; Necessary deposit**
- cost of restitution 2292
- damages 2290
- fruits and revenues 2287
- heir 2288
- legal representative 2288
- loss of property 2289, 2296
- obligation 2283
- proof of ownership 2284
- refusal to accept the property 2296
- restoration of the property 2280, 2285, 2286, 2291

- right of retention 2293
- safekeeping of the property 2280, 2283

Depositor: *See also* **Deposit**
- cost of restitution 2292
- demand to restore the property 2285
- obligations 2293, 2294
- release of property 2280, 2281
- revendication of property 2282

Detention: *See* **Holding**

Deterioration:
1067, 1159, 1168, 1204

Direct line: *See also* **Relationship; Succession**
- ascent 658
- definition 657
- degree 657
- descent 658

Director:
- association 2270, 2271, 2274
- general partnerships 2213, 2214
- health or social services establishment 761, 1817

Director of civil status: *See* **Registrar of civil status**

Director of the legal person: *See also* **Board of directors of the legal person; Legal person**
- acts annulled 328
- conflict of interest 323-326
- designation 338
- disqualified 327, 329
- duties 321, 322
- liability 337
- prohibition 329, 330
- special general meeting 352

Director of the succession: *See* **Liquidator of the succession**

Director of youth protection:
- dative tutorship 180, 205, 207
- declaration of eligibility for adoption 560
- replacement 252
- tutorship 182, 183, 191, 199, 221, 223, 231, 232, 252

Disbursement: *See also* **Accession; Construction; Plantation; Possession; Work**
958-964, 1020
- emphyteusis 1198, 1210
- hypothecated property 2740
- management of the business of another 1488
- restitution of prestations 1703
- substitution 1248
- usufruct 1137, 1138

Disinterment:
49

Dissolution of civil union: *See also* **Civil union; Civil union regime**
- court judgment 521.12, 521.17
- death 521.12

– dissolution of civil union regime 521.19
– gifts 521.19
– jurisdiction of foreign authorities 3167
– jurisdiction of Québec authorities 3144
– notarized joint declaration 521.12, 521.13, 521.15-521.17
– notarized transaction contract 521.13-521.16
– rights of children 521.18

Dissolution of marriage: *See also* Compensatory allowance; Divorce; Family patrimony; Marriage
– judicial awarding of lease 409
– judicial awarding of movable property 410

Distributor:
– movable property 1468, 1473
– warranty of quality 1730

Disturbance:
– enjoyment 1067, 1858-1861
– possession 929

Ditch:
1002

Divided co-ownership: *See also* Association of co-ownership syndicates; Board of directors of the syndicate of co-owners; Co-owner; Declaration of co-ownership; General meeting of co-owners; Promoter of divided co-ownership; Sale of residential immovables; Share; Syndicate of co-owners
1038-1109
– alienation 1047-1049, 1076, 1097, 1098
– by-laws 1052, 1054, 1057, 1060, 1063, 1084, 1788
– cadastral description 1055
– common portions 1039, 1043, 1044, 1046, 1047, 1053-1055, 1060, 1061, 1063, 1064, 1071, 1072, 1076-1078, 1097, 1108
– constituting act 1052, 1053, 1058-1060, 1075, 1097
– contingency fund 1064-1072, 1078, 1086, 1094
– creditor 1059, 1075, 1100
– damages 1077
– definition 1010
– description of the fractions 1052, 1055, 1059, 1060
– destination 1056, 1063, 1098
– deterioration 1067
– director 1084-1086, 1106
– disturbance of enjoyment 1067
– emphyteusis 1040, 1059, 1060, 1082, 1196, 1198, 1207
– establishment 1038-1040
– expenses 1039, 1053, 1054, 1064, 1068, 1086, 1094
– financial statements 1105, 1106
– fraction of co-ownership 1041-1053, 1058, 1063, 1064, 1067-1069, 1080, 1102, 1787, 1789, 2974
– hypothec 1051, 1055, 1059, 1108
– immatriculation 1060, 3030, 3041
– improvements 1066, 1067, 1073
– injunction 1080

– insurance 1073-1075
– judgment 1078
– lack of maintenance 1077
– land register 1060, 1108
– latent defect 1081
– lessee 1057, 1065, 1066, 1070, 1079
– lessor 1079
– loss 1075
– manager 1085
– occupant 1057, 1058, 1079
– owner of the immovable 1059, 1060
– preference 1051
– presumption 1044, 1045
– private portions 1042, 1045, 1049, 1053-1055, 1057, 1060-1063, 1065, 1073, 1079, 1081, 1108
– promoter 1081, 1092, 1093, 1099, 1104, 1106
– real right 1055
– registration 1059-1062, 1068, 1093
– sale of the residential immovables 1787-1792
– security 1051, 1055
– superficies 1040, 1059, 1060, 1082
– termination 358, 1075, 1108, 1109
– third person 1077
– transfer 1082
– trustee 1075
– undivided right of ownership 1046
– urgent work 1066
– value of the fractions 1041, 1068

Divisible obligation:
1519, 1522, 1625

Divorce: *See also* Compensatory allowance; Dissolution of marriage; Family patrimony; Marriage; Separation from bed and board
516-521
– applicable rules 517
– child 521
– conflict of laws 3096
– designation of beneficiary of an insurance of persons 2459
– dissolution of the matrimonial regime 518
– family residence 409
– gift 519, 520
– jurisdiction of foreign authorities 3167
– legacy 764
– maintenance and education of child 514
– notation to act of civil status 135
– rights and duties of the parents 513

Document: *See* Improbation; Technology-based document; Writing

Domain of the State: *See also* State
966

Domicile: *See also* Family residence
75-83
– change 76

- definition 75
- election 83
- legal person 307, 308
- married or civil union spouse 82
- minor 80, 171, 191
- person of full age under tutorship 81
- plurality of residences 77
- presumption 78
- public officer 79

Donation: *See* Gift

Donee: *See also* Gift
- charge 1821, 1833
- consent 1841
- debts 1830
- eviction 1827
- foster family 1817
- gift made by marriage contract 1840
- health establishment 1817
- ingratitude 1836-1838
- injury 1828
- prohibition against disposing of property by will 1220
- removal of the property 1829
- restitution of prestations 1838

Donor: *See also* Gift
- capacity 1813, 1815
- capacity to alienate by onerous title 1841
- death 1808, 1820, 1837
- debts 1830
- declaration of the value of the property of a minor 217
- deemed mortal illness 1820
- defect 1827, 1828
- delivery of property 1825
- divesting 1807, 1808
- expenses related to contract 1829
- ingratitude of the donee 1836-1838
- succession 869
- transfer of rights 1826
- usufruct 1144

Door:
993

Drainage:
979

Dwelling: *See* Lease of dwelling; Lease of a dwelling in low-rental housing; Lessee of lease of dwelling; Lessor of lease of dwelling; Public housing preservation and restoration programme

E

Educational institution: *See* Lease with an educational institution

Effects of contract:
1433-1456

Election of domicile:
83

Emancipated minor: *See also* Emancipation; Minor
- act of simple administration 172
- act requiring assistance 173, 174
- domicile 171
- exercise of civil rights 176

Emancipation: *See also* Capacity; Child; Emancipated minor
- effect 170, 176
- effective 167
- end of tutorship 255
- full 175-176, 255
- judicial 168, 175
- marriage 175
- rendering of account of the tutor 169
- request made to the tutor 167
- simple 167-174

Emergency:
- consent to care 14, 16

Emphyteusis: *See also* Co-emphyteusis; Right of ownership
- alienation of the family residence 406
- charges affecting the immovable 1205
- constituting act 1200
- co-ownership 1040, 1059, 1060, 1082, 1196, 1198, 1207
- creditor 1199, 1204
- declaration 1196
- definition 1195
- disbursement 1198, 1210
- land register 2973, 2975
- loss of the immovable 1202, 1204, 1210
- nature 1195-1199
- obligation of the emphyteutic lessee 1200, 1202, 1203, 1210, 1211
- obligation of the owner 1206
- real right 1119
- registration of the declaration of co-emphyteusis 3030
- renewal 1198
- renunciation 1211
- repair 1203, 1204
- resiliation 1204, 1207, 1209
- return 1209, 1210
- sale 1199
- security 1204
- seizure 1199
- statement of the immovable 1201
- term 1197
- termination 1208-1211

Employee: *See also* Contract of employment; Employer
- death 2093
- health or social services establishment 761, 1817

– obligations 2088
– resiliation of the lease 1976

Employer: *See also* **Contract of employment; Employee**
– death 2093
– obligations 2087, 2096
– resiliation of the lease 1976

Employment: *See* **Contract of employment**

Engineer: *See also* **Construction; Contract of enterprise; Immovable; Work**
– legal hypothec 2726-2728
– liability 2118-2121
– sale of residential immovables 1788

Enjoyment:
– disturbance 1067
– undivided property 1016, 1017

Enterprise: *See also* **Contract of enterprise; Contractor; Leasing; Subcontractor**
2098-2129
– alienation 2097
– allotment by preference 858, 859
– capital 909
– carrying on 1525
– continuance of undivided ownership 839, 841
– division 852
– floating hypothec 2720
– leasing 1842
– legacy 746
– sale 2720

Equity:
975

Error: *See also* **Consent; Contract**
1399
– admission 2852
– effect 1400, 1407
– fraud 1401, 1407
– inexcusable 1400
– property received by 1699
– transaction 2634, 2635

Eviction: *See* **Warranty of co-partitioners**

Exception for nonperformance:
1591-1593

Exchange:
1795-1798
– applicable rules 1798
– damages 1797
– definition 1795
– eviction 1796

Exemption from seizure: *See also* **Seizure**
– insurance of persons 2457, 2458
– mutual association 2444
– property 1676, 2645, 2668
– right of use 1733
– stipulation of inalienability 1215, 2649

Expense: *See also* **Suretyship**
– administration 943, 946, 1019
– affreightment 2010, 2016
– carriage 2056, 2058
– deed of sale 1734
– delivery 1674, 1722
– deposit of the proceeds 1582
– destruction of the property 1603
– education 692
– exercise of an hypothecary right 2762
– fruit and revenue 1704
– funeral 2442
– gift 1827, 1829
– insurance 2515, 2518
– judicial demand 1596
– legal 1644, 2503, 2651(1), 2652
– liquidation of the succession 792, 821, 1781
– maintenance 692, 1846
– moving 1965
– payment 1567
– performance of the obligation 1602
– preservation of the property 1582
– recovery of the price 1766
– removal of the property 1603, 1722, 1829
– repair 1846, 2582, 2583
– restitution of prestations 1705
– restitution of the property 2292
– sale 1582
– salvage 2583, 2598, 2612, 2616
– security 242
– storage 2054, 2058
– succession 634
– tender and deposit 1582, 1589

Experiment: *See also* **Body; Care; Medical right; Organ**
– consent 20, 21
– consent by writing 24
– duties of the court 23
– gratuitous 25

Expert appraisal:
– composition of shares 854
– heightening of common wall 1007
– share in general partnership 2210, 2227
– share in undeclared partnership 2265
– share of the undivided property 1034
– valuation of the property 483, 863

Expropriation:
– cadastral plan 3042
– capital 909
– effect on lease 1888
– emphyteusis 1208
– immatriculation 3042
– property charged with an hypothec 2795
– public utility 952
– superficies 1115

- undivided property 1036
- usufruct 1164

Expropriation Act:
1888, 3042

Extinction of obligations: *See also* **Compensation; Confusion; Release**
1671-1698

Extinctive prescription:
2921-2933
- bodily injury caused by another 2930
- compensatory allowance 2928
- contract of successive performance 2931, 2932
- damage appearing progressively or tardily 2926
- defamation 2929
- definition 2875, 2921
- delay 2880, 2922
- immovable real right 2923
- movable real right 2925
- natural interruption 2891
- nullity of contract 2927
- obligation 1671
- personal right 2925
- possession of an immovable 2923
- prestation attached to detention 2933
- right resulting from a judgment 2924

F

Fabrique:
1339(2)(6)

Facultative obligation:
- definition 1552

Family council: *See* **Tutorship council**

Family patrimony: *See also* **Dissolution of marriage; Divorce; Marriage; Matrimonial agreement; Matrimonial regime; Spouse**
- alienation of the property 421
- establishment 414, 415
- net value 417, 418
- partition 416
- performance of partition 419, 425, 426
- power of the court 417, 420, 422
- renunciation 423, 424, 2938

Family residence: *See also* **Spouse**
- act without consent of the spouse 408
- alienation of movable properties 401, 402, 410
- cadastral amendment 3044
- choice 395
- continuance of undivided ownership 840, 841
- declaration 407
- immovable with fewer than five dwellings 404
- immovable with five dwellings or more 405
- lease 409

- lodger spouse 403, 409
- movable 410
- new cadastral numbering 3042
- ownership of one of the spouses 404, 405
- preferential allotment to the surviving spouse 856
- registration 2995, 3062
- right of ownership 411-413
- right of use 410, 411, 413
- separation from bed and board 409, 410, 500

Fault: *See also* **Civil liability**
- civil liability 1457, 1459-1463, 1465, 1471, 1478
- collective 1480, 1481, 1526
- deliberate or gross 1461, 1471, 1474, 1613, 1706, 2301, 2464, 2576
- injury 2037, 2164
- loss of property 1727, 1862, 2038
- nonperformance of the obligation 1613
- restitution of prestations 1701, 1703-1706

Fear: *See also* **Consent; Contract**
- abusive exercise of right 1403
- effect 1402, 1407
- serious injury 1404
- violence or threat 1402, 1403

Fence: *See also* **Common work**
1002, 1003

File: *See also* **Privacy**
- application to the court 41
- communication of information 37, 39
- establishment 37
- examination and rectification 38, 40, 41

Filiation: *See also* **Adoption; Child; Assisted procreation; Parents**
522-542
- acknowledgement of maternity 527
- acknowledgement of paternity 527
- act of birth 114, 523, 530
- action for disavowal by the presumed father 531, 532
- adoption 551, 577, 579
- anterior contestation of status 532
- assisted procreation 538-542
- conflict of laws 3091, 3092
- contestation of paternity by the mother 531, 532
- contestation of status 530, 531
- death of the mother 537
- death of the presumed father 537
- effect 522, 3091
- effect of the acknowledgement 528
- established 529
- exercise of the right 537
- jurisdiction of foreign authorities 3166
- jurisdiction of Québec authorities 3147
- prescription 531, 536
- presumption of paternity 525
- proof 533-535, 535.1

- uninterrupted possession of status 524
- voluntary acknowledgement 526-529
- witness 533

Final judgment (res judicata): *See also* **Judgment**
- absolute presumption 2848
- altering the civil status of a person 129
- application for registration 3002
- conflict of laws 3073
- interruption of prescription 2896
- rendered against successor as an heir 648
- transaction 2633, 2636

Fire insurance: *See also* **Damage**
2485-2487

Floatability of lake or watercourse:
919

Floating hypothec:
2715-2723
- conditions in respect of the right of the grantor 2717
- crystallization 2719, 2722
- definition 2715
- notice of crystallization 2718, 2722, 2723
- plurality 2722
- plurality of claims 2718
- property of the enterprise 2686
- publication 2716
- rank 2955
- right of the creditor 2721
- sale, merger or reorganization of an enterprise 2720
- universality of property 2721

Foreign judgment: *See also* **Jurisdiction of foreign authorities; Private international law; Recognition and enforcement of foreign decisions**
- in matter relating to support 3143

Foreign state:
- judicial notice 2809
- law 3078-3081

Forest:
1140, 1228

Forgery: *See* **Improbation**

Fortuitous case: *See* **Superior force**

Foster family:
- gift 1817
- legacy 761

Foundation: *See also* **Trust**
1256-1259
- applicable rules 1257
- definition 1256
- establishment 1258
- object 1256
- patrimony 1257, 1259
- trust 1258, 1259

Fraud: *See also* **Consent; Contract**
1401, 1407, 1988, 2074, 2083, 2408-2413, 2420, 2423, 2434, 2466, 2472, 2545-2552
- contract 1631-1634
- gaming and wagering 2630
- insurance contract 2417, 2424
- possession 927
- trust 1290, 1292

Freight: *See also* **Affreightment; Bareboat charter; Cargo; Ship; Subletting; Time charter; Voyage charter**
- carriage of property by water 2061
- marine insurance 2509, 2519, 2594, 2603, 2607
- movable hypothec 2714
- payment 2019, 2028
- reduction 2028

Fruit:
- administration of the property of others 1302, 1303, 1348, 1349, 1350
- definition 908, 910
- deposit 2287
- hypothecated property 2737
- legacy 743
- movable property 900
- reinvestment 909
- restitution of prestations 1704
- return to the mass 878
- right of ownership 949
- soil 2698
- succession 1780
- tender and deposit 1586, 1587
- tree 984
- trust 1281, 1284
- undivided property 1018
- use 1175
- usufruct 1126, 1129

Funeral: *See also* **Death**
42

G

Gaming and wagering:
- contract of marine insurance 2512
- fraud 2630
- minor 2630
- protected person of full age 2630
- recovering 2630
- validity 2629

General deposit office: *See also* **Tender and deposit**
1583

General meeting of co-owners: *See also* **Co-owner; Divided co-ownership**
1053, 1070, 1072, 1076, 1087-1103

- action in nullity of a decision of the meeting 1103
- adjournment 1089
- agenda 1088
- contiguous private portions 1100
- convening notice 1087
- decisions requiring majority 1096-1098
- election of a new board of directors 1104
- financial statements 1105
- number of votes 1090-1092, 1096-1099, 1101
- promoter of a co-ownership 1092, 1093, 1099, 1104
- quorum 1089
- rendering of account of the board of directors 1105
- special meeting 1104
- voting right 1094, 1095

General meeting of members: *See also* **Legal person**
- convocation 345-347
- deliberation 348, 349
- dissolution of the legal person 356, 358
- representation 350
- resolutions 354
- special meeting 352
- vote 351
- waiver of the convening notice 353

General partner: *See also* **Limited partnership**
- authorized to administer 2236
- clause restricting the powers 2238
- obligations 2238
- register of the special partners 2239
- replacement 2245
- rights 2238
- solidarily liability 2246

General partnership: *See also* **Partner**
2198-2235
- continuance 2231
- declaration 2189, 2190
- distribution of securities to the public 2224
- fixed term 2228, 2231
- formation 2189
- hypothec 2211
- intervention of the court 2197, 2210, 2230
- liability of the partners towards third persons 2196, 2197, 2221-2224
- liquidation 2230-2235
- loss of the quality of partner 2226-2229
- management 2212-2218
- not fixed term 2228
- participation in the profits 2201
- power to sue in a civil action 2225
- powers of the partners 2212, 2233
- redemption of the share 2210
- rights of third persons 2234
- value of the share transferred or seized 2210, 2227

Gestation agreement: *See also* **Medically assisted procreation**
541

Gift: *See also* **Alienation; Donee; Donor; Gift inter vivos; Gift made by civil union contract; Gift made by marriage contract; Gift mortis causa; Return of gifts and legacies to the mass; Spouse; Succession; Will**
1806-1841
- act of renunciation 1809
- capacity to make 1813, 1815
- capacity to receive 1814, 1815
- charge stipulated in favour of third persons 1831-1835
- children born or unborn 1814
- definition 1806-1808
- disguised 1811
- dissolution of civil union 521.19
- divorce 519, 520
- effect of the nullity of marriage 386
- expense 1827
- form 1824
- foster family 1817
- foundation 1258
- health establishment 1817
- indirect 1811
- marriage contract 386, 438, 439, 510, 519, 520
- minor 211, 1813, 1814
- movable or immovable property 1824
- nullity 1816, 1817, 1819-1824
- perishable thing 644
- prohibition against disposing of the property by will 1220
- promise 1812
- property of others 1816
- protected person of full age 1813-1815
- publication 1824
- remunerative 1810
- separation from bed and board 510
- stipulation of inalienability 1212
- substitution 1218, 1220, 1240, 1242, 1253, 1255
- third person 1827, 1831
- under reserve of usufruct 1144
- validity 1816-1823
- with a charge 1810

Gift inter vivos:
- by particular title 1823
- definition 1807
- divorce 520
- irrevocable 1822
- made in consideration of the marriage to a spouse in bad faith 386
- nullity 1821-1823
- nullity of the marriage 385
- obligation to pay future debts or charges 1821
- present property 1818

- revocation on account of ingratitude 1836-1838
- separation from bed and board 510
- validity 1818

Gift made by civil union contract:
- children born or unborn 1841
- inter vivos 1822, 1839, 1840
- irrevocable 1841
- mortis causa 1819, 1839-1841
- revocable 1841
- validity 1839

Gift made by marriage contract: *See also* **Matrimonial agreement**
- change 438
- children born or unborn 1814
- divorce 519, 520
- effect of nullity of the marriage 386
- inter vivos 1839, 1840
- irrevocable 1841
- mortis causa 1819, 1839-1841
- revocable 1841
- separation from bed and board 510
- validity 1839

Gift mortis causa: *See also* **Death**
- definition 1806, 1808
- nullity 1819, 1820
- revocation 1841
- succession 613

Giving in payment: *See also* **Sale; Taking in payment** 1799-1801
- applicable rules 1800
- clause deemed not written 1801
- definition 1800

Good faith:
- abandonment 2766
- absence of right 6, 7, 1703
- abusive clause 1437
- acquirer of a real right in a movable property 1454
- administration of the property of others 1323, 1362
- bearer of claim attested by instrument 1649
- buyer 1714
- contract 1375
- deposit 2288
- disbursement 958-964
- divided co-ownership 1093
- emphyteusis 1210
- encroachment 992
- exercise of civil rights 6, 7
- heir 835
- institute 1248
- legal person 317, 318
- management of the business of another 1488
- mandatary 2163
- marine insurance 2526, 2533, 2545, 2548

- movable property serving for the use of the household 402
- nullity of marriage 382, 384, 387
- obligation 1375
- other contracting party 1404, 1420
- partner 2205, 2233, 2260, 2262
- payment made by the insurer 2452
- payment made to the apparent creditor 1559, 1643
- possession 931, 932, 958, 959, 961, 963, 2919, 2920
- presumption 2805
- promise to contract 1397
- publication of rights 2943
- reception of a thing not due 1491
- restitution of prestations 1701, 1703-1705, 1707
- simulation 1452
- spouse 624
- substitution 1248
- third person 1323, 1362, 1452, 1707, 2163, 2189, 2195, 2197, 2217, 2219, 2222, 2224, 2234, 2238, 2263, 2963-2965, 3075
- transfer of a real right 1454
- unjust enrichment 1495
- use of the thing due by the creditor 1556
- usufruct 1137

Grandparents: *See also* **Parents; Relationship** 611

Group of persons: *See* **Association of co-ownership syndicates; Contract of association**

H

Health or social services institution:
- deposit 2297
- director general 2173
- gift made to the owner, a director or an employee 1817
- lease 1892
- legacy made to the owner, a director or an employee 761

Hedge: 1002

Heightening:
- common wall 1007, 1008

Heir: *See also* **Assign; Partition of the succession; Sale of rights of succession; Succession; Will**
- action against coheirs 829, 832
- agreement to the partition 838
- alienation of the property of the succession 804
- allotment by way of preference 855, 857, 859
- apparent 96, 101, 627, 628, 629
- attribution of the property of the succession 846
- charge became impossible or too burdensome 771
- claim of succession 702
- coheirs 823, 857, 859, 869, 871, 882

- confusion 801
- contestation of the inventory of the property of the succession 797
- copy of the titles to the inheritance 866
- creditor 780, 781, 782, 823, 864
- damage insurance 2476
- damages 702
- debtor 1520, 1522, 1540, 2742
- deliberation and option 635
- depositary 2288
- designation of the liquidator of the succession 785
- division of shares in case of insolvency 830
- disagreement to the partition 838
- dispute on an application for an allotment by preference 859
- donor 1837
- good faith 835
- indivision 841, 843, 846
- insolvency of one of the coheirs 830
- insurance of persons 2440, 2456
- intestate 1220
- inventory of the property of the succession 797-800
- legacy by particular title 826
- legal subrogation 1656
- lessee 1938, 1939, 1944, 1948
- liability, limitation 835
- life annuity 2372
- liquidator of the succession 779, 784, 785
- loss of property 876
- mandator 2162
- negligence to make the inventory 800
- obligations 779, 801, 823, 834
- of the child without filiation 536
- of the creditor 1520, 1522, 1544, 1610, 2742, 2902
- of the tutor 181
- parties to a contract 1441
- payment of a part in excess of his share 829
- payment of debts 779, 782, 799-801, 823, 834
- payment of shares 846
- prescription 2902, 2907
- probate of will 772
- qualities for succession 617-624
- reconstitution of the will 774
- remuneration 789
- return of absentee 100, 101
- return of debts to the mass 879-883
- return of gifts and legacies to the mass 867-878
- return of hypothecated property 2742
- right in an immovable of the succession 2998, 2999
- right of action 625
- right of exclusion from the partition of the succession 848
- right of retention of the property returned in kind 875
- right of way 999
- sale with right of redemption 1755

- seisin 625, 777
- separation of patrimony 780
- settlor (trust) 1287, 1295, 1297
- State 697
- stipulation for another 1447-1449
- subrogation 829
- substitution 1220, 1251
- universal legatee 738
- unworthiness 620-623, 628

Herd:
- loss 1161

Holder: *See also* **Holding**
- auction sale of the forgotten movable 942, 945
- disbursement 964
- lost or forgotten movable 941, 942, 944-946
- presumption 923
- right of retention 946

Holding: *See also* **Holder; Possession**
921
- acquisitive prescription 2913
- extinctive prescription 2933
- movable property charged with a hypothec 2702-2706

Holograph will:
712
- destruction 767
- form 726
- irregularity 714
- revocation 767
- signature 726
- verification 772

Hotel establishment: *See also* **Deposit with an Innkeeper; Innkeeper**
1892

Housing cooperative: *See also* **Lease of dwelling**
1945, 1955

Human body: *See* **Body**

Husband: *See* **Spouse**

Hypothec: *See also* **Common pledge of creditors; Conventional hypothec; Hypothecary right; Legal hypothec; Obligation secured by hypothec; Sale by creditor of property charged with a hypothec**
2660-2802
- accessory 2661
- administration of the property of others 1305
- bare ownership 2669
- cancellation of registration 2691, 3059, 3067, 3068
- capital stock 2677, 2738
- claim 1339(7)
- collocation 2680
- compensation 1680, 1682
- confusion 1686
- conventional 2664, 2681, 2723
- definition 2660

– deterioration of the property 2734
– disbursement 2740
– divided co-ownership 1051, 1055, 1108
– enjoyment of the charged property 2733
– extension 2671, 2673, 2674, 2678, 2679
– extinction 1686, 2795-2802
– extinction of the obligation secured by hypothecs 2797
– fruits and revenues 2737
– general partnership 2211
– heirs 2742
– immovable 2665, 2693-2695
– indivisibility 2662
– insurance of persons 2461-2462
– kind 2664, 2665
– lease 1908
– legal 2664, 2724-2732
– life annuity 2385, 2387
– line of credit 2797
– liquidated or conditional claim 2680
– loss of the property 2675, 2734, 2739, 2795
– movable 2665, 2696-2714
– movable property incorporated in an immovable 2796
– novation 1662-1664
– object 2666-2680
– proceeds of the alienation 2674
– property exempt from seizure 2668
– property of another 2670
– property on future 2670
– property tendered or deposited 2678
– publication 2663, 3003-3004
– recovery of the property 2741
– renunciation 1691
– return 2742
– right of the creditor 2734, 2735, 2751
– right to the indemnity 2478
– sale by judicial authority 2791-2794
– sale by the creditor 2784-2790
– sale with right of redemption 1756
– securities 2759
– security 2667
– share 2677
– specific property 2666
– State 3068
– substitution 1229
– taking in payment 2778-2783
– taking possession for purposes of administration 2773-2777
– third person 1680
– trust 1263
– undivided share of a property 1015, 1021, 2679
– universality of claims 2676
– universality of property 2666, 2674, 2675
– usufruct 2752
– vendor 2948, 2954
– warranty of ownership 1723

Hypothecary right: *See also* **Creditor; Hypothec; Sale by creditor of property charged with a hypothec; Sale by judicial authority; Surrender; Taking in payment; Taking possession for purposes of administration** 2748-2794
– conditions for the exercise 2749-2756
– cost 2762
– distribution 2754
– floating hypothec 2755
– movable hypothec with delivery 2756
– plurality of property 2753
– prior notice of exercise 2749, 2757-2760
– priority 2750
– rank 2750, 2754
– right of debtor 2761, 2762
– right of following 2751
– sale of property 2771
– sale of the securities 2759
– usufruct 2752

I

Immatriculation of immovables: *See also* **Cadastral plan; Immovable; Publication of rights** 3026-3056
– amalgamation of parts 3054
– cadastral amendment 3043-3045, 3054
– cadastral plan 3027-3042
– cadastral renovation 3055
– consent to the cadastral amendment 3044
– definition 3026
– divided co-ownership 3030, 3041
– dividing up of a lot 3043
– network 3031, 3038
– order allowing the registration of the alienation of part of lot 3055
– parts of lots 3054-3056
– power of the minister responsible for the cadastre 3043
– situs of a real right of State resource development 3031, 3039

Immovable: *See also* **Architect; Compulsory execution; Divided co-ownership; Engineer; Immatriculation of immovables; Immovable hypothec; Increase in value of the immovable; Ownership of immovables; Property; Sale of property of others; Sale of residential immovables; Seizure; Undivided co-ownership** 900-904
– abandonment 1804
– accession 954-970
– alienation 1097, 1908
– auction sale 1763
– breaking up 852
– defect of construction 1467

– destruction 1804
– encroachment 992
– fire 1862
– gift 1824
– injury caused by its ruin 1467
– lack of repair 1467
– land of another 992
– legacy 745
– movable incorporated 901, 903
– ownership 976-1008
– partition of the succession 849
– plan and specification 1070
– preferential allotment 857, 859
– real rights and actions 904
– recently erected 1955
– restriction of public law 1725
– sale 1742
– sale with specification of contents 1720, 1737
– State 936
– transfer of a real right 1455

Immovable hypothec: *See also* **Immovable**
2693-2695
– extinction 2799
– notarial act 2693
– publication 2948, 2949, 2695
– rent 2696
– specific designation of the hypothecated property 2694
– universality of immovables 2949
– validity 2694

Importer:
– warranty of quality 1730

Improbation: *See also* **Authentic act**
2821, 3021(4)

Imputation of payment: *See also* **Payment**
1569-1572

Inalienability:
1212-1217

Incapacity: *See* **Capacity; Minor; Minority; Protected person of full age; Protective supervision of person of full age**

Incidental proceedings: *See* **Improbation; Peremption of suit**

Increase in value of the immovable: *See also* **Immovable**
959, 961, 1020, 2728, 2952

Indemnity: *See also* **Damages; Unjust enrichment**
974, 1619
– administration of the property of others 1367
– affreightment 2018
– carriage of property 2054
– carriage of property by water 2062
– deposit 2293, 2294

– disbursement 959, 1020
– divided co-ownership 1067, 1075
– emphyteusis 1204
– encroachment 992
– expropriation 909, 1164
– general partnership 2205
– heightening 1007, 1008
– immovable hypothec 2695
– insurance 751, 909, 1075, 1149, 2411, 2437, 2496
– lease 1865, 1965
– management of the business of another 1486
– mandate 2146, 2154, 2155
– marine insurance 2585, 2601, 2604-2619
– possession 933
– restitution of prestations 1701, 1702, 1704
– return to the mass 876
– right of way 997, 999, 1001
– right of withdrawal 1786
– temporary vacancy 1924
– transfer of the ownership 952
– undivided property 1016
– unjust enrichment 1493, 1495
– usufruct 1129, 1138, 1149, 1164, 1168
– warranty of co-partitioners 892, 893

Index of immovables: *See* **Land register**

Indivisible obligation:
1520, 1522, 1624

Indivision: *See also* **Indivision agreement; Partition of the succession; Undivided co-owner; Undivided co-ownership**
460, 1012-1037
– continuance 215, 839-846, 1032, 1033
– definition 1010
– effect of the partition of the succession 887
– end 1031, 1036, 1037
– establishment 1012
– expropriation 1036
– fruit and revenue 1018
– intolerable 845
– loss 1032, 1036
– partition 1030-1035, 1037
– provisional partition 847, 1018
– return to the mass 879
– risk for the heirs 845
– sale with right of redemption 1754, 1755
– undeclared partnership 2250, 2252

Indivision agreement: *See also* **Indivision; Undivided co-ownership**
– partition before time fixed 1021
– publication 1014
– right of redemption 1014, 1022
– sale of residential immovable 1788
– setting up against third persons 1014
– term 1013

Injunction: *See also* **Action**
1080

Injury: *See* **Damage**

Innkeeper: *See also* **Deposit with an Innkeeper; Hotel establishment**
  – liability 2298-2302
  – notice 2304
  – right of retention 2302
  – right to dispose of property retained 2303

Insolvency: *See* **Buyer; Debtor; Mandator; Solidarity between debtors**

Inspector General of Financial Institutions:
  – notice of dissolution of a legal person 358
  – nullity of contract of insurance for funeral expenses 2442

Instalment sale: *See also* **Obligation with a term**
1745-1749
  – clause of forfeiture of benefit of the term 1748
  – consumer contract 1746
  – definition 1745
  – payment of the balance of the sale price 1747, 1748
  – payment of the instalment due 1748
  – reservation of ownership of property 1745, 1749
  – setting up against third person 1745
  – taking back of the sold property 1748, 1749
  – taking in payment 1749
  – transfer of the risk of loss 1746

Institute: *See also* **Substitution**
1223-1234
  – accretion 1221
  – acquisitive prescription 2916
  – agricultural operation 1228
  – alienation of the property 1229, 1230, 1244, 1246
  – child 1253
  – claim 1249
  – collect of claims 1226
  – confusion 1249
  – conservatory act 1226
  – death 1221, 1240, 1241
  – debt 1247, 1249
  – definition 1219
  – delivery of property in anticipation 1234
  – disbursement 1248
  – duties 1225
  – expenses 1224, 1247
  – forfeiture 1238
  – gratuitous disposal 1232
  – heir 1251
  – hypothec 1229
  – insurance 1227, 1237
  – interests 1247, 1249
  – inventory 1224, 1231
  – investment 1229, 1230
  – judicial recourse 1226
  – lapse of a testamentary substitution 1252
  – legal person 1240
  – loss 1245
  – nonperformance of the obligations 1238
  – owner of property 1223
  – payment of debts 1226
  – possessor in good faith 1248
  – prerogative of determining the share of the substitutes 1255
  – reinvestment of the price of the alienated property 1230-1232, 1244
  – rendering of account 1244
  – renunciation 1234
  – retention of property 1250
  – return of property 1244-1246
  – revocation of the substitution 1254
  – security 1237
  – sequestrator 1238

Insurance: *See also* **Accident and sickness insurance; Broker; Damage insurance; Fire insurance; Insurance of persons; Insurance policy; Insured; Insurer; Liability insurance; Life insurance; Marine insurance; Mutual association; Non-marine insurance; Property insurance**
2389-2628
  – administration of the property of others 1324, 1331
  – capital 909
  – class 2389-2397
  – condition not written in the contract 2403
  – co-ownership 1073
  – definition 2389
  – formation 2398
  – hypothec 1339(7)
  – indemnity 909, 1149, 1150, 1227
  – jurisdiction of Québec authorities 3150
  – reinsurance 2397
  – substitution 1227, 1237
  – usufruct 1144, 1148-1150, 1163

Insurance of persons: *See also* **Accident and sickness insurance; Life insurance**
2392, 2415-2462
  – applicable law to the group insurance 3119
  – assignment 2418, 2461-2462
  – attempt on the life of the insured 2443
  – beneficiary 2445, 2453
  – conditional designation 2447
  – content of policy 2415
  – definition 2392
  – designation of spouse as beneficiary 2449, 2457, 2459
  – divorce 2459
  – exclusion 2404
  – exemption from seizure of the rights 2457, 2458
  – funeral expense 2442

- group insurance 2392, 2401, 2406, 2423, 2429
- hypothec 2461, 2462
- individual 2392, 2418, 2445
- insured and beneficiary die at the same time 2448
- interest 2418, 2419
- interest on a premium due 2429
- intervention of court 2459
- irrevocable beneficiary 2449, 2452, 2454, 2458, 2460
- liberality 691
- misrepresentation 2424
- misrepresentation of the age of the insured 2420
- mode of designation of beneficiaries 2446
- nullity 2424, 2442
- nullity of marriage 2459
- object 2392
- payment of premium by bill of exchange 2428
- premium not bearing interest 2429
- profits and benefits 2454
- representation of the participant 2406, 2424
- revocable or lapsed declaration 2459
- revocation made in a will 2450
- revocation of the beneficiary 2449-2451
- separation from bed and board 2459
- subrogated policyholder 2445-2449, 2453, 2455, 2459, 2462
- suicide of the insured 2441

Insurance policy: See also Insurance
- assignment 2528-2531
- clause of assignment of claim 2402
- content 2399
- definition 2399
- delivery 2401, 2426, 2534
- discrepancy with the application 2400
- discrepancy with the insurance certificate 2401
- effected by a broker 2536, 2537, 2544
- examination 2401
- group 2401
- liability 2499
- life 2445
- marine 2527
- nullity 2539
- persons 2415
- property 2480
- rider 2405

Insured:
- abandonment 2584, 2587-2595
- abandonment of the damaged property 2495
- action for partial loss 2586, 2587
- action for the annulment of the contract 2545
- alienation of the insured property 2529, 2530
- assignment of policy of marine insurance 2529
- attempt on the life of the insured 2443
- bankruptcy 2476
- breach of warranty 2554

- consent in writing if no insurable interest 2418
- death 2448, 2476
- delay of notice of loss 2471
- double insurance 2622
- duty to take reasonable measures for minimizing a loss 2619
- general average contribution 2612
- general average expenditure 2602
- general average sacrifice 2601
- heir 2476
- holding presumed on behalf of the insurers 2624
- insurance interest 2515
- knowledge of unseaworthy state of the ship 2561
- knowledge presumed 2550
- loss caused by the wilful misconduct 2464, 2576
- loss of the right to any indemnity 2472
- misrepresentation 2410, 2472, 2552
- no insurable interest 2541
- notice of cancellation of the contract 2477
- notice of loss 2435, 2470, 2471
- notice of material change in risk 2466
- omission 2552
- payment of premium 2535, 2536
- plurality 2464
- proof of delay of the ship 2565
- recovery of expenses 2618
- recovery of indemnity 2617
- representation 2408-2410, 2546, 2547
- return of premium 2538, 2541
- right to cost of the repairs 2608(1)(2)
- right to indemnity for loss 2585, 2608(2)(3), 2612, 2615
- suicide 2441
- under-insurance 2626
- unlawful warranty 2555

Insurer:
- acceptance of the abandonment 2594
- acceptance of the application 2398, 2425
- action against the insured 2502, 2503
- action for the annulment of the contract 2410, 2421, 2545, 2552, 2557, 2565
- adjustment of the premium 2420
- cancellation of policy of marine insurance 2539
- compensation for injury to the insured property 2464, 2465
- consent to the assignment of contract of damage insurance 2475
- copy of the representations of participant 2406
- coverage 2412
- delivery of policy 2400
- discharge from liability 2474, 2493, 2554, 2567, 2568, 2571, 2576, 2577
- distribution of policy 2401, 2534
- exclusion of the coverage 2404, 2417

– forfeiture of the right to indemnity 2470
– inherent defect of insured property 2465
– insurance interest 2515
– interest of person entitled to the benefit of the liability insurance 2503
– interest on a premium due 2429
– invocation of conditions not written in the contract 2403
– knowledge presumed 2550
– liability 2485, 2487, 2576, 2603, 2616, 2617, 2625
– life annuity 2384-2386, 2388
– material change in risk 2467
– opposition 2453, 2502, 2531
– payment of indemnities 2411, 2437, 2473, 2605
– payment of insured sums 2436, 2441, 2452, 2455, 2493, 2537
– performance by equivalence 1609
– prior notice of cancellation of contract 2477
– profits and benefits applied to any premium due 2454
– receiving of designation of beneficiaries 2451, 2452
– receiving of notice of the assignment or hypothecation 2461
– recovery of overdue premiums 2433
– refusal to accept the abandonment 2595
– reimbursement of overpayment of premium 2479
– reimbursement of salvage charges 2612
– reinstatement of individual life insurance 2431
– remuneration 2594
– requirement of medical examination 2438
– return of premiums 2538, 2539, 2542
– right to earned portion of the premium 2479
– right to premium 2469
– right to salvage 2494
– single lump sum payment of any sums payable by instalments 2440
– subrogation 2474, 2620
– subscription 2520

Integrity of the person: See Care; Confinement in an institution for a psychiatric assessment

Interdiction: See Protective supervision of person of full age

Interest: See also Damages
1617-1620
– administration of the property of others 1368
– deposit 2287
– exercise of a hypothecary right 2762
– general partnership 2198
– hypothec 2959, 2960
– insurance premium 2429
– obligation of the buyer 1735
– payment 1565, 1570
– return to the mass 878, 883
– solidarity between debtors 1534
– substitution 1247, 1249

– tender and deposit 1586, 1587
– usufructuary 1156, 1157

International agreement:
2807

International Bank for Reconstruction and Development:
1339(2)

International jurisdiction of Québec authorities: See also Private international law
3134-3154
– action pending before a foreign authority 3137
– adoption 3147
– case of emergency 3140
– civil liability 3151
– civil union 3145
– civil union regime 3154
– contract of employment 3149
– contract of insurance 3150
– custody of a child 3142
– dissolution of a civil union 3144
– domicile of defendant 3134
– exclusive jurisdiction 3151
– filiation 3147
– incidental demand or a cross demand 3139
– jurisdiction 3136
– marriage 3145
– matrimonial regime 3154
– nullity of a civil union 3144
– nullity of marriage 3144
– personal action of a patrimonial nature 3148-3151
– personal action of an extrapatrimonial and family nature 3141-3147
– provisional or conservatory measure 3138
– real and mixed action 3152-3154
– return 3135
– separation from bed and board 3146
– succession 3153
– support 3143
– suspension 3137

International treaty:
2807

Interpretation of contract: See also Contract
1425-1432
– adhering party 1432
– against the person who stipulated it 1432
– clause 1427-1431
– common intention of the parties 1425
– consumer 1432
– doubt 1430, 1432
– general terms 1430, 1431
– words susceptible of two meanings 1429

Interruption of prescription: See also Prescription
2889-2903
– acknowledgement of a right 2898

- additional period 2895
- application dismissed 2894, 2895
- arbitration 2895
- civilly 2889, 2892
- class action 2897
- coheir 2902
- creditor 2893
- final judgment (res judicata) 2896
- following interruption 2903
- joint creditors or debtors 2901
- judicial demand 2892, 2896, 2899
- mode 2889
- naturally 2889-2891
- renunciation of the benefit of time elapsed 2898
- solidary creditors or debtors 2900, 2902
- surety 2899
- transaction 2896

Inuit: *See* **Cree, Inuit or Naskapi communities**

Invasion of privacy: *See* **Privacy**

Inventory: *See also* **Administrator of the property of others; Liquidator of the succession; Rendering of account**
- administration of the property of others 1324, 1326-1330
- notarial act 1327
- substitution 1224, 1231, 1236
- succession 699, 794-801
- tutorship to minor 240, 241
- usufruct 1142, 1143, 1146

Investment:
- administration of the property of others 1304, 1307, 1339-1344
- presumed sound 1304, 1339-1344
- trust 1269

Island:
968-969

J

Joint obligation:
1518-1522
- contract of enterprise 2120
- definition 1518
- divisible 1519, 1522, 1625, 1755
- heir of the creditor 1520, 1522
- heir of the debtor 1520, 1522
- indivisible 1520, 1624
- solidarity 1520, 1521

Joint stock company: *See* **Legal person**

Judge:
- sale of litigious rights 1783

Judgment: *See also* **Declaratory judgment of death; Final judgment (res judicata); Foreign judgment**

- adoption 565
- boundary 2996
- change of name 67
- discharge od debtor 1697
- forced surrender 2765
- general partnership 2226
- indivision 1012
- legal hypothec 2724(4), 2730
- life annuity 2370
- partition postponed of undivided property 1030
- prescription 2924
- promise of sale 1712
- publication 2938, 2994
- replacement of tutor to a minor 254
- retention of payment of a bearer instrument 1648
- superficies 1118
- syndicate 1078
- trust 1262
- undeclared partnership 2257
- usufruct 1121, 1158

Judicial notice: *See also* **Proof**
2806-2810

Judicial separation as to property:
488-491
- application by one of the spouses 488
- effect 489
- recourse of creditor 490
- right of survivorship 491

Juridical personality:
- legal person 298
- person 2

Jurisdiction of foreign authorities: *See also* **Private international law**
3164-3168
- applicable rules 3164
- dissolution of a civil union 3167
- divorce 3167
- filiation 3166
- not recognized by Québec authorities 3165
- personal action of a patrimonial nature 3168

L

La Financière agricole du Québec:
2799

Lake: *See also* **Floatability of lake or watercourse; Water**
919-920, 980-982

Land: *See also* **Boundary; Land of another; Soil; Territory**
- enclosure 997-999
- fruit 910
- investment 1339(10)

- limit 977
- lower 979

Land of another: *See also* **Land**
- access 987-988
- damage 988, 992
- encroachment 992
- repair or demolition work 990, 991
- restoration 988, 989, 992
- right of way 997-1001
- thing carried 989
- treasure 938
- tree 984-986
- view 993, 994

Land register: *See also* **Publication of rights; Registry office**
2972-2979
- application for registration 2978, 2981, 2982
- cadastral plan 3027
- carry-over of entries 2978
- clerical error 3016
- complementary file 3034
- content 2972-2972.4
- decision to terminate the co-ownership 1108
- declaration of co-ownership 1060
- default 1743, 1749
- hypothec on a movable subsequently incorporated into an immovable 2951
- immovable hypothec 2695
- index of immovables 2972, 2972.1
- index of names 2972
- keeping 2969
- land book 2972
- land file of the immovables 2972-2972.4, 3028, 3034, 3035, 3038, 3040
- lease on an immovable 2999.1
- movable real right on an immovable 2970
- notice of amendment to the plan of boundary 2996
- notice of dissolution of a syndicate of co-owners 358
- notice of Public Curator 936
- partition of an immovable not immatriculated 2979
- plurality of immovables not immatriculated but contiguous 2978
- presumption 2943, 2944
- publication of rights concerning an immovable 2970
- real right established by agreement 2943.1
- register of immovables without a cadastral survey 2972, 2972.2
- register of public service networks 2972, 2972.2
- register of real rights of State resource development 2972, 2972.2
- registry office 2969
- regulation 3024
- State resource development 2978

Land Registrar: *See also* **Publication of rights**

- keeping of registers 2969
- lease on an immovable 2999.1
- purposes of the application 3075.1

Land Registry Office:
- application for registration in the land register 2982

Land surveyor: *See also* **Boundary**
978, 2989, 2993

Large stream: *See* **Watercourse**

Lawsuit:
2636

Lease: *See also* **Alienation for rent; Lease of dwelling; Lessee; Lessor; Rent; Sublease**
1851-2000
- applicable rules 1887
- assignment 1870-1873
- bill-posting 1885
- certificate 2995
- definition 1851
- divided co-ownership 1079
- effect 1853
- expropriation 1888
- fire in the leased property 1862
- fixed term 1851, 1877, 1878, 1885, 1887
- indeterminate term 1851, 1853, 1877, 1882, 1885, 1887
- presumption 1853
- property included in the usufruct 1135
- publication of rights 1852, 2999.1
- renewal 910, 1878-1881
- resiliation 910, 1079, 1790, 1860-1863, 1883, 1887, 1888
- sale of residential immovables 1789, 1790
- substituted property 1229
- sufferance 1853
- term 1879, 1880
- termination 1877-1891
- voluntary or forced alienation of leased property 1886, 1887
- written notice from acquirer to the lessee 1887

Lease of dwelling: *See also* **Housing cooperative; Lease of dwelling in low-rental housing; Lease of land intended for the installation of a mobile home; Lease with an educational institution; Lessee of lease of dwelling; Lessor of lease of dwelling**
1892-2000
- abusive clause 1901
- access 1933-1935
- adjustment of rent 1906, 1949
- assignment of claim 1908
- change of destination 1959
- children 1899
- condition of dwelling 1910-1921
- definition 1892
- enlargement 1959

- exigibility of amount of the rent 1905
- extinction of the lessor's title 1937
- fixed term 1906, 1941, 1946, 1960
- housing cooperative 1945, 1955
- hypothec against the rent 1908
- identification of handicapped persons 1921
- inconsistent clause 1893
- indeterminate term 1942, 1946, 1960, 1974
- intervention of court 1909, 1917, 1927, 1934, 1947-1950, 1952-1954, 1961, 1963, 1965-1970, 1973, 1977
- language 1897, 1898
- limitation of liability 1900
- mode of payment of the rent 1903
- modification of the rights of lessee 1900
- number of occupants 1920
- object 1892
- particular 1895
- payment of arrears 1953
- payment of rent in advance 1904
- postdated instrument 1904
- recently erected immovable 1955
- remittance of deposit 1909
- renewal of lease 1941, 1942, 1947, 1948, 1969, 1977
- repair 1922, 1929
- resiliation 1924, 1937-1939, 1971-1978
- stipulation of a dwelling in good habitable condition 1910
- subdivision 1959
- sublease 1940, 1944, 1948, 1950
- substance constituting a risk of fire or explosion 1919
- unfit for habitation 1913-1918, 1972, 1975
- voluntary or forced alienation of the immovable 1908, 1937
- visit of dwelling and sign 1930
- written notice 1898

Lease of dwelling in low-rental housing:
1896, 1956, 1984-1995
- assignment 1995
- cessation to cohabit with the lessee 1991
- death of lessee 1991
- definition 1984
- eligible list 1985
- false statement of the lessee 1988
- fixing of the rent 1992
- intervention of court 1986-1990, 1992-1994
- irregular assignation of dwelling 1987
- notice of increase of the rent 1992
- notice of modification of the lease 1993
- notice of resiliation of the lease 1993, 1995
- obligations of the lessor 1985-1987, 1994
- reduction of rent 1994
- refusal to enter the application in the register 1986
- re-establishment of the rent 1994
- register of lease applications 1985
- re-inscription on the eligible list 1989
- sublease 1995

Lease of land intended for the installation of a mobile home:
1996-2000
- acquirer 2000
- limitation of rights of the lessee 1998, 1999
- obligations of the lessor 1996
- removal of the mobile home 1997
- replacement of the mobile home 1998

Lease with an educational institution:
1979-1983
- renewal 1980
- resiliation 1982, 1983
- right to maintain occupancy 1979
- sublease or assignment 1981

Leasing:
1842-1850
- benefit from the contract 1849
- definition 1842
- disclosure of contract 1844
- loss of property 1846
- nature of property 1843
- obligation of lessee 1846
- obligation of seller of the property 1845
- resolution 1848, 1849
- return of property 1850
- rights of ownership 1847
- termination 1850

Legacy: *See also* **Legacy by general title; Legacy by particular title; Legatee; Liquidator of the succession; Return of gifts and legacies to the mass; Universal legacy; Will**
- accessory 744
- accretion 755
- administrator of the property of others 753, 754, 760
- alienation of bequeathed property 769
- change 771
- condition 757
- creditor 748
- enterprise 746
- erasure 767
- exheredation 758
- foster family 761
- fruits and revenues 743
- health establishment 761
- immovable 745
- insurance indemnity 751
- intervention of the court 771
- kind 731
- lapse 750-753, 768
- liquidator 753, 754, 760
- loss of bequeathed property 751
- made to the spouse before divorce 764

- notary 759
- nullity 759-762
- nullity of marriage 764
- payment subject to a term 747
- penal clause 758
- property without testamentary disposition 736
- public order 757
- publication of the renunciation 2938
- remuneration 753, 754
- representation 749
- resolution 754
- revocation 763, 764, 767-771
- securities 744
- sufficient expression of intention of the testator 737
- tutor to a minor 753, 754
- witness 760

Legacy by general title:
- definition 733
- exception of particular items of property 735

Legacy by particular title:
- definition 734
- presumption 756
- property of another 762
- representation 749
- universality of assets and liabilities 828

Legal hypothec:
2724-2732
- cancellation 3061
- claims 2724
- delay 2727, 2729
- extinction 2727, 2800
- intervention of the court 2731
- judgment 2724(4), 2730
- movable 2725
- person having taken part in the construction or renovation of an immovable 2724(2), 2726-2728, 2952, 3061
- rank 2952
- registration 2725
- right to follow 2732
- State 2724(1), 2725
- syndicate of co-owners 2724(3), 2729, 2800, 3061
- value added to the immovable 2728

Legal person: *See also* **Board of directors of the legal person; Director of the legal person; General meeting of members; Juridical personality; Legal person established in the public interest; Liquidation of the legal person**
298-364, 1340, 1342
- applicable rules 310, 334
- by-laws 313
- capacity 303
- civil rights 301
- constitution 299
- dissolution 355, 356, 1162, 1166

- distinct from their members 309
- divided co-owner of an immovable 1039
- dividend and distribution 1349-1350
- domicile 307, 308
- duties of directors 321, 322
- exemption from furnishing security 244
- for a private interest 2840
- head office 307
- institute 1240
- juridical personality 298, 331-333
- liability in case of fraud 316
- liquidator of the succession 783
- name 305, 306, 308
- nature 314
- obligations of members 315
- patrimonial rights 302
- representation 312
- restriction upon the power of representation 3087
- share of the capital stock 909
- succession 618
- third person in good faith 317, 318
- trust 1272, 1274, 1298
- tutor to property 189, 244
- tutorship or curatorship to the person 304
- usufruct 1123, 1134, 1162, 1166

Legal person established in the public interest: *See also* **Legal person**
- agent 1464
- confiscation 917
- legal hypothec 2724(1), 2725
- obligation 1376
- official document 2814(4)
- property 916-917
- register 2814(4)
- reproduction of document 2840

Legal tutorship: *See also* **Tutor; Tutorship to a minor**
178, 192-199
- custody of the child 195
- director of youth protection 199
- disagreement between the father and mother 196
- loss 197
- mandate 194
- parent 192-194
- reinstatement 198

Legatee: *See also* **Heir; Legatee by general title; Legatee by particular title; Succession; Universal legatee**
- acquired right 747
- bare ownership 831
- death 750
- prohibition against disposing of the property by will 1220
- renunciation to a legacy 750, 1809
- right to a legacy made under a condition 747

– servitude 831
– unworthiness 750

Legatee by general title:
– heir upon the opening of the succession 738
– payment of annuities or support established by the testator 825
– payment of debts 824
– payment of hypothecs 824
– usufruct 824
– usufruct of the entire succession 825

Legatee by particular title:
– action against colegatees by particular title 815, 816, 829, 832
– action against heir 815, 816
– action against liquidator of the succession 815
– applicable provisions 742
– application for the making of a new inventory 797
– assimilated to an heir 739
– contestation of the inventory 797
– creditor 780
– declaration of rights in an immovable of the succession 2998, 2999
– deliberation and option 741
– insolvency of one of the colegatees 830
– neglected in the payments made by the liquidator 815
– partition of remainder of the property 814
– payment by the liquidator 781, 808, 812, 814
– payment of a part in excess of his share 829
– payment of debts 739, 827, 828
– payments of legacies 827
– qualities 740
– reconstitution of will 774
– release 813
– return of the absentee 100
– seisin 777
– subrogation 829
– unknown during the payments made by the liquidator 816
– unworthiness 740

Legislation respecting consumer protection: 1384

Lender: *See* **Loan; Loan for use; Loan of money; Simple loan**

Lesion: *See also* **Consent; Contract**
– cause 1406
– damages 1407
– family patrimony 424
– loan of a sum of money 2332
– maintenance of the contract 1407, 1408
– minor 163, 1405, 1406
– nullity of contract 1407
– partition of the succession 897
– presumption 1406
– protected person of full age 1405, 1406
– reduction of the obligation 1407

Lessee: *See also* **Lease**
– assignment of lease 1870
– change to the leased property 1856
– construction 1891
– damages 1861, 1862
– death 1884
– default of payment 1883
– defect of the leased property 1866
– divided co-ownership 1057, 1065, 1066, 1070, 1079
– enjoyment of the property 1859, 1860
– expulsion 1889
– loss 1862
– nonperformance of obligation 1863
– nonperformance of obligation by sublessee 1875
– notification of the disturbance to the lessor 1858, 1861
– obligations of the sublessee 1874
– payment before judgment of resiliation of a lease 1883
– payment of rent 1855, 1874
– performance of obligation by lessor 1863, 1876
– reduction of rent 1861, 1863, 1865, 1888
– reimbursement of expenses 1868
– repairs 1864-1869
– resiliation of the lease 1861, 1863, 1865, 1888
– retention of rent 1867-1868
– sale of residential immovables 1790
– sublease 1870-1876
– substitution 1229
– surrendering of property 1890
– taking of possession 2774
– use of property 1855
– visit of the place 1885

Lessee of lease of dwelling: *See also* **Lease of dwelling**
– abandonment of dwelling 1915, 1916, 1975
– access of dwelling 1933
– children 1899
– cohabitation 1938, 1951
– damages 1965, 1968
– death 1938-1939, 1944, 1948, 1951
– deposit of rent 1907-1909
– eviction 1936, 1959, 1965-1967
– exemption from rent 1915
– fixing of the rent 1950
– heir 1938, 1939, 1944, 1948
– intervention of the court 1926, 1927
– liquidator of the succession 1938, 1939, 1944, 1948
– lock 1934
– modification of the lease 1945, 1946, 1984
– new 1950, 1951
– payment of the rent 1971
– performance of obligation 1907
– pregnant women 1899
– reduction of rent 1924

- removal of movable effects 1978
- renewal of lease 1941
- repossession 1962, 1964, 1967
- resiliation of lease 1924, 1972-1974
- return to the dwelling 1916
- right to maintain occupancy 1936
- safety and sanitation of dwelling 1912
- spouse 1938
- sublessee 1940, 1950
- taking possession of dwelling 1914
- temporary vacancy 1924, 1925, 1963
- visit of dwelling 1930, 1932

Lessor: *See also* **Lease**
- assignment of lease 1870-1873
- construction 1891
- damages 1862
- death 1884
- delivery of the property 1854
- enjoyment of the property 1854, 1859
- eviction of the lessee 1889
- expiration of the time for giving notice 1948
- legal disturbance 1858
- nonperformance of obligation 1863, 1867, 1876
- reconduction 1869
- recourse against the lessee at fault 1861
- reestablishment of the rent 1863
- repair 1857, 1864-1868
- resiliation of lease 1860, 1863
- sale of residential immovables 1790
- sublease 1870-1872, 1875
- temporary vacancy of the lessee 1865
- visit of the place 1857

Lessor (Affreightment): *See* **Affreightment; Bareboat charter; Cargo; Ship; Subletting; Time charter; Voyage charter**

Lessor of lease of dwelling: *See also* **Lease of dwelling**
- abandonment of the dwelling 1975
- by-laws of the immovable 1894
- change of destination of the dwelling 1966
- clean condition of dwelling 1911
- copy of the lease 1895
- damages 1899, 1902
- death of lessee 1938, 1944
- division of the dwelling 1966
- dwelling became fit for habitation 1916
- eviction 1936, 1959-1961, 1965, 1969, 1970
- expiration of periods to notify 1977
- false statement 1950
- fixing of the rent of a new lessee 1954
- harassment 1902
- lack to give the copy of the lease 1895
- lock 1934
- modification to the lease 1895, 1942, 1943
- movable effects of the lessee 1978

- new 1937
- nonperformance of obligation 1907, 1918
- notice indicating the lowest rent 1896
- occupation of the dwelling became vacant 1964
- recourse to the court 1925, 1927, 1947
- renewal of lease 1941
- repair 1922, 1923, 1928
- repossession 1957, 1960, 1961, 1963, 1964, 1969, 1970
- resiliation of lease 1971-1973
- safety and sanitation of dwelling 1912
- spouse 1957
- vacancy of the dwelling 1928
- visit of the dwelling 1931, 1932

Letter of verification:
615

Letter patent:
- authentic act 2814(2)

Liability insurance:
2498-2504
- contract 2498
- cost and expense resulting from action 2503
- definition 2396
- indemnity 2613
- obligation of the insurer 2503
- payment of third person 2500
- policy 2499
- right of injured third person 2414, 2501
- right of insurer 2502
- transaction 2504

Life annuity: *See also* **Alienation for rent; Annuitant; Life insurance**
- assimilated to life insurance 2393
- discharge of debtor 2383, 2385
- establishing 2372
- failure to furnish a surety 2387
- hypothec 2387
- immovable charged as security 2384
- lifetime of several persons 2374
- non-payment of the annuity 2386
- non-returnable loan 2375
- nullity 2373
- payment 2381, 2382
- replacement of debtor 2384
- rights of annuitant 2384, 2386, 2387
- stipulation 2380
- substitution 2384, 2385
- value 2388

Life insurance: *See also* **Life annuity**
- accessory clause 2394
- age as determining factor 2422
- age of the insured 2421
- beneficiary 2445
- definition 2393

- effective date 2425
- group 2433
- individual 2431, 2433
- object 2393
- payment of premium 2427, 2433
- reinstatement 2431-2434
- suicide of the insured 2441
- termination 2427

Limited partnership: See also General partner; Special partner

1340, 2236-2249

- administration 2236, 2244, 2245
- applicable rules 2249
- constitution 2236
- declaration 2189, 2190
- dissolution 2245
- distribution of securities to the public 2237
- formation 2189
- insufficiency of the property 2246
- juridical form 2197
- liability 2197, 2238, 2240, 2244, 2246
- name 2197, 2247
- securities 909

Liquidation: See also Liquidation of the legal person; Liquidation of the succession; Liquidator; Liquidator of the succession

- association 2278
- compensation 1673
- divided co-ownership 1075, 1109
- expense 1781

Liquidation of the legal person: See also Legal person

- appointment of the liquidator 359
- full administration 360
- juridical personality 357
- notice of closure 364
- notice of dissolution 358
- payment of debts 361
- powers of liquidator 360, 361
- preservation of the books and records 362
- Public Curator 363

Liquidation of the succession: See also Liquidator of the succession; Succession

- account of the liquidator 819-822
- action 815-818, 829, 832
- closure of the account 822
- conservatory measures 792
- cost 792, 821, 1781
- delay for presentation of a claim of payment 816
- discharge of the liquidator 819
- end 700, 819
- heirs 779
- insolvency 830
- insufficiency of the reserve 817
- intervention of the court 835

- intestate 776
- inventory 699
- new facts 835
- notice of the seisin of the State 699
- object 776
- obligation of heir 823, 826, 834
- obligation of legatee 824, 825, 827, 828, 831
- payment of debts and legacies 781, 782, 808-814
- prolongation 806
- separation of the patrimony 780
- testate 776

Liquidator:

- undeclared partnership 2264-2266

Liquidator of the succession: See also Inventory; Legacy; Liquidation of the succession; Succession

- acceptance 784
- act performed in good faith 793
- ad hoc 805
- administration 804
- administrator of the property of others 802, 1361
- alienation 804, 813
- appointment 792, 3101
- capacity 783
- claim of the property 777
- delivery of the property 822, 1361
- designation 785, 788
- discharge 819, 822
- exemption from making an inventory 639, 799
- final account 820
- financial contribution as support 685
- forfeiture 790
- full statement of the property 811
- functions 802-807
- heir 779, 784, 785, 789
- insufficiency of the property of the succession 811
- insurance 790, 2456
- intervention of the court 788-792, 804, 805, 809
- lease 1938, 1944, 1948
- legal person 783
- legacy as remuneration 753, 760
- liability 1361
- manager 1485
- mandatory 2183
- notice of closure 796
- payment of advances 807
- payment of debts and legacies 804, 808-814
- plurality 787
- powers 778
- principal 1484
- proposal of partition 820
- proposal of payment 811
- provisory 791, 792
- Public Curator 699
- quality 786

- reduction of legacies of particular title 813
- refusal to furnish a security 790
- reimbursement of the expenses 789
- remuneration 789
- remuneration proportionate to the value of the legacy 754
- rendering of account 806, 821, 1361
- replacement 785, 788, 791
- security 790
- seisin 777
- settlor of the trust 1295
- simple administration 802
- value of the property of a minor 217
- will 803

Litigious rights: *See* **Sale of litigious rights**

Loan: *See also* **Loan for use; Loan of money; Simple loan**
2312-2332
- definition 2313, 2314
- instalment sale 1756
- kind 2312
- non-returnable 2375
- notarial act 1655
- promise 2316
- use 1853

Loan and Investment Societies Act:
1339(6)

Loan for use:
2317-2326
- definition 2313
- indeterminate time 2319
- latent defect 2321
- liability of the lender 2321
- loss of the property 2322, 2323
- obligations of the borrower 2317, 2318
- reimbursement of the expenses 2320
- retention 2324
- return of the property 2319
- solidarity 2326
- use of the property 2318, 2322

Loan of money:
2315, 2330-2332
- discharge of the capital 2331
- interest 2330
- lesion 2332

Location: *See* **Lease**

Loss: *See* **Risk**

M

Major: *See* **Person of full age**

Majority: *See also* **Capacity; Person of full age**
- age 153

- capacity 153, 154
- end of tutorship to a minor 255

Management of the business of another:
1482-1490
- conditions 1482
- conflict of laws 3125
- definition 1482
- disbursement 1488
- expenses 1486, 1487
- indemnity 1486
- inopportune 1490
- liquidator of succession 1485
- obligations of the manager 1483, 1484, 1486, 1489
- obligations of the principal 1486, 1490
- rendering of account 1485
- rules 1484

Manager:
- general partnership 2213, 2214
- management of the business of another 1483, 1484, 1486, 1489
- presumption 1028
- replacement 1086
- syndicate 1085, 1086
- undivided property 1027-1029

Mandatary:
- acceptance 2130, 2144
- act in excess of his mandate 2145, 2158
- assistance 2142
- bankruptcy 2175
- compensation 2146
- contracting party 2147
- damages 2148
- death 2175, 2183
- definition 2130
- double mandate 2143
- extinction of power 2175
- identity of the mandator 2159
- institution of protective supervision 2175
- interest 2184
- liability 2178
- liquidator, tutor or curator 2183
- obligations 2138-2148, 2157-2159
- performance of the mandate 2138, 2139
- personal liability towards third persons 2157-2159
- power 2136, 2137
- property or information used for his benefit 2146
- remuneration 2178
- rendering of account 2177, 2184
- renunciation 2175, 2178, 2179
- return of the power of attorney 2176
- revocation of the mandate 2179
- right of retention 2185
- solidary liability 2144
- substitution 2140, 2141

Mandate: *See also* **Mandatary; Mandate given in anticipation of the mandator's incapacity; Mandator**
2130-2185
– acceptance 2130, 2132
– administration of the property of others 1338
– administrator of the legal person 321
– definition 2130
– double 2143
– general 2135
– given by several persons 2156
– gratuitous 2133, 2148, 2175
– intervention of the court 2148, 2173, 2177
– legal tutorship 194
– object 2131
– obligation of the mandatary 2138-2148, 2157-2159
– obligation of the mandator 2149-2156, 2160-2165
– onerous 2133, 2178
– professional 2133
– remuneration 2134
– revocation 2175, 2176, 2177, 2181
– special 2135
– termination 2175-2185

Mandate given in anticipation of the mandator's incapacity: *See also* **Mandate; Protected person of full age**
2166-2174
– act performed before the homologation 2170
– care 11, 12, 15
– cessation of the effects 2172, 2173
– form 2166, 2167
– full administration 2135
– homologation 2167.1
– insufficiency 2169
– interpretation 2168
– liquidator of the mandatary 2183
– mandator became capable 2172, 2173
– object 2131
– performance 2166
– power of the mandatary 2171
– protective supervision 2169, 2177
– replacement 2174
– revocation 2172, 2177, 2179
– termination 2175

Mandator:
– act in excess of the mandate 2152, 2153, 2158, 2160, 2162
– action against third person 2165
– advances 2150
– appointment of a new mandatary 2180
– bankruptcy 2175
– compensation of the mandatary 2154, 2155
– cooperation with the mandatary 2149
– death 2162, 2175
– definition 2130

– expenses 2150, 2151
– heir 2162
– incapacity 2131, 2135, 2166-2174, 2175, 2177
– injury caused by the fault of the mandatary 2164
– insolvency 2159
– liability towards mandatary 2152, 2181
– liability towards third person 2160-2165
– nullity of act of the mandatary 2143, 2147
– obligations 2149-2156, 2160-2165
– protective supervision 2175, 2177
– remuneration of the mandatary 2150
– revocation of the mandate 2175, 2176, 2179, 2181
– solidary liability 2156
– substitution 2141, 2161
– untrue mandatary 2163

Manufacturer:
– liability 1468, 1473, 3128
– movable property 1468
– warranty of quality 1730

Marine insurance: *See also* **Abandonment; Average loss; Voyage; Voyage charter; Warranty**
2389, 2505-2628
– abandonment 2584, 2587-2595
– actual total loss 2580
– advances 2506
– assignment of policy 2528-2531
– cancellation of policy 2539
– constructive total loss 2581, 2584
– declaration 2526, 2545-2552
– definition 2390
– derogatory stipulation 2628
– direct action of injured third person 2628
– double insurance 2542, 2621-2625
– duty of the insured and of persons acting on his behalf 2619
– expense of salvage operation 2583, 2598
– floating contract 2525
– formation of the contract 2545
– freight 2509
– gaming or wagering contract 2512
– general average contribution 2583, 2600, 2602, 2612
– general average loss 2599, 2600, 2602
– goods 2563, 2577, 2586
– gross value of the movable property 2610
– incapacity of identification of goods 2586
– indemnity 2614
– indemnity for damaged ship 2608
– indemnity for delivery of damaged movable property 2610
– indemnity for lost freight 2607
– indemnity for total loss 2606
– indemnity for total loss of a part of the movable property 2609
– insurable value of the freight 2519

– insurable value of the property 2518
– insurable value of the ship 2519
– insured property warranted free from particular average 2615, 2616, 2618
– interest 2511-2517, 2541
– kinds of average loss 2596-2603
– kinds of contract 2521-2526
– loss 2537, 2578, 2584, 2585, 2617
– loss caused by delay 2577
– loss caused by rats or vermin 2577
– loss caused by misconduct 2576
– loss incurred by a general average sacrifice 2615
– lost or not lost 2511, 2540
– marine adventure 2506
– maritime perils 2507
– measure of indemnity 2604-2619
– misrepresentation 2526, 2552
– movable 2510, 2563
– mutual 2627
– notice of loss 2575
– nullity of contract 2512, 2545, 2552, 2557, 2565
– nullity of policy 2539
– object 2390, 2508, 2514
– obligations of the insurer 2617
– obligations of the person acting on behalf of the insured 2549
– omission 2526, 2552
– over-insurance 2542
– particular average 2596
– particular charges 2597, 2616
– policy 2527
– policy effected by a broker 2536, 2537, 2544
– proof 2532
– ratification 2533
– repairs 2582
– return of premium 2537, 2540, 2541
– rights of assignee 2531
– risk covered 2505
– risk not apportionable 2539
– subscription 2520
– suing and labouring clause 2618
– time contract 2522, 2561
– total loss 2578, 2579
– transhipment 2574
– under-insurance 2626
– unvalued contract 2524, 2542, 2604-2606, 2609, 2623
– validity 2511
– valued contract 2521, 2523, 2604-2606, 2609, 2623, 2626
– voyage contract 2522, 2560, 2563, 2565-2574
– warranty 2553-2564
– withdrawal of representations 2551
Marriage: *See also* **Acts of marriage; Compensatory allowance; Dissolution of marriage; Divorce; Family**
patrimony; Marriage, nullity; Matrimonial agreement; Matrimonial regime; Opposition to the solemnization of marriage; Separation as to property; Separation from bed and board; Solemnization of marriage; Spouse
– absentee 83, 97
– conflict of laws 3088, 3089
– effect 391, 3145
– emancipated minor 175
– family residence 401-413
– not attested or declared 130
– nullity of marriage 380-390
– opposition 372
– proof 378, 379
– rights and duties of spouses 392-400
– separation from bed and board 493-515
– solemnization 365-377
– witness 365, 369
Marriage contract: *See* **Matrimonial agreement**
Marriage, nullity: *See also* **Marriage**
380-390
– effects on spouses 382-384
– effect on designation of beneficiary of insurance of persons 2459
– gifts 385, 386
– intervention of the court 388
– jurisdiction of Québec authorities 3144
– legacy 764
– liquidation of the matrimonial regime 382
– presumption of good faith 387
– rights and duties of fathers and mothers 381
– taking back of the property 382-384
Master of ship: *See also* **Ship**
– barratrous conduct 2572
– insurable interest 2515
– misconduct 2576
Material things: *See* **Proof by the production of material things**
Materials:
956
Matrimonial agreement: *See also* **Family patrimony; Gift made by marriage contract; Marriage; Matrimonial regime**
– absence 432
– change 437, 438, 441, 442
– contestation 435, 436
– effect 433
– effect of the absence 465
– minor 434
– notarial act 440
– nullity 440
– person of full age under tutorship 436
– stipulation 431

Matrimonial regime: *See also* **Community of property; Family patrimony; Marriage; Matrimonial agreement; Partnership of acquests; Separation as to property**
- administration of property 444-447
- change during the marriage 433, 438
- community regimes 492
- conflict of laws 3122-3124
- dissolution after divorce 518
- dissolution in reason of absence 96
- effective 433
- jurisdiction of Québec authorities 3154
- legal 432
- liquidation after nullity of marriage 382
- rights and duties of the spouses 443-447

Medical right: *See also* **Body; Care; Experiment; Medically assisted procreation; Organ; Physician**
10-31, 42-49

Mental condition: *See* **Protected person of full age; Protective supervision of person of full age**

Mine: *See also* **Mining right**
951, 1228

Minerals:
- extraction 1141
- immovable 900

Mining right: *See also* **Mine**
3031

Minister of Finance:
701

Minister responsible for civil status:
63, 67, 366, 377

Minor: *See also* **Capacity; Emancipated minor; Minority; Sale of property of others; Tutorship to a minor**
- act annulled 161-163
- act performed by the tutor 162
- act performed without the authorization of the tutorship 163
- act pertaining to his employment 156
- action 159, 160
- adoption 543-584
- agreement with the tutor relating to the account to the majority 248
- alienation of a part of his body 19
- capacity to contract for his usual needs 157
- change of name 60, 62, 66
- confirmation of acts on attaining full age 166
- consent to care 14, 16, 17, 18, 31
- creditor 1616
- death 255
- declaration 165
- deposit 2282
- designation of a dative tutor 207
- domicile 80, 3085
- emancipation 167, 168
- exercise of civil rights 155, 158

- experiment 21
- fourteen years of age or over 156
- gaming and wagering 2630
- gift 1813, 1814
- lesion 1405, 1406
- liability 1459, 1460
- limitation to the action in nullity 164, 165
- mandator 2159
- matrimonial agreement 434, 435
- opposition to the marriage 372
- prescription 2905
- proceedings for the support 586
- release of the security to the full age 245
- representative 158
- requisition of publication of a right 2935
- right to institute alone an action 159
- succession 638
- support 586
- termination of the indivision 215
- tutor 158, 162

Minority: *See also* **Capacity; Minor**
155-166

Mobile home: *See* **Lease of land intended for the installation of a mobile home**

Mohawk community:
152, 366

Movable: *See also* **Compulsory execution; Movable hypothec; Movable security; Property; Sale of property of others; Seizure**
900, 905-907
- abandonment 934, 935
- accession 971-975
- continuance of undivided ownership 840
- distributor 1468, 1473, 1730
- divided co-ownership 97
- gift 1824
- lease 1851, 1853, 1882, 1887, 1889
- leasing 1842, 1843
- lost or forgotten 939-946
- manufacturer 1468, 1473
- marine insurance 2510, 2563
- moving things 905
- municipality 935
- other properties 907
- property insurance 2489
- safety defect 1468, 1469, 1473
- sale 1736, 1740, 1741
- sequestrated 1147
- serving for the use of the household 401, 840
- State 935
- supplier 1468, 1473
- transfer of a real right 1454
- waves 906
- without owner 935

Movable hypothec: *See also* **Movable; Movable hypothec on claims; Movable hypothec with delivery; Movable hypothec without delivery**
2696-2714
- extent 2672, 2673
- extinction 2798
- movable furnishing the main residence 2668
- movable incorporated to immovable 2672, 2796, 2951
- movable represented by a bill of lading 2685
- new movable 2673, 2953
- rank 2796, 2950, 2953
- ship, cargo or freight 2714
- universality of movables 2950

Movable hypothec on claims: *See also* **Claim**
2710-2713
- action in recovery of a hypothecated claim 2713
- constitution 2710
- granting 2710
- publication 2712
- recovery of the rights 2746
- reduction 3066
- registration 2711
- revenue and capital 2743-2745
- rights and obligations of the creditor 2743-2747
- universality of claims 2711

Movable hypothec with delivery:
2702-2709
- claim 2708
- constitution 2702
- continuous holding 2704
- definition 2665
- exercise of a hypothecary right 2756
- extinction 2798
- holding through a third person 2705
- movable represented by a bill of lading 2708
- obligation of the creditor 2736
- prevention from holding 2706
- publication 2703, 2707
- remittance of the title to the creditor 2709

Movable hypothec without delivery:
2696-2701
- claim 2699
- condition 2683
- constituting act 2697
- definition 2665
- form 2696
- fruits and products of the soil 2698
- materials forming an integral part of an immovable 2698
- notice of preservation 2700
- property not alienated in the ordinary course of business of an enterprise 2700
- property represented by a bill of lading 2699
- publication 2701

- setting up against the creditors 2699

Movable security:
3102-3105

Municipal clerk: *See also* **Municipality**
2990

Municipal corporation: *See* **Municipality**

Municipality: *See also* **Municipal clerk**
1339(6)
- abandoned movable 935
- auction sale of forgotten property 941-943
- cadastral plan 3029, 3042
- official document 2814(4)
- presumed sound investment 1339(2)
- prior claim 2651(5)
- real right 2654.1
- real right 2654.1
- register 2814(4)

Mutual association: *See also* **Insurance**
2407, 2444

N

Name: *See also* **Acts of civil status; Change of name**
- assignation 50, 576
- child without established filiation 53
- diacritical signs 108
- disagreement over the choice of a surname 52
- exercise of civil rights 5
- general partnership 2197
- legal person 305, 306, 308
- limited partnership 2197, 2247
- odd 54
- powers of the court 54
- respect 55
- settlement 51
- use 55, 56

Naskapi: *See* **Cree, Inuit or Naskapi communities**

Native person: *See* **Cree, Inuit or Naskapi communities**

Necessary deposit: *See also* **Deposit; Depositary**
- definition 2295
- health establishment 2297
- refusal of depositary 2296

Neighbourhood:
976

Nominate contracts: *See also* **Affreightment; Alienation for rent; Arbitration agreement; Carriage; Contract for services; Contract of employment; Contract of enterprise; Deposit; Exchange; Gaming and wagering; Gift; Giving in payment; Insurance; Lease; Leasing; Loan; Mandate; Partnership; Sale; Suretyship; Transaction**
1708-2643

Non-assignment: *See also* **Assignment**
- right of use 1173
- right to damages 1610

Non-marine insurance: *See also* **Damage insurance; Insurance of persons**
2389, 2391, 2408-2414
- change to contract 2405
- clause granting fewer rights 2414
- clause releasing from his obligations 2402
- conflict of laws 3119
- definition 2391
- fact presumed known 2408
- material change in risk 2412
- nullity of contract 2410
- obligation of the insurer 2400
- representation of the client 2408-2413
- representation suggested by the representative of the insurer 2413

Notarial act: *See also* **Authentic act; Notarial will; Notary**
- acceptance of succession 649
- acquittance 1655
- amendment to cadastre 3044
- authentic act 2814(6), 2819
- consent by parties 2819
- declaration of co-ownership 1059
- declaration of rights of an heir or of a legatee 2998
- gift 1824
- hypothec 2692
- immovable hypothec 2693
- inventory 1327
- lending 1655
- mandate given in anticipation of the mandator's incapacity 2166
- marriage contract 440
- power of attorney 2176
- proof 2819
- renunciation of partition of the acquests 469
- renunciation of partition of the family patrimony 423
- renunciation of succession 646
- renunciation of trust 1285
- signature 2819
- tender 1575
- updating report 3048
- will 712, 716-725
- witness 2819

Notarial will: *See also* **Authentic act; Notarial act; Notary**
712, 716-725
- blind person 720
- date 716
- deaf person 721
- declaration of notary 720
- declaration of testator 717, 719, 721
- en minute 716
- formalities 718
- notary spouse of the testator or related to him 723
- person unable to express himself aloud 722
- person unable to sign 719
- place of the making 716
- presumption of observance of the formalities 718
- reading 717, 720, 721
- signature 717
- witnesses 716, 717, 719, 720, 725

Notary: *See also* **Authentic act; Notarial act; Notarial will**
- act made outside Québec 3110
- certificate 2988, 2991-2993, 3005
- convocation of the tutorship council 224
- deposit of semi-authentic acts 2824
- dissolution of civil union 521.12
- legacy 759
- litigious right 1783
- notarial will 716-725
- notice of marriage contract 441, 442
- related to the testator 723
- solemnization of marriage 366, 376
- summary 2992, 3005
- tender 1575
- updating report 3048

Novation:
1660-1666, 1671
- definition 1660
- effect 1663-1665
- hypothec 1662-1664
- intention 1661
- presumption 1661
- solidary creditor 1666
- solidary debtor 1664, 1665
- substitution of a new creditor 1660
- substitution of a new debtor 1660, 1663

Nullity: *See also* **Action in nullity**
- absolute 1417, 1418
- clause 1435-1438
- condition 1499
- contract 1416-1424
- marriage 380-390
- relative 1419-1421

O

Object:
- contract 1412, 1413
- obligation 1371, 1373, 1376

Obligation: *See also* **Alternative obligation; Compensation; Conditional obligation; Confusion; Contract; Damages; Divisible obligation; Facultative obligation; Indivisible obligation; Joint obligation; Manage-**

ment of the business of another; Novation; Obligation of support; Obligation secured by hypothec; Obligation with a term; Right to enforce performance; Solidary obligation; Unjust enrichment
1371-1707
– applicable rules 1376
– civil liability 1457-1481
– complex modalities 1518-1552
– definition 1371
– discharge of the debtor 1695-1698
– exception for nonperformance 1591
– extinction 1671-1698
– good faith 1375
– impossibility of performance 1693, 1694, 1699
– object 1373-1374
– payment 1553-1589
– penal clause 1622-1625
– performance 1553-1636
– performance by equivalence 1607-1625
– pure and simple 1372
– reception of a thing not due 1491, 1492
– reduction 1407
– release 1687-1692
– restitution of prestations 1699-1707
– simple modalities 1497-1517
– source 1372, 1482-1496
– specific performance 1590, 1597, 1601-1603, 1622
– successive performance 1597, 1604
– transfer and alteration 1637-1670
– unjust enrichment 1493-1496
– with multiple objects 1545-1552
– with multiple persons 1518-1544

Obligation of support: *See also* **Support; Survival of the obligation to provide support**
585-596
– computation of support 587-587.3
– conflict of laws 3094-3096
– determination of child support payments 587.1-587.3
– exemption 592, 609
– indexing 590
– judicial hypothec 591
– minor 586
– needs existing before the application 595
– payment 589
– plurality of debtors 593
– provisional support 588
– remedy 593
– review 594
– security 591
– separation from bed and board 511
– subject 585
– support payments 596

Obligation secured by hypothec: *See also* **Conventional hypothec**
2687-2692

Obligation with a term: *See also* **Creditor; Debtor; Instalment sale**
1508-1517
– exigibility 1510, 1513
– extinctive term 1517, 1671
– forfeiture of the term 1514-1516
– gift 1807
– judicial determination of the term 1512
– loan 2319
– period of time without mention of specific date 1509
– renunciation of benefit of the term 1511, 1514-1516
– sale 1745
– suretyship 2364
– suspensive term 1508

Oblique action:
1627-1630
– certain, liquid and exigible claim 1627, 1628
– opposition 1629
– partition of undivided property 1035
– property recovered by a creditor 1630

Offence:
– director of a legal person 329, 330
– insurance 2402

Offer of a reward:
1395

Offer to contract: *See also* **Acceptance; Contract; Promise of sale; Promise to contract**
– acceptance 1387, 1393
– definition 1388
– determinate person 1390, 1396
– lapses 1391-1393
– new offer 1393
– origin 1389
– promise 1396, 1397
– revocation 1390, 1391
– silence 1394
– term for acceptance 1390, 1392

Officer of civil status: *See* **Registrar of civil status**

Officer of justice:
– certificate 2990
– litigious right 1783

Officer of the publication of rights: *See* **Registrar of the publication of rights**

Opposition to the solemnization of marriage: *See also* **Marriage**
– incapacity of contracting 372
– minor 372

Orchard:
986, 1139

Order:
2814(2), 3055

Organ: *See also* **Body; Experiment; Medical right**
- alienation 19
- consent 24
- duties of court 23
- gratuitous 25
- use 22

Owner: *See also* **Ownership; Right of ownership**
- accession 955-975
- animal 1466
- common wall 1004-1008
- declaration of ownership 1059, 1060
- enclave 997-999
- fruit and revenue 949
- good faith 990
- health or social services establishment 1817
- immovable 1467
- indivision 1958
- land of another 987-992
- lost or forgotten property 939, 940, 943, 946
- materials 956
- presumption of ownership 955
- right to fence his land 1002
- riparian 920, 965-970, 981
- risk of loss 950
- sufferance 1853
- tree 984-986

Ownership: *See also* **Accession; Bare owner; Divided co-ownership; Owner; Ownership of immovables; Right of ownership; Superficies; Undivided co-ownership**
- assignment 952
- definition 947
- fruits and revenues 949
- immovable 976-1008
- industrial 458, 909
- intellectual 458, 909
- modality 1009
- presumption 955
- revendication 953
- right 911-920
- soil 951
- title 1339(1), 2781

Ownership of immovables: *See also* **Immovable**
976-1008

P

Parental authority: *See also* **Child; Parents**
597-612
- adoption 556, 562
- appointment of a tutor 607
- civil liability 1459

- consent to care 14
- death of one of the parents 600
- delegation 601
- deprivation 197, 199, 606-610, 1459
- discord of the parents 604
- duration 598
- duties of the parents 599
- effect of the revocation of the order of placement 572
- exercise 600
- interest of the child 604
- minor authorized to marry 434
- minor leaving his domicile 602
- relations between the child and his grandparents 611
- respect of parents 597
- restoration 610
- spouse 394
- third person 603
- tutorship to minor 186

Parents: *See also* **Adoption; Child; Filiation; Grandparents; Parental authority; Paternity; Relationship**
- administration of tutors 209
- dative tutorship 200, 201, 206
- declaration of birth of a child 113, 114
- gift to minor 1814
- legal tutorship 192-199
- tutorship council 225
- tutorship to minor 183, 209
- unknown 116

Partition of the partnership of acquests: *See also* **Partnership of acquests**
- absentee 465, 482
- acceptance 467-473
- balance 480, 482
- compensation 475-478
- death of spouse 473, 474, 482
- debt 478
- division of property 475, 481
- enrichment 475, 476
- forfeiture 471
- interference of the other spouse 468
- irrevocability 472
- recourse of the creditors 484
- renunciation 469, 470, 472-474, 2938
- valuation of the properties 483

Partition of the succession: *See also* **Composition of shares; Heir; Indivision; Return of debts to the mass; Return of gifts and legacies to the mass; Succession; Undivided co-owner; Warranty of co-partitioners**
836-898
- agreement between heirs 838
- application 836
- claim against third persons 888
- composition of shares 832, 849-854

– contestation of the coheirs 859
– contestation of the co-partitioners 860
– corrective 895
– deferred 837
– definition 885
– delivery of titles 865, 866
– desagreement 838, 863
– devolution to ordinary ascendants and collaterals 677-683
– devolution to the surviving spouse and to descendants 666-669
– devolution to the surviving spouse and to privileged ascendants or collaterals 670-676
– effect 884, 888
– enterprise 858, 859
– exclusion 848
– family residence 856
– head 665, 668
– immovable 849, 852, 857, 859
– indivision 887
– intervention of the court 845, 859, 860, 863
– lesion 897
– nullity 895, 898
– omission of undivided property 896
– partial 895
– payment in money 852, 860
– preferential allotment 855-858
– proposal 838
– provisional 847
– return of debts 879-883
– return of gifts and legacies 867-878
– right of creditors 864
– sale 853, 862, 863
– securities 858, 859
– supplementary 895
– suspension 843, 863
– undivided ownership 839-846
– valuation of the properties 861, 863
– warranty 860, 889-894

Partner: See also Contract of association; General partnership; Partnership; Undeclared partnership
– act in quality of partners 2253, 2256
– activity depriving partnership 2204
– affairs of the partnership 2218
– agreement 2251
– appointment 2213
– bankruptcy 2226, 2258
– books and records 2218
– cessation of powers 2233, 2262
– claim 2206, 2207
– consent 2209, 2231
– contribution 2198-2200, 2252
– creditor 2221
– damages 2198
– death 2226, 2258, 2259

– exclusion of a member of partnership 2209
– expulsion 2226, 2229
– failing to perform his obligations 2261
– good faith 2233, 2262
– hypothec 2211
– imputation of payment 2206
– indemnity 2205
– interest 2198
– intervention of court 2229
– joint act 2214
– liability 2196, 2200, 2221-2224, 2253-2255
– liquidation 2264
– loss of the quality 2226-2229
– mandatary 2219
– obligation contracted in his own name 2220
– participation 2201, 2203, 2216
– protective supervision 2226, 2258
– power of management 2212-2218
– recovery of the amount of the disbursements 2205
– restitution of the property 2265
– return to the partnership 2207
– right to bind the partnership 2208, 2219
– right to obtain the value of his share 2227
– rights 2256
– seizure of share 2227, 2258
– share in the assets, profits and losses 2202, 2211
– silent 2223
– solidarily liability 2221, 2224, 2254
– transfer of share 2209, 2210, 2226
– untrue partner 2222
– use of the property 2208
– withdrawal 2226, 2228, 2229

Partnership: See also General partnership; Limited partnership; Partner; Undeclared partnership
2186-2279
– amending declaration 2194, 2195
– common share 909
– contract 2186
– declaration 2190, 2192, 2194-2196
– formation 2187
– general partnership 2188, 2189, 2198-2235
– intervention of the court 2192
– investment 1339(10)
– joint-stock companies 2188
– liability of the partners 2196
– limited partnership 2188, 2189, 2236-2249
– regularizing document 2191-2193
– sale of enterprise 1778
– share 909, 1339(8)(9)(10)
– undeclared partnership 2188, 2250-2256

Partnership of acquests: See also Matrimonial regime; Partition of the partnership of acquests
432, 448-484, 521.8
– acquest 448, 449, 451-460

- acquest subject to compensation 455
- administration of property 461
- authorization to dispose of acquests 462
- beneficiary of acquests 463
- dissolution 465-484
- enjoyment of the property 461
- liability for the debts 464
- partition of acquests 467-484
- private property 448, 450-458
- private property subject to compensation 451, 457
- retention of private property 467
- retroactivity of the effects of the dissolution 466
- undivided acquest 460

Paternity: *See also* **Birth; Child; Filiation; Medically assisted procreation; Parents**
- contestation 531, 532

Paulian action:
1631-1636
- certain, liquid and exigible claim 1634
- effect 1636
- fraudulent acts 1631-1634
- gratuitous contract 1633
- onerous contract 1632
- prescription 1635
- trustee in bankruptcy 1635

Payment: *See also* **Creditor; Debtor; Delegation; Reception of a thing not due; Taking in payment; Tender and deposit**
1553-1589, 1671
- acquittance 1568, 1571
- annuity 825
- by a person not authorized to make it 1556
- by anticipation 1569
- capacity to receive 1557, 1558
- certain property 1562
- cost 1567
- default 1555
- definition 1553
- delegation 1667-1670
- determinate property by kind 1563
- dispute 1561
- fraud 1632-1633
- good faith 1559
- imputation 1569-1572, 1677
- interest 1565, 1570
- legacy 747
- loan 2329
- mode 1564
- natural obligation 1554
- not due 1491, 1492
- not recovered 1556
- partial 1561
- personal obligation 1555
- place 1566

- reduction of the liberalities 694
- rent 1855, 1874
- repetition 1554, 1560
- right in the thing due 1556
- solidary obligation 1528, 1537
- subrogation 1651-1659
- succession 638, 779, 781, 782, 804, 808-814
- sum of money 1556, 1564
- tender and deposit 1573-1589
- thing consumed by use 1556
- third person 1555, 1557
- turning over the original title of the obligation 1568
- validity 1557-1560

Peace officer:
- attestation of death 123
- civil liability 1464
- lost thing 941

Penal clause: *See also* **Damages**
758, 1216, 1622-1625, 1901, 2936

Peremption of suit:
3052

Performance by equivalence: *See* **Damages**

Person: *See also* **Carriage of persons; Change of designation of sex; Change of name; Civil rights; Juridical personality; Legal person; Person of full age; Protected person of full age**
- applicable law to the status and the capacity 3083
- care 11-25
- integrity 3, 10
- making use of the animal 1466
- not endowed with reason 1462
- property 915
- respect of reputation and privacy 35-41
- status and capacity 2632, 2639

Person of full age: *See also* **Adviser to person of full age; Majority; Protected person of full age; Protective supervision of person of full age**
- alienation of a part of his body 19
- capacity 153, 154
- experiment 20
- not endowed with reason 1461, 1462, 2630
- will 725

Person of full age under tutorship or curatorship: *See* **Protected person of full age**

Personal and Movable Real Rights Registrar: *See also* **Publication of rights**
- keeping of register 2969

Personal and Movable Real Rights Registry Office:
- application for registration in the register of personal and movable real rights 2983

Personal status: *See also* **Private international law**
3083-3096
- adoption 3092

– case of emergency 3084
– civil union 3090.1-3090.3
– custody of the child 3093
– filiation by blood 3091, 3092
– incapacity 3086, 3087
– marriage 3088, 3089
– obligation of support 3094-3096
– protected person of full age 3085
– representation of legal persons 3087
– separation from bed and board 3090
– status and capacity of natural person or legal person 3083

Petition of inheritance: *See also* **Succession**
– effect 627
– prescription 626
– reimbursement of obligations of the deceased 629
– restitution 627
– unworthiness 628

Physician: *See also* **Medical right**
– attestation of death 122

Plantation: *See also* **Construction; Disbursement; Plants; Tree; Work**
933, 951
– acquisition 960, 1118
– compensation 959
– disbursement 958, 959, 961-964
– emphyteusis 1195, 1198, 1203, 1210
– expropriation 1115
– land of another 987, 991
– loss 1115
– materials of another 956
– presumption of ownership 955
– reimbursement of disbursements 958-959, 961
– removal 1116, 1118, 1891
– restoration 959, 961-962
– right of accession 957
– right of retention 963
– solidity 991
– superficies 1011, 1116-1118

Plants: *See also* **Plantation**
900

Pledge: *See* **Movable hypothec with delivery**

Pollution:
– water 982

Pond:
980

Possession: *See also* **Disbursement; Holding**
911, 921-933
– acquisitive prescription 2911, 2912, 2914, 2918-2920
– act of sufferance 924
– compensation 933
– continuous 925, 2912, 2920
– continuous possession for more than a year 929
– defective 926-928

– definition 921
– disbursement 958-963
– effect 930
– effective 2914, 2920
– good faith 931, 932, 958, 959, 961-964, 1248
– merely facultative act 924
– nature 922
– part carried of a riparian land 967
– presumption 921, 923, 925, 928
– proof 928
– right of retention 963
– successor 926, 927
– thief 927

Preference: *See* **Priority**

Prejudice: *See* **Damage**

Prescription: *See also* **Acquisitive prescription; Extinctive prescription; Interruption of prescription; Renunciation of prescription; Suspension of prescription**
2875-2933
– acquisitive 2910-2920
– action against the carrier, shipper or receiver 2079
– action in warranty 894
– affreightment 2006
– claim 1491
– conflict of laws 3131
– contract of enterprise 2116, 2118
– definition 2875
– delay 2879, 2895
– direct action 2882
– extinctive 2921-2933
– forfeiture of remedy 2878
– interruption 2889-2903
– life insurance 2421
– lost or forgotten property 939, 941
– opposition 2881
– paulian action 1635
– possession 930
– property not prescribed 2876
– renunciation 2883-2888
– restitution of prestations 1707
– servitude 1192-1194
– substitution by the court 2878
– suspension 2904-2909
– State 2877
– sale of property of another 1714

Presumption: *See also* **Proof**
2846-2849
– absentee 85
– absolute 2847, 2848
– acceptance of aggravated risk 2566
– acceptance of dative tutorship 202
– acquisition of property 1696

– administration of the property of others 1329, 1335, 1336, 1343
– application for registration 3009, 3012
– authentic act 2813
– authority of a final judgment (res judicata) 2848
– cadastral plan 3027
– capacity of the mandator 2173
– carriage of property by water 2064, 2068, 2069, 2080
– common 1003, 1045
– computerized records 2838
– consent to the stowing 2064
– contract of association 2268
– contract of enterprise 2114
– co-ownership 1044
– date of the private writing 2830
– definition 2846
– denial by admission made during the proceeding 2866
– designation of beneficiary in insurance of persons 2447
– detention 923
– existence of a right 2944
– forfeiture of the remedy 2878
– good condition of the leased property 1890
– good faith 2805
– intervention of the court 2849
– inventory 1329
– investment 1304, 1339-1344
– irrefutable 2944
– knowledge of a right 2943
– latent defect 1729
– lease 1853
– legacy 745, 746
– legacy by particular title 756
– legal 2847, 2866
– lesion 1406
– liberality 690
– life annuity 2375, 2380
– manager 1028
– mandate 194, 2133, 2153, 2173
– marine insurance 2548, 2550, 2562, 2580, 2582
– necessary deposit 2297
– non-marine insurance 2405
– notarial will 718
– novation 1661
– ownership 955
– possession 921, 923, 925, 928
– publication of the rights 2943, 2944
– release of the debt 1689, 1691
– seaworthy state of the ship 2562
– simple 2847
– solidarity 1525
– statement 2870, 2873
– succession 633, 640, 647, 650
– trial sale 1744

– trustee 1282
– undeclared partnership 2250

Principal:
– civil liability 1463, 2164

Priority: *See also* Claim; Common pledge of creditors
2650-2659
– cessation 2659
– collocation 2651, 2658
– compensation 1682
– conditional claim 2658
– declaration 2654
– defense 2655
– definition 2650
– divided co-ownership 1051
– extent 2651
– hypothecary right 1756
– indeterminate or unliquidated claim 2658
– indivisibility 2650
– legal 2659
– legal cost 2652
– municipality 2651(5), 2654.1
– rank 2657
– remedy 2656
– renunciation 1691
– school board 2651(5), 2654.1
– State 2653
– taking in payment 1743, 1749
– trust 1263

Privacy: *See also* File
35-41

Private international law: *See also* Foreign judgment; International jurisdiction of Québec authorities; Jurisdiction of foreign authorities; Personal status; Recognition and enforcement of foreign decisions; Status of obligations; Status of procedure; Status of property
3076-3168
– application of the law of a foreign country 3079-3081
– characterization of property 3078
– conflict of laws 3083-3133
– general provisions 3076-3082
– international jurisdiction of Québec authorities 3134-3154
– jurisdiction of foreign authorities 3164-3168
– law designated not applicable 3082
– legal institution unknown to the court 3078
– personal status 3083-3096
– public order 3081
– recognition and enforcement of foreign decisions 3155-3163
– several territorial units or several legal systems 3077
– status of obligations 3109-3131
– status of procedure 3132-3133
– status of property 3097-3108

Private writing: *See also* **Proof by a writing; Writing**
2826-2830
  – acquittance 1655
  – date 2830
  – definition 2826
  – inventory 1327
  – lending 1655
  – proof 2828, 2829
  – registration in the land register 2991
  – signature 2826, 2827

Privilege: *See* **Priority**

Proclamation:
  – authentic act 2814(2)

Procreation agreement: *See also* **Medically assisted procreation**
541

Procuration: *See* **Mandate**

Prodigality: *See also* **Protective supervision of person of full age**
258

Promise: *See* **Promise of a gift; Promise of buying; Promise of sale; Promise to contract**

Promise of a gift:
1812

Promise of buying:
  – sale of residential immovables 1785-1787

Promise of sale: *See also* **Offer to contract; Sale**
1710-1712
  – delivery and actual possession 1710
  – deposit on the price 1711
  – failure to execute the deed 1712

Promise to contract: *See also* **Contract; Offer to contract**
1396
  – for another 1443
  – form 1415
  – gift 1812
  – loan 2316
  – violation 1397

Promoter of an immovable: *See also* **Immovable**
  – contract of enterprise 2124
  – sale of residential immovables 1785, 1788-1790, 1794

Promoter of divided co-ownership: *See also* **Divided co-ownership**
  – definition 1093
  – general meeting of co-owners 1092, 1104
  – loss of control of the syndicate 1081, 1104-1107
  – number of votes 1104
  – reduction of number of votes 1099

Proof: *See also* **Admission; Judicial notice; Presumption; Proof by a writing; Proof by testimony; Proof by the production of material things; Statement; Witness**
2803-2874
  – admissibility 2857
  – admission 2811, 2850-2853
  – amending declaration of partnership 2195
  – assignment of claim 1641
  – burden 2803
  – commencement of proof 534, 2865
  – conflict of laws 3130
  – contract of enterprise 2119
  – death 102
  – declaration of partnership 2195
  – defect in the property could not have been known 1473
  – deposit 2284
  – enrichment 1706
  – failing proof in writing 2862
  – failing to invoke grounds of inadmissibility 2859
  – fault 1459, 1460, 1465, 2083
  – fundamental rights and freedoms breached 2858
  – good faith 2805
  – grounds 2811, 2859-2868
  – hearsay 2843, 2869-2874
  – judicial notice 2806-2810
  – knowledge of the defect in the property by the victim 1473
  – lease 1861, 1862, 1928, 1964, 1966
  – mandate 2164, 2170
  – mandator's incapacity 2170
  – marine insurance 2532, 2565, 2585
  – no admitted to rebut a legal presumption 2866
  – payment 2834
  – presumption 2846-2849
  – production of material things 2854-2856
  – property of another 1796
  – reject 2858
  – statement 2869-2874
  – sufficient 2804
  – superior force 1693, 2100
  – will 773-775
  – witness 1762, 2413, 2843-2845
  – written 2811, 2812-2842

Proof by a writing: *See also* **Authentic act; Private writings; Semi-authentic act; Technology-based document; Writing**
2812-2842, 2860
  – certificate drawn up by a jurisconsult 2809
  – copies and documents resulting from a transfer 2841, 2842
  – copy of statutes 2812
  – law of foreign state 2809
  – media for writings and technological neutrality 2837-2840

- written statement 2872, 2873
- writing 2831-2836

Proof by testimony: *See also* **Witness**
2843-2845
- absence in the proceeding 2869, 2870
- admissibility 2864
- auction sale 1762
- child 2844
- claim 2862
- commencement of proof 2862, 2863
- commercial matter 2862
- consent between the parties 2869
- expert 2809
- inadmissibility against proof by a writing 2863
- intervention of the court 2870
- law of foreign state 2809
- law of other provinces or territories of Canada 2809
- probative force 2845
- representation of the client in non-marine insurance 2413
- single witness 2844
- statement prior to a judicial proceeding 2869
- will 775

Proof by the production of material things:
2854-2856
- admissibility 2868
- commencement of proof 2865
- definition 2854
- discretion of the court 2856
- probative force 2855
- statement recorded on magnetic tape 2874

Property: *See also* **Carriage of property; Carriage of property by water; Immovable; Movable; Property insurance; Property of others; Tutorship to property**
- abandonment 934, 2495, 2581
- abuse 2741
- alienation 946, 1305, 1307, 1701
- bequeathed 1220, 1246
- capital 908, 909
- certain and determinate 814, 903, 1453, 1562, 2672, 2674
- confiscation 916, 917
- consumable 1127, 1556
- corporeal 899, 906, 1268, 2666, 2684
- cost of administration 943, 946
- dangerous 2054
- destruction 942
- deteriorated with use 1128
- determinated by kind 1374, 1453, 1563
- dispossession 1593
- division 899, 908
- encroachment 953, 992
- exempted from seizure 1676, 2645, 2668
- expropriation 1164

- found 940
- foundation 1257, 1259
- fruit 910
- fungible 1673
- future 1374, 2482, 2645, 2670, 2954
- great value 2038, 2053
- incorporeal 899, 1779-1784, 2482, 2666, 2684
- insurable value 2518
- inventory by the usufructuary 1142
- land of another 989
- loss 751, 876, 950, 1115, 1149, 1160, 1161, 1163, 1167, 1168, 1308, 1701, 1702, 1727, 1846, 1862, 2049, 2068-2072, 2074, 2286, 2289, 2293, 2296, 2298, 2301, 2322, 2323, 2577, 2675, 2739, 2795
- lost or forgotten 933-946, 2075
- mode of acquisition 916
- not an object of commerce 2795, 2876
- not appropriated 913
- object of a real right transferred by contract 1453-1456
- outside Québec 615, 3100
- ownership 947-953
- partition 1013
- perishable 644, 804, 942, 1145, 1160, 1308, 1581, 1704, 1864, 1890, 2739, 2767
- person 915
- person entrusted with the custody of a 941, 1465
- possession 911, 921-933
- purpose 915
- returned 874
- revenue 910
- right of ownership 911-920
- safety defect 1469
- sale of property not claimed by its owner 942, 943, 945, 946
- State 915-919, 935-939, 966
- stipulation of inalienability 1212-1217
- substituted 1223, 1226-1229, 1233-1235, 1244, 1246, 1250
- succession 916
- syndicate 1109
- trust 911, 1297, 1298
- undivided 896, 1016, 1018-1020, 1025-1029, 1033, 1036, 1037, 2679
- usufruct 1135, 1157
- vacancy 916
- vacant 934-946
- value 695, 861, 1004, 2490, 2518, 2519, 2610
- warranted free from particular average 2615, 2616
- withdrawal from the administration of tutor 210
- without an owner 913, 914, 934-938

Property insurance: *See also* **Fire insurance**
2480-2497
- abandonment 2495
- conflict of laws 3119
- content of policy 2480

– definition 2396
– described thing 2488
– furnished residence 2489
– future 2482
– incorporeal 2482
– interest 2481-2484
– nullity 2484
– object 2396, 2482
– payment of the indemnities 2496, 2497
– premium 2483
– plurality 2496
– salvage 2494
– unvalued policy 2491
– value of the insured property 2490, 2492, 2493
– valued policy 2491

Property of others: *See also* **Administration of the property of others; Administrator of the property of others**
– deposit 2288
– exchange 1796
– gift 1816
– hold 911
– hypothec 2670
– legacy by particular title 762
– sale 1709, 1713-1715

Protected person of full age: *See also* **Adviser to person of full age; Curator; Curatorship to person of full age; Mandate given in anticipation of the mandator's incapacity; Protective supervision of person of full age**
– alienation of a part of his body 19
– conflict of laws 3085
– consent to care 15, 16, 18, 31
– custodian 1461, 1462
– deposit 2282
– domicile 81, 3085
– experiment 21
– gaming and wagering 2630
– gift 1813, 1815
– incapacity to receive 1814
– intentional or gross fault 1706
– lesion 1405, 1406
– mandator 2159
– prescription 2904, 2905
– publication of rights 2935, 2964
– restitution of prestations 1706
– succession 638
– will 710

Protection of person of full age: *See* **Protective supervision of person of full age**

Protective supervision of person of full age: *See also* **Adviser to person of full age; Capacity; Curatorship to person of full age; Protected person of full age; Sale of property of others; Tutor; Tutorship to person of full age**
256-297

– applicable rules 266
– appointment of tutor 258
– conflict of laws 3085
– deposit 2282
– end 295-297
– institution 257, 268-280
– interest of the person 257
– liability of tutor 260
– mandate given in anticipation of the mandator's incapacity 2169, 2173-2175, 2177, 2183
– Public Curator 261-264, 267
– publication of rights 2935, 2964
– purpose 256
– selection 259
– termination 1355, 1361

Provider of services: *See also* **Contract for services**
– death or incapacity 2128
– liability 2104
– obligation 2100, 2102, 2103, 2126, 2129
– property provided by 2103

Psychiatric establishment:
26-31

Psychiatric assessment: *See* **Confinement in an institution for a psychiatric assessment**

Public Curator:
– administration of the property of others 1357
– association 2279
– declaratory judgment of death 92
– emancipation of a minor 167
– examination of accounts of the tutor 249
– liquidation of the legal person 363
– liquidator ad hoc of the succession 805
– mandate given in anticipation of the mandator's incapacity 2168, 2173, 2177, 2183
– property without owner 936, 937
– rendering of accounts 700
– replacement 252
– replacement of tutor to minor 251
– rights and obligations 249
– substitution 1239
– succession 698-701
– transfert the residue of the succession 701
– trust 1289
– tutorship to absentee 87
– tutorship to minor 180, 182, 191, 223, 231, 232, 249-252
– tutorship to property 180, 221

Public Curator Act:
701

Public housing preservation and restoration programme:
1929

Public interest: *See* **Public order**

Public law: *See also* **State**
- restriction 1725

Public office:
79

Public officer:
1778, 2812-2818, 2821, 2822, 2823, 2825

Public order:
8, 9, 541, 1373, 1411, 1413, 2632, 2639

Public road:
934, 990, 993, 997

Publication:
- change of name 63, 64, 67
- declaration of ownership 1038-1040
- indivision agreement 1014
- notice of auction sale 942
- notice of closure of the inventory 796
- notice of crystallization of the floating hypothec 2718
- notice of intention to exercise the right of redemption 1751
- reservation of ownership of property 1745, 1749
- right of ownership of the lessor 1847
- right of redemption of a property 1750, 1751
- solemnization of marriage 368-371
- stipulation of inalienability 1214

Publication of rights: *See also* **Application for registration; Cancellation; Hypothec; Immatriculation of immovables; Land register; Priority; Ranking of rights; Register; Register of mentions; Register of personal and movable real rights; Registry office**
2934-3075
- absence 2963, 2964
- advance registration 2966-2968
- annuity 2959, 2960
- application for registration 2981-3006
- arrears of annuity 2959, 2960
- cancellation 2965, 3057-3075
- cession of rank between hypothecary creditors 2956
- clause of resolution 2939
- closure of the account of the liquidator of succession 822
- closure of the inventory 795
- conflict of laws 3097, 3102, 3105
- correction 2965
- effect 2941, 2957-2961.1
- enumeration of rights 2938
- gift 1824
- hypothec 2663, 2695, 2701, 2703, 2707, 2712, 2716, 2959, 3003
- immatriculation of immovables 3026-3056
- immovable real right 2938, 2966
- immovable object of an immatriculation 2943, 2944, 2957
- interests 2959, 2960
- interruption of prescription 2957
- intervention of the court 2965
- judgment annulling renunciation 2938
- land register 2969, 2970, 2972-2972.4, 2978, 2979
- lease 1852, 2999.1
- lease of a road vehicle or other movable 1852
- minor 2935, 2964
- minutes of the creditor's seizure 2958
- mode 2934, 2934.1
- movable real right 2938, 2966
- notice of forced sale 3000
- operations of an enterprise 2961.1
- personal right 2938
- plan 2997
- prescription 2957
- presumption 2943, 2944, 2968
- prevention 2967, 2968
- protected person of full age 2935, 2964
- protection of third person of good faith 2963-2965
- ranking of rights 2945-2956
- register of personal and movable real rights 2969, 2970, 2980
- registrar 3007-3021
- registration of addresses 3022-3023.1
- registration of transfers of governmental authority 2940
- regulations 3024, 3025
- renewal 2937, 2942, 2953
- renunciation 2936, 2938, 2885
- restriction on the right to alienate 2939
- right of the seller with right of redemption 1752
- seizure 2958
- setting up of rights 2941-2944
- State 2964
- subrogation 3003, 3004
- substitution 2961
- transfer of right 2939
- will 2967, 2968

Publication of the register of civil status: *See also* **Acts of civil status; Register of civil status; Registrar of civil status**
144-150
- attestation 144, 147
- certificate of civil status 144, 146
- consultation 150
- copy of acts of civil status 144, 145
- new act of civil status 149
- person authorized to obtain a document 148, 149
- person designated by the Minister of Justice 151

Purchaser:
1233

R

Ranking of rights: *See also* **Publication of rights**
2945-2956
- cession 2956
- concurrence 2947
- hypothec affecting a universality of immovables 2949
- hypothec affecting a universality of movables 2950, 2953
- hypothec on movables subsequently incorporated into an immovable 2951
- immovable hypothec 2948
- legal hypothec 2952
- movable hypothec 2954
- notice of crystallization 2955
- plurality of acquirers 2946
- rank 2945

Real right: *See also* **Publication of rights; Register of personal and movable real rights**
911, 921, 928, 1307, 1433
- abandonment 2772
- act made outside Québec before a Québec notary 3110
- conflict of laws 3097
- dismemberment of the right of ownership 1119
- divided co-ownership 1055
- immovable 904, 2885, 2923, 2938, 2966
- movable 2938, 2966, 2970
- prescription 2885, 2923
- prior claims of municipalities and school boards for property taxes 2654.1
- property in transit 3097
- registration of addresses of the holder 3022
- return to the mass 877
- sale by creditor of property charged with a hypothec 2790
- sale by judicial authority 2794
- State resource development 2976, 2978, 3031, 3034, 3035, 3039, 3040, 3071
- taking in payment 2783
- transfer 1453-1456
- trust patrimony 1261
- undivided property 1026

Receiver of stolen goods:
927

Reception of a thing not due: *See also* **Payment; Restitution of prestations**
1491-1492, 1554
- applicable rules 1492
- conflict of laws 3125
- restitution 1699-1707

Recognition and enforcement of foreign decisions: *See also* **Foreign judgment; Private international law**
3155-3163
- application of a law different from the law that would be applicable 3157
- decision awarding periodic payments of support 3160
- decision dealing with several claims that can be dissociated 3159
- decision ordering payment of a sum of money expressed in foreign currency 3161
- decision rendered by default 3156
- exception 3155
- obligation resulting from the taxation laws 3162
- partial 3159
- transaction enforceable in the place of origin 3163
- verification 3158

Reduction of obligations: *See also* **Obligation**
1607-1609

Régie de l'assurance-dépôts du Québec:
1341

Register: *See also* **Land register; Register of civil status; Register of mentions; Register of personal and movable real rights**
- authentic act 2814(4)(5)
- court of justice 2814(3)
- legal person established in the public interest 2814(4)
- municipality 2814(4)
- public 2814(5)
- registry office 2971
- regulation 3024
- use of the information contained in the registers 2971.1

Register of civil status: *See also* **Acts of civil status; Publication of the register of civil status; Registrar of civil status**
- alteration 129
- computerized copy 134, 135, 137, 142
- content 104
- Crie, Inuit, Naskapi or Mohawk communities 152
- duplicate 105, 106
- person designated by the registrar of civil status 151
- place of preservation 106

Register of mentions: *See also* **Publication of rights**
- cancellation of a registration in the land register 3057
- content 2979.1, 3014, 3014.1
- Land Registry Office 2969

Register of personal and movable real rights: *See also* **Publication of rights; Real right**
- application for registration 2981, 2983
- assignment of a universality of claims 1642
- closure of account of the liquidator of the succession 822
- closure of inventory 795
- content 2980
- files 2980
- hypothec acquired by subrogation or assignment 3003
- keeping 2969

– movable hypothec without delivery 2698
– notice of preservation of movable hypothec without delivery 2700
– presumption 2943, 2944
– prior claim 2654
– publication of rights concerning a movable 2970

Registrar of civil status: *See also* **Acts of civil status; Publication of the register of civil status; Register of civil status**
– act of birth 112, 116, 117, 134, 135
– act of civil status 109
– act of civil status made outside Québec 137, 139, 140
– act of death 122, 125, 127, 133
– act of marriage 118, 134, 135
– annulment of acts 135
– assignment of name 52-54
– change of designation of sex 71-73
– change of name 57-64
– clerical errors 142
– dissolution of civil union 521.16
– duties 103, 151
– entry 129, 135, 137
– judgment 136
– juridical act made outside Québec 137, 140
– notation 133-136
– preparation of acts of civil status 130-133
– publication of the register of civil status 146, 148, 150
– reconstitution of lost or destroyed act 143
– refusal to act in case of doubt 138
– review of decisions 74
– solemnization of marriage 377
– summary investigation 130

Registrar of the publication of rights: *See also* **Publication of rights**
3007-3021
– access to the register 3019
– amendment of the cadastral plans 3021(4), 3045
– cancellation of registration 3059
– carry-over of entries 2978, 2979
– carry-over of rights 3046, 3051
– certified statement of rights 3019
– change of name in the land register 3015
– clerical error 3016
– conformity of application 3008
– copy of registers 3019, 3021(4)
– correction 3016, 3023
– correspondence 2978, 2979
– divulgence of information 3018, 3020
– duties and functions 3021
– identity and capacity of the parties 3009
– land file 3045
– liability 3020
– list of immovable properties owned by a person 3018

– presentation of the applications 3012
– preservation of documents 3021
– prior notice of intention to exercise a hypothecary right 3017
– protection of the entries in the registers against alteration 3021(3)
– refusal to register 3010, 3014, 3035
– register of mentions 3014, 3014.1
– registration 3016, 3021(2)
– report of errors in the cadastral plans 3021(4)
– situs of a real right of State resource development 3071
– verification of the title 3014

Registration of real rights: *See* **Publication of rights**

Registry office: *See also* **Land register; Publication of rights**
– amendment of boundary determination 2996
– common wall 1006
– crystallization of floating hypothec 2722
– declaration of amount of a prior claim 2654
– declaration of co-ownership 1060
– deposit of a plan 2997
– dissolution of legal person 358
– hypothec acquired by subrogation or assignment 3003
– prior notice of exercise of hypothecary rights 2757
– prior notice of intention to sell the charged property 2784
– register 2971
– regulation of implementation 3024
– restriction of public law 1725
– substitution 1218
– undivided co-owner 1023

Relationship: *See also* **Collateral line; Direct line; Grandparents; Parents; Succession**
– base 655
– degree 656-659

Release: *See also* **Creditor**
1687-1692
– complete 1687
– debtor 1531, 1542-1545, 1552, 1562, 1564, 1586, 1665, 1687, 1690, 1693-1698
– definition 1687
– express 1688, 1690-1692
– gratuitous 1688
– onerous 1688
– partial 1687
– presumption 1689, 1691
– solidary debtor 1689, 1690
– surety 1692
– tacit 1688

Rendering of account: *See also* **Administrator of the property of others; Inventory**
1351-1354, 1361, 1363-1370

Rent: *See also* **Lease**
- fruits and revenues 910
- immovable hypothec 2695

Renunciation: *See also* **Renunciation of prescription; Renunciation of succession**
- administration of the property of others 1315, 1357
- emphyteusis 1211
- hypothec 1691
- priority 1691
- substitution 1234, 1235
- trust 1285, 1286, 1296
- use of common wall 1006

Renunciation of prescription: *See also* **Prescription**
2883-2888
- benefit of time elapsed 2883
- express 2885
- following 2888
- future 2883
- incapacity 2886
- opposition 2887
- prescription acquired 2883
- prescriptive period 2884

Renunciation of succession: *See also* **Succession**
646-652
- acceptance of succession 641, 649
- act entailing acceptance 648
- condition of the succession 649
- creditor of successor who renounces 652
- emancipated minor 173
- expense 634
- express 646
- gift 1809
- judgment having the authority of a final judgment 648
- judicial declaration 646
- legal 646
- notarial act 646
- option 630
- presumption 633, 650, 651
- publication 2938
- representation 664
- return to the mass 867

Representation (insurance):
- client of non-marine insurance 2413

Representation (succession): *See also* **Mandate**
660-665
- administration of the property of others 1337
- admissibility 661-664
- collateral line 663
- conflict of laws 3116
- definition 660
- direct line 661, 662
- effect 660
- legacy 749

- partition by roots 665, 668
- substitution 1252

Reputation:
35

Resiliation:
1604-1606, 1914-1916, 1971-1978, 2094, 2095, 2125-2129, 2258-2261, 2430, 2443, 2478, 2479

Resolution:
1604-1606
- by operation of law 1605, 1736, 2029

Restitution of prestations: *See also* **Reception of a thing not due**
1422, 1694, 1699-1707
- alienation 1701, 1707
- applicable rules 1703, 1707
- by equivalence 1700
- circumstance 1699
- cost 1705
- disbursement 1703
- error 1699
- fault 1701, 1703, 1704
- fruit and revenue 1704
- gift 1838
- good faith 1701, 1703-1705, 1707
- in kind 1700
- indemnity 1701, 1702, 1704
- leasing 1849
- legal 1699
- modality 1700-1706
- partial loss of the property 1702
- prescription 1707
- protected person 1706
- refusal of the court 1699
- third person 1707
- total loss of the property 1701
- value 1701

Restoration: *See* **Restitution of prestations**

Retention: *See* **Right of retention**

Return of debts to the mass: *See also* **Partition of the succession; Succession**
879-883
- compensation 881
- debts 879, 880
- indivision 879
- interest 883
- pre-taking 882
- value of the debt 883

Return of gifts and legacies to the mass: *See also* **Gift; Partition of the succession; Succession**
867-878
- by taking less 870, 871, 872, 873, 874
- fruits and revenues 878
- imputation of the cash value to the share of the heir 872

- in kind 870, 874, 877, 878
- loss of the property 876
- pre-taking 871
- property affected by a hypothec or other real right 877
- recipient 869
- representation 868
- right of retention of the heir 875
- successor who renounces the succession 867
- under an express obligation 867
- valuation of the property returned by taking less 873
- value of the property returned 874

Revenue: *See* Fruit
Reward:
1395

Right: *See also* **Abuse of right; Accession; Civil rights; Customary international law; Hypothecary right; Medical right; Mining right; Private international law; Public law; Real right; Right of ownership; Right of retention; Right of way; Right to enforce performance; Right to fence his land; Sale of litigious rights; Sale of rights of succession; Use**
- abandonment 1169, 1170, 1185, 1208, 1211, 3071
- abuse 6, 7, 1403
- cancellation 3067
- conversion 1162, 1171, 1176
- extinction 2802, 2803
- extinctive prescription 2924, 2926
- foreign state 2809
- forfeiture 1162, 1168, 1238, 2443, 2470, 2472
- in force in Québec 2807
- judicial notice 2807, 2809
- nullity 2803
- pre-emptive 1014, 1022
- proof 2803, 2809
- redemption 848, 1022-1024, 2226, 2260
- renunciation 1006, 1809
- requiring publication 2938-2940
- revision 1068
- vested 1241, 1681
- voting 1094

Right of ownership: *See also* **Accession; Emphyteusis; Owner; Ownership; Servitude; Superficies; Use; Usufruct**
909, 911, 947-953, 1010
- act of partition of the undivided property 1037
- dismemberment 1119-1211
- holder 911, 912
- intellectual and industrial 458
- judicial award to the spouse 411-413
- leasing 1848
- transfer 952, 1082
- undivided 1046
- undivided portion of the property 1021

Right of redemption:

- contracts of partnership 2226, 2228, 2260
- sale of litigious rights 1784
- undivided co-ownership 1022-1024, 2679

Right of retention: *See also* **Right to enforce performance**
875, 946, 963, 974, 1250, 1369, 1592, 1593, 2003, 2058, 2111, 2112, 2123, 2293, 2302, 2324, 2433, 2543, 2651(3), 2770

Right of succession: *See* Sale of rights of succession
Right of way: *See also* **Servitude**
997-1001
- beneficiary 1000
- compensation 997, 999, 1001
- discontinuous servitude 1179, 1189
- extinction 1001
- owner of land enclosed 997
- place 998
- servitude 1187, 1189

Right to enforce performance: *See also* **Contract; Creditor; Damages; Debtor; Default; Obligation; Oblique action; Paulian action; Right of retention; Useful measure**
1590-1636
- applicable rules 1593
- exception for nonperformance 1591
- involuntary dispossession of the property 1593
- lease 1863
- oblique action 1627-1630
- paulian action 1631-1636
- performance by equivalence 1607-1625
- protection 1626-1636
- reduction of the obligation 1604
- resiliation of the contract 1604-1606
- resolution of the contract 1604-1606
- right of retention 1592, 1593
- specific performance 1590, 1597, 1601-1603
- useful measure 1626

Right to fence his land:
1002

Risk: *See also* **Superior Force**
950, 1477, 1582, 1600, 1694, 1701, 1702, 1727, 1733, 1746, 2105, 2115, 2323, 2337, 2739

River: *See* Watercourse
Roof:
983
Room:
1892, 1942

S

Sale: *See also* **Acquirer; Alienation; Alienation for rent; Auction sale; Buyer; Exchange; Giving in payment; Instalment sale; Promise of sale; Sale by creditor of**

property charged with a hypothec; Sale by judicial authority; Sale of litigious rights; Sale of property of others; Sale of residential immovables; Sale of rights of succession; Sale with right of redemption; Seller; Warranty of ownership; Warranty of quality
1708-1805
- acquirer 1743, 1749
- acquisitive prescription 1714
- alienation for rent 1805
- applicable rules 1736-1743, 1749
- auction 942, 943, 945, 1757-1766
- cancellation of prior notice 3069
- conflict of laws 3114, 3115
- cost 1582
- definition 1708
- demand of the property 1741
- discharge of the debtor 1695
- emphyteusis 1199
- exchange 1798
- forced 3000, 3069
- fraction of co-ownership 1080
- giving in payment 1800
- immovable property 1749, 1763
- incapacity 1709
- incorporeal property 1779-1784
- insolvency 1721
- instalment 1745-1749
- judicial 1695, 1747
- litigious right 1782-1784
- movable property 1749
- non-payment of immovable taxes 3017, 3069, 3070
- nullity 1709, 1713-1715
- obligations of the buyer 1734, 1735
- obligations of the seller 1716-1733
- promise 1710-1712
- property likely to depreciate rapidly 644
- property subject to the real rights 1581
- property to partition 853, 862, 863
- reduction of the price 1737
- residential immovable 1785-1794
- resolution 1736, 1737, 1740-1743
- resolutory clause 1743
- right of redemption 1750-1756
- right of succession 1779-1781
- rights of the buyer 1736-1739
- rights of the seller 1740-1743
- stock exchange 3115
- term for payment 1721
- trial 1744
- without a term 1741

Sale by creditor of property charged with a hypothec: *See also* **Creditor; Hypothec; Hypothecary right**
2784-2790
- auction 2788
- call for tenders 2787
- conditions for exercise 2784, 2785
- declaration of quality of creditor 2786
- delay 2785
- imputation of payment 2789
- not setting up of real rights against the purchaser 2790
- plurality of creditors 2789
- price 2785
- property of an enterprise 2784
- purchaser 2790
- rendering of account 2789

Sale by judicial authority: *See also* **Hypothecary right**
2791-2794
- effect 2794
- intervention of the court 2791
- obligations of the seller 2793
- subject to hypothec 2792

Sale of litigious rights:
1782-1784
- definition 1782
- effect 1784
- interdiction to acquire litigious rights 1783
- right of redemption 1784

Sale of property of others:
1709, 1713-1715

Sale of residential immovables: *See also* **Divided co-ownership; Immovable**
1785-1794
- annulment 1793
- budget forecast 1791
- builder 1785, 1788-1790
- co-ownership 1787-1789, 1791, 1792
- immovable promoter 1785, 1788-1790, 1794
- land 1794
- lease 1789, 1790
- memorandum 1787-1789
- obligations of the seller 1787
- preliminary contract 1785, 1786
- resiliation of lease 1790
- resolution 1792
- right of withdrawal 1786
- syndicate of co-owners 1790

Sale of rights of succession: *See also* **Succession**
1779-1781
- debts 1781
- obligation of seller 1780
- obligation of buyer 1781
- warranty of quality as an heir 1779

Sale with right of redemption:
1750-1756
- definition 1750
- effect 1752
- exercise 1756
- notice 1751

– several persons 1755
– term 1753
– undivided part 1754

School board:
1339(2)(6), 2651(5), 2654.1

Sea: *See also* **Water**
966

Security: *See also* **Movable security; Suretyship**
– administration of the property of others 1324
– divided co-ownership 1051, 1055
– emphyteusis 1204
– lease 1881
– presomption of liberality 690
– sale of enterprise 1768-1772
– substitution 1237
– tutorship to a minor 242-245
– usufruct 1144-1146

Securities: *See also* **Dealer in securities**
– conversion 1302
– hypothec 2759
– legacy 744
– preferential allotment 858, 859
– private property 456
– redemption 1131, 1302
– sale 2759
– subscription 909, 1133
– taking in payment 2759
– tender 1576, 1578, 1583-1585
– voting right 1134, 1302

Securities Act:
1339(9)(10)

Seizure: *See also* **Compulsory execution; Exemption from seizure; Sequestration**
1636
– cancellation of minutes 3069
– common pledge of creditors 2646, 2648
– creditor 1560, 1766
– emphyteusis 1199
– general partnership 2226
– interruption of prescription 2892
– movable property 1741
– publication of rights 2958
– repetition 1560
– third person 1741
– undeclared partnership 2258
– undivided share 1015
– use 1173
– usufruct 1136

Seller: *See also* **Delivery; Warranty; Warranty of ownership; Warranty of quality**
– awareness of latent defect 1728, 1733, 1739
– awareness of risk of infringement of right of ownership of the buyer 1738
– borrower 1756

– consent 1747
– creditor 1766, 1768, 1770, 1776
– default 1736
– demand of property 1741
– encroachment 1724
– heir 1755
– hypothec 2948, 2954
– immovable property 1742, 1743, 1749, 1763
– liability 1733, 1777
– movable property 1740, 1749
– not a professional 1733
– obligations 1763, 1780, 1787
– obligations to deliver 1716-1722, 1737
– obligations to warrant 1723-1733, 1845
– personal fault 1732
– priority 2651(5)
– professional 1729
– refusal to disclose his identity 1760
– reservation of ownership of property 1745, 1749
– reserve price 1759
– resolution of the sale 1740-1743
– restoration of price of property 1727, 1728
– right of redemption 1751
– rights 1740-1743, 1748
– stopping of delivery 1740
– sworn statement 1768
– takink back of the sold property 1743, 1748-1752, 1754, 1755
– usufruct 1144

Semi-authentic act: *See also* **Proof by a writing; Writing**
2822-2825
– contestation 2825
– copy 2822, 2824
– definition 2822
– juridical acts made outside Québec 137
– notary 2824
– private writing made outside Québec 2823
– proof 2822-2825

Separation as to property: *See also* **Conventional separation as to property; Judicial separation as to property; Matrimonial regime**
485-491
– conventional 485-487
– effect of the separation from bed and board 508
– judicial 488-491

Separation from bed and board: *See also* **Divorce; Marriage**
493-515
– agreement between spouses 495
– applicable rules 496
– compensatory allowance 427-430
– conciliation of the spouses 496
– conflict of laws 3090, 3096
– effect between spouses 507

950   INDEX

- effect on children 513, 514
- end 515
- family residence 409, 410
- gift 510
- grounds 493, 494
- insurance 2459
- jurisdiction of Québec authorities 3146
- procedure 495, 497
- right of survivorship 509
- separation as to property 508
- support 511

Sequestration: *See also* **Deposit; Seizure**
2305-2311
- act of simple administration 2308
- administration of the property of others 1145
- alienation of property 2308
- choice 2307
- definition 2305
- discharge 2309
- handing over of the immovable 2306
- intervention of the court 2307-2310
- judicial 2311
- movable 1147
- object 2306
- rendering of account 2310
- substitution 1238
- usufruct 1145, 1147

Servant: *See* **Agent**

Service: *See also* **Contract for services**
2098-2129
- definition 2098

Servitude: *See also* **Right of ownership; Right of way**
1177-1194
- abandonment 1185
- apparent 1180
- by destination of proprietor 1181, 1183
- charge 1185
- constituting title 1181
- continuous 1179, 1192
- conventional 1181
- definition 1177
- discontinuous 1179, 1192
- division of the land 1187, 1188
- establishment 1181
- exercise 1184-1190
- extent 1177
- extinction 1191-1194
- legacy 831
- legal 1181
- nature 1177-1183
- no building 1179
- non-user 1191(5)
- obligation to perform an act 1178
- obligations of the owner of the dominant land 1186

- obligations of the owner of the servient land 1178, 1186
- prescription 1192-1194
- real right 1119
- redemption 1189, 1190
- renunciation 1191
- restoration 1184
- right of way 1179, 1187, 1189
- rights of the owner of the dominant land 1184, 1188
- rights of the owner of the servient land 1185
- subsoil 1112
- term 1191
- transfer of ownership 1182
- transfer of the site of the servitude 1186
- unapparent 1180
- union of the qualities in the same person 1191(1)
- view 1179
- will 1181

Setting up against third person: *See also* **Third person**
- amending declaration of partnership 2195
- assignment of claim 1641-1643
- contract of insurance 2461
- declaration of partnership 2195
- floating hypothec 2716
- hypothec 2951
- indivision by agreement 1014
- instalment sale 1745
- leasing 1847
- liquidator of a legal person 359
- publication of rights 2941-2944
- renunciation of right of usufruct 1170
- right of redemption of property 1750
- right of retention 1593
- simulation 1452
- stipulation of inalienability 1214
- stipulation of unseizability 2649
- transfer of a real right in an immovable property 1455

Settlor (trust): *See also* **Trust**
1261, 1263, 1266, 1269
- abandonment of the property 1265
- beneficiaries 1282, 1283
- creditor 1292
- death 1287
- designation of the curator to the beneficiary 1289
- designation of the trustee 1276, 1277
- fraud 1292
- fruits and revenues 1281
- heir 1287, 1295, 1297
- legal action in the place and stead of the trustee 1291
- liability 1292
- notice 1295
- purpose of the trust, amendment 1294
- replacement of the trustee 1276, 1277
- rights 1281, 1282

INDEX 951

- solidarity 1292
- supervision of the administration of the trust 1287
- termination of the trust 1297
- trustee 1275, 1290

Share: *See also* **Divided co-ownership**
- co-ownership 1010, 1046-1048, 1053, 1061, 1090, 1094

Share of company:
909
- hypothec 2677, 2738, 2756
- presumed sound investments 1339(8)(9)(10)

Sheet of water: *See also* **Water**
951, 982

Ship: *See also* **Abandonment; Affreightment; Average loss; Cargo; Carriage of property by water; Freight; Marine insurance; Warranty**
- deviation 2568-2570, 2572, 2573
- insurable value 2519
- maintenance 2012
- movable hypothec 2714
- return 2013
- seaworthy condition 2022, 2560, 2563
- use 2009

Shore: *See* **Sea**

Silence:
1394, 1878, 1879, 1941-1946, 2090, 2132, 2851

Simple loan: *See also* **Loan**
2327-2332
- by gratuitous title 2315
- definition 2314
- latent defect 2321
- liability of the lender 2321
- loan of money 2315, 2330-2332
- ownership of the property 2327
- return of the property 2329

Simulation:
- definition 1451
- setting up against third persons 1452

Société d'habitation du Québec:
1339(7), 1984, 1985, 1992, 1994, 2799

Soil: *See also* **Land**
- common portion of the divided co-ownership 1044
- common wall 1004
- defect 1081
- heightening 1008
- ownership 951
- product 900, 2698

Solemnization of marriage: *See also* **Marriage**
365-377
- competence 365, 366, 376
- compulsion 367
- declaration of marriage 375
- declaration of spouses 374

- dispensation from publication 370
- duration of publication 368
- Mohawk community 366
- notice to registrar of civil status 377
- officiant 366, 373
- open 365
- opposition 374
- premarital medical examination 368
- publication 368-371
- witness 365, 369

Solidarity: *See also* **Solidarity between creditors; Solidarity between debtors**
- administration of the property of others 1334, 1370
- apportionment of liability 1480
- association 2274
- contract of enterprise 2118
- general partnership 2221, 2224
- joint obligation 1520-1521
- limited partnership 2246
- loan for use 2326
- mandate 2144, 2156
- trust 1292
- undeclared partnership 2254

Solidarity between creditors: *See also* **Creditor; Solidary obligation**
1541-1544
- compensation 1678
- confusion 1685
- division of the obligation 1544
- effect 1541
- extinction of the obligation 1543
- heir 1544
- novation 1666
- prescription 2900, 2902
- release of the obligation 1543, 1690

Solidarity between debtors: *See also* **Damages; Debtor; Solidary obligation**
1523-1540
- benefit of division 1528
- civil liability 1526
- compensation 1678
- confusion 1685
- damages 1527
- definition 1523
- deprivation of a security or of a right 1531
- difference of obligation 1524
- division of the debt 1532-1535
- division of the obligation 1540
- express stipulation 1525
- forfeiture of the term 1516
- heir 1540
- insolvency of co-debtor 1538, 1690
- interest 1534
- legal 1525

- loss of solidary remedy against a debtor 1534, 1535
- novation 1664-1665
- opposition 1530, 1539
- periodic payment 1534
- prescription 2900, 2902
- presumption 1525
- release of the obligation 1689, 1690
- renunciation of solidarity 1532, 1533, 1538
- right of creditor 1529
- right of repetition 1536
- specific performance of obligation became impossible 1527
- subrogation 1531, 1536
- surety 1537

Solidary obligation: *See also* **Creditor; Debtor; Solidarity between creditors; Solidarity between debtors**
1523-1544
- creditor 1541-1544
- debtor 1523-1540
- prescription 2900

Special partner: *See also* **Limited partnership**
- contribution 2236, 2240
- insufficiency of the property of the partnership 2248
- liability 2244, 2246
- name appearing in the firm name of the partnership 2247
- participation to the management 2244, 2245
- profit 2242
- suretyship for the debts of the partnership 2246
- third person 2237
- withdrawal of part of his contribution 2241

Spouse: *See also* **Civil Union; Compensatory allowance; Family patrimony; Family residence; Marriage**
- absence 89
- abuse of powers 447
- activity within the home 396
- beneficiary of insurance of persons 2449, 2457, 2459
- civil union 521.1-521.19
- common life 392
- contribution to the expenses 396
- death 465, 516, 521.12, 624, 2380
- debt 397
- disagreement 400
- domicile 82
- duties 394
- exercise of civil rights 393
- family residence 395, 401-413, 3062
- legacy 757, 764
- liability 446
- life annuity 2380
- mutual obligation 392
- notary 723
- obligation of support 585
- premarital medical examination 368

- prescription 2906
- regime of partnership of acquests 432, 448-491
- representation 398
- status 379
- succession 624, 653, 654, 666, 671-673
- support 687-689

Spring: *See also* **Water**
980-982

State: *See also* **Domain of the State; Foreign state; Public law**
- absence of publication 2964
- agent 1464
- auction sale of forgotten movable 942, 943
- claim 1619
- compensation 1672
- declaration and registration of a prior claim 2654
- domicile 966
- hypothec 3068
- legal hypothec 2724(1), 2725, 3068
- obligation 1376
- prescription 2877
- priority 2651(4), 2653
- property 915-919, 935-937, 966
- real right of resource development 2972.1, 2978, 3031, 3034, 3035, 3039, 3040, 3071
- reproduction of documents 2841
- several territorial units 3077
- succession 618, 653, 696-702

Statement: *See also* **Declaration; Proof**
- heir and legatee by particular title 2998, 2999
- intervention of court 2870
- previous 2869, 2871
- proof by a writing 2872, 2873
- proof by testimony 2413, 2869, 2870, 2871, 2872
- proof by the production of material things 2874
- recorded on magnetic tape 2874
- sufficiently guaranteed 2870, 2871
- trust 1288
- written 2872, 2873

Status of obligations: *See also* **Private international law**
3109-3131
- arbitration 3121
- assignment of claim 3120
- civil liability 3126-3129
- civil union regime 3122-3124
- consumer contract 3117
- contract of employment 3118
- contract of insurance 3119
- conventional representation 3116
- juridical act 3109-3112
- liability of the manufacturer 3128
- management of the business of another 3125
- matrimonial regime 3122-3124
- prescription 3131

- presomption 3113
- proof 3130
- reception of a thing not due 3125
- relation between the assignee and the assigned debtor 3120
- sale 3114, 3115
- testamentary disposition 3109
- unjust enrichment 3125

Status of procedure: *See also* **Private international law**
- applicable law 3132
- arbitration 3133

Status of property: *See also* **Private international law**
3097-3108
- movable securities 3102-3106
- publication of real rights 3097
- successions 3098-3101
- trust 3107, 3108

Statutes:
2812

Stipulation for another:
1444-1450
- acceptance 1449
- beneficiary 1444, 1445
- death of the stipulator 1449
- opposition 1450
- revocation 1446-1448, 2449

Stipulation of inalienability: *See also* **Alienation**
1212-1217
- alienation 1213, 1217
- gift or will 1212
- nullity of clauses 1216
- publication 1214
- unseizability 1215
- validity 1212

Stream: *See* **Watercourse**

Subcontractor: *See also* **Contract of enterprise; Contractor; Enterprise**
- faulty design 2118
- legal hypothec 2726-2728
- liability 2118
- prescription 2118
- statement of amounts paid to 2122
- unfavourable nature of the ground 2118

Sublease: *See also* **Lease; Lease of dwelling; Lease of dwelling in low-rental housing; Lessee; Lessee of lease of dwelling**
1870-1872, 1874-1876, 1940, 1944, 1948, 1950, 1981, 1995

Subletting: *See also* **Affreightment**
2005-2006

Subrogation:
1651-1659
- conventional 1652-1655

- effect 1657-1659
- foundation 1259
- hypothec 3003
- hypothecary claim 3004
- insurance 2474, 2620
- legal 1652, 1656-1659
- liquidation of the succession 829
- loan 1655
- lost or forgotten movable 939, 941
- payment of obligation 1651-1659
- third person 1608
- undivided co-owner 1023, 1024
- validity 1655
- warrantor 1657

Subsoil: *See also* **Subsoil owner; Superficiary; Superficies**
- acquisition 1116-1118
- expropriation 1115
- restoration 1116

Subsoil owner: *See also* **Subsoil; Superficiary; Superficies**
1011, 1112, 1114, 1116-1118

Substitute:
1235-1239
- child 1253
- conservatory act 1235
- definition 1219
- disposal of the property 1235
- lapse of the testamentary substitution 1252
- not conceived 1239
- opposition to the seizure 1233
- quality 1242
- renunciation 1235
- rights 1235, 1236, 1238, 1239, 1241
- share 1255

Substitution: *See also* **Institute; Substitute; Succession**
1218-1255
- acceptance 1243, 1253
- after opening 1243-1251
- alienation of the substituted property 1229-1231, 1244
- applicable rules 1222, 1228
- before opening 1223, 1230, 1234, 1235, 1237, 1241, 1253
- carrier 2035
- claim 1249
- confusion 1249
- constituting act 1232, 1237
- creditor 1233, 1234, 1249
- curator 1239
- debt 1247, 1249
- delivery of the substituted property 1234, 1244-1246
- disbursement 1248
- disposal of property 1232, 1235

– effect 1232
– establishment 1218
– expense 1247
– extent 1221
– gift 1218, 1220, 1222, 1240, 1242, 1253, 1255
– grantor 1230, 1239, 1240, 1243, 1249, 1255
– heir 1220, 1251
– insurance 1227, 1237
– interest 1247, 1249
– inventory 1224, 1231, 1236
– investment 1229-1230
– judicial sale 1233
– lapse 1252
– life annuity 2384
– loss 1245
– mandate 2140, 2161
– nature 1218-1220
– opening 1222, 1229, 1240-1242
– publication 2961
– rendering of account 1244
– renunciation of his right 1234, 1235
– representation 1252
– residue of property 1246
– restoration 1245
– retention of the substituted property 1250
– revocation 1253-1255
– security 1237
– seizure 1233
– sequestration 1238
– share of the substitutes 1255
– stipulation of inalienability 1212
– succession 617
– usufruct 1228
– will 1218, 1220, 1222, 1242, 1252

Successful bidder:
– auction sale 1759, 1760, 1762, 1763, 1766

Succession: *See also* **Acceptance of succession; Collateral line; Composition of shares; Direct line; Gift; Heir; Legatee by general title; Legatee by particular title; Letter of verification; Liquidation of the succession; Liquidator of the succession; Partition of the succession; Petition of inheritance; Relationship; Renunciation of succession; Representation; Return of debts to the mass; Return of gifts and legacies to the mass; Sale of rights of succession; Spouse; Substitution; Survival of the obligation to provide support; Will**
– absentee 96, 617, 638
– acceptance 173, 637-645
– administration of the property of others 1312
– annulment of option 636
– child conceived but unborn 617
– co-dying person 616
– conflict of laws 3098-3101

– confusion 801
– cost of inventory and seals 792
– creditor 780-782, 797
– debt 1155-1158, 1781
– declaration of rights of an heir or of a legatee 2998, 2999
– deliberation 632, 635
– descendant 666-669
– designation of an applicable law 3098, 3099
– devolution to a minor 217
– devolution to ordinary ascendants and collaterals 677-683
– devolution to several heirs 823
– devolution to the surviving spouse and to descendants 666-669
– devolution to the surviving spouse and to privileged ascendants or collaterals 670-676
– donor 869
– fruit and revenue 1780
– gift mortis causa 613
– heirship 653, 654
– indivision 1012
– insufficiency of the property 811-814, 827
– insurance of persons 2445, 2455, 2456
– intestate 619, 736, 749, 776
– jurisdiction of Québec authorities 3153
– legal person 618
– letter of verification 615
– minor 638
– mode of acquisition 916
– not manifestly solvent 810
– opening 613-616
– option 630-636
– ordinary ascendant 677-682
– ordinary collateral 677-683
– origin and nature of the property 614
– partition 665, 666-683, 836-898
– payment of debts 638, 779, 781, 782, 799-801, 808-814
– petition of inheritance 626-629
– prescription 2907
– privileged ascendant 670, 672, 674, 675
– privileged collateral 670, 673, 674, 676
– property 781
– property situated outside Québec 615, 3100
– protected person of full age 638
– qualities for succession 617-624
– relationship 653, 655-659
– renunciation 646-652
– representation 660-665, 668
– request 702
– return to the mass 867-883
– rights of the State 618, 653, 696-702
– seisin 625, 698
– solvency 779, 807

- spouse 624, 652, 653, 666, 671-673
- substitution 617, 1222, 1240
- successor called to the succession in several ways 630
- support 684-695
- trust 617, 618
- usufruct 1155-1158
- will 703-775, 869

Sugar bush trees:
986, 1139

Suit:
- peremption 3052

Superficiary: *See also* **Right of ownership; Subsoil; Subsoil owner; Superficies**
- acquisition of the ownership of the subsoil 1116-1118
- charges 1112
- removal of the constructions 1116, 1118
- rights 1111, 1116, 1117

Superficies: *See also* **Right of ownership; Subsoil; Subsoil owner; Superficiary**
1110-1118
- accession 1116
- charges 1112
- definition 1011
- divided co-ownership 1040, 1059, 1060, 1082
- establishment 1110-1113
- expropriation 1115
- loss 1115
- right to acquire ownership of the subsoil 1116, 1117
- sale of residential immovables 1788
- term 1113
- termination 1114-1118

Superior force: *See also* **Risk**
- affreightment 2019, 2029
- appointment of a tutor 91
- carriage 2034, 2037, 2038, 2049, 2078
- change to the leased property 1890
- damage insurance 2464
- definition 1470
- impossibility of performance of the obligation 1693, 1699
- liability 1470, 2100
- loss of hypothecated property 2739
- loss of property 876, 1160, 1161, 1210, 1308, 1582, 1600, 1727, 1804, 1846, 2049, 2072, 2105, 2240, 2286, 2289
- maintenance repair 1864
- necessary deposit 2295
- restitution of prestations 1701

Supplier:
- legal hypothec 2726-2728
- movable property 1468, 1473
- warranty of quality 1730

Support: *See also* **Obligation of support; Survival of the obligation to provide support**
- jurisdiction of Québec authorities 3143
- legal hypothec 591, 2730
- obligation 585-596
- recognition and enforcement of a foreign decision 3160
- separation from bed and board 511

Surety: *See also* **Suretyship**
- action against the other sureties 2360
- action for recovery against the creditor 2358
- action for reimbursement 2357
- advance 2348
- assignment 1643, 1645
- benefit of discussion 2347, 2348, 2352
- benefit of division 2349-2351
- capacity 2337, 2339
- compensation 1679
- confusion 1684
- death 2361
- definition 2333
- discharge 2365, 2366
- indemnity 2359
- insolvency 2350, 2351
- notice of payment 2358
- novation 1665
- other sufficient security 2338
- plurality 2349
- prescription 2362
- principal debtor 2336
- release 1665, 1692, 1698
- solidary obligation 1537, 2352
- solvability 2339
- subrogation 2355, 2365
- subsidiary obligation 2346
- surety 2336
- tender 1584, 1585
- without the consent of the debtor 2336, 2356

Suretyship: *See also* **Security; Surety**
2333-2366
- accessory 2344
- amount 2341
- definition 2333
- effect between sureties 2360
- effect between the creditor and the surety 2345-2355
- effect between the debtor and the surety 2356-2359
- express 2335
- extent 2343
- imposed by law 2334
- object 2340
- obligation of information 2345
- ordered by judgment 2334
- presumed 2335
- prorogation of the term 2354

- reducible 2341
- resulted from an agreement 2334
- special duty 2363
- termination 2361-2366

Surrender:
2763-2772
- delay 2758
- forced 2763
- intervention of court 2765-2767
- judgment 2765, 2781
- liability 2769
- obligation of creditor 2767
- prior claim 2770, 2771
- revival of real rights 2772
- simple administration 2768
- voluntary 2763, 2764

Survival of the obligation to provide support: *See also* Obligation of support; Succession; Support
684-695
- delay of request 684
- descendant 687-689
- discharge of debtor 694
- financial contribution 685-688
- former spouse 688
- insufficiency of the assets of the succession 689
- intervention of the court 685, 689, 693, 694
- liberality 691, 692, 695
- presumption 690
- reduction of the liberalities 689, 693
- right 684
- spouse 687-689
- unworthiness 684
- valuation of the property of the succession 695
- value of the liberalities 687

Suspension of prescription: *See also* Prescription
2904-2909
- child unborn 2905
- class action 2908
- heir 2907
- incapacity 2904
- minor 2905
- person of full age under tutorship 2905
- solidary claim 2909
- spouse 2906

Syndicate of co-owners: *See also* Board of directors of the syndicate of co-owners; Co-owner; Divided co-ownership
- acquisition or alienation of fractions of co-ownership 1076
- acquisition or alienation of immovables 1097
- administration 1085
- association of co-ownership syndicates 1083
- board of directors 1053, 1070, 1072, 1081, 1084-1086, 1088, 1104-1107

- by-laws of the immovable 1057, 1060
- cadastral plan 1070, 1100
- contingency fund 1064, 1071, 1072, 1078
- damage 1077
- decision 1096, 1102
- declaration of co-ownership 1059, 1070, 1100
- definition 1039
- dissolution of the co-ownership 1075, 1108
- documents relating to the immovable and the syndicate 1070
- financial statements 1105
- indemnity 1067, 1075
- injunction 1080
- insurance 1073-1075
- judgment 1078
- lease of a private portion 1065, 1079
- legal hypothec 2724(3), 2729, 2800, 3061
- liability 1077
- liquidation 1075, 1109
- maintenance of the immovable 1107
- name 306
- notice regarding improvements and work 1066
- prejudice 1080
- register 1070
- rendering of accounts 1105
- replacement of director or manager 1086
- resiliation of the lease 1079, 1790
- rights and obligations 1070-1083
- statement of the common expenses 1069
- urgent work 1066
- voting right 1095

T

Taking in payment: *See also* Giving in payment; Hypothecary right; Payment
2778-2783
- abandonment 2779
- cancellation of notice requiring abandonment 3069
- conditions of exercise 2778
- effect 2782, 2783
- extinction of obligation 2782
- failing to sell 2780
- hypothec of creditors of superior rank 2801
- intervention of court 2778, 2780
- judgment of surrender 2781
- payment of subsequent creditors 2780
- securities 2759
- voluntary surrender 2764

Taking possession for purposes of administration: *See also* Hypothecary right
2773-2777
- cessation 2775
- property of an enterprise 2773

– rendering of account 2776
– return of property 2776, 2777
– rights of debtor 2761
– rights of lesse 2774

Technology-based document: *See also* **Proof by a writing; Writing**
– copies and documents resulting from a transfer 2841, 2842
– integrity of the document 2838-2840
– material thing 2855
– media for writing 2837
– proof 2860
– recording 2874

Tender and deposit: *See also* **Debtor; General deposit office; Payment**
1573-1589
– acceptance by the creditor 1588, 1589
– content 1579
– default 1580-1582
– definition 1573
– delivery of property 1577
– deposit 1576, 1583, 1586
– effect 1586, 1588
– expense 1589
– formality 1575
– hypothec 2678
– income 1586, 1587
– irrevocable undertaking 1574
– judicial declaration 1575, 1576
– notarial act 1575
– preservation of thing 1582
– securities 1576, 1578, 1583-1585
– sum of money 1574, 1576, 1578, 1583-1585
– useful measure 1581
– validity 1574, 1585, 1588, 1589
– withdrawal 1584, 1585
– written notice given to the creditor 1577-1579

Term: *See* **Obligation with a term**

Territory: *See also* **Land**
– agricultural zone 3055
– right of ownership 918

Testamentary executor: *See* **Liquidator of the succession**

Testator: *See also* **Will**
– alienation of bequeathed property 769
– capacity 707
– debts 833
– legacy 762, 764
– liquidator 778, 786
– revocation of a previous revocation 770
– succession 837, 869

Testimony: *See* **Proof by testimony**

Thief:
927

Thing:
– consumable 1556
– not appropriated 913
– without an owner 914

Things exempt from seizure: *See* **Exemption from seizure**

Third person: *See also* **Setting up against third person**
– acquired right 1681
– acquisitive prescription 2915, 2920
– administration of the property of others 1310, 1319-1323, 1337, 1362, 1486, 1489
– affreightment 2011, 2019
– assignment 1082, 1637, 1680, 1747
– association 2279
– auctioneer 1757
– cancellation 3075
– carriage of property 2055
– claim against third person 888
– compensation 1680-1682
– contract of enterprise or for services 2101
– contract of partnership 2189, 2192, 2195-2197
– damage 1077, 1159
– divided co-ownership 1077, 1082
– effect of the contract 1440-1452
– encroachment 1724
– general partnership 2203, 2204, 2209, 2213, 2217-2225, 2234
– gift 1831-1835
– good faith 1323, 1362, 1452, 1707, 2163, 2189, 2195, 2197, 2217, 2219, 2222, 2224, 2234, 2263, 2963-2965, 3075
– hypothec 1680, 2681
– injured 2414, 2500-2502, 2628
– injury caused by reason of a safety defect in the thing 1468
– instalment sale 1745
– insurance 2445, 2500-2502
– leasing 1842
– life annuity 2372
– limited partnership 2237
– mandate 2140, 2157-2167, 2181
– marine insurance 2533, 2583, 2628
– payment 1555, 1557, 1741
– person entrusted with the custody of an animal 1466
– private writing 2830
– promise for another 1443
– publication of the rights 2963-2965
– representation 1337
– restitution of prestations 1707
– retroactive effect of the conditional obligation 1506
– right of ownership 1738
– security 1881
– seizure 1741
– simulation 1452

- stipulation for another 1444-1450
- subrogation 1608
- substitution 2140
- superficies 1114
- tender 1585
- transaction 2637
- trust 1282
- undeclared partnership 2252-2257, 2263
- unjust enrichment 1496
- usufruct 1134, 1159, 1162, 1165
- will 727-730, 775

Threat:
1402

Time charter: *See also* **Affreightment**
2014-2020
- condition of the ship 2015
- cost of the commercial operation of the ship 2016
- definition 2014
- freight 2019
- loss or damage 2018
- obligation of the master of the ship 2017
- prescription 2006
- return of the ship 2020

Trade secret:
- injury caused to another as a result of his disclosure 1472
- valuation of damages 1612

Transaction:
2631-2637
- absence of right 2637
- definition 2631
- effect 2633
- false writings 2635
- final judgment (res judicata) 2633, 2636
- indivisible 2631
- interruption of prescription 2896
- lawsuit 2636
- matters not subject to the transaction 2632
- nullity 2634-2637
- public order 2632
- recognition and enforcement 3163
- subsequent discovery of documents 2637
- title null 2635

Treasure:
938

Tree: *See also* **Plantation**
984-986, 1139

Trust: *See also* **Beneficiary; Foundation; Settlor; Trustee**
1260-1298
- acceptance 1264, 1265
- administration 1277, 1278, 1287, 1357
- applicable rules 1263
- capacity 1274

- capital 1281, 1284
- change 1293-1295
- conflict of interest 1311
- conflict of laws 3107, 3108
- constituting act 1280, 1282, 1284
- constitution 1264
- conventional 1262, 1263
- creditor 1292
- curator 1289
- damage 1290
- definition 1260
- divided co-ownership 1075
- establishment 1262
- foundation 1257-1259
- fraud 1290, 1292
- fruits and revenues 1271, 1281, 1284
- gift 1279
- hypothec 1263
- identification 1266
- increase of the trust patrimony 1293
- insurance 1331
- investment 1269, 1339(10)
- judiciary 1262
- kind 1266-1271
- legal 1262
- legal person 1272
- patrimony 1261, 1265, 1278, 1290, 1292, 1293
- perpetual 1273
- personal 1266, 1267, 1271, 1272, 1282, 1285, 1289
- presumption 1282, 1285
- private utility 1266, 1268, 1269, 1273, 1282, 1285-1289, 1357, 1361
- renunciation 1285, 1286
- retirement 1269
- securities 909
- social utility 1257, 1266, 1270, 1273, 1282, 1287, 1288, 1294, 1298, 1357, 1361
- statement 1288
- stipulation of inalienability 1212
- substitution 1271
- succession 617
- supervision and control 1287-1292
- term 1272, 1273
- termination 1294, 1296-1298
- third person 1282
- unit 1339(10)
- will 1262, 1264, 1279

Trustee: *See also* **Trust**
- acceptance 1260, 1264, 1265
- administration 1278
- appointment 1276, 1277
- beneficiary 1275
- capacity 1274
- conventional hypothec 2684, 2686

- delivery of property 1297
- divided co-ownership 1075
- fraud 1290, 1292
- hypothecary right 1263
- liability 1292
- obligations 1260, 1265, 1288, 1290, 1322
- plurality 1276, 1277
- presumption 1282
- removal 1290
- replacement 1276, 1291
- settlor 1275
- solidarity 1292
- statement of trust 1288
- succession 618

Trustee in bankruptcy: See also Bankruptcy
- damage insurance 2476
- paulian action 1635

Tutor: See also Child; Curator; Dative tutorship; Legal tutorship; Minor; Protected person of full age; Protective supervision of person of full age; Tutor ad hoc; Tutor to an absentee; Tutorship council; Tutorship to a minor
- act performed without the authorization 162, 163
- adoption 544, 553, 579
- agreement with minor 248
- appeal 212
- appointment 200, 201, 607, 3085
- cessation of the office 255
- civil liability 1461, 1462
- consent to care 14, 15
- conservatory act 1361
- convocation of tutorship council 237
- dative 184, 250
- death 255
- deliberate or gross fault 1461
- delivery of the property 1361
- demand for authorization to act alone 238
- demand to be relieved of his duties 250
- duties 208
- emancipation of minor 167, 175
- establishment of tutorship council 225
- exemption to make an inventory 241
- expenses of tutorship 219
- gift to a minor 211
- heir 181
- incapacity to make a will 711
- indivision 215
- insurance 242
- interdiction 228
- inventory 240
- legacy 753
- legal person 189
- mandatary 2183
- matrimonial agreement of the minor 434

- notice of refusal or acceptance of the office 203
- parental authority 186
- principal 1484
- property withdrawn from his administration 210
- remuneration 184, 754
- rendering of account 169, 246, 247, 1361
- replacement 251-255
- right to alienate 213, 214
- security 242, 243
- setting aside 218
- simple administration 208
- to property 187-189, 219, 246, 251
- to the person 187, 188, 219, 246, 251

Tutor ad hoc: See also Tutor; Tutorship to a minor
- appointment by tutorship council 235
- representation of a minor against his tutor 190

Tutor to an absentee: See also Absentee; Sale of property of others; Tutor; Tutorship to an absentee
- appointment 86, 91
- expenses of the marriage 88
- liquidation of the patrimonial 89
- partition of the acquests 89

Tutorship: See Dative tutorship; Legal tutorship; Tutorship council; Tutorship to a minor; Tutorship to an absentee; Tutorship to person of full age; Tutorship to property

Tutorship council: See also Tutor; Tutorship to a minor 222-239
- acceptance of a charge 232
- alternate 228, 229
- appointment of a tutor ad hoc 235
- authorization 213, 215
- calling 224-226, 238
- composition 222, 226-228, 231
- dative tutorship 205
- deliberation 234
- establishment 223, 224, 225, 237
- invitation to the tutor and to the minor 230
- judicial review of a decision 237
- kind and object of the security 242
- liability 239
- meeting 234
- notice 23, 87, 220, 233, 288, 607
- number 222, 226, 231
- personal and gratuitous charge 232
- preservation of records 239
- release of security 245
- replacement of tutor 251
- representative of beneficiary minor 233
- rights and obligations 233-236
- role 222

Tutorship to a minor: See also Dative tutorship; Director of youth protection; Legal tutorship; Tutor; Tutor ad hoc; Tutorship council; Tutorship to property

- acceptance 180
- applicable law 3085
- base 919
- cost of the security 242
- dative 178
- definition 179
- establishment 177
- exercise 182
- extent 185, 186
- gratuitous 183
- interest of the patrimony of a minor 216
- inventory 240, 241
- legal 178
- nature 178
- property worth more than $25 000 213, 214, 217, 221, 242
- provisional administrator 253
- termination 255
- transmission to the heirs 181

Tutorship to an absentee: *See also* **Absentee; Tutor to an absentee**
- applicable rules 87
- institution 87
- termination 90

Tutorship to person of full age: *See also* **Protective supervision of person of full age**
- act performed before the tutorship 290
- applicable rules 287
- appointment of a tutor 285
- institution 285, 288
- obligation of the tutor 286
- right of the person of full age 289

Tutorship to property: *See also* **Tutorship to a minor**
- acceptance 180
- conferred on the Public Curator 221
- legal person 244

U

Undeclared partnership: *See also* **Partner**
2250-2266
- action against partner 2257
- applicable rules 2251
- bankruptcy of a partner 2258
- continuation 2259
- death of a partner 2258, 2259
- establishment 2250
- indivision of property 2250, 2252
- intervention of the court 2264, 2265
- liability of the partners 2252
- liquidator 2264, 2265, 2266
- powers of the partners 2262
- resiliation of the contract 2258, 2261
- rights of partners 2256
- rights of third persons 2263
- termination of the contract 2258-2266
- withdrawal 2260

Undivided co-owner: *See also* **Composition of shares; Indivision; Indivision agreement; Partition of the succession**
- administration 1025-1029
- charge 1019
- claim of partition 1030-1031, 1033-1035
- consensus on composition of the shares 853
- cost of administration 1019
- creditor 1015, 1021, 1035
- disagreement on the composition of the shares 854
- disbursement 1020
- end of indivision 1031, 1036
- establishment of divided co-ownership 1031
- exclusive use of the property 1016, 1017
- indivision agreement 1013
- loss 1020
- manager 1027-1029
- pre-emptive right 1022
- registration of the address 1023
- right of accession 1017
- right of redemption 1022-1024
- share 1015, 1022-1024, 1031-1034
- subrogation 1023, 1024
- transfer of the undivided share 1022

Undivided co-ownership: *See also* **Indivision; Indivision agreement; Undivided co-owner**
1012-1037
- acquisition of share 1023
- administration of undivided property 1025-1029
- charge 1019
- definition 1010
- establishment 1012-1014, 1031
- movable property 973
- partition 1030
- residential immovable 1031
- termination 358, 1031, 1036

Universal legacy:
- definition 732
- exception of particular items of property 735

Unjust enrichment: *See also* **Compensatory allowance; Indemnity**
1493-1496
- action against the third person beneficiary 1496
- bad faith of the person enriched 1495
- conflict of laws 3125
- indemnity 1493, 1495
- justification 1494

Unseizability: *See also* **Exemption from seizure; Seizure**
- stipulation of inalienability 1215, 2649

Use: *See also* **Right of ownership; Usufruct**
1172-1176
- applicable rules 1176
- definition 1172
- divided co-ownership 1047
- extent 1174
- family residence 406
- fruits and revenues 1175
- judicial award 411, 413
- land register 2974
- not assigned or seized 1173
- real right 1119
- undivided property 1016, 1017

Useful measure: *See also* **Right to enforce performance**
- administration of the property of others 1301, 1306, 1333
- conditional obligation 1504
- creditor 1504, 1626
- debtor 1581
- liquidation of the succession 792
- succession 864
- tender and deposit 1581

Usufruct: *See also* **Bare owner; Right of ownership; Use; Usufructuary**
1119-1171, 1176
- abandonment of right 1169-1170
- accessory 1124
- agricultural operations 1140
- alienation by the bare owner 1125, 1133
- cessation 1129, 1158
- claim 1132
- consumable property 1127
- conventional 1121
- conversion of the right into an annuity 1171
- definition 1119, 1120
- degradation 1159, 1168
- disbursement 1137, 1138
- dividend 1130
- establishment 1121, 1122
- exercise of hypothecary rights 2752
- expropriation 1164
- extent 1124-1136
- extinction 1162-1171, 2799
- extraordinary income 1131
- family residence 406
- for life 1123
- forfeiture of the right 1168
- hypothec 2669
- judicial 1121
- judicial proceeding 1158, 1170
- land register 2974
- legacy 824, 825, 831
- legal 1121
- loss of property 1149, 1160, 1163

- non-user 1162
- property deteriorated with use 1128
- real right 1119
- seizure 1136
- spouse 1166, 1168, 1171
- successive 1123, 1166, 1168, 1171
- term 1123, 1165
- third person 1134, 1159, 1165
- will 1121

Usufructuary: *See also* **Bare owner; Usufruct**
- abuse 1168
- accountable 1133
- as if usufruct 1127
- by general title 1156-1158
- by particular title 1155
- charges 1154
- compensation 1129, 1138, 1149, 1150, 1164
- conversion of right into an annuity 1162, 1171
- cost of legal proceeding 1158
- creditor 1136, 1168
- death 1162, 1166
- encroachment 1159
- existence at the time of the establishment of the usufruct 1122
- extraction of minerals 1141
- extraordinary income 1131
- forfeiture of the right 1162, 1168
- fraction of co-ownership 1134
- fruits and revenues 1126, 1129, 1130, 1146
- increase of the capital subject to the usufruct 1133
- injury caused by a third person 1159
- insurance 1144, 1148-1150, 1163
- interest 1156-1157
- inventory of the property 1142, 1143, 1146
- lease 1135
- legal person 1123, 1162, 1166
- legal proceeding 1158
- loss of animal 1161
- loss of herd 1161
- loss of property 1149, 1160, 1163, 1167, 1168
- maintenance repair 1151
- major repair 1151-1153
- non-user 1162
- obligations 1142-1161, 1171
- old property 1160
- payment of the debts of the succession 1155-1158
- property deteriorated with use 1128
- replacement 1160
- restitution 1167
- restoration 1138
- rights 1124-1141
- securities 1131, 1133, 1134
- security 1144-1146
- seizure 1136

– sequestration 1145, 1147
– share 1134
– spouse 1166, 1168, 1171
– successive 1166, 1168, 1171
– transfer 1135
– tree 1139
– undivided share 1134
– union of the qualities in the same person 1162
– voting right 1134

V

Views:
993-996, 1179
Violence: *See* Fear
Voluntary sale of property of incapables: *See* Sale of
property of others
Voyage: *See also* Marine insurance; Voyage charter
– change 2566, 2567
– covering of contract 2522
– delay 2565, 2571, 2572
– deviation 2568-2570, 2572, 2563
– interruption 2574
– place of departure 2565, 2566
– plurality of places of discharge 2569, 2570
– seaworthiness of the ship 2560, 2563
Voyage charter: *See also* Affreightment; Marine insurance; Voyage
2021-2029
– annulment of the contract 2024
– condition of the ship 2022
– damage of the property 2023
– definition 2021
– delay 2029
– demurrage 2027
– freight 2028
– liability of the lessor 2023
– load and discharge of the cargo 2024-2027
– loss of the property 2023
– nature of contract 2021
– obligation of the lessor 2022
– prescription 2006
– resolution of the contract 2029

W

Wagering: *See* Gaming and wagering
Warrantor:
– release 1698
– subrogation 1657
Warranty: *See also* Seller; Warrantor; Warranty of co-
partitioners; Warranty of ownership; Warranty of
quality

– affreightment 2011
– clause 1640
– contract of enterprise 2103, 2120
– conventional 1716, 1732, 1733
– exclusion 1732
– immovable 1725
– legal 1732
– personal fault of the seller 1732
Warranty (marine insurance): *See also* Contract; Marine insurance
– adventure insured not unlawful 2564
– complied 2554
– definition 2553
– express 2556, 2557
– nationality of the ship 2558
– neutrality of the ship 2557
– safety of the insured property 2559
– state of the insured property 2559, 2563
– state of the ship 2560-2563
– time policy 2561
– unlawful 2555
– voyage policy 2560
Warranty of co-partitioners: *See also* Partition of the
succession
889-894
– action in warranty 894
– disturbance 889
– division of the indemnity in case of insolvency 893
– eviction 889, 891
– indemnity for the loss caused by the eviction 892
– insolvency of the debtor to the succession 890
– termination 891
Warranty of ownership: *See also* Sale; Seller
1723-1725
– content 1723
– defect known by seller 1733
– encroachment 1724
– hypothec 1723
– immovable 1725
– right 1716
– violation of restrictions of public law 1725
Warranty of quality: *See also* Defect; Sale; Seller
1726-1731
– apparent defect 1726
– damages 1728
– distributer 1730
– importer 1730
– knowledge of defect by the buyer 1726
– knowledge of defect by the seller 1728, 1733
– latent defect 1726-1728
– loss of the property 1727
– of right 1716
– presumption 1729
– professional seller 1729

- range 1726
- restoration of the price of the property 1727, 1728
- sale under judicial authority 1731
- supplier 1730
- wholesaler 1730

Water: *See also* Alluvion; Lake; Sea; Sheet of water; Spring; Watercourse
913, 966, 979-983
- natural flow 979
- pollution or draining 982
- running 981-982
- spring 980-982

Watercourse: *See also* Water
- bed abandoned 970
- navigable and floatable 919
- part carried of a riparian land 967
- travel 920
- underground stream 951, 982
- use 981

Waves or energy harnessed by man:
906

Way: *See* Right of way

Wholesaler:
- warranty of quality 1730

Will: *See also* Assign; Gift; Heir; Holograph will; Legacy; Legacy by general title; Legacy by particular title; Legatee; Legatee by general title; Legatee by particular title; Notarial will; Notary; Succession; Testator; Universal legacy; Universal legatee; Will made in the presence of witnesses
- absolute liberty to make a will 706
- acknowledgment 773
- advance registration 2967, 2968
- adviser to person of full age 711
- capacity to make a will 703, 706, 707, 719
- confirmation 709
- content 705
- contestation of an already probated will 773
- curator 711
- definition 704
- destruction 767, 775
- emphyteusis 1195
- form 704, 712-715, 766
- foundation 1258
- general provisions 3109
- holograph 712, 714, 726
- incapacity 708-711
- irregularity 713
- land enclosed 999
- life annuity 2370
- liquidator 778
- loss 767, 775
- made after tutorship of the person of full age 709
- made in the presence of witnesses 712, 714, 727-730

- minor 708
- not produced 774, 775
- notarial 712, 716-725
- partition postponed of the undivided property 1030
- prohibition of renounce his right to make a will 706
- proof 773-775
- protected person of full age 709, 710
- reconstitution 774
- revocability 704
- revocation 706, 763, 765-767, 2450
- right of the State 696
- search 803
- servitude 1181
- spouse 704
- stipulation for another 1448
- stipulation of inalienability 1212
- substitution 1218, 1220, 1252
- third person 775
- trust 1262, 1264, 1293
- tutor 711
- unilateral juridical act 704
- usufruct 1121
- verification 773, 803

Will derived from laws of England: *See* Will made in the presence of witnesses

Will made in the presence of witnesses: *See also* Witness
712, 727-730
- declaration of the testator 727, 729
- destruction, tearing or erasure 767
- irregularity 714, 728
- person unable to read 729
- person unable to speak 730
- revocation 767
- signature 727-729
- verification 772
- writing 727, 728, 730

Window:
994

Witness: *See also* Proof; Proof by testimony; Will made in the presence of witnesses
- act of civil status 113, 119, 121, 125
- option 548, 557, 558, 568
- certificate 2995
- child 2844
- filiation 533
- legacy 760
- notarial act 2819
- notarial will 716-720, 725
- proof by testimony 2844
- solemnization of marriage 365, 369

Work: *See also* Architect; Common work; Construction; Disbursement; Engineer; Immovable; Plantation;

Workman
933, 951
– acquisition 960, 1118
– compensation 959
– demolition 990
– disbursement 958-964
– emphyteusis 1195, 1198, 1203, 1210
– expropriation 1115
– immovable 900, 2117-2124
– land of another 987, 990, 991
– loss 1115
– materials of another 956
– pollution or drying up of the water 982
– presumption of ownership 955
– removal 959, 1116, 1118, 1891
– repair 990
– restoration 959, 961, 962
– right of accession 957
– right of retention 963
– solidity 991
– superficies 1011, 1116-1118

Workman: *See also* **Construction**
– legal hypothec 2726-2728

Writing: *See also* **Authentic act; Private writing; Proof by a writing; Semi-authentic act; Technology-based document**
– burden of proof 2835
– commencement of proof 2865
– contestation 2836
– domestic paper 2833
– neither authentic nor semi-authentic 2832
– proof 2872, 2873
– release 2834
– statement 2872, 2873
– unsigned 2831, 2835

Y

Youth Protection Act:
563, 564, 568, 574

TABLE DE CONCORDANCE

Code civil du Bas Canada
(C.C.B.C.)

Code civil du Québec (1980, c. 39) —
(Q.)

Code civil du Québec
(C.C.Q.)

TABLE OF CONCORDANCE

Civil Code of Lower Canada
(C.C.L.C.)

Civil Code of Québec (1980, c. 39) —
(Q.)

Civil Code of Québec
(C.C.Q.)

TABLE DE CONCORDANCE — C.C.B.C. OU Q. — C.C.Q.
TABLE OF CONCORDANCE — C.C.L.C. OR Q. — C.C.Q.

C.C.B.C./C.C.L.C. Q. (1980, c. 39)	C.C.Q.	C.C.B.C./C.C.L.C. Q. (1980, c. 39)	C.C.Q.
6 al.1, 2	3097	53a	130
6 al.1, 2	3098	53b	130
6 al.2	3078	54	115
6 al.2	3102	55	113
6 al.2	3132	56	5
6 al.3	3084	56	50
6 al.3	3126	56	55
6 al.4	3083	56.1	51
6 al.4	3085	56.2	53
6 al.4	3088	56.3	57
6 al.4	3089	56.3	65
6 al.4	3090	56.4	66
6 al.4	3091	64	121
6 al.4	3093	65	119
6 al.4	3094	65	120
7	137	66	48
7	3109	67	126
7.1	3088	69	47
8	3111	69a	49
8	3112	70	92
8.1	3129	71	93
13	9	71	94
13	3081	72	95
17 (24)	1470	72	129
18	1	72	133
19	10	73	97
19.1	11	73	100
19.2	15	75	141
19.3	12	79	75
19.4	16	80	76
20	19	81	76
20	20	82	79
20	21	83	80
20	24	83	81
20	25	83	171
21	42	84	75
22	44	85	83
22	45	85 al.3	3149
23	46	86	84
23	47	87	86
28	3134	88	87
30	33	89	1309
31	34	90	87
39	107	91	87
40	114	92	90
41	103	93	89
42	105	94	89
42a	107	98	85
44	103	99	85
45	105	100	97
46	108	101	99
47	106	105	617
48	105	107	101
49	106	108	95
50	144	109	89
51	143	110	89

C.C.B.C./C.C.L.C. Q. (1980, c. 39)	C.C.Q.	C.C.B.C./C.C.L.C. Q. (1980, c. 39)	C.C.Q.
116	365	291	1309
118	373	292	209
119	373	292	240
120	373	292	1324
124	373	294	1304
125	373	295	1304
126	373	296a	1304
148	380	296a	1341
149	380	297	213
150	380	297	1305
151	380	298	213
152	380	298	1305
153	380	300	213
154	380	301	638
155	380	303	211
156	380	303	1814
246	153	304	156
247	170	304	159
248	155	304	160
249	178	306	212
249	205	307	212
249	224	308	247
250	206	309	1351
250	225	310	247
251	226	311	248
254	227	312	1364
264	187	313	1368
266	179	314	175
266	181	314	176
266	1361	315	168
266.1	184	317	168
267	222	318	169
267	236	319	172
268	251	320	173
269	190	321	174
269	235	322	173
272	180	323	156
273	180	323	1318
274	180	324	4
275	180	324	153
276	180	325	256
277	180	326	257
278	180	327	258
282	179	328	259
284	179	329	260
285	179	330	261
285	1309	331	262
286	251	331.1	263
287	251	331.2	264
288	254	331.3	265
289	253	331.4	266
290	177	331.5	267
290	188	332	268
290	208	332.1	269
290	1309	332.2	270
290	1310	332.3	270
290	1312	332.4	271
290a	208	332.5	272
290a	1303	332.6	273

C.C.B.C./C.C.L.C. Q. (1980, c. 39)	C.C.Q.	C.C.B.C./C.C.L.C. Q. (1980, c. 39)	C.C.Q.
332.7	274	381	904
332.8	275	383	905
332.9	276	384	905
332.10	277	386 al.2	902
332.11	278	387	906
332.12	279	389	1803
332.12	280	389	2374
333	281	389	2376
333.1	282	389	2384
333.2	283	391	2374
333.3	284	391	2376
334	285	393	1803
334.1	286	394	2383
334.2	287	394	2384
334.3	288	396	401
334.4	289	399	915
334.5	290	400	918
335	291	400	919
335.1	292	401	914
335.2	293	401	935
335.2	1815	401	936
335.3	294	405	911
336	295	406	947
336.1	296	407	952
336.3	297	408	948
340	170	408	949
345	192	408	954
348a	3085	408	984
348a	3101	409	949
352	298	409	984
352	314	410	949
353	299	410	1129
356	300	411	931
357	305	412	932
358	303	413	948
359	338	414	951
360	312	414	1011
360	321	414	1110
360	335	415	955
361	310	415	1011
361	335	415	1110
363	309	416	956
364	303	417	933
365	189	417	957
365	304	417	958
366	303	417	959
366a	303	417	962
367	303	418	957
368	355	418	960
369	355	419	963
370	355	420	965
371	363	421	966
374	899	423	967
375	900	424	968
376	900	425	968
377	900	426	969
378	900	427	970
379	903	428	989
380	903	429	92

C.C.B.C./C.C.L.C. Q. (1980, c. 39)	C.C.Q.	C.C.B.C./C.C.L.C. Q. (1980, c. 39)	C.C.Q.
429	971	442*e*	1089
429	973	442*e*	1096
429	975	442*f*	1096
434	973	442*f*	1097
435	972	442*f*	1100
436	973	442*g*	1102
437	973	442*h*	1098
438	973	442*i*	1087
441	974	442*j*	1072
441*b*	1010	442*k*	2729
441*b*.1	1040	442*k*	2800
441*c*	1047	442*l*	1067
441*d*	1046	442*l* al.1	1066
441*e*	1048	442*n*	1050
441*f*	1043	442*o*	1108
441*f*	1044	442*p*	1109
441*g*	1045	442*q*	1040
441*h*	1063	443	1120
441*j*	1051	443	1124
441*k*	1064	444	1121
441*l*	1041	447	910
441*l*	1053	447	1124
441*l*	1054	447	1126
441*l*	1055	448	910
441*m*	1059	449	910
441*m*	1060	450	1129
441*m*	1062	451	1130
441*n*	1062	451	1349
441*o*	1056	452	1127
441*p*	1049	454	1128
441*p*	1056	455	1139
441*q*	1084	455	1140
441*q*	1300	456	1139
441*r*	1085	457	1135
441*r*	1309	458	1124
441*s*	1358	460	1141
441*t*	1105	462	1125
441*t*	1351	462	1137
441*t*	1353	463	1124
441*t*	1361	463	1142
441*t*	1363	464	1144
441*u*	1085	465	1145
441*u*	1319	466	1147
441*v*	1039	467	1146
441*v*	1081	468	1151
441*v*	1085	469	1152
441*w*	1076	470	1160
441*x*	1076	471	1154
441*x*.1	1082	471	1349
441*y*	1081	472	825
441*z*	1077	473	1155
442	1078	474	1156
442*a*	1073	474	1157
442*a*	1331	475	1158
442*b*	1087	476	1159
442*c*	1053	478	1161
442*c*	1054	479	1123
442*c*	1087	479	1162
442*d*	1090	479	1163

C.C.B.C./C.C.L.C. Q. (1980, c. 39)	C.C.Q.	C.C.B.C./C.C.L.C. Q. (1980, c. 39)	C.C.Q.
480	1168	556	1187
481	1123	557	1186
482	1123	558	1186
482	1165	559	1194
483	1125	560	1194
485	1163	561	1191
487	1172	562	1191
488	1176	563	1192
489	1176	564	1193
490	1176	567	1195
491	1176	567.1	1196
492	1176	568	1197
493	1172	568.1	1198
494	1173	569	1195
497	1173	569	1200
498	1175	569.1	1200
499	1177	570	1200
500	1181	571	1199
501	979	572	1206
502	980	573	1206
503	981	574	1207
504	978	575	1202
505	1002	576	1205
510	1003	577	1203
512	1006	578	1204
513	1006	579	1208
514	1005	580	1211
515	1007	581	1210
516	1007	582	1210
517	1008	583	916
518	1004	584	914
519	1005	584	934
520	1002	584	935
523	1003	584	936
524	1003	585	913
525	1003	586	938
527	1003	587	934
529	985	587	935
530	1003	588	934
531	986	588	935
533	996	589	935
534	995	589	939
535	995	590	935
536	993	590	939
538	994	591	935
539	983	592	939
540	997	593	939
541	998	593	946
542	998	594	939
543	999	597	613
544	1001	597	619
547	1179	597	738
548	1180	598	618
549	1181	598	653
551	1183	599	614
552	1177	600	613
553	1184	601	613
554	1184	603	616
555	1185	606	653

C.C.B.C./C.C.L.C. Q. (1980, c. 39)	C.C.Q.	C.C.B.C./C.C.L.C. Q. (1980, c. 39)	C.C.Q.
607	625	646	642
607.1	684	647	641
607.2	685	648	635
607.3	686	649	635
607.4	687	650	636
607.5	688	650a	615
607.6	689	651	646
607.7	690	652	647
607.8	691	653	647
607.9	692	654	664
607.10	693	655	652
607.11	694	656	648
608	617	657	649
610	620	658	631
610	621	659	651
611	620	661	2970
611	621	663	790
612	628	664	632
613	660	665	644
614	653	666	632
615	656	666	634
616	657	667	633
616	658	668	634
616 al.1	656	669	633
617	657	669	648
618	659	670	651
619	660	672	802
620	661	672	804
621	662	673	802
622	663	676	795
623	665	676	808
624	660	676a	805
624	664	677	821
624a	671	678	821
624b	666	679	815
624b	672	680	816
624b	673	681	792
624c	654	684	697
625	667	685	697
625	668	686	698
626	674	687	701
627	675	688	699
628	677	689	837
629	679	689	843
629	680	689	845
630	614	689	1030
631	674	689	1031
632	674	691	847
633	676	693	838
634	678	697	855
635	682	697	862
635	683	697	863
636	653	698	862
636	696	698	863
640	702	700	879
641	630	701	871
643	638	702	850
644	645	703	852
645	637	704	852

C.C.B.C./C.C.L.C. Q. (1980, c. 39)	C.C.Q.	C.C.B.C./C.C.L.C. Q. (1980, c. 39)	C.C.Q.
705	853	758	1839
705	854	760	757
706	854	762	1820
707	850	763	172
710	848	763 al.1	1813
711	865	763 al.3	1315
711	866	765	1814
712	867	772	1840
713	867	773	1816
716	868	776	1824
718	869	777 al.1, 6	1807
722	878	777 al.3	1281
723	869	778	1819
724	870	778 al.1	1818
725	870	780	1823
726	870	781	1823
727	876	782 al.1	1822
728	870	783	1822
729	874	784	1821
730	874	789	1815
731	870	790	1814
731	877	792	1814
732	875	795	1806
733	861	796 al.1	1826
733	873	796 al.2	1827
734	861	797	1823
734	873	797	1830
735	823	798	1823
735	827	799	1830
735.1	809	800	1823
736	823	801	1823
737	823	802	1823
739	818	804	1824
740	829	804 al.2	2970
741	829	805	1824
742	830	806	1824
743	780	807	1824
744	780	808	1824
745	864	809	1824
746	884	810	1824
746	1037	811	1836
747	885	813	620
748	889	813	621
748	891	813	1836
749	892	814	1837
749	893	815	1838
750	890	817	1839
751	895	818	1840
751	896	819	1840
752	897	820	812
753	898	820	1840
754	763	821	1814
754	1806	822	1839
755	1806	823	706
756	704	823	1841
757	1808	831	703
757	1819	833	708
758	1808	834	709
758	1819	834	710

C.C.B.C./C.C.L.C. Q. (1980, c. 39)	C.C.Q.	C.C.B.C./C.C.L.C. Q. (1980, c. 39)	C.C.Q.
834	711	882	762
835	707	883	762
836	618	884	828
837	617	885	812
838	617	885	814
838	1279	886	813
840	737	886	827
841	704	887	780
842	712	888	745
842	841	889	831
843	716	890	748
843	717	891	625
843	718	891	739
844	716	891	744
844	725	892	765
845	723	892	767
845	725	892	769
846	759	893	620
846	760	893	621
847	721	894	768
847	722	895	766
849	712	895	768
850	726	896	770
851	727	897	769
852	729	898	706
852	730	898	715
854	726	899	705
854	728	900	750
855	713	901	750
857	772	902	747
858	772	903	751
859	773	904	750
860	767	905	786
860	774	907	783
861	774	908	783
862	775	909	783
863	731	910	753
864	613	910	784
864	736	910	789
865	752	910	790
868	755	910	1300
868	756	910 al.5	1324
869	1256	912	1332
869	1258	913	787
869	1270	913	1332
871	743	913	1337
872	737	913	1353
873	732	914	789
873	733	914	1367
873	734	915	1301
873	735	917	791
874	741	917	1360
875	625	918	777
876	824	918	1327
877	833	918	1363
878	625	918 al.4	1351
880	781	919	794
880	826	919	803
881	762	919	804

C.C.B.C./C.C.L.C. Q. (1980, c. 39)	C.C.Q.	C.C.B.C./C.C.L.C. Q. (1980, c. 39)	C.C.Q.
919	1301	966	1249
919	1324	966	1250
919 al.1	1324	967	1318
919 al.7	1302	968	1212
920	1361	969	1212
921	778	970	1212
922	200	971	1212
923	786	976	1220
924	788	979	749
925	1218	981	1214
926	1218	981a	1260
926	1252	981a	1262
927	1219	981a	1267
929	1218	981a	1276
929	1242	981a	1279
930	1252	981b	1260
930	1253	981b al.2	1296
930	1254	981c	1276
931	1230	981c	1277
932	1221	981d	1360
932	1271	981e	1361
933	1222	981f	1332
933	1252	981g	1300
935	1255	981g	1367
935 al.2	1282	981h	1357
937	749	981i	1319
937	1252	981j	1278
938	1218	981j	1307
942	1238	981j	1319
944	1223	981k	1309
945	1238	981k	1343
945	1239	981l	1297
946	1224	981l	1363
946	1236	981l	1366
946	1238	981m	1292
947	1226	981m	1290
947	1230	981m	1334
947	1247	981m	1353
948	1230	981m	1363
949	1229	981n	1364
949a	1228	981o	1230
950	1229	981o	1339
950	1233	981o	1340
951	1229	981o	1342
952	1232	981p	1342
952	1246	981q	1230
953	1229	981r	1341
953a	1229	981s	1342
955	1237	981t	1343
955	1238	981u	1343
956	1235	981v	1304
957	1252	982	1371
958	1248	983	1372
960	1234	984	1385
961	1240	985	4
962	1243	985	1409
963	1240	986	154
964	1297	986	155
965	1244	986	1409

C.C.B.C./C.C.L.C. Q. (1980, c. 39)	C.C.Q.	C.C.B.C./C.C.L.C. Q. (1980, c. 39)	C.C.Q.
986	1813	1033	1631
986 al.3	1398	1034	1633
987	256	1035	1632
987	1420	1036	1632
988	1386	1038	1632
989	1410	1039	1634
990	1411	1040	1635
991	1399	1040a	2757
992	1400	1040a	2758
993	1401	1040a et suivant	1743
994	1402	1040a et suivant	1749
995	1402	1040a et suivant	1751
996	1402	1040b	2758
997	1403	1040b al.1	2761
998	1403	1040b al.1	2781
999	1404	1040b al.2	2762
1000	1407	1040c	2332
1000	1416	1040d	1756
1001	1405	1041	1482
1002	163	1043	1482
1003	165	1043	1484
1004	164	1043 al.2	1489
1005	156	1044	1484
1005	1318	1045	1484
1007	164	1046	1319
1008	166	1046	1486
1009	162	1047	1492
1010	1318	1047 al.1	1491
1011	1406	1047 al.1	1700
1011	1706	1048	1491
1012	1405	1049	1492
1013	1425	1050	1492
1014	1428	1050	1701
1015	1429	1051	1492
1016	1426	1051	1701
1017	1426	1052	1492
1018	1427	1052	1703
1019	1432	1053	1457
1020	1431	1053	1462
1021	1430	1054 al.1	1457
1022 al.1, 2	1433	1054 al.1	1465
1022 al.2	1453	1054 al.2, 6	1459
1022 al.3	1439	1054 al.3, 5, 6	1460
1023	1440	1054 al.4, 6	1461
1024	1434	1054 al.7	1463
1025	1453	1054.1	1461
1026	1453	1055 al.1, 2	1466
1027 al.1	1455	1055 al.3	1467
1027 al.2	1454	1056b al.4	1609
1027 al.2	2919	1056c al.1	1618
1028	886	1056c al.2	1619
1028	1441	1057	1372
1028	1443	1058	1373
1029	1444	1060	1374
1029	1446	1061 al.1	631
1030	1441	1061 al.1	1374
1030	1442	1062	1373
1031	1627	1065	1458
1032	1631	1065	1590

C.C.B.C./C.C.L.C. Q. (1980, c. 39)	C.C.Q.	C.C.B.C./C.C.L.C. Q. (1980, c. 39)	C.C.Q.
1065	1601	1112	1530
1065	1602	1112	1539
1065	1604	1113	1685
1066	1603	1114	1532
1067	1594	1115 al.1, 2	1533
1067	1595	1115 al.3	1535
1068	1597	1116	1534
1070	1597	1117	1536
1071	1470	1118	2360
1072	1470	1118 al.1	1536
1073	1611	1118 al.2	1538
1074	1613	1119	1538
1075	1607	1120	1537
1075	1613	1121	1519
1076	1618	1122	1519
1077	1600	1122	1522
1077	1617	1122	1540
1078	1620	1123	1519
1078.1 al.1	1618	1124	1519
1078.1 al.2	1619	1125	1521
1079 al.1	1497	1126	1520
1079 al.2	1498	1127	1520
1080	1499	1129	1520
1081	1500	1131	1622
1082	1501	1133	1622
1083	1502	1135	1623
1084	1503	1136	1624
1085	1505	1137	1625
1085	1506	1138	1517
1086	1504	1138	1671
1087	1507	1139	1553
1088	1506	1140	1554
1088	1507	1141	1555
1089	1508	1142	1555
1090	1513	1143	1556
1091	1511	1144	1557
1092	1514	1145	1559
1093	1545	1145	1643
1093	1547	1146	1558
1094	1546	1147	1560
1095	1545	1148	1561
1096	1548	1149	2332
1097	1549	1149 al.1	1561
1098	1550	1150	1562
1099	1551	1151	1563
1100	1541	1152	1566
1100	1542	1153	1567
1101	1543	1154	1651
1101 al.2	1666	1154	1652
1101 al.2	1678	1155 (1)	1654
1101 al.2	1685	1155 (2)	1655
1101 al.2	1690	1156	1656
1103	1523	1157	1657
1104	1524	1157	1658
1105	1525	1158	1569
1106	1526	1159	1570
1107	1528	1160	1571
1108	1529	1161	1572
1109	1527	1162 (*in limine*)	1573

C.C.B.C./C.C.L.C. Q. (1980, c. 39)	C.C.Q.	C.C.B.C./C.C.L.C. Q. (1980, c. 39)	C.C.Q.
1162 al.1	1588	1204	2860
1162 al.2	1583	1205	2811
1162 al.2	1586	1207	107
1163	1573	1207	144
1163	1574	1207	2812
1164	1577	1207	2813
1165	1577	1207	2815
1165 al.3	1581	1208	2814
1165 al.3	1582	1208	2819
1166	1584	1208 al.5	3110
1167	1585	1210	2818
1169	1660	1210	2819
1171	1661	1211	2821
1172	1660	1212	1451
1173	1667	1212	1452
1174	1667	1214	1423
1175	1668	1215	2815
1176	1662	1215	2820
1177	1663	1216	2817
1178	1664	1216	2820
1179	1665	1217	2816
1180	1663	1218	2816
1180	1669	1219	2816
1180 al.2	1670	1220	137
1181 al.1	1688	1220	2822
1181 al.2	1689	1220 (5)	2823
1182	1691	1220 (7)	2824
1183	1689	1221	2826
1184	1690	1222	2829
1185 al.3	1692	1223	2828
1186	1692	1224	2828
1187	1672	1225	2830
1188 al.1	1673	1226	2830
1188 al.2	1672	1227	2833
1189	1675	1228	2834
1190	1676	1229	2834
1191 al.1, 2	1679	1233	775
1191 al.3	1678	1233	2861
1192	1680	1233	2862
1193	1674	1234	2863
1195	1677	1236	2862
1196	1681	1238	2846
1197	1682	1239	2847
1198	1683	1240	2866
1199	1684	1241	2848
1200	1600	1242	2849
1200 al.1, 2	1693	1243	2853
1202	1600	1244	2867
1202	1693	1245	2852
1202	1694	1472	1708
1202a	1695	1472 al.2	1453
1202b	1695	1472 al.2	1455
1202c	1695	1473	1377
1202f	1696	1475	1744
1202g	1696	1476	1712
1202h	1697	1477	1711
1202i	1698	1478	1710
1203	2803	1479	1734
1204	2804	1484	1310

C.C.B.C./C.C.L.C. Q. (1980, c. 39)	C.C.Q.	C.C.B.C./C.C.L.C. Q. (1980, c. 39)	C.C.Q.
1484	1312	1560	1755
1484	1709	1564	1758
1484	2147	1567	1759
1485	1783	1567	1762
1487	1713	1568	1765
1488	1713	1569a	1767
1488	1714	1569b	1768
1489	1714	1569c	1776
1490	1714	1569d	1771
1491	1716	1569d	1773
1493	1717	1569d	1776
1495	1722	1569e	1778
1497	1721	1570	1637
1498	1718	1571	1641
1499	1718	1571	2710
1500	1720	1571a	1641
1500	1737	1571a	2710
1501	1737	1571b	1641
1502	1737	1571b	2710
1503	1720	1571c	2710
1506	1716	1571d	1642
1507	1716	1571d	2710
1507	1732	1571d	2711
1508	1723	1572	1643
1509	1732	1573	1647
1510	1639	1573	2709
1510	1733	1574	1638
1512	1726	1575	1638
1516	1713	1576	1639
1520	1738	1577	1640
1522	1726	1578	2710
1523	1726	1579	1779
1524	1733	1580	1780
1527	1728	1581	1781
1528	1728	1582	1784
1529	1727	1583	1782
1530	1081	1584	1784
1530	1739	1585	1758
1531	1731	1586	1758
1532	1734	1586	1766
1533	1734	1587	1758
1534	1735	1587	1766
1536	1742	1588	1758
1537	1742	1589	1758
1537	1743	1590	1758
1544	1740	1591	1758
1545	1750	1592	1800
1546	1750	1593	1802
1546	1751	1593	1805
1547	1752	1593	2368
1548	1753	1594	1802
1549	1753	1594	1805
1551	1753	1594	2368
1552	1751	1595	1804
1555	1754	1595	2368
1556	1755	1596	1795
1557	1755	1597	1796
1558	1755	1598	1797
1559	1755	1599	1798

C.C.B.C./C.C.L.C. Q. (1980, c. 39)	C.C.Q.	C.C.B.C./C.C.L.C. Q. (1980, c. 39)	C.C.Q.
1600	1851	1650.4	1893
1601	1851	1650.4	1937
1602	1851	1650.5	1940
1603	1842	1651	1057
1604	1854	1651	1894
1605	1864	1651.1	1895
1606	1854	1651.2	1896
1607	1856	1651.3	1897
1608	1859	1651.4	1898
1609	1858	1651.5	1903
1610	1863	1651.5	1904
1611	1863	1651.6	1903
1612	1867	1651.7	1908
1613	1867	1652	1910
1614	1867	1652.1	1911
1614	1869	1652.2	1912
1615	1869	1652.3	1911
1616	1867	1652.4	1912
1617	1855	1652.5	1920
1618	1856	1652.6	1866
1619 al.1	1870	1652.7	1978
1619 al.2	1871	1652.8	1913
1619 al.3	1872	1652.9	1915
1620	1874	1652.9	1975
1621	1862	1652.10	1916
1622	1857	1652.11	1917
1623	1890	1653	1922
1624	1891	1653.1	1923
1625	1865	1653.1.1	1924
1626	1865	1653.1.2	1925
1627	1864	1653.1.2	1927
1628	1863	1653.1.3	1926
1629	1877	1653.1.3	1927
1630	1877	1653.1.4	1927
1630	1882	1653.1.5	1928
1631	1882	1653.2	1929
1632	1884	1653.3	1911
1633	1883	1653.4	1868
1634	1853	1653.4	1869
1635	1859	1653.5	1933
1635	1860	1654	1930
1636	1859	1654.1	1931
1636	1861	1654.2	1932
1641	1879	1654.3	1932
1642	1881	1654.4	1934
1643	1862	1655 al.1	1870
1644	1868	1655 al.2	1871
1645	1857	1655 al.3	1872
1645	1885	1655.1	1875
1646	1886	1655.2	1981
1646	1887	1656	1863
1647	1886	1656	1907
1647	1887	1656.1	1909
1648	1889	1656.2	1973
1649	1888	1656.3	1918
1650	1892	1656.4	1971
1650.1	1892	1656.5	1883
1650.2	1892	1656.6	1973
1650.3	1892	1657	1936

C.C.B.C./C.C.L.C. Q. (1980, c. 39)	C.C.Q.	C.C.B.C./C.C.L.C. Q. (1980, c. 39)	C.C.Q.
1657.1	1937	1662.1	1985
1657.2	1938	1662.2	1985
1657.3	1938	1662.3	1986
1657.4	1939	1662.4	1987
1657.5	1940	1662.5	1987
1658	1941	1662.6	1989
1658.1	1942	1662.7	1990
1658.1	1943	1662.8	1992
1658.2	1944	1662.9	1993
1658.3	1944	1662.10	1994
1658.4	1946	1662.11	1995
1658.5	1945	1662.12	1995
1658.6	1947	1663	1996
1658.7	1948	1663.1	1998
1658.8	1942	1663.2	1998
1658.8	1946	1663.3	1999
1658.9	1948	1663.4	1997
1658.9	1969	1663.5	2000
1658.9	1977	1664	1893
1658.10	1950	1664.1	1910
1658.11	1950	1664.2	1905
1658.12	1951	1664.3	1906
1658.13	1906	1664.4	1900
1658.13	1949	1664.5	1900
1658.14	1950	1664.6	1900
1658.15	1953	1664.7	1898
1658.16	1952	1664.8	1998
1658.17	1953	1664.9	1900
1658.18	1953	1664.10	1901
1658.18	1954	1664.11	1901
1658.19	1954	1665	1899
1658.20	1953	1665.1	1079
1658.21	1955	1665.1	1904
1658.22	1956	1665.2	1904
1659	1957	1665.3	1913
1659 al.2	1958	1665.4	1921
1659.1	1961	1665.5	1919
1659.1 al.1	1960	1665.6	1935
1659.2	1962	1665a	2030
1659.3	1963	1665a	2085
1659.4	1964	1666 (2)	2030
1659.5	1969	1666 (3)	2098
1659.6	1970	1667	2086
1659.7	1967	1667 al.1	2085
1659.8	1968	1667 al.2	2090
1660	1959	1668 al.1, 2	2093
1660.1	1961	1668 al.3	2091
1660.1 al.1	1960	1670	1377
1660.2	1966	1671a	944
1660.3	1966	1671a	945
1660.4	1965	1671b	944
1660.5	1969	1671b	945
1660.5	1970	1673	2033
1661	1974	1674	2040
1661.1	1972	1675	1308
1661.2	1975	1675	2038
1661.4	1976	1675	2049
1661.5	1982	1677	944
1662	1984	1677	945

C.C.B.C./C.C.L.C. Q. (1980, c. 39)	C.C.Q.	C.C.B.C./C.C.L.C. Q. (1980, c. 39)	C.C.Q.
1677	2038	1716	1489
1677	2053	1716	2157
1678	2034	1717	1320
1679	2058	1717	2158
1680	2050	1718	1321
1683	2103	1718	2145
1684	2115	1718	2153
1685	2115	1718	2158
1686	2115	1719	1321
1687	2114	1719	2145
1688	2118	1720	2152
1689	2121	1721	1362
1690	2109	1722	2150
1691	2125	1722 al.2	2155
1691	2129	1723	1369
1692	2128	1723	2150
1693	2129	1724	2151
1694	2127	1725	2154
1701	2130	1726	1370
1701 al.2	2132	1726	2156
1701.1	2131	1727	1320
1702	1300	1727	2160
1702	2133	1728	1362
1703	1305	1728	2162
1703	2135	1729	1362
1704	2136	1729	2162
1705	2137	1730	1323
1706	1310	1730	2163
1706	1312	1731	1322
1706	2147	1731	2164
1707	1318	1731.1	2166
1709	1251	1731.2	2167
1709	2138	1731.3	2166
1709	2182	1731.4	2168
1710	1309	1731.5	2169
1710	1318	1731.6	2170
1710 al.1	2138	1731.7	2171
1710 al.2	2148	1731.8	2172
1711	1337	1731.9	2173
1711	1338	1731.11	2174
1711	2141	1738	3116
1711 al.1	2161	1755	1355
1712	1334	1755	1356
1712	1363	1755	2175
1712	2144	1756	1360
1713	1363	1756	2176
1713	1366	1756.1	2177
1713	1367	1757	2180
1713	1369	1758	2181
1713	2184	1759	1357
1713	2185	1759	1359
1714	1366	1759	2178
1714	1368	1760	1362
1714	2146	1760	2152
1714	2184	1761	1361
1715	1319	1761	1362
1715	1489	1761	2183
1715	2157	1762	2312
1716	1319	1763	2313

C.C.B.C./C.C.L.C. Q. (1980, c. 39)	C.C.Q.	C.C.B.C./C.C.L.C. Q. (1980, c. 39)	C.C.Q.
1766 al.1	2317	1815	2299
1766 al.2	2318	1815	2301
1767	2322	1815	2304
1768	2323	1816a al.1	2302
1769	1308	1816a al.2, 3, 4	2303
1769	2322	1818	2305
1770	2324	1820	2306
1771	2320	1821	2309
1772	1334	1823	2311
1772	2326	1827	2311
1773	2319	1830	2186
1774	2319	1831 al.1	2201
1775	2320	1831 al.2, 3	2203
1776	2321	1832	2187
1776	2328	1833	2228
1777	2314	1834	306
1778	2327	1834	307
1779	2329	1834	308
1780	2329	1834	2189
1781	2327	1835	2195
1781	2328	1835 in fine	2194
1782	2314	1836	2257
1783	1512	1837	2189
1783	2319	1837	2257
1785	1565	1839 al.1	2198
1785	2330	1839 al.2	2199
1786	1565	1840 al.1	2198
1786	2331	1841	2198
1787	2367	1842	2204
1788	2370	1843	2206
1789	2376	1844	2207
1790	2386	1846	2199
1792	2387	1847	2205
1795	2280	1848	2202
1796	2280	1849	2213
1797	2281	1850	2214
1801	1318	1851	2212
1801	2282	1851	2208
1802	1309	1851	2215
1802	2283	1851 (1)	1335
1803	1314	1852	2217
1803	2283	1853	2209
1804	1308	1854	2221
1804	2286	1854	2254
1805	1308	1855	2219
1805	2289	1856	2219
1806	2288	1857	2188
1807	2287	1864	2188
1808	2284	1865	2189
1809	1365	1865 in fine	2221
1809	2291	1866	2212
1809	2292	1867	2220
1810	2285	1868	2223
1812	1367	1869	2222
1812	1369	1870	2188
1812	2293	1871	2189
1813	2295	1872	2236
1814	2298	1873	2236
1815	2298	1873	2240

C.C.B.C./C.C.L.C. Q. (1980, c. 39)	C.C.Q.	C.C.B.C./C.C.L.C. Q. (1980, c. 39)	C.C.Q.
1874	2240	1910	2381
1875	2246	1911	2377
1876	2236	1912	2383
1876	2238	1913	2381
1877	306	1914	2387
1877	307	1915	2388
1877	308	1918	2631
1877	2189	1920	2633
1877	2190	1921	1377
1878	2189	1921	2634
1879	308	1922	2635
1879	2194	1923	2635
1880	2196	1924	2636
1881	2239	1925	2637
1882	2243	1926.1	2638
1883 al.1	2197	1926.2	2639
1883 al.2	2247	1926.3	2640
1883.1	2237	1926.4	2641
1885	2241	1926.5	2642
1886	2242	1926.6	2643
1887	2244	1927	2630
1887 al.1	2218	1928	2629
1887 al.1	2273	1929	2333
1888	2238	1930	2334
1888a	2248	1931	2346
1889	2188	1932	2340
1891	2188	1933 al.1, 3	2341
1892	2230	1933 al.2	2342
1892	2258	1934	2336
1892	2226	1935	2335
1894	2226	1935	2343
1894	2259	1936	2344
1895	2228	1937	2361
1895	2260	1937	2364
1896	2229	1938	2337
1896	2230	1940	2337
1896	2261	1941	2346
1896a	2235	1941	2347
1896a	2266	1941	2352
1896a al.1	2264	1942	2348
1897	2233	1943	2348
1897	2262	1944	2348
1898	2235	1945	2349
1899	2221	1946 al.1	2349
1899	2235	1946 al.2	2350
1899	2246	1947	2351
1900	2234	1948	2356
1900	2263	1949	2356
1901	2370	1952	2358
1902	2372	1953	2359
1903	2374	1953 (5)	2362
1903	2376	1954	2362
1903 al.1	2371	1955	2360
1904	2369	1958	2353
1905	2373	1959	1531
1906	2373	1959	2365
1907	2386	1960	2366
1908	2387	1961	2354
1909	2383	1961	2359

C.C.B.C./C.C.L.C. Q. (1980, c. 39)	C.C.Q.	C.C.B.C./C.C.L.C. Q. (1980, c. 39)	C.C.Q.
1962	2334	2013	2952
1963	2338	2013a	2726
1964	2347	2013c	2952
1965	2347	2013d	2122
1966 al.1	2702	2013d	2726
1966 al.2	2681	2013d	2727
1967	2737	2013d	2728
1968	2665	2013d, e, f	2123
1970	2703	2013e	2726
1970	2705	2013e	2727
1970	2798	2013e	2728
1971	2747	2013f	2726
1972	2736	2013f	2727
1973 al.1	2739	2013f	2728
1973 al.2	2740	2015	2655
1974	2737	2016	2660
1974	2743	2016	2665
1975	2741	2016	2751
1976	2662	2017 al.1	2662
1976	2742	2017 al.2	2671
1979a	2684	2017 al.3	2667
1979b	2696	2017 al.4	2661
1979b	2697	2017 al.4	2669
1979b al.2	2970	2018	2664
1979c	2757	2019	2664
1979c	2758	2020	2664
1979c	2784	2021	1021
1979c	2789	2021	2679
1979e	2684	2022	2660
1979f	2696	2022	2665
1979f	2697	2024	2724
1979g al.1	2970	2025	2725
1979i	2757	2026	2725
1979i	2758	2026	2730
1979i	2784	2030	242
1979j	2789	2031	242
1980	2645	2031	243
1981	2644	2031.1	245
1981	2646	2034	2724
1982	2647	2034	2730
1983	2650	2036 al.3	2731
1984	2657	2037	2681
1985	2657	2038	2669
1986	1658	2038	2682
1987	1659	2040	2693
1988	1646	2042	2694
1992	2652	2043	2670
1994	2651	2043	2948
1995	2652	2044	2689
1996	2652	2046	2687
1998	1741	2048	2956
1999	1741	2049 al.1	2753
2000	1741	2049 al.2	2754
2006a	2724	2051	2658
2008	2658	2051	2680
2009	2651	2052	1646
2013	2724	2052	1658
2013	2726	2052	1659
2013	2728	2053	2733

C.C.B.C./C.C.L.C. Q. (1980, c. 39)	C.C.Q.	C.C.B.C./C.C.L.C. Q. (1980, c. 39)	C.C.Q.
2054	2734	2109	2938
2055	2734	2109	2961
2056	2751	2110	2938
2057	2735	2110	2998
2057	2748	2111	2967
2058	2748	2111	2968
2059	2752	2112	2967
2061	2763	2112	2968
2072	2770	2116a	2938
2073	2771	2116b	2938
2074	2760	2117	242
2075	2763	2118	242
2075	2764	2120a	2949
2075	2765	2121	2725
2075	2769	2121	2730
2076	2769	2121	2938
2077	2764	2122	2959
2078	2772	2123	2959
2079	2761	2124	2959
2080	2761	2125	2960
2080	2945	2125a	2960
2081	2659	2126	2938
2081 (1), (6)	2795	2126	2970
2081 (3)	1686	2127	2956
2081 (5)	2797	2127 al.1, 2, 3	3003
2081 (6)	2794	2127 al.4	3004
2081a	2798	2127 al.5	3014
2081a	2799	2129a	2997
2081a al.2	3060	2129b	2935
2082	2941	2129d	3040
2083	2941	2129g	2976
2083	2948	2129g	3035
2084	2655	2129h	3040
2084 (2)	3013	2129i	3040
2085	2963	2129k	2978
2086	2964	2129l	2979
2087	2935	2129l al.1	3036
2089	2946	2129p	3071
2091	2958	2129q	2977
2092	2970	2129q	3024
2092	2982	2130 al.3, 5	2945
2095	2957	2130 al.4, 5	2947
2098	1455	2130 al.6	2663
2098 al.1, 4, 5	2938	2131	2982
2098 al.4, 5, 6	2998	2131 al.3	2937
2098 al.4, 5	2999	2131 al.3	2942
2098 al.7	2670	2131 al.5	2995
2098 al.7	2948	2132 al.1	3007
2098 al.7	3013	2132 al.1	3008
2100	2948	2132 al.2, 3	2945
2101 al.1	2938	2134	3011
2102	1742	2134 al.1	3007
2102	1743	2134 al.1	3008
2102	1750	2136	2986
2102	2939	2136	3007
2103 (3), (4)	3061	2136 al.2	2945
2108	2938	2138	2987
2108	2939	2138a	2987
2108	2961	2139	3005

C.C.B.C./C.C.L.C. Q. (1980, c. 39)	C.C.Q.	C.C.B.C./C.C.L.C. Q. (1980, c. 39)	C.C.Q.
2140	2985	2173.4	3056
2145	3007	2173.6	3042
2145	3011	2173.7	2996
2148 al.1	3057	2174	3021
2148 al.1	3059	2174	3043
2148 al.1	3073	2174a	3043
2148 al.2, 4	3065	2174b al.1	3043
2148.1	3062	2174b al.4	3045
2149	3057	2175	3029
2150	3063	2175 al.1, 2	3043
2151 al.3	3068	2175 al.3	3030
2151 al.4, 5	3067	2177	3019
2152	3057	2178	3019
2153	3073	2179	2971
2155	3000	2180 al.1	3007
2156	3000	2180 al.2	3012
2157	3069	2182	3021
2158	2970	2183	2875
2158	2982	2183 al.2	2910
2159	3008	2183 al.3	2921
2160 al.1	3024	2184	2883
2160 al.2	3025	2185	2885
2160.1 al.2	3012	2186	2886
2161	2969	2187	2887
2161 (2), (6)	2972	2188	2878
2161 (3)	2945	2189	3131
2161 (6)	2976	2190	3131
2161 (6)	3024	2191	3131
2161b	3022	2192	921
2161c al.1	3022	2193	922
2161c al.2, 3	3023	2194	921
2161d	3000	2195	923
2161d	3069	2196	924
2161e	3017	2198	926
2161g	3069	2199	925
2161h	3069	2200	925
2161h al.2	3070	2200	2912
2161i	3001	2201 al.1	2876
2161i	3070	2202	2805
2161k	3070	2203 al.1	2913
2164	3024	2203 al.3	2933
2166	3027	2204	2913
2166	3029	2204	2933
2167	3027	2205	2914
2168 al.1	3032	2206	2915
2168 al.1	3037	2207 al.1, 6	2916
2168 al.3	3033	2208	2914
2169	3028	2216	916
2169	3032	2216	936
2170	2972	2220	916
2170	3028	2221	916
2171	2972	2222	2889
2171	3007	2223	2890
2173.2	3030	2224 al.1, 4, 6	2892
2173.2	3054	2224 al.2	2896
2173.2 al.3	3033	2224 al.3	2897
2173.3 al.1, 2	3055	2224 al.5	2893
2173.3 al.3, 4	3056	2226	2894
2173.4	3055	2227	2898

C.C.B.C./C.C.L.C. Q. (1980, c. 39)	C.C.Q.	C.C.B.C./C.C.L.C. Q. (1980, c. 39)	C.C.Q.
2228	2899	2423	2021
2230 al.1	2900	2423	2063
2230 al.3	2901	2424	2017
2230 al.3	2902	2424	2064
2231 al.1	2900	2425	2017
2231 al.3	2901	2425	2064
2231 al.4	2902	2426	2017
2232	2877	2427	2017
2232 al.1	2904	2427	2023
2232 al.2	2905	2428	2061
2233	2906	2437	2002
2233a	2908	2439	2024
2236	2880	2440	2019
2237 al.1	2907	2442	2019
2239	2909	2443	2002
2240	1509	2444	2019
2240	2879	2445	2019
2242	626	2445	2028
2242	894	2453	2003
2242	2917	2468	2389
2242	2922	2469	2389
2246	930	2470	2390
2246	2882	2471	2391
2251	2918	2472	2392
2253	2920	2473	2393
2255	2903	2474	2394
2258	2927	2475 al.1	2395
2260a	2926	2475 al.2	2396
2261.1	2906	2476	2398
2261.2	2928	2477	2399
2262 (1)	2929	2478	2400
2264	2888	2480	2399
2264	2903	2481	2402
2265	2924	2482 al.1	2403
2266	2931	2482 al.2	2405
2267	2878	2483	2406
2268	930	2484	2407
2268	2880	2485	2408
2268 al.1	939	2486	2409
2268 al.1, 2	2919	2486 al.2	2408
2268 al.6	927	2487	2410
2374	2714	2488	2411
2385	2003	2489	2412
2391	2007	2491	2413
2407	2001	2493	2397
2410	2028	2494	1608
2410	2029	2496	3119
2410	2078	2497	3119
2411	2028	2498	3119
2411	2029	2499	1432
2412	2028	2500	2414
2414	2001	2500	3119
2415	2001	2501	2415
2420	2041	2502	2416
2420	2042	2502 al.2	2404
2421	2043	2503	2417
2421	2044	2504	2417
2422	2044	2505	2401
2423	2014	2506	2418

C.C.B.C./C.C.L.C. Q. (1980, c. 39)	C.C.Q.	C.C.B.C./C.C.L.C. Q. (1980, c. 39)	C.C.Q.
2507	2419	2563	2464
2508	2418	2564	2464
2509	2418	2565	2465
2510	2420	2566 al.1, 4	2466
2511 al.1, 2	2420	2566 al.2, 3	2467
2511 al.3	2422	2567	2477
2512	2421	2568	2478
2513	2422	2569	2479
2514	2423	2570	2469
2515	2424	2571	2469
2516	2425	2572	2470
2517	2426	2573	2471
2518	2426	2574	2472
2519	2427	2575	2473
2520	2429	2576	2474
2521	2429	2577	2475
2522	2428	2578	2476
2523	2430	2578	2530
2524	2431	2579	2480
2524 al.2	2434	2580 al.1	2481
2525	2431	2580 al.2	2482
2526	2432	2581	2481
2527	2433	2582	2484
2528	2436	2583 al.1	2490
2531	2440	2583 al.2, 3	2491
2532	2441	2584	2492
2533	2439	2585	2496
2535	2435	2586 al.1, 2	2497
2536	2438	2586 al.3	2494
2537	2437	2588	2495
2538a)	2442	2589	2495
2539	2442	2590	2485
2540	2445	2591	2485
2540 al.2	2456	2592	2486
2541	2446	2593	2486
2542	2450	2594 al.1	2487
2543	1445	2594 al.2	2485
2543	2447	2595	2488
2544	2447	2596	2489
2545	2448	2597	2468
2546	2449	2600	2498
2546 al.3	2450	2601	2499
2547	2449	2602	2500
2548	2451	2603	2501
2549	2452	2604 al.1	2503
2550 al.1	2453	2604 al.2	2504
2550 al.2	2455	2605	2503
2552	2457	2607	2513
2553	2454	2608	2511
2554	2458	2609	2527
2555	2459	2610	2505
2556	2460	2610	2515
2557	2452	2611	2521
2557	2461	2611	2524
2558	2462	2611 al.1	2524
2559	2443	2611 al.2	2512
2560	2443	2612	2521
2561	2444	2612	2522
2562	2463	2613	2507

C.C.B.C./C.C.L.C. Q. (1980, c. 39)	C.C.Q.	C.C.B.C./C.C.L.C. Q. (1980, c. 39)	C.C.Q.
2615	2528	2674	2593
2616	2529	2675	2595
2616	2530	2676	2601
2618	2511	2677	2004
2618	2540	2677	2599
2621	2538	2677	2601
2621	2539		
2621	2540	Q. 400	365
2621	2541	Q. 401	365
2622	2538	Q. 402	
2622	2539	Q. 403	
2622	2540	Q. 404	
2623	2545	Q. 405	
2623	2546	Q. 406	578
2624	2547	Q. 407	372
2625	2552	Q. 408	372
2626	2545	Q. 409	
2627	2548	Q. 410	365
2629	2560	Q. 411	366
2629	2561	Q. 412	367
2629	2562	Q. 413	368
2630	2564	Q. 414	369
2631	2576	Q. 415	370
2632	2567	Q. 416	371
2632	2568	Q. 417	373
2632	2572	Q. 418	374
2633	2571	Q. 419	375
2633	2576	Q. 420	376
2633	2577	Q. 421	378
2634	2507	Q. 422	379
2639	2542	Q. 423	
2640	2542	Q. 424	
2640	2621	Q. 425	
2640	2622	Q. 426	
2641	2542	Q. 427	
2641	2622	Q. 428	
2643	2625	Q. 429	
2645	2575	Q. 430	380
2646	2578	Q. 431	381
2647	2578	Q. 432	382
2647	2581	Q. 433	383
2648	2578	Q. 434	384
2652	2596	Q. 435	385
2658	2518	Q. 436	386
2658	519	Q. 437	386
2659	2518	Q. 438	387
2659	2519	Q. 439	388
2660	2610	Q. 440	391
2662	2619	Q. 441	392
2663	2584	Q. 442	393
2663	2587	Q. 443	394
2664	2588	Q. 444	395
2666	2589	Q. 445	396
2668	2587	Q. 446	397
2669	2588	Q. 447	398
2671	2580	Q. 448	400
2672	2592	Q. 449	401
2672	2594	Q. 450	402
2673	2594	Q. 451	403

C.C.B.C./C.C.L.C. Q. (1980, c. 39)	C.C.Q.	C.C.B.C./C.C.L.C. Q. (1980, c. 39)	C.C.Q.
Q. 452	404	Q. 493	461
Q. 453	405	Q. 494	462
Q. 454	406	Q. 495	463
Q. 455	407	Q. 496	464
Q. 455.1	408	Q. 497	465
Q. 456	399	Q. 498	466
Q. 457	409	Q. 499	467
Q. 458	410	Q. 500	468
Q. 459		Q. 501	469
Q. 460	411	Q. 502	470
Q. 461	412	Q. 503	471
Q. 462	413	Q. 504	472
Q. 462.1	414	Q. 505	473
Q. 462.2	415	Q. 506	474
Q. 462.3	416	Q. 507	475
Q. 462.4	417	Q. 508	475
Q. 462.5	418	Q. 509	476
Q. 462.6	419	Q. 510	477
Q. 462.7	420	Q. 511	478
Q. 462.8	421	Q. 512	479
Q. 462.9	422	Q. 513	480
Q. 462.10	423	Q. 514	481
Q. 462.11	424	Q. 515	482
Q. 462.12	425	Q. 516	483
Q. 462.13	426	Q. 517	484
Q. 462.14	427	Q. 518	485
Q. 462.15	428	Q. 519	486
Q. 462.16	429	Q. 520	487
Q. 462.17	430	Q. 521	488
Q. 463	431	Q. 522	489
Q. 464	432	Q. 523	490
Q. 465	433	Q. 524	491
Q. 466	434	Q. 524.1	492
Q. 467	435	Q. 525	493
Q. 468	436	Q. 526	494
Q. 469	437	Q. 527	495
Q. 470	438	Q. 528	496
Q. 471	439	Q. 529	507
Q. 472	440	Q. 530	508
Q. 473	441	Q. 531	509
Q. 474	442	Q. 532	510
Q. 475	443	Q. 533	
Q. 476	444	Q. 534	511
Q. 477	445	Q. 535	513
Q. 478	446	Q. 536	515
Q. 479	447	Q. 536.1	513, 514, 517, 521
Q. 480	448	Q. 537	516
Q. 481	449	Q. 538	
Q. 482	450	Q. 539	
Q. 483	451	Q. 540	494
Q. 484	452	Q. 541	494
Q. 485	453	Q. 542	494
Q. 486	454	Q. 543	496
Q. 487	455	Q. 544	497
Q. 488	456	Q. 545	498
Q. 489	457	Q. 546	499
Q. 490	458	Q. 547	500
Q. 491	459	Q. 548	501
Q. 492	460	Q. 549	502

C.C.B.C./C.C.L.C. Q. (1980, c. 39)	C.C.Q.	C.C.B.C./C.C.L.C. Q. (1980, c. 39)	C.C.Q.
Q. 550	503	Q. 609	557
Q. 551	504	Q. 610	558
Q. 552	504	Q. 611	559
Q. 553	505	Q. 612	560
Q. 554	506	Q. 613	561
Q. 555		Q. 614	562
Q. 556	518	Q. 614.1	563
Q. 557	519	Q. 614.2	564
Q. 558	520	Q. 614.3	565
Q. 559		Q. 614.4	
Q. 560	389	Q. 615	566
Q. 561	389	Q. 616	567
Q. 562		Q. 617	568
Q. 563	389, 594	Q. 617.1	
Q. 564		Q. 618	569
Q. 565	390	Q. 619	570
Q. 566	512	Q. 620	571
Q. 567		Q. 621	572
Q. 568	513	Q. 622	573
Q. 569	514	Q. 622.1	574
Q. 570	605	Q. 623	575
Q. 571	612	Q. 624	576
Q. 572	523	Q. 625	
Q. 573	524	Q. 626	580
Q. 574	525	Q. 626.1	581
Q. 575	525	Q. 627	577
Q. 576	525	Q. 628	578
Q. 577	526	Q. 629	579
Q. 578	527	Q. 630	579
Q. 579	528	Q. 631	582
Q. 580	529	Q. 632	583
Q. 581	531	Q. 633	585
Q. 582	531	Q. 634	586
Q. 583	532	Q. 635	587
Q. 584	537	Q. 636	588
Q. 585	535	Q. 637	589
Q. 586	539	Q. 638	590
Q. 587	530	Q. 639	591
Q. 588	531, 539	Q. 640	592
Q. 589	532, 533	Q. 641	593
Q. 590	534	Q. 642	594
Q. 591	532	Q. 643	595
Q. 592	535	Q. 644	596
Q. 593	536	Q. 645	597
Q. 594	522	Q. 646	598
Q. 595	543	Q. 647	599
Q. 596	544	Q. 648	600
Q. 597	545	Q. 649	601
Q. 598	546	Q. 650	602
Q. 599	547	Q. 651	
Q. 600	548	Q. 652	603
Q. 601	549	Q. 653	604
Q. 602	550	Q. 654	606
Q. 603	551	Q. 655	607
Q. 604	552	Q. 656	608
Q. 605	553	Q. 657	609
Q. 606	554	Q. 658	610
Q. 607	555	Q. 659	611
Q. 608	556		

TABLE DE CONCORDANCE

Code civil du Québec
(C.C.Q.)

Code civil du Bas Canada
(C.C.B.C.)

Code civil du Québec (1980, c. 39) —
(Q.)

TABLE OF CONCORDANCE

Civil Code of Québec
(C.C.Q.)

Civil Code of Lower Canada
(C.C.L.C.)

Civil Code of Québec (1980, c. 39) —
(Q.)

TABLE DE CONCORDANCE — C.C.Q. — C.C.B.C. OU Q.
TABLE OF CONCORDANCE — C.C.Q. — C.C.L.C. OR Q.

C.C.Q.	C.C.B.C./C.C.L.C. Q. (1980, c. 39)	C.C.Q.	C.C.B.C./C.C.L.C. Q. (1980, c. 39)
1	18	57	
2		58	
3		59	
4	324, 985	60	
5	56	61	
6		62	
7		63	
8		64	
9	13	65	56.3
10	19	66	56.4
11	19.1	67	
12	19.3	68	
13		69	
14		70	
15	19.2	71	
16	19.4	72	
17		73	
18		74	
19	20	75	79, 84
20	20	76	80, 81
21	20	77	
22		78	
23		79	82
24	20	80	83
25	20	81	83
26		82	
27		83	85
28		84	86
29		85	98, 99
30		86	87
31		87	88, 90, 91
32		88	
33	30	89	93, 94, 109, 110
34	31	90	92
35		91	
36		92	70, 2529
37		93	71
38		94	71
39		95	72, 108
40		96	
41		97	73, 100
42	21	98	
43		99	101
44	22	100	73
45	22	101	107
46	23	102	
47	23, 69	103	41, 44
48	66	104	
49	69a	105	42, 45, 48
50	56	106	47, 49
51	56.1	107	39, 42a, 1207
52		108	46
53	56.2	109	
54		110	
55	56	111	
56		112	

C.C.Q.	C.C.B.C./C.C.L.C. Q. (1980, c. 39)	C.C.Q.	C.C.B.C./C.C.L.C. Q. (1980, c. 39)
113	55	172	319, 763
114	40	173	320, 322
115	54	174	321
116		175	314
117		176	314
118		177	290
119	65	178	249
120	65	179	266, 282, 284, 285
121	64	180	272-278
122		181	266
123		182	
124		183	
125		184	266.1
126	67	185	
127		186	
128		187	264
129	Q.625, 72	188	290
130	53a, 53b	189	365
131		190	269
132		191	
133	72	192	345
134		193	
135		194	
136		195	
137	7, 1220	196	
138		197	
139		198	
140		199	
141	75	200	922
142		201	
143	51	202	
144	50, 1207	203	
145		204	
146		205	249
147		206	250
148		207	
149		208	290, 290a
150		209	292
151		210	
152		211	303
153	246, 324	212	306, 307
154	986	213	297, 298, 300
155	248, 986	214	
156	304, 323, 1005	215	
157		216	
158		217	
159	304	218	
160	304	219	
161		220	
162	1009	221	
163	1002	222	267
164	1004, 1007	223	
165	1003	224	249
166	1008	225	250
167		226	251
168	315, 317	227	254
169	318	228	
170	247, 340	229	
171	83	230	

C.C.Q.	C.C.B.C./C.C.L.C. Q. (1980, c. 39)	C.C.Q.	C.C.B.C./C.C.L.C. Q. (1980, c. 39)
231		289	334.4
232		290	334.5
233		291	335
234		292	335.1
235	269	293	335.2
236	267	294	335.3
237		295	336
238		296	336.1
239		297	336.3
240	292	298	352
241		299	353
242	2030, 2031, 2117, 2118	300	356
		301	
243	2031	302	
244		303	358, 364, 366, 366a, 367
245	2031.1		
246		304	365
247	308, 310	305	357
248	311	306	
249		307	
250		308	
251	268, 286, 287	309	363
252		310	361
253	289	311	
254	288	312	360
255		313	
256	325, 987	314	352
257	326	315	
258	327	316	
259	328	317	
260	329	318	
261	330	319	
262	331	320	
263	331.1	321	360
264	331.2	322	
265	331.3	323	
266	331.4	324	
267	331.5	325	
268	332	326	
269	332.1	327	
270	332.2, 332.3	328	
271	332.4	329	
272	332.5	330	
273	332.6	331	
274	332.7	332	
275	332.8	333	
276	332.9	334	
277	332.10	335	360, 361
278	332.11	336	
279	332.12	337	
280	332.12	338	359
281	333	339	
282	333.1	340	
283	333.2	341	
284	333.3	342	
285	334	343	
286	334.1	344	
287	334.2	345	
288	334.3	346	

C.C.Q.	C.C.B.C./C.C.L.C. Q. (1980, c. 39)	C.C.Q.	C.C.B.C./C.C.L.C. Q. (1980, c. 39)
347		405	Q.453
348		406	Q.454
349		407	Q.455
350		408	Q.455.1
351		409	Q.457
352		410	Q.458
353		411	Q.460
354		412	Q.461
355	368-370	413	Q.462
356		414	Q.462.1
357		415	Q.462.2
358		416	Q.462.3
359		417	Q.462.4
360		418	Q.462.5
361		419	Q.462.6
362		420	Q.462.7
363	371	421	Q.462.8
364		422	Q.462.9
365	116, Q.400, 401, 410	423	Q.462.10
366	Q.411	424	Q.462.11
367	Q.412	425	Q.462.12
368	Q.413	426	Q.462.13
369	Q.414	427	Q.462.14
370	Q.415	428	Q.462.15
371	Q.416	429	Q.462.16
372	Q.407, 408	430	Q.462.17
373	115, 118-120, 124, Q.417	431	Q.463
374	Q.418	432	Q.464
375	Q.419	433	Q.465
376	Q.420	434	Q.466
377		435	Q.467
378	Q.421	436	Q.468
379	Q.422	437	Q.469
380	156, Q.430	438	Q.470
381	Q.431	439	Q.471
382	Q.432	440	Q.472
383	Q.433	441	Q.473
384	Q.434	442	Q.474
385	Q.435	443	Q.475
386	Q.436, 437	444	Q.476
387	Q.438	445	Q.477
388	Q.439	446	Q.478
389	Q.560, 561, 564	447	Q.479
390	Q.565	448	Q.480
391	Q.440	449	Q.481
392	Q.441	450	Q.482
393	Q.442	451	Q.483
394	Q.443	452	Q.484
395	Q.444	453	Q.485
396	Q.445	454	Q.486
397	Q.446	455	Q.487
398	Q.447	456	Q.488
399	Q.456	457	Q.489
400	Q.448	458	Q.490
401	Q.449	459	Q.491
402	Q.450	460	Q.492
403	Q.451	461	Q.493
404	Q.452	462	Q.494
		463	Q.495

C.C.Q.	C.C.B.C./C.C.L.C. Q. (1980, c. 39)	C.C.Q.	C.C.B.C./C.C.L.C. Q. (1980, c. 39)
464	Q.496	523	Q.572
465	Q.497	524	Q.573
466	Q.498	525	Q.574, 575, 576
467	Q.499	526	Q.577
468	Q.500	527	Q.578
469	Q.501	528	Q.579
470	Q.502	529	Q.580
471	Q.503	530	Q.587
472	Q.504	531	Q.581, 582, 588
473	Q.505	532	Q.583 al.1, 589 al.1,
474	Q.506		591
475	Q.507, 508	533	Q.589 al.2
476	Q.509	534	Q.590
477	Q.510	535	Q.585, 592
478	Q.511	536	Q.593
479	Q.512	537	Q.584
480	Q.513	538	
481	Q.514	539	Q.586, 588 al.2
482	Q.515	540	
483	Q.516	541	
484	Q.517	542	
485	Q.518	543	Q.595
486	Q.519	544	Q.596
487	Q.520	545	Q.597
488	Q.521	546	Q.598
489	Q.522	547	Q.599
490	Q.523	548	Q.600
491	Q.524	549	Q.601
492	Q.524.1	550	Q.602
493	Q.525	551	Q.603
494	Q.526, 540, 541, 542	552	Q.604
495	Q.527	553	Q.605
496	Q.528, 543	554	Q.606
497	Q.544	555	Q.607
498	Q.545	556	Q.608
499	Q.546	557	Q.609
500	Q.547	558	Q.610
501	Q.548	559	Q.611
502	Q.549	560	Q.612
503	Q.550	561	Q.613
504	Q.551, 552	562	Q.614
505	Q.553	563	Q.614.1
506	Q.554	564	Q.614.2
507	Q.529	565	Q.614.3
508	Q.530	566	Q.615
509	Q.531	567	Q.616
510	Q.532	568	Q.617
511	Q.534	569	Q.618
512	Q.566	570	Q.619
513	Q.535, 536.1, 568	571	Q.620
514	Q.536.1, 569	572	Q.621
515	Q.536	573	Q.622
516	Q.537	574	Q.622.1
517	Q.536.1	575	Q.623
518	Q.556	576	Q.624
519	Q.557	577	Q.627
520	Q.558	578	Q.406, 628
521	Q.536.1	579	Q.629, 630
522	Q.594	580	Q.626

C.C.Q.	C.C.B.C./C.C.L.C. Q. (1980, c. 39)	C.C.Q.	C.C.B.C./C.C.L.C. Q. (1980, c. 39)
581	Q.626.1	640	
582	Q.631	641	647
583	Q.632	642	646
584		643	
585	Q.633	644	665
586	Q.634	645	644
587	Q.635	646	651
588	Q.636	647	652, 653
589	Q.637	648	656, 669
590	Q.638	649	657
591	Q.639	650	
592	Q.640	651	659, 670
593	Q.641	652	655
594	Q.563, 642	653	598, 606, 614, 636
595	Q.643	654	624c
596	Q.644	655	
597	Q.645	656	615
598	Q.646	657	616, 617
599	Q.647	658	616
600	Q.648	659	618
601	Q.649	660	613, 619, 624
602	Q.650	661	620
603	Q.652	662	621
604	Q.653	663	622
605	Q.570	664	624, 654
606	Q.654	665	623
607	Q.655	666	624b
608	Q.656	667	625
609	Q.657	668	625
610	Q.658	669	
611	Q.659	670	
612	Q.571	671	624a
613	597, 600, 601, 864	672	624b
614	599, 630	673	624b
615	650a	674	626, 631, 632
616	603	675	627
617	105, 608, 837, 838	676	633
618	598, 836	677	628
619	597	678	634
620	610, 611, 893	679	629
621		680	629
622		681	
623		682	635
624		683	635
625	607, 875, 878, 891	684	607.1
626	2242	685	607.2
627		686	607.3
628	612	687	607.4
629		688	607.5
630	641	689	607.6
631	658, 1061	690	607.7
632	664, 666	691	607.8
633	667, 669	692	607.9
634	668	693	607.10
635	648, 649	694	607.11
636	650	695	
637	645	696	636
638	301, 643	697	684, 685
639		698	686

C.C.Q.	C.C.B.C./C.C.L.C. Q. (1980, c. 39)	C.C.Q.	C.C.B.C./C.C.L.C. Q. (1980, c. 39)
699	688	758	
700		759	846
701	687	760	846
702	640	761	
703	831	762	881-883
704	756, 841	763	
705	899	764	
706	823, 898	765	892
707	835	766	
708	833	767	860, 892
709	834	768	894, 895
710	834	769	892, 897
711	834	770	896
712	842, 849	771	
713	855	772	857, 858
714		773	859
715	898	774	860, 861
716	843, 844	775	862, 1233
717	843	776	
718	843	777	918
719		778	921
720		779	
721	847	780	743, 744, 887
722	847	781	880
723	845	782	
724		783	907-909
725	844, 845	784	910
726	850, 854	785	
727	851	786	905, 923
728	854	787	913
729	852	788	924
730	852	789	910, 914
731	863	790	663, 910
732	873	791	917
733	873	792	681
734	873	793	
735	873	794	919
736	864	795	676
737	840, 872	796	
738	597	797	
739	891	798	
740		799	
741	874	800	
742		801	
743	871	802	672, 673
744	891	803	919
745	888	804	672, 919
746		805	676a
747	902	806	918
748	890	807	
749	937, 979	808	676
750	900, 901, 904	809	735.1
751	903	810	
752	865	811	
753	910	812	885
754		813	886
755	868	814	885
756	868	815	679
757	760	816	680

C.C.Q.	C.C.B.C./C.C.L.C. Q. (1980, c. 39)	C.C.Q.	C.C.B.C./C.C.L.C. Q. (1980, c. 39)
817		876	727
818	739	877	731
819		878	722
820		879	700
821	677, 678	880	
822		881	
823	735, 736-738	882	
824	876	883	
825	472	884	746
826	880	885	747
827	735, 886	886	1028
828	884	887	
829	740, 741	888	
830	742	889	748
831	889	890	750
832		891	748
833	877	892	749
834		893	749
835		894	2242
836		895	751
837	689	896	751
838	693	897	752
839		898	753
840		899	374
841		900	375-378
842		901	
843	689	902	386
844		903	379, 380
845		904	381
846		905	383, 384
847	691	906	387
848	710	907	
849		908	
850	702, 707	909	
851		910	447-449
852	703, 704	911	405
853		912	
854	705, 706	913	585
855	697	914	401, 584
856		915	399
857		916	583, 2216, 2220, 2221
858		917	
859		918	400
860		919	400
861	733, 734	920	
862	697, 698	921	2192, 2194
863	708	922	2193
864	745	923	2195
865	711	924	2196
866		925	2199, 2200
867	712, 713	926	2198
868	716	927	2268 al. 6
869	718, 723	928	
870	724-726, 728, 731	929	
871	701, 702	930	2246, 2268
872		931	411
873	733, 734	932	412
874	729, 730	933	417
875	732	934	

C.C.Q.	C.C.B.C./C.C.L.C. Q. (1980, c. 39)	C.C.Q.	C.C.B.C./C.C.L.C. Q. (1980, c. 39)
935	401, 584, 587-591	994	538
936	401, 584, 2216	995	534, 535
937		996	533
938	586	997	540
939	592-594	998	541, 542
940		999	543
941		1000	
942		1001	544
943		1002	505, 520
944	1671a, 1671b, 1677	1003	510, 523-525, 527,
945			530
946		1004	518
947	406	1005	514, 519
948	408, 413	1006	512, 513
949	409, 410	1007	515, 516
950		1008	517
951	414	1009	
952	407	1010	441b
953		1011	
954	408	1012	
955	415	1013	
956	416	1014	
957	417, 418	1015	
958	417	1016	
959	417	1017	
960	418	1018	
961		1019	
962	417	1020	
963	419	1021	2021
964		1022	
965	420, 422	1023	
966	421	1024	
967	423	1025	
968	424, 425	1026	
969	426	1027	
970	427	1028	
971	429, 430	1029	
972	432, 435	1030	689
973	434, 436-438	1031	
974	441	1032	
975	429	1033	
976		1034	
977		1035	
978	504	1036	
979	501	1037	
980	502	1038	441b
981	503	1039	441v
982		1040	441b.1, 442q
983	539	1041	441l
984	408, 409	1042	
985	529	1043	441f
986	528, 531	1044	
987		1045	441g
988		1046	441d
989	428	1047	441c
990		1048	441e
991		1049	441p
992		1050	442n
993	536, 537	1051	441j

C.C.Q.	C.C.B.C./C.C.L.C. Q. (1980, c. 39)	C.C.Q.	C.C.B.C./C.C.L.C. Q. (1980, c. 39)
1052		1111	
1053	441*l*	1112	
1054	442*c*	1113	
1055	441*l*	1114	
1056	441*o*, 441*p*	1115	
1057	1651	1116	
1058		1117	
1059	441*m*	1118	
1060	441*m*	1119	
1061		1120	443
1062	441*n*	1121	444
1063	441*h*	1122	
1064	441*k*	1123	479, 481, 482
1065		1124	447, 458, 459, 463
1066	442*l* al.1	1125	462, 483
1067	441*i*, 442*l*	1126	447
1068	442*g*	1127	452
1069		1128	454
1070		1129	410, 450
1071		1130	451
1072	442*j*	1131	
1073	442*a*	1132	
1074		1133	
1075	442*m*	1134	
1076	441*w*, 441*x*	1135	457
1077	441*z*	1136	
1078	442	1137	462
1079		1138	
1080		1139	455, 456
1081	441*v*, 1530	1140	455
1082	441*x*.1	1141	460
1083		1142	463
1084	441*q*	1143	
1085	441*r*, 441*u*, 441*v*	1144	464
1086		1145	465, 466
1087	442*b*, 442*c*, 442*i*	1146	467
1088		1147	466 al.2
1089	442*e*	1148	
1090	442*d*	1149	
1091		1150	
1092		1151	468
1093		1152	469
1094		1153	
1095		1154	471
1096	442*e*	1155	473
1097	442*f*	1156	474
1098	442*h*	1157	474
1099		1158	475
1100	442*f*	1159	476
1101		1160	470
1102	442*g*	1161	477, 478
1103		1162	479
1104		1163	485
1105	441*t*	1164	
1106		1165	482
1107		1166	
1108	442*o*	1167	
1109	442*p*	1168	480
1110	414, 415	1169	

C.C.Q.	C.C.B.C./C.C.L.C. Q. (1980, c. 39)	C.C.Q.	C.C.B.C./C.C.L.C. Q. (1980, c. 39)
1170		1228	949a
1171		1229	949-951, 953, 953a
1172	487, 493	1230	931, 947, 948, 981q
1173	494, 497	1231	
1174		1232	952
1175	498	1233	
1176	488-492	1234	960
1177	499, 552	1235	956
1178		1236	946
1179	547	1237	955
1180	548	1238	942, 946
1181	500, 549	1239	945
1182		1240	961, 963
1183	545, 551	1241	
1184	553, 554	1242	929
1185	555	1243	962
1186	557, 558	1244	965
1187	556	1245	
1188		1246	
1189		1247	947
1190		1248	958
1191	561, 562	1249	966
1192	563	1250	966
1193	564	1251	
1194	559, 560	1252	930, 933, 937, 957
1195	567, 569	1253	930
1196	567.1	1254	930
1197	568	1255	935
1198	568.1	1256	869
1199	571	1257	
1200	569, 569.1, 570	1258	
1201		1259	
1202	575	1260	981a, 981b
1203	577	1261	
1204	578	1262	
1205	576	1263	
1206	572, 573	1264	
1207	574	1265	
1208	579	1266	
1209		1267	
1210	581, 582	1268	
1211	580	1269	
1212	968-971	1270	869
1213		1271	932
1214	981	1272	
1215		1273	
1216		1274	
1217		1275	
1218	925, 926, 928, 929, 938	1276	981c
		1277	981c
1219	927	1278	981j
1220	976	1279	838
1221	932	1280	
1222	933	1281	
1223	944	1282	935 al. 2
1224	946	1283	
1225		1284	
1226	947	1285	
1227		1286	

C.C.Q.	C.C.B.C./C.C.L.C. Q. (1980, c. 39)	C.C.Q.	C.C.B.C./C.C.L.C. Q. (1980, c. 39)
1287		1346	
1288		1347	
1289		1348	
1290		1349	
1291		1350	
1292		1351	
1293		1352	
1294		1353	981*m*
1295		1354	
1296	981*b* al. 2	1355	
1297	981*l*	1356	
1298		1357	981*h*
1299		1358	
1300	981*g*	1359	
1301		1360	981*d*
1302		1361	981*e*
1303		1362	
1304	981*v*	1363	918*l*, 981*m*
1305		1364	981*n*
1306		1365	
1307	981*j*	1366	981*l*
1308		1367	981*g*
1309	981*k*	1368	
1310		1369	
1311		1370	
1312		1371	982
1313		1372	983, 1057
1314		1373	1058, 1062
1315		1374	1060, 1061 al.2
1316		1375	
1317		1376	
1318		1377	
1319	981*j*	1378	
1320		1379	
1321		1380	
1322		1381	
1323		1382	
1324		1383	
1325		1384	
1326		1385	984
1327		1386	988
1328		1387	
1329		1388	
1330		1389	
1331		1390	
1332	981*f*	1391	
1333		1392	
1334	981*m*	1393	
1335		1394	
1336		1395	
1337		1396	
1338		1397	
1339	981*o*	1398	986 al.3
1340	981*o*, 981*q*	1399	991
1341	981*r*	1400	992
1342	981*p*, 981*s*	1401	993
1343	981*k*, 981*t*, 981*u*	1402	994, 995, 996
1344		1403	997, 998
1345		1404	999

C.C.Q.	C.C.B.C./C.C.L.C. Q. (1980, c. 39)	C.C.Q.	C.C.B.C./C.C.L.C. Q. (1980, c. 39)
1405	1001, 1012	1463	1054 al.7
1406	1011	1464	
1407	1000	1465	1054 al.1
1408		1466	1055 al.1, 2
1409	985, 986	1467	1055 al.3
1410	989	1468	
1411	990	1469	
1412		1470	17 (24), 1071, 1072
1413		1471	
1414		1472	
1415		1473	
1416		1474	
1417		1475	
1418		1476	
1419		1477	
1420	987	1478	
1421		1479	
1422		1480	
1423	1214	1481	
1424		1482	1041, 1043
1425	1013	1483	
1426	1016, 1017	1484	1043, 1044, 1045
1427	1018	1485	
1428	1014	1486	1046
1429	1015	1487	
1430	1021	1488	
1431	1020	1489	1043 al.2
1432	1019, 2499	1490	
1433	1022 al.1, 2	1491	1047 al.1, 1048
1434	1024	1492	1047, 1049-1051
1435		1493	
1436		1494	
1437		1495	
1438		1496	
1439	1022 al.3	1497	1079 al.1
1440	1023	1498	1079 al.2
1441	1030	1499	1080
1442		1500	1081
1443	1028	1501	1082
1444	1029	1502	1083
1445		1503	1084
1446	1029	1504	1086
1447		1505	
1448		1506	1085
1449		1507	1087, 1088
1450		1508	1089
1451	1212	1509	
1452		1510	
1453	1022 al.2, 1025 al.1, 2, 1026	1511	1091
		1512	1783
1454	1027 al.2	1513	1090
1455	1027 al.1, 1472 al.2	1514	1092
1456		1515	
1457	1053, 1054 al.1	1516	
1458	1065	1517	1138
1459	1054 al.2, 6	1518	
1460	1054 al.3, 5, 6	1519	1121, 1123, 1124
1461	1054 al.4, 6, 1054.1	1520	1126, 1127, 1129
1462	1053	1521	1125

C.C.Q.	C.C.B.C./C.C.L.C. Q. (1980, c. 39)	C.C.Q.	C.C.B.C./C.C.L.C. Q. (1980, c. 39)
1522	1122	1581	
1523	1103	1582	
1524	1104	1583	1162 al.2
1525	1105	1584	1166
1526	1106	1585	1167
1527	1109	1586	1162 al.2
1528	1107	1587	
1529	1108	1588	1162 al.1
1530	1112	1589	
1531		1590	1065
1532	1114	1591	
1533	1115 al.1, 2	1592	
1534	1116	1593	
1535	1115 al.3	1594	1067
1536	1117, 1118 al.1	1595	1067
1537	1120	1596	
1538	1118 al.2, 1119	1597	1068-1070
1539	1112	1598	
1540	1122	1599	
1541	1100	1600	1077, 1202
1542		1601	1065
1543	1101	1602	1065
1544		1603	1066
1545	1093, 1095	1604	1065
1546	1094	1605	
1547	1093	1606	
1548	1096	1607	1075
1549	1097	1608	2494
1550	1098	1609	1056b al.4
1551	1099	1610	
1552		1611	1073
1553	1139	1612	
1554	1140	1613	1074, 1075
1555	1141, 1142	1614	
1556	1143	1615	
1557	1144	1616	
1558	1146	1617	1077
1559	1145	1618	1056c al.1, 1076, 1078.1 al.1
1560	1147		
1561	1148, 1149 al.1	1619	1056c al.2, 1078.1 al.2
1562	1150	1620	1078
1563	1151	1621	
1564		1622	1131, 1133
1565		1623	1135
1566	1152	1624	1136
1567	1153	1625	1137
1568		1626	
1569	1158	1627	1031
1570	1159	1628	
1571	1160	1629	
1572	1161	1630	
1573	1162, 1163	1631	1032, 1033
1574	1163	1632	1035, 1036, 1038
1575		1633	1034
1576		1634	1039
1577	1164, 1165	1635	1040
1578		1636	
1579		1637	
1580		1638	1574, 1575

C.C.Q.	C.C.B.C./C.C.L.C. Q. (1980, c. 39)	C.C.Q.	C.C.B.C./C.C.L.C. Q. (1980, c. 39)
1639	1510, 1576	1698	1202*i*
1640	1577	1699	
1641	1571, 1571*a*, 1571*b*	1700	1047 al.1
1642	1571*d*	1701	1050, 1051
1643	1145, 1572	1702	
1644		1703	1052
1645		1704	
1646	1988, 2052	1705	
1647	1573	1706	1011
1648		1707	
1649		1708	1472
1650		1709	1484
1651	1154	1710	1478
1652	1154	1711	1477
1653		1712	1476
1654	1155 (1)	1713	1487, 1488, 1516
1655	1155 (2)	1714	1489, 1490
1656	1156	1715	
1657	1157	1716	1491, 1506, 1507
1658	1157, 1986, 2052	1717	1492, 1493
1659	1987, 2052	1718	1498, 1499
1660	1169, 1172	1719	
1661	1171	1720	1500, 1503
1662	1176	1721	1497
1663	1177, 1180	1722	1495
1664	1178	1723	1508
1665	1179	1724	
1666	1101 al.2	1725	
1667	1173, 1174	1726	1512, 1522, 1523
1668	1175	1727	1529
1669	1180	1728	1527, 1528
1670	1180 al.2	1729	
1671	1138	1730	
1672	1187, 1188 al.2	1731	1531
1673	1188, al.1	1732	1507, 1509
1674	1193	1733	1510, 1524
1675	1189	1734	1479, 1532, 1533
1676	1190	1735	1534
1677	1195	1736	
1678	1101 al.2, 1191 al.3	1737	1500, 1501, 1502
1679	1191 al.1, 2	1738	1520
1680	1192	1739	1530
1681	1196	1740	1544
1682	1197	1741	1998, 1999, 2000
1683	1198	1742	1536, 1537, 2102
1684	1199	1743	1040*a* et suivant, 1537
1685	1101 al.2, 1113	1744	1475
1686	2081 (3)	1745	
1687		1746	
1688	1181 al.1	1747	
1689	1181 al.2, 1183	1748	
1690	1101 al.2, 1184	1749	1040*a* et suivants
1691	1182	1750	1545, 1546, 2102
1692	1185, 1186	1751	1546, 1552
1693	1200, 1202	1752	1547
1694	1202	1753	1548, 1549, 1551
1695	1202*a*, 1202*b*, 1202*c*	1754	1555
1696	1202*f*, 1202*g*	1755	1556-1560
1697	1202*h*	1756	1040*d*

C.C.Q.	C.C.B.C./C.C.L.C. Q. (1980, c. 39)	C.C.Q.	C.C.B.C./C.C.L.C. Q. (1980, c. 39)
1757		1814	303, 765, 789, 790, 792, 821
1758	1564, 1585, 1588-1591	1815	335.2, 789
1759		1816	773
1760		1817	
1761		1818	778
1762	1567	1819	757, 758, 778
1763		1820	762
1764		1821	784
1765	1568	1822	782 al.1, 783
1766	1586, 1587	1823	780, 781
1767	1569a	1824	776, 804-810
1768	1569b	1825	
1769		1826	796 al.1
1770		1827	796 al.2
1771	1569d	1828	
1772		1829	
1773	1569d	1830	797, 799
1774		1831	
1775		1832	
1776	1569, 1569d	1833	
1777		1834	
1778	1569e	1835	
1779	1579	1836	811, 813
1780	1580	1837	814
1781	1581	1838	815
1782	1583	1839	758, 817, 822
1783	1485	1840	772, 818-820
1784	1582, 1584	1841	823
1785		1842	1603
1786		1843	
1787		1844	
1788		1845	
1789		1846	
1790		1847	
1791		1848	
1792		1849	
1793		1850	
1794		1851	1600, 1601, 1602
1795	1596	1852	
1796	1597	1853	1634
1797	1598	1854	1604, 1606
1798	1599	1855	1617
1799		1856	1607, 1618
1800	1592	1857	1622, 1645
1801		1858	1609
1802	1593, 1594	1859	1608, 1635, 1636
1803	389, 393	1860	1635
1804	1595	1861	1636
1805	1593, 1594	1862	1621, 1643
1806	754, 755, 795	1863	1610, 1611, 1628, 1656
1807	777	1864	1605, 1627
1808	757, 758	1865	1625, 1626
1809		1866	1652.6
1810		1867	1612, 1613, 1614, 1616
1811		1868	1644, 1653.4
1812		1869	1614, 1615, 1653.4
1813	763, 986		

C.C.Q.	C.C.B.C./C.C.L.C. Q. (1980, c. 39)	C.C.Q.	C.C.B.C./C.C.L.C. Q. (1980, c. 39)
1870	1619 al.1, 1655 al.1	1926	1653.1.3
1871	1619 al.2, 1655 al.2	1927	1653.1.4
1872	1619 al.3, 1655 al.3	1928	1653.1.5
1873		1929	1653.2
1874	1620	1930	1654
1875	1655.1	1931	1654.1
1876		1932	1654.2, 1654.3
1877	1629, 1630.	1933	1653.5
1878		1934	1654.4
1879	1641	1935	1665.6
1880		1936	1657
1881	1642	1937	1650.4, 1657.1
1882	1630, 1631	1938	1657.2, 1657.3
1883	1633, 1656.5	1939	1657.4
1884	1632	1940	1650.5, 1657.5
1885	1645	1941	1658
1886	1646, 1647	1942	1658.1, 1658.8
1887	1646, 1647	1943	1658.1
1888	1649	1944	1658.2, 1658.3
1889	1648	1945	1658.5
1890	1623	1946	1658.4, 1658.8
1891	1624	1947	1658.6
1892	1650-1650.3	1948	1658.7, 1658.9
1893	1650.4, 1664	1949	1658.13
1894	1651	1950	1658.10, 1658.11,
1895	1651.1		1658.14
1896	1651.2	1951	1658.12
1897	1651.3	1952	1658.16
1898	1651.4, 1664.7	1953	1658.15, 1658.17,
1899	1665		1658.18, 1658.20
1900	1664.4, 1664.5,	1954	1658.18, 1658.19
	1664.6, 1664.9	1955	1658.21
1901	1664.10, 1664.11	1956	1658.22
1902		1957	1659
1903	1651.5, 1651.6	1958	1659, al.2
1904	1651.5, 1665.1,	1959	1660
	1665.2	1960	1659.1, 1660.1
1905	1664.2	1961	1659.1, 1660.1
1906	1658.13, 1664.3	1962	1659.2
1907	1656	1963	1659.3
1908	1651.7	1964	1659.4
1909	1656.1	1965	1660.4
1910	1652, 1664.1	1966	1660.2, 1660.3
1911	1652.1, 1652.3,	1967	1659.7
	1653.3	1968	1659.8
1912	1652.2, 1652.4	1969	1658.9, 1659.5,
1913	1652.8, 1665.3		1660.5
1914		1970	1659.6, 1660.5
1915	1652.9	1971	1656.4
1916	1652.10	1972	1661.1
1917	1652.11	1973	1656.2, 1656.6
1918	1656.3	1974	1661
1919	1665.5	1975	1652.9, 1652.10,
1920	1652.5		1661.2
1921	1665.4	1976	1661.4
1922	1653	1977	1658.9
1923	1653.1	1978	1652.7
1924	1653.1.1	1979	
1925	1653.1.2	1980	

C.C.Q.	C.C.B.C./C.C.L.C. Q. (1980, c. 39)	C.C.Q.	C.C.B.C./C.C.L.C. Q. (1980, c. 39)
1981	1655.2	2038	1675, 1677
1982	1661.5	2039	
1983		2040	1674
1984	1662	2041	2420
1985	1662.1, 1662.2	2042	
1986	1662.3	2043	2421
1987	1662.4, 1662.5	2044	2422
1988		2045	
1989	1662.6	2046	
1990	1662.7	2047	
1991		2048	
1992	1662.8	2049	1675
1993	1662.9	2050	1680
1994	1662.10	2051	
1995	1662.11, 1662.12	2052	
1996	1663	2053	1677
1997	1663.4	2054	
1998	1663.1, 1663.2, 1664.8	2055	
		2056	
1999	1663.3	2057	
2000	1663.5	2058	1679
2001	2407, 2414, 2415	2059	
2002	2437, 2443	2060	
2003	2385, 2453	2061	2428
2004	2677	2062	
2005		2063	2423
2006		2064	2424, 2425
2007	2391	2065	
2008		2066	
2009		2067	
2010		2068	
2011		2069	
2012		2070	
2013		2071	
2014	2423	2072	
2015		2073	
2016		2074	
2017	2424-2426	2075	
2018		2076	
2019	2440, 2442, 2444, 2445	2077	
		2078	2410
2020		2079	
2021		2080	
2022		2081	
2023	2427	2082	
2024	2439	2083	
2025		2084	
2026		2085	1665a, 1667 al.1
2027		2086	1667
2028	2410, 2412	2087	
2029	2411	2088	
2030	1665a, 1666	2089	
2031		2090	1667 al.2
2032		2091	1668 al.3
2033	1673	2092	
2034	1678	2093	1668 al.1, 2
2035		2094	
2036		2095	
2037		2096	

C.C.Q.	C.C.B.C./C.C.L.C. Q. (1980, c. 39)	C.C.Q.	C.C.B.C./C.C.L.C. Q. (1980, c. 39)
2097		2156	1726
2098	1666 (3)	2157	1715, 1716
2099		2158	1717, 1718
2100		2159	
2101		2160	1727
2102		2161	1711 al.1
2103	1683	2162	1728, 1729
2104		2163	1730
2105		2164	1731
2106		2165	
2107		2166	1731.1, 1731.3
2108		2167	1731.2
2109	1690	2168	1731.4
2110		2169	1731.5
2111		2170	1731.6
2112		2171	1731.7
2113		2172	1731.8
2114	1687	2173	1731.9
2115	1684-1686	2174	1731.11
2116		2175	1755
2117		2176	1756
2118	1688	2177	1756.1
2119		2178	1759
2120		2179	
2121	1689	2180	1757
2122	2013*d*	2181	1758
2123	2013*d, e, f*	2182	1709
2124		2183	1761
2125	1691	2184	1713, 1714
2126		2185	1713
2127	1694	2186	1830
2128	1692	2187	1832
2129	1691, 1693	2188	1857, 1864, 1870, 1889, 1891
2130	1701	2189	1834, 1837, 1865, 1871, 1878
2131	1701.1		
2132	1701 al.2		
2133	1702	2190	1877
2134		2191	
2135	1703	2192	
2136	1704	2193	
2137	1705	2194	1879
2138	1709, 1710 al.1	2195	1835
2139		2196	1880
2140		2197	1883 al.1
2141	1711	2198	1839 al.1, 1840 al.1, 1841
2142			
2143		2199	1839 al.2, 1846
2144	1712	2200	
2145	1718, 1719	2201	1831 al.1
2146	1714	2202	1848
2147	1484, 1706	2203	1831 al.2, 3
2148	1710 al.2	2204	1842
2149		2205	1847
2150	1722, 1723	2206	1843
2151	1724	2207	1844
2152	1720	2208	1851
2153	1718	2209	1853
2154	1725	2210	
2155	1722 al.2	2211	

C.C.Q.	C.C.B.C./C.C.L.C. Q. (1980, c. 39)	C.C.Q.	C.C.B.C./C.C.L.C. Q. (1980, c. 39)
2212	1851, 1866	2270	
2213	1849	2271	
2214	1850	2272	
2215	1851	2273	1887 al.1
2216		2274	
2217	1852	2275	
2218	1887 al.1	2276	
2219	1855, 1856	2277	
2220	1867	2278	
2221	1854, 1865 *in fine*, 1899	2279	
		2280	1795, 1796
2222	1869	2281	1797
2223	1868	2282	1801
2224		2283	1802, 1803
2225		2284	1808
2226	1892, 1894	2285	1810
2227		2286	1804
2228	1833, 1895	2287	1807
2229	1896	2288	1806
2230	1892, 1896	2289	1805
2231		2290	
2232		2291	1809
2233	1897	2292	
2234	1900	2293	1812
2235	1896a, 1898, 1899	2294	
2236	1872, 1873, 1876	2295	1813
2237	1883.1	2296	
2238	1888	2297	
2239	1881	2298	1814, 1815
2240	1873, 1874	2299	1815
2241	1885	2300	
2242	1886	2301	1815
2243	1882	2302	1816a
2244	1887	2303	1816a
2245		2304	1815
2246	1875, 1899	2305	1818
2247	1883 al.2	2306	1820
2248	1888a	2307	
2249		2308	
2250		2309	1821
2251		2310	
2252		2311	1823, 1827
2253		2312	1762
2254	1854	2313	1763
2255		2314	1777, 1782
2256		2315	
2257	1836, 1837	2316	
2258	1892	2317	1766 al.1
2259	1894	2318	1766 al.2
2260	1895	2319	1773, 1774, 1783
2261	1896	2320	1771, 1775
2262	1897	2321	1776
2263	1900	2322	1767, 1769
2264	1896a al.1	2323	1768
2265		2324	1770
2266	1896a	2325	
2267		2326	1772
2268		2327	1778, 1781
2269		2328	1776, 1781

C.C.Q.	C.C.B.C./C.C.L.C. Q. (1980, c. 39)	C.C.Q.	C.C.B.C./C.C.L.C. Q. (1980, c. 39)
2329	1779, 1780	2387	1792, 1908, 1914
2330	1785	2388	1915
2331	1786	2389	2468, 2469
2332	1040c, 1149	2390	2470
2333	1929	2391	2471
2334	1930, 1962	2392	2472
2335	1935	2393	2473
2336	1934	2394	2474
2337	1938, 1940	2395	2475 al.1
2338	1963	2396	2475 al.2
2339		2397	2493
2340	1932	2398	2476
2341	1933 al.1, 3	2399	2477, 2480
2342	1933 al.2	2400	2478
2343	1935	2401	2505
2344	1936	2402	2481
2345		2403	2482
2346	1931, 1941	2404	2502 al.2
2347	1941, 1964, 1965	2405	2482
2348	1942, 1943, 1944	2406	2483
2349	1945, 1946 al.1	2407	2484
2350	1946 al.2	2408	2485, 2486 al.2
2351	1947	2409	2486
2352	1941	2410	2487
2353	1958	2411	2488
2354	1961	2412	2489
2355		2413	2491
2356	1948, 1949	2414	2500
2357		2415	2501
2358	1952	2416	2502
2359	1953, 1961	2417	2503, 2504
2360	1955	2418	2506, 2508, 2509
2361	1937	2419	2507
2362	1953 (5), 1954	2420	2510, 2511 al.1, 2
2363		2421	2512
2364		2422	2511 al.1, 2513
2365	1959	2423	2514
2366	1960	2424	2515
2367	1787	2425	2516
2368	1593-1595	2426	2517, 2518
2369	1904	2427	2519
2370	1788, 1901	2428	2522
2371	1903 al.1	2429	2520, 2521
2372	1902	2430	2523
2373	1905, 1906	2431	2524, 2525
2374	389, 391, 1903	2432	2526
2375		2433	2527
2376	389, 391, 1789, 1903 al.2	2434	2524 al.2
2377	1911	2435	2535
2378		2436	2528
2379		2437	2537
2380		2438	2536
2381	1910, 1913	2439	2533
2382		2440	2531
2383	394, 1909, 1912	2441	2532
2384	389, 394	2442	2538, 2539
2385		2443	2559, 2560
2386	1790, 1907	2444	2561
		2445	2540

C.C.Q.	C.C.B.C./C.C.L.C. Q. (1980, c. 39)	C.C.Q.	C.C.B.C./C.C.L.C. Q. (1980, c. 39)
2446	2541	2505	2610
2447	2543, 2544	2506	
2448	2545	2507	2613, 2634
2449	2546, 2547	2508	
2450	2542, 2546 al.3	2509	
2451	2548	2510	
2452	2549	2511	2608, 2618
2453	2550 al.1	2512	2611 al.2
2454	2553	2513	2607
2455	2550 al.2	2514	
2456	2550 al.2	2515	2610
2457	2552	2516	
2458	2554	2517	
2459	2555	2518	2658, 2659
2460	2556	2519	2658, 2659
2461	2557	2520	
2462	2558	2521	2611, 2612
2463	2562	2522	2612
2464	2563, 2564	2523	
2465	2565	2524	2611
2466	2566 al.1, 4	2525	
2467	2566 al.2, 3	2526	
2468	2597	2527	2609
2469	2570, 2571	2528	2615
2470	2572	2529	
2471	2573	2530	2578, 2616
2472	2574	2531	
2473	2575	2532	
2474	2576	2533	
2475	2577	2534	
2476	2578	2535	
2477	2567	2536	
2478	2568	2537	
2479	2569	2538	2621, 2622
2480	2579	2539	2621, 2622
2481	2580 al.1, 2581	2540	2618, 2621, 2622
2482	2580 al.2	2541	2621
2483		2542	2639, 2640, 2641
2484	2582	2543	
2485	2590, 2591, 2594 al.2	2544	
2486	2592, 2593	2545	2626
2487	2594 al.1	2546	2623
2488	2595	2547	2624
2489	2596	2548	2627
2490	2583 al.1	2549	
2491	2583 al.2, 3	2550	
2492	2584	2551	
2493		2552	2625
2494	2586 al.3	2553	
2495	2588, 2589	2554	
2496	2585	2555	
2497	2586 al.1, 2	2556	
2498	2600	2557	
2499	2601	2558	
2500	2602	2559	
2501	2603	2560	2629
2502		2561	
2503	2604 al.1, 2605	2562	2629
2504	2604 al.2	2563	

C.C.Q.	C.C.B.C./C.C.L.C. Q. (1980, c. 39)	C.C.Q.	C.C.B.C./C.C.L.C. Q. (1980, c. 39)
2564	2630	2623	
2565		2624	
2566		2625	2643
2567	2632	2626	
2568	2632	2627	
2569		2628	
2570		2629	1928
2571		2630	1927
2572	2632	2631	1918
2573		2632	
2574		2633	1920
2575	2645	2634	1921
2576	2631, 2633	2635	1922, 1923
2577	2633	2636	1924
2578	2646. 2647. 2648	2637	1925
2579		2638	1926.1
2580	2671	2639	1926.2
2581	2647	2640	1926.3
2582		2641	1926.4
2583		2642	1926.5
2584	2663	2643	1926.6
2585		2644	1981
2586		2645	1980
2587	2663, 2668	2646	1981
2588	2664, 2669	2647	1982
2589	2666	2648	
2590		2649	
2591	2672	2650	1983
2592	2672	2651	1994, 2009
2593	2674	2652	1992, 1995, 1996
2594	2672, 2673	2653	
2595	2675	2654	
2596	2652	2655	2015, 2084
2597		2656	
2598		2657	1984, 1985
2599	2677	2658	2008, 2051
2600		2659	2081
2601	2676	2660	2016, 2022
2602		2661	2017 al.4
2603		2662	1976, 2017 al.1
2604		2663	2130 al.6
2605		2664	2018, 2019, 2020
2606		2665	1968, 2016, 2022
2607		2666	
2608		2667	2017 al.3
2609		2668	
2610	2660	2669	2017 al.4, 2038
2611		2670	2043, 2098 al.7
2612		2671	2017 al.2
2613		2672	
2614		2673	
2615		2674	
2616		2675	
2617		2676	
2618		2677	
2619	2662	2678	
2620		2679	2021
2621	2640	2680	2051
2622	2640, 2641	2681	1966 al.2, 2037

C.C.Q.	C.C.B.C./C.C.L.C. Q. (1980, c. 39)	C.C.Q.	C.C.B.C./C.C.L.C. Q. (1980, c. 39)
2682	2038	2737	1967, 1974
2683		2738	
2684	1979a, 1979e	2739	1973 al.1
2685		2740	1973 al.2
2686		2741	1975
2687	2046	2742	1976
2688		2743	1974
2689	2044	2744	
2690		2745	
2691		2746	
2692		2747	
2693	2040	2748	2057, 2058
2694	2042	2749	
2695		2750	
2696	1979b, 1979f	2751	2016, 2056
2697	1979b, 1979f	2752	2059
2698		2753	2049 al.1
2699		2754	2049 al.2
2700		2755	
2701		2756	
2702	1966 al.1	2757	1040a, 1979c, 1979i
2703	1970	2758	1040a, 1040b, 1979c,
2704			1979i
2705	1970	2759	
2706		2760	2074
2707		2761	1040b al.1, 2079, 2080
2708		2762	1040b al.2
2709	1573	2763	2061, 2075
2710	1571, 157la, 157lb,	2764	2075, 2077
	157lc, 1571d, 1578	2765	2075
2711	157ld	2766	
2712		2767	
2713		2768	
2714	2374	2769	2075, 2076
2715		2770	2072
2716		2771	2073
2717		2772	2078
2718		2773	
2719		2774	
2720		2775	
2721		2776	
2722		2777	
2723		2778	
2724	2006a, 2013, 2024,	2779	
	2034	2780	
2725	2025, 2026, 2121	2781	1040b al.1
2726	2013, 2013a, 2013d,	2782	
	2013e, 2013f	2783	
2727	2013d, 2013e, 2013f	2784	1979c, 1979i
2728	2013, 2013d, 2013e,	2785	
	2013f	2786	
2729	442k	2787	
2730	2026, 2034, 2121	2788	
2731	2036 al.3	2789	1979c, 1979j
2732		2790	
2733	2053	2791	
2734	2054, 2055	2792	
2735	2057	2793	
2736	1972	2794	2081 (6)

C.C.Q.	C.C.B.C./C.C.L.C. Q. (1980, c. 39)	C.C.Q.	C.C.B.C./C.C.L.C. Q. (1980, c. 39)
2795	2081 (1), (6)	2854	
2796		2855	
2797	2081 (5)	2856	
2798	1970, 2081a al.1	2857	
2799	2081a	2858	
2800		2859	
2801		2860	1204
2802		2861	1233
2803	1203	2862	1236
2804	1204	2863	1234
2805	2202	2864	
2806		2865	
2807		2866	1240
2808		2867	1244
2809		2868	
2810		2869	
2811	1205	2870	
2812	1207	2871	
2813	1207	2872	
2814	1208	2873	
2815	1207, 1215	2874	
2816	1217, 1218, 1219	2875	2183
2817	1216	2876	2201 al.1
2818	1210	2877	2232
2819	1208, 1210	2878	2188, 2267
2820	1215, 1216	2879	2240
2821	1211	2880	2236, 2268
2822	1220	2881	
2823	1220	2882	2246
2824	1220	2883	2184
2825		2884	
2826	1221	2885	2185
2827		2886	2186
2828	1223, 1224	2887	2187
2829	1222	2888	2264
2830	1225, 1226	2889	2222
2831		2890	2223
2832		2891	
2833	1227	2892	2224 al.1, 4, 6
2834	1228, 1229	2893	2224 al.5
2835		2894	2226
2836		2895	
2837		2896	2224 al.2
2838		2897	2224, al.3
2839		2898	2227
2840		2899	2228
2841		2900	2230 al.1, 2231 al.1
2842		2901	2230 al.3, 2231 al.3
2843		2902	2230 al.3, 2231 al.4
2844		2903	2255, 2264
2845		2904	2232 al.1, 3
2846	1238	2905	2232 al.2
2847	1239	2906	2233, 2261.1
2848	1241	2907	2237
2849	1242	2908	2233a
2850		2909	2239
2851		2910	2183 al.2
2852	1245	2911	
2853	1243	2912	2200

C.C.Q.	C.C.B.C./C.C.L.C. Q. (1980, c. 39)	C.C.Q.	C.C.B.C./C.C.L.C. Q. (1980, c. 39)
2913	2203 al.1, 2204	2966	
2914	2205, 2208	2967	2111, 2112
2915	2206	2968	2111, 2112
2916	2207 al.1, 6	2969	2161
2917	2242	2970	661, 804 al.2, 1979b al.2, 1979g al.1, 2092, 2126, 2158
2918	2251		
2919	1027 al.2, 2268 al.1, 2		
2920	2253	2971	2179
2921	2183 al.3	2972	2161 (2), (6), 2170, 2171
2922	2242		
2923		2973	
2924	2265	2974	
2925		2975	
2926	2260a	2976	2161 (5), (6), 2129g
2927	2258	2977	2129q
2928	2261.2	2978	2129k
2929	2262 (1)	2979	2129l
2930		2980	
2931	2266	2981	
2932		2982	2092, 2131, 2158
2933	2203 al.3, 2204	2983	
2934		2984	
2935	2087, 2129b	2985	2140
2936		2986	2136
2937	2131 al.3	2987	2138, 2138a
2938	2098 al.1, 4, 5, 2101 al.1, 2108, 2109, 2110, 2116a, 2116b, 2121, 2126	2988	
		2989	
		2990	
		2991	
2939	2102, 2108	2992	
2940		2993	
2941	2082, 2083	2994	
2942	2131 al.3	2995	2131 al.5
2943		2996	2173.7
2944		2997	2129a
2945	2080, 2130 al.3, 5, 2132 al.2, 3, 2136 al.2, 2161 (3)	2998	2098 al.4, 5, 6, 2110
		2999	2098 al.4, 5
		3000	2155, 2156, 2161d
2946	2089	3001	2161i
2947	2130 al.4, 5	3002	
2948	2043, 2083, 2098 al.7, 2100	3003	2127 al.1, 2, 3
		3004	2127 al.4
2949	2120a	3005	
2950		3006	
2951		3007	2132 al.1, 2134 al.1, 2136, 2145, 2171, 2180 al.1
2952	2013, 2013c		
2953			
2954		3008	2132 al.1, 2134 al.1, 2159
2955			
2956	2048, 2127	3009	
2957	2095	3010	
2958	2091	3011	2134, 2145
2959	2122, 2123, 2124	3012	2160.1 al.2, 2180 al.2
2960	2125, 2125a	3013	2084 (2), 2098 al.7
2961	2108, 2109	3014	2127 al.5
2962		3015	
2963	2085	3016	
2964	2086	3017	2161e
2965		3018	

C.C.Q.	C.C.B.C./C.C.L.C. Q. (1980, c. 39)	C.C.Q.	C.C.B.C./C.C.L.C. Q. (1980, c. 39)
3019	2177, 2178	3074	
3020		3075	
3021	2174, 2182	3076	
3022	2161b, 2161c al.1	3077	
3023	2161c al.2, 3	3078	6 al.2
3024	2129q, 2160 al.1, 2161 (6), 2164	3079	
		3080	
3025	2160 al.2	3081	13
3026		3082	
3027	2166, 2167	3083	6 al.4
3028	2169, 2170	3084	6 al.3
3029	2166, 2175	3085	6 al.4, 348a
3030	2173.2, 2175 al.3	3086	
3031		3087	
3032	2168 al.1, 2169	3088	6 al.4, 7.1
3033	2168 al.3, 2173.2 al.3	3089	6 al.4
3034		3090	6 al.4
3035	2129g	3091	6 al.4
3036	2129l al.1	3092	
3037	2168 al.1	3093	6 al.4
3038		3094	
3039		3095	
3040	2129d, 2129h, 2129i	3096	
3041		3097	6 al.1, 2
3042	2173.6	3098	6 al.1, 2
3043	2174, 2174a, 2174b al.1, 2175 al.1, 2	3099	
		3100	
3044		3101	348a
3045	2174b al.4	3102	6 al.2
3046		3103	
3047		3104	
3048		3105	
3049		3106	
3050		3107	
3051		3108	
3052		3109	7
3053		3110	1208 al.5
3054	2173.2	3111	8
3055	2173.3 al.1, 2, 2173.4	3112	8
3056	2173.3 al.3, 4, 2173.4	3113	
3057	2148 al.1, 2149, 2152	3114	
3058		3115	
3059	2148 al.1	3116	1738
3060	2081a al.2	3117	
3061	2103 (3), (4)	3118	
3062	2148.1	3119	2496-2498, 2500
3063	2150	3120	
3064		3121	
3065	2148 al.2, 4	3122	
3066		3123	
3067	2151 al.4, 5	3124	
3068	2151 al.3	3125	
3069	2157, 2161d, 2161g, 2161h	3126	6 al.3
		3127	
3070	2161h al.2, 2161i, 2161k	3128	
		3129	8.1
3071	2129p	3130	
3072		3131	2189-2191
3073	2148 al.1, 2153	3132	6 al.2

C.C.Q.	C.C.B.C./C.C.L.C. Q. (1980, c. 39)	C.C.Q.	C.C.B.C./C.C.L.C. Q. (1980, c. 39)
3133			
3134	28		
3135			
3136			
3137			
3138			
3139			
3140			
3141			
3142			
3143			
3144			
3145			
3146			
3147			
3148			
3149	85 al.3		
3150			
3151			
3152			
3153			
3154			
3155			
3156			
3157			
3158			
3159			
3160			
3161			
3162			
3163			
3164			
3165			
3166			
3167			
3168			
DISPOSITIONS FINALES			

LOI DE 1982 SUR LE CANADA

1982, ch. 11 (R.-U.) dans L.R.C. (1985), App. II, no 44

CANADA ACT, 1982

1982, c. 11 (U.K.) in R.S.C., 1985, App. II, no 44

Annexe A

Loi donnant suite à une demande du Sénat et de la Chambre des communes du Canada

Sa Très Excellente Majesté la Reine, considérant: qu'à la demande et avec le consentement du Canada, le Parlement du Royaume-Uni est invité à adopter une loi visant à donner effet aux dispositions énoncées ci-après et que le Sénat et la Chambre des communes du Canada réunis en Parlement ont présenté une adresse demandant à Sa Très Gracieuse Majesté de bien vouloir faire déposer devant le Parlement du Royaume-Uni un projet de loi à cette fin,

sur l'avis et du consentement des Lords spirituels et temporels et des Communes réunis en Parlement, et par l'autorité de celui-ci, édicte:

1. [Adoption de la *Loi constitutionnelle de 1982*] La *Loi constitutionnelle de 1982*, énoncée à l'annexe B, est édictée pour le Canada et y a force de loi. Elle entre en vigueur conformément à ses dispositions.

2. [Cessation du pouvoir de légiférer pour le Canada] Les lois adoptées par le Parlement du Royaume-Uni après l'entrée en vigueur de la *Loi constitutionnelle de 1982* ne font pas partie du droit du Canada.

3. [Version française] La partie de la version française de la présente loi qui figure à l'annexe A a force de loi au Canada au même titre que la version anglaise correspondante.

4. [Titre abrégé] Titre abrégé de la présente loi: *Loi de 1982 sur le Canada*.

Schedule A

An Act to give effect to a request by the Senate and House of Commons of Canada

Whereas Canada has requested and consented to the enactment of an Act of the Parliament of the United Kingdom to give effect to the provisions hereinafter set forth and the Senate and the House of Commons of Canada in Parliament assembled have submitted an address to Her Majesty requesting that Her Majesty may graciously be pleased to cause a Bill to be laid before the Parliament of the United Kingdom for that purpose.

Be it therefore enacted by the Queen's Most Excellent Majesty, by and with the advice and consent of the Lords Spiritual and Temporal, and Commons, in this present Parliament assembled, and by the authority of the same, as follows:

1. [*Constitution Act, 1982* enacted] The *Constitution Act, 1982* set out in Schedule B to this Act is hereby enacted for and shall have the force of law in Canada and shall come into force as provided in that Act.

2. [Termination of power to legislate for Canada] No Act of the Parliament of the United Kingdom passed after the *Constitution Act, 1982* comes into force shall extend to Canada as part of its law.

3. [French version] So far as it is not contained in Schedule B, the French version of this Act is set out in Schedule A to this Act and has the same authority in Canada as the English version thereof.

4. [Short title] This Act may be cited as the *Canada Act 1982*.

Annexe B	**Schedule B**
LOI CONSTITUTIONNELLE DE 1982	**CONSTITUTION ACT, 1982**

PARTIE I	PART I
CHARTE CANADIENNE DES DROITS ET LIBERTÉS	**CANADIAN CHARTER OF RIGHTS AND FREEDOMS**

Attendu que le Canada est fondé sur des principes qui reconnaissent la suprématie de Dieu et la primauté du droit:

Whereas Canada is founded upon principles that recognize the supremacy of God and the rule of law:

Garantie des droits et libertés

Guarantee of Rights and Freedoms

1. [Droits et libertés au Canada.] La *Charte canadienne des droits et libertés* garantit les droits et libertés qui y sont énoncés. Ils ne peuvent être restreints que par une règle de droit, dans des limites qui soient raisonnables et dont la justification puisse se démontrer dans le cadre d'une société libre et démocratique.

1. [Rights and freedoms in Canada.] The *Canadian Charter of Rights and Freedoms* guarantees the rights and freedoms set out in it subject only to such reasonable limits prescribed by law as can be demonstrably justified in a free and democratic society.

Libertés fondamentales

Fundamental Freedoms

2. [Libertés fondamentales.] Chacun a les libertés fondamentales suivantes:

a) liberté de conscience et de religion;

b) liberté de pensée, de croyance, d'opinion et d'expression, y compris la liberté de la presse et des autres moyens de communication;

c) liberté de réunion pacifique;

d) liberté d'association.

2. [Fundamental freedoms.] Everyone has the following fundamental freedoms:

(a) freedom of conscience and religion;

(b) freedom of thought, belief, opinion and expression, including freedom of the press and other media of communication;

(c) freedom of peaceful assembly; and

(d) freedom of association.

Droits démocratiques

Democratic Rights

3. [Droits démocratiques des citoyens.] Tout citoyen canadien a le droit de vote et est éligible aux élections législatives fédérales ou provinciales.

3. [Democratic rights of citizens.] Every citizen of Canada has the right to vote in an election of members of the House of Commons or of a legislative assembly and to be qualified for membership therein.

4. (1) [Mandat maximal des assemblées.] Le mandat maximal de la Chambre des communes et des assemblées législatives est de cinq ans à compter de la date fixée pour le retour des brefs relatifs aux élections générales correspondantes.

(2) **[Prolongations spéciales.]** Le mandat de la Chambre des communes ou celui d'une assemblée législative peut être prolongé respectivement par le Parlement ou par la législature en question au-delà de cinq ans en cas de guerre, d'invasion ou d'insurrection, réelles ou appréhendées, pourvu que cette prolongation ne fasse pas l'objet d'une opposition

4. (1) [Maximum duration of legislative bodies.] No House of Commons and no legislative assembly shall continue for longer than five years from the date fixed for the return of the writs at a general election of its members.

(2) **[Continuation in special circumstances.]** In time of real or apprehended war, invasion or insurrection, a House of Commons may be continued by Parliament and a legislative assembly may be continued by the legislature beyond five years if such continuation is not opposed by the votes of more than one-third of the members of the House of

exprimée par les voix de plus du tiers des députés de la Chambre des communes ou de l'assemblée législative.

5. [Séance annuelle.] Le Parlement et les législatures tiennent une séance au moins une fois tous les douze mois.

Liberté de circulation et d'établissement

6. (1) [Liberté de circulation.] Tout citoyen canadien a le droit de demeurer au Canada, d'y entrer ou d'en sortir.

(2) [Liberté d'établissement.] Tout citoyen canadien et toute personne ayant le statut de résident permanent au Canada ont le droit:

a) de se déplacer dans tout le pays et d'établir leur résidence dans toute province;

b) de gagner leur vie dans toute province.

(3) [Restriction.] Les droits mentionnés au paragraphe (2) sont subordonnés:

a) aux lois et usages d'application générale en vigueur dans une province donnée, s'ils n'établissent entre les personnes aucune distinction fondée principalement sur la province de résidence antérieure ou actuelle;

b) aux lois prévoyant de justes conditions de résidence en vue de l'obtention des services sociaux publics.

(4) [Programmes de promotion sociale.] Les paragraphes (2) et (3) n'ont pas pour objet d'interdire les lois, programmes ou activités destinés à améliorer, dans une province, la situation d'individus défavorisés socialement ou économiquement, si le taux d'emploi dans la province est inférieur à la moyenne nationale.

Garanties juridiques

7. [Vie, liberté et sécurité.] Chacun a droit à la vie, à la liberté et à la sécurité de sa personne; il ne peut être porté atteinte à ce droit qu'en conformité avec les principes de justice fondamentale.

8. [Fouilles, perquisitions ou saisies.] Chacun a droit à la protection contre les fouilles, les perquisitions ou les saisies abusives.

Commons or the legislative assembly, as the case may be.

5. [Annual sitting of legislative bodies.] There shall be a sitting of Parliament and of each legislature at least once every twelve months.

Mobility Rights

6. (1) [Mobility of citizens.] Every citizen of Canada has the right to enter, remain in and leave Canada.

(2) [Rights to move and gain livelihood.] Every citizen of Canada and every person who has the status of a permanent resident of Canada has the right

(a) to move to and take up residence in any province; and

(b) to pursue the gaining of a livelihood in any province.

(3) [Limitation.] The rights specified in subsection (2) are subject to

(a) any laws or practices of general application in force in a province other than those that discriminate among persons primarily on the basis of province of present or previous residence; and

(b) any laws providing for reasonable residency requirements as a qualification for the receipt of publicly provided social services.

(4) [Affirmative action programs.] Subsections (2) and (3) do not preclude any law, program or activity that has as its object the amelioration in a province of conditions of individuals in that province who are socially or economically disadvantaged if the rate of employment in that province is below the rate of employment in Canada.

Legal Rights

7. [Life, liberty and security of person.] Everyone has the right to life, liberty and security of the person and the right not to be deprived thereof except in accordance with the principles of fundamental justice.

8. [Search or seizure.] Everyone has the right to be secure against unreasonable search or seizure.

9. [Détention ou emprisonnement.] Chacun a droit à la protection contre la détention ou l'emprisonnement arbitraires.

10. [Arrestation ou détention.] Chacun a le droit, en cas d'arrestation ou de détention:

a) d'être informé dans les plus brefs délais des motifs de son arrestation ou de sa détention;

b) d'avoir recours sans délai à l'assistance d'un avocat et d'être informé de ce droit;

c) de faire contrôler, par *habeas corpus,* la légalité de sa détention et d'obtenir, le cas échéant, sa libération.

11. [Affaires criminelles et pénales.] Tout inculpé a le droit:

a) d'être informé sans délai anormal de l'infraction précise qu'on lui reproche;

b) d'être jugé dans un délai raisonnable;

c) de ne pas être contraint de témoigner contre lui-même dans toute poursuite intentée contre lui pour l'infraction qu'on lui reproche;

d) d'être présumé innocent tant qu'il n'est pas déclaré coupable, conformément à la loi, par un tribunal indépendant et impartial à l'issue d'un procès public et équitable;

e) de ne pas être privé sans juste cause d'une mise en liberté assortie d'un cautionnement raisonnable;

f) sauf s'il s'agit d'une infraction relevant de la justice militaire, de bénéficier d'un procès avec jury lorsque la peine maximale prévue pour l'infraction dont il est accusé est un emprisonnement de cinq ans ou une peine plus grave;

g) de ne pas être déclaré coupable en raison d'une action ou d'une omission qui, au moment où elle est survenue, ne constituait pas une infraction d'après le droit interne du Canada ou le droit international et n'avait pas de caractère criminel d'après les principes généraux de droit reconnus par l'ensemble des nations;

h) d'une part de ne pas être jugé de nouveau pour une infraction dont il a été définitivement acquitté, d'autre part de ne pas être jugé ni puni de nouveau pour une infraction dont il a été définitivement déclaré coupable et puni;

i) de bénéficier de la peine la moins sévère, lorsque la peine qui sanctionne l'infraction dont il est déclaré coupable est modifiée entre le moment de la perpétration de l'infraction et celui de la sentence.

9. [Detention or imprisonment.] Everyone has the right not to be arbitrarily detained or imprisoned.

10. [Arrest or detention.] Everyone has the right on arrest or detention

(a) to be informed promptly of the reasons therefor;

(b) to retain and instruct counsel without delay and to be informed of that right; and

(c) to have the validity of the detention determined by way of *habeas corpus* and to be released if the detention is not lawful.

11. [Proceedings in criminal and penal matters.] Any person charged with an offence has the right

(a) to be informed without unreasonable delay of the specific offence;

(b) to be tried within a reasonable time;

(c) not to be compelled to be a witness in proceedings against that person in respect of the offence;

(d) to be presumed innocent until proven guilty according to law in a fair and public hearing by an independent and impartial tribunal;

(e) not to be denied reasonable bail without just cause;

(f) except in the case of an offence under military law tried before a military tribunal, to the benefit of trial by jury where the maximum punishment for the offence is imprisonment for five years or a more severe punishment;

(g) not to be found guilty on account of any act or omission unless, at the time of the act or omission, it constituted an offence under Canadian or international law or was criminal according to the general principles of law recognized by the community of nations;

(h) if finally acquitted of the offence, not to be tried for it again and, if finally found guilty and punished for the offence, not to be tried or punished for it again; and

(i) if found guilty of the offence and if the punishment for the offence has been varied between the time of commission and the time of sentencing, to the benefit of the lesser punishment.

12. [Cruauté.] Chacun a droit à la protection contre tous traitements ou peines cruels et inusités.

13. [Témoignage incriminant.] Chacun a droit à ce qu'aucun témoignage incriminant qu'il donne ne soit utilisé pour l'incriminer dans d'autres procédures, sauf lors de poursuites pour parjure ou pour témoignages contradictoires.

14. [Interprète.] La partie ou le témoin qui ne peuvent suivre les procédures, soit parce qu'ils ne comprennent pas ou ne parlent pas la langue employée, soit parce qu'ils sont atteints de surdité, ont droit à l'assistance d'un interprète.

Droits à l'égalité

15. (1) **[Égalité devant la loi, égalité de bénéfice et protection égale de la loi.]** La loi ne fait acception de personne et s'applique également à tous, et tous ont droit à la même protection et au même bénéfice de la loi, indépendamment de toute discrimination, notamment des discriminations fondées sur la race, l'origine nationale ou ethnique, la couleur, la religion, le sexe, l'âge ou les déficiences mentales ou physiques.

(2) **[Programmes de promotion sociale.]** Le paragraphe (1) n'a pas pour effet d'interdire les lois, programmes ou activités destinés à améliorer la situation d'individus ou de groupes défavorisés, notamment du fait de leur race, de leur origine nationale ou ethnique, de leur couleur, de leur religion, de leur sexe, de leur âge ou de leurs déficiences mentales ou physiques.

Langues officielles du Canada

16. (1) **[Langues officielles du Canada.]** Le français et l'anglais sont les langues officielles du Canada; ils ont un statut et des droits et privilèges égaux quant à leur usage dans les institutions du Parlement et du gouvernement du Canada.

(2) **[Langues officielles du Nouveau-Brunswick.]** Le français et l'anglais sont les langues officielles du Nouveau-Brunswick; ils ont un statut et des droits et privilèges égaux quant à leur usage dans les institutions de la Législature et du gouvernement du Nouveau-Brunswick.

(3) **[Progression vers l'égalité.]** La présente charte ne limite pas le pouvoir du Parlement et des législatures de favoriser la progression vers l'égalité de statut ou d'usage du français et de l'anglais.

12. [Treatment or punishment.] Everyone has the right not to be subjected to any cruel and unusual treatment or punishment.

13. [Self-crimination.] A witness who testifies in any proceedings has the right not to have any incriminating evidence so given used to incriminate that witness in any other proceedings, except in a prosecution for perjury or for the giving of contradictory evidence.

14. [Interpreter.] A party or witness in any proceedings who does not understand or speak the language in which the proceedings are conducted or who is deaf has the right to the assistance of an interpreter.

Equality Rights

15. (1) **[Equality before and under law and equal protection and benefit of law.]** Every individual is equal before and under the law and has the right to the equal protection and
equal benefit of the law without discrimination and, in particular, without discrimination based on race, national or ethnic origin, colour, religion, sex, age or mental or physical disability.

(2) **[Affirmative action programs.]** Subsection (1) does not preclude any law, program or activity that has as its object the amelioration of conditions of disadvantaged individuals or groups including those that are disadvantaged because of race, national or ethnic origin, colour, religion, sex, age or mental or physical disability.

Official Languages of Canada

16. (1) **[Official languages of Canada.]** English and French are the official languages of Canada and have equality of status and equal rights and privileges as to their use in all institutions of the Parliament and government of Canada.

(2) **[Official languages of New Brunswick.]** English and French are the official languages of New Brunswick and have equality of status and equal rights and privileges as to their use in all institutions of the legislature and government of New Brunswick.

(3) **[Advancement of status and use.]** Nothing in this Charter limits the authority of Parliament or a legislature to advance the equality of status or use of English and French.

16.1 (1) [**Communautés linguistiques française et anglaise du Nouveau-Brunswick.**] La communauté linguistique française et la communauté linguistique anglaise du Nouveau-Brunswick ont un statut et des droits et privilèges égaux, notamment le droit à des institutions d'enseignement distinctes et aux institutions culturelles distinctes nécessaires à leur protection et à leur promotion.

(2) [**Rôle de la législature et du gouvernement du Nouveau-Brunswick.**] Le rôle de la législature et du gouvernement du Nouveau-Brunswick de protéger et de promouvoir le statut, les droits et les privilèges visés au paragraphe (1) est confirmé.

TR/93-54.

17. (1) [**Travaux du Parlement.**] Chacun a le droit d'employer le français ou l'anglais dans les débats et travaux du Parlement.

(2) [**Travaux de la Législature du Nouveau-Brunswick.**] Chacun a le droit d'employer

le français ou l'anglais dans les débats et travaux de la Législature du Nouveau-Brunswick.

18. (1) [**Documents parlementaires.**] Les lois, les archives, les comptes rendus et les procès-verbaux du Parlement sont imprimés et publiés en français et en anglais, les deux versions des lois ayant également force de loi et celles des autres documents ayant même valeur.

(2) [**Documents de la Législature du Nouveau-Brunswick.**] Les lois, les archives, les comptes rendus et les procès-verbaux de la Législature du Nouveau-Brunswick sont imprimés et publiés en français et en anglais, les deux versions des lois ayant également force de loi et celles des autres documents ayant même valeur.

19. (1) [**Procédures devant les tribunaux établis par le Parlement.**] Chacun a le droit d'employer le français ou l'anglais dans toutes les affaires dont sont saisis les tribunaux établis par le Parlement et dans tous les actes de procédure qui en découlent.

(2) [**Procédures devant les tribunaux du Nouveau-Brunswick.**] Chacun a le droit d'employer le français ou l'anglais dans toutes les affaires dont sont saisis les tribunaux du Nouveau-Brunswick et dans tous les actes de procédure qui en découlent.

20. (1) [**Communications entre les administrés et les institutions fédérales.**] Le public a, au Canada, droit à l'emploi du français ou de l'anglais pour communiquer avec le siège ou l'administration centrale des institutions du Parlement ou du gou-

16.1 (1) [**English and French linguistic communities in New Brunswick.**] The English linguistic community and the French linguistic community in New Brunswick have equality of status and equal rights and privileges, including the right to distinct educational institutions and such distinct cultural institutions as are necessary for the preservation and promotion of those communities.

(2) [**Role of the legislature and government of New Brunswick.**] The role of the legislature and government of New Brunswick to preserve and promote the status, rights and privileges referred to in subsection (1) is affirmed.

17. (1) [**Proceedings of Parliament.**] Everyone has the right to use English or French in any debates and other proceedings of Parliament.

(2) [**Proceedings of New Brunswick legislature.**] Everyone has the right to use English or French in any debates and other proceedings of the legislature of New Brunswick.

18. (1) [**Parliamentary statutes and records.**] The statutes, records and journals of Parliament shall be printed and published in English and French and both language versions are equally authoritative.

(2) [**New Brunswick statutes and records.**] The statutes, records and journals of the legislature of New Brunswick shall be printed and published in English and French and both language versions are equally authoritative.

19. (1) [**Proceedings in courts established by Parliament.**] Either English or French may be used by any person in, or in any pleading in or process issuing from, any court established by Parliament.

(2) [**Proceedings in New Brunswick courts.**] Either English or French may be used by any person in, or in any pleading in or process issuing from, any court of New Brunswick.

20. (1) [**Communications by public with federal institutions.**] Any member of the public in Canada has the right to communicate with, and to receive available services from, any head or central office of an institution of the Parliament or govern-

vernement du Canada ou pour en recevoir les services; il a le même droit à l'égard de tout autre bureau de ces institutions là où, selon le cas:

a) l'emploi du français ou de l'anglais fait l'objet d'une demande importante;

b) l'emploi du français et de l'anglais se justifie par la vocation du bureau.

(2) [Communications entre les administrés et les institutions du Nouveau-Brunswick.] Le public a, au Nouveau-Brunswick, droit à l'emploi du français ou de l'anglais pour communiquer avec tout bureau des institutions de la législature ou du gouvernement ou pour en recevoir les services.

21. [Maintien en vigueur de certaines dispositions.] Les articles 16 à 20 n'ont pas pour effet, en ce qui a trait à la langue française ou anglaise ou à ces deux langues, de porter atteinte aux droits, privilèges ou obligations qui existent ou sont maintenus aux termes d'une autre disposition de la Constitution du Canada.

22. [Droits préservés.] Les articles 16 à 20 n'ont pas pour effet de porter atteinte aux droits et privilèges, antérieurs ou postérieurs à l'entrée en vigueur de la présente charte et découlant de la loi ou de la coutume, des langues autres que le français ou l'anglais.

Droit à l'instruction dans la langue de la minorité

23. (1) [Langue d'instruction.] Les citoyens canadiens:

a) dont la première langue apprise et encore comprise est celle de la minorité francophone ou anglophone de la province où ils résident,

b) qui ont reçu leur instruction, au niveau primaire, en français ou en anglais au Canada et qui résident dans une province où la langue dans laquelle ils ont reçu cette instruction est celle de la minorité francophone ou anglophone de la province,

ont, dans l'un ou l'autre cas, le droit d'y faire instruire leurs enfants, aux niveaux primaire et secondaire, dans cette langue.

[Note: Voir l'article 59 et la note correspondante.]

(2) [Continuité d'emploi de la langue d'instruction.] Les citoyens canadiens dont un enfant a reçu ou reçoit son instruction, au niveau primaire ou

ment of Canada in English or French, and has the same right with respect to any other office of any such institution where

(a) there is a significant demand for communications with and services from that office in such language; or

(b) due to the nature of the office, it is reasonable that communications with and services from that office be available in both English and French.

(2) [Communications by public with New Brunswick institutions.] Any member of the public in New Brunswick has the right to communicate with, and to receive available services from, any office of an institution of the legislature or government of New Brunswick in English or French.

21. [Continuation of existing constitutional provisions.] Nothing in sections 16 to 20 abrogates or derogates from any right, privilege or obligation with respect to the English and French languages, or either of them, that exists or is continued by virtue of any other provision of the Constitution of Canada.

22. [Rights and privileges preserved.] Nothing in sections 16 to 20 abrogates or derogates from any legal or customary right or privilege acquired or enjoyed either before or after the coming into force of this Charter with respect to any language that is not English or French.

Minority Language Educational Rights

23. (1) [Language of instruction.] Citizens of Canada

(a) whose first language learned and still understood is that of the English or French linguistic minority population of the province in which they reside, or

(b) who have received their primary school instruction in Canada in English or French and reside in a province where the language in which they received that instruction is the language of the English or French linguistic minority population of the province,

have the right to have their children receive primary and secondary school instruction in that language in that province.

[See also section 59 and the note thereto.]

(2) [Continuity of language instruction.] Citizens of Canada of whom any child has received or is receiving primary or secondary school instruction

secondaire, en français ou en anglais au Canada ont le droit de faire instruire tous leurs enfants, aux niveaux primaire et secondaire, dans la langue de cette instruction.

(3) **[Justification par le nombre.]** Le droit reconnu aux citoyens canadiens par les paragraphes (1) et (2) de faire instruire leurs enfants, aux niveaux primaire et secondaire, dans la langue de la minorité francophone ou anglophone d'une province:

a) s'exerce partout dans la province où le nombre des enfants des citoyens qui ont ce droit est suffisant pour justifier à leur endroit la prestation, sur les fonds publics, de l'instruction dans la langue de la minorité;

b) comprend, lorsque le nombre de ces enfants le justifie, le droit de les faire instruire dans des établissements d'enseignement de la minorité linguistique financés sur les fonds publics.

Recours

24. (1) **[Recours en cas d'atteinte aux droits et libertés.]** Toute personne, victime de violation ou de négation des droits ou libertés qui lui sont garantis par la présente charte, peut s'adresser à un tribunal compétent pour obtenir la réparation que le tribunal estime convenable et juste eu égard aux circonstances.

(2) **[Irrecevabilité d'éléments de preuve qui risqueraient de déconsidérer l'administration de la justice.]** Lorsque, dans une instance visée au paragraphe (1), le tribunal a conclu que des éléments de preuve ont été obtenus dans des conditions qui portent atteinte aux droits ou libertés garantis par la présente charte, ces éléments de preuve sont écartés s'il est établi, eu égard aux circonstances, que leur utilisation est susceptible de déconsidérer l'administration de la justice.

Dispositions générales

25. **[Maintien des droits et libertés des autochtones.]** Le fait que la présente charte garantit certains droits et libertés ne porte pas atteinte aux droits ou libertés — ancestraux, issus de traités ou autres — des peuples autochtones du Canada, notamment:

a) aux droits ou libertés reconnus par la Proclamation royale du 7 octobre 1763;

b) aux droits ou libertés existant issus d'accords sur des revendications territoriales ou ceux susceptibles d'être ainsi acquis.

in English or French in Canada, have the right to have all their children receive primary and secondary school instruction in the same language.

(3) **[Application where numbers warrant.]** The right of citizens of Canada under subsections (1) and (2) to have their children receive primary and secondary school instruction in the language of the English or French linguistic minority population of a province

(*a*) applies wherever in the province the number of children of citizens who have such a right is sufficient to warrant the provision to them out of public funds of minority language instruction; and

(*b*) includes, where the number of those children so warrants, the right to have them receive that instruction in minority language educational facilities provided out of public funds.

Enforcement

24. (1) **[Enforcement of guaranteed rights and freedoms.]** Anyone whose rights or freedoms, as guaranteed by this Charter, have been infringed or denied may apply to a court of competent jurisdiction to obtain such remedy as the court considers appropriate and just in the circumstances.

(2) **[Exclusion of evidence bringing administration of justice into disrepute.]** Where, in proceedings under subsection (1), a court concludes that evidence was obtained in a manner that infringed or denied any rights or freedoms guaranteed by this Charter, the evidence shall be excluded if it is established that, having regard to all the circumstances, the admission of it in the proceedings would bring the administration of justice into disrepute.

General

25. **[Aboriginal rights and freedoms not affected by Charter.]** The guarantee in this Charter of certain rights and freedoms shall not be construed so as to abrogate or derogate from any aboriginal, treaty or other rights or freedoms that pertain to the aboriginal peoples of Canada including

(*a*) any rights or freedoms that have been recognized by the Royal Proclamation of October 7, 1763; and

(*b*) any rights and freedoms that now exist by way of land claims agreements or may be so acquired.

26. [Maintien des autres droits et libertés.] Le fait que la présente charte garantit certains droits et libertés ne constitue pas une négation des autres droits ou libertés qui existent au Canada.

27. [Maintien du patrimoine culturel.] Toute interprétation de la présente charte doit concorder avec l'objectif de promouvoir le maintien et la valorisation du patrimoine multiculturel des Canadiens.

28. [Égalité de garantie des droits pour les deux sexes.] Indépendamment des autres dispositions de la présente charte, les droits et libertés qui y sont mentionnés sont garantis également aux personnes des deux sexes.

29. [Maintien des droits relatifs à certaines écoles.] Les dispositions de la présente charte ne portent pas atteinte aux droits ou privilèges garantis en vertu de la Constitution du Canada concernant les écoles séparées et autres écoles confessionnelles.

30. [Application aux territoires.] Dans la présente charte, les dispositions qui visent les provinces, leur législature ou leur assemblée législative visent également le territoire du Yukon, les territoires du Nord-Ouest ou leurs autorités législatives compétentes.

31. [Non-élargissement des compétences législatives.] La présente charte n'élargit pas les compétences législatives de quelque organisme ou autorité que ce soit.

Application de la charte

32. (1) [Application de la charte.] La présente charte s'applique:

a) au Parlement et au gouvernement du Canada, pour tous les domaines relevant du Parlement, y compris ceux qui concernent le territoire du Yukon et les territoires du Nord-Ouest;

b) à la législature et au gouvernement de chaque province, pour tous les domaines relevant de cette législature.

(2) [Restriction.] Par dérogation au paragraphe (1), l'article 15 n'a d'effet que trois ans après l'entrée en vigueur du présent article.

26. [Other rights and freedoms not affected by Charter.] The guarantee in this Charter of certain rights and freedoms shall not be construed as denying the existence of any other rights or freedoms that exist in Canada.

27. [Multicultural heritage.] This Charter shall be interpreted in a manner consistent with the preservation and enhancement of the multicultural heritage of Canadians.

28. [Rights guaranteed equally to both sexes.] Notwithstanding anything in this Charter, the rights and freedoms referred to in it are guaranteed equally to male and female persons.

29. [Rights respecting certain schools preserved.] Nothing in this Charter abrogates or derogates from any rights or privileges guaranteed by or under the Constitution of Canada in respect of denominational, separate or dissentient schools.

30. [Application to territories and territorial authorities.] A reference in this Charter to a province or to the legislative assembly or legislature of a province shall be deemed to include a reference to the Yukon Territory and the Northwest Territories, or to the appropriate legislative authority thereof, as the case may be.

31. [Legislative powers not extended.] Nothing in this Charter extends the legislative powers of any body or authority.

Application of Charter

32. (1) [Application of Charter.] This Charter applies

(a) to the Parliament and government of Canada in respect of all matters within the authority of Parliament including all matters relating to the Yukon Territory and Northwest Territories; and

(b) to the legislature and government of each province in respect of all matters within the authority of the legislature of each province.

(2) [Exception.] Notwithstanding subsection (1), section 15 shall not have effect until three years after this section comes into force.

33. (1) [**Dérogation par déclaration expresse.**] Le Parlement ou la législature d'une province peut adopter une loi où il est expressément déclaré que celle-ci ou une de ses dispositions a effet indépendamment d'une disposition donnée à l'article 2 ou des articles 7 à 15 de la présente charte.

(2) [**Effet de la dérogation.**] La loi ou la disposition qui fait l'objet d'une déclaration conforme au présent article et en vigueur a l'effet qu'elle aurait sauf la disposition en cause de la charte.

(3) [**Durée de validité.**] La déclaration visée au paragraphe (1) cesse d'avoir effet à la date qui y est précisée ou, au plus tard, cinq ans après son entrée en vigueur.

(4) [**Nouvelle adoption.**] Le Parlement ou une législature peut adopter de nouveau une déclaration visée au paragraphe (1).

(5) [**Durée de validité.**] Le paragraphe (3) s'applique à toute déclaration adoptée sous le régime du paragraphe (4).

Titre

34. [**Titre.**] Titre de la présente partie: *Charte canadienne des droits et libertés.*

33. (1) [**Exception where express declaration.**] Parliament or the legislature of a province may expressly declare in an Act of Parliament or of the legislature, as the case may be, that the Act or a provision thereof shall operate notwithstanding a provision included in section 2 or sections 7 to 15 of this Charter.

(2) [**Operation of exception.**] An Act or a provision of an Act in respect of which a declaration made under this section is in effect shall have such operation as it would have but for the provision of this Charter referred to in the declaration.

(3) [**Five year limitation.**] A declaration made under subsection (1) shall cease to have effect five years after it comes into force or on such earlier date as may be specified in the declaration.

(4) [**Re-enactment.**] Parliament or the legislature of a province may re-enact a declaration made under subsection (1).

(5) [**Five year limitation.**] Subsection (3) applies in respect of a re-enactment made under subsection (4).

Citation

34. [**Citation.**] This part may be cited as the *Canadian Charter of Rights and Freedoms.*

CHARTE DES DROITS ET LIBERTÉS DE LA PERSONNE

L.R.Q., c. C-12

[Préambule] CONSIDÉRANT que tout être humain possède des droits et libertés intrinsèques, destinés à assurer sa protection et son épanouissement;

Considérant que tous les êtres humains sont égaux en valeur et en dignité et ont droit à une égale protection de la loi;

Considérant que le respect de la dignité de l'être humain et la reconnaissance des droits et libertés dont il est titulaire constituent le fondement de la justice et de la paix;

Considérant que les droits et libertés de la personne humaine sont inséparables des droits et libertés d'autrui et du bien-être général;

Considérant qu'il y a lieu d'affirmer solennellement dans une Charte les libertés et droits fondamentaux de la personne afin que ceux-ci soient garantis par la volonté collective et mieux protégés contre toute violation;

À ces causes, Sa Majesté, de l'avis et du consentement de l'Assemblée nationale du Québec, décrète ce qui suit:

PARTIE I
LES DROITS ET LIBERTÉS DE LA PERSONNE

CHAPITRE I
LIBERTÉS ET DROITS FONDAMENTAUX

1. [Droit à la vie] Tout être humain a droit à la vie, ainsi qu'à la sûreté, à l'intégrité et à la liberté de sa personne.

[Personnalité juridique] Il possède également la personnalité juridique.

1975, c. 6, a. 1; 1982, c. 61, a. 1.

2. [Droit au secours] Tout être humain dont la vie est en péril a droit au secours.

[Secours à une personne dont la vie est en péril] Toute personne doit porter secours à celui dont la vie est en péril, personnellement ou en obtenant du secours, en lui apportant l'aide physique nécessaire et immédiate, à moins d'un risque pour elle ou pour les tiers ou d'un autre motif raisonnable.

1975, c. 6, a. 2.

CHARTER OF HUMAN RIGHTS AND FREEDOMS

R.S.Q., c. C-12

[Preamble] WHEREAS every human being possesses intrinsic rights and freedoms designed to ensure his protection and development;

Whereas all human beings are equal in worth and dignity, and are entitled to equal protection of the law;

Whereas respect for the dignity of the human being and recognition of his rights and freedoms constitute the foundation of justice and peace;

Whereas the rights and freedoms of the human person are inseparable from the rights and freedoms of others and from the common well-being;

Whereas it is expedient to solemnly declare the fundamental human rights and freedoms in a Charter, so that they may be guaranteed by the collective will and better protected against any violation;

Therefore, Her Majesty, with the advice and consent of the National Assembly of Québec, enacts as follows:

PART I
HUMAN RIGHTS AND FREEDOMS

CHAPTER I
FUNDAMENTAL FREEDOMS AND RIGHTS

1. [Right to life] Every human being has a right to life, and to personal security, inviolability and freedom.

[Juridical personality] He also possesses juridical personality.

2. [Right to assistance] Every human being whose life is in peril has a right to assistance.

[Aiding person whose life is in peril] Every person must come to the aid of anyone whose life is in peril, either personally or calling for aid, by giving him the necessary and immediate physical assistance, unless it involves danger to himself or a third person, or he has another valid reason.

3. [Libertés fondamentales] Toute personne est titulaire des libertés fondamentales telles la liberté de conscience, la liberté de religion, la liberté d'opinion, la liberté d'expression, la liberté de réunion pacifique et la liberté d'association.

1975, c. 6, a. 3.

4. [Sauvegarde de la dignité] Toute personne a droit à la sauvegarde de sa dignité, de son honneur et de sa réputation.

1975, c. 6, a. 4.

5. [Respect de la vie privée] Toute personne a droit au respect de sa vie privée.

1975, c. 6, a. 5.

6. [Jouissance paisible des biens] Toute personne a droit à la jouissance paisible et à la libre disposition de ses biens, sauf dans la mesure prévue par la loi.

1975, c. 6, a. 6.

7. [Demeure inviolable] La demeure est inviolable.

1975, c. 6, a. 7.

8. [Respect de la propriété privée] Nul ne peut pénétrer chez autrui ni y prendre quoi que ce soit sans son consentement exprès ou tacite.

1975, c. 6, a. 8.

9. [Secret professionnel] Chacun a droit au respect du secret professionnel.

[Divulgation de renseignements confidentiels] Toute personne tenue par la loi au secret professionnel et tout prêtre ou autre ministre du culte ne peuvent, même en justice, divulguer les renseignements confidentiels qui leur ont été révélés en raison de leur état ou profession, à moins qu'ils n'y soient autorisés par celui qui leur a fait ces confidences ou par une disposition expresse de la loi.

[Devoir du tribunal] Le tribunal doit, d'office, assurer le respect du secret professionnel.

1975, c. 6, a. 9.

9.1 [Exercice des libertés et droits fondamentaux] Les libertés et droits fondamentaux s'exercent dans le respect des valeurs démocratiques, de l'ordre public et du bien-être général des citoyens du Québec.

[Rôle de la loi] La loi peut, à cet égard, en fixer la portée et en aménager l'exercice.

1982, c. 61, a. 2.

3. [Fundamental freedoms] Every person is the possessor of the fundamental freedoms, including freedom of conscience, freedom of religion, freedom of opinion, freedom of expression, freedom of peaceful assembly and freedom of association.

4. [Safeguard of dignity] Every person has a right to the safeguard of his dignity, honour and reputation.

5. [Respect for private life] Every person has a right to respect for his private life.

6. [Peaceful enjoyment of property] Every person has a right to the peaceful enjoyment and free disposition of his property, except to the extent provided by law.

7. [Home inviolable] A person's home is inviolable.

8. [Respect for private property] No one may enter upon the property of another or take anything therefrom without his express or implied consent.

9. [Right to secrecy] Every person has a right to non-disclosure of confidential information.

[Disclosure of confiential information] No person bound to professional secrecy by law and no priest or other minister of religion may, even in judicial proceedings, disclose confidential information revealed to him by reason of his position or profession, unless he is authorized to do so by the person who confided such information to him or by an express provision of law.

[Duty of tribunal] The tribunal must, *ex officio*, ensure that professional secrecy is respected.

9.1 [Exercise of rights and freedoms] In exercising his fundamental freedoms and rights, a person shall maintain a proper regard for democratic values, public order and the general well-being of the citizens of Québec.

[Scope fixed by law] In this respect, the scope of the freedoms and rights, and limits to their exercise, may be fixed by law.

CHAPITRE I.1
DROIT À L'ÉGALITÉ DANS LA RECONNAISSANCE ET L'EXERCICE DES DROITS ET LIBERTÉS

CHAPTER I.1
RIGHT TO EQUAL RECOGNITION AND EXERCISE OF RIGHTS AND FREEDOMS

10. [Discrimination interdite] Toute personne a droit à la reconnaissance et à l'exercice, en pleine égalité, des droits et libertés de la personne, sans distinction, exclusion ou préférence fondée sur la race, la couleur, le sexe, la grossesse, l'orientation sexuelle, l'état civil, l'âge sauf dans la mesure prévue par la loi, la religion, les convictions politiques, la langue, l'origine ethnique ou nationale, la condition sociale, le handicap ou l'utilisation d'un moyen pour pallier ce handicap.

[Motif de discrimination] Il y a discrimination lorsqu'une telle distinction, exclusion ou préférence a pour effet de détruire ou de compromettre ce droit.

1975, c. 6, a. 10; 1977, c. 6, a. 1; 1978, c. 7, a. 112; 1980, c. 11, a. 34; 1982, c. 61, a. 3.

10. [Discrimination forbidden] Every person has a right to full and equal recognition and exercise of his human rights and freedoms, without distinction, exclusion or preference based on race, colour, sex, pregnancy, sexual orientation, civil status, age except as provided by law, religion, political convictions, language, ethnic or national origin, social condition, a handicap or the use of any means to palliate a handicap.

[Discrimination defined] Discrimination exists where such a distinction, exclusion or preference has the effect of nullifying or impairing such right.

10.1 [Harcèlement interdit] Nul ne doit harceler une personne en raison de l'un des motifs visés dans l'article 10.

1982, c. 61, a. 4.

10.1 [Harassment] No one may harass a person on the basis of any ground mentioned in section 10.

11. [Publicité discriminatoire interdite] Nul ne peut diffuser, publier ou exposer en public un avis, un symbole ou un signe comportant discrimination ni donner une autorisation à cet effet.

1975, c. 6, a. 11.

11. [Discriminatory notice forbidden] No one may distribute, publish or publicly exhibit a notice, symbol or sign involving discrimination, or authorize anyone to do so.

12. [Discrimination dans formation d'acte juridique] Nul ne peut, par discrimination, refuser de conclure un acte juridique ayant pour objet des biens ou des services ordinairement offerts au public.

1975, c. 6, a. 12.

12. [Discrimination in juridical acts] No one may, through discrimination, refuse to make a juridical act concerning goods or services ordinarily offered to the public.

13. [Clause interdite] Nul ne peut, dans un acte juridique, stipuler une clause comportant discrimination.

[Nullité] Une telle clause est sans effet.

1975, c. 6, a. 13; 1999, c. 40, a. 46.

13. [Clause forbidden] No one may in a juridical act stipulate a clause involving discrimination.

[Nullity] Such a clause is without effect.

14. [Bail d'une chambre dans local d'habitation] L'interdiction visée dans les articles 12 et 13 ne s'applique pas au locateur d'une chambre située dans un local d'habitation, si le locateur ou sa famille réside dans le local, ne loue qu'une seule chambre et n'annonce pas celle-ci, en vue de la louer, par avis ou par tout autre moyen public de sollicitation.

1975, c. 6, a. 14.

14. [Lease of a room in a dwelling] The prohibitions contemplated in sections 12 and 13 do not apply to the person who leases a room situated in a dwelling if the lessor or his family resides in such dwelling, leases only one room and does not advertise the room for lease by a notice or any other public means of solicitation.

15. [Lieux publics accessibles à tous] Nul ne peut, par discrimination, empêcher autrui d'avoir accès aux moyens de transport ou aux lieux publics, tels les établissements commerciaux, hôtels, restaurants, théâtres, cinémas, parcs, terrains de camping et de caravaning, et d'y obtenir les biens et les services qui y sont disponibles.

1975, c. 6, a. 15.

16. [Non-discrimination dans l'embauche] Nul ne peut exercer de discrimination dans l'embauche, l'apprentissage, la durée de la période de probation, la formation professionnelle, la promotion, la mutation, le déplacement, la mise à pied, la suspension, le renvoi ou les conditions de travail d'une personne ainsi que dans l'établissement de catégories ou de classifications d'emploi.

1975, c. 6, a. 16.

17. [Discrimination par association d'employeurs ou de salariés interdite] Nul ne peut exercer de discrimination dans l'admission, la jouissance d'avantages, la suspension ou l'expulsion d'une personne d'une association d'employeurs ou de salariés ou de tout ordre professionnel ou association de personnes exerçant une même occupation.

1975, c. 6, a. 17; 1994, c. 40, a. 457.

18. [Discrimination par bureau de placement interdite] Un bureau de placement ne peut exercer de discrimination dans la réception, la classification ou le traitement d'une demande d'emploi ou dans un acte visant à soumettre une demande à un employeur éventuel.

1975, c. 6, a. 18.

18.1 [Renseignements relatifs à un emploi] Nul ne peut, dans un formulaire de demande d'emploi ou lors d'une entrevue relative à un emploi, requérir d'une personne des renseignements sur les motifs visés dans l'article 10 sauf si ces renseignements sont utiles à l'application de l'article 20 ou à l'application d'un programme d'accès à l'égalité existant au moment de la demande.

1982, c. 61, a. 5.

18.2 [Culpabilité à une infraction] Nul ne peut congédier, refuser d'embaucher ou autrement pénaliser dans le cadre de son emploi une personne du seul fait qu'elle a été déclarée coupable d'une infraction pénale ou criminelle, si cette infraction n'a aucun lien avec l'emploi ou si cette personne en a obtenu le pardon.

1982, c. 61, a. 5; 1990, c. 4, a. 133.

15. [Public places available to everyone] No one may, through discrimination, inhibit the access of another to public transportation or a public place, such as a commercial establishment, hotel, restaurant, theatre, cinema, park, camping ground or trailer park, or his obtaining the goods and services available there.

16. [Non-discrimination in employment] No one may practise discrimination in respect of the hiring, apprenticeship, duration of the probationary period, vocational training, promotion, transfer, displacement, laying-off, suspension, dismissal or conditions of employment of a person or in the establishment of categories or classes of employment.

17. [Discrimination by association or professional order forbidden] No one may practise discrimination in respect of the admission, enjoyment of benefits, suspension or expulsion of a person to, of or from an association of employers or employees or any professional order or association of persons carrying on the same occupation.

18. [Discrimination by employment bureau] No employment bureau may practise discrimination in respect of the reception, classification or processing of a job application or in any document intended for submitting an application to a prospective employer.

18.1 [Information on job application] No one may, in an employment application form or employment interview, require a person to give information regarding any ground mentioned in section 10 unless the information is useful for the application of section 20 or the implementation of an affirmative action program in existence at the time of the application.

18.2 [Penal or criminal offence] No one may dismiss, refuse to hire or otherwise penalize a person in his employment owing to the mere fact that he was convicted of a penal or criminal offence, if the offence was in no way connected with the employment or if the person has obtained a pardon for the offence.

19. [Égalité de traitement pour travail équivalent] Tout employeur doit, sans discrimination, accorder un traitement ou un salaire égal aux membres de son personnel qui accomplissent un travail équivalent au même endroit.

[Différence basée sur expérience non discriminatoire] Il n'y a pas de discrimination si une différence de traitement ou de salaire est fondée sur l'expérience, l'ancienneté, la durée du service, l'évaluation au mérite, la quantité de production ou le temps supplémentaire, si ces critères sont communs à tous les membres du personnel.

[Ajustements non discriminatoires] Les ajustements salariaux ainsi qu'un programme d'équité salariale sont, eu égard à la discrimination fondée sur le sexe, réputés non discriminatoires, s'ils sont établis conformément à la Loi sur l'équité salariale (L.R.Q., chapitre E-12.001).

1975, c. 6, a. 19 ; 1996, c. 43, a. 125.

20. [Distinction fondée sur aptitudes non discriminatoire] Une distinction, exclusion ou préférence fondée sur les aptitudes ou qualités requises par un emploi, ou justifiée par le caractère charitable, philanthropique, religieux, politique ou éducatif d'une institution sans but lucratif ou qui est vouée exclusivement au bien-être d'un groupe ethnique est réputée non discriminatoire.

1975, c. 6, a. 20; 1982, c. 61, a. 6; 1996, c. 10, a. 1.

20.1 [Utilisation non discriminatoire] Dans un contrat d'assurance ou de rente, un régime d'avantages sociaux, de retraite, de rentes ou d'assurance ou un régime universel de rentes ou d'assurance, une distinction, exclusion ou préférence fondée sur l'âge, le sexe ou l'état civil est réputée non discriminatoire lorsque son utilisation est légitime et que le motif qui la fonde constitue un facteur de détermination de risque, basé sur des données actuarielles.

[État de santé] Dans ces contrats ou régimes, l'utilisation de l'état de santé comme facteur de détermination de risque ne constitue pas une discrimination au sens de l'article 10.

1996, c. 10, a. 2.

CHAPITRE II
DROITS POLITIQUES

21. [Pétition à l'Assemblée] Toute personne a droit d'adresser des pétitions à l'Assemblée nationale pour le redressement de griefs.

1975, c. 6, a. 21.

19. [Equal salary for equivalent work] Every employer must, without discrimination, grant equal salary or wages to the members of his personnel who perform equivalent work at the same place.

[Difference based on experience, non-discriminatory] A difference in salary or wages based on experience, seniority, years of service, merit, productivity or overtime is not considered discriminatory if such criteria are common to all members of the personnel.

[Non-discrimination] Adjustments in compensation and a pay equity plan are deemed not to discriminate on the basis of gender if they are established in accordance with the Pay Equity Act (R.S.Q., chapter E-12.001).

20. [Distinction based on aptitudes, non-discriminatory] A distinction, exclusion or preference based on the aptitudes or qualifications required for an employment, or justified by the charitable, philanthropic, religious, political or educational nature of a non-profit institution or of an institution devoted exclusively to the well-being of an ethnic group, is deemed non-discriminatory.

20.1 [Presumption] In an insurance or pension contract, a social benefits plan, a retirement, pension or insurance plan, or a public pension or public insurance plan, a distinction, exclusion or preference based on age, sex or civil status is deemed non-discriminatory where the use thereof is warranted and the basis therefor is a risk determination factor based on actuarial data.

[Discrimination] In such contracts or plans, the use of health as a risk determination factor does not constitute discrimination within the meaning of section 10.

CHAPTER II
POLITICAL RIGHTS

21. [Petition to Assembly] Every person has a right of petition to the National Assembly for the redress of grievances.

22. [Droit de voter et d'être candidat] Toute personne légalement habilitée et qualifiée a droit de se porter candidat lors d'une élection et a droit d'y voter.

1975, c. 6, a. 22.

22. [Right to be candidate and to vote] Every person legally capable and qualified has the right to be a candidate and to vote at an election.

CHAPITRE III
DROITS JUDICIAIRES

CHAPTER III
JUDICIAL RIGHTS

23. [Audition impartiale par tribunal indépendant] Toute personne a droit, en pleine égalité, à une audition publique et impartiale de sa cause par un tribunal indépendant et qui ne soit pas préjugé, qu'il s'agisse de la détermination de ses droits et obligations ou du bien-fondé de toute accusation portée contre elle.

[**Huis clos**] Le tribunal peut toutefois ordonner le huis clos dans l'intérêt de la morale ou de l'ordre public.

1975, c. 6, a. 23; 1982, c. 17, a. 42; 1993, c. 30, a. 17.

23. [Impartial hearing before independent tribunal] Every person has a right to a full and equal, public and fair hearing by an independent and impartial tribunal, for the determination of his rights and obligations or of the merits of any charge brought against him.

[**Sittings *in camera***] The tribunal may decide to sit *in camera,* however, in the interest of morality or public order.

24. [Motifs de privation de liberté] Nul ne peut être privé de sa liberté ou de ses droits, sauf pour les motifs prévus par la loi et suivant la procédure prescrite.

1975, c. 6, a. 24.

24. [Grounds for deprivation of liberty] No one may be deprived of his liberty or of his rights except on grounds provided by law and in accordance with prescribed procedure.

24.1 [Abus interdits] Nul ne peut faire l'objet de saisies, perquisitions ou fouilles abusives.

1982, c. 61, a. 7.

24.1 [Search and seizure] No one may be subjected to unreasonable search or seizure.

25. [Traitement de personne arrêtée] Toute personne arrêtée ou détenue doit être traitée avec humanité et avec le respect dû à la personne humaine.

1975, c. 6, a. 25.

25. [Treatment of person arrested] Every person arrested or detained must be treated with humanity and with the respect due to the human person.

26. [Régime carcéral distinct] Toute personne détenue dans un établissement de détention a droit d'être soumise à un régime distinct approprié à son sexe, son âge et sa condition physique ou mentale.

1975, c. 6, a. 26.

26. [Right to separate treatment] Every person confined to a house of detention has the right to separate treatment appropriate to his sex, his age and his physical or mental condition.

27. [Séparation des détenus attendant l'issue de leur procès] Toute personne détenue dans un établissement de détention en attendant l'issue de son procès a droit d'être séparée, jusqu'au jugement final, des prisonniers qui purgent une peine.

1975, c. 6, a. 27.

27. [Person awaiting outcome of his trial to be kept apart] Every person confined to a house of detention while awaiting the outcome of his trial has the right to be kept apart, until final judgment, from prisoners serving sentence.

28. [Information sur motifs d'arrestation] Toute personne arrêtée ou détenue a droit d'être promptement informée, dans une langue qu'elle comprend, des motifs de son arrestation ou de sa détention.

1975, c. 6, a. 28.

28. [Information on grounds of arrest] Every person arrested or detained has a right to be promptly informed, in a language he understands, of the grounds of his arrest or detention.

28.1 [Information à l'accusé] Tout accusé a le droit d'être promptement informé de l'infraction particulière qu'on lui reproche.

1982, c. 61, a. 8.

29. [Droit de prévenir les proches] Toute personne arrêtée ou détenue a droit, d'en prévenir ses proches et de recourir à l'assistance d'un avocat. Elle doit être promptement informée de ces droits.

1975, c. 6, a. 29; 1982, c. 61, a. 9.

30. [Comparution] Toute personne arrêtée ou détenue doit être promptement conduite devant le tribunal compétent ou relâchée.

1975, c. 6, a. 30; 1982, c. 61, a. 10.

31. [Liberté sur engagement] Nulle personne arrêtée ou détenue ne peut être privée, sans juste cause, du droit de recouvrer sa liberté sur engagement, avec ou sans dépôt ou caution, de comparaître devant le tribunal dans le délai fixé.

1975, c. 6, a. 31.

32. [Habeas corpus] Toute personne privée de sa liberté a droit de recourir à l'habeas corpus.

1975, c. 6, a. 32.

32.1 [Délai raisonnable] Tout accusé a le droit d'être jugé dans un délai raisonnable.

1982, c. 61, a. 11.

33. [Présomption d'innocence] Tout accusé est présumé innocent jusqu'à ce que la preuve de sa culpabilité ait été établie suivant la loi.

1975, c. 6, a. 33.

33.1 [Témoignage interdit] Nul accusé ne peut être contraint de témoigner contre lui-même lors de son procès.

1982, c. 61, a. 12.

34. [Assistance d'avocat] Toute personne a droit de se faire représenter par un avocat ou d'en être assistée devant tout tribunal.

1975, c. 6, a. 34.

35. [Défense pleine et entière] Tout accusé a droit à une défense pleine et entière et le droit d'interroger et de contre-interroger les témoins.

1975, c. 6, a. 35.

36. [Assistance d'un interprète] Tout accusé a le droit d'être assisté gratuitement d'un interprète s'il ne comprend pas la langue employée à l'audience ou s'il est atteint de surdité.

1975, c. 6, a. 36; 1982, c. 61, a. 13.

28.1 [Rights of accused person] Every accused person has a right to be promptly informed of the specific offence with which he is charged.

29. [Right to advise next of kin] Every person arrested or detained has a right to immediately advise his next of kin thereof and to have recourse to the assistance of an advocate. He has a right to be informed promptly of those rights.

30. [Right to be brought before tribunal] Every person arrested or detained must be brought promptly before the competent tribunal or released.

31. [Right to be released on undertaking] No person arrested or detained may be deprived without just cause of the right to be released on undertaking, with or without deposit or surety, to appear before the tribunal at the appointed time.

32. [Habeas corpus] Every person deprived of his liberty has a right of recourse to habeas corpus.

32.1 [Right to trial] Every accused person has a right to be tried within a reasonable time.

33. [Presumption of innocence] Every accused person is presumed innocent until proven guilty according to law.

33.1 [Self-incrimination] No accused person may be compelled to testify against himself at his trial.

34. [Right to advocate] Every person has a right to be represented by an advocate or to be assisted by one before any tribunal.

35. [Full and complete defence] Every accused person has a right to a full and complete defense and has the right to examine and cross-examine witnesses.

36. [Interpreter] Every accused person has a right to be assisted free of charge by an interpreter if he does not understand the language used at the hearing or if he is deaf.

37. [Non-rétroactivité des lois] Nul accusé ne peut être condamné pour une action ou une omission qui, au moment où elle a été commise, ne constituait pas une violation de la loi.

1975, c. 6, a. 37.

37.1 [Chose jugée] Une personne ne peut être jugée de nouveau pour une infraction dont elle a été acquittée ou dont elle a été déclarée coupable en vertu d'un jugement passé en force de chose jugée.

1982, c. 61, a. 14.

37.2 [Peine moins sévère] Un accusé a droit à la peine la moins sévère lorsque la peine prévue pour l'infraction a été modifiée entre la perpétration de l'infraction et le prononcé de la sentence.

1982, c. 61, a. 14.

38. [Protection de la loi] Aucun témoignage devant un tribunal ne peut servir à incriminer son auteur, sauf le cas de poursuites pour parjure ou pour témoignages contradictoires.

1975, c. 6, a. 38; 1982, c. 61, a. 15; 1989, c. 51, a. 1.

37. [Non-retroactivity of law] No accused person may be held guilty on account of any act or omission which, at the time when it was committed, did not constitute a violation of the law.

37.1 [*Res judicata*] No person may be tried again for an offence of which he has been acquitted or of which he has been found guilty by a judgment that has acquired status as *res judicata*.

37.2 [Lesser punishment] Where the punishment for an offence has been varied between the time of commission and the time of sentencing, the accused person has a right to the lesser punishment.

38. [Self-incrimination] No testimony before a tribunal may be used to incriminate the person who gives it, except in a prosecution for perjury or for the giving of contradictory evidence.

CHAPITRE IV
DROITS ÉCONOMIQUES ET SOCIAUX

39. [Protection de l'enfant] Tout enfant a droit à la protection, à la sécurité et à l'attention que ses parents ou les personnes qui en tiennent lieu peuvent lui donner.

1975, c. 6, a. 39; 1980, c. 39, a. 61.

40. [Instruction publique gratuite] Toute personne a droit, dans la mesure et suivant les normes prévues par la loi, à l'instruction publique gratuite.

1975, c. 6, a. 40.

41. [Enseignement religieux ou moral] Les parents ou les personnes qui en tiennent lieu ont le droit d'exiger que, dans les établissements d'enseignement publics, leurs enfants reçoivent un enseignement religieux ou moral conforme à leurs convictions, dans le cadre des programmes prévus par la loi.

1975, c. 6, a. 41.

42. [Institutions d'enseignement privées] Les parents ou les personnes qui en tiennent lieu ont le droit de choisir pour leurs enfants des établissements d'enseignement privés, pourvu que ces établissements se conforment aux normes prescrites ou approuvées en vertu de la loi.

1975, c. 6, a. 42.

CHAPTER IV
ECONOMIC AND SOCIAL RIGHTS

39. [Protection] Every child has a right to the protection, security and attention that his parents or the persons acting in their stead are capable of providing.

40. [Free public education] Every person has a right, to the extent and according to the standards provided for by law, to free public education.

41. [Religious or moral education] Parents or the persons acting in their stead have a right to require that, in the public educational establishments, their children receive a religious or moral education in conformity with their convictions, within the framework of the curricula provided for by law.

42. [Private educational establishments] Parents or the persons acting in their stead have a right to choose private educational establishments for their children, provided such establishments comply with the standards prescribed or approved by virtue of the law.

43. [Vie culturelle des minorités] Les personnes appartenant à des minorités ethniques ont le droit de maintenir et de faire progresser leur propre vie culturelle avec les autres membres de leur groupe.

1975, c. 6, a. 43.

44. [Droit à l'information] Toute personne a droit à l'information, dans la mesure prévue par la loi.

1975, c. 6, a. 44.

45. [Assistance financière] Toute personne dans le besoin a droit, pour elle et sa famille, à des mesures d'assistance financière et à des mesures sociales, prévues par la loi, susceptibles de lui assurer un niveau de vie décent.

1975, c. 6, a. 45.

46. [Conditions de travail] Toute personne qui travaille a droit, conformément à la loi, à des conditions de travail justes et raisonnables et qui respectent sa santé, sa sécurité et son intégrité physique.

1975, c. 6, a. 46; 1979, c. 63, a. 275.

47. [Égalité des conjoints] Les conjoints ont, dans le mariage ou l'union civile, les mêmes droits, obligations et responsabilités.

[Direction conjointe de la famille] Ils assurent ensemble la direction morale et matérielle de la famille et l'éducation de leurs enfants communs.

1975, c. 6, a. 47; 2002, c. 6, a. 89.

48. [Protection des personnes âgées] Toute personne âgée ou toute personne handicapée a droit d'être protégée contre toute forme d'exploitation.

[Protection de la famille] Telle personne a aussi droit à la protection et à la sécurité que doivent lui apporter sa famille ou les personnes qui en tiennent lieu.

1975, c. 6, a. 48; 1978, c. 7, a. 113.

CHAPITRE V

DISPOSITIONS SPÉCIALES ET INTERPRÉTATIVES

49. [Réparation de préjudice pour atteinte illicite à un droit] Une atteinte illicite à un droit ou à une liberté reconnu par la présente Charte confère à la victime le droit d'obtenir la cessation de cette atteinte et la réparation du préjudice moral ou matériel qui en résulte.

[Dommages-intérêts punitifs] En cas d'atteinte illicite et intentionnelle, le tribunal peut en outre

43. [Cultural interests of minorities] Persons belonging to ethnic minorities have a right to maintain and develop their own cultural interests with the other members of their group.

44. [Right to information] Every person has a right to information to the extent provided by law.

45. [Financial assistance] Every person in need has a right, for himself and his family, to measures of financial assistance and to social measures provided for by law, susceptible of ensuring such person an acceptable standard of living.

46. [Conditions of employment] Every person who works has a right, in accordance with the law, to fair and reasonable conditions of employment which have proper regard for his health, safety and physical well-being.

47. [Equal rights of spouses] Married or civil union spouses have, in the marriage or civil union, the same rights, obligations and responsibilities.

[Moral guidance of family] Together they provide the moral guidance and material support of the family and the education of their common off-spring.

48. [Protection of aged and handicapped persons] Every aged person and every handicapped person has a right to protection against any form of exploitation.

[Family protection] Such a person also has a right to the protection and security that must be provided to him by his family or the persons acting in their stead.

CHAPTER V

SPECIAL AND INTERPRETATIVE PROVISIONS

49. [Recourse of victim for unlawful interference] Any unlawful interference with any right or freedom recognized by this Charter entitles the victim to obtain the cessation of such interference and compensation for the moral or material prejudice resulting therefrom.

[Punitive damages] In case of unlawful and intentional interference, the tribunal may, in addition,

condamner son auteur à des dommages-intérêts punitifs.

1975, c. 6, a. 49; 1999, c. 40, a. 46.

49.1 [Règlement des plaintes] Les plaintes, différends et autres recours dont l'objet est couvert par la Loi sur l'équité salariale (L.R.Q., chapitre E-12.001) sont réglés exclusivement suivant cette loi.

[Entreprise de moins de 10 salariés] En outre, toute question relative à l'équité salariale entre une catégorie d'emplois à prédominance féminine et une catégorie d'emplois à prédominance masculine dans une entreprise qui compte moins de 10 salariés doit être résolue par la Commission de l'équité salariale en application de l'article 19 de la présente Charte.

1996, c. 43, a. 126.

50. [Droit non supprimé] La Charte doit être interprétée de manière à ne pas supprimer ou restreindre la jouissance ou l'exercice d'un droit ou d'une liberté de la personne qui n'y est pas inscrit.

1975, c. 6, a. 50.

51. [Portée de disposition non augmentée] La Charte ne doit pas être interprétée de manière à augmenter, restreindre ou modifier la portée d'une disposition de la loi, sauf dans la mesure prévue par l'article 52.

1975, c. 6, a. 51.

52.* [Dérogation interdite] Aucune disposition d'une loi, même postérieure à la Charte, ne peut déroger aux articles 1 à 38, sauf dans la mesure prévue par ces articles, à moins que cette loi n'énonce expressément que cette disposition s'applique malgré la charte.

1975, c. 6, a. 52; 1982, c. 61, a. 16.

condemn the person guilty of it to punitive damages.

49.1 [Complaint or dispute] Any complaint, dispute or remedy the subject-matter of which is covered by the Pay Equity Act (R.S.Q., chapter E-12.001) shall be dealt with exclusively in accordance with the provisions of that Act.

[Enterprise with fewer than 10 employees] Moreover, any question concerning pay equity between a predominantly female job class and a predominantly male job class in an enterprise employing fewer than 10 employees shall be settled by the Commission de l'équité salariale in accordance with section 19 of this Charter.

50. [No suppression of right] The Charter shall not be so interpreted as to suppress or limit the enjoyment or exercise of any human right or freedom not enumerated herein.

51. [No extension of provision of law] The Charter shall not be so interpreted as to extend, limit or amend the scope of a provision of law except to the extent provided in section 52.

52.* [Sections to prevail over subsequent Act] No provision of any Act, even subsequent to the Charter, may derogate from sections 1 to 38, except so far as provided by those sections, unless such Act expressly states that it applies despite the Charter.

---

* Extrait de la proclamation, (1985) 117 G.O. 2, 3234:
En ce qui concerne la préséance des articles 1 à 8 sur les lois antérieures au 1er octobre 1983 et la préséance des articles 9 à 38 sur les lois antérieures au 27 juin 1975, l'article 52 aura effet à compter de la date fixée par une autre proclamation du gouvernement ou au plus tard le 1er janvier 1986.

N.D.L.R.: Mise en application de l'article 52:
Concernant la préséance des articles 1 à 8 de la Charte: e.e.v. 1er octobre 1983
(lois postérieures à cette date);
e.e.v. 1er janvier 1986
(lois antérieures au 1er octobre 1983).
Concernant la préséance des articles 9 à 38 de la Charte: e.e.v. 27 juin 1975
(lois postérieures à cette date);
e.e.v. 1er janvier 1986
(lois antérieures au 27 juin 1975).

* Extract from the Proclamation, (1985) 117 G.O. 2, 2007:
Concerning the precedence of sections 1 to 8 over Acts enacted prior to 1 October 1983 and the precedence of sections 9 to 38 over Acts enacted prior to 27 June 1975, section 52 will have effect from the date fixed by another proclamation of the Government or no later than 1 January 1986.

ed.'s n.: Application of section 52:
Concerning the precedence of sections 1 to 8 of the Charter: in force 1 October 1983
(Acts subsequent to this date);
in force 1 January 1986
(Acts preceding 1 October 1983).
Concerning the precedence of sections 9 to 38 of the Charter: in force 27 June 1975
(Acts subsequent to this date);
in force 1 January 1986
(Acts preceding 27 June 1975).

53. [**Doute d'interprétation**] Si un doute surgit dans l'interprétation d'une disposition de la loi, il est tranché dans le sens indiqué par la Charte.

1975, c. 6, a. 53.

54. [**État lié**] La Charte lie l'État.

1975, c. 6, a. 54; 1999, c. 40, a. 46.

55. [**Matières visées**] La Charte vise les matières qui sont de la compétence législative du Québec.

1975, c. 6, a. 55.

56. (1) [*«tribunal»*] Dans les articles 9, 23, 30, 31, 34 et 38, dans le chapitre III de la partie II ainsi que dans la partie IV, le mot «tribunal» inclut un coroner, un commissaire-enquêteur sur les incendies, une commission d'enquête et une personne ou un organisme exerçant des fonctions quasi judiciaires.

(2) [*«traitement»* et *«salaire»*] Dans l'article 19, les mots «traitement» et «salaire» incluent les compensations ou avantages à valeur pécuniaire se rapportant à l'emploi.

(3) [*«loi»*] Dans la Charte, le mot «loi» inclut un règlement, un décret, une ordonnance ou un arrêté en conseil pris sous l'autorité d'une loi.

1975, c. 6, a. 56; 1989, c. 51, a. 2.

PARTIE II
LA COMMISSION DES DROITS DE LA PERSONNE ET DES DROITS DE LA JEUNESSE

CHAPITRE I
CONSTITUTION

57. [**Constitution**] Est constituée la Commission des droits de la personne et des droits de la jeunesse.

[**Responsabilité**] La Commission a pour mission de veiller au respect des principes énoncés dans la présente Charte ainsi qu'à la protection de l'intérêt de l'enfant et au respect des droits qui lui sont reconnus par la Loi sur la protection de la jeunesse (L.R.Q., chapitre P-34.1); à ces fins, elle exerce les fonctions et les pouvoirs que lui attribuent cette Charte et cette loi.

La Commission doit aussi veiller à l'application de la Loi sur l'accès à l'égalité en emploi dans des organismes publics et modifiant la Charte des droits et libertés de la personne (2000, chapitre 45). À

53. [**Doubt in interpretation**] If any doubt arises in the interpretation of a provision of the act, it shall be resolved in keeping with the intent of the Charter.

1975, c. 6, a. 53; 1999, c. 40, a. 46.

54. [**State bound**] The Charter binds the State.

55. [**Jurisdiction of Charter**] The Charter affects those matters that come under the legislative authority of Québec.

56. (1) [*"tribunal"*] In sections 9, 23, 30, 31, 34 and 38, in Chapter III of Part II and in Part IV, the word "tribunal" includes a coroner, a fire investigation commissioner, an inquiry commission, and any person or agency exercising quasi-judicial functions.

(2) [*"salary" and "wages"*] In section 19, the words "salary" and "wages" include the compensations or benefits of pecuniary value connected with the employment.

(3) [*"law" or "act"*] In the Charter, the word "law" or "act" includes a regulation, a decree, an ordinance or an order in council made under the authority of any act.

PART II
COMMISSION DES DROITS DE LA PERSONNE ET DES DROITS DE LA JEUNESSE

CHAPTER I
CONSTITUTION

57. [**Establishment of commission**] A body, hereinafter called "the commission", is established under the name of "Commission des droits de la personne et des droits de la jeunesse".

[**Mission**] The mission of the commission is to ensure that the principles set forth in this Charter are upheld, that the interests of children are protected and that their rights recognized by the Youth Protection Act (R.S.Q., chapter P-34.1) are respected; for such purposes, the commission shall exercise the functions and powers conferred on it by this Charter and the Youth Protection Act.

Moreover, the Commission is responsible for the administration of the Act respecting equal access to employment in public bodies and amending the Charter of human rights and freedoms (2000, chap-

cette fin, elle exerce les fonctions et les pouvoirs que lui attribuent la présente Charte et cette loi.

1975, c. 6, a. 57; 1995, c. 27, a. 2; 2000, c. 45, a. 27.

58. [Composition] La Commission est composée de quinze membres, dont un président et deux vice-présidents.

[Membres] Les membres de la Commission sont nommés par l'Assemblée nationale sur proposition du premier ministre. Ces nominations doivent être approuvées par les deux tiers des membres de l'Assemblée.

1975, c. 6, a. 58; 1989, c. 51, a. 3; 1995, c. 27, a. 3.

58.1 [Choix des membres] Cinq membres de la Commission sont choisis parmi des personnes susceptibles de contribuer d'une façon particulière à l'étude et à la solution des problèmes relatifs aux droits et libertés de la personne, et cinq autres parmi des personnes susceptibles de contribuer d'une façon particulière à l'étude et à la solution des problèmes relatifs à la protection des droits de la jeunesse.

1995, c. 27, a. 3; 2002, c. 34, a. 2.

58.2 Abrogé.

2002, c. 34, a. 3.

58.3 [Mandat] La durée du mandat des membres de la Commission est d'au plus dix ans. Cette durée, une fois fixée, ne peut être réduite.

1995, c. 27, a. 3.

59. [Traitement] Le gouvernement fixe le traitement et les conditions de travail ou, s'il y a lieu, le traitement additionnel, les honoraires ou les allocations de chacun des membres de la Commission.

[Aucune réduction] Le traitement, le traitement additionnel, les honoraires et les allocations, une fois fixés, ne peuvent être réduits.

1975, c. 6, a. 59; 1989, c. 51, a. 4.

60. [Fonctions continuées] Les membres de la Commission restent en fonction jusqu'à leur remplacement, sauf en cas de démission.

1975, c. 6, a. 60; 1989, c. 51, a. 5.

61. [Comité des plaintes] La Commission peut constituer un comité des plaintes formé de 3 de ses membres qu'elle désigne par écrit, et lui déléguer, par règlement, des responsabilités.

1975, c. 6, a. 61; 1989, c. 51, a. 5.

62. [Membre du personnel] La Commission nomme les membres du personnel requis pour s'ac-

ter 45). For such purposes, the Commission shall exercise the functions and powers conferred on it by that Act and this Charter.

58. [Composition] The commission shall be composed of fifteen members, including the president and two vice-presidents.

[Appointment] The members of the commission shall be appointed by the National Assembly upon the motion of the Prime Minister. Such appointments must be approved by two-thirds of the Members of the National Assembly.

58.1 [Members] Five members of the Commission shall be chosen from among persons capable of making a notable contribution to the examination and resolution of problems relating to human rights and freedoms, and five other members from among persons capable of making a notable contribution to the examination and resolution of problems relating to the protection of the rights of young persons.

58.2 Repealed.

58.3 [Term of office] The term of office of the members of the commission may not exceed ten years. Once determined, it shall not be reduced.

59. [Salary] The Government shall fix the salary and the conditions of employment or, as the case may be, the additional salary, fees or allowances of each member of the commission.

[No reduction] Their salary, additional salary, fees and allowances, once determined, shall not be reduced.

60. [Continuance in office] The members of the commission shall remain in office until they are replaced, except in the case of resignation.

61. [Complaints committee] The commission may establish a complaints committee composed of three of its members designated in writing by the commission and delegate certain responsibilities to it by regulation.

62. [Personnel] The commission shall appoint the personnel it requires for the performance of its

quitter de ses fonctions; ils peuvent être destitués par décret du gouvernement, mais uniquement sur recommandation de la Commission.

[Enquête] La Commission peut, par écrit, confier à une personne qui n'est pas membre de son personnel soit le mandat de faire une enquête, soit celui de rechercher un règlement entre les parties, dans les termes des paragraphes 1 et 2 du deuxième alinéa de l'article 71, avec l'obligation de lui faire rapport dans un délai qu'elle fixe.

[Arbitrage] Pour un cas d'arbitrage, la Commission désigne un seul arbitre parmi les personnes qui ont une expérience, une expertise, une sensibilisation et un intérêt marqués en matière des droits et libertés de la personne et qui sont inscrites sur la liste dressée périodiquement par le gouvernement suivant la procédure de recrutement et de sélection qu'il prend par règlement. L'arbitre agit suivant les règles prévues au Livre VII du Code de procédure civile (L.R.Q., chapitre C-25), à l'exclusion du chapitre II du Titre I, compte tenu des adaptations nécessaires.

[Restriction] Une personne qui a participé à l'enquête ne peut se voir confier le mandat de rechercher un règlement ni agir comme arbitre, sauf du consentement des parties.

1975, c. 6, a. 62; 1989, c. 51, a. 5; 2000, c. 8, a. 108.

63. [Rémunération ou allocations] Le gouvernement établit les normes et barèmes de la rémunération ou des allocations ainsi que les autres conditions de travail qu'assume la Commission à l'égard des membres de son personnel, de ses mandataires et des arbitres.

1975, c. 6, a. 63; 1989, c. 51, a. 5.

64. [Serment] Avant d'entrer en fonction, les membres et mandataires de la Commission, les membres de son personnel et les arbitres prêtent les serments prévus à l'annexe I: les membres de la Commission, devant le Président de l'Assemblée nationale et les autres, devant le président de la Commission.

1975, c. 6, a. 64; 1989, c. 51, a. 5; 1999, c. 40, a. 46.

65. [Président et vice-présidents] Le président et les vice-présidents doivent s'occuper exclusivement des devoirs de leurs fonctions.

[Responsabilités] Ils doivent tout particulièrement veiller au respect de l'intégralité des mandats qui sont confiés à la Commission tant par la présente Charte que par la Loi sur la protection de la jeunesse.

functions; they may be dismissed by order of the Government but only on the recommendation of the commission.

[Investigation or settlement] The commission may, in writing, give to a person other than a member of its personnel the mandate to either make an investigation or endeavour to effect a settlement between the parties under the terms of subparagraph 1 or 2 of the second paragraph of section 71, with the obligation to report to the commission within a specified time.

[Arbitration] For the arbitration of a matter, the commission shall designate an arbitrator to act alone from among persons having notable experience and expertise in, sensitivity to and interest for matters of human rights and freedoms and included in the panel of arbitrators established periodically by the Government according to the recruitment and selection procedure prescribed by government regulation. The arbitrator shall act in accordance with the rules set out in Book VII, except Chapter II of Title I, of the Code of Civil Procedure (R.S.Q., chapter C-25), adapted as required.

[Restriction] No person having taken part in the investigation may be given the mandate to endeavour to effect a settlement or act as an arbitrator except with the consent of the parties.

63. [Standards and scales of remuneration or allowances] The Government shall establish standards and scales applicable to the remuneration or allowance and other conditions of employment to be borne by the commission in respect of its personnel, its mandataries and the arbitrators it designates.

64. [Oath] Before entering office, the members and mandataries of the commission, the members of its personnel and the arbitrators designated by it shall make the oaths provided in Schedule I before the President of the National Assembly in the case of the members of the commission and before the president of the commission in all other cases.

65. [Exclusive duties] The president and the vice-presidents shall devote their time exclusively to the duties of their office.

[Mandates] In particular, they shall see to it that the mandates conferred on the commission by this Charter or by the Youth Protection Act are fully carried out.

Le président désigne un vice-président qui est plus particulièrement responsable du mandat confié à la Commission par la présente Charte, et un autre qui est plus particulièrement responsable du mandat confié par la Loi sur la protection de la jeunesse. Il en avise le Président de l'Assemblée nationale qui en informe l'Assemblée.

1975, c. 6, a. 65; 1989, c. 51, a. 5; 1995, c. 27, a. 4; 2002, c. 34, a. 4.

66. [Direction et administration] Le président est chargé de la direction et de l'administration des affaires de la Commission, dans le cadre des règlements pris pour l'application de la présente Charte. Il peut, par délégation, exercer les pouvoirs de la Commission prévus à l'article 61, aux deuxième et troisième alinéas de l'article 62 et au premier alinéa de l'article 77.

[Présidence] Il préside les séances de la Commission.

1975, c. 6, a. 66; 1989, c. 51, a. 5.

67. [Remplaçant] D'office, le vice-président désigné par le gouvernement remplace temporairement le président en cas d'absence ou d'empêchement de celui-ci ou de vacance de sa fonction. Si ce vice-président est lui-même absent ou empêché ou que sa fonction est vacante, l'autre vice-président le remplace. À défaut, le gouvernement désigne un autre membre de la Commission dont il fixe, s'il y a lieu, le traitement additionnel, les honoraires ou les allocations.

1975, c. 6, a. 67; 1977, c. 5, a. 14; 1982, c. 61, a. 17; 1989, c. 51, a. 5; 1995, c. 27, a. 5.

68. [Immunité] La Commission, ses membres, les membres de son personnel et ses mandataires ne peuvent être poursuivis en justice pour une omission ou un acte accompli de bonne foi dans l'exercice de leurs fonctions.

[Pouvoirs d'enquête] Ils ont de plus, aux fins d'une enquête, les pouvoirs et l'immunité des commissaires nommés en vertu de la Loi sur les commissions d'enquête (L.R.Q., chapitre C-37), sauf le pouvoir d'ordonner l'emprisonnement.

1975, c. 6, a. 68; 1989, c. 51, a. 5; 1995, c. 27, a. 6.

69. [Siège de la Commission] La Commission a son siège à Québec ou à Montréal selon ce que décide le gouvernement par décret entrant en vigueur sur publication dans la *Gazette officielle du Québec*; elle a aussi un bureau sur le territoire de l'autre ville.

[Lieu de bureaux] Elle peut établir des bureaux à tout endroit du Québec.

The president shall designate a vice-president who shall be responsible more particularly for the mandate entrusted to the Commission by this Charter, and another vice-president who shall be responsible more particularly for the mandate entrusted by the Youth Protection Act. The president shall inform the President of the National Assembly thereof, who shall inform the Assembly.

66. [Duties of president] The president is responsible for the administration and management of the affairs of the commission within the scope of the regulations governing the administration of this Charter. He may, by delegation, exercise the powers of the commission under section 61, the second and third paragraphs of section 62 and the first paragraph of section 77.

[Duties of president] The president shall preside over the sittings of the commission.

67. [Vice-president] The vice-president designated by the Government shall *ex officio*, and temporarily, replace the president if he is absent or unable to act or if the office of president is vacant. If the vice-president called upon to replace the president is himself absent or unable to act, or if that office is vacant, the other vice-president shall replace the president. Otherwise, the Government shall designate another member of the commission and, if need be, shall fix the additional salary, fees or allowances of that other member.

68. [Immunity] In no case may the commission, any member or mandatory of the commission or any member of its personnel be prosecuted for any omission or any act done in good faith in the performance of his or its duties.

[Powers] Moreover, they are, for the purposes of an investigation, vested with the powers and immunity of commissioners appointed under the Act respecting public inquiry commissions (R.S.Q., chapter C-37), except the power to order imprisonment.

69. [Seat] The commission shall have its seat in the city of Québec or Montréal as the Government may decide by an order which shall come into force upon publication in the *Gazette officielle du Québec*; it shall also have an office in the territory of the other city.

[Other offices] The commission may establish offices anywhere in Québec.

[Lieu des séances] La Commission peut tenir ses séances n'importe où au Québec.

1975, c. 6, a. 69; 1989, c. 51, a. 5; 1996, c. 2, a. 117.

70. [Régie interne] La Commission peut faire des règlements pour sa régie interne.

1975, c. 6, a. 70; 1989, c. 51, a. 5.

70.1 Remplacé.

1989, c. 51, a. 5.

CHAPITRE II
FONCTIONS

71. [Fonctions] La Commission assure, par toutes mesures appropriées, la promotion et le respect des principes contenus dans la présente Charte.

[Responsabilités] Elle assume notamment les responsabilités suivantes:

1° faire enquête selon un mode non contradictoire, de sa propre initiative ou lorsqu'une plainte lui est adressée, sur toute situation, à l'exception de celles prévues à l'article 49.1, qui lui paraît constituer soit un cas de discrimination au sens des articles 10 à 19, y compris un cas visé à l'article 86, soit un cas de violation du droit à la protection contre l'exploitation des personnes âgées ou handicapées énoncé au premier alinéa de l'article 48;

2° favoriser un règlement entre la personne dont les droits auraient été violés ou celui qui la représente, et la personne à qui cette violation est imputée;

3° signaler au curateur public tout besoin de protection qu'elle estime être de la compétence de celui-ci, dès qu'elle en a connaissance dans l'exercice de ses fonctions;

4° élaborer et appliquer un programme d'information et d'éducation, destiné à faire comprendre et accepter l'objet et les dispositions de la présente Charte;

5° diriger et encourager les recherches et publications sur les libertés et droits fondamentaux;

6° relever les dispositions des lois du Québec qui seraient contraires à la Charte et faire au gouvernement les recommandations appropriées;

7° recevoir les suggestions, recommandations et demandes qui lui sont faites touchant les droits et libertés de la personne, les étudier, éventuellement en invitant toute personne ou groupement intéressé à lui présenter publiquement ses observations

[Sittings] It may hold its sittings anywhere in Québec.

70. [Internal by-laws] The commission may make by-laws for its internal management.

70.1 Replaced.

CHAPTER II
FUNCTIONS

71. [Functions] The commission shall promote and uphold, by every appropriate measure, the principles enunciated in this Charter.

[Responsibilities] The responsibilities of the commission include, without being limited to, the following:

(1) to make a non-adversary investigation, on its own initiative or following receipt of a complaint, into any situation, except those referred to in section 49.1, which appears to the commission to be either a case of discrimination within the meaning of sections 10 to 19, including a case contemplated by section 86, or a violation of the right of aged or handicapped persons against exploitation enunciated in the first paragraph of section 48;

(2) to foster a settlement between a person whose rights allegedly have been violated, or the person or organization representing him, and the person to whom the violation is attributed;

(3) to report to the Public Curator any case it becomes aware of in the exercise of its functions where, in its opinion, protective supervision within the jurisdiction of the Public Curator is required;

(4) to develop and conduct a program of public information and education designed to promote an understanding and acceptance of the object and provisions of this Charter;

(5) to direct and encourage research and publications relating to fundamental rights and freedoms;

(6) to point out any provision in the laws of Québec that may be contrary to this Charter and make the appropriate recommendations to the Government;

(7) to receive and examine suggestions, recommendations and requests made to it concerning human rights and freedoms, possibly by inviting any interested person or body of persons to present his or its views before the commission where it believes

lorsqu'elle estime que l'intérêt public ou celui d'un groupement le requiert, pour faire au gouvernement les recommandations appropriées;

8° coopérer avec toute organisation vouée à la promotion des droits et libertés de la personne, au Québec ou à l'extérieur;

9° faire enquête sur une tentative ou un acte de représailles ainsi que sur tout autre fait ou omission qu'elle estime constituer une infraction à la présente Charte, et en faire rapport au procureur général.

1975, c. 6, a. 71; 1989, c. 51, a. 5; 1996, c. 43, a. 127.

72. [Assistance] La Commission, ses membres, les membres de son personnel, ses mandataires et un comité des plaintes doivent prêter leur assistance aux personnes, groupes ou organismes qui en font la demande, pour la réalisation d'objets qui relèvent de la compétence de la Commission suivant le chapitre III de la présente partie, les parties III et IV et les règlements pris en vertu de la présente Charte.

[Assistance] Ils doivent, en outre, prêter leur concours dans la rédaction d'une plainte, d'un règlement intervenu entre les parties ou d'une demande qui doit être adressée par écrit à la Commission.

1975, c. 6, a. 72; 1989, c. 51, a. 5.

73. [Rapport d'activités] La Commission remet au Président de l'Assemblée nationale, au plus tard le 30 juin, un rapport portant, pour l'année financière précédente, sur ses activités et ses recommandations tant en matière de promotion et de respect des droits de la personne qu'en matière de protection de l'intérêt de l'enfant ainsi que de promotion et de respect des droits de celui-ci.

[Dépôt devant l'Assemblée nationale] Ce rapport est déposé devant l'Assemblée nationale si elle est en session ou, si elle ne l'est pas, dans les 30 jours de l'ouverture de la session suivante. Il est publié et distribué par l'Éditeur officiel du Québec, dans les conditions et de la manière que la Commission juge appropriées.

1975, c. 6, a. 73; 1989, c. 51, a. 5; 1995, c. 27, a. 7; 2002, c. 34, a. 5.

CHAPITRE III
PLAINTES

74. [Plainte] Peut porter plainte à la Commission toute personne qui se croit victime d'une violation des droits relevant de la compétence d'enquête de la Commission. Peuvent se regrouper pour porter plainte, plusieurs personnes qui se croient victimes d'une telle violation dans des circonstances analogues.

that the interest of the public or of a body of persons so requires, with a view to making the appropriate recommendations to the Government;

(8) to cooperate with any organization dedicated to the promotion of human rights and freedoms in or outside Québec;

(9) to make an investigation into any act of reprisal or attempted reprisals and into any other act or omission which, in the opinion of the commission, constitutes an offence under this Charter, and report its findings to the Attorney General.

72. [Assistance] The commission, its members, personnel and mandataries and any complaints committee established by the commission shall lend their assistance to any person, group or organization requesting it for the carrying out of the objects within the jurisdiction of the commission under Chapter III of this Part, Parts III and IV and the regulations hereunder.

[Assistance] They shall, in addition, lend their assistance for the drafting of any complaint, any settlement reached between parties or any application that must be made in writing to the commission.

73. [Report and recommendations] Not later than 30 June each year, the commission shall submit to the President of the National Assembly a report on its activities for the preceding fiscal year together with its recommendations regarding the promotion and protection of human rights, the promotion and protection of children's rights and the protection of the interests of children.

[Tabling of report in National Assembly] The report shall be tabled in the National Assembly if it is in session or, if it is not, within 30 days after the opening of the next session. The report shall be published and distributed by the Québec Official Publisher on the terms and in the manner deemed appropriate by the commission.

CHAPTER III
COMPLAINTS

74. [Complaints] Any person who believes he has been the victim of a violation of rights that is within the sphere of investigation of the commission may file a complaint with the commission. If several persons believe they have suffered a violation of their rights in similar circumstances, they may form a group to file a complaint.

[Plainte écrite] La plainte doit être faite par écrit.

[Plainte par un organisme] La plainte peut être portée, pour le compte de la victime ou d'un groupe de victimes, par un organisme voué à la défense des droits et libertés de la personne ou au bien-être d'un groupement. Le consentement écrit de la victime ou des victimes est nécessaire, sauf s'il s'agit d'un cas d'exploitation de personnes âgées ou handicapées prévu au premier alinéa de l'article 48.

1975, c. 6, a. 74; 1989, c. 51, a. 5.

75. [Protecteur du citoyen] Toute plainte reçue par le Protecteur du citoyen et relevant de la compétence d'enquête de la Commission lui est transmise à moins que le plaignant ne s'y oppose.

[Transmission] La plainte transmise à la Commission est réputée reçue par celle-ci à la date de son dépôt auprès du Protecteur du citoyen.

1975, c. 6, a. 75; 1989, c. 51, a. 5.

76. [Prescription de recours civil] La prescription de tout recours civil, portant sur les faits rapportés dans une plainte ou dévoilés par une enquête, est suspendue de la date du dépôt de la plainte auprès de la Commission ou de celle du début de l'enquête qu'elle tient de sa propre initiative, jusqu'à la première des éventualités suivantes:

1° la date d'un règlement entre les parties;

2° la date à laquelle la victime et le plaignant ont reçu notification que la Commission soumet le litige à un tribunal;

3° la date à laquelle la victime ou le plaignant a personnellement introduit l'un des recours prévus aux articles 49 et 80;

4° la date à laquelle la victime et le plaignant ont reçu notification que la Commission refuse ou cesse d'agir.

1975, c. 6, a. 76; 1989, c. 51, a. 5.

77. [Refus d'agir] La Commission refuse ou cesse d'agir en faveur de la victime, lorsque:

1° la victime ou le plaignant en fait la demande, sous réserve d'une vérification par la Commission du caractère libre et volontaire de cette demande;

2° la victime ou le plaignant a exercé personnellement, pour les mêmes faits, l'un des recours prévus aux articles 49 et 80.

[Refus d'agir] Elle peut refuser ou cesser d'agir en faveur de la victime, lorsque:

[Written complaint] Every complaint must be made in writing.

[Complaint filed on behalf of victim] A complaint may be filed on behalf of a victim or group of victims by any organization dedicated to the defence of human rights and freedoms or to the welfare of a group of persons. The written consent of the victim or victims is required except in the case of exploitation of aged persons or handicapped persons contemplated by the first paragraph of section 48.

75. [Public Protector] The Public Protector shall transmit to the commission every complaint he receives that is within the sphere of investigation of the commission, unless the complainant objects thereto.

[Receipt of complaint] Any complaint transmitted to the commission is deemed to be received by the commission on the day it is filed with the Public Protector.

76. [Prescription] Prescription of any civil action respecting the facts alleged in a complaint or revealed by means of an investigation is suspended from the day the complaint is filed with the commission or the day an investigation is commenced by the commission on its own initiative until the earliest of

(1) the day on which a settlement is reached between the parties;

(2) the day on which the victim and the complainant are notified that the commission is referring the matter to a tribunal;

(3) the day on which the victim or the complainant personally institutes proceedings in regard to one of the remedies provided for in sections 49 and 80; and

(4) the day on which the victim and the complainant are notified that the commission refuses or is ceasing to act.

77. [Grounds for refusal] The commission shall refuse or cease to act in favour of the victim where

(1) the victim or the complainant so requests, subject to the commission's ascertaining that such request is made freely and voluntarily;

(2) the victim or the complainant has, on the basis of the same facts, personally pursued one of the remedies provided for in sections 49 and 80.

[Grounds for refusal] The commission may refuse or cease to act in favour of the victim where

1° la plainte a été déposée plus de deux ans après le dernier fait pertinent qui y est rapporté;

2° la victime ou le plaignant n'a pas un intérêt suffisant;

3° la plainte est frivole, vexatoire ou faite de mauvaise foi;

4° la victime ou le plaignant a exercé personnellement, pour les mêmes faits, un autre recours que ceux prévus aux articles 49 et 80.

[Décision motivée] La décision est motivée par écrit et elle indique, s'il en est, tout recours que la Commission estime opportun; elle est notifiée à la victime et au plaignant.

1975, c. 6, a. 77; 1989, c. 51, a. 5.

78. [Éléments de preuve] La Commission recherche, pour toutes situations dénoncées dans la plainte ou dévoilées en cours d'enquête, tout élément de preuve qui lui permettrait de déterminer s'il y a lieu de favoriser la négociation d'un règlement entre les parties, de proposer l'arbitrage du différend ou de soumettre à un tribunal le litige qui subsiste.

[Preuve insuffisante] Elle peut cesser d'agir lorsqu'elle estime qu'il est inutile de poursuivre la recherche d'éléments de preuve ou lorsque la preuve recueillie est insuffisante. Sa décision doit être motivée par écrit et elle indique, s'il en est, tout recours que la Commission estime opportun; elle est notifiée à la victime et au plaignant. Avis de sa décision de cesser d'agir doit être donné, par la Commission, à toute personne à qui une violation de droits était imputée dans la plainte.

1975, c. 6, a. 78; 1989, c. 51, a. 5.

79. [Entente écrite] Si un règlement intervient entre les parties, il doit être constaté par écrit.

[Arbitrage] S'il se révèle impossible, la Commission leur propose de nouveau l'arbitrage; elle peut aussi leur proposer, en tenant compte de l'intérêt public et de celui de la victime, toute mesure de redressement, notamment l'admission de la violation d'un droit, la cessation de l'acte reproché, l'accomplissement d'un acte, le paiement d'une indemnité ou de dommages-intérêts punitifs, dans un délai qu'elle fixe.

1975, c. 6, a. 79; 1989, c. 51, a. 5; 1999, c. 40, a. 46.

(1) the complaint is based on acts or omissions the last of which occurred more than two years before the filing of the complaint;

(2) the victim or the complainant does not have a sufficient interest;

(3) the complaint is frivolous, vexatious or made in bad faith;

(4) the victim or the complainant has, on the basis of the same facts, personally pursued a remedy other than those provided for in sections 49 and 80.

[Decision] The decision of the commission shall state in writing the reasons on which it is based and indicate any remedy which the commission may consider appropriate; it shall be notified to the victim and the complainant.

78. [Evidence] The commission shall seek, in respect of every situation reported in the complaint or revealed in the course of the investigation, any evidence allowing it to decide whether it is expedient to foster the negotiation of a settlement between the parties, to propose the submission of the dispute to arbitration or to refer any unsettled issue to a tribunal.

[Insufficient evidence] The commission may cease to act where it believes it would be futile to seek further evidence or where the evidence collected is insufficient. Its decision shall state in writing the reasons on which it is based and indicate any remedy which the commission may consider appropriate; it shall be notified to the victim and the complainant. Where the commission decide to cease to act, it shall give notice thereof to any person to whom a violation of rights is attributed in the complaint.

79. [Settlement in writing] Where a settlement is reached between the parties, it shall be evidenced in writing.

[Arbitration] If no settlement is possible, the commission shall again propose arbitration to the parties; it may also propose to the parties, taking into account the public interest and the interest of the victim, any measure of redress, such as the admission of the violation of a right, the cessation of the act complained of, the performance of any act or the payment of compensation or punitive damages, within such time as it fixes.

80. [**Refus de négocier**] Lorsque les parties refusent la négociation d'un règlement ou l'arbitrage du différend, ou lorsque la proposition de la Commission n'a pas été, à sa satisfaction, mise en oeuvre dans le délai imparti, la Commission peut s'adresser à un tribunal en vue d'obtenir, compte tenu de l'intérêt public, toute mesure appropriée contre la personne en défaut ou pour réclamer, en faveur de la victime, toute mesure de redressement qu'elle juge alors adéquate.

1975, c. 6, a. 80; 1989, c. 51, a. 5.

81. [**Mesures d'urgence**] Lorsqu'elle a des raisons de croire que la vie, la santé ou la sécurité d'une personne visée par un cas de discrimination ou d'exploitation est menacée, ou qu'il y a risque de perte d'un élément de preuve ou de solution d'un tel cas, la Commission peut s'adresser à un tribunal en vue d'obtenir d'urgence une mesure propre à faire cesser cette menace ou ce risque.

1975, c. 6, a. 81; 1989, c. 51, a. 5.

82. [**Discrimination ou exploitation**] La Commission peut aussi s'adresser à un tribunal pour qu'une mesure soit prise contre quiconque exerce ou tente d'exercer des représailles contre une personne, un groupe ou un organisme intéressé par le traitement d'un cas de discrimination ou d'exploitation ou qui y a participé, que ce soit à titre de victime, de plaignant, de témoin ou autrement.

[**Réintégration**] Elle peut notamment demander au tribunal d'ordonner la réintégration, à la date qu'il estime équitable et opportune dans les circonstances, de la personne lésée, dans le poste ou le logement qu'elle aurait occupé s'il n'y avait pas eu contravention.

1975, c. 6, a. 82; 1989, c. 51, a. 5.

83. [**Consentement préalable**] Lorsqu'elle demande au tribunal de prendre des mesures au bénéfice d'une personne en application des articles 80 à 82, la Commission doit avoir obtenu son consentement écrit, sauf dans le cas d'une personne visée par le premier alinéa de l'article 48.

1975, c. 6, a. 83; 1989, c. 51, a. 5.

83.1-83.2 Remplacés.

1989, c. 51, a. 5.

84. [**Discrétion de la Commission**] Lorsque, à la suite du dépôt d'une plainte, la Commission exerce sa discrétion de ne pas saisir un tribunal, au bénéfice d'une personne, de l'un des recours prévus aux articles 80 à 82, elle le notifie au plaignant en lui en donnant les motifs.

80. [**Application to a tribunal**] Where the parties will not agree to negotiation of a settlement or to arbitration of the dispute or where the proposal of the commission has not been implemented to its satisfaction within the allotted time, the commission may apply to a tribunal to obtain, where consistent with the public interest, any appropriate measure against the person at fault or to demand, in favour of the victim, any measure of redress it considers appropriate at that time.

81. [**Emergency measures**] Where the commission has reason to believe that the life, health or safety of a person involved in a case of discrimination or exploitation is threatened or that any evidence or clue pertaining to such a case could be lost, it may apply to a tribunal for any emergency measure capable of putting and end to the threat or risk of loss.

82. [**Reprisals**] The commission may also apply to a tribunal for any appropriate measure against any person who attempts to take or takes reprisals against a person, group or organization having an interest in the handling of a case of discrimination or exploitation or having participated therein either as the victim, the complainant, a witness or otherwise.

[**Reinstatement**] The commission may, in particular, request the tribunal to order that, on such date as it deems fair and expedient under the circumstances, the injured person be instated in the position or dwelling he would have occupied had it not been for the contravention.

83. [**Written consent of beneficiary**] Where the commission applies to a tribunal, pursuant to sections 80 to 82, for measures for a person's benefit, it must obtain the person's written consent, except in the case of a person contemplated by the first paragraph of section 48.

83.1-83.2 Replaced.

84. [**Discretionary power**] Where, following the filing of a complaint, the commission exercises its discretionary power not to submit an application to a tribunal to pursue, for a person's benefit, a remedy provided for in sections 80 to 82, it shall notify the complainant of its decision, stating the reasons on which it is based.

[Recours aux frais du plaignant] Dans un délai de 90 jours de la réception de cette notification, le plaignant peut, à ses frais, saisir le Tribunal des droits de la personne de ce recours, pour l'exercice duquel il est substitué de plein droit à la Commission avec les mêmes effets que si celle-ci l'avait exercé.

1975, c. 6, a. 84; 1982, c. 61, a. 20; 1989, c. 51, a. 5.

85. [Intervention de la victime] La victime peut, dans la mesure de son intérêt et en tout état de cause, intervenir dans l'instance à laquelle la Commission est partie en application des articles 80 à 82. Dans ce cas, la Commission ne peut se pourvoir seule en appel sans son consentement.

[Recours personnels] La victime peut, sous réserve du deuxième alinéa de l'article 111, exercer personnellement les recours des articles 80 à 82 ou se pourvoir en appel, même si elle n'était pas partie en première instance.

[Accès au dossier] Dans tous ces cas, la Commission doit lui donner accès à son dossier.

1975, c. 6, a. 85; 1989, c. 51, a. 5.

PARTIE III
LES PROGRAMMES D'ACCÈS À L'ÉGALITÉ

86. [Accès à l'égalité] Un programme d'accès à l'égalité a pour objet de corriger la situation de personnes faisant partie de groupes victimes de discrimination dans l'emploi, ainsi que dans les secteurs de l'éducation ou de la santé et dans tout autre service ordinairement offert au public.

[Programme non discriminatoire] Un tel programme est réputé non discriminatoire s'il est établi conformément à la Charte.

Un programme d'accès à l'égalité en emploi est, eu égard à la discrimination fondée sur la race, la couleur, le sexe ou l'origine ethnique, réputé non discriminatoire s'il est établi conformément à la Loi sur l'accès à l'égalité en emploi dans des organismes publics et modifiant la Charte des droits et libertés de la personne (2000, chapitre 45).

1982, c. 61, a. 21; 1989, c. 51, a. 11; 2000, c. 45, a. 28.

[Remedy pursued by complainant] Within 90 days after he receives such notification, the complainant may, at his own expense, submit an application to the Human Rights Tribunal to pursue such remedy and, in that case, he is, for the pursuit of the remedy, substitued by operation of law for the commission with the same effects as if the remedy had been pursued by the commission.

85. [Intervention by victim] The victim may intervene at any stage of proceedings to which the commission is party pursuant to sections 80 to 82 and in which he has an interest. If the victim does intervene, the commission cannot bring an appeal without his consent.

[Remedies pursued by victim] Subject to the second paragraph of section 111, the victim may personally pursue the remedies provided for in sections 80 to 82 or bring an appeal, even though he was not party to the proceedings in first instance.

[Access to record] In all such cases, the commission shall give the victim access to the record which concerns him.

PART III
AFFIRMATIVE ACTION PROGRAMS

86. [Affirmative action program] The object of an affirmative action program is to remedy the situation of persons belonging to groups discriminated against in employment, or in the sector of education or of health services and other services generally available to the public.

[Non discriminatory] An affirmative action program is deemed non-discriminatory if it is established in conformity with the Charter.

An equal access employment program is deemed not to discriminate on the basis of race, colour, gender or ethnic origin if it is established in accordance with the Act respecting equal access to employment in public bodies and amending the Charter of human rights and freedoms (2000, chapter 45).

NON EN VIGUEUR

87. [Approbation] Tout programme d'accès à l'égalité doit être approuvé par la Commission à moins qu'il ne soit imposé par un tribunal.

NOT IN FORCE

87. [Approval] Every affirmative action program must be approved by the commission, unless it is imposed by order of a tribunal.

[Assistance] La Commission, sur demande, prête son assistance à l'élaboration d'un tel programme.

1982, c. 61, a. 21; 1989, c. 51, a. 6, 11.

88. **[Propositions]** La Commission peut, après enquête, si elle constate une situation de discrimination prévue par l'article 86, proposer l'implantation, dans un délai qu'elle fixe, d'un programme d'accès à l'égalité.

[Recours à un tribunal] La Commission peut, lorsque sa proposition n'a pas été suivie, s'adresser à un tribunal et, sur preuve d'une situation visée dans l'article 86, obtenir dans le délai fixé par ce tribunal l'élaboration et l'implantation d'un programme. Le programme ainsi élaboré est déposé devant le tribunal qui peut, en conformité avec la Charte, y apporter les modifications qu'il juge adéquates.

1982, c. 61, a. 21; 1989, c. 51, a. 7, 11.

89. **[Surveillance]** La Commission surveille l'application des programmes d'accès à l'égalité. Elle peut effectuer des enquêtes et exiger des rapports.

1982, c. 61, a. 21; 1989, c. 51, a. 11.

90. **[Retrait de l'approbation]** Lorsque la Commission constate qu'un programme d'accès à l'égalité n'est pas implanté dans le délai imparti ou n'est pas observé, elle peut, s'il s'agit d'un programme qu'elle a approuvé, retirer son approbation ou, s'il s'agit d'un programme dont elle a proposé l'implantation, s'adresser à un tribunal conformément au deuxième alinéa de l'article 88.

1982, c. 61, a. 21; 1989, c. 51, a. 8, 11.

91. **[Faits nouveaux]** Un programme visé dans l'article 88 peut être modifié, reporté ou annulé si des faits nouveaux le justifient.

[Accord écrit] Lorsque la Commission et la personne requise ou qui a convenu d'implanter le programme s'entendent, l'accord modifiant, reportant ou annulant le programme d'accès à l'égalité est constaté par écrit.

[Désaccord] En cas de désaccord, l'une ou l'autre peut s'adresser au tribunal auquel la Commission s'est adressée en vertu du deuxième alinéa de l'article 88, afin qu'il décide si les faits nouveaux justifient la modification, le report ou l'annulation du programme.

[Modification] Toute modification doit être établie en conformité avec la Charte.

1982, c. 61, a. 21; 1989, c. 51, a. 9, 11.

[Assistance] The commission shall, on request, lend assistance for the devising of an affirmative action program.

88. **[Proposal]** If, after investigation, the commission confirms the existence of a situation involving discrimination referred to in section 86, it may propose the implementation of an affirmative action program within such time as it may fix.

[Application to a tribunal] Where its proposal has not been followed, the commission may apply to a tribunal and, on proof of the existence of a situation contemplated in section 86, obtain, within the time fixed by the tribunal, an order to devise and implement a program. The program thus devised is filed with the tribunal which may, in accordance with the Charter, make the modifications it considers appropriate.

89. **[Administration]** The Commission shall supervise the administration of the affirmative action programs. It may make investigations and require reports.

90. **[Withdrawal of approval]** Where the commission becomes aware that an affirmative action program has not been implemented within the alloted time or is not being complied with, it may, in the case of a program it has approved, withdraw its approval or, if it proposed implementation of the program, it may apply to a tribunal in accordance with the second paragraph of section 88.

91. **[Modifications]** A program contemplated in section 88 may be modified, postponed or cancelled if new facts warrant it.

[Agreement] If the commission and the person required or having consented to implement the affirmative action program agree on its modification, postponement or cancellation, the agreement shall be evidenced in writing.

[Application to the court] Failing agreement, either party may request the tribunal to which the commission has applied pursuant to the second paragraph of section 88 to decide whether the new facts warrant the modification, postponement or cancellation of the program.

[Modifications] All modifications must conform to the Charter.

92. [Exigences du gouvernement] Le gouvernement doit exiger de ses ministères et organismes dont le personnel est nommé suivant la Loi sur la fonction publique (L.R.Q., chapitre F-3.1.1) l'implantation de programmes d'accès à l'égalité dans le délai qu'il fixe.

[Dispositions applicables] Les articles 87 à 91 ne s'appliquent pas aux programmes visés dans le présent article. Ceux-ci doivent toutefois faire l'objet d'une consultation auprès de la Commission avant d'être implantés.

1982, c. 61, a. 21; 1989, c. 51, a. 10, 11; 2000, c. 45, a. 29.

PARTIE IV

CONFIDENTIALITÉ

93. [Renseignement ou document confidentiel] Malgré les articles 9 et 83 de la Loi sur l'accès aux documents des organismes publics et sur la protection des renseignements personnels (L.R.Q., chapitre A-2.1), un renseignement ou un document fourni de plein gré à la Commission et détenu par celle-ci aux fins de l'élaboration, l'implantation ou l'observation d'un programme d'accès à l'égalité visé par la présente Charte ou par la Loi sur l'accès à l'égalité en emploi dans des organismes publics et modifiant la Charte des droits et libertés de la personne (2000, chapitre 45) est confidentiel et réservé exclusivement aux fins pour lesquelles il a été transmis; il ne peut être divulgué ni utilisé autrement, sauf du consentement de celui qui l'a fourni.

[Consentement préalable] Un tel renseignement ou document ne peut être révélé par ou pour la Commission devant un tribunal, ni rapporté au procureur général malgré le paragraphe 9° de l'article 71, sauf du consentement de la personne ou de l'organisme de qui la Commission tient ce renseignement ou ce document et de celui des parties au litige.

[Programme d'accès à l'égalité] Le présent article n'a pas pour effet de restreindre le pouvoir de contraindre par assignation, mandat ou ordonnance, la communication par cette personne ou cet organisme d'un renseignement ou d'un document relatif à un programme d'accès à l'égalité.

92. [Implementation] The Government must require its departments and agencies whose personnel is appointed in accordance with the Public Service Act (R.S.Q., chapter F-3.1.1) to implement affirmative action programs within such time as it may fix.

[Inapplicable provisions] Sections 87 to 91 do not apply to the programs contemplated in this section. The programs must, however, be the object of a consultation with the commission before being implemented.

PART IV

CONFIDENTIALITY

93. [Confidentiality of information or documents] Notwithstanding sections 9 and 83 of the Act respecting Access to documents held by public bodies and the Protection of personal information (R.S.Q., chapter A-2.1), any information or document furnished voluntarily to the commission and held by it for the purpose of the devising or implementation of or compliance with an affirmative action program established under this Charter or an equal access employment program established under the Act respecting equal access to employment in public bodies and amending the Charter of human rights and freedoms (2000, chapter 45) is confidential and may be used only for the purposes for which it was furnished; it shall not be disclosed or used otherwise, except with the consent of the person or organization having furnished it.

[Consent required before disclosure] No such information or document may be revealed before a tribunal by or on behalf of the commission or, despite paragraph 9 of section 71, reported to the Attorney General, except with the consent of the person or organization having furnished the information or document to the commission and the consent of the parties to the dispute.

[Obligation to supply certain information or documents] This section shall not be construed as limiting the power to compel the person or organization, by way of a summons, warrant or order, to communicate any information or document relating to an affirmative action program.

En outre, un tel renseignement ou la teneur d'un tel document doit, sur demande, être communiqué par la Commission au ministre responsable de la partie III de la présente Charte et de la Loi sur l'accès à l'égalité en emploi dans des organismes publics et modifiant la Charte des droits et libertés de la personne afin de lui permettre d'évaluer l'application de cette partie et de cette loi.

1989, c. 51, a. 12; 2000, c. 45, a. 30.

94. [Confidentialité] Rien de ce qui est dit ou écrit à l'occasion de la négociation d'un règlement prévue à l'article 78 ne peut être révélé, même en justice, sauf du consentement des parties à cette négociation ou au litige.

1989, c. 51, a. 12.

95. [Contrôle de confidentialité] Sous réserve de l'article 61 du Code de procédure pénale (L.R.Q., chapitre C-25.1), un membre ou un mandataire de la Commission ou un membre de son personnel ne peut être contraint devant un tribunal de faire une déposition portant sur un renseignement qu'il a obtenu dans l'exercice de ses fonctions ni de produire un document contenant un tel renseignement, si ce n'est aux fins du contrôle de sa confidentialité.

1989, c. 51, a. 12; 1990. c. 4, a. 134.

96. [Action civile] Aucune action civile ne peut être intentée en raison ou en conséquence de la publication d'un rapport émanant de la Commission ou de la publication, faite de bonne foi, d'un extrait ou d'un résumé d'un tel rapport.

1989, c. 51, a. 12.

PARTIE V
RÉGLEMENTATION

97. [Réglementation] Le gouvernement, par règlement:

1° *(paragraphe abrogé)*;

2° peut fixer les critères, normes, barèmes, conditions ou modalités concernant l'élaboration, l'implantation ou l'application de programmes d'accès à l'égalité, en établir les limites et déterminer toute mesure nécessaire ou utile à ces fins;

3° édicte la procédure de recrutement et de sélection des personnes aptes à être désignées à la fonction d'arbitre ou nommées à celle d'assesseur au Tribunal des droits de la personne.

[Règlement] Le règlement prévu au paragraphe 3°, notamment:

Moreover, such information or the contents of such document must, on request, be communicated by the Commission to the minister responsible for the administration of Part III of this Charter and the Act respecting equal access to employment in public bodies and amending the Charter of human rights and freedoms in order to allow the minister to assess the carrying out of that Part and that Act.

94. [Confidentiality of negotiations] Nothing said or written in the course of the negotiation of a settlement pursuant to section 78 may be revealed, even in judicial proceedings, except with the consent of the parties to the negotiation and the parties to the dispute.

95. [Information obtained in performance of duties] Subject to article 61 of the Code of Penal Procedure (R.S.Q., chapter C-25.1), no member or mandatary of the commission or member of its personnel may be compelled to give testimony before a tribunal as to information obtained in the performance of his duties or to produce a document containing any such information, except for the purpose of ascertaining whether it is confidential.

96. [Immunity] No civil action may be taken by reason or in consequence of the publication of a report emanating from the commission or the publication, in good faith, of an abstract from or summary of such a report.

PART V
REGULATIONS

97. [Regulations] The Government, by regulation,

(1) *(subparagraph repealed)*;

(2) may fix the criteria, norms, scales, conditions or modalities applicable for the devising, implementation or carrying out of affirmative action programs, define their limits and determine anything necessary or useful for those purposes;

(3) shall prescribe the procedure for the recruitment and selection of persons apt for designation to the function of arbitrator or appointment to the function of assessor with the Human Rights Tribunal.

[Arbitrators and assessors] The regulation made under subparagraph 3 of the first paragraph shall, among other things,

1° détermine la proportionnalité minimale d'avocats que doit respecter la liste prévue au troisième alinéa de l'article 62;

2° détermine la publicité qui doit être faite afin de dresser cette liste;

3° détermine la manière dont une personne peut se porter candidate;

4° autorise le ministre de la Justice à former un comité de sélection pour évaluer l'aptitude des candidats et lui fournir un avis sur eux ainsi qu'à en fixer la composition et le mode de nomination des membres;

5° détermine les critères de sélection dont le comité tient compte, les renseignements qu'il peut requérir d'un candidat ainsi que les consultations qu'il peut faire;

6° prévoit que la liste des personnes aptes à être désignées à la fonction d'arbitre ou nommées à celle d'assesseur au Tribunal des droits de la personne, est consignée dans un registre établi à cette fin au ministère de la Justice.

[Remboursement des dépenses] Les membres d'un comité de sélection ne sont pas rémunérés, sauf dans le cas, aux conditions et dans la mesure que peut déterminer le gouvernement. Ils ont cependant droit au remboursement des dépenses faites dans l'exercice de leurs fonctions, aux conditions et dans la mesure que détermine le gouvernement.

1982, c. 61, a. 21; 1989, c. 51, a. 14; 1996, c. 10, a. 3.

98. [Projet de règlement à la G.O.Q.] Le gouvernement, après consultation de la Commission, publie son projet de règlement à la *Gazette officielle du Québec* avec un avis indiquant le délai après lequel ce projet sera déposé devant la Commission des institutions et indiquant qu'il pourra être pris après l'expiration des 45 jours suivant le dépôt du rapport de cette Commission devant l'Assemblée nationale.

[Modification au projet] Le gouvernement peut, par la suite, modifier le projet de règlement. Il doit, dans ce cas, publier le projet modifié à la *Gazette officielle du Québec* avec un avis indiquant qu'il sera pris sans modification à l'expiration des 45 jours suivant cette publication.

1982, c. 61, a. 21; 1982, c. 62, a. 143; 1989, c. 51, a. 15.

99. [Règlement de la Commission] La Commission, par règlement:

1° peut déléguer à un comité des plaintes constitué conformément à l'article 61, les responsabilités qu'elle indique;

(1) determine the minimum proportion of advocates that must be maintained on the panel provided for in the third paragraph of section 62;

(2) determine the forms of publicity that must be used for the purpose of establishing such panel;

(3) determine the manner in which a person may apply;

(4) authorize the Minister of Justice to form a selection committee charged with evaluating the aptitude of applicants and advising him as to applicants and to fix the composition and mode of appointment of the members of the committee;

(5) determine the criteria of selection on which the committee is to base its decisions, the information it may require of applicants and the consultations it may make;

(6) prescribe that the panel of persons apt for designation to the function of arbitrator or appointment to the function of assessor with the Human Rights Tribunal be recorded in a register established for that purpose at the Ministère de la Justice.

[Expenses] The members of a selection committee receive no remuneration except in such cases, on such conditions and to such extent as may be determined by the Government. They are, however, entitled to reimbursement for expenses incurred in the performance of their duties, on the conditions and to the extent determined by the Government.

98. [Draft regulation] The Government, after consultation with the commission, shall publish the draft regulation in the *Gazette officielle du Québec* with a notice stating the time after which the draft will be tabled before the Standing Committee on Institutions and stating that it may be adopted on the expiry of 45 days after the Committee reports to the National Assembly.

[Amendment and publication] The Government may subsequently amend the draft regulation. It must, in that case, publish the amended draft regulation in the *Gazette officielle du Québec* with a notice stating that it will be adopted without amendment on the expiry of 45 days after the publication.

99. [Regulations of the commission] The commission, by regulation,

(1) may delegate to a complaints committee established under section 61 such responsibilities as it indicates;

2° prescrit les autres règles, conditions et modalités d'exercice ou termes applicables aux mécanismes prévus aux chapitres II et III de la partie II et aux parties III et IV, y compris la forme et les éléments des rapports pertinents.

[Approbation] Un tel règlement est soumis à l'approbation du gouvernement qui peut, en l'approuvant, le modifier.

1982, c. 61, a. 21; 1989, c. 51, a. 15.

PARTIE VI
LE TRIBUNAL DES DROITS DE LA PERSONNE

CHAPITRE I
CONSTITUTION ET ORGANISATION

100. [Institution] Est institué le Tribunal des droits de la personne, appelé le «Tribunal» dans la présente partie.

1989, c. 51, a. 16.

101. [Composition] Le Tribunal est composé d'au moins 7 membres, dont le président et les assesseurs, nommés par le gouvernement. Le président est choisi, après consultation du juge en chef de la Cour du Québec, parmi les juges de cette cour qui ont une expérience, une expertise, une sensibilisation et un intérêt marqués en matière des droits et libertés de la personne; les assesseurs le sont parmi les personnes inscrites sur la liste prévue au troisième alinéa de l'article 62.

[Mandat] Leur mandat est de 5 ans, renouvelable. Il peut être prolongé pour une durée moindre et déterminée.

[Rémunération] Le gouvernement établit les normes et barèmes régissant la rémunération, les conditions de travail ou, s'il y a lieu, les allocations des assesseurs.

1989, c. 51, a. 16.

102. [Serment] Avant d'entrer en fonction, les membres doivent prêter les serments prévus à l'annexe II; le président, devant le juge en chef de la Cour du Québec et tout autre membre, devant le président.

1989, c. 51, a. 16; 1999, c. 40, a. 46.

103. [Juge de la Cour du Québec] Le gouvernement peut, à la demande du président et après consultation du juge en chef de la Cour du Québec, désigner comme membre du Tribunal, pour enten-

(2) shall prescribe the other rules, procedures, terms or conditions applicable with respect to the mechanisms provided for in Chapters II and III of Part II and in Parts III and IV, including the form and content of the related reports.

[Government approval] Every regulation hereunder is subject to the approval of the Government; the Government may, when granting its approval, amend the regulation.

PART VI
HUMAN RIGHTS TRIBUNAL

CHAPTER I
ESTABLISHMENT AND ORGANIZATION

100. [Human Rights Tribunal] The Human Rights Tribunal, referred to in this Part as the "Tribunal", is hereby established.

101. [Composition] The Tribunal is composed of not fewer than seven members, including a president and assessors, appointed by the Government. The president shall be chosen, after consultation with the chief judge of the Court of Québec, from among the judges of that court having notable experience and expertise, in sensitivity to and interest for matters of human rights and freedoms; the assessors shall be chosen from among the persons included in the panel provided for in the third paragraph of section 62.

[Term of office] The term of office of the members of the Tribunal is five years. It may be renewed for a shorter determined time.

[Terms of employment] The Government shall establish the standards and scales governing the remuneration and conditions of employment or, where applicable, the allowances of the assessors.

102. [Oath] Before entering office, the members shall make the oaths provided in Schedule II; the president shall do so before the chief judge of the Court of Québec and the other members, before the president.

103. [Judge of the Court of Québec] The Government may, on the request of the president and after consultation with the chief judge of the Court of Québec, designate another judge of that court hav-

dre et décider d'une demande ou pour une période déterminée, un autre juge de cette cour qui a une expérience, une expertise, une sensibilisation et un intérêt marqués en matière des droits et libertés de la personne.

1989, c. 51, a. 16.

104. [Audition] Le Tribunal siège, pour l'audition d'une demande, par divisions constituées chacune de 3 membres, soit le juge qui la préside et les 2 assesseurs qui l'assistent, désignés par le président. Celui qui préside la division décide seul de la demande.

[Demande préliminaire ou incidente] Toutefois, une demande préliminaire ou incidente ou une demande présentée en vertu de l'article 81 ou 82 est entendue et décidée par le président ou par le juge du Tribunal auquel il réfère la demande; cette demande est cependant déférée à une division du Tribunal dans les cas déterminés par les règles de procédure et de pratique ou si le président en décide ainsi.

1989, c. 51, a. 16.

105. [Coopération de la cour] Le greffier et le personnel de la Cour du Québec du district dans lequel une demande est produite ou dans lequel siège le Tribunal, l'une de ses divisions ou l'un de ses membres, sont tenus de lui fournir les services qu'ils fournissent habituellement à la Cour du Québec elle-même.

[Huissiers] Les huissiers sont d'office huissiers du Tribunal et peuvent lui faire rapport, sous leur serment d'office, des significations faites par eux.

1989, c. 51, a. 16.

106. [Président] Le président s'occupe exclusivement des devoirs de ses fonctions.

[Fonctions] Il doit notamment:

1° favoriser la concertation des membres sur les orientations générales du Tribunal;

2° coordonner et répartir le travail entre les membres qui, à cet égard, doivent se soumettre à ses ordres et directives, et veiller à leur bonne exécution;

3° édicter un code de déontologie, et veiller à son respect. Ce code entre en vigueur le 15ᵉ jour qui suit la date de sa publication à la *Gazette officielle du Québec* ou à une date ultérieure qui y est indiquée.

1989, c. 51, a. 16.

ing notable experience and expertise in, sensitivity to and interest for matters of human rights and freedoms to sit as a member of the Tribunal either to hear and decide an application or for a determined period.

104. [Hearing] To hear an application, the Tribunal shall sit in a division composed of three members, that is, the judge presiding the division and two assessors assisting him, designated by the president. The member presiding the division shall decide the application alone.

[Preliminary or incidental application] However, a preliminary or incidental application or an application under section 81 or 82 shall be heard and decided by the president or by the judge to whom he refers the application; such an application shall be referred to a division of the Tribunal in the cases determined by the rules of procedure and practice or where the president so decides.

105. [Services of clerk and staff of the Court] The clerk and staff of the Court of Québec of the district in which an application is filed or in which the Tribunal or a division or member of the Tribunal sits shall provide it or him with the services they usually provide to the Court of Québec itself.

[Bailiffs] The bailiffs are *ex officio* bailiffs of the Tribunal and may make a return to the Tribunal, under their oath of office, of any service made by them.

106. [Exclusive duties] The president of the Tribunal shall devote his time exclusively to the duties of his office.

[Duties of president] His duties include

(1) fostering a consensus among the members concerning the general orientation of the Tribunal;

(2) coordinating the work of the Tribunal and distributing it among the members; the members shall, in that regard, comply with his orders and directives and see to their proper implementation;

(3) prescribing a code of ethics and ensuring that it is observed. The code of ethics shall come into force 15 days after its publication in the *Gazette officielle du Québec* or at any later date indicated therein.

107. [Remplaçant] Un juge désigné en vertu de l'article 103 remplace le président en cas d'absence, d'empêchement ou de vacance de sa fonction.

1989, c. 51, a. 16.

108. [Expiration du mandat] Malgré l'expiration de son mandat, un juge décide d'une demande dont il a terminé l'audition. Si la demande n'a pu faire l'objet d'une décision dans un délai de 90 jours, elle est déférée par le président, du consentement des parties, à un autre juge du Tribunal ou instruite de nouveau.

1989, c. 51, a. 16.

109. [Recours prohibés] Sauf sur une question de compétence, aucun des recours prévus aux articles 33 et 834 à 850 du Code de procédure civile ne peut être exercé ni aucune injonction accordée contre le Tribunal, le président ou un autre membre agissant en sa qualité officielle.

[Annulation par la Cour d'appel] Un juge de la Cour d'appel peut, sur requête, annuler sommairement toute décision, ordonnance ou injonction délivrée ou accordée à l'encontre du premier alinéa.

1989, c. 51, a. 16.

110. [Règles de procédure et de pratique] Le président, avec le concours de la majorité des autres membres du Tribunal, peut adopter des règles de procédure et de pratique jugées nécessaires à l'exercice des fonctions du Tribunal.

1989, c. 51, a. 16.

CHAPITRE II
COMPÉTENCE ET POUVOIRS

111. [Emploi, logement, biens et services] Le Tribunal a compétence pour entendre et disposer de toute demande portée en vertu de l'un des articles 80, 81 et 82 et ayant trait, notamment, à l'emploi, au logement, aux biens et services ordinairement offerts au public, ou en vertu de l'un des articles 88, 90 et 91 relativement à un programme d'accès à l'égalité.

[Exercice des recours] Seule la Commission peut initialement saisir le Tribunal de l'un ou l'autre des recours prévus à ces articles, sous réserve de la substitution prévue à l'article 84 en faveur d'un plaignant et de l'exercice du recours prévu à l'article 91 par la personne à qui le Tribunal a déjà imposé un programme d'accès à l'égalité.

1989, c. 51, a. 16.

107. [Replacement of president] A judge designated under section 103 shall replace the president if he is absent or unable to act or if the office of president is vacant.

108. [Decision of judge no longer in office] A judge of the Tribunal, even if no longer in office, shall render a decision on every application heard by him. If no decision is rendered within 90 days, the application shall be referred by the president to another judge of the Tribunal with the consent of the parties or heard anew.

109. [Recourse or injunction prohibited] Except on a question of jurisdiction, no recourse provided for in articles 33 and 834 to 850 of the Code of Civil Procedure may be exercised nor any injunction granted against the Tribunal, its president or any other member acting in its or his official capacity.

[Motion to annul] A judge of the Court of Appeal may, upon a motion, annul summarily any decision, order or injunction issued or granted contrary to the first paragraph.

110. [Rules of procedure and practice] The president of the Tribunal may, with the assistance of the majority of the other members, adopt such rules of procedure and practice as are considered necessary for the performance of the functions of the Tribunal.

CHAPTER II
JURISDICTION AND POWERS

111. [Jurisdiction] The Tribunal is competent to hear and dispose of any application submitted under section 80, 81 or 82, in particular in matters of employment or housing or in connection with goods and services generally available to the public, and any application submitted under section 88, 90 or 91 in respect of an affirmative action program.

[Application submitted by commission] Only the commission may initially submit an application to the Tribunal to pursue any of the remedies provided for in any of the said sections, subject to the substitution provided for in section 84 in favour of a complainant and to the pursuit of the remedy provided for in section 91 by a person on whom the Tribunal has previously imposed an affirmative action program.

111.1 Le Tribunal a aussi compétence pour entendre et disposer de toute demande portée en vertu de l'un des articles 6, 18 ou 19 de la Loi sur l'accès à l'égalité en emploi dans des organismes publics et modifiant la Charte des droits et libertés de la personne (2000, chapitre 45) relativement à un programme d'accès à l'égalité en emploi.

Seule la Commission, ou l'un de ses membres, peut initialement saisir le Tribunal des recours prévus à ces articles, sous réserve de l'exercice du recours prévu à l'article 19 de cette loi en cas de désaccord sur des faits nouveaux pouvant justifier la modification, le report ou l'annulation d'un programme d'accès à l'égalité en emploi.

2000, c. 45, a. 31.

112. [Pouvoirs et immunité] Le Tribunal, l'une de ses divisions et chacun de ses juges ont, dans l'exercice de leurs fonctions, les pouvoirs et l'immunité des commissaires nommés en vertu de la Loi sur les commissions d'enquête, sauf le pouvoir d'ordonner l'emprisonnement.

1989, c. 51, a. 16.

113. [C.p.c. applicable] Le Tribunal peut, en s'inspirant du Code de procédure civile, rendre les décisions et ordonnances de procédure et de pratique nécessaires à l'exercice de ses fonctions, à défaut d'une règle de procédure ou de pratique applicable.

[Règles par le tribunal] Le tribunal peut aussi, en l'absence d'une disposition applicable à un cas particulier et sur une demande qui lui est adressée, prescrire avec le même effet tout acte ou toute formalité qu'auraient pu prévoir les règles de procédure et de pratique.

1989, c. 51, a. 16.

CHAPITRE III
PROCÉDURE ET PREUVE

114. [Demande écrite et signifiée] Toute demande doit être adressée par écrit au Tribunal et signifiée conformément aux règles du Code de procédure civile, à moins qu'elle ne soit présentée en cours d'audition. Lorsque ce Code prévoit qu'un mode de signification requiert une autorisation, celle-ci peut être obtenue du Tribunal.

[Lieu d'introduction de la demande] La demande est produite au greffe de la Cour du Québec du district judiciaire où se trouve le domicile ou, à défaut, la résidence ou le principal établissement d'entreprise de la personne à qui les conclusions de la demande pourraient être imposées ou, dans le

111.1 The Tribunal is also competent to hear and dispose of any application submitted under section 6, 18 or 19 of the Act respecting equal access to employment in public bodies and amending the Charter of human rights and freedoms (2000, chapter 45) regarding an equal access employment program.

Only the Commission or one of its members may initially submit an application to the Tribunal to pursue any of the remedies provided for in those sections, except the remedy provided for in section 19 of that Act in the event of a disagreement relating to new facts that may warrant the modification, postponement or cancellation of an equal access employment program.

112. [Powers and immunity] The Tribunal and its divisions and judges are, in the performance of their functions, vested with the powers and immunity of commissioners appointed under the Act respecting public inquiry commissions, except the power to impose imprisonment.

113. [Rules of procedure] In the absence of an applicable rule of procedure and practice, the Tribunal may, on the basis of the Code of Civil Procedure, adapted as required, render such rulings and orders of procedure and practice as the performance of its functions may require.

[Other acts or formalities] Moreover, in the absence of a provision applicable to a particular case, the Tribunal may, in a matter submitted to it, prescribe with the same effect any act or formality which could have been prescribed in the rules of procedure and practice.

CHAPTER III
PROOF AND PROCEDURE

114. [Written application] Every application shall be submitted to the Tribunal in writing and served in accordance with the rules provided in the Code of Civil Procedure, unless it is made in the course of a hearing. Where the said Code provides that a mode of service requires authorization, it may be obtained from the Tribunal.

[Filing] The application shall be filed at the office of the Court of Québec in the judicial district where the person on whom the conclusions of the application may be imposed or, in the case of the implementation of an affirmative action program, the person on whom the program has been or may be

cas d'un programme d'accès à l'égalité, de la personne à qui il est ou pourrait être imposé.
1989, c. 51, a. 16; 1999, c. 40, a. 46.

115. [Mémoire du demandeur] Dans les 15 jours de la production d'une demande qui n'est pas visée au deuxième alinéa de l'article 104, le demandeur doit produire un mémoire exposant ses prétentions, que le Tribunal signifie aux intéressés. Chacun de ceux-ci peut, dans les 30 jours de cette signification, produire son propre mémoire que le Tribunal signifie au demandeur.

[Défaut] Le défaut du demandeur peut entraîner le rejet de la demande.

1989, c. 51, a. 16.

116. [Parties à la demande] La Commission, la victime, le groupe de victimes, le plaignant devant la Commission, tout intéressé à qui la demande est signifiée et la personne à qui un programme d'accès à l'égalité a été imposé ou pourrait l'être, sont de plein droit des parties à la demande et peuvent intervenir en tout temps avant l'exécution de la décision.

[Intérêt d'une partie] Une personne, un groupe ou un organisme autre peut, en tout temps avant l'exécution de la décision, devenir partie à la demande si le Tribunal lui reconnaît un intérêt suffisant pour intervenir; cependant, pour présenter, interroger ou contre-interroger des témoins, prendre connaissance de la preuve au dossier, la commenter ou la contredire, une autorisation du Tribunal lui est chaque fois nécessaire.

1989, c. 51, a. 16.

117. [Modification] Une demande peut être modifiée en tout temps avant la décision, aux conditions que le Tribunal estime nécessaires pour la sauvegarde de droits de toutes les parties. Toutefois, sauf de leur consentement, aucune modification d'où résulterait une demande entièrement nouvelle, n'ayant aucun rapport avec la demande originale, ne peut être admise.

1989, c. 51, a. 16.

118. [Récusation d'un membre] Toute partie peut, avant l'audition, ou en tout temps avant décision si elle justifie de sa diligence, demander la récusation d'un membre. Cette demande est adressée au président du Tribunal qui en décide ou la réfère à un juge du Tribunal, notamment lorsque la demande le vise personnellement.

imposed has his domicile or, failing that, his residence or principal business establishment.

115. [Factum] Within 15 days of the filing of an application other than an application referred to in the second paragraph of section 104, the plaintiff shall file a factum setting out his pretensions, which the Tribunal shall serve on every interested person or organization. Within 30 days of the service, every interested person or organization wishing to do so may file a factum of his or its own, which the Tribunal shall serve on the plaintiff.

[Failure to comply] Failure to comply with this section on the part of the plaintiff may entail the dismissal of the application.

116. [Parties to the application] The commission, the victim, the group of victims, the complainant before the commission, any person or organization on whom or which an application is served and the person on whom an affirmative action program has been or may be imposed are parties to the application by operation of law and may intervene at any time before the execution of the decision.

[Sufficient interest] Any other person, group or organization may, at any time before the execution of the decision, become a party to the application if the Tribunal is satisfied that he or it has a sufficient interest to intervene; however, the person, group or organization must obtain leave from the Tribunal each time he or it wishes to produce, examine or cross-examine witnesses, or examine any evidence in the record and comment or refute it.

117. [Amendment] An application may be amended at any time before the decision on the condition the Tribunal deems necessary to safeguard the rights of all parties. However, except with the consent of the parties, no amendment which would result in an entirely new application unrelated to the original shall be allowed.

118. [Recusation] Any party may, before the hearing or at any time before the decision provided he shows that he has been diligent, request the recusation of any member of the Tribunal. The request shall be addressed to the president of the Tribunal who shall rule upon the request or refer it to a judge of the Tribunal, in particular where the request concerns him personally.

[Déclaration écrite] Un membre qui connaît en sa personne une cause valable de récusation, est tenu de la déclarer par un écrit versé au dossier.

1989, c. 51, a. 16.

119. [District judiciaire] Le Tribunal siège dans le district judiciaire au greffe duquel a été produite la demande.

[Lieu] Toutefois, le président du Tribunal et celui qui préside la division qui en est saisie peuvent décider, d'office ou à la demande d'une partie, que l'audition aura lieu dans un autre district judiciaire, lorsque l'intérêt public et celui des parties le commandent.

1989, c. 51, a. 16.

120. [Date d'audition] D'office ou sur demande, le président ou celui qu'il désigne pour présider l'audition en fixe la date.

[Avis d'audition] Le Tribunal doit transmettre, par écrit, à toute partie et à son procureur, à moins qu'elle n'y ait renoncé, un avis d'audition d'un jour franc s'il s'agit d'une demande visée au deuxième alinéa de l'article 104 et de 10 jours francs dans les autres cas. Cet avis précise:

1° l'objet de l'audition;

2° le jour, l'heure et le lieu de l'audition;

3° le droit d'y être assisté ou représenté par avocat;

4° le droit de renoncer à une audition orale et de présenter ses observations par écrit;

5° le droit de demander le huis clos ou une ordonnance interdisant ou restreignant la divulgation, la publication ou la diffusion d'un renseignement ou d'un document;

6° le pouvoir du Tribunal d'instruire la demande et de rendre toute décision ou ordonnance, sans autre délai ni avis, malgré le défaut ou l'absence d'une partie ou de son procureur.

1989, c. 51, a. 16.

121. [Protection des renseignements] Le Tribunal peut, d'office ou sur demande et dans l'intérêt de la morale ou de l'ordre public, interdire ou restreindre la divulgation, la publication ou la diffusion d'un renseignement ou d'un document qu'il indique, pour protéger la source de tel renseignement ou document ou pour respecter les droits et libertés d'une personne.

1989, c. 51, a. 16.

[Valid ground] Any member of the Tribunal who is aware of a valid ground of recusation to which he is liable is bound to make and file in the record a written declaration thereof.

119. [Judicial district] The Tribunal shall sit in the judicial district at the office of which the application was filed.

[Judicial district] However, the president of the Tribunal and the member presiding the division to which the application is referred may decide, on their own initiative or on the request of a party, that the hearing shall be held in another judicial district if the public interest and the interest of the parties so require.

120. [Date of hearing] On his own initiative or on request, the president of the Tribunal or the member designated by him to preside the hearing shall fix the date of the hearing.

[Notice] The Tribunal shall give written notice of the hearing to every party and to his attorney, unless the party has waived his right thereto, not less than one clear day before the hearing in the case of an application under the second paragraph of section 104 and not less than 10 clear days before the hearing in all other cases. The notice shall set out

(1) the purpose of the hearing;

(2) the date, time and place of the hearing;

(3) the right of every party to be assisted or represented by an advocate;

(4) the right of every party to waive a *viva voce* hearing and present his views in writing;

(5) the right of every party to request that the hearing be held *in camera* or that an order be issued banning or restricting the disclosure, publication or release of any information or document;

(6) the power of the Tribunal to hear the application and to render any decision or issue any order without further time or notice, despite the default or absence of any party or of his attorney.

121. [Banned publication or release] The Tribunal may, on its own initiative or on request and in the interest of morality or public order, ban or restrict the disclosure, publication or release of any information or document it indicates, to preserve the confidentiality of the source of the information or document or to protect a person's rights and freedoms.

122. [Absence d'une partie ou de son procureur] Le Tribunal peut instruire la demande et rendre toute décision ou ordonnance, même en l'absence d'une partie ou de son procureur qui, ayant été dûment avisé de l'audition, fait défaut de se présenter le jour de l'audition, à l'heure et au lieu de celle-ci, refuse de se faire entendre ou ne soumet pas les observations écrites requises.

[Excuse valable] Il est néanmoins tenu de reporter l'audition si l'absent lui a fait connaître un motif valable pour excuser l'absence.

1989, c. 51, a. 16.

123. [Preuve utile] Tout en étant tenu de respecter les principes généraux de justice, le Tribunal reçoit toute preuve utile et pertinente à une demande dont il est saisi et il peut accepter tout moyen de preuve.

[Règles particulières] Il n'est pas tenu de respecter les règles particulières de la preuve en matière civile, sauf dans la mesure indiquée par la présente partie.

1989, c. 51, a. 16.

124. [Enregistrement des dépositions] Les dépositions sont enregistrées, à moins que les parties n'y renoncent expressément.

1989, c. 51, a. 16.

CHAPITRE IV
DÉCISION ET EXÉCUTION

125. [Décision écrite] Une décision du Tribunal doit être rendue par écrit et déposée au greffe de la Cour du Québec où la demande a été produite. Elle doit contenir, outre le dispositif, toute interdiction ou restriction de divulguer, publier ou diffuser un renseignement ou un document qu'elle indique et les motifs à l'appui.

[Copie ou extrait] Toute personne peut, à ses frais mais sous réserve de l'interdiction ou de la restriction, obtenir copie ou extrait de cette décision.

1989, c. 51, a. 16.

126. [Frais et déboursés] Le Tribunal peut, dans une décision finale, condamner l'une ou l'autre des parties qui ont comparu à l'instance, aux frais et déboursés ou les répartir entre elles dans la proportion qu'il détermine.

1989, c. 51, a. 16.

127. [Correction d'une erreur] Le Tribunal peut, sans formalité, rectifier sa décision qui est entachée d'une erreur d'écriture, de calcul ou de quel-

122. [Absence of a party or his attorney] The Tribunal may hear the application and render a decision or issue an order despite the absence of a party or his attorney who, although duly notified of the hearing, fails to present himself on the day of the hearing at the appointed time and place, refuses to be heard or fails to present his views in writing as required.

[Postponement] The Tribunal is required to postpone the hearing, however, if the absent party or attorney has given the Tribunal a valid excuse for his absence.

123. [Useful and relevant evidence] The Tribunal, though bound by the general principles of justice, may admit any evidence useful and relevant to the application submitted to it and allow any means of proof.

[Rules of evidence] The Tribunal is not bound by the special rules of evidence applicable in civil matters, except to the extent determined in this Part.

124. [Recording of depositions] Depositions shall be recorded unless the parties agree expressly to dispense with recording.

CHAPTER IV
DECISION AND EXECUTION

125. [Decisions] Every decision of the Tribunal must be rendered in writing and filed at the office of the Court of Québec where the application was filed. It shall contain, in addition to the purview, a statement of any ban or restriction on the disclosure, publication or release of any information or document it indicates and the reasons therefore.

[Copies or extracts] Subject to any such ban or restriction, any person may, at his expense, obtain a copy of or extract from the decision.

126. [Costs and disbursements] The Tribunal may, in a final decision, condemn one of the parties who appeared in the proceedings to the payment of the costs and disbursements or apportion them among them as it determines.

127. [Clerical error] The Tribunal may, without any formality, correct a decision it has rendered which contains an error in writing or in calculation or

que autre erreur matérielle, tant qu'elle n'a pas été exécutée ni portée en appel.

1989, c. 51, a. 16.

128. [Révision ou rétractation] Le Tribunal peut, d'office ou sur demande d'un intéressé, réviser ou rétracter toute décision qu'il a rendue tant qu'elle n'a pas été exécutée ni portée en appel:

1° lorsqu'est découvert un fait nouveau qui, s'il avait été connu en temps utile, aurait pu justifier une décision différente;

2° lorsqu'un intéressé n'a pu, pour des raisons jugées suffisantes, se faire entendre;

3° lorsqu'un vice de fond ou de procédure est de nature à invalider la décision.

[Restriction] Toutefois, dans le cas du paragraphe 3°, un juge du Tribunal ne peut réviser ni rétracter une décision rendue sur une demande qu'il a entendue.

1989, c. 51, a. 16.

129. [Signification aux parties] Le greffier de la Cour du Québec du district où la demande a été produite fait signifier toute décision finale aux parties qui ont comparu à l'instance et à celles que vise le premier alinéa de l'article 116, dès son dépôt au greffe.

[Signification présumée] Une décision rendue en présence d'une partie, ou de son procureur, est réputée leur avoir été signifiée dès ce moment.

1989, c. 51, a. 16.

130. [Décision exécutoire] Une décision du Tribunal condamnant au paiement d'une somme d'argent devient exécutoire comme un jugement de la Cour du Québec ou de la Cour supérieure, selon la compétence respective de l'une et l'autre cour, et en a tous les effets à la date de son dépôt au greffe de la Cour du Québec ou de celle de son homologation en Cour supérieure.

[Homologation] L'homologation résulte du dépôt, par le greffier de la Cour du Québec du district où la décision du Tribunal a été déposée, d'une copie conforme de cette décision au bureau du protonotaire de la Cour supérieure du district où se trouve le domicile ou, à défaut, la résidence ou le principal établissement d'entreprise de la personne condamnée.

[Décision finale] Une décision finale qui n'est pas visée au premier alinéa est exécutoire à l'expiration des délais d'appels, suivant les conditions et

any other clerical error provided that the decision has not been executed or appealed from.

128. [Revision or revocation of decision] The Tribunal may, on its own initiative or on the request of an interested person or organization, revise or revoke any decision it has rendered provided that it has not been executed or appealed from,

(1) where a new fact is discovered which, if it had been known in due time, might have justified a different decision;

(2) where an interested person or organization was unable, for reasons deemed sufficient, to be heard;

(3) where a substantive or procedural defect is likely to invalidate the decision.

[Restriction] However, in the case described in subparagraph 3 of the first paragraph, a judge of the Tribunal cannot revise or revoke a decision rendered on an application heard by him.

129. [Service of final decision] The clerk of the Court of Québec of the district where the application was filed shall cause every final decision to be served on all parties who appeared in the proceedings and on all parties contemplated by the first paragraph of section 116, as soon as it is filed at the office of the Court.

[Decision deemed served] However, where a decision is rendered in the presence of a party or his attorney, it is deemed to be served on them on being so rendered.

130. [Decision involving payment of money] A decision of the Tribunal condemning a person to pay a sum of money becomes executory as a judgment of the Court of Québec or the Superior Court, according to their respective jurisdictions, and has all the effects thereof from the date of its filing at the office of the Court of Québec or of its homologation in Superior Court.

[Homologation] Homologation of the decision is obtained by the filing by the clerk of the Court of Québec of the district where the decision of the Tribunal was filed of a certified copy of the decision at the office of the prothonotary of the Superior Court of the district where the condemned person has his domicile or, failing that, his residence or principal business establishment.

[Executory decision] A final decision of the Tribunal other than a decision described in the first paragraph is executory upon the expiry of the time for

modalités qui y sont indiquées, à moins que le Tribunal n'en ordonne l'exécution provisoire dès sa signification ou à une autre époque postérieure qu'il fixe.

[**Décision exécutoire**] Toute autre décision du Tribunal est exécutoire dès sa signification et nonobstant appel, à moins que le tribunal d'appel n'en ordonne autrement.

1989, c. 51, a. 16; 1999, c. 40, a. 46.

131. [**Outrage au tribunal**] Quiconque contrevient à une décision du Tribunal qui lui a été dûment signifiée, et qui n'a pas à être homologuée en Cour supérieure, se rend coupable d'outrage au Tribunal et peut être condamné, avec ou sans emprisonnement pour une durée d'au plus un an, et sans préjudice de tous recours en dommages-intérêts, à une amende n'excédant pas 50 000 $.

[**Amende**] Quiconque contrevient à une interdiction ou à une restriction de divulgation, de publication ou de diffusion imposée par une décision du Tribunal rendue en vertu de l'article 121, est passible de la même sanction sauf quant au montant de l'amende qui ne peut excéder 5 000 $.

1989, c. 51, a. 16.

CHAPITRE V
APPEL

132. [**Permission d'appeler**] Il y a appel à la Cour d'appel, sur permission de l'un de ses juges, d'une décision finale du Tribunal.

1989, c. 51, a. 16.

133. [**C.p.c. applicable**] Sous réserve de l'article 85, les règles du Code de procédure civile relatives à l'appel s'appliquent, avec les adaptations nécessaires, à un appel prévu par le présent chapitre.

1989, c. 5, a. 16.

PARTIE VII
LES DISPOSITIONS FINALES

134. [**Infractions**] Commet une infraction:

1° quiconque contrevient à l'un des articles 10 à 19 ou au premier alinéa de l'article 48;

2° un membre ou un mandataire de la Commission ou un membre de son personnel qui révèle, sans y être dûment autorisé, toute matière dont il a eu connaissance dans l'exercice de ses fonctions;

3° quiconque tente d'entraver ou entrave la Commission, un comité des plaintes, un membre ou un

appeal, in accordance with the terms and conditions set out in the decision, unless the Tribunal orders provisional execution of the decision upon its service or at any specified later date.

[**Executory decision**] Any other decision of the Tribunal is executory upon its service and notwithstanding appeal, unless the appeal tribunal orders otherwise.

131. [**Contempt of court**] Every person who fails to comply with a decision of the Tribunal which has been duly served on him and which does not require to be homologated in Superior Court is guilty of contempt of court and may be condemned, with or without imprisonment for not over one year, and without prejudice to any suit for damages, to a fine not exceeding $50 000.

[**Unauthorized disclosure**] Every person who contravenes a ban or restriction on disclosure, publication or release imposed by a decision of the Tribunal rendered under section 121 is liable to the same sanction, except that the amount of the fine shall not exceed $5 000.

CHAPTER V
APPEAL

132. [**Leave to appeal**] Any final decision of the Tribunal may be appealed from to the Court of Appeal with leave from one of the judges thereof.

133. [**Procedure for appeals**] Subject to section 85, the rules relating to appeals set out in the Code of Civil Procedure, adapted as required, apply to any appeal under this Chapter.

PART VII
FINAL PROVISIONS

134. [**Offences**] Every person is guilty of an offence:

(1) who contravenes any of sections 10 to 19 or the first paragraph of section 48;

(2) who, being a member or mandatary of the commission or a member of its personnel, reveals, without being duly authorized to do so, anything of which he has gained knowledge in the performance of his duties;

(3) who attempts to obstruct or obstructs the commission, a complaints committee, a member or man-

mandataire de la Commission ou un membre de son personnel, dans l'exercice de ses fonctions;

4° quiconque enfreint une interdiction ou une restriction de divulgation, de publication ou de diffusion d'un renseignement ou d'un document visé à la partie IV ou à un règlement pris en vertu de l'article 99;

5° quiconque tente d'exercer ou exerce des représailles visées à l'article 82.

1975, c. 6, a. 87; 1982, c. 61, a. 23; 1989, c. 51, a. 18.

135. [Dirigeant de personne morale, réputé partie à l'infraction] Si une personne morale commet une infraction prévue par l'article 134, tout dirigeant, administrateur, employé ou agent de cette personne morale qui a prescrit ou autorisé l'accomplissement de l'infraction ou qui y a consenti, acquiescé ou participé, est réputé être partie à l'infraction, que la personne morale ait ou non été poursuivie ou déclarée coupable.

1975, c. 6, a. 88; 1989, c. 51, a. 19, 21; 1999, c. 40, a. 46.

136. [Poursuite pénale] Une poursuite pénale pour une infraction à une disposition de la présente loi peut être intentée par la Commission.

[Propriété des frais] Les frais qui sont transmis à la Commission par le défendeur avec le plaidoyer appartiennent à cette dernière, lorsqu'elle intente la poursuite pénale.

1975, c. 6, a. 89; 1982, c. 61, a. 24; 1989, c. 51, a. 20, 21; 1992, c. 61, a. 101.

137. Abrogé.

1996, c. 10, a. 4.

138. [Application de la loi] Le ministre de la Justice est chargé de l'application de la présente Charte à l'exception des articles 57 à 96, du paragraphe 2° du premier alinéa de l'article 97 et de l'article 99 dont le ministre des Relations avec les citoyens et de l'Immigration est chargé de l'application.

1975, c. 6, a. 99; 1989, c. 51, a. 21; 1996, c. 21, a. 34.

139. (Cet article a cessé d'avoir effet le 17 avril 1987).

1982, c. 21, a. 1; R.-U., 1982, c. 11, ann. B, ptie I, a. 33.

datary of the commission or a member of its personnel in the performance of its or his duties;

(4) who contravenes a ban or restriction on the disclosure, publication or release of any information or document contemplated by Part IV or by any regulation under section 99;

(5) who attempts to take or takes reprisals as described in section 82.

135. [Officer of legal person, deemed party to offence] If a legal person commits an offence referred to in section 134, any officer, director, employee or representative of such legal person who prescribed or authorized the committing of the offence, or who consented thereto or acquiesced or participated therein, is deemed to be a party to the offence whether or not the legal person has been prosecuted or found guilty.

136. [Penal Proceedings] Penal proceedings for an offence under a provision of this Act may be instituted by the Commission.

[Costs] The costs transmitted to the Commission by the defendant with the plea belong to the Commission, where the proceedings are instituted by the Commission.

137. Repealed.

138. [Application of Charter] The Minister of Justice has charge of the application of this Charter, except sections 57 to 96, subparagraph 2 of the first paragraph of section 97 and section 99, the application of which is entrusted to the Minister of Relations with the Citizens and Immigration.

139. (This section ceased to have effect on 17 April 1987).

ANNEXE I
SERMENTS D'OFFICE ET DE DISCRÉTION
(*Article 64*)

«Je, (*désignation de la personne*), déclare sous serment que je remplirai mes fonctions avec honnêteté, impartialité et justice et que je n'accepterai aucune autre somme d'argent ou considération quelconque, pour ce que j'aurai accompli ou accomplirai dans l'exercice de mes fonctions, que ce qui me sera alloué conformément à la loi.

De plus, je déclare sous serment que je ne révélerai et ne laisserai connaître, sans y être dûment autorisé, aucun renseignement ni document dont j'aurai eu connaissance, dans l'exercice de mes fonctions.

1975, c. 6, annexe A; 1977, c. 5, a. 14; 1989, c. 51, a. 22; 1999, c. 40, a. 46.

ANNEXE II
SERMENTS D'OFFICE ET DE DISCRÉTION
(*Article 102*)

«Je, (*désignation de la personne*), déclare sous serment de remplir fidèlement, impartialement, honnêtement et en toute indépendance, au meilleur de ma capacité et de mes connaissances, tous les devoirs de ma fonction, d'en exercer de même tous les pouvoirs.

De plus, je déclare sous serment que je ne révélerai et ne laisserai connaître, sans y être dûment autorisé, aucun renseignement ni document dont j'aurai eu connaissance, dans l'exercice de ma fonction.

1975, c. 6, annexe B; 1989, c. 51, a. 22; 1999, c. 40, a. 46.

SCHEDULE I
OATHS OF OFFICE AND SECRECY
(*Section 64*)

"I, (*name of person*), declare under oath that I will fulfil the duties of my office honestly, impartially and justly and that I will accept no sum of money or other consideration for what I may have done or will do in the performance of my duties, other than what may be allowed me according to law.

Furthermore, I declare under oath that I will neither reveal nor disclose, without being duly authorized to do so, any information or document I may gain knowledge of in the performance of my duties.

SCHEDULE II
OATHS OF OFFICE AND SECRECY
(*Section 102*)

"I, (*name of person*), declare under oath that I will fulfil the duties of my office faithfully, impartially, honestly, free from any influence and to the best of my knowledge and abilities, and exercise all the powers thereof.

Furthermore, I declare under oath that I will neither reveal nor disclose, without being duly authorized to do so, any information or document I may gain knowledge of in the performance of my duties.

Le premier alinéa de l'article 87 de la présente Charte entrera en vigueur à la date fixée par décret du gouvernement (1982, c. 61, a. 35; 1989, c. 51, a. 11).

The first paragraph of section 87 of this Charter will come into force on the date fixed by order of the Government (1982, c. 61, s. 35; 1989, c. 51, s. 11).

ANNEXE I
SERMENTS D'OFFICE
ET DE DISCRÉTION

OATHS OF OFFICE
AND SECRECY

SERMENTS D'OFFICE
ET DE DISCRÉTION
(Article 108)

OATHS OF OFFICE
AND SECRECY
(Section 108)

LOI SUR LE CURATEUR PUBLIC

L.R.Q., c. C-81

CHAPITRE I
L'ORGANISATION ADMINISTRATIVE

1. Le gouvernement nomme une personne pour agir comme curateur public.

1989, c. 54, a. 1.

2. La durée du mandat du curateur public est de cinq ans; il demeure en fonction à l'expiration de son mandat, jusqu'à ce qu'il soit nommé de nouveau ou remplacé.

1989, c. 54, a. 2.

3. Le curateur public peut en tout temps renoncer à ses fonctions, en donnant un avis écrit au ministre des Relations avec les citoyens et de l'Immigration.

Il ne peut être destitué que pour cause.

1989, c. 54, a. 3; 1996, c. 21, a. 45.

4. Le gouvernement fixe la rémunération, les avantages sociaux et les autres conditions de travail du curateur public.

1989, c. 54, a. 4.

5. Le curateur public doit s'occuper exclusivement des devoirs de ses fonctions et ne peut occuper aucune autre fonction, charge ou emploi, à moins d'y être autorisé par le gouvernement.

1989, c. 54, a. 5.

6. Le curateur public doit, avant de commencer à exercer ses fonctions, prêter le serment qui suit:

«Je (…) déclare sous serment de remplir fidèlement et honnêtement au meilleur de ma capacité et de mes connaissances, tous les devoirs de curateur public et d'en exercer de même tous les pouvoirs. Je déclare sous serment de plus que je ne révélerai et ne ferai connaître, sans y être dûment autorisé, quoi que ce soit dont j'aurai eu connaissance dans l'exercice de ma charge».

Le curateur public exécute cette obligation devant le juge en chef de la Cour du Québec et l'écrit constatant le serment est transmis au ministre de la Justice.

1989, c. 54, a. 6; 1999, c. 40, a. 99.

PUBLIC CURATOR ACT

R.S.Q., c. C-81

CHAPTER I
ADMINISTRATIVE ORGANIZATION

1. The Government shall appoint a person to act as Public Curator.

2. The term of office of the Public Curator is five years; he remains in office at the expiry of his term until he is reappointed or replaced.

3. The Public Curator may resign at any time by giving written notice to the Minister of Relations with the Citizens and Immigration.

The Public Curator cannot be dismissed except for cause.

4. The Government shall fix the remuneration, social benefits and the other conditions of employment of the Public Curator.

5. The Public Curator shall attend exclusively to his duties of office and shall hold no other office, responsibilities or employment without the authorization of the Government.

6. The Public Curator shall, before taking office, make an oath as follows:

"I, (…) declare under oath that I will faithfully and honestly perform every duty and exercise every power assigned to or conferred upon the Public Curator, to the best of my capacity and knowledge. I also declare under oath that I will not reveal or disclose, unless expressly authorized, anything that may come to my knowledge by reason of my office".

The Public Curator shall carry out this requirement before the chief judge of the Court of Québec, and the writing verifying the oath shall be transmitted to the Minister of Justice.

7. Le curateur public désigne, par écrit, une ou des personnes, membres de son personnel, pour le remplacer en cas d'absence. Cette désignation est publiée à la *Gazette officielle du Québec*, mais elle prend effet dès la signature par le curateur public de l'acte qui la constate.

Le curateur public peut aussi, par écrit et dans la mesure qu'il indique, déléguer à ses fonctionnaires ou employés l'exercice de ses fonctions. Il peut, dans l'acte de délégation, autoriser la subdélégation des fonctions qu'il indique; le cas échéant, il identifie les fonctionnaires ou employés à qui cette subdélégation peut être faite.

1989, c. 54, a. 7; 1999, c. 30, a. 1.

7.1 Aucun acte, document ou écrit n'engage le curateur public ni ne peut lui être attribué s'il n'est signé par lui ou, dans la mesure prévue par l'acte de délégation de signature, par un de ses fonctionnaires ou employés. Cette délégation est publiée à la *Gazette officielle du Québec*, mais elle prend effet dès la signature par le curateur public de l'acte qui la constate.

1999, c. 30, a. 2.

8. En cas de vacance de la charge ou d'empêchement du curateur public, le gouvernement désigne une personne pour exercer temporairement la fonction de curateur public.

Le gouvernement fixe, s'il y a lieu, le traitement, le traitement additionnel, les honoraires et les allocations de cette personne.

1989, c. 54, a. 8; 1997, c. 80, a. 1.

9. Le personnel du curateur public est nommé suivant la Loi sur la fonction publique (L.R.Q., chapitre F-3.1.1).

Le curateur public exerce, à l'égard de son personnel, les pouvoirs que cette loi confère à un dirigeant d'organisme.

1989, c. 54, a. 9; 2000, c. 8, a. 242.

10. Les membres du personnel du curateur public sont assujettis aux restrictions légales applicables à ce dernier quant aux biens dont il a la gestion.

1989, c. 54, a. 10.

11. Le curateur public peut, par écrit et dans la mesure qu'il indique, autoriser une personne physique ou morale, autre qu'un membre de son personnel, à exécuter les tâches nécessaires ou utiles à l'application de la présente loi.

7. The Public Curator shall designate in writing one or more persons from his personnel to replace him if he is absent. The designation shall be published in the *Gazette officielle du Québec* but shall take effect upon the signing by the Public Curator of the instrument evidencing it.

The Public Curator may also, in writing and to the extent he indicates, delegate the exercise of his functions to his public servants or employees. The Public Curator may, in the instrument of delegation, authorize the subdelegation of such functions as he indicates; in that case, the Public Curator shall identify the public servants or employees to whom the functions may be subdelegated.

7.1 An act, document or writing is binding on or may be attributed to the Public Curator only if it is signed by the Public Curator or, to the extent provided in the instrument of delegation of signature, by a public servant or an employee designated by the Public Curator. The delegation shall be published in the *Gazette officielle du Québec* but shall take effect upon the signing by the Public Curator of the instrument evidencing it.

8. Where the office of Public Curator is vacant or the Public Curator is unable to act, the Government shall designate a person to carry on the duties of Public Curator for the time being.

The Government shall, where required, fix the salary, additional salary, fees and allowances of the person designated.

9. The members of the personnel of the Public Curator shall be appointed in accordance with the Public Service Act (R.S.Q., chapter F-3.1.1).

The Public Curator has in respect of his personnel the powers of chief executive officer of an agency within the meaning of the Public Service Act.

10. The members of the personnel of the Public Curator are subject to the same legal restrictions as apply to the Public Curator regarding property subject to his administration.

11. The Public Curator may, in writing and to the extent he indicates, authorize a natural or legal person, other than a member of his personnel, to carry out any duties necessary or useful for the administration of this Act.

L'autorisation doit être signée par le curateur public ou, en son nom, par une personne qu'il autorise à cette fin; elle peut, de même, être révoquée en tout temps.

1989, c. 54, a. 11.

The authorization must be signed by the Public Curator or, on his behalf, by a person authorized by him therefor; the authorization may be revoked in the same manner at any time.

CHAPITRE II
LES ATTRIBUTIONS

SECTION I
DISPOSITIONS GÉNÉRALES

12. Le curateur public exerce les attributions que lui confèrent le Code civil du Québec, la présente loi ou toute autre loi.

Il est notamment chargé:

1° de la surveillance de l'administration des tutelles et curatelles aux majeurs, de certaines tutelles aux mineurs et des tutelles aux absents;

2° des tutelles, curatelles ou autres charges d'administrateur du bien d'autrui, lorsque ces charges lui sont confiées par un tribunal;

3° de la tutelle aux biens des mineurs, ainsi que de la tutelle ou de la curatelle aux majeurs sous un régime de protection qui ne sont pas pourvus d'un tuteur ou curateur.

1989, c. 54, a. 12; 1997, c. 80, a. 2.

SECTION II
LES INTERVENTIONS RELATIVES AUX RÉGIMES DE PROTECTION

13. Le curateur public peut intervenir dans toute instance relative:

1° à l'ouverture d'un régime de protection d'un majeur;

2° à l'homologation ou à la révocation d'un mandat donné par une personne en prévision de son inaptitude;

3° à l'intégrité d'un majeur inapte à consentir qui n'est pas pourvu d'un tuteur, curateur ou mandataire;

4° au remplacement du tuteur ou curateur d'un mineur ou d'un majeur protégé ou du tuteur à l'absent.

1989, c. 54, a. 13; 1992, c. 57, a. 552; 1997, c. 80, a. 3.

CHAPTER II
POWERS

DIVISION I
GENERAL PROVISIONS

12. The Public Curator has the powers conferred on him by the Civil Code of Québec, this Act or any other Act.

The Public Curator is responsible, in particular, for

(1) supervision of the administration of tutorships and curatorships to persons of full age, of certain tutorships to minors and of tutorships to absentees;

(2) tutorships, curatorships or other duties related to the administration of the property of others, where such duties are assigned to him by a court;

(3) tutorship to property of minors and tutorship or curatorship to persons of full age under protective supervision who are not already provided with a tutor or a curator.

DIVISION II
INTERVENTIONS PERTAINING TO PROTECTIVE SUPERVISION

13. The Public Curator may intervene in any proceedings pertaining

(1) to the institution of protective supervision of a person of full age,

(2) to the homologation or revocation of a mandate given by any person in anticipation of his incapacity,

(3) to the physical integrity of a person of full age unable to give consent who is not already provided with a tutor, curator or mandatary,

(4) to the replacement of the tutor or curator of a minor or of a person of full age who is under protection or of the tutor to an absentee.

14. Le curateur public peut, sur réception d'un rapport transmis par le directeur général d'un établissement visé par la Loi sur les services de santé et les services sociaux (L.R.Q., chapitre S-4.2) ou par la Loi sur les services de santé et les services sociaux pour les autochtones cris (L.R.Q., chapitre S-5), constatant l'inaptitude d'un majeur à prendre soin de lui-même ou à administrer ses biens, prendre, dans un délai raisonnable, toute mesure appropriée, y compris la convocation d'une assemblée des parents, alliés ou amis du majeur, afin d'établir la condition du majeur, la nature et l'étendue de ses besoins et facultés et les autres circonstances dans lesquelles il se trouve. Il peut, s'il lui paraît opportun de demander l'ouverture d'un régime de protection, transmettre au protonotaire, avec un exposé de ses démarches, sa recommandation et proposer une personne qui soit apte à assister ou à représenter le majeur et qui y consente. Il dépose alors le rapport d'inaptitude au greffe du tribunal et avise de ce dépôt les personnes habilitées à demander l'ouverture d'un régime de protection.

14. The Public Curator, upon receiving a report from the executive director of an institution governed by the Act respecting health services and social services (R.S.Q., chapter S-4.2) or by the Act respecting health services and social services for Cree Native persons (R.S.Q., chapter S-5) setting forth the inability of a person of full age to care for himself or to administer his property, may take, within a reasonable time, any appropriate measure including the calling of a meeting of relatives, persons connected by marriage or a civil union and friends of the person of full age, in order to establish his condition, the nature and extent of his needs and faculties and his other circumstances. The Public Curator, where he believes it expedient to apply for the institution of protective supervision, may transmit his recommendation to the prothonotary with a statement of the measures he has taken, and propose a person able to assist or represent the person of full age and who consents to do so. He shall then file the report of disability in the office of the court and notify the persons qualified to apply for the institution of protective supervision that the report has been filed.

1989, c. 54, a. 14; 1992, c. 21, a. 143; 1994, c. 23, a. 23; 1997, c. 75, a. 44; 1997, c. 80, a. 4; 2002, c. 6, a. 235.

SECTION III
LA REPRÉSENTATION ET LA DÉLÉGATION

DIVISION III
REPRESENTATION AND DELEGATION

15. Le curateur public doit, lorsqu'il exerce une tutelle ou une curatelle, rechercher un tuteur ou curateur pour le remplacer et, le cas échéant, il peut assister cette personne dans sa démarche pour être nommé à ce titre.

Il peut, dans sa recherche d'un tuteur ou curateur, prendre toute mesure nécessaire ou utile à cette fin, notamment convoquer une assemblée des parents, alliés ou amis de la personne inapte.

1989, c. 54, a. 15; 2002, c. 6, a. 235.

15. In exercising a tutorship or curatorship, the Public Curator shall seek a tutor or a curator to replace him and, where applicable, may assist a person in obtaining appointment as such.

The Public Curator may take any necessary or useful measure in seeking a tutor or curator and, in particular, call a meeting of relatives, persons connected by marriage or a civil union and friends of the disabled person.

16. Abrogé.
1992, c. 57, a. 553.

16. Repealed.

17. La personne à qui est délégué l'exercice de certaines fonctions de la tutelle ou de la curatelle d'un majeur doit, dans la mesure du possible, maintenir une relation personnelle avec le majeur, obtenir son avis, le cas échéant, et le tenir informé des décisions prises à son sujet.
1989, c. 54, a. 17; 1992, c. 57, a. 554.

17. The person to whom the performance of certain duties of tutorship or curatorship to a person of full age is delegated must, so far as possible, maintain a personal relationship with the person of full age, obtain his opinion, where applicable, and keep him informed of the decisions taken in his regard.

17.1 Le ministre des Relations avec les citoyens et de l'Immigration constitue un comité chargé de conseiller le curateur public en matière de protection et de représentation des personnes inaptes ou protégées.
1999, c. 30, a. 3.

17.1 The Minister of Relations with the Citizens and Immigration shall appoint a committee to advise the Public Curator on the protection and representation of incapable or protected persons.

17.2 Le comité de protection et de représentation des personnes inaptes ou protégées est formé de six personnes qui ne font pas partie du personnel du curateur public.

Les membres du comité sont nommés pour un mandat d'au plus trois ans. Ils demeurent en fonction à l'expiration de leur mandat, jusqu'à ce qu'ils soient nommés de nouveau ou remplacés.

Le comité se réunit au moins deux fois l'an. Le quorum est de quatre membres.

1999, c. 30, a. 3.

17.3 Les membres du comité ne sont pas rémunérés, sauf dans les cas, aux conditions et dans la mesure que peut déterminer le gouvernement. Ils ont cependant droit au remboursement des dépenses faites dans l'exercice de leurs fonctions, aux conditions et dans la mesure que détermine le gouvernement.

1999, c. 30, a. 3.

17.4 Le curateur public fournit aux membres du comité tout document utile à l'accomplissement de leur mandat.

1999, c. 30, a. 3.

18. Dans la mesure où l'article 258 du Code civil du Québec ne peut s'appliquer à une personne qui, sans y être domiciliée, se trouve au Québec, le tribunal peut désigner le curateur public pour agir provisoirement comme curateur, tuteur ou conseiller jusqu'à ce qu'elle soit prise en charge conformément aux lois de son domicile.

1989, c. 54, a. 18; 1992, c. 57, a. 555; 1997, c. 80, a. 5.

19. Lorsqu'une personne qui est représentée par le curateur public ou dont celui-ci administre les biens ne réside plus habituellement au Québec, le curateur public peut s'adresser au tribunal afin d'être relevé de sa charge de tuteur ou de curateur.

Le tribunal ne peut faire droit à la demande que si le curateur public démontre que la personne concernée est légalement représentée suivant les lois du lieu de sa résidence habituelle.

1989, c. 54, a. 19.

SECTION IV
LA SURVEILLANCE

20. Le curateur public, dans l'exécution de sa charge de surveillance de l'administration des tutelles et curatelles, informe les tuteurs et curateurs qui le requièrent de la façon de remplir leurs obligations.

17.2 The committee on protection and representation of incapable or protected persons shall be composed of six persons who are not members of the personnel of the Public Curator.

The members of the committee shall be appointed for a term of not over three years. At the end of their term, the members of the committee shall remain in office until they are reappointed or replaced.

The committee shall meet at least twice each year. The quorum of the committee shall be four members.

17.3 The members of the committee shall receive no remuneration except in such cases, on such conditions and to such extent as the Government may determine. They are, however, entitled to the reimbursement of expenses incurred in the exercise of their functions, on the conditions and to the extent determined by the Government.

17.4 The Public Curator shall make available to the members of the committee all documents relevant to the carrying out of their mandate.

18. To the extent that article 258 of the Civil Code of Québec is not applicable to a person who is in Québec without being domiciled there, the court may designate the Public Curator to act temporarily as curator, tutor or adviser until the person is taken in charge in accordance with the laws of his domicile.

19. Where a person who is represented by the Public Curator or whose property is administered by the Public Curator no longer ordinarily resides in Québec, the Public Curator may apply to the court to be relieved of the office of tutor or curator.

The court shall grant the application only where the Public Curator proves that the person concerned is legally represented in accordance with the laws of his usual place of residence.

DIVISION IV
SUPERVISION

20. The Public Curator, in exercising his powers of supervision over the administration of tutorships and curatorships, shall inform any tutor or curator who so requires of the manner of fulfilling his obligations.

Les tuteurs et curateurs doivent transmettre au curateur public, dans les deux mois de l'ouverture de la tutelle ou de la curatelle, une copie de l'inventaire des biens confiés à leur gestion, fait conformément au titre septième du Livre quatrième du Code civil du Québec relatif à l'administration du bien d'autrui; ils doivent également transmettre un rapport annuel de leur administration, une copie du rapport périodique d'évaluation de l'inaptitude du majeur à la fin de chaque année où celle-ci doit être effectuée, ainsi qu'une copie de leur reddition de compte.

1989, c. 54, a. 20; 1997, c. 80, a. 6.

21. Le curateur public peut exiger que les livres et comptes relatifs aux biens administrés par un tuteur ou un curateur soient vérifiés par un comptable, si la valeur des biens administrés excède 100 000 $ ou s'il a un motif sérieux de craindre que la personne représentée ne subisse un préjudice en raison de la gestion du tuteur ou du curateur.

1989, c. 54, a. 21.

22. Le curateur public peut demander le remplacement d'un tuteur ou d'un curateur pour les motifs reconnus au Code civil du Québec ou lorsque le compte annuel du tuteur ou curateur, ou une enquête faite par le curateur public, donne sérieusement lieu de craindre que la personne représentée subit un préjudice en raison de l'inexécution ou de la mauvaise exécution des fonctions de tuteur ou de curateur. Il peut aussi demander la révocation de tout mandat donné en prévision d'une inaptitude si le mandat n'est pas fidèlement exécuté ou pour un autre motif sérieux.

Si le tribunal l'ordonne, le curateur public, pendant l'instance, exerce la tutelle ou la curatelle ou, lors d'une demande de révocation de mandat, assume la protection de la personne inapte ou l'administration de ses biens.

1989, c. 54, a. 22.

23. Plutôt que de demander le remplacement d'un tuteur ou d'un curateur ou la révocation d'un mandat, le curateur public peut, suivant les modalités qu'il indique, accepter du représentant ou du mandataire un engagement volontaire à l'effet de remédier à son défaut s'il y a lieu et de respecter dorénavant les obligations de sa charge qu'il a fait défaut d'exécuter ou qu'il a mal exécutées.

1989, c. 54, a. 23.

Tutors and curators shall transmit to the Public Curator, within two months of the institution of tutorship or curatorship, a copy of the inventory of the property entrusted to their administration, made in accordance with Title VII of Book IV of the Civil Code of Québec respecting the administration of the property of others; they shall also transmit an annual report of their administration, a copy of the periodic report on the assessment of disability of the person of full age at the end of each year in which it must be made, and a copy of their rendering of accounts.

21. The Public Curator may require that the books and accounts relating to property administered by a tutor or curator be examined by an accountant if the value of the administered property exceeds $100,000, or if there is a serious ground to believe that the person represented may suffer damage by reason of the administration of the tutor or curator.

22. The Public Curator may apply for the replacement of a tutor or curator on the grounds set out in the Civil Code of Québec or where the annual account of the tutor or curator or an inquiry held by the Public Curator gives serious reason to believe that the person represented may suffer damage by reason of the failure of the tutor or curator to perform his duties, or of his performing them improperly. He may also apply for the revocation of any mandate for the eventuality of the inability of the mandator if the mandate is not faithfully carried out, or for any other serious cause.

Where the court so orders, the Public Curator shall, during proceedings, exercise tutorship or curatorship or, where revocation of the mandate is applied for, ensure the protection of the disabled person or the administration of his property.

23. The Public Curator, instead of applying for the replacement of a tutor or curator or the revocation of a mandate, may accept, according to the terms and conditions he indicates, any voluntary undertaking by the representative or mandatary to remedy his default, if any, and, to fulfil thenceforth, the obligations inherent in his office which he has failed to perform or has performed improperly.

SECTION V
L'ADMINISTRATION PROVISOIRE DE BIENS

§ 1. — *Dispositions générales*

24. Outre les biens dont l'administration lui est par ailleurs confiée en vertu de la loi, le curateur public assume l'administration provisoire des biens suivants:

1° les biens de l'absent, à moins qu'un autre administrateur n'ait été désigné par l'absent ou nommé par le tribunal;

2° les biens trouvés sur le cadavre d'un individu ou sur un cadavre non réclamé, sous réserve de la Loi sur la recherche des causes et des circonstances des décès (L.R.Q., chapitre R-0.2);

3° les biens d'une personne morale dissoute, sous réserve des dispositions du Code civil relatives à la dissolution et à la liquidation des personnes morales;

4° les biens d'une succession qui sont situés au Québec, jusqu'à ce que les héritiers ou un tiers, désigné conformément aux dispositions testamentaires du défunt ou par le tribunal, soient en mesure d'exercer la charge de liquidateur de la succession ou jusqu'à ce que le curateur public, notamment dans les cas où l'État est saisi de ces biens, soit habilité à agir à ce titre;

5° les biens sans maître que l'État s'approprie, les biens perdus ou oubliés qu'il détient et les biens qui deviennent la propriété de l'État par confiscation définitive, sous réserve, dans ce dernier cas, des dispositions contraires de la loi, notamment quant aux biens visés à la section III.2 de la Loi sur le ministère de la Justice (L.R.Q., chapitre M-19);

6° les biens non réclamés au sens de l'article 24.1;

7° les biens déposés ou délaissés dans un centre de détention ou dans une installation maintenue par un établissement visé par la Loi sur les services de santé et les services sociaux (L.R.Q., chapitre S-4.2) ou la Loi sur les services de santé et les services sociaux pour les autochtones cris (L.R.Q., chapitre S-5) qui ne sont pas réclamés dans l'année du départ ou du décès du déposant;

8° sous réserve des cas où l'acte constitutif de l'administration ou la loi pourvoit autrement à leur administration provisoire, les biens confiés à un administrateur du bien d'autrui qui décède, renonce à ses fonctions, est mis en tutelle ou en curatelle ou devient autrement inhabile à exercer ses fonctions, jusqu'à ce qu'un autre administrateur soit nommé;

DIVISION V
PROVISIONAL ADMINISTRATION OF PROPERTY

§ 1. — *General Provisions*

24. In addition to property otherwise entrusted by law to the administration of the Public Curator, the Public Curator shall assume provisional administration of

(1) the property of an absentee, unless another administrator has been designated by the absentee or appointed by the court;

(2) property found on the body of an unknown person or on an unclaimed body, subject to the Act respecting the determination of the causes and circumstances of death (R.S.Q., chapter R-0.2);

(3) the property of a dissolved legal person, subject to the provisions of the Civil Code relating to the dissolution and liquidation of legal persons;

(4) the property of a succession that is situated in Québec, until the heirs, or a third person designated in accordance with the testamentary dispositions of the deceased or by the court, become able to hold the office of liquidator of the succession or until the Public Curator, in particular in cases where the State is seized of the property, is empowered to act in that capacity;

(5) property without an owner which the State appropriates for itself, lost or forgotten property held by the State and property that becomes property of the State by permanent forfeiture, unless, in the latter case, the law provides otherwise, in particular in respect of property referred to in Division III.2 of the Act respecting the Ministère de la Justice (R.S.Q., chapter M-19);

(6) unclaimed property within the meaning of section 24.1;

(7) property deposited or abandoned in a detention centre or in an institution to which the Act respecting health services and social services (R.S.Q., chapter S-4.2) or the Act respecting health services and social services for Cree Native persons (R.S.Q., chapter S-5) applies, if the property is not claimed within one year after the departure or death of the depositor;

(8) property, unless provisional administration is otherwise provided for by law or in the act constituting the administration, entrusted to an administrator of the property of another who dies, resigns, is placed under tutorship or curatorship or otherwise becomes unable to exercise the administrator's functions, until another administrator is appointed;

9° les biens d'une société en nom collectif, d'une société en commandite ou d'une association non dotée de la personnalité juridique dissoutes, lorsque ces biens sont dévolus à l'État ou lorsque, dans le cas d'une société, sa liquidation n'est pas terminée dans les cinq ans qui suivent le dépôt de l'avis de dissolution de la société;

10° les biens situés au Québec, autres que ceux visés aux paragraphes 1° à 9° ci-dessus, dont le propriétaire ou autre ayant droit est inconnu ou introuvable.

1989, c. 54, a. 24; 1992, c. 57, a. 556; 1994, c. 29, a. 1; 1996, c. 64, a. 3; 1997, c. 80, a. 8.

§ 2. — Dispositions particulières aux biens non réclamés

24.1 Sont considérés comme non réclamés, si leur propriétaire ou autre ayant droit est domicilié au Québec, les biens suivants:

1° les dépôts d'argent dans une coopérative de services financiers, une société d'épargne, une société de fiducie ou toute autre institution autorisée par la loi à recevoir des fonds en dépôt, lorsque ces dépôts et les comptes y afférents n'ont fait l'objet de la part de l'ayant droit d'aucune réclamation, opération ou instruction quant à leur utilisation dans les trois ans qui suivent la date de l'exigibilité des sommes déposées;

2° la valeur des chèques ou lettres de change certifiés ou acceptés par une institution financière, de même que celle des traites émises par une telle institution, lorsque ces effets n'ont fait l'objet de la part de l'ayant droit d'aucune demande de paiement dans les trois ans qui suivent la date de leur certification, acceptation ou émission;

3° les sommes payables en cas de remboursement ou de rachat de titres d'emprunt ou d'actions, parts ou autres formes de participation dans une personne morale, une société ou une fiducie, de même que les intérêts, dividendes ou autres revenus, y compris les ristournes, qui se rattachent à ces titres ou formes de participation, lorsque ces sommes ou revenus n'ont fait l'objet de la part de l'ayant droit d'aucune réclamation, opération ou instruction quant à leur utilisation dans les trois ans qui suivent la date de leur exigibilité;

4° les fonds, titres et autres biens reçus, à quelque titre que ce soit, par un conseiller ou courtier en valeurs mobilières au nom ou pour le compte d'autrui, lorsque ces biens n'ont fait l'objet de la

(9) the property of a dissolved general partnership, limited partnership or association not endowed with legal personality, where the property devolves to the State or, in the case of a partnership, where the liquidation has not been completed within five years of the filing of the notice of dissolution;

(10) property situated in Québec, other than property referred to in paragraphs 1 to 9, whose owner or other interested party is unknown or untraceable.

§ 2. — Provisions specific to Unclaimed Property

24.1 The following property is considered to be unclaimed property, whenever the owner or other interested party is domiciled in Québec:

(1) deposits of money with a financial services cooperative, a savings company, a trust company or any other institution authorized by law to receive deposits of funds, where the interested party has made no claim, engaged in no transaction or given no instruction in respect of the deposits and related accounts within the three years following the date on which the sums deposited became payable;

(2) the value of cheques or bills of exchange certified or accepted by a financial institution or of drafts issued by such an institution in relation to which the interested party has made no demand for payment within the three years following the date of certification, acceptance or issue;

(3) sums deriving from the repayment or redemption of debt securities, stock, shares or other participation in a legal person, partnership or trust, and the interest, dividends or other income, including patronage dividends, attaching to the securities or interest for which the interested party has made no claim, engaged in no transaction or given no instruction within the three years following the date on which they became payable;

(4) funds, securities and other property received in any capacity whatsoever by a securities adviser or broker in the name or on behalf of a third person and for which the interested party has made no

part de l'ayant droit d'aucune réclamation, opération ou instruction quant à leur utilisation dans les trois ans qui suivent la date de leur réception par le conseiller ou courtier;

5° les fonds, titres et autres biens détenus en fidéicommis par toute personne autorisée par la loi à détenir des biens en fidéicommis, lorsque ces biens n'ont fait l'objet de la part de l'ayant droit d'aucune réclamation, opération ou instruction quant à leur utilisation dans les trois ans qui suivent la date de leur exigibilité; sont entre autres considérées détenues en fidéicommis les sommes d'argent devant faire l'objet, de la part de leur détenteur, d'une comptabilité et d'un compte distincts en fidéicommis, en fiducie ou sous toute autre appellation indiquant que des sommes sont gardées pour le compte d'autrui;

6° les fonds, titres et autres biens déposés dans un coffret de sûreté auprès d'une institution financière, lorsque le terme du contrat de location du coffret est échu depuis trois ans et que l'ayant droit n'a demandé ni le renouvellement du contrat ni l'accès au coffret durant cette période;

7° les fonds, titres et autres biens détenus par une institution financière à titre de créancier gagiste ou de gardien, lorsque ces biens n'ont fait l'objet de la part de l'ayant droit d'aucune réclamation, opération ou instruction quant à leur utilisation dans les trois ans de la date où ces biens, par suite de l'extinction de l'obligation garantie ou autrement, sont devenus exigibles;

8° les sommes assurées payables en vertu d'un contrat d'assurance sur la vie, lorsque ces sommes n'ont fait l'objet de la part de l'ayant droit d'aucune réclamation, opération ou instruction quant à leur utilisation dans les trois ans qui suivent la date de leur exigibilité; les sommes payables au décès de l'assuré sont présumées exigibles au plus tard à la date du centième anniversaire de naissance de l'assuré;

9° les sommes payables en vertu d'un contrat ou d'un régime de rentes ou de retraite, autres que les prestations visées par la Loi sur le régime de rentes du Québec (L.R.Q., chapitre R-9) ou par un régime équivalent au sens de cette loi, lorsque ces sommes n'ont fait l'objet, de la part de l'ayant droit, d'aucune réclamation, opération ou instruction quant à leur utilisation dans les trois ans qui suivent la date de leur exigibilité; ces sommes sont présumées exigibles au plus tard à la date du soixante-dixième anniversaire de naissance du créditrentier ou du salarié; lorsqu'un ou plusieurs des biens visés par le présent article composent l'actif d'un régime d'épargne-retraite, ces biens ne peuvent être considérés de façon distincte des sommes payables en vertu de ce régime;

claim, engaged in no transaction or given no instruction within the three years following their date of receipt by the adviser or broker;

(5) funds, securities and other property held in a fiduciary capacity by any person authorized by law to hold property in trust for which the interested party has made no claim, engaged in no transaction or given no instruction within the three years following the date on which they became payable; sums of money required to be accounted for separately and kept in a separate account by their holder in trust, held in trust or in any other manner indicating that sums of money are kept on behalf of a third person are, in particular, considered to be property held in trust;

(6) funds, securities and other property deposited in a safety deposit box with a financial institution, where the contract to lease the safety deposit box has been expired for three years and, during that period, the interested party has made no request for renewal of the contract or access to the safety deposit box;

(7) funds, securities and other property held by a financial institution as pledge holder or custodian for which the interested party has made no claim, engaged in no transaction or given no instruction within the three years following the date on which, by reason of the extinction of the secured obligation or otherwise, the property became payable;

(8) insured amounts owing under a life insurance contract for which the interested party has made no claim, engaged in no transaction or given no instruction within the three years following the date on which the amounts became payable; any amount payable on the death of the insured person is presumed to be due and payable at the latest on the date of the one hundredth birthday of the insured person;

(9) amounts payable under a pension or retirement contract or plan, other than benefits under the Act respecting the Québec Pension Plan (R.S.Q., chapter R-9) or under a similar plan within the meaning of that Act for which the interest party has made no claim, engaged in no transaction or given no instruction within the three years following the date on which the amounts became payable; the amounts are presumed to be payable at the latest on the seventieth birthday of the annuitant or employee; where property to which this section applies constitutes the assets of a retirement savings plan, the property may not be considered separately from the amounts payable under the plan;

10° les intérêts, dividendes et autres revenus produits, le cas échéant, par les biens visés aux paragraphes 1° à 9° ci-dessus, dans la mesure où l'acte ou la loi prévoit que ces revenus sont payables à l'ayant droit;

11° les biens déterminés par règlement, aux conditions qui y sont prescrites.

1997, c. 80, a. 9; 2000, c. 29, a. 635.

24.2 Un ayant droit est réputé domicilié au Québec si sa dernière adresse connue était au Québec ou, à défaut d'adresse connue, si l'acte constitutif de ses droits a été conclu au Québec.

1997, c. 80, a. 9.

24.3 Les biens visés à l'article 24.1 sont aussi considérés comme non réclamés si, dans le cas où ces biens sont situés au Québec, la loi du lieu du domicile de leur ayant droit ne pourvoit pas à leur administration provisoire.

1997, c. 80, a. 9.

25. Abrogé.

1997, c. 80, a. 10.

26. Le débiteur ou détenteur d'un bien qui devient un bien non réclamé au sens de la présente loi doit, dans les six mois précédant la date la plus tardive à laquelle il doit le remettre au curateur public en application de l'article 26.1, donner à l'ayant droit un avis écrit d'au moins trois mois décrivant le bien et lui indiquant qu'à défaut de le réclamer dans le délai imparti, ce bien sera remis au curateur public.

Le débiteur ou détenteur n'est toutefois pas tenu d'envoyer l'avis s'il ne peut, par des moyens raisonnables, retrouver l'adresse de l'ayant droit, si la valeur de l'ensemble des biens non réclamés par l'ayant droit est inférieure à 100 $ ou dans tout autre cas prévu par règlement.

1989, c. 54, a. 26; 1997, c. 80, a. 11.

26.1 Le débiteur ou détenteur doit, une fois l'an, remettre au curateur public les biens qui sont demeurés non réclamés à la suite des avis donnés aux ayants droit, de même que les biens non réclamés pour lesquels aucun avis n'était requis.

Le débiteur ou détenteur doit également produire au curateur public, au moment de la remise des biens, un état contenant la description de ces biens et les renseignements nécessaires, suivant ce qui est prescrit par règlement, pour déterminer l'identité

(10) interest, dividends and other income produced by property referred to in paragraphs 1 to 9, insofar as the act or the law provides that the income is payable to the interested party;

(11) property determined by regulation, subject to the conditions prescribed.

24.2 An interested party is deemed to be domiciled in Québec if the party's last known address was in Québec or, where the address is unknown, if the act constituting the party's rights was made in Québec.

24.3 The property referred to in section 24.1 is also considered to be unclaimed if the property is situated in Québec and the law of the place of domicile of the interested party does not provide for provisional administration.

25. Repealed.

26. A debtor or holder of property that becomes unclaimed property within the meaning of this Act shall, within six months preceding the latest date by which the property must be transferred to the Public Curator pursuant to section 26.1, give the interested party at least three months' written notice describing the property and indicating to the interested party that the property will be transferred to the Public Curator if it is not claimed within the allotted time.

The debtor or holder is not, however, required to give the notice if the debtor or holder cannot, by reasonable means, ascertain the interested party's address, if the value of all the property not claimed by the interested party is less than $100, or in other cases determined by regulation.

26.1 Every debtor or holder shall, once a year, transfer to the Public Curator any property that has remained unclaimed after notices were given to interested parties, and any unclaimed property for which a notice was not required.

In addition, the debtor or holder shall file with the Public Curator, at the time the property is transferred, a statement containing a description of the property and all information necessary, as prescribed by regulation, to determine the identity of

des ayants droit, leur domicile, ainsi que la nature et la source de leurs droits. L'état doit porter la déclaration du débiteur ou détenteur que les avis requis ont été donnés aux ayants droit et indiquer, lorsque ces avis n'étaient pas requis, les motifs pour lesquels ils ne l'étaient pas.

Outre les renseignements requis du débiteur ou détenteur, le règlement prescrit la forme de l'état des biens remis, de même que la production de tout document au soutien de cet état. Ce règlement peut établir les modalités afférentes à la remise des biens et à la transmission de l'état qui s'y rapporte; il peut aussi établir, en fonction de catégories de débiteurs ou de détenteurs, la période annuelle au cours de laquelle la remise et l'état doivent être faits et produits.

1997, c. 80, a. 11.

26.2 Le débiteur ou détenteur ne peut se soustraire à son obligation de fournir les renseignements ou documents requis en application de l'article 26.1 pour le motif qu'ils sont protégés par le secret professionnel.

Toutefois, lorsque le débiteur ou détenteur produit au curateur public une déclaration écrite indiquant que ces renseignements ou documents sont ainsi protégés, le curateur public ne peut, pour l'application des articles 32 et 54, rendre publics que l'identité du débiteur ou détenteur et son domicile professionnel, accompagnés d'une mention générale de la source des droits visés, notamment le compte en fidéicommis du débiteur ou détenteur.

1997, c. 80, a. 11.

26.3 La communication de renseignements nominatifs concernant un ayant droit, faite en application de l'article 26.1, doit l'être de manière à assurer leur caractère confidentiel. Ces renseignements sont, pour l'application de la Loi sur la protection des renseignements personnels dans le secteur privé (L.R.Q., chapitre P-39.1), réputés avoir été requis par le curateur public au sens du paragraphe 4° du premier alinéa de l'article 18 de cette loi.

1997, c. 80, a. 11.

26.4 Le débiteur ou détenteur doit des intérêts sur les biens non réclamés ou leur valeur à compter de la date à laquelle il doit, au plus tard, remettre ces biens au curateur public.

Ces intérêts se paient selon les modalités prescrites par règlement, au taux fixé pour les créances de l'État en application de l'article 28 de la Loi sur le ministère du Revenu (L.R.Q., chapitre M-31); ils se capitalisent quotidiennement.

1997, c. 80, a. 11.

the interested parties, their place of domicile and the nature and source of their rights. The statement must contain a declaration by the debtor or holder that the required notice was given to the interested parties or indicate, where such notice was not required, the reasons why it was not required.

In addition to the information required of the debtor or holder, the regulation shall prescribe the form of the statement describing the property transferred and require any document in support of the statement. The regulation may determine the procedure pertaining to the transfer of the property and the filing of the related statement; the regulation may also determine, according to classes of debtors or holders, the yearly period during which property must be transferred and statements filed.

1997, c. 80, s. 11.

26.2 No debtor or holder is exempt from the obligation to provide the information or documents required pursuant to section 26.1 by reason of the fact that the information or documents is protected by professional secrecy.

Where, however, the debtor or holder files with the Public Curator a written statement that such information or documents is protected by professional secrecy, the Public Curator may only, for the purposes of sections 32 and 54, release the identity and professional domicile of the debtor or holder and indicate in general terms the source of the rights involved, in particular the trust account of the debtor or holder.

1997, c. 80, s. 11.

26.3 Nominative information concerning an interested party released pursuant to section 26.1 shall be released in such a manner as to preserve its confidentiality. Such information shall, for the purposes of the Act respecting the protection of personal information in the private sector (R.S.Q., chapter P-39.1), be deemed to have been required by the Public Curator within the meaning of subparagraph 4 of the first paragraph of section 18 of that Act.

1997, c. 80, s. 11.

26.4 The debtor or holder owes interest on unclaimed property or the value thereof from the latest date by which the debtor or holder is required to transfer the property to the Public Curator.

The interest shall be paid according to the terms and conditions prescribed by regulation, at the rate fixed for claims of the State under section 28 of the Act respecting the Ministère du Revenu (R.S.Q., chapter M-31); interest shall be capitalized daily.

26.5 Le débiteur ou détenteur ne peut exiger de l'ayant droit le paiement de frais autres que ceux dont le montant est expressément stipulé dans l'acte constitutif de ses droits ou que le débiteur ou détenteur est par ailleurs autorisé à lui réclamer en vertu de la loi.

Le débiteur ou détenteur a droit, lorsqu'il remet des biens non réclamés au curateur public, au remboursement de ces frais et il peut les déduire des sommes qu'il doit remettre à ce dernier.

1997, c. 80, a. 11.

26.6 L'obligation, faite au débiteur ou détenteur de biens non réclamés, de remettre ces biens au curateur public n'est ni atténuée, ni modifiée par le fait que la prescription ait pu courir, le cas échéant, au profit du débiteur ou détenteur pendant le délai requis pour que les biens soient considérés comme étant non réclamés au sens de la présente loi; cette prescription est inopposable au curateur public.

1997, c. 80, a. 11.

26.7 Tout débiteur ou détenteur de biens non réclamés doit maintenir dans son établissement une liste à jour de ces biens indiquant les nom et dernière adresse connue de leurs ayants droit ainsi que la date à laquelle ils ont été remis, le cas échéant, au curateur public.

Les inscriptions relatives à un bien non réclamé doivent demeurer sur cette liste pendant une période de dix ans.

1997, c. 80, a. 11.

26.8 Les débiteurs ou détenteurs sont, envers tout ayant droit, exonérés de toute responsabilité pour le préjudice pouvant résulter de l'exécution des obligations que leur impose la présente loi relativement aux biens non réclamés.

1997, c. 80, a. 11.

26.9 Les règles de la présente sous-section s'appliquent au gouvernement, à ses ministères et organismes, ainsi qu'à toute personne morale de droit public, qu'ils aient des droits à faire valoir sur les biens qui y sont visés ou qu'ils en soient débiteurs ou détenteurs.

Les ministères et les organismes budgétaires visés à l'article 2 de la Loi sur l'administration financière (2000, chapitre 15) sont toutefois dispensés, lorsque les biens qu'ils doivent ou détiennent consistent en des sommes d'argent, de remettre ces sommes au curateur public.

1997, c. 80, a. 11; 2000, c. 15, a. 98.

26.5 A debtor or holder may not require from the interested party the payment of any charge except a charge the amount of which is expressly stipulated in the act constituting the interested party's rights or a charge the debtor or holder is otherwise authorized by law to claim.

The debtor or holder is entitled, upon transferring unclaimed property to the Public Curator, to the repayment of such charges, and may deduct the charges from the amounts the debtor or holder is required to transfer to the Public Curator.

26.6 The obligation imposed on the debtor or holder of unclaimed property to transfer the property to the Public Curator shall not be lessened or altered by any prescription having run in favour of the debtor or holder during the time required for the property to be considered to be unclaimed within the meaning of this Act; no such prescription may be set up against the Public Curator.

26.7 Every debtor or holder of unclaimed property must keep in the establishment of the debtor or holder an up-to-date list of the property containing the name and last known address of the intested parties and, where applicable, the date on which the property was transferred to the Public Curator.

All entries relating to unclaimed property must remain on that list for a period of ten years.

26.8 Every debtor or holder is relieved of all liability towards any interested party for injury that may result from the performance of the obligations that this Act imposes on the debtor or holder in relation to unclaimed property.

26.9 The rules contained in this subdivision apply to the Government, to government departments and bodies and to any legal person established in the public interest, whether they have rights to assert in property to which this subdivision applies or are debtors or holders.

The departments and budget-funded bodies referred to in section 2 of the Financial Administration Act (2000, chapter 15) are, however, exempted, if the property they owe or hold consists of sums of money, from transferring those sums to the Public Curator.

SECTION VI
L'ENQUÊTE ET L'INSPECTION

27. Le curateur public peut, de sa propre initiative ou sur demande, faire enquête relativement aux personnes qu'il représente, aux biens qu'il administre ou qui devraient être confiés à son administration et, généralement, à tout mineur ou à toute personne sous régime de protection; il peut, de même, faire enquête relativement à toute personne inapte dont un mandataire prend soin ou administre les biens.

Le curateur public et toute personne qu'il autorise spécialement à enquêter sont, pour les fins de l'enquête, investis des pouvoirs et de l'immunité des commissaires nommés en vertu de la Loi sur les commissions d'enquête (L.R.Q., chapitre C-37), sauf du pouvoir d'ordonner l'emprisonnement.

1989, c. 54, a. 27; 1997, c. 80. a. 13.

27.1 Le curateur public peut autoriser toute personne à agir comme inspecteur pour vérifier l'application des dispositions de la présente loi relatives aux biens non réclamés.

La personne ainsi autorisée à agir comme inspecteur peut:

1° pénétrer, à toute heure raisonnable, dans l'établissement d'un débiteur ou détenteur de biens non réclamés ou dans tout autre lieu où ces biens sont gardés pour le compte du débiteur ou détenteur;

2° exiger des personnes présentes tout renseignement relatif aux biens non réclamés ou à leurs ayants droit, ainsi que la production de tout livre, registre, compte, dossier et autre document s'y rapportant;

3° examiner et tirer copie des documents comportant des renseignements relatifs aux biens non réclamés et à leurs ayants droit.

Toute personne qui a la garde, la possession ou le contrôle des documents visés au présent article doit, sur demande, en donner communication à la personne qui procède à l'inspection et lui en faciliter l'examen.

1997, c. 80, a. 14.

DIVISION VI
INQUIRY AND INSPECTION

27. The Public Curator may, of his own initiative or on request, hold an inquiry relating to the persons he represents, the property he administers or that should be entrusted to his administration and, generally, to any minor or to any person under protective supervision; he may, in the same manner, hold an inquiry relating to any person who is unable whose care or the administration of whose property have been entrusted to a mandatary.

The Public Curator and any person specially authorized by the Public Curator to hold an inquiry have, for the purposes of the inquiry, the powers and immunity conferred on commissioners appointed under the Act respecting public inquiry commissions (R.S.Q., chapter C-37), except the power to order imprisonment.

27.1 The Public Curator may authorize any person to act as an inspector to determine whether the provisions of this Act relating to unclaimed property are being complied with.

A person authorized to act as an inspector may

(1) enter, at any reasonable time, the establishment of a debtor or holder of unclaimed property or any other place where such property is kept on behalf of the debtor or holder;

(2) require the persons present to provide any information concerning the unclaimed property or the interested parties, and to produce any book, register, account, record or other related document;

(3) examine and make copies of documents containing information relating to the unclaimed property or the interested parties.

Every person who has custody, possession or control of the documents referred to in this section must, on request, give access to them to the person conducting the inspection and facilitate their examination.

28. Malgré l'article 19 de la Loi sur les services de santé et les services sociaux (L.R.Q., chapitre S-4.2) ou malgré l'article 7 de la Loi sur les services de santé et les services sociaux pour les autochtones cris (L.R.Q., chapitre S-5), le curateur public ou une personne qu'il autorise peut pénétrer à toute heure raisonnable, ou en tout temps dans les cas d'urgence, dans une installation maintenue par un établissement visé, selon le cas, par l'une ou l'autre de ces lois afin de consulter sur place le dossier pertinent d'une personne inapte ou protégée et en tirer des copies.

Sur demande, l'établissement doit transmettre au curateur public une copie de ce dossier.

1989, c. 54, a. 28; 1992, c. 21, a. 145; 1994, c. 23, a. 23; 1997, c. 80. a. 15.

28.1 Les personnes autorisées par le curateur public à agir en vertu des articles 27.1 et 28 doivent, sur demande, s'identifier et exhiber un certificat attestant leur autorisation.

Elles ne peuvent être poursuivies en justice en raison d'un acte accompli de bonne foi dans l'exercice de leurs fonctions.

1997, c. 80, a. 16.

28. Notwithstanding section 19 of the Act respecting health services and social services (R.S.Q., chapter S-4.2) and section 7 of the Act respecting health services and social services for Cree Native persons (R.S.Q., chapter S-5), the Public Curator or any person authorized by him may, at any reasonable time or at any time in case of urgency, enter a facility maintained by an institution governed, as the case may be, by either of those Acts to consult, on the premises, the record of the case of a person who is unable or a protected person and make copies of the record.

The institution shall send a copy of the record to the Public Curator on request.

28.1 The persons authorized by the Public Curator to act under sections 27.1 and 28 must, on request, identify themselves and produce a certificate of their authorization.

The persons authorized may not be prosecuted for anything done in good faith in the exercise of their functions.

CHAPITRE III
L'ADMINISTRATION

SECTION 0.1
DISPOSITION GÉNÉRALE

28.2 Les règles du présent chapitre s'appliquent sous réserve des dispositions de toute autre loi assujettissant le curateur public à un régime différent d'administration des biens qui lui sont confiés.

1997, c. 80, a. 17.

SECTION I
LES RÈGLES GÉNÉRALES DE L'ADMINISTRATION

29. Dès que des biens sont confiés à son administration, le curateur public doit, comme administrateur du bien d'autrui, procéder à la confection d'un inventaire conformément au titre septième du Livre quatrième du Code civil du Québec relatif à l'administration du bien d'autrui.

L'inventaire est fait sous seing privé; l'un des témoins doit, si possible, faire partie de la famille, de la parenté ou de l'entourage du propriétaire des biens.

CHAPTER III
ADMINISTRATION

DIVISION 0.1
GENERAL PROVISION

28.2 The rules of this chapter apply subject to the provisions of any other Act requiring the Public Curator to apply other rules for the administration of property entrusted to the Public Curator.

DIVISION I
GENERAL RULES GOVERNING ADMINISTRATION

29. Upon being entrusted with the administration of property, the Public Curator, as the administrator of the property of others, shall make an inventory in accordance with Title VII of Book IV of the Civil Code of Québec respecting the administration of the property of others.

The inventory shall be made in a private writing; one of the witnesses shall, where possible, be a member of the family, a relative or a person connected with the owner of the property.

L'état transmis au curateur public par le débiteur ou détenteur de biens non réclamés en application de l'article 26.1 tient lieu de l'inventaire des biens qui y sont décrits, sauf au curateur public à vérifier l'exactitude de l'état ainsi transmis.

1989, c. 54, a. 29; 1992, c. 57, a. 557; 1997, c. 80, 18.

30. Le curateur public a la simple administration des biens qui lui sont confiés, à moins que la loi ne prévoit autrement.

Il n'est toutefois pas tenu de conserver en nature les biens dont il a l'administration provisoire.

1989, c. 54, a. 30; 1997, c. 80, a. 19.

31. Le curateur public doit, à l'égard de tout immeuble confié à son administration, publier sa qualité d'administrateur au registre foncier. À compter de cette publication, l'officier de la publicité des droits est tenu de lui dénoncer, au moyen d'un avis écrit, toute inscription subséquente relativement à l'immeuble.

L'inscription de la qualité d'administrateur du curateur public s'obtient par la présentation d'un avis désignant l'immeuble visé. La radiation de cette inscription s'obtient par la présentation d'un certificat du curateur public attestant la fin de son administration.

1989, c. 54, a. 31; 1997, c. 80, a. 20; 2000, c. 42, a. 154.

32. Lorsqu'il agit comme administrateur provisoire de biens, sauf pour les biens visés au paragraphe 5° de l'article 24, le curateur public doit, sans délai, faire connaître sa qualité par avis publié, une fois, dans la *Gazette officielle du Québec*, ainsi que dans un journal circulant dans la localité où étaient situés ces biens au moment où il en est devenu administrateur.

Dans le cas où les biens soumis à l'administration provisoire du curateur public sont des biens non réclamés par un ayant droit qui était domicilié au Québec ou réputé l'être au moment où le curateur public en est devenu administrateur, l'avis doit aussi être publié dans un journal circulant dans la localité de la dernière adresse connue de l'ayant droit ou du lieu de conclusion de l'acte constitutif de ses droits, si cette localité est différente de celle du lieu où étaient situés ces biens.

1989, c. 54, a. 32; 1997, c. 80, a. 21.

33. Les biens dont l'administration est confiée au curateur public ne doivent pas être confondus avec les biens de l'État.

1989, c. 54, a. 33.

A statement sent to the Public Curator by a debtor or holder of unclaimed property pursuant to section 26.1 shall stand in lieu of an inventory of the property described in the statement, subject to the Public Curator being satisfied of the accuracy of the statement.

30. The Public Curator has the simple administration of the property entrusted to him unless the law provides otherwise.

The Public Curator is not, however, required to preserve in kind property over which the Public Curator has provisional administration.

31. The Public Curator must, with regard to every immovable entrusted to his administration, publish his capacity as administrator in the land register. From the time of publication, the registrar is bound to inform the Public Curator by way of a written notice of any subsequent registration made in respect of any such immovable.

The registration of the Public Curator's capacity as administrator is obtained upon presentation of a notice describing the immovable concerned. The cancellation of such registration is obtained upon presentation of a certificate of the Public Curator attesting that he has terminated his administration.

32. When the Public Curator acts as provisional administrator of property, except property referred to in subparagraph 5 of the first paragraph of section 24, he shall promptly make known his quality, by notice published once in the *Gazette officielle du Québec* and in a French language newspaper and an English language newspaper circulated in the locality where the property was situated at the time he became the administrator thereof.

Where the property under the provisional administration of the Public Curator is property unclaimed by an interested party who was domiciled or was deemed to be domiciled in Québec at the time the Public Curator became the administrator of the property, the notice must also be published in a newspaper circulated in the locality where the last known address of the interested party is situated, or in the locality where the act constituting the interested party's rights was made, if the locality is not the locality where the property was located.

33. The property of which the administration is entrusted to the Public Curator must not be commingled with that of the State.

SECTION II
LES RÈGLES PARTICULIÈRES DE L'ADMINISTRATION

DIVISION II
SPECIAL RULES GOVERNING ADMINISTRATION

34. Lorsque les règles de l'administration du bien d'autrui prévoient que la personne représentée doit ou peut consentir à un acte, recevoir un avis ou être consultée, c'est le titulaire de l'autorité parentale ou le conjoint qui agit ou, à défaut ou en cas d'empêchement de celui-ci, un proche parent ou une personne qui démontre pour la personne représentée un intérêt particulier. Autrement, l'autorisation du tribunal est requise.

Le curateur public peut demander au tribunal la révision de la décision prise par la personne autorisée à décider pour le mineur ou le majeur en tutelle ou en curatelle dans un délai de dix jours à compter du jour où le curateur public est avisé de cette décision.

1989, c. 54, a. 34; 1992, c. 57, a. 558.

34. Where the rules of administration of the property of others provide that the person represented shall or may give his consent to an act, obtain advice or be consulted, the person having parental authority or the spouse or, where both persons fail or are unable to act, a close relative or any person showing a special interest in the person represented shall act on his behalf. In any other case, the authorization of the court shall be required.

The Public Curator may apply to the court for a review of the decision made by the person authorized to decide on behalf of the minor or the person of full age under tutorship or curatorship within 10 days from the day on which the Public Curator is notified of the decision.

35. Le curateur public peut, sans autorisation du tribunal, emprunter sur la garantie des biens compris dans un patrimoine qu'il administre, les sommes nécessaires pour maintenir un immeuble en bon état d'entretien et de réparation ou pour acquitter les charges qui le grèvent.

1989, c. 54, a. 35.

35. The Public Curator may borrow, without authorization of the court, on the security of the property included in the patrimony he administers, the sums necessary to maintain an immovable in good repair and to discharge the encumbrances affecting it.

36. Le curateur public peut, sans autorisation du tribunal, provoquer un partage, y participer ou transiger si la valeur des concessions qu'il fait, s'il en est, n'excède pas 5 000 $.

1989, c. 54, a. 36.

36. The Public Curator may, without authorization of the court, demand partition, take part therein or transact if the value of the concessions made by him, if any, does not exceed $5,000.

37. Dans les cas d'aliénation à titre onéreux par le curateur public de biens visés à l'article 24 de la présente loi, à l'article 699 du Code civil ou à toute disposition d'une autre loi en vertu de laquelle le curateur public est chargé d'agir à titre de tuteur, curateur, liquidateur ou administrateur du bien d'autrui, l'autorisation du tribunal n'est pas requise, à moins que la valeur des biens excède la somme de 25 000 $.

Pour déterminer la valeur d'un immeuble aux fins du présent article, la valeur inscrite au rôle d'évaluation de la municipalité est multipliée par le facteur établi pour ce rôle par le ministre des Affaires municipales et de la Métropole en vertu de la Loi sur la fiscalité municipale (L.R.Q., chapitre F-2.1).

1989, c. 54, a. 37; 1997, c. 80, a. 22; 1999, c. 43, a. 13.

37. In the case of the alienation by onerous title by the Public Curator of property referred to in section 24 of this Act, in article 699 of the Civil Code or in any legislative provision under which the Public Curator is charged with acting as tutor, curator, liquidator or administrator of the property of another, authorization of the court is not required unless the value of the property exceeds $25,000.

To determine the value of an immovable for the purposes of this section, the value entered on the assessment roll of the municipality is multiplied by the factor established for that roll by the Minister of Municipal Affairs and Greater Montréal under the Act respecting municipal taxation (R.S.Q., chapter F-2.1).

38. Le curateur public n'est pas tenu, pour faire les actes visés par les articles 35 à 37 de la présente loi, de suivre les formalités prévues aux articles 1303 et 1305 du Code civil du Québec, de même que celles prévues à l'article 34 de la présente loi.

Les autorisations du tribunal, prévues dans la présente section, s'obtiennent conformément aux règles établies au Code de procédure civile (L.R.Q., chapitre C-25) pour les matières non contentieuses.

1989, c. 54, a. 38; 1992, c. 57, a. 559.

39. Dans le cours de son administration, le curateur public est tenu, une fois l'an, à la demande d'un mineur ou d'un majeur représenté, d'un proche parent ou d'une personne qui démontre un intérêt particulier pour le mineur ou le majeur, de rendre un compte sommaire de sa gestion.

En aucun cas, il n'est tenu de fournir une sûreté.

1989, c. 54, a. 39; 1992, c. 57, a. 560.

SECTION III
LA FIN DE L'ADMINISTRATION

40. L'administration du curateur public se termine de plein droit:

1° lorsque la tutelle ou la curatelle prend fin ou qu'un jugement nomme un autre tuteur ou curateur;

2° lorsque l'absent revient, que l'administrateur qu'il a désigné se présente, qu'un tuteur est nommé à ses biens ou qu'un jugement le déclare décédé;

3° lorsque les héritiers ou un tiers, désigné conformément aux dispositions testamentaires du défunt ou par le tribunal, sont en mesure d'exercer la charge de liquidateur de la succession;

4° dans tous les autres cas où un ayant droit se présente pour réclamer les biens soumis à son administration, de même que dans tous ceux où un autre administrateur est nommé à l'égard des biens administrés.

L'administration du curateur public se termine également de plein droit, en l'absence d'un bénéficiaire de l'administration et dans tous les cas où les biens sont administrés pour le compte de l'État, lorsque la liquidation des biens par le curateur public prend fin et que les opérations permettant d'assurer la remise des sommes administrées ou provenant de cette liquidation sont complétées.

1989, c. 54, a. 40; 1992, c. 57, a. 561; 1994, c. 29, a. 2; 1997, c. 80, a. 23.

38. For the performance of the acts described in sections 35 to 37 of this Act, the Public Curator is not required to comply with the formalities prescribed in articles 1303 and 1305 of the Civil Code of Québec or in section 34 of this Act.

Authorizations of the court provided for in this division shall be obtained in accordance with the rules prescribed in the Code of Civil Procedure (R.S.Q., chapter C-25) in respect of non-contentious matters.

39. During his administration, the Public Curator must, once each year, at the request of a minor or a person of full age who is represented, a close relative or a person showing a special interest in the minor or person of full age, render a summary account of his administration.

In no case shall the Public Curator be required to provide security.

DIVISION III
END OF ADMINISTRATION

40. The administration of the Public Curator ceases by operation of law

(1) when the tutorship or curatorship ends, or when a judgment orders the appointment of another tutor or curator;

(2) when the absentee returns, the administrator designated by the absentee appears, a tutor is appointed to the property of the absentee or a judgment declares the absentee dead;

(3) when the heirs, or a third person designated in accordance with the testamentary dispositions of the deceased or by the court, become able to hold the office of liquidator of the succession;

(4) in all other cases in which an interested party comes forward to claim the property under the administration of the Public Curator, or in which another administrator is appointed with respect to the property administered.

The administration of the Public Curator also ceases by operation of law, in the absence of any beneficiary of the administration and in all cases in which the property is administered on behalf of the State, once the liquidation of the property by the Public Curator has ended and all the operations to ensure the transfer of the sums of money administered or deriving from the liquidation have been completed.

41. Le curateur public doit, à la fin de son administration, rendre compte de celle-ci et remettre les biens à ceux qui y ont droit.

Lorsque l'administration du curateur public se termine dans les conditions prévues au deuxième alinéa de l'article 40, la reddition de compte et la remise des sommes qui restent à la fin de l'administration sont faites au ministre des Finances, selon les modalités prescrites par règlement.

1989, c. 54, a. 41; 1997, c. 80, a. 24.

41.1 Les sommes remises au ministre des Finances sont acquises à l'État et sont versées au fonds consolidé du revenu.

Tout ayant droit aux sommes ainsi remises au ministre des Finances, y compris aux biens dont la liquidation a produit ces sommes, peut néanmoins les récupérer auprès du curateur public, avec les intérêts, au taux fixé par règlement, calculés depuis cette remise. Sous réserve des dispositions du Code civil du Québec relatives à la pétition d'hérédité, ce droit est imprescriptible, sauf à l'égard des sommes dont le montant est inférieur à 500 $ au moment de leur remise au ministre des Finances, où le droit de les récupérer se prescrit par dix ans à compter de cette remise.

Le ministre des Finances est autorisé à prélever sur le fonds consolidé du revenu les sommes nécessaires aux paiements faits en application du présent article.

1997, c. 80, a. 25.

42. Après le décès d'une personne qu'il représente ou dont il administre les biens, le curateur public continue son administration jusqu'à la notification, par courrier recommandé ou certifié, de l'acceptation de sa charge par l'exécuteur testamentaire ou, à défaut d'exécuteur testamentaire, de l'acceptation de la succession par les héritiers. Si cette dernière acceptation n'est pas faite dans les six mois de l'ouverture de la succession, celle-ci est recueillie par l'État.

Il prend, au besoin, les mesures nécessaires pour procéder à l'inhumation ou à l'incinération du cadavre de la personne décédée, aux frais de la succession et suivant les principes religieux propres à la personne décédée.

1989, c. 54, a. 42; 1997, c. 80, a. 26.

41. The Public Curator shall, on the termination of the Public Curator's administration, render an account of it and transfer the property to the persons entitled thereto.

Where the administration of the Public Curator ceases in circumstances described in the second paragraph of section 40, the rendering of account shall be effected, and the sums of money remaining upon the termination of the administration shall be transferred, to the Minister of Finance in the manner prescribed by regulation.

41.1 All sums of money transferred to the Minister of Finance become property of the State and shall be deposited into the consolidated revenue fund.

A person who has a right in a sum of money so transferred to the Minister of Finance, or in the property from the liquidation of which the sums of money derive, may recover the sums of money from the Public Curator, with interest calculated at the rate fixed by regulation from the date of transfer. Subject to the provisions of the Civil Code of Québec relating to the petition of inheritance, the right is not subject to prescription, except where it relates to a sum of money amounting to less than $500 at the time of transfer to the Minister of Finance, in which case the right to recover the sum of money is prescribed ten years after the date of transfer.

The Minister of Finance is authorized to take out of the consolidated revenue fund the amounts required to meet the payments to be made under this section.

42. The Public Curator shall continue his administration after the death of the person he represents or whose property he administers until he is notified, by registered or certified mail, that the testamentary executor accepts his duties or, failing a testamentary executor, the heirs accept the succession. Failing notification of such acceptance within six months from the opening of the succession, the succession devolves on the State.

The Public Curator shall, where required, take any measures necessary for the interment or cremation of the body of the deceased person, at the expense of the succession and with respect for the religious principles of the deceased person.

42.1 Il appartient à celui qui se présente pour réclamer des biens ou récupérer des sommes auprès du curateur public d'établir sa qualité.

1997, c. 80, a. 27.

SECTION IV
LES PATRIMOINES ADMINISTRÉS

43. Le curateur public doit maintenir une administration et une comptabilité distinctes à l'égard de chacun des patrimoines dont il est chargé de l'administration. Il n'est responsable des dettes relatives à un patrimoine qu'il administre que jusqu'à concurrence de la valeur des biens de ce patrimoine.

1989, c. 54, a. 43.

44. Le curateur public peut, dans les conditions prévues par une politique de placement établie après consultation du comité de placement visé à l'article 46, constituer des portefeuilles collectifs avec les sommes disponibles provenant des biens qu'il administre.

Le curateur public assume la gestion des portefeuilles ainsi constitués, conformément aux règles du Code civil relatives aux placements présumés sûrs. Il peut néanmoins effectuer des placements au porteur, pourvu qu'il s'agisse de placements présumés sûrs visés à l'article 1339 du Code civil.

1989, c. 54, a. 44; 1992, c. 57, a. 562; 1994, c. 29, a. 3; 1999, c. 30, a. 4.

44.1 Malgré l'article 44, le curateur public peut confier la gestion des portefeuilles collectifs à la Caisse de dépôt et placement du Québec ou à l'une de ses filiales dont elle détient la totalité des actions comportant le droit de vote.

En ce cas, la gestion des portefeuilles est entièrement régie par la politique de placement établie par le curateur public, laquelle peut déroger aux règles du Code civil relatives aux placements présumés sûrs.

1999, c. 30, a. 4.

45. Le curateur public doit, au moins deux fois par année, créditer le compte de chacune des personnes dont il administre les biens, des revenus des portefeuilles collectifs selon la valeur de leur participation à chacun de ces portefeuilles.

1989, c. 54, a. 45; 1994, c. 29, a. 4; 1999, c. 30, a. 5.

42.1 It is incumbent upon persons who come forward to claim property or recover a sum of money from the Public Curator to establish their quality.

DIVISION IV
ADMINISTERED PATRIMONY

43. The Public Curator shall maintain a separate administration and accounting in respect of each patrimony of which he has the administration. He shall be liable for the debts relating to any patrimony he administers only to the extent of the value of the property of the patrimony.

44. The Public Curator may, under conditions set out in an investment policy established after consultation with the investment committee referred to in section 46, constitute joint portfolios with the available moneys that derive from the property administered by the Public Curator.

The Public Curator shall manage the portfolios so constituted in accordance with the rules of the Civil Code relating to investments presumed sound. The Public Curator may, nevertheless, make investments to bearer, provided they are investments presumed sound within the meaning of article 1339 of the Civil Code.

44.1 Notwithstanding section 44, the Public Curator may entrust the management of the joint portfolios to the Caisse de dépôt et placement du Québec or to a subsidiary all the voting shares of which are held by the Caisse de dépôt et placement du Québec.

In that case, the management of the portfolios shall be governed solely by the investment policy established by the Public Curator, which may depart from the rules of the Civil Code relating to investments presumed sound.

45. At least twice a year, the Public Curator shall credit the account of each person whose property he administers with the revenues of the joint portfolios according to the value of the person's interest in each portfolio.

46. Le ministre des Relations avec les citoyens et de l'Immigration constitue un comité chargé de conseiller le curateur public en matière de placement des biens dont il assume l'administration collective.

1989, c. 54, a. 46; 1997, c. 80, a. 28.

47. Les membres du comité sont nommés pour un mandat d'au plus trois ans. Ils demeurent en fonction à l'expiration de leur mandat, jusqu'à ce qu'ils soient nommés de nouveau ou remplacés.

1989, c. 54, a. 47.

48. Les membres du comité ne sont pas rémunérés, sauf dans les cas, aux conditions et dans la mesure que peut déterminer le gouvernement. Ils ont cependant droit au remboursement des dépenses faites dans l'exercice de leurs fonctions, aux conditions et dans la mesure que détermine le gouvernement.

1989, c. 54, a. 48.

49. Le curateur public est tenu de faire rapport au comité, au moins quatre fois l'an, de l'état de ses placements.

1989, c. 54, a. 49.

CHAPITRE IV
LES DOSSIERS ET LES REGISTRES

50. Le curateur public doit maintenir un dossier sur chacune des personnes qu'il représente ou dont il administre les biens.

1989, c. 54, a. 50.

51. Le dossier d'une personne que le curateur public représente ou dont il administre les biens est confidentiel.

1989, c. 54, a. 51.

52. Nul ne peut prendre connaissance d'un dossier maintenu par le curateur public sur une personne qu'il représente ou dont il administre les biens, en recevoir communication écrite ou verbale ou autrement y avoir accès si ce n'est:

1° le personnel du curateur public dans l'exercice de leurs fonctions;

2° la personne que le curateur public représente ou a représenté et celle dont il administre les biens ou leurs ayants cause ou héritiers;

3° le titulaire de l'autorité parentale de la personne que le curateur public représente, avec l'autorisation de ce dernier;

46. The Minister of Relations with the Citizens and Immigration shall appoint a committee to advise the Public Curator on investment of the property under his joint administration.

47. The members of the committee are appointed for a term of not over three years. At the expiry of their term, they remain in office until they are reappointed or replaced.

48. The members of the committee receive no remuneration except in the cases, on the conditions and to the extent determined by the Government. However, they are entitled to reimbursement of expenses incurred in the discharge of their duties, on the conditions and to the extent determined by the Government.

49. The Public Curator must make a report of his investment portfolio to the committee at least four times a year.

CHAPTER IV
RECORDS AND REGISTERS

50. The Public Curator shall keep a record in respect of each person he represents or whose property he administers.

51. The record of a person represented by the Public Curator or whose property is administered by him shall be confidential.

52. No person may acquaint himself with any record kept by the Public Curator in respect of a person represented by him or whose property he administers, or receive written or oral communication thereof or otherwise have access thereto except

(1) the personnel of the Public Curator in the performance of their duties;

(2) the person the Public Curator represents or has represented and the person whose property he administers or their successors or heirs;

(3) the person having parental authority in respect of the person represented by the Public Curator, with the authorization of the Public Curator;

4° le conjoint, un proche parent, un allié, toute autre personne ayant démontré un intérêt particulier pour le majeur ou la personne qui a reçu une délégation du curateur public, avec l'autorisation de ce dernier;

5° le Protecteur du citoyen.

Néanmoins, le curateur public peut attester qu'une personne est mineure ou sous un régime de protection et indiquer le nom du tuteur ou curateur, à la demande d'une personne intéressée.

1989, c. 54, a. 52; 1999, c. 40, a. 99; 2002, c. 6, a. 235.

53. Le curateur public peut refuser momentanément de donner communication à une personne qu'il représente d'un renseignement nominatif de nature médicale ou sociale le concernant et contenu dans son dossier lorsque, de l'avis du médecin traitant, il en résulterait vraisemblablement un préjudice grave pour sa santé. Le curateur public, sur recommandation du médecin traitant, détermine le moment où ce renseignement pourra être communiqué et en avise la personne qui en a fait la demande.

1989, c. 54, a. 53.

54. Le curateur public doit maintenir un registre des tutelles au mineur, un registre des tutelles et curatelles au majeur, un registre des mandats homologués donnés par une personne en prévision de son inaptitude et un registre des biens sous administration provisoire, autres que ceux prévus au paragraphe 5° de l'article 24.

Les registres ne contiennent que les renseignements prévus par règlement. Ces renseignements ont un caractère public; ils sont conservés sur les registres jusqu'à la fin de l'administration du curateur public ou, lorsque cette administration se termine dans les conditions prévues au deuxième alinéa de l'article 40, jusqu'à l'expiration de la période prévue par règlement.

1989, c. 54, a. 54; 1992, c. 57, a. 563; 1997, c. 80, a. 29.

CHAPITRE V
LE FINANCEMENT

55. Le curateur public peut exiger, outre le remboursement de ses dépenses, des honoraires pour la représentation des personnes, l'administration des biens qui lui sont confiés, la surveillance des tutelles ou curatelles et les autres attributions qui lui sont conférées par la loi.

(4) the spouse, close relative, relative by marriage or a civil union, any other person who has shown special interest in the person of full age or the person delegated by the Public Curator, with the authorization of the Public Curator;

(5) the Public Protector.

Notwithstanding the foregoing, at the request of any interested person, the Public Curator may certify that a person is a minor or under protected supervision, and indicate the name of the tutor or curator.

53. The Public Curator may refuse, for the moment, to release to a person he represents nominative information of a medical or social nature concerning him or contained in his file where, in the opinion of the attending physician, serious damage to his health would likely result therefrom. The Public Curator, on the recommendation of the attending physician, shall determine when it will be possible to release the information and notify the person who applied therefor.

54. The Public Curator shall keep a register of tutorships to minors, a register of tutorships and curatorships to persons of full age, a register of homologated mandates in anticipation of the inability of the mandator and a register of property under provisional administration other than that provided for in subparagraph 5 of the first paragraph of section 24.

The registers shall contain only the information prescribed by regulation. Such information is public; it shall be kept in the register until the administration of the Public Curator ceases or, where the administration ceases in the circumstances described in the second paragraph of section 40, until the expiry of the period prescribed by regulation.

CHAPTER V
FINANCING

55. In addition to the reimbursement of expenses incurred, the Public Curator may require fees for representing persons, for administering property entrusted to the Public Curator, for supervising tutorships or curatorships and for performing other duties assigned by law to the Public Curator.

Ces honoraires sont établis par règlement. Toutefois, les honoraires qui se rattachent à des biens dont l'administration se termine dans les conditions prévues au deuxième alinéa de l'article 40, de même que la nature et le montant des dépenses qui peuvent être exigées en rapport avec ces biens, sont établis par un décret du gouvernement pris sur recommandation du ministre des Relations avec les citoyens et de l'Immigration et du ministre des Finances.

1989, c. 54, a. 55; 1992, c. 57, a. 564; 1997, c. 80, a. 30.

56. Abrogé.

1999, c. 30, a. 6.

57. Le curateur public peut exiger un intérêt au taux déterminé par règlement sur toute avance de fonds consentis au compte d'un patrimoine qu'il administre.

1989, c. 54, a. 57; 1999, c. 30, a. 7.

58. Les dépenses faites par le curateur public pour l'application de la présente loi sont imputées sur les crédits accordés annuellement à cette fin par le Parlement.

Les honoraires, intérêts et autres sommes perçus par le curateur public en vertu des articles 55 et 57 sont versés au fonds consolidé du revenu; ils constituent, à toutes fins, un crédit pour l'année financière au cours de laquelle ils sont ainsi versés, aux conditions et dans la mesure déterminées par le gouvernement.

1989, c. 54, a. 58; 1997, c. 80, a. 31; 1999, c. 30, a. 8.

58.1- 59.1 Abrogés.

1999, c. 30, a. 9-11.

60. Abrogé.

1997, c. 80, a. 33.

61. Abrogé.

1999, c. 30, a. 12.

62. Abrogé.

1997, c. 80, a. 35.

63-65. Abrogés.

1999, c. 30, a. 13-15.

The fees shall be established by regulation. However, the fees relating to property the administration of which terminates in the circumstances described in the second paragraph of section 40, and the nature and amount of the expenses that may be required in connection with such property, shall be established by government order on the recommendation of the Minister of Relations with the Citizens and Immigration and the Minister of Finance.

56. Repealed.

57. The Public Curator may charge interest at the rate determined by regulation on any amount advanced to the account of a patrimony he administers.

58. Expenditures made by the Public Curator for the purposes of this Act shall be charged to the appropriations voted each year for such purposes by Parliament.

The fees, interest and other sums collected by the Public Curator under sections 55 and 57 shall be paid into the consolidated revenue fund and shall, for all purposes, constitute appropriations for the fiscal year in which they are so paid, on the conditions and to the extent determined by the Government.

58.1-59.1 Repealed.

60. Repealed.

61. Repealed.

62. Repealed.

63-65. Repealed.

CHAPITRE VI
LES LIVRES, COMPTES ET RAPPORTS

CHAPTER VI
BOOKS, ACCOUNTS AND REPORTS

66. Les livres et comptes relatifs aux biens administrés par le curateur public sont vérifiés par le vérificateur général chaque année et chaque fois que le décrète le gouvernement.

Le rapport du vérificateur général doit accompagner le rapport d'activités et les états financiers du curateur public.

1989, c. 54, a. 66; 1999, c. 30, a. 16.

66. The books and accounts relating to the property administered by the Public Curator shall be audited each year by the Auditor General and whenever so ordered by the Government.

The report of the Auditor General must accompany the report of activities and the financial statements of the Public Curator.

67. Le curateur public doit, au plus tard le 30 juin de chaque année, produire au ministre des Relations avec les citoyens et de l'Immigration ses états financiers ainsi qu'un rapport de ses activités pour l'exercice financier précédent.

Les états financiers et le rapport d'activités doivent contenir tous les renseignements exigés par le ministre.

1989, c. 54, a. 67; 1997, c. 80, a. 37; 1999, c. 30, a. 17.

67. The Public Curator must, not later than 30 June each year, file with the Minister of Relations with the Citizens and Immigration his financial statements and a report of activities for the preceding fiscal year.

The financial statements and report of activities must contain all the information required by the Minister.

67.0.1 Le ministre des Relations avec les citoyens et de l'Immigration dépose le rapport d'activités et les états financiers du curateur public devant l'Assemblée nationale dans les 30 jours suivant leur réception ou, si elle ne siège pas, dans les 30 jours de la reprise de ses travaux.

1999, c. 30, a. 17.

67.0.1 The Minister of Relations with the Citizens and Immigration shall table the report of activities and the financial statements of the Public Curator in the National Assembly within 30 days of receiving them or, if the Assembly is not in session, within 30 days of resumption.

67.1-67.4 Abrogés.

1999, c. 30, a. 18.

67.1-67.4 Repealed.

CHAPITRE VII
RÉGLEMENTATION

CHAPTER VII
REGULATIONS

68. Outre les pouvoirs de réglementation qui lui sont par ailleurs conférés par la présente loi, le gouvernement peut par règlement:

1° abrogé;

2° déterminer les renseignements que le directeur général ou le directeur des services professionnels d'un établissement visé dans l'article 14 doit fournir au curateur public en vertu de cet article;

3° établir la forme et le contenu des rapports transmis par les tuteurs et curateurs;

4° déterminer les renseignements que peut exiger le curateur public en vue d'établir les cas où il devient administrateur provisoire en vertu de l'article 24 ou en vertu d'une autre disposition de la loi;

4.1° déterminer les sommes payables en vertu d'un contrat ou d'un régime de rentes ou de retraite au sens du paragraphe 9° de l'article 24.1;

68. In addition to the regulatory powers otherwise conferred on it by this Act, the Government may, by regulation,

(1) repealed;

(2) determine the information to be provided to the Public Curator, pursuant to section 14, by the executive director or the director of professional services of an institution contemplated in that section;

(3) determine the form and content of the reports transmitted by tutors and curators;

(4) determine the information the Public Curator may require to establish those cases in which he becomes provisional administrator under section 24 or under any other provision of law;

(4.1) determine the amounts payable under a pension or retirement contract or plan within the meaning of paragraph 9 of section 24.1;

5° déterminer la forme et le contenu de la reddition de compte que doit faire le curateur public en vertu de l'article 41;

6° déterminer les renseignements qui doivent être inscrits aux registres;

7° établir le tarif des honoraires que le curateur public peut exiger pour la représentation des personnes, l'administration des biens qui lui sont confiés et pour la surveillance des tutelles, curatelles et pour l'exercice des autres fonctions qui lui sont confiées par la loi;

8° abrogé;

9° déterminer les taux d'intérêts exigibles pour les avances de fonds imputés par le curateur public;

10°-10.2° abrogés;

11° abrogé;

12° déterminer le lieu où le curateur public exerce principalement ses attributions.

1989, c. 54, a. 68; 1991, c. 72, a. 7; 1992, c. 21, a. 146; 1992, c. 57, a. 566; 1994, c. 18, a. 35; 1994, c. 29, a. 9; 1997, c. 80, a. 39; 1999, c. 30, a. 19.

(5) determine the form and content of the account that must be rendered by the Public Curator pursuant to section 41;

(6) determine the information to be entered in the registers;

(7) fix the tariff of fees which the Public Curator may charge for the representation of persons, for the administration of the property entrusted to him or for his supervision of tutorships, curatorships or for the performance of the other functions assigned to him by law;

(8) repealed;

(9) determine the rates of interest to be charged for amounts of money advanced by the Public Curator;

(10)-(10.2) repealed;

(11) repealed;

(12) determine the main place where the Public Curator shall perform his duties.

CHAPITRE VIII
DISPOSITIONS PÉNALES

CHAPTER VIII
PENAL PROVISIONS

69. Toute personne qui contrevient à l'une des dispositions des articles 26, 26.1, 26.5 et 26.7 commet une infraction et est passible d'une amende maximale de 5 000 $ et, en cas de récidive, d'une amende maximale de 15 000 $.

1989, c. 54, a. 69; 1997, c. 80, a. 40.

69. Every person who contravenes any provision of sections 26, 26.1, 26.5 and 26.7 is guilty of an offence and liable to a fine of not over $5,000 and, for a second or subsequent conviction, to a fine of not over $15,000.

69.1 Toute personne qui entrave l'action du curateur public ou d'une personne qu'il autorise dans l'exercice d'un pouvoir visé aux articles 27.1 et 28 commet une infraction et est passible d'une amende de 1 000 $ à 2 000 $ pour la première infraction et d'une amende de 2 000 $ à 5 000 $ pour toute récidive.

1997, c. 80, a. 41.

69.1 Any person who hinders the actions of the Public Curator or of a person authorized by the Public Curator in the exercise of a power conferred by section 27.1 or 28 is guilty of an offence and is liable to a fine of $1,000 to $2,000 for a first offence and of $2,000 to $5,000 for any subsequent offence.

70. Le tuteur ou curateur qui contrevient au deuxième alinéa de l'article 20 ou qui néglige ou refuse de faire vérifier ses livres et comptes lorsque requis conformément à l'article 21 commet une infraction et est passible d'une amende maximale de 1 000 $ et, en cas de récidive, d'une amende maximale de 2 500 $.

1989, c. 54, a. 70.

70. Any tutor or curator who contravenes the second paragraph of section 20 or who neglects or refuses to have his books and accounts audited where required in accordance with section 21 is guilty of an offence and liable to a fine of not over $1,000 and, for a second or subsequent conviction, to a fine of not over $2,500.

71. Abrogé.

1992, c. 61, a. 252.

71. Repealed.

CHAPITRE IX
DISPOSITIONS DIVERSES

72. Le curateur public peut ester en justice.

Il peut, pour les fins du Livre VIII du Code de procédure civile (L.R.Q., chapitre C-25) et de la Loi sur la Régie du logement (L.R.Q., chapitre R-8.1), tant en demande qu'en défense, se présenter lui-même devant le tribunal ou s'y faire représenter par un membre de son personnel ou par toute autre personne qu'il autorise par écrit. Il ne peut cependant, s'il s'agit du recouvrement de petites créances, se faire représenter par un avocat ou un agent de recouvrement, sauf dans les cas où le Code de procédure civile le permet.

1989, c. 54, a. 72.

73. Toute signification de procédure judiciaire au curateur public doit se faire au lieu où il exerce principalement ses attributions.

Le greffier du tribunal transmet, sans délai et sans frais, une copie au curateur public de tout jugement relatif aux intérêts patrimoniaux d'un mineur ou majeur en tutelle ou en curatelle, ainsi que de toute transaction effectuée dans le cadre d'une action à laquelle le tuteur ou le curateur est partie en cette qualité.

1989, c. 54, a. 73.

74. Le juge suspend, à la demande du curateur public, pour une durée n'excédant pas trente jours, toute procédure judiciaire dirigée contre lui ou contre une personne qu'il représente ou dont il administre les biens, ou relative aux biens que le curateur public administre en vertu de l'article 24, afin de lui permettre de recueillir les éléments utiles à sa défense.

1989, c. 54, a. 74.

75. Tout document signé par le curateur public fait preuve de son contenu, sans qu'il soit nécessaire de prouver sa signature et son autorité.

Lorsque des déclarations écrites doivent être attestées sous serment par le curateur public, elles peuvent l'être sous son serment d'office.

1989, c. 54, a. 75.

75.1 Le curateur public peut conclure avec le ministre des Finances des ententes relatives à la gestion des biens appartenant à l'État.

CHAPTER IX
MISCELLANEOUS PROVISIONS

72. The Public Curator may appear before the courts.

He may, for the purposes of Book VIII of the Code of Civil Procedure (R.S.Q., chapter C-25) and of the Act respecting the Régie du logement (R.S.Q., chapter R-8.1), whether as plaintiff or defendant, appear before the court himself or be represented before it by a member of his staff or by any other person he authorizes in writing. In the case of the recovery of small claims, he shall not be represented by a lawyer or a claims agent, except where permitted by the Code of Civil Procedure.

73. Every service of court proceedings on the Public Curator shall be made at the main place in which he performs his duties.

The clerk of the court shall transmit to the Public Curator, without delay and free of charge, a copy of any judgment relating to the patrimonial interests of a minor or person of full age under tutorship or curatorship, and of any transaction made within the scope of proceedings to which the tutor or curator is a party in such quality.

74. The judge shall, upon motion by the Public Curator, suspend for a period not exceeding thirty days, any judicial proceedings taken against the Public Curator or any person represented by him or whose property he administers, or relating to property administered by the Public Curator under section 24, to prepare the defence.

75. Every document signed by the Public Curator shall be *prima facie* evidence of its contents, without it being necessary to prove his signature and authority.

When written declarations are to be sworn to by the Public Curator, they may be sworn to under his oath of office.

75.1 The Public Curator may enter into agreements with the Minister of Finance relating to the management of property belonging to the State.

Il peut également conclure avec toute personne, société ou association ainsi qu'avec le gouvernement, ses ministères ou organismes toute autre entente en vue de l'application de la présente loi.

1994, c. 29, a. 10; 1997, c. 80, a. 42.

76. Le curateur public peut, conformément à la loi, conclure des ententes avec un gouvernement autre que celui du Québec, ou avec un ministère ou un organisme de ce gouvernement, en vue de l'application de la présente loi ou d'une loi similaire ou relative en tout ou en partie à l'administration provisoire de biens dont l'application relève de ce gouvernement, ministère ou organisme.

Ces ententes peuvent notamment avoir pour objet de déléguer au curateur public l'administration de biens non réclamés par des propriétaires ou autres ayants droit dont le domicile est situé au Québec ou réputé l'être en vertu de la présente loi.

1989, c. 54, a. 76; 1997, c. 80, a. 43.

77. Le ministre des Relations avec les citoyens et de l'Immigration est chargé de l'application de la présente loi.

1989, c. 54, a. 77; 1996, c. 21, a. 45.

78-129. Omis.

1989, c. 54, a. 78-129.

130-197. Modifications intégrées à d'autres lois.

1989, c. 54, a. 130-197.

The Public Curator may also enter into an agreement concerning the administration of this Act with any person, partnership or association or with the Government, a government department or a government body.

76. The Public Curator may, according to law, enter into an agreement with a government other than the Gouvernement du Québec or with a department or body of that government, for the administration of this Act or a similar Act, or an Act relating wholly or partly to the provisional administration of property under the administration of that government, department or body.

The object of such agreements may, in particular, concern the delegation, to the Public Curator, of the administration of property that has not been claimed by its owner or other interested parties who are domiciled or are deemed to be domiciled in Québec pursuant to this Act.

77. The Minister of Relations with the Citizens and Immigration shall be responsible for the administration of this Act.

78-129. Omitted.

130-197. Amendments integrated into other Acts.

LOI CONCERNANT LE DROIT INTERDISANT LE MARIAGE ENTRE PERSONNES APPARENTÉES

L.C. 1990, ch. 46

1. **[Titre abrégé]** *Loi sur le mariage (degrés prohibés).*

2. (1) **[Absence d'empêchement]** Sous réserve du paragraphe (2), les liens de parenté par consanguinité, alliance ou adoption ne constituent pas en eux-mêmes des empêchements au mariage.

(2) **[Prohibition]** Est prohibé le mariage entre personnes ayant des liens de parenté:

a) en ligne directe, par consanguinité ou adoption;

b) en ligne collatérale, par consanguinité, s'il s'agit de frère et soeur ou de demi-frère et demi-soeur;

c) en ligne collatérale, par adoption, s'il s'agit de frère et soeur.

3. (1) **[Validé du mariage]** Sous réserve du paragraphe (2), un mariage entre personnes apparentées par consanguinité, alliance ou adoption n'est pas invalide du seul fait du lien de parenté.

(2) **[Nullité du mariage]** Un mariage entre personnes apparentées prohibé par l'alinéa 2(2)*a)*, *b)* ou *c)* est nul.

4. **[Intégralité des règles applicables]** La présente loi comporte la totalité des règles de droit applicables au Canada en matière d'empêchements au mariage fondés sur des liens de parenté.

5. La *Loi sur le mariage* est abrogée.

6. **[Entrée en vigueur]** La présente loi entre en vigueur un an après sa sanction ou, dans une province, à la date antérieure fixée par décret du gouverneur en conseil à la demande de cette province.

AN ACT RESPECTING THE LAWS PROHIBITING MARRIAGE BETWEEN RELATED PERSONS

S.C. 1990, c. 46

1. **[Short title]** This Act may be cited as the *Marriage (Prohibited Degrees) Act.*

2. (1) **[No prohibition]** Subject to subsection (2), persons related by consanguinity, affinity or adoption are not prohibited from marrying each other by reason only of their relationship.

(2) **[Prohibition]** No person shall marry another person if they are related

(*a*) lineally by consanguinity or adoption;

(*b*) as brother and sister by consanguinity, whether by the whole blood or by the half-blood; or

(*c*) as brother and sister by adoption.

3. (1) **[Marriage not invalid]** Subject to subsection (2), a marriage between persons related by consanguinity, affinity or adoption is not invalid by reason only of their relationship.

(2) **[Marriage void]** A marriage between persons who are related in the manner described in paragraph 2(2)(*a*), (*b*) or (*c*) is void.

4. **[Complete code]** This Act contains all of the prohibitions in law in Canada against marriage by reason of the parties being related.

5. The *Marriage Act* is repealed.

6. **[Commencement]** This Act shall come into force on the day that is one year after the day it is assented to, or on such earlier day in any province as may be fixed by order of the Governor in Council at the request of that province.

LOI SUR LE DIVORCE

L.R.C. (1985), ch. 3 (2e suppl.)

DIVORCE ACT

R.S.C., 1985, c. 3 (2nd Supp.)

Modifiée par / *Amended by:*

1986, c. 35, a./s. 14	L.R., ch. 27 (2e suppl.), a./s. 10
1990, ch. 18	
1992, ch. 51, a./s. 46	
1993, ch. 8, a./s. 1 à/to 5	
1993, ch. 28, a./s. 78	
1997, ch. 1, a./s. 1 à/to 15	
1998, ch. 15, a./s. 22, 23	
1998, ch. 30, a./s. 13, 15	
1999, ch. 3, a./s. 12, 61	
1999, ch. 31, a./s. 74	
2002, ch. 7, a./s. 158 à/to 160	
2002, ch. 8, a./s. 183	

LOI SUR LE DIVORCE

TABLE DES MATIÈRES

	Articles
Titre abrégé	1
Définitions	2
Compétence	3-7
Divorce	8-14
Mesures accessoires	15-20.1
Définition	15
Ordonnances alimentaires au profit d'un enfant	15.1
Ordonnances alimentaires au profit d'un époux	15.2
Priorité	15.3
Ordonnances relatives à la garde des enfants	16
Modification, annulation ou suspension des ordonnances	17-17.1
Ordonnances conditionnelles	18-20.1
Appels	21
Dispositions générales	21.1-31
Dispositions transitoires	32
Loi sur le divorce, S.R. 1970, ch. D-8	33-35
Loi sur le divorce, L.R. ch. 3 (2ᵉ suppl.)	35.1
Entrée en vigueur	36

DIVORCE ACT

TABLE OF CONTENTS

	Sections
Short Title	1
Interpretation	2
Jurisdiction	3-7
Divorce	8-14
Corollary Relief	15-20.1
Interpretation	15
Child Support Orders	15.1
Spousal Support Orders	15.2
Priority	15.3
Custody Orders	16
Variation, Rescission or Suspension of Orders	17-17.1
Provisional Orders	18-20.1
Appeals	21
General	21.1-31
Transitional Provisions	32
Divorce Act, R.S. 1970, c. D-8	33-35
Divorce Act, R.S. 1985, c. 3 (2nd Supp.)	35.1
Commencement	36

TABLE DE CONCORDANCE — TABLE OF CONCORDANCE

LOI DE 1985 SUR LE DIVORCE, S.C., 1986, c. 4 et modifications	**LOI SUR LE DIVORCE,** L.R.C. (1985), ch. 3 (2ᵉ suppl.) et modifications
DIVORCE ACT, 1985, S.C., 1986, c. 4 and amendments	**DIVORCE ACT,** R.S.C., 1985, c. 3 (2nd Supp.) and amendments

1-31	1-31
33	32
34	33
35	34
36	35
37	36

LOI CONCERNANT LE DIVORCE ET LES MESURES ACCESSOIRES

L.R.C. (1985), ch. 3 (2ᵉ suppl.)

TITRE ABRÉGÉ

1. [**Titre abrégé**] *Loi sur le divorce.*

DÉFINITIONS

2. (1) [**Définitions**] Les définitions qui suivent s'appliquent à la présente loi.

[«**accès**» *French version only*] «accès» Comporte le droit de visite.

[«**action en divorce**» *"divorce proceeding"*] «action en divorce» Action exercée devant un tribunal par l'un des époux ou conjointement par eux en vue d'obtenir un divorce assorti ou non d'une ordonnance alimentaire au profit d'un enfant, d'une ordonnance alimentaire au profit d'un époux ou d'une ordonnance de garde.

[«**action en mesures accessoires**» *"corollary relief proceeding"*] «action en mesures accessoires» Action exercée devant un tribunal par l'un des ex-époux ou conjointement par eux en vue d'obtenir une ordonnance alimentaire au profit d'un enfant, d'une ordonnance alimentaire au profit d'un époux ou une ordonnance de garde.

[«**action en modification**» *"variation proceeding"*] «action en modification» Action exercée devant un tribunal par l'un des ex-époux ou conjointement par eux en vue d'obtenir une ordonnance modificative.

[«**cour d'appel**» *"appellate court"*] «cour d'appel» Tribunal compétent pour connaître des appels formés contre les décisions d'un autre tribunal.

[«**enfant à charge**» *"child of the marriage"*] «enfant à charge» Enfant des deux époux ou ex-époux qui, à l'époque considérée, se trouve dans une des situations suivantes:

a) il n'est pas majeur et est à leur charge;

b) il est majeur et est à leur charge, sans pouvoir, pour cause notamment de maladie ou d'invalidité, cesser d'être à leur charge ou subvenir à ses propres besoins.

[«**époux**» *"spouse"*] «époux» Homme ou femme unis par les liens du mariage.

[«**garde**» *"custody"*] «garde» Sont assimilés à la garde le soin, l'éducation et tout autre élément qui s'y rattache.

[«**lignes directrices applicables**» *"applicable guidelines"*] «lignes directrices applicables» S'entend:

AN ACT RESPECTING DIVORCE AND COROLLARY RELIEF

R.S.C., 1985, c. 3 (2nd Supp.)

SHORT TITLE

1. [**Short title**] This Act may be cited as the *Divorce Act.*

INTERPRETATION

2. (1) [**Definitions**] In this Act,

["**age of majority**" *«majeur»*] "age of majority", in respect of a child, means the age of majority as determined by the laws of the province where the child ordinarily resides, or, if the child ordinarily resides outside of Canada, eighteen years of age;

["**appellate court**" *«cour d'appel»*] "appellate court", in respect of an appeal from a court, means the court exercising appellate jurisdiction with respect to that appeal;

["**applicable guidelines**" *«lignes directrices applicables»*] "applicable guidelines" means

(*a*) where both spouses or former spouses are ordinarily resident in the same province at the time an application for a child support order or a variation order in respect of a child support order is made, or the amount of a child support order is to be recalculated pursuant to section 25.1, and that province has been designated by an order made under subsection (5), the laws of the province specified in the order, and

(*b*) in any other case, the Federal Child Support Guidelines;

["**child of the marriage**" *«enfant à charge»*] "child of the marriage" means a child of two spouses or former spouses who, at the material time,

(*a*) is under the age of majority and who has not withdrawn from their charge, or

(*b*) is the age of majority or over and under their charge but unable, by reason of illness, disability or other cause, to withdraw from their charge or to obtain the necessaries of life;

["**child support order**" *«ordonnance alimentaire au profit d'un enfant»*] "child support order" means an order made under subsection 15.1(1);

["**corollary relief proceeding**" *«action en mesures accessoires»*] "corollary relief proceeding" means a proceeding in a court in which either or both former spouses seek a child support order, a spousal support order or a custody order;

["**court**" *«tribunal»*] "court", in respect of a province, means

a) dans le cas où les époux ou les ex-époux résident habituellement, à la date à laquelle la demande d'ordonnance alimentaire au profit d'un enfant ou la demande modificative de celle-ci est présentée ou à la date à laquelle le nouveau montant de l'ordonnance alimentaire au profit d'un enfant doit être fixée sous le régime de l'article 25.1, dans la même province — qui est désignée par un décret pris en vertu du paragraphe (5) —, des textes législatifs de celle-ci précisés dans le décret;

b) dans les autres cas, des lignes directrices fédérales sur les pensions alimentaires pour enfants.

[«**lignes directrices fédérales sur les pensions alimentaires pour enfants**» *"Federal Child Support Guidelines"*] «lignes directrices fédérales sur les pensions alimentaires pour enfants» Les lignes directrices établies en vertu de l'article 26.1.

[«**majeur**» *"age of majority"*] «majeur» Est majeur l'enfant qui a atteint l'âge de la majorité selon le droit de la province où il réside habituellement ou, s'il réside habituellement à l'étranger, dix-huit ans.

[«**ordonnance alimentaire**» *"support order"*] «ordonnance alimentaire» Ordonnance alimentaire au profit d'un enfant ou ordonnance alimentaire au profit d'un époux.

[«**ordonnance alimentaire au profit d'un enfant**» *"child support order"*] «ordonnance alimentaire au profit d'un enfant» Ordonnance rendue en vertu du paragraphe 15.1(1).

[«**ordonnance alimentaire au profit d'un époux**» *"spousal support order"*] «ordonnance alimentaire au profit d'un époux» Ordonnance rendue en vertu du paragraphe 15.2(1).

[«**ordonnance de garde**» *"custody order"*] «ordonnance de garde» Ordonnance rendue en vertu du paragraphe 16(1).

[«**ordonnance modificative**» *"variation order"*] «ordonnance modificative» Ordonnance rendue en vertu du paragraphe 17(1).

[«**service provincial des aliments pour enfants**» *"provincial child support service"*] «service provincial des aliments pour enfants» Administration, organisme ou service désignés dans un accord conclu avec une province en vertu de l'article 25.1.

[«**tribunal**» *"court"*] «tribunal» Dans le cas d'une province, l'un des tribunaux suivants:

a) la Cour supérieure de justice de l'Ontario;

a.1) la section de première instance de la Cour suprême de l'Île-du-Prince-Édouard ou de Terre-Neuve;

(a) for the Province of Ontario, the Superior Court of Justice,

(a.1) for the Province of Prince Edward Island or Newfoundland, the trial division of the Supreme Court of the Province,

(b) for the Province of Quebec, the Superior Court,

(c) for the Provinces of Nova Scotia and British Columbia, the Supreme Court of the Province,

(d) for the Province of New Brunswick, Manitoba, Saskatchewan or Alberta, the Court of Queen's Bench for the Province, and

(e) for Yukon or the Northwest Territories, the Supreme Court, and in Nunavut, the Nunavut Court of Justice,

and includes such other court in the province the judges of which are appointed by the Governor General as is designated by the Lieutenant Governor in Council of the province as a court for the purposes of this Act;

["custody" *"garde"*] "custody" includes care, upbringing and any other incident of custody;

["custody order" *«ordonnance de garde»*] "custody order" means an order made under subsection 16(1);

["divorce proceeding" *«action en divorce»*] "divorce proceeding" means a proceeding in a court in which either or both spouses seek a divorce alone or together with a child support order, a spousal support order or a custody order;

["Federal Child Support Guidelines" *«lignes directrices fédérales sur les pensions alimentaires pour enfants»*] "Federal Child Support Guidelines" means the guidelines made under section 26.1;

["provincial child support service" *«service provincial des aliments pour enfants»*] "provincial child support service" means any service, agency or body designated in an agreement with a province under subsection 25.1(1);

["spousal support order" *«ordonnance alimentaire au profit d'un époux»*] "spousal support order" means an order made under subsection 15.2(1);

["spouse" *«époux»*] "spouse" means either of a man or woman who are married to each other;

["support order" *«ordonnance alimentaire»*] "support order" means a child support order or a spousal support order;

["variation order" *«ordonnance modificative»*] "variation order" means an order made under subsection 17(1);

b) la Cour supérieure du Québec;

c) la Cour suprême de la Nouvelle-Écosse et de la Colombie-Britannique;

d) la Cour du Banc de la Reine du Nouveau-Brunswick, du Manitoba, de la Saskatchewan ou de l'Alberta;

e) la Cour suprême du Yukon, la Cour suprême des territoires du Nord-Ouest ou la Cour de justice du Nunavut.

Est compris dans cette définition tout autre tribunal d'une province dont les juges sont nommés par le gouverneur général et qui est désigné par le lieutenant-gouverneur en conseil de cette province comme tribunal pour l'application de la présente loi.

(2) [Enfant à charge] Est considéré comme enfant à charge au sens du paragraphe (1) l'enfant des deux époux ou ex-époux:

a) pour lequel ils tiennent lieu de père et mère;

b) dont l'un est le père ou la mère et pour lequel l'autre en tient lieu.

(3) [Terminologie non limitative] L'emploi de «demande» pour désigner une action engagée devant un tribunal n'a pas pour effet de limiter l'action à cette désignation, ni à la forme et aux modalités que celle-ci implique, l'action pouvant recevoir la désignation, la forme et les modalités prévues par les règles de pratique et de procédure applicables à ce tribunal.

(4) [Idem] L'emploi de «acte de procédure» et «affidavit», à l'article 21.1, n'a pas pour effet de limiter la désignation ni la forme de ces documents lorsqu'ils sont déposés auprès du tribunal, ceux-ci pouvant recevoir la désignation et la forme prévues par les règles de pratique et de procédure applicables à ce tribunal.

*(5) [Lignes directrices provinciales sur les aliments pour les enfants] Le gouverneur en conseil peut, par décret, désigner une province pour l'application de la définition de «lignes directrices applicables» au paragraphe (1) si la province a établi, relativement aux aliments pour enfants, des lignes directrices complètes qui traitent des questions visées à l'article 26.1. Le décret mentionne les textes législatifs qui constituent les lignes directrices de la province.

["variation proceeding" *«action en modification»*] "variation proceeding" means a proceeding in a court in which either or both former spouses seek a variation order.

(2) [Child of the marriage] For the purposes of the definition "child of the marriage" in subsection (1), a child of two spouses or former spouses includes

(a) any child for whom they both stand in the place of parents; and

(b) any child of whom one is the parent and for whom the other stands in the place of a parent.

(3) [Term not restrictive] The use of the term "application" to describe a proceeding under this Act in a court shall not be construed as limiting the name under which and the form and manner in which that proceeding may be taken in that court, and the name, manner and form of the proceeding in that court shall be such as is provided for by the rules regulating the practice and procedure in that court.

(4) [Idem] The use in section 21.1 of the terms "affidavit" and "pleadings" to describe documents shall not be construed as limiting the name that may be used to refer to those documents in a court and the form of those documents, and the name and form of the documents shall be such as is provided for by the rules regulating the practice and procedure in that court.

*(5) [Provincial child support guidelines] The Governor in Council may, by order, designate a province for the purposes of the definition "applicable guidelines" in subsection (1) if the laws of the province establish comprehensive guidelines for the determination of child support that deal with the matters referred to in section 26.1. The order shall specify the laws of the province that constitute the guidelines of the province.

---

* Voir p. E-76.1.

* See p. E-76.1.

(6) **[Modifications]** Les lignes directrices de la province comprennent leurs modifications éventuelles.

(6) **[Amendments included]** The guidelines of a province referred to in subsection (5) include any amendments made to them from time to time.

L.R., ch. 3 (2ᵉ suppl.), art. 2; ch. 27 (2ᵉ suppl.), art. 10; 1990, ch. 18, art. 1; 1992, ch. 51, art. 46; 1997, ch. 1, art. 1; 1993, ch. 28, art. 78; 1999, ch. 3, art. 12, 61; 1998, ch. 30, art. 13, 15; 2002, ch. 7, art. 158.

COMPÉTENCE

3. (1) **[Compétence dans le cas d'un divorce]** Dans le cas d'une action en divorce, a compétence pour instruire l'affaire et en décider le tribunal de la province où l'un des époux a résidé habituellement pendant au moins l'année précédant l'introduction de l'instance.

(2) **[Instances introduites devant deux tribunaux à des dates différentes]** Lorsque des actions en divorce entre les mêmes époux sont en cours devant deux tribunaux qui auraient par ailleurs compétence en vertu du paragraphe (1), que les instances ont été introduites à des dates différentes et que l'action engagée la première n'est pas abandonnée dans les trente jours suivant la date d'introduction de l'instance, le tribunal saisi en premier a compétence exclusive pour instruire l'affaire et en décider, la seconde action étant considérée comme abandonnée.

(3) **[Instances introduites devant deux tribunaux à la même date]** Lorsque des actions en divorce entre les mêmes époux sont en cours devant deux tribunaux qui auraient par ailleurs compétence en vertu du paragraphe (1), que les instances ont été introduites à la même date et qu'aucune des actions n'est abandonnée dans les trente jours suivant la date d'introduction de l'instance, la Cour fédérale a compétence exclusive pour instruire ces affaires et en décider, les actions étant renvoyées à cette cour sur son ordre.

L.R., ch. 3 (2ᵉ suppl.), art. 3; 2002, ch. 8, art. 183.

4. (1) **[Compétences dans le cas de mesures accessoires]** Dans le cas d'une action en mesures accessoires, a compétence pour instruire l'affaire et en décider:

a) soit le tribunal de la province où l'un des ex-époux réside habituellement à la date de l'introduction de l'instance;

b) soit celui dont la compétence est reconnue par les deux ex-époux.

(2) **[Instances introduites devant deux tribunaux à des dates différentes]** Lorsque des actions en mesures accessoires entre les mêmes ex-

JURISDICTION

3. (1) **[Jurisdiction in divorce proceedings]** A court in a province has jurisdiction to hear and determine a divorce proceeding if either spouse has been ordinarily resident in the province for at least one year immediately preceding the commencement of the proceeding.

(2) **[Jurisdiction where two proceedings commenced on different days]** Where divorce proceedings between the same spouses are pending in two courts that would otherwise have jurisdiction under subsection (1) and were commenced on different days and the proceeding that was commenced first is not discontinued within thirty days after it was commenced, the court in which a divorce proceeding was commenced first has exclusive jurisdiction to hear and determine any divorce proceeding then pending between the spouses and the second divorce proceeding shall be deemed to be discontinued.

(3) **[Jurisdiction where two proceedings commenced on same day]** Where divorce proceedings between the same spouses are pending in two courts that would otherwise have jurisdiction under subsection (1) and were commenced on the same day and neither proceeding is discontinued within thirty days after it was commenced, the Federal Court has exclusive jurisdiction to hear and determine any divorce proceeding then pending between the spouses and the divorce proceedings in those courts shall be transferred to the Federal Court on the direction of that Court.

4. (1) **[Jurisdiction in corollary relief proceedings]** A court in a province has jurisdiction to hear and determine a corollary relief proceeding if

(a) either former spouse is ordinarily resident in the province at the commencement of the proceeding; or

(b) both former spouses accept the jurisdiction of the court.

(2) **[Jurisdiction where two proceedings commenced on different days]** Where corollary relief proceedings between the same former spouses

époux concernant le même point sont en cours devant deux tribunaux qui auraient par ailleurs compétence en vertu du paragraphe (1), que les instances ont été introduites à des dates différentes et que l'action engagée la première n'est pas abandonnée dans les trente jours suivant la date d'introduction de l'instance, le tribunal saisi en premier a compétence exclusive pour instruire l'affaire et en décider, la seconde action étant considérée comme abandonnée.

(3) **[Instances introduites devant deux tribunaux à la même date]** Lorsque des actions en mesures accessoires entre les mêmes ex-époux concernant le même point sont en cours devant deux tribunaux qui auraient par ailleurs compétence en vertu du paragraphe (1), que les instances ont été introduites à la même date et qu'aucune des actions n'est abandonnée dans les trente jours suivant la date d'introduction de l'instance, la Cour fédérale a compétence exclusive pour instruire ces affaires et en décider, les actions étant renvoyées à cette cour sur son ordre.

L.R., ch. 3 (2ᵉ suppl.), art. 4; 1993, ch. 8, art. 1; 2002, ch. 8, art. 183.

5. (1) **[Compétence dans le cas d'une action en modification]** Dans le cas d'une action en modification, a compétence pour instruire l'affaire et en décider :

a) soit le tribunal de la province où l'un des ex-époux réside habituellement à la date d'introduction de l'instance;

b) soit celui dont la compétence est reconnue par les deux ex-époux.

(2) **[Instances introduites devant deux tribunaux à des dates différentes]** Lorsque des actions en modification entre les mêmes ex-époux concernant le même point sont en cours devant deux tribunaux qui auraient par ailleurs compétence en vertu du paragraphe (1), que les instances ont été introduites à des dates différentes et que l'action engagée la première n'est pas abandonnée dans les trente jours suivant la date d'introduction de l'instance, le tribunal saisi en premier a compétence exclusive pour instruire l'affaire et en décider, la seconde action étant considérée comme abandonnée.

(3) **[Instances introduites devant deux tribunaux à la même date]** Lorsque des actions en mo-

and in respect of the same matter are pending in two courts that would otherwise have jurisdiction under subsection (1) and were commenced on different days and the proceeding that was commenced first is not discontinued within thirty days after it was commenced, the court in which a corollary relief proceeding was commenced first has exclusive jurisdiction to hear and determine any corollary relief proceeding then pending between the former spouses in respect of that matter and the second corollary relief proceeding shall be deemed to be discontinued.

(3) **[Jurisdiction where two proceedings commenced on same day]** Where proceedings between the same former spouses and in respect of the same matter are pending in two courts that would otherwise have jurisdiction under subsection (1) and were commenced on the same day and neither proceeding is discontinued within thirty days after it was commenced, the Federal Court has exclusive jurisdiction to hear and determine any corollary relief proceeding then pending between the former spouses in respect of that matter and the corollary relief proceedings in those courts shall be transferred to the Federal Court on the direction of that Court.

5. (1) **[Jurisdiction in variation proceedings]** A court in a province has jurisdiction to hear and determine a variation proceeding if

(a) either former spouse is ordinarily resident in the province at the commencement of the proceeding; or

(b) both former spouses accept the jurisdiction of the court.

(2) **[Jurisdiction where two proceedings commenced on different days]** Where variation proceedings between the same former spouses and in respect of the same matter are pending in two courts that would otherwise have jurisdiction under subsection (1) and were commenced on different days and the proceeding that was commenced first is not discontinued within thirty days after it was commenced, the court in which a variation proceeding was commenced first has exclusive jurisdiction to hear and determine any variation proceeding then pending between the former spouses in respect of that matter and the second variation proceeding shall be deemed to be discontinued.

(3) **[Jurisdiction where two proceedings commenced on same day]** Where variation proceed-

dification entre les mêmes ex-époux concernant le même point sont en cours devant deux tribunaux qui auraient par ailleurs compétence en vertu du paragraphe (1), que les instances ont été introduites à la même date et qu'aucune des actions n'est abandonnée dans les trente jours suivant la date d'introduction de l'instance, la Cour fédérale a compétence exclusive pour instruire ces affaires et en décider, les actions étant renvoyées à cette cour sur son ordre.

L.R., ch. 3 (2ᵉ suppl.), art. 5; 2002, ch. 8, art. 183.

6. (1) **[Renvoi de l'action en divorce dans le cas d'une demande de garde]** Le tribunal d'une province saisi de la demande d'ordonnance visée à l'article 16 dans le cadre d'une action en divorce peut, sur demande d'un époux ou d'office, renvoyer l'affaire au tribunal d'une autre province dans le cas où la demande est contestée et où l'enfant à charge concerné par l'ordonnance a ses principales attaches dans cette province.

(2) **[Renvoi de l'action en mesures accessoires dans le cas d'une demande de garde]** Le tribunal d'une province saisi de la demande d'ordonnance visée à l'article 16 dans le cadre d'une action en mesures accessoires peut, sur demande d'un ex-époux ou d'office, renvoyer l'affaire au tribunal d'une autre province dans le cas où la demande est contestée et où l'enfant à charge concerné par l'ordonnance a ses principales attaches dans cette province.

(3) **[Renvoi de l'action en modification dans le cas d'une demande de garde]** Le tribunal d'une province saisi d'une demande d'ordonnance modificative concernant une ordonnance de garde peut, sur demande d'un ex-époux ou d'office, renvoyer l'affaire au tribunal d'une autre province dans le cas où la demande est contestée et où l'enfant à charge concerné par l'ordonnance modificative a ses principales attaches dans cette province.

(4) **[Compétence exclusive]** Par dérogation aux articles 3 à 5, le tribunal à qui une action est renvoyée en application du présent article a compétence exclusive pour instruire l'affaire et en décider.

7. **[Exercice de la compétence par un juge]** La compétence attribuée à un tribunal par la présente loi pour accorder un divorce n'est exercée que par un juge de ce tribunal, sans jury.

ings between the same former spouses and in respect of the same matter are pending in two courts that would otherwise have jurisdiction under subsection (1) and were commenced on the same day and neither proceeding is discontinued within thirty days after it was commenced, the Federal Court has exclusive jurisdiction to hear and determine any variation proceeding then pending between the former spouses in respect of that matter and the variation proceedings in those courts shall be transferred to the Federal Court on the direction of that Court.

6. (1) **[Transfer of divorce proceeding where custody application]** Where an application for an order under section 16 is made in a divorce proceeding to a court in a province and is opposed and the child of the marriage in respect of whom the order is sought is most substantially connected with another province, the court may, on application by a spouse or on its own motion, transfer the divorce proceeding to a court in that other province.

(2) **[Transfer of corollary relief proceeding where custody application]** Where an application for an order under section 16 is made in a corollary relief proceeding to a court in a province and is opposed and the child of the marriage in respect of whom the order is sought is most substantially connected with another province, the court may, on application by a former spouse or on its own motion, transfer the corollary relief proceeding to a court in that other province.

(3) **[Transfer of variation proceeding where custody application]** Where an application for a variation order in respect of a custody order is made in a variation proceeding to a court in a province and is opposed and the child of the marriage in respect of whom the variation order is sought is most substantially connected with another province, the court may, on application by a former spouse or on its own motion, transfer the variation proceeding to a court in that other province.

(4) **[Exclusive jurisdiction]** Notwithstanding sections 3 to 5, a court in a province to which a proceeding is transferred under this section has exclusive jurisdiction to hear and determine the proceeding.

7. **[Exercise of jurisdiction by judge]** The jurisdiction conferred on a court by this Act to grant a divorce shall be exercised only by a judge of the court without a jury.

DIVORCE

8. (1) **[Divorce]** Le tribunal compétent peut, sur demande de l'un des époux ou des deux, lui ou leur accorder le divorce pour cause d'échec du mariage.

(2) **[Échec du mariage]** L'échec du mariage n'est établi que dans les cas suivants:

a) les époux ont vécu séparément pendant au moins un an avant le prononcé de la décision sur l'action en divorce et vivaient séparément à la date d'introduction de l'instance;

b) depuis la célébration du mariage, l'époux contre qui le divorce est demandé a:

(i) soit commis l'adultère,

(ii) soit traité l'autre époux avec une cruauté physique ou mentale qui rend intolérable le maintien de la cohabitation.

(3) **[Calcul de la période de séparation]** Pour l'application de l'alinéa (2) a):

a) les époux sont réputés avoir vécu séparément pendant toute période de vie séparée au cours de laquelle l'un d'eux avait effectivement l'intention de vivre ainsi;

b) il n'y a pas interruption ni cessation d'une période de vie séparée dans les cas suivants:

(i) du seul fait que l'un des époux est devenu incapable soit d'avoir ou de concevoir l'intention de prolonger la séparation, soit de la prolonger de son plein gré, si le tribunal estime qu'il y aurait eu probablement prolongation sans cette incapacité,

(ii) du seul fait qu'il y a eu reprise de la cohabitation par les époux principalement dans un but de réconciliation pendant une ou plusieurs périodes totalisant au plus quatre-vingt-dix jours.

9. (1) **[Devoirs de l'avocat]** Il incombe à l'avocat qui accepte de représenter un époux dans une action en divorce, sauf contre-indication manifeste due aux circonstances de l'espèce:

a) d'attirer l'attention de son client sur les dispositions de la présente loi qui ont pour objet la réalisation de la réconciliation des époux;

DIVORCE

8. (1) **[Divorce]** A court of competent jurisdiction may, on application by either or both spouses, grant a divorce to the spouse or spouses on the ground that there has been a breakdown of their marriage.

(2) **[Breakdown of marriage]** Breakdown of a marriage is established only if

(*a*) the spouses have lived separate and apart for at least one year immediately preceding the determination of the divorce proceeding and were living separate and apart at the commencement of the proceeding; or

(*b*) the spouse against whom the divorce proceeding is brought has, since celebration of the marriage,

(i) committed adultery, or

(ii) treated the other spouse with physical or mental cruelty of such a kind as to render intolerable the continued cohabitation of the spouses.

(3) **[Calculation of period of separation]** For the purposes of paragraph (2) (a),

(*a*) spouses shall be deemed to have lived separate and apart for any period during which they lived apart and either of them had the intention to live separate and apart from the other; and

(*b*) a period during which spouses have lived separate and apart shall not be considered to have been interrupted or terminated

(i) by reason only that either spouse has become incapable of forming or having an intention to continue to live separate and apart or of continuing to live separate and apart of the spouse's own volition, if it appears to the court that the separation would probably have continued if the spouse had not become so incapable, or

(ii) by reason only that the spouses have resumed cohabitation during a period of, or periods totalling, not more than ninety days with reconciliation as its primary purpose.

9. (1) **[Duty of legal adviser]** It is the duty of every barrister, solicitor, lawyer or advocate who undertakes to act on behalf of a spouse in a divorce proceeding

(*a*) to draw to the attention of the spouse the provisions of this Act that have as their object the reconciliation of spouses, and

b) de discuter avec son client des possibilités de réconciliation et de le renseigner sur les services de consultation ou d'orientation matrimoniales qu'il connaît et qui sont susceptibles d'aider les époux à se réconcilier.

(2) **[Idem]** Il incombe également à l'avocat de discuter avec son client de l'opportunité de négocier les points qui peuvent faire l'objet d'une ordonnance alimentaire ou d'une ordonnance de garde et de le renseigner sur les services de médiation qu'il connaît et qui sont susceptibles d'aider les époux dans cette négociation.

(3) **[Attestation]** Tout acte introductif d'instance, dans une action en divorce, présenté par un avocat à un tribunal doit comporter une déclaration de celui-ci attestant qu'il s'est conformé au présent article.

10. (1) **[Obligation de la juridiction]** Sauf contre-indication manifeste due aux circonstances de l'espèce, il incombe au tribunal saisi d'une action en divorce, avant de procéder aux débats sur la cause, de s'assurer qu'il n'y a pas de possibilités de réconciliation.

(2) **[Suspension]** Le tribunal, dans le cas où à une étape quelconque de l'instance, les circonstances de l'espèce, les éléments de preuve de l'affaire ou l'attitude des époux ou de l'un d'eux lui permettent de percevoir des possibilités de réconciliation, est tenu:

a) d'une part, de suspendre l'instance pour donner aux époux l'occasion de se réconcilier;

b) d'autre part, de désigner, soit d'office, soit avec le consentement des époux, pour les aider à se réconcilier:

(i) un spécialiste en consultation ou orientation matrimoniales,

(ii) toute autre personne qualifiée en l'occurrence.

(3) **[Reprise de l'instance]** À l'expiration d'un délai de quatorze jours suivant la date de suspension de l'instance, le tribunal procède à la reprise de celle-ci sur demande des époux ou de l'un d'eux.

(b) to discuss with the spouse the possibility of the reconciliation of the spouses and to inform the spouse of the marriage counselling or guidance facilities known to him or her that might be able to assist the spouses to achieve a reconciliation,

unless the circumstances of the case are of such a nature that it would clearly not be appropriate to do so.

(2) **[Idem]** It is the duty of every barrister, solicitor, lawyer or advocate who undertakes to act on behalf of a spouse in a divorce proceeding to discuss with the spouse the advisability of negotiating the matters that may be the subject of a support order or a custody order and to inform the spouse of the mediation facilities known to him or her that might be able to assist the spouses in negotiating those matters.

(3) **[Certification]** Every document presented to a court by a barrister, solicitor, lawyer or advocate that formally commences a divorce proceeding shall contain a statement by him or her certifying that he or she has complied with this section.

10. (1) **[Duty of court — reconciliation]** In a divorce proceeding, it is the duty of the court, before considering the evidence, to satisfy itself that there is no possibility of the reconciliation of the spouses, unless the circumstances of the case are of such a nature that it would clearly not be appropriate to do so.

(2) **[Adjournment]** Where at any stage in a divorce proceeding it appears to the court from the nature of the case, the evidence or the attitude of either or both spouses that there is a possibility of the reconciliation of the spouses, the court shall

(a) adjourn the proceeding to afford the spouses an opportunity to achieve a reconciliation; and

(b) with the consent of the spouses or in the discretion of the court, nominate

(i) a person with experience or training in marriage counselling or guidance, or

(ii) in special circumstances, some other suitable person,

to assist the spouses to achieve a reconciliation.

(3) **[Resumption]** Where fourteen days have elapsed from the date of any adjournment under subsection (2), the court shall resume the proceeding on the application of either or both spouses.

(4) **[Non-contraignabilité des personnes désignées]** Les personnes désignées par le tribunal, conformément au présent article, pour aider les époux à se réconcilier ne sont pas aptes ni contraignables à déposer en justice sur les faits reconnus devant elles ou les communications qui leur ont été faites à ce titre.

(5) **[Inadmissibilité en preuve de certaines déclarations]** Rien de ce qui a été dit, reconnu ou communiqué au cours d'une tentative de réconciliation des époux n'est admissible en preuve dans aucune action en justice.

11. (1) **[Refus obligatoire de la juridiction]** Dans une action en divorce, il incombe au tribunal:

a) de s'assurer qu'il n'y a pas eu de collusion relativement à la demande et de rejeter celle-ci dans le cas où il constate qu'il y a eu collusion lors de sa présentation;

b) de s'assurer de la conclusion d'arrangements raisonnables pour les aliments des enfants à charge eu égard aux lignes directrices applicables et, en l'absence de tels arrangements, de surseoir au prononcé du divorce jusqu'à leur conclusion;

c) de s'assurer, dans le cas où la demande est fondée sur l'alinéa 8(2)(b), qu'il n'y a pas eu de pardon ou de connivence de la part de l'époux demandeur et de rejeter la demande en cas de pardon ou de connivence de sa part à l'égard de l'acte ou du comportement reprochés, sauf s'il estime que prononcer le divorce servirait mieux l'intérêt public.

(2) **[Acte ou comportement pardonnés]** L'acte ou le comportement qui ont fait l'objet d'un pardon ne peuvent être invoqués à nouveau comme éléments constitutifs d'un cas visé à l'alinéa 8(2)b).

(3) **[Pardon]** Pour l'application du présent article, le maintien ou la reprise de la cohabitation, principalement dans un but de réconciliation, pendant une ou plusieurs périodes totalisant au plus quatre-vingt-dix jours, ne sont pas considérés comme impliquant un pardon.

(4) **[Définition de «collusion»]** Au présent article, «collusion» s'entend d'une entente ou d'un complot auxquels le demandeur est partie, directement ou indirectement, en vue de déjouer l'administration de la justice, ainsi que de tout accord, entente ou autre arrangement visant à fabriquer ou à supprimer des éléments de preuve ou à tromper le tribunal, à l'exclusion de toute entente prévoyant

(4) **[Nominee not competent or compellable]** No person nominated by a court under this section to assist spouses to achieve a reconciliation is competent or compellable in any legal proceedings to disclose any admission or communication made to that person in his or her capacity as a nominee of the court for that purpose.

(5) **[Evidence not admissible]** Evidence of anything said or of any admission or communication made in the course of assisting spouses to achieve a reconciliation is not admissible in any legal proceedings.

11. (1) **[Duty of court — bars]** In a divorce proceeding, it is the duty of the court

(*a*) to satisfy itself that there has been no collusion in relation to the application for a divorce and to dismiss the application if it finds that there was collusion in presenting it;

(*b*) to satisfy itself that reasonable arrangements have been made for the support of any children of the marriage, having regard to the applicable guidelines, and, if such arrangements have not been made, to stay the granting of the divorce until such arrangements are made; and

(*c*) where a divorce is sought in circumstances described in paragraph 8(2)(b), to satisfy itself that there has been no condonation or connivance on the part of the spouse bringing the proceeding, and to dismiss the application for a divorce if that spouse has condoned or connived at the act or conduct complained of unless, in the opinion of the court, the public interest would be better served by granting the divorce.

(2) **[Revival]** Any act or conduct that has been condoned is not capable of being revived so as to constitute a circumstance described in paragraph 8(2)(b).

(3) **[Condonation]** For the purposes of this section, a continuation or resumption of cohabitation during a period of, or periods totalling, not more than ninety days with reconciliation as its primary purpose shall not be considered to constitute condonation.

(4) **[Definition of "collusion"]** In this section, "collusion" means an agreement or conspiracy to which an applicant for a divorce is either directly or indirectly a party for the purpose of subverting the administration of justice, and includes any agreement, understanding or arrangement to fabricate or suppress evidence or to deceive the court, but does not include an agreement to the extent that it pro-

la séparation de fait des parties, l'aide financière, le partage des biens ou la garde des enfants à charge.

L.R., ch. 3 (2ᵉ suppl.), art. 11; 1997, ch. 1, art. 1.1.

12. (1) **[Prise d'effet du divorce]** Sous réserve des autres dispositions du présent article, le divorce prend effet le trente et unième jour suivant la date où le jugement qui l'accorde est prononcé.

(2) **[Exceptions]** Le tribunal peut, lors du prononcé du jugement de divorce ou ultérieurement, ordonner que le divorce prenne effet dans le délai inférieur qu'il estime indiqué, si les conditions suivantes sont réunies:

a) à son avis, le délai devrait être réduit en raison de circonstances particulières;

b) les époux conviennent de ne pas interjeter appel du jugement ou il y a eu abandon d'appel.

(3) **[Appel]** Un divorce en instance d'appel à la fin du délai mentionné au paragraphe (1), sauf s'il est annulé en appel, prend effet à l'expiration du délai fixé par la loi pour interjeter appel de l'arrêt rendu sur l'appel ou tout appel ultérieur, s'il n'y a pas eu appel dans ce délai.

(4) **[Prolongation de délai]** Pour l'application du paragraphe (3), le délai d'appel de l'arrêt rendu sur un appel comprend toute prolongation fixée en conformité avec la loi soit dans ce délai soit, après son expiration, sur demande présentée avant celle-ci.

(5) **[Absence de prolongation]** Par dérogation à toute autre loi, le délai d'appel fixé par la loi de l'arrêt visé au paragraphe (3) ne peut être prolongé après son expiration, sauf sur demande présentée avant celle-ci.

(6) **[Cas d'une décision de la Cour suprême]** Le divorce qui a fait l'objet d'un appel devant la Cour suprême du Canada prend effet, sauf s'il est annulé en appel, à la date où l'arrêt de ce tribunal est prononcé.

vides for separation between the parties, financial support, division of property or the custody of any child of the marriage.

12. (1) **[Effective date generally]** Subject to this section, a divorce takes effect on the thirty-first day after the day on which the judgment granting the divorce is rendered.

(2) **[Special circumstances]** Where, on or after rendering a judgment granting a divorce,

(*a*) the court is of the opinion that by reason of special circumstances the divorce should take effect earlier than the thirty-first day after the day on which the judgment is rendered, and

(*b*) the spouses agree and undertake that no appeal from the judgment will be taken, or any appeal from the judgment that was taken has been abandoned,

the court may order that the divorce takes effect at such earlier time as it considers appropriate.

(3) **[Effective date where appeal]** A divorce in respect of which an appeal is pending at the end of the period referred to in subsection (1), unless voided on appeal, takes effect on the expiration of the time fixed by law for instituting an appeal from the decision on that appeal or any subsequent appeal, if no appeal has been instituted within that time.

(4) **[Certain extensions to be counted]** For the purposes of subsection (3), the time fixed by law for instituting an appeal from a decision on an appeal includes any extension thereof fixed pursuant to law before the expiration of that time or fixed thereafter on an application instituted before the expiration of that time.

(5) **[No late extensions of time for appeal]** Notwithstanding any other law, the time fixed by law for instituting an appeal from a decision referred to in subsection (3) may not be extended after the expiration of that time, except on an application instituted before the expiration of that time.

(6) **[Effective date where decision of Supreme Court of Canada]** A divorce in respect of which an appeal has been taken to the Supreme Court of Canada, unless voided on the appeal, takes effect on the day on which the judgment on the appeal is rendered.

(7) **[Certificat de divorce]** Après la prise d'effet du divorce, en conformité avec le présent article, le juge ou le fonctionnaire du tribunal qui a prononcé le jugement de divorce ou la cour d'appel qui a rendu l'arrêt définitif à cet égard doit, sur demande, délivrer à quiconque un certificat attestant que le divorce prononcé en application de la présente loi a dissous le mariage des personnes visées à la date indiquée.

(8) **[Preuve concluante]** Le certificat visé au paragraphe (7) ou une copie certifiée conforme fait foi de son contenu sans qu'il soit nécessaire de prouver l'authenticité de la signature qui y est apposée ou la qualité officielle du signataire.

13. [Validité du divorce dans tout le Canada] À sa prise d'effet, le divorce accordé en application de la présente loi est valide dans tout le Canada.

14. [Effet du divorce] À sa prise d'effet, le divorce accordé en application de la présente loi dissout le mariage des époux.

MESURES ACCESSOIRES

Définition

15. [Définition de «époux»] Aux articles 15.1 à 16, «époux» s'entend au sens du paragraphe 2(1) et, en outre, d'un ex-époux.

L.R., ch. 3 (2ᵉ suppl.), art. 15; 1997, ch. 1, art. 2; 1993, ch. 28, art. 78; 1998, ch. 15, art. 22.

Ordonnances alimentaires au profit d'un enfant

15.1 (1) [Ordonnance alimentaire au profit d'un enfant] Sur demande des époux ou de l'un d'eux, le tribunal compétent peut rendre une ordonnance enjoignant à un époux de verser une prestation pour les aliments des enfants à charge ou de l'un d'eux.

(2) **[Ordonnance provisoire]** Sur demande des époux ou de l'un d'eux, le tribunal peut rendre une ordonnance provisoire enjoignant à un époux de verser, dans l'attente d'une décision sur la demande visée au paragraphe (1), une prestation pour les aliments des enfants à charge ou de l'un d'eux.

(3) **[Application des lignes directrices applicables]** Le tribunal qui rend une ordonnance ou une ordonnance provisoire la rend conformément aux lignes directrices applicables.

(7) **[Certificate of divorce]** Where a divorce takes effect in accordance with this section, a judge or officer of the court that rendered the judgment granting the divorce or, where that judgment has been appealed, of the appellate court that rendered the judgment on the final appeal, shall, on request, issue to any person a certificate that a divorce granted under this Act dissolved the marriage of the specified persons effective as of a specified date.

(8) **[Conclusive proof]** A certificate referred to in subsection (7), or a certified copy thereof, is conclusive proof of the facts so certified without proof of the signature or authority of the person appearing to have signed the certificate.

13. [Legal effect throughout Canada] On taking effect, a divorce granted under this Act has legal effect throughout Canada.

14. [Marriage dissolved] On taking effect, a divorce granted under this Act dissolves the marriage of the spouses.

COROLLARY RELIEF

Interpretation

15. [Definition of "spouse"] In sections 15.1 to 16, "spouse" has the meaning assigned by subsection 2(1), and includes a former spouse.

Child Support Orders

15.1 (1) [Child support order] A court of competent jurisdiction may, on application by either or both spouses, make an order requiring a spouse to pay for the support of any or all children of the marriage.

(2) **[Interim order]** Where an application is made under subsection (1), the court may, on application by either or both spouses, make an interim order requiring a spouse to pay for the support of any or all children of the marriage, pending the determination of the application under subsection (1).

(3) **[Guidelines apply]** A court making an order under subsection (1) or an interim order under subsection (2) shall do so in accordance with the applicable guidelines.

(4) **[Modalités]** La durée de validité de l'ordonnance ou de l'ordonnance provisoire rendue par le tribunal au titre du présent article peut être déterminée ou indéterminée ou dépendre d'un événement précis; elle peut être assujettie aux modalités ou aux restrictions que le tribunal estime justes et appropriées.

(5) **[Ententes, ordonnances, jugements, etc.]** Par dérogation au paragraphe (3), le tribunal peut fixer un montant différent de celui qui serait déterminé conformément aux lignes directrices applicables s'il est convaincu, à la fois:

a) que des dispositions spéciales d'un jugement, d'une ordonnance ou d'une entente écrite relatif aux obligations financières des époux ou au partage ou au transfert de leurs biens accordent directement ou indirectement un avantage à un enfant pour qui les aliments sont demandés, ou que des dispositions spéciales ont été prises pour lui accorder autrement un avantage;

b) que le montant déterminé conformément aux lignes directrices applicables serait inéquitable eu égard à ces dispositions.

(6) **[Motifs]** S'il fixe, au titre du paragraphe (5), un montant qui est différent de celui qui serait déterminé conformément aux lignes directrices applicables, le tribunal enregistre les motifs de sa décision.

(7) **[Consentement des époux]** Par dérogation au paragraphe (3), le tribunal peut, avec le consentement des époux, fixer un montant qui est différent de celui qui serait déterminé conformément aux lignes directrices applicables s'il est convaincu que des arrangements raisonnables ont été conclus pour les aliments de l'enfant visé par l'ordonnance.

(8) **[Arrangements raisonnables]** Pour l'application du paragraphe (7), le tribunal tient compte des lignes directrices applicables pour déterminer si les arrangements sont raisonnables. Toutefois, les arrangements ne sont pas déraisonnables du seul fait que le montant sur lequel les conjoints s'entendent est différent de celui qui serait déterminé conformément aux lignes directrices applicables.

1997, ch. 1, art. 2.

(4) **[Terms and conditions]** The court may make an order under subsection (1) or an interim order under subsection (2) for a definite or indefinite period or until a specified event occurs, and may impose terms, conditions or restrictions in connection with the order or interim order as it thinks fit and just.

(5) **[Court may take agreement, etc., into account]** Notwithstanding subsection (3), a court may award an amount that is different from the amount that would be determined in accordance with the applicable guidelines if the court is satisfied

(*a*) that special provisions in an order, a judgment or a written agreement respecting the financial obligations of the spouses, or the division or transfer of their property, directly or indirectly benefit a child, or that special provisions have otherwise been made for the benefit of a child; and

(*b*) that the application of the applicable guidelines would result in an amount of child support that is inequitable given those special provisions.

(6) **[Reasons]** Where the court awards, pursuant to subsection (5), an amount that is different from the amount that would be determined in accordance with the applicable guidelines, the court shall record its reasons for having done so.

(7) **[Consent orders]** Notwithstanding subsection (3), a court may award an amount that is different from the amount that would be determined in accordance with the applicable guidelines on the consent of both spouses if it is satisfied that reasonable arrangements have been made for the support of the child to whom the order relates.

(8) **[Reasonable arrangements]** For the purposes of subsection (7), in determining whether reasonable arrangements have been made for the support of a child, the court shall have regard to the applicable guidelines. However, the court shall not consider the arrrangements to be unreasonable solely because the amount of support agreed to is not the same as the amount that would otherwise have been determined in accordance with the applicable guidelines.

Ordonnances alimentaires au profit d'un époux

15.2 (1) **[Ordonnance alimentaire au profit d'un époux]** Sur demande des époux ou de l'un d'eux, le tribunal compétent peut rendre une ordonnance enjoignant à un époux de garantir ou de verser, ou de garantir et de verser, la prestation, sous forme de capital, de pension ou des deux, qu'il estime raisonnable pour les aliments de l'autre époux.

(2) **[Ordonnance provisoire]** Sur demande des époux ou de l'un d'eux, le tribunal peut rendre une ordonnance provisoire enjoignant à un époux de garantir ou de verser, ou de garantir et de verser, dans l'attente d'une décision sur la demande visée au paragraphe (1), la prestation, sous forme de capital, de pension ou des deux, qu'il estime raisonnable pour les aliments de l'autre époux.

(3) **[Modalités]** La durée de validité de l'ordonnance ou de l'ordonnance provisoire rendue par le tribunal au titre du présent article peut être déterminée ou indéterminée ou dépendre d'un événement précis; elle peut être assujettie aux modalités ou aux restrictions que le tribunal estime justes et appropriées.

(4) **[Facteurs]** En rendant une ordonnance ou une ordonnance provisoire au titre du présent article, le tribunal tient compte des ressources, des besoins et, d'une façon générale, de la situation de chaque époux, y compris:

a) la durée de la cohabitation des époux;

b) les fonctions qu'ils ont remplies au cours de celle-ci;

c) toute ordonnance, toute entente ou tout arrangement alimentaire au profit de l'un ou l'autre des époux.

(5) **[Fautes du conjoint]** En rendant une ordonnance ou une ordonnance provisoire au titre du présent article, le tribunal ne tient pas compte des fautes commises par l'un ou l'autre des époux relativement au mariage.

(6) **[Objectifs de l'ordonnance alimentaire au profit d'un époux]** L'ordonnance ou l'ordonnance provisoire rendue pour les aliments d'un époux au titre du présent article vise:

a) à prendre en compte les avantages ou les inconvénients économiques qui découlent, pour les époux, du mariage ou de son échec;

b) à répartir entre eux les conséquences économiques qui découlent du soin de tout enfant à charge, en sus de toute obligation alimentaire relative à tout enfant à charge;

c) à remédier à toute difficulté économique que l'échec du mariage leur cause;

Spousal Support Orders

15.2 (1) **[Spousal support order]** A court of competent jurisdiction may, on application by either or both spouses, make an order requiring a spouse to secure or pay, or to secure and pay, such lump sum or periodic sums, or such lump sum and periodic sums, as the court thinks reasonable for the support of the other spouse.

(2) **[Interim order]** Where an application is made under subsection (1), the court may, on application by either or both spouses, make an interim order requiring a spouse to secure or pay, or to secure and pay, such lump sum or periodic sums, or such lump sum and periodic sums, as the court thinks reasonable for the support of the other spouse, pending the determination of the application under subsection (1).

(3) **[Terms and conditions]** The court may make an order under subsection (1) or an interim order under subsection (2) for a definite or indefinite period or until a specified event occurs, and may impose terms, conditions or restrictions in connection with the order as it thinks fit and just.

(4) **[Factors]** In making an order under subsection (1) or an interim order under subsection (2), the court shall take into consideration the condition, means, needs and other circumstances of each spouse, including

(*a*) the length of time the spouses cohabited;

(*b*) the functions performed by each spouse during cohabitation; and

(*c*) any order, agreement or arrangement relating to support of either spouse.

(5) **[Spousal misconduct]** In making an order under subsection (1) or an interim order under subsection (2), the court shall not take into consideration any misconduct of a spouse in relation to the marriage.

(6) **[Objectives of spousal support order]** An order made under subsection (1) or an interim order under subsection (2) that provides for the support of a spouse should

(*a*) recognize any economic advantages or disadvantages to the spouses arising from the marriage or its breakdown;

(*b*) apportion between the spouses any financial consequences arising from the care of any child of the marriage over and above any obligation for the support of any child of the marriage;

(*c*) relieve any economic hardship of the spouses arising from the breakdown of the marriage; and

d) à favoriser, dans la mesure du possible, l'indé-pendance économique de chacun d'eux dans un délai raisonnable.

1997, ch. 1, art. 2.

(*d*) in so far as practicable, promote the eco-nomic self-sufficiency of each spouse within a reasonable period of time.

Priorité

Priority

15.3 (1) **[Priorité aux aliments pour enfants]** Dans le cas où une demande d'ordonnance alimen-taire au profit d'un enfant et une demande d'ordon-nance alimentaire au profit d'un époux lui sont présentées, le tribunal donne la priorité aux ali-ments de l'enfant.

15.3 (1) **[Priority to child support]** Where a court is considering an application for a child sup-port order and an application for a spousal support order, the court shall give priority to child support in determining the applications.

(2) **[Motifs]** Si, en raison du fait qu'il a donné la priorité aux aliments de l'enfant, il ne peut rendre une ordonnance alimentaire au profit d'un époux ou fixe un montant moindre pour les aliments de celui-ci, le tribunal enregistre les motifs de sa décision.

(2) **[Reasons]** Where, as a result of giving prior-ity to child support, the court is unable to make a spousal support order or the court makes a spousal support order in an amount that is less than it other-wise would have been, the court shall record its rea-sons for having done so.

(3) **[Réduction ou suppression des aliments de l'enfant]** Dans le cadre d'une demande d'ordon-nance alimentaire au profit d'un époux ou d'une or-donnance modificative de celle-ci, la réduction ou la suppression des aliments d'un enfant constitue un changement dans la situation des ex-époux si, en raison du fait qu'il a donné la priorité aux aliments de l'enfant, le tribunal n'a pu rendre une ordon-nance alimentaire au profit de l'époux ou a fixé un montant moindre pour les aliments de celui-ci.

(3) **[Consequences of reduction or termina-tion of child support order]** Where, as a result of giving priority to child support, a spousal support order was not made, or the amount of a spousal support order is less than it otherwise would have been, any subsequent reduction or termination of that child support constitutes a change of circum-stances for the purposes of applying for a spousal support order, or a variation order in respect of the spousal support order, as the case may be.

1997, ch. 1, art. 2.

Ordonnances relatives à la garde des enfants

Custody Orders

16. (1) **[Ordonnance de garde]** Le tribunal compétent peut, sur demande des époux ou de l'un d'eux ou de toute autre personne, rendre une or-donnance relative soit à la garde des enfants à charge ou de l'un d'eux, soit à l'accès auprès de ces enfants, soit aux deux.

16. (1) **[Order for custody]** A court of compe-tent jurisdiction may, on application by either or both spouses or by any other person, make an order re-specting the custody of or the access to, or the cus-tody of and access to, any or all children of the marriage.

(2) **[Ordonnance de garde provisoire]** Le tribu-nal peut, sur demande des époux ou de l'un d'eux ou de toute autre personne, rendre une ordonnance provisoire relative soit à la garde des enfants à charge ou de l'un d'eux, soit à l'accès auprès de ces enfants, soit aux deux, dans l'attente d'une dé-cision sur la demande visée au paragraphe (1).

(2) **[Interim order for custody]** Where an appli-cation is made under subsection (1), the court may, on application by either or both spouses or by any other person, make an interim order respecting the custody of or the access to, or the custody of and access to, any or all children of the marriage pend-ing determination of the application under subsec-tion (1).

(3) **[Demande par une autre personne]** Pour présenter une demande au titre des paragraphes (1) et (2), une personne autre qu'un époux doit obtenir l'autorisation du tribunal.

(4) **[Garde ou accès par une ou plusieurs personnes]** L'ordonnance rendue par le tribunal conformément au présent article peut prévoir la garde par une ou plusieurs personnes des enfants à charge ou de l'un d'eux ou l'accès auprès de ces enfants.

(5) **[Accès]** Sauf ordonnance contraire du tribunal, l'époux qui obtient un droit d'accès peut demander et se faire donner des renseignements relatifs à la santé, à l'éducation et au bien-être de l'enfant.

(6) **[Modalités de l'ordonnance]** La durée de validité de l'ordonnance rendue par le tribunal conformément au présent article peut être déterminée ou indéterminée ou dépendre d'un événement précis; l'ordonnance peut être assujettie aux modalités ou restrictions que le tribunal estime justes et appropriées.

(7) **[Ordonnance relative au changement de résidence]** Sans préjudice de la portée générale du paragraphe (6), le tribunal peut inclure dans l'ordonnance qu'il rend au titre du présent article une disposition obligeant la personne qui a la garde d'un enfant à charge et qui a l'intention de changer le lieu de résidence de celui-ci d'informer au moins trente jours à l'avance, ou dans le délai antérieur au changement que lui impartit le tribunal, toute personne qui a un droit d'accès à cet enfant du moment et du lieu du changement.

(8) **[Facteurs considérés]** En rendant une ordonnance conformément au présent article, le tribunal ne tient compte que de l'intérêt de l'enfant à charge, défini en fonction de ses ressources, de ses besoins et, d'une façon générale, de sa situation.

(9) **[Conduite antérieure]** En rendant une ordonnance conformément au présent article, le tribunal ne tient pas compte de la conduite antérieure d'une personne, sauf si cette conduite est liée à l'aptitude de la personne à agir à titre de père ou de mère.

(10) **[Maximum de communication]** En rendant une ordonnance conformément au présent article, le tribunal applique le principe selon lequel l'enfant à charge doit avoir avec chaque époux le plus de contact compatible avec son propre intérêt et, à cette fin, tient compte du fait que la personne pour qui la garde est demandée est disposée ou non à faciliter ce contact.

(3) **[Application by other person]** A person, other than a spouse, may not make an application under subsection (1) or (2) without leave of the court.

(4) **[Joint custody or access]** The court may make an order under this section granting custody of, or access to, any or all children of the marriage to any one or more persons.

(5) **[Access]** Unless the court orders otherwise, a spouse who is granted access to a child of the marriage has the right to make inquiries, and to be given information, as to the health, education and welfare of the child.

(6) **[Terms and conditions]** The court may make an order under this section for a definite or indefinite period or until the happening of a specified event and may impose such other terms, conditions or restrictions in connection therewith as it thinks fit and just.

(7) **[Order respecting change of residence]** Without limiting the generality of subsection (6), the court may include in an order under this section a term requiring any person who has custody of a child of the marriage and who intends to change the place of residence of that child to notify, at least thirty days before the change or within such other period before the change as the court may specify, any person who is granted access to that child of the change, the time at which the change will be made and the new place of residence of the child.

(8) **[Factors]** In making an order under this section, the court shall take into consideration only the best interests of the child of the marriage as determined by reference to the condition, means, needs and other circumstances of the child.

(9) **[Past conduct]** In making an order under this section, the court shall not take into consideration the past conduct of any person unless the conduct is relevant to the ability of that person to act as a parent of a child.

(10) **[Maximum contact]** In making an order under this section, the court shall give effect to the principle that a child of the marriage should have as much contact with each spouse as is consistent with the best interests of the child and, for that purpose, shall take into consideration the willingness of the person for whom custody is sought to facilitate such contact.

Modification, annulation ou suspension des ordonnances

17. (1) **[Ordonnance modificative]** Le tribunal compétent peut rendre une ordonnance qui modifie, suspend ou annule, rétroactivement ou pour l'avenir:

a) une ordonnance alimentaire ou telle de ses dispositions, sur demande des ex-époux ou de l'un d'eux;

b) une ordonnance de garde ou telle de ses dispositions, sur demande des ex-époux ou de l'un d'eux ou de toute autre personne.

(2) **[Demande par une autre personne]** Pour présenter une demande au titre de l'alinéa (1)b), une personne autre qu'un ex-époux doit obtenir l'autorisation du tribunal.

(3) **[Modalités de l'ordonnance]** Le tribunal peut assortir une ordonnance modificative des mesures qu'aurait pu comporter, sous le régime de la présente loi, l'ordonnance dont la modification a été demandée.

(4) **[Facteurs — ordonnance alimentaire au profit d'un enfant]** Avant de rendre une ordonnance modificative de l'ordonnance alimentaire au profit d'un enfant, le tribunal s'assure qu'il est survenu un changement de situation, selon les lignes directrices applicables, depuis que cette ordonnance ou la dernière ordonnance modificative de celle-ci a été rendue.

(4.1) **[Facteurs — ordonnance alimentaire au profit d'un époux]** Avant de rendre une ordonnance modificative de l'ordonnance alimentaire au profit d'un époux, le tribunal s'assure qu'il est survenu un changement dans les ressources, les besoins ou, d'une façon générale, la situation de l'un ou l'autre des ex-époux depuis que cette ordonnance ou la dernière ordonnance modificative de celle-ci a été rendue et tient compte du changement en rendant l'ordonnance modificative.

(5) **[Facteurs considérés pour l'ordonnance de garde]** Avant de rendre une ordonnance modificative de l'ordonnance de garde, le tribunal doit s'assurer qu'il est survenu un changement dans les ressources, les besoins ou, d'une façon générale, dans la situation de l'enfant à charge depuis le prononcé de l'ordonnance de garde ou de la dernière ordonnance modificative de celle-ci et, le cas échéant, ne tient compte que de l'intérêt de l'enfant, défini en fonction de ce changement, en rendant l'ordonnance modificative.

Variation, Rescission or Suspension of Orders

17. (1) **[Order for variation, rescission or suspension]** A court of competent jurisdiction may make an order varying, rescinding or suspending, prospectively or retroactively,

(*a*) a support order or any provision thereof on application by either or both former spouses; or

(*b*) a custody order or any provision thereof on application by either or both former spouses or by any other person.

(2) **[Application by other person]** A person, other than a former spouse, may not make an application under paragraph (1)(b) without leave of the court.

(3) **[Terms and conditions]** The court may include in a variation order any provision that under this Act could have been included in the order in respect of which the variation order is sought.

(4) **[Factors for child support order]** Before the court makes a variation order in respect of a child support order, the court shall satisfy itself that a change of circumstances as provided for in the applicable guidelines has occurred since the making of the child support order or the last variation order made in respect of that order.

(4.1) **[Factors for spousal support order]** Before the court makes a variation order in respect of a spousal support order, the court shall satisfy itself that a change in the condition, means, needs or other circumstances of either former spouse has occurred since the making of the spousal support order or the last variation order made in respect of that order, and, in making the variation order, the court shall take that change into consideration.

(5) **[Factors for custody order]** Before the court makes a variation order in respect of a custody order, the court shall satisfy itself that there has been a change in the condition, means, needs or other circumstances of the child of the marriage occurring since the making of the custody order or the last variation order made in respect of that order, as the case may be, and, in making the variation order, the court shall take into consideration only the best interests of the child as determined by reference to that change.

(6) **[Conduite]** En rendant une ordonnance modificative, le tribunal ne tient pas compte d'une conduite qui n'aurait pu être prise en considération lors du prononcé de l'ordonnance dont la modification a été demandée.

(6.1) **[Application des lignes directrices]** Le tribunal qui rend une ordonnance modificative d'une ordonnnance alimentaire au profit d'un enfant la rend conformément aux lignes directrices applicables.

(6.2) **[Ententes, ordonnances, jugements, etc.]** En rendant une ordonnance modificative d'une ordonnance alimentaire au profit d'un enfant, le tribunal peut, par dérogation au paragraphe (6.1), fixer un montant différent de celui qui serait déterminé conformément aux lignes directrices applicables s'il est convaincu, à la fois:

a) que des dispositions spéciales d'un jugement, d'une ordonnance ou d'une entente écrite relatif aux obligations financières des époux ou au partage ou au transfert de leurs biens accordent directement ou indirectement un avantage à un enfant pour qui les aliments sont demandés, ou que des dispositions spéciales ont été prises pour lui accorder autrement un avantatge;

b) que le montant déterminé conformément aux lignes directrices applicables serait inéquitable eu égard à ces dispositions.

(6.3) **[Motifs]** S'il fixe, au titre du paragraphe (6.2), un montant qui est différent de celui qui serait déterminé conformément aux lignes directrices applicables, le tribunal enregistre les motifs de sa décision.

(6.4) **[Consentement des époux]** Par dérogation au paragraphe (6.1), le tribunal peut, avec le consentement des époux, fixer un montant qui est différent de celui qui serait déterminé conformément aux lignes directrices applicables s'il est convaincu que des arrangements raisonnables ont été conclus pour les aliments de l'enfant visé par l'ordonnance.

(6.5) **[Arrangements raisonnables]** Pour l'application du paragraphe (6.4), le tribunal tient compte des lignes directrices applicables pour déterminer si les arrangements sont raisonnables. Toutefois, les arrangements ne sont pas déraisonnables du seul fait que le montant sur lequel les conjoints s'entendent est différent de celui qui serait déterminé conformément aux lignes directrices applicables.

(6) **[Conduct]** In making a variation order, the court shall not take into consideration any conduct that under this Act could not have been considered in making the order in respect of which the variation order is sought.

(6.1) **[Guidelines apply]** A court making a variation order in respect of a child support order shall do so in accordance with the applicable guidelines.

(6.2) **[Court may take agreement, etc., into account]** Notwithstanding subsection (6.1), in making a variation order in respect of a child support order, a court may award an amount that is different from the amount that would be determined in accordance with the applicable guidelines if the court is satisfied

(a) that special provisions in an order, a judgment or a written agreement respecting the financial obligations of the spouses, or the division or transfer of their property, directly or indirectly benefit a child, or that special provisions have otherwise been made for the benefit of a child; and

(b) that the application of the applicable guidelines would result in an amount of child support that is inequitable given those special provisions.

(6.3) **[Reasons]** Where the court awards, pursuant to subsection (6.2), an amount that is different from the amount that would be determined in accordance with the applicable guidelines, the court shall record its reasons for having done so.

(6.4) **[Consent orders]** Notwithstanding subsection (6.1), a court may award an amount that is different from the amount that would be determined in accordance with the applicable guidelines on the consent of both spouses if it is satisfied that reasonable arrangements have been made for the support of the child to whom the order relates.

(6.5) **[Reasonable arrangements]** For the purposes of subsection (6.4), in determining whether reasonable arrangements have been made for the support of a child, the court shall have regard to the applicable guidelines. However, the court shall not consider the arrangements to be unreasonable solely because the amount of support agreed to is not the same as the amount that would otherwise have been determined in accordance with the applicable guidelines.

(7) **[Objectifs de l'ordonnance modificative de l'ordonnance alimentaire au profit d'un époux]** L'ordonnance modificative de l'ordonnance alimentaire au profit d'un époux vise:

a) à prendre en compte les avantages ou inconvénients économiques qui découlent pour les ex-époux du mariage ou de son échec;

b) à répartir entre eux les conséquences économiques qui découlent du soin de tout enfant à charge, en sus de toute obligation alimentaire relative à tout enfant à charge;

c) à remédier à toute difficulté économique que l'échec du mariage leur cause;

d) à favoriser, dans la mesure du possible, l'indépendance économique de chacun d'eux dans un délai raisonnable.

(8) Abrogé.

(9) **[Maximum de communication]** En rendant une ordonnance modificative d'une ordonnance de garde, le tribunal applique le principe selon lequel l'enfant à charge doit avoir avec chaque ex-époux le plus de contact compatible avec son propre intérêt et, si l'ordonnance modificative doit accorder la garde à une personne qui ne l'a pas actuellement, le tribunal tient compte du fait que cette personne est disposée ou non à faciliter ce contact.

(10) **[Restriction]** Par dérogation au paragraphe (1), le tribunal ne peut modifier l'ordonnance alimentaire au profit d'un époux dont la durée de validité est déterminée ou dépend d'un événement précis, sur demande présentée après l'échéance de son terme ou après la survenance de cet événement, en vue de la reprise de la fourniture des aliments, que s'il est convaincu des faits suivants:

a) l'ordonnance modificative s'impose pour remédier à une difficulté économique causée par un changement visé au paragraphe (4.1) et lié au mariage;

b) la nouvelle situation, si elle avait existé à l'époque où l'ordonnance alimentaire au profit d'un époux ou la dernière ordonnance modificative de celle-ci a été rendue, aurait vraisemblablement donné lieu à une ordonnance différente.

(11) **[Copie de l'ordonnance]** Le tribunal qui rend une ordonnance modificative d'une ordonnance alimentaire ou de garde rendue par un autre tribunal envoie à celui-ci une copie, certifiée conforme par un de ses juges ou fonctionnaires, de l'ordonnance modificative.

L.R., ch. 3 (2ᵉ suppl.), art. 17; 1997, ch. 1, art. 5.

(7) **[Objectives of variation order varying spousal support order]** A variation order varying a spousal support order should

(a) recognize any economic advantages or disadvantages to the former spouses arising from the marriage or its breakdown;

(b) apportion between the former spouses any financial consequences arising from the care of any child of the marriage over and above any obligation for the support of any child of the marriage;

(c) relieve any economic hardship of the former spouses arising from the breakdown of the marriage; and

(d) in so far as practicable, promote the economic self-sufficiency of each former spouse within a reasonable period of time.

(8) Repealed.

(9) **[Maximum contact]** In making a variation order varying a custody order, the court shall give effect to the principle that a child of the marriage should have as much contact with each former spouse as is consistent with the best interests of the child and, for that purpose, where the variation order would grant custody of the child to a person who does not currently have custody, the court shall take into consideration the willingness of that person to facilitate such contact.

(10) **[Limitation]** Notwithstanding subsection (1), where a spousal support order provides for support for a definite period or until a specified event occurs, a court may not, on an application instituted after the expiration of that period or the occurence of the event, make a variation order for the purpose of resuming that support unless the court is satisfied that

(a) a variation order is necessary to relieve economic hardship arising from a change described in subsection (4.1) that is related to the marriage; and

(b) the changed circumstances, had they existed at the time of the making of the spousal support order or the last variation order made in respect of that order, as the case may be, would likely have resulted in a different order.

(11) **[Copy of order]** Where a court makes a variation order in respect of a support order or a custody order made by another court, it shall send a copy of the variation order, certified by a judge or officer of the court, to that other court.

17.1 [Ordonnance modificative par affidavit, etc.] Si les ex-époux résident habituellement dans des provinces différentes, le tribunal compétent peut, conformément à celles de ses règles de pratique et de procédure qui sont applicables en l'occurrence, rendre, en vertu du paragraphe 17(1), une ordonnance fondée sur les prétentions de chacun des ex-époux exposées soit devant le tribunal, soit par affidavit, soit par tout moyen de télécommunication, lorsqu'ils s'entendent pour procéder ainsi.

1993, ch. 8, art. 2.

Ordonnances conditionnelles

18. (1) **[Définitions]** Les définitions qui suivent s'appliquent au présent article ainsi qu'à l'article 19.

[«procureur général» *"Attorney general"*] «procureur général» Selon la province, l'une des personnes suivantes:

a) le membre du Conseil exécutif du Yukon désigné par le commissaire du Yukon;

b) le membre du Conseil des Territoires du Nord-Ouest désigné par le commissaire de ces territoires;

b.1) le membre du Conseil exécutif du Nunavut désigné par le commissaire du territoire;

c) le procureur général de toute autre province.

La présente définition s'applique également à toute personne que le membre du conseil ou le procureur général autorise par écrit à le représenter dans l'exercice des fonctions prévues par le présent article ou l'article 19.

[«ordonnance conditionnelle» *"provisional order"*] «ordonnance conditionnelle» Ordonnance rendue en vertu du paragraphe (2).

(2) **[Ordonnance conditionnelle]** Par dérogation à l'alinéa 5(1)a) ou au paragraphe 17(1), lorsqu'une demande est présentée devant le tribunal d'une province en vue d'une ordonnance modificative d'une ordonnance alimentaire, le tribunal rend par défaut, avec ou sans préavis au défendeur, une ordonnance modificative conditionnelle, qui n'est exécutoire que sur confirmation dans le cadre de la procédure prévue à l'article 19 et que selon les modalités de l'ordonnance de confirmation. Cette ordonnance conditionnelle est rendue dans les cas suivants:

17.1 [Variation order by affidavit, etc.] Where both former spouses are ordinarily resident in different provinces, a court of competent jurisdiction may, in accordance with any applicable rules of the court, make a variation order pursuant to subsection 17(1) on the basis of the submissions of the former spouses, whether presented orally before the court or by means of affidavits or any means of telecommunication, if both former spouses consent thereto.

Provisional Orders

18. (1) **[Definitions]** In this section and section 19,

["Attorney General" *«procureur général»*] "Attorney General", in respect of a province, means

(*a*) for Yukon, the member of the Executive Council of Yukon designated by the Commissioner of Yukon,

(*b*) for the Northwest Territories, the member of the Council of the Northwest Territories designated by the Commissioner of the Northwest Territories,

(*b*.1) for Nunavut, the member of the Executive Council of Nunavut designated by the Commissioner of Nunavut, and

(*c*) for the other provinces, the Attorney General of the province,

and includes any person authorized in writing by the member or Attorney General to act for the member or Attorney General in the performance of a function under this section or section 19;

["provisional order" *«ordonnance conditionnelle»*] "provisional order" means an order made pursuant to subsection (2).

(2) **[Provisional order]** Notwithstanding paragraph 5(1)(a) and subsection 17(1), where an application is made to a court in a province for a variation order in respect of a support order and

a) le défendeur réside habituellement dans une autre province et ne reconnaît pas la compétence du tribunal, ou encore les parties ne s'entendent pas pour procéder selon l'article 17.1;

b) dans les circonstances de l'espèce, le tribunal estime que les questions en cause peuvent être convenablement réglées en procédant conformément au présent article et à l'article 19.

(3) **[Communication]** Le tribunal d'une province qui rend une ordonnance conditionnelle envoie les documents suivants au procureur général de la province:

a) trois copies de l'ordonnance, certifiées conformes par un juge ou un fonctionnaire du tribunal;

b) un document certifié conforme ou attesté sous serment qui comporte l'énoncé ou un résumé des éléments de preuve soumis au tribunal;

c) une déclaration qui donne tout renseignement dont il dispose au sujet de l'identité du défendeur, de ses revenus, de ses biens ainsi que du lieu où il se trouve.

(4) **[Idem]** Sur réception de ces documents, le procureur général les transmet au procureur général de la province où le défendeur réside habituellement.

(5) **[Complément de preuve]** Le tribunal qui a rendu l'ordonnance conditionnelle est tenu, après notification au demandeur, de recueillir des éléments de preuve supplémentaires lorsque le tribunal saisi de la procédure prévue à l'article 19 lui renvoie l'affaire à cette fin.

(6) **[Communication]** Après avoir recueilli ces éléments de preuve, le tribunal transmet au tribunal qui lui a renvoyé l'affaire un document certifié conforme ou attesté sous serment qui comporte l'énoncé ou un résumé de ces éléments assorti des recommandations qu'il juge indiquées.

L.R., ch. 3 (2ᵉ suppl.), art. 18; 1993, ch. 8, art. 3, ch. 28, art. 78; 2002, ch. 7, art. 159.

19. (1) **[Communication]** Sur réception des documents transmis conformément au paragraphe 18(4), le procureur général de la province où le défendeur réside habituellement les transmet à un tribunal de cette province.

(*a*) the respondent in the application is ordinarily resident in another province and has not accepted the jurisdiction of the court, or both former spouses have not consented to the application of section 17.1 in respect of the matter, and

(*b*) in the circumstances of the case, the court is satisfied that the issues can be adequately determined by proceeding under this section and section 19,

the court shall make a variation order with or without notice to and in the absence of the respondent, but such order is provisional only and has no legal effect until it is confirmed in a proceeding under section 19 and, where so confirmed, it has legal effect in accordance with the terms of the order confirming it.

(3) **[Transmission]** Where a court in a province makes a provisional order, it shall send to the Attorney General for the province

(*a*) three copies of the provisional order certified by a judge or officer of the court;

(*b*) a certified or sworn document setting out or summarizing the evidence given to the court; and

(*c*) a statement giving any available information respecting the identification, location, income and assets of the respondent.

(4) **[Idem]** On receipt of the documents referred to in subsection (3), the Attorney General shall send the documents to the Attorney General for the province in which the respondent is ordinarily resident.

(5) **[Further evidence]** Where, during a proceeding under section 19, a court in a province remits the matter back for further evidence to the court that made the provisional order, the court that made the order shall, after giving notice to the applicant, receive further evidence.

(6) **[Transmission]** Where evidence is received under subsection (5), the court that received the evidence shall forward to the court that remitted the matter back a certified or sworn document setting out or summarizing the evidence, together with such recommendations as the court that received the evidence considers appropriate.

19. (1) **[Transmission]** On receipt of any documents sent pursuant to subsection 18(4), the Attorney General for the province in which the respondent is ordinarily resident shall send the documents to a court in the province.

(2) **[Procédure de confirmation de l'ordonnance conditionnelle]** Sous réserve du paragraphe (3), sur réception des documents visés au paragraphe (1), le tribunal en signifie au défendeur une copie et un avis l'informant qu'il va être procédé à l'instruction de l'affaire concernant la confirmation de l'ordonnance conditionnelle et procède à l'instruction, en l'absence du demandeur, en tenant compte du document certifié conforme ou attesté sous serment où sont énoncés ou résumés les éléments de preuve présentés devant le tribunal qui a rendu l'ordonnance conditionnelle.

(3) **[Rapport au procureur général]** Lorsque le défendeur, selon toute apparence, est à l'extérieur de la province et qu'il est peu probable qu'il y revienne, le tribunal qui reçoit les documents visés au paragraphe (1) les renvoie au procureur général de cette province en y joignant les renseignements dont il dispose au sujet du lieu et des circonstances où le défendeur se trouve.

(4) **[Idem]** Sur réception de ces documents ou renseignements, le procureur général les transmet au procureur général de la province du tribunal qui a rendu l'ordonnance conditionnelle.

(5) **[Droit du défendeur]** Dans le cadre de la procédure prévue au présent article, le défendeur peut soulever tout point qui aurait pu l'être devant le tribunal qui a rendu l'ordonnance conditionnelle.

(6) **[Complément de preuve]** Lorsque le défendeur démontre au tribunal que le renvoi de l'affaire au tribunal qui a rendu l'ordonnance conditionnelle s'impose pour faire recueillir tout élément supplémentaire de preuve ou à toute autre fin, le tribunal peut renvoyer l'affaire en conséquence et suspendre la procédure à cette fin.

(7) **[Issue de la procédure]** À l'issue de la procédure prévue au présent article, le tribunal rend, sous réserve du paragraphe (7.1), une ordonnance:

a) soit pour confirmer l'ordonnance conditionnelle sans la modifier;

b) soit pour la confirmer en la modifiant;

c) soit pour refuser de la confirmer.

(7.1) **[Application des lignes directrices]** Le tribunal qui rend, au titre du paragraphe (7), une ordonnance relative à une ordonnance alimentaire au profit d'un enfant la rend conformément aux lignes directrices applicables.

(2) **[Procedure]** Subject to subsection (3), where documents have been sent to a court pursuant to subsection (1), the court shall serve on the respondent a copy of the documents and a notice of a hearing respecting confirmation of the provisional order and shall proceed with the hearing, in the absence of the applicant, taking into consideration the certified or sworn document setting out or summarizing the evidence given to the court that made the provisional order.

(3) **[Return to Attorney General]** Where documents have been sent to a court pursuant to subsection (1) and the respondent apparently is outside the province and is not likely to return, the court shall send the documents to the Attorney General for that province, together with any available information respecting the location and circumstances of the respondent.

(4) **[Idem]** On receipt of any documents and information sent pursuant to subsection (3), the Attorney General shall send the documents and information to the Attorney General for the province of the court that made the provisional order.

(5) **[Right of respondent]** In a proceeding under this section, the respondent may raise any matter that might have been raised before the court that made the provisional order.

(6) **[Further evidence]** Where, in a proceeding under this section, the respondent satisfies the court that for the purpose of taking further evidence or for any other purpose it is necessary to remit the matter back to the court that made the provisional order, the court may so remit the matter and adjourn the proceeding for that purpose.

(7) **[Order of confirmation or refusal]** Subject to subsection (7.1), at the conclusion of a proceeding under this section, the court shall make an order

(a) confirming the provisional order without variation;

(b) confirming the provisional order with variation; or

(c) refusing confirmation of the provisional order.

(7.1) **[Guidelines apply]** A court making an order under subsection (7) in respect of a child support order shall do so in accordance with the applicable guidelines.

(8) **[Complément de preuve]** Avant de rendre une ordonnance qui confirme l'ordonnance conditionnelle en la modifiant ou qui refuse de la confirmer, le tribunal décide s'il renvoie l'affaire devant le tribunal qui a rendu l'ordonnance conditionnelle pour qu'il recueille des éléments de preuve supplémentaires.

(9) **[Ordonnance alimentaire provisoire au profit d'un enfant]** Le tribunal qui renvoie une affaire relative à une ordonnance alimentaire au profit d'un enfant peut, avant de rendre l'ordonnance prévue au paragraphe (7), rendre, conformément aux lignes directrices applicables, une ordonnance provisoire enjoignant à un époux de verser une prestation pour les aliments des enfants à charge ou de l'un d'eux.

(9.1) **[Ordonnance alimentaire provisoire au profit d'un époux]** Le tribunal qui renvoie une affaire relative à une ordonnance alimentaire au profit d'un époux peut, avant de rendre l'ordonnance prévue au paragraphe (7), rendre une ordonnance provisoire enjoignant à un époux de garantir ou de verser, ou de garantir et de verser, la prestation, sous forme de capital, de pension ou des deux, qu'il estime raisonnable pour les aliments de l'autre époux.

(10) **[Modalités de l'ordonnance]** La durée de validité de l'ordonnance rendue par le tribunal au titre des paragraphes (9) ou (9.1) peut être déterminée ou indéterminée ou dépendre d'un événement précis; l'ordonnance peut être assujettie aux modalités ou aux restrictions que le tribunal estime justes et appropriées.

(11) **[Dispositions applicables]** Les paragraphes 17(4), (4.1) et (6) à (7) s'appliquent, avec les adaptations nécessaires, à une ordonnance rendue au titre des paragraphes (9) ou (9.1) comme s'il s'agissait d'une ordonnance modificative prévue à ces paragraphes.

(12) **[Rapport et dépôt]** En rendant l'ordonnance visée au paragraphe (7), le tribunal d'une province:

a) transmet au procureur général de cette province, au tribunal qui a rendu l'ordonnance conditionnelle ainsi qu'au tribunal qui a rendu l'ordonnance alimentaire, dans le cas où ce dernier n'est pas le même que celui qui a rendu l'ordonnance conditionnelle qui s'y rattache, une copie certifiée conforme de l'ordonnance par un juge ou un fonctionnaire du tribunal;

b) ouvre un dossier sur l'ordonnance dans le cas où celle-ci confirme l'ordonnance conditionnelle avec ou sans modification;

(8) **[Further evidence]** The court, before making an order confirming the provisional order with variation or an order refusing confirmation of the provisional order, shall decide whether to remit the matter back for further evidence to the court that made the provisional order.

(9) **[Interim order for support of children]** Where a court remits a matter pursuant to this section in relation to a child support order, the court may, pending the making of an order under subsection (7), make an interim order in accordance with the applicable guidelines requiring a spouse to pay for the support of any of all children of the marriage.

(9.1) **[Interim order for support of spouse]** Where a court remits a matter pursuant to this section in relation to a spousal support order, the court may make an interim order requiring a spouse to secure or pay, or to secure and pay, such lump sum or periodic sums, or such lump sum and periodic sums, as the court thinks reasonable for the support of the other spouse, pending the making of an order under subsection (7).

(10) **[Terms and conditions]** The court may make an order under subsection (9) or (9.1) for a definite or indefinite period or until a specified event occurs, and may impose terms, conditions or restrictions in connection with the order as it thinks fit and just.

(11) **[Provisions applicable]** Subsections 17(4), (4.1) and (6) to (7) apply, with such modifications as the circumstances require, in respect of an order made under subsection (9) or (9.1) as if it were a variation order referred to in those subsections.

(12) **[Report and filing]** On making an order under subsection (7), the court in a province shall

(a) send a copy of the order, certified by a judge or officer of the court, to the Attorney General for that province, to the court that made the provisional order and, where that court is not the court that made the support order in respect of which the provisional order was made, to the court that made the support order;

(b) where an order is made confirming the provisional order with or without variation, file the order in the court; and

c) fait parvenir ses motifs par écrit au tribunal qui a rendu l'ordonnance conditionnelle ainsi qu'au procureur général de cette province, dans le cas où il rend une ordonnance qui confirme l'ordonnance conditionnelle avec modification ou qui refuse de la confirmer.

L.R., ch. 3 (2ᵉ suppl.), art. 19; 1993, ch. 8, art. 4; 1997, ch. 1, art. 7.

20. (1) **[Définition de «tribunal»]** Au présent article, «tribunal», dans le cas d'une province, s'entend au sens du paragraphe 2(1). Est compris dans cette définition tout autre tribunal qui a compétence dans la province sur désignation du lieutenant- gouverneur en conseil pour l'application du présent article.

(2) **[Validité de l'ordonnance dans tout le Canada]** Sous réserve du paragraphe 18(2), une ordonnance rendue au titre des articles 15.1 à 17 ou des paragraphes 19(7), (9) ou (9.1) est valide dans tout le Canada.

(3) **[Force exécutoire]** Cette ordonnance peut être:

a) soit enregistrée auprès de tout tribunal d'une province et exécutée comme toute autre ordonnance de ce tribunal;

b) soit exécutée dans une province de toute autre façon prévue par ses lois, notamment les lois en matière d'exécution réciproque entre celle-ci et une autorité étrangère.

(4) **[Modification des ordonnances]** Par dérogation au paragraphe (3), le tribunal ne peut modifier l'ordonnance visée au paragraphe (2) que conformément à la présente loi.

L.R., ch. 3 (2ᵉ suppl.), art. 20; 1997, ch. 1, art. 8.

20.1 (1) **[Cession de la créance alimentaire]** La créance alimentaire octroyée par une ordonnance peut être cédée:

a) à un ministre fédéral désigné par le gouverneur en conseil;

b) à un ministre d'une province ou à une administration qui est située dans celle-ci, désigné par le lieutenant-gouverneur en conseil de la province;

c) à un député de l'Assemblée législative du Yukon ou à une administration située dans ce territoire, désigné par le commissaire du Yukon;

d) à un membre du Conseil des Territoires du Nord-Ouest ou à une administration qui est située dans ces territoires, désignée par le commissaire de ces territoires;

(*c*) where an order is made confirming the provisional order with variation or refusing confirmation of the provisional order, give written reasons to the Attorney General for that province and to the court that made the provisional order.

20. (1) **[Definition of "court"]** In this section, "court", in respect of a province, has the meaning assigned by subsection 2(1) and includes such other court having jurisdiction in the province as is designated by the Lieutenant Governor in Council of the province as a court for the purposes of this section.

(2) **[Legal effect throughout Canada]** Subject to subsection 18(2), an order made under any of sections 15.1 to 17 or subsection 19(7), (9) or (9.1) has legal effect throughout Canada.

(3) **[Enforcement]** An order that has legal effect throughout Canada pursuant to subsection (2) may be

(*a*) registered in any court in a province and enforced in like manner as an order of that court; or

(*b*) enforced in a province in any other manner provided for by the laws of that province, including its laws respecting reciprocal enforcement between the province and a jurisdiction outside Canada.

(4) **[Variation of orders]** Notwithstanding subsection (3), a court may only vary an order that has legal effect throughout Canada pursuant to subsection (2) in accordance with this Act.

20.1 (1) **[Assignment of order]** A support order may be assigned to

(*a*) any minister of the Crown for Canada designated by the Governor in Council;

(*b*) any minister of the Crown for a province, or any agency in a province, designated by the Lieutenant Governor in Council of the province;

(*c*) any member of the Legislative Assembly of Yukon, or any agency in Yukon designated by the Commissioner of Yukon;

(*d*) any member of the Council of the Northwest Territories, or any agency in the Northwest Territories, designated by the Commissioner of the Northwest Territories; or

e) à un membre de l'Assemblée législative du Nunavut ou à une administration qui est située dans ce territoire, désigné par le commissaire de ce territoire.

(2) **[Droits]** Le ministre, le membre ou l'administration à qui la créance alimentaire octroyée par une ordonnance a été cédée a droit aux montants dus au titre de l'ordonnance et a le droit, dans le cadre des procédures relatives à la modification, l'annulation, la suspension ou l'exécution de l'ordonnance, d'en être avisé ou d'y participer au même titre que la personne qui aurait autrement eu droit à ces montants.

1997, ch. 1, art. 9; 1993, ch. 28, art. 78; 1998, ch. 15, art. 23; 2002, ch. 7, art. 160.

APPELS

21. (1) **[Appel à une cour d'appel]** Sous réserve des paragraphes (2) et (3), les jugements ou ordonnances rendus par un tribunal en application de la présente loi, qu'ils soient définitifs ou provisoires, sont susceptibles d'appel devant une cour d'appel.

(2) **[Exception pour les jugements de divorce]** Il ne peut être fait appel d'un jugement qui accorde le divorce à compter du jour où celui-ci prend effet.

(3) **[Exception pour les ordonnances]** Il ne peut être fait appel d'une ordonnance rendue en vertu de la présente loi plus de trente jours après le jour où elle a été rendue.

(4) **[Prorogation]** Une cour d'appel ou un de ses juges peuvent, pour des motifs particuliers, et même après son expiration, proroger par ordonnance le délai fixé par le paragraphe (3).

(5) **[Pouvoirs de la cour d'appel]** La cour d'appel saisie peut:

a) rejeter l'appel;

b) en faisant droit à l'appel:

(i) soit rendre le jugement ou l'ordonnance qui auraient dû être rendus, y compris toute ordonnance, différente ou nouvelle, qu'elle estime juste,

(ii) soit ordonner la tenue d'un nouveau procès lorsqu'elle l'estime nécessaire pour réparer un dommage important ou remédier à une erreur judiciaire.

(6) **[Procédure d'appel]** Sauf disposition contraire de la présente loi ou de ses règles ou règlements, l'appel prévu au présent article est formé et instruit, et il en est décidé, selon la procédure habituelle applicable aux appels interjetés devant la cour d'appel contre les décisions du tribunal qui a rendu l'ordonnance ou le jugement frappés d'appel.

(*e*) any member of the Legislative Assembly of Nunavut, or any agency in Nunavut, designated by the Commissioner of Nunavut.

(2) **[Rights]** A minister, member or agency referred to in subsection (1) to whom an order is assigned is entitled to the payments due under the order, and has the same right to be notified of, and to participate in, proceedings under this Act to vary, rescind, suspend or enforce the order as the person who would otherwise be entitled to the payments.

APPEALS

21. (1) **[Appeal to appellate court]** Subject to subsections (2) and (3), an appeal lies to the appellate court from any judgment or order, whether final or interim, rendered or made by a court under this Act.

(2) **[Restriction on divorce appeals]** No appeal lies from a judgment granting a divorce on or after the day on which the divorce takes effect.

(3) **[Restriction on order appeals]** No appeal lies from an order made under this Act more than thirty days after the day on which the order was made.

(4) **[Extension]** An appellate court or a judge thereof may, on special grounds, either before or after the expiration of the time fixed by subsection (3) for instituting an appeal, by order extend that time.

(5) **[Powers of appellate court]** The appellate court may

(*a*) dismiss the appeal; or

(*b*) allow the appeal and

(i) render the judgment or make the order that ought to have been rendered or made, including such order or such further or other order as it deems just, or

(ii) order a new hearing where it deems it necessary to do so to correct a substantial wrong or miscarriage of justice.

(6) **[Procedure on appeals]** Except as otherwise provided by this Act or the rules or regulations, an appeal under this section shall be asserted, heard and decided according to the ordinary procedure governing appeals to the appellate court from the court rendering the judgment or making the order being appealed.

DISPOSITIONS GÉNÉRALES

21.1 (1) **[Définition de «époux»]** Au présent article, «époux» s'entend au sens du paragraphe 2(1) et, en outre, d'un ex-époux.

(2) **[Affidavit tendant à la suppression des obstacles au remariage religieux]** Dans le cas d'une action engagée sous le régime de la présente loi, un époux (appelé «signataire» au présent article) peut signifier à l'autre époux et déposer auprès du tribunal un affidavit donnant les renseignements suivants:

a) l'indication du fait que l'autre époux est l'époux du signataire;

b) la date et le lieu de la célébration du mariage, ainsi que la qualité officielle du célébrant;

c) la nature de tout obstacle, dont la suppression dépend de l'autre époux, au remariage du signataire au sein de sa religion;

d) l'indication du fait que le signataire a supprimé, ou a signifié son intention de supprimer, tout obstacle, dont la suppression dépend de lui, au remariage de l'autre époux au sein de sa religion, ainsi que la date et les circonstances de la suppression ou de la signification;

e) l'indication du fait que le signataire a demandé, par écrit, à l'autre époux de supprimer tout obstacle à son remariage au sein de sa religion lorsque cette suppression dépend de ce dernier;

f) la date de la demande visée à l'alinéa e);

g) l'indication du fait que, malgré la demande visée à l'alinéa e), l'autre époux n'a pas supprimé l'obstacle.

(3) **[Pouvoirs du tribunal à défaut de suppression]** Le tribunal peut, aux conditions qu'il estime indiquées, rejeter tout affidavit, demande ou autre acte de procédure déposé par un époux dans le cas suivant:

a) cet époux a eu signification de l'affidavit visé au paragraphe (2) mais n'a pas signifié à son tour au signataire, ni n'a déposé auprès du tribunal, dans les quinze jours suivant le dépôt de cet affidavit ou dans le délai supérieur accordé par le tribunal, un affidavit indiquant que tout obstacle visé à l'alinéa (2)e) a été supprimé;

GENERAL

21.1 (1) **[Definition of "spouse"]** In this section, "spouse" has the meaning assigned by subsection 2(1) and includes a former spouse.

(2) **[Affidavit re removal of barriers to religious remarriage]** In any proceedings under this Act, a spouse (in this section referred to as the "deponent") may serve on the other spouse and file with the court an affidavit indicating

(*a*) that the other spouse is the spouse of the deponent;

(*b*) the date and place of the marriage, and the official character of the person who solemnized the marriage;

(*c*) the nature of any barriers to the remarriage of the deponent within the deponent's religion the removal of which is within the other spouse's control;

(*d*) where there are any barriers to the remarriage of the other spouse within the other spouse's religion the removal of which is within the deponent's control, that the deponent

(i) has removed those barriers, and the date and circumstances of that removal, or

(ii) has signified a willingness to remove those barriers, and the date and circumstances of that signification;

(*e*) that the deponent has, in writing, requested the other spouse to remove all of the barriers to the remarriage of the deponent within the deponent's religion the removal of which is within the other spouse's control;

(*f*) the date of the request described in paragraph (e); and

(*g*) that the other spouse, despite the request described in paragraph (e), has failed to remove all of the barriers referred to in that paragraph.

(3) **[Powers of court where barriers not removed]** Where a spouse who has been served with an affidavit under subsection (2) does not

(*a*) within fifteen days after that affidavit is filed with the court or within such longer period as the court allows, serve on the deponent and file with the court an affidavit indicating that all of the barriers referred to in paragraph (2)(e) have been removed, and

b) il n'a pas réussi à convaincre le tribunal, selon les modalités complémentaires éventuellement fixées par celui-ci, que tout obstacle a effectivement été supprimé.

(*b*) satisfy the court, in any additional manner that the court may require, that all of the barriers referred to in paragraph (2)(e) have been removed,

the court may, subject to any terms that the court considers appropriate,

(*c*) dismiss any application filed by that spouse under this Act, and

(*d*) strike out any other pleadings and affidavits filed by that spouse under this Act.

(4) **[Cas particulier]** Sans préjudice de la portée générale de la faculté d'appréciation que lui confère le paragraphe (3), le tribunal peut refuser d'exercer les pouvoirs octroyés par ce paragraphe dans le cas suivant:

a) l'époux qui a eu signification de l'affidavit visé au paragraphe (2) a signifié à son tour au signataire et déposé auprès du tribunal, dans les quinze jours suivant le dépôt de cet affidavit ou dans le délai supérieur accordé par le tribunal, un affidavit faisant état de motifs sérieux, fondés sur la religion ou la conscience, pour refuser de supprimer tout obstacle visé à l'alinéa (2)e);

b) il a convaincu le tribunal, selon les modalités complémentaires éventuellement fixées par celui-ci, du fait que ces motifs sont valables.

(4) **[Special case]** Without limiting the generality of the court's discretion under subsection (3), the court may refuse to exercise its powers under paragraphs (3)(c) and (d) where a spouse who has been served with an affidavit under subsection (2)

(*a*) within fifteen days after that affidavit is filed with the court or within such longer period as the court allows, serves on the deponent and files with the court an affidavit indicating genuine grounds of a religious or conscientious nature for refusing to remove the barriers referred to in paragraph (2)(e); and

(*b*) satisfies the court, in any additional manner that the court may require, that the spouse has genuine grounds of a religious or conscientious nature for refusing to remove the barriers referred to in paragraph (2)(e).

(5) **[Affidavits]** Pour être valide, un affidavit déposé par un époux auprès du tribunal doit porter la date de sa signification à l'autre époux.

(5) **[Affidavits]** For the purposes of this section, an affidavit filed with the court by a spouse must, in order to be valid, indicate the date on which it was served on the other spouse.

(6) **[Exception]** Le présent article ne s'applique pas aux cas où la suppression des obstacles au remariage religieux relève d'une autorité religieuse.

(6) **[Where section does not apply]** This section does not apply where the power to remove the barrier to religious remarriage lies with a religious body or official.

1990, ch. 18, art. 2.

22. (1) **[Reconnaissance des divorces étrangers]** Un divorce prononcé à compter de l'entrée en vigueur de la présente loi, conformément à la loi d'un pays étranger ou d'une de ses subdivisions, par un tribunal ou une autre autorité compétente est reconnu aux fins de déterminer l'état matrimonial au Canada d'une personne donnée, à condition que l'un des ex-époux ait résidé habituellement dans ce pays ou cette subdivision pendant au moins l'année précédant l'introduction de l'instance.

22. (1) **[Recognition of foreign divorce]** A divorce granted, on or after the coming into force of this Act, pursuant to a law of a country or subdivision of a country other than Canada by a tribunal or other authority having jurisdiction to do so shall be recognized for all purposes of determining the marital status in Canada of any person, if either former spouse was ordinarily resident in that country or subdivision for at least one year immediately preceding the commencement of proceedings for the divorce.

(2) **[Idem]** Un divorce prononcé après le 1er juillet 1968, conformément à la loi d'un pays étranger ou d'une de ses subdivisions, par un tribunal ou une autre autorité compétente et dont la compétence se rattache au domicile de l'épouse, en ce pays ou cette subdivision, déterminé comme si elle était célibataire, et, si elle est mineure, comme si elle avait atteint l'âge de la majorité, est reconnu aux fins de déterminer l'état matrimonial au Canada d'une personne donnée.

(3) **[Maintien des règles de reconnaissance]** Le présent article n'a pas pour effet de porter atteinte aux autres règles de droit relatives à la reconnaissance des divorces dont le prononcé ne découle pas de l'application de la présente loi.

23. (1) **[Application du droit provincial]** Sous réserve des autres dispositions de la présente loi ou de toute autre loi fédérale, le droit de la preuve de la province où est exercée une action sous le régime de la présente loi s'applique à cette action, y compris en matière de signification.

(2) **[Présomption]** Pour l'application du présent article, dans l'éventualité visée au paragraphe 3(3) ou 5(3), l'action renvoyée à la Cour fédérale est réputée introduite dans la province où les époux ou ex-époux ont ou ont eu leurs principales attaches, selon l'avis de la Cour fédérale mentionnée dans l'ordre.

L.R., ch. 3 (2e suppl.), art. 23; 2002, ch. 8, art. 183.

24. **[Preuve documentaire]** Un document présenté dans le cadre d'une action prévue par la présente loi et censé certifié conforme ou attesté sous serment par un juge ou un fonctionnaire du tribunal fait foi, sauf preuve contraire, de la nomination, de la signature ou de la compétence de ce juge ou fonctionnaire, ou de la personne qui a reçu le serment dans le cas d'un document censé attesté sous serment.

25. (1) **[Définition de «autorité compétente»]** Au présent article, «autorité compétente» s'entend, dans le cas du tribunal ou de la cour d'appel d'une province, des organismes, personnes ou groupes de personnes habituellement compétents, sous le régime juridique de la province, pour établir les règles de pratique et de procédure de ce tribunal.

(2) **[Règles]** Sous réserve du paragraphe (3), l'autorité compétente peut établir les règles applicables aux actions ou procédures engagées aux termes de la présente loi devant le tribunal ou la cour d'appel d'une province, notamment en ce qui concerne:

(2) **[Idem]** A divorce granted, after July 1, 1968, pursuant to a law of a country or subdivision of a country other than Canada by a tribunal or other authority having jurisdiction to do so, on the basis of the domicile of the wife in that country or subdivision determined as if she were unmarried and, if she was a minor, as if she had attained the age of majority, shall be recognized for all purposes of determining the marital status in Canada of any person.

(3) **[Other recognition rules preserved]** Nothing in this section abrogates or derogates from any other rule of law respecting the recognition of divorces granted otherwise than under this Act.

23. (1) **[Provincial laws of evidence]** Subject to this or any other Act of Parliament, the laws of evidence of the province in which any proceedings under this Act are taken, including the laws of proof of service of any document, apply to such proceedings.

(2) **[Presumption]** For the purposes of this section, where any proceedings are transferred to the Federal Court under subsection 3(3) or 5(3), the proceedings shall be deemed to have been taken in the province specified in the direction of the Court to be the province with which both spouses or former spouses, as the case may be, are or have been most substantially connected.

24. **[Proof of signature or office]** A document offered in a proceeding under this Act that purports to be certified or sworn by a judge or an officer of a court shall, unless the contrary is proved, be proof of the appointment, signature or authority of the judge or officer and, in the case of a document purporting to be sworn, of the appointment, signature or authority of the person before whom the document purports to be sworn.

25. (1) **[Definition of "competent authority"]** In this section, "competent authority", in respect of a court, or appellate court, in a province means the body, person or group of persons ordinarily competent under the laws of that province to make rules regulating the practice and procedure in that court.

(2) **[Rules]** Subject to subsection (3), the competent authority may make rules applicable to any proceedings under this Act in a court, or appellate court, in a province, including, without limiting the generality of the foregoing, rules

a) la pratique et la procédure devant ce tribunal, y compris la mise en cause de tiers;

b) l'instruction et le règlement des actions visées par la présente loi sans qu'il soit nécessaire aux parties de présenter leurs éléments de preuve et leur argumentation verbalement;

b.1) la possibilité de procéder selon l'article 17.1;

c) les séances du tribunal;

d) la taxation des frais et l'octroi des dépens;

e) les attributions des fonctionnaires du tribunal;

f) le renvoi d'actions prévu dans la présente loi entre ce tribunal et un autre;

g) toute autre mesure jugée opportune aux fins de la justice et pour l'application de la présente loi.

(3) **[Mode d'exercice du pouvoir]** Le pouvoir d'établir des règles pour un tribunal ou une cour d'appel conféré par le paragraphe (2) à une autorité compétente s'exerce selon les mêmes modalités et conditions que le pouvoir conféré à cet égard par les lois provinciales.

(4) **[Règles et textes réglementaires]** Les règles établies en vertu du présent article par une autorité compétente qui n'est ni un organisme judiciaire ni un organisme quasi judiciaire sont réputées ne pas être des textes réglementaires au sens et pour l'application de la *Loi sur les textes réglementaires*.

L.R., ch. 3 (2ᵉ suppl.), art. 25; 1993, ch. 8, art. 5.

25.1 (1) **[Accords avec les provinces]** Le ministre de la Justice peut, avec l'approbation du gouverneur en conseil, conclure au nom du gouvernement fédéral un accord avec une province autorisant le service provincial des aliments pour enfants désigné dans celui-ci:

a) à aider le tribunal à fixer le montant des aliments pour un enfant;

b) à fixer, à intervalles réguliers, un nouveau montant pour les ordonnances alimentaires au profit d'un enfant en conformité avec les lignes directrices applicables et à la lumière des renseignements à jour sur le revenu.

(2) **[Effet du nouveau calcul]** Sous réserve du paragraphe (5), le nouveau montant de l'ordonnance alimentaire au profit d'un enfant fixé sous le régime du présent article est réputé, à toutes fins utiles, être le montant payable au titre de l'ordonnance.

(*a*) regulating the practice and procedure in the court, including the addition of persons as parties to the proceedings;

(*b*) respecting the conduct and disposition of any proceedings under this Act without an oral hearing;

(*b*.1) respecting the application of section 17.1 in respect of proceedings for a variation order;

(*c*) regulating the sittings of the court;

(*d*) respecting the fixing and awarding of costs;

(*e*) prescribing and regulating the duties of officers of the court;

(*f*) respecting the transfer of proceedings under this Act to or from the court; and

(*g*) prescribing and regulating any other matter considered expedient to attain the ends of justice and carry into effect the purposes and provisions of this Act.

(3) **[Exercise of power]** The power to make rules for a court or appellate court conferred by subsection (2) on a competent authority shall be exercised in the like manner and subject to the like terms and conditions, if any, as the power to make rules for that court conferred on that authority by the laws of the province.

(4) **[Not statutory instruments]** Rules made pursuant to this section by a competent authority that is not a judicial or quasi-judicial body shall be deemed not to be statutory instruments within the meaning and for the purposes of the *Statutory Instruments Act*.

25.1 (1) **[Agreements with provinces]** With the approval of the Governor in Council, the Minister of Justice may, on behalf of the Government of Canada, enter into an agreement with a province authorizing a provincial child support service designated in the agreement to

(*a*) assist courts in the province in the determination of the amount of child support; and

(*b*) recalculate, at regular intervals, in accordance with the applicable guidelines, the amount of child support orders on the basis of updated income information.

(2) **[Effect of recalculation]** Subject to subsection (5), the amount of a child support order as recalculated pursuant to this section shall for all purposes be deemed to be the amount payable under the child support order.

(3) **[Obligation de payer]** Le nouveau montant fixé sous le régime du présent article est payable par l'ex-époux visé par l'ordonnance alimentaire au profit d'un enfant trente et un jours après celui où les ex-époux en ont été avisés selon les modalités prévues dans l'accord autorisant la fixation du nouveau montant.

(4) **[Modification du nouveau montant de l'ordonnance]** Dans les trente jours suivant celui où ils ont été avisés du nouveau montant, selon les modalités prévues dans l'accord en autorisant la fixation, les ex-époux, ou l'un deux, peuvent demander au tribunal compétent de rendre une ordonnance au titre du paragraphe 17(1).

(5) **[Effet de la demande]** Dans le cas où une demande est présentée au titre du paragraphe (4), l'application du paragraphe (3) est suspendue dans l'attente d'une décision du tribunal compétent sur la demande, et l'ordonnance alimentaire au profit d'un enfant continue d'avoir effet.

(6) **[Retrait de la demande]** Dans le cas où la demande présentée au titre du paragraphe (4) est retirée avant qu'une décision soit rendue à son égard, le montant payable par l'ex-époux visé par l'ordonnance alimentaire au profit d'un enfant est le nouveau montant fixé sous le régime du présent article et ce à compter du jour où ce montant aurait été payable si la demande n'avait pas été présentée.

1997, ch. 1, art. 10; 1999, ch. 31, art. 74.

26. (1) **[Règlements]** Le gouverneur en conseil peut, par règlement, prendre les mesures nécessaires à l'application de la présente loi, notamment:

a) en ce qui concerne la création et la mise en oeuvre d'un bureau d'enregistrement des actions en divorce au Canada;

b) en vue d'assurer l'uniformité des règles établies en vertu de l'article 25.

(2) **[Primauté des règlements]** Les règlements pris en vertu du paragraphe (1) en vue d'assurer l'uniformité des règles l'emportent sur celles-ci.

26.1 (1) **[Lignes directrices]** Le gouverneur en conseil peut établir des lignes directrices à l'égard des ordonnances pour les aliments des enfants, notamment pour:

a) régir le mode de détermination du montant des ordonnances pour les aliments des enfants;

(3) **[Liability]** The former spouse against whom a child support order was made becomes liable to pay the amount as recalculated pursuant to this section thirty-one days after both former spouses to whom the order relates are notified of the recalculation in the manner provided for in the agreement authorizing the recalculation.

(4) **[Right to vary]** Where either or both former spouses to whom a child support order relates do not agree with the amount of the order as recalculated pursuant to this section, either former spouse may, within thirty days after both former spouses are notified of the recalculation in the manner provided for in the agreement authorizing the recalculation, apply to a court of competent jurisdiction for an order under subsection 17(1).

(5) **[Effect of application]** Where an application is made under subsection (4), the operation of subsection (3) is suspended pending the determination of the application, and the child support order continues in effect.

(6) **[Withdrawal of application]** Where an application made under subsection (4) is withdrawn before the determination of the application, the former spouse against whom the order was made becomes liable to pay the amount as recalculated pursuant to this section on the day on which the former spouse would have become liable had the application not been made.

26. (1) **[Regulations]** The Governor in Council may make regulations for carrying the purposes and provisions of this Act into effect and, without limiting the generality of the foregoing, may make regulations

(*a*) respecting the establishment and operation of a central registry of divorce proceedings in Canada; and

(*b*) providing for uniformity in the rules made pursuant to section 25.

(2) **[Regulations prevail]** Any regulations made pursuant to subsection (1) to provide for uniformity in the rules prevail over those rules.

26.1 (1) **[Guidelines]** The Governor in Council may establish guidelines respecting the making of orders for child support, including, but without limiting the generality of the foregoing, guidelines

(*a*) respecting the way in which the amount of an order for child support is to be determined;

b) régir le cas où le tribunal peut exercer son pouvoir discrétionnaire lorsqu'il rend des ordonnances pour les aliments des enfants;

c) autoriser le tribunal à exiger que le montant de l'ordonnance pour les aliments d'un enfant soit payable sous forme de capital ou de pension, ou des deux;

d) autoriser le tribunal à exiger que le montant de l'ordonnance pour les aliments d'un enfant soit versé ou garanti, ou versé et garanti, selon les modalités prévues par l'ordonnance;

e) régir les changements de situation au titre desquels les ordonnances modificatives des ordonnances alimentaires au profit d'un enfant peuvent être rendues;

f) régir la détermination du revenu pour l'application des lignes directrices;

g) autoriser le tribunal à attribuer un revenu pour l'application des lignes directrices;

h) régir la communication de renseignements sur le revenu et prévoir les sanctions afférentes à la non-communication de tels renseignements.

(2) **[Principe]** Les lignes directrices doivent être fondées sur le principe que l'obligation financière de subvenir aux besoins des enfants à charge est commune aux époux et qu'elle est répartie entre eux selon leurs ressources respectives permettant de remplir cettte obligation.

(3) **[Définition de «ordonnance pour les aliments d'un enfant»]** Pour l'application du paragraphe (1), «ordonnance pour les aliments d'un enfant» s'entend:

a) de l'ordonnance ou de l'ordonnance provisoire rendue au titre de l'article 15.1;

b) de l'ordonnance modificative de l'ordonnance alimentaire au profit d'un enfant;

c) de l'ordonnance ou de l'ordonnance provisoire rendue au titre de l'article 19.

1997, ch. 1, art. 11.

27. (1) **[Droits]** Le gouverneur en conseil peut, par décret, autoriser le ministre de la Justice à établir les droits à payer par le bénéficiaire d'un service fourni en vertu de la présente loi ou de ses règlements.

(2) **[Accords]** Le ministre de la Justice peut, avec l'approbation du gouverneur en conseil, conclure un accord avec le gouvernement d'une province concernant la perception et le paiement des droits visés au paragraphe (1).

(b) respecting the circumstances in which discretion may be exercised in the making of an order for child support;

(c) authorizing a court to require that the amount payable under an order for child support be paid in periodic payments, in a lump sum or in a lump sum and periodic payments;

(d) authorizing a court to require that the amount payable under an order for child support be paid or secured, or paid and secured, in the manner specified in the order;

(e) respecting the circumstances that give rise to the making of a variation order in respect of a child support order;

(f) respecting the determination of income for the purposes of the application of the guidelines;

(g) authorizing a court to impute income for the purposes of the application of the guidelines; and

(h) respecting the production of income information and providing for sanctions when that information is not provided.

(2) **[Principle]** The guidelines shall be based on the principle that spouses have a joint financial obligation to maintain the children of the marriage in accordance with their relative abilities to contribute to the performance of that obligation.

(3) **[Definition of "order for child support"]** In subsection (1), "order for child support" means

(a) an order or interim order made under section 15.1;

(b) a variation order in respect of a child support order; or

(c) an order or an interim order made under section 19.

27. (1) **[Fees]** The Governor in Council may, by order, authorize the Minister of Justice to prescribe a fee to be paid by any person to whom a service is provided under this Act or the regulations.

(2) **[Agreements]** The Minister of Justice may, with the approval of the Governor in Council, enter into an agreement with the government of any province respecting the collection and remittance of any fees prescribed pursuant to subsection (1).

28. [Examen et rapport] Le ministre de la Justice procède à l'examen détaillé, d'une part, de l'application des lignes directrices fédérales sur les pensions alimentaires pour enfants et, d'autre part, de la détermination des aliments pour enfants. Il dépose son rapport devant chaque chambre du Parlement dans les cinq ans suivant l'entrée en vigueur du présent article.

L.R., ch. 3 (2ᵉ suppl.), art. 28; 1997, ch. 1, art. 12.

29-31. Remplacés.

1997, ch. 1, art. 12.

DISPOSITIONS TRANSITOIRES

32. [Faits antérieurs à l'entrée en vigueur] Toute action peut être engagée sous le régime de la présente loi, même si les faits ou les circonstances qui lui ont donné lieu ou qui déterminent la compétence en l'espèce sont en tout ou partie antérieurs à la date d'entrée en vigueur de cette loi.

Loi sur le divorce, S.R. 1970, ch. D-8

33. [Actions engagées avant l'entrée en vigueur] Les actions engagées sous le régime de la *Loi sur le divorce*, chapitre D-8 des Statuts revisés du Canada de 1970, avant la date d'entrée en vigueur de la présente loi et sur lesquelles il n'a pas été définitivement statué avant cette date sont instruites, et il en est décidé, conformément à la loi précitée, en son état avant la même date, comme si elle n'avait pas été abrogée.

34. (1) [Modification et exécution d'ordonnances déjà rendues] Sous réserve du paragraphe (1.1), toute ordonnance rendue en vertu du paragraphe 11(1) de la *Loi sur le divorce*, chapitre D-8 des Statuts revisés du Canada de 1970, y compris une ordonnance rendue en vertu de l'article 33 de la présente loi, ainsi que toute ordonnance de même effet rendue accessoirement à un jugement de divorce prononcé au Canada avant le 2 juillet 1968 ou prononcé le 2 juillet 1968 ou après cette date conformément au paragraphe 22(2) de la loi précitée, peut être modifiée, suspendue, annulée ou exécutée conformément aux articles 17 à 20, à l'exclusion du paragraphe 17(10), de la présente loi comme:

a) s'il s'agissait d'une ordonnance alimentaire ou de garde, selon le cas;

28. [Review and report] The Minister of Justice shall undertake a comprehensive review of the provisions and operation of the Federal Child Support Guidelines and the determination of child support under this Act and shall cause a report on the review to be laid before each House of Parliament within five years after the coming into force of this section.

29-31. Replaced.

TRANSITIONAL PROVISIONS

32. [Proceedings based on facts arising before commencement of Act] Proceedings may be commenced under this Act notwithstanding that the material facts or circumstances giving rise to the proceedings or to jurisdiction over the proceedings occurred wholly or partly before the day on which this Act comes into force.

Divorce Act, R.S. 1970, c. D-8

33. [Proceedings commenced before commencement of Act] Proceedings commenced under the *Divorce Act*, chapter D-8 of the Revised Statutes of Canada, 1970, before the day on which this Act comes into force and not finally disposed of before that day shall be dealt with and disposed of in accordance with that Act as it read immediately before that day, as though it had not been repealed.

34. (1) [Variation and enforcement of orders previously made] Subject to subsection (1.1), any order made under subsection 11(1) of the *Divorce Act*, chapter D-8 of the Revised Statutes of Canada, 1970, including any order made pursuant to section 33 of this Act, and any order to the like effect made corollary to a decree of divorce granted in Canada before July 2, 1968 or granted on or after that day pursuant to subsection 22(2) of that Act may be varied, rescinded, suspended or enforced in accordance with sections 17 to 20, other than subsection 17(10), of this Act as if

(a) the order were a support order or custody order, as the case may be; and

b) si, aux paragraphes 17(4), (4.1) et (5), les mots «ou de la dernière ordonnance rendue en vertu du paragraphe 11(2) de la *Loi sur le divorce*, chapitre D-8 des Statuts révisés du Canada de 1970, aux fins de modifier cette ordonnance» étaient insérés avant les mots «ou de la dernière ordonnance modificative de celle- ci».

(1.1) **[Ordonnances conjointes]** Dans le cas où une demande est présentée au titre du paragraphe 17(1), en vue de modifier l'ordonnance visée au paragraphe (1) qui prévoit un seul montant pour les aliments d'un ou de plusieurs enfants et d'un ex-époux, le tribunal annule l'ordonnance et applique les règles applicables à la demande relative à l'ordonnance alimentaire au profit d'un enfant et à la demande relative à l'ordonnance alimentaire au profit d'un époux.

(2) **[Exécution d'ordonnances provisoires]** Toute ordonnance rendue en vertu de l'article 10 de la *Loi sur le divorce*, chapitre D-8 des Statuts révisés du Canada de 1970, y compris une ordonnance rendue en vertu de l'article 33 de la présente loi, peut être exécutée en conformité avec l'article 20 de la présente loi comme s'il s'agissait d'une ordonnance rendue en vertu des paragraphes 15.1(1) ou 15.2(1) ou de l'article 16, selon le cas.

(3) **[Cession des créances octroyées par des ordonnances déjà rendues]** Les créances octroyées par toute ordonnance rendue conformément aux articles 10 ou 11 de la *Loi sur le divorce*, chapitre D-8 des Statuts révisés du Canada de 1970, pour l'entretien d'un époux ou d'un enfant du mariage, y compris une ordonnance rendue en vertu de l'article 33 de la présente loi, ainsi que toute ordonnance de même effet rendue accessoirement à un jugement de divorce prononcé au Canada avant le 2 juillet 1968 ou prononcé le 2 juillet 1968 ou après cette date conformément au paragraphe 22(2) de la loi précitée, peuvent être cédées à un ministre, un membre ou une administration désigné suivant les termes de l'article 20.1.

L.R., ch. 3 (2ᵉ suppl.), art. 34; 1997, ch. 1, art. 14.

35. [Application des normes du droit procédural] Les règles et règlements d'application de la *Loi sur le divorce*, chapitre D-8 des Statuts révisés du Canada de 1970, ainsi que les autres lois ou leurs règles, leurs règlements ou tout autre texte d'application, portant sur l'une ou l'autre des questions visées au paragraphe 25(2) et en application au Canada ou dans une province avant la date d'entrée en vigueur de la présente loi, demeurent, dans la mesure de leur compatibilité avec la présente loi, en vigueur comme s'ils avaient été édictés aux termes de celle-ci jusqu'à ce qu'ils soient modi-

(*b*) in subsections 17(4), (4.1) and (5), the words "or the last order made under subsection 11(2) of the *Divorce Act*, chapter D-8 of the Revised Statutes of Canada, 1970, varying that order" were added immediately before the words "or the last variation order made in respect of that order".

(1.1) **[Combined orders]** Where an application is made under subsection 17(1) to vary an order referred to in subsection (1) that provides a single amount of money for the combined support of one or more children and a former spouse, the court shall rescind the order and treat the application as an application for a child support order and an application for a spousal support order.

(2) **[Enforcement of interim orders]** Any order made under section 10 of the *Divorce Act*, chapter D-8 of the Revised Statutes of Canada, 1970, including any order made pursuant to section 33 of this Act, may be enforced in accordance with section 20 of this Act as if it were an order made under subsection 15.1(1) or 15.2(1) or section 16 of this Act, as the case may be.

(3) **[Assignment of orders previously made]** Any order for the maintenance of a spouse or child of the marriage made under section 10 or 11 of the *Divorce Act*, chapter D-8 of the Revised Statutes of Canada, 1970, including any order made pursuant to section 33 of this Act, and any order to the like effect made corollary to a decree of divorce granted in Canada before July 2, 1968 or granted on or after that day pursuant to subsection 22(2) of that Act may be assigned to any minister, member or agency designated pursuant to subsection 20.1.

35. [Procedural laws continued] The rules and regulations made under the *Divorce Act*, chapter D-8 of the Revised Statutes of Canada, 1970, and the provisions of any other law or of any rule, regulation or other instrument made thereunder respecting any matter in relation to which rules may be made under subsection 25(2) that were in force in Canada or any province immediately before the day on which this Act comes into force and that are not inconsistent with this Act continue in force as though made or enacted by or under this Act until they are repealed or altered by rules or regulations made

fiés ou abrogés dans le cadre de la présente loi ou qu'ils deviennent inapplicables du fait de leur incompatibilité avec de nouvelles dispositions.

under this Act or are, by virtue of the making of rules or regulations under this Act, rendered inconsistent with those rules or regulations.

Loi sur le divorce, L.R. ch. 3 (2ᵉ suppl.)

Divorce Act, R.S. 1985, c. 3 (2nd Supp.)

35.1 (1) **[Modification et exécution d'ordonnances alimentaires déjà rendues]** Sous réserve du paragraphe (2), l'ordonnance alimentaire rendue au titre de la présente loi avant l'entrée en vigueur du présent article peut être modifiée, suspendue, annulée ou exécutée conformément aux articles 17 à 20 comme s'il s'agissait d'une ordonnance alimentaire au profit d'un enfant ou d'une ordonnance alimentaire au profit d'un époux selon le cas.

35.1 (1) **[Variation and enforcement of support orders previously made]** Subject to subsection (2), any support order made under this Act before the coming into force of this section may be varied, rescinded, suspended or enforced in accordance with sections 17 to 20 as if the support order were a child support order or a spousal support order, as the case may be.

(2) **[Ordonnances conjointes]** Dans le cas où une demande est présentée au titre du paragraphe 17(1), en vue de modifier une ordonnance alimentaire rendue au titre de la présente loi avant l'entrée en vigueur du présent article qui prévoit un seul montant pour les aliments d'un ou de plusieurs enfants et d'un ex-époux, le tribunal annule l'ordonnance et applique les règles applicables à la demande relative à l'ordonnance alimentaire au profit d'un enfant et à la demande relative à l'ordonnance alimentaire au profit d'un époux.

(2) **[Combined orders]** Where an application is made under subsection 17(1) to vary a support order made under this Act before the coming into force of this section that provides for the combined support of one or more children and a former spouse, the court shall rescind the order and treat the application as an application for a child support order and an application for a spousal support order.

(3) **[Cession des créances octroyées par des ordonnances déjà rendues]** Les créances octroyées par toute ordonnance alimentaire rendue au titre de la présente loi avant l'entrée en vigueur du présent article peuvent être cédées à un ministre, un membre ou une administration désigné suivant les termes de l'article 20.1.

(3) **[Assignment of orders previously made]** Any support order made under this Act before the coming into force of this section may be assigned to any minister, member or agency designated pursuant to section 20.1.

1997, ch. 1, art. 15.

ENTRÉE EN VIGUEUR

COMMENCEMENT

36. [Entrée en vigueur] Omis.

36. [Commencement] Omitted.

INDEX
LOI SUR LE DIVORCE

- A -

ACTION EN DIVORCE *voir aussi* **DROIT D'AC-CÈS; GARDE D'ENFANTS; PENSION ALIMEN-TAIRE (ENFANT); PENSION ALIMENTAIRE (ÉPOUX)**
abandon 3(2), (3)
collusion 11(1)
compétence 3
définition 2
devoirs de l'avocat 9
instances introduites devant deux tribunaux 3(2), (3), 23(2)
renvoi dans une autre province, demande de garde 6(1), (4)

ACTION EN MESURES ACCESSOIRES *voir aussi* **DROIT D'ACCÈS; GARDE D'ENFANTS; PENSION ALIMENTAIRE (ENFANT); PENSION ALIMENTAIRE (ÉPOUX)**
abandon 4(2), (3)
compétence 4(1)
définition 2
instances introduites devant deux tribunaux 4(2), (3)
renvoi dans une autre province, demande de garde 6(2), (4)

ACTION EN MODIFICATION
abandon 5(2), (3)
compétence 5(1)
définition 2
instances introduites devant deux tribunaux 5(2), (3), 23(2)
renvoi dans une autre province, demande de garde 6(3), (4)

ADULTÈRE 8(2)
pardon ou connivence 11(1)

AFFIDAVIT
garde d'enfants, époux résidant dans des provinces différentes 17.1

pension alimentaire, époux résidant dans des provinces différentes 17.1
remariage religieux, suppression des obstacles 21.1

APPEL *voir aussi* **COUR D'APPEL**
divorce 12, 21(2)
ordonnance 21(1), (3)
procédure 21(6)
prorogation de délai 21(4)

AVOCAT
attestation 9(3)
devoirs 9(1), (2)

- B -

BUREAU D'ENREGISTREMENT DES ACTIONS EN DIVORCE 26

- C -

CERTIFICAT DE DIVORCE
délivrance 12(7)
preuve 12(8)

COLLUSION 11
définition 11(4)

CONNIVENCE 11(1)

COUR D'APPEL *voir aussi* **APPEL**
définition 2
pouvoirs 21(5)
règles de pratique 25

COUR FÉDÉRALE
action en divorce 3(3), 23(2)
action en mesures accessoires 4(3)
action en modification 5(3), 23(2)

CRÉANCE ALIMENTAIRE
cession 20.1

CRUAUTÉ PHYSIQUE OU MENTALE 8(2)
  pardon ou connivence 11(1)

- D -

DÉFINITION
  accès 2
  action en divorce 2
  action en mesures accessoires 2
  action en modification 2
  autorité compétente 25(1)
  collusion 11(4)
  cour d'appel 2
  enfant à charge 2
  époux 2, 15, 21.1(1)
  garde 2
  lignes directrices applicables 2
  lignes directrices fédérales sur les pensions ali-
    mentaires pour enfants 2
  majeur 2
  ordonnance alimentaire 2
  ordonnance alimentaire au profit d'un époux 2
  ordonnance conditionnelle 18(1)
  ordonnance de garde 2
  ordonnance modificative 2
  ordonnance pour les aliments d'un enfant 26.1(3)
  procureur général 18(1)
  service provincial des aliments pour enfants 2
  tribunal 2, 20(1)

DÉLAI
  prorogation, appel 21(4)

DROIT D'ACCÈS *voir aussi* **GARDE D'ENFANTS**
  accès par une ou plusieurs personnes 16(4)
  changement de résidence 16(7)
  conduite antérieure d'une personne 16(9)
  demande faite par une personne autre qu'un
    époux 16(3)
  durée de la validité de l'ordonnance 16(6)
  facteurs considérés 16(8), (10)
  modalités ou restrictions de l'ordonnance 16(6)
  ordonnance 16
  ordonnance provisoire 16(2)
  renseignements sur la santé, l'éducation et le
    bien-être de l'enfant 16(5)
  validité de l'ordonnance dans tout le Canada
    20(2)

DROIT TRANSITOIRE 32-35.1
DROITS À PAYER 27

- E -

ÉCHEC DU MARIAGE
  adultère 8(2)

calcul de la période de séparation 8(3)
causes 8(2)
cruauté physique ou mentale 8(2)
divorce 8
époux ayant vécu séparément 8(2), (3)

EFFET DU DIVORCE *voir aussi* **PRISE D'EFFET
14**

ÉPOUX
  définition 2, 15, 21.1(1)

- G -

GARDE D'ENFANTS *voir aussi* **DROIT D'ACCÈS**
  annulation de l'ordonnance 17(1), (2)
  arrangement raisonnable pour les aliments 11(1)
  changement de résidence 16(7)
  conduite d'une personne 16(9), 17(6)
  copie de l'ordonnance modificative 17(11)
  définition 2
  demande faite par une personne autre qu'un
    époux 16(3)
  durée de la validité de l'ordonnance 16(6)
  époux résidant dans des provinces différentes,
    ordonnance modificative par affidavit 17.1
  facteurs considérés, ordonnance 16(8), (10)
  facteurs considérés, ordonnance modificative
    17(5), (9)
  force exécutoire de l'ordonnance 20(1)
  garde par une ou plusieurs personnes 16(4)
  médiation 9(2)
  modalités ou restrictions de l'ordonnance 16(6)
  ordonnance 16
  ordonnance modificative 17, 17.1, 20(4)
  ordonnance provisoire 16(2)
  renvoi de l'action en divorce dans une autre pro-
    vince 6(1), (4)
  renvoi de l'action en mesures accessoires dans
    une autre province 6(2), (4)
  renvoi de l'action en modification dans une autre
    province 6(3), (4)
  suspension de l'ordonnance 17(1), (2)
  validité de l'ordonnance dans tout le Canada
    20(2)

- J -

JUGE
  compétence 7

- L -

LIGNES DIRECTRICES FÉDÉRALES SUR LES PENSIONS ALIMENTAIRES POUR ENFANTS *voir* PENSION ALIMENTAIRE (ENFANT)

- M -

MARIAGE *voir* ÉCHEC DU MARIAGE; REMARIAGE RELIGIEUX

MÉDIATION

devoirs de l'avocat 9(2)

MESURE ACCESSOIRE *voir* ACTION EN MESURES ACCESSOIRES; DROIT D'ACCÈS; GARDE D'ENFANT; PENSION ALIMENTAIRE (ENFANT); PENSION ALIMENTAIRE (ÉPOUX)

MINISTRE DE LA JUSTICE (FÉDÉRAL)

accord avec les provinces, ordonnance alimentaire 25.1

établissement de droits à payer pour les services 27

examen et rapport concernant l'application des lignes directrices 28

- O -

ORDONNANCE ALIMENTAIRE *voir* PENSION ALIMENTAIRE (ENFANT); PENSION ALIMENTAIRE (ÉPOUX)

ORDONNANCE DE GARDE *voir* GARDE D'ENFANTS

ORDONNANCE MODIFICATIVE *voir* ACTION EN MODIFICATION; GARDE D'ENFANTS; PENSION ALIMENTAIRE (ENFANT); PENSION ALIMENTAIRE (ÉPOUX)

ORDONNANCE MODIFICATIVE CONDITIONNELLE *voir* PENSION ALIMENTAIRE (ENFANT); PENSION ALIMENTAIRE (ÉPOUX)

- P -

PARDON 11

PENSION ALIMENTAIRE (ENFANT)

accord entre le gouvernement fédéral et une province 25.1

annulation de l'ordonnance 17(1)

arrangement raisonnable 11(1), 15.1(7), (8)

cession de la créance alimentaire 20.1

conduite d'une personne 17(6)

copie de l'ordonnance modificative 17(11)

défendeur résidant dans une autre province, ordonnance modificative conditionnelle 18, 19

durée de validité d'une ordonnance provisoire 19(10)

époux résidant dans des provinces différentes, ordonnance modificative par affidavit 17.1

facteurs considérés, ordonnance modificative 17(4)

force exécutoire de l'ordonnance 20(3)

lignes directrices 2(1), (5), (6), 11(1), 15.1(3), (5)-(7), 17(6.1)-(6.5), 19(7.1), 26.1, 28

médiation 9(2)

modalités de l'ordonnance 17(3)

ordonnance 15.1

ordonnance modificative 17, 17.1, 20(4)

ordonnance modificative conditionnelle 18, 19

ordonnance provisoire 15.1(2)-(4), 19(9)

priorité 15.3

suspension de l'ordonnance 17(1)

validité de l'ordonnance dans tout le Canada 20(2)

PENSION ALIMENTAIRE (ÉPOUX)

annulation de l'ordonnance 17(1)

cession de la créance alimentaire 20.1

conduite d'une personne 17(6)

copie de l'ordonnance modificative 17(11)

défendeur résidant dans une autre province, ordonnance modificative conditionnelle 18, 19

durée de validité d'une ordonnance provisoire 19(10)

époux résidant dans des provinces différentes, ordonnance modificative par affidavit 17.1

facteurs considérés, ordonnance modificative 17(4.1)

fautes du conjoint 15.2(5)

force exécutoire de l'ordonnance 20(3)

modalités de l'ordonnance 17(3)

objectifs 15.2(6), 17(7)

ordonnance 15.2

ordonnance modificative 15.3(3), 17, 17.1, 20(4)

ordonnance modificative conditionnelle 18, 19

ordonnance provisoire 15.2(2)-(5), 19(9.1)

priorité aux enfants 15.3

réduction ou suppression des aliments de l'enfant 15.3(3)

restriction à la modification de l'ordonnance 17(10)

suspension de l'ordonnance 17(1)

validité de l'ordonnance dans tout le Canada 20(2)

PÉRIODE DE SÉPARATION *voir* SÉPARATION

PREUVE

admissibilité des déclarations faites au cours d'une tentative de réconciliation 10(5)

application du droit provincial 23

certificat de divorce 12(8)

non-contraignabilité des personnes aidant à la réconciliation 10(4)

ordonnance modificative conditionnelle 18(5), 19(6), (8)

preuve documentaire 24

PRISE D'EFFET DU DIVORCE 12(1), (2)
en appel 12(3)-(5)
en appel devant la Cour suprême 12(6)

PROCUREUR GÉNÉRAL
définition 18(1)
ordonnance modificative conditionnelle 18, 19

- R -

RÉCONCILIATION
admissibilité en preuve des déclarations faites au cours d'une tentative de réconciliation 10(5)
devoirs de l'avocat 9(1)
devoirs du tribunal 10(1)
non-contraignabilité des personnes aidant à la réconciliation 10(4)
suspension de l'instance 10(2)

RECONNAISSANCE D'UN DIVORCE ÉTRAN-GER 22

RÈGLEMENT 26

RÈGLES DE PRATIQUE 25, 26

REMARIAGE RELIGIEUX
affidavit tendant à la suppression des obstacles au remariage 21.1

REPRISE D'INSTANCE
délai de réconciliation expiré 10(3)

- S -

SÉPARATION
calcul de la période de séparation 8(3)

SERVICE PROVINCIAL DES ALIMENTS POUR ENFANTS 25.1
définition 2

SUSPENSION DE L'INSTANCE
réconciliation 10(2)

- T -

TÉMOIN
non-contraignabilité des personnes aidant à la réconciliation 10(4)

- V -

VALIDITÉ DU DIVORCE 13

INDEX
DIVORCE ACT

- A -

ACCESS TO A CHILD *see also* **CUSTODY ORDER**
access by one or many persons 16(4)
application by other person than a spouse 16(3)
change of residence 16(7)
factors 16(8), (10)
information on health, education and welfare of the child 16(5)
interim order 16(2)
legal effect throughout Canada 20(2)
order 16
past conduct of a person 16(9)
terms and conditions 16(6)

ADULTERY 8(2)
condonation or connivance 11(1)

AFFIDAVIT
custody order, spouses resident in different provinces 17.1
religious remarriage, removal of barriers 21.1
support order, spouses resident in different provinces 17.1

AGE OF MAJORITY
definition 2

APPEAL *see also* **APPELLATE COURT**
divorce 12, 21(2)
extension of delay 21(4)
order 21(1), (3)
procedure 21(6)

APPELLATE COURT *see also* **APPEAL**
definition 2
powers 21(5)
rules of practice 25

APPLICABLE GUIDELINES
definition 2

ATTORNEY GENERAL
definition 18(1)
provisional order 18, 19

- B -

BREAKDOWN OF MARRIAGE
adultery 8(2)
calculation of period of separation 8(3)
divorce 8
physical or mental cruelty 8(2)
separation 8(2), (3)

- C -

CENTRAL REGISTRY OF DIVORCE PROCEEDINGS IN CANADA 26

CERTIFICATE OF DIVORCE 12(7), (8)

CHILD OF MARRIAGE
definition 2

CHILD SUPPORT ORDER *see also* **ORDER FOR CHILD SUPPORT**
agreement between federal government and provinces 25.1
assignment 20.1
conduct of a person 17(6)
copy of a variation order 17(11)
definition 2
enforcement 20(3)
factors, variation order 17(4)
federal child support guidelines 2(1), (5), (6), 11(1), 15.1(3), (5)-(7), 17(6.1)-(6.5), 19(7.1), 26.1, 28
interim order 15.1(2)-(4), 19(9)
legal effect throughout Canada 20(2)
mediation 9(2)
order 15.1
priority to child support 15.3
provisional order 18, 19
reasonable arrangement 11(1), 15.1(7), (8)
respondent resident in an other province, provisional order 18, 19

spouses resident in different provinces, variation order by affidavit 17.1

terms and conditions of interim order 19(10)

variation order 17, 17.1, 20(4)

variation, rescission or suspension of orders 17

COLLUSION 11
definition 11(4)

COMPETENT AUTHORITY
definition 25(1)

CONDONATION 11

CONNIVANCE 11(1)

COROLLARY RELIEF *see* **COROLLARY RELIEF PROCEEDING**

COROLLARY RELIEF PROCEEDING *see also* **ACCESS TO A CHILD; CHILD SUPPORT ORDER;**

CUSTODY ORDER; SPOUSAL SUPPORT ORDER
definition 2

jurisdiction 4(1)

jurisdiction where two proceedings commenced on different days 4(2)

jurisdiction where two proceedings commenced on same day 4(3)

transfer of corollary relief proceeding where custody application 6(2), (4)

COURT
definition 2, 20(1)

CUSTODY
definition 2

CUSTODY ORDER *see also* **ACCESS TO A CHILD**
application by other person than a spouse 16(3)

change of residence 16(7)

copy of a variation order 17(11)

custody by one or many persons 16(4)

definition 2

enforcement 20(1)

factors, order 16(8), (10)

factors, variation order 17(5), (9)

interim order 16(2)

legal effect throughout Canada 20(2)

mediation 9(2)

order 16

past conduct of a person 16(9), 17(6)

reasonable arrangement for the support of children 11(1)

spouses resident in different provinces, variation order by affidavit 17.1

terms and conditions 16(6)

transfer of corollary relief proceeding where custody application 6(2), (4)

transfer of divorce proceeding where custody application 6(1), (4)

transfer of variation proceeding where custody application 6(3), (4)

variation order 17, 17.1, 20(4)

variation, rescission or suspension of orders 17(1), (2)

- D -

DEFINITION
age of majority 2

appellate court 2

applicable guidelines 2

attorney general 18(1)

child of marriage 2

child support order 2

collusion 11(4)

competent authority 25(1)

corollary relief proceeding 2

court 2, 20(1)

custody 2

custody order 2

divorce proceeding 2

federal child support guidelines 2

order for child support 26.1(3)

provincial child support service 2

provisional order 18(1)

spousal support order 2

spouse 2, 15, 21.1(1)

support order 2

variation order 2

variation proceeding 2

DELAY
extension 21(4)

DIVORCE PROCEEDING *see also* **ACCESS TO A CHILD; CHILD SUPPORT ORDER; CUSTODY ORDER; SPOUSAL SUPPORT ORDER**
collusion 11(1)

definition 2

duty of legal adviser 9

jurisdiction 3

jurisdiction where two proceedings commenced on different days 3(2)

jurisdiction where two proceedings commenced on the same day 3(3), 23(2)

transfer of divorce proceeding where custody application 6(1), (4)

- E -

EFFECTIVE DATE OF DIVORCE 12

EVIDENCE
admissibility 10(5)

certificate of divorce 12(8)

document 24
nominee not competent or compellable 10(4)
provincial law 23
provisional order 18(5), 19(6), (8)

- F -

FEDERAL CHILD SUPPORT GUIDELINES *see* CHILD SUPPORT ORDER
FEDERAL COURT
corollary relief proceeding 4(3)
divorce proceeding 3(3), 23(2)
variation proceeding 5(3), 23(2)
FEES 27

- J -

JUDGE
jurisdiction 7

- L -

LEGAL ADVISER 9
LEGAL EFFECT OF DIVORCE 13

- M -

MARRIAGE *see also* BREAKDOWN OF MAR-RIAGE; RELIGIOUS REMARRIAGE
dissolved 14
MEDIATION 9(2)
MINISTER OF JUSTICE
agreement with provinces, support order 25.1
fees 27
review and report of the provisions and operation of the federal child support guidelines 28

- O -

ORDER FOR CHILD SUPPORT *see also* CHILD SUPPORT ORDER
definition 26.1(3)

- P -

PHYSICAL OR MENTAL CRUELTY 8(2)
condonation or connivance 11(1)
PROVINCIAL CHILD SUPPORT SERVICE 25.1
definition 2

PROVISIONAL ORDER *see also* CHILD SUP-PORT ORDER; SPOUSAL SUPPORT ORDER
definition 18(1)

- R -

RECOGNITION OF FOREIGN DIVORCE 22
RECONCILIATION 9(1), 10
REGULATIONS 26
RELIGIOUS REMARRIAGE 21.1
RULES OF PRACTICE 25, 26

- S -

SEPARATION 8(2)
calculation of period of separation 8(3)
SPOUSAL SUPPORT ORDER
assignment 20.1
conduct of a person 17(6)
consequences of reduction or termination of child support order 15.3(3)
copy of a variation order 17(11)
definition 2
enforcement 20(3)
factors, variation order 17(4.1)
interim order 15.2(2)-(5), 19(9.1)
legal effect throughout Canada 20(2)
objectives 15.2(6), 17(7)
order 15.2
priority to child support 15.3
provisional order 18, 19
respondent resident in an other province, provisional order 18, 19
spousal misconduct 15.2(5)
spouses resident in different provinces, variation order by affidavit 17.1
terms and conditions of interim order 19(10)
variation order 15.3(3), 17, 17.1, 20(4)
variation, rescission or suspension of order 17
SPOUSE
definition 2, 15, 21.1(1)
SUPPORT ORDER *see also* CHILD SUPPORT ORDER; SPOUSAL SUPPORT ORDER
assignment 20.1
definition 2

- T -

TRANSITIONAL PROVISIONS 32-35.1

- V -

VARIATION ORDER *see* **CHILD SUPPORT ORDER; CUSTODY ORDER; SPOUSAL SUPPORT ORDER; VARIATION PROCEEDING**
definition 2

VARIATION PROCEEDING
definition 2
jurisdiction 5(1)
jurisdiction where two proceedings commenced on different days 5(2)
jurisdiction where two proceedings commenced on same day 5(3), 23(2)
transfer of variation proceeding where custody application 6(3), (4)

LOI SUR LES BANQUES
(Extraits)

PARTIE VIII
ACTIVITÉ ET POUVOIRS
Activités générales

...

418. (1) **[Restrictions: hypothèques]** Il est interdit à la banque de faire garantir par un immeuble résidentiel situé au Canada un prêt consenti au Canada pour l'achat, la rénovation ou l'amélioration de cet immeuble, ou de renouveler un tel prêt, si la somme de celui-ci et du solde impayé de toute hypothèque de rang égal ou supérieur excède soixante-quinze pour cent de la valeur de l'immeuble au moment du prêt.

(2) **[Exception]** Le paragraphe (1) ne s'applique pas:

a) au prêt consenti ou garanti en vertu de la *Loi nationale sur l'habitation* ou de toute autre loi fédérale aux termes de laquelle est fixée une limite différente sur la valeur de l'immeuble qui constitue l'objet de la garantie;

b) au prêt dont le remboursement, en ce qui touche le montant excédant le plafond fixé au paragraphe (1), est garanti ou assuré par un organisme gouvernemental ou par un assureur privé agréé par le surintendant;

c) à l'acquisition par la banque d'une entité, de valeurs mobilières émises ou garanties par celle-ci et qui confèrent une sûreté sur un immeuble résidentiel soit en faveur d'un fiduciaire soit de toute autre manière, ou aux prêts consentis par la banque à l'entité en contrepartie de l'émission des valeurs mobilières en question;

d) au prêt garanti par une hypothèque consentie à la banque en garantie du paiement du prix de vente d'un bien qu'elle aliène, y compris par suite de l'exercice d'un droit hypothécaire.

1991, ch. 46, art. 418; 1997, ch. 15, art. 46.

...

Sûreté particulière

425. (1) **[Définitions]** Les définitions qui suivent s'appliquent aux articles 426 à 436.

BANK ACT
(Extracts)

PART VIII
BUSINESS AND POWERS
General Business

...

418. (1) **[Restriction on residential mortgages]** A bank shall not make a loan in Canada on the security of residential property in Canada for the purpose of purchasing, renovating or improving that property, or refinance such a loan, if the amount of the loan, together with the amount then outstanding of any mortgage having an equal or prior claim against the property, would exceed 75 per cent of the value of the property at the time of the loan.

(2) **[Exception]** Subsection (1) does not apply in respect of

(*a*) a loan made or guaranteed under the *National Housing Act* or any other Act of Parliament by or pursuant to which a different limit on the value of property on the security of which the bank may make a loan is established;

(*b*) a loan if repayment of the amount of the loan that exceeds the maximum amount set out in subsection (1) is guaranteed or insured by a government agency or a private insurer approved by the Superintendent;

(*c*) the acquisition by the bank from an entity of securities issued or guaranteed by the entity that are secured on any residential property, whether in favour of a trustee or otherwise, or the making of a loan by the bank to the entity against the issue of such securities; or

(*d*) a loan secured by a mortgage where

(i) the mortgage is taken back by the bank on a property disposed of by the bank, including where the disposition is by way of a realization of a security interest, and

(ii) the mortgage secures payment of an amount payable to the bank for the property.

...

Special Security

425. (1) **[Definitions]** For the purposes of sections 426 to 436,

[«**agriculteur**» *"farmer"*] «agriculteur» Est assimilé à l'agriculteur le propriétaire, l'occupant, le bailleur ou le locataire d'une ferme.

[«**aquiculture**» *"aquaculture"*] «aquiculture» Élevage ou culture d'organismes animaux et végétaux aquatiques.

[«**aquiculteur**» *"aquaculturist"*] «aquiculteur» Est assimilé à l'aquiculteur le propriétaire, l'occupant, le bailleur ou le locataire d'une exploitation aquicole.

[«**bateau de pêche**» *"fishing vessel"*] «bateau de pêche» Navire ou vaisseau ou tout autre genre de bateau destiné à la pêche, ainsi que les engins, appareils et dispositifs destinés à l'armement du bateau et en faisant partie, ou toute part ou tout droit partiel dans celui-ci.

[«**bétail**» *"livestock"*] «bétail» Sont compris parmi le bétail les:

a) chevaux et autres animaux de la race chevaline;

b) bovins, ovins, chèvres et autres ruminants;

c) porcs, volaille, abeilles et animaux à fourrure.

[«**connaissement**» *"bill..."*] «connaissement» Sont assimilés aux connaissements les reçus d'effets, denrées ou marchandises accompagnés d'un engagement:

a) soit de les déplacer, par un moyen quelconque, du lieu de leur réception à un autre;

b) soit de les livrer à un lieu autre que celui de leur réception en quantité équivalente de la même qualité ou du même type.

[«**effets, denrées ou marchandises**» *"goods..."*] «effets, denrées ou marchandises» Tout objet de commerce, et plus particulièrement les produits agricoles et aquicoles, les produits de la forêt, des carrières et des mines et les produits aquatiques.

[«**engins et fournitures de pêche**» *"fishing equipment..."*] «engins et fournitures de pêche» Engins, appareils, dispositifs et fournitures destinés à l'armement d'un bateau de pêche mais n'en faisant pas partie, ou destinés à la pêche, et, notamment, moteurs et machines amovibles, lignes, hameçons, chaluts, filets, ancres, nasses, casiers et parcs, appâts, sel, combustible et provisions.

[«**exploitation aquicole**» *"aquaculture operation"*] «exploitation aquicole» Endroit où l'aquiculture est pratiquée.

[«**fabricant**» *"manufacturer"*] «fabricant» Personne qui fabrique ou produit à la main, ou par quelque procédé, art ou moyen mécanique, des effets,

["**agricultural equipment**" «*installations agricoles...*»] "agricultural equipment" means implements, apparatus, appliances and machinery of any kind usually affixed to real property, for use on a farm, but does not include a farm electric system;

["**agricultural implements**" «*instruments...*»] "agricultural implements" means tools, implements, apparatus, appliances and machines of any kind not usually affixed to real property, for use on or in connection with a farm, and vehicles for use in the business of farming and, without restricting the generality of the foregoing, includes plows, harrows, drills, seeders, cultivators, mowing machines, reapers, binders, threshing machines, combines, leaf tobacco tying machines, tractors, movable granaries, trucks for carrying products of agriculture, equipment for beekeeping, cream separators, churns, washing machines, spraying apparatus, portable irrigation apparatus, incubators, milking machines, refrigerators and heating and cooking appliances for farming operations or use in the farm home of a kind not usually affixed to real property;

["**aquacultural electric system**" «*installation électrique aquicole*»] "aquacultural electric system" means all machinery, apparatus and appliances for the generation or distribution of electricity in an aquaculture operation, whether or not affixed to real property;

["**aquacultural equipment**" «*installations aquicoles...*»] "aquacultural equipment" means implements, apparatus, appliances and machinery of any kind usually affixed to real property for use in an aquaculture operation, but does not include an aquacultural electric system;

["**aquacultural implements**" «*instruments aquicoles...*»] "aquacultural implements" means tools, implements, apparatus, appliances and machines of any kind not usually affixed to real property, for use in an aquaculture operation, and includes net pen systems, vehicles and boats for use in aquaculture;

["**aquacultural stock growing or produced in the aquaculture operation**" «*stock en croissance...*»] "aquacultural stock growing or produced in the aquaculture operation" means all products of the aquaculture operation;

["**aquaculture**" «*aquiculture*»] "aquaculture" means the cultivation of aquatic plants and animals;

["**aquaculture operation**" «*exploitation...*»] "aquaculture operation" means any premises or site where aquaculture is carried out;

denrées ou marchandises et, notamment, toute entreprise de production de bois en grume, de fabrication de bois d'œuvre ou de bois de service, demaltage, de distillation, de brassage, de raffinage et de production de pétrole, de tannage, de salaison, de conserves ou d'embouteillage ou de conditionnement, congélation ou déshydratation d'effets, de denrées ou de marchandises.

[«**ferme**» *"farm"*] «ferme» Terre située au Canada utilisée pour l'exercice d'une des activités de l'agriculture, et notamment pour l'élevage du bétail, l'industrie laitière, l'apiculture, la production fruitière, l'arboriculture et toute culture du sol.

[«**forêt**» *"forest"*] «forêt» Terrain, situé au Canada, qui est peuplé d'arbres ou qui, bien qu'ayant été déboisé, reste propre à la sylviculture. S'entend également d'une érablière.

[«**grain**» *"grain"*] «grain» Toute semence, y compris le blé, l'avoine, l'orge, le seigle, le maïs, le sarrasin, le lin et les haricots.

[«**hydrocarbures**» *"hydrocarbons"*] «hydrocarbures» Les hydrocarbures solides, liquides et gazeux, et tout gaz naturel constitué d'un seul élément ou de deux ou plusieurs éléments chimiquement combinés ou non, et, notamment, le schiste pétrolifère, le sable bitumineux, l'huile brute, le pétrole, l'hélium et l'hydrogène sulfuré.

[«**installation électrique aquicole**» *"aquacultural electric system"*] «installation électrique aquicole» Machines, appareils et dispositifs, fixés ou non à des biens immeubles, utilisés pour produire ou distribuer de l'électricité dans une exploitation aquicole.

[«**installation électrique de ferme**» *"farm electric..."*] «installation électrique de ferme» Machines, appareils et dispositifs, fixés ou non à des biens immeubles, utilisés pour produire ou distribuer de l'électricité dans une ferme.

[«**installations agricoles**» ou «**matériel agricole immobilier**» *"agricultural equipment"*] «installations agricoles» ou «matériel agricole immobilier» Instruments, appareils, dispositifs et machines de tout genre destinés à être utilisés à la ferme et habituellement fixés à des biens immeubles, à l'exception des installations électriques.

[«**installations aquicoles**» ou «**matériel aquicole immobilier**» *"aquacultural equipment"*] «installations aquicoles» ou «matériel aquicole immobilier» Instruments, appareils, dispositifs et machines de tout genre destinés à être utilisés dans une exploitation aquicole et habituellement fixés à des biens immeubles, à l'exception des installations électriques.

["**aquaculturist**" «*aquiculteur...*»] "aquaculturist" includes the owner, occupier, landlord and tenant of an aquaculture operation;

["**aquatic broodstock**" «*stock géniteur...*»] "aquatic broodstock" means any aquatic plants and animals used to produce aquatic seedstock;

["**aquatic plants and animals**" «*organismes animaux...*»] "aquatic plants and animals" means plants and animals that, at most stages of their development or life cycles, live in an aquatic environment;

["**aquatic seedstock**" «*stock aquicole...*»] "aquatic seedstock" means aquatic plants and animals that at any stage of their development are purchased or collected by an aquaculturist for cultivation;

["**bill of lading**" «*connaissement*»] "bill of lading" includes all receipts for goods, wares and merchandise accompanied by an undertaking

(*a*) to move the goods, wares and merchandise from the place where they were received to some other place, by any means whatever, or

(*b*) to deliver to a place other than the place where the goods, wares and merchandise were received a like quantity of goods, wares and merchandise of the same or a similar grade or kind;

["**crops growing or produced on the farm**" «*récoltes...*»] "crops growing or produced on the farm" means all products of the farm;

["**farm**" «*ferme*»] "farm" means land in Canada used for the purpose of farming, which term includes livestock raising, dairying, bee-keeping, fruit growing, the growing of trees and all tillage of the soil;

["**farm electric system**" «*installation électrique...*»] "farm electric system" means all machinery, apparatus and appliances for the generation or distribution of electricity on a farm whether or not affixed to real property;

["**farmer**" «*agriculteur...*»] "farmer" includes the owner, occupier, landlord and tenant of a farm;

["**fish**" «*poisson*»] "fish" includes shellfish, crustaceans and marine animals;

["**fisherman**" «*pêcheur*»] "fisherman" means a person whose business consists in whole or in part of fishing;

["**fishing**" «*pêche*»] "fishing" means fishing for or catching fish by any method;

["**fishing equipment and supplies**" «*engins...*»] "fishing equipment and supplies" means equipment, apparatus, appliances and supplies for use in the operation of a fishing vessel and not

[«**instruments agricoles**» ou «**matériel agricole mobilier**» *"agricultural implements"*] «instruments agricoles» ou «matériel agricole mobilier» Outils, instruments, appareils, dispositifs et machines de tout genre non habituellement fixés à des biens immeubles, destinés à être utilisés à la ferme ou en rapport avec une ferme, véhicules utilisés dans l'exploitation d'une ferme, et notamment, charrues, herses, semoirs, cultivateurs, faucheuses, moissonneuses, moissonneuses-lieuses, batteuses, moissonneuses-batteuses, lieuses de feuilles de tabac, tracteurs, greniers mobiles, camions pour le transport des produits agricoles, matériel d'apiculture, écrémeuses, barattes, laveuses mécaniques, pulvérisateurs, irrigateurs mobiles, incubateurs, trayeuses mécaniques, machines frigorifiques et appareils de chauffage et de cuisine propres aux opérations agricoles ou devant servir dans la maison d'habitation de la ferme, d'un genre non habituellement fixés à des biens immeubles.

[«**matériel aquicole mobilier**» *"aquacultural implements"*] «instruments aquicoles» ou «matériel aquicole mobilier» Outils, instruments, appareils, dispositifs et machines de tout genre non habituellement fixés à des biens immeubles, destinés à être utilisés dans une exploitation aquicole. Sont visés par la présente définition les parcs en filet, les véhicules et les bateaux utilisés dans une telle exploitation.

[«**matériel sylvicole immobilier**» *"forestry equipment"*] «matériel sylvicole immobilier» Instruments, appareils, dispositifs et machines de tout genre habituellement fixés à des biens immeubles et utilisés en sylviculture.

[«**matériel sylvicole mobilier**» *"forestry implements"*] «matériel sylvicole mobilier» Outils, instruments, appareils, dispositifs et machines de tout genre non habituellement fixés à des biens immeubles et utilisés en sylviculture. Sont visés par la présente définition les véhicules utilisés en forêt.

[«**organismes animaux et végétaux aquatiques**» *"aquatic plants and animals"*] «organismes animaux et végétaux aquatiques» Plantes ou animaux qui, à la plupart des étapes de leur développement, ont comme habitat naturel l'eau.

[«**pêche**» *"fishing"*] «pêche» L'action de prendre ou de chercher à prendre du poisson, quels que soient les moyens employés.

[«**pêcheur**» *"fisherman"*] «pêcheur» Personne dont l'activité professionnelle est, uniquement ou partiellement, la pêche.

forming part thereof, or for use in fishing, and, without restricting the generality of the foregoing, includes detachable engines and machinery, lines, hooks, trawls, nets, anchors, traps, bait, salt, fuel and stores;

["**fishing vessel**" *«bateau...»*] "fishing vessel" means any ship or boat or any other description of vessel for use in fishing and equipment, apparatus and appliances for use in the operation thereof and forming part thereof, or any share or part interest therein;

["**forest**" *«forêt»*] "forest" means land in Canada covered with timber stands or that, formerly so covered, is not put to any use inconsistent with forestry, and includes a sugar bush;

["**forestry**" *«sylviculture»*] "forestry" means the conservation, cultivation, improvement, harvesting and rational utilization of timber stands and the resources contained therein and obtainable therefrom, and includes the operation of a sugar bush;

["**forestry equipment**" *«matériel sylvicole immobilier»*] "forestry equipment" means implements, apparatus, appliances and machinery of any kind usually affixed to real property, for use in a forest;

["**forestry implements**" *«matériel sylvicole mobilier»*] "forestry implements" means tools, implements, apparatus, appliances and machines of any kind not usually affixed to real property, for use in forestry, and includes vehicles for use in forestry;

["**forestry producer**" *«sylviculteur»*] "forestry producer" means a person whose business consists in whole or in part of forestry and includes a producer of maple products;

["**goods, wares and merchandise**" *«effets...»*] "goods, wares and merchandise" includes products of agriculture, products of aquaculture, products of the forest, products of the quarry and mine, products of the sea, lakes and rivers, and all other articles of commerce;

["**grain**" *«grain»*] "grain" includes wheat, oats, barley, rye, corn, buckwheat, flax, beans and all kinds of seeds;

["**hydrocarbons**" *«hydrocarbures»*] "hydrocarbons" means solid, liquid and gaseous hydrocarbons and any natural gas whether consisting of a single element or of two or more elements in chemical combination or uncombined and, without restricting the generality of the foregoing, includes oil-bearing shale, tar sands, crude oil, petroleum, helium and hydrogen sulphide;

[«**poisson**» *"fish"*] «poisson» Sons assimilés à des poissons les crustacés et coquillages ainsi que les animaux aquatiques.

[«**produits agricoles**» *"products of agriculture"*] «produits agricoles» Sont compris parmi les produits agricoles:

a) grains, foin, racines, légumes, fruits, autres récoltes et tout autre produit direct du sol;

b) miel, animaux de ferme — sur pied ou abattus —, produits laitiers, œufs et tout autre produit indirect du sol.

[«**produits aquatiques**» *"products of the sea..."*] «produits aquatiques» Poisson de toute espèce, êtres organiques et inorganiques vivant dans la mer et les eaux douces, et toute substance extraite ou tirée des eaux, à l'exception des produits aquicoles.

[«**produits aquicoles**» *"products of aquaculture"*] «produits aquicoles» Tout organisme animal ou végétal aquatique, élevé ou cultivé.

[«**produits de la forêt**» *"products of the forest"*] «produits de la forêt» Sont compris parmi les produits de la forêt:

a) bois en grume, bois à pulpe, pilotis, espars, traverses de chemins de fer, poteaux, étais de mine et tout autre bois d'œuvre;

b) planches, lattes, bardeaux, madriers, douves et tous les autres bois de service, écorces, copeaux, sciures de bois et arbres de Noël;

c) peaux et fourrures d'animaux sauvages;

d) produits de l'érable.

[«**produits des carrières et des mines**» *"products of the quarry..."*] «produits des carrières et des mines» Tout produit tiré des mines ou carrières, y compris la pierre, l'argile, le sable, le gravier, les métaux, les minerais, le charbon, le sel, les pierres précieuses, les minéraux métallifères et non métalliques et les hydrocarbures obtenus par excavation, forage ou autrement.

[«**récépissé d'entrepôt**» *"warehouse..."*] «récépissé d'entrepôt» Sont compris parmi les récépissés d'entrepôt:

a) les récépissés ou reçus donnés par toute personne pour des effets, denrées ou marchandises en sa possession réelle, publique et continue, à titre de dépositaire de bonne foi de ces effets et non comme propriétaire;

b) les récépissés ou reçus donnés par toute personne qui est propriétaire ou gardien de quelque port, anse, bassin, quai, cour, entrepôt, hangar, magasin ou autre lieu destiné à l'emmagasinage

["**livestock**" «*bétail*»] "livestock" includes

(*a*) horses and other equines,

(*b*) cattle, sheep, goats and other ruminants, and

(*c*) swine, poultry, bees and fur-bearing animals;

["**manufacturer**" «*fabricant*»] "manufacturer" means any person who manufactures or produces by hand, art, process or mechanical means any goods, wares and merchandise and, without restricting the generality of the foregoing, includes a manufacturer of logs, timber or lumber, maltster, distiller, brewer, refiner and producer of petroleum, tanner, curer, packer, canner, bottler and a person who packs, freezes or dehydrates any goods, wares and merchandise;

["**minerals**" «*substances...*»] "minerals" includes base and precious metals, coal, salt and every other substance that is an article of commerce obtained from the earth by any method of extraction, but does not include hydrocarbons or any animal or vegetable substance other than coal;

["**products of agriculture**" «*produits agricoles*»] "products of agriculture" includes

(*a*) grain, hay, roots, vegetables, fruits, other crops and all other direct products of the soil, and

(*b*) honey, livestock (whether alive or dead), dairy products, eggs and all other indirect products of the soil;

["**products of aquaculture**" «*produits aquicoles*»] "products of aquaculture" includes all cultivated aquatic plants and animals;

["**products of the forest**" «*produits de...*»] "products of the forest" includes

(*a*) logs, pulpwood, piling, spars, railway ties, poles, pit props and all other timber,

(*b*) boards, laths, shingles, deals, staves and all other lumber, bark, wood chips and sawdust and Christmas trees,

(*c*) skins and furs of wild animals, and

(*d*) maple products;

["**products of the quarry and mine**" «*produits des...*»] "products of the quarry and mine" includes stone, clay, sand, gravel, metals, ores, coal, salt, precious stones, metalliferous and non-metallic minerals and hydrocarbons, whether obtained by excavation, drilling or otherwise;

["**products of the sea, lakes and rivers**" «*produits aquatiques*»] "products of the sea, lakes and rivers" includes fish of all kinds, marine and freshwater organic and inorganic life and any substances extracted or derived from any water, but does not include products of aquaculture;

d'effets, denrées ou marchandises, pour des effets, denrées ou marchandises qui lui ont été livrés à titre de dépositaire et qui se trouvent réellement dans le lieu, ou dans l'un ou plusieurs des lieux dont elle est propriétaire ou gardien, que cette personne exerce ou non une autre activité professionnelle;

c) les récépissés ou reçus donnés par toute personne qui a la garde de bois en grume ou de bois d'œuvre transitant des concessions forestières ou autres terrains au lieu de leur destination;

d) les récépissés, reçus et warrants de transit de la Lake Shippers' Clearance Association, ceux de la British Columbia Grain Shippers' Clearance Association et tous les documents reconnus par la *Loi sur les grains du Canada* comme étant des récépissés;

e) les récépissés ou reçus donnés par toute personne pour tous hydrocarbures qu'elle a reçus en qualité de dépositaire, que son engagement l'oblige à restituer les mêmes hydrocarbures ou lui permette de livrer une même quantité d'hydrocarbures de la même catégorie ou variété ou d'une catégorie ou variété similaire.

[**«récoltes sur pied ou produites à la ferme»** *"crops..."*] «récoltes sur pied ou produites à la ferme» Tous les produits de la ferme.

[**«stock aquicole de départ»** *"aquatic seedstock"*] «stock aquicole de départ» Organismes animaux et végétaux obtenus par l'aquiculteur en vue de l'élevage ou de la culture indépendamment de leur stade de développement.

[**«stock en croissance ou produits de l'exploitation aquicole»** *"aquacultural stock growing..."*] «stock en croissance ou produits de l'exploitation aquicole» Tous les produits de l'exploitation aquicole.

[**«stock géniteur aquicole»** *"aquatic broodstock"*] «stock géniteur aquicole» Espèces aquatiques servant à la production des organismes animaux et végétaux constituant le stock de départ.

[**«substances minérales»** *"minerals"*] «substances minérales» S'entend notamment de toute matière, à l'exclusion des hydrocarbures et des matières animales ou végétales autres que le charbon, extraite du sol par quelque méthode que ce soit à des fins commerciales. Sont inclus dans la présente définition tous les métaux, le charbon et le sel.

[**«sylviculteur»** *"forestry producer"*] «sylviculteur» Personne dont l'activité professionnelle est, uniquement ou partiellement, la sylviculture. S'entend également de l'acériculteur.

[**«sylviculture»** *"forestry"*] «sylviculture» L'exploitation rationnelle des arbres forestiers, et notamment leur conservation, leur entretien, leur régénération, leur coupe et l'obtention de sous-produits et dérivés de ceux-ci. S'entend également de l'acériculture.

[**"warehouse receipt"** *«récépissé...»*] "warehouse receipt" includes

(a) any receipt given by any person for goods, wares and merchandise in the person's actual, visible and continued possession as bailee thereof in good faith and not as the owner thereof,

(b) receipts given by any person who is the owner or keeper of a harbour, cove, pond, wharf, yard, warehouse, shed, storehouse or other place for the storage of goods, wares and merchandise, for goods, wares and merchandise delivered to the person as bailee, and actually in the place or in one or more of the places owned or kept by the person, whether or not that person is engaged in other business,

(c) receipts given by any person in charge of logs or timber in transit from timber limits or other lands to the place of destination of the logs or timber,

(d) Lake Shippers' Clearance Association receipts and transfer certificates, British Columbia Grain Shippers' Clearance Association receipts and transfer certificates, and all documents recognized by the *Canada Grain Act* as elevator receipts, and

(e) receipts given by any person for any hydrocarbons received by the person as bailee, whether the person's obligation to restore requires delivery of the same hydrocarbons or may be satisfied by delivery of a like quantity of hydrocarbons of the same or a similar grade or kind.

(2) **[Interprétation: produits et sous-produits]** Pour l'application des articles 426 à 436, tout élément compris dans les définitions suivantes, prévues au paragraphe (1), s'entend également de cet élément ou de ses parties, quel qu'en soit la forme ou l'état, ainsi que des produits, sous-produits et dérivés qui en sont tirés:

a) «stock en croissance ou produits de l'exploitation aquicole»;

b) «récoltes sur pied ou produites à la ferme»;

c) «bétail»;

d) «produits agricoles»;

e) «produits aquicoles»;

f) «produits de la forêt»;

g) «produits des carrières et des mines»;

h) «produits aquatiques».

1991, ch. 46, art. 425.

426. (1) **[Prêts sur hydrocarbures et substances minérales]** La banque peut consentir des prêts ou des avances garantis soit par un ou plusieurs des biens suivants, soit par des droits relatifs à l'un de ces biens, que la garantie ait été fournie par l'emprunteur, une caution ou une tierce personne:

a) des hydrocarbures ou des substances minérales se trouvant soit dans le sol ou le sous-sol, soit en dépôt;

b) les droits, licences ou permis de toute personne d'obtenir et d'enlever des hydrocarbures ou des substances minérales, de pénétrer sur les terrains où ils sont produits, extraits ou susceptibles de l'être, et d'occuper et utiliser ces terrains;

c) le droit de propriété ou de jouissance de toute personne, afférent à ces hydrocarbures, substances minérales, droits, licences, permis et terrains, qu'il s'agisse d'un droit total ou partiel;

d) l'outillage et le coffrage employés ou destinés à extraire, produire ou chercher à extraire ou produire des hydrocarbures ou des substances minérales et à les emmagasiner.

(2) **[Garantie]** La garantie visée au présent article peut être accordée par le donneur de garantie ou pour son compte, au moyen d'un acte signé, remis à la banque et établi en la forme réglementaire ou en une forme équivalente, et doit, selon le cas, viser les biens décrits dans l'acte de garantie:

a) dont la personne qui donne la garantie est propriétaire au moment de la remise de l'acte;

b) dont cette personne devient propriétaire avant l'abandon de la garantie par la banque, que ces biens existent ou non au moment de cette remise.

(2) **[Interpretation — products and by-products]** For the purposes of sections 426 to 436, each thing included in the following terms as defined in subsection (1), namely,

(a) "aquacultural stock growing or produced in the aquaculture operation",

(b) "crops growing or produced on the farm",

(c) "livestock",

(d) "products of agriculture",

(e) "products of aquaculture",

(f) "products of the forest",

(g) "products of the quarry and mine", and

(h) "products of the sea, lakes and rivers",

comprises that thing in any form or state and any part thereof and any product or by-product thereof or derived therefrom.

426. (1) **[Loans on hydrocarbons and minerals]** A bank may lend money and make advances on the security of any or all of the following, namely,

(a) hydrocarbons or minerals in, under or on the ground, in place or in storage,

(b) the rights, licences or permits of any person to obtain and remove any such hydrocarbons or minerals and to enter on, occupy and use lands from or on which any of such hydrocarbons or minerals are or may be extracted, mined or produced,

(c) the estate or interest of any person in or to any such hydrocarbons or minerals, rights, licences, permits and lands whether the estate or interest is entire or partial, and

(d) the equipment and casing used or to be used in extracting, mining or producing or seeking to extract, mine or produce, and storing any such, hydrocarbons or minerals,

or of any rights or interests in or to any of the foregoing whether the security be taken from the borrower or from a guarantor of the liability of the borrower or from any other person.

(2) **[Security]** Security under this section may be given by signature and delivery to the bank, by or on behalf of the person giving the security, of an instrument in the prescribed form or in a form to the like effect, and shall affect the property described in the instrument giving the security

(a) of which the person giving the security is the owner at the time of the delivery of the instrument, or

(b) of which that person becomes the owner at any time thereafter before the release of the security by the bank, whether or not the property is in existence at the time of the delivery,

Pour l'application de la présente loi, tous ces biens sont affectés à la garantie.

(3) **[Droits aux termes de la garantie]** Lorsqu'elle bénéficie d'une garantie accordée conformément au présent article, la banque, agissant par l'intermédiaire de ses dirigeants, employés ou mandataires, a, en cas:

a) de non-paiement d'un prêt ou d'une avance dont le remboursement est ainsi garanti,

b) de défaut de prise en charge, d'entretien, de protection ou de conservation des biens affectés à la garantie,

tous les pouvoirs — en sus et sans préjudice des autres pouvoirs qui lui sont dévolus — pour prendre, à sa convenance, toutes les mesures suivantes ou certaines d'entre elles, savoir: prendre possession de la totalité ou d'une partie des biens affectés à la garantie ou les saisir, les prendre en charge, en assurer l'entretien, les utiliser, les exploiter et, sous réserve de toute autre loi qui en régit la propriété et l'aliénation et de ses règlements d'application, les vendre selon qu'elle le juge à propos.

(4) **[Responsabilité pour l'excédent]** En cas d'exercice par la banque de l'un des droits que le paragraphe (3) lui confère sur les biens qui lui ont été donnés en garantie, elle doit remettre à la personne qui y a droit l'excédent du produit qui en provient, après remboursement des prêts et avances avec les intérêts et frais.

(5) **[Effet de la vente]** La vente, effectuée en vertu du paragraphe (3), des biens donnés en garantie à la banque confère à l'acheteur tous les droits et titres s'y rapportant que le donneur de garantie avait à la date de la garantie et qu'il a acquis postérieurement.

(6) **[Vente aux enchères publiques]** Sauf accord du donneur de garantie, la vente, effectuée en vertu du paragraphe (3), doit se faire aux enchères publiques et après l'accomplissement des formalités suivantes:

a) l'envoi par courrier recommandé au donneur de garantie, à sa dernière adresse connue, d'un avis indiquant sa date, heure et lieu de vente et expédié dix jours au moins avant celle-ci;

b) l'insertion d'un avis annonçant la vente, aux moins deux jours avant celle-ci, dans au moins deux journaux publiés au lieu fixé pour la vente ou au lieu le plus proche.

all of which property is for the purposes of this Act property covered by the security.

(3) **[Rights under security]** Any security given under this section vests in the bank, in addition to and without limitation of any other rights or powers vested in or conferred on it, full power, right and authority, through its officers, employees or agents, in the event of

(a) non-payment of any loan or advance as security for the payment of which the bank has taken the security, or

(b) failure to care for, maintain, protect or preserve the property covered by the security,

to do all or any of the following, namely, take possession of, seize, care for, maintain, use, operate and, subject to the provisions of any other Act and any regulations made under any other Act governing the ownership and disposition of the property that is the subject of the security, sell the property covered by the security or part thereof as it sees fit.

(4) **[Liability to account for surplus]** Where a bank exercices any right conferred on it by subsection (3) in relation to property given to it as security, the bank shall provide to the person entitled thereto any surplus proceeds resulting from the exercise of the right that remain after payment of all loans and advances, together with interest and expenses, in relation to which the property was given as security.

(5) **[Effect of sale]** A sale pursuant to subsection (3) of any property given to a bank as security vests in the purchaser all the right and title in and to such property that the person giving the security had when the security was given and that that person thereafter acquired.

(6) **[Sale to be by public auction]** Unless a person by whom property was given to a bank as security has agreed otherwise, a sale pursuant to subsection (3) shall be made by public auction after

(a) notice of the time and place of the sale has been sent by registered mail to the recorded address of the person by whom the property was given as security at least ten days prior to the sale; and

(b) publication of an advertisement of the sale, at least two days prior to the sale, in at least two newspapers published in or nearest to the place where the sale is to be made.

(7) **[Priorité des droits de la banque]** Sous réserve des paragraphes (8), (9) et (10), les droits et pouvoirs de la banque concernant les biens visés par la garantie donnée conformément au présent article priment les droits subséquemment acquis sur ces biens, ainsi que ceux de tout détenteur d'un privilège de constructeur ou de vendeur impayé d'outillage ou de coffrage; ce droit de préférence ne s'applique pas à la créance du vendeur impayé qui avait un privilège sur l'outillage ou le coffrage à la date de l'obtention de la garantie par la banque, sauf si cette dernière n'avait pas eu, à cette date, connaissance du privilège.

(8) **[Idem]** Les droits et pouvoirs de la banque concernant les biens visés par une garantie donnée conformément au présent article ne priment pas les droits acquis sur ces biens, sauf si:

a) avant l'enregistrement de ces droits;

b) avant l'enregistrement ou le dépôt de l'acte ou autre instrument constatant ces droits, ou l'enregistrement ou le dépôt d'une mise en garde, d'un avertissement ou d'un bordereau concernant un tel intérêt ou droit,

il a été procédé à l'enregistrement ou au dépôt au bureau d'enregistrement ou bureau des titres fonciers compétent, ou au bureau compétent où sont enregistrés les droits, licences ou permis mentionnés au présent article:

c) soit d'un original de l'acte de garantie;

d) soit d'une copie de l'acte de garantie, certifiée conforme par un dirigeant ou un employé de la banque;

e) soit d'une mise en garde, d'un avertissement ou d'un bordereau concernant les droits de la banque.

(9) **[Procédure d'enregistrement]** Le registraire ou préposé responsable du bureau d'enregistrement ou du bureau des titres fonciers compétent ou d'un autre bureau compétent auquel est présenté un document mentionné aux alinéas (8)*c)*, *d)* ou *e)* doit l'enregistrer ou le déposer conformément à la procédure ordinaire d'enregistrement ou de dépôt de tels documents, sous réserve du paiement des droits applicables.

(10) **[Exception]** Les paragraphes (8) et (9) ne sont pas applicables si la loi provinciale en cause ne permet pas l'enregistrement ou le dépôt du document présenté ou si les lois fédérales régissant la propriété et l'aliénation du bien qui fait l'objet d'une

(7) **[Priority of bank's rights]** Subject to subsections (8), (9) and (10), all the rights and powers of a bank in respect of the property covered by security given under this section have priority over all rights subsequently acquired in, on or in respect of such property and also over the claim of any mechanics' lien holder or of any unpaid vendor of equipment or casing but this priority does not extend over the claim of any unpaid vendor who had a lien on the equipment or casing at the time of the acquisition by the bank of the security, unless the security was acquired without knowledge on the part of the bank of that lien.

(8) **[Idem]** The rights and powers of a bank in respect of the property covered by security given under this section do not have priority over an interest or a right acquired in, on or in respect of the property unless, prior to

(*a*) the registration of such interest or right, or

(*b*) the registration or filing of the deed or other instrument evidencing such interest or right, or of a caution, caveat or memorial in respect thereof,

there has been registered or filed in the proper land registry or land titles office or office in which are recorded the rights, licences or permits referred to in this section,

(*c*) an original of the instrument giving the security,

(*d*) a copy of the instrument giving the security, certified by an officer or employee of the bank to be a true copy, or

(*e*) a caution, caveat or memorial in respect of the rights of the bank.

(9) **[Procedure for registering]** Every registrar or officer in charge of the proper land registry or land titles or other office to whom a document mentioned in paragraph (8)(*c*), (*d*) or (*e*) is tendered shall register or file the document according to the ordinary procedure for registering or filing within that office documents that evidence liens or charges against, or cautions, caveats or memorials in respect of claims to, interests in or rights in respect of any such property and subject to payment of the like fees.

(10) **[Exception]** Subsections (8) and (9) do not apply if the law of the appropriate province does not permit the registration or filing of the tendered document or if any law enacted by or under the authority of Parliament, governing the ownership and

garantie donnée en vertu du présent article ne prévoient pas, par un renvoi exprès au présent article,
l'enregistrement ou le dépôt du document présenté.

(11) **[Autre garantie]** Lorsqu'elle fait un prêt ou
une avance garantis conformément au présent article, la banque peut prendre, sur tout bien visé par
cette garantie, toute autre garantie qu'elle juge utile.

(12) **[Substitution de garantie]** Par dérogation
aux autres dispositions de la présente loi, la banque
qui détient une garantie sur des hydrocarbures ou
des substances minérales peut prendre, en remplacement de celle-ci, une garantie portant sur la livraison d'une quantité équivalente des mêmes
hydrocarbures ou substances minérales ou d'hydrocarbures ou de substances minérales de même
qualité ou du même type ou lui donnant droit à une
telle livraison.

1991, ch. 46, art. 426.

427. (1) **[Prêts à certains emprunteurs et ga-
rantie]** La banque peut consentir des prêts ou
avances de fonds:

a) à tout acheteur, expéditeur ou marchand en
gros ou au détail de produits agricoles, aquicoles,
forestiers, des carrières, des mines ou aquatiques ou d'effets, denrées ou marchandises fabriqués ou autrement obtenus, moyennant garantie
portant sur ces produits ou sur ces effets, denrées ou marchandises ainsi que sur les effets,
denrées ou marchandises servant à leur emballage;

b) à toute personne faisant des affaires en qualité de fabricant, moyennant garantie portant sur
les effets, denrées ou marchandises qu'elle fabrique ou produit, ou qui sont acquis à cette fin,
ainsi que sur les effets, denrées ou marchandises
servant à leur emballage;

c) à tout aquiculteur moyennant garantie portant
sur son stock en croissance ou les produits de
son exploitation aquicole ou sur son matériel
aquicole immobilier ou mobilier;

d) à tout agriculteur, moyennant garantie portant
sur ses récoltes ou sur son matériel agricole immobilier ou mobilier;

e) à tout aquiculteur:

(i) pour l'achat de stock géniteur aquicole ou
de stock aquicole de départ, moyennant garantie portant sur ceux-ci et sur tout produit qui en
proviendra,

(ii) pour l'achat d'insecticides, moyennant garantie portant sur ces insecticides et sur tout
produit de l'exploitation aquicole sur lequel ils
doivent être utilisés,

disposal of the property that is the subject of security given under this section, does not provide by
specific reference to this section for the registration
or filing of the tendered document.

(11) **[Further security]** When making a loan or
an advance on the security provided for by this section, a bank may take, on any property covered by
the security, any further security it sees fit.

(12) **[Substitution of security]** Notwithstanding
anything in this Act, where the bank holds any security covering hydrocarbons or minerals, it may take
in lieu of that security, to the extent of the quantity
covered by the security taken, any security covering
or entitling it to the delivery of the same hydrocarbons or minerals or hydrocarbons or minerals of the
same or a similar grade or kind.

427. (1) **[Loans to certain borrowers and se-
curity]** A bank may lend money and make advances

(a) to any wholesale or retail purchaser or shipper
of, or dealer in, products of agriculture, products of
aquaculture, products of the forest, products of the
quarry and mine, products of the sea, lakes and
rivers or goods, wares and merchandise, manufactured or otherwise, on the security of such products or goods, wares and merchandise and of
goods, wares and merchandise used in or procured for the packing of such products or goods,
wares and merchandise,

(b) to any person engaged in business as a manufacturer, on the security of goods, wares and merchandise manufactured or produced by that person
or procured for such manufacture or production and
of goods, wares and merchandise used in or procured for the packing of goods, wares and merchandise so manufactured or produced,

(c) to any aquaculturist, on the security of aquacultural stock growing or produced in the aquaculture operation or on the security of aquacultural
equipment or aquacultural implements,

(d) to any farmer, on the security of crops growing
or produced on the farm or on the security of agricultural equipment or agricultural implements,

(e) to any aquaculturist

(i) for the purchase of aquatic broodstock or
aquatic seedstock, on the security of the
aquatic broodstock or aquatic seedstock and
any aquatic stock to be grown therefrom,

(ii) for the purchase of pesticide, on the security of the pesticide and any aquatic stock to be
grown from the site on which the pesticide is to
be used, and

(iii) pour l'achat de nourriture, médicaments vétérinaires, produits biologiques ou vaccins, moyennant garantie portant sur ceux-ci et sur tout produit de l'exploitation aquicole sur lequel ils doivent être utilisés;

f) à tout agriculteur:

(i) pour l'achat de semences, notamment de pommes de terre, moyennant garantie portant sur ces semences et sur toute récolte qui en proviendra,

(ii) pour l'achat d'engrais et d'insecticides, moyennant garantie portant sur ces engrais et insecticides, et sur toute récolte que produira la terre sur laquelle, dans la même saison, ils doivent être utilisés;

g) à tout aquiculteur moyennant garantie portant sur les organismes animaux et végétaux aquatiques, étant entendu que la garantie prise en vertu du présent alinéa n'est pas valable à l'égard des organismes qui sont, au moment où la garantie est prise et en vertu d'une loi en vigueur à ce moment, insaisissables par voie de bref d'exécution et exclus des biens qui peuvent être donnés en garantie d'un emprunt par cet aquiculteur;

h) à tout agriculteur ou à toute personne se livrant à l'élevage du bétail, moyennant garantie portant sur des grains de provende ou du bétail, étant entendu que la garantie prise en vertu du présent alinéa n'est pas valable à l'égard du bétail qui est, au moment où la garantie est prise et en vertu d'une loi en vigueur à ce moment, insaisissable par voie de bref d'exécution et exclu des biens qui peuvent être donnés en garantie d'un emprunt par cet agriculteur ou cette personne se livrant à l'élevage du bétail;

i) à tout aquiculteur pour l'achat d'instruments aquicoles, moyennant garantie portant sur ces instruments;

j) à tout agriculteur pour l'achat d'instruments agricoles, moyennant garantie portant sur ces instruments;

k) à tout aquiculteur pour l'achat ou l'installation de matériel aquicole immobilier ou d'installations électriques aquicoles, moyennant garantie portant sur ce matériel ou ces installations électriques;

l) à tout agriculteur pour l'achat ou l'installation de matériel agricole immobilier ou d'installations électriques de ferme, moyennant garantie portant sur ce matériel ou ces installations électriques;

m) à tout aquiculteur pour:

(i) la réparation ou la révision de matériel aquicole mobilier ou immobilier ou d'installations électriques aquicoles,

(ii) la modification ou l'amélioration d'installations électriques aquicoles,

(iii) for the purchase of feed, veterinary drugs, biologicals or vaccines, on the security of the feed, veterinary drugs, biologicals or vaccines and any aquatic stock to be grown in the aquaculture operation on which the feed, veterinary drugs, biologicals or vaccines are to be used,

(f) to any farmer

(i) for the purchase of seed grain or seed potatoes, on the security of the seed grain or seed potatoes and any crop to be grown therefrom, and

(ii) for the purchase of fertilizer or pesticide, on the security of the fertilizer or pesticide and any crop to be grown from land on which, in the same season, the fertilizer or pesticide is to be used,

(g) to any aquaculturist on the security of aquatic plants and animals, but security taken under this paragraph is not effective in respect of any aquatic plants and animals that, at the time the security is taken, by any statutory law that is then in force, are exempt from seizure under writs of execution and the aquaculturist is prevented from giving as security for money lent to the aquaculturist,

(h) to any farmer or to any person engaged in livestock raising, on the security of feed or livestock, but security taken under this paragraph is not effective in respect of any livestock that, at the time the security is taken, by any statutory law that is then in force, is exempt from seizure under writs of execution and the farmer or other person engaged in livestock raising is prevented from giving as security for money lent to the farmer or other person,

(i) to any aquaculturist for the purchase of aquacultural implements, on the security of those aquacultural implements,

(j) to any farmer for the purchase of agricultural implements, on the security of those agricultural implements,

(k) to any aquaculturist for the purchase or installation of aquacultural equipment or an aquacultural electric system, on the security of that aquacultural equipment or aquacultural electric system,

(l) to any farmer for the purchase or installation of agricultural equipment or a farm electric system, on the security of that agricultural equipment or farm electric system,

(m) to any aquaculturist for

(i) the repair or overhaul of an aquacultural implement, aquacultural equipment or an aquaculture electric system,

(ii) the alteration or improvement of an aquacultural electric system,

(iii) l'érection ou la construction de clôtures ou d'ouvrages de drainage sur l'exploitation aquicole pour la conservation, l'élevage, la culture ou la protection d'organismes animaux et végétaux aquatiques ou pour leur alimentation en eau et l'évacuation des eaux,

(iv) la construction, la réparation, la modification ou l'agrandissement de tout édifice ou bâtiment de l'exploitation aquicole,

(v) toute entreprise en vue de l'amélioration ou de la mise en valeur d'une exploitation aquicole pouvant faire l'objet d'un prêt au sens de la *Loi sur le financement des petites entreprises du Canada*, de la *Loi sur les prêts aux petites entreprises* ou de la *Loi sur les prêts destinés aux améliorations agricoles*,

moyennant garantie portant sur le matériel aquicole mobilier ou immobilier, étant entendu que la garantie prise en vertu du présent alinéa n'est pas valable en ce qui concerne le matériel qui est, au moment où la garantie est prise et en vertu d'une loi en vigueur à ce moment, insaisissable par voie de bref d'exécution et exclu des biens qui peuvent être donnés en garantie d'un emprunt par cet aquiculteur;

n) à tout agriculteur pour:

(i) la réparation ou la révision de matériel agricole mobilier ou immobilier ou d'installation électrique de ferme,

(ii) la modification ou l'amélioration d'installations électriques de ferme,

(iii) l'érection ou la construction de clôtures ou d'ouvrages de drainage de la ferme,

(iv) la construction, la réparation, la modification ou l'agrandissement de tout édifice ou bâtiment de la ferme,

(v) toute entreprise en vue de l'amélioration ou de la mise en valeur d'une ferme pouvant faire l'objet d'un prêt au sens de la *Loi sur les prêts destinés aux améliorations agricoles*,

(vi) toute fin pouvant faire l'objet d'un prêt au sens de la *Loi sur les prêts destinés aux améliorations agricoles et à la commercialisation selon la formule coopérative*,

moyennant garantie portant sur le matériel agricole mobilier ou immobilier, étant entendu que la garantie prise en vertu du présent alinéa n'est pas valable en ce qui concerne le matériel qui est, au moment où la garantie est prise et en vertu d'une loi en vigueur à ce moment, insaisissable par voie de bref d'exécution et exclu des biens qui peuvent être donnés en garantie d'un emprunt par cet agriculteur;

(iii) the erection or construction of fencing or works for drainage in an aquaculture operation for the holding, rearing or protection of aquatic plants and animals or for the supply of water to such plants and animals or the disposal of effluent from them,

(iv) the construction, repair or alteration of or making of additions to any building or structure in an aquaculture operation, and

(v) any works for the improvement or development of an aquaculture operation for which a loan, as defined in the *Canada Small Business Financing Act*, a business improvement loan, as defined in the *Small Business Loans Act*, or a farm improvement loan, as defined in the *Farm Improvement Loans Act*, may be made,

on the security of aquacultural equipment or aquacultural implements, but security taken under this paragraph is not effective in respect of aquacultural equipment or aquacultural implements that, at the time the security is taken, by any statutory law that is then in force, are exempt from seizure under writs of execution and the aquaculturist is prevented from giving as security for money lent to the aquaculturist,

(n) to any farmer for

(i) the repair or overhaul of an agricultural implement, agricultural equipment or a farm electric system,

(ii) the alteration or improvement of a farm electric system,

(iii) the erection or construction of fencing or works for drainage on a farm,

(iv) the construction, repair or alteration of or making of additions to any building or structure on a farm,

(v) any works for the improvement or development of a farm for which a farm improvement loan as defined in the *Farm Improvement Loans Act* may be made, and

(vi) any purpose for which a loan as defined in the *Farm Improvement and Marketing Cooperatives Loans Act* may be made,

on the security of agricultural equipment or agricultural implements, but security taken under this paragraph is not effective in respect of agricultural equipment or agricultural implements that, at the time the security is taken, by any statutory law that is then in force, are exempt from seizure under writs of execution and the farmer is prevented from giving as security for money lent to the farmer,

o) à tout pêcheur, moyennant garantie portant sur des bateaux ou engins de pêche ou des produits aquatiques, étant entendu que la garantie prise en vertu du présent alinéa n'est pas valable en ce qui concerne les biens qui sont, au moment où la garantie est prise et en vertu d'une loi en vigueur à ce moment, insaisissables par voie de bref d'exécution et exclus des biens qui peuvent être donnés en garantie d'un emprunt par ce pêcheur;

p) à tout sylviculteur, moyennant garantie portant sur des engrais, insecticides, matériel sylvicole mobilier ou immobilier ou des produits forestiers, étant entendu que la garantie prise en vertu du présent alinéa n'est pas valable en ce qui concerne les biens de ce genre qui sont, au moment où la garantie est prise et en vertu d'une loi en vigueur à ce moment, insaisissables par voie de bref d'exécution et exclus des biens qui peuvent être donnés en garantie d'un emprunt par ce sylviculteur.

La garantie peut être accordée par le donneur de garantie ou pour son compte, au moyen d'un document signé, remis à la banque et établi en la forme réglementaire ou en une forme équivalente.

(2) **[Droits et pouvoirs conférés par la remise de document]** La remise à la banque d'un document lui accordant, en vertu du présent article, une garantie sur des biens dont le donneur de garantie:

a) soit est propriétaire au moment de la remise du document,

b) soit devient propriétaire avant l'abandon de la garantie par la banque, que ces biens existent ou non au moment de cette remise,

confère à la banque, en ce qui concerne les biens visés, les droits et pouvoirs suivants:

c) s'il s'agit d'une garantie donnée soit en vertu des alinéas (1)*a*), *b*), *g*), *h*), *i*), *j*) ou *o*), soit en vertu des alinéas (1)*c*) ou *m*) et portant sur du matériel aquicole mobilier, soit en vertu des alinéas (1)*d*) ou *n*) et portant sur du matériel agricole mobilier, soit en vertu de l'alinéa (1)*p*) et portant sur du matériel sylvicole mobilier, les mêmes droits que si la banque avait acquis un récépissé d'entrepôt ou un connaissement visant ces biens;

d) s'il s'agit d'une garantie donnée:

(i) soit en vertu de l'alinéa (1)*c*) et portant sur du stock en croissance ou produits de l'exploitation aquicole ou du matériel aquicole immobilier,

(ii) soit en vertu de l'alinéa (1)*d*) et portant sur des récoltes ou du matériel agricole immobilier,

(*o*) to any fisherman, on the security of fishing vessels, fishing equipment and supplies or products of the sea, lakes and rivers, but security taken under this paragraph is not effective in respect of any such property that, at the time the security is taken, by any statutory law that is then in force, is exempt from seizure under writs of execution and the fisherman is prevented from giving as security for money lent to the fisherman and

(*p*) to any forestry producer, on the security of fertilizer, pesticide, forestry equipment, forestry implements or products of the forest, but security taken under this paragraph is not effective in respect of any such property that, at the time the security is taken, by any statutory law that is then in force, is exempt from seizure under writs of execution and the forestry producer is prevented from giving as security for money lent to the forestry producer,

and the security may be given by signature and delivery to the bank, by or on behalf of the person giving the security, of a document in the prescribed form or in a form to the like effect.

(2) **[Rights and powers vested by delivery of document]** Delivery of a document giving security on property to a bank under the authority of this section vests in the bank in respect of the property therein described

(*a*) of which the person giving security is the owner at the time of the delivery of the document, or

(*b*) of which that person becomes the owner at any time thereafter before the release of the security by the bank, whether or not the property is in existence at the time of the delivery,

the following rights and powers, namely,

(*c*) if the property is property on which security is given under paragraph (1)(*a*), (*b*), (*g*), (*h*), (*i*), (*j*) or (*o*), under paragraph (1)(*c*) or (*m*) consisting of aquacultural implements, under paragraph (1)(*d*) or (*n*) consisting of agricultural implements or under paragraph (1)(*p*) consisting of forestry implements, the same rights and powers as if the bank had acquired a warehouse receipt or bill of lading in which that property was described, or

(*d*) if the property

(i) is property on which security is given under paragraph (1)(*c*) consisting of aquacultural stock growing or produced in the aquacultural stock growing or produced in the aquaculture operation or aquacultural equipment,

(iii) soit en vertu des alinéas (1)*e*), *f*), *k*) et *l*),

(iv) soit en vertu de l'alinéa (1)*m*) et portant sur du matériel aquicole immobilier,

(v) soit en vertu de l'alinéa (1)*n*) et portant sur du matériel agricole immobilier,

(vi) soit en vertu de l'alinéa (1)*p*) et portant sur du matériel sylvicole immobilier,

d'une part, un gage ou privilège de premier rang sur ces biens pour la somme garantie avec les intérêts y afférents et, le cas échéant, sur les récoltes avant comme après leur enlèvement du sol, la moisson ou le battage dont elles font l'objet et, d'autre part, les mêmes droits sur ces biens que si elle avait acquis un récépissé d'entrepôt ou un connaissement décrivant ces biens, étant entendu que tous les droits de la banque subsistent même si ces biens sont fixés à des biens immeubles ou si le donneur de garantie n'en est pas propriétaire.

Tous les biens, à l'égard desquels les droits sont dévolus à la banque sous le régime du présent article, sont, pour l'application de la présente loi, des biens affectés à la garantie.

(3) **[Pouvoir de la banque de prendre possession, etc.]** Lorsqu'une garantie sur des biens est donnée à la banque en vertu des alinéas (1)*c*) à *p*), celle-ci, agissant par l'intermédiaire de ses dirigeants, employés ou mandataires, a, dans l'une des éventualités suivantes:

a) non-paiement d'un prêt ou d'une avance dont le remboursement est garanti,

b) défaut de prendre en charge les récoltes ou d'en faire la moisson ou de prendre soin du bétail, affectés à la garantie,

c) défaut de prendre en charge le stock en croissance ou les produits de l'exploitation aquicole ou de prendre soin des organismes animaux et végétaux aquatiques, affectés à la garantie,

d) défaut de prendre en charge les biens affectés à la garantie donnée en vertu des alinéas (1)*i*) à *p*),

e) tentative, sans le consentement de la banque, d'aliénation de biens affectés à la garantie,

f) saisie de biens affectés à la garantie,

saisir et, en ce qui a trait au stock en croissance ou produits de l'exploitation aquicole ou aux récoltes

(ii) is property on which security is given under paragraph (1)(*d*) consisting of crops or agricultural equipment,

(iii) is property on which security is given under any of paragraphs (1)(*e*), (*f*), (*k*) and (*l*),

(iv) is property on which security is given under paragraph (1)(*m*) consisting of aquacultural equipment,

(v) is property on which security is given under paragraph (1)(*n*) consisting of agricultural equipment, or

(vi) is property on which security is given under paragraph (1)(*p*) consisting of forestry equipment,

a first and preferential lien and claim thereon for the sum secured and interest thereon, and as regards a crop as well before as after the severance from the soil, harvesting or threshing thereof, and, in addition thereto, the same rights and powers in respect of the property as if the bank had acquired a warehouse receipt or bill of lading in which the property was described, and all rights and powers of the bank subsist notwithstanding that the property is affixed to real property and notwithstanding that the person giving the security is not the owner of that real property,

and all such property in respect of which such rights and powers are vested in the bank under this section is for the purposes of this Act property covered by the security.

(3) **[Power of the bank to take possession, etc.]** Where security on any property is given to a bank under any of paragraphs (1)(*c*) to (*p*), the bank, in addition to and without limitation of any other rights or powers vested in or conferred on it, has full power, right and authority, through its officers, employees or agents, in the case of

(*a*) non-payment of any of the loans or advances for which the security was given,

(*b*) failure to care for or harvest any crop or to care for any livestock covered by the security,

(*c*) failure to care for or harvest any aquatic stock growing or produced in the aquaculture operation or to care for any aquatic plants and animals covered by the security,

(*d*) failure to care for any property on which security is given under any of paragraphs (1)(*i*) to (*p*),

(*e*) any attempt, without the consent of the bank, to dispose of any property covered by the security, or

(*f*) seizure of any property covered by the security, to take possession of or seize the property covered by the security, and in the case of aquacultural stock

sur pied ou produites à la ferme, les prendre en charge et s'il y a lieu en faire la moisson ou en battre le grain et, en ce qui a trait au bétail ou aux organismes animaux et végétaux aquatiques, en prendre soin; et à ces fins, elle a le droit de pénétrer sur le terrain ou dans les locaux, et de détacher et d'enlever ces biens de tous biens immeubles auxquels ils sont fixés sauf les fils, conduits ou tuyaux incorporés à un bâtiment.

(4) **[Préavis]** Les dispositions suivantes s'appliquent lorsqu'une garantie sur des biens est donnée à la banque conformément au présent article:

a) les droits et pouvoirs de la banque sur les biens affectés à la garantie sont inopposables aux créanciers du donneur de garantie et à ceux qui de bonne foi, par la suite, prennent une hypothèque sur les biens affectés à la garantie ou les achètent, à moins qu'un préavis signé par le donneur de garantie ou pour son compte n'ait été enregistré à l'agence appropriée dans les trois années qui précèdent la date de la garantie;

b) l'enregistrement d'un préavis peut être annulé par l'enregistrement, à l'agence où le préavis a été enregistré, d'un certificat de dégagement signé au nom de la banque visée dans le préavis et précisant que toute garantie à laquelle se rapporte le préavis a été dégagée ou que nulle garantie n'a été donnée à la banque;

c) toute personne peut, en s'adressant à l'agent et sur paiement du droit fixé en application du paragraphe (6), recevoir communication de ses archives et notamment des préavis et certificats de dégagement;

d) toute personne peut s'enquérir, auprès d'une agence, de la validité d'un préavis par l'envoi franco à l'agent d'une demande écrite ou d'un télégramme; l'agent est tenu, dans le cas d'une demande écrite accompagnée de la somme fixée en application du paragraphe (6), de consulter les archives et les pièces pertinentes de l'agence et de communiquer à l'auteur de la demande le nom de la banque mentionnée dans le préavis; cette réponse est envoyée par lettre à moins qu'une réponse par télégramme n'ait été exigée, auquel cas il est envoyé aux frais du demandeur;

e) la preuve de l'enregistrement à une agence du préavis ou du certificat de dégagement, ainsi que des lieu, date, heure et numéro de l'enregistrement, peut se faire en produisant une copie certifiée par l'agent, sans qu'il soit nécessaire de prouver la signature ou la qualité de celui-ci.

growing or produced in the aquaculture operation or a crop growing or produced on the farm to care for it and, where applicable, harvest it or thresh the grain therefrom, and in the case of livestock or aquatic plants and animals to care for them, and has the right and authority to enter on any land, premises or site whenever necessary for any such purpose and to detach and remove such property, exclusive of wiring, conduits or piping incorporated in a building, from any real property to which it is affixed.

(4) **[Notice of intention]** The following provisions apply where security on property is given to a bank under this section:

(a) the rights and powers of the bank in respect of property covered by the security are void as against creditors of the person giving the security and as against subsequent purchasers or mortgagees in good faith of the property covered by the security unless a notice of intention signed by or on behalf of the person giving the security was registered in the appropriate agency not more than three years immediately before the security was given;

(b) registration of a notice of intention may be cancelled by registration in the appropriate agency in which the notice of intention was registered of a certificate of release signed on behalf of the bank named in the notice of intention stating that every security to which the notice of intention relates has been released or that no security was given to the bank, as the case may be;

(c) every person, on payment of the fee prescribed pursuant to subsection (6), is entitled to have access through the agent to any system of registration, notice of intention or certificate of release kept by or in the custody of the agent;

(d) any person desiring to ascertain whether a notice of intention given by a person is registered in an agency may inquire by sending a prepaid telegram or written communication addressed to the agent, and it is the duty of the agent, in the case of a written inquiry, only if it is accompanied by the payment of the fee prescribed pursuant to subsection (6), to make the necessary examination of the information contained in the system of registration and of the relevant documents, if any, and to reply to the inquirer stating the name of the bank mentioned in any such notice of intention, which reply shall be sent by mail unless a telegraphic reply is requested, in which case it shall be sent at the expense of the inquirer; and

(e) evidence of registration in an agency of a notice of intention or a certificate of release and of the place, date, time and serial number, if any, of its registration may be given by the production of a

(5) **[Définitions]** Les définitions qui suivent s'appliquent aux paragraphes (4) et (6).

[**«agence»** *"agency"*] «agence» Dans une province, le bureau de la Banque du Canada ou de son représentant autorisé, à l'exception de son bureau d'Ottawa; au Yukon, dans les Territoires du Nord-Ouest et au Nunavut, le bureau du greffier du tribunal de chacun de ces territoires respectivement.

[**«agence appropriée»** *"appropriate..."*] «agence appropriée» Agence de la province où est situé l'établissement de la personne par ou pour qui est signé le préavis ou, si cette personne a plusieurs établissements au Canada qui se trouvent dans plusieurs provinces, l'agence de la province où elle a son principal établissement ou, à défaut d'établissement, l'agence de la province où elle réside; en ce qui concerne un préavis enregistré avant la date d'entrée en vigueur de la présente partie, «agence appropriée» désigne le bureau où l'enregistrement devait être effectué d'après la loi en vigueur à l'époque.

[**«agent»** *"agent"*] «agent» Préposé qui a la charge d'une agence ainsi que toute personne agissant pour ce préposé.

[**«archives»** *"system..."*] «archives» Registres et autres dossiers dont la tenue est exigée en vertu du paragraphe (4), étant entendu qu'ils peuvent être tenus au moyen de feuillets reliés ou non, sur pellicule photographique ou en utilisant un système mécanique ou électronique de traitement de l'information ou tout autre procédé de stockage de données permettant d'obtenir les renseignements nécessaires en clair et après un délai d'attente satisfaisant.

[**«préavis»** *"notice..."*] «préavis» Préavis en forme réglementaire ou en forme comparable et, en outre, le préavis dont l'enregistrement, effectué avant la date d'entrée en vigueur de la présente partie, et la forme répondent aux modalités fixées par la loi en vigueur à l'époque.

[**«principal établissement»** *"principal..."*] «principal établissement»

a) Dans le cas d'une personne morale constituée sous le régime d'une loi fédérale ou provinciale, le lieu au Canada où, d'après la charte, l'acte constitutif ou les règlements administratifs de la personne morale, est situé son siège;

copy of the notice of intention or certificate of release duly certified by the agent to be a true copy thereof without proof of the signature or of the official character of the agent.

(5) **[Définitions]** In subsections (4) and (6),

[**"agency"** *«agence»*] "agency" means, in a province, the office of the Bank of Canada or its authorized representative but does not include its Ottawa office, and in Yukon, the Northwest Territories and Nunavut means the office of the Clerk of the court of each of those territories respectively;

[**"agent"** *«agent»*] "agent" means the officer in charge of an agency, and includes any person acting for that officer;

[**"appropriate agency"** *«agence appropriée»*] "appropriate agency"

(a) the agency for the province in which is located the place of business of the person by whom or on whose behalf a notice of intention is signed,

(b) if that person has more than one place of business in Canada and the places of business are not in the same province, the agency for the province in which is located the principal place of business of that person, or

(c) if that person has no place of business, the agency for the province in which the person resides,

and in respect of any notice of intention registered before the day this Part comes into force, means the office in which registration was required to be made by the law in force at the time of such registration;

[**"notice of intention"** *«préavis»*] "notice of intention" means a notice of intention in the prescribed form or in a form to the like effect, and includes a notice of intention registered before the day this Part comes into force, in the form and registered in the manner required by the law in force at the time of the registration of the notice of intention;

[**"principal place of business"** *«principal...»*] "principal place of business" means

(a) in the case of a body corporate incorporated by or under an Act of Parliament or the legislature of a province, the place where, according to the body corporate's charter, memorandum of association or by-laws, the head office of the body corporate in Canada is situated, and

(b) in the case of any other body corporate, the place at which a civil process in the province in which the loans or advances will be made can be served on the body corporate;

b) dans le cas de toute autre personne morale, le lieu où les actes de procédure en matière civile peuvent lui être signifiés dans la province où des prêts ou avances ont été consentis.

(6) **[Règlements]** Le gouverneur en conseil peut, pour l'application du présent article, prendre des règlements:

a) relatifs aux règles et à la procédure à suivre pour la tenue des archives, notamment l'enregistrement et l'annulation de préavis et l'accès aux archives;

b) exigeant le paiement de droits relatifs aux archives et en fixant le montant;

c) relatifs à toute autre question concernant la tenue des archives.

(7) **[Préférence accordée aux créances relatives aux salaires et aux produits agricoles périssables]** Par dérogation au paragraphe (2), et même si le donneur de garantie portant sur des biens conformément au présent article a fait enregistrer le préavis s'y rapportant comme prévu au présent article, au cas où, en vertu de la *Loi sur la faillite et l'insolvabilité*, une ordonnance de séquestre est rendue contre le donneur de garantie ou il effectue une cession:

a) les créances des employés de l'entreprise ou de la ferme pour laquelle le donneur de garantie a acquis ou détient les biens affectés à la garantie et portant sur leurs salaires, traitements ou autres rémunérations des trois mois précédant la date de l'ordonnance ou de la cession;

b) les créances d'un agriculteur ou d'un producteur de produits agricoles, pour le montant des produits agricoles, qu'il a cultivés et obtenus sur une terre dont il est propriétaire ou locataire et qu'il a livrés au fabricant au cours des six mois précédant l'ordonnance ou la cession, jusqu'à concurrence du moins élevé des deux montants suivants:

(i) le montant total des créances de l'agriculteur ou du producteur,

(ii) le produit, exprimé en dollars, de mille cent multiplié par le dernier indice annuel moyen du

["**system of registration**" «*archives*»] "system of registration" means all registers and other records required by subsection (4) to be prepared and maintained and any such system may be in a bound or loose-leaf form or in a photographic film form, or may be entered or recorded by any system of mechanical or electronic data processing or any other information storage device that is capable of reproducing any required information in intelligible written form within a reasonable time.

(6) **[Regulations]** The Governor in Council may, for the purposes of this section, make regulations

(*a*) respecting the practice and procedure for the operation of a system of registration, including registration of notices of intention, the cancellation of such registrations and access to the system of registration;

(*b*) requiring the payment of fees relating to the system of registration and prescribing the amounts thereof; and

(*c*) respecting any other matter necessary for the maintenance and operation of a system of registration.

(7) **[Priority of wages and money owing for perishable agricultural products]** Notwithstanding subsection (2) and notwithstanding that a notice of intention by a person giving security on property under this section has been registered pursuant to this section, where, under the *Bankruptcy and Insolvency Act*, a receiving order is made against, or an assignment is made by, that person,

(*a*) claims for wages, salaries or other remuneration owing in respect of the period of three months immediately preceding the making of the order or assignment, to employees of the person employed in connection with the business or farm in respect of which the property covered by the security was held or acquired by the person, and

(*b*) claims of a grower or producer of products of agriculture for money owing by a manufacturer to the grower or producer for such products that were grown or produced by the grower or producer on land owned or leased by the grower or producer and that were delivered to the manufacturer during the period of six months immediately preceding the making of the order or assignment to the extent of the lesser of

(i) the total amount of the claims of the grower or producer therefor, and

(ii) the amount determined by multiplying by one thousand one hundred dollars the most re-

Nombre — indice des prix à la ferme des produits agricoles pour le Canada —, publié par Statistique Canada et se rapportant à la date de l'ordonnance ou de la production de la créance,

priment les droits de la banque découlant d'une garantie reçue aux termes du présent article, selon l'ordre dans lequel elles sont mentionnées au présent paragraphe; la banque, qui prend possession ou réalise les biens affectés à la garantie, est responsable des créances jusqu'à concurrence du produit net de la réalisation déduction faite des frais de réalisation, et est subrogée dans tous les droits des titulaires de ces créances jusqu'à concurrence des sommes qu'elle leur a payées.

(8) **[Effet de l'ajustement de l'indice]** À la première occasion où, après le 19 décembre 1990, l'indice visé au sous-alinéa (7)*b*)(ii) est ajusté ou fixé à nouveau sur une base différente, le sous-alinéa est modifié en y remplaçant la référence à mille cent dollars par le produit, arrondi au dollar supérieur, de mille cent dollars par l'indice tel qu'il était avant son ajustement ou sa nouvelle fixation, et le produit ainsi obtenu est divisé par l'indice tel qu'il est ajusté ou fixé à nouveau. À chaque nouvel ajustement ou nouvelle fixation sur une base différente, ce sous-alinéa est modifié en substituant au montant qui y est mentionné le montant calculé de la façon indiquée ci-dessus.

cent annual average Index Number of Farm Prices of Agricultural Products for Canada published by Statistics Canada at the time the receiving order or claim is made,

have priority over the rights of the bank in a security given to the bank under this section, in the order in which they are mentioned in this subsection, and if the bank takes possession or in any way disposes of the property covered by the security, the bank is liable for those claims to the extent of the net amount realized on the disposition of the property, after deducting the cost of realization, and the bank is subrogated in and to all the rights of the claimants to the extent of the amounts paid to them by the bank.

(8) **[Effect of adjustment of index]** On the first occasion after December 19, 1990 on which the index number referred to in subparagraph (7)(*b*)(ii) is adjusted or re-established on a revised base, that subparagraph is amended by substituting for the reference to one thousand one hundred dollars therein the amount, stated in whole dollars, rounded upwards, obtained when one thousand one hundred dollars is multiplied by the index number immediately before the adjustment or re-establishment and the product so obtained is divided by the index number immediately following the adjustment or re-establishment, and on each subsequent occasion on which the index number is adjusted or re-established on a revised base, that subparagraph is amended by substituting for the amount then referred to therein, an amount determined in like manner.

1991, ch. 46, art. 427; 1992, ch. 27, art. 90; 1993, ch. 6, art. 6; 1998, ch. 36, art. 21; 1993, ch. 28, art. 78; 2002, ch. 7, art. 82.

428. (1) **[Priorité de créance de la banque]** Tous les droits de la banque sur les biens mentionnés ou visés dans un récépissé d'entrepôt ou un connaissement qu'elle a acquis ou détient, ainsi que ses droits sur les biens affectés à une garantie reçue en vertu de l'article 427, et qui équivalent aux droits découlant d'un récépissé d'entrepôt ou un connaissement visant ces biens, priment, sous réserve du paragraphe 427(4) et des paragraphes (3) à (6) du présent article, tous les droits subséquemment acquis sur ces biens, ainsi que la créance de tout vendeur impayé.

(2) **[Exception]** Le droit de préférence visé au paragraphe (1) n'est pas accordé sur la créance du vendeur impayé qui avait un privilège sur les biens à la date où la banque a acquis le récépissé d'entrepôt, le connaissement ou la garantie, sauf si cette acquisition s'est faite sans que la banque ait

428. (1) **[Priority of bank's claim]** All the rights and powers of a bank in respect of the property mentioned in or covered by a warehouse receipt or bill of lading acquired and held by the bank, and the rights and powers of the bank in respect of the property covered by a security given to the bank under section 427 that are the same as if the bank had acquired a warehouse receipt or bill of lading in which that property was described, have, subject to subsection 427(4) and subsections (3) to (6) of this section, priority over all rights subsequently acquired in, on or in respect of that property, and also over the claim of any unpaid vendor.

(2) **[Exception]** The priority referred to in subsection (1) does not extend over the claim of any unpaid vendor who had a lien on the property at the time of the acquisition by the bank of the warehouse receipt, bill of lading or security, unless the same was acquired without knowledge on the part of the

eu connaissance du privilège; lorsque la garantie porte sur du matériel aquicole immobilier en vertu des alinéas 427(1)*c*) ou *m*), du matériel agricole immobilier en vertu des alinéas 427(1)*d*) ou *n*), du matériel aquicole immobilier ou une installation électrique aquicole en vertu de l'alinéa 427(1)*k*), du matériel agricole immobilier ou une installation électrique de ferme en vertu de l'alinéa 427(1)*l*) ou du matériel sylvicole immobilier en vertu de l'alinéa 427(1)*p*), le droit de préférence existe malgré le fait que ces biens sont fixés à des biens immeubles ou le deviennent par la suite.

(3) **[La banque est tenue à l'enregistrement quant aux biens-fonds dans certains cas]** Les droits de la banque qui a reçu une garantie portant soit sur du matériel aquicole immobilier en vertu des alinéas 427(1)*c*) ou *m*), soit sur du matériel agricole immobilier en vertu des alinéas 427(1)*d*) ou *n*), soit sur du matériel aquicole immobilier ou une installation électrique aquicole en vertu de l'alinéa 427(1)*k*), soit sur du matériel agricole immobilier ou une installation électrique de ferme en vertu de l'alinéa 427(1)*l*), soit sur du matériel sylvicole immobilier en vertu de l'alinéa 427(1)*p*), qui est fixé à des biens immeubles ou qui le devient par la suite ne priment pas les droits acquis sur les biens immeubles après que ce matériel y a été fixé, sauf si, avant:

a) l'enregistrement de ces droits,

b) l'enregistrement ou le dépôt de l'acte ou autre instrument constatant ces droits, ou l'enregistrement ou le dépôt d'une mise en garde, d'un avertissement ou d'un bordereau les concernant,

il a été procédé à l'enregistrement ou au dépôt, au bureau d'enregistrement ou au bureau des titres fonciers compétent:

c) soit d'un original du document donnant la garantie;

d) soit d'une copie du document donnant la garantie, certifiée conforme par un dirigeant ou un employé de la banque;

e) soit d'une mise en garde, d'un avertissement ou d'un bordereau concernant les droits de la banque.

(4) **[Procédure d'enregistrement]** Tout registraire ou préposé d'un bureau d'enregistrement ou bureau des titres fonciers compétent doit, sur présentation du document mentionné aux alinéas (3)*c*), *d*) ou *e*), l'enregistrer ou le déposer d'après la procédure ordinaire pour l'enregistrement ou le dépôt, dans ce bureau, de documents attestant des privilèges ou charges, ou des mises en garde, des avertissements ou des bordereaux concernant

bank of that lien, and where security is given to the bank under paragraph 427(1)(*c*) or (*m*) consisting of aquacultural equipment, under paragraph 427(1)(*d*) or (*n*) consisting of agricultural equipment, under paragraph 427(1)(*k*) consisting of aquacultural equipment or an aquacultural electric system, under paragraph 427(1)(*l*) consisting of agricultural equipment or a farm electric system or under paragraph 427(1)(*p*) consisting of forestry equipment, that priority shall exist notwithstanding that the property is or becomes affixed to real property.

(3) **[Bank required to register against land in certain cases]** Where security has been given to a bank under paragraph 427(1)(*c*) or (*m*) consisting of aquacultural equipment, under paragraph 427(1)(*d*) or (*n*) consisting of agricultural equipment, under paragraph 427(1)(*k*) consisting of aquacultural equipment or an aquacultural electric system, under paragraph 427(1)(*l*) consisting of agricultural equipment or a farm electric system or under paragraph 427(1)(*p*) consisting of forestry equipment that is or has become affixed to real property, the rights and powers of the bank do not have priority over any interest or right acquired in, on or in respect of the real property after that property has become affixed thereto unless, prior to

(*a*) the registration of such interest or right, or

(*b*) the registration or filing of the deed or other instrument evidencing the interest or right, or of a caution, caveat or memorial in respect thereof,

there has been registered or filed in the proper land registry or land titles office,

(*c*) an original of the document giving the security,

(*d*) a copy of the document giving the security, certified by an officer or employee of the bank to be a true copy, or

(*e*) a caution, caveat or memorial in respect of the rights of the bank.

(4) **[Procedure for registering]** Every registrar or officer in charge of the proper land registry or land titles office to whom a document mentioned in paragraph (3)(*c*), (*d*) or (*e*) is tendered shall register or file the document according to the ordinary procedure for registering or filing within that office documents that evidence liens or charges against, or cautions, caveats or memorials in respect of claims to, or interests in or rights in respect of, real property

des réclamations, intérêts ou droits afférents aux biens immeubles, sous réserve du paiement des droits correspondants; le paragraphe (3) et le présent paragraphe ne sont pas applicables si la loi provinciale ne permet pas l'enregistrement ou le dépôt du document présenté.

(5) **[Garantie sur des bateaux de pêche]** Les droits de la banque qui a, sous le régime de l'alinéa 427(1)*o*), reçu une garantie portant sur un bateau de pêche inscrit, enregistré ou immatriculé conformément à la *Loi sur la marine marchande du Canada* ou au *Code maritime*, chapitre 41 des Statuts du Canada de 1977-78, ne priment pas les droits subséquemment acquis sur le bateau, inscrits et enregistrés sous le régime de cette loi ou de ce Code, à moins qu'une copie de l'acte de garantie, certifiée conforme par un dirigeant de la banque, n'ait été préalablement inscrite ou enregistrée selon la loi ou le Code.

(6) **[Idem]** Une copie de l'acte de garantie, certifiée par un dirigeant de la banque, peut être inscrite ou enregistrée aux termes de la *Loi sur la marine marchande du Canada* ou du *Code maritime*, chapitre 41 des Statuts du Canada de 1977-78, comme s'il s'agissait d'une hypothèque consentie sous le régime de cette loi ou de ce Code; et dès l'inscription ou l'enregistrement de cette copie, la banque, en plus des autres droits qui lui sont conférés et sans qu'il y soit porté atteinte, possède sur le bateau tous les droits qu'elle aurait eus s'il s'était agi d'une hypothèque inscrite ou enregistrée sous le régime de cette loi ou de ce Code.

(7) **[Vente des biens en cas de non-paiement de la dette]** En cas de non-paiement d'une dette, d'un engagement, d'un prêt ou d'une avance, pour lesquels la banque a acquis et détient un récépissé d'entrepôt ou un connaissement ou une garantie prévue à l'article 427, la banque peut vendre la totalité ou une partie des biens en question pour se rembourser en principal, intérêts et frais, en remettant tout surplus au donneur de la garantie.

(8) **[Idem]** Sauf accord du donneur de garantie et sauf si les biens sont périssables et que leur vente en conformité avec les modalités suivantes pourrait causer une diminution importante de leur valeur, la vente visée au paragraphe (7) doit se faire aux enchères publiques après l'accomplissement des formalités suivantes:

a) pour les biens autres que le bétail:

(i) l'envoi, sous pli recommandé, au donneur de garantie, à sa dernière adresse connue, d'un avis indiquant les date, heure et lieu de la

and subject to payment of the like fees, but subsection (3) and this subsection do not apply if the provincial law does not permit such registration or filing of the tendered document.

(5) **[Security on fishing vessels]** Where security has been given to a bank under paragraph 427(1)(*o*) on a fishing vessel that is recorded or registered under the *Canada Shipping Act* or registered under the *Maritime Code*, chapter 41 of the Statutes of Canada, 1977-78, the rights and powers of the bank do not have priority over any rights that are subsequently acquired in the vessel and are recorded or registered under that Act or Code unless a copy of the document giving the security, certified by an officer of the bank to be a true copy, has been recorded or registered under that Act or Code in respect of the vessel before the recording or registration thereunder of such rights.

(6) **[Idem]** A copy of the document giving the security described in subsection (5), certified by an officer of the bank, may be recorded or registered under the *Canada Shipping Act* or the *Maritime Code*, chapter 41 of the Statutes of Canada, 1977-78, as if it were a mortgage given thereunder, and on the recording or registration thereof the bank, in addition to and without limitation of any other rights or powers vested in or conferred on it, has all the rights and powers in respect of the vessel that it would have if the security were a mortgage recorded or registered under that Act or Code.

(7) **[Sale of goods on non-payment of debt]** In the event of non-payment of any debt, liability, loan or advance, as security for the payment of which a bank has acquired and holds a warehouse receipt or bill of lading or has taken any security under section 427, the bank may sell all or any part of the property mentioned therein or covered thereby and apply the proceeds against that debt, liability, loan or advance, with interest and expenses, returning the surplus, if any, to the person by whom such security was given.

(8) **[Idem]** The power of sale referred to in subsection (7) shall, unless the person by whom the security mentioned in that subsection was given has agreed to the sale of the property otherwise than as

herein provided or unless the property is perishable and to comply with the following provisions might result in a substantial reduction in the value of the property, be exercised subject to the following provisions, namely,

(*a*) every sale of such property other than livestock shall be by public auction after

vente et expédié dix jours au moins avant la date fixée ou trente jours au moins avant celle-ci s'il s'agit de produits forestiers,

(ii) l'insertion d'un avis annonçant la vente avec indication des date, heure et lieu, au moins deux jours avant la date fixée, dans au moins deux journaux paraissant au lieu de vente ou au lieu le plus proche;

b) pour le bétail:

(i) l'insertion d'un avis indiquant les date, heure et lieu de la vente, au moins cinq jours avant celle-ci, dans un journal paraissant au lieu fixé pour la vente ou au lieu le plus proche,

(ii) l'affichage au bureau de poste le plus rapproché du lieu fixé pour la vente, au moins cinq jours avant celle-ci, d'un avis écrit, énonçant les date, heure et lieu de la vente.

Le produit d'une vente de bétail, déduction faite des frais engagés par la banque et des frais de saisie et de vente, devient affecté en premier lieu à l'acquittement des privilèges, des nantissements ou gages primant la garantie accordée à la banque et pour lesquels des réclamations ont été présentées à la personne faisant la vente, et en second lieu au remboursement de la créance, en principal et intérêts, de la banque, le surplus étant remis au donneur de garantie.

(9) **[Droits de l'acquéreur]** Toute vente de biens par la banque aux termes des paragraphes (7) et (8) attribue à l'acquéreur l'ensemble des droits et titres afférents aux biens, que la personne qui a donné la garantie en vertu de l'article 435 possédait lorsque la garantie a été donnée, ou que la personne qui a donné la garantie en vertu de l'article 427 possédait lorsque la garantie a été donnée et qu'elle a acquis par la suite.

(10) **[Exigence d'honnêteté]** La banque qui vend des biens aux termes des paragraphes (7) et (8) ou en vertu d'un accord conclu avec le donneur de garantie doit agir honnêtement et effectuer la vente en temps opportun et de façon indiquée, compte tenu de la nature des biens et des intérêts du donneur de garantie; dans le cas d'une vente en vertu d'un accord, la banque doit donner au donneur de garantie un avis raisonnable, sauf si les biens sont périssables et qu'une telle formalité pourrait entraîner une diminution importante de leur valeur.

(i) notice of the time and place of the sale has been sent by registered mail to the recorded address of the person by whom the security was given, at least ten days prior to the sale in the case of any such property other than products of the forest, and at least thirty days prior to the sale in the case of any such property consisting of products of the forest, and

(ii) publication of an advertisement of the sale, at least two days prior to the sale, in at least two newspapers published in or nearest to the place where the sale is to be made stating the time and place thereof; and

(b) every sale of livestock shall be made by public auction not less than five days after

(i) publication of an advertisement of the time and place of the sale in a newspaper, published in or nearest to the place where the sale is to be made, and

(ii) posting of a notice in writing of the time and place of the sale, in or at the post office nearest to the place where the sale is to be made,

and the proceeds of such a sale of livestock, after deducting all expenses incurred by the bank and all expenses of seizure and sale, shall first be applied to satisfy privileges, liens or pledges having priority over the security given to the bank and for which claims have been filed with the person making the sale, and the balance shall be applied in payment of the debt, liability, loan or advance, with interest and the surplus, if any, returned to the person by whom the security was given.

(9) **[Right and title of purchaser]** Any sale of property by a bank under subsections (7) and (8) vests in the purchaser all the right and title in and to the property that the person from whom security was taken under section 435 had when the security was given or that the person from whom security was taken under section 427 had when the security was given and that he acquired thereafter.

(10) **[Duty to act honestly and in good faith]** In connection with any sale of property by a bank pursuant to subsections (7) and (8) or pursuant to any agreement between the bank and the person by whom the security was given, the bank shall act honestly and in good faith and shall deal with the property in a timely and appropriate manner having regard to the nature of the property and the interests of the person by whom the security was given and, in the case of a sale pursuant to an agreement, shall give the person by whom the security was given reasonable notice of the sale except where the property is perishable and to do so might result in a substantial reduction in the value of the property.

(11) **[Obligation d'agir avec célérité relativement à des biens saisis]** Sous réserve de l'article 427 et du présent article ainsi que de tout accord entre la banque et le donneur de garantie, lorsque, en vertu du paragraphe 427(3), la banque prend possession de biens qui lui ont été donnés en garantie ou les saisit, elle doit, dans les meilleurs délais compte tenu de la nature des biens, les vendre en totalité ou en partie, de manière à pouvoir payer, avec intérêts et frais, la créance, l'engagement, le prêt ou l'avance, pour lesquels les biens ont été donnés en garantie.

(12) **[Produits fabriqués avec des effets engagés]** En cas de transformation des effets, denrées ou marchandises visés dans un récépissé d'entrepôt ou un connaissement acquis et détenu par la banque ou affectés à une garantie donnée à celle-ci en vertu de l'article 427, la banque possède sur les effets, denrées ou marchandises transformés ou en cours de transformation les mêmes droits qu'elle avait sur eux dans leur état initial, aux mêmes fins et conditions.

(13) **[Subrogation de garantie]** Lorsque le paiement ou l'acquittement d'une dette, d'une obligation, d'un prêt ou d'une avance assorti d'une garantie au profit de la banque sous le régime des articles 426, 427 ou 435 est garanti par une tierce personne, et que la dette, l'obligation, l'avance ou le prêt est remboursé ou acquitté par le garant, ce dernier est subrogé dans tous les droits de la banque en vertu de la garantie que la banque détenait à leur égard sous le régime de ces articles et du présent article.

(14) **[La banque peut céder ses droits]** La banque peut céder tout ou partie de ses droits sur les biens affectés à une garantie qui lui a été donnée aux termes des alinéas 427(1)*i*), *j*), *k*), *l*), *m*), *n*), *o*) ou *p*); le cessionnaire possède les droits que la garantie conférait à la banque.

1991, ch. 46, art. 428.

429. (1) [Conditions auxquelles la banque peut prendre des garanties] La banque ne peut acquérir ni détenir aucun récépissé d'entrepôt ou connaissement, ni aucune garantie prévue à l'article 427, pour garantir le paiement d'une dette, d'une obligation, d'une avance ou d'un prêt que si ceux-ci sont intervenus:

a) soit au moment de ladite acquisition par la banque;

(11) **[Duty to act expeditiously in respect of seized property]** Subject to section 427 and this section and any agreement between the bank and the person by whom the property was given as security, where, pursuant to subsection 427(3), a bank takes possession of or seizes property given as security to the bank, the bank shall, as soon as is reasonably practical having regard to the nature of the property, sell the property or so much thereof as will enable it to satisfy the debt, liability, loan or advance, with interest and expenses, in relation to which the property was given as security.

(12) **[Goods manufactured from articles pledged]** Where goods, wares and merchandise are manufactured or produced from goods, wares and merchandise, or any of them, mentioned in or covered by any warehouse receipt or bill of lading acquired and held by a bank or any security given to a bank under section 427, the bank has the same rights and powers in respect of the goods, wares and merchandise so manufactured or produced, as well during the process of manufacture or production as after the completion thereof, and for the same purposes and on the same conditions as it had with respect to the original goods, wares and merchandise.

(13) **[Subrogation of security]** Where payment or satisfaction of any debt, liability, loan or advance in respect of which a bank has taken security under section 426, 427 or 435 is guaranteed by a third person and the debt, liability, loan or advance is paid or satisfied by the guarantor, the guarantor is subrogated in and to all of the powers, rights and authority of the bank under the security that the bank holds in respect thereof under sections 426, 427 and 435 and this section.

(14) **[Bank may assign its rights]** A bank may assign to any person all or any of its rights and powers in respect of any property on which security has been given to it under paragraph 427(1)(*i*), (*j*), (*k*), (*l*), (*m*), (*n*), (*o*) or (*p*), whereupon that person has all or any of the assigned rights and powers of the bank under such security.

429. (1) [Conditions under which bank may take security] A bank shall not acquire or hold any warehouse receipt or bill of lading, or any security under section 427, to secure the payment of any debt, liability, loan or advance unless the debt, liability, loan or advance is contracted or made

(*a*) at the time of the acquisition thereof by the bank, or

b) soit sur un engagement écrit ou une convention prévoyant que le récépissé d'entrepôt ou le connaissement ou la garantie prévue à l'article 427, serait donné à la banque, auquel cas la dette ou l'obligation peut être contractée, ou l'avance ou le prêt consenti, avant, pendant ou après cette acquisition.

La dette, l'obligation, l'avance ou le prêt peuvent faire l'objet d'un renouvellement ou d'une prorogation d'échéance, sans qu'il soit porté atteinte à la garantie.

(2) **[Échange d'une garantie contre une autre]** La banque peut:

a) lors de l'expédition de biens pour lesquels elle détient un récépissé d'entrepôt, ou une garantie visée à l'article 427, remettre le récépissé ou la garantie et recevoir en échange un connaissement;

b) lors de la réception de biens pour lesquels elle détient un connaissement ou une garantie visée à l'article 427, soit remettre le connaissement ou la garantie, entreposer les biens et obtenir en conséquence un récépissé d'entrepôt ou soit expédier les biens, en totalité ou en partie, et obtenir ainsi un autre connaissement;

c) remettre tout connaissement ou récépissé d'entrepôt qu'elle détient et recevoir en échange une garantie visée par la présente loi;

d) lorsque, sous le régime de l'article 427, elle détient une garantie sur du grain entreposé dans un silo, obtenir en échange de la garantie, un connaissement portant sur ce grain ou du grain de la même qualité ou du même type, expédié à partir du silo, jusqu'à concurrence de la quantité expédiée;

e) lorsqu'elle détient une garantie quelconque portant sur du grain, obtenir, en échange de cette garantie et jusqu'à concurrence de la quantité couverte par celle-ci, un connaissement ou un récépissé d'entrepôt portant sur ce grain ou du grain de la même qualité ou du même type, ou tout document qui lui donne droit, en vertu de la *Loi sur les grains du Canada*, à la livraison du grain ou du grain de la même qualité ou du même type.

1991, ch. 46, art. 429.

430. [Prêts à un séquestre, un liquidateur, etc.] La banque peut consentir des prêts ou des avances de fonds à un séquestre, à un séquestre-gérant, à un liquidateur nommé en vertu de toute loi sur les liquidations, ou à un gardien, à un séquestre

(b) on the written promise or agreement that a warehouse receipt or bill of lading or security under section 427 would be given to the bank, in which case the debt, liability, loan or advance may be contracted or made before or at the time of or after that acquisition,

and such debt, liability, loan or advance may be renewed, or the time for the payment thereof extended, without affecting any security so acquired or held.

(2) **[Exchange of one security for another]** A bank may

(a) on the shipment of any property for which it holds a warehouse receipt or any security under section 427, surrender the receipt or security and receive a bill of lading in exchange therefor;

(b) on the receipt of any property for which it holds a bill of lading, or any security under section 427, surrender the bill of lading or security, store the property and take a warehouse receipt therefor, or ship the property, or part of it, and take another bill of lading therefor;

(c) surrender any bill of lading or warehouse receipt held by it and receive in exchange therefor any security that may be taken under this Act;

(d) when it holds any security under section 427 on grain in any elevator, take a bill of lading covering the same grain or grain of the same grade or kind shipped from that elevator, in lieu of that security, to the extent of the quantity shipped; and

(e) when it holds any security whatever covering grain, take in lieu of that security, to the extent of the quantity covered by the security taken, a bill of lading or warehouse receipt for, or any document entitling it under the *Canada Grain Act* to the delivery of, the same grain or grain of the same grade or kind.

430. [Loans to receiver, liquidator, etc.] A bank may lend money and make advances to a receiver, to a receiver and manager, to a liquidator appointed under any winding-up Act, or to a custodian, an interim receiver or a trustee under the *Bankruptcy*

intérimaire ou à un syndic nommé en vertu de la *Loi sur la faillite et l'insolvabilité*, lorsque ceux-ci sont dûment autorisés à emprunter; la banque peut, en consentant le prêt ou l'avance, et postérieurement, obtenir de ces personnes, avec ou sans leur caution personnelle, des garanties dont le montant et les biens qui y sont affectés sont déterminés ou autorisés par tout tribunal compétent.

1991, ch. 46, art. 430; 1992, ch. 27, art. 90.

431. **[Possibilité de vendre les valeurs]** En cas de non-remboursement de prêt, d'avance ou de dette ou de non-exécution des obligations, la banque peut disposer des valeurs mobilières acquises et détenues en garantie, notamment en les vendant et en les transférant comme pourrait le faire un particulier dans les mêmes circonstances et sous réserve des restrictions applicables; le droit, prévu au présent article, de disposer des valeurs mobilières et de les aliéner peut, par accord entre la banque et le donneur de garantie, faire l'objet d'une renonciation ou d'une modification.

1991, ch. 46, art. 431.

432. **[Droits concernant un bien meuble]** La banque a, pour tout bien meuble sur lequel elle a obtenu une garantie, les droits que la présente loi lui reconnaît à l'égard des biens immeubles sur lesquels elle a obtenu une garantie.

1991, ch. 46, art. 432.

433. **[Achat d'immeubles]** La banque peut acheter des biens immeubles mis en vente:

a) sur exécution, par suite d'insolvabilité, ou en vertu d'une ordonnance ou décision d'un tribunal, ou pour recouvrement d'impôts, comme s'ils appartenaient à l'un de ses débiteurs;

b) par un créancier détenteur d'une hypothèque ou de la charge d'un rang supérieur à celui de l'hypothèque ou de la charge détenue par la banque;

c) par la banque en vertu d'un pouvoir qui lui a été accordé à cette fin, lorsqu'un avis de cette vente, effectuée aux enchères au dernier enchérisseur a été préalablement donné par annonce insérée pendant quatre semaines dans un journal publié dans le comté ou la circonscription électorale où sont situés les biens,

lorsque, dans des circonstances analogues, un particulier pourrait également les acheter, sans aucune restriction quant à la valeur des biens; elle peut ac-

and Insolvency Act, if the receiver, receiver and manager, liquidator, custodian, interim receiver or trustee has been duly authorized or empowered to borrow, and, in making the loan or advance, and thereafter, the bank may take security, with or without personal liability, from the receiver, receiver and manager, liquidator, custodian, interim receiver or trustee to such an amount, and on such property as may be directed or authorized by any court of competent jurisdiction.

431. **[Securities may be sold]** Securities acquired and held by a bank as security may, in case of default in the payment of the loan, advance or debt or in the discharge of the liability for the securing of which they were so acquired and held, be dealt with, sold and conveyed, in like manner as and subject to the restrictions under which a private individual might in like circumstances deal with, sell and convey the same, and the right to deal with and dispose of securities as provided in this section may be waived or varied by any agreement between the bank and the person by whom the security was given.

432. **[Rights in respect of personal property]** The rights, powers and privileges that a bank is by this Act declared to have, or to have had, in respect of real property on which it has taken security, shall be held and possessed by it in respect of any personal property on which it has taken security.

433. **[Purchase of realty]** A bank may purchase any real property offered for sale

(a) under execution, or in insolvency, or under the order or decree of a court, or at a sale for taxes, as belonging to any debtor to the bank,

(b) by a mortgagee or other encumbrancer, having priority over a mortgage or other encumbrance held by the bank, or

(c) by the bank under a power of sale given to it for that purpose, notice of the sale by auction to the highest bidder having been first given by advertisement for four weeks in a newspaper published in the county or electoral district in which the property is situated,

in cases in which, under similar circumstances, an individual could so purchase, without any restriction as to the value of the property that it may so purchase, and may acquire title thereto as any individual, purchasing at a sheriff's sale or sale for taxes or under a power of sale, in like circumstances could

quérir le titre de propriété de ces biens comme pourrait le faire dans les circonstances identiques le particulier qui achète à une vente effectuée soit par le shérif, soit pour recouvrement d'impôts soit en vertu d'un pouvoir de vendre; la banque peut prendre, garder, détenir et aliéner les biens ainsi achetés.

1991, ch. 46, art. 433.

434. (1) **[La banque peut acquérir un titre absolu]** La banque peut acquérir et détenir le titre absolu de propriété des biens immeubles grevés d'une hypothèque garantissant un prêt ou une avance faite par elle ou une dette ou obligation contractée envers elle, soit en obtenant l'abandon du droit de réméré sur le bien grevé d'une hypothèque, soit en obtenant une forclusion, ou par d'autres moyens permettant à des particuliers de faire obstacle à l'exercice du droit de réméré ou d'obtenir le transfert de titre de biens immeubles; elle peut acheter et acquérir toute hypothèque ou autre charge antérieure sur ces biens.

(2) **[Acquisition non interdite par loi ou règle de droit]** Aucune charte, loi ou règle de droit ne doit s'interpréter comme ayant été destinée à interdire ou comme interdisant à la banque d'acquérir et de détenir le titre absolu de propriété des biens immeubles grevés d'une hypothèque, quelle qu'en soit la valeur, ou d'exercer le droit découlant d'une hypothèque consentie en sa faveur ou détenue par elle, lui conférant l'autorisation ou lui permettant de vendre ou de transférer les biens grevés.

1991, ch. 46, art. 434.

435. (1) **[Récépissés d'entrepôt ou connaissements]** La banque peut acquérir et détenir tout récépissé d'entrepôt ou connaissement à titre de garantie soit du paiement de toute dette contractée envers elle, soit de toute obligation contractée par elle pour le compte d'une personne, dans le cadre de ses opérations bancaires.

(2) **[Effet de l'acquisition]** Tout récépissé d'entrepôt ou connaissement confère à la banque qui l'a acquis, en vertu du paragraphe (1), à compter de la date de l'acquisition:

a) les droit et titre de propriété que le précédent détenteur ou propriétaire avait sur le récépissé d'entrepôt ou le connaissement et sur les effets, denrées ou marchandises qu'il vise;

b) les droit et titre qu'avait la personne, qui les a cédés à la banque, sur les effets, denrées ou marchandises qui y sont mentionnés, si le récé-

do, and may take, have, hold and dispose of the property so purchased.

434. (1) **[Bank may acquire absolute title]** A bank may acquire and hold an absolute title in or to real property affected by a mortgage or hypothec securing a loan or an advance made by the bank or a debt or liability to the bank, either by the obtaining of a release of the equity of redemption in the mortgaged property, or by procuring a foreclosure, or by other means whereby, as between individuals, an equity of redemption can, by law, be barred, or a transfer of title to real property can, by law, be effected, and may purchase and acquire any prior mortgage or charge on such property.

(2) **[No act or law to prevent]** Nothing in any charter, Act or law shall be construed as ever having been intended to prevent or as preventing a bank from acquiring and holding an absolute title to and in any mortgaged or hypothecated real property, whatever the value thereof, or from exercising or acting on any power of sale contained in any mortgage given to or held by the bank, authorizing or enabling it to sell or convey any property so mortgaged.

435. (1) **[Warehouse receipts and bills of lading]** A bank may acquire and hold any warehouse receipt or bill of lading as security for the payment of any debt incurred in its favour, or as security for any liability incurred by it for any person, in the course of its banking business.

(2) **[Effect of taking]** Any warehouse receipt or bill of lading acquired by a bank under subsection (1) vests in the bank, from the date of the acquisition thereof,

(a) all the right and title to the warehouse receipt or bill of lading and to the goods, wares and merchandise covered thereby of the previous holder or owner thereof; and

(b) all the right and title to the goods, wares and merchandise mentioned therein of the person from whom the goods, wares and merchandise were re-

pissé d'entrepôt ou le connaissement est fait directement en faveur de la banque, au lieu de l'être en faveur de leur précédent détenteur ou propriétaire.

1991, ch. 46, art. 435.

436. (1) **[Cas où le précédent détenteur est mandataire]** Si le précédent détenteur d'un récépissé d'entrepôt ou d'un connaissement visé à l'article 435 a, selon le cas:

a) reçu de leur propriétaire ou d'une personne autorisée par celui-ci la possession des effets, denrées ou marchandises y mentionnés;

b) reçu en consignation de leur propriétaire ou d'une personne autorisée par celui-ci, les effets, denrées ou marchandises;

c) obtenu, du propriétaire des effets, denrées ou marchandises ou d'une personne autorisée par celui-ci la possession d'un document les représentant — tel qu'un connaissement, un reçu ou un ordre — et utilisé en matière commerciale pour établir la possession et la garde d'effets, denrées ou marchandises ou pour autoriser le détenteur d'un tel document à les transférer ou à les obtenir, par voie d'endossement ou de tradition,

la banque est, dès l'acquisition du récépissé d'entrepôt ou du connaissement, investie du droit et du titre du propriétaire des effets, denrées ou marchandises, sous réserve du droit du propriétaire de se les faire rétrocéder en honorant la dette ou l'obligation en garantie de laquelle la banque détient le récépissé d'entrepôt ou le connaissement.

(2) **[Possesseur]** Pour l'application du présent article, est réputée possesseur des effets, denrées ou marchandises ou d'un connaissement, reçu, ordre ou autre document toute personne:

a) qui en a la possession réelle;

b) pour le compte de qui une tierce personne détient les effets, denrées ou marchandises ou le connaissement, reçu, arrêté ou autre document.

1991, ch. 46, art. 436.

ceived or acquired by the bank, if the warehouse receipt or bill of lading is made directly in favour of the bank, instead of to the previous holder or owner of the goods, wares and merchandise.

436. (1) **[When previous holder is agent]** Where the previous holder of a warehouse receipt or bill of lading referred to in section 435 is a person

(a) entrusted with the possession of the goods, wares and merchandise mentioned therein, by or by the authority of the owner thereof,

(b) to whom the goods, wares and merchandise are, by or by the authority of the owner thereof, consigned, or

(c) who, by or by the authority of the owner of the goods, wares and merchandise, is possessed of any bill of lading, receipt, order or other document covering the same, such as is used in the course of business as proof of the possession or control of goods, wares and merchandise, or as authorizing or purporting to authorize, either by endorsement or by delivery, the possessor of such a document to transfer or receive the goods, wares and merchandise thereby represented,

a bank is, on the acquisition of that warehouse receipt or bill of lading, vested with all the right and title of the owner of the goods, wares and merchandise, subject to the right of the owner to have the same re-transferred to the owner if the debt or liability, as security for which the warehouse receipt or bill of lading is held by the bank, is paid.

(2) **[Possessor]** For the purposes of this section, a person shall be deemed to be the possessor of goods, wares and merchandise, or a bill of lading, receipt, order or other document

(a) who is in actual possession thereof; or

(b) for whom, or subject to whose control the goods, wares and merchandise are, or bill of lading, receipt, order or other document is, held by any other person.

PARTIE XVII
PEINES

...

984. (1) **[Fausses déclarations]** Commet une infraction quiconque volontairement fait une fausse déclaration:

a) dans un récépissé d'entrepôt ou un connaissement donné à une banque ou à une banque étrangère autorisée conformément à la présente loi;

b) dans un document conférant ou visant à conférer une garantie sur des biens à une banque, en vertu des articles 426 ou 427, ou à une banque étrangère autorisée, en vertu des mêmes articles incorporés par l'article 555.

(2) **[Aliénation ou retenue d'effets couverts par une garantie]** Commet une infraction quiconque, ayant la possession ou la garde de biens visés dans un récépissé d'entrepôt ou un connaissement, ou affectés à une garantie donnée à la banque sous le régime des articles 426 ou 427, ou à la banque étrangère autorisée sous le régime des mêmes articles incorporés par l'article 555, et ayant connaissance de l'existence du récépissé d'entrepôt, du connaissement ou de la garantie, sans le consentement écrit de la banque ou de la banque étrangère autorisée, avant que le prêt, l'avance, la dette ou l'obligation ainsi garanti ait été complètement acquitté:

a) aliène la totalité ou une partie des biens ou s'en dessaisit;

b) conserve la possession des biens alors que la banque ou la banque étrangère autorisée la réclame, si celle-ci exige cette possession par suite du défaut d'honorer le prêt, l'avance, la dette ou l'obligation.

(3) **[Défaut de se conformer aux conditions de vente]** En cas de non-acquittement envers la banque ou la banque étrangère autorisée d'une dette ou d'une obligation garantie par un récépissé d'entrepôt ou un connaissement ou par une garantie sur des biens donnée à la banque sous le régime des articles 426 ou 427 ou à la banque étrangère autorisée sous le régime des mêmes articles incorporés par l'article 555, la banque ou la banque étrangère autorisée commet une infraction si elle vend les biens visés par le récépissé d'entrepôt, le connaissement ou la garantie en vertu du droit de vente que lui confère la présente loi, sans se conformer aux dispositions de celle-ci qui sont applicables à l'exercice de ce droit.

PART XVII
SANCTIONS

...

984. (1) **[Making false statements]** Every person is guilty of an offence who wilfully makes a false statement

(*a*) in a warehouse receipt or bill of lading given to a bank or authorized foreign bank under the authority of this Act; or

(*b*) in a document giving or purporting to give security on property to a bank under section 426 or 427 or to an authorized foreign bank under either of those sections as incorporated by section 555.

(2) **[Wilfully disposing of or withholding goods covered by security]** Every person is guilty of an offence who, having possession or control of property mentioned in or covered by a warehouse receipt, bill of lading or any security given to a bank under section 426 or 427 or to an authorized foreign bank under either of those sections as incorporated by section 555, and having knowledge of the receipt, bill of lading or security, without the consent of the bank or authorized foreign bank in writing before the loan, advance, debt or liability secured by it has been fully paid

(*a*) wilfully alienates or parts with any of the property; or

(*b*) wilfully withholds from the bank or authorized foreign bank possession of any of the property if demand for its possession is made by the bank or authorized foreign bank after failure to pay the loan, advance, debt or liability.

(3) **[Non-compliance with requirements for sale]** If a debt or liability to a bank or authorized foreign bank is secured by a warehouse receipt or bill of lading or security on property given to a bank under section 426 or 427 or to an authorized foreign bank under either of those sections as incorporated by section 555 and is not paid, the bank or authorized foreign bank is guilty of an offence if it sells the property covered by the warehouse receipt, bill of lading or security under the power of sale conferred on it by this Act without complying with the provisions of this Act applicable to the exercise of the power of sale.

(4) **[Acquisition de récépissés d'entrepôt, de connaissements, etc.]** Commet une infraction toute banque ou banque étrangère autorisée qui acquiert ou détient un récépissé d'entrepôt ou un connaissement, ou tout autre document signé et remis à la banque ou à la banque étrangère autorisée conférant à la banque ou visant à lui conférer une garantie prévue aux articles 426 ou 427 ou conférant à la banque étrangère autorisée ou visant à lui conférer une garantie prévue aux mêmes articles incorporés par l'article 555, pour assurer l'acquittement d'une dette, d'une obligation, d'un prêt ou d'une avance, sauf si, selon le cas:

a) la dette, l'obligation, l'avance ou le prêt sont intervenus au moment de l'acquisition par la banque ou par la banque étrangère autorisée du récépissé d'entrepôt, du connaissement ou du document;

b) la dette, l'obligation, l'avance ou le prêt sont intervenus sur une promesse ou un accord, établis par écrit et prévoyant que le récépissé d'entrepôt, le connaissement ou la garantie seraient donnés à la banque ou à la banque étrangère autorisée;

c) l'acquisition ou la détention par la banque ou par la banque étrangère autorisée du récépissé d'entrepôt, du connaissement ou de la garantie est par ailleurs autorisée par une loi fédérale.

(5) **[Définitions]** Pour l'application du présent article, «récépissé d'entrepôt» et «connaissement» s'entendent au sens de l'article 425.

1991, ch. 46, art. 565; 1997, ch. 15, art. 91; 1999, ch. 28, art. 68; 2001, ch. 9, art. 183.

...

(4) **[Acquisition of warehouse receipts, bills of lading, etc.]** Every bank or authorized foreign bank that acquires or holds a warehouse receipt or bill of lading or a document signed and delivered to it giving or purporting to give to the bank security on property under section 426 or 427, or to give the authorized foreign bank security or property under either of those sections as incorporated by section 555, to secure the payment of any debt, liability, loan or advance, is guilty of an offence unless

(a) the debt, liability, loan or advance is contracted or made at the time of the acquisition by the bank or authorized foreign bank of the warehouse receipt, bill of lading or document;

(b) the debt, liability, loan or advance was contracted or made on the written promise or agreement that the warehouse receipt, bill of lading or security would be given to the bank or authorized foreign bank; or

(c) the acquisition or holding by the bank or authorized foreign bank of the warehouse receipt, bill of lading or security is otherwise authorized by an Act of Parliament.

(5) **[Definitions]** For the purposes of this section, the expressions "warehouse receipt" and "bill of lading" have the meaning assigned to those expressions by section 425.

...

Loi sur les lettres de change

L.R.C. (1985), ch. B-4

Bills of exchange act

R.S.C., 1985, c. B-4

Modifiée par / *Amended by:*

1999, ch. 28, a./s. 148
2000, ch. 12, a./s. 22 à 24
2001, ch. 9, a./s. 586

LOI SUR LES LETTRES DE CHANGE

BILLS OF EXCHANGE ACT

TABLE DES MATIÈRES

TABLE OF CONTENTS

	Articles
Titre abrégé	1
Définitions	2
PARTIE I — Dispositions générales	3-15
PARTIE II — Lettres de change	16-163
Forme de la lettre et interprétation	16-33
Acceptation	34-37
Livraison	38-40
Échéance des lettres	41-45
Capacité et habilité des parties	46-51
Cause	52-54
Détenteur régulier	55-58
Négociation	59-72
Droits et pouvoirs du détenteur	73
Présentation à l'acceptation	74-83
Présentation au paiement	84-94
Avis de refus	95-107
Protêt	108-125
Obligations des parties	126-137
Libération	138-145
Acceptation et paiement par intervention	146-154
Effets perdus	155-156
Pluralité d'exemplaires	157-158
Conflit de lois	159-163
PARTIE III — Chèques sur une banque	164-175
Chèques barrés	168-175
PARTIE IV — Billets	176-187
PARTIE V — Lettres et billets de consommation	188-192
Annexe	

	Sections
Short title	1
Interpretation	2
PART I — General	3-15
PART II — Bills of Exchange	16-163
Form and Interpretation of Bill	16-33
Acceptance	34-37
Delivery	38-40
Computation of Time, Non-juridical Days and Days of Grace	41-45
Capacity and Authority of Parties	46-51
Consideration	52-54
Holder in Due Course	55-58
Negotiation	59-72
Rights and Powers of Holder	73
Presentment for Acceptance	74-83
Presentment for Payment	84-94
Notice of Dishonour	95-107
Protest	108-125
Liabilities of Parties	126-137
Discharge of Bill	138-145
Acceptance and Payment for Honour	146-154
Lost Instruments	155-156
Bill in a Set	157-158
Conflict of Laws	159-163
PART III — Cheques on a Bank	164-175
Crossed Cheques	168-175
PART IV — Promissory Notes	176-187
PART V — Consumer Bills and Notes	188-192
Schedule	

TABLE DE CONCORDANCE — TABLE OF CONCORDANCE

Abréviations / Abbreviations

NC/NR   Ni refondu, ni abrogé
       Not consolidated and not repealed

LOI SUR LES LETTRES DE CHANGE, S.R.C., 1970, c. B-5 et modifications **BILLS OF EXCHANGE ACT,** R.S.C., 1970, c. B-5 and amendments	**LOI SUR LES LETTRES DE CHANGE,** L.R.C. (1985), ch. B-4 et modifications **BILLS OF EXCHANGE ACT,** R.S.C., 1985, c. B-4 and amendments
1-8	1-8
9	NC / NR
10	9
11	10
12	11
13	12
14	13
15	14
16	15
17	16
18	17
19	18
20	19
21	20
22	21
23	22
24	23
25	24
26	25
27	26
28	27
29	28
30	29
31	30
32	31
33	32
34	33
35	34
36	35
37	36
38	37
39	38
40	39
41	40
42	41
43	42
44	43
45	44
46	45
47	46
48	47
49	48

50
51
52
53
54
55
56
57
58
59
60
61
62
63
64
65
66
67
68
69
70
71
72
73
74
75
76
77
78
79
80
81
82
83
84
85
86
87
88
89
90
91
92
93
94
95
96
97
98
99
100
101
102
103
104
105
106
107
108
109
110
111

49
50
51
52
53
54
55
56
57
58
59
60
61
62
63
64
65
66
67
68
69
70
71
72
73
74
75
76
77
78
79
80
81
82
83
84
85
86
87
88
89
90
91
92
93
94
95
96
97
98
99
100
101
102
103
104
105
106
107
108
109
110

112	111
113	112
114	113
115	114
116	115
117	116
118	117
119	118
120	119
121	120
122	121
123	122
124	123
125	124
126	125
127	126
128	127
129	128
130	129
131	130
132	131
133	132
134	133
135	134
136	135
137	136
138	137
139	138
140	139
141	140
142	141
143	142
144	143
145	144
146	145
147	146
148	147
149	148
150	149
151	150
152	151
153	152
154	153
155	154
156	155
157	156
158	157
159	158
160	159
161	160
162	161
163	162
164	163
164.1	164
165-192	165-192
Annexe / Schedule	Annexe / Schedule

LOI CONCERNANT LES LETTRES DE CHANGE, LES CHÈQUES ET LES BILLETS À ORDRE OU AU PORTEUR

L.R.C. (1985), ch. B-4

AN ACT RELATING TO BILLS OF EXCHANGE, CHEQUES, AND PROMISSORY NOTES

R.S.C., 1985, c. B-4

TITRE ABRÉGÉ

1. **[Titre abrégé]** *Loi sur les lettres de change.*

S.R., ch. B-5, art. 1.

SHORT TITLE

1. **[Short title]** This Act may be cited as the *Bills of Exchange Act.*

DÉFINITIONS

2. **[Définitions]** Les définitions qui suivent s'appliquent à la présente loi.

[«acceptation» *"acceptance"*] «acceptation» Acceptation complétée par livraison ou notification.

[«action» *"action"*] «action» Sont assimilées à l'action la demande reconventionnelle et la défense de compensation.

[«banque» *"bank"*] «banque» Banque et banque étrangère autorisée, au sens de l'article 2 de la *Loi sur les banques.*

[«billet» *"note"*] «billet» Billet à ordre ou au porteur.

[«défense» *"defence"*] «défense» Est assimilée à la défense la demande reconventionnelle.

[«détenteur» *"holder"*] «détenteur» Soit le preneur ou l'endossataire d'une lettre ou d'un billet qui en a la possession, soit le porteur de ces effets.

[«émission» *"issue"*] «émission» Première livraison d'une lettre ou d'un billet, parfaitement libellés, à une personne qui l'accepte comme détenteur.

[«endossement» ou «endos» *"endorsement"*] «endossement» ou «endos» Endossement complété par livraison.

[«jours fériés» *"non-business..."*] «jours fériés» Jours non ouvrables désignés comme jours de fête légale par la présente loi.

[«lettre» *"bill"*] «lettre» Lettre de change.

[«livraison» *"delivery"*] «livraison» Transfert de possession réelle ou présumée d'une personne à une autre.

INTERPRETATION

2. **[Definitions]** In this Act,

["acceptance" *«acceptation»*] "acceptance" means an acceptance completed by delivery or notification;

["action" *«action»*] "action" includes counter-claim and set-off;

["bank" *«banque»*] "bank" means a bank or an authorized foreign bank within the meaning of section 2 of the *Bank Act;*

["bearer" *«porteur»*] "bearer" means the person in possession of a bill or note that is payable to bearer;

["bill" *«lettre»*] "bill" means bill of exchange;

["defence" *«défense»*] "defence" includes counter-claim;

["delivery" *«livraison»*] "delivery" means transfer of possession, actual or constructive, from one person to another;

["endorsement" *«endossement»*] "endorsement" means an endorsement completed by delivery;

["holder" *«détenteur»*] "holder" means the payee or endorsee of a bill or note who is in possession of it, or the bearer thereof;

["issue" *«émission»*] "issue" means the first delivery of a bill or note, complete in form, to a person who takes it as a holder;

["non-business days" *«jours...»*] "non-business days" means days directed by this Act to be observed as legal holidays or non-juridical days, and any other day is a business day;

[«**porteur**» *"bearer"*] «porteur» La personne en possession d'une lettre ou d'un billet payable au porteur.

S.R., ch. B-5, art. 2; 1999, ch. 28, art. 148.

PARTIE I

DISPOSITIONS GÉNÉRALES

3. [**Bonne foi**] Est réputé fait de bonne foi, au sens de la présente loi, tout acte accompli honnêtement, qu'il y ait eu par ailleurs négligence ou non.

S.R., ch. B-5, art. 3.

4. [**Signature**] Pour s'acquitter de l'obligation, prévue par la présente loi, de signature d'un effet ou d'un écrit, il faut le signer soi-même ou y autoriser l'apposition de sa signature par quelqu'un d'autre.

S.R., ch. B-5, art. 4.

5. [**Signature d'une personne morale**] Une personne morale s'acquitte de l'obligation, prévue par la présente loi, de signature d'un effet ou d'un écrit par l'apposition de son sceau; le présent article n'a toutefois pas pour effet de rendre cette apposition obligatoire sur tous les billets ou lettres d'une personne morale.

S.R., ch. B-5, art. 5.

6. (1) [**Délais de moins de trois jours**] Les jours fériés ne sont pas comptés dans le calcul des échéances de moins de trois jours prévues par la présente loi.

(2) [**Samedi**] Les règles suivantes s'appliquent aux lettres et billets:

a) l'échéance qui tombe un samedi est reportée au premier jour ouvrable qui suit;

b) leur présentation, quand ils sont payables sur demande, ne peut se faire pour acceptation ou paiement un samedi;

c) le défaut d'exécution survenant un samedi ne donne ouverture à aucun droit.

["**note**" «**billet**»] "note" means promissory note;

["**value**" *Version anglaise seulement*] "value" means valuable consideration.

PART I

GENERAL

3. [**Thing done in good faith**] A thing is deemed to be done in good faith, within the meaning of this Act, where it is in fact done honestly, whether it is done negligently or not.

4. [**Signature**] Where, by this Act, any instrument or writing is required to be signed by any person, it is not necessary that he should sign it with his own hand, but it is sufficient if his signature is written thereon by some other person by or under his authority.

5. [**What required of corporation**] In the case of a corporation, where, by this Act, any instrument or writing is required to be signed, it is sufficient if the instrument or writing is duly sealed with the corporate seal, but nothing in this section shall be construed as requiring the bill or note of a corporation to be under seal.

6. (1) [**Computation of time**] Where, by this Act, the time limited for doing any act or thing is less than three days, in reckoning time, non-business days are excluded.

(2) [**Saturdays**] In all matters relating to bills or notes,

(*a*) if the time for doing any act or thing expires or falls on a Saturday, that time is deemed to expire or fall, as the case may be, on the next following business day;

(*b*) a bill or note payable on demand cannot be duly presented for acceptance or payment on a Saturday; and

(*c*) failure to do any act or thing on a Saturday does not give rise to any rights.

(3) **[Chèques]** Par dérogation aux autres dispositions de la présente loi, un chèque peut être présenté et payé un samedi ou un jour non ouvrable si la présentation est faite pendant les heures d'ouverture de l'établissement du tiré et, par ailleurs, en conformité avec la présente loi. La non-acceptation ou le non-paiement du chèque donne ouverture aux mêmes droits que si sa présentation avait eu lieu un jour ouvrable autre qu'un samedi.

(4) **[Succursale non ouverte]** Par dérogation aux autres dispositions de la présente loi, lorsque la succursale d'une banque en activité est fermée un jour ouvrable, les règles suivantes s'appliquent aux lettres ou billets:

a) l'échéance qui tombe à cette date est reportée au premier jour ouvrable suivant où la succursale est ouverte;

b) leur présentation, quand ils sont payables sur demande, ne peut se faire à cette date pour acceptation ou paiement à la succursale;

c) le défaut d'exécution fondé sur la fermeture de la succursale à cette date ne donne ouverture à aucun droit.

S.R., ch. B-5, art. 6.

7. [Barrement des mandats de dividendes] Les dispositions de la présente loi relatives aux chèques barrés s'appliquent aux mandats pour encaissement de dividendes.

S.R., ch. B-5, art. 7.

8. [*Loi sur les banques*] La présente loi n'a pas pour effet de porter atteinte aux dispositions de la *Loi sur les banques*.

S.R., ch. B-5, art. 8.

9. [Application de la *common law* d'Angleterre] Les règles de la *common law* d'Angleterre, y compris en droit commercial, s'appliquent aux lettres, billets et chèques dans la mesure de leur compatibilité avec les dispositions expresses de la présente loi.

S.R., ch. B-5, art. 10.

10. [Valeur probante du protêt] Le protêt d'une lettre ou d'un billet au Canada, de même que toute copie qui en est faite par un notaire ou un juge de paix, constitue, dans une action, la preuve de la présentation et du défaut d'acceptation ou de paiement, ainsi que de la signification de l'avis de la présentation et du défaut d'acceptation ou de paiement spécifiés dans le protêt ou la copie.

S.R., ch. B-5, art. 11.

(3) **[Cheques]** Notwithstanding any other provision of this Act, a cheque may be presented and paid on a Saturday or a non-juridical day if the drawee is open for business at the time of the presentment and the presentment in all other respects is in accordance with this Act, and the non-acceptance or non-payment of a cheque so presented gives rise to the same rights as though it had been presented on a business day other than a Saturday.

(4) **[Where bank not open for business]** In all matters relating to bills or notes, notwithstanding any other provision of this Act, if a branch of a bank carrying on business is not open for business on a business day

(*a*) the time for doing any act or thing at the branch, if the time expires or falls on that day, is deemed to expire or fall, as the case may be, on the next following business day on which the branch is open for business;

(*b*) a bill or note payable on demand cannot be duly presented for acceptance or payment at the branch on that day; and

(*c*) failure to do any act or thing by reason of the branch not being open for business on that day does not give rise to any rights.

7. [Crossing dividend warrants] The provisions of this Act relating to crossed cheques apply to a warrant for payment of dividend.

8. [*Bank Act* not affected] Nothing in this Act affects the provisions of the *Bank Act*.

9. [Common law of England] The rules of the common law of England, including the law merchant, save in so far as they are inconsistent with the express provisions of this Act, apply to bills, notes and cheques.

10. [Protest evidence] A protest of any bill or note within Canada, and any copy thereof as copied by the notary or justice of the peace, is, in any action, evidence of presentation and dishonour, and also of service of notice of the presentation and dishonour as stated in the protest or copy.

11. [Valeur probante de documents notariés] Si une lettre ou un billet, présenté pour acceptation, ou payable à l'étranger, est protesté pour défaut d'acceptation ou de paiement, une copie notariée du protêt et de la notification du défaut en question et un certificat notarié de la signification de cet avis font foi devant les tribunaux, jusqu'à preuve contraire, du protêt, de la notification et de la signification.

S.R., ch. B-5, art. 12.

12. [Interdiction à un employé de banque d'agir comme notaire] Nul commis, caissier ou mandataire d'une banque ne peut agir en qualité de notaire pour le protêt d'une lettre ou d'un billet payable à la banque où il est employé ou à l'une de ses succursales.

S.R., ch. B-5, art. 13.

13. (1) [Marquage des effets servant à l'achat d'un brevet] Les lettres ou billets, dont la cause est, en tout ou en partie, le prix d'achat d'un droit de brevet ou d'un intérêt partiel, limité territorialement ou autrement, dans un droit de brevet, portent, au travers de leur recto et bien en évidence, la mention «Donné pour droit de brevet», écrite ou imprimée lisiblement avant l'émission.

(2) [Absence de la mention] En l'absence de cette mention, l'effet et son renouvellement sont nuls, sauf entre les mains d'un détenteur régulier non avisé de cette cause.

S.R., ch. B-5, art. 14.

14. [Responsabilité du cessionnaire] L'endossataire ou autre cessionnaire d'un effet portant la mention «Donné pour droit de brevet» sous la forme prévue par l'article 13 le prend sous réserve de tout moyen de défense ou compensation à son égard qui aurait existé entre les contractants originaires.

S.R., ch. B-5, art. 15.

15. [Infraction et peine] Quiconque émet, vend ou cède, par endossement ou livraison, un effet ne portant pas la mention «Donné pour droit de brevet» sous la forme prévue par l'article 13, tout en sachant que la cause de cet effet est, en tout ou en

11. [Copy of protest, evidence] Where a bill or note, presented for acceptance, or payable outside Canada, is protested for non-acceptance or non-payment, a notarial copy of the protest and of the notice of dishonour, and a notarial certificate of the service of the notice, shall be received in all courts as evidence of the protest, notice and service.

12. [Officer of bank not to act as notary] No clerk, teller or agent of any bank shall act as a notary in the protesting of any bill or note payable at the bank or at any of the branches of the bank in which he is employed.

13. (1) [Purchase of patent right] Every bill or note the consideration of which consists, in whole or in part, of the purchase money of a patent right, or of a partial interest, limited geographically or otherwise, in a patent right, shall have written or printed prominently and legibly across the face thereof, before it is issued, the words "Given for a patent right."

(2) [Absence of necessary words] If the words "Given for a patent right" are not written or printed on any instrument in the manner prescribed in subsection (1), the instrument and any renewal thereof is void, except in the hands of a holder in due course without notice of the consideration.

14. [Transferee to take with equities] The endorsee or other transferee of any instrument referred to in section 13 having the words "Given for a patent right" printed or written thereon takes the instrument subject to any defence or set-off in respect of the whole or any part thereof that would have existed between the original parties.

15. [Offence and punishment] Every person who issues, sells or transfers, by endorsement or delivery, any instrument referred to in section 13 not having the words "Given for a patent right" printed or written across the face thereof in the manner pre-

partie, celle décrite à cet article, commet une infraction et encourt, sur déclaration de culpabilité par mise en accusation, soit un emprisonnement maximal d'un an, soit une amende maximale de deux cents dollars, selon ce que le tribunal juge indiqué.

S.R., ch. B-5, art. 16.

PARTIE II
LETTRES DE CHANGE

Forme de la lettre et interprétation

16. (1) **[Lettre de change]** La lettre de change est un écrit signé de sa main par lequel une personne ordonne à une autre de payer, sans condition, une somme d'argent précise, sur demande ou à une échéance déterminée ou susceptible de l'être, soit à une troisième personne désignée — ou à son ordre — , soit au porteur.

(2) **[Défaut de conformité]** L'effet qui ne remplit pas les conditions fixées au paragraphe (1), ou qui exige autre chose en sus du paiement d'une somme d'argent, ne constitue pas, sauf cas prévus ci-dessous, une lettre.

(3) **[Ordre inconditionnel]** L'ordre de payer sur un fonds particulier n'est pas un ordre inconditionnel au sens du présent article, sauf quand en outre:

a) ou bien il spécifie un fonds particulier, sur lequel le tiré doit se rembourser, ou un compte particulier au débit duquel la somme doit être inscrite;

b) ou bien il est assorti du relevé de l'opération qui a donné lieu à la lettre.

S.R., ch. B-5, art. 17.

17. (1) **[Paiement lors d'une éventualité]** L'effet dont le paiement dépend d'une éventualité ne constitue pas une lettre, et la réalisation de cette éventualité ne remédie pas à ce vice.

(2) **[Plusieurs tirés]** Bien que la lettre puisse être adressée à plusieurs tirés, formant ou non une société de personnes, l'ordre adressé à l'un ou l'autre de deux tirés, ou à deux tirés ou plus successivement, n'en constitue pas pour autant une lettre.

S.R., ch. B-5, art. 18.

18. (1) **[Preneur, tireur ou tiré]** La lettre peut être payable soit au tireur ou à son ordre, soit au tiré ou à son ordre.

scribed by that section, knowing the consideration of that instrument to have consisted, in whole or in part, of the purchase money of a patent right, or of a partial interest, limited geographically or otherwise, in a patent right, is guilty of an indictable offence and liable to imprisonment for any term not exceeding one year, or to such fine, not exceeding two hundred dollars, as the court thinks fit.

PART II
BILLS OF EXCHANGE

Form and Interpretation of Bill

16. (1) **[Bill of exchange]** A bill of exchange is an unconditional order in writing, addressed by one person to another, signed by the person giving it, requiring the person to whom it is addressed to pay, on demand or at a fixed or determinable future time, a sum certain in money to or to the order of a specified person or to bearer.

(2) **[Non-compliance with requisites]** An instrument that does not comply with the requirements of subsection (1), or that orders any act to be done in addition to the payment of money, is not, except as hereinafter provided, a bill.

(3) **[Unconditional order]** An order to pay out of a particular fund is not unconditional within the meaning of this section, except that an unqualified order to pay, coupled with

(*a*) an indication of a particular fund out of which the drawee is to reimburse himself or a particular account to be debited with the amount, or

(*b*) a statement of the transaction that gives rise to the bill, is unconditional.

17. (1) **[Instrument payable on contingency]** An instrument expressed to be payable on a contingency is not a bill and the happening of the event does not cure the defect.

(2) **[Addressed to two or more drawees]** A bill may be addressed to two or more drawees, whether they are partners or not, but an order addressed to two drawees in the alternative, or to two or more drawees in succession, is not a bill.

18. (1) **[Payee, drawer or drawee]** A bill may be drawn payable to, or to the order of, the drawer, or it may be drawn payable to, or to the order of, the drawee.

(2) **[Plusieurs preneurs]** La lettre peut être payable à plusieurs preneurs conjointement, ou elle peut l'être à l'un de plusieurs preneurs ou à quelques-uns des différents preneurs.

(3) **[Fonctionnaire preneur]** La lettre peut être payable au titulaire en exercice d'une charge ou d'un emploi.

S.R., ch. B-5, art. 19.

19. [Désignation du tiré] La lettre doit comporter le nom du tiré ou une désignation suffisamment précise de celui-ci.

S.R., ch. B-5, art. 20.

20. (1) **[Négociabilité]** La lettre qui comporte une clause en interdisant la cession ou indiquant l'intention de la rendre non cessible est valable entre les parties intéressées, mais n'est pas négociable.

(2) **[Lettre négociable]** Une lettre négociable peut être payable à ordre ou au porteur.

(3) **[Payable au porteur]** La lettre est payable au porteur lorsqu'elle comporte une clause à cet effet ou lorsque l'unique ou le dernier endossement est un endossement en blanc.

(4) **[Désignation du preneur]** La lettre qui n'est pas payable au porteur porte le nom du preneur ou une désignation suffisamment précise de celui-ci.

(5) **[Preneur fictif]** La lettre dont le preneur est une personne fictive ou qui n'existe pas peut être considérée comme payable au porteur.

S.R., ch. B-5, art. 21.

21. (1) **[Lettre payable à ordre]** La lettre est payable à ordre lorsqu'elle comporte une clause à cet effet ou lorsqu'elle est expressément payable à une personne désignée et ne contient rien qui en interdise la cession ou qui indique l'intention de la rendre non cessible.

(2) **[Payable à une personne ou à son ordre]** La lettre expressément — initialement ou par endossement — payable à l'ordre d'une personne désignée est néanmoins aussi payable à celle-ci.

S.R., ch. B-5, art. 22.

22. (1) **[Lettre payable sur demande]** La lettre est payable sur demande dans les cas suivants:

a) elle stipule qu'elle est payable sur demande ou sur présentation;

b) elle n'indique aucune date de paiement.

(2) **[Two or more payees]** A bill may be made payable to two or more payees jointly, or it may be made payable in the alternative to one of two, or one or some of several payees.

(3) **[Holder of office payee]** A bill may be made payable to the holder of an office for the time being.

19. [Drawee to be named] The drawee must be named or otherwise indicated in a bill with reasonable certainty.

20. (1) **[Transfer words]** When a bill contains words prohibiting transfer, or indicating an intention that it should not be transferable, it is valid as between the parties thereto, but it is not negotiable.

(2) **[Negotiable bill]** A negociable bill may be payable either to order or to bearer.

(3) **[When payable to bearer]** A bill is payable to bearer that is expressed to be so payable, or on which the only or last endorsement is an endorsement in blank.

(4) **[Certainty of payee]** Where a bill is not payable to bearer, the payee must be named or otherwise indicated therein with reasonable certainty.

(5) **[Fictitious payee]** Where the payee is a fictitious or non-existing person, the bill may be treated as payable to bearer.

21. (1) **[Bill payable to order]** A bill is payable to order that is expressed to be so payable, or that is expressed to be payable to a particular person, and does not contain words prohibiting transfer or indicating an intention that it should not be transferable.

(2) **[When payable to person or order]** Where a bill, either originally or by endorsement, is expressed to be payable to the order of a specified person, and not to him or his order, it is nevertheless payable to him or his order at his option.

22. (1) **[When payable on demand]** A bill is payable on demand

(*a*) that is expressed to be payable on demand or on presentation; or

(*b*) in which no time for payment is expressed.

(2) **[Acceptation ou endossement après l'échéance]** La lettre acceptée ou endossée après son échéance est réputée payable sur demande à l'égard de la personne qui l'accepte ou de celle qui l'endosse.

S.R., ch. B-5, art. 23.

23. [Lettre payable à un délai à fixer éventuellement] Est payable à une échéance susceptible d'être déterminée — au sens de la présente loi — la lettre qui est expressément payable:

a) à vue, ou à un certain délai de date ou de vue;

b) lors de la survenance — ou à un certain délai après celle-ci — d'un événement spécifié inévitable mais dont la date est incertaine.

S.R., ch. B-5, art. 24.

24. (1) [Lettre intérieure] La lettre intérieure est une lettre qui est ou est manifestement censée être:

a) soit à la fois tirée et payable au Canada;

b) soit tirée au Canada sur un résident.

(2) **[Lettre étrangère]** Toute autre lettre est étrangère.

(3) **[Présomption]** Sauf stipulation contraire sur la lettre, le détenteur peut la considérer comme une lettre intérieure.

S.R., ch. B-5, art. 25.

25. [Lettre ou billet] Le détenteur d'une lettre dont le tireur et le tiré sont la même personne, ou dont le tiré est une personne fictive ou inhabile à contracter, peut, à son choix, la traiter comme lettre ou comme billet à ordre.

S.R., ch. B-5, art. 26.

26. [Validité d'une lettre] La validité d'une lettre n'est pas affectée par ce qui suit:

a) l'absence de date;

b) l'absence d'indication de la valeur donnée en échange ou de stipulation que valeur a été donnée en échange;

c) l'absence d'indication du lieu de tirage ou du lieu de paiement;

d) le fait qu'elle soit antidatée ou postdatée ou datée d'un dimanche ou de tout autre jour non ouvrable.

S.R., ch. B-5, art. 27.

27. (1) [Somme précise] La somme à payer au moyen d'une lettre est une somme précise au sens de la présente loi, même si le paiement doit en être fait, selon le cas:

(2) **[Endorsed when overdue]** Where a bill is accepted or endorsed when it is overdue, it shall, with respect to the acceptor who so accepts it, or any endorser who so endorses it, be deemed a bill payable on demand.

23. [Determinable future time] A bill is payable at a determinable future time, within the meaning of this Act, that is expressed to be payable.

(a) at sight or at a fixed period after date or sight; or

(b) on or at a fixed period after the occurrence of a specified event that is certain to happen, though the time of happening is uncertain.

24. (1) [Inland bill] An inland bill is a bill that is, or on the face of it purports to be,

(a) both drawn and payable within Canada; or

(b) drawn within Canada on a person resident in Canada.

(2) **[Foreign bill]** Any other bill is a foreign bill.

(3) **[Presumption]** Unless the contrary appears on the face of a bill, the holder may treat it as an inland bill.

25. [Bill or note] Where in a bill drawer and drawee are the same person, or where the drawee is a fictitious person or a person not having capacity to contract, the holder may treat the instrument, at his option, either as a bill or as a note.

26. [Valid bill] A bill is not invalid by reason only that it

(a) is not dated;

(b) does not specify the value given, or that any value has been given therefor;

(c) does not specify the place where it is drawn or the place where it is payable; or

(d) is antedated or post-dated, or bears date on a Sunday or other non-juridical day.

27. (1) [Sum certain] The sum payable by a bill is a sum certain within the meaning of this Act, although it is required to be paid

a) avec intérêts;

b) par versements spécifiés;

c) par versements spécifiés, le défaut de paiement d'un seul rendant exigible la somme totale;

d) suivant le taux de change indiqué, ou suivant le taux de change à déterminer selon les instructions figurant dans la lettre.

(2) **[Différence entre les lettres et les chiffres]** Dans les cas où la somme à payer est énoncée à la fois en lettres et chiffres et où il y a une différence entre les deux, la somme à payer est celle qui est énoncée en lettres.

(3) **[Intérêts]** Dans les cas où une lettre est expressément payable avec intérêts, ceux-ci courent, sauf indication contraire, à compter de la date y figurant ou, à défaut, à compter de la date de l'émission.

S.R., ch. B-5, art. 28.

28. [Présomption de la date véritable] La date d'une lettre, d'une acceptation ou d'un endossement est réputée, sauf preuve contraire, leur date véritable.

S.R., ch. B-5, art. 29.

29. [Lettre non datée payable à délai de date] Le détenteur peut indiquer la date véritable soit de l'émission, sur une lettre expressément payable à un certain délai de date et émise sans être datée, soit de l'acceptation, sur une lettre payable à vue ou à un certain délai de vue et dont l'acceptation n'est pas datée. La lettre qui porte une date erronée apposée par erreur par le détenteur de bonne foi, ou apposée par toute autre personne, et passe ensuite entre les mains d'un détenteur régulier n'est pas pour autant nulle de ce fait et reste payable à cette date comme s'il s'agissait de la date véritable.

S.R., ch. B-5, art. 30.

30. [Effet signé en blanc] Une simple signature sur papier blanc livrée par le signataire en vue de la conversion en lettre vaut, en l'absence de preuve contraire, autorisation d'en faire une lettre complète pour une somme quelconque et peut servir comme signature du tireur, de l'accepteur ou de l'endosseur; de même, la personne en possession d'une lettre incomplète sur un point substantiel est autorisée, en l'absence de preuve contraire, à remédier à l'omission de la manière qu'elle estime indiquée.

S.R., ch. B-5, art. 31.

(a) with interest;

(b) by stated instalments;

(c) by stated instalments, with a provision that on default in payment of any instalment the whole shall become due; or

(d) according to an indicated rate of exchange or a rate of exchange to be ascertained as directed by the bill.

(2) **[Figures and words]** Where the sum payable by a bill is expressed in words and also in figures and there is a discrepancy between the two, the sum denoted by the words is the amount payable.

(3) **[With interest]** Where a bill is expressed to be payable with interest, unless the instrument otherwise provides, interest runs from the date of the bill and, if the bill is undated, from the issue thereof.

28. [True date presumption] Where a bill or an acceptance, or any endorsement on a bill, is dated, the date shall, unless the contrary is proved, be deemed to be the true date of the drawing, acceptance or endorsement, as the case may be.

29. [Undated bill payable after date] Where a bill expressed to be payable at a fixed period after date is issued undated, or where the acceptance of a bill payable at sight or at a fixed period after sight is undated, any holder may insert therein the true date of issue or acceptance, and the bill shall be payable accordingly, but where the holder in good faith and by mistake inserts a wrong date or in every other case where a wrong date is inserted, if the bill subsequently comes into the hands of a holder in due course, the bill is not voided thereby, but operates and is payable as if the date so inserted had been the true date.

30. [Perfecting bill] Where a simple signature on a blank paper is delivered by the signer in order that it may be converted into a bill, it operates, in the absence of evidence to the contrary, as an authority to fill it up as a complete bill for any amount, using the signature for that of the drawer or acceptor, or an endorser, and, in like manner, when a bill is wanting in any material particular, the person in possession of it has, in the absence of evidence to the contrary, the authority to fill up the omission in any way he thinks fit.

31. (1) **[Opposabilité de l'effet complété]** L'effet visé à l'article 30 doit être complété dans un délai raisonnable et d'une manière strictement conforme à l'autorisation donnée afin d'être opposable à une personne qui y est devenue partie alors qu'il était incomplet; une fois complété et négocié à un détenteur régulier, un tel effet devient valide et produit son effet à toutes fins entre les mains de celui-ci, lequel peut dès lors en exiger le montant comme si l'effet avait été complété de la manière prévue au présent article.

(2) **[Délai raisonnable]** Ce qui constitue un délai raisonnable au sens du présent article est une question de fait.

S.R., ch. B-5, art. 32.

32. (1) **[Recommandataire]** Le tireur et tout endosseur d'une lettre peuvent y indiquer le nom du recommandataire, c'est-à-dire d'une personne à qui le détenteur peut avoir recours au besoin, en cas de refus d'acceptation ou de paiement.

(2) **[Choix]** Le recours au recommandataire est toutefois à l'appréciation du détenteur.

S.R., ch. B-5, art. 33.

33. [Clauses] Le tireur et tout endosseur d'une lettre peuvent y insérer une clause expresse à l'effet, selon le cas:

a) de nier ou de limiter leur propre responsabilité envers le détenteur;

b) de libérer le détenteur, en tout ou en partie, de ses obligations envers eux.

S.R., ch. B-5, art. 34.

Acceptation

34. (1) **[Acceptation]** L'acceptation d'une lettre est l'engagement pris par le tiré d'exécuter l'ordre du tireur.

(2) **[Désignation erronée du tiré]** Le tiré dont la désignation est erronée ou le nom mal orthographié peut accepter la lettre, soit telle qu'elle, en y ajoutant, s'il le juge à propos, sa vraie signature, soit sous sa vraie signature.

S.R., ch. B-5, art. 35.

35. (1) **[Acceptation]** Pour être valable, l'acceptation respecte les conditions suivantes:

a) être faite par écrit sur la lettre elle-même et signée par le tiré;

b) ne pas exiger du tiré d'autre engagement que le paiement d'une somme d'argent.

31. (1) **[When completed]** In order that any instrument referred to in section 30 when completed may be enforceable against any person who became a party thereto prior to its completion, it must be filled up within a reasonable time and strictly in accordance with the authority given, but where any such instrument, after completion, is negotiated to a holder in due course, it is valid and effectual for all purposes in his hands, and he may enforce it as if it had been filled up within a reasonable time and strictly in accordance with the authority given.

(2) **[Reasonable time]** Reasonable time within the meaning of this section is a question of fact.

32. (1) **[Referee in case of need]** The drawer of a bill and any endorser may insert therein the name of a person, who shall be called the referee in case of need, that is to say, in case the bill is dishonoured by non-acceptance or non-payment.

(2) **[Option]** The holder may, at his option, resort to the referee in case of need or not, as he thinks fit.

R.S., ch. B-5, art. 33.

33. [Stipulations] The drawer of a bill, and any endorser, may insert therein an express stipulation

(*a*) negativing or limiting his own liability to the holder; or

(*b*) waiving, with respect to himself, some or all of the holder's duties.

Acceptance

34. (1) **[Acceptance]** The acceptance of a bill is the signification by the drawee of his assent to the order of the drawer.

(2) **[Drawee's name wrong]** Where in a bill the drawee is wrongly designated or his name is misspelt, he may accept the bill as therein described, adding, if he thinks fit, his proper signature or he may accept by his proper signature.

35. (1) **[Acceptance]** An acceptance is invalid unless it complies with the following conditions:

(*a*) it must be written on the bill and be signed by the drawee; and

(*b*) it must not express that the drawee will perform his promise by any other means than the payment of money.

(2) **[Simple signature]** La simple signature du tiré sur la lettre vaut acceptation.

S.R., ch. B-5, art. 36.

36. (1) **[Acceptation]** Une lettre peut être acceptée:

a) avant sa signature par le tireur, ou pendant qu'elle est par ailleurs incomplète;

b) après son échéance, ou après un refus antérieur d'acceptation ou un refus de paiement.

(2) **[Acceptation après refus]** Dans les cas où le tiré, après un refus initial, accepte une lettre payable à vue ou à un délai de vue, le détenteur a le droit, sous réserve d'un accord dérogatoire, de dater l'acceptation au jour de la première présentation.

S.R., ch. B-5, art. 37.

37. (1) **[Formes d'acceptation]** L'acceptation est générale ou restreinte.

(2) **[Acceptation générale]** L'acceptation générale est un consentement pur et simple à l'ordre du tireur.

(3) **[Acceptation restreinte]** L'acceptation expressément restreinte modifie l'effet de la lettre; est en particulier restreinte l'acceptation:

a) conditionnelle, qui fait dépendre le paiement par l'accepteur de l'accomplissement d'une condition stipulée sur la lettre;

b) partielle, qui restreint l'acceptation au paiement d'une partie de la somme pour laquelle la lettre est tirée;

c) restreinte dans le temps;

d) par l'un ou plusieurs des tirés, mais non par tous.

(4) **[Lieu particulier]** Le fait de désigner pour le paiement un lieu particulier ne rend l'acceptation ni conditionnelle, ni restreinte.

S.R., ch. B-5, art. 38.

(2) **[Mere signature]** The mere signature of the drawee written on the bill without additional words is a sufficient acceptance.

36. (1) **[Acceptance]** A bill may be accepted

(a) before it has been signed by the drawer or while otherwise incomplete; or

(b) when it is overdue or after it has been dishonoured by a previous refusal to accept, or by non-payment.

(2) **[Acceptance after dishonour]** When a bill payable at sight or after sight is dishonoured by non-acceptance and the drawee subsequently accepts it, the holder, in the absence of any different agreement, is entitled to have the bill accepted as of the date of first presentment to the drawee for acceptance.

37. (1) **[Kinds]** An acceptance is either general or qualified.

(2) **[General]** A general acceptance assents without qualification to the order of the drawer.

(3) **[Qualified]** A qualified acceptance in express terms varies the effect of the bill as drawn and, in particular, an acceptance is qualified that is

(a) conditional, that is to say, that makes payment by the acceptor dependent on the fulfilment of a condition therein stated;

(b) partial, that is to say, an acceptance to pay part only of the amount for which the bill is drawn;

(c) qualified as to time; or

(d) the acceptance of one or more of the drawees, but not of all.

(4) **[Specified place]** An acceptance to pay at a particular specified place is not on that account conditional or qualified.

Livraison

38. **[Irrévocabilité de l'acceptation]** L'engagement que le tireur, l'accepteur ou un endosseur contracte sur la lettre est révocable jusqu'à la livraison de l'effet qui lui donne plein effet; cependant, l'acceptation devient parfaite et irrévocable si elle est faite par écrit sur la lettre et si le tiré la notifie à la personne qui a droit à l'effet ou au représentant de celle-ci.

S.R., ch. B-5, art. 39.

39. (1) **[Formalités]** Entre les parties immédiates et en ce qui concerne toute autre partie qui n'est pas détenteur régulier:

a) la livraison doit, pour produire son effet, être faite par le tireur, l'accepteur ou l'endosseur, selon le cas, ou avec leur autorisation;

b) il n'est pas nécessaire que la livraison vise au transfert de propriété de l'effet, mais peut être manifestement conditionnelle ou avoir été faite à une autre fin particulière.

(2) **[Présomption]** Le fait que la lettre soit entre les mains d'un détenteur régulier est la présomption irréfragable qu'une livraison valable de l'effet a été effectuée par toutes les parties antérieures de façon à les obliger envers lui.

S.R., ch. B-5, art. 40.

40. **[Présomption de livraison]** La lettre qui n'est plus entre les mains de la personne qui l'a signée comme tireur, accepteur ou endosseur est réputée, jusqu'à preuve contraire, avoir été livrée valablement et sans condition par celle-ci.

S.R., ch. B-5, art. 41.

Échéance des lettres

41. **[Jours de grâce]** Dans le cas d'une lettre autre que payable sur demande, le débiteur jouit, sauf disposition à l'effet contraire, d'un délai de grâce de trois jours; la lettre est alors payable le dernier de ces trois jours, l'échéance se trouvant toutefois reportée au premier jour ouvrable qui suit lorsqu'il tombe un jour non ouvrable dans la province où l'effet est payable.

S.R., ch. B-5, art. 42.

Delivery

38. **[When acceptance complete]** Every contract on a bill, whether it is the drawer's, the acceptor's or an endorser's, is incomplete and revocable until delivery of the instrument in order to give effect thereto, but where an acceptance is written on a bill and the drawee gives notice to, or according to the directions of, the person entitled to the bill that he has accepted it, the acceptance then becomes complete and irrevocable.

39. (1) **[Requisites]** As between immediate parties and as regards a remote party, other than a holder in due course, the delivery of a bill

(a) in order to be effectual must be made either by or under the authority of the party drawing, accepting or endorsing, as the case may be; or

(b) may be shown to have been conditional or for a special purpose only, and not for the purpose of transferring the property in the bill.

(2) **[Presumption]** Where the bill is in the hands of a holder in due course, a valid delivery of the bill by all parties prior to him, so as to make them liable to him, is conclusively presumed.

40. **[Parting with possession]** Where a bill is no longer in the possession of a party who has signed it as drawer, acceptor or endorser, a valid and unconditional delivery by him is presumed until the contrary is proved.

Computation of Time, Non-juridical Days and Days of Grace

41. **[Computation of time]** Where a bill is not payable on demand, three days, called days of grace, are, in every case, where the bill itself does not otherwise provide, added to the time of payment as fixed by the bill, and the bill is due and payable on the last day of grace, but whenever the last day of grace falls on a legal holiday or non-juridical day in the province where any such bill is payable, the day next following, not being a legal holiday or non-juridical day in that province, is the last day of grace.

42. [Jours fériés] En matière de lettres de change, les jours de fête légale sont les suivants:

a) dans toutes les provinces:

(i) les dimanches, le jour de l'an, le vendredi saint, la fête de Victoria, la fête du Canada, la fête du Travail, le jour du Souvenir et le jour de Noël,

(ii) l'anniversaire de naissance du souverain régnant ou le jour fixé par proclamation pour sa célébration,

(iii) tout jour fixé par proclamation comme jour férié légal ou comme jour de prière ou de deuil général ou jour de réjouissances ou d'action de grâces publiques, dans tout le Canada,

(iv) le lendemain du jour de l'an, du jour de Noël et de l'anniversaire de naissance du souverain régnant — ou du jour fixé par proclamation pour la célébration de cet anniversaire — , lorsque ces jours tombent un dimanche;

b) dans chaque province, tout jour fixé par proclamation du lieutenant-gouverneur comme jour férié légal ou comme jour de jeûne ou d'action de grâces dans la province, et tout jour qui est un jour non ouvrable au sens d'une loi de la province;

c) dans chaque collectivité locale — ville, municipalité ou autre circonscription administrative — , tout jour fixé comme jour férié local par résolution du conseil ou autre autorité chargée de l'administration de la collectivité.

S.R., ch. B-5, art. 43.

43. [Détermination de l'échéance] L'échéance d'une lettre payable à vue ou à un certain délai de date, de vue ou de la réalisation d'un événement spécifié est déterminée par exclusion du premier jour du délai et par inclusion du jour du paiement.

S.R., ch. B-5, art. 44.

44. [Acceptation, note ou protêt] Dans le cas d'une lettre payable à vue ou à un certain délai de vue, le délai commence à courir à compter de la date soit de son acceptation éventuelle, soit de la note ou du protêt entraînés par le défaut d'acceptation ou de livraison.

S.R., ch. B-5, art. 45.

42. [Non-juridical days] In all matters relating to bills of exchange, the following and no other days shall be observed as legal holidays or non-juridical days:

(a) in all the provinces,

(i) Sundays, New Year's Day, Good Friday, Victoria Day, Canada Day, Labour Day, Remembrance Day and Christmas Day,

(ii) the birthday (or the day fixed by proclamation for the celebration of the birthday) of the reigning Sovereign,

(iii) any day appointed by proclamation to be observed as a public holiday, or as a day of general prayer or mourning or day of public rejoicing or thanksgiving, throughout Canada, and

(iv) the day next following New Year's Day, Christmas Day and the birthday of the reigning Sovereign (if no other day is fixed by proclamation for the celebration of the birthday) when those days respectively fall on a Sunday;

(b) in any province, any day appointed by proclamation of the lieutenant governor of the province to be observed as a public holiday, or for a fast or thanksgiving within the province, and any day that is a non-juridical day by virtue of an Act of the legislature of the province; and

(c) in any city, town, municipality or other organized district, any day appointed to be observed as a civic holiday by resolution of the council, or other authority charged with the administration of the civic or municipal affairs of the city, town, municipality or district.

43. [Time of payment] Where a bill is payable at sight, or at a fixed period after date, after sight or after the happening of a specified event, the time of payment is determined by excluding the day from which the time is to begin to run and by including the day of payment.

44. [Sight bill] Where a bill is payable at sight or at a fixed period after sight, the time begins to run from the date of the acceptance if the bill is accepted, and from the date of noting or protest if the bill is noted or protested for non-acceptance or for non-delivery.

45. (1) **[Délais mensuels]** Pour l'échéance d'une lettre payable à un ou plusieurs mois de date, le quantième est le même que celui de la date ou à défaut de quantième identique dans le mois d'échéance, le dernier jour de celui-ci, le délai de grâce étant ajouté dans tous les cas.

(2) **[Définition de «mois»]** Dans une lettre, on entend par mois ceux d'une année civile.

S.R., ch. B-5, art. 46.

Capacité et habilité des parties

46. (1) **[Capacité des parties]** La capacité de s'engager comme partie à une lettre va de pair avec celle de contracter.

(2) **[Personnes morales]** Le présent article n'habilite pas une personne morale à s'engager à titre de tireur, d'accepteur ou d'endosseur d'une lettre, la capacité de celle-ci découlant en l'occurrence du droit qui la régit.

S.R., ch. B-5, art. 47.

47. **[Incapacité d'une partie]** La souscription ou l'endossement d'une lettre par un mineur ou par une personne morale incapable de s'engager par lettre donne droit au détenteur d'en recevoir le paiement et d'y obliger les autres parties à la lettre.

S.R., ch. B-5, art. 48.

48. (1) **[Signature contrefaite ou non autorisée]** Sous réserve des autres dispositions de la présente loi, toute signature contrefaite, ou apposée sans l'autorisation du présumé signataire, n'a aucun effet et ne confère pas le droit de garder la lettre, d'en donner libération ni d'obliger une partie à celle-ci à en effectuer le paiement, sauf dans les cas où la partie visée n'est pas admise à établir le faux ou l'absence d'autorisation.

(2) **[Ratification]** Le présent article n'empêche pas la ratification d'une signature non autorisée qui ne constitue pas un faux.

45. (1) **[Due date]** Every bill that is made payable at a month or months after date becomes due on the same numbered day of the month in which it is made payable as the day on which it is dated, unless there is no such day in the month in which it is made payable, in which case it becomes due on the last day of that month, with the addition, in all cases, of the days of grace.

(2) **[Definition of "month"]** The term "month" in a bill means the calendar month.

Capacity and Authority of Parties

46. (1) **[Capacity of parties]** Capacity to incur liability as a party to a bill is coextensive with capacity to contract.

(2) **[Corporations]** Nothing in this section enables a corporation to make itself liable as drawer, acceptor or endorser of a bill, unless it may do so under the law in force relating to that corporation.

47. **[Effect of disability on holder]** Where a bill is drawn or endorsed by any infant, minor or corporation having no capacity or power to incur liability on a bill, the drawing or endorsement entitles the holder to receive payment of the bill and to enforce it against any other party thereto.

48. (1) **[Forgery]** Subject to this Act, where a signature on a bill is forged, or placed thereon without the authority of the person whose signature it purports to be, the forged or unauthorized signature is wholly inoperative, and no right to retain the bill or to give a discharge therefor or to enforce payment thereof against any party thereto can be acquired through or under that signature, unless the party against whom it is sought to retain or enforce payment of the bill is precluded from setting up the forgery or want of authority.

(2) **[Ratification]** Nothing in this section affects the ratification of an unauthorized signature not amounting to a forgery.

(3) **[Recouvrement en cas d'endossement de faux chèque]** En cas d'endossement falsifié d'un chèque payable à ordre et imputé à son compte par le tiré, le tireur ne peut exercer contre celui-ci une action en recouvrement de la somme ainsi payée, ou une défense contre toute réclamation visant celle-ci, que s'il l'a avisé du faux dans l'année qui suit la date où il en a eu connaissance.

(4) **[Absence d'avis]** Faute d'avis par le tireur dans ce délai, le chèque est censé avoir été régulièrement payé à l'égard de toute autre personne qui, y étant partie ou y étant nommée, n'a pas auparavant engagé des procédures pour la protection de ses droits.

S.R., ch. B-5, art. 49.

49. (1) **[Recouvrement en cas d'endossement irrégulier d'une lettre]** Le tiré ou l'accepteur qui paye, ou au nom de qui est payée, de bonne foi et selon l'usage commercial normal, une lettre portant un endossement irrégulier — faux ou non autorisé — a le droit de recouvrer la somme ainsi payée de la personne à qui elle l'a été ou de l'auteur d'un endossement postérieur à l'endossement irrégulier, si chaque endosseur subséquent est avisé de l'irrégularité en cause dans le délai et de la manière prévus au présent article.

(2) **[Recouvrement des endosseurs antérieurs]** La personne auprès de qui le recouvrement a été effectué peut exercer ce même droit à l'égard de quiconque ayant avant elle endossé l'effet postérieurement à l'endossement irrégulier.

(3) **[Avis d'endossement irrégulier]** Dans un délai raisonnable après qu'elle en a eu connaissance, la personne voulant exercer le droit de recouvrement donne avis de l'endossement irrégulier, notamment par la poste, selon les modalités prévues par la présente loi pour le protêt faute de paiement ou d'acceptation.

S.R., ch. B-5, art. 50.

50. **[Signature par procuration]** La signature par procuration vaut avis de pouvoir limité de signer et n'oblige le mandant qu'en tant que son auteur, le mandataire, a agi dans le cadre strict de son mandat.

S.R., ch. B-5, art. 51.

(3) **[Recovery of amount paid on forged cheque]** Where a cheque payable to order is paid by the drawee on a forged endorsement out of the funds of the drawer, or is so paid and charged to his account, the drawer has no right of action against the drawee for the recovery of the amount so paid, nor any defence to any claim made by the drawee for the amount so paid, as the case may be, unless he gives notice in writing of the forgery to the drawee within one year after he has acquired notice of the forgery.

(4) **[Default of notice]** In case of failure by the drawer to give notice of the forgery within the period referred to in subsection (3), the cheque shall be held to have been paid in due course with respect to every other party thereto or named therein, who has not previously instituted proceedings for the protection of his rights.

49. (1) **[Recovery of amount paid on forged endorsement]** Where a bill bearing a forged or an unauthorized endorsement is paid in good faith and in the ordinary course of business by or on behalf of the drawee or acceptor, the person by whom or on whose behalf the payment is made has the right to recover the amount paid from the person to whom it was paid or from any endorser who has endorsed the bill subsequent to the forged or unauthorized endorsement if notice of the endorsement being a forged or unauthorized endorsement is given to each such subsequent endorser within the time and in the manner mentionned in this section.

(2) **[Rights against prior endorsers]** Any person or endorser from whom an amount has been recovered under subsection (1) has the like right of recovery against any prior endorser subsequent to the forged or unauthorized endorsement.

(3) **[Notice of forgery]** The notice referred to in subsection (1) shall be given within a reasonable time after the person seeking to recover the amount has acquired notice that the endorsement is forged or unauthorized, and may be given in the same manner, and if sent by post may be addressed in the same way as notice of protest or dishonour of a bill may be given or addressed under this Act.

50. **[Procuration signatures]** A signature by procuration operates as notice that the agent has but a limited authority to sign, and the principal is bound by such signature only if the agent in so signing was acting within the actual limits of his authority.

51. (1) **[Signature pour le compte d'autrui]** Le fait de signer une lettre en qualité de tireur, d'endosseur ou d'accepteur et d'y préciser que cette signature est faite pour le compte d'autrui, à titre de mandataire ou de représentant, n'oblige pas le signataire personnellement. Toutefois, la simple addition à sa signature de mots désignant le signataire comme mandataire ou représentant ne le dégage pas de sa responsabilité personnelle.

(2) **[Règle d'interprétation]** L'interprétation la plus favorable à la validité de l'effet est retenue quand il s'agit d'établir quel en est le véritable signataire, du mandant ou du mandataire qui l'a effectivement signé.

S.R., ch. B-5, art. 52.

Cause

52. (1) **[Titre onéreux]** Est à titre onéreux la lettre dont la cause:

a) peut faire l'objet d'un contrat simple;

b) est une dette ou une obligation antérieure.

(2) **[Forme de la lettre]** Cette dette ou obligation constitue une cause à titre onéreux, que la lettre soit payable sur demande ou à terme.

S.R., ch. B-5, art. 53.

53. (1) **[Détenteur à titre onéreux]** Le détenteur d'une lettre pour laquelle valeur a été donnée à une date quelconque est réputé détenteur à titre onéreux à l'égard de l'accepteur et de tous ceux qui sont devenus parties à la lettre avant cette date.

(2) **[Droit de gage]** Le détenteur d'une lettre ayant sur celle-ci un droit de gage qui découle d'un contrat ou, par implicite, de la loi est réputé en être détenteur à titre onéreux jusqu'à concurrence de la somme pour laquelle il possède ce droit.

S.R., ch. B-5, art. 54.

54. (1) **[Effet de complaisance]** Est partie à un effet de complaisance la personne qui a signé une lettre comme tireur, accepteur ou endosseur sans avoir reçu de contrepartie et en vue de prêter son nom à une autre personne.

(2) **[Obligation de la partie]** L'effet de complaisance engage toute partie l'ayant signé envers un détenteur à titre onéreux, que celui-ci ait su ou non, au moment de le prendre, qu'il était de complaisance.

S.R., ch. B-5, art. 55.

51. (1) **[Signing in representative capacity]** Where a person signs a bill as drawer, endorser or acceptor and adds words to his signature indicating that he has signed for or on behalf of a principal, or in a representative character, he is not personnally liable thereon, but the mere addition to his signature of words describing him as an agent, or as filling a representative character, does not exempt him from personal liability.

(2) **[Rule for determining capacity]** In determining whether a signature on a bill is that of the principal or that of the agent by whose hand it is written, the construction most favourable to the validity of the instrument shall be adopted.

Consideration

52. (1) **[Valuable consideration]** Valuable consideration for a bill may be constituted by

(a) any consideration sufficient to support a simple contract; or

(b) an antecedent debt or liability.

(2) **[Form of bill]** An antecedent debt or liability is deemed valuable consideration, whether the bill is payable on demand or at a future time.

53. (1) **[Holder for value]** Where value has, at any time, been given for a bill, the holder is deemed to be a holder for value as regards the acceptor and all parties to the bill who became parties prior to that time.

(2) **[In case of lien]** Where the holder of a bill has a lien on it, arising either from contract or by implication of law, he is deemed to be a holder for value to the extent of the sum for which he has a lien.

54. (1) **[Accommodation bill]** An accommodation party to a bill is a person who has signed a bill as drawer, acceptor or endorser, without receiving value therefor, and for the purpose of lending his name to some other person.

(2) **[Liability of party]** An accommodation party is liable on a bill to a holder for value, and it is immaterial whether, when that holder took the bill, he knew that party to be an accommodation party or not.

Détenteur régulier

55. (1) **[Détenteur régulier]** Est un détenteur régulier celui qui a pris une lettre, manifestement complète et régulière, dans les conditions suivantes:

a) il en est devenu détenteur avant son échéance et sans avoir été avisé d'un refus d'acceptation ou de paiement;

b) il a pris la lettre de bonne foi et à titre onéreux et, à la date de la négociation, n'avait été avisé d'aucun vice affectant le titre du cédant.

(2) **[Vice de titre]** Au sens de la présente loi, le titre du négociateur d'une lettre est défectueux notamment lorsqu'il a obtenu l'effet, ou son acceptation, par fraude ou contrainte, ou par d'autres moyens illégaux ou pour cause illicite, ou lorsque la négociation constitue un abus de confiance ou est menée en des circonstances frauduleuses.

S.R., ch. B-5, art. 56.

56. **[Droits du détenteur subséquent]** Le détenteur d'une lettre, à titre onéreux ou non, qui tient son titre d'un détenteur régulier et qui n'a participé à aucune fraude ni illégalité viciant ce titre jouit, en ce qui concerne l'accepteur et les parties à cette lettre antérieures au détenteur régulier, des droits de celui-ci.

S.R., ch. B-5, art. 57.

57. (1) **[Présomption]** Toute partie dont la signature figure sur une lettre est réputée, en l'absence de preuve contraire, y être devenue partie à titre onéreux.

(2) **[Présomption de régularité de la détention]** Le détenteur d'une lettre est réputé, en l'absence de preuve contraire, en être le détenteur régulier; néanmoins, s'il est admis ou établi dans le cadre d'une action concernant l'effet que l'acceptation, l'émission ou la négociation subséquente de celui-ci est entachée de fraude ou de contrainte, ou encore d'illégalité, la charge de la preuve lui incombe sauf s'il prouve qu'un autre détenteur régulier a de bonne foi donné valeur pour la lettre postérieurement à la fraude ou à l'illégalité alléguée.

S.R., ch. B-5, art. 58.

Holder in due Course

55. (1) **[Holder in due course]** A holder in due course is a holder who has taken a bill, complete and regular on the face of it, under the following conditions, namely,

(*a*) that he became the holder of it before it was overdue and without notice that it had been previously dishonoured, if such was the fact; and

(*b*) that he took the bill in good faith and for value, and that at the time the bill was negotiated to him he had no notice of any defect in the title of the person who negotiated it.

(2) **[Title defective]** In particular, the title of a person who negotiates a bill is defective within the meaning of this Act when he obtained the bill, or the acceptance thereof, by fraud, duress or force and fear, or other unlawful means, or for an illegal consideration, or when he negotiates it in breach of faith, or under such circumstances as amount to a fraud.

56. **[Right of subsequent holder]** A holder, whether for value or not, who derives his title to a bill through a holder in due course, and who is not himself a party to any fraud or illegality affecting it, has all the rights of that holder in due course as regards the acceptor and all parties to the bill prior to that holder.

57. (1) **[Presumption of value]** Every party whose signature appears on a bill is, in the absence of evidence to the contrary, deemed to have become a party thereto for value.

(2) **[Presumed holder in due course]** Every holder of a bill is, in the absence of evidence to the contrary, deemed to be a holder in due course, but if, in an action on a bill, it is admitted or proved that the acceptance, issue or subsequent negotiation of the bill is affected with fraud, duress or force and fear, or illegality, the burden of proof that he is the holder in due course is on him, unless and until he proves that, subsequent to the alleged fraud or illegality, value has in good faith been given for the bill by some other holder in due course.

58. [Cause usuraire] La lettre donnée pour cause usuraire ou lors d'un contrat usuraire est valable entre les mains du détenteur, sauf si celui-ci avait ou a eu effectivement connaissance, au moment où elle lui a été transférée, du caractère usuraire de la cause ou du contrat.

S.R., ch. B-5, art. 59.

Négociation

59. (1) **[Par transfert]** Il y a négociation quand le transfert de la lettre constitue le cessionnaire en détenteur de la lettre.

(2) **[Par livraison]** La lettre payable au porteur se négocie par livraison.

(3) **[Par endossement]** La lettre payable à ordre se négocie par l'endossement du détenteur.

S.R., ch. B-5, art. 60.

60. (1) **[Sans endossement]** Le transfert à titre onéreux et sans endossement par le détenteur d'une lettre payable à son ordre confère au cessionnaire les droits du cédant sur l'effet ainsi que le droit d'obtenir endossement de celui-ci.

(2) **[Endossement à titre de représentant]** La personne qui se trouve dans l'obligation d'endosser une lettre à titre de représentant peut le faire dans des termes qui dégagent sa responsabilité personnelle.

S.R., ch. B-5, art. 61.

61. (1) **[Endos]** Pour valoir négociation, l'endossement:

a) doit être fait par écrit sur la lettre elle-même et signé par l'endosseur;

b) ne peut être partiel.

(2) **[Allonge ou copie]** L'endossement figurant sur une allonge ou sur une copie d'une lettre émise ou négociée dans un pays où les copies sont admises est réputé fait sur la lettre elle-même.

(3) **[Endossement partiel]** L'endossement partiel, censé transférer soit une fraction de la somme à payer, soit celle-ci à plusieurs endossataires séparément, ne constitue pas une négociation.

S.R., ch. B-5, art. 62.

62. (1) **[Endossement avec signature seulement]** L'endossement peut consister seulement dans la signature de l'endosseur.

58. [Usurious consideration] No bill, although given for a usurious consideration or on a usurious contract, is void in the hands of a holder, unless the holder had at the time of its transfer to him actual knowledge that it was originally given for a usurious consideration or on a usurious contract.

Negotiation

59. (1) **[By transfer]** A bill is negotiated when it is transferred from one person to another in such a manner as to constitute the transferee the holder of the bill.

(2) **[By delivery]** A bill payable to bearer is negotiated by delivery.

(3) **[By endorsement]** A bill payable to order is negotiated by the endorsement of the holder.

60. (1) **[Without endorsement]** Where the holder of a bill payable to his order transfers it for value without endorsing it, the transfer gives the transferee such title as the transferor had in the bill, and the transferee in addition acquires the right to have the endorsement of the transferor.

(2) **[Representative capacity]** Where any person is under obligation to endorse a bill in a representative capacity, he may endorse the bill in such terms as to negative personal liability.

61. (1) **[Endorsing]** An endorsement in order to operate as a negotiation must be

(*a*) written on the bill itself and be signed by the endorser; and

(*b*) an endorsement of the entire bill.

(2) **[Allonge]** An endorsement written on an allonge, or on a copy of a bill issued or negotiated in a country where copies are recognized, is deemed to be written on the bill itself.

(3) **[Partial endorsement]** A partial endorsement, that is to say, an endorsement that purports to transfer to the endorsee a part only of the amount payable, or that purports to transfer the bill to two or more endorsees severally, does not operate as a negotiation of the bill.

62. (1) **[Signature sufficient]** The simple signature of the endorser on a bill, without additional words, is a sufficient endorsement.

(2) **[Plusieurs preneurs]** La lettre payable à l'ordre de plusieurs preneurs ou endossataires est endossée par tous ceux-ci, sauf s'ils sont en société de personnes ou si l'endosseur est autorisé à le faire pour les autres.

S.R., ch. B-5, art. 63.

63. **[Désignation erronée]** Le preneur ou l'endossataire d'une lettre payable à ordre dont la désignation est erronée ou le nom mal orthographié peut endosser la lettre, soit telle quelle, accompagnée de sa vraie signature, soit sous sa vraie signature.

S.R., ch. B-5, art. 64.

64. **[Présomption quant à l'ordre des endossements]** En cas d'endossements multiples, chacun d'eux est réputé, en l'absence de preuve contraire, fait dans l'ordre où il figure sur la lettre.

S.R., ch. B-5, art. 65.

65. **[Endossement conditionnel]** Le payeur d'une lettre censée être endossée conditionnellement ne peut pas tenir compte de la condition, et le paiement à l'endossataire est valable, que la condition ait été réalisée ou non.

S.R., ch. B-5, art. 66.

66. (1) **[Endossement]** L'endossement peut être en blanc ou spécial.

(2) **[Endossement en blanc]** L'endossement en blanc ne désigne aucun endossataire, l'effet devenant ainsi payable au porteur.

(3) **[Endossement spécial]** L'endossement spécial désigne la personne à qui ou à l'ordre de qui la lettre est payable.

(4) **[Application de la loi]** Les dispositions de la présente loi relatives au preneur s'appliquent, compte tenu des adaptations de circonstance, au bénéficiaire d'un endossement spécial.

(5) **[Conversion d'un endossement en blanc]** Le détenteur d'une lettre peut convertir l'endossement en blanc en endossement spécial en inscrivant au-dessus de la signature de l'endosseur la mention de son nom ou de payer à son ordre, ou à celui d'un tiers.

S.R., ch. B-5, art. 67.

67. (1) **[Endossement restrictif]** L'endossement peut aussi contenir des restrictions.

(2) **[Two or more payees]** Where a bill is payable to the order of two or more payees or endorsees who are not partners, all must endorse, unless the one endorsing has authority to endorse for the others.

63. **[Misspelling payee's name]** Where, in a bill payable to order, the payee or endorsee is wrongly designated or his name is misspelt, he may endorse the bill as therein described, adding his proper signature, or he may endorse by his proper signature.

64. **[Presumption as to order of endorsement]** Where there are two or more endorsements on a bill, each endorsement is deemed to have been made in the order in which it appears on the bill, until the contrary is proved.

65. **[Disregarding condition]** Where a bill purports to be endorsed conditionally, the condition may be disregarded by the payer, and payment to the endorsee is valid, whether the condition has been fulfilled or not.

66. (1) **[Endorsement]** An endorsement may be made in blank or special.

(2) **[In blank]** An endorsement in blank specifies no endorsee, and a bill so endorsed becomes payable to bearer.

(3) **[Special]** A special endorsement specifies the person to whom, or to whose order, the bill is to be payable.

(4) **[Application of Act]** The provisions of this Act relating to a payee apply, with such modifications as the circumstances require, to an endorsee under a special endorsement.

(5) **[Conversion of blank endorsement]** Where a bill has been endorsed in blank, any holder may convert the blank endorsement into a special endorsement by writing above the endorser's signature a direction to pay the bill to or to the order of himself or some other person.

67. (1) **[Restrictive endorsement]** An endorsement may contain terms making it restrictive.

(2) **[Nature]** Est restrictif l'endossement qui interdit la négociation postérieure de la lettre ou donne des instructions sur sa destination et qui ne constitue pas un transfert de propriété de l'effet, par exemple quand il porte les mentions: «Payez à ... seulement», «Payez à ... pour le compte de ...» ou «Payez à ... ou à son ordre pour recouvrement».

(3) **[Droits de l'endossataire]** L'endossement restrictif confère à l'endossataire le droit de recevoir paiement de la lettre et de poursuivre toute partie à celle-ci que l'endosseur aurait pu poursuivre, mais ne lui donne pas le pouvoir de transférer ses droits d'endossataire sans autorisation expresse de l'endos à cet effet.

(4) **[Transfert postérieur]** Dans les cas où l'endossement restrictif autorise un transfert postérieur, les endossataires postérieurs prennent la lettre avec les mêmes droits et obligations que le premier d'entre eux.

S.R., ch. B-5, art. 68.

68. [Fin de la négociabilité] La négociabilité prend fin lorsqu'il y a:

a) soit endossement restrictif de la lettre;

b) soit libération des parties, notamment par suite de paiement.

S.R., ch. B-5, art. 69.

69. (1) **[Lettre échue]** La négociation d'une lettre échue est subordonnée à la régularité du titre à l'échéance; dès lors, le preneur ne peut ni acquérir ni transmettre un titre meilleur que celui de la personne de qui il tient l'effet.

(2) **[Échéance d'une lettre payable sur demande]** Est réputée échue, dans le cadre du présent article, la lettre payable manifestement sur demande qui reste apparemment en circulation pendant une période excessive.

(3) **[Période excessive]** Ce qui constitue, pour l'application du paragraphe (2), une période excessive est une question de fait.

S.R., ch. B-5, art. 70.

70. [Présomption] La négociation d'une lettre est réputée, en l'absence de preuve contraire, avoir eu lieu avant l'échéance, sauf lorsque l'endossement porte une date postérieure à cette échéance.

S.R., ch. B-5, art. 71.

(2) **[Idem]** An endorsement is restrictive that prohibits the further negotiation of the bill, or that expresses that it is a mere authority to deal with the bill as thereby directed, and not a transfer of the ownership thereof, as, for example, if a bill is endorsed "Pay ... only", or "Pay ... for the account of ...", or "Pay ..., or order, for collection".

(3) **[Rights of endorsee]** A restrictive endorsement gives the endorsee the right to receive payment of the bill and to sue any party thereto that his endorser could have sued, but gives him no power to transfer his rights as endorsee unless it expressly authorizes him to do so.

(4) **[If further transfer is authorized]** Where a restrictive endorsement authorizes further transfer, all subsequent endorsees take the bill with the same rights and subject to the same liabilities as the first endorsee under the restrictive endorsement.

68. [When negotiability ceases] Where a bill is negotiable in its origin, it continues to be negotiable until it has been

(a) restrictively endorsed; or

(b) discharged by payment or otherwise.

69. (1) **[Overdue bill]** Where an overdue bill is negotiated, it can be negotiated only subject to any defect of title affecting it at its maturity, and thenceforward no person who takes it can acquire or give a better title than the person from whom he took it had.

(2) **[When demand bill overdue]** A bill payable on demand is deemed to be overdue, within the meaning and for the purposes of this section, when it appears on the face of it to have been in circulation for an unreasonable length of time.

(3) **[Time]** What is an unreasonable length of time for the purpose of subsection (2) is a question of fact.

70. [Presumption] Except where an endorsement bears date after the maturity of the bill, every negotiation is, in the absence of evidence to the contrary, deemed to have been effected before the bill was overdue.

71. [Réception d'une lettre non échue et refusée] Quiconque prend une lettre non échue, après avoir été avisé qu'elle a été refusée à l'acceptation ou au paiement, la reçoit entachée de tout vice de titre qui l'affectait lors du refus. Le présent article ne porte toutefois pas atteinte aux droits d'un détenteur régulier.

S.R., ch. B-5, art. 72.

72. [Remise en circulation] Le tireur, un endosseur antérieur ou l'accepteur, à qui une lettre est retournée par négociation, peut, sous réserve des autres dispositions de la présente loi, la remettre en circulation et la négocier de nouveau, mais il n'a pas le droit d'en exiger le paiement d'une partie intermédiaire envers qui il était antérieurement obligé.

S.R., ch. B-5, art. 73.

Droits et pouvoirs du détenteur

73. [Droits et pouvoirs du détenteur] Les droits et pouvoirs du détenteur d'une lettre sont les suivants:

a) il peut intenter en son propre nom une action fondée sur la lettre;

b) le détenteur régulier détient la lettre libérée de tout vice de titre des parties qui le précèdent ainsi que des défenses personnelles que pouvaient faire valoir les parties antérieures entre elles; il peut exiger le paiement de toutes les parties obligées par la lettre;

c) le détenteur dont le titre est défectueux qui négocie la lettre à un détenteur régulier confère à celui-ci un titre valable et parfait sur la lettre;

d) la personne qui paie en temps voulu la lettre au détenteur dont le titre est défectueux est valablement libérée.

S.R., ch. B-5, art. 74.

Présentation à l'acceptation

74. (1) [Présentation nécessaire] La présentation à l'acceptation d'une lettre payable à vue ou à un certain délai de vue est nécessaire pour en fixer l'échéance.

(2) [Stipulation expresse] La lettre qui stipule expressément sa présentation à l'acceptation ou qui est tirée payable ailleurs qu'à la résidence ou à l'établissement du tiré doit être présentée à l'acceptation avant de l'être au paiement.

71. [Taking bill with notice of dishonour] Where a bill that is not overdue has been dishonoured, any person who takes it with notice of the dishonour takes it subject to any defect of title attaching thereto at the time of dishonour, but nothing in this section affects the rights of a holder in due course.

72. [Reissue of bill] Where a bill is negotiated back to the drawer, to a prior endorser or to the acceptor, that party may, subject to this Act, reissue and further negotiate the bill, but he is not entitled to enforce the payment of the bill against any intervening party to whom he was previously liable.

Rights and Powers of Holder

73. [Rights and powers of holder] The rights and powers of the holder of a bill are as follows:

(*a*) he may sue on the bill in his own name;

(*b*) where he is a holder in due course, he holds the bill free from any defect of title of prior parties, as well as from mere personal defences available to prior parties among themselves, and may enforce payment against all parties liable on the bill;

(*c*) where his title is defective, if he negotiates the bill to a holder in due course, that holder obtains a good and complete title to the bill; and

(*d*) where the title is defective, if he obtains payment of the bill, the person who pays him in due course gets a valid discharge for the bill.

Presentment for Acceptance

74. (1) [When presentment for acceptance necessary] Where a bill is payable at sight or after sight, presentment for acceptance is necessary in order to fix the maturity of the instrument.

(2) [Express stipulation] Where a bill expressly stipulates that it shall be presented for acceptance, or where a bill is drawn payable elsewhere than at the residence or place of business of the drawee, it must be presented for acceptance before it can be presented for payment.

(3) **[Autres cas]** Dans aucun autre cas la présentation à l'acceptation n'est nécessaire pour obliger une partie à la lettre.

S.R., ch. B-5, art. 75.

75. [Présentation avec retard] Le tireur et les endosseurs d'une lettre tirée payable ailleurs qu'à la résidence ou à l'établissement du tiré ne sont pas libérés par le retard dans sa présentation au paiement, si auparavant le détenteur a fait acte de diligence pour la présenter à temps à l'acceptation.

S.R., ch. B-5, art. 76.

76. (1) **[Lettre à vue]** Sous réserve des autres dispositions de la présente loi, le détenteur qui négocie une lettre payable à vue ou à un certain délai de vue doit la présenter à l'acceptation ou la négocier dans un délai raisonnable.

(2) **[Défaillance du détenteur]** Le défaut d'exécution de l'obligation visée au paragraphe (1) libère le tireur et les endosseurs antérieurs au détenteur.

(3) **[Délai raisonnable]** Pour la détermination du délai raisonnable mentionné au présent article, il est tenu compte de la nature de la lettre, des usages régissant le commerce de lettres semblables et des circonstances particulières.

S.R., ch. B-5, art. 77.

77. [Règles] Est régulière la présentation à l'acceptation d'une lettre qui est conforme aux règles suivantes:

a) elle est faite par le détenteur, ou en son nom, au tiré ou à une personne autorisée à l'accepter ou à refuser l'acceptation en son nom, et ce à une heure convenable, un jour ouvrable, et avant l'échéance de la lettre;

b) dans le cas d'une lettre adressée à plusieurs tirés qui ne sont pas associés, elle est faite à chacun d'eux, sauf si l'un d'eux est autorisé à l'accepter pour tous, auquel cas elle peut être faite à celui-ci seulement;

c) dans le cas où le tiré est décédé, elle peut être faite à son représentant personnel;

d) dans le cas où l'usage ou une convention l'autorise, elle peut se faire uniquement par la poste.

S.R., ch. B-5, art. 78.

(3) **[Other cases]** In no other case is presentment for acceptance necessary in order to render liable any party to the bill.

75. [Presentment excused] Where the holder of a bill, drawn payable elsewhere than at the place of business or residence of the drawee, has not time, with the exercise of reasonable diligence, to present the bill for acceptance before presenting it for payment on the day that it falls due, the delay caused by presenting the bill for acceptance before presenting it for payment is excused and does not discharge the drawer and endorsers.

76. (1) **[Sight bill]** Subject to this Act, when a bill payable at sight or after sight is negotiated, the holder must either present it for acceptance or negotiate it within a reasonable time.

(2) **[If not presented]** If the holder does not comply with the requirement of subsection (1), the drawer and all endorsers prior to that holder are discharged.

(3) **[Reasonable time]** In determining what is a reasonable time within the meaning of this section, regard shall be had to the nature of the bill, the usage of trade with respect to similar bills and the facts of the particular case.

77. [Rules for presenting for acceptance] A bill is duly presented for acceptance that is presented in accordance with the following rules:

(a) the presentment must be made by or on behalf of the holder to the drawee or to a person authorized to accept or refuse acceptance on his behalf, at a reasonable hour on a business day and before the bill is overdue;

(b) where a bill is addressed to two or more drawees who are not partners, presentment must be made to all of them, unless one has authority to accept for all, in which case presentment may be made to him only;

(c) where the drawee is dead, presentment may be made to his personal representative; and

(d) where authorized by agreement or usage, a presentment through the post office is sufficient.

78. (1) **[Dispenses]** Les règles de présentation énoncées à l'article 77 ne sont pas obligatoires et la lettre peut être traitée comme ayant subi un refus d'acceptation dans les cas suivants:

a) le tiré est mort, ou est une personne fictive ou inhabile à contracter par lettre;

b) la présentation ne peut être faite malgré l'accomplissement des diligences nécessaires;

c) la présentation a été irrégulière, mais l'acceptation a été refusée pour un autre motif.

(2) **[Non-dispense]** Le fait d'avoir des motifs de croire que la lettre sera refusée sur présentation ne dispense pas le détenteur de la présenter.

S.R., ch. B-5, art. 79.

79. (1) **[Délai d'acceptation]** Le tiré peut accepter une lettre le jour même où elle lui est dûment présentée pour acceptation, ou en tout temps dans les deux jours qui suivent.

(2) **[Refus d'acceptation]** Lorsque la lettre dûment présentée n'est pas acceptée dans le délai prévu au paragraphe (1), son détenteur la traite comme ayant subi un refus d'acceptation.

(3) **[Perte de recours]** Le détenteur qui ne traite pas conformément au paragraphe (2) une lettre non acceptée dans le délai perd son recours contre le tireur et les endosseurs.

(4) **[Date de l'acceptation]** L'accepteur d'une lettre payable à vue ou à un certain délai de vue peut y inscrire, comme date de son acceptation, l'un des trois jours visés au paragraphe (1), à condition que ce jour ne soit pas postérieur à la date de son acceptation réelle de la lettre.

(5) **[Datation défectueuse]** Le détenteur de la lettre dont la datation n'est pas conforme au paragraphe (4) peut refuser l'acceptation et la traiter comme refusée à l'acceptation.

S.R., ch. B-5, art. 80.

80. [Refus d'acceptation] Il y a refus d'acceptation dans les cas suivants:

a) la lettre est dûment présentée à l'acceptation et l'acceptation prévue par la présente loi est refusée ou ne peut être obtenue;

b) il y a dispense de présentation à l'acceptation et la lettre n'est pas acceptée.

S.R., ch. B-5, art. 81.

78. (1) **[Excuses]** Presentment in accordance with the rules set out in section 77 is excused, and a bill may be treated as dishonoured by non-acceptance where

(*a*) the drawee is dead, or is a fictitious person or a person not having capacity to contract by bill;

(*b*) after the exercise of reasonable diligence, the presentment cannot be effected; or

(*c*) although the presentment has been irregular, acceptance has been refused on some other ground.

(2) **[No excuse]** The fact that the holder has reason to believe that the bill, on presentment, will be dishonoured does not excuse presentment.

79. (1) **[Time for acceptance]** The drawee may accept a bill on the day of its due presentment to him for acceptance or at any time within two days thereafter.

(2) **[Dishonour]** When a bill is duly presented for acceptance and is not accepted within the time mentioned in subsection (1), the person presenting it must treat it as dishonoured by non-acceptance.

(3) **[Loss of rights]** If the person does not treat the bill as dishonoured, the holder loses his right of recourse against the drawer and endorsers.

(4) **[Date of acceptance]** In the case of a bill payable at sight or after sight, the acceptor may date his acceptance thereon as of any of the days mentioned in subsection (1) but not later than the day of his actual acceptance of the bill.

(5) **[Refusing acceptance]** If the acceptance is not dated as described in subsection (4), the holder may refuse to take the acceptance and may treat the bill as dishonoured by non-acceptance.

80. [Dishonour by non-acceptance] A bill is dishonoured by non-acceptance when

(*a*) it is duly presented for acceptance and such an acceptance as is prescribed by this Act is refused or cannot be obtained; or

(*b*) presentment for acceptance is excused and the bill is not accepted.

81. [Recours] Sous réserve des autres dispositions de la présente loi, le détenteur d'une lettre refusée à l'acceptation a un recours immédiat contre le tireur et les endosseurs et la présentation au paiement n'est pas nécessaire.

S.R., ch. B-5, art. 82.

82. (1) **[Acceptation restreinte]** Le détenteur peut refuser toute acceptation restreinte et, à défaut d'en obtenir une qui est pure et simple, traiter la lettre comme refusée à l'acceptation.

(2) **[Présomption de ratification]** Le tireur ou l'endosseur d'une lettre qui a été avisé d'une acceptation restreinte est censé l'avoir ratifiée s'il ne signifie pas son opposition au détenteur dans un délai raisonnable.

S.R., ch. B-5, art. 83.

83. (1) **[Acceptation restreinte sans autorisation]** La réception, par le détenteur, de l'acceptation restreinte d'une lettre libère le tireur ou l'endosseur de ses obligations lorsqu'elle intervient sans l'autorisation, explicite ou implicite, et la ratification de l'un d'eux.

(2) **[Acceptation partielle]** Le présent article ne s'applique pas à une acceptation partielle dont avis a été dûment donné.

S.R., ch. B-5, art. 84.

Présentation au paiement

84. (1) **[Obligation]** Sous réserve des autres dispositions de la présente loi, il est obligatoire de présenter, en bonne et due forme, la lettre au paiement.

(2) **[Défaut de présentation]** Le défaut de présentation en bonne et due forme libère le tireur et l'endosseur.

(3) **[Mode]** Pour présenter au paiement une lettre, le détenteur la montre à la personne de qui il exige acquittement.

S.R., ch. B-5, art. 85.

85. (1) **[Date]** Est en bonne et due forme la présentation au paiement qui se fait:

a) dans le cas d'une lettre non payable sur demande, le jour de l'échéance;

b) dans le cas d'une lettre payable sur demande, dans un délai raisonnable, d'une part après l'émission pour obliger le tireur et, d'autre part après l'endossement pour obliger l'endosseur.

81. [Recourse] Subject to this Act, when a bill is dishonoured by non-acceptance, an immediate right of recourse against the drawer and endorsers accrues to the holder, and no presentment for payment is necessary.

82. (1) **[Qualified acceptance]** The holder of a bill may refuse to take a qualified acceptance and, if he does not obtain an unqualified acceptance, may treat the bill as dishonoured by non-acceptance.

(2) **[Presumption of assent]** When the drawer or endorser of a bill receives notice of a qualified acceptance and does not within a reasonable time express his dissent to the holder, he shall be deemed to have assented thereto.

83. (1) **[Qualified acceptance without authority]** Where a qualified acceptance is taken and the drawer or endorser has not expressedly or impliedly authorized the holder to take a qualified acceptance, or does not subsequently assent thereto, the drawer or endorser is discharged from his liability on the bill.

(2) **[Partial acceptance]** This section does not apply to a partial acceptance of which due notice has been given.

Presentment for Payment

84. (1) **[Necessity for presentment]** Subject to this Act, a bill must be duly presented for payment.

(2) **[If not presented]** If a bill is not duly presented for payment, the drawer and endorsers are discharged.

(3) **[Manner of presentment]** Where the holder of a bill presents it for payment, he shall exhibit the bill to the person from whom he demands payment.

85. (1) **[Time for presentment]** A bill is duly presented for payment that is presented when the bill is

(a) not payable on demand, on the day it falls due; or

(b) payable on demand, within a reasonable time after its issue, in order to render the drawer liable, and within a reasonable time after its endorsement, in order to render the endorser liable.

(2) **[Délai raisonnable]** Pour la détermination du délai raisonnable mentionné au présent article, il est tenu compte de la nature de la lettre, des usages régissant le commerce de lettres semblables et des circonstances particulières.

S.R., ch. B-5, art. 86.

86. (1) **[Par qui et à qui]** La présentation doit être faite par le détenteur, ou par une personne autorisée à recevoir le paiement en son nom, au lieu voulu — tel que défini à l'article 87 — et soit à la personne désignée par la lettre comme payeur, soit à son représentant ou à une personne autorisée à payer ou à refuser paiement en son nom, si, en faisant les diligences nécessaires, on peut y trouver cette dernière.

(2) **[Deux accepteurs]** La lettre tirée sur plusieurs personnes ou acceptée par plusieurs personnes — dans les deux cas non associées — et ne spécifiant pas le lieu de paiement doit être présentée à chacune d'elles.

(3) **[Représentant personnel]** En cas de décès du tiré ou de l'accepteur et d'absence d'indication du lieu de paiement, la lettre est à présenter à un représentant personnel, s'il y en a un et si on peut le trouver en faisant les diligences nécessaires.

S.R., ch. B-5, art. 87.

87. [Lieu de présentation] Le lieu voulu de présentation d'une lettre au paiement est, selon le cas:

a) le lieu de paiement spécifié sur la lettre ou par l'acceptation;

b) à défaut, à l'adresse du tiré ou de l'accepteur indiquée sur la lettre;

c) à défaut du lieu ou de l'adresse visés aux alinéas a) et b), l'établissement du tiré ou de l'accepteur ou, s'il n'est pas connu, sa résidence connue;

d) dans tout autre cas, tout lieu où se trouve le tiré ou l'accepteur, ou son dernier établissement connu ou sa dernière résidence connue.

S.R., ch. B-5, art. 88.

88. [Présentation suffisante] Il n'est pas nécessaire de présenter au tiré ou à l'accepteur la lettre déjà présentée au lieu voulu, tel que défini à l'article 87, si, après avoir fait acte de diligence, on n'y a trouvé personne qui soit autorisé à la payer ou à en refuser le paiement.

S.R., ch. B-5, art. 89.

(2) **[Reasonable time]** In determining what is a reasonable time within the meaning of this section, regard shall be had to the nature of the bill, the usage of trade with respect to similar bills and the facts of the particular case.

86. (1) **[By and to whom]** Presentment of a bill must be made by the holder or by a person authorized to receive payment on his behalf, at the proper place as defined in section 87, and either to the person designated by the bill as payer or to his representative or a person authorized to pay or to refuse payment on his behalf, if with the exercise of reasonable diligence such person can there be found.

(2) **[Two acceptors]** When a bill is drawn on or accepted by two or more persons who are not partners and no place of payment is specified, presentment must be made to all of them.

(3) **[Personal representation]** When the drawee or acceptor of a bill is dead and no place of payment is specified, presentment of the bill must be made to a personal representative if there is one and with the exercise of reasonable diligence he can be found.

87. [Proper place for presentment] A bill is presented at the proper place

(a) where a place of payment is specified in the bill or acceptance and the bill is there presented;

(b) where no place of payment is specified, but the address of the drawee or acceptor is given in the bill, and the bill is there presented;

(c) where no place of payment is specified and no address given, and the bill is presented at the drawee's or acceptor's place of business, if known, and if not, at his ordinary residence, if known; or

(d) in any other case, if presented to the drawee or acceptor wherever he can be found, or if presented at his latest known place of business or residence.

88. [Sufficient presentment] Where a bill is presented at the proper place as defined in section 87 and after the exercise of reasonable diligence no person authorized to pay or refuse payment can there be found, no further presentment to the drawee or acceptor is required.

89. (1) **[Imprécision du lieu de paiement]** Si le lieu de paiement indiqué sur la lettre ou par l'acceptation est une agglomération quelconque sans plus de précision, la présentation se fait à l'établissement connu ou à la résidence connue du tiré ou de l'accepteur dans cette agglomération, ou, à défaut, au bureau de poste principal, ou unique, de l'agglomération en question.

(2) **[Présentation par la poste]** La présentation par la poste est suffisante, si elle est autorisée par convention ou par l'usage.

S.R., ch. B-5, art. 90.

90. (1) **[Présentation tardive]** Est excusé le retard dans la présentation au paiement qui est causé par des circonstances indépendantes de la volonté du détenteur et n'est pas imputable à un manquement quelconque de sa part.

(2) **[Diligence]** Une fois la cause du retard disparue, il faut procéder sans délai à la présentation.

S.R., ch. B-5, art. 91.

91. (1) **[Dispense de présentation]** Il y a dispense de présentation au paiement dans les cas suivants:

a) la présentation prévue par la présente loi ne peut être faite malgré les diligences nécessaires;

b) le tiré est une personne fictive;

c) en ce qui concerne le tireur, le tiré ou l'accepteur n'est pas obligé envers lui d'accepter ou de payer la lettre, et le tireur n'a aucune raison de croire qu'elle serait payée sur présentation;

d) en ce qui concerne un endosseur, la lettre a été acceptée ou faite par complaisance pour lui et il n'a pas de raison de s'attendre qu'elle serait payée sur présentation;

e) il y a renonciation expresse ou tacite à la présentation.

(2) **[Dispense inapplicable]** Même quand il y a lieu de croire que la lettre sera refusée, le détenteur n'est pas dispensé de la présentation.

S.R., ch. B-5, art. 92.

92. (1) **[Absence de lieu de paiement]** En l'absence d'indication du lieu de paiement sur la lettre ou par l'acceptation, la présentation au paiement n'est pas nécessaire pour obliger l'accepteur.

89. (1) **[Presentment at post office]** Where the place of payment specified in the bill or acceptance is any city, town or village and no place therein is specified, and the bill is presented at the drawee's or acceptor's known place of business or known ordinary residence therein, and if there is no such place of business or residence, the bill is presented at the post office or principal post office in such city, town or village, such presentment is sufficient.

(2) **[Through post office]** Where authorized by agreement or usage, a presentment through the post office is sufficient.

90. (1) **[Delay in presentment]** Delay in making presentment of a bill for payment is excused where the delay is caused by circumstances beyond the control of the holder and not imputable to his default, misconduct or negligence.

(2) **[Diligence]** Where the cause of delay ceases to operate, presentment must be made with reasonable diligence.

91. (1) **[When presentment is dispensed with]** Presentment of a bill for payment is dispensed with

(*a*) where, after the exercise of reasonable diligence, presentment, as required by this Act, cannot be effected;

(*b*) where the drawee is a fictitious person;

(*c*) with respect to the drawer, where the drawee or acceptor is not bound, as between himself and the drawer, to accept or pay the bill, and the drawer has no reason to believe that the bill would be paid if presented; or

(*d*) with respect to an endorser, where the bill was accepted or made for the accommodation of that endorser, and he has no reason to expect that the bill would be paid if presented;

(*e*) by waiver of presentment, express or implied.

(2) **[Not dispensed with]** The fact that the holder has reason to believe that the bill will, on presentment, be dishonoured does not dispense with the necessity for presentment.

92. (1) **[When no place specified]** When no place of payment is specified in a bill or acceptance, presentment for payment is not necessary in order to render the acceptor liable.

(2) **[Défaut de présentation au paiement]** Si la lettre ou l'acceptation indique le lieu de paiement, l'accepteur n'est libéré par le défaut de présentation à l'échéance que sur stipulation expresse à cet effet; en cas de poursuite ou d'action intentée à cet égard avant la présentation, les frais et dépens sont laissés à l'appréciation du tribunal.

(3) **[Livraison sur paiement]** Sur paiement, le détenteur remet la lettre au payeur.

S.R., ch. B-5, art. 93.

93. (1) **[Délai de présentation]** Quand l'intervenant a pour adresse le lieu du protêt faute de paiement, la lettre doit lui être présentée au plus tard le lendemain de son échéance.

(2) **[Parties en des lieux différents]** Dans les autres cas, la lettre doit être expédiée au plus tard le lendemain de son échéance pour présentation à l'intervenant.

(3) **[Retard ou omission de présentation excusables]** Est excusé tout retard ou défaut de présentation dû à toute circonstance qui, en cas d'acceptation par le tiré, vaudrait pour la présentation au paiement.

S.R., ch. B-5, art. 94.

94. (1) **[Défaut de paiement sur présentation]** Il y a refus de paiement dans les cas suivants:

a) malgré une présentation en bonne et due forme, le paiement a été refusé ou n'a pu être obtenu;

b) il y a dispense de présentation et la lettre est échue et impayée.

(2) **[Recours]** Sous réserve des autres dispositions de la présente loi, le détenteur a, en cas de refus de paiement, un droit de recours immédiat contre le tireur, l'accepteur et les endosseurs.

S.R., ch. B-5, art. 95.

Avis du refus

95. (1) **[Nécessité de l'avis]** Sous réserve des autres dispositions de la présente loi, le tireur et les endosseurs doivent être avisés de tout refus d'acceptation ou de paiement, faute de quoi ils sont libérés.

(2) **[If place specified]** When a place of payment is specified in a bill or acceptance, the acceptor, in the absence of an express stipulation to that effect, is not discharged by the omission to present the bill for payment on the day that it matures, but if any suit or action is instituted thereon before presentation, the costs thereof shall be in the discretion of the court.

(3) **[Delivery on payment]** When a bill is paid, the holder shall forthwith deliver it to the party paying it.

93. (1) **[Time for presentment]** Where the address of the acceptor for honour of a bill is in the same place where the bill is protested for non-payment, the bill must be presented to him not later than the day following its maturity.

(2) **[Parties in different places]** Where the address of the acceptor for honour is in a place other than the place where a bill is protested for non-payment, the bill must be forwarded not later than the day following its maturity for presentment to him.

(3) **[Excuses for delay]** Delay in presentment or non-presentment is excused by any circumstance that would, in case of acceptance by a drawee, excuse delay in presentment for payment or non-presentment for payment.

94. (1) **[Dishonour by non-payment]** A bill is dishonoured by non-payment when

(*a*) it is duly presented for payment and payment is refused or cannot be obtained; or

(*b*) presentment is excused and the bill is overdue and unpaid.

(2) **[Recourse]** Subject to this Act, when a bill is dishonoured by non-payment, an immediate right of recourse against the drawer, acceptor and endorsers accrues to the holder.

Notice of Dishonour

95. (1) **[Notice of dishonour]** Subject to this Act, when a bill has been dishonoured by non-acceptance or by non-payment, notice of dishonour must be given to the drawer and each endorser, and any drawer or endorser to whom the notice is not given is discharged.

(2) **[Détenteur ultérieur]** Le défaut d'avis en cas de refus d'acceptation ne porte pas atteinte aux droits des détenteurs réguliers ultérieurs.

(3) **[Avis du défaut de paiement]** Dans le cas où un refus d'acceptation a déjà été donné en bonne et due forme, il n'est pas nécessaire de donner avis d'un refus subséquent de paiement, sauf si, dans l'intervalle, la lettre a été acceptée.

(4) **[Avis à l'accepteur]** Pour obliger l'accepteur d'une lettre, il n'est pas nécessaire de l'aviser du refus subi par celle-ci.

S.R., ch. B-5, art. 96.

96. [Conditions de validité de l'avis] Pour avoir effet, l'avis de refus doit être donné:

a) au plus tard le premier jour juridique ou ouvrable qui suit;

b) par un détenteur — ou en son nom — ou par un endosseur — ou en son nom — , lequel, au moment où il le donne, est lui-même obligé par la lettre;

c) en cas de décès — connu de l'auteur de l'avis — du tireur ou de l'endosseur, au représentant personnel de l'un ou l'autre, s'il y en a un et si on peut le trouver en faisant les diligences nécessaires;

d) s'il y a plusieurs tireurs ou endosseurs qui ne sont pas associés, à chacun d'eux, sauf dans le cas où l'un d'eux est habilité à le recevoir pour les autres.

S.R., ch. B-5, art. 97.

97. (1) [Modalités de l'avis] L'avis de refus peut être donné:

a) sur-le-champ;

b) soit directement à la partie visée, soit à son mandataire à cette fin;

c) par un mandataire, en son propre nom ou au nom de toute personne habilitée à le faire, que celle-ci soit ou non son mandant;

d) par écrit ou par communication personnelle, et en tous termes qui identifient la lettre et indiquent qu'elle a été refusée à l'acceptation ou au paiement.

(2) **[Fausse désignation]** Une fausse désignation de la lettre ne vicie pas l'avis, sauf à induire effectivement en erreur celui à qui il est donné.

S.R., ch. B-5, art. 98.

(2) **[Subsequent holder]** Where a bill is dishonoured by non-acceptance and notice of dishonour is not given, the rights of a holder in due course subsequent to the omission are not prejudiced by the omission.

(3) **[Notice of subsequent dishonour]** Where a bill is dishonoured by non-acceptance and due notice of dishonour is given, it is not necessary to give notice of a subsequent dishonour by non-payment, unless the bill is accepted in the meantime.

(4) **[Notice to acceptor]** In order to render the acceptor of a bill liable, it is not necessary that notice of dishonour be given to him.

96. [Conditions for validity of notice] Notice of dishonour in order to be valid and effectual must be given

(a) not later than the juridical or business day next following the dishonouring of the bill;

(b) by or on behalf of the holder, or by or on behalf of an endorser, who at the time of giving notice is himself liable on the bill;

(c) in the case of the death, if known to the party giving notice, of the drawer or endorser, to a personal representative if there is one and with the exercise of reasonable diligence he can be found; and

(d) in case of two or more drawers or endorsers who are not partners, to each of them, unless one of them has authority to receive notice for the others.

97. (1) [How notice given] Notice of dishonour may be given

(a) as soon as the bill is dishonoured;

(b) to the party to whom notice is required to be given or to his agent in that behalf;

(c) by an agent either in his own name or in the name of any party entitled to give notice, whether that party is his principal or not; or

(d) in writing or by personal communication and in any terms that identify the bill and intimate that the bill has been dishonoured by non-acceptance or non-payment.

(2) **[Misdescription]** A misdescription of the bill does not vitiate the notice unless the party to whom the notice is given is in fact misled thereby.

98. (1) **[Forme du refus]** Il n'est pas nécessaire de signer un avis écrit; par ailleurs, le renvoi au tireur ou à un endosseur d'une lettre refusée constitue un avis suffisant de refus.

(2) **[Communication verbale]** L'avis écrit insuffisant peut être complété et validé par une communication verbale.

S.R., ch. B-5, art. 99.

99. (1) **[Avis par mandataire]** Lorsque, au moment de son refus, une lettre est entre les mains d'un mandataire, celui-ci peut lui-même en donner avis soit aux parties obligées par la lettre, soit à son mandant, auquel cas ce dernier a à son tour le même délai pour donner avis que si le mandataire avait été un détenteur indépendant.

(2) **[Délai de l'avis au mandant]** Le mandataire qui donne avis à son mandant le fait dans le même délai que s'il était un détenteur indépendant.

S.R., ch. B-5, art. 100.

100. [Avis aux parties antérieures] La partie à une lettre qui reçoit en bonne et due forme avis du refus dispose à partir de ce moment, pour donner avis aux parties qui la précèdent, du même délai qu'un détenteur après le refus.

S.R., ch. B-5, art. 101.

101. [Bénéficiaires de l'avis de refus] L'avis de refus vaut également pour:

a) tous les détenteurs subséquents et tous les endosseurs antérieurs qui ont un droit de recours contre son destinataire, lorsqu'il est donné au nom du détenteur;

b) le détenteur et tous les endosseurs postérieurs au destinataire, lorsqu'il est donné par un endosseur habilité à ce faire par la présente partie, ou en son nom.

S.R., ch. B-5, art. 102.

102. (1) **[Modalités de l'avis]** Par dérogation aux autres dispositions de la présente loi, est suffisant l'avis de refus d'une lettre payable au Canada qui est adressé en temps utile à toute partie à celle-ci y ayant droit, soit à son adresse ou lieu de résidence habituelle, soit au lieu où la lettre est datée, ou encore à tel autre lieu désigné, sous sa signature, par cette partie.

98. (1) **[Form of notice]** In point of form, the return of a dishonoured bill to the drawer or endorser is a sufficient notice of dishonour, and a written notice need not be signed.

(2) **[Verbal supplement]** An insufficient written notice may be supplemented and validated by verbal communication.

99. (1) **[Notice by agent]** Where a bill when dishonoured is in the hands of an agent, he may himself give notice to the parties liable on the bill, or he may give notice to his principal, in which case the principal on receipt of the notice has the same time for giving notice as if the agent had been an independent holder.

(2) **[Time for notice]** Where the agent gives notice to his principal, he must do so within the same time as if he were an independent holder.

100. [Notice to antecedent parties] Where a party to a bill receives due notice of dishonour, he has, after the receipt of the notice, the same period of time for giving notice to antecedent parties that a holder has after dishonour.

101. [Benefit of notice] A notice of dishonour enures for the benefit

(a) of all subsequent holders and of all prior endorsers who have a right of recourse against the party to whom the notice is given, where given on behalf of the holder; and

(b) of the holder and all endorsers subsequent to the party to whom notice is given, where given, by or on behalf of an endorser entitled under this Part to give notice.

102. (1) **[How notice addressed]** Notwithstanding anything in this Act, notice of dishonour of any bill payable in Canada is sufficiently given if it is addressed in due time to any party to the bill entitled to the notice, at his customary address or place of residence or at the place at which the bill is dated, unless any such party has, under his signature, designated another place, in which case the notice shall be sufficiently given if addressed to him in due time at that other place.

(2) **[Suffisance de l'avis]** L'avis visé au paragraphe (1) est suffisant, bien que le lieu de résidence de cette partie soit situé ailleurs qu'à l'un ou l'autre des lieux mentionnés à ce paragraphe, et réputé avoir été dûment signifié s'il est déposé, port payé, à un bureau de poste le jour de la présentation ou le jour juridique ou ouvrable qui suit.

(3) **[Décès du destinataire]** Le décès du destinataire ne rend pas l'avis caduc.

S.R., ch. B-5, art. 103.

103. [Perte de courrier] L'expéditeur qui a dûment adressé et posté l'avis conformément à l'article 102 est réputé l'avoir fait en bonne et due forme nonobstant toute perte de courrier.

S.R., ch. B-5, art. 104.

104. (1) **[Retard excusé]** Est excusé le retard qui est causé par des circonstances indépendantes de la volonté de l'auteur de l'avis et qui n'est pas imputable à un manquement de sa part.

(2) **[Diligence]** Une fois la cause du retard disparue, il y a lieu de faire diligence pour donner l'avis.

S.R., ch. B-5, art. 105.

105. (1) **[Dispense]** Il y a dispense d'avis de refus dans les cas suivants:

a) malgré les diligences nécessaires, l'avis prévu par la présente loi ne peut être donné ou ne parvient pas au tireur ou à l'endosseur que l'on veut obliger;

b) il y a renonciation expresse ou tacite.

(2) **[Date de la renonciation]** La renonciation peut intervenir avant la date où l'avis de refus doit être donné ou postérieurement à son omission.

S.R., ch. B-5, art. 106.

106. [Dispense à l'égard du tireur] Il y a dispense d'avis de refus, en ce qui concerne le tireur, dans les cas suivants:

a) le tireur et le tiré sont une seule et même personne;

b) le tiré est une personne fictive ou inhabile à contracter;

c) le tireur est la personne à qui la lettre est présentée au paiement;

(2) **[Sufficiency of notice]** A notice referred to in subsection (1) shall be sufficient, although the place of residence of such party is other than either of the places mentioned in that subsection, and shall be deemed to have been duly served and given for all purposes if it is deposited in any post office, with the postage paid thereon, at any time during the day on which presentment has been made or on the next following juridical or business day.

(3) **[Death of party]** The notice referred to in subsection (1) is not invalid by reason only of the fact that the party to whom it is addressed is dead.

103. [Miscarriage in post service] Where a notice of dishonour is duly addressed and posted, as provided in section 102, the sender is deemed to have given due notice of dishonour, notwithstanding any miscarriage by the post office.

104. (1) **[Excuse for delay]** Delay in giving notice of dishonour is excused where the delay is caused by circumstances beyond the control of the party giving notice and not imputable to his default, misconduct or negligence.

(2) **[Diligence]** Where the cause of delay in giving notice of dishonour ceases to operate, the notice must be given with reasonable diligence.

105. (1) **[Notice dispensed with]** Notice of dishonour is dispensed with

(*a*) when, after the exercise of reasonable diligence, notice as required by this Act cannot be given to or does not reach the drawer or endorser sought to be charged; or

(*b*) by waiver, express or implied.

(2) **[Time of waiver]** Notice of dishonour may be waived before the time of giving notice has arrived or after the omission to give due notice.

106. [Dispensing with notice re drawer] Notice of dishonour is dispensed with as regards the drawer where

(*a*) the drawer and drawee are the same person;

(*b*) the drawee is a fictitious person or a person not having capacity to contract;

(*c*) the drawer is the person to whom the bill is presented for payment;

d) le tiré ou l'accepteur n'est pas obligé envers le tireur d'accepter ou de payer la lettre;

e) le tireur a contremandé le paiement.
S.R., ch. B-5, art. 107.

107. [Dispense à l'égard de l'endosseur] Il y a dispense d'avis de refus, en ce qui concerne l'endosseur, dans les cas suivants:

a) le tiré est une personne fictive ou inhabile à contracter, et l'endosseur le savait à l'époque où il a endossé la lettre;

b) l'endosseur est la personne à qui la lettre est présentée au paiement;

c) la lettre a été acceptée ou tirée par complaisance pour lui.
S.R., ch. B-5, art. 108.

Protêt

108. [Protêt facultatif] Pour obliger l'accepteur d'une lettre, il n'est pas nécessaire de la protester.

S.R., ch. B-5, art. 109.

109. [Dispense] Les circonstances qui dispenseraient de l'avis de refus suffisent à dispenser du protêt.

S.R., ch. B-5, art. 110.

110. (1) **[Retard excusé]** Est excusé le retard à noter ou à protester qui est causé par des circonstances indépendantes de la volonté du détenteur et qui n'est pas imputable à un manquement de sa part.

(2) **[Diligence]** Une fois la cause du retard disparue, il y a lieu de faire diligence pour noter ou protester la lettre.
S.R., ch. B-5, art. 111.

111. (1) **[Lettre étrangère: faute d'acceptation]** La lettre étrangère paraissant manifestement telle qui a été refusée à l'acceptation doit faire l'objet d'un protêt en bonne et due forme faute d'acceptation.

(2) **[Faute de paiement]** La lettre étrangère qui est refusée au paiement sans l'avoir auparavant été à l'acceptation doit faire l'objet d'un protêt en bonne et due forme faute de paiement.

(3) **[Surplus]** La lettre étrangère qui a été acceptée en partie seulement doit être protestée pour le surplus.

(*d*) the drawee or acceptor is, as between himself and the drawer, under no obligation to accept or pay the bill; or

(*e*) the drawer has countermanded payment.

107. [Dispensing with notice re endorser] Notice of dishonour is dispensed with as regards the endorser where

(*a*) the drawee is a fictitious person or a person not having capacity to contract, and the endorser was aware of the fact at the time he endorsed the bill;

(*b*) the endorser is the person to whom the bill is presented for payment; or

(*c*) the bill was accepted or made for his accommodation.

Protest

108. [Necessity of protest] In order to render the acceptor of a bill liable, it is not necessary to protest it.

109. [Protest dispensed with] Protest is dispensed with by any circumstances that would dispense with notice of dishonour.

110. (1) **[Delay excused]** Delay in noting or protesting is excused where the delay is caused by circumstances beyond the control of the holder and not imputable to his default, misconduct or negligence.

(2) **[Diligence]** Where the cause of delay in noting or protesting ceases to operate, the bill must be noted or protested with reasonable diligence.

111. (1) **[Foreign bill, non-acceptance]** Where a foreign bill appearing on the face of it to be such has been dishonoured by non-acceptance, it must be duly protested for non-acceptance.

(2) **[Non-payment]** Where a foreign bill that has not been previously dishonoured by non-acceptance is dishonoured by non-payment, it must be duly protested for non-payment.

(3) **[Balance]** Where a foreign bill has been accepted only as to part, it must be protested as to the balance.

(4) **[Libération]** Le tireur et les endosseurs d'une lettre étrangère sont libérés par le défaut de protestation en conformité avec le présent article.

S.R., ch. B-5, art. 112.

112. [Protêt d'une lettre intérieure] Le détenteur d'une lettre intérieure qui a été refusée peut, s'il le juge à propos, la faire noter et protester pour défaut d'acceptation ou de paiement, selon le cas; il n'est toutefois pas nécessaire de la faire noter ou protester pour avoir un recours contre le tireur ou les endosseurs.

S.R., ch. B-5, art. 113.

113. [Protêt facultatif] Le protêt n'est pas nécessaire en cas de refus d'une lettre qui n'est pas manifestement étrangère.

S.R., ch. B-5, art. 114.

114. [Protêt ultérieur faute de paiement] La lettre protestée faute d'acceptation ou à l'égard de laquelle il y a eu renonciation au protêt faute d'acceptation peut ensuite être protestée pour défaut de paiement.

S.R., ch. B-5, art. 115.

115. [Protêt pour plus ample garantie] Lorsque l'accepteur d'une lettre suspend ses paiements avant son échéance, le détenteur peut la faire protester pour plus ample garantie contre le tireur et les endosseurs.

S.R., ch. B-5, art. 116.

116. (1) [Acceptation par intervention] La lettre refusée qui a été acceptée par intervention ou qui mentionne un recommandataire doit être protestée pour défaut de paiement avant d'être présentée au paiement à l'intervenant ou au recommandataire.

(2) **[Protêt pour non-paiement]** La lettre que l'intervenant refuse de payer doit être protestée pour défaut de paiement.

S.R., ch. B-5, art. 117.

117. [Formalité établissant protêt] Dans le cas d'une lettre qui doit être protestée dans un délai déterminé ou avant telle formalité, il suffit, pour l'application de la présente loi, que la notation de protêt soit faite avant l'expiration du délai ou le début de la formalité en question.

S.R., ch. B-5, art. 118.

(4) **[Discharge]** Where a foreign bill is not protested as required by this section, the drawer and endorsers are discharged.

112. [Protest of inland bill] Where an inland bill has been dishonoured, it may, if the holder thinks fit, be noted and protested for non-acceptance or non-payment, as the case may be, but it is not necessary to note or protest an inland bill in order to have recourse against the drawer or endorsers.

113. [Protest unnecessary] Where a bill does not on the face of it appear to be a foreign bill, protest thereof in case of dishonour is unnecessary.

114. [Subsequent protest for non-payment] A bill that has been protested for non-acceptance, or a bill of which protest for non-acceptance has been waived, may be subsequently protested for non-payment.

115. [Protest for better security] Where the acceptor of a bill suspends payment before it matures, the holder may cause the bill to be protested for better security against the drawer and endorsers.

116. (1) [Acceptance for honour] Where a dishonoured bill has been accepted for honour under protest or contains a reference in case of need, it must be protested for non-payment before it is presented for payment to the acceptor for honour, or referee in case of need.

(2) **[Protest for non-payment]** When a bill is dishonoured by the acceptor for honour, it must be protested for non-payment by him.

117. [Noting equivalent to protest] For the purposes of this Act, where a bill is required to be protested within a specified time or before some further proceeding is taken, it is sufficient that the bill has been noted for protest before the expiration of the specified time or the taking of the proceeding.

118. (1) **[Protêt le jour du refus]** Sous réserve des autres dispositions de la présente loi, le protêt d'une lettre refusée doit être fait ou inscrit le jour même du refus.

(2) **[Rédaction du protêt]** Le protêt qui a été dûment noté peut être formellement dressé postérieurement tout en étant daté du jour de l'inscription.

S.R., ch. B-5, art. 119.

119. [Protêt sur copie ou détails] En cas de perte ou destruction d'une lettre, ou de rétention irrégulière ou accidentelle par une personne autre que celle ayant le droit de la détenir, ou encore de rétention accidentelle dans un lieu autre que celui où elle est payable, le protêt peut en être fait sur copie ou sur l'énoncé écrit des détails.

S.R., ch. B-5, art. 120.

120. (1) **[Lieu du protêt]** La lettre doit être protestée soit au lieu même du refus, soit en un autre lieu du Canada situé dans un rayon de cinq milles de celui de sa présentation et de son refus.

(2) **[Cas de renvoi par la poste]** La lettre présentée par la poste et retournée par la même voie après avoir subi un refus peut être protestée au lieu et le jour de son renvoi ou, au plus tard, le jour juridique suivant.

(3) **[Moment du protêt]** Tout protêt pour refus peut être fait le jour même, en tout temps après la non-acceptation ou, dans le cas de refus de paiement, après quinze heures (heure locale).

S.R., ch. B-5, art. 121.

121. [Contenu du protêt] Le protêt doit contenir la transcription de la lettre ou l'original de celle-ci en annexe; il doit être signé par le notaire qui le dresse et comporter les mentions suivantes:

a) son auteur;

b) ses lieu et date;

c) sa cause ou raison;

d) la teneur de la demande et de la réponse éventuelle, ou le fait que le tiré ou l'accepteur n'a pu être trouvé.

S.R., ch. B-5, art. 122.

118. (1) **[Protest on day of dishonour]** Subject to this Act, when a bill is protested, the protest must be made or noted on the day of its dishonour.

(2) **[Extending protest]** When a bill has been duly noted, the formal protest may be extended thereafter at any time as of the date of the noting.

119. [Protest on copy or particulars] Where a bill is lost or destroyed, or is wrongly or accidentally detained from the person entitled to hold it, or is accidentally retained in a place other than where payable, protest may be made on a copy or written particulars thereof.

120. (1) **[Place of protest]** A bill must be protested at the place where it is dishonoured, or at some other place in Canada situated within five miles of the place of presentment and dishonour of the bill.

(2) **[Where bill returned by post]** When a bill is presented through the post office and returned by post dishonoured, it may be protested at the place to which it is returned, not later than on the day of its return or the next juridical day.

(3) **[Time of protest]** Every protest for dishonour, either for non-acceptance or non-payment, may be made on the day of the dishonour, and in case of non-acceptance at any time after non-acceptance, and in case of non-payment at any time after three o'clock in the afternoon, local time.

121. [Contents of protest] A protest must contain a copy of the bill, or the original bill may be annexed thereto, must be signed by the notary making it and must specify

(a) the person at whose request the bill is protested;

(b) the place and date of protest;

(c) the cause or reason for protest; and

(d) the demand made and the answer given, if any; or the fact that the drawee or acceptor could not be found.

122. [**Protêt en l'absence d'un notaire**] En l'absence de notaire au lieu de refus, tout juge de paix y résidant peut exercer les pouvoirs conférés à celui-ci en matière de protêt; ainsi, il peut présenter et protester la lettre refusée et faire en outre toutes les notifications nécessaires.

S.R., ch. B-5, art. 123.

123. (1) [**Frais**] Les frais du protêt, y compris de la notation, ainsi que les frais de port y afférents, sont alloués et payés au détenteur en sus des intérêts.

(2) [**Honoraires des notaires**] Les notaires peuvent exiger les honoraires qu'ils touchent normalement dans chaque province.

S.R., ch. B-5, art. 124.

124. (1) [**Modèles**] Les modèles de l'annexe peuvent servir à la notation de protêt ou à la protestation d'une lettre ainsi qu'à l'avis y afférent.

(2) [**Transcription ou original en annexe**] La transcription de la lettre et des endossements peut être incorporée dans les modèles, ou l'original peut y être annexé, les modèles étant adaptés en conséquence.

S.R., ch. B-5, art. 125.

125. [**Modalités de l'avis de protêt**] Est suffisant et réputé dûment donné et signifié l'avis du protêt d'une lettre payable au Canada donné le jour même, ou le jour juridique ou ouvrable suivant, selon les modalités, notamment pour l'adresse, prévues par la présente partie pour l'avis du refus.

S.R., ch. B-5, art. 126.

Obligations des parties

126. [**Non-transfert de fonds**] La lettre n'a pas pour effet de transférer des fonds au tiré pour son paiement, et le tiré qui ne consent pas à l'acceptation prévue par la présente loi n'est pas obligé par l'effet.

S.R., ch. B-5, art. 127.

127. [**Engagement par acceptation**] L'accepteur d'une lettre s'engage à la payer suivant les termes de l'acceptation.

S.R., ch. B-5, art. 128.

122. [**Where notary not accessible**] Where a dishonoured bill is authorized or required to be protested and the services of a notary cannot be obtained at the place where the bill is dishonoured, any justice of the peace resident in the place may present and protest the bill and give all necessary notices and has all the necessary powers of a notary with respect thereto.

123. (1) [**Expense**] The expense of noting and protesting any bill and the postages thereby incurred shall be allowed and paid to the holder in addition to any interest thereon.

(2) [**Notaries' fees**] Notaries may charge the fees in each province allowed them.

124. (1) [**Forms**] The Forms in the schedule may be used in noting or protesting any bill and in giving notice thereof.

(2) [**Annexing copy or original of bill**] A copy of the bill and endorsement may be included in the Forms, or the original bill may be annexed and the necessary changes in that behalf made in the Forms.

125. [**How notice of protest given**] Notice of the protest of any bill payable in Canada is sufficiently given and is sufficient and deemed to have been duly given and served, if given during the day on which protest has been made or on the next following juridical or business day, to the same parties and in the same manner and addressed in the same way as is provided by this Part for notice of dishonour.

Liabilities of Parties

126. [**Equitable assignment**] A bill, of itself, does not operate as an assignment of funds in the hands of the drawee available for the payment thereof, and the drawee of a bill who does not accept as required by this Act is not liable on the instrument.

127. [**Engagement by acceptance**] The acceptor of a bill by accepting it engages that he will pay it according to the tenor of his acceptance.

128. **[Droits refusés à l'accepteur]** L'accepteur d'une lettre ne peut opposer au détenteur régulier ce qui suit:

a) l'existence du tireur, l'authenticité de sa signature, sa capacité et son autorité de tirer la lettre;

b) dans le cas d'une lettre payable à l'ordre du tireur, la capacité de celui-ci, à ce moment-là, d'endosser, sauf l'authenticité ou la validité de son endossement;

c) dans le cas d'une lettre payable à l'ordre d'un tiers, l'existence du preneur et sa capacité, à ce moment-là, d'endosser, sauf l'authenticité ou la validité de son endossement.

S.R., ch. B-5, art. 129.

129. **[Obligations du tireur]** La personne qui tire une lettre, ce faisant:

a) promet que, sur présentation en bonne et due forme, elle sera acceptée et payée à sa valeur, et s'engage, en cas de refus, à indemniser le détenteur ou tout endosseur forcé de l'acquitter, si les formalités obligatoires à la suite d'un refus ont été dûment remplies;

b) ne peut opposer au détenteur régulier l'existence du preneur et sa capacité, à ce moment-là, d'endosser.

S.R., ch. B-5, art. 130.

130. **[Effet de la signature]** Nul n'est responsable comme tireur, endosseur ou accepteur d'une lettre s'il ne l'a pas signée à ce titre; mais le signataire d'une lettre à un titre autre que celui de tireur ou d'accepteur contracte les obligations d'un endosseur vis-à-vis d'un détenteur régulier et est considéré comme un endosseur pour l'application de la présente loi.

S.R., ch. B-5, art. 131.

131. (1) **[Nom commercial ou d'emprunt]** La personne qui signe une lettre d'un nom commercial ou d'emprunt contracte les mêmes obligations que si elle l'avait signée de son propre nom.

(2) **[Raison sociale]** La signature au moyen d'une raison sociale équivaut à la signature, par le signataire, des noms de toutes les personnes responsables à titre d'associés de la société de personnes.

S.R., ch. B-5, art. 132.

132. **[Obligations de l'endosseur]** Sous réserve des stipulations expresses autorisées par la présente loi, la personne qui endosse une lettre:

128. **[Estoppel]** The acceptor of a bill by accepting it is precluded from denying to a holder in due course

(*a*) the existence of the drawer, the genuineness of his signature and his capacity and authority to draw the bill;

(*b*) in the case of a bill payable to drawer's order, the then capacity of the drawer to endorse, but not the genuineness or validity of his endorsement; or

(*c*) in the case of a bill payable to the order of a third person, the existence of the payee and his then capacity to endorse, but not the genuineness or validity of his endorsement.

129. **[Drawer]** The drawer of a bill by drawing it

(*a*) engages that on due presentment it shall be accepted and paid according to its tenor, and that if it is dishonoured he will compensate the holder or any endorser who is compelled to pay it, if the requisite proceedings on dishonour are duly taken; and

(*b*) is precluded from denying to a holder in due course the existence of the payee and his then capacity to endorse.

130. **[Liability by signature]** No person is liable as drawer, endorser or acceptor of a bill who has not signed it as such, but when a person signs a bill otherwise than as a drawer or acceptor, he thereby incurs the liabilities of an endorser to a holder in due course and is subject to all the provisions of this Act respecting endorsers.

131. (1) **[Trade-name or assumed name]** Where a person signs a bill in a trade-name or assumed name, he is liable thereon as if he had signed it in his own name.

(2) **[Firm name]** The signature of the name of a firm is equivalent to the signature, by the person so signing, of the names of all persons liable as partners in that firm.

132. **[Endorser]** The endorser of a bill by endorsing it, subject to the effect of any express stipulation authorized by this Act,

a) promet que, sur présentation en bonne et due forme, elle sera acceptée et payée à sa valeur, et s'engage, en cas de refus, à indemniser le détenteur ou l'endosseur postérieur forcé de l'acquitter, si les formalités obligatoires à la suite d'un refus ont été dûment remplies;

b) ne peut opposer au détenteur régulier l'authenticité et la régularité, à tous égards, de la signature du tireur et de tous les endossements antérieurs;

c) ne peut opposer à son endossataire immédiat ou à un endossataire postérieur le fait que la lettre, au moment de son endossement, était valide et avait une existence légale, et qu'il avait alors un titre valable.

S.R., ch. B-5, art. 133.

133. [Montant des dommages-intérêts] En cas de refus d'une lettre, la somme des éléments suivants est réputée constituer le montant des dommages-intérêts:

a) le montant de la lettre;

b) les intérêts sur ce montant à compter du jour de la présentation au paiement, si la lettre est payable sur demande, ou du jour de l'échéance, dans tout autre cas;

c) les frais du protêt, y compris de la notation.

S.R., ch. B-5, art. 134.

134. [Recouvrement des dommages-intérêts] En cas de refus d'une lettre, le détenteur peut recouvrer les dommages-intérêts visés à l'article 133 de toute partie obligée par la lettre; le tireur forcé de payer la lettre peut les recouvrer de l'accepteur, et un endosseur forcé de l'acquitter peut les recouvrer de l'accepteur ou du tireur, ou encore d'un endosseur antérieur.

S.R., ch. B-5, art. 135.

135. [Rechange et intérêts] En cas de refus d'une lettre à l'étranger, le montant du rechange — avec les intérêts jusqu'au paiement — est recouvrable, en sus des dommages-intérêts visés à l'article 133, par le détenteur auprès du tireur ou d'un endosseur, lesquels peuvent également, lorsqu'ils ont été forcés de payer la lettre, le recouvrer de toute partie obligée envers eux.

S.R., ch. B-5, art. 136.

136. (1) [Cédant par livraison] Le détenteur d'une lettre payable au porteur qui la négocie par livraison sans l'endosser est appelé «cédant par livraison».

(*a*) engages that on due presentment it shall be accepted and paid according to its tenor, and that if it is dishonoured he will compensate the holder or a subsequent endorser who is compelled to pay it, if the requisite proceedings on dishonour are duly taken;

(*b*) is precluded from denying to a holder in due course the genuineness and regularity in all respects of the drawer's signature and all previous endorsements; and

(*c*) is precluded from denying to his immediate or a subsequent endorsee that the bill was, at the time of his endorsement, a valid and subsisting bill, and that he had then a good title thereto.

133. [Measure of damages] Where a bill is dishonoured, the measure of damages, which shall be deemed to be liquidated damages, are

(*a*) the amount of the bill;

(*b*) interest thereon from the time of presentment for payment, if the bill is payable on demand, and from the maturity of the bill in any other case; and

(*c*) the expenses of noting and protesting.

134. [Recovery of damages] In the case of a bill that has been dishonoured, the holder may recover from any party liable on the bill, the drawer who has been compelled to pay the bill may recover from the acceptor, and an endorser who has been compelled to pay the bill may recover from the acceptor or from the drawer, or from a prior endorser, the damages prescribed in section 133.

135. [Re-exchange and interest] In the case of a bill that has been dishonoured abroad, in addition to the damages prescribed in section 133, the holder may recover from the drawer or any endorser, and the drawer or an endorser who has been compelled to pay the bill may recover from any party liable to him, the amount of the re-exchange with interest thereon until the time of payment.

136. (1) [Transferor by delivery] Where the holder of a bill payable to bearer negotiates it by delivery without endorsing it, he is called a "transferor by delivery".

(2) **[Ses obligations]** Le cédant par livraison n'est pas obligé par l'effet.

S.R., ch. B-5, art. 137.

137. [Garantie] Le cédant par livraison qui négocie une lettre garantit de ce fait à son cessionnaire immédiat, détenteur à titre onéreux:

a) qu'il s'agit bien d'un tel effet;

b) qu'il a bien le droit de la transférer;

c) qu'à l'époque du transfert, il n'a connaissance d'aucun fait en raison duquel elle serait sans valeur.

S.R., ch. B-5, art. 138.

Libération

138. (1) **[Paiement]** Est acquittée la lettre dont le paiement régulier est fait par le tiré ou l'accepteur, ou en son nom.

(2) **[Paiement régulier]** Le paiement régulier est le paiement fait à l'échéance de la lettre, ou après celle-ci, à son détenteur de bonne foi et ignorant que son titre sur la lettre est défectueux.

(3) **[Lettre de complaisance]** Est acquittée la lettre de complaisance qui est régulièrement payée par le bénéficiaire de la complaisance.

S.R., ch. B-5, art. 139.

139. [Paiement par le tireur ou l'endosseur] N'est pas acquittée, sous réserve de l'article 138, la lettre payée par le tireur ou un endosseur; cependant:

a) le tireur peut exiger le paiement par l'accepteur d'une lettre payable à un tiers, ou à son ordre, et payée par lui, mais ne peut la remettre en circulation;

b) lorsque la lettre est payée par un endosseur ou que, payable à l'ordre du tireur, elle est payée par celui-ci, le payeur est réintégré dans ses droits antérieurs à l'égard de l'accepteur ou des parties qui l'ont précédé et il peut, s'il le juge à propos, effacer son propre endossement et les endossements ultérieurs et négocier la lettre de nouveau.

S.R., ch. B-5, art. 140.

140. [Accepteur devenu détenteur à l'échéance] Est acquittée la lettre dont l'accepteur de son propre chef, est ou devient le détenteur à l'échéance ou après celle-ci.

S.R., ch. B-5, art. 141.

(2) **[Liability of transferor]** A transferor by delivery is not liable on the instrument.

137. [Warranty by transferor] A transferor by delivery who negotiates a bill thereby warrants to his immediate transferee, being a holder for value, that

(a) the bill is what it purports to be;

(b) he has a right to transfer it; and

(c) at the time of transfer, he is not aware of any fact that renders it valueless.

Discharge of Bill

138. (1) **[Payment]** A bill is discharged by payment in due course by or on behalf of the drawee or acceptor.

(2) **[Payment in due course]** Payment in due course means payment made at or after the maturity of the bill to the holder thereof in good faith and without notice that his title to the bill is defective.

(3) **[Accommodation bill]** Where an accommodation bill is paid in due course by the party accommodated, the bill is discharged.

139. [Payment by drawer or endorser] Subject to the provisions of section 138 with respect to an accommodation bill, when a bill is paid by the drawer or endorser, it is not discharged, but,

(a) where a bill payable to, or to the order of, a third party is paid by the drawer, the drawer may enforce payment thereof against the acceptor, but may not reissue the bill; and

(b) where a bill is paid by an endorser, or where a bill payable to drawer's order is paid by the drawer, the party paying it is remitted to his former rights as regards the acceptor or antecedent parties, and he may, if he thinks fit, strike out his own and subsequent endorsements and again negotiate the bill.

140. [Acceptor holding at maturity] When the acceptor of a bill is or becomes the holder of it, at or after its maturity, in his own right, the bill is discharged.

141. (1) **[Renonciation]** Est acquittée la lettre dont le détenteur, à l'échéance ou après celle-ci, renonce sans condition à ses droits contre l'accepteur.

(2) **[Libération de l'une des parties]** Le détenteur d'une lettre peut de la même manière libérer de ses obligations toute partie à celle-ci, soit à l'échéance, soit avant ou après celle-ci.

(3) **[Écrit]** La renonciation doit être faite par écrit, sauf dans le cas d'une lettre remise à l'accepteur.

(4) **[Détenteur régulier]** Le présent article n'a pas pour effet de porter atteinte aux droits du détenteur régulier n'ayant pas connaissance de la renonciation.

S.R., ch. B-5, art. 142.

142. (1) **[Annulation d'une lettre]** Est acquittée la lettre qui est intentionnellement annulée par le détenteur ou son mandataire et qui en porte clairement la marque.

(2) **[Annulation de signature]** Toute partie obligée par une lettre peut être libérée par l'annulation intentionnelle de sa signature par le détenteur ou son mandataire.

(3) **[Libération d'un endosseur]** Est aussi libéré l'endosseur qui aurait eu un recours contre celui dont la signature a été ainsi annulée.

S.R., ch. B-5, art. 143.

143. **[Annulation non intentionnelle]** L'annulation involontaire, ou faite par erreur ou sans l'autorisation du détenteur, est sans effet, la charge de la preuve à cet effet incombant à la partie qui en allègue le caractère non intentionnel, dans le cas où la lettre ou l'une des signatures apposées paraît avoir été annulée.

S.R., ch. B-5, art. 144.

144. (1) **[Altération d'une lettre]** Sous réserve du paragraphe (2), l'altération substantielle d'une lettre, ou de son acceptation, sans le consentement de toutes les parties obligées entraîne son annulation, sauf en ce qui concerne celui qui l'a faite ou autorisée, ou qui y a consenti, et les endosseurs subséquents.

(2) **[Détenteur régulier]** Le détenteur régulier ayant entre les mains la lettre qui a subi une altération substantielle mais non apparente peut en faire usage comme si elle n'avait pas été altérée et en exiger le paiement selon les termes originaux.

S.R., ch. B-5, art. 145.

141. (1) **[Renouncing rights]** When the holder of a bill, at or after its maturity, absolutely and unconditionally renounces his rights against the acceptor, the bill is discharged.

(2) **[Against one party]** The liabilities of any party to a bill may in like manner be renounced by the holder before, at or after its maturity.

(3) **[In writing]** A renunciation must be in writing, unless the bill is delivered to the acceptor.

(4) **[Holder in due course]** Nothing in this section affects the rights of a holder in due course without notice of renunciation.

142. (1) **[Cancellation of bill]** Where a bill is intentionally cancelled by the holder or his agent and the cancellation is apparent thereon, the bill is discharged.

(2) **[Of any signature]** In like manner, any party liable on a bill may be discharged by the intentional cancellation of his signature by the holder or his agent.

(3) **[Discharge of endorser]** In any case described in subsection (2), any endorser who would have had a right of recourse against the party whose signature is cancelled is also discharged.

143. **[Unintentional cancellation]** A cancellation made unintentionally, or under a mistake, or without the authority of the holder, is inoperative, but where a bill or any signature thereon appears to have been cancelled, the burden of proof lies on the party who alleges that the cancellation was made unintentionally, or under a mistake, or without authority.

144. (1) **[Alteration of bill]** Subject to subsection (2), where a bill or an acceptance is materially altered without the assent of all parties liable on the bill, the bill is voided, except as against a party who has himself made, authorized or assented to the alteration and subsequent endorsers.

(2) **[Right of holder in due course]** Where a bill has been materially altered, but the alteration is not apparent, and the bill is in the hands of a holder in due course, the holder may avail himself of the bill as if it had not been altered and may enforce payment of it according to its original tenor.

145. [Altérations] Est notamment substantielle, toute altération:

a) de la date;

b) de la somme payable;

c) de l'époque du paiement;

d) du lieu du paiement;

e) consistant à ajouter, sur une lettre acceptée d'une manière générale, un lieu de paiement sans l'assentiment de l'accepteur.

S.R., ch. B-5, art. 146.

Acceptation et paiement par intervention

146. [Acceptation par intervention ou sous protêt] La lettre non échue qui a été protestée pour refus d'acceptation ou pour plus ample garantie peut être acceptée par une personne — à l'exception d'une partie déjà obligée — qui intervient pour toute partie tenue au paiement ou pour la personne pour le compte de qui la lettre a été tirée.

S.R., ch. B-5, art. 147.

147. [Intervention partielle] L'acceptation par intervention peut se faire pour une partie seulement de la somme pour laquelle la lettre est tirée.

S.R., ch. B-5, art. 148.

148. [Présomption en faveur du tireur] L'acceptation qui ne mentionne pas expressément le bénéficiaire de l'intervention est réputée faite pour le tireur.

S.R., ch. B-5, art. 149.

149. [Échéance des lettres à un certain délai de vue] Le point de départ pour le calcul de l'échéance d'une lettre payable à un certain délai de vue et acceptée par intervention est le jour du protêt faute d'acceptation et non le jour de l'acceptation par intervention.

S.R., ch. B-5, art. 150.

150. [Conditions] Les conditions de validité d'une acceptation par intervention sont les suivantes:

a) elle est faite sur la lettre dans des termes indiquant clairement sa nature;

b) elle est signée par l'intervenant.

S.R., ch. B-5, art. 151.

145. [Material alteration] In particular, any alteration

(a) of the date,

(b) of the sum payable,

(c) of the time of payment,

(d) of the place of payment, or

(e) by the addition of a place of payment without the acceptor's assent where a bill has been accepted generally, is a material alteration.

Acceptance and Payment for Honour

146. [Acceptance for honour under protest] Where a bill of exchange has been protested for dishonour by non-acceptance, or protested for better security, and is not overdue, any person, not being a party already liable thereon, may, with the consent of the holder, intervene and accept the bill under protest for the honour of any party liable thereon or for the honour of the person for whose account the bill is drawn.

147. [In part] A bill may be accepted for honour for part only of the sum for which it is drawn.

148. [Deemed to be for honour of drawer] Where an acceptance for honour does not expressly state for whose honour it is made, it is deemed to be an acceptance for the honour of the drawer.

149. [Maturity of after-sight bill] Where a bill payable after sight is accepted for honour, its maturity is calculated from the date of protesting for non-acceptance and not from the date of the acceptance for honour.

150. [Requirements] An acceptance for honour under protest, in order to be valid, must be

(a) written on the bill, and indicate that it is an acceptance for honour; and

(b) signed by the acceptor for honour.

151. (1) **[Engagement de l'intervenant]** L'intervenant s'engage, sur présentation en bonne et due forme de la lettre, à la payer aux termes de son acceptation, en cas de non-paiement par le tiré, si elle a été dûment présentée au paiement et protestée pour défaut de paiement et si ces faits lui sont notifiés.

(2) **[Obligation envers le détenteur et les autres parties]** L'intervenant est obligé envers le détenteur et toutes les parties à la lettre postérieures à celle pour le compte de qui il l'a acceptée.

S.R., ch. B-5, art. 152.

152. (1) **[Paiement par intervention]** Dans le cas de protêt faute de paiement, toute personne peut payer la lettre par intervention pour la partie qui y est obligée ou pour la personne pour le compte de qui elle a été tirée.

(2) **[Plusieurs offres d'intervention]** Lorsque plusieurs personnes offrent de payer une lettre pour différentes parties, la préférence va à celle dont le paiement libérera le plus grand nombre de parties.

(3) **[Refus de recevoir paiement]** Le détenteur d'une lettre qui refuse d'en recevoir le paiement par intervention perd son recours contre toute partie qui aurait été libérée par ce paiement.

(4) **[Droit aux documents]** L'intervenant qui paye au détenteur le montant de la lettre et les frais de notaire occasionnés par son refus a le droit de recevoir à la fois la lettre et le protêt.

(5) **[Dommages-intérêts en cas de refus]** Le détenteur qui, dans le cas visé au paragraphe (4), ne remet pas, sur demande, la lettre et le protêt est passible de dommages-intérêts envers l'intervenant.

S.R., ch. B-5, art. 153.

153. (1) **[Attestation du paiement par intervention]** Pour produire son effet comme tel et non comme simple paiement volontaire, le paiement par intervention doit être attesté par un acte notarié d'intervention qui peut être annexé au protêt ou en former une allonge.

(2) **[Déclaration]** L'acte notarié d'intervention doit être fondé sur une déclaration de l'intervenant, ou de son mandataire, énonçant son intention de payer la lettre par intervention et le nom de celui pour qui il la paie.

S.R., ch. B-5, art. 154.

151. (1) **[Liability of acceptor for honour]** The acceptor for honour of a bill by accepting it engages that he will, on due presentment, pay the bill according to the tenor of his acceptance, if it is not paid by the drawee, if it has been duly presented for payment and protested for non-payment and if he receives notice of those facts.

(2) **[Liability to holder and others]** The acceptor for honour is liable to the holder and to all parties to the bill subsequent to the party for whose honour he has accepted.

152. (1) **[Payment for honour under protest]** Where a bill has been protested for non-payment, any person may intervene and pay it under protest for the honour of any party liable thereon or for the honour of the person for whose account the bill is drawn.

(2) **[If more than one offer]** Where two or more persons offer to pay a bill for the honour of different parties, the person whose payment will discharge most parties to the bill has the preference.

(3) **[Refusal to receive payment]** Where the holder of a bill refuses to receive payment under protest, he loses his right of recourse against any party who would have been discharged by that payment.

(4) **[Entitled to bill]** The payer for honour, on paying to the holder the amount of the bill and the notarial expenses incidental to its dishonour, is entitled to receive both the bill itself and the protest.

(5) **[Liability for refusing]** Where the holder does not on demand in a case described in subsection (4) deliver up the bill and protest, he is liable to the payer for honour in damages.

153. (1) **[Attestation of payment for honour]** Payment for honour under protest, in order to operate as such and not as a mere voluntary payment, must be attested by a notarial act of honour, which may be appended to the protest or form an extension of it.

(2) **[Declaration]** The notarial act of honour must be founded on a declaration made by the payer for honour, or his agent in that behalf, declaring his intention to pay the bill for honour, and for whose honour he pays.

154. **[Libération et subrogation]** En cas de paiement par intervention, toutes les parties subséquentes à celle pour qui la lettre est payée sont libérées, mais l'intervenant est subrogé au détenteur et lui succède dans tous ses droits et obligations vis-à-vis de la partie pour qui il a payé et de toutes les autres parties qui sont obligées envers celle-ci.

S.R., ch. B-5, art. 155.

Effets perdus

155. (1) **[Copie d'une lettre perdue]** Lorsqu'une lettre a été perdue avant d'être échue, la personne qui en était détenteur peut demander au tireur de lui en donner une autre de même teneur, en fournissant au tireur, s'il l'exige, une garantie d'indemnisation universelle au cas où la lettre censée perdue serait retrouvée.

(2) **[Refus du tireur]** Le tireur qui refuse de donner la copie visée au paragraphe (1) peut y être contraint.

S.R., ch. B-5, art. 156.

156. **[Action sur une lettre perdue]** Dans toute action ou procédure visant une lettre, le tribunal ou un juge peut ordonner que la perte de l'effet ne soit pas invoquée, si une indemnité jugée suffisante par l'un ou l'autre est donnée en garantie de toute réclamation d'une autre personne fondée sur l'effet en question.

S.R., ch. B-5, art. 157.

Pluralité d'exemplaires

157. (1) **[Lettre unique malgré la pluralité]** La lettre tirée en plusieurs exemplaires constitue une lettre unique lorsque chaque exemplaire est numéroté et contient un renvoi aux autres.

(2) **[Acceptation]** L'acceptation ne peut être faite que sur l'un des exemplaires.

S.R., ch. B-5, art. 158.

158. (1) **[Endossement de plusieurs exemplaires]** Le détenteur d'une lettre en plusieurs exemplaires qui en endosse deux ou plus en faveur de personnes différentes est obligé par chacun de ces exemplaires; tout endosseur postérieur à lui est obligé par l'exemplaire qu'il a lui-même endossé comme si ces exemplaires étaient des lettres distinctes.

154. **[Discharge and subrogation]** Where a bill has been paid for honour, all parties subsequent to the party for whose honour it is paid are discharged, but the payer for honour is subrogated for and succeeds to both the rights and duties of the holder with respect to the party for whose honour he pays, and all parties liable to that party.

Lost Instruments

155. (1) **[Holder to have duplicate of lost bill]** Where a bill has been lost before it is overdue, the person who was the holder of it may apply to the drawer to give him another bill of the same tenor, giving security to the drawer, if required, to indemnify him against all persons whatever, in case the bill alleged to have been lost is found again.

(2) **[Refusal]** Where the drawer, on request, refuses to give a duplicate bill, he may be compelled to do so.

156. **[Action on lost bill]** In any action or proceeding on a bill, the court or a judge may order that the loss of the instrument shall not be set up, if an indemnity is given to the satisfaction of the court or judge against the claims of any other person on the instrument in question.

Bill in a Set

157. (1) **[Bills in set]** Where a bill is drawn in a set, each part of the set being numbered, and containing a reference to the other parts, the whole of the parts constitute one bill.

(2) **[Acceptance]** The acceptance may be written on any part, but it must be written on one part only.

158. (1) **[Endorsing more than one part]** Where the holder of a set endorses two or more parts to different persons, he is liable on every such part, and every endorser subsequent to him is liable on the part he has himself endorsed as if the parts were separate bills.

(2) **[Négociation à différents détenteurs réguliers]** Lorsque plusieurs exemplaires sont négociés à différents détenteurs réguliers, celui d'entre eux qui le premier acquiert le titre est réputé, à l'égard des autres, le véritable propriétaire de la lettre; le présent paragraphe ne porte toutefois pas atteinte aux droits d'une personne qui régulièrement accepte ou paye l'exemplaire qui lui est présenté en premier lieu.

(3) **[Acceptation de plusieurs exemplaires]** S'il accepte plusieurs exemplaires, qui ensuite passent entre les mains de différents détenteurs réguliers, le tiré est obligé par chacun d'eux comme s'ils étaient autant de lettres distinctes.

(4) **[Paiement sans livraison]** L'accepteur d'une lettre tirée en plusieurs exemplaires qui la paie sans exiger la livraison de l'exemplaire portant son acceptation est obligé envers la personne qui, à l'échéance, est le détenteur régulier de l'exemplaire accepté et qui, pour celui-ci, est impayé.

(5) **[Libération]** Sous réserve des autres dispositions du présent article, est entièrement acquittée la lettre dont un des exemplaires est acquitté par paiement ou autrement.

S.R., ch. B-5, art. 159.

Conflit de lois

159. (1) **[Modalités]** Sous réserve des paragraphes (2) et (3), la validité d'une lettre qui est tirée dans un pays et négociée, acceptée ou payable dans un autre est quant à ses modalités déterminée par le droit du lieu d'émission; en ce qui concerne les contrats à survenir, notamment l'acceptation, l'endossement ou l'acceptation par intervention, la validité est déterminée par le droit du lieu où le contrat a été passé.

(2) **[Défaut de timbrage]** Le défaut du timbrage exigé par le droit du lieu d'émission ne constitue pas une cause suffisante de nullité pour une lettre émise à l'étranger.

(3) **[Conformité au droit canadien]** Lorsqu'une lettre émise à l'étranger est conforme, dans ses modalités, au droit canadien, on peut, dans le but d'en exiger le paiement, la considérer comme valable entre toutes les personnes qui la négocient, la détiennent ou y deviennent parties au Canada.

S.R., ch. B-5, art. 160.

(2) **[Negotiation to different holders]** Where two or more parts of a set are negotiated to different holders in due course, the holder whose title first accrues is, as between such holders, deemed the true owner of the bill, but nothing in this subsection affects the rights of a person who in due course accepts or pays the part first presented to him.

(3) **[Accepting more than one part]** Where the drawee accepts more than one part and such accepted parts get into the hands of different holders in due course, he is liable on every such part as if it were a separate bill.

(4) **[Payments without delivery]** When the acceptor of a bill drawn in a set pays it without requiring the part bearing his acceptance to be delivered up to him, and that part at maturity is outstanding in the hands of a holder in due course, he is liable to the holder thereof.

(5) **[Discharge]** Subject to this section, where any one part of a bill drawn in a set is discharged by payment or otherwise, the whole bill is discharged.

Conflict of Laws

159. (1) **[Requisites of form]** Subject to subsections (2) and (3), where a bill drawn in one country is negotiated, accepted or payable in another, the validity of the bill with respect to requisites in form is determined by the law of the place of issue, and the validity with respect to requisites in form of the supervening contracts, such as endorsement, acceptance or acceptance under protest, is determined by the law of the place where the contract was made.

(2) **[Unstamped bills]** Where a bill is issued outside Canada, it is not invalid by reason only that it is not stamped in accordance with the law of the place of issue.

(3) **[Conforming to the law of Canada]** Where a bill, issued outside Canada, conforms, with respect to requisites in form, to the law of Canada, it may, for the purpose of enforcing payment thereof, be treated as valid as between all persons who negotiate, hold or become parties to it in Canada.

160. [**Droit du lieu**] Sous réserve des autres dispositions de la présente loi, le tirage, l'endossement, l'acceptation ou l'acceptation par intervention d'une lettre tirée dans un pays et négociée, acceptée ou payable dans un autre sont régis par le droit du lieu où est passé le contrat. Toutefois, l'endossement à l'étranger d'une lettre intérieure est, quant au payeur, régi par le droit canadien.

S.R., ch. B-5, art. 161.

161. [**Obligations du détenteur**] Les obligations du détenteur quant à la présentation à l'acceptation ou au paiement et quant à la nécessité ou à la suffisance d'un protêt ou d'un avis de refus sont régies par le droit du lieu en cause.

S.R., ch. B-5, art. 162.

162. [**Monnaie**] Sauf stipulation expresse, quand il n'est pas exprimé en monnaie canadienne, le montant d'une lettre tirée à l'étranger et payable au Canada se calcule d'après le taux de change pour les traites à vue au lieu du paiement le jour où la lettre est payable.

S.R., ch. B-5, art. 163.

163. [**Date d'échéance**] La date d'échéance d'une lettre tirée dans un pays et payable dans un autre est déterminée par le droit du lieu où elle est payable.

S.R., ch. B-5, art. 164.

160. [**Law applicable**] Subject to this Act, the interpretation of the drawing, endorsement, acceptance or acceptance under protest of a bill, drawn in one country and negotiated, accepted or payable in another, is determined by the law of the place where the contract is made, but where an inland bill is endorsed in a foreign country, the endorsement shall, with respect to the payer, be interpreted according to the law of Canada.

161. [**Law as to duties of holder**] The duties of the holder with respect to presentment of a bill for acceptance or payment and the necessity for or sufficiency of a protest or notice of dishonour are determined by the law of the place where the act is done or the bill is dishonoured.

162. [**Currency**] Where a bill is drawn out of but payable in Canada and the sum payable is not expressed in the currency of Canada, the amount shall, in the absence of an express stipulation, be calculated according to the rate of exchange for sight drafts at the place of payment on the day the bill is payable.

163. [**Due date**] Where a bill is drawn in one country and is payable in another country, the due date thereof is determined according to the law of the place where it is payable.

PARTIE III
CHÈQUES SUR UNE BANQUE

164. [**Définition de «banque»**] Dans la présente partie, «banque» s'entend des membres de l'Association canadienne des paiements créée par la *Loi canadienne sur les paiements*, ainsi que des sociétés coopératives de crédit locales définies par cette loi et affiliées à une centrale — toujours au sens de cette loi — qui est elle-même membre de cette association.

1980-81-82-83, ch. 40, art. 92; 1984, ch. 40, art. 79; 2001, ch. 9, art. 586.

165. (1) [**Définition de «chèque»**] Le chèque est une lettre tirée sur une banque et payable sur demande.

(2) [**Applicabilité des dispositions relatives aux lettres**] Sauf prescription contraire de la présente partie, les dispositions de la présente loi visant la lettre payable sur demande s'appliquent au chèque.

PART III
CHEQUES ON A BANK

164. [**Definition of "bank"**] In this Part, "bank" includes every member of the Canadian Payments Association established under the *Canadian Payments Act* and every local cooperative credit society, as defined in that Act, that is a member of a central, as defined in that Act, that is a member of the Canadian Payments Association.

165. (1) [**Cheque**] A cheque is a bill drawn on a bank, payable on demand.

(2) [**Provisions as to bills apply**] Except as otherwise provided in this Part, the provisions of this Act applicable to a bill payable on demand apply to a cheque.

(3) **[Chèques destinés à être déposés]** Lorsqu'un chèque est livré à une banque en vue de son dépôt au compte d'une personne et que la banque porte au crédit de celle-ci le montant du chèque, la banque acquiert tous les droits et pouvoirs du détenteur régulier du chèque.

S.R., ch. B-5, art. 165.

166. (1) **[Présentation au paiement]** Sous réserve des autres dispositions de la présente loi:

a) quand le chèque n'est pas présenté au paiement dans un délai raisonnable après son émission, le tireur — ou celui sur le compte de qui il est tiré — se trouve être, s'il avait le droit, au moment de la présentation, de faire payer le chèque par la banque et subit un préjudice réel par suite de ce retard, libéré jusqu'à concurrence de ce préjudice, c'est-à-dire dans la mesure où il est créancier de la banque d'un montant plus élevé que si le chèque avait été encaissé;

b) le détenteur du chèque à l'égard duquel le tireur ou une autre personne est libéré est subrogé à ceux-ci comme créancier de la banque jusqu'à concurrence du montant de cette libération et a le droit de recouvrer cette somme de la banque.

(2) **[Délai raisonnable]** Pour la détermination du délai raisonnable mentionné au présent article, il est tenu compte de la nature de l'effet, des usages du commerce et des banques et des circonstances particulières.

S.R., ch. B-5, art. 166.

167. **[Autorisation de payer]** L'obligation et le pouvoir d'une banque de payer un chèque tiré sur elle par son client prennent fin lors de:

a) l'annulation de l'ordre de paiement;

b) la notification de la mort du client.

S.R., ch. B-5, art. 167.

Chèques barrés

168. (1) **[Barrement général]** Est à barrement général le chèque dont le recto est traversé obliquement par:

a) soit deux lignes parallèles comportant entre elles la mention «banque», accompagnée ou non des mots «non négociable»;

b) soit deux lignes parallèles, simplement ou avec les mots «non négociable».

(3) **[Cheque for deposit to account]** Where a cheque is delivered to a bank for deposit to the credit of a person and the bank credits him with the amount of the cheque, the bank acquires all the rights and powers of a holder in due course of the cheque.

166. (1) **[Presentment for payment]** Subject to this Act,

(*a*) where a cheque is not presented for payment within a reasonable time of its issue and the drawer or the person on whose account it is drawn had the right at the time of presentment, as between him and the bank, to have the cheque paid, and suffers actual damage through the delay, he is discharged to the extent of the damage, that is to say, to the extent to which the drawer or person is a creditor of the bank to a larger amount than he would have been had the cheque been paid; and

(*b*) the holder of the cheque, with respect to which the drawer or person is discharged, shall be a creditor, in lieu of the drawer or person, of the bank to the extent of the discharge, and entitled to recover the amount from it.

(2) **[Reasonable time]** In determining what is a reasonable time, within this section, regard shall be had to the nature of the instrument, the usage of trade and of banks and the facts of the particular case.

167. **[Authority to pay]** The duty and authority of a bank to pay a cheque drawn on it by its customer are determined by

(*a*) countermand of payment; or

(*b*) notice of the customer's death.

Crossed Cheques

168. (1) **[Crossed generally]** Where a cheque bears across its face an addition of

(*a*) the word "bank" between two parallel transverse lines, either with or without the words "not negotiable", or

(*b*) two parallel transverse lines simply, either with or without the words "not negotiable", that addition constitutes a crossing, and the cheque is crossed generally.

(2) **[Barrement spécial]** Est à barrement spécial et au nom d'une banque le chèque qui porte en travers de son recto le nom de cette banque, accompagné ou non des mots «non négociable».

S.R., ch. B-5, art. 168.

169. (1) **[Par le tireur]** Le tireur peut émettre le chèque avec barrement général ou spécial.

(2) **[Par le détenteur]** Le détenteur peut procéder au barrement général ou spécial de tout chèque qu'il reçoit non barré.

(3) **[Conversion]** Le barrement général peut être converti par le détenteur en barrement spécial.

(4) **[Adjonction de mots]** Le détenteur peut ajouter les mots «non négociable» sur tout chèque à barrement général ou spécial.

(5) **[Par la banque pour encaissement]** La banque désignée par le barrement spécial d'un chèque peut recourir pour l'encaissement à une autre banque en procédant à un nouveau barrement spécial.

(6) **[Conversion en barrement spécial]** La banque peut barrer à son nom le chèque non barré ou à barrement général qu'elle reçoit pour encaissement.

(7) **[Débarrement]** Le tireur peut débarrer un chèque en écrivant entre les lignes obliques les mots «payez comptant» et en les paraphant.

S.R., ch. B-5, art. 169.

170. (1) **[Partie intégrante]** Tout barrement autorisé par la présente loi fait partie intégrante du chèque.

(2) **[Altération]** Il est illégal d'effacer ou, sauf dans les cas permis par la présente loi, d'altérer de quelque façon le barrement.

S.R., ch. B-5, art. 170.

171. **[Barrement au nom de plus d'une banque]** Le paiement d'un chèque barré au nom de plus d'une banque est refusé par celle sur laquelle il est tiré, sauf si le barrement est fait au nom d'une autre banque aux fins d'encaissement seulement.

S.R., ch. B-5, art. 171.

(2) **[Crossed specially]** Where a cheque bears across its face an addition of the name of a bank, either with or without the words "not negotiable", that addition constitutes a crossing, and the cheque is crossed specially and to that bank.

169. (1) **[By drawer]** A cheque may be crossed generally or specially by the drawer.

(2) **[By holder]** Where a cheque is uncrossed, the holder may cross it generally or specially.

(3) **[Varying]** Where a cheque is crossed generally, the holder may cross it specially.

(4) **[Words may be added]** Where a cheque is crossed generally or specially, the holder may add the words "not negotiable".

(5) **[By bank for collection]** Where a cheque is crossed specially, the bank to which it is crossed may again cross it specially to another bank for collection.

(6) **[Changing crossing]** Where an uncrossed cheque, or a cheque crossed generally, is sent to a bank for collection, it may cross it specially to itself.

(7) **[Uncrossing]** A crossed cheque may be reopened or uncrossed by the drawer writing between the transverse lines the words "pay cash", and initialling the same.

170. (1) **[Material part]** A crossing authorized by this Act is a material part of the cheque.

(2) **[Altering crossing]** It is not lawful for any person to obliterate or, except as authorized by this Act, to add to or alter the crossing.

171. **[Crossed to more than one bank]** Where a cheque is crossed specially to more than one bank, except when crossed to another bank as agent for collection, the bank on which it is drawn shall refuse payment thereof.

172. (1) **[Responsabilité pour paiement irrégulier]** Sous réserve du paragraphe (2), la banque qui paie un chèque tiré sur elle et barré au nom de plus d'une banque, ou qui paie un chèque à barrement général à une autre personne qu'une banque, ou qui paie un chèque à barrement spécial à une autre personne qu'à la banque au nom de laquelle il est barré ou qu'à la banque servant d'encaisseur pour celle-ci, est responsable envers le véritable propriétaire du chèque de toute perte qu'il subit par suite de ce paiement.

(2) **[Bonne foi et absence de négligence]** La banque qui paie, de bonne foi et sans négligence, un chèque ne paraissant pas, lors de sa présentation au paiement, être barré ni marqué d'un barrement altéré d'une manière non conforme à la présente loi, notamment par oblitération ou addition, n'encourt aucune responsabilité par suite du paiement, la validité du paiement ne pouvant être contestée à cause du barrement ou de l'altération de celui-ci, ni à cause du fait que le chèque a été payé autrement qu'à la banque au nom de laquelle il est barré ou à la banque servant d'encaisseur pour celle-ci.

S.R., ch. B-5, art. 172.

173. **[Protection de la banque]** La banque qui, de bonne foi et sans négligence, paie à une banque un chèque barré tiré sur elle, ou qui le paie, s'il est à barrement spécial, à la banque désignée ou à la banque servant d'encaisseur pour celle-ci, a les mêmes droits et se trouve dans la même position que si le chèque avait été payé à son véritable propriétaire. Il en va de même pour le tireur si le chèque est passé entre les mains du preneur.

S.R., ch. B-5, art. 173.

174. **[Marque «non négociable»]** Celui qui prend un chèque barré portant les mots «non négociable» n'a pas et ne peut conférer un meilleur titre à ce chèque que celui que possédait la personne de qui il le tient.

S.R., ch. B-5, art. 174.

175. **[Client sans titre]** La banque qui, de bonne foi et sans négligence, reçoit pour un client le paiement d'un chèque à barrement soit général soit spécial à son nom, alors que ce client n'a sur le

172. (1) **[Liability for improper payment]** Subject to subsection (2), where the bank on which a cheque crossed as described in section 171 is drawn nevertheless pays the cheque, or pays a cheque crossed generally otherwise than to a bank, or, if crossed specially, otherwise than to the bank to which it is crossed or to the bank acting as its agent for collection, it is liable to the true owner of the cheque for any loss he sustains owing to the cheque having been so paid.

(2) **[Payment in good faith and without negligence]** Where a cheque is presented for payment that does not at the time of presentment appear to be crossed, or to have had a crossing that has been obliterated, or to have been added to or altered otherwise than as authorized by this Act, the bank paying the cheque in good faith and without negligence shall not be responsible or incur any liability, nor shall the payment be questioned by reason of the cheque having been crossed, or of the crossing having been obliterated or having been added to or altered otherwise than as authorized by this Act, and of payment having been made otherwise than to a bank or to the bank to which the cheque is or was crossed, or to the bank acting as its agent for collection, as the case may be.

173. **[Protection in such case]** Where the bank on which a crossed cheque is drawn in good faith and without negligence pays it, if crossed generally, to a bank, or, if crossed specially, to the bank to which it is crossed or to a bank acting as its agent for collection, the bank paying the cheque and, if the cheque has come into the hands of the payee, the drawer shall respectively be entitled to the same rights and be placed in the same position as if payment of the cheque had been made to the true owner thereof.

174. **["Not negotiable" cross]** Where a person takes a crossed cheque that bears on it the words "not negotiable", he does not have and is not capable of giving a better title to the cheque than the person from whom he took it had.

175. **[Customer without title]** Where a bank, in good faith and without negligence, receives for a customer payment of a cheque crossed generally or specially to itself and the customer has no title or a

chèque aucun droit ou qu'un titre défectueux, n'encourt aucune obligation envers le véritable propriétaire du chèque par le seul fait d'en avoir accepté le paiement.

S.R., ch. B-5, art. 175.

PARTIE IV
BILLETS

176. (1) **[Définition]** Le billet est une promesse écrite signée par laquelle le souscripteur s'engage sans condition à payer, sur demande ou à une échéance déterminée ou susceptible de l'être, une somme d'argent précise à une personne désignée ou à son ordre, ou encore au porteur.

(2) **[Endossement par le souscripteur]** L'effet rédigé sous forme de billet payable à l'ordre du souscripteur n'est pas un billet au sens du présent article, sauf s'il est endossé par le souscripteur.

(3) **[Garantie]** Le fait pour un billet d'être assorti d'une sûreté avec autorisation de vendre ou d'aliéner le bien mis en gage ne constitue pas une cause de nullité.

S.R., ch. B-5, art. 176.

177. (1) **[Billet intérieur]** Le billet qui est ou paraît, manifestement, souscrit et payable au Canada est un billet intérieur.

(2) **[Billet étranger]** Tout autre billet est un billet étranger.

S.R., ch. B-5, art. 177.

178. **[Livraison]** Le billet est incomplet tant qu'il n'a pas été remis au bénéficiaire ou au porteur.

S.R., ch. B-5, art. 178.

179. (1) **[Obligation conjointe ou solidaire]** Un billet peut être souscrit par plusieurs personnes qui peuvent s'engager conjointement ou solidairement, selon sa teneur.

(2) **[Promesse individuelle]** Le billet qui porte les mots «Je promets de payer» et la signature de plusieurs personnes rend les souscripteurs solidaires.

S.R., ch. B-5, art. 179.

180. (1) **[Présentation d'un billet payable sur demande]** Le billet payable sur demande doit être présenté au paiement dans un délai raisonnable après son endossement.

defective title thereto, the bank does not incur any liability to the true owner of the cheque by reason only of having received that payment.

PART IV
PROMISSORY NOTES

176. (1) **[Definition]** A promissory note is an unconditional promise in writing made by one person to another person, signed by the maker, engaging to pay, on demand or at a fixed or determinable future time, a sum certain in money to, or to the order of, a specified person or to bearer.

(2) **[Endorsed by maker]** An instrument in the form of a note payable to the maker's order is not a note within the meaning of this section, unless it is endorsed by the maker.

(3) **[Pledge of collateral security]** A note is not invalid by reason only that it contains also a pledge of collateral security with authority to sell or dispose thereof.

177. (1) **[Inland note]** A note that is, or on the face of it purports to be, both made and payable within Canada is an inland note.

(2) **[Foreign note]** Any other note is a foreign note.

178. **[Delivery]** A note is inchoate and incomplete until delivery thereof to the payee or bearer.

179. (1) **[Joint and several liability]** A note may be made by two or more makers, and they may be liable thereon jointly, or jointly and severally, according to its tenor.

(2) **[Individual promise]** Where a note bears the words "I promise to pay" and is signed by two or more persons, it is deemed to be their joint and several note.

180. (1) **[Demand note presentment]** Where a note payable on demand has been endorsed, it must be presented for payment within a reasonable time of the endorsement.

(2) **[Délai raisonnable]** Pour la détermination d'un délai raisonnable, il est tenu compte de la nature de l'effet, des usages du commerce et des circonstances particulières.

S.R., ch. B-5, art. 180.

181. [Libération de l'endosseur] L'endosseur d'un billet payable sur demande est libéré lorsque celui-ci n'est pas présenté au paiement dans un délai raisonnable, étant toutefois entendu que si, avec le consentement de l'endosseur, il a été remis comme sûreté ou en vue du maintien de la garantie, il n'est pas nécessaire de le présenter au paiement tant qu'il est détenu à ce titre.

S.R., ch. B-5, art. 181.

182. [Présomption applicable au détenteur] Un billet payable sur demande qui est négocié n'est pas censé échu, en ce qui concerne le détenteur n'ayant pas connaissance des vices affectant son titre, du seul fait que, selon toute apparence, il s'est écoulé un délai raisonnable entre l'émission du billet et sa présentation au paiement.

S.R., ch. B-5, art. 182.

183. (1) [Lieu de la présentation] Lorsque le lieu de paiement est spécifié dans le billet, celui-ci doit y être présenté au paiement.

(2) **[Responsabilité du souscripteur]** Dans le cas visé au paragraphe (1), le souscripteur n'est pas libéré par la non-présentation du billet au paiement le jour de son échéance; dans toute poursuite ou action intentée contre lui relativement à ce billet avant la présentation, les frais sont à l'appréciation du tribunal.

(3) **[Absence d'indication du lieu de paiement]** Dans le cas contraire, il n'est pas nécessaire de présenter au paiement le billet pour obliger le souscripteur.

S.R., ch. B-5, art. 183.

184. (1) [Obligations de l'endosseur] L'endosseur d'un billet n'est obligé que s'il y a eu présentation au paiement.

(2) **[Cas d'indication du lieu de paiement]** Pour obliger un endosseur, il faut effectuer la présentation au lieu de paiement spécifié dans le billet.

(2) **[Reasonable time]** In determining what is a reasonable time, regard shall be had to the nature of the instrument, the usage of trade and the facts of the particular case.

181. [Endorser discharged] Where a note payable on demand that has been endorsed is not presented for payment within a reasonable time, the endorser is discharged but, if it has, with the assent of the endorser, been delivered as a collateral or continuing security, it need not be presented for payment so long as it is held as such security.

182. [Not deemed overdue] Where a note payable on demand is negotiated, it is not deemed to be overdue, for the purpose of affecting the holder with defects of title of which he had no notice, by reason that it appears that a reasonable time for presenting it for payment has elapsed since its issue.

183. (1) [Presentment at particular place] Where a note is, in the body of it, made payable at a particular place, it must be presented for payment at that place.

(2) **[Liability of maker]** In the case described in subsection (1), the maker is not discharged by the omission to present the note for payment on the day that it matures, but if any suit or action is instituted thereon against him before presentation, the costs thereof are in the discretion of the court.

(3) **[Note payable generally]** When no place of payment is specified in the body of the note, presentment for payment is not necessary in order to render the maker liable.

184. (1) [Liability of endorser] Presentment for payment is necessary in order to render the endorser of a note liable.

(2) **[Presentment at particular place]** Where a note is, in the body of it, made payable at a particular place, presentment at that place is necessary in order to render an endorser liable.

(3) **[Présentation suffisante]** Quand le lieu de paiement n'est indiqué que pour mémoire, il suffit de présenter le billet à ce lieu pour obliger l'endosseur; de même, la présentation au souscripteur en tout autre lieu suffit à cet égard si elle est suffisante sous les autres rapports.

S.R., ch. B-5, art. 184.

185. [Le souscripteur] Le souscripteur d'un billet:

a) s'engage à le payer selon ses termes;

b) ne peut opposer au détenteur régulier l'existence du preneur et sa capacité, à ce moment-là, d'endosser.

S.R., ch. B-5, art. 185.

186. (1) **[Application de la loi aux billets]** Sous réserve de la présente partie et sauf exceptions prévues au présent article, les dispositions de la présente loi relatives aux lettres s'appliquent aux billets, compte tenu des adaptations de circonstance.

(2) **[Equivalences]** Pour l'application des dispositions visées au paragraphe (1), le souscripteur d'un billet est assimilé à l'accepteur d'une lettre, et le premier endosseur d'un billet est assimilé au tireur d'une lettre acceptée et payable à son ordre.

(3) **[Dispositions inapplicables]** Ne s'appliquent pas aux billets les dispositions de la présente loi qui régissent les lettres en matière:

a) de présentation à l'acceptation;

b) d'acceptation;

c) d'acceptation par intervention;

d) de pluralité d'exemplaires.

S.R., ch. B-5, art. 186.

187. [Protêt des billets étrangers] Il n'est pas nécessaire de protester un billet étranger non payé, si ce n'est pour maintenir la responsabilité des endosseurs.

S.R., ch. B-5, art. 187.

(3) **[Presentment elsewhere]** When a place of payment is indicated by way of memorandum only, presentment at that place is sufficient to render the endorser liable, but a presentment to the maker elsewhere, if sufficient in other respects, shall also suffice.

185. [Effect of being maker] The maker of a note, by making it,

(*a*) engages that he will pay it according to its tenor; and

(*b*) is precluded from denying to a holder in due course the existence of the payee and his then capacity to endorse.

186. (1) **[Application of Act to notes]** Subject to this Part, and except as provided by this section, the provisions of this Act relating to bills apply, with such modifications as the circumstances require, to notes.

(2) **[Terms corresponding]** In the application of the provisions of this Act relating to bills, the maker of a note shall be deemed to correspond with the acceptor of a bill, and the first endorser of a note shall be deemed to correspond with the drawer of an accepted bill payable to drawer's order.

(3) **[Provisions inapplicable]** The provisions of this Act with respect to bills and relating to

(*a*) presentment for acceptance,

(*b*) acceptance,

(*c*) acceptance under protest, and

(*d*) bills in a set, do not apply to notes.

187. [Protest of foreign notes] Where a foreign note is dishonoured, protest thereof is unnecessary, except for the preservation of the liabilities of endorsers.

PARTIE V
LETTRES ET BILLETS DE CONSOMMATION

PART V
CONSUMER BILLS AND NOTES

188. [Définitions] Les définitions qui suivent s'appliquent à la présente partie.

188. [Definitions] In this Part,

[«**achat de consommation**» *"consumer..."*] «achat de consommation» Tout achat à terme de marchandises ou de services — ou tout accord à cet effet — effectué:

a) par un particulier dans un but autre que la revente ou l'usage professionnel;

b) chez une personne faisant profession de vendre ou fournir ces marchandises ou services.

[«**acheteur**» *"purchaser"*] «acheteur» Le particulier qui effectue un achat de consommation.

[«**marchandises**» *"goods"*] «marchandises» Objets faisant ou pouvant faire l'objet d'échanges commerciaux. La présente définition exclut les immeubles et les droits y afférents.

[«**services**» *"services"*] «services» Sont assimilées aux services les réparations et les améliorations.

[«**vendeur**» *"seller"*] «vendeur» La personne chez qui est fait l'achat de consommation.

S.R., ch. 4 (1ᵉʳ suppl.), art. 1.

189. (1) [**Lettre de consommation**] La lettre de consommation est une lettre émise pour un achat de consommation et qui engage, en tant que partie, la responsabilité de l'acheteur ou de tout signataire complaisant. Elle n'est toutefois pas:

a) un chèque daté du jour de son émission ou d'un jour antérieur à celle-ci, ou qui, à l'émission, est postdaté de trente jours au plus;

b) une lettre qui:

(i) d'une part, serait un chèque au sens de l'article 165 si la partie sur laquelle il est tiré n'était pas une institution financière, autre qu'une banque, dont une partie des activités consiste à accepter de l'argent en dépôt du public et à honorer toute lettre semblable sur tout dépôt de ce genre jusqu'à concurrence du montant de ce dépôt,

(ii) d'autre part, datée du jour de son émission ou d'un jour antérieur à celle-ci, ou qui, à l'émission, est postdatée de trente jours au plus.

(2) [**Billet de consommation**] Le billet de consommation est un billet:

a) émis relativement à un achat de consommation;

b) qui engage, en tant que partie, la responsabilité de l'acheteur ou de tout signataire complaisant.

[**"consumer purchase"** *«achat...»*] "consumer purchase" means a purchase, other than a cash purchase, of goods or services or an agreement to purchase goods or services

(*a*) by an individual other than for resale or for use in the course of his business, profession or calling, and

(*b*) from a person who is engaged in the business of selling or providing those goods or services;

[**"goods"** *«marchandises»*] "goods" means any article that is or may be the subject of trade or commerce, but does not include land or any interest therein;

[**"purchaser"** *«acheteur»*] "purchaser" means the individual by whom a consumer purchase is made;

[**"seller"** *«vendeur»*] "seller" means the person from whom a consumer purchase is made;

[**"services"** *«services»*] "services" includes repairs and improvements.

189. (1) [**Consumer bill**] A consumer bill is a bill of exchange issued in respect of a consumer purchase and on which the purchaser or any person signing to accommodate the purchaser is liable as a party, but does not include

(*a*) a cheque that is dated the date of its issue or prior thereto, or at the time it is issued is post-dated not more than thirty days; or

(*b*) a bill of exchange that

(i) would be a cheque within the meaning of section 165 but for the fact that the party on which it is drawn is a financial institution, other than a bank, that as part of its business accepts money on deposit from members of the public and honours any such bill directed to be paid out of any such deposit to the extent of the amount of the deposit, and

(ii) is dated the date of its issue or prior thereto, or at the time it is issued is postdated not more than thirty days.

(2) [**Consumer note**] A consumer note is a promissory note

(*a*) issued in respect of a consumer purchase; and

(*b*) on which the purchaser or any one signing to accommodate him is liable as a party.

(3) **[Présomption quant à l'émission]** Les lettres et les billets sont péremptoirement présumés être émis relativement à un achat de consommation, sans préjudice des circonstances dans lesquelles, pour l'application de la présente partie, l'émission de tels effets est réputée se rapporter à un tel achat, si:

a) d'une part, la cause de leur émission a été le prêt ou l'avance d'une somme d'argent ou autre valeur monnayable effectué par une personne autre que le vendeur afin de permettre à l'acheteur de faire l'achat de consommation;

b) d'autre part, au moment de l'émission, le vendeur et la personne visée à l'alinéa a) avaient un lien de dépendance au sens de la *Loi de l'impôt sur le revenu.*

(4) **[Application de la loi aux lettres et billets de consommation]** Sauf exceptions prévues à la présente partie, les dispositions de la présente loi applicables d'une part aux lettres et aux chèques, d'autre part aux billets, s'appliquent respectivement, compte tenu des adaptations de circonstance, aux lettres et aux billets de consommation.

S.R., ch. 4 (1ᵉʳ suppl.), art. 1.

190. (1) **[Inscription obligatoire]** La mention «Achat de consommation» doit être inscrite, lisiblement et en évidence, au recto des lettres ou billets de consommation au moment de la signature de l'effet par l'acheteur ou par tout signataire complaisant, ou avant.

(2) **[Défaut de spécification]** Les lettres ou billets de consommation non marqués, c'est-à-dire ne portant pas la mention requise par le présent article, sont nuls, sauf s'ils sont en la possession d'un détenteur régulier qui n'a pas connaissance de leur nature exacte, ou sauf contre un tiré n'en ayant pas non plus connaissance.

S.R., ch. 4 (1ᵉʳ suppl.), art. 1.

191. **[Droits du détenteur]** Malgré tout accord contraire, le détenteur d'une lettre ou d'un billet de consommation conforme à l'article 190 exerce son droit de faire payer tout ou partie de l'effet par l'acheteur ou tout signataire complaisant sous réserve des défenses ou droits de compensation — à l'exclusion des demandes reconventionnelles — que l'acheteur aurait eus dans une action intentée par le vendeur relativement à l'effet en cause.

S.R., ch. 4 (1ᵉʳ suppl.), art. 1.

(3) **[Presumption as to issue]** Without limiting or restricting the circumstances in which, for the purposes of this Part, a bill of exchange or a promissory note shall be considered to be issued in respect of a consumer purchase, a bill of exchange or a promissory note shall be conclusively presumed to be so issued if

(*a*) the consideration for its issue was the lending or advancing of money or other valuable security by a person other than the seller, in order to enable the purchaser to make the consumer purchase; and

(*b*) the seller and the person who lent or advanced the money or other valuable security were, at the time the bill or note was issued, not dealing with each other at arm's length within the meaning of the *Income Tax Act.*

(4) **[Application of Act to consumer bills and notes]** Except as otherwise provided in this Part, the provisions of this Act applicable to bills of exchange and cheques apply, with such modifications as the circumstances require, to consumer bills, and those applicable to promissory notes apply to consumer notes, with such modifications as the circumstances require.

190. (1) **[Consumer bill or note to be marked]** Every consumer bill or consumer note shall be prominently and legibly marked on its face with the words "Consumer Purchase" before or at the time when the instrument is signed by the purchaser or by any person signing to accommodate the purchaser.

(2) **[Effect where not marked]** A consumer bill or consumer note that is not marked as required by this section is void, except in the hands of a holder in due course without notice that the bill or note is a consumer bill or consumer note or except as against a drawee without that notice.

191. **[Rights of holder of consumer bill or note]** Notwithstanding any agreement to the contrary, the right of a holder of a consumer bill or consumer note that is marked as required by section 190 to have the whole or any part thereof paid by the purchaser or any party signing to accommodate the purchaser is subject to any defence or right of set-off, other than counter-claim, that the purchaser would have had in an action by the seller on the consumer bill or consumer note.

192. (1) **[Obtention de signature sur effet non marqué]** Quiconque, sachant qu'un effet autre que celui visé aux alinéas 189(1)a) ou b) a été, est ou sera émis pour un achat de consommation, obtient la signature de l'acheteur ou de tout signataire complaisant pour cet effet, alors qu'il ne porte pas la mention visée à l'article 190, commet une infraction et encourt, sur déclaration de culpabilité:

a) par procédure sommaire, une amende maximale de mille dollars;

b) par mise en accusation, une amende maximale de cinq mille dollars.

(2) **[Transfert de lettres ou billets de consommation non marqués]** Quiconque, sans être l'acheteur ou un signataire complaisant, transfère une lettre ou un billet de consommation qui ne porte pas la mention visée à l'article 190 mais qu'il sait être une lettre ou un billet de consommation commet une infraction et encourt, sur déclaration de culpabilité:

a) par procédure sommaire, une amende maximale de mille dollars;

b) par mise en accusation, une amende maximale de cinq mille dollars.

S.R., ch. 4 (1er suppl.), art. 1.

192. (1) **[Obtaining signature to unmarked instrument]** Every person who, knowing that an instrument, other than an instrument described in paragraph 189(1)(a) or (b), has been, is being or is to be issued in respect of a consumer purchase, obtains the signature of the purchaser or of any person signing to accommodate the purchaser to that instrument without its being or having been marked as required by section 190 is guilty of

(a) an offence and liable on summary conviction to a fine not exceeding one thousand dollars; or

(b) an indictable offence and liable to a fine not exceeding five thousand dollars.

(2) **[Transfer of unmarked consumer bill or note]** Every person who, knowing that a consumer bill or consumer note not marked as required by section 190 is a consumer bill or consumer note, transfers it is, unless he is the purchaser or any person signing to accommodate the purchaser, guilty of

(a) an offence and liable on summary conviction to a fine not exceeding one thousand dollars; or

(b) an indictable offence and liable to a fine not exceeding five thousand dollars.

ANNEXE

(article 124)

MODÈLE 1

NOTATION FAUTE D'ACCEPTATION

(Copie de la lettre de change et des endossements)

Le......... jour de......... 19....., la lettre de change ci-dessus a été par moi à la demande de......... présentée pour acceptation à E.F., le tiré, personnellement (*ou* à sa résidence *ou* à son bureau *ou* à son établissement), dans l'agglomération de........., et j'ai reçu pour réponse: «.........». Ladite lettre fait en conséquence l'objet d'une notation de protêt faute d'acceptation.

A.B.,
Notaire

(Lieu et date)

SCHEDULE

(Section 124)

FORM 1

NOTING FOR NON-ACCEPTANCE

(Copy of Bill and Endorsements)

On the......... day of......... 19....., the above bill was, by me, at the request of......... presented for acceptance to E.F., the drawee, personally (*or*, at his residence, office *or* usual place of business), in the city (town *or* village) of......... and I received for answer: "........." The said bill is therefore noted for non-acceptance.

A.B.,
Notary Public

(Date and place)

Notification de la notation ci-dessus a été par moi dûment faite à (A.B. *ou* C.D.), (tireur *ou* endosseur), personnellement, le.......... jour de.......... 19....., (*ou* à sa résidence *ou* à son bureau *ou* à son établissement), à.........., le.......... jour de.......... 19..... (*ou* en déposant ladite notification à lui adressée à.......... au bureau de poste de Sa Majesté dans l'agglomération de.........., le.......... jour de.......... 19....., et en en payant les frais de port d'avance).

A.B.,

Notaire

(Lieu et date)

MODÈLE 2

PROTÊT FAUTE D'ACCEPTATION OU FAUTE DE PAIEMENT D'UNE LETTRE DE CHANGE PAYABLE GÉNÉRALEMENT

(Copie de la lettre de change et des endossements)

Le.......... jour de.........., en l'année ...., moi, A.B., notaire pour la province de.........., résidant à ...., dans la province de.........., à la demande de ...., j'ai montré la lettre de change originale, dont une copie conforme est ci-dessus reproduite, à E.F., (le tiré *ou* l'accepteur), personnellement (*ou* à sa résidence *ou* à son bureau *ou* à son établissement), à.........., et, parlant à lui-même (*ou* à ....), j'ai exigé (l'acceptation *ou* le paiement) de ladite lettre de change, ce à quoi (il *ou* elle) a répondu: «..........».

C'est pourquoi, moi, ledit notaire, à la demande susdite, j'ai protesté et proteste par ces présentes contre l'accepteur, le tireur et les endosseurs (*ou* le tireur et les endosseurs) de ladite lettre de change et toutes les autres personnes y étant parties ou y étant intéressées, pour tout change et rechange, et tous frais, dommages et intérêts présents et futurs, faute (d'acceptation *ou* de paiement) de ladite lettre.

Le tout attesté sous mon seing.

A.B.,

Notaire

Due notice of the above was by me served on (A.B. *or* C.D.), the (drawer *or* endorser), personally, on the .... day of.........., 19..... (*or*, at his residence, office *or* usual place of business) in.........., on the.......... day of.........., 19..... (*or*, by depositing such notice, directed to him at.......... in Her Majesty's post office in the city, (town *or* village) of.........., on the.......... day of.........., 19....., and prepaying the postage thereon).

A.B.,

Notary Public

(Date and place)

FORM 2

PROTEST FOR NON-ACCEPTANCE OR FOR NON-PAYMENT OF A BILL PAYABLE GENERALLY

(Copy of Bill and Endorsements)

On this.......... day of.........., in the year ...., I, A.B., notary public for the Province of.........., dwelling at.........., in the Province of.........., at the request of.........., did exhibit the original bill of exchange, whereof a true copy is above written, unto E.F., (the drawee *or* acceptor) thereof personally (*or*, at E.F.'s residence, office *or* usual place of business) in..........; and, speaking to E.F. (*or*..........), did demand (acceptance *or* payment) thereof; unto which demand (he *or* she) answered: "..........".

Wherefore I, the said notary, at the request aforesaid, have protested, and by these presents do protest against the acceptor, drawer and endorsers (*or* drawer and endorsers) of the said bill, and other parties thereto or therein concerned, for all exchange, re-exchange, and all costs, damages and interest, present and to come, for want of (acceptance *or* payment) of the said bill.

All of which I attest by my signature.

A.B.,

Notary Public

MODÈLE 3

PROTÊT FAUTE D'ACCEPTATION OU DE PAIEMENT D'UNE LETTRE DE CHANGE PAYABLE EN UN LIEU SPÉCIFIÉ

(Copie de la lettre de change et des endossements)

Le.......... jour de.........., en l'année 19....., je, A.B., notaire pour la province de.........., résidant à ...., dans la province de.........., à la demande de ...., ai montré l'original de la lettre de change, dont une copie conforme est ci-dessus reproduite, à E.F., (le tiré *ou* l'accepteur), à.........., lieu spécifié pour le paiement de ladite lettre, et là parlant à.........., j'ai exigé (l'acceptation *ou* le paiement) de ladite lettre de change; ce à quoi (il *ou* elle) a répondu: «..........».

C'est pourquoi, moi, ledit notaire, à la demande susdite, j'ai protesté et proteste par ces présentes contre l'accepteur, le tireur et les endosseurs (*ou* le tireur et les endosseurs) de ladite lettre de change et toutes les autres personnes y étant parties ou y étant intéressées, pour tout change et rechange, et tous frais, dommages et intérêts présents et futurs, faute (d'acceptation *ou* de paiement) de ladite lettre.

Le tout attesté sous mon seing.

A.B.,
Notaire

FORM 3

PROTEST FOR NON-ACCEPTANCE OR FOR NON-PAYMENT OF A BILL PAYABLE AT A STATED PLACE

(Copy of Bill and Endorsements)

On this.......... day of.......... in the year 19....., I, A.B., notary public for the Province of.........., dwelling at.........., in the Province of.........., at the request of.........., did exhibit the original bill of exchange whereof a true copy is above written, unto E.F., (the drawee *or* acceptor) thereof, at.........., being the stated place where the said bill is payable, and there speaking to.......... did demand (acceptance *or* payment) of the said bill; unto which demand he answered: "..........".

Wherefore I, the said notary, at the request aforesaid, have protested, and by these presents do protest against the acceptor, drawer and endorsers (*or* drawer and endorsers) of the said bill and all other parties thereto or therein concerned, for all exchange, re-exchange, costs, damages and interest, present and to come for want of (acceptance *or* payment) of the said bill.

All of which I attest by my signature.

A.B.,
Notary Public

MODÈLE 4

PROTÊT FAUTE DE PAIEMENT D'UNE LETTRE DE CHANGE NOTÉE, MAIS NON PROTESTÉE FAUTE D'ACCEPTATION

S'il est fait par le notaire qui l'a noté sur la lettre de change, le protêt doit suivre immédiatement l'acte de notation et le mémoire de signification de cet acte en commençant par les mots «et subséquemment le, etc.» continuant comme dans la formule précédente, mais en introduisant après les mots «a montré» les mots «de nouveau» et entre parenthèses, entre les mots «reproduite» et «à» les mots «laquelle dite lettre a été par moi dûment notée faute d'acceptation le.......... jour de.......... 19.....».

FORM 4

PROTEST FOR NON-PAYMENT OF A BILL NOTED, BUT NOT PROTESTED FOR NON-ACCEPTANCE

If the protest is made by the same notary who noted the bill, it should immediately follow the act of noting and memorandum of service thereof, and begin with the words "and afterwards on, etc.," continuing as in the last preceding Form, but introducing between the words "did" and "exhibit" the word "again," and in a parenthesis, between the words "written" and "unto," the words: "and which bill was by me duly noted for non-acceptance on the.......... day of.........., 19.....".

Mais s'il n'est pas fait par le même notaire, le protêt doit suivre une copie de la lettre originale et des endossements et de la notation sur la lettre, et alors on y introduit entre parenthèses, entre les mots «reproduite» et «à» les mots «laquelle dite lettre de change a été le………. jour de………. 19….., par………., notaire, pour la province de………., notée faute d'acceptation ainsi qu'il ressort de la notation sur ladite lettre de change».

But if the protest is not made by the same notary, then it should follow a copy of the original bill and endorsements and noting marked on the bill — and then in the protest introduce, in a parenthesis, between the words "written" and "unto," the words: "and which bill was on the………. day of………., 19….., by………., notary public for the Province of………. noted for non-acceptance, as appears by his note thereof marked on the said bill".

MODÈLE 5

PROTÊT FAUTE DE PAIEMENT D'UN BILLET PAYABLE GÉNÉRALEMENT

(Copie du billet et des endossements)

Le………. jour de………., en l'année ……., moi, A.B., notaire pour la province de………., résidant à ………., dans la province de………., à la demande de ………., j'ai montré l'original du billet à ordre dont une copie conforme est ci-dessus reproduite, à………., le souscripteur, personnellement (*ou* à sa résidence *ou* à son bureau *ou* à son établissement), à………., et parlant à lui-même (*ou* à ………) j'en ai exigé le paiement, ce à quoi (il *ou* elle) a répondu: «……….».

C'est pourquoi, moi, ledit notaire, à la demande susdite, j'ai protesté et proteste par ces présentes contre le souscripteur et les endosseurs dudit billet et toutes les autres personnes y étant parties ou y étant intéressées, pour tous frais, dommages et intérêts, présents et futurs, faute de paiement dudit billet.

Le tout attesté sous mon seing.

A.B.,
Notaire

FORM 5

PROTEST FOR NON-PAYMENT OF A NOTE PAYABLE GENERALLY

(Copy of Note and Endorsements)

On this………. day of………., in the year ……., I, A.B., notary public for the Province of………., dwelling at………., in the Province of………., at the request of………., did exhibit the original promissory note, whereof a true copy is above written, unto………. the promisor, personally (*or*, at the promisor's residence, office *or* usual place of business), in………., and speaking to the promisor (*or* ……….), did demand payment thereof; unto which demand (he *or* she) answered: "……….".

Wherefore I, the said notary, at the request aforesaid, have protested, and by these presents do protest against the promisor and endorsers of the said note, and all other parties thereto or therein concerned, for all costs, damages and interest, present and to come, for want of payment of the said note.

All of which I attest by my signature.

A.B.,
Notary Public

MODÈLE 6

PROTÊT FAUTE DE PAIEMENT D'UN BILLET PAYABLE EN UN LIEU SPÉCIFIÉ

(Copie du billet et des endossements)

Le………. jour de………., en l'année 19….., je, A.B., notaire pour la province de………., résidant à ………., dans la province de………., à la demande de ………., ai montré l'original du billet à ordre dont copie conforme est ci-dessus reproduite, à………., le souscripteur, à………., lieu spécifié pour le paiement du billet, et, là, parlant à………., j'ai exigé le paiement dudit billet, ce à quoi (il *ou* elle) a répondu: «……….».

FORM 6

PROTEST FOR NON-PAYMENT OF A NOTE PAYABLE AT A STATED PLACE

(Copy of Note and Endorsements)

On this………. day of………., in the year 19….., I, A.B., notary public for the Province of………., dwelling at………., in the Province of………., at the request of………., did exhibit the original promissory note, whereof a true copy is above written, unto………. the promisor, at………., being the stated place where the said note is payable, and there, speaking to………. did demand payment of the said note, unto which demand he answered: "……….".

C'est pourquoi, moi, ledit notaire, à la demande susdite, j'ai protesté et proteste par ces présentes contre le souscripteur et les endosseurs dudit billet et toutes les autres personnes y étant parties ou y étant intéressées, pour tous frais, dommages et intérêts, présents et futurs, faute de paiement dudit billet.

Le tout attesté sous mon seing.

A.B.,
Notaire

Wherefore I, the said notary, at the request aforesaid, have protested, and by these presents do protest against the promisor and endorsers of the said note, and all other parties thereto or therein concerned, for all costs, damages and interest, present and to come, for want of payment of the said note.

All of which I attest by my signature.

A.B.,
Notary Public

MODÈLE 7

NOTIFICATION NOTARIÉE D'UNE NOTATION, OU D'UN PROTÊT FAUTE D'ACCEPTATION, OU D'UN PROTÊT FAUTE DE PAIEMENT D'UNE LETTRE DE CHANGE

(Lieu et date de la notation ou du protêt)

Premièrement.
À P.Q. (*le tireur*)
à.....
Monsieur,

Votre lettre de change pour..... $, datée à........., le.......... jour de............ 19....., sur E.F., en faveur de C.D., payable à.......... jours de (vue *ou* date) a été ce jour, à la demande de.........., dûment (notée pour protêt *ou* protestée) par moi faute (d'acceptation *ou* de paiement).

A.B.,
Notaire

(Lieu et date de la notation ou du protêt)

Deuxièmement.
À C.D. (*endosseur*)
(*ou* F.G.)
à......
Monsieur,

La lettre de change de P.Q. pour..... $, datée à.........., le.......... jour de.......... 19....., sur E.F., en votre faveur (*ou* en faveur de C.D.), payable à.......... jours de (vue *ou* date) et endossée par vous, a été ce jour, à la demande de.........., dûment (notée pour protêt *ou* protestée) par moi faute (d'acceptation *ou* de paiement).

A.B.,
Notaire

FORM 7

NOTARIAL NOTICE OF A NOTING, OR OF A PROTEST FOR NON-ACCEPTANCE, OR OF A PROTEST FOR NON-PAYMENT OF A BILL

(Place and Date of Noting or of Protest)

1st.
To P.Q. (*the drawer*)
at
Sir,

Your bill of exchange for $....., dated at.......... the.......... day of.........., 19....., on E.F., in favour of C.D., payable.......... days after (sight *or* date) was this day, at the request of.......... duly (noted *or* protested) by me for (non-acceptance *or* non-payment).

A.B.,
Notary Public

(Place and Date of Noting or of Protest)

2nd.
To C.D., (*endorser*)
(*or* F.G.)
at
Sir,

Mr. P.Q.'s bill of exchange for $....., dated at.......... the.......... day of.........., 19....., on E.F., in your favour (*or* in favour of C.D.), payable.......... days after (sight *or* date), and by you endorsed, was this day at the request of.......... duly (noted *or* protested) by me for (non-acceptance *or* non-payment).

A.B.,
Notary Public

MODÈLE 8

NOTIFICATION NOTARIÉE D'UN PROTÊT FAUTE
DE PAIEMENT D'UN BILLET

(Lieu et date du protêt)

À..........,
à.....
Monsieur,

Le billet à ordre de P.Q. pour..... $, daté
à.........., le.......... jour de.......... 19....., payable.......... (jours *ou* mois) après sa date (*ou*
le..........) à (vous *ou* E.F.) ou ordre, et endossé par
vous, a été ce jour, à la demande de..........,
dûment protesté par moi faute de paiement.

A.B.,

Notaire

FORM 8

NOTARIAL NOTICE OF PROTEST FOR
NON-PAYMENT OF A NOTE

(Place and Date of Protest)

To..........,
at
Sir,

Mr. P.Q.'s promissory note for $.............., dated
at.........., the.......... day of.........., 19....., payable.......... (days *or* months) after date (*or*
on..........) to (you *or* E.F.) or order, and endorsed
by you, was this day, at the request of.........., duly
protested by me for non-payment.

A.B.,

Notary Public

MODÈLE 9

ACTE DE SIGNIFICATION NOTARIÉ D'UNE
NOTIFICATION DE PROTÊT FAUTE D'ACCEPTA-
TION OU DE PAIEMENT D'UNE LETTRE DE
CHANGE OU FAUTE DE PAIEMENT D'UN
BILLET

(à joindre au protêt)

Et subséquemment, moi, le notaire susdit, j'ai
dûment signifié la notification, en la forme prescrite
par la loi, du protêt ci-joint faute (d'acceptation *ou*
de paiement) (de la lettre de change *ou* du billet)
faisant l'objet dudit protêt à (P.Q. *ou* C.D.), (le tireur
ou l'endosseur), personnellement, le.......... jour
de.......... 19..... (*ou* à son lieu de résidence *ou* à
son bureau *ou* à son établissement), à..........,
le.......... jour de.......... 19..... (*ou* en déposant
ledit avis adressé audit (P.Q. *ou* C.D.), à.........., au
bureau de poste de Sa Majesté, à..............,
le.......... jour de.......... 19....., et en en payant les
frais de port d'avance).

En foi de quoi, j'ai, les jour et an mentionnés en
dernier lieu, à.......... susdit, signé ces présentes.

A.B.,

Notaire

FORM 9

NOTARIAL SERVICE OF NOTICE OF A PROTEST
FOR NON-ACCEPTANCE OR NON-PAYMENT OF
A BILL, OR NOTE

(to be subjoined to the Protest)

And afterwards, I, the aforesaid protesting notary
public, did serve due notice, in the form prescribed
by law, of the foregoing protest for (non-acceptance
or non-payment) of the (bill *or* note) thereby protested on (P.Q. *or* C.D.), the (drawer *or* endorser) personally, on the.......... day of.........., 19....., (*or*, at
his residence, office *or* usual place of business)
in.........., on the.......... day of.........., 19.....; (*or*,
by depositing such notice, directed to the said (P.Q.
or C.D.), at.........., in Her Majesty's post office
in.......... on the.......... day of.........., 19....., and
prepaying the postage thereon).

In testimony whereof, I have, on the last mentioned day and year, at.......... aforesaid, signed
these presents.

A.B.,

Notary Public

MODÈLE 10

PROTÊT PAR UN JUGE DE PAIX (OÙ IL N'Y A PAS DE NOTAIRE), FAUTE D'ACCEPTATION D'UNE LETTRE DE CHANGE, OU FAUTE DE PAIEMENT D'UNE LETTRE DE CHANGE OU D'UN BILLET

(Copie de la lettre ou du billet et des endossements)

Le.......... jour de.........., en l'année ...., moi, N.O., l'un des juges de paix de Sa Majesté pour le district (*ou* le comté, etc.) de.........., en la province de.........., résidant au (*ou* près du) village de.........., dans ledit district, vu qu'il n'y a aucun notaire exerçant alentour (*ou pour toute autre cause légale*), j'ai, à la demande de.........., et en présence de.........., de moi bien connu, montré l'original (de la lettre de change *ou* du billet) dont copie conforme est ci-dessus reproduite, à P.Q., (le tireur *ou* l'accepteur *ou* le souscripteur) personnellement (*ou* à son lieu de résidence *ou* à son bureau *ou* à son établissement), à.........., et, parlant à lui-même (*ou* à ....), j'en ai exigé (l'acceptation *ou* le paiement), ce à quoi (il *ou* elle) a répondu: «..........».

C'est pourquoi, moi, ledit juge de paix, à la demande susdite, j'ai protesté et proteste par ces présentes contre (le tireur et les endosseurs *ou* le souscripteur et les endosseurs *ou* l'accepteur, le tireur et les endosseurs) de (ladite lettre de change *ou* dudit billet) et contre toutes les autres personnes y étant parties ou y étant intéressées, pour tout change et rechange, et tous les frais, dommages et intérêts, présents et futurs, faute (d'acceptation *ou* de paiement) (de ladite lettre de change *ou* dudit billet).

Le tout est par les présentes attesté sous la signature dudit (*le témoin*) et sous mes seing et sceau.

FORM 10

PROTEST BY A JUSTICE OF THE PEACE (WHERE THERE IS NO NOTARY) FOR NON-ACCEPTANCE OF A BILL, OR NON-PAYMENT OF A BILL OR NOTE

(Copy of Bill or Note and Endorsements)

On this.......... day of.........., in the year ...., I, N.O., one of Her Majesty's justices of the peace for the District (*or* County, etc.), of.........., in the Province of.........., dwelling at (*or* near) the village of.........., in the said District, there being no practising notary public at or near the said village (*or any other legal cause*), did, at the request of......... and in the presence of......... well known unto me, exhibit the original (bill *or* note) whereof a true copy is above written unto P.Q., the (drawer, acceptor *or* promisor) thereof, personally (*or* at P.Q.'s residence, office *or* usual place of business) in......... and speaking to P.Q. (*or* ....), did demand (payment *or* acceptance) thereof, unto which demand (he *or* she) answered: ":..........".

Wherefore I, the said justice of the peace, at the request aforesaid, have protested, and by these presents do protest against the (drawer and endorsers, promisor and endorsers *or* acceptor, drawer and endorsers) of the said (bill *or* note) and all other parties thereto and therein concerned, for all exchange, re-exchange, and all costs, damages and interest, present and to come, for want of (payment *or* acceptance) of the said (bill *or* note).

All of which is by these presents attested by the signature of the said (*the witness*) and by my hand and seal.

(Signature du témoin)

(Signature et sceau du J.P.)

(Signature of the witness)

(Signature and seal of the J.P.)

S.R., ch. B-5, ann.; 2000, ch. 12, art. 22-24.

LOI SUR LA PROTECTION DU CONSOMMATEUR

L.R.Q., c. P-40.1

TITRE PRÉLIMINAIRE
INTERPRÉTATION ET APPLICATION

1. Dans la présente loi, à moins que le contexte n'indique un sens différent, on entend par:

a) «adresse»:

i. du commerçant: le lieu de son établissement ou bureau indiqué dans le contrat ou celui d'un nouvel établissement ou bureau dont il a avisé postérieurement le consommateur, sauf une case postale;

ii. du fabricant: le lieu d'un de ses établissements au Canada, sauf une case postale;

iii. du consommateur: le lieu de sa résidence habituelle indiqué dans le contrat ou celui d'une nouvelle résidence dont il a avisé postérieurement le commerçant;

b) «automobile»: un véhicule mû par un pouvoir autre que la force musculaire et adapté au transport sur les chemins publics, à l'exception d'un cyclomoteur, d'un vélomoteur et d'une motocyclette;

c) «automobile d'occasion» ou «motocyclette d'occasion»: une automobile ou une motocyclette qui a été utilisée à une fin autre que pour sa livraison ou sa mise au point par le commerçant, le fabricant ou leur représentant;

d) «bien»: un bien meuble et, dans la mesure requise pour l'application de l'article 6.1, un immeuble;

e) «consommateur»: une personne physique, sauf un commerçant qui se procure un bien ou un service pour les fins de son commerce;

f) «crédit»: le droit consenti par un commerçant à un consommateur d'exécuter à terme une obligation, moyennant des frais;

g) «fabricant»: une personne qui fait le commerce d'assembler, de produire ou de transformer des biens, notamment:

i. une personne qui se présente au public comme le fabricant d'un bien;

ii. lorsque le fabricant n'a pas d'établissement au Canada, une personne qui importe ou distribue des biens fabriqués à l'extérieur du Canada ou une personne qui permet l'emploi de sa marque de commerce sur un bien;

CONSUMER PROTECTION ACT

R.S.Q., c. P-40.1

TITLE PRELIMINARY
INTERPRETATION AND APPLICATION

1. In this Act, unless the context indicates otherwise,

(a) "address"

i. of the merchant means the place of his establishment or office indicated in the contract, or of a new establishment or office of which he subsequently notifies the consumer, except a post office box;

ii. of the manufacturer means the place of one of his establishments in Canada, except a post office box;

iii. of the consumer means the place of his usual residence indicated in the contract, or of a new residence of which he subsequently notifies the merchant;

(b) "automobile" means a vehicle propelled by any power other than muscular force and adapted for transportation on the public highways, except a moped or a motorcycle;

(c) "used automobile" or "used motorcycle" means an automobile or a motorcycle which has been used for any purpose other than its delivery or preparation for delivery by the merchant, the manufacturer or their representative;

(d) "goods" means any movable property and, to the extent required for the application of section 6.1, any immovable property;

(e) "consumer" means a natural person, except a merchant who obtains goods or services for the purposes of his business;

(f) "credit" means the right granted by a merchant to a consumer to perform an obligation within a term in consideration of certain charges;

(g) "manufacturer" means a person in the business of assembling, producing or processing goods, and, in particular,

i. a person who represents himself to the public as the manufacturer of goods;

ii. where the manufacturer has no establishment in Canada, a person who imports or distributes goods manufactured outside Canada or a person who allows his trademark to be used on goods;

h) «message publicitaire»: un message destiné à promouvoir un bien, un service ou un organisme au Québec;

i) «ministre»: le ministre des Relations avec les citoyens et de l'Immigration;

j) «Office»: l'Office de la protection du consommateur constitué en vertu de l'article 291;

k) «permis»: un permis exigé par la présente loi;

l) «président»: le président de l'Office;

m) «publicitaire»: une personne qui fait ou fait faire la préparation, la publication ou la diffusion d'un message publicitaire;

n) «règlement»: un règlement adopté par le gouvernement en vertu de la présente loi;

o) «représentant»: une personne qui agit pour un commerçant ou un fabricant ou au sujet de laquelle un commerçant ou un fabricant a donné des motifs raisonnables de croire qu'elle agit en son nom;

p) (paragraphe abrogé).

1978, c. 9, a. 1; 1981, c. 10, a. 19; 1985, c. 34, a. 269; 1988, c. 45, a. 1; 1994, c. 12, a. 69; 1996, c. 21, a. 64; 1999, c. 40, a. 234.

2. La présente loi s'applique à tout contrat conclu entre un consommateur et un commerçant dans le cours des activités de son commerce et ayant pour objet un bien ou un service.

1978, c. 9, a. 2; 1999, c. 40, a. 234.

3. Malgré l'article 128 de la Loi sur les coopératives (L.R.Q., chapitre C-67.2) et l'article 64 de la Loi sur les coopératives de services financiers (2000, chapitre 29), une coopérative et une coopérative de services financiers sont soumises à l'application de la présente loi.

Une personne morale qui ne poursuit pas des fins lucratives ne peut invoquer ce fait pour se soustraire à l'application de la présente loi.

1978, c. 9, a. 3; 1982, c. 26, a. 313; 1988, c. 64, a. 560, a. 587; 1999, c. 40, a. 234; 2000, c. 29, a. 663.

4. Le gouvernement, ses ministères et organismes sont soumis à l'application de la présente loi.

1978, c. 9, a. 4.

5. Sont exclus de l'application du titre sur les contrats relatifs aux biens et aux services et du titre sur les sommes transférées en fiducie:

(h) "advertisement" means a message designed to promote goods, services or an organization in Québec;

(i) "Minister" means the Minister of Relations with the Citizens and Immigration;

(j) "Office" means the Office de la protection du consommateur established under section 291;

(k) "permit" means a permit required by this Act;

(l) "president" means the president of the Office;

(m) "advertiser" means a person who prepares, publishes or broadcasts an advertisement or who causes an advertisement to be prepared, published or broadcast;

(n) "regulation" means a regulation made by the Government under this Act;

(o) "representative" means a person acting for a merchant or a manufacturer or regarding whom a merchant or a manufacturer has given reasonable cause to believe that such person is acting for him;

(p) (subparagraph repealed).

In this Act, the word "merchant" includes any person doing business or extending credit in the course of his business.

2. This act applies to every contract for goods or services entered into between a consumer and a merchant in the course of his business.

3. Notwithstanding section 128 of the Cooperatives Act (R.S.Q., chapter C-67.2) or section 64 of the Act respecting financial services cooperatives (2000, chapter 29), cooperatives and financial services cooperatives are subject to the application of this Act.

Non-profit legal persons cannot invoke their non-profit status to avoid the application of this Act.

4. The Government and the Government departments and agencies are subject to the application of this act.

5. The following are exempt from the application of the title on contracts regarding goods and services and the title on sums transferred in trust:

a) un contrat d'assurance ou de rente, à l'exception d'un contrat de crédit conclu pour le paiement d'une prime d'assurance;

b) un contrat de vente d'électricité ou de gaz par un distributeur au sens où l'entend la Loi sur la Régie du gaz naturel (L.R.Q., chapitre R-8.02), par Hydro-Québec créée par la Loi sur Hydro-Québec (L.R.Q., chapitre H-5), par une municipalité ou une coopérative constituée en vertu de la Loi de l'électrification rurale (1945, chapitre 48);

c) un contrat relatif à tout service de télécommunications fourni par une société exploitante.

1978, c. 9, a. 5; 1983, c. 15, a. 1; 1986, c. 21, a. 17; 1988, c. 23, a. 98; 1988, c. 8, a. 92; 1996, c. 2, a. 791; 1996, c. 61, a. 128; 1997, c. 83, a. 44; 1999, c. 40, a. 234.

5.1 Sont exclus de l'application de la section sur les contrats conclus par un commerçant itinérant, de l'article 86 et du titre sur les sommes transférées en fiducie, les contrats régis par la Loi sur les arrangements préalables de services funéraires et de sépulture (L.R.Q., chapitre A-23.001).

1987, c. 65, a. 88; 1999, c. 40, a. 234.

6. Sont exclus de l'application de la présente loi, les pratiques de commerce et les contrats concernant:

a) une opération régie par la Loi sur les valeurs mobilières (L.R.Q., chapitre V-1.1);

b) la vente, la location ou la construction d'un immeuble, sous réserve de l'article 6.1;

NON EN VIGUEUR

c) le crédit garanti par hypothèque; et

d) la prestation d'un service pour la réparation, l'entretien ou l'amélioration d'un immeuble, ou à la fois la prestation d'un tel service et la vente d'un bien s'incorporant à l'immeuble, sauf en ce qui concerne le crédit lorsque la prestation du service ou à la fois la prestation du service et la vente du bien sont assorties d'un crédit non garanti par hypothèque.

1978, c. 9, a. 6; 1985, c. 34, a. 270.

6.1 Le présent titre, le titre II relatif aux pratiques de commerce, les articles 264 à 267 et 277 à 290 du titre IV, le chapitre I du titre V et les paragraphes c, k et r de l'article 350 s'appliquent également à la vente, à la location ou la construction d'un immeuble, mais non aux actes d'un courtier ou de son agent régis par la Loi sur le courtage immobilier (L.R.Q., chapitre C-73.1) ou à la location d'un immeuble régie par les articles 1892 à 2000 du Code civil.

1985, c. 34, a. 271; 1999, c. 40, a. 234.

(a) insurance and annuity contracts, except credit contracts entered into for the payment of insurance premiums;

(b) contracts of sale of electricity or gas by a distributor within the meaning of the Act respecting the Régie du gaz naturel (R.S.Q., chapter R-8.02), by Hydro-Québec established by the Hydro-Québec Act (R.S.Q., chapter H-5), by a municipality or by a cooperative established under the Rural Electrification Act (1945, chapter 48);

(c) contracts regarding any telecommunications service supplied by an operating company.

5.1 Contracts governed by the Act respecting prearranged funeral services and sepultures (R.S.Q., chapter A-23.001) are exempt from the application of the division on contracts entered into by itinerant merchants, of section 86 and of the title on sums transferred in trust.

6. Business practices and contracts regarding

(a) transactions governed by the Securities Act (R.S.Q., chapter V-1.1);

(b) the sale, lease or construction of an immovable, subject to section 6.1;

NOT IN FORCE

(c) credit secured by hypothec; and

(d) the furnishing of services for the repair, maintenance or improvement of an immovable, or both the furnishing of such services and the sale of goods incorporated into the immovable, except respecting credit when the furnishing of services or both the furnishing of services and the sale of goods involve credit not secured by hypothec,

are exempt from the application of this act.

6.1 This title, title II respecting business practices, sections 264 to 267 and 277 to 290 of title IV, chapter I of title V and paragraphs c, k and r of section 350 also apply to the sale, lease or construction of an immovable, but not to the acts of a real estate broker or his agent governed by the Real Estate Brokerage Act (R.S.Q., chapter C-73.1) or to the leasing of an immovable governed by articles 1892 to 2000 of the Civil Code.

7. La caution du consommateur bénéficie, au même titre que ce dernier, des articles 32, 33, 103, 105 à 110, 116, de l'article 150.12 quant à l'application de l'article 103, et des articles 150.21 et 276, à la condition qu'elle soit elle-même un consommateur.

1978, c. 9, a. 7; 1991, c. 24, a. 1.

7. The surety of a consumer benefits to the same extent as the consumer by the provisions of sections 32, 33, 103, 105 to 110, 116, section 150.12 regarding the application of section 103, sections 150.21 and 276, provided he is a consumer himself.

TITRE I
CONTRATS RELATIFS AUX BIENS ET AUX SERVICES

TITLE I
CONTRACTS REGARDING GOODS AND SERVICES

CHAPITRE I
DISPOSITIONS GÉNÉRALES

CHAPTER I
GENERAL PROVISIONS

8. Le consommateur peut demander la nullité du contrat ou la réduction des obligations qui en découlent lorsque la disproportion entre les prestations respectives des parties est tellement considérable qu'elle équivaut à de l'exploitation du consommateur, ou que l'obligation du consommateur est excessive, abusive ou exorbitante.

1978, c. 9, a. 8.

8. The consumer may demand the nullity of a contract or a reduction in his obligations thereunder where the disproportion between the respective obligations of the parties is so great as to amount to exploitation of the consumer or where the obligation of the consumer is excessive, harsh or unconscionable.

9. Lorsqu'un tribunal doit apprécier le consentement donné par un consommateur à un contrat, il tient compte de la condition des parties, des circonstances dans lesquelles le contrat a été conclu et des avantages qui résultent du contrat pour le consommateur.

1978, c. 9, a. 9.

9. Where the court must determine whether a consumer consented to a contract, it shall consider the condition of the parties, the circumstances in which the contract was entered into and the benefits arising from the contract for the consumer.

10. Est interdite la stipulation par laquelle un commerçant se dégage des conséquences de son fait personnel ou de celui de son représentant.

1978, c. 9, a. 10.

10. Any stipulation whereby a merchant is liberated from the consequences of his own act or the act of his representative is prohibited.

11. Est interdite la stipulation qui réserve à un commerçant le droit de décider unilatéralement:

a) que le consommateur a manqué à l'une ou l'autre de ses obligations;

b) que s'est produit un fait ou une situation.

1978, c. 9, a. 11.

11. Any stipulation whereby a merchant reserves the right to decide unilaterally

(a) that the consumer has failed to satisfy one or another of his obligations, or

(b) that a fact or circumstance has occurred,

is prohibited.

12. Aucuns frais ne peuvent être réclamés d'un consommateur, à moins que le contrat n'en mentionne de façon précise le montant.

1978, c. 9, a. 12.

12. No costs may be claimed from a consumer unless the amount thereof is precisely indicated in the contract.

13. Est interdite la stipulation qui impose au consommateur, dans le cas d'inexécution de son obligation, le paiement de frais autres que l'intérêt couru.

13. Any stipulation requiring the consumer, upon the non-performance of his obligation, to pay costs other than the interest accrued, is prohibited.

Le présent article ne s'applique pas à un contrat de crédit.

1978, c. 9, a. 13; 1980, c. 11, a. 105.

This section does not apply to a contract of credit.

14. Les articles 105 à 110 s'appliquent, compte tenu des adaptations nécessaires, à une clause résolutoire ou à une autre convention de même effet en faveur du commerçant de même qu'à un contrat qui comporte une clause de déchéance du bénéfice du terme, qu'il s'agisse ou non d'un contrat de crédit.

1978, c. 9, a. 14.

14. Sections 105 to 110 apply, *mutatis mutandis*, to resolutory clauses or to agreements to the same effect in favour of the merchant, and to contracts containing a clause of forfeiture of benefit of the term, whether or not such contracts are contracts of credit.

15. Les articles 133 à 149 s'appliquent, compte tenu des adaptations nécessaires, à un contrat, qu'il s'agisse ou non d'un contrat de crédit, par lequel le transfert de la propriété d'un bien vendu par un commerçant à un consommateur est différé jusqu'à l'exécution, par ce dernier, de son obligation, en tout ou en partie.

1978, c. 9, a. 15.

15. Sections 133 to 149 apply, *mutatis mutandis*, to a contract, whether a contract of credit or not, whereby the transfer of ownership of goods sold by a merchant to a consumer is deferred until the performance by the consumer of the whole or a part of his obligation.

16. L'obligation principale du commerçant consiste dans la livraison du bien ou la prestation du service prévues dans le contrat.

Dans un contrat à exécution successive, le commerçant est présumé exécuter son obligation principale lorsqu'il commence à accomplir cette obligation conformément au contrat.

1978, c. 9, a. 16; 1999, c. 40, a. 234.

16. The principal obligation of the merchant is to deliver the goods or to perform the service stipulated in the contract.

In a contract involving sequential fulfilment, the merchant is presumed to be performing his principal obligation when he begins to perform it in accordance with the contract.

17. En cas de doute ou d'ambiguïté, le contrat doit être interprété en faveur du consommateur.

1978, c. 9, a. 17; 1999, c. 40, a. 234.

17. In case of doubt or ambiguity, the contract must be interpreted in favour of the consumer.

18. Lorsqu'un commerçant insère dans un contrat ou un document une mention dont la présente loi ou un règlement exige la présence dans un autre contrat ou un autre document, il est lié par cette mention et le consommateur peut s'en prévaloir.

1978, c. 9, a. 18.

18. Where a merchant inserts in a contract or document a clause that this act or a regulation requires to be included in another contract or document, this clause is binding on the merchant and it may be invoked by the consumer.

19. Une clause d'un contrat assujettissant celui-ci, en tout ou en partie, à une loi autre qu'une loi du Parlement du Canada ou de la Législature du Québec est interdite.

1978, c. 9, a. 19.

19. Any stipulation in a contract that such contract is wholly or partly governed by a law other than an act of the Parliament of Canada or of the Legislature of Québec is prohibited.

20. Un contrat à distance est un contrat conclu entre un commerçant et un consommateur qui ne sont en présence l'un de l'autre ni lors de l'offre, qui s'adresse à un ou plusieurs consommateurs, ni lors de l'acceptation, à la condition que l'offre n'ait pas été sollicitée par un consommateur déterminé.

1978, c. 9, a. 20.

20. A remote-parties contract is a contract entered into between a merchant and a consumer who are in the presence of one another neither at the time of the offer, which is addressed to one or more consumers, nor at the time of acceptance, provided that the offer has not been solicited by a particular consumer.

21. Le contrat à distance est réputé comme conclu à l'adresse du consommateur.

1978, c. 9, a. 21; 1999, c. 40, a. 234.

21. The remote-parties contract is deemed to be entered into at the address of the consumer.

22. Sous réserve de l'article 309, le commerçant qui sollicite la conclusion d'un contrat à distance ou qui conclut un tel contrat ne peut demander un paiement partiel ou total au consommateur ou lui offrir de percevoir un tel paiement avant d'exécuter son obligation principale.

1978, c. 9, a. 22; 1987, c. 90, a. 1.

22. Subject to section 309, no merchant may, when soliciting a consumer for the purpose of making a remote-parties contract or when making such a contract, demand total or partial payment by the consumer or propose to collect such payment before performing his principal obligation.

22.1 Une élection de domicile en vue de l'exécution d'un acte juridique ou de l'exercice des droits qui en découlent est inopposable au consommateur, sauf si elle est faite dans un acte notarié.

1992, c. 57, a. 671.

22.1 An election of domicile with a view to the execution of a juridical act or the exercise of the rights arising therefrom may not be set up against the consumer, except if it is made by notarial act.

CHAPITRE II
RÈGLES DE FORMATION DES CONTRATS POUR LESQUELS LE TITRE I EXIGE UN ÉCRIT

CHAPTER II
RULES GOVERNING THE MAKING OF A CONTRACT IN RESPECT OF WHICH TITLE I REQUIRES A WRITING

23. Le présent chapitre s'applique au contrat qui, en vertu de l'article 58, 80, du premier alinéa de l'article 150.4, de l'article 158, 190, 199 ou 208 doit être constaté par écrit.

Le présent chapitre ne s'applique pas à un acte notarié.

1978, c. 9, a. 23; 1991, c. 24, a. 2.

23. This chapter applies to contracts which, under section 58, 80, the first paragraph of section 150.4, section 158, 190, 199 or 208, must be evidenced in writing.

This chapter does not apply to notarial instruments.

24. Une offre, promesse ou entente préalable à un contrat qui doit être constaté par écrit n'engage pas le consommateur tant qu'elle n'est pas consignée dans un contrat formé conformément au présent titre.

1978, c. 9, a. 24.

24. The offers, promises or agreements prior to a contract that must be evidenced in writing are not binding on the consumer unless they are confirmed in a contract entered into in accordance with this title.

25. Le contrat doit être clairement et lisiblement rédigé au moins en double et sur support papier.

1978, c. 9, a. 25; 2001, c. 32, a. 101.

25. The contract must be drawn up clearly and legibly, and at least in duplicate and in paper form.

26. Le contrat et les documents qui s'y rattachent doivent être rédigés en français. Ils peuvent être rédigés dans une autre langue si telle est la volonté expresse des parties. S'ils sont rédigés en français et dans une autre langue, au cas de divergence entre les deux textes, l'interprétation la plus favorable au consommateur prévaut.

1978, c. 9, a. 26.

26. The contract and the documents attached thereto must be drawn up in French. They may be drawn up in another language if the parties expressly agree thereto. Where they are drawn up in French and in another language, in the case of a divergence between the texts, the interpretation more favourable to the consumer prevails.

27. Sous réserve de l'article 29, le commerçant doit signer et remettre au consommateur le contrat écrit dûment rempli et lui permettre de prendre connaissance de ses termes et de sa portée avant d'y apposer sa signature.

1978, c. 9, a. 27; 1999, c. 40, a. 234.

28. Sous réserve de l'article 29, la signature des parties doit être apposée sur la dernière page de chacun des doubles du contrat, à la suite de toutes les stipulations.

1978, c. 9, a. 28.

29. Les articles 27 et 28 ne s'appliquent pas à un contrat de crédit variable conclu pour l'utilisation de ce qui est communément appelé carte de crédit. Dans le cas d'un tel contrat, l'émission de la carte tient lieu de signature du commerçant et l'utilisation de la carte par le consommateur tient lieu de signature du consommateur.

1978, c. 9, a. 29.

30. Le contrat est formé lorsque les parties l'ont signé.

1978, c. 9, a. 30.

31. La signature apposée au contrat par le représentant du commerçant lie ce dernier.

1978, c. 9, a. 31.

32. Le commerçant doit remettre un double du contrat au consommateur après la signature.

1978, c. 9, a. 32.

33. Le consommateur n'est tenu à l'exécution de ses obligations qu'à compter du moment où il est en possession d'un double du contrat.

1978, c. 9, a. 33.

CHAPITRE III
DISPOSITIONS RELATIVES À CERTAINS CONTRATS

SECTION I
GARANTIES

34. La présente section s'applique au contrat de vente ou de louage de biens et au contrat de service.

1978, c. 9, a. 34; 1999, c. 40, a. 234.

35. Une garantie prévue par la présente loi n'a pas pour effet d'empêcher le commerçant ou le fabricant d'offrir une garantie plus avantageuse pour le consommateur.

1978, c. 9, a. 35; 1999, c. 40, a. 234.

27. Subject to section 29, the merchant must sign the written contract duly filled out, give it to the consumer and grant him a sufficient time to become aware of its terms and scope before signing it.

28. Subject to section 29, the signature of the parties must appear on the page of each copy of the contract, at the end of all the conditions.

29. Sections 27 and 28 do not apply to a contract extending variable credit made for the use of what are commonly called credit cards. In the case of such a contract, the issue of the card is in lieu of the merchant's signature and the use of the card by the consumer is in lieu of the consumer's signature.

30. The contract is concluded when the parties have signed it.

31. The signature of the representative of a merchant on a contract is binding on such merchant.

32. After the contract is signed, the merchant must give a duplicate of it to the consumer.

33. The consumer is bound to fulfil his obligations only from the moment he possesses a duplicate of the contract.

CHAPTER III
PROVISIONS RELATING TO CERTAIN CONTRACTS

DIVISION I
WARRANTIES

34. This division applies to contracts of sale or of lease of goods and to contracts of service.

35. A warranty provided in this act does not prevent the merchant or the manufacturer from offering a more advantageous warranty to the consumer.

36. Dans le cas d'un bien qui fait l'objet d'un contrat, le commerçant qui transfère la propriété du bien à un consommateur doit libérer ce bien de tout droit appartenant à un tiers, ou déclarer ce droit lors de la vente. Il est tenu de purger le bien de toute sûreté, même déclarée, à moins que le consommateur n'ait assumé la dette ainsi garantie.

1978, c. 9, a. 36.

37. Un bien qui fait l'objet d'un contrat doit être tel qu'il puisse servir à l'usage auquel il est normalement destiné.

1978, c. 9, a. 37.

38. Un bien qui fait l'objet d'un contrat doit être tel qu'il puisse servir à un usage normal pendant une durée raisonnable, eu égard à son prix, aux dispositions du contrat et aux conditions d'utilisation du bien.

1978, c. 9, a. 38.

39. Si un bien qui fait l'objet d'un contrat est de nature à nécessiter un travail d'entretien, les pièces de rechange et les services de réparation doivent être disponibles pendant une durée raisonnable après la formation du contrat.

Le commerçant ou le fabricant peut se dégager de cette obligation en avertissant le consommateur par écrit, avant la formation du contrat, qu'il ne fournit pas de pièce de rechange ou de service de réparation.

1978, c. 9, a. 39; 1999, c. 40, a. 234.

40. Un bien ou un service fourni doit être conforme à la description qui en est faite dans le contrat.

1978, c. 9, a. 40.

41. Un bien ou un service fourni doit être conforme à une déclaration ou à un message publicitaire faits à son sujet par le commerçant ou le fabricant. Une déclaration ou un message publicitaire lie ce commerçant ou ce fabricant.

1978, c. 9, a. 41; 1999, c. 40, a. 234.

42. Une déclaration écrite ou verbale faite par le représentant d'un commerçant ou d'un fabricant à propos d'un bien ou d'un service lie ce commerçant ou ce fabricant.

1978, c. 9, a. 42; 1999, c. 40, a. 234.

36. A merchant transferring the ownership of goods to a consumer by way of a contract must free such goods from every charge or encumbrance in favour of a third person, or declare the existence of such charge or encumbrance at the time of the sale. He is bound to discharge the goods of every surety-bond, even declared, unless the consumer has assumed the debt so secured.

37. Goods forming the object of a contract must be fit for the purposes for which goods of that kind are ordinarily used.

38. Goods forming the object of a contract must be durable in normal use for a reasonable length time, having regard to their price, the terms of the contract and the conditions of their use.

39. Where goods being the object of a contract are of a nature that requires maintenance, replacement parts and repair service must be available for a reasonable time after the making of the contract.

The merchant or the manufacturer may release himself from this obligation by warning the consumer in writing, before the contract is entered into, that he does not supply replacement parts or repair service.

40. The goods or services provided must conform to the description made of them in the contract.

41. The goods or services provided must conform to the statements or advertisements regarding them made by the merchant or the manufacturer. The statements or advertisements are binding on that merchant or that manufacturer.

42. A written or verbal statement by the representative of a merchant or of a manufacturer respecting goods or services is binding on that merchant or manufacturer.

43. Une garantie relative à un bien ou à un service, mentionnée dans une déclaration ou un message publicitaire d'un commerçant ou d'un fabricant, lie ce commerçant ou ce fabricant. Il en est de même d'une garantie écrite du commerçant ou du fabricant non reproduite dans le contrat.

1978, c. 9, a. 43; 1999, c. 40, a. 234.

44. Dans une garantie conventionnelle, il est interdit de faire une exclusion si les matières exclues ne sont pas clairement indiquées dans des clauses distinctes et successives.

1978, c. 9, a. 44.

45. Un écrit qui constate une garantie doit être rédigé clairement et indiquer:

a) le nom et l'adresse de la personne qui accorde la garantie;

b) la description du bien ou du service qui fait l'objet de la garantie;

c) le fait que la garantie puisse ou non être cédée;

d) les obligations de la personne qui accorde la garantie en cas de défectuosité du bien ou de mauvaise exécution du service sur lequel porte la garantie;

e) la façon de procéder que doit suivre le consommateur pour obtenir l'exécution de la garantie, en plus d'indiquer qui est autorisé à l'exécuter; et

f) la durée de validité de la garantie.

1978, c. 9, a. 45.

46. La durée de validité d'une garantie mentionnée dans un contrat, un écrit ou un message publicitaire d'un commerçant ou d'un fabricant doit être déterminée de façon précise.

1978, c. 9, a. 46; 1999, c. 40, a. 234.

47. Lorsque la garantie conventionnelle du fabricant n'est valide que si le bien ou le service est fourni par un commerçant agréé par le fabricant, un autre commerçant qui fournit un tel bien ou un tel service sans être agréé par le fabricant doit, avant de fournir le bien ou le service au consommateur, avertir par écrit ce dernier que la garantie du fabricant n'est pas valide. À défaut d'un tel avis, le commerçant est tenu d'assumer cette garantie à ses frais.

1978, c. 9, a. 47; 1999, c. 40, a. 234.

43. A warranty respecting goods or services that is mentioned in a statement or advertisement of the merchant or the manufacturer is binding on that merchant or that manufacturer. This rule applies to the written warranties of the merchant or the manufacturer not written in the contract.

44. In a conventional warranty, exclusions are prohibited unless they are clearly indicated in separate and successive clauses.

45. Every writing evidencing a warranty must be clearly drawn up and state

(a) the name and address of the person offering the warranty;

(b) the description of the goods or services that are the object of the warranty;

(c) the fact that the warranty may or may not be transferred;

(d) the obligations of the person granting the warranty in the case of a defect in the goods or of the improper carrying out of the services covered by the warranty;

(e) the manner in which the consumer is to proceed to obtain execution of the warranty, and the persons authorized to execute it; and

(f) the duration of the warranty.

46. The duration of a warranty mentioned in a contract, a writing or in an advertisement of a merchant or a manufacturer must be determined precisely.

47. Where the manufacturer's conventional warranty is valid only if the goods or services are supplied by a merchant certified by the manufacturer, another merchant supplying such goods or services without being certified by the manufacturer must, before supplying the goods or services to the consumer, notify the consumer in writing that the manufacturer's warranty is not valid. Failing that notification, the merchant is bound to assume that warranty at his expense.

48. Aucuns frais ne peuvent être exigés par le commerçant ou le fabricant à l'occasion de l'exécution d'une garantie conventionnelle à moins que l'écrit qui constate la garantie ne le stipule et n'en détermine le montant de façon précise.

1978, c. 9, a. 48; 1999, c. 40, a. 234.

49. Le commerçant ou le fabricant assume les frais réels de transport ou d'expédition engagés à l'occasion de l'exécution d'une garantie conventionnelle, à moins qu'il n'en soit autrement stipulé dans l'écrit qui constate la garantie.

1978, c. 9, a. 49; 1999, c. 40, a. 234.

50. La durée de validité d'une garantie prévue par la présente loi ou d'une garantie conventionnelle est prolongée d'un délai égal au temps pendant lequel le commerçant ou le fabricant a eu le bien ou une partie du bien en sa possession aux fins d'exécution de la garantie ou à la suite d'un rappel du bien ou d'une partie du bien par le fabricant.

1978, c. 9, a. 50; 1999, c. 40, a. 234.

51. Le fait, pour le commerçant ou le fabricant, de nommer un tiers pour l'exécution d'une garantie prévue par la présente loi ou d'une garantie conventionnelle ne les libère pas de leur obligation de garantie envers le consommateur.

1978, c. 9, a. 51; 1999, c. 40, a. 234.

52. Le commerçant ou le fabricant ne peut faire dépendre la validité d'une garantie conventionnelle de l'usage, par le consommateur, d'un produit d'une marque de commerce déterminée que si au moins une des trois conditions suivantes est remplie:

a) le produit lui est fourni gratuitement;

b) le bien garanti ne peut fonctionner normalement sans l'usage de ce produit;

c) la garantie conventionnelle fait l'objet d'un contrat distinct à titre onéreux.

1978, c. 9, a. 52; 1999, c. 40, a. 234.

53. Le consommateur qui a contracté avec un commerçant a le droit d'exercer directement contre le commerçant ou contre le fabricant un recours fondé sur un vice caché du bien qui a fait l'objet du contrat, sauf si le consommateur pouvait déceler ce vice par un examen ordinaire.

48. No charge may be exacted by the merchant or the manufacturer for the performance of a conventional warranty unless the writing evidencing the warranty stipulates it and precisely determines the amount.

49. The merchant or the manufacturer shall assume the real cost of transportation or shipping incurred in respect of the performance of a conventional warranty, unless otherwise stipulated in the writing evidencing the warranty.

50. The duration of a warranty provided by this act or of a conventional warranty shall be extended for a period equal to the time during which the merchant or the manufacturer has had the goods or a part of the goods in his possession for the performance of the warranty or pursuant to the recall of the goods or part of the goods by the manufacturer.

51. The designation by the merchant or the manufacturer of a third person to perform the warranty provided for by this act or a conventional warranty does not free them of their obligation of warranty to the consumer.

52. The merchant or the manufacturer shall not make the validity of a conventional warranty conditional upon the consumer using a product which is identified by brand name, unless at least one of the three following conditions is fulfilled:

(a) the product is supplied to him free of charge;

(b) the warranted goods will not function properly unless that product is used;

(c) the conventional warranty forms the object of a separate contract entered into for valuable consideration.

53. A consumer who has entered into a contract with a merchant is entitled to exercise directly against the merchant or the manufacturer a recourse based on a latent defect in the goods forming the object of the contract, unless the consumer could have discovered the defect by an ordinary examination.

Il en est ainsi pour le défaut d'indications nécessaires à la protection de l'utilisateur contre un risque ou un danger dont il ne pouvait lui-même se rendre compte.

Ni le commerçant, ni le fabricant ne peuvent alléguer le fait qu'ils ignoraient ce vice ou ce défaut.

Le recours contre le fabricant peut être exercé par un consommateur acquéreur subséquent du bien.

1978, c. 9, a. 53; 1999, c. 40, a. 234.

54. Le consommateur qui a contracté avec un commerçant a le droit d'exercer directement contre le commerçant ou contre le fabricant un recours fondé sur une obligation résultant de l'article 37, 38 ou 39.

Un recours contre le fabricant fondé sur une obligation résultant de l'article 37 ou 38 peut être exercé par un consommateur acquéreur subséquent du bien.

1978, c. 9, a. 54; 1999, c. 40, a. 234.

SECTION II
CONTRATS CONCLUS PAR UN COMMERÇANT ITINÉRANT

55. Un commerçant itinérant est un commerçant qui, en personne ou par représentant, ailleurs qu'à son adresse:

a) sollicite un consommateur déterminé en vue de conclure un contrat; ou

b) conclut un contrat avec un consommateur.

1978, c. 9, a. 55.

56. Les articles 58 à 65 s'appliquent au contrat de vente ou de louage de biens et au contrat de service conclus par un commerçant itinérant, à l'exception, toutefois, des contrats prévus par règlement.

1978, c. 9, a. 56; 1998, c. 6, a. 1; 1999, c. 40, a. 234.

57. Sous réserve de ce qui est prévu par règlement, ne constitue pas un contrat conclu par un commerçant itinérant, le contrat conclu à l'adresse du consommateur à la demande expresse de ce dernier, à la condition que ce contrat n'ait pas été sollicité ailleurs qu'à l'adresse du commerçant.

1978, c. 9, a. 57.

58. Le contrat doit être constaté par écrit et indiquer:

a) le numéro de permis du commerçant itinérant;

The same rule applies where there is a lack of instructions necessary for the protection of the user against a risk or danger of which he would otherwise be unaware.

The merchant or the manufacturer shall not plead that he was unaware of the defect or lack of instructions.

The rights of action against the manufacturer may be exercised by any consumer who is a subsequent purchaser of the goods.

54. A consumer having entered into a contract with a merchant may take action directly against the merchant or the manufacturer to assert a claim based on an obligation resulting from section 37, 38 or 39.

Rights of action against the manufacturer based on an obligation resulting from section 37 or 38 may be exercised by any consumer who is a subsequent purchaser of the goods.

DIVISION II
CONTRACTS ENTERED INTO BY ITINERANT MERCHANTS

55. An itinerant merchant is a merchant who, personally or through a representative, elsewhere than at his address,

(a) solicits a particular consumer for the purpose of making a contract; or

(b) makes a contract with a consumer.

56. Sections 58 to 65 apply to contracts of sale or lease of goods and to contracts of service entered into by an itinerant merchant, except contracts excluded by regulation.

57. Subject to the regulations, a contract entered into at the address of the consumer upon his express demand does not constitute a contract entered into by an itinerant merchant, provided such contract was not solicited elsewhere than at the merchant's address.

58. The contract must be evidenced in writing and indicate:

(a) the itinerant merchant's permit number;

b) le nom, l'adresse, le numéro de téléphone ainsi que, le cas échéant, l'adresse électronique et le numéro de télécopieur de chaque établissement du commerçant itinérant au Québec et de chaque représentant du commerçant itinérant qui a signé le contrat;

b.1) le nom, l'adresse et le numéro de téléphone du consommateur ainsi que, le cas échéant, son adresse électronique et son numéro de télécopieur;

c) la date de la formation du contrat et l'adresse où il est signé;

d) la description de chaque bien faisant l'objet du contrat, y compris, le cas échéant, sa quantité et l'année du modèle ou une autre marque distinctive, de même que la durée de chaque service prévu par le contrat;

e) le prix comptant de chaque bien ou service;

f) le montant de chacun des droits exigibles en vertu d'une loi fédérale ou provinciale;

g) le total des sommes que le consommateur doit débourser en vertu du contrat;

g.1) le cas échéant, les modalités de paiement; dans le cas d'un contrat de crédit, ces modalités sont indiquées de la façon prévue à l'annexe 3, 5 ou 7;

g.2) la fréquence et la date de chaque livraison et de chaque prestation d'un service, de même que la date prévue pour la dernière livraison ou prestation;

g.3) le cas échéant, la description de chaque bien reçu en échange ou un acompte et de sa quantité ainsi que le prix convenu pour chaque bien;

h) la faculté accordée au consommateur de résoudre le contrat à sa seule discrétion dans les dix jours qui suivent celui où chacune des parties est en possession d'un double du contrat;

i) toute autre mention prescrite par règlement.

Le commerçant doit annexer au double du contrat qu'il remet au consommateur un énoncé des droits de résolution du consommateur et un formulaire de résolution conformes au modèle de l'annexe 1.

1978, c. 9, a. 58; 1998, c. 6, a. 2.

59. Le contrat conclu entre un commerçant itinérant et un consommateur peut être résolu à la discrétion de ce dernier dans les dix jours qui suivent celui où chacune des parties est en possession d'un double du contrat.

Ce délai est toutefois porté à un an à compter de la date de la formation du contrat dans l'un ou l'autre des cas suivants:

(b) the name, address and telephone number and, where applicable, the electronic address and fax number of each establishment of the itinerant merchant in Québec and each representative of the itinerant merchant who signed the contract;

(b.1) the name, address and telephone number and, where applicable, the electronic address and fax number of the consumer;

(c) the date on which the contract is made and the address where it is signed;

(d) the description and quantity of the goods that are the object of the contract, the year of the model or any other distinguishing mark, and the duration of each service provided for by the contract;

(e) the cash price of each item of goods or services;

(f) the amounts of all duties chargeable under any federal or provincial act;

(g) the total amount the consumer must pay under the contract;

(g.1) where applicable, the terms and conditions of payment; in the case of a contract of credit, the terms and conditions of payment are set out as provided in Schedule 3, 5 or 7;

(g.2) the frequency and dates of all deliveries of goods and the frequency and dates of all performances of services, as well as the date by which delivery or performance must be completed;

(g.3) where applicable, a description of all goods received as a trade-in or on account, their quantity, and the price agreed for each item;

(h) the right granted to the consumer to cancel the contract at his sole discretion within ten days after that on which each of the parties is in possession of a duplicate of the contract;

(i) any other information prescribed by regulation.

The merchant must attach a Statement of consumer cancellation rights and a cancellation form in conformity with the model in Schedule 1 to the duplicate of the contract which he remits to the consumer.

59. The contract made between an itinerant merchant and a consumer may be cancelled at the discretion of the consumer within ten days following that on which each of the parties is in possession of a duplicate of the contract.

The time limit is, however, extended to one year from the date on which the contract is made in any of the following cases:

a) le commerçant n'est pas titulaire du permis exigé par la présente loi lors de la formation du contrat;

b) le cautionnement fourni par le commerçant n'est pas valide ou conforme à celui qui est exigé par la présente loi lors de la formation du contrat;

c) le contrat ne respecte pas l'une des règles de formation prévues par les articles 25 à 28 ou ne comporte pas l'une des indications prévues par l'article 58;

d) un Énoncé des droits de résolution du consommateur et un formulaire de résolution conformes au modèle de l'annexe 1 ne sont pas annexés au contrat lors de sa formation;

e) le commerçant ne livre pas le bien ou ne fournit pas le service dans les 30 jours qui suivent la date indiquée au contrat ou la date ultérieure convenue avec le consommateur pour la livraison du bien ou la prestation du service, sauf lorsque le consommateur accepte hors délai cette livraison ou cette prestation.

1978, c. 9, a. 59; 1998, c. 6, a. 3.

60. Le commerçant itinérant ne peut percevoir de paiement partiel ou total du consommateur avant l'expiration du délai de résolution prévu à l'article 59 tant que le consommateur n'a pas reçu le bien qui fait l'objet du contrat.

1978, c. 9, a. 60; 1999, c. 40, a. 234.

61. Le consommateur se prévaut de la faculté de résolution:

a) par la remise du bien au commerçant itinérant ou à son représentant;

b) en retournant au commerçant itinérant ou à son représentant le formulaire prévu à l'article 58; ou

c) par un autre avis écrit à cet effet au commerçant itinérant ou à son représentant.

1978, c. 9, a. 61; 1998, c. 6, a. 4.

62. Le contrat est résolu de plein droit à compter de la remise du bien ou de l'envoi du formulaire ou de l'avis.

Un contrat de crédit conclu par le consommateur, même avec un tiers commerçant, à l'occasion ou en considération d'un contrat conclu avec un commerçant itinérant, forme un tout avec ce contrat et est, de même, résolu de plein droit dès lors qu'il résulte d'une offre, d'une représentation ou d'une autre forme d'intervention du commerçant itinérant.

1978, c. 9, a. 62; 1998, c. 6, a. 5.

(a) the merchant does not hold the permit required by this Act at the time the contract is made;

(b) the security furnished by the itinerant merchant is invalid or is not in conformity with the security required under this Act at the time the contract is made;

(c) the contract is inconsistent with any of the rules set out in section 25 to 28 for the making of contracts, or one of the particulars required under section 58 does not appear in the contract;

(d) a Statement of consumer cancellation rights and a cancellation form in conformity with the model in Schedule 1 have not been attached to the contract at the time the contract was made;

(e) the merchant fails to deliver the goods or perform the service within 30 days from the delivery or performance date specified in the contract or a later date agreed to by the consumer, unless the consumer accepts delivery or performance after that time has expired.

60. The itinerant merchant cannot receive a partial payment or payment in full from the consumer before the expiry of the time for cancellation provided for in section 59 for as long as the consumer has not received the goods forming the object of the contract.

61. The consumer avails himself of his right of cancellation

(a) by returning the goods to the itinerant merchant or his representative;

(b) by returning the form referred to in section 58 to the itinerant merchant or his representative; or

(c) by a notice in writing for that purpose to the itinerant merchant or his representative.

62. The contract is cancelled of right from the return of the goods or the sending of the form or the notice.

A contract of credit made by the consumer, even with another merchant, under or in relation to a contract made with an itinerant merchant, forms part of the whole contract and is also cancelled of right if it was made as a result of an offer or representation made by, or any other action of, the itinerant merchant.

63. Dans les quinze jours qui suivent la résolution, les parties doivent se restituer ce qu'elles ont reçu l'une de l'autre.

Si le commerçant itinérant ne peut restituer au consommateur le bien reçu en paiement, en échange ou en acompte, il doit lui remettre le plus élevé de la valeur du bien ou de son prix indiqué au contrat.

Le commerçant itinérant assume les frais de restitution.

1978, c. 9, a. 63; 1998, c. 6, a. 6.

64. Le commerçant itinérant assume les risques de perte ou de détérioration, même par cas fortuit:

a) du bien qui fait l'objet du contrat jusqu'à l'expiration du délai prévu à l'article 63;

b) du bien reçu en paiement, en échange ou en acompte, jusqu'à sa restitution.

1978, c. 9, a. 64; 1998, c. 6, a. 7; 1999, c. 40, a. 234.

65. Le consommateur ne peut résoudre le contrat si, par suite d'un fait ou d'une faute dont il est responsable, il ne peut restituer au commerçant itinérant le bien dans l'état où il l'a reçu.

1978, c. 9, a. 65.

SECTION III
CONTRATS DE CRÉDIT

66. La présente section vise tous les contrats de crédit, notamment:

a) le contrat de prêt d'argent;

b) le contrat de crédit variable;

c) le contrat assorti d'un crédit.

1978, c. 9, a. 66.

§ 1. — *Dispositions générales*

67. Aux fins de la présente section, on entend par:

a) «obligation totale»: la somme du capital net et des frais de crédit;

b) «période»: un espace de temps d'au plus trente-cinq jours;

c) «versement comptant»: une somme d'argent, la valeur d'un effet de commerce payable à demande, ou la valeur convenue d'un bien, donnés en acompte lors du contrat.

1978, c. 9, a. 67.

63. Within 15 days following the cancellation, the parties must restore what they have received from one another.

If the itinerant merchant is unable to restitute to the consumer the goods received in payment, as a trade-in or on account, the merchant must remit to the consumer the value of the goods or the price of the goods as indicated in the contract, whichever is greater.

The itinerant merchant shall assume the costs of restitution.

64. The itinerant merchant shall assume the risk of loss or deterioration, even by fortuitous event,

(a) of the goods forming the object of the contract, until the expiry of the time provided for in section 63;

(b) of the goods received in payment, as a trade-in or on account, until their restitution.

65. The consumer shall not cancel the contract if, as a result of an act or a fault for which he is liable, he is unable to restore the goods to the itinerant merchant in the condition in which he received them.

DIVISION III
CONTRACTS OF CREDIT

66. This division contemplates all contracts of credit, particularly

(a) contracts for the loan of money;

(b) contracts extending variable credit;

(c) contracts involving credit.

§ 1. — *General Provisions*

67. For the purposes of this division,

(a) "total obligation" means the aggregate of the net capital and the credit charges;

(b) "period" means a space of time of not over thirty-five days;

(c) "down payment" means a sum of money, the value of a negotiable instrument payable on demand, or the agreed value of goods, given on account at the time of the contract.

68. Le capital net est:

a) dans le cas d'un contrat de prêt d'argent, la somme effectivement reçue par le consommateur ou versée ou créditée pour son compte par le commerçant;

b) dans le cas d'un contrat assorti d'un crédit ou d'un contrat de crédit variable, la somme pour laquelle le crédit est effectivement consenti.

Toute composante des frais de crédit est exclue de ces sommes.

1978, c. 9, a. 68.

69. On entend par «frais de crédit» la somme que le consommateur doit payer en vertu du contrat, en plus:

a) du capital net, dans le cas d'un contrat de prêt d'argent ou d'un contrat de crédit variable;

b) du capital net et du versement comptant dans le cas d'un contrat assorti d'un crédit.

1978, c. 9, a. 69.

70. Les frais de crédit doivent être déterminés en incluant leurs composantes dont, notamment:

a) la somme réclamée à titre d'intérêt;

b) la prime d'une assurance souscrite, à l'exception de la prime d'assurance-automobile;

c) la ristourne;

d) les frais d'administration, de courtage, d'expertise, d'acte ainsi que les frais engagés pour l'obtention d'un rapport de solvabilité;

e) les frais d'adhésion ou de renouvellement;

f) la commission;

g) la valeur du rabais ou de l'escompte auquel le consommateur a droit s'il paye comptant;

h) les droits exigibles en vertu d'une loi fédérale ou provinciale, imposés en raison du crédit.

1978, c. 9, a. 70.

71. Le commerçant doit mentionner les frais de crédit en termes de dollars et de cents et indiquer qu'ils se rapportent:

a) à toute la durée du contrat dans le cas d'un contrat de prêt d'argent ou d'un contrat assorti d'un crédit; ou

b) à la période faisant l'objet de l'état de compte dans le cas d'un contrat de crédit variable.

1978, c. 9, a. 71.

68. The net capital is

(a) in the case of a contract for the loan of money, the amount actually received by the consumer or paid into or credited to his account by the merchant;

(b) in the case of a contract involving credit or a contract extending variable credit, the sum for which credit is actually extended.

Every component of the credit charges is excluded from this sum.

1978, c. 9, a. 68.

69. "Credit charges" means the amount the consumer must pay under the contract in addition to

(a) the net capital in the case of a contract for the loan of money or a contract extending variable credit;

(b) the net capital and the down payment in the case of a contract involving credit.

1978, c. 9, a. 69.

70. The credit charges shall be determined as the sum of their components, particularly the following:

(a) the amount claimed as interest;

(b) the premium for insurance subscribed for, except any automobile insurance premium;

(c) the rebate;

(d) administration charges, brokerage fees, appraiser's fees, contract fees and the cost incurred for obtaining a credit report;

(e) membership or renewal fees;

(f) the commission;

(g) the value of the rebate or of the discount to which the consumer is entitled if he pays cash;

(h) the duties chargeable, under a federal or provincial act, on the credit.

1978, c. 9, a. 70.

71. The merchant must state the credit charges in terms of dollars and cents, and indicate that they apply

(a) to the entire term of the contract in the case of a contract for the loan of money or a contract involving credit, or

(b) to the period covered by the statement of account in the case of a contract extending variable credit.

72. Le taux de crédit est l'expression des frais de crédit sous la forme d'un pourcentage annuel. Il doit être calculé et divulgué de la manière prescrite par règlement.

Pour le calcul du taux de crédit dans le cas d'un contrat de crédit variable, on ne tient pas compte des composantes suivantes des frais de crédit:

a) les frais d'adhésion ou de renouvellement; et

b) la valeur du rabais ou de l'escompte auquel le consommateur a droit s'il paye comptant.

1978, c. 9, a. 72.

73. Un contrat de prêt d'argent et un contrat assorti d'un crédit peuvent être résolus sans frais ni pénalité, à la discrétion du consommateur, dans les deux jours qui suivent celui où chacune des parties est en possession d'un double du contrat.

1978, c. 9, a. 73.

74. Dans le cas d'un contrat de prêt d'argent, le consommateur se prévaut de la faculté de résolution:

a) par la remise du capital net au commerçant ou à son représentant, s'il l'a reçu au moment où chacune des parties est entrée en possession d'un double du contrat;

b) dans les autres cas, soit par la remise du capital net, soit par l'envoi d'un avis écrit à cet effet au commerçant ou à son représentant.

1978, c. 9, a. 74.

75. Dans le cas d'un contrat assorti d'un crédit, le consommateur se prévaut de la faculté de résolution:

a) par la remise du bien au commerçant ou à son représentant, s'il a reçu livraison du bien au moment où chacune des parties est entrée en possession d'un double du contrat;

b) dans les autres cas, soit par la remise du bien, soit par l'envoi d'un avis écrit à cet effet au commerçant ou à son représentant.

1978, c. 9, a. 75.

76. Le contrat est résolu de plein droit à compter de la remise du bien ou du capital net ou à compter de l'envoi de l'avis au commerçant ou à son représentant.

1978, c. 9, a. 76.

77. Lorsqu'un contrat est résolu en vertu de l'article 73, les parties doivent, dans les plus brefs délais, se remettre ce qu'elles ont reçu l'une de l'autre. Le commerçant assume les frais de restitution.

1978, c. 9, a. 77.

72. The credit rate is the amount of the credit charges expressed as an annual percentage. It must be computed and disclosed in the manner prescribed by regulation.

In computing the credit rate in the case of a contract extending variable credit, the following components of the credit charges are not considered:

(a) membership or renewal fees; and

(b) the value of the rebate or of the discount to which the consumer is entitled if he pays cash.

73. Contracts for the loan of money and contracts involving credit may be cancelled without cost or penalty, at the discretion of the consumer, within two days following that on which each of the parties is in possession of a duplicate of the contract.

74. In the case of a contract for the loan of money, the consumer avails himself of the right of cancellation

(a) by returning the net capital to the merchant or his representative, if he received it at the time at which each of the parties came into possession of a duplicate of the contract;

(b) by either returning the net capital or sending notice in writing for that purpose to the merchant or his representative, in all other cases.

75. In the case of a contract involving credit, the consumer avails himself of the right of cancellation

(a) by returning the goods to the merchant or his representative, if he received delivery of the goods at the time at which each of the parties came into possession of a duplicate of the contract;

(b) by either returning the goods or sending notice in writing for that purpose to the merchant or his representative, in all other cases.

76. The contract is dissolved *pleno jure* from the return of the goods or of the net capital or from the sending of the notice to the merchant or his representative.

77. Where a contract is cancelled by virtue of section 73, the parties must as soon as possible return to each other what they have received from one another. The merchant shall assume the costs of restitution.

78. Le commerçant assume les risques de perte ou de détérioration, même par cas fortuit, du bien qui fait l'objet du contrat jusqu'à l'expiration du délai prévu à l'article 73.

1978, c. 9, a. 78; 1999, c. 40, a. 234.

79. Le consommateur ne peut résoudre le contrat si, par suite d'un fait ou d'une faute dont il est responsable, il ne peut restituer au commerçant le bien dans l'état où il l'a reçu.

1978, c. 9, a. 79.

80. Un contrat de crédit, à l'exception d'un contrat de prêt d'argent payable à demande, doit être constaté par écrit.

1978, c. 9, a. 80.

81. Un contrat de crédit, à l'exception d'un contrat de crédit variable, ne doit indiquer qu'un seul taux de crédit.

1978, c. 9, a. 81.

82. Abrogé.

1987, c. 90, a. 2.

83. Le commerçant ne peut exiger sur une somme due par le consommateur des frais de crédit calculés suivant un taux de crédit plus élevé que le moindre des deux taux suivants: celui calculé conformément à la présente loi ou celui qui est mentionné au contrat.

1978, c. 9, a. 83.

84. Le contrat doit prévoir un seul paiement différé par période.

1978, c. 9, a. 84.

85. Malgré les dispositions de l'article 84, la date du premier paiement que doit faire le consommateur peut être fixée à volonté mais, si elle est fixée à plus de trente-cinq jours après celle de la formation du contrat, les frais de crédit ne courent pas entre la date du contrat et le début de la période pour laquelle ce paiement est prévu.

1978, c. 9, a. 85.

86. Si l'obligation principale du commerçant est exécutée plus de sept jours après la formation du contrat, les frais de crédit ne peuvent courir, et le commerçant ne peut exiger du consommateur aucun paiement, avant la date de cette exécution.

1978, c. 9, a. 86.

78. The merchant shall assume the risk of loss or deterioration, even by fortuitous event, of the goods forming the object of the contract, until the expiry of the time provided for in section 73.

79. The consumer shall not cancel the contract if, as a result of an act or a fault for which he is liable, he is unable to restore the goods to the merchant in the condition in which he received them.

80. Contracts of credit, except contracts for the loan of money payable on demand, must be evidenced in writing.

81. Contracts of credit, except contracts extending variable credit, must stipulate only one credit rate.

82. Repealed.

83. The merchant shall not exact, on a sum owing by the consumer, credit charges computed at a higher credit rate than the lesser of the two following rates: that computed in accordance with this act and that stated in the contract.

84. The contract must provide for only one deferred payment during each period.

85. Notwithstanding section 84, the date on which the consumer must make his first payment may be fixed at will, but if it is fixed at over thirty-five days after that of the making of the contract, the credit charges do not accrue between the date of the contract and the commencement of the period for which that payment is stipulated.

86. If the merchant's principal obligation is performed more than seven days after the contract is entered into, the credit charges cannot accrue, and the merchant shall not demand any payment from the consumer, before the date of such performance.

87. Sauf pour le contrat de crédit variable, les paiements différés doivent être égaux, à l'exception du dernier qui peut être moindre.

1978, c. 9, a. 87.

88. Est exempté de l'application des articles 84, 85 et 87, le contrat auquel est partie un consommateur qui tire son revenu principal d'une activité qu'il exerce pendant au plus huit mois par année, à la condition que le contrat contienne la mention suivante, conforme aux exigences de la présente loi et signée à part par le consommateur:

«(*inscrire ici le nom du consommateur et l'activité qui constitue sa principale source de revenu*) déclare que son revenu principal est saisonnier.»

Il en est de même pour le contrat passé entre un commerçant et un consommateur, portant sur un bien nécessaire à l'exercice du métier, de l'art ou de la profession du consommateur, à la condition que le contrat contienne la mention suivante, conforme aux exigences de la présente loi et signée à part par le consommateur:

«(*inscrire ici le nom et l'activité principale du consommateur*) déclare que le bien faisant l'objet du contrat est nécessaire à l'exercice de son métier, de son art ou de sa profession.»

Le commerçant a le droit d'agir sur la foi d'une déclaration aussi remplie, sauf s'il sait qu'elle est fausse.

1978, c. 9, a. 88.

89. Aux conditions prescrites par règlement, est exempté de l'application des articles 84, 85 et 87, le contrat de prêt d'argent:

a) en vertu duquel l'obligation totale du consommateur est remboursable en totalité à une seule date déterminée;

b) payable à demande;

c) dont la date d'échéance est indéterminée; ou

d) dont le montant des paiements est indéterminé.

1978, c. 9, a. 89.

90. Malgré le deuxième alinéa de l'article 16, dans le cas d'un contrat de prêt d'argent, les frais de crédit ne peuvent être exigés du consommateur que sur la partie du capital net qu'il a reçue du commerçant et sur celle qui a été versée ou créditée pour son compte par le commerçant.

1978, c. 9, a. 90.

87. Except for a contract extending variable credit, deferred payments must be equal, except the final payment, which may be less.

88. A contract to which a consumer who earns his principal income from an occupation that he carries on for not more than eight months per year is a party is exempt from the application of sections 84, 85 and 87, provided that the contract contains the following clause, drawn up in accordance with the requirements of this act and specially signed by the consumer:

"(*Insert here the name of the consumer and the occupation which is his principal source of income*) declares that his or her principal income is seasonal."

The same rule applies to a contract between a merchant and a consumer for goods necessary for the carrying on of the trade, art or profession of the consumer, provided that the contract contains the following clause, drawn up in accordance with the requirements of this act and specially signed by the consumer:

"(*Insert here the name and the main occupation of the consumer*) declares that the goods forming the object of the contract are necessary for the carrying on of his or her trade, art or profession."

The merchant is entitled to act on the strength of a declaration so drawn up, unless he knows it to be false.

89. A contract for the loan of money is exempt from the application of sections 84, 85 and 87, subject to the conditions prescribed by regulation, whereunder

(a) the consumer's total obligation is repayable in full on a fixed date,

(b) the loan is payable on demand,

(c) the date of maturity is not fixed, or

(d) the amount of the payments is not fixed.

90. In the case of a contract for the loan of money, and notwithstanding the second paragraph of section 16, no credit charge may be exacted from the consumer except on such part of the net capital as he has received from the merchant and on such part as has been paid into or credited to his account by the merchant.

91. Les frais de crédit doivent être calculés selon la méthode de type actuariel prescrite par règlement.

1978, c. 9, a. 91.

92. Les frais de crédit, qu'ils soient imposés à titre de pénalité, de frais de retard, de frais d'atermoiement, ou à un autre titre doivent être calculés de la manière prévue à l'article 91, à l'exception des composantes mentionnées aux paragraphes a et b du deuxième alinéa de l'article 72 dans le cas d'un contrat de crédit variable.

1978, c. 9, a. 92.

93. Le consommateur peut payer en tout ou en partie son obligation avant échéance.

Le solde dû est égal en tout temps à la somme du solde du capital net et des frais de crédit calculés conformément à l'article 91.

1978, c. 9, a. 93.

94. Le commerçant doit, selon les modalités de temps et de forme prescrites par règlement, faire parvenir au consommateur un état de compte indiquant les renseignements prescrits par règlement.

1978, c. 9, a. 94.

95. Le consommateur qui constate une erreur de facturation dans l'état de compte que lui fournit un commerçant avec qui il a conclu un contrat de crédit, peut adresser à ce dernier un écrit dans lequel il l'informe:

a) de son identité;

b) de l'erreur constatée et de la somme en question, s'il y a lieu; et

c) des motifs qu'il a de croire qu'il y a erreur.

1978, c. 9, a. 95.

96. Le commerçant qui reçoit d'un consommateur l'écrit prévu à l'article 95, doit, dans les soixante jours qui suivent la date d'envoi de cet écrit, informer le consommateur, par écrit:

a) de la correction de l'erreur de facturation, y compris la correction des frais de crédit erronément facturés; ou

b) de son refus de corriger l'état de compte en expliquant au consommateur les motifs pour lesquels il n'a pas donné suite à sa demande de correction; dans ce cas, le commerçant doit, sans frais, fournir au consommateur qui en fait la demande, copie de la preuve documentaire à l'appui de son refus.

1978, c. 9, a. 96.

91. The credit charges must be computed according to the actuarial method prescribed by regulation.

92. Credit charges, whether imposed as a penalty, arrears charge, extension charge or otherwise must be computed in the manner provided in section 91, except the components mentioned in subparagraphs a and b of the second paragraph of section 72 in the case of a contract extending variable credit.

93. The consumer may make full payment or partial payment of his obligation before maturity.

The balance owing is equal at all times to the aggregate of the net capital balance and the credit charges computed in accordance with section 91.

94. The merchant must, on such terms and conditions in respect of time and form as are prescribed by regulation, send to the consumer a statement of account setting out the information prescribed by regulation.

95. A consumer discovering a billing error in the statement of account provided to him by a merchant with whom he has entered into a contract of credit may address a writing to the merchant, informing him of

(a) his identity,

(b) the error discovered and the sum involved, where that is the case, and

(c) his grounds for believing the error exists.

96. The merchant receiving the writing provided for in section 95 from a consumer shall, within sixty days from the date of mailing of that writing, advise the consumer, in writing,

(a) that the billing error has been corrected, together with any credit charges erroneously billed; or

(b) that he refuses to correct the statement of account, explaining to the consumer his grounds for not acceding to his request to make the correction; in this case, the merchant must, without charge, provide the consumer, on demand, with documentary proof of his grounds for refusal.

97. Le commerçant qui contrevient à l'article 96 perd le droit de réclamer du consommateur la somme mentionnée par ce dernier aux termes du paragraphe b de l'article 95 ainsi que les frais de crédit qui s'y appliquent.

1978, c. 9, a. 97.

98. Si les parties à un contrat de crédit désirent modifier certaines dispositions du contrat et si le taux ou les frais de crédit s'en trouvent augmentés, elles doivent conclure un nouveau contrat contenant:

a) l'identification du contrat original;

b) la somme exigée du consommateur pour acquitter avant échéance son obligation en vertu du contrat original;

c) le capital net ainsi que les frais et le taux de crédit; et

d) le montant de l'obligation totale du consommateur et les modalités de paiement.

1978, c. 9, a. 98.

99. Dans le cas d'un contrat de crédit résultant de la consolidation de dettes dues au même commerçant, les mentions requises aux paragraphes a et b de l'article 98 doivent être faites séparément pour chacun des contrats originaux.

1978, c. 9, a. 99.

100. Sont exemptés de l'application de l'article 98:

a) aux conditions prescrites par règlement, le contrat de prêt d'argent dont la date d'échéance est indéterminée, ou dont le montant des paiements est indéterminé; et

b) la correction d'une erreur de transcription apportée d'un commun accord au contrat par les parties.

1978, c. 9, a. 100.

100.1 Aux conditions prescrites par règlement, sont exemptés de l'application des articles 71, 81, 83, 87 et 98 et, selon la nature du contrat, de l'application de l'article 115, 134 ou 150, le contrat de prêt d'argent et le contrat assorti d'un crédit qui prévoient que le taux de crédit est susceptible de varier.

1984, c. 27, a. 84.

101. Le commerçant doit, lorsque le consommateur acquitte la totalité de son obligation, lui remettre une quittance et lui rendre tout objet ou document reçu en reconnaissance ou en garantie de cette obligation.

1978, c. 9, a. 101.

97. A merchant who contravenes section 96 loses his right to claim from the consumer the sum mentioned by the latter under the terms of paragraph b of section 95 and the corresponding credit charges.

98. If the parties to a contract of credit wish to amend certain provisions of the contract and if the credit rate or the credit charges are thereby increased, they must execute a new contract containing

(a) the identification of the original contract;

(b) the amount exacted from the consumer to discharge, before maturity, his obligation under the original contract;

(c) the net capital, the credit charges and the credit rate; and

(d) the amount of the consumer's total obligation and the terms and conditions of payment.

99. In the case of a contract of credit resulting from the consolidation of debts owing to the same merchant, the particulars required under paragraphs a and b of section 98 must be set out separately for each of the original contracts.

100. The following are exempt from the application of section 98:

(a) subject to the conditions prescribed by regulation, a contract for the loan of money providing no fixed date of maturity or providing no fixed amounts of payments; and

(b) the correction of a clerical error in the contract with the agreement of both parties.

100.1 Contracts for the loan of money and contracts involving credit which provide that the credit rate is subject to variation are, on the conditions prescribed by regulation, exempt from the application of sections 71, 81, 83, 87 and 98 and, according to the nature of the contract, from that of section 115, 134 or 150.

101. When the consumer discharges his obligation in full, the merchant shall give him a discharge and return to him every object or document received as an acknowledgement of or security for that obligation.

102. Un effet de commerce, souscrit en reconnaissance de paiements différés à l'occasion d'un contrat, forme un tout avec ce contrat et ne peut être cédé séparément, pas plus que le contrat, par le commerçant ou un cessionnaire subséquent.

1978, c. 9, a. 102.

103. Le cessionnaire d'une créance d'un commerçant qui est partie à un contrat ne peut avoir plus de droits que ce commerçant et il est conjointement et solidairement responsable avec le commerçant de l'exécution des obligations de ce dernier jusqu'à concurrence du montant de la créance au moment où elle lui est cédée ou, s'il la cède à son tour, jusqu'à concurrence du paiement qu'il a reçu.

1978, c. 9, a. 103.

1. Déchéance du bénéfice du terme

104. Dans un contrat, une stipulation ayant pour effet d'obliger le consommateur en défaut à payer en tout ou en partie le solde de son obligation avant échéance, constitue une clause de déchéance du bénéfice du terme.

1978, c. 9, a. 104.

105. Le commerçant qui se prévaut d'une telle clause doit en informer le consommateur au moyen d'un avis écrit rédigé selon la formule prévue à l'annexe 2. Le commerçant doit joindre à cet avis un état de compte indiquant les renseignements prescrits par règlement.

1978, c. 9, a. 105.

106. La déchéance du bénéfice du terme ne prend effet qu'à l'expiration d'un délai de trente jours après réception de l'avis et de l'état de compte prévus à l'article 105.

1978, c. 9, a. 106; 1999, c. 40, a. 234.

107. Si le consommateur ne remédie pas au fait qu'il est en défaut dans le délai prévu à l'article 106, le solde de son obligation devient exigible à moins que, sur requête du consommateur, le tribunal ne modifie les modalités de paiement selon les conditions qu'il juge raisonnables ou n'autorise le consommateur à remettre le bien au commerçant.

1978, c. 9, a. 107; 1999, c. 40, a. 234.

108. La requête doit être signifiée avant l'expiration du délai prévu à l'article 106.

1978, c. 9, a. 108; 1999, c. 40, a. 234.

102. A negotiable instrument signed at the time of a contract to acknowledge deferred payments forms part of the whole contract and neither such instrument nor the contract may be assigned separately by the merchant or any subsequent assignee.

103. The assignee of a debt owed to a merchant under a contract to which the latter is a party cannot have more rights than the merchant and is jointly and severally responsible with the merchant for the performance of the merchant's obligations up to the amount of such debt at the time it is assigned to him or, if he assigns it in turn, up to the amount of payment he has received.

1. Forfeiture of Benefit of the Term

104. Every provision in a contract which has the effect of requiring the consumer in default to pay all or part of the balance of his debt before maturity is a clause of forfeiture of benefit of the term.

105. The merchant who avails himself of such a clause must advise the consumer thereof by means of a notice in writing drawn up in accordance with the form appearing in Schedule 2. The merchant must attach to that notice a statement of account containing the information prescribed by regulation.

106. The forfeiture of benefit of the term takes effect only after the expiry of thirty days following the receipt of the notice and statement of account provided for in section 105.

107. If the consumer does not remedy his default within the time provided for in section 106, the balance of his obligation becomes payable unless, upon a motion by the consumer, the court changes the terms and conditions of payment according to such conditions as it considers reasonable or authorizes the consumer to return the goods to the merchant.

108. The motion must be served before the expiry of the time, provided for in section 106.

109. La requête doit être instruite et jugée d'urgence en tenant compte notamment des éléments suivants:

a) le total des sommes que le consommateur doit débourser en vertu du contrat;

b) les sommes déjà payées;

c) la valeur du bien au moment où le consommateur est devenu en défaut;

d) le solde dû au commerçant;

e) la capacité de payer du consommateur; et

f) la raison pour laquelle le consommateur est en défaut.

1978, c. 9, a. 109.

110. La remise du bien au commerçant autorisée en vertu de l'article 107 éteint l'obligation contractuelle du consommateur et le commerçant n'est pas tenu de remettre le montant des paiements qu'il a reçus.

1978, c. 9, a. 110.

2. Assurances

111. Un commerçant ne peut refuser de conclure un contrat de crédit avec un consommateur pour le motif que ce dernier ne souscrit pas, par son entremise, une police d'assurance individuelle ou n'adhère pas, par son entremise, à une police d'assurance collective.

1978, c. 9, a. 111.

112. Si la souscription d'une assurance est une condition à la formation d'un contrat de crédit, le consommateur peut remplir cette condition au moyen d'une assurance qu'il détient déjà.

Le commerçant doit informer le consommateur de ce droit de la manière prescrite par règlement.

1978, c. 9, a. 112.

113. Le commerçant qui souscrit un contrat d'assurance collective sur la vie ou la santé d'un consommateur à l'occasion d'un contrat de crédit doit, conformément aux dispositions de la Loi sur les assurances (L.R.Q., chapitre A-32) et aux règlements adoptés en application de cette loi, remettre au consommateur un formulaire d'adhésion ou une attestation d'assurance.

1978, c. 9, a. 113.

114. Pour une autre assurance souscrite à l'occasion d'un contrat de crédit, le commerçant doit fournir au consommateur, dans un délai de trente jours, une attestation d'assurance ainsi qu'une copie de la proposition d'assurance.

1978, c. 9, a. 114.

109. The motion must be heard and decided by preference, considering, in particular, the following facts:

(a) the total of amounts that the consumer must disburse under the contract;

(b) the sums already paid;

(c) the value of the goods at the time of the consumer's default;

(d) the balance due to the merchant;

(e) the consumer's ability to pay; and

(f) the reason for which the consumer is in default.

110. The return of the goods to the merchant authorized by virtue of section 107 extinguishes the consumer's contractual obligation and the merchant is not bound to return the amount of the payments he has received.

2. Insurance

111. No merchant may refuse to enter into a contract of credit with a consumer on the pretext that the latter does not subscribe, through him, to an individual insurance policy or does not participate, through him, in a group insurance policy.

112. If subscription to an insurance policy is a condition of the making of a contract of credit, the consumer may fulfil this condition by means of an insurance policy he already holds.

The merchant must inform the consumer of such right in the manner prescribed by regulation.

113. A merchant subscribing to a group life or health insurance contract covering the consumer on his entering into a contract of credit must, in accordance with the Act respecting insurance (R.S.Q., chapter A-32) and the regulations thereunder, provide the consumer with a membership form and a certificate of insurance.

114. For other insurance subscribed in respect of the making of a contract of credit, the merchant must, within thirty days, provide the consumer with a certificate of insurance and a copy of the application for insurance.

§ 2. — *Contrats de prêt d'argent*

115. Le contrat de prêt d'argent doit reproduire, en plus des mentions prescrites par règlement, les mentions prévues à l'annexe 3.

1978, c. 9, a. 115.

116. Le consommateur qui a utilisé le capital net d'un contrat de prêt d'argent pour payer en totalité ou en partie l'achat ou le louage d'un bien ou la prestation d'un service, peut, si le prêteur d'argent et le commerçant vendeur, locateur, entrepreneur ou prestataire de service collaborent régulièrement en vue de l'octroi de prêts d'argent à des consommateurs, opposer au prêteur d'argent les moyens de défense qu'il peut faire valoir à l'encontre du commerçant vendeur, locateur, entrepreneur ou prestataire de service.

1978, c. 9, a. 116; 1999, c. 40, a. 234.

117. Lorsqu'il y a contestation judiciaire entre le consommateur et le commerçant vendeur, locateur, entrepreneur ou prestataire de service, le tribunal peut, sur requête du consommateur, ordonner la suspension du remboursement du prêt jusqu'au jugement final.

Lors du jugement final, le tribunal indique quelle est la partie qui doit payer les frais de crédit courus pendant la suspension du remboursement du prêt.

1978, c. 9, a. 117; 1999, c. 40, a. 234.

§ 3. — *Contrats de crédit variable*

118. Le contrat de crédit variable est le contrat par lequel un crédit est consenti d'avance par un commerçant à un consommateur qui peut s'en prévaloir de temps à autre, en tout ou en partie, selon les modalités du contrat.

Le contrat de crédit variable comprend notamment le contrat conclu pour l'utilisation de ce qui est communément appelé carte de crédit, compte de crédit, compte budgétaire, crédit rotatif, marge de crédit, ouverture de crédit et tout autre contrat de même nature.

1978, c. 9, a. 118.

119. Aux fins de l'article 118, constituent des frais de crédit les pénalités imposées en cas de non-paiement à l'échéance.

1978, c. 9, a. 119; 1999, c. 40, a. 234.

§ 2. — *Contracts for the Loan of Money*

115. A contract for the loan of money must reproduce the particulars provided for in Schedule 3, in addition to those prescribed by regulation.

116. The consumer who has used the net capital of a contract for the loan of money to make full or partial payment for the purchase or the lease of goods or the provision of services may, if the money lender and the merchant who is the vendor, lessor, contractor or service provider regularly work together with a view to the granting of loans of money to consumers, plead against the money lender any ground of defence that he may urge against the merchant who is the vendor, lessor, contractor or service provider.

117. Where legal proceedings intervene between the consumer and the merchant who is the vendor, lessor, contractor or service provider, the court may, on a motion of the consumer, order the suspension of the repayment of the loan until final judgment is rendered.

At the time of the final judgment, the court shall indicate which party must pay the credit charges accrued during the suspension of repayment of the loan.

§ 3. — *Contracts Extending Variable Credit*

118. A contract extending variable credit is a contract by which credit is extended in advance by a merchant to a consumer who may avail himself of it, in whole or in part, from time to time, in accordance with the terms and conditions of the contract.

Contracts extending variable credit include, in particular, contracts made for the use of what are commonly called credit cards, credit accounts, budget accounts, revolving credit accounts, marginal credit and credit openings and any other contract of similar nature.

119. For the purposes of section 118, penalties imposed for non-payment at the expiry of the term constitute credit charges.

120. Nul ne peut émettre une carte de crédit pour un consommateur ni lui en faire parvenir une si le consommateur ne l'a pas sollicitée par écrit.
1978, c. 9, a. 120.

121. L'article 120 ne s'applique pas au renouvellement ou au remplacement, aux mêmes conditions, d'une carte de crédit que le consommateur a sollicitée ou utilisée.

Nul ne peut, cependant, renouveler ou remplacer une carte de crédit lorsque le consommateur a avisé par écrit l'émetteur de la carte de son intention d'annuler cette carte.
1978, c. 9, a. 121.

122. Nul ne peut émettre plus d'une carte de crédit portant le même numéro, sauf à la demande écrite du consommateur partie au contrat de crédit variable.
1978, c. 9, a. 122.

123. En cas de perte ou de vol d'une carte de crédit, le consommateur ne peut être tenu responsable d'une dette découlant de l'usage de cette carte par un tiers après que l'émetteur a été avisé de la perte ou du vol par téléphone, télégraphe, avis écrit ou tout autre moyen.
1978, c. 9, a. 123.

124. Même en l'absence d'un tel avis, la responsabilité du consommateur dont la carte de crédit a été perdue ou volée est limitée à la somme de $50.
1978, c. 9, a. 124.

125. Le contrat de crédit variable doit reproduire, en plus des mentions prescrites par règlement, les mentions prévues à l'annexe 4.
1978, c. 9, a. 125.

126. À la fin de chaque période, le commerçant, s'il a une créance à l'égard d'un consommateur, doit lui fournir un état de compte, posté au moins vingt et un jours avant la date à laquelle le créancier peut exiger des frais de crédit si le consommateur n'acquitte pas la totalité de son obligation; dans le cas d'une avance en argent, ces frais peuvent courir à compter de la date de cette avance jusqu'à la date du paiement.

L'état de compte doit mentionner:

a) la date de la fin de la période;

b) le solde du compte à la fin de la période précédente en spécifiant la partie de ce solde que représentent les avances en argent consenties;

c) la date, la description et la valeur de chaque transaction portée au débit du compte au cours de la période, sauf si le commerçant annexe à l'état de compte une copie des pièces justificatives;

120. No person may issue or send a credit card to a consumer unless the consumer has applied for it in writing.

121. Section 120 does not apply to the renewal or replacement, on the same conditions, of a credit card which the consumer has applied for or used.

No person may, however, renew or replace a credit card if the consumer has notified in writing the issuer of the card of his intention to cancel such card.

122. No person may issue more than one credit card bearing the same number except on the written request of the consumer who is a party to the contract extending variable credit.

123. In case of loss or theft of a credit card, the consumer incurs no liability for a debt resulting from the use of such card by a third person after the issuer is notified of the loss or theft by telephone, telegraph, written notice or any other means.

124. Even where such notice is not given, the liability of the consumer whose credit card is lost or stolen is limited to the sum of $50.

125. Contracts extending variable credit must reproduce the particulars prescribed in Schedule 4, in addition to those prescribed by regulation.

126. At the end of each period, the merchant must furnish the consumer who owes him a debt with a statement of account, mailed not less than twenty-one days before the date on which the creditor may impose credit charges, if the consumer does not discharge his obligation in full; in the case of an advance of money, these charges may accrue from the date of that advance until the date of payment.

The statement of account must indicate:

(a) the date of the end of the period;

(b) the balance of the account at the end of the preceding period, specifying the portion of the balance which is represented by moneys advanced;

(c) the date, description and value of each transaction debited to the consumer's account during the period unless the merchant appends a copy of the vouchers to the statement of account;

d) la date et le montant de chaque paiement effectué ou de chaque somme créditée au cours de la période;

e) les frais de crédit exigés pendant la période;

f) le solde du compte à la fin de la période;

g) le paiement minimum requis pour cette période; et

h) le délai pendant lequel le consommateur peut acquitter son obligation sans être tenu de payer des frais de crédit sauf sur les avances en argent.

Le consommateur peut exiger du commerçant qu'il lui fasse parvenir sans frais une copie des pièces justificatives de chacune des transactions portées au débit de son compte au cours de la période.

1978, c. 9, a. 126; 1999, c. 40, a. 234.

127. Tant que le consommateur n'a pas reçu à son adresse un état de compte, le commerçant ne peut exiger de frais de crédit sur le solde impayé, sauf sur les avances en argent.

Pourvu que le consommateur en ait expressément fait la demande par écrit, son adresse comprend, aux fins du premier alinéa, celle où il accepte de recevoir des documents technologiques au sens de l'article 3 de la Loi concernant le cadre juridique des technologies de l'information (2001, chapitre 32).

1978, c. 9, a. 127; 2001, c. 32, a. 102.

128. Lorsque le commerçant a indiqué au consommateur la somme jusqu'à concurrence de laquelle un crédit variable lui est consenti, il ne peut augmenter cette somme sauf à la demande expresse du consommateur.

1978, c. 9, a. 128.

129. Malgré l'article 98, le commerçant peut modifier le contrat de crédit variable pour augmenter la somme exigible à titre de frais d'adhésion ou de renouvellement ou le taux de crédit.

Le commerçant doit, selon les modalités de temps prescrites par règlement, expédier au consommateur un avis contenant exclusivement les clauses modifiées, anciennes et nouvelles, et la date de l'entrée en vigueur de l'augmentation.

La modification unilatérale d'un contrat de crédit variable non conforme au présent article est inopposable au consommateur.

1978, c. 9, a. 129; 1984, c. 27, a. 85.

130. Le contrat de crédit variable ne peut comporter de clause par laquelle le transfert de propriété du bien vendu par un commerçant à un consommateur est différé jusqu'à l'exécution, par ce dernier, de son obligation, en tout ou en partie.

1978, c. 9, a. 130.

(d) the date and amount of each payment made or sum credited during the period;

(e) the credit charges required during the period;

(f) the balance of the account at the end of the period;

(g) the minimum payment required for such period; and

(h) the time during which the consumer may discharge his obligation without being required to pay credit charges except on advances of money.

The consumer may require the merchant to send to him without charge a copy of the vouchers for each of the transactions debited to the consumer's account during the period.

127. Until the consumer receives a statement of account at his address, the merchant shall not exact credit charges on the unpaid balance except on advances of money.

Provided that the consumer has so requested expressly in writing, the address of the consumer includes, for the purposes of the first paragraph, the address where the consumer accepts the receipt of technology-based documents within the meaning of section 3 of the Act to establish a legal framework for information technology (2001, chapter 32).

128. Where the merchant has indicated to the consumer the amount up to which variable credit is extended to him, the merchant shall not increase such amount unless the consumer expressly applies therefor.

129. Notwithstanding section 98, the merchant may amend the contract extending variable credit to increase the amount chargeable as membership or renewal fees or the credit rate.

The merchant must send to the consumer, according to the time limits prescribed by regulation, a notice setting out exclusively the amended clauses, as they formerly read and as they read now, and the date of the coming into force of the increase.

The unilateral amendment not conformable to this section of a contract extending variable credit cannot be invoked against the consumer.

130. No contract extending variable credit may include a clause whereby the transfer of the ownership of the goods sold by a merchant to a consumer is deferred until the consumer's performance of all or part of his obligation.

§ 4. — *Contrats assortis d'un crédit*

131. La présente sous-section s'applique à la vente à tempérament et aux autres contrats assortis d'un crédit.

1978, c. 9, a. 131.

1. Vente à tempérament

132. La vente à tempérament est un contrat assorti d'un crédit par lequel un commerçant, lorsqu'il vend un bien à un consommateur, se réserve la propriété du bien jusqu'à l'exécution, par ce dernier, de son obligation, en tout ou en partie.

1978, c. 9, a. 132; 1998, c. 5, a. 22.

133. Le commerçant assume les risques de perte ou de détérioration par cas fortuit tant que la propriété du bien n'a pas été transférée au consommateur.

1978, c. 9, a. 133.

134. Le contrat doit reproduire, en plus des mentions prescrites par règlement, les mentions prévues à l'annexe 5.

1978, c. 9, a. 134.

135. La vente à tempérament qui ne respecte pas les exigences prescrites dans la section III du présent chapitre est une vente à terme et transfère au consommateur la propriété du bien vendu.

1978, c. 9, a. 135.

136. Est interdite une stipulation qui:

a) vise à empêcher le consommateur de déplacer le bien à l'intérieur du Québec sans la permission du commerçant; ou

b) permet au commerçant de reprendre possession du bien sans le consentement exprès du consommateur ou du tribunal.

1978, c. 9, a. 136.

137. Le solde dû par le consommateur devient exigible lorsque le bien est vendu par autorité de justice ou que le consommateur, sans le consentement du commerçant, le cède à un tiers.

1978, c. 9, a. 137.

138. À défaut par le consommateur d'exécuter son obligation suivant les modalités du contrat, le commerçant peut:

a) soit exiger le paiement immédiat des versements échus;

§ 4. — *Contracts Involving Credit*

131. This subdivision applies to instalment sales and to all other contracts involving credit.

1. Instalment Sales

132. An instalment sale is a contract involving credit whereby a merchant selling goods to a consumer reserves ownership of the goods until the consumer's performance of all or part of his obligation.

133. The merchant shall assume the risk of loss or deterioration by fortuitous event until the ownership of the goods is transferred to the consumer.

134. The contract must reproduce the particulars provided for in Schedule 5, in addition to those prescribed by regulation.

135. Every instalment sale not conformable to the requirements of Division III of this chapter is a sale with a term which transfers to the consumer the ownership of the goods sold.

136. Every provision

(a) intended to prevent the consumer from moving the goods within Québec without the permission of the merchant, or

(b) enabling the merchant to retake possession of the goods without the express consent of the consumer or the court,

is prohibited.

137. The balance owing by the consumer becomes exigible when the goods are sold by judicial authority or when the consumer conveys them to a third person without the merchant's consent.

138. If the consumer is in default to perform his obligation in accordance with the terms and conditions of the contract, the merchant may

(a) exact immediate payment of the instalments due;

b) soit exiger, de la manière prévue aux articles 105 et suivants, le paiement immédiat du solde de la dette si le contrat contient une clause de déchéance du bénéfice du terme;

c) soit reprendre possession du bien vendu de la manière prévue aux articles 139 et suivants.

1978, c. 9, a. 138.

139. Avant d'exercer le droit qui lui est conféré par le paragraphe c de l'article 138, le commerçant doit expédier au consommateur un avis écrit rédigé selon la formule prévue à l'annexe 6.

1978, c. 9, a. 139.

140. Le consommateur peut remédier au fait qu'il est en défaut ou remettre le bien au commerçant dans les trente jours qui suivent la réception de l'avis prévu à l'article 139.

Le droit de reprise ne peut être exercé qu'à l'expiration d'un délai de trente jours après réception de cet avis par le consommateur.

1978, c. 9, a. 140; 1999, c. 40, a. 234.

141. Si, à la suite de cet avis, il y a remise volontaire ou reprise forcée du bien, l'obligation contractuelle du consommateur est éteinte et le commerçant n'est pas tenu de remettre le montant des paiements qu'il a déjà reçus.

1978, c. 9, a. 141.

142. Si, au moment où le consommateur devient en défaut, celui-ci a acquitté au moins la moitié de la somme de l'obligation totale et du versement comptant, le commerçant ne peut exercer le droit de reprise à moins d'obtenir la permission du tribunal.

1978, c. 9, a. 142.

143. Cette permission est demandée par une requête signifiée au consommateur, laquelle doit être instruite et jugée d'urgence.

Le tribunal dispose de cette requête en tenant compte des éléments mentionnés à l'article 109.

1978, c. 9, a. 143.

144. S'il rejette la requête, le tribunal permet au consommateur de conserver le bien et il peut modifier les modalités de paiement du solde selon les conditions qu'il juge raisonnables.

1978, c. 9, a. 144.

145. Le consommateur qui conserve le bien conformément à l'article 144 assume, à compter du jugement, les risques de perte ou de détérioration, même par cas fortuit.

1978, c. 9, a. 145.

(b) exact, in the manner provided for in sections 105 and following, immediate payment of the balance of the debt if the contract contains a clause of forfeiture of benefit of the term; or

(c) retake possession of the goods sold in the manner contemplated in sections 139 and following.

139. Before exercising the right conferred on him by paragraph c of section 138, the merchant must send to the consumer a written notice drawn up in accordance with the form appearing in Schedule 6.

140. The consumer may remedy the fact that he is in default or return the goods to the merchant within thirty days following receipt of the notice provided for in section 139.

The right of repossession cannot be exercised until the expiry of thirty days after receipt of the notice by the consumer.

141. If, following such notice, the voluntary return or forced repossession of the goods is effected, the contractual obligation of the consumer is extinguished and the merchant is not bound to return the amount of the payments he has already received.

142. If, upon his default, the consumer has already paid at least one-half of the amount of the total obligation and of the down payment, the merchant cannot exercise his right of repossession unless he obtains the permission of the court.

143. Such permission is applied for by a motion served on the consumer which must be heard and decided by preference.

The court shall dispose of such motion after taking into account the facts mentioned in section 109.

144. If the court dismisses the motion, it shall allow the consumer to retain the goods and it may change the terms and conditions of payment of the balance according to such conditions as it deems reasonable.

145. A consumer who retains the goods in accordance with section 144 assumes, from the judgment, the risk of loss or deterioration, even by fortuitous event.

146. Le commerçant qui a opté pour le recours prévu au paragraphe *b* de l'article 138 peut, après l'expiration du délai de trente jours, se prévaloir du recours prévu au paragraphe c du même article.

Le commerçant qui a opté pour le recours prévu au paragraphe *c* de l'article 138 peut, après l'expiration du délai de trente jours, se prévaloir du recours prévu au paragraphe b du même article.

Le consommateur peut alors, à son choix, avant l'expiration d'un délai de trente jours après réception d'un nouvel avis, soit remédier au défaut, soit remettre le bien.

Si, à la suite du nouvel avis, il y a remise volontaire ou reprise forcée du bien, l'obligation contractuelle du consommateur est éteinte et le commerçant n'est pas tenu de remettre le montant des paiements qu'il a déjà reçus.

1978, c. 9, a. 146; 1999, c. 40, a. 234.

147. La vente à tempérament ne peut être assortie d'un crédit variable.

1978, c. 9, a. 147.

148. Le contrat de vente à tempérament ne doit se rapporter qu'à des biens vendus le même jour.

1978, c. 9, a. 148.

149. L'application de l'article 98 ou de l'article 99 à un contrat de vente à tempérament n'a pas pour effet de priver le consommateur d'un droit qui lui est accordé par les articles 132 à 148.

1978, c. 9, a. 149.

2. Autres contrats assortis d'un crédit

150. Le contrat assorti d'un crédit, autre que le contrat de vente à tempérament, doit reproduire, en plus des mentions prescrites par règlement, les mentions prévues à l'annexe 7.

1978, c. 9, a. 150.

SECTION III.1
LOUAGE À LONG TERME DE BIENS

150.1 La présente section s'applique au contrat de louage à long terme de biens.

1991, c. 24, a. 3.

150.2 Pour l'application de la présente loi, est à long terme le contrat de louage de biens qui prévoit une période de location de quatre mois ou plus.

146. The merchant who has opted for the recourse provided for in paragraph *b* of section 138 may, after the expiry of thirty days, avail himself of the recourse provided for in paragraph c of the same section.

The merchant who has opted for the recourse provided for in paragraph *c* of section 138 may, after the expiry of thirty days, avail himself of the recourse provided for in paragraph b of the same section.

The consumer may then, at his option, before the expiry of thirty days after receipt of a second notice, either remedy the default or return the goods.

If, following such second notice, the voluntary return or forced repossession of the goods is effected, the contractual obligation of the consumer is extinguished and the merchant is not bound to return the amount of the payments already received.

147. Instalment sales shall not involve variable credit.

148. The contract of instalment sale must relate only to goods sold on the same day.

149. The application of section 98 or 99 to an instalment sale contract does not deprive the consumer of a right granted to him by sections 132 to 148.

2. Other Contracts Involving Credit

150. A contract involving credit, other than a contract of sale by instalment, must reproduce the particulars provided for in Schedule 7, in addition to those prescribed by regulation.

DIVISION III.1
LONG-TERM LEASE OF GOODS

150.1 This division applies to long-term contracts of lease of goods.

150.2 For the purposes of this Act, a contract of lease of goods which provides for a leasing period of four months or more is a long-term contract.

Le contrat qui prévoit une période de location de moins de quatre mois est réputé à long terme lorsque, par l'effet d'une clause de renouvellement, de reconduction ou d'une autre convention de même effet, cette période peut être portée à quatre mois ou plus.

1991, c. 24, a. 3.

A contract which provides for a leasing period of less than four months is deemed to be a long-term contract where the period may be extended to a period of four months or more by way of a clause of renewal or continuation or another agreement to the same effect.

150.3 La période de location commence au moment où le bien est mis à la disposition du consommateur.

1991, c. 24, a. 3.

150.3 The leasing period begins at the time the goods are put at the disposal of the consumer.

§ 1. — *Dispositions générales*

§ 1. — *General Provisions*

150.4 Le contrat qui comporte une option conventionnelle d'achat du bien loué et le contrat de louage à valeur résiduelle garantie visé à la sous-section 2 doivent être constatés par écrit.

Tout autre contrat de louage à long terme, s'il est constaté par écrit, doit respecter les règles de formation prescrites au chapitre II du présent titre tout comme s'il s'agissait d'un contrat qui doit être constaté par écrit.

1991, c. 24, a. 3.

150.4 Contracts which include a conventional option to purchase the goods leased and contracts of lease with guaranteed residual value referred to in subdivision 2 must be evidenced in writing.

Every other long-term contract of lease, if evidenced in writing, must comply with the rules governing the making of a contract prescribed in Chapter II of this Title in the same manner as if it were a contract which must be evidenced in writing.

150.5 Le contrat qui comporte une option conventionnelle d'achat doit indiquer le montant que le consommateur doit payer pour acquérir le bien ou la manière de le calculer, ainsi que les autres conditions d'exercice de cette option s'il en est.

1991, c. 24, a. 3.

150.5 Contracts which include a conventional option to purchase must indicate the amount the consumer must pay to acquire the goods or the manner of calculating that amount, and any other conditions of exercising the option.

150.6 Le loyer doit être payable avant l'expiration de la période de location, à l'exception d'une somme due en vertu de l'obligation de garantie que prévoit un contrat de louage à valeur résiduelle garantie et des frais relatifs au degré d'utilisation du bien, s'il en est d'exigibles.

Des frais relatifs au degré d'utilisation du bien ne peuvent être exigés que si le bien est muni d'un dispositif permettant de mesurer en heures ou en kilomètres son degré d'utilisation et que si le taux à l'heure ou au kilomètre est précisé au contrat.

1991, c. 24, a. 3.

150.6 The rent must be payable before the expiration of the leasing period, except any amount due under the obligation of guarantee provided by a contract of lease with guaranteed residual value and charges relating to the degree of use of the goods, where they are exigible.

No charge relating to the degree of use of the goods may be required unless the goods are equipped with a device enabling their degree of use to be measured in hours or in kilometres and the rate per hour or per kilometre is specified in the contract.

150.7 Le loyer payable pendant la période de location doit être réparti en versements périodiques. Tous les versements doivent être égaux, sauf le dernier qui peut être moindre. Les dates d'échéance des versements doivent être fixées de telle sorte qu'elles se situent au début de parties sensiblement égales, d'au plus trente-cinq jours, de la période de location.

150.7 The rent payable during the leasing period must be divided into instalments. All instalments must be equal, except the last, which may be less. The dates the instalments are payable must be fixed in such a manner as to be situated at the beginning of approximately equal divisions of the leasing period, not exceeding thirty-five days.

Le commerçant ne peut exiger du consommateur qu'il paie par anticipation plus de deux versements périodiques et il ne peut les percevoir qu'avant le début de la période de location.

1991, c. 24, a. 3.

150.8 Est exempté de l'application de l'article 150.7, le contrat conclu avec un consommateur visé à l'article 88 ou portant sur un bien visé à l'article 88, aux conditions prévues à cet article.

1991, c. 24, a. 3.

150.9 Est interdite, dans un contrat de louage à long terme, une convention:

a) qui oblige le consommateur à rendre le bien dans un état meilleur que celui qui résulte d'une usure normale;

b) qui vise à préciser ce qu'est l'usure normale;

c) visée aux paragraphes a ou b de l'article 136.

1991, c. 24, a. 3.

150.10 Le commerçant assume les risques de perte ou de détérioration du bien par cas fortuit; toutefois, le commerçant n'est pas tenu d'assumer ces risques pendant que le consommateur détient le bien sans droit ou, le cas échéant, après qu'il a transféré la propriété du bien au consommateur.

1991, c. 24, a. 3.

150.11 Toute garantie conventionnelle accordée au consommateur propriétaire d'un bien bénéficie au consommateur partie à un contrat de louage à long terme d'un tel bien tout comme s'il en était propriétaire.

De même, toute garantie conventionnelle disponible à l'option d'un consommateur propriétaire d'un bien doit être disponible, aux mêmes conditions, à l'option du consommateur partie à un contrat de louage à long terme d'un tel bien et, si ce consommateur acquiert telle garantie, il en bénéficie tout comme s'il était propriétaire du bien.

1991, c. 24, a. 3.

150.12 L'article 101 relatif à la quittance et à la remise d'objets ou de documents, les articles 102 et 103 relatifs aux droits et obligations d'un cessionnaire et les articles 111 à 114 relatifs aux assurances s'appliquent, compte tenu des adaptations nécessaires, au contrat de louage à long terme.

1991, c. 24, a. 3.

The merchant cannot require the consumer to pay more than two instalments in advance, and may only collect such instalments before the beginning of the leasing period.

150.8 Contracts entered into with a consumer contemplated in section 88, or with regard to goods contemplated in section 88 are exempt from the application of section 150.7, on the conditions provided in that section.

150.9 No long-term contract of lease may contain an agreement

(a) obliging the consumer to return the goods in better condition than that resulting from normal wear;

(b) which aims to specify normal wear;

(c) contemplated in paragraph a or b of section 136.

150.10 The merchant assumes the risk of loss or deterioration of the goods by fortuitous event; however, the merchant is not required to assume those risks while the consumer withholds the goods without right or after the merchant has transferred ownership of the goods to the consumer, where such is the case.

150.11 Any conventional warranty granted to a consumer and owner of goods benefits a consumer who is party to a long-term contract of lease as if he were the owner of the goods.

In the same manner, any conventional warranty available to a consumer and owner of goods must be available, on the same conditions and at the option of the consumer, to a consumer who is party to a long-term contract of lease of goods of the same kind and, if the consumer acquires that warranty, he benefits from it as if he were the owner of the goods.

150.12 Section 101 relating to discharge and the return of objects or documents, sections 102 and 103 relating to the rights and obligations of an assignee and sections 111 to 114 relating to insurance apply, adapted as required, to long-term contracts of lease.

150.13 Si le consommateur n'exécute pas son obligation suivant les modalités du contrat, le commerçant peut:

a) soit exiger le paiement immédiat de ce qui est échu;

b) soit exiger, de la manière prévue aux articles 105 et suivants, le paiement immédiat de ce qui est échu et des versements périodiques non échus si le contrat contient une clause de déchéance du bénéfice du terme ou une autre convention de même effet. Toutefois, l'avis que le commerçant doit expédier en vertu de l'article 105 doit être rédigé selon la formule prévue à l'annexe 7.1;

c) soit reprendre possession du bien loué de la manière prévue aux articles 150.14, 150.15 et, le cas échéant, 150.32.

1991, c. 24, a. 3.

150.14 Avant d'exercer le droit de reprise du bien loué, le commerçant doit expédier au consommateur un avis écrit rédigé selon la formule prévue à l'annexe 7.2.

Le consommateur peut remédier au fait qu'il est en défaut ou remettre le bien au commerçant dans les trente jours qui suivent la réception de l'avis prévu au premier alinéa, et le droit de reprise ne peut être exercé qu'à l'expiration de ce délai.

1991, c. 24, a. 3.

150.15 Si, à la suite de l'avis de reprise de possession, il y a remise volontaire ou reprise forcée du bien, le contrat est résilié de plein droit à compter de cette remise ou de cette reprise.

Le commerçant n'est alors pas tenu de remettre le montant des paiements échus déjà perçus, et il ne peut réclamer que les seuls dommages-intérêts réels qui soient une suite directe et immédiate de la résiliation du contrat.

Le commerçant a l'obligation de minimiser ses dommages.

1991, c. 24, a. 3.

150.16 Le commerçant qui a opté pour le recours prévu au paragraphe b de l'article 150.13 peut, après l'expiration du délai de trente jours, se prévaloir du recours prévu au paragraphe c du même article.

Le commerçant qui a opté pour le recours prévu au paragraphe c de l'article 150.13 peut, après l'expiration du délai de trente jours, se prévaloir du recours prévu au paragraphe b du même article.

1991, c. 24, a. 3; 1999, c. 40, a. 234.

150.13 Where a consumer is in default to perform his obligation in accordance with the terms and conditions of the contract, the merchant may either

(a) exact immediate payment of that which is due;

(b) exact, in the manner provided for in sections 105 and following, immediate payment of that which is due and all future instalments if the contract includes a clause of forfeiture of benefit of the term or another agreement to the same effect. However, the notice which must be sent by the merchant under section 105 must be drawn up in accordance with the form appearing in Schedule 7.1; or

(c) retake possession of the goods leased in the manner contemplated in sections 150.14, 150.15 and, where applicable, 150.32.

150.14 Before exercising his right of repossession of the goods leased, the merchant must send to the consumer a notice in writing drawn up in accordance with the form appearing in Schedule 7.2.

The consumer may remedy his default or return the goods to the merchant within thirty days following receipt of the notice referred to in the first paragraph, and the right of repossession cannot be exercised until the expiry of those thirty days.

150.15 If, following a notice of repossession, the voluntary return or forced repossession of the goods is effected, the contract is rescinded of right from the date of such return.

The merchant is not, in such a case, bound to return the amount of the payments due he has already received, and he cannot claim any damages other than those actually resulting, directly and immediately, from the rescission of the contract.

The merchant is bound to minimize his damages.

150.16 The merchant who has opted for the recourse provided for in paragraph b of section 150.13 may, after the expiry of thirty days, avail himself of the recourse provided for in paragraph c of the same section.

The merchant who has opted for the recourse provided for in paragraph c of section 150.13 may, after the expiry of thirty days, avail himself of the recourse provided for in paragraph b of the same section.

150.17 Le consommateur peut, pendant la période de location et à sa discrétion, remettre le bien au commerçant. Le contrat est résilié de plein droit à compter de la remise du bien, avec les mêmes conséquences qu'entraîne la résiliation visée à l'article 150.15.

1991, c. 24, a. 3.

§ 2. — Contrats de louage à valeur résiduelle garantie

150.18 Le contrat de louage à valeur résiduelle garantie est un contrat de louage à long terme d'un bien en vertu duquel le consommateur garantit au commerçant que, une fois expirée la période de location, ce dernier obtiendra au moins une certaine valeur de l'aliénation du bien.

Pour l'application de la présente section, on appelle «valeur résiduelle» la valeur que le consommateur partie à un tel contrat garantit.

1991, c. 24, a. 3.

150.19 La valeur résiduelle doit être établie par une estimation raisonnable de la part du commerçant de la valeur au gros qu'aura le bien à la fin de la période de location.

1991, c. 24, a. 3.

150.20 La valeur résiduelle doit être indiquée au contrat et y être exprimée en termes de dollars et de cents.

1991, c. 24, a. 3.

150.21 L'obligation de garantie du consommateur quant à la valeur résiduelle se limite au moindre des montants suivants:

a) l'excédent de la valeur résiduelle sur la valeur obtenue de l'aliénation du bien par le commerçant;

b) 20 pour cent de la valeur résiduelle.

1991, c. 24, a. 3.

150.22 Le contrat doit reproduire, en plus des mentions prescrites par règlement, les mentions prévues à l'annexe 7.3.

1991, c. 24, a. 3.

150.23 Le contrat peut être résolu sans frais ni pénalité, à la discrétion du consommateur, de la manière prévue aux articles 75 à 77 et à la condition prévue à l'article 79, dans les deux jours qui suivent celui où chacune des parties est en possession d'un double du contrat.

1991, c. 24, a. 3.

150.17 The consumer may, during the leasing period and at his discretion, return the goods to the merchant. The contract is rescinded of right from the date of return of the goods, with the same consequences as a rescission under section 150.15.

§ 2. — Contracts of Lease with Guaranteed Residual Value

150.18 A contract of lease with guaranteed residual value is a long-term contract of lease of goods by which the consumer guarantees that the merchant, once the leasing period is expired, will obtain a certain minimum value from the alienation of the goods.

For the purposes of this division, "residual value" means the value guaranteed by the consumer who is a party to such a contract.

150.19 The residual value must be established by a reasonable estimate by the merchant of the wholesale value which the goods will have at the end of the leasing period.

150.20 The residual value must be indicated in the contract and be expressed in terms of dollars and cents.

150.21 The consumer's obligation of guarantee as to the residual value is limited to the lesser of the following amounts:

(a) the amount by which the residual value exceeds the value the merchant obtains from the alienation of the goods;

(b) 20 percent of the residual value.

150.22 The contract must reproduce the particulars provided for in Schedule 7.3, in addition to those prescribed by regulation.

150.23 The contract may be cancelled without cost or penalty, at the discretion of the consumer, in the manner provided in sections 75 to 77 and on the condition provided in section 79, within two days following that on which each of the parties is in possession of a duplicate of the contract.

150.24 L'obligation nette s'entend de la valeur totale du bien, soit la somme de la valeur au détail du bien et des frais de préparation, de livraison, d'installation et autres, moins l'acompte.

L'acompte comprend la valeur convenue d'un bien cédé au commerçant en contrepartie de la location, le premier versement périodique et toute somme reçue par le commerçant avant le début de la période de location, y compris la valeur d'un effet de commerce payable à demande et tout versement périodique payé par anticipation, s'il en est.

L'obligation à tempérament s'entend de la somme de la valeur résiduelle et des versements périodiques autres que ceux compris dans l'acompte.

1991, c. 24, a. 3.

150.25 L'excédent de l'obligation à tempérament sur l'obligation nette constitue les frais de crédit implicites. Le commerçant doit mentionner ces derniers en termes de dollars et de cents et indiquer qu'ils se rapportent à toute la période de location.

1991, c. 24, a. 3.

150.26 Le taux de crédit implicite est l'expression des frais de crédit implicites sous la forme d'un pourcentage annuel. Il doit être calculé et divulgué de la manière prescrite par règlement.

Le contrat ne doit divulguer qu'un seul taux de crédit implicite.

1991, c. 24, a. 3.

150.27 Les articles 83 et 91 s'appliquent au calcul des frais de crédit implicites en remplaçant lorsqu'elles s'y trouvent les expressions «frais de crédit» et «taux de crédit» respectivement par celles de «frais de crédit implicites» et «taux de crédit implicite».

1991, c. 24, a. 3.

150.28 Les articles 94 à 97 relatifs aux états de compte s'appliquent au contrat de louage à valeur résiduelle garantie en remplaçant, lorsqu'elle s'y trouve, l'expression «frais de crédit» par celle de «frais de crédit implicites».

1991, c. 24, a. 3.

150.29 Le consommateur partie à un contrat de louage à valeur résiduelle garantie peut, en tout temps pendant la période de location, acquérir le bien qui en fait l'objet sur paiement du solde de son obligation à tempérament moins les frais de crédit implicites non gagnés au moment de l'acquisition.

1991, c. 24, a. 3.

150.24 The net obligation refers to the total value of the goods, namely the aggregate of the retail value of the goods and the preparation, delivery, installation and other charges, minus the payment on account.

The payment on account includes the agreed value of goods given to the merchant as a trade-in, the first instalment and any sum received by the merchant before the beginning of the leasing period, including the value of a negotiable instrument payable on demand and the instalments paid in advance, if any.

The instalment obligation refers to the aggregate of the residual value and the periodic instalments other than those included in the payment on account.

1991, c. 24, s. 3.

150.25 The amount by which the instalment obligation exceeds the net obligation constitutes the implied credit charges. The merchant must mention those charges in terms of dollars and cents and indicate that they apply to the entire leasing period.

1991, c. 24, s. 3.

150.26 The implied credit rate is the expression of the implied credit charges expressed as an annual percentage. It must be computed and disclosed in the manner prescribed by regulation.

The contract must stipulate only one implied credit rate.

1991, c. 24, s. 3.

150.27 Sections 83 and 91 apply to the computing of implied credit charges, replacing the expressions "credit charges" and "credit rate", wherever they appear, by the expression "implied credit charges" and "implied credit rate", respectively.

1991, c. 24, s. 3.

150.28 Sections 94 to 97 relating to statements of account apply to contracts of lease with guaranteed residual value, replacing the expression "credit charges", wherever it appears, by the expression "implied credit charges".

1991, c. 24, s. 3.

150.29 A consumer who is a party to a contract of lease with guaranteed residual value may, at any time during the leasing period, acquire the goods which are the object of the contract on paying the balance of his instalment obligation minus the implied credit charges not yet earned at the time of the acquisition.

1991, c. 24, s. 3.

150.30 Sauf dans les cas et aux conditions prévus par règlement, le commerçant ne peut, tant que la valeur résiduelle du bien est garantie par le consommateur, aliéner le bien à un acquéreur potentiel qui en offre un prix inférieur à cette valeur résiduelle sans d'abord offrir le bien au consommateur en lui expédiant un avis écrit rédigé selon la formule prévue à l'annexe 7.4.

Le consommateur peut, dans les cinq jours de la réception de l'avis, acquérir le bien en payant comptant un prix égal à celui offert par l'acquéreur potentiel.

Plutôt que d'acquérir le bien, le consommateur peut, dans le même délai, présenter un tiers qui convient de payer comptant pour ce bien un prix au moins égal à celui offert par l'acquéreur potentiel.

1991, c. 24, a. 3; 1999, c. 40, a. 234.

150.31 Le consommateur est libéré de son obligation de garantie dans l'un ou l'autre des cas suivants:

a) lorsque la valeur résiduelle du bien n'est pas précisée au contrat conformément à l'article 150.20;

b) lorsque le commerçant aliène le bien en violation de l'article 150.30 ou qu'il refuse de vendre le bien au tiers présenté conformément au troisième alinéa de cet article;

c) lorsque l'aliénation du bien n'est pas faite à titre onéreux;

d) lorsque l'aliénation du bien n'a pas lieu dans un délai raisonnable de la remise du bien au commerçant à la fin de la période de location;

e) lorsque le commerçant, après remise du bien à la fin de la période de location, l'utilise ou en permet l'utilisation par un tiers autrement que pour les fins de son aliénation à titre onéreux.

1991, c. 24, a. 3.

150.32 Le commerçant ne peut exercer le droit de reprise prévu aux articles 150.13 à 150.16 à moins d'obtenir la permission du tribunal si, au moment où le consommateur devient en défaut, celui-ci a acquitté au moins la moitié de la somme de son obligation à tempérament et de l'acompte.

Lorsque le commerçant s'adresse au tribunal à cette fin, les articles 143 à 145 s'appliquent.

1991, c. 24, a. 3.

150.30 Except in the cases and on the conditions prescribed by regulation, the merchant cannot, while the residual value of the goods is guaranteed by the consumer, alienate the goods to a prospective acquirer who offers a price for them lower than such residual value without first offering the goods to the consumer by sending him a notice in writing drawn up in accordance with the form appearing in Schedule 7.4.

The consumer, within five days following receipt of the notice, may acquire the goods by paying in cash a price equal to that offered by the prospective acquirer.

The consumer may, instead of acquiring the goods, within the same time, present a third person who agrees to pay in cash for the goods a price equal to that offered by the prospective acquirer.

150.31 The consumer is released from his obligation of guarantee in one or other of the following cases:

(a) where the residual value of the goods is not specified in the contract in accordance with section 150.20;

(b) where the merchant alienates the goods in contravention of section 150.30 or where he refuses to sell the goods to the third person presented in accordance with the third paragraph of that section;

(c) where the alienation of the goods is not effected by onerous title;

(d) where the alienation of the goods is not effected within a reasonable time after return of the goods to the merchant at the end of the leasing period;

(e) where the merchant, after return of the goods at the end of the leasing period, uses those goods or allows them to be used by a third person otherwise than with a view to their alienation by onerous title.

150.32 The merchant cannot exercise a right of repossession under sections 150.13 to 150.16 unless he obtains the permission of the court if the consumer, at the time he defaults, has already paid at least one-half of the aggregate of his instalment obligation and his payment on account.

When the merchant applies to the court for this purpose, sections 143 to 145 apply.

SECTION IV
CONTRATS RELATIFS AUX AUTOMOBILES ET AUX MOTOCYCLETTES

§ 1. — *Dispositions générales*

151. Dans le cas d'une réparation qui relève d'une garantie prévue par la présente section ou d'une garantie conventionnelle:

a) le commerçant ou le fabricant assume les frais raisonnables de remorquage ou de dépannage de l'automobile, que le remorquage ou le dépannage soit effectué par le commerçant, le fabricant ou un tiers;

b) le commerçant ou le fabricant effectue la réparation de l'automobile et en assume les frais ou permet au consommateur de faire effectuer la réparation par un tiers et en assume les frais.

1978, c. 9, a. 151; 1999, c. 40, a. 234.

152. Un commerçant ou un fabricant répond de l'exécution d'une garantie prévue par la présente section ou d'une garantie conventionnelle à l'égard d'un consommateur acquéreur subséquent de l'automobile.

1978, c. 9, a. 152; 1999, c. 40, a. 234.

153. La garantie prévue par la présente section comprend les pièces et la main-d'oeuvre.

1978, c. 9, a. 153.

154. Le paragraphe b de l'article 151 et les articles 152 et 153 s'appliquent, compte tenu des adaptations nécessaires, à une motocyclette adaptée au transport sur les chemins publics.

1978, c. 9, a. 154.

§ 2. — *Contrats de vente ou de louage à long terme d'automobiles d'occasion et de motocyclettes d'occasion*

155. Le commerçant doit apposer une étiquette sur chaque automobile d'occasion qu'il offre en vente ou en location à long terme.

L'étiquette doit être placée de façon qu'elle puisse être lue en entier de l'extérieur de l'automobile.

1978, c. 9, a. 155; 1991, c. 24, a. 5.

156. L'étiquette doit divulguer:

a) si l'automobile d'occasion est offerte en vente, son prix de vente, et, si elle est offerte en location à long terme, sa valeur au détail;

DIVISION IV
CONTRACTS RELATING TO AUTOMOBILES AND MOTORCYCLES

§ 1. — *General Provisions*

151. In the case of repairs under a warranty provided for by this division or under a conventional warranty:

(a) the merchant or the manufacturer shall assume the reasonable costs of towing or breakdown service for the automobile, whether the towing or breakdown service is carried out by the merchant, the manufacturer or a third person;

(b) the merchant or the manufacturer shall carry out the repairs to the automobile and assume their cost or shall permit the consumer to have the repairs carried out by a third person and shall assume their cost.

1978, c. 9, a. 151; 1999, c. 40, a. 234.

152. The merchant or the manufacturer is liable for the performance of a warranty provided for by this division or of a conventional warranty, to a consumer who is the subsequent purchaser of the automobile.

1978, c. 9, a. 152; 1999, c. 40, a. 234.

153. The warranty provided for by this division includes parts and labour.

1978, c. 9, a. 153.

154. Paragraph b of section 151 and sections 152 and 153 apply, *mutatis mutandis,* to motorcycles adapted for transportation on public highways.

1978, c. 9, a. 154.

§ 2. — *Contracts of Sale and Long-term Contracts of Lease of Used Automobiles and Used Motorcycles*

155. The merchant must affix a label on every used automobile that he offers for sale or for long-term lease.

The label must be so affixed that it may be read entirely from outside the automobile.

1978, c. 9, a. 155; 1991, c. 24, a. 5.

156. The label must disclose:

(a) if the used automobile is offered for sale, its price, and, if it is offered for long-term lease, its retail value;

b) le nombre de milles ou de kilomètres indiqué à l'odomètre et le nombre de milles ou de kilomètres effectivement parcourus par l'automobile s'il est différent de celui indiqué à l'odomètre;

c) l'année de fabrication attribuée au modèle par le fabricant, le numéro de série, la marque, le modèle ainsi que la cyclindrée du moteur;

d) le cas échéant, le fait que l'automobile a été utilisée comme taxi, automobile d'école de conduite, automobile de police, ambulance, automobile de location, automobile pour la clientèle ou démonstrateur, ainsi que l'identité de tout commerce ou de tout organisme public qui a été propriétaire ou qui a loué à long terme l'automobile;

e) le cas échéant, toute réparation effectuée sur l'automobile d'occasion depuis que le commerçant est en possession de l'automobile;

f) la catégorie prévue à l'article 160;

g) les caractéristiques de la garantie offerte par le commerçant;

h) le fait qu'un certificat de vérification mécanique délivré en vertu du Code de la sécurité routière (L.R.Q., chapitre C-24.2) sera remis au consommateur lors de la signature du contrat;

i) le fait que le commerçant doit, à la demande du consommateur, lui fournir le nom et le numéro de téléphone du dernier propriétaire autre que le commerçant.

Pour l'application des paragraphes b et d du présent article, le commerçant peut s'appuyer sur une déclaration écrite du dernier propriétaire sauf s'il a des motifs raisonnables de croire qu'elle est fausse.

1978, c. 9, a. 156; 1986, c. 91, a. 665; 1987, c. 90, a. 3; 1991, c. 24, a. 6; 1999, c. 40, a. 234.

157. L'étiquette doit être annexée au contrat ou, s'il s'agit d'un contrat de louage à long terme qui n'est pas constaté par écrit, être remise au consommateur lors de la conclusion du contrat.

Tout ce qui est divulgué sur l'étiquette fait partie intégrante du contrat, à l'exception du prix auquel l'automobile est offerte et des caractéristiques de la garantie, qui peuvent être modifiés.

1978, c. 9, a. 157; 1991, c. 24, a. 7.

158. Le contrat de vente doit être constaté par écrit et indiquer:

a) le numéro de la licence délivrée au commerçant en vertu du Code de la sécurité routière (L.R.Q., chapitre C-24.2);

b) le lieu et la date du contrat;

c) le nom et l'adresse du consommateur et ceux du commerçant;

d) le prix de l'automobile;

(b) the number of miles or kilometres registered on the odometer, and the number of miles or kilometres actually travelled by the automobile, if different from that indicated on the odometer;

(c) the model year ascribed by the manufacturer, the serial number, the make, the model and the cubic capacity of the engine;

(d) if such is the case, the fact that the automobile has been used as a taxi-cab, a drivers' school automobile, a police car, an ambulance, a leased automobile, an automobile for customers or as a demonstrator and the identity of every business or of every public agency that owned the automobile or rented it on a long term basis;

(e) if such is the case, every repair done on the used automobile since it has been in the possession of the merchant;

(f) the class provided for in section 160;

(g) the characteristics of the warranty offered by the merchant;

(h) that a certificate of mechanical inspection issued under the Highway Safety Code (R.S.Q., chapter C-24.2) will be given to the consumer upon the signing of the contract;

(i) that the merchant must, at the request of the consumer, provide him with the name and telephone number of the last owner other than the merchant.

For the application of paragraphs b and d of this section, the merchant may base himself on a written declaration of the last owner unless he has reasonable grounds to believe that it is false.

157. The label must be appended to the contract or, in the case of a long-term contract of lease which is not evidenced in writing, given to the consumer at the making of the contract.

All that is disclosed on the label forms an integral part of the contract, except the price at which the automobile is offered and the specifications of the warranty, which may be changed.

158. The contract of sale must be evidenced in writing and indicate:

(a) the number of the licence issued to the merchant under of the Highway Safety Code (R.S.Q., chapter C-24.2);

(b) the place and date of the contract;

(c) the name and address of the consumer and of the merchant;

(d) the price of the automobile;

e) les droits exigibles en vertu d'une loi fédérale ou provinciale;

f) le total des sommes que le consommateur doit débourser en vertu du contrat; et

g) les caractéristiques de la garantie.

1978, c. 9, a. 158; 1980, c. 11, a. 106; 1986, c. 91, a. 666; 1991, c. 24, a. 8.

159. La vente ou la location à long terme d'une automobile d'occasion comporte une garantie de bon fonctionnement de l'automobile:

a) durant six mois ou 10 000 kilomètres, selon le premier terme atteint, si l'automobile est de la catégorie A;

b) durant trois mois ou 5 000 kilomètres, selon le premier terme atteint, si l'automobile est de la catégorie B;

c) durant un mois ou 1 700 kilomètres, selon le premier terme atteint, si l'automobile est de la catégorie C.

1978, c. 9, a. 159; 1991, c. 24, a. 9.

160. Pour l'application de l'article 159, les automobiles d'occasions sont réparties selon les catégories suivantes:

a) une automobile est de la catégorie A lorsqu'au plus deux ans se sont écoulés depuis la date de la mise sur le marché, par le fabricant, de ses automobiles du même modèle et de la même année de fabrication jusqu'à la date de la vente ou de la location à long terme visée audit article, pourvu que l'automobile n'ait pas parcouru plus de 40 000 kilomètres;

b) une automobile est de la catégorie B lorsqu'elle n'est pas visée dans le paragraphe a et qu'au plus trois ans se sont écoulés depuis la date de la mise sur le marché, par le fabricant, de ses automobiles du même modèle et de la même année de fabrication jusqu'à la date de la vente ou de la location à long terme visée audit article, pourvu que l'automobile n'ait pas parcouru plus de 60 000 kilomètres;

c) une automobile est de la catégorie C lorsqu'elle n'est pas visée dans les paragraphes a ou b et qu'au plus cinq ans se sont écoulés depuis la date de la mise sur le marché, par le fabricant, de ses automobiles du même modèle et de la même année de fabrication jusqu'à la date de la vente ou de la location à long terme visée audit article, pourvu que l'automobile n'ait pas parcouru plus de 80 000 kilomètres;

d) une automobile est de la catégorie D lorsqu'elle n'est visée dans aucun des paragraphes a, b ou c.

1978, c. 9, a. 160; 1991, c. 24, a. 10; 1999, c. 40, a. 234.

(e) the duties chargeable, under a federal or provincial act;

(f) the total amount the consumer must pay under the contract; and

(g) the specifications of the warranty.

159. The sale or long-term lease of a used automobile carries with it a warranty that the automobile will remain in good working order

(a) for a period of six months or 10 000 kilometres, whichever occurs first, in the case of a class A automobile;

(b) for a period of three months or 5 000 kilometres, whichever occurs first, in the case of a class B automobile;

(c) for a period of one month or 1 700 kilometres, whichever occurs first, in the case of a class C automobile.

160. For the application of section 159, used automobiles are divided into the following classes:

(a) class A automobiles, namely, where not more than two years have elapsed between the date the manufacturer put his automobiles of the same model and of the same model year on the market and the date of the sale or long-term lease contemplated in the said section, provided that the automobile has not covered more than 40 000 kilometres;

(b) class B automobiles, namely, where they are not contemplated in paragraph a and not more than three years have elapsed between the date the manufacturer put his automobiles of the same model and of the same model year on the market and the date of the sale or long-term lease contemplated in the said section, provided that the automobile has not covered more than 60 000 kilometres;

(c) class C automobiles, namely, where they are not contemplated in paragraph a or b and not more than five years have elapsed between the date the manufacturer put his automobiles of the same model and of the same model year on the market and the date of the sale or long-term lease contemplated in the said section, provided that the automobile has not covered more than 80 000 kilometres;

(d) class D automobiles, namely, automobiles not contemplated in any of paragraphs a, b and c.

161. La garantie prévue par l'article 159 ne comprend pas:

a) le service normal d'entretien et le remplacement de pièces en résultant;

b) un article de garniture intérieure ou de décoration extérieure;

c) un dommage qui résulte d'un usage abusif par le consommateur après la livraison de l'automobile; et

d) tout accessoire prévu par règlement.

1978, c. 9, a. 161.

162. Lorsque le commerçant offre en vente ou en location à long terme une automobile de la catégorie A, B ou C, il peut indiquer sur l'étiquette les défectuosités de l'automobile avec une évaluation du coût de leur réparation. Le commerçant est lié par l'évaluation et garantit que la réparation peut être effectuée pour le prix mentionné dans l'évaluation.

Dans ce cas, le commerçant n'est pas assujetti à l'obligation de garantie pour les défectuosités mentionnées sur l'étiquette.

1978, c. 9, a. 162; 1991, c. 24, a. 11.

163. La garantie prend effet au moment de la livraison de l'automobile d'occasion.

1978, c. 9, a. 163.

164. Les articles 155 à 158 et 161 à 163 s'appliquent, compte tenu des adaptations nécessaires, à la vente ou à la location à long terme d'une motocyclette d'occasion adaptée au transport sur les chemins publics.

La vente ou la location à long terme d'une motocyclette d'occasion adaptée au transport sur les chemins publics comporte une garantie de bon fonctionnement de la motocyclette et de ses accessoires

a) durant deux mois, si la motocyclette est de la catégorie A;

b) durant un mois, si la motocyclette est de la catégorie B.

Les motocyclettes d'occasion adaptées au transport sur les chemins publics sont réparties selon les catégories suivantes:

a) une motocyclette est de la catégorie A lorsqu'au plus deux ans se sont écoulés depuis la date de la mise sur le marché par le fabricant de ses motocyclettes du même modèle et de la même année de fabrication jusqu'à la date de la vente ou de la location à long terme visée au présent article;

161. The warranty provided for by section 159 does not cover:

(a) normal maintenance service and the replacement of parts resulting from it;

(b) interior upholstery or exterior decorative items;

(c) damage resulting from abuse by the consumer after delivery of the automobile; and

(d) any accessory provided for by regulation.

162. Where the merchant offers a class A, B or C automobile for sale or for long-term lease, he may indicate on the label all the defects which exist in the automobile, with an estimate of the cost of repair thereof. The merchant is bound by the estimate and he guarantees that the repair may be carried out for the price mentioned in the estimate.

In that case, the merchant is not subject to the obligation of warranty for the defects mentioned on the label.

163. The warranty takes effect upon the delivery of the used automobile.

164. Sections 155 to 158 and 161 to 163 apply, *mutatis mutandis,* to the sale or long-term lease of a used motorcycle adapted for transportation on public highways.

The sale or long-term lease of a used motorcycle adapted for transportation on public highways carries with it a warranty that the motorcycle and its accessories will remain in good working order

(a) for a period of two months, in the case of a class A motorcycle;

(b) for a period of one month, in the case of a class B motorcycle.

Used motorcycles adapted for transportation on public highways are divided into the following classes:

(a) class A motorcycles, namely, where not more than two years have elapsed between the date the manufacturer put his motorcycles of the same model and of the same model year on the market and the date of the sale or the long-term lease contemplated in this section;

b) une motocyclette est de la catégorie B lorsque plus de deux ans, mais au plus trois ans, se sont écoulés depuis la date de la mise sur le marché, par le fabricant, de ses motocyclettes du même modèle et de la même année de fabrication jusqu'à la date de la vente ou de la location à long terme visée au présent article;

c) une motocyclette est de la catégorie C lorsqu'elle n'est visée ni dans le paragraphe a ni dans le paragraphe b.

1978, c. 9, a. 164; 1991, c. 24, a. 12; 1999, c. 40, a. 234.

165. Une personne qui, à titre onéreux, agit comme intermédiaire entre consommateurs dans la vente d'automobile d'occasion ou de motocyclette d'occasion adaptée au transport sur les chemins publics est assujettie aux obligations qui incombent au commerçant en vertu de la présente section.

1978, c. 9, a. 165.

166. Les articles 155 à 165 ne s'appliquent pas à une automobile neuve qui a fait l'objet d'un contrat de location comportant une clause d'option d'achat dont le locataire décide de se prévaloir, ou comportant le droit d'acquisition prévu à l'article 150.29 ou 150.30 que le consommateur décide d'exercer.

1978, c. 9, a. 166; 1991, c. 24, a. 13.

§ 3. — *Réparation d'automobile et de motocyclette*

167. Aux fins de la présente sous-section, on entend par:

a) «commerçant»: une personne qui effectue une réparation moyennant rémunération;

b) «réparation»: un travail effectué sur une automobile, à l'exception d'un travail prévu par règlement.

1978, c. 9, a. 167.

168. Avant d'effectuer une réparation, le commerçant doit fournir une évaluation écrite au consommateur. Le commerçant ne peut se libérer de cette obligation sans une renonciation écrite en entier par le consommateur et signée par ce dernier.

L'évaluation n'est pas requise lorsque la réparation doit être effectuée sans frais pour le consommateur.

Un commerçant ne peut exiger de frais pour faire une évaluation à moins d'en avoir fait connaître le montant au consommateur avant de faire l'évaluation.

1978, c. 9, a. 168.

(b) class B motorcycles, namely, where more than two years but not more than three years have elapsed between the date the manufacturer put his motorcycles of the same model and of the same model year on the market and the date of the sale or the long-term lease contemplated in this section;

(c) class C motorcycles, namely, motorcycles not contemplated in either of paragraphs a and b.

165. A person who, for valuable consideration, acts as an intermediary between consumers in the sale of used automobiles or used motorcycles adapted for transportation on public highways is subject to the obligations imposed on the merchant under this division.

166. Sections 155 to 165 do not apply to a new automobile which has been the object of a contract of lease comprising an option to purchase of which the lessee decides to avail himself or comprising a right of acquisition in section 150.29 or 150.30 which the consumer decides to exercise.

§ 3. — *Automobile and Motorcycle Repairs*

167. For the purposes of this subdivision,

(a) "merchant" means a person who carries out repairs for remuneration;

(b) "repair" means work carried out on an automobile, except work determined by regulation.

168. Before carrying out any repairs, the merchant must give the consumer a written estimate. The merchant cannot be released from this obligation without a waiver written in its entirety by and signed by the consumer.

No estimate is required where the repairs are to be made free of charge to the consumer.

A merchant cannot charge a price for making an estimate unless he advises the consumer of the price before undertaking to make the estimate.

169. S'il faut, pour fournir une évaluation, démonter en tout ou en partie une automobile ou une partie d'une automobile, la somme mentionnée en vertu de l'article 168 doit comprendre le coût de remontage au cas où le consommateur décide de ne pas faire effectuer la réparation et ceux de la main-d'oeuvre et d'un élément requis pour remplacer un objet non récupérable ou non réutilisable détruit lors du démontage.

1978, c. 9, a. 169.

170. L'évaluation doit indiquer:

a) le nom et l'adresse du consommateur et ceux du commerçant;

b) la marque, le modèle et le numéro d'immatriculation de l'automobile;

c) la nature et le prix total de la réparation à effectuer;

d) la pièce à poser, en précisant s'il s'agit d'une pièce neuve, usagée, réusinée ou remise à neuf; et

e) la date et la durée de validité de cette évaluation.

1978, c. 9, a. 170.

171. L'évaluation acceptée par le consommateur lie également le commerçant. Aucuns frais supplémentaires ne peuvent être exigés du consommateur pour la réparation prévue dans l'évaluation.

1978, c. 9, a. 171.

172. Le commerçant ne peut effectuer une réparation non prévue dans l'évaluation acceptée avant d'avoir obtenu l'autorisation expresse du consommateur.

Dans le cas où le commerçant obtient une autorisation orale, il doit la consigner dans l'évaluation en indiquant la date, l'heure, le nom de la personne qui l'a donnée et, le cas échéant, le numéro de téléphone composé.

1978, c. 9, a. 172.

173. Lorsqu'il a effectué une réparation, le commerçant doit remettre au consommateur une facture indiquant:

a) le nom et l'adresse du consommateur et ceux du commerçant;

b) la marque, le modèle et le numéro d'immatriculation de l'automobile;

c) la date de la livraison de l'automobile au consommateur et le nombre de milles ou de kilomètres indiqués à l'odomètre de l'automobile à cette date;

d) la réparation effectuée;

169. If, to make an estimate, it is necessary to disassemble an automobile or part of an automobile in whole or in part, the amount mentioned under section 168 must include the cost of reassembly should the consumer decide not to have the repairs carried out and the costs of labour and of any component required to replace a part that is not recoverable or re-usable that was destroyed during the disassembling.

1978, c. 9, s. 169.

170. The estimate must indicate:

(a) the name and address of the consumer and of the merchant;

(b) the make, the model and the registration number of the automobile;

(c) the nature and total price of the repairs to be made;

(d) the part to be installed, specifying whether it is a new, used, re-tooled or reconditioned part; and

(e) the date and duration of that estimate.

1978, c. 9, s. 170.

171. Once accepted by the consumer, the estimate is binding on the merchant. No additional costs may be charged to the consumer for the repairs provided for in the estimate.

1978, c. 9, s. 171.

172. The merchant shall not carry out any repairs not provided for in the accepted estimate before obtaining the express authorization of the consumer.

In the case where the merchant obtains a verbal authorization, he must record it in the estimate, indicating the date, the time, the name of the person who gave it and, where such is the case, the telephone number dialed.

1978, c. 9, s. 172.

173. When the merchant has carried out repairs, he must give the consumer a bill indicating:

(a) the name and address of the consumer and of the merchant;

(b) the make, the model and the registration number of the automobile;

(c) the date of delivery of the automobile to the consumer and the number of miles or kilometres registered on the odometer of the automobile on that date;

(d) the repairs carried out;

e) la pièce posée en précisant s'il s'agit d'une pièce neuve, usagée, réusinée ou remise à neuf et son prix;

f) le nombre d'heures de main-d'oeuvre facturé, le tarif horaire et le coût total de la main-d'oeuvre;

g) les droits exigibles en vertu d'une loi fédérale ou provinciale;

h) le total des sommes que le consommateur doit débourser pour cette réparation; et

i) les caractéristiques de la garantie.

1978, c. 9, a. 173; 1980, c. 11, a. 107; 1987, c. 90, a. 4.

174. Lorsqu'une réparation est faite par un sous-traitant, le commerçant a les mêmes obligations que s'il l'avait lui-même effectuée.

1978, c. 9, a. 174.

175. Le commerçant doit, si le consommateur l'exige au moment où il demande de faire la réparation, remettre à ce dernier la pièce qui a été remplacée et ce, au moment où le consommateur prend livraison de son automobile sauf:

a) si la réparation est faite sans frais pour le consommateur;

b) si la pièce est échangée contre une pièce réusinée ou remise à neuf; ou

c) si la pièce remplacée fait l'objet d'un contrat de garantie en vertu duquel le commerçant doit remettre cette pièce au fabricant ou au distributeur.

1978, c. 9, a. 175; 1999, c. 40, a. 234.

176. Une réparation est garantie pour trois mois ou 5 000 kilomètres, selon le premier terme atteint. La garantie prend effet au moment de la livraison de l'automobile.

1978, c. 9, a. 176.

177. La garantie prévue à l'article 176 ne couvre pas un dommage qui résulte d'un usage abusif par le consommateur après la réparation.

1978, c. 9, a. 177.

178. L'acceptation de l'évaluation ou le paiement du consommateur n'est pas préjudiciable à son recours contre le commerçant en raison d'une absence d'autorisation préalable de la réparation, d'une malfaçon ou d'un prix qui excède, selon le cas, le prix indiqué dans l'évaluation ou la somme du prix indiqué dans l'évaluation et du prix convenu lors de la modification autorisée.

1978, c. 9, a. 178.

(e) the part installed, specifying whether it is a new, used, re-tooled or reconditioned part and its price;

(f) the number of hours of labour billed, the hourly rate and the total cost of labour;

(g) the duties chargeable under a federal or provincial act;

(h) the total amount the consumer must pay for that repair; and

(i) the characteristics of the warranty.

174. Where repairs are carried out by a subcontractor, the merchant has the same obligation as if he had carried them out himself.

175. The merchant must, if the consumer so requires when requesting the repairs to be made, hand over to the consumer, at the same time as the latter takes delivery of his automobile, the parts that have been replaced, except:

(a) where the repairs are carried out without charge to the consumer;

(b) where the part is exchanged for a re-tooled or reconditioned part; or

(c) where the replaced part is subject to a warranty contract under which the merchant must return that part to the manufacturer or to the distributor.

176. Repairs are guaranteed for three months or 5 000 kilometres, whichever occurs first. The guarantee takes effect upon the delivery of the automobile.

177. The guarantee provided for in section 176 does not cover damage resulting from abuse by the consumer after the repairs.

178. Acceptance of the estimate or payment by the consumer does not prejudice his recourse against the merchant based upon the absence of prior authorization for the repairs, bad workmanship or the price exceeding, as the case may be, the price indicated in the estimate or the total of the price indicated in the estimate and the price agreed upon when the change was authorized.

179. Malgré les articles 974 et 1592 du Code civil, le commerçant ne peut retenir l'automobile du consommateur:

a) si le commerçant a omis de fournir une évaluation au consommateur avant d'effectuer la réparation; ou

b) si le prix total de la réparation est supérieur au prix indiqué dans l'évaluation, à la condition que le consommateur paie le prix indiqué dans l'évaluation; ou

c) si le prix total de la réparation est supérieur à la somme du prix indiqué dans l'évaluation et du prix convenu lors de la modification autorisée à la condition que le consommateur paie un prix égal à cette somme.

1978, c. 9, a. 179; 1999, c. 40, a. 234.

180. Un commerçant qui effectue la réparation d'automobiles doit, conformément aux exigences prescrites par règlement, afficher dans un endroit bien en vue de son établissement une pancarte informant les consommateurs des principales dispositions prévues dans la présente sous-section.

1978, c. 9, a. 180.

181. Les articles 167 à 175 et 177 à 180 s'appliquent, compte tenu des adaptations nécessaires, à la réparation d'une motocyclette adaptée au transport sur les chemins publics.

Une réparation d'une motocyclette adaptée au transport sur les chemins publics est garantie pour un mois. La garantie prend effet au moment de la livraison de la motocyclette.

1978, c. 9, a. 181.

SECTION V
RÉPARATION D'APPAREIL DOMESTIQUE

182. Aux fins de la présente section, on entend par:

a) «appareil domestique»: une cuisinière, un réfrigérateur, un congélateur, un lave-vaisselle, une laveuse, une sécheuse ou un téléviseur;

b) «commerçant»: une personne qui effectue une réparation moyennant rémunération;

c) «réparation»: un travail effectué sur un appareil domestique, à l'exception d'un travail prévu par règlement.

1978, c. 9, a. 182.

179. Notwithstanding articles 974 and 1592 of the Civil Code, the merchant shall not retain possession of the consumer's automobile

(a) if the merchant has failed to give an estimate to the consumer before carrying out the repairs; or

(b) if the total price of the repairs exceeds the price indicated in the estimate, provided that the consumer pays the price indicated in the estimate; or

(c) if the total price of the repairs exceeds the aggregate amount of the price indicated in the estimate and the price agreed to when the modification was authorized, provided that the consumer pays a price equal to that amount.

180. A merchant who carries out automobile repairs shall, in accordance with the requirements prescribed by regulation, post in a conspicuous place in his establishment a sign informing consumers of the principal provisions of this subdivision.

181. Sections 167 to 175 and 177 to 180 apply, *mutatis mutandis*, to the repair of a motorcycle adapted for transportation on public highways.

Repairs to a motorcycle adapted for transportation on public highways are guaranteed for one month. The guarantee takes effect upon the delivery of the motorcycle.

DIVISION V
REPAIR OF HOUSEHOLD APPLIANCES

182. For the purposes of this division,

(a) "household appliance" means a kitchen range, a refrigerator, a freezer, a dishwasher, a clothes washer, a clothes dryer or a television set;

(b) "merchant" means a person who carries out repairs for remuneration;

(c) "repair" means work carried out on a household appliance except work determined by regulation.

183. Avant d'effectuer une réparation, le commerçant doit fournir une évaluation écrite au consommateur. Le commerçant ne peut se libérer de cette obligation sans une renonciation écrite en entier par le consommateur et signée par ce dernier.

L'évaluation n'est pas requise lorsque la réparation doit être effectuée sans frais pour le consommateur.

Un commerçant ne peut exiger de frais pour faire une évaluation à moins d'en avoir fait connaître le montant au consommateur avant de faire l'évaluation.

1978, c. 9, a. 183.

184. L'évaluation doit indiquer:

a) le nom et l'adresse du consommateur et ceux du commerçant;

b) la description de l'appareil domestique;

c) la nature et le prix total de la réparation à effectuer;

d) la date et la durée de validité de l'évaluation.

1978, c. 9, a. 184.

185. Lorsqu'il a effectué la réparation, le commerçant doit remettre au consommateur une facture indiquant:

a) le nom et l'adresse du consommateur et ceux du commerçant;

b) la description de l'appareil domestique;

c) la réparation effectuée;

d) la pièce posée en précisant s'il s'agit d'une pièce neuve, usagée, réusinée ou remise à neuf et son prix;

e) le nombre d'heures de main-d'oeuvre facturé, le tarif horaire et le coût total de la main-d'oeuvre;

f) les droits exigibles en vertu d'une loi fédérale ou provinciale;

g) le total des sommes que le consommateur doit débourser pour cette réparation; et

h) les caractéristiques de la garantie.

1978, c. 9, a. 185; 1980, c. 11, a. 108; 1987, c. 90, a. 5.

186. Une réparation est garantie pour trois mois. La garantie comprend les pièces et la main-d'oeuvre et prend effet au moment de la livraison de l'appareil domestique.

1978, c. 9, a. 186.

187. Les articles 171, 172, 174, 175, 177, 178 et 179 s'appliquent, compte tenu des adaptations nécessaires, à la réparation d'appareil domestique.

1978, c. 9, a. 187.

183. Before carrying out any repairs, the merchant must give the consumer a written estimate. The merchant cannot be released from this obligation without a waiver written in its entirety by and signed by the consumer.

No estimate is required where the repairs are to be made free of charge to the consumer.

A merchant cannot charge a price for making an estimate unless he advises the consumer of the price before undertaking to make the estimate.

184. The estimate must indicate:

(a) the name and address of the consumer and of the merchant;

(b) the description of the household appliance;

(c) the nature and the total price of the repairs to be carried out;

(d) the date and duration of the estimate.

185. When the repair has been carried out, the merchant must remit to the consumer a bill indicating:

(a) the name and address of the consumer and of the merchant;

(b) the description of the household appliance;

(c) the repair carried out;

(d) the part installed, specifying whether it is a new, used, re-tooled or reconditioned part and its price;

(e) the number of hours of labour billed, the hourly rate and the total cost of labour;

(f) the duties chargeable under a federal or provincial act;

(g) the total amount the consumer must pay for the repair; and

(h) the characteristics of the warranty.

186. Every repair is guaranteed for three months. The guarantee includes parts and labour and takes effect upon the delivery of the household appliance.

187. Sections 171, 172, 174, 175, 177, 178 and 179 apply, *mutatis mutandis,* to the repair of household appliances.

SECTION VI
CONTRAT DE SERVICE À EXÉCUTION SUCCESSIVE

§ 1. — *Disposition générale*

188. Pour les fins de la présente section, est considérée comme commerçant une personne qui offre ou fournit un service prévu à l'article 189 à l'exception:

a) d'une commission scolaire et d'un établissement d'enseignement qui est sous son autorité;

b) d'un collège d'enseignement général et professionnel;

c) d'une université;

d) d'une faculté, école ou institut d'une université qui est géré par une personne morale distincte de celle qui administre cette université;

e) d'un établissement d'enseignement régi par la Loi sur l'enseignement privé (L.R.Q., chapitre E-9.1), pour les contrats de services éducatifs qui y sont assujettis;

f) (paragraphe abrogé);

f.1) d'une institution dont le régime d'enseignement est l'objet d'une entente internationale au sens de la Loi sur le ministère des Relations internationales (L.R.Q., chapitre M-25.1.1), pour l'enseignement subventionné qu'elle dispense;

g) d'un ministère du gouvernement et d'une école administrée par le gouvernement ou un de ses ministères;

g.1) du Conservatoire de musique et d'art dramatique du Québec institué en vertu de la Loi sur le Conservatoire de musique et d'art dramatique du Québec (L.R.Q., chapitre C-62.1);

h) d'une municipalité;

i) d'une personne membre d'un ordre professionnel régi par le Code des professions (L.R.Q., chapitre C-26);

j) d'une personne et d'une catégorie de personnes qui exercent une activité prévue à l'article 189 sans exiger ou recevoir de rémunération, directement ou indirectement; et

k) d'une personne et d'une catégorie de personnes prévues par règlement.

DIVISION VI
CONTRACT OF SERVICE INVOLVING SEQUENTIAL PERFORMANCE

§ 1. — *General Provisions*

188. For the purpose of this division, every person offering or providing any of the services referred to in section 189 is considered to be a merchant, except:

(a) school boards and the educational institutions under their authority;

(b) general and vocational colleges;

(c) universities;

(d) faculties, schools or institutes of a university that are administered by a legal person distinct from that which administers the university;

(e) educational institutions governed by the Act respecting private education (R.S.Q., chapter E-9.1), for educational service contracts subject thereto;

(f) (paragraph repealed);

(f.1) institutions whose instructional program is the subject of an international agreement within the meaning of the Act respecting the Ministère des Relations internationales (R.S.Q., chapter M-25.1.1), for the subsidized teaching they provide;

(g) Government departments and schools administered by the Government or by one of the Government departments;

(g.1) the Conservatoire de musique et d'art dramatique du Québec established under the Act respecting the Conservatoire de musique et d'art dramatique du Québec (R.S.Q., chapter C-62.1);

(h) municipalities;

(i) persons who are members of a professional order governed by the Professional Code (R.S.Q., chapter C-26);

(j) persons and classes of persons who carry on an activity referred to in section 189 without demanding or receiving any remuneration, directly or indirectly; and

(k) persons and classes of persons specified by regulation.

1978, c. 9, a. 188; 1988, c. 84, a. 700; 1989, c. 17, a. 12; 1992, c. 68, a. 151; 1994, c. 40, a. 457; 1994, c. 2, a. 78; 1994, c. 15, a. 33; 1996, c. 2, a. 791; 1996, c. 21, a. 70; 1997, c. 96, a. 193; 1999, c. 40, a. 234.

§ 2. — *Contrats principaux*

189. À l'exception du contrat conclu par un commerçant qui opère un studio de santé, la présente sous-section s'applique au contrat de service à exécution successive ayant pour objet:

a) de procurer un enseignement, un entraînement ou une assistance aux fins de développer, de maintenir ou d'améliorer la santé, l'apparence, l'habileté, les qualités, les connaissances ou les facultés intellectuelles, physiques ou morales d'une personne;

b) d'aider une personne à établir, maintenir ou développer des relations personnelles ou sociales; ou

c) d'accorder à une personne le droit d'utiliser un bien pour atteindre l'une des fins prévues aux paragraphes a ou b.

1978, c. 9, a. 189; 1999, c. 40, a. 234.

190. Le contrat doit être constaté par écrit et indiquer:

a) le nom et l'adresse du consommateur et ceux du commerçant;

b) le lieu et la date du contrat;

c) la description de l'objet du contrat et la date à laquelle le commerçant doit commencer à exécuter son obligation;

d) la durée du contrat et l'adresse où il doit être exécuté;

e) le nombre d'heures, de jours ou de semaines sur lesquels sont répartis les services ainsi que le taux horaire, le taux à la journée ou le taux à la semaine, selon le cas;

f) le total des sommes que le consommateur doit débourser en vertu du contrat;

g) les modalités de paiement; et

h) toute autre mention prescrite par règlement.

Le commerçant doit annexer au double du contrat qu'il remet au consommateur une formule conforme à l'annexe 8.

1978, c. 9, a. 190; 1992, c. 68, a. 152.

191. Le taux horaire, le taux à la journée ou le taux à la semaine doit être le même pour toute la durée du contrat.

1978, c. 9, a. 191.

192. Le commerçant ne peut percevoir de paiement du consommateur avant de commencer à exécuter son obligation.

§ 2. — *Principal Contracts*

189. This subdivision applies to contracts of service involving sequential performance, except contracts made by a merchant operating a physical fitness studio, the object of which is

(a) to obtain instruction, training or assistance for the purpose of developing, maintaining or improving the health, appearance, skills, qualities, knowledge or the intellectual, physical or moral faculties of a person,

(b) to assist a person in establishing, maintaining or developing personal or social relations, or

(c) to grant a person the right to use goods to attain any of the purposes provided for in paragraph a or b.

190. The contract must be evidenced in writing and indicate:

(a) the name and address of the consumer and of the merchant;

(b) the place and date of the contract;

(c) the description of the object of the contract and the date on which the merchant is to begin the performance of his obligation;

(d) the duration of the contract and the address where it is to be performed;

(e) the number of hours, days or weeks over which the services are distributed and the hourly rate, daily rate or weekly rate, as the case may be;

(f) the total amount the consumer must pay under the contract;

(g) the terms and conditions of payment; and

(h) any other information prescribed by regulation.

The merchant must attach a form in conformity with Schedule 8 to the duplicate of the contract which he remits to the consumer.

191. The hourly rate, the daily rate or the weekly rate must be the same for the whole duration of the contract.

192. The merchant shall not collect any payment from the consumer before beginning to perform his obligation.

Le commerçant ne peut percevoir le paiement de l'obligation du consommateur en moins de deux versements sensiblement égaux. Les dates d'échéance des versements doivent être fixées de telle sorte qu'elles se situent approximativement au début de parties sensiblement égales de la durée du contrat.

1978, c. 9, a. 192.

193. Le consommateur peut, à tout moment et à sa discrétion, résilier le contrat au moyen de la formule prévue à l'article 190 ou d'un autre avis écrit à cet effet au commerçant. Le contrat est résilié de plein droit à compter de l'envoi de la formule ou de l'avis.

1978, c. 9, a. 193.

194. Si le consommateur résilie le contrat avant que le commerçant n'ait commencé à exécuter son obligation principale, la résiliation s'effectue sans frais ni pénalité pour le consommateur.

1978, c. 9, a. 194.

195. Si le consommateur résilie le contrat après que le commerçant ait commencé à exécuter son obligation principale, les seules sommes que le commerçant peut exiger de lui sont:

a) le prix des services qui lui ont été fournis, calculé au taux horaire, au taux à la journée ou au taux à la semaine stipulé dans le contrat, et

b) à titre de pénalité, la moins élevée des sommes suivantes: 50 $ ou une somme représentant au plus 10 pour cent du prix des services qui ne lui ont pas été fournis.

1978, c. 9, a. 195.

196. Dans les dix jours qui suivent la résiliation du contrat, le commerçant doit restituer au consommateur la somme d'argent qu'il doit à ce dernier.

1978, c. 9, a. 196.

§ 3. — *Studios de santé*

197. La présente sous-section s'applique aux contrats de service à exécution successive conclus entre un consommateur et un commerçant qui opère un studio de santé.

1978, c. 9, a. 197; 1999, c. 40, a. 234.

198. Aux fins de la présente sous-section, on entend par «studio de santé» un établissement qui fournit des biens ou des services destinés à aider une personne à améliorer sa condition physique par un changement dans son poids, le contrôle de son poids, un traitement, une diète ou de l'exercice.

1978, c. 9, a. 198.

The merchant shall not collect payment of the consumer's obligation in less than two approximately equal instalments. The dates of payment of the instalments must be fixed in such a way as to be situated approximately at the beginning of approximately equal periods of the term of the contract.

193. The consumer may, at any time and at his discretion, cancel the contract by sending the form provided for in section 190 or another written notice to that effect to the merchant. The contract is cancelled of right from the sending of the form or notice.

194. If the consumer cancels the contract before the merchant has begun the performance of his principal obligation, the cancellation is effected without cost or penalty to the consumer.

195. If the consumer cancels the contract after the merchant has begun the performance of his principal obligation, the only sums that the merchant may exact from him are:

(a) the price of the services rendered, computed on the basis of the hourly, daily or weekly rates stipulated in the contract, and

(b) as a penalty, the lesser of the following sums: $50 and a sum representing not more than 10% of the price of the services that were not rendered.

196. Within ten days following the cancellation of the contract, the merchant must return to the consumer the sum of money he owes him.

§ 3. — *Physical Fitness Studios*

197. This subdivision applies to contracts of service involving sequential performance made between a consumer and a merchant who operates a physical fitness studio.

198. For the purposes of this subdivision, "physical fitness studio" means an establishment providing goods or services designed to help improve a person's physical fitness through a change of weight, weight control, treatment, diet or exercise.

199. Le contrat doit être constaté par écrit et indiquer:

a) le numéro de permis du commerçant;

b) le nom et l'adresse du consommateur et ceux du commerçant;

c) le lieu et la date du contrat;

d) la description de l'objet du contrat et la date à laquelle le commerçant doit commencer à exécuter son obligation;

e) la durée du contrat et l'adresse où il doit être exécuté;

f) le total des sommes que le consommateur doit débourser en vertu du contrat;

g) les modalités de paiement; et

h) toute autre mention prescrite par règlement.

Le commerçant doit annexer au double du contrat qu'il remet au consommateur une formule conforme à l'annexe 9.

1978, c. 9, a. 199.

200. La durée du contrat ne peut excéder un an.

1978, c. 9, a. 200.

201. Le commerçant ne peut percevoir aucun paiement du consommateur avant de commencer à exécuter son obligation.

Le commerçant ne peut percevoir le paiement de l'obligation du consommateur en moins de deux versements sensiblement égaux. Les dates d'échéance des versements doivent être fixées de telle sorte qu'elles se situent approximativement au début des parties sensiblement égales de la durée du contrat.

1978, c. 9, a. 201.

202. Le consommateur peut, à sa discrétion, résilier le contrat sans frais ni pénalité avant que le commerçant ne commence à exécuter son obligation principale.

1978, c. 9, a. 202.

203. Le consommateur peut également, à sa discrétion, résilier le contrat dans un délai égal à un dixième de la durée prévue du contrat, à compter du moment où le commerçant commence à exécuter son obligation principale. Dans ce cas, le commerçant ne peut exiger du consommateur le paiement d'une somme supérieure à un dixième du prix total prévu au contrat.

1978, c. 9, a. 203.

199. The contract must be evidenced in writing and indicate:

(a) the licence number of the merchant;

(b) the name and address of the consumer and of the merchant;

(c) the place and date of the contract;

(d) the description of the object of the contract and the date on which the merchant must begin to perform his obligation;

(e) the duration of the contract and the address where it is to be executed;

(f) the total amount the consumer must pay under the contract;

(g) the terms and conditions of payment; and

(h) any other information prescribed by regulation.

The merchant must attach a form in conformity with Schedule 9 to the duplicate of the contract which he remits to the consumer.

200. The duration of the contract shall not exceed one year.

201. No payment may be collected from the consumer by the merchant before the merchant has begun the performance of his obligation.

The merchant shall not collect payment of the consumer's obligation in fewer than two approximately equal instalments. The dates the instalments are payable must be fixed in such a manner as to be situated approximately at the beginning of approximately equal divisions of the duration of the contract.

202. The consumer may, at his discretion, cancel the contract without charge or penalty before the merchant has begun the performance of his principal obligation.

203. The consumer may also, at his discretion, cancel the contract within a period equal to one-tenth of the intended duration of the contract, from the time the merchant begins to perform his principal obligation. In such a case, the merchant shall not exact from the consumer payment of any sum greater than one-tenth of the total price provided in the contract.

204. Le consommateur peut résilier le contrat au moyen de la formule prévue à l'article 199 ou d'un autre avis écrit à cet effet au commerçant. Le contrat est résilié de plein droit à compter de l'envoi de la formule ou de l'avis.

1978, c. 9, a. 204.

205. Dans les dix jours qui suivent la résiliation du contrat, le commerçant doit restituer au consommateur la somme d'argent qu'il doit à ce dernier.

1978, c. 9, a. 205.

§ 4. — *Contrats accessoires*

206. Le commerçant ne peut soumettre la conclusion ou l'exécution du contrat principal à la conclusion d'un autre contrat entre lui et le consommateur.

1978, c. 9, a. 206.

207. Lorsque, à l'occasion de la conclusion ou de l'exécution du contrat principal, le consommateur conclut avec le commerçant un contrat de service ou de louage d'un bien qui ne serait pas autrement visé par la présente section, ce contrat est soumis, compte tenu des adaptations nécessaires, aux articles 190 à 196 ou 197 à 205, selon le cas.

1978, c. 9, a. 207; 1999, c. 40, a. 234.

208. Lorsque, à l'occasion de la conclusion ou de l'exécution du contrat principal, le commerçant vend un bien au consommateur, il doit lui remettre un contrat écrit indiquant:

a) le nom et l'adresse du consommateur et ceux du commerçant;

b) le lieu et la date du contrat;

c) la description de l'objet du contrat, y compris, le cas échéant, l'année du modèle ou autre marque distinctive;

d) le prix comptant de chaque bien;

e) les droits exigibles en vertu d'une loi fédérale ou provinciale;

f) le total des sommes que le consommateur doit débourser en vertu du contrat; et

g) toute autre mention prescrite par règlement.

Le commerçant doit annexer au double du contrat qu'il remet au consommateur une formule conforme à l'annexe 10.

1978, c. 9, a. 208; 1980, c. 11, a. 109.

204. The consumer may cancel the contract by means of the form provided for in section 199 or of another written notice to that effect to the merchant. The contract is cancelled of right from the sending of the form or notice.

205. Within ten days following the cancellation of the contract, the merchant must return to the consumer the sum of money he owes him.

§ 4. — *Accessory Contracts*

206. No merchant may make the entering into or the performance of the principal contract dependent upon the making of another contract between him and the consumer.

207. Where at the time of the entering into or performance of a principal contract, the consumer enters into a contract of service or for the lease of goods with the merchant that would not otherwise be contemplated in this division, such contract is governed by sections 190 to 196 or 197 to 205, as the case may be, *mutatis mutandis*.

208. Where, upon the making or the performance of a principal contract, the merchant sells goods to the consumer, he must remit to him a written contract indicating:

(a) the name and address of the consumer and of the merchant;

(b) the place and date of the contract;

(c) the description of the object of the contract, including, where such is the case, the year of the model or any other distinguishing mark;

(d) the cash price of each item of goods;

(e) the duties chargeable under a federal or provincial act;

(f) the total amount the consumer must pay under the contract; and

(g) any other information prescribed by regulation.

The merchant must attach a form in conformity with Schedule 10 to the duplicate of the contract which he remits to the consumer.

209. Le consommateur peut, à sa discrétion, résoudre le contrat visé à l'article 208 dans les dix jours qui suivent soit celui de la livraison du bien, soit celui où le commerçant commence à exécuter son obligation en vertu du contrat principal, selon l'échéance du plus long terme.

1978, c. 9, a. 209.

210. Le consommateur se prévaut de la faculté de résolution:

a) par la remise du bien au commerçant;

b) en retournant au commerçant la formule prévue à l'article 208; ou

c) au moyen d'un autre avis écrit à cet effet au commerçant.

Le contrat est résolu de plein droit à compter de la remise du bien ou de l'envoi de la formule ou de l'avis.

1978, c. 9, a. 210.

211. Dans les dix jours qui suivent la résolution, les parties doivent se restituer ce qu'elles ont reçu l'une de l'autre.

Le commerçant assume les frais de restitution.

Le commerçant assume les risques de perte ou de détérioration, même par cas fortuit, du bien qui fait l'objet du contrat jusqu'à l'échéance du plus long terme prévu à l'article 209.

1978, c. 9, a. 211.

212. Lorsque le consommateur résilie un contrat principal, il peut également, même après l'expiration du délai prévu à l'article 209, résoudre un contrat visé à l'article 208 en remettant le bien au commerçant dans les dix jours qui suivent la résiliation du premier contrat.

Le consommateur ne peut cependant résoudre le contrat visé à l'article 208 s'il a été en possession du bien pendant une période de deux mois, ou une période équivalente à un tiers de la durée prévue du contrat principal, selon la plus courte des deux périodes.

1978, c. 9, a. 212; 1999, c. 40, a. 234.

213. Malgré les articles 209 et 212, le consommateur ne peut résoudre le contrat visé à l'article 208 si, par suite d'un fait ou d'une faute dont il est responsable, il ne peut remettre le bien au commerçant dans l'état où il l'a reçu.

1978, c. 9, a. 213.

209. The consumer may, at his discretion, cancel the contract contemplated in section 208 within ten days following the day the goods are delivered or the day the merchant begins the performance of his obligation under the principal contract, whichever occurs last.

210. The consumer avails himself of his right of cancellation

(a) by returning the goods to the merchant;

(b) by returning to the merchant the form provided for in section 208; or

(c) by another written notice to that effect to the merchant.

The contract is cancelled of right from the return of the goods or the sending of the form or notice.

211. Within ten days following the cancellation, the parties must restore to each other what they have received from one another.

The merchant shall assume the costs of restitution.

The merchant shall assume the risk of loss or deterioration, even by fortuitous event, of the goods being the object of the contract until the longer of the two terms contemplated in section 209 has expired.

212. Where a consumer cancels a principal contract, he may also, even after the time provided for in section 209 has expired, cancel a contract contemplated in section 208 by returning the goods to the merchant within ten days following the cancellation of the first contract.

However, the consumer shall not cancel a contract contemplated in section 208 if he has been in possession of the goods for a period of two months or a period equivalent to one-third of the term stipulated in the principal contract, whichever is shorter.

213. Notwithstanding sections 209 and 212, the consumer shall not cancel a contract contemplated in section 208 if, as a result of any act or fault for which he is liable, he is unable to return the goods to the merchant in the condition in which he received them.

214. Les articles 208 à 213 ne s'appliquent pas au contrat dans lequel le montant total de l'obligation du consommateur n'excède pas $100.

1978, c. 9, a. 214.

TITRE II
PRATIQUES DE COMMERCE

215. Constitue une pratique interdite aux fins du présent titre une pratique visée par les articles 219 à 251 ou, lorsqu'il s'agit de la vente, de la location ou de la construction d'un immeuble, une pratique visée aux articles 219 à 222, 224 à 230, 232, 235, 236 et 238 à 243.

1978, c. 9, a. 215; 1985, c. 34, a. 272.

216. Aux fins du présent titre, une représentation comprend une affirmation, un comportement ou une omission.

1978, c. 9, a. 216.

217. La commission d'une pratique interdite n'est pas subordonnée à la conclusion d'un contrat.

1978, c. 9, a. 217.

218. Pour déterminer si une représentation constitue une pratique interdite, il faut tenir compte de l'impression générale qu'elle donne et, s'il y a lieu, du sens littéral des termes qui y sont employés.

1978, c. 9, a. 218.

219. Aucun commerçant, fabricant ou publicitaire ne peut, par quelque moyen que ce soit, faire une représentation fausse ou trompeuse à un consommateur.

1978, c. 9, a. 219; 1999, c. 40, a. 234.

220. Aucun commerçant, fabricant ou publicitaire ne peut faussement, par quelque moyen que ce soit:

a) attribuer à un bien ou à un service un avantage particulier;

b) prétendre qu'un avantage pécuniaire résultera de l'acquisition ou de l'utilisation d'un bien ou d'un service;

c) prétendre que l'acquisition ou l'utilisation d'un bien ou d'un service confère ou assure un droit, un recours ou une obligation.

1978, c. 9, a. 220; 1999, c. 40, a. 234.

221. Aucun commerçant, fabricant ou publicitaire ne peut faussement, par quelque moyen que ce soit:

a) prétendre qu'un bien ou un service comporte une pièce, une composante ou un ingrédient particuliers;

214. Sections 208 to 213 do not apply to a contract under which the total amount of the consumer's obligation does not exceed $100.

TITLE II
BUSINESS PRACTICES

215. Any practice contemplated in sections 219 to 251 or, in case of the sale, lease or construction of an immovable, in sections 219 to 222, 224 to 230, 232, 235, 236 and 238 to 243 constitutes a prohibited practice for the purposes of this title.

216. For the purposes of this title, representation includes an affirmation, a behaviour or an omission.

217. The fact that a prohibited practice has been used is not subordinate to whether or not a contract has been made.

218. To determine whether or not a representation constitutes a prohibited practice, the general impression it gives, and, as the case may be, the literal meaning of the terms used therein must be taken into account.

219. No merchant, manufacturer or advertiser may, by any means whatever, make false or misleading representations to a consumer.

220. No merchant, manufacturer or advertiser may, falsely, by any means whatever,

(a) ascribe certain special advantages to goods or services;

(b) hold out that the acquisition or use of goods or services will result in pecuniary benefit;

(c) hold out that the acquisition or use of goods or services confers or insures rights, recourses or obligations.

221. No merchant, manufacturer or advertiser may, falsely, by any means whatever,

(a) hold out that goods or services include certain parts, components or ingredients;

b) attribuer à un bien une dimension, un poids, une mesure ou un volume;

c) prétendre qu'un bien ou un service répond à une norme déterminée;

d) indiquer la catégorie, le type, le modèle ou l'année de fabrication d'un bien;

e) prétendre qu'un bien est neuf, remis à neuf ou utilisé à un degré déterminé;

f) prétendre qu'un bien ou un service a des antécédents particuliers ou a eu une utilisation particulière;

g) attribuer à un bien ou à un service une certaine caractéristique de rendement.

1978, c. 9, a. 221; 1999, c. 40, a. 234.

222. Aucun commerçant, fabricant ou publicitaire ne peut faussement, par quelque moyen que ce soit:

a) invoquer une circonstance déterminée pour offrir un bien ou un service;

b) déprécier un bien ou un service offert par un autre;

c) prétendre qu'un bien ou un service a été fourni;

d) prétendre qu'un bien a un mode de fabrication déterminé;

e) prétendre qu'un bien ou un service est nécessaire pour changer une pièce ou effectuer une réparation;

f) prétendre qu'un bien ou un service est d'une origine géographique déterminée;

g) indiquer la quantité d'un bien ou d'un service dont il dispose.

1978, c. 9, a. 222; 1999, c. 40, a. 234.

223. Un commerçant doit indiquer clairement et lisiblement sur chaque bien offert en vente dans son établissement ou, dans le cas d'un bien emballé, sur son emballage, le prix de vente de ce bien, sous réserve de ce qui est prévu par règlement.

1978, c. 9, a. 223.

224. Aucun commerçant, fabricant ou publicitaire ne peut, par quelque moyen que ce soit:

a) accorder, dans un message publicitaire, moins d'importance au prix d'un ensemble de biens ou de services, qu'au prix de l'un des biens ou des services composant cet ensemble;

b) sous réserve des articles 244 à 247, divulguer, dans un message publicitaire, le montant des paiements périodiques à faire pour l'acquisition d'un bien ou l'obtention d'un service sans divulguer également le prix total du bien ou du service ni le faire ressortir d'une façon plus évidente;

(b) hold out that goods have a particular dimension, weight, size or volume;

(c) hold out that goods are of a specified standard;

(d) represent that goods are of a particular category, type, model or year of manufacture;

(e) hold out that goods are new, reconditioned or used to a specified degree;

(f) hold out that goods have particular antecedents or have been used for a particular purpose;

(g) ascribe certain characteristics of performance to goods or services.

222. No merchant, manufacturer or advertiser may, falsely, by any means whatever,

(a) invoke specific circumstances to offer goods or services;

(b) discredit goods or services offered by others;

(c) hold out that goods or services have been furnished;

(d) hold out that goods are made according to a specified method of manufacture;

(e) hold out that goods or services are necessary in order to replace a part or make a repair;

(f) hold out that goods or services have a specified geographic origin;

(g) indicate the quantity of goods or services at his disposal.

223. A merchant must indicate the sale price clearly and legibly on all the goods or, if the goods are wrapped, on the wrapping of all the goods offered for sale in his establishment, subject to the regulations.

224. No merchant, manufacturer or advertiser may, by any means whatever,

(a) lay lesser stress, in an advertisement, on the price of a set of goods or services than on the price of any goods or services forming part of the set;

(b) subject to sections 244 to 247, disclose, in an advertisement, the amount of the instalments to be paid to acquire goods or to obtain a service without also disclosing the total price of the goods or services and laying the greater stress on such total price;

c) exiger pour un bien ou un service un prix supérieur à celui qui est annoncé.

1978, c. 9, a. 224; 1999, c. 40, a. 234.

225. Aucun commerçant, fabricant ou publicitaire ne peut faussement, par quelque moyen que ce soit:

a) invoquer une réduction de prix;

b) indiquer le prix courant ou un autre prix de référence pour un bien ou un service;

c) laisser croire que le prix d'un bien ou d'un service est avantageux.

1978, c. 9, a. 225; 1999, c. 40, a. 234.

226. Aucun commerçant ou fabricant ne peut refuser d'exécuter la garantie qu'il accorde sous prétexte que le document qui la constate ne lui est pas parvenu ou n'a pas été validé.

1978, c. 9, a. 226; 1999, c. 40, a. 234.

227. Aucun commerçant, fabricant ou publicitaire ne peut, par quelque moyen que ce soit, faire une fausse représentation concernant l'existence, la portée ou la durée d'une garantie.

1978, c. 9, a. 227; 1999, c. 40, a. 234.

227.1 Nul ne peut, par quelque moyen que ce soit, faire une représentation fausse ou trompeuse concernant l'existence, l'imputation, le montant ou le taux des droits exigibles en vertu d'une loi fédérale ou provinciale.

1997, c. 85, a. 369.

228. Aucun commerçant, fabricant ou publicitaire ne peut, dans une représentation qu'il fait à un consommateur, passer sous silence un fait important.

1978, c. 9, a. 228; 1999, c. 40, a. 234.

229. Aucun commerçant, fabricant ou publicitaire ne peut, par quelque moyen que ce soit, à l'occasion de la sollicitation ou de la conclusion d'un contrat, faire une fausse représentation concernant la rentabilité ou un autre aspect d'une occasion d'affaires offerte à un consommateur.

1978, c. 9, a. 229; 1999, c. 40, a. 234.

230. Aucun commerçant, fabricant ou publicitaire ne peut, par quelque moyen que ce soit:

a) exiger quelque somme que ce soit pour un bien ou un service qu'il a fait parvenir ou rendu à un consommateur sans que ce dernier ne l'ait demandé;

b) prétexter un motif pour la sollicitation portant sur la vente d'un bien ou la prestation d'un service.

1978, c. 9, a. 230; 1991, c. 24, a. 14; 1999, c. 40, a. 234.

(c) charge, for goods or services, a higher price than that advertised.

225. No merchant, manufacturer or advertiser may, falsely, by any means whatever,

(a) invoke a price reduction;

(b) indicate a regular price or another reference price for goods or services;

(c) let it be believed that the price of certain goods or services is advantageous.

226. No merchant or manufacturer may refuse to perform the warranty granted by him on the pretext that the document evidencing it has not reached him or was not validated.

227. No merchant, manufacturer or advertiser may, by any means whatever, make false representations concerning the existence, the scope or the duration of a warranty.

227.1 No person may, by any means whatever, make false or misleading representations concerning the existence, charge, amount or rate of duties payable under a federal or provincial statute.

228. No merchant, manufacturer or advertiser may fail to mention an important fact in any representation made to a consumer.

229. No merchant, manufacturer or advertiser may, by any means whatever, when soliciting or making a contract, make false representations concerning the profitability or any other aspect of a business opportunity offered to a consumer.

230. No merchant, manufacturer or advertiser may, by any means whatever,

(a) charge any sum whatever for any goods or services that he has sent or rendered to a consumer without the consumer having ordered them;

(b) give any reason as a pretext for soliciting the sale of goods or the provision of services.

231. Aucun commerçant, fabricant ou publicitaire ne peut, par quelque moyen que ce soit, faire de la publicité concernant un bien ou un service qu'il possède en quantité insuffisante pour répondre à la demande du public, à moins de mentionner dans son message publicitaire qu'il ne dispose que d'une quantité limitée du bien ou du service et d'indiquer cette quantité.

Ne commet pas d'infraction au présent article le commerçant, le fabricant ou le publicitaire qui établit à la satisfaction du tribunal qu'il avait des motifs raisonnables de croire être en mesure de répondre à la demande du public, ou qui a offert au consommateur, au même prix, un autre bien de même nature et d'un prix coûtant égal ou supérieur.

1978, c. 9, a. 231; 1999, c. 40, a. 234.

232. Aucun commerçant, fabricant ou publicitaire ne peut, par quelque moyen que ce soit, accorder dans un message publicitaire, plus d'importance à la prime qu'au bien ou au service offert.

On entend par «prime» un bien, un service, un rabais ou un autre avantage offert ou remis à l'occasion de la vente d'un bien ou de la prestation d'un service et qui peut être attribué ou est susceptible d'être obtenu, immédiatement ou d'une manière différée, chez le commerçant, le fabricant ou le publicitaire, soit à titre gratuit soit à des conditions présentées explicitement ou implicitement comme avantageuses.

1978, c. 9, a. 232; 1999, c. 40, a. 234.

233. Aucun commerçant, fabricant ou publicitaire ne peut, à l'occasion d'un concours ou d'un tirage, offrir soit un cadeau ou un prix, soit un article à rabais, sans en divulguer clairement toutes les conditions et modalités d'obtention.

1978, c. 9, a. 233; 1999, c. 40, a. 234.

234. Nul ne peut refuser de conclure une entente avec un commerçant ou mettre fin à une entente qui le lie à un commerçant en raison du fait que ce commerçant accorde un rabais à un consommateur qui le paie en argent comptant ou par effet de commerce.

1978, c. 9, a. 234.

235. Aucune personne ne peut, directement ou indirectement, dans un contrat passé avec un consommateur, subordonner l'octroi d'un rabais, d'un paiement ou d'un autre avantage, à la conclusion d'un contrat de même nature entre, d'une part, cette personne ou ce consommateur et, d'autre part, une autre personne.

1978, c. 9, a. 235.

231. No merchant, manufacturer or advertiser may, by any means whatever, advertise goods or services of which he has an insufficient quantity to meet public demand unless mention is made in his advertisement that only a limited quantity of the goods or services is available and such quantity is indicated.

The merchant, manufacturer or advertiser who establishes to the satisfaction of the court that he had reasonable cause to believe that be could meet public demand or who offered the consumer, for the same price, other goods of the same nature and of an equal or greater cost price is not guilty of any infraction of this section.

232. No merchant, manufacturer or advertiser may, by any means whatever, put greater emphasis, in an advertisement, on a premium than on the goods or services offered.

"Premium" means any goods, services, rebate or other benefit offered or given at the time of the sale of goods or the performance of a service, which may be granted or obtained immediately or in a deferred manner, from the merchant, manufacturer or advertiser, either gratuitously or on conditions explicitly or implicitly presented as advantageous.

233. No merchant, manufacturer or advertiser may offer a gift, a prize or a rebate on any goods in connection with a contest or a drawing without clearly disclosing all the terms and conditions for obtaining it.

234. No person may refuse to enter into an agreement with a merchant, or terminate an agreement binding between him and a merchant, by reason of the fact that such merchant grants a rebate to the consumer who pays him cash or by negotiable instrument.

235. No person may, directly or indirectly, in a contract made with a consumer, make the grant of a rebate, payment or other benefit dependent upon the making of a contract of the same nature between that person or consumer and another person.

236. Est visé notamment à l'article 235, le contrat communément appelé vente par référence, à paliers multiples, à système pyramidal, par réactions en chaîne ou autre mode similaire de vente.

1978, c. 9, a. 236.

237. Nul ne peut:

a) altérer l'odomètre d'une automobile de façon à lui faire indiquer incorrectement la distance parcourue par celle-ci;

b) réparer l'odomètre d'une automobile sans le régler de façon à ce qu'il affiche la même distance que celle qui apparaissait avant que ne soient effectués les travaux;

c) remplacer l'odomètre d'une automobile sans régler le nouvel odomètre de façon à ce qu'il affiche la même distance que celle qui apparaissait sur l'odomètre remplacé.

1978, c. 9, a. 237; 1987, c. 90, a. 6.

238. Aucun commerçant, fabricant ou publicitaire ne peut faussement, par quelque moyen que ce soit:

a) prétendre qu'il est agréé, recommandé, parrainé, approuvé par un tiers, ou affilié ou associé à ce dernier;

b) prétendre qu'un tiers recommande, approuve, agrée ou parraine un bien ou un service;

c) déclarer comme sien un statut ou une identité.

1978, c. 9, a. 238; 1999, c. 40, a. 234.

239. Aucun commerçant, fabricant ou publicitaire ne peut, par quelque moyen que ce soit:

a) déformer le sens d'une information, d'une opinion ou d'un témoignage;

b) s'appuyer sur une donnée ou une analyse présentée faussement comme scientifique.

1978, c. 9, a. 23; 1999, c. 40, a. 234.

240. À moins d'une disposition contraire prévue par la présente loi ou un règlement, nul ne peut invoquer le fait qu'il est titulaire d'un permis ou qu'il a fourni un cautionnement exigé par la présente loi ou un règlement, ou qu'il est le représentant d'une personne qui est titulaire d'un permis ou qui a fourni un cautionnement exigé par la présente loi ou un règlement pour prétendre que sa compétence, sa solvabilité, sa conduite ou ses opérations sont reconnues ou approuvées.

1978, c. 9, a. 240; 1980, c. 11, a. 110.

236. The contract commonly called a sale by reference, a multiple level sale, a pyramid sale, or a chain sale and any other similar mode of sale is in particular contemplated in section 235.

237. No person may

(a) alter the odometer of an automobile so as to cause it to give an inaccurate reading of the distance travelled by the automobile;

(b) repair the odometer of an automobile except if he sets it so that it indicates the same distance as that it indicated before the repair;

(c) replace the odometer of an automobile except if he sets the new odometer so that it indicates the same distance as that shown on the replaced odometer.

238. No merchant, manufacturer or advertiser may, falsely, by any means whatever,

(a) hold out that he is certified, recommended, sponsored or approved by a third person, or that he is affiliated or associated with the latter;

(b) hold out that a third person recommends, approves, certifies or sponsors certain goods or services;

(c) state that he has a particular status or identity.

239. No merchant, manufacturer or advertiser may, by any means whatever,

(a) distort the meaning of any information, opinion or testimony;

(b) rely upon data or analyses falsely presented as scientific.

240. Subject to any contrary provision contained in this act or a regulation, no person may invoke the fact that he holds a permit or has furnished security required by this act or a regulation, or is the representative of a person holding a permit or having furnished security required by this act or a regulation, to hold out that his competence, solvency, conduct or operations are recognized or approved.

241. À moins d'une disposition contraire prévue par la présente loi ou un règlement, nul ne peut alléguer dans un message publicitaire le fait qu'il est titulaire d'un permis ou qu'il a fourni un cautionnement exigé par la présente loi ou un règlement, ou qu'il est le représentant d'une personne qui est titulaire d'un permis ou qui a fourni un cautionnement exigé par la présente loi ou un règlement.

1978, c. 9, a. 241; 1980, c. 11, a. 111.

242. Aucun commerçant ne peut, dans un message publicitaire, omettre son identité et sa qualité de commerçant.

1978, c. 9, a. 242.

243. Aucun commerçant ou fabricant ne peut, dans un message publicitaire concernant un bien ou un service offert aux consommateurs, indiquer comme adresse une case postale sans mentionner au moins son adresse.

1978, c. 9, a. 243; 1999, c. 40, a. 234.

244. Nul ne peut, dans un message publicitaire concernant un bien ou un service, informer le consommateur sur le crédit qu'on lui offre, sauf pour mentionner la disponibilité du crédit de la manière prescrite par règlement.

1978, c. 9, a. 244.

245. Nul ne peut, à l'occasion d'un message publicitaire concernant le crédit, inciter le consommateur à se procurer un bien ou un service au moyen du crédit ou illustrer un bien ou un service.

1978, c. 9, a. 245.

245.1 Nul ne peut faire parvenir à un consommateur qui n'en a pas fait la demande par écrit une offre de crédit, un certificat de prêt ou un autre écrit qui, par la signature du consommateur, devient un contrat de crédit.

1987, c. 90, a. 7.

246. Nul ne peut, à l'occasion d'un message publicitaire concernant le crédit, divulguer un taux relatif au crédit, à moins de divulguer également le taux de crédit calculé conformément à la présente loi et de faire ressortir ce dernier d'une façon aussi évidente.

1978, c. 9, a. 246; 1991, c. 24, a. 15.

247. Nul ne peut faire de la publicité concernant les modalités du crédit, à l'exception du taux de crédit, à moins que le message publicitaire ne contienne les mentions prescrites par règlement.

1978, c. 9, a. 247.

241. Subject to any contrary provision of this act or a regulation, no person may invoke in any advertisement the fact that he holds a permit or has furnished security required by this act or a regulation, or that he is the representative of a person who holds a permit or has furnished security required by this act or a regulation.

242. No merchant may fail to mention his identity, and the fact that he is a merchant, in any advertisement.

243. No merchant or manufacturer may, in any advertisement of goods or services offered to the consumer, give a post office box as his address without mentioning at least his address.

244. No person may in any advertisement of goods or services, advise consumers of the credit offered to them except to mention the availability of credit in the manner prescribed by regulation.

245. No person may, in any advertisement concerning credit, urge consumers to obtain goods or services on credit or illustrate goods or services.

245.1 No person may send a credit offer, a loan certificate or any writing which, if it bears the consumer's signature, becomes a contract of credit to a consumer who has not applied therefor in writing.

246. No person may, in any advertisement concerning credit, disclose a rate regarding credit unless he also discloses, with equal emphasis, the credit rate computed in accordance with this Act.

247. No person may make use of advertising regarding the terms and conditions of credit, except the credit rate, unless such advertising includes the particulars prescribed by regulation.

247.1 Nul ne peut faire de la publicité concernant les modalités du louage à long terme de biens, à moins que le message publicitaire n'indique de façon expresse qu'il s'agit d'une offre de location à long terme et ne contienne les mentions prescrites par règlement, présentées de la manière qui y est prévue.

1991, c. 24, a. 16.

248. Sous réserve de ce qui est prévu par règlement, nul ne peut faire de la publicité à but commercial destinée à des personnes de moins de treize ans.

1978, c. 9, a. 248.

249. Pour déterminer si un message publicitaire est ou non destiné à des personnes de moins de treize ans, on doit tenir compte du contexte de sa présentation et notamment:

a) de la nature et de la destination du bien annoncé;

b) de la manière de présenter ce message publicitaire;

c) du moment ou de l'endroit où il apparaît.

Le fait qu'un tel message publicitaire soit contenu dans un imprimé destiné à des personnes de treize ans et plus ou destiné à la fois à des personnes de moins de treize ans et à des personnes de treize ans et plus ou qu'il soit diffusé lors d'une période d'écoute destinée à des personnes de treize ans et plus ou destinée à la fois à des personnes de moins de treize ans et à des personnes de treize ans et plus ne fait pas présumer qu'il n'est pas destiné à des personnes de moins de treize ans.

1978, c. 9, a. 249.

250. Nul ne peut faire de la publicité indiquant qu'un commerçant échange ou accepte en paiement un chèque ou un autre ordre de paiement émis par le gouvernement du Québec, par celui du Canada ou une municipalité.

1978, c. 9, a. 250; 1996, c. 2, a. 791.

251. Nul ne peut exiger de frais d'un consommateur pour l'échange ou l'encaissement d'un chèque ou d'un autre ordre de paiement émis par le gouvernement du Québec, par celui du Canada ou par une municipalité.

1978, c. 9, a. 251; 1996, c. 2, a. 791.

252. Aux fins des articles 231, 246, 247, 247.1, 248 et 250, on entend par «faire de la publicité» le fait de préparer, d'utiliser, de distribuer, de faire distribuer, de publier ou de faire publier, de diffuser ou de faire diffuser un message publicitaire.

1978, c. 9, a. 252; 1991, c. 24, a. 17.

247.1 No person may make use of advertising regarding the terms and conditions of long-term lease of goods, unless such advertising states expressly that the offer concerns long-term lease and includes the particulars prescribed by regulation in the manner therein provided.

248. Subject to what is provided in the regulations, no person may make use of commercial advertising directed at persons under thirteen years of age.

249. To determine whether or not an advertisement is directed at persons under thirteen years of age, account must be taken of the context of its presentation, and in particular of

(a) the nature and intended purpose of the goods advertised;

(b) the manner of presenting such advertisement;

(c) the time and place it is shown.

The fact that such advertisement may be contained in printed matter intended for persons thirteen years of age and over or intended both for persons under thirteen years of age and for persons thirteen years of age and over, or that it may be broadcast during air time intended for persons thirteen years of age and over or intended both for persons under thirteen years of age and for persons thirteen years of age and over does not create a presumption that it is not directed at persons under thirteen years of age.

250. No person shall advertise that a merchant exchanges or accepts as payment cheques or other orders to pay issued by the government of Québec or of Canada or by a municipality.

251. No person may charge a consumer for exchanging or cashing a cheque or other order to pay issued by the government of Québec or of Canada or by a municipality.

252. For the purposes of sections 231, 246, 247, 247.1, 248 and 250, "to advertise" or "to make use of advertising" means to prepare, utilize, distribute, publish or broadcast an advertisement, or to cause it to be distributed, published or broadcast.

253. Lorsqu'un commerçant, un fabricant ou un publicitaire se livre en cas de vente, de location ou de construction d'un immeuble à une pratique interdite ou, dans les autres cas, à une pratique interdite visée aux paragraphes a et b de l'article 220, a, b, c, d, e et g de l'article 221, d, e et f de l'article 222, c de l'article 224, a et b de l'article 225 et aux articles 227, 228, 229, 237 et 239, il y a présomption que, si le consommateur avait eu connaissance de cette pratique, il n'aurait pas contracté ou n'aurait pas donné un prix si élevé.

1978, c. 9, a. 253; 1985, c. 34, a. 273; 1999, c. 40, a. 234.

253. Where a merchant, manufacturer or advertiser makes use of a prohibited practice in case of the sale, lease or construction of an immovable or, in any other case, of a prohibited practice referred to in paragraph a or b of section 220, a, b, c, d, e or g of section 221, d, e or f of section 222, c of section 224 or a or b of section 225, or in section 227, 228, 229, 237 or 239, it is presumed that had the consumer been aware of such practice, he would not have agreed to the contract or would not have paid such a high price.

TITRE III
SOMMES TRANSFÉRÉES EN FIDUCIE

TITLE III
SUMS TRANSFERRED IN TRUST

254. Une somme d'argent reçue par un commerçant d'un consommateur avant la conclusion d'un contrat est transférée en fiducie. Le commerçant est alors fiduciaire de cette somme et doit la déposer dans un compte en fidéicommis jusqu'à ce qu'il la rembourse au consommateur sur réclamation de ce dernier, ou jusqu'à la conclusion du contrat.

1978, c. 9, a. 254; 1999, c. 40, a. 234.

254. Any sum of money received by a merchant from a consumer before the making of a contract shall be transferred in trust. The merchant is the trustee of the sum, and must deposit it in a trust account until the sum is repaid to the consumer on demand or until the contract is made.

255. Une somme d'argent reçue par un commerçant d'un consommateur, en vertu d'un contrat visé par l'article 56, est transférée en fiducie. Le commerçant est alors fiduciaire de cette somme et doit la déposer dans un compte en fidéicommis jusqu'à l'expiration du délai prévu par l'article 59 ou jusqu'à la résolution du contrat en vertu de cet article 59.

1978, c. 9, a. 255; 1999, c. 40, a. 234.

255. Any sum of money collected from a consumer by a merchant under a contract contemplated in section 56 shall be transferred in trust. The merchant is the trustee of the sum and must deposit it in a trust account until the time provided in section 59 has expired or until the contract is cancelled by virtue of section 59.

256. Une somme d'argent reçue par un commerçant d'un consommateur, par suite d'un contrat en vertu duquel l'obligation principale du commerçant doit être exécutée plus de deux mois après la conclusion de ce contrat, est transférée en fiducie. Le commerçant est alors fiduciaire de cette somme et doit la déposer dans un compte en fidéicommis jusqu'à l'exécution de son obligation principale.

1978, c. 9, a. 256; 1999, c. 40, a. 234.

256. Any sum of money collected from a consumer by a merchant under a contract that stipulates that the principal obligation of the merchant is to be performed more than two months after the contract is made shall be transferred in trust. The merchant is the trustee of the sum and must deposit it in a trust account until the principal obligation has been performed.

257. Le commerçant doit, à tout moment, n'avoir qu'un seul compte en fidéicommis dans une banque à charte, une coopérative de services financiers, une société de fiducie ou une autre institution autorisée par la Loi sur l'assurance-dépôts (L.R.Q., chapitre A-26) à recevoir des dépôts, pour y garder les sommes d'argent visées aux articles 254 à 256.

257. The merchant shall, at all times, have only one trust account in a chartered bank, financial services cooperative, trust company or other institution authorized by the Deposit Insurance Act (R.S.Q., chapter A-26) to receive deposits, to keep the sums of money contemplated in sections 254 to 256.

Dès l'ouverture du compte, il doit informer le président de l'endroit où ce compte en fidéicommis est tenu ainsi que du numéro de ce compte.

1978, c. 9, a. 257; 1987, c. 95, a. 402; 1999, c. 40, a. 234; 2000, c. 29, a. 664.

From the time the account is opened, he must inform the president of the place where such account is kept and the number of such account.

258. Le commerçant doit effectuer dans ses livres ou registres les inscriptions comptables appropriées au sujet des sommes qu'il reçoit d'un consommateur et qui sont transférées en fiducie en vertu des articles 254 à 256.

Le commerçant doit, sur demande du consommateur, lui rendre compte d'une somme qu'il en a reçue.

1978, c. 9, a. 258; 1999, c. 40, a. 234.

258. Every merchant must enter in his books or registers the appropriate accounting items in regard to the amounts he receives from a consumer and that must be transferred in trust under sections 254 to 256.

The merchant must, on demand of the consumer, render account of every sum he has received from him.

259. L'intérêt sur les sommes versées dans un compte en fidéicommis tenu en vertu du présent titre appartient au commerçant.

1978, c. 9, a. 259; 1999, c. 40, a. 234.

259. Interest on sums deposited in a trust account pursuant to this title belongs to the merchant.

260. Lorsque le commerçant est une personne morale, un administrateur est conjointement et solidairement responsable avec la personne morale des sommes qui doivent être transférées en fiducie conformément aux articles 254 à 256, à moins qu'il ne fasse la preuve de sa bonne foi.

1978, c. 9, a. 260; 1999, c. 40, a. 234.

260. Where the merchant is a legal person, each director is jointly and severally liable with the legal person for the sums which are transferred in trust in accordance with sections 254 to 256, unless the director proves that he acted in good faith.

TITRE III.1
ABROGÉ

TITLE III.1
REPEALED

260.1-260.4 Abrogés.
1993, c. 17, a. 112.

260.1-260.4 Repealed.

TITRE III.2
ADMINISTRATION DES SOMMES PERÇUES EN MATIÈRE DE GARANTIE SUPPLÉMENTAIRE

TITLE III.2
ADMINISTRATION OF SUMS COLLECTED IN RESPECT OF ADDITIONAL WARRANTIES

260.5 Le présent titre s'applique au commerçant obligé d'être titulaire d'un permis en vertu du paragraphe d de l'article 321.

1988, c. 45, a. 2; 1997, c. 43, a. 875.

260.5 This title applies to every merchant required to hold a permit under paragraph d of section 321.

260.6 Aux fins du paragraphe d de l'article 321 et du présent titre, on entend par «contrat de garantie supplémentaire» un contrat en vertu duquel un commerçant s'engage envers un consommateur à assumer directement ou indirectement, en tout ou en partie, le coût de la réparation ou du remplacement

260.6 For the purposes of paragraph d of section 321 and this title, "contract of additional warranty" means a contract under which a merchant binds himself toward a consumer to assume directly or indirectly all or part of the costs of repairing or replacing a property or a part thereof in the event that it is

d'un bien ou d'une partie d'un bien advenant leur défectuosité ou leur mauvais fonctionnement, et ce autrement que par l'effet d'une garantie conventionnelle de base accordée gratuitement à tout consommateur qui achète ou qui fait réparer ce bien.

1988, c. 45, a. 2.

260.7 Le commerçant doit maintenir en tout temps des réserves suffisantes destinées à garantir les obligations découlant des contrats de garantie supplémentaire qu'il conclut.

1988, c. 45, a. 2; 1999, c. 40, a. 234.

260.8 Dans l'exécution de son obligation de maintenir les réserves visées à l'article 260.7, le commerçant doit sans délai déposer dans un compte en fidéicommis distinct, désigné «compte de réserve», une portion au moins égale à 50% de toute somme qu'il reçoit en contrepartie d'un contrat de garantie supplémentaire.

Toute somme reçue par le commerçant en contrepartie d'un contrat de garantie supplémentaire est, à concurrence de la portion qu'il doit déposer dans le compte de réserve, transférée en fiducie et le commerçant en est le fiduciaire.

1988, c. 45, a. 2; 1999, c. 40, a. 234.

260.9 Le compte de réserves doit en tout temps demeurer ouvert au Québec auprès d'une société de fiducie qui a souscrit un engagement à assumer, quant aux sommes qui lui sont confiées par le commerçant, les devoirs, les obligations et les responsabilités que la présente loi lui impose.

Dès l'ouverture du compte, le commerçant doit informer le président du numéro du compte ainsi que de l'endroit où il est tenu et lui transmettre l'engagement souscrit par la société de fiducie.

L'engagement doit être conforme au modèle prévu à l'annexe 11.

1988, c. 45, a. 2.

260.10 Le commerçant doit fournir au président un état de ses opérations aux moments et de la façon prescrits par règlement.

1988, c. 45, a. 2.

260.11 Le compte de réserves ne peut être utilisé que pour l'une des fins suivantes:

a) acquitter une réclamation née d'un contrat de garantie supplémentaire pour lequel une somme a été déposée dans ce compte conformément à l'article 260.8;

defective or malfunctions, otherwise than under a basic conventional warranty given gratuitously to every consumer who purchases the property or has it repaired.

260.7 The merchant must at all times maintain sufficient reserves to guarantee the obligations arising from any contract of additional warranty he may make.

260.8 For the purpose of maintaining sufficient reserves as required by section 260.7, the merchant must deposit forthwith in a separate trust account identified as a "reserve account", a portion equal to not less than 50% of any sum he receives as consideration for a contract of additional warranty.

Any sum received by the merchant as consideration for a contract of additional warranty is, to the extent of the portion that he must deposit in the reserve account, transferred in trust and the merchant is the trustee thereof.

260.9 The reserve account must remain open at all times in Québec with a trust company which has made a written undertaking that it will assume the duties, obligations and responsibilities imposed on it by this Act with respect to the sums entrusted to it by the merchant.

Upon opening the account, the merchant must inform the president of the number of the account and of the place where it is held and transmit to him the undertaking of the trust company.

The undertaking must be consistent with the model provided in Schedule 11.

260.10 The merchant must provide a statement of his operations to the president at such intervals and in the manner prescribed by regulation.

260.11 The reserve account funds may be applied to the following purposes only:

(a) paying a claim arising from a contract of additional warranty in respect of which a sum was deposited in the account pursuant to section 260.8;

b) rembourser les sommes dues à un consommateur par suite de la résolution ou de l'annulation d'un contrat de garantie supplémentaire pour lequel une somme a été déposée dans ce compte conformément à l'article 260.8.

Le commerçant peut se réserver le choix des placements à effectuer avec les sommes contenues dans le compte de réserves. Dans ce cas, ces sommes ne peuvent faire l'objet de placements que par la société de fiducie et que dans des catégories de placements déterminées par règlement.

1988, c. 45, a. 2.

260.12 La société de fiducie auprès de qui un compte de réserves a été ouvert ne doit permettre l'utilisation dudit compte que pour l'une des fins énumérées à l'article 260.11 et sur présentation de pièces justificatives.

1988, c. 45, a. 2.

260.13 Le commerçant doit maintenir une comptabilité distincte de toutes les opérations affectant le compte de réserves dans laquelle doit apparaître de façon détaillée l'utilisation des fonds.

Il doit en outre tenir à jour un registre des consommateurs ayant conclu avec lui un contrat de garantie supplémentaire, avec indication de la date de conclusion du contrat et de sa date d'échéance, du prix du contrat, du montant déposé en fidéicommis ainsi que du montant utilisé ou retiré.

1988, c. 45, a. 2.

260.14 Les sommes qui sont perçues par un commerçant et qui doivent être déposées en fidéicommis dans le compte de réserves en vertu de l'article 260.8 sont, tant qu'elles n'ont pas été utilisées pour acquitter une réclamation née d'un contrat de garantie supplémentaire ou pour rembourser les sommes dues à un consommateur par suite de la résolution ou de l'annulation d'un contrat de garantie supplémentaire ou tant que la valeur résiduelle des contrats n'a pas été remboursée aux consommateurs, réputées détenues en fiducie pour les consommateurs par le commerçant et un montant égal au total des sommes ainsi réputées détenues en fiducie doit être considéré comme formant un fonds séparé ne faisant pas partie des biens du commerçant, que ce montant ait été ou non conservé distinct et séparé des propres fonds du commerçant ou de la masse de ses biens.

La valeur résiduelle des contrats doit être calculée à la date d'une ordonnance de mise en liquidation du commerçant ou à la date de la cession ou d'une prise de possession de ses biens ou à la date

(b) refunding the sums due to a consumer following the dissolution or cancellation of a contract of additional warranty in respect of which a sum was deposited in the account pursuant to section 260.8.

The merchant may reserve the right to choose how the reserve account funds are to be invested. The only investments permitted in that case are investments of a class prescribed by regulation, made by the trust company.

260.12 No trust company with which a reserve account has been opened may permit that the reserve account funds be applied otherwise than to one of the purposes set out in section 260.11 and on presentation of the proper supporting documents.

260.13 The merchant must keep separate accounting records of all operations affecting the reserve account, in which the application of funds must appear in detail.

In addition, the merchant must keep and update a register of all consumers having entered into a contract of additional warranty with him, stating in respect of each contract the date of signing, the date of expiry and the price, the sum deposited in trust, and any amount used or withdrawn.

260.14 The sums collected by a merchant to be deposited in trust in his reserve account pursuant to section 260.8 are deemed to be held in trust for the consumers by the merchant so long as they have not been applied to the discharge of a claim arising from a contract of additional warranty or to the refund of sums due to a consumer following the dissolution or cancellation of a contract of additional warranty or so long as the residual value of the contracts has not been refunded to the consumers, and an amount equal to the aggregate of the sums deemed to be held in trust shall be regarded as a separate fund not forming part of the merchant's property, whether or not the amount has been kept separate and apart from the merchant's own funds or the mass of his property.

The residual value of the contracts must be calculated according to recognized actuarial hypotheses and methods as it stands on the date of a winding-up order in respect of the merchant, on the date of

d'une ordonnance de séquestre rendue contre lui, ou à la date que fixera un administrateur provisoire nommé en vertu de l'article 260.16, suivant les normes et méthodes actuarielles reconnues.

1988, c. 45, a. 2.

260.15 Le compte de réserves est incessible et insaisissable.

1988, c. 45, a. 2.

260.16 Le président peut nommer un administrateur provisoire pour administrer temporairement, continuer ou terminer les affaires en cours d'un commerçant dans l'un ou l'autre des cas suivants:

a) lorsque le commerçant exerce ses activités sans permis;

b) lorsque le commerçant ne remplit plus l'une des conditions prescrites par la présente loi ou par règlement pour l'obtention d'un permis;

c) lorsque le permis du commerçant est annulé ou suspendu par le président ou que ce dernier en refuse le renouvellement;

d) lorsque le président a des motifs raisonnables de croire que, durant le cours d'un permis, le commerçant ne s'est pas conformé à une obligation prescrite par les articles 260.7 à 260.13;

e) lorsque le président estime que les droits des consommateurs pourraient être en péril sans cette mesure.

1988, c. 45, a. 2.

260.17 Le président doit donner au commerçant l'occasion de présenter ses observations avant de nommer un administrateur provisoire.

Toutefois, lorsque l'urgence de la situation l'exige, le président peut d'abord nommer l'administrateur provisoire, à la condition de donner au commerçant l'occasion de présenter ses observations dans un délai d'au moins 10 jours.

1988, c. 45, a. 2; 1997, c. 43, a. 461.

260.18 Abrogé.

1997, c. 43, a. 462.

260.19 La décision de nommer un administrateur provisoire doit être motivée et le président doit la notifier par écrit au commerçant.

1988, c. 45, a. 2.

260.20 L'administrateur provisoire possède les pouvoirs nécessaires à l'exécution du mandat que lui confie le président.

an assignment, seizure or taking of possession of his property, on the date of a receiving order against him or on the date fixed by a provisional administrator appointed under section 260.16.

260.15 The reserve account funds are unassignable and unseizable.

260.16 The president may appoint a provisional administrator to manage temporarily, continue or terminate the current business of a merchant in any of the following cases:

(a) where the merchant operates without a permit;

(b) where the merchant no longer meets one of the requirements prescribed by this Act or the regulations for obtaining a permit;

(c) where the merchant's permit is cancelled or suspended by the president or where the latter refuses to renew the permit;

(d) where the president has reasonable grounds to believe that, during the term of his permit, the merchant did not comply with every obligation under sections 260.7 to 260.13;

(e) where the president is of the opinion that the rights of consumers may be jeopardized if such action is not taken.

260.17 Before appointing a provisional administrator, the president must give the merchant an opportunity to present observations.

However, in an urgent situation, the president may first appoint the provisional administrator, provided that he allows the merchant at least 10 days to present observations.

260.18 Repealed.

260.19 The decision to appoint a provisional administrator must state the reasons therefor and the president shall notify the merchant of the decision in writing.

260.20 The provisional administrator shall have the necessary powers to carry out the mandate entrusted to him by the president.

Il peut notamment, d'office, sous réserve des restrictions contenues dans le mandat:

a) prendre possession de tous les fonds détenus en fidéicommis ou autrement par le commerçant ou pour lui;

b) engager ces fonds pour la réalisation du mandat confié par le président et conclure les contrats nécessaires à cette fin;

c) déterminer le nombre et l'identité des détenteurs de contrats de garantie supplémentaire;

d) transporter ou céder des contrats de garantie supplémentaire ou en disposer autrement;

e) fixer la valeur résiduelle des contrats de garantie supplémentaire à la date qu'il détermine et déterminer une méthode de distribution des fonds, le cas échéant;

f) transiger sur toute réclamation faite par un consommateur contre le commerçant en exécution d'un contrat de garantie supplémentaire;

g) ester en justice pour les fins de l'exécution de son mandat.

L'administrateur provisoire ne peut être poursuivi en justice en raison d'actes accomplis de bonne foi dans l'exercice de ses fonctions.

1988, c. 45, a. 2.

260.21 Lorsqu'un administrateur provisoire est nommé, toute personne en possession de documents, dossiers, livres, données informatisées, programmes d'ordinateurs ou autres effets relatifs aux affaires du commerçant doit, sur demande, les remettre à l'administrateur provisoire et lui donner accès à tous lieux, appareils ou ordinateurs qu'il peut requérir.

1988, c. 45, a. 2.

260.22 Après avoir reçu un avis à cet effet de l'administrateur provisoire nommé pour un commerçant, aucun dépositaire de fonds pour ce commerçant ne peut effectuer de retrait ou de paiement à même ces fonds, sauf avec l'autorisation écrite de l'administrateur provisoire. Ces fonds doivent, sur demande, être mis en possession de l'administrateur provisoire suivant ses directives.

1988, c. 45, a. 2.

260.23 Les frais d'administration et les honoraires de l'administrateur provisoire incombent au commerçant et deviennent payables dès leur approbation par le président. À défaut par le commerçant d'en acquitter le compte dans les 30 jours de sa présentation, ils sont payables, par préséance sur toute créance, à même le cautionnement exigé du

Subject to the restrictions included in his mandate, he may, of his own initiative, in particular,

(a) take possession of the funds held in trust or otherwise by or for the merchant;

(b) commit the said funds to carry out the mandate entrusted to him by the president and enter into such contracts as are necessary for that purpose;

(c) establish the number and identity of the holders of contracts of additional warranty;

(d) assign, transfer or otherwise dispose of the contracts of additional warranty;

(e) fix the residual value of the contracts of additional warranty as it stands on the date he determines and, where applicable, establish a method of distribution of the funds;

(f) transact upon any claim by a consumer against the merchant for the performance of a contract of additional warranty;

(g) sue for the purposes of the carrying out of his mandate.

In no case may the provisional administrator be sued by reason of acts performed in good faith in the performance of his duties.

1988, c. 45, a. 2.

260.21 Where a provisional administrator is appointed, every person in possession of documents, records, books, computer data, computer programs or other effects relating to the merchant's business must hand them over on request to the provisional administrator and give him access to such premises, equipment or computers as he may require.

1988, c. 45, a. 2.

260.22 After receiving a notice to that effect from the provisional administrator appointed for a merchant, no depositary of funds for the merchant may make any withdrawal or payment from the funds, except with the written authorization of the provisional administrator. The funds must, on request, be put in the possession of the provisional administrator according to his directives.

260.23 The costs of the provisional administration and the fees of the provisional administrator shall be charged to the merchant and become payable upon being approved by the president. If the merchant fails to pay the account within 30 days of its presentation, the costs and fees shall be payable by preference to any other debt, out of the security required of the

commerçant s'il en est et, en cas d'absence ou d'insuffisance, ils sont payables à même le compte de réserves et les sommes ainsi prélevées affectent alors au prorata la créance de chaque consommateur. En tel cas, chacun des consommateurs est subrogé dans les droits de l'administrateur provisoire contre le commerçant pour un montant égal à l'affectation de sa créance.

1988, c. 45, a. 2.

260.24 Les frais engagés pour l'application des dispositions du présent titre sont à la charge des commerçants titulaires d'un permis.

Le gouvernement détermine chaque année le quantum de ces frais, lesquels sont réclamés et perçus des commerçants suivant les critères de répartition et selon les modalités prévus par règlement.

1988, c. 45, a. 2.

TITRE IV
PREUVE, PROCÉDURE ET SANCTIONS

CHAPITRE I
PREUVE ET PROCÉDURE

261. On ne peut déroger à la présente loi par une convention particulière.

1978, c. 9, a. 261.

262. À moins qu'il n'en soit prévu autrement dans la présente loi, le consommateur ne peut renoncer à un droit que lui confère la présente loi.

1978, c. 9, a. 262.

263. Malgré l'article 2863 du Code civil, le consommateur peut, s'il exerce un droit prévu par la présente loi ou s'il veut prouver que la présente loi n'a pas été respectée, administrer une preuve testimoniale, même pour contredire ou changer les termes d'un écrit.

1978, c. 9, a. 263; 1999, c. 40, a. 234.

264. Un document, certifié conforme à l'original par le président ou une personne habilitée en vertu de la présente loi à faire enquête, est admissible en preuve et a la même force probante que l'original.

1978, c. 9, a. 264; 1995, c. 38, a. 1.

265. Est authentique le procès-verbal d'une séance de l'Office certifié conforme par le président. Il en est de même d'un document ou d'une copie qui émane de l'Office ou fait partie de ses archives, lorsqu'il est signé par le président.

1978, c. 9, a. 265; 1995, c. 38, a. 2.

merchant where such is the case, and in case of a lack or insufficiency of funds, they shall be payable out of the reserve account funds and the sums so applied shall affect proportionally the claim of each consumer. In such a case, each consumer is subrogated to the rights of the provisional administrator against the merchant for an amount equal to the amount of his claim applied to the payment.

260.24 The costs incurred for the administration of the provisions of this title shall be charged to the merchants holding a permit.

The Government shall determine, each year, the quantum of the costs, which shall be claimed and collected from the merchants, in accordance with the criteria of apportionment and the terms and conditions prescribed by regulation.

TITLE IV
PROOF, PROCEDURE AND PENALTIES

CHAPTER I
PROOF AND PROCEDURE

261. No person may derogate from this Act by private agreement.

262. No consumer may waive the rights granted to him by this act unless otherwise provided herein.

263. Notwithstanding article 2863 of the Civil Code, a consumer, when exercising a right provided by this Act, may make proof by testimony, even to contradict or vary the terms of a writing, to establish that this Act has not been complied with.

264. Every document certified true to the original by the president or any person empowered under this Act to conduct an investigation is receivable as proof and has the same value as the original.

265. The minutes of the sittings of the Office certified true by the president are authentic. The same rule applies to documents or copies emanating from the Office or forming part of its records when they are signed by the president of the Office.

266. Le procureur général ou le président est dispensé de l'obligation de fournir caution pour obtenir une injonction en vertu de la présente loi.

1978, c. 9, a. 266.

267. Lorsqu'une injonction émise en vertu de la présente loi n'est pas respectée, une requête pour outrage au tribunal peut être présentée devant le tribunal du lieu où l'outrage a été commis.

1978, c. 9, a. 267.

268. Un avis donné par un commerçant en vertu de la présente loi doit être rédigé dans la langue du contrat à l'occasion duquel il est donné.

1978, c. 9, a. 268.

269. Dans la computation d'un délai prévu par une loi ou un règlement dont l'Office doit surveiller l'application:

a) le jour qui marque le point de départ n'est pas compté, mais celui de l'échéance l'est;

b) les jours fériés sont comptés mais, lorsque le dernier jour est férié, le délai est prorogé au premier jour non férié suivant;

c) le samedi est assimilé à un jour férié de même que le 2 janvier et le 26 décembre.

1978, c. 9, a. 269; 1999, c. 40, a. 234.

270. Les dispositions de la présente loi s'ajoutent à toute disposition d'une autre loi qui accorde un droit ou un recours au consommateur.

1978, c. 9, a. 270.

CHAPITRE II
RECOURS CIVILS

271. Si l'une des règles de formation prévues par les articles 25 à 28 n'a pas été respectée, ou si un contat ne respecte pas une exigence de forme prescrite par la présente loi ou un règlement, le consommateur peut demander la nullité du contrat.

Dans le cas d'un contrat de crédit, lorsqu'une modalité de paiement ou encore le calcul ou une indication des frais de crédit ou du taux de crédit n'est pas conforme à la présente loi ou à un règlement, le consommateur peut demander, à son choix, soit la nullité du contrat, soit la suppression des frais de crédit et la restitution de la partie des frais de crédit déjà payée.

Le tribunal accueille la demande du consommateur sauf si le commerçant démontre que le consommateur n'a subi aucun préjudice du fait qu'une des règles ou des exigences susmentionnées n'a pas été respectée.

1978, c. 9, a. 271.

266. The Attorney General and the president are exempt from the obligation to give security in order to obtain an injunction under this act.

267. Where an injunction granted under this Act is not complied with, a motion for contempt of court may be presented before the court of the place where the contempt was committed.

268. Every notice given by a merchant under this act must be drawn up in the language of the contract to which it refers.

269. In computing any time provided for by any act or regulation the application of which is under the supervision of the Office,

(a) the day which marks the start of the time is not counted, but the terminal day is counted;

(b) non-juridical days are counted; but when the last day is a non-juridical day, the time is extended to the next following juridical day;

(c) Saturday is considered a non-juridical day, as are 2 January and 26 December.

270. The provisions of this act are in addition to any provision of another act granting a right or a recourse to a consumer.

CHAPTER II
CIVIL RECOURSES

271. If any rule provided in sections 25 to 28 governing the making of contracts is not observed or if a contract does not conform to the requirements of this act or the regulations, the consumer may demand the nullity of the contract.

In the case of a contract of credit, if any of the terms and conditions of payment, or the computation or any indication of the credit charges or the credit rate does not conform to this act or the regulations, the consumer may at his option demand the nullity of the contract or demand that the credit charges be cancelled and that any part of them already paid be restored.

The court shall grant the demand of the consumer unless the merchant shows that the consumer suffered no prejudice from the fact that one of the above mentioned rules or requirements was not respected.

272. Si le commerçant ou le fabricant manque à une obligation que lui impose la présente loi, un règlement ou un engagement volontaire souscrit en vertu de l'article 314 ou dont l'application a été étendue par un décret pris en vertu de l'article 315.1, le consommateur, sous réserve des autres recours prévus par la présente loi, peut demander, selon le cas:

a) l'exécution de l'obligation;

b) l'autorisation de la faire exécuter aux frais du commerçant ou du fabricant;

c) la réduction de son obligation;

d) la résiliation du contrat;

e) la résolution du contrat; ou

f) la nullité du contrat,

sans préjudice de sa demande en dommages-intérêts dans tous les cas. Il peut également demander des dommages-intérêts punitifs.

1978, c. 9, a. 272; 1992, c. 58, a. 1; 1999, c. 40, a. 234.

273. Sous réserve de ce qui est prévu aux articles 274 et 275, une action fondée sur la présente loi se prescrit par trois ans à compter de la formation du contrat.

1978, c. 9, a. 273.

274. Une action fondée sur l'article 37, 38 ou 53 se prescrit par un an à compter de la naissance de la cause d'action.

1978, c. 9, a. 274.

275. Une action fondée sur une garantie prévue à l'article 159, au deuxième alinéa de l'article 164, à l'article 176, au deuxième alinéa de l'article 181 ou à l'article 186 se prescrit par trois mois à compter de la découverte de la défectuosité.

1978, c. 9, a. 275.

276. Le consommateur peut invoquer en défense ou dans une demande reconventionnelle un moyen prévu par la présente loi qui tend à repousser une action ou à faire valoir un droit contre le commerçant même si le délai pour s'en prévaloir par action directe est expiré.

1978, c. 9, a. 276; 1999, c. 40, a. 234.

CHAPITRE III
DISPOSITIONS PÉNALES

277. Est coupable d'une infraction la personne qui:

a) contrevient à la présente loi ou à un règlement;

272. If the merchant or the manufacturer fails to fulfil an obligation imposed on him by this Act, by the regulations or by a voluntary undertaking made under section 314 or whose application has been extended by an order under section 315.1, the consumer may demand, as the case may be, subject to the other recourses provided by this Act,

(a) the specific performance of the obligation;

(b) the authorization to execute it at the merchant's or manufacturer's expense;

(c) that his obligations be reduced;

(d) that the contract be rescinded;

(e) that the contract be set aside; or

(f) that the contract be annulled,

without prejudice to his claim in damages, in all cases. He may also claim punitive damages.

273. Subject to the provisions of sections 274 and 275, an action based on this act is prescribed by three years reckoning from the making of the contract.

274. An action based on section 37, 38 or 53 is prescribed by one year reckoning from the moment the cause of action arose.

275. An action based on the warranty granted in section 159, in the second paragraph of section 164, in the second paragraph of section 176, in the second paragraph of section 181 or in section 186 is prescribed by three months reckoning from the discovery of the defect.

276. The consumer may set up in defence or by cross-demand an exception provided by this act which tends to rebut an action or to justify a right against the merchant even if the time to avail himself thereof by a direct action has expired.

CHAPTER III
PENAL PROVISIONS

277. Every person who

(a) contravenes this Act or any regulation;

b) donne une fausse information au ministre, au président ou à toute personne habilitée à faire enquête en vertu de la présente loi;

c) entrave l'application de la présente loi ou d'un règlement;

d) ne se conforme pas à un engagement volontaire souscrit en vertu de l'article 314 ou dont l'application a été étendue par un décret pris en vertu de l'article 315.1;

e) n'obtempère pas à une décision du président;

f) soumise à une ordonnance du tribunal en vertu de l'article 288, omet ou refuse de se conformer à cette ordonnance.

1978, c. 9, a. 277; 1992, c. 58, a. 2.

278. Une personne déclarée coupable d'une infraction constituant une pratique interdite ou d'une infraction prévue à l'un des paragraphes b, c, d, e ou f de l'article 277 est passible:

a) dans le cas d'une personne physique, d'une amende de 600 $ à 15 000 $;

b) dans le cas d'une personne morale, d'une amende de 2 000 $ à 100 000 $.

En cas de récidive, le contrevenant est passible d'une amende dont le minimum et le maximum sont deux fois plus élevés que ceux prévus à l'un des paragraphes a ou b, selon le cas.

1978, c. 9, a. 278; 1990, c. 4, a. 703; 1992, c. 58, a. 3; 1999, c. 40, a. 234.

279. Une personne déclarée coupable d'une infraction autre qu'une infraction visée à l'article 278 est passible:

a) dans le cas d'une personne physique, d'une amende de 300 $ à 6 000 $;

b) dans le cas d'une personne morale, d'une amende de 1 000 $ à 40 000 $.

En cas de récidive, le contrevenant est passible d'une amende dont le minimum et le maximum sont deux fois plus élevés que ceux prévus à l'un des paragraphes a ou b, selon le cas.

1978, c. 9, a. 279; 1990, c. 4, a. 704; 1992, c. 58, a. 4; 1999, c. 40, a. 234.

280. Dans la détermination du montant de l'amende, le tribunal tient compte notamment:

a) d'abord du préjudice économique causé par l'infraction à un consommateur ou à plusieurs consommateurs;

b) puis, des avantages et des revenus que la personne qui a commis l'infraction a retirés de la commission de l'infraction.

1978, c. 9, a. 280.

(b) gives false information to the Minister, the president or any person empowered to make an investigation under this Act;

(c) hinders the application of this Act or of any regulation;

(d) does not comply with a voluntary undertaking made under section 314 or whose application has been extended by an order under section 315.1;

(e) disobeys a decision of the president;

(f) being subject to an order of the court under section 288, omits or refuses to comply with such order,

is guilty of an offence.

278. A person convicted of an offence constituting a prohibited practice or an offence under paragraph b, c, d, e or f of section 277 is liable

(a) in the case of a natural person, to a fine of $600 to $15 000;

(b) in the case of a legal person, to a fine of $2 000 to $100 000.

For a second or subsequent conviction, the offender is liable to a fine with minimum and maximum limits twice as high as those prescribed in subparagraph a or b, as the case may he.

279. A person convicted of an offence other than an offence under section 278 is liable

(a) in the case of a natural person, to a fine of $300 to $6 000;

(b) in the case of a legal person, to a fine of $1 000 to $40 000.

For a second or subsequent conviction, the offender is liable to a fine with minimum and maximum limits twice as high as those prescribed in subparagraph a or b, as the case may be.

280. In determining the amount of the fine, the court shall take into account, in particular,

(a) first, the economic loss caused by the offence to a consumer or to several consumers;

(b) secondly, the benefits and the income that the person who committed the offence derived from committing it.

281. Abrogé.

1990, c. 4, a. 705.

282. Lorsqu'une personne morale commet une infraction à la présente loi ou à un règlement, un administrateur ou un représentant de cette personne morale qui avait connaissance de l'infraction est réputé être partie à l'infraction et est passible de la peine prévue aux articles 278 ou 279 pour une personne physique, à moins qu'il n'établisse à la satisfaction du tribunal qu'il n'a pas acquiescé à la commission de cette infraction.

1978, c. 9, a. 282; 1999, c. 40, a. 234.

283. Une personne qui accomplit ou omet d'accomplir quelque chose en vue d'aider une personne à commettre une infraction à la présente loi ou à un règlement, ou qui conseille, encourage ou incite une personne à commettre une infraction, commet elle-même l'infraction et est passible de la même peine.

1978, c. 9, a. 283.

284. Abrogé.

1992, c. 61, a. 476.

285. Abrogé.

1992, c. 61, a. 477.

286. Abrogé.

1990, c. 4, a. 708.

287. Une poursuite pénale ne peut être maintenue si le prévenu démontre qu'il a fait preuve de diligence raisonnable en prenant toutes les précautions nécessaires pour s'assurer du respect de la présente loi ou d'un règlement.

Une poursuite pénale intentée contre un commerçant ou un publicitaire en vertu du titre II ne peut être maintenue s'il est établi que l'infraction alléguée n'a été commise que parce que le prévenu avait des motifs raisonnables de se fier à une information provenant, selon le cas, du fabricant ou du commerçant.

1978, c. 9, a. 287; 1999, c. 40, a. 234.

288. Un juge peut, sur demande du poursuivant, ordonner qu'une personne déclarée coupable d'une infraction prévue à l'article 278 diffuse, selon les modalités que le tribunal juge propres à en assurer la communication rapide et adéquate aux consommateurs, les conclusions du jugement rendu contre lui ainsi que les corrections, les explications, les avertissements et les autres renseignements que le

281. Repealed.

282. Where a legal person is guilty of an offence against this act or any regulation, every director or representative of such legal person who had knowledge of the said offence is deemed to be a party to the offence and is liable to the penalty provided for in section 278 or 279 for a natural person, unless he establishes to the satisfaction of the court that he did not acquiesce in the commission of such offence.

283. Every person who performs or omits to perform an act in view of aiding a person to commit an offence against this act or a regulation or who advises, encourages or incites a person to commit an offence is himself guilty of the offence and is liable to the same penalty.

284. Repealed.

285. Repealed.

286. Repealed.

287. No penal proceedings may be sustained if the accused establishes that he employed reasonable diligence by taking all the necessary precautions to ensure that this act or the regulations were complied with.

Penal proceedings instituted against a merchant or an advertiser under Title II shall not be maintained if it is established that the offence alleged was committed only because the accused had reasonable grounds to rely on information given by the merchant or, as the case may be, the manufacturer.

288. A judge may, on the application of the prosecutor, order that a person convicted of an offence under a provision of section 278 distribute, in accordance with the terms and conditions which the court considers appropriate to ensure a prompt and adequate communication to consumers, the conclusions of the judgment rendered against him, and the corrections, explanations, warnings and other

tribunal juge nécessaires pour rétablir les faits concernant un bien ou un service ou une publicité faite à propos d'un bien ou d'un service et ayant pu induire les consommateurs en erreur.

Un préavis de la demande d'ordonnance doit être donné par le poursuivant à la personne que l'ordonnance pourrait obliger à diffuser certains faits, sauf s'ils sont en présence du juge.

1978, c. 9, a. 288; 1992, c. 61, a. 478.

289. Lorsqu'une personne est déclarée coupable d'une infraction prévue à l'article 278, le tribunal peut demander à l'Office un rapport écrit sur les activités économiques et commerciales du contrevenant, afin de lui permettre de prononcer la sentence.

1978, c. 9, a. 289; 1990, c. 4, a. 709.

290. Si une personne commet des infractions répétées à la présente loi ou aux règlements, le procureur général, après lui avoir intenté des poursuites pénales, peut requérir de la Cour supérieure un bref d'injonction interlocutoire enjoignant à cette personne, à ses administrateurs, représentants ou employés de cesser la commission des infractions reprochées jusqu'au prononcé du jugement final à être rendu au pénal.

Après prononcé de ce jugement, la Cour supérieure rend elle-même son jugement final sur la demande d'injonction.

1978, c. 9, a. 290.

290.1 Une poursuite pénale pour une infraction à une disposition de la présente loi se prescrit par deux ans à compter de la date de la perpétration de l'infraction.

1992, c. 61, a. 479.

information which the court considers necessary to re-establish the facts concerning any goods or services or any advertisement made in relation to any goods or services which have or could have misled consumers.

Prior notice of the application for an order shall be given by the prosecutor to the person who could be compelled, under such an order, to distribute certain information, except where they are in the presence of the judge.

289. Where a person convicted of an offence provided for in section 278, the court may request from the Office a written report on the economic and commercial activities of the offender, in order to enable it to pronounce the sentence.

290. If a person commits repeated offences against this act or the regulations, the Attorney General, after instituting penal proceedings against him, may apply to the Superior Court for a writ of interlocutory injunction enjoining such person, his directors, agents or employees to cease committing the offences complained of until a final judgment has been rendered in the penal proceedings.

After such judgment has been rendered, the Superior Court shall itself render a final judgment on the application for an injunction.

290.1 Penal proceedings for an offence under a provision of this Act shall be prescribed by two years from the date of the commission of the offence.

TITRE V
ADMINISTRATION

CHAPITRE I
OFFICE DE LA PROTECTION DU CONSOMMATEUR

SECTION I
CONSTITUTION ET ADMINISTRATION DE L'OFFICE

291. Un organisme est constitué sous le nom de «Office de la protection du consommateur».

1978, c. 9, a. 291.

TITLE V
ADMINISTRATION

CHAPTER I
OFFICE DE LA PROTECTION DU CONSOMMATEUR

DIVISION I
ESTABLISHMENT AND ADMINISTRATION OF THE OFFICE

291. A body is established under the name of "Office de la protection du consommateur".

292. L'Office est chargé de protéger le consommateur et à cette fin:

a) de surveiller l'application de la présente loi et de toute autre loi en vertu de laquelle une telle surveillance lui incombe;

b) de recevoir les plaintes des consommateurs;

c) d'éduquer et de renseigner la population sur ce qui a trait à la protection du consommateur;

d) de faire des études concernant la protection du consommateur et, s'il y a lieu, de transmettre ses recommandations au ministre;

e) de promouvoir et de subventionner la création et le développement de services ou d'organismes destinés à protéger le consommateur, et de coopérer avec ces services ou organismes;

f) de sensibiliser les commerçants, les fabricants et les publicitaires aux besoins et aux demandes des consommateurs;

g) de promouvoir les intérêts des consommateurs devant un organisme gouvernemental dont les activités affectent le consommateur;

h) d'évaluer un bien ou un service offert au consommateur;

i) de coopérer avec les divers ministères et organismes gouvernementaux du Québec en matière de protection du consommateur et de coordonner le travail accompli dans ce but par ces ministères et organismes;

j) de créer, par règlement, des conseils consultatifs régionaux de la protection du consommateur pour les régions qu'il fixe, déterminer leur composition, leurs fonctions, devoirs et pouvoirs, les modalités d'administration de leurs affaires et prévoir les émoluments de leurs membres.

1978, c. 9, a. 292; 1999, c. 40, a. 234.

293. L'Office a son siège social à l'endroit déterminé par le gouvernement; un avis de la situation ou d'un changement du siège social est publié dans la *Gazette officielle du Québec*.

L'Office peut tenir ses séances à tout endroit au Québec.

1978, c. 9, a. 293.

294. L'Office est composé d'au plus dix membres, dont un président et un vice-président, nommés par le gouvernement.

Les membres de l'Office doivent être des personnes qui, en raison de leurs activités, sont susceptibles de contribuer d'une façon particulière à la solution des problèmes des consommateurs.

1978, c. 9, a. 294; 1988, c. 45, a. 3; 1995, c. 38, a. 3; 2002, c 55, a. 31.

292. It is the duty of the Office to protect consumers and, to that end,

(a) to supervise the application of this act and of any other act under which it is charged with such supervision;

(b) to receive complaints from consumers;

(c) to educate and inform the population on matters of consumer protection;

(d) to carry out studies respecting consumer protection and where required, make recommendations to the Minister;

(e) to promote and subsidize the establishment and development of consumer protection services or bodies and to cooperate with such services and bodies;

(f) to make merchants, manufacturers and advertisers aware of consumer needs and demands;

(g) to promote the interests of consumers before those governmental bodies whose activities affect consumers;

(h) to evaluate goods and services offered to consumers;

(i) to cooperate with the various governmental departments and bodies of Québec in matters of consumer protection and to coordinate the work done by such departments and bodies for such purpose;

(j) to create, by regulation, consumer protection regional advisory councils for the regions designated by it, to determine their composition, functions, duties and powers, and their administrative modes and procedures, and to provide emoluments to their members.

293. The Office has its head office at the place determined by the Government; notice of the place or, of a change of place of the head office is published in the *Gazette officielle du Québec*.

The Office may hold its sittings at any place in Québec.

294. The Office is composed of not more than ten members, including a president and a vice-president, appointed by the Government.

The members of the Office shall be persons who, by reason of their activities, are likely to contribute in a particular manner to the solution of consumer problems.

295. Le président et le vice-président sont nommés pour un mandat d'au plus cinq ans. Les autres personnes choisies comme membres de l'Office sont nommées pour un mandat d'au plus trois ans.

1978, c. 9, a. 295; 1988, c. 45, a. 4; 1995, c. 38, a. 4; 2002, c. 55, a. 32.

295. The president and the vice-president are appointed for not more than five years. The other persons chosen as members of the Office are appointed for a term of not more than three years.

296. Chacun des membres de l'Office demeure en fonction à l'expiration de son mandat jusqu'à ce qu'il ait été remplacé ou nommé de nouveau.

1978, c. 9, a. 296; 1988, c. 45, a. 4; 1995, c. 38, a. 5; 2002, c. 55, a. 33.

296. Each of the members of the Office shall remain in office at the expiry of his term, until he is replaced or reappointed.

297. Si un membre de l'Office autre que le président ou le vice-président ne termine pas son mandat, le gouvernement nomme un remplaçant pour le reste du mandat.

1978, c. 9, a. 297; 1988, c. 45, a. 4; 1995, c. 38, a. 6.; 2002, c. 55, a. 34.

297. If a member of the Office other than the president or the vice-president does not complete his term of office, the Government shall appoint a person to replace him for the remainder of the term.

298. Le gouvernement fixe les honoraires, les allocations ou le traitement des membres de l'Office. Le président et le vice-président sont assujettis à la Loi sur le régime de retraite des employés du gouvernement et des organismes publics (L.R.Q., chapitre R-10).

1978, c. 9, a. 298; 1988, c. 45, a. 4; 1995, c. 38, a. 7; 2002, c. 55, a. 35.

298. The Government shall fix the fees, allowances or salaries of the members of the Office. The president and the vice-president are subject to the Act respecting the Government and Public Employees Retirement Plan (R.S.Q., chapter R-10).

299. Les autres fonctionnaires et employés de l'Office sont nommés suivant la Loi sur la fonction publique (L.R.Q., chapitre F-3.1.1).

Le président exerce à cet égard les pouvoirs que ladite loi attribue à un dirigeant d'organisme.

1978, c. 9, a. 299; 1978, c. 15, a. 133, a. 140; 1983, c. 55, a. 161; 2000, c. 8, a. 242.

299. The other officers and employees of the Office are appointed in accordance with the Public Service Act (R.S.Q., chapter F-3.1.1).

The president shall exercise in that regard the powers vested by the said act in the chief executive officer of an agency.

300. Le président et le vice-président exercent leurs fonctions à temps complet.

1978, c. 9, a. 300; 1988, c. 45, a. 4; 1995, c. 38, a. 8; 2002, c. 55, a. 36.

300. The president and the vice-president shall exercise their functions on a full time basis.

301. Le président préside les réunions de l'Office. Il assume l'administration de l'Office.

1978, c. 9, a. 301.

301. The president presides at meetings of the Office. He is responsible for the administration of the Office.

302. Le vice-président remplace le président en cas d'absence ou d'empêchement de celui-ci.

1978, c. 9, a. 302; 1988, c. 45, a. 5; 1995, c. 38, a. 9; 1999, c. 40, a. 234; 2002, c. 55, a. 37.

302. The vice-president shall replace the president when the president is absent or unable to act.

303. L'Office doit chaque année, remettre au ministre un rapport de ses activités de l'année financière précédente. Le ministre dépose ce rapport devant l'Assemblée nationale. Si elle n'est pas en session, le dépôt se fait dans les trente jours qui suivent l'ouverture de la session suivante ou de la reprise des travaux.

1978, c. 9, a. 303.

303. The Office shall each year submit to the Minister a report of its activities for the preceding fiscal year. The Minister shall table such report before the National Assembly. If it is not in session, the report shall be table within thirty days after the opening of the next session or after resumption.

304. L'Office peut faire des règlements pour sa régie interne.

Ces règlements et ceux adoptés en vertu du paragraphe j de l'article 292 entrent en vigueur après leur approbation par le gouvernement lors de leur publication dans la *Gazette officielle du Québec* ou à toute autre date qui y est indiquée.

1978, c. 9, a. 304.

SECTION II

POUVOIRS DU PRÉSIDENT

305. Le président peut enquêter sur toute question relative à une loi ou à un règlement dont l'Office doit surveiller l'application. Il est investi à cette fin des pouvoirs et immunités accordés aux commissaires nommés en vertu de la Loi sur les commissions d'enquête (L.R.Q., chapitre C-37), sauf du pouvoir d'imposer une peine d'emprisonnement.

Le président peut autoriser généralement ou spécialement une personne à enquêter sur une question relative à une loi ou à un règlement dont l'Office doit surveiller l'application. Une personne ainsi autorisée est investie des immunités accordées aux commissaires nommés en vertu de la Loi sur les commissions d'enquête (L.R.Q., chapitre C-37). Cette personne doit, sur demande, produire un certificat signé par le président, attestant sa qualité.

1978, c. 9, a. 305; 1992, c. 61, a. 480.

306. Le président peut, dans l'exercice de ses fonctions, pénétrer, à toute heure raisonnable, dans l'établissement d'un commerçant, d'un fabricant ou d'un publicitaire et en faire l'inspection, notamment faire l'examen des registres, livres, comptes, pièces justificatives et autres documents et celui des biens mis en vente ou vendus et le prélèvement d'échantillons aux fins d'expertise.

Sur demande, le président doit s'identifier et exhiber un certificat attestant sa qualité.

1978, c. 9, a. 306; 1986, c. 95, a. 261; 1999, c. 40, a. 234.

306.1 Le président peut, à l'occasion d'une enquête ou d'une inspection, exiger toute information relative à l'application d'une loi ou d'un règlement dont l'Office doit surveiller l'application.

Tout livre, registre ou autre document qui a fait l'objet d'un examen par le président ou qui a été produit devant lui peut être copié ou photographié et toute copie ou photocopie de ce livre, registre ou document certifié par le président comme étant une copie ou une photographie de l'original, est admissible en preuve et a la même force probante que l'original.

1986, c. 95, a. 261.

304. The Office may pass by-laws for its internal management.

These by-laws and the regulations made pursuant to paragraph j of section 292 come into force, after being approved by the Government, on their publication in the *Gazette officielle du Québec* or on any other date indicated therein.

DIVISION II

POWERS OF THE PRESIDENT

305. The president may investigate any matter respecting any act or regulation the application of which is under the supervision of the Office. For such purpose, he has the powers and immunity granted to commissioners appointed under the Act respecting public inquiry commissions (R.S.Q., chapter C-37), except the power to order imprisonment.

The president may authorize a person generally or specially to investigate any matter relating to any law or regulation the application of which is under the supervision of the Office. Every person so authorized is vested with the immunity granted to commissioners appointed under the Act respecting public inquiry commissions (R.S.Q., chapter C-37). Such person must, on demand, produce a certificate signed by the president, attesting his authority.

306. The president may, in the performance of his duties, enter at any reasonable time the establishment of a merchant, a manufacturer or an advertiser and inspect it and, in particular, examine the registers, books, accounts, vouchers and other documents and the goods offered for sale or sold by the merchant and take specimens for the purposes of expert appraisal.

The president shall, on request, identify himself and produce a certificate of his capacity.

306.1 The president may require, for the purposes of an investigation or inspection, any information relevant to the administration of an act or regulation the administration of which is under the supervision of the Office.

Every book, register or other document having been examined by the president or produced to him may be copied or photocopied and every copy or photocopy of such book, register or document certified by the president to be a copy or photocopy of the original is receivable as evidence and has the same probative value as the original.

306.2 Le président peut exiger d'un commerçant un rapport sur ses activités et sur tout ce qui a trait à son compte de réserves et à tous comptes en fidéicommis aux époques et en la manière que le président détermine.

1988, c. 45, a. 6; 1999, c. 40, a. 234.

307. Il est interdit d'entraver, de quelque façon que ce soit, l'action du président ou d'une personne autorisée par lui, dans l'exercice de ses fonctions, de le tromper par réticence ou fausse déclaration, de refuser de lui fournir un renseignement ou un document qu'il a le droit d'obtenir en vertu d'une loi ou d'un règlement dont l'Office doit surveiller l'application.

1978, c. 9, a. 307.

308. Le président peut exempter de l'application des articles 254 à 257 un commerçant qui lui transmet un cautionnement dont la forme, les modalités et le montant sont prescrits par règlement.

Le président peut refuser l'exemption pour un motif prévu à l'article 325, 326 ou 327, compte tenu des adaptations nécessaires.

1978, c. 9, a. 308; 1980, c. 11, a. 113.

309. Le président doit exempter de l'application de l'article 22 le commerçant qui lui transmet un cautionnement dont la forme, les modalités et le montant sont prescrits par règlement.

Le président peut refuser l'exemption pour un motif prévu à l'article 325, 326 ou 327, compte tenu des adaptations nécessaires.

1978, c. 9, a. 309.

310. Lorsque le président a une raison de croire que des sommes qui doivent être gardées en fiducie conformément aux articles 254, 255 et 256 peuvent être dilapidées, il peut demander une injonction ordonnant à la personne qui a le dépôt, le contrôle ou la garde de ces sommes au Québec de les garder en fiducie pour la période et aux conditions déterminées par le tribunal.

1978, c. 9, a. 310.

311. Le président peut exiger qu'un commerçant, un fabricant ou un publicitaire lui communique le contenu de la publicité qu'il utilise.

1978, c. 9, a. 311; 1999, c. 40, a. 234.

312. Le président peut exiger d'un commerçant, un fabricant ou un publicitaire qu'il démontre la véracité d'un message publicitaire.

1978, c. 9, a. 312; 1999, c. 40, a. 234.

306.2 The president may at any time require that a merchant submit a report on his activities or on any matter relating to his reserve account or trust accounts, at such intervals and in the manner determined by the president.

307. It is prohibited to hinder the action of the president in any way or any person authorized by him in the performance of his duties, to mislead him by concealment or misrepresentation, to refuse to give him any information or document which he is entitled to obtain under any act or regulation the application of which is under the supervision of the Office.

308. The president may exempt from the application of sections 254 to 257 every merchant who delivers to him security the form, terms, conditions and amount of which are prescribed by regulation.

The president may refuse the exemption on grounds provided for in section 325, 326 or 327, *mutatis mutandis*.

309. The president must exempt from the application of section 22 every merchant who delivers to him security the form, terms, conditions and amount of which are prescribed by regulation.

The president may refuse the exemption on grounds provided for in section 325, 326 or 327, *mutatis mutandis*.

310. Where the president has reason to believe that the funds that must be kept in trust in accordance with sections 254, 255 and 256 may be misappropriated, he may apply for an injunction ordering any person in Québec having the deposit, control or custody of such funds to keep them in trust for the period and on the conditions determined by the court.

311. The president may require that a merchant, a manufacturer or an advertiser communicate to him the content of the advertising that he uses.

312. The president may require that a merchant, a manufacturer or an advertiser show the truthfulness of an advertisement.

313. Le président peut exiger qu'un commerçant qui conclut des contrats de crédit visés par la présente loi lui communique les renseignements relatifs aux taux de crédit que le commerçant exige des consommateurs et aux critères qui servent à l'établissement de ces taux.

Le président peut rendre public ces renseignements.

1978, c. 9, a. 313.

314. Le président peut accepter d'une personne un engagement volontaire ayant pour objet de régir les relations entre un commerçant ou un groupe de commerçants et les consommateurs, notamment pour déterminer l'information qui sera donnée aux consommateurs, la qualité des biens et des services qui leur seront fournis, des modèles de contrats, des modes de règlement des litiges ou des règles de conduite.

Le président peut aussi, lorsqu'il croit qu'une personne a enfreint ou enfreint une loi ou un règlement dont l'Office doit surveiller l'application, accepter de cette personne un engagement volontaire de respecter cette loi ou ce règlement.

1978, c. 9, a. 314; 1992, c. 58, a. 5.

315. Le président détermine les modalités de l'engagement volontaire, lesquelles peuvent notamment prévoir:

a) la publication ou la diffusion du contenu de l'engagement volontaire;

b) l'indemnisation des consommateurs;

c) le remboursement des frais d'enquête et des autres frais;

d) l'obligation de fournir un cautionnement ou une autre forme de garantie en vue de l'indemnisation des consommateurs.

1978, c. 9, a. 315.

315.1 Le gouvernement peut par décret étendre, avec ou sans modification, l'application d'un engagement volontaire souscrit en vertu de l'article 314 à tous les commerçants d'un même secteur d'activités, pour une partie ou pour l'ensemble du territoire du Québec.

1992, c. 58, a. 6.

316. Lorsqu'une personne s'est livrée ou se livre à une pratique interdite visée par le titre II, le président peut demander au tribunal une injonction ordonnant à cette personne de ne plus se livrer à cette pratique.

1978, c. 9, a. 316.

313. The president may require that a merchant who makes contracts of credit contemplated by this act communicate to him any information regarding the credit rates he charges consumers and the criteria used to establish such rates.

The president may make public any such information.

314. The president may accept a voluntary undertaking from a person with the object of governing the relations between a merchant, or group of merchants, and consumers, in particular in order to determine the information to be given to consumers, the quality of the goods or services with which they are to be provided, standard contracts, methods of settling disputes or rules of conduct.

Where he believes that a person has contravened or is contravening any act or regulation the application of which is supervised by the Office, the president may also accept a voluntary undertaking from that person to comply with the act or regulation in question.

315. The president shall determine the terms and conditions of the voluntary undertaking, which may provide in particular for

(a) the publication or distribution of the content of the voluntary undertaking;

(b) the compensation of consumers;

(c) the reimbursement of the costs of investigation and any other expenses;

(d) the obligation to give security or another form of guarantee to indemnify consumers.

315.1 The Government may, by order and with or without modification, extend the application of a voluntary undertaking made under section 314 to all merchants in the same sector of activity, for all or part of the territory of Québec.

316. Where a person has used or is using a prohibited practice contemplated in Title II, the president may apply to the court for an injunction ordering that person to cease using such practice.

317. Le tribunal peut, de plus, ordonner à la personne qui fait l'objet d'une injonction permanente:

a) de rembourser les frais d'enquête engagés par le requérant;

b) de publier et de diffuser, de la manière et aux conditions que le tribunal juge propres à en assurer une communication rapide et adéquate aux consommateurs, les conclusions du jugement rendu contre elle ainsi que les corrections, les explications, les avertissements et les autres renseignements que le tribunal juge nécessaires pour rétablir la vérité concernant un bien ou un service ou une publicité faite à leur propos et ayant induit ou ayant pu induire les consommateurs en erreur.

1978, c. 9, a. 317.

318. Le président peut, de plein droit, intervenir à tout moment avant jugement dans une instance relative à une loi ou à un règlement dont l'Office doit surveiller l'application.

1978, c. 9, a. 318.

319. Le président peut autoriser généralement ou spécialement une personne à exercer les pouvoirs qui lui sont conférés par les articles 306, 306.1, 314 et 315.

1978, c. 9, a. 319; 1986, c. 95, a. 262.

320. Le président peut autoriser le vice-président ou un membre du personnel de l'Office à exercer tous les pouvoirs qu'une loi ou un règlement dont l'Office doit surveiller l'application accorde au président.

1978, c. 9, a. 320; 1988, c. 45, a. 7; 1995, c. 38, a. 10; 2002, c. 55, a. 38.

CHAPITRE II
PERMIS

321. Sous réserve des exceptions prévues par règlement, doit être titulaire d'un permis:

a) le commerçant itinérant, à l'exception de celui qui conclut un contrat visé à l'article 57;

b) le commerçant qui conclut des contrats de prêt d'argent régis par la présente loi;

c) le commerçant qui opère un studio de santé;

d) le commerçant qui offre ou qui conclut un contrat de garantie supplémentaire relatif à une automobile ou à une motocyclette adaptée au transport sur les chemins publics ou relatif à un autre bien ou

317. The court may, in addition, order the person in respect of whom a permanent injunction is granted

(a) to reimburse the costs of investigation incurred by the applicant;

(b) to publish and distribute, in the manner and on the conditions which the court considers appropriate to insure a prompt and adequate communication to consumers, the conclusions of the judgment rendered against him, and the corrections, explanations, warnings and other information which the court considers necessary to re-establish the facts concerning any goods or services or any advertising made in relation to any goods or services which have or could have misled consumers.

1978, c. 9, a. 317.

318. In any action relating to any act or regulation the application of which is under the supervision of the Office, the president may intervene, of right, at any time before the judgment.

1978, c. 9, a. 318.

319. The president may authorize a person generally or specially to exercise the powers that are conferred upon him by sections 306, 306.1, 314 and 315.

320. The president may authorize the vice-president or member of the personnel of the Office to exercise all the powers granted to the president under an act or regulation the application of which is under the supervision of the Office.

CHAPTER II
PERMITS

321. Subject to the exceptions prescribed by regulation, the following persons must hold a permit:

(a) every itinerant merchant, except the itinerant merchant who makes a contract contemplated in section 57;

(b) every merchant who makes contracts of loan of money governed by this Act;

(c) every merchant who operates a physical fitness studio;

(d) every merchant who offers or makes a contract of additional warranty relating to an automobile or a motorcycle adapted for transportation on public roads or relating to other property or another class

à une autre catégorie de biens déterminés par règlement, à l'exception d'une personne morale autorisée à agir au Québec à titre d'assureur et titulaire d'un permis délivré par l'Inspecteur général des institutions financières.

1978, c. 9, a. 321; 1984, c. 47, a. 128; 1988, c. 45, a. 8; 1999, c. 40, a. 234.

322. Lorsqu'un commerçant n'est pas titulaire du permis exigé par la présente loi ou, le cas échéant, de la licence exigée par le Code de la sécurité routière (L.R.Q., chapitre C-24.2), le consommateur peut demander la nullité du contrat.

S'il s'agit d'un contrat de prêt d'argent, le consommateur peut demander plutôt, à son choix, la suppression des frais de crédit et la restitution de la partie des frais de crédit déjà payée.

1978, c. 9, a. 322; 1986, c. 91, a. 667.

323. Une personne qui désire un permis doit transmettre sa demande au président dans la forme prescrite par règlement, accompagnée des documents prévus par règlement.

Cette demande doit, dans les cas prévus par règlement, être accompagnée d'un cautionnement, au montant et selon la forme qui y sont prescrits.

1978, c. 9, a. 323.

323.1 Abrogé.

1988, c. 45, a. 8.

324. Lorsque plusieurs commerçants itinérants font commerce de biens ou de services d'un même commerçant ou d'un même fabricant, celui-ci peut demander en leurs lieu et place un permis de commerçant itinérant.

En pareil cas, les commerçants itinérants qui font commerce des biens ou des services du demandeur sont, pour les fins de la présente loi, réputés être ses représentants dans le cours des activités de ce commerce.

1978, c. 9, a. 324; 1999, c. 40, a. 234.

325. Le président peut refuser de délivrer un permis si:

a) le demandeur n'est pas en mesure, en raison de sa situation financière, d'assumer les obligations qui découlent des activités de son commerce;

b) à son avis, il existe des motifs raisonnables de croire que ce refus est nécessaire pour assurer, dans l'intérêt public, l'exercice honnête et compétent des activités commerciales visées par le présent chapitre;

of property defined by regulation, except a legal person authorized to act in Québec as an insurer and holding a permit issued by the Inspector General of Financial Institutions.

322. Where the merchant does not hold the permit required by this Act or, as the case may be, the licence required under the Highway Safety Code (R.S.Q., chapter C-24.2), a consumer may apply to have the contract annulled.

In the case of a contract for the loan of money, the consumer may apply instead, at his option, for the suppression of the credit charges and the return of any part of the credit charges already paid.

323. Every person wishing to obtain a permit must send his application to the president in the form prescribed by regulation, together with the documents prescribed by regulation.

Such application must, in the cases provided for by regulation, be accompanied by security in the amount and form prescribed therein.

323.1 Repealed.

324. Where several itinerant merchants deal in the goods or services of the same merchant or the same manufacturer, the latter may apply in their place and stead for an itinerant merchant's permit.

In such a case, the itinerant merchants carrying on business in the goods and services of the applicant are, for the purposes of this act, deemed to be his representatives in the course of that business.

325. The president may refuse to issue a permit, if

(a) the applicant, by reason of his financial condition, is not in a position to assume the obligations arising from his business;

(b) in his opinion, there are reasonable grounds to believe that the permit must be refused to ensure, in the public interest, that the business activities contemplated in this chapter will be performed with honesty and competence;

c) le nom ou la raison sociale de la société ou personne morale qui demande le permis est identique à celui d'une autre société ou personne morale qui est titulaire d'un permis, ou lui ressemble tellement qu'il puisse être confondu avec cette dernière; ou

d) le demandeur ne satisfait pas à une exigence prescrite par la présente loi ou par règlement.

1978, c. 9, a. 325; 1986, c. 95, a. 263; 1997, c. 43, a. 875; 1999, c. 40, a. 234.

326. Si le demandeur est une personne morale ou une société, le président peut exiger de chacun des administrateurs ou associés qu'il satisfasse aux exigences que la présente loi ou un règlement impose à une personne qui demande un permis.

1978, c. 9, a. 326; 1999, c. 40, a. 234.

327. Le président peut refuser de délivrer un permis à un demandeur qui, au cours des trois années antérieures à sa demande, a été déclaré coupable:

a) soit d'une infraction à une loi ou à un règlement dont l'Office doit surveiller l'application et pour laquelle il n'a pas obtenu le pardon;

b) soit d'un acte criminel punissable par voie de mise en accusation seulement, ayant un lien avec l'emploi de commerçant et pour lequel il n'a pas obtenu le pardon.

1978, c. 9, a. 327; 1986, c. 95, a. 264.

328. Le président peut suspendre ou annuler le permis d'un titulaire qui, au cours de la durée du permis, est déclaré coupable:

a) soit d'une infraction à une loi ou à un règlement dont l'Office doit surveiller l'application;

b) soit d'un acte criminel punissable par voie de mise en accusation seulement et ayant un lien avec l'emploi de commerçant.

1978, c. 9, a. 328; 1986, c. 95, a. 265.

329. Le président peut suspendre ou annuler le permis d'un titulaire qui, au cours de la durée du permis:

a) cesse de satisfaire aux exigences que la présente loi ou les règlements prescrivent pour la délivrance d'un permis;

b) n'est pas en mesure, en raison de sa situation financière, d'assumer les obligations qui découlent des activités de son commerce;

c) ne peut assurer, dans l'intérêt public, l'exercice honnête et compétent de ses activités commerciales;

(c) the name or corporate name of the partnership or legal person applying for the permit is identical to that of another partnership or legal person holding a permit, or so resembles it that it may be mistaken for it; or

(d) the applicant does not meet a requirement prescribed by this Act or by regulation.

326. If the applicant is a legal person or a partnership, the president may require every director or partner thereof to comply with the same requirements as those prescribed by this act in respect of any person applying for a permit.

327. The president may refuse to issue a permit to any applicant who, during the three years preceding his application, was found guilty of

(a) an offence against any act or regulation the administration of which is under the supervision of the Office and for which he has not obtained a pardon;

(b) an indictable offence in connection with the occupation of merchant and for which he has not obtained a pardon.

328. The president may suspend or cancel the permit of any holder who, during the term of the permit, has been found guilty of

(a) an offence against any act or regulation the application of which is under the supervision of the Office, or

(b) an indictable offence in connection with the occupation of merchant.

329. The president may suspend or cancel the permit of any holder who, during the term of his permit

(a) no longer meets the requirements prescribed by this Act or the regulations for the issuance of a permit;

(b) is unable, owing to his financial position, to assume the obligations arising from his business;

(c) is unable to ensure, in the interest of the public, that his business activities will be performed with honesty and competence;

d) ne se conforme pas à une obligation prescrite par les articles 260.7 à 260.13.

(d) does not comply with an obligation prescribed in sections 260.7 to 260.13.

1978, c. 9, a. 329; 1984, c. 47, a. 130; 1986, c. 95, a. 266; 1988, c. 45, a. 9; 1999, c. 40, a. 234.

330. Un titulaire de permis doit posséder un établissement au Québec.

Cet établissement doit être situé dans un immeuble ou une partie d'immeuble dans lequel le titulaire fait des affaires.

1978, c. 9, a. 330.

330. Every holder of a permit must have an establishment in Québec.

Such establishment must be situated in an immovable or part of an immovable in which the holder carries on business.

331. Un titulaire de permis doit aviser le président, dans un délai de quinze jours, dans le cas de changement:

a) d'adresse;

b) de nom ou de raison sociale;

c) d'administrateur, dans le cas d'une personne morale; ou

d) d'associé, dans le cas d'une société.

1978, c. 9, a. 331; 1999, c. 40, a. 234.

331. Every holder of a permit must notify the president within fifteen days of any change

(a) of address;

(b) of name or firm name;

(c) of directors, in the case of a legal person; or

(d) of partners, in the case of a partnership.

332. Le président peut refuser de délivrer et peut suspendre ou annuler un permis en raison du fait qu'un demandeur ou un titulaire a fait une fausse déclaration ou a dénaturé un fait important lors de la demande de permis.

1978, c. 9, a. 332.

332. The president may refuse to issue and may suspend or cancel a permit by reason of the fact that an applicant or holder made misrepresentations or distorted an important fact when he applied for a permit.

333. Le président doit, avant de refuser de délivrer un permis à une personne ou avant de suspendre ou d'annuler le permis qu'il lui a délivré, notifier par écrit à cette personne le préavis prescrit par l'article 5 de la Loi sur la justice administrative (L.R.Q., chapitre J-3) et lui accorder un délai d'au moins 10 jours pour présenter ses observations.

1978, c. 9, a. 333; 1997, c. 43, a. 463.

333. The president, before refusing to issue a permit to a person or before suspending or cancelling the permit he has issued to him, must notify the person in writing as prescribed by section 5 of the Act respecting administrative justice (R.S.Q., chapter J-3) and allow the person at least 10 days to present observations.

334. La décision de refuser de délivrer un permis comme celle de le suspendre ou de l'annuler doit être motivée. Le président doit notifier par écrit sa décision à la personne concernée.

1978, c. 9, a. 334.

334. Any decision refusing to issue, suspending or cancelling a permit must give the reason therefor. The president must give written notice of his decision to the person concerned.

335. Un permis est valide pour deux ans. Il est renouvelé aux conditions prescrites par la présente loi et par règlement.

Le président peut toutefois délivrer un permis pour une période moindre s'il juge que l'intérêt du public est en jeu ou pour une raison d'ordre administratif.

1978, c. 9, a. 335.

335. A permit is valid for two years. It is renewed on the conditions prescribed by this act and the regulations.

The president may, however, issue a permit for a shorter period if he deems that the public interest is at stake or for administrative reasons.

336. Si le titulaire d'un permis fait faillite, le syndic de faillite qui continue le commerce du titulaire le fait en vertu des mêmes permis et cautionnement. En

336. If a permit holder becomes bankrupt, the trustee in bankruptcy who continues the business of the holder does so under the same permit and se-

pareil cas, il est soumis à toutes les obligations imposées à ce titulaire par la présente loi et par règlement.

1978, c. 9, a. 336.

337. Un droit que confère un permis ne peut être transféré, sauf en cas de décès du titulaire du permis. Dans ce cas, le président peut autoriser le transfert sur paiement des droits exigibles et aux conditions prescrites par la présente loi et par règlement.

1978, c. 9, a. 337.

338. Selon les modalités prescrites par règlement, le cautionnement sert d'abord à l'indemnisation du consommateur qui possède une créance contre celui qui a fourni le cautionnement, ou son représentant, et ensuite au paiement de l'amende qui leur est imposée.

1978, c. 9, a. 338.

338.1-338.9 Abrogés.

1988, c. 45, a. 8.

curity. In such case, he is subject to all the obligations impose on such holder by this act and by regulation.

337. The rights conferred by a permit cannot be transferred except in the case of the death of the holder of such permit. In such case, the president may authorize the transfer upon payment of the duties exigible and on the conditions prescribed by this act and by regulation.

338. In accordance with the terms and conditions prescribed by regulation, the security shall be used, first, to compensate any consumer who has a claim against the person who gave the security or his representative, then, to pay the fine imposed on him.

338.1-338.9 Repealed.

CHAPITRE III
RECOURS DEVANT LE TRIBUNAL ADMINISTRATIF DU QUÉBEC

339. Une personne dont le président a rejeté la demande de permis ou dont le président a suspendu ou annulé le permis, ainsi qu'un commerçant pour lequel un administrateur provisoire a été nommé, peuvent contester la décision du président devant le Tribunal administratif du Québec dans les 30 jours de sa notification.

1978, c. 9, a. 339; 1984, c. 47, a. 132; 1988, c. 21, a. 66; 1997, c. 43, a. 465.

340. Dans l'exercice de son pouvoir de suspendre l'exécution de la décision contestée, le Tribunal doit tenir compte principalement de l'intérêt des consommateurs.

1978, c. 9, a. 340; 1988, c. 21, a. 66; 1997, c. 43, a. 466.

341. Le Tribunal ne peut, lorsqu'il apprécie les faits ou le droit, substituer son appréciation de l'intérêt public ou de l'intérêt du public à celle que le président en avait faite, en vertu des articles 325, 329 ou 335, pour prendre sa décision.

1978, c. 9, a. 341; 1988, c. 21, a. 66; 1997, c. 43, a. 466.

CHAPTER III
PROCEEDING BEFORE THE ADMINISTRATIVE TRIBUNAL OF QUÉBEC

339. Every person whose application for a permit has been dismissed by the president or whose permit has been suspended or cancelled by the president and a merchant for whom a provisional administrator has been appointed may contest the decision of the president before the Administrative Tribunal of Québec within 30 days of notification of the decision.

340. The Tribunal shall, in exercising its power to suspend the execution of the contested decision, give particular consideration to the interests of consumers.

341. When assessing the facts or the law, the Tribunal shall not substitute its assessment of the public interest or of the interest of the public for the assessment made by the president, pursuant to section 325, 329 or 335, before he made his decision.

342-349. Remplacés.

1997, c. 43, a. 466.

342-349. Replaced.

CHAPITRE IV
RÈGLEMENTS

350. Le gouvernement peut faire des règlements pour:

a) déterminer le contenu et la présentation matérielle ainsi que les modalités de distribution ou de remise d'un contrat, état de compte ou autre document visé par une loi ou un règlement dont l'Office doit surveiller l'application;

b) établir un modèle pour un contrat ou un autre document visé par une loi ou un règlement dont l'Office doit surveiller l'application;

c) établir des normes concernant les instructions relatives à l'entretien ou à l'utilisation d'un bien, l'emballage, l'étiquetage ou la présentation d'un bien ainsi que la divulgation du prix d'un bien ou d'un service;

d) établir des normes de qualité, de sécurité et de garantie pour un bien ou un service;

e) déterminer les règles concernant les modalités de calcul et de divulgation des conditions de paiement, du taux de crédit et des frais de crédit ou du taux de crédit implicite et des frais de crédit implicites dans un contrat, un tableau d'exemples ou un autre document ou dans un message publicitaire;

f) identifier les contrats qui, malgré l'article 57, constituent des contrats conclus par un vendeur itinérant;

g) déterminer les conditions du renouvellement ou de l'extension de crédit ou celles du crédit résultant de la consolidation de dettes;

h) déterminer le contenu, la présentation matérielle et la position d'une pancarte requise par la présente loi;

i) identifier les accessoires d'une automobile d'occasion ou d'une motocyclette d'occasion qui ne sont pas couverts par la garantie établie dans la présente loi;

j) déterminer les travaux qui ne constituent pas des réparations au sens de la présente loi;

k) établir des normes relatives au contenu et à la présentation matérielle d'un message publicitaire;

CHAPTER IV
REGULATIONS

350. The Government may make regulations

(a) determining the content and physical presentation and the terms and conditions of distribution or remittance of all contracts, statements of account or other documents contemplated by the laws and regulations the application of which is under the supervision of the Office;

(b) establishing models for contracts or other documents contemplated by the laws and regulations the application of which is under the supervision of the Office;

(c) determining standards for instructions respecting the maintenance or use of goods, packing, labelling or presentation of goods and the disclosure of the price of goods or services;

(d) determining standards of quality, safety and warranty for goods or services;

(e) determining the rules respecting the terms and conditions of calculation and disclosure of the conditions of payment, the credit rate and credit charges or implied credit rate and implied credit charges in a contract, an example chart or another document or in advertising;

(f) identifying the contracts that, notwithstanding section 57, constitute contracts made by an itinerant merchant;

(g) determining the conditions of renewal or extension of credit, or those of credit resulting from a consolidation of debts;

(h) determining the content, the physical presentation and the position of signs required by this Act;

(i) identifying the accessories of a used automobile or a used motorcycle that are not covered by the warranty established by this Act;

(j) determining the work that does not constitute repairs within the meaning of this Act;

(k) establishing standards regarding the content and physical presentation of an advertisement;

l) déterminer les cas où un cautionnement peut être exigé, la forme, les modalités et le montant d'un cautionnement ainsi que la façon dont on doit disposer d'un cautionnement soit en cas d'annulation ou de confiscation soit en vue de l'indemnisation d'un consommateur ou de l'exécution d'un jugement en matière pénale;

m) (paragraphe supprimé);

n) déterminer les qualités requises d'une personne qui demande un permis, un renouvellement de permis ou, dans le cas prévu par l'article 337, un transfert de permis, les exigences qu'elle doit remplir, les renseignements et les documents qu'elle doit fournir et les droits qu'elle doit verser;

o) établir les normes, conditions et modalités de la réception et de la conservation des sommes transférées en fiducie;

p) établir des règles relatives à la tenue des registres, comptes, livres et dossiers des commerçants dans la mesure où la protection du consommateur est en question;

q) exempter, aux conditions qu'il détermine, un message publicitaire de l'application de l'article 248;

r) exempter, en totalité ou en partie, de l'application de la présente loi, une catégorie de personnes, de biens, de services ou de contrats qu'il détermine et fixer des conditions à cette exemption;

s) pour déterminer les droits exigibles de celui qui demande à un agent d'information copie de son dossier de crédit;

t) déterminer, pour les fins du paragraphe d de l'article 321, les autres biens ou les autres catégories de biens pour lesquels un commerçant ne peut offrir ou conclure un contrat de garantie supplémentaire sans détenir un permis;

u) établir, pour les commerçants obligés d'être titulaires d'un permis en vertu du paragraphe d de l'article 321, des normes relatives à la constitution, à la conservation et à l'utilisation des réserves qu'ils doivent maintenir ainsi que des réserves additionnelles qu'il jugera bon de prescrire et déterminer les moments où ces commerçants doivent fournir au président un état de leurs opérations ainsi que la forme et la teneur de cet état;

v) déterminer les critères de répartition suivant lesquels les frais visés par l'article 260.24 doivent être assumés par les commerçants auxquels ils sont chargés en vertu de cet article et établir les modalités de réclamation, de paiement et de perception de ces frais;

w) déterminer les catégories de placements que peut choisir un commerçant en vertu de l'article 260.11;

(l) determining the cases where security may be required, the form, terms and conditions and amount of the security and the manner of disposing of the security in case of cancellation or confiscation or for the indemnification of a consumer or the execution of a judgment in a penal matter;

(m) (paragraph repealed);

(n) determining the qualifications required of any person applying for a permit or the renewal of a permit, or in the case provided for in section 337, the transfer of a permit, the conditions he must fulfil, the information and documents he must furnish and the duties he must pay;

(o) determining standards, conditions and modes and procedures for the receipt and keeping of sums transferred in trust;

(p) establishing rules for the keeping of merchants' registers, accounts, books and records to the extent that consumer protection is involved;

(q) exempting, on such conditions as it may determine, an advertisement from the application of section 248;

(r) exempting, in whole or in part, from the application of this Act, any class of persons, goods, services or contracts that it determines and fixing conditions for that exemption;

(s) determining the duties chargeable to a person who requests a copy of his credit record from an information agent;

(t) determining, for the purposes of paragraph d of section 321, the other property or classes of property for which no merchant may offer or make a contract of additional warranty unless he holds a permit;

(u) establishing, for merchants required to hold a permit under paragraph d of section 321, norms relating to the establishment, conservation and application of the reserves they are required to maintain and of any additional reserves it may see fit to require, and determining the dates when the merchants must provide a statement of their operations to the president and the form and content of the statement;

(v) determining the criteria of apportionment according to which the costs contemplated in section 260.24 must be assumed by the merchants to whom the costs are charged under that section, and establishing the modalities for claiming, paying and collecting the costs;

(w) prescribe the classes of investment that may be chosen by a merchant under section 260.11;

x) déterminer les droits que doit verser une personne qui demande une exemption en vertu de l'article 308 ou 309.

(x) determining the duties to be paid by a person requesting an exemption under section 308 or 309.

1978, c. 9, a. 350; 1980, c. 11, a. 114; 1984, c. 47, a. 133; 1987, c. 90, a. 8; 1988, c. 45, a. 10, a. 11, a. 12; 1990, c. 4, a. 710; 1991, c. 24, a. 18; 1997, c. 43, a. 875; 1999, c. 40, a. 234.

351. Un projet de règlement ne peut être adopté que moyennant un préavis de trente jours publié dans la *Gazette officielle du Québec.* Ce préavis doit en reproduire le texte.

Un règlement entre en vigueur le jour de la publication à la *Gazette officielle du Québec* d'un avis indiquant qu'il a été adopté par le gouvernement ou, en cas de modification par ce dernier, de la publication de son texte définitif ou à une date ultérieure fixée dans l'avis ou dans le texte définitif.

1978, c. 9, a. 351; 1980, c. 11, a. 115.

351. No draft regulation may be adopted unless it is preceded by a notice of thirty days published in the *Gazette officielle du Québec.* Such prior notice must reproduce the text of the draft.

A regulation comes into force on the day of the publication in the *Gazette officielle du Québec* of a notice indicating that it has been adopted by the Government or, if amended by the latter, on the day of the publication of its final text or on any later date fixed in the notice or final text.

TITRE VI
DISPOSITIONS TRANSITOIRES ET DIVERSES

352. Le ministre est chargé de l'application de la présente loi.

1978, c. 9, a. 352.

353. Omis.

1978, c. 9, a. 353.

354. Dans une loi ou une proclamation ainsi que dans un arrêté en conseil, un contrat ou tout autre document, un renvoi à la Loi sur la protection du consommateur (L.R.Q., chapitre P-40) remplacée par la présente loi est censé être un renvoi à la présente loi ou à la disposition équivalente de la présente loi.

1978, c. 9, a. 354; 1999, c. 40, a. 234.

355. Omis.

1978, c. 9, a. 355.

356. Un permis délivré en vertu de la Loi sur la protection du consommateur remplacée par la présente loi demeure en vigueur jusqu'à la date où il expirerait en vertu de la loi ainsi remplacée; il est alors renouvelé conformément à la présente loi.

1978, c. 9, a. 356; 1997, c. 43, a. 875.

357. Un règlement adopté par le gouvernement en vertu de la Loi sur la protection du consommateur demeure en vigueur, dans la mesure où il est conforme aux dispositions de la présente loi, jusqu'à ce qu'il ait été abrogé ou qu'il ait été modifié ou remplacé par un règlement adopté en vertu de la présente loi.

1978, c. 9, a. 357.

TITLE VI
TRANSITIONAL AND MISCELLANEOUS PROVISIONS

352. The Minister has charge of the carrying out of this Act.

353. Omitted.

354. In any act, proclamation, order in council, contract or document, a reference to the Consumer Protection Act (R.S.Q., chapter P-40) replaced by this act, is a reference to this act or to the equivalent provision of this act.

355. Omitted.

356. Permits issued under the Consumer Protection Act replaced by this act remain in force until their date of expiry pursuant to the act so replaced, whereupon they are renewed in accordance with this act.

357. The regulations made by the Government by virtue of the Consumer Protection Act remain in force, to such extent as they are consistent with this act, until they are repealed, or until they are amended or replaced by regulations made by virtue of this act.

358. Les poursuites intentées en vertu de la Loi sur la protection du consommateur suivent leur cours; il en est de même des infractions commises et des prescriptions commencées lesquelles sont respectivement poursuivies et achevées sous les dispositions de ladite loi.

1978, c. 9, a. 358.

358. Proceedings instituted under the Consumer Protection Act are continued, as are contraventions to and prescriptions begun under the said act, and these, respectively, shall be prosecuted or are completed under the said act.

359. Modification intégrée au c. E-9, a. 63.1.

1978, c. 9, a. 359.

359. Amendment integrated into c. E-9, s. 63.1.

360. Modification intégrée au c. C-24, a. 22.

1978, c. 9, a. 360.

360. Amendment integrated into c. C-24, s. 22.

361. Modification intégrée au c. C-24, a. 25.1.

1978, c. 9, a. 361.

361. Amendment integrated into c. C-24, s. 25.1.

362. Les crédits affectés à l'application de la Loi sur la protection du consommateur sont transférés pour permettre l'application de la présente loi.

Les crédits supplémentaires affectés à l'application de la présente loi pour l'exercice financier 1978/1979 ainsi que les crédits pour l'exercice financier 1979/1980 sont puisés à même le fonds consolidé du revenu.

Pour les exercices financiers suivants, les crédits sont puisés à même les deniers accordés annuellement par la Législature.

1978, c. 9, a. 362.

362. Appropriations for the carrying out of the Consumer Protection Act shall be transferred to enable the carrying out of this act.

Supplementary appropriations for the carrying out of this act for the fiscal year 1978/1979 and the appropriations for the fiscal year 1979/1980 shall be taken out of the consolidated revenue fund.

For subsequent fiscal years, the appropriations shall be taken out of the moneys granted each year by the Legislature.

363. La présente loi entre en vigueur à la date fixée par proclamation du gouvernement, à l'exception des dispositions exclues par cette proclamation, lesquelles entreront en vigueur à une date ultérieure qui sera fixée par proclamation du gouvernement.

1978, c. 9, a. 363.

363. This Act will come into force on the date to be fixed by proclamation of the Government, except any provisions excluded by that proclamation, which will come into force on any later date that may be fixed by proclamation of the Government.

364. (Cet article a cessé d'avoir effet le 17 avril 1987.)

1982, c. 21, a. 1; R.-U., 1982, c. 11, ann. B, ptie I, a. 33.

364. (This section ceased to have effect on 17 April 1987.)

SCHEDULE 1

Statement of Consumer Cancellation Rights

(Consumer Protection Act, section 58)

You may cancel this contract for any reason within 10 days after you receive a copy of the contract along with the other required documents.

If you do not receive the goods or services within 30 days of the date stated in the contract, you may cancel the contract within one year. You lose that right if you accept delivery after the 30 days. There are other grounds for an extension of the cancellation period to one year, for example if the itinerant merchant does not hold a permit or has not provided the required security at the time the contract is made, if the goods are never delivered or the services never performed, or if the contract is incorrectly made or worded. For more information, you may seek legal advice or contact the Office de la protection du consommateur.

If you cancel the contract, the itinerant merchant must refund all amounts you have paid, and return to you the goods received in payment, as a trade-in or on account; if the merchant is unable to return the goods, you are entitled to receive an amount of money corresponding to the value indicated in the contract or the cash value of the goods, within 15 days of cancellation. You also have 15 days to return to the merchant any goods you received from the merchant.

To cancel, you must return the items received from the merchant to the merchant or the merchant's representative, send the merchant the cancellation form printed below, or send the merchand written notice of cancellation. The form or written notice must be sent to the merchant or the merchant's representative at the address indicated on the form, or at any other address indicated in the contract. You must give notice of cancellation by personal delivery or by any other method that will allow you to prove that you gave notice, including registered mail, E-mail, fax and courier.

Cancellation Form (detachable from schedule)

TO BE COMPLETE BY THE MERCHANT

To: ....

(name of itinerant merchant or representative)

....

....

(address of itinerant merchant or representative)

Telephone number or itinerant merchant or representative: (......)

Fax number of itinerant merchant or representative: (......)

Electronic address of itinerant merchant or representative:

To be complete by the consumer

Date: .... *(date on which form is sent)*

By virtue of section 59 of the Consumer Protection Act, I hereby cancel the contract No.:.. *(contract number, if any)* made on .... *(date of contract)* at ....

(address where contract was signed by consumer)

ANNEXE 1

Énoncé des droits de résolution du consommateur

(Loi sur la protection du consommateur, art. 58)

Vous pouvez résoudre ce contrat, pour n'importe quelle raison, pendant une période de 10 jours après la réception du double du contrat et des documents qui doivent y être annexés.

Si vous ne recevez pas le bien ou le service au cours des 30 jours qui suivent une date indiquée dans le contrat, vous avez 1 an pour résoudre le contrat. Toutefois, vous perdez ce droit de résolution si vous acceptez la livraison après cette période de 30 jours. Le délai d'exercice du droit de résolution peut aussi être porté à 1 an pour d'autres raisons, notamment pour absence de permis, pour absence ou pour déficience de cautionnement, pour absence de livraison ou pour non-conformité du contrat. Pour de plus amples renseignements, communiquez avec un conseiller juridique ou l'Office de la protection du consommateur.

Lorsque le contrat est résolu, le commerçant itinérant doit vous rembourser toutes les sommes que vous lui avez versées et vous restituer tout bien qu'il a reçu en paiement, en échange ou en acompte; s'il ne peut restituer ce bien, le commerçant itinérant doit remettre une somme correspondant au prix de ce bien indiqué au contrat ou, à défaut, la valeur de ce bien dans les 15 jours de la résolution. Dans le même délai, vous devez remettre au commerçant itinérant le bien que vous avez reçu du commerçant.

Pour résoudre le contrat, il suffit soit de remettre au commerçant itinérant ou à son représentant le bien que vous avez reçu, soit de lui retourner le formulaire proposé ci-dessous ou de lui envoyer un autre avis écrit à cet effet. Le formulaire ou l'avis doit être adressé au commerçant itinérant ou à son représentant, à l'adresse ci-dessous indiquée sur le formulaire ou à une autre adresse du commerçant itinérant ou du représentant indiquée dans le contrat. L'avis doit être remis en personne ou être donné par tout autre moyen permettant au consommateur de prouver son envoi: par courrier recommandé, par courrier électronique, par télécopieur ou par un service de messagerie.

Formulaire de résolution (partie détachable de l'annexe)

À COMPLÉTER PAR LE COMMERÇANT

À: ....
(*nom du commerçant itinérant ou du représentant*)

....

....
(*adresse du commerçant itinérant ou de son représentant*)

Numéro de téléphone du commerçant itinérant ou du représentant: (......)...............

Numéro de télécopieur du commerçant itinérant ou du représentant: (......)..............

Adresse électronique du commerçant itinérant ou du représentant: ....

À COMPLÉTER PAR LE CONSOMMATEUR

Date:..(*date d'envoi du formulaire*)
En vertu de l'article 59 de la Loi sur la protection du consommateur, j'annule le contrat n°.. (*numéro du contrat, s'il est indiqué*)
conclu le .... (*date de la formation du contrat*)

.... *(name of consumer)*

Telephone number of consumer: (......) ....

Fax number of consumer: (......) ....

Electronic address of consumer:...

....

(address of consumer)

....

(signature of consumer)

SCHEDULE 2

Notice of Forfeiture of Benefit of the Term

(Consumer Protection Act, section 105)

Date: ....

(date on which notice sent or remitted)

....

(name of merchant)

....

(address of consumer)

....

*(telephone number
of merchant)*

hereinafter called the merchant notifies:

....

(name of consumer)

....

....

(address of consumer)

hereinafter called the consumer

that he is in default to perform his obligation in accordance with the contract

(No. ....)

(number of the contract if indicated)

made between them at...

(place where the contract was made)

on...and that the following payment(s) is (are) due:

*(date on which the
contract was made)*

$ .... on..

(amount of payment) *(date due)*

$ .... on..

(amount of payment) *(date due)*

for a total amount of $............................. at this date.

(amount due)

à: ....
          (adresse où le consommateur a signé le contrat)

.... *(nom du consommateur)*

Numéro de téléphone du consommateur: (......)...

Numéro de télécopieur du consommateur: (......)..

Adresse électronique du consommateur:

....
                    (adresse du consommateur)

....
                    (signature du consommateur)

1978, c. 9, ann. 1; 1998, c. 6, a. 8.

ANNEXE 2

Avis de déchéance du bénéfice du terme

(Loi sur la protection du consommateur, art. 105)

Date: ....
          (date de l'envoi ou de la remise de l'avis)

....
                    (nom du commerçant)

....
                    (adresse du commerçant)

....
                    *(numéro de téléphone
                    du commerçant)*

ci-après appelé le commerçant donne avis à:

....
                    (nom du consommateur)

....

....
                    (adresse du consommateur)

ci-après appelé le consommateur
qu'il est en défaut d'exécuter son obligation suivant le contrat
(No ....)
                    (numéro du contrat s'il est indiqué)

intervenu entre eux à ....
                            (lieu de la formation du contrat)

le .... et que le(s) paiement(s) suivant(s) est (sont) échu(s):
     *(date de la formation
       du contrat)*

$ .... , le ....
     (montant du paiement)   *(date d'échéance du paiement)*

Consequently, if the consumer does not remedy his default by paying the amount due within thirty days of receiving this notice, the balance of the total obligation, in the amount of $............ shall become payable at that time.

The consumer may, however, by motion, petition the court to change the terms and conditions of payment or, in the case of a contract involving credit, to be authorized to return the goods sold to the merchant.

Such motion must be served and filed in the office of the court within thirty days after the consumer receives this notice.

The consumer is advised to examine his contract and, if further information is necessary, to contact the Office de la protection du consommateur.

....
(name of merchant)

....
(signature of merchant)

SCHEDULE 3

Contract for the Loan of Money

(Consumer Protection Act, section 115)

Date: ....
(date on which the contract is made)

Place: ....
(place where the contact is made if made in the presence of the merchant and the consumer)

....
(name of merchant)

....
....
(address of merchant)

....
(number of permit of the merchant)

....
(name of consumer)

....
....
(address of consumer)

1. Net capital.... $ ....
2. Interest $ ....
3. Insurance premiums
   — *describe* $ ....
4. Other components $ ....
5. Credit charges for the whole term
   of the loan $..........................
6. Total obligation of the consumer $..........................
7. Credit rate   .... %

$ .... , le ....
          (*montant du paiement*)   (*date d'échéance du paiement*)

pour un total de $.................................... à date.
                    (*somme due*)

En conséquence, si le consommateur ne remédie pas à son défaut en payant la somme due dans les trente jours qui suivent la réception du présent avis, le solde de son obligation, au montant de $............., deviendra exigible à ce moment.

Le consommateur peut cependant, par requête, s'adresser au tribunal pour faire modifier les modalités de paiement ou, s'il s'agit d'un contrat de vente assorti d'un crédit, pour être autorisé à remettre au commerçant le(s) bien(s) vendu(s).

Cette requête doit être signifiée et produite au greffe dans un délai de trente jours après réception du présent avis par le consommateur.

Le consommateur aura avantage à consulter son contrat et, au besoin, à communiquer avec l'Office de la protection du consommateur.

....
                    (*nom du commerçant*)

....
                    (*signature du commerçant*)

1978, c. 9, ann. 2.

ANNEXE 3

Contrat de prêt d'argent

(Loi sur la protection du consommateur, art. 115)

Date: ....
                    (*date de la formation du contrat*)

Lieu: ....
          (*lieu de la formation du contrat, s'il est formé en présence
          du commerçant et du consommateur*)

....
                    (*nom du commerçant*)

....
                    (*adresse du commerçant*)

....
                    (*numéro de permis du commerçant*)

....
                    (*nom du consommateur*)

....
                    (*adresse du consommateur*)

1. Capital net.... $ ....
2. Intérêt $............................
3. Prime de l'assurance souscrite
   — *décrire* $............................

The total obligation of the consumer is payable at ....
(address)

in........................ equal deferred payments of $.................... on the............ day
    (number)

of each consecutive month from ....
                                (date on which the first
                                payment is due)

and a final payment of $.............. on ....

The consumer gives to the merchant as acknowledgement of or security for his obligation the following object or document:

....
(description)

The merchant performs his principal obligation upon the making of this contract
□ or on ....
(yes)   *(date of performance of*
                                the merchant's
                                principal obligation)

....
(signature of the merchant)

....
(signature of the consumer)

SCHEDULE 4

Contract Extending Variable Credit

(Consumer Protection Act, section 125)

Date: ....
                    (date on which the contract is made)

Place: ....
                  (place where the contract is made if made in the presence
                       of the merchant or the consumer)

....
(name of merchant)

....
(address of merchant)

....
(name of consumer)

....
(address of consumer)

1. The amount up to which credit is
   extended (*if such amount is limited*) $..........................
2. Membership or renewal fees $..........................

4. Autres composantes $............................
5. Total des frais de crédit pour toute
   la durée du prêt $............................
6. Obligation totale du consommateur $............................
7. Taux de crédit   ....%

L'obligation totale du consommateur est payable à...

                                                 (adresse)

en.......................... paiements différés de $.................... le.......................jour

     (nombre)

de chaque mois consécutif à compter du ....

                                         (date d'échéance
                                         du premier paiement)

et un dernier paiement de $.......... le ....

Le consommateur donne au commerçant, en reconnaissance ou en garantie de son obligation, l'objet ou le document suivant:

....

                         (description)

Le commerçant exécute son obligation principale lors de la formation du présent contrat ☐ ou, le ....

     (oui)   *(date de l'exécution de*
                             l'obligation principale
                             du commerçant)

....

                         (signature du commerçant)

....

                         (signature du consommateur)

1978, c. 9, ann. 3.

ANNEXE 4

Contrat de crédit variable

(Loi sur la protection du consommateur, art. 125)

Date: ....

                   (date de la formation du contrat)

Lieu: ....

                  (lieu de la formation du contrat, s'il est formé en présence
                          du commerçant et du consommateur)

....

                         (nom du commerçant)

....

....

                         (adresse du commerçant)

....

                         (nom du consommateur)

3. The term of each period for which a statement of account is furnished ....

4. The minimum payment required for each period $........................

5. The time during which the consumer may discharge his obligation without being compelled to pay credit charges ....

6. The annual credit rate .... %

A table of examples of the credit charges

SCHEDULE 5

Contract of Sale by Instalment

(Consumer Protection Act, section 134)

Date: ....
(date on which the contract is made)

Place: ....
(place where the contract is made if made in the presence of the merchant and of the consumer)

....
(name of merchant)

....
....
(address of merchant)

....
(name of consumer)

....
....
(address of consumer)

Description of the object of the contract: ....
....

1. (a) Cash price $........................
   (b) Installation, delivery and other costs $........................
2. (a) Total cash price $_____
   (b) Down-payment $........................
3. (a) Balance — Net capital $_____
   (b) Interest $........................
   (c) Insurance premiums — describe $........................
   (d) Other components $........................

....

....

(adresse du consommateur)

1. Montant jusqu'à concurrence
   duquel le crédit est consenti
   (*si ce montant est limité*) $............................
2. Frais d'adhésion ou de
   renouvellement $............................
3. Durée de chaque période pour
   laquelle un état de compte est fourni   ....
4. Paiement minimum requis pour
   chaque période $............................
5. Délai pendant lequel le consomma-
   teur peut acquitter son obligation
   sans être obligé de payer des frais
   de crédit   ....
6. Taux de crédit annuel   .... %

Tableau d'exemples des frais de crédit

1978, c. 9, ann. 4; 1999, c. 40, a. 234.

ANNEXE 5

Contrat de vente à tempérament

(Loi sur la protection du consommateur, art. 134)

Date: ....
(date de la formation du contrat)

Lieu: ....
*(lieu de la formation du contrat, s'il est formé en présence
du commerçant et du consommateur)*

....
(nom du commerçant)

....
(adresse du commerçant)

....
(nom du consommateur)

....
(adresse du consommateur)

Description de l'objet du contrat: ....

....

4. Total credit charges for the whole
   term of the contract $ _____

5. Total obligation of the consumer $ _____
   Credit rate   .... %

   The total obligation of the consumer is payable at...

                                                    (address)

in... deferred payments of $ ....
          (number)

on the.. day of each consecutive month from
....and a final payment of $..
   (date on which the first
    payment is due)

on...................................

   The consumer shall give to the merchant as acknowledgement of or security for his
obligation the following object or document:

....

                                    (description)

   The merchant shall deliver the goods being the subject of this contract on the making
of the contract ☐ or on ....
              (yes)   (date of delivery
                                               of the goods)

   The merchant remains the owner of the goods sold and the transfer of the right of ownership does not take place when the contract is made but shall take place only ....
....

              (time and terms and conditions of such transfer)

....

                        (signature of the merchant)

....

                        (signature of the consumer)

SCHEDULE 6

Notice of Repossession

(Consumer Protection Act, section 139)

Date: ....

                  (date on which notice is sent or remitted)

....

                          (name of merchant)

....
....

                          (address of merchant)

....

                      (telephone number of merchant)

1. a) Prix comptant $...........................
   b) Frais d'installation, de livraison
   et autres $...........................
2. a) Prix comptant total $ ═══════════
   b) Versement comptant $...........................
3. a) Solde — Capital net $ ═══════════
   b) Intérêt $...........................
   c) Prime de l'assurance souscrite
   — *décrire* $...........................
   d) Autres composantes $...........................
4. Total des frais de crédit pour
   toute la durée du contrat $ ═══════════
5. Obligation totale du consommateur $ ═══════════

Taux de crédit ....%

L'obligation totale du consommateur est payable à...
(*adresse*)

en........................... paiements différés de $...
(*nombre*)

le................................... jour de chaque mois consécutif à compter du
....et un dernier paiement de $...
(*date d'échéance du
premier paiement*)

le...................................

Le consommateur donne au commerçant en reconnaissance ou en garantie de son obligation l'objet ou le document suivant:

....
(*description*)

Le commerçant livre le(s) bien(s) faisant l'objet du présent contrat lors de la formation du contrat ☐ ou, le ....
(*oui*)   (*date de la livraison du bien*)

Le commerçant demeure propriétaire du(des) bien(s) vendu(s) et le transfert du droit de propriété n'a pas lieu lors de la formation du contrat mais aura lieu seulement...
(*époque et modalités du transfert*)

....
(*signature du commerçant*)

....
(*signature du consommateur*)

1978, c. 9, ann. 5.

hereinafter called the merchant notifies

....

(name of consumer)

....

....

(address of consumer)

hereinafter called the consumer,

that he is in default to perform his obligation in accordance with the contract

(No. ....)

(number of the contract if indicated)

made between them at...

(place where the contract was made)

on.. and that the following payment(s) is (are) due:

(date when the contract was made)

$ .... on...

(amount of payment)   *(date on which the payment is due)*

$ .... on...

(amount of payment)   *(date on which the payment is due)*

for a total amount of $............................... at this date.

(amount due)

The consumer may, within thirty days after receipt of this notice,

(a) remedy the default by paying the amount due at this date, or

(b) return the goods to the merchant.

If the consumer has not remedied the default or has not returned the goods to the merchant at..

(address)

within thirty days after the receipt of this notice, the merchant will exercise his right of repossession by having the goods seized, at the consumer's expense.

If the consumer has already paid one-half of the amount of the total obligation and of the down-payment, the merchant will not be entitled to exercise his right of repossession unless he obtains the permission of the court.

In the case of voluntary return of forced repossession following this notice, the contractual obligation of the consumer is extinguished and the merchant is not bound to return the amount of the payments already received.

The consumer is advised to examine his contract and, if further information is necessary, to contact the Office de la protection du consommateur.

....

(name of the merchant)

....

(signature of the merchant)

ANNEXE 6

Avis de reprise de possession

(Loi sur la protection du consommateur, art. 139)

Date: ....
(date de l'envoi ou de la remise de l'avis)

....
(nom du commerçant)

....

....
(adresse du commerçant)

....
(numéro de téléphone du commerçant)

ci-après appelé le commerçant donne avis à:

....
(nom du consommateur)

....

....
(adresse du consommateur)

ci-après appelé le consommateur,
qu'il est en défaut d'exécuter son obligation suivant le contrat
(No ....)
(numéro du contrat s'il est indiqué)

intervenu entre eux à ....
(lieu de la formation du contrat)

le ....et que le(s) paiement(s) suivant(s) est (sont) échu(s):
*(date de la formation
du contrat)*

$ .... , le ....
(montant du paiement)   *(date d'échéance du paiement)*

$ .... , le ....
(montant du paiement)   *(date d'échéance du paiement)*

pour un total de $..................................... à date.
(somme due)

Le consommateur peut, dans les 30 jours suivant la réception du présent avis:
a) soit remédier au défaut en payant la somme due à date;
b) soit remettre le bien au commerçant.

Si le consommateur n'a pas remédié au défaut ou n'a pas remis le bien au commerçant à ....
(adresse)

dans les 30 jours qui suivent la réception du présent avis, le commerçant exercera son droit de reprise en faisant saisir le(s) bien(s) aux frais du consommateur.

Si le consommateur a déjà payé au moins la moitié de la somme de l'obligation totale et du versement comptant, le commerçant ne pourra cependant exercer son droit de reprise qu'après avoir obtenu l'autorisation du tribunal.

SCHEDULE 7

Contract Involving Credit

(Consumer Protection Act, section 150)

Date: ....
(date on which the contract is made)

Place: ....
*(place where the contract is made if made in the presence
of the merchant and of the consumer)*

....
(name of merchant)

....

....
(address of merchant)

....
(name of consumer)

....

....
(address of consumer)

Description of the object of the contract: ....
....

1. (a) Cash price $ ....
   (b) Installation, delivery and other costs $ ....
2. (a) Total cash price $ _____

   (b) Down-payment $...........................
3. (a) Balance — Net capital $ _____

   (b) Interest $ ....
   (c) Insurance premiums
   – *describe* $ ....
   (d) Other components $ ....
4. Total credit charges for the whole
   term of the contract $ _____

5. Total obligation of the consumer $ _____
   Credit rate ....%

   The total obligation of the consumer is payable at...
   (address)
in.................... deferred payments of $.....................on the.................day
   (number)
of each consecutive month from...
   *(date when the first
   payment is due)*
and a final payment of $.......... on ....

The consumer shall give to the merchant as acknowledgement of or security for his
obligation the following object or document:

Au cas de remise volontaire ou de paiement forcé du bien à la suite du présent avis, l'obligation contractuelle du consommateur est éteinte, et le commerçant n'est pas tenu de remettre le montant des paiements qu'il a déjà reçus.

Le consommateur aura avantage à consulter son contrat, et, au besoin, à communiquer avec l'Office de la protection du consommateur.

....

(nom du commerçant)

....

(signature du commerçant)

1978, c. 9, ann. 6.

ANNEXE 7

Contrat assorti d'un crédit

(Loi sur la protection du consommateur, art. 150)

Date: ....

(date de la formation du contrat)

Lieu: ....

*(lieu de la formation du contrat, s'il est formé en présence
du commerçant et du consommateur)*

....

(nom du commerçant)

....
....

(adresse du commerçant)

....

(nom du consommateur)

....
....

(adresse du consommateur)

Description de l'objet du contrat: ....
....

1. a) Prix comptant	$	
b) Frais d'installation, de livraison et d'autres	$	
2. a) Prix comptant total		$ _____
b) Versement comptant		$............................
3. a) Solde — Capital net		$ _____
b) Intérêt	$	
c) Prime de l'assurance souscrite – *décrire*	$	
d) Autres composantes	$	
4. Total des frais de crédit pour toute la durée du contrat		$ _____
5. Obligation totale du consommateur		$ _____

....
(description)

The merchant delivers the goods being the subject of this contract on the making of this contract ☐ or on...
(yes) *(date of delivery of the goods)*

....
(signature of the merchant)

....
(signature of the consumer)

SCHEDULE 7.1

Notice of Forfeiture of Benefit of the Term concerning Long-Term Lease

(Consumer Protection Act, section 150.13)

Date: ....
(date on which notice is sent or remitted)

....
(name of merchant)

....
....
(address of merchant)

....
(telephone number of merchant)

hereinafter called the merchant, notifies

....
(name of consumer)

....
....
(address of consumer)

hereinafter called the consumer,
that he is in default to perform his obligation in accordance with the contract
(No. ....)
(number of the contract if indicated)

made between them at...
(place where the contract was made)

on...and that the following payment(s) is(are) due:
*(date when the contract
was made)*

$ .... on..
(amount of payment) *(date on which the payment is due)*

$ .... on..
(amount of payment) *(date on which the payment is due)*

for a total amount of $.............................. at this date.
(amount due)

Taux de crédit .... %

L'obligation totale du consommateur est payable à...
(adresse)

en.................. paiements différés de $..................... le ....jour
(nombre)

de chaque mois consécutif à compter du ....
(date d'échéance du premier paiement)

et un dernier paiement de $.......... le...

Le consommateur donne au commerçant en reconnaissance ou en garantie de son obligation l'objet ou le document suivant:
....
(description)

Le commerçant livre le(s) bien(s) faisant l'objet du présent contrat lors de la formation du contrat ☐ ou, le ....
(oui) *(date de la livraison du bien)*

....
(signature du commerçant)

....
(signature du consommateur)

1978, c. 9, ann. 7.

ANNEXE 7.1

Avis de déchéance du bénéfice du terme en matière de location à long terme

(Loi sur la protection du consommateur, art. 150.13)

Date: ....
(date de l'envoi ou de la remise de l'avis)

....
(nom du commerçant)

....
(numéro de téléphone du commerçant)

....

....
(adresse du commerçant)

ci-après appelé le commerçant donne avis à:

....
(nom du consommateur)

....

....
(adresse du consommateur)

ci-après appelé le consommateur,
qu'il est en défaut d'exécuter son obligation suivant le contrat
(No ....)
(numéro du contrat s'il est indiqué)

Consequently, if the consumer does not remedy his default by paying the amount due within thirty days of receiving this notice, the total amount of payments due and future instalments, in the amount of $............, shall become payable at the time.

The consumer may, however, by motion, petition the court to change the terms and conditions of payment or to be authorized to return the goods leased to the merchant. In that case, return of the goods authorized by the court entails the extinguishment of the obligation and the merchant is not required to return the amount of instalments he has received.

Such motion must be served and filed in the office of the court within thirty days after the consumer receives this notice.

Furthermore, the consumer may also, without the authorization of the court, return the goods to the merchant and thus rescind his contract. In such case, the merchant is not bound to return the amount of the payments due he has already received, and he cannot claim any damages other than those actually resulting, directly and immediately, from the rescission of the contract.

The consumer is advised to examine his contract and, if further information is necessary, to contact the Office de la protection du consommateur.

....
(name of the merchant)

....
(signature of the merchant)

SCHEDULE 7.2

Notice of Repossession Concerning Long-Term Lease

(Consumer Protection Act, section 150.14)

Date: ....
(date on which notice is sent or remitted)

....
(name of merchant)

....

....
(address of merchant)

....
(telephone number of merchant)
hereinafter called the merchant, notifies

....
(name of consumer)

....

....
(addres of consumer)
hereinafter called the consumer,
that he is in default to perform his obligation in accordance with the contract
(No. ....)
(number of the contract if indicated)

intervenu entre eux à ....
(lieu de la conclusion du contrat)

le ....
(date de la conclusion du contrat)

et que le(s) paiement(s) suivant(s) est (sont) échu(s):

$ .... , le ....
(montant du paiement)   (date d'échéance du paiement)

$ .... , le ....
(montant du paiement)   (date d'échéance du paiement)

pour un total de $................................. à date.
(somme due)

En conséquence, si le consommateur ne remédie pas à son défaut en payant la somme due dans les trente jours qui suivent la réception du présent avis, le mon-tant total des paiements échus et des paiements périodiques non encore échus, soit la somme de $..........., deviendra exigible à ce moment.

Le consommateur peut cependant, par requête, s'adresser au tribunal pour faire modifier les modalités de paiement ou pour être autorisé à remettre au commerçant le bien loué. Dans ce dernier cas, la remise du bien autorisée par le tribunal entraîne l'extinction de l'obligation et le commerçant n'est pas tenu de remettre le montant des paiements qu'il a reçus.

Cette requête doit être signifiée et produite au greffe dans un délai de trente jours après réception du présent avis par le consommateur.

Par ailleurs, le consommateur peut aussi, sans l'autorisation du tribunal, remettre le bien au commerçant et ainsi résilier son contrat. Dans un tel cas, le commerçant n'est pas tenu de remettre le montant des paiements échus qu'il a déjà perçus et il ne peut réclamer que les seuls dommages-intérêts réels qui soient une suite directe et immédiate de cette résiliation.

Le consommateur aura avantage à consulter son contrat et, au besoin, à communiquer avec l'Office de la protection du consommateur.

....
(nom du commerçant)

....
(signature du commerçant)

1991, c. 24, a. 19.

ANNEXE 7.2

Avis de reprise de possession en matière de location à long terme

(Loi sur la protection du consommateur, art. 150.14)

Date: ....
(date de l'envoi ou de la remise de l'avis)

....
(nom du commerçant)

....

....
(adresse du commerçant)

made between them at...
(place where the contract was made)

on..and that the following payment(s) is (are) due:
    (date when the contract
    was made)

$ .... on..
    (amount of payment)   *(date on which the payment is due)*

$ .... on..
    (amount of payment)   *(date on which the payment is due)*

for a total amount of $................................ at this date.
    (amount due)

The consumer may, within 30 days after receipt of this notice, either:
(a) remedy the default by paying the amount due at this date, or
(b) return the goods to the merchant.
If the consumer has not remedied the default or returned the goods to the merchant
at..
(address)
within 30 days after the receipt of this notice, the merchant will exercise his right of
repossession by having the goods seized, at the consumer's expense.

However, if the consumer who is a party to a contract of lease with guaranteed residual
value has already paid at least one-half of his maximum obligation, the merchant will not
be entitled to exercise his right of repossession unless he obtains the authorization of the
court (section 150.32).

In the case of voluntary return or forced repossession of the goods following this notice, the contract is rescinded and the merchant is not bound to return the amount of the
payments already received, and he cannot claim any damages other than those actually
resulting, directly and immediately, from the rescission of the contract (section 150.15).

The consumer is advised to examine his contract and, if further information is necessary, to contact the Office de la protection du consommateur.

....
(name of the merchant)

....
(signature of the merchant)

SCHEDULE 7.3

Contract of Lease with Residual Value Guaranteed by the Consumer

(Consumer Protection Act, section 150.22)

Date: ....
    (date on which the contract is made)

Place: ....
    (place where the contract is made if made in the presence
    of the merchant and of the consumer)

....
(name of merchant)

....

(numéro de téléphone du commerçant)

ci-après appelé le commerçant, donne avis à

....

(nom du consommateur)

....

....

(adresse du consommateur)

ci-après appelé le consommateur,
qu'il est en défaut d'exécuter son obligation suivant le contrat
(No ....)

(numéro du contrat s'il est indiqué)

intervenu entre eux à ....

(lieu de la conclusion du contrat)

le ....

(date de la conclusion du contrat)

et que le(s) paiement(s) suivant(s) est (sont) échu(s):

$ .... , le ....

(montant du paiement)   *(date d'échéance du paiement)*

$ .... , le ....

(montant du paiement)   *(date d'échéance du paiement)*

pour un total de $.................................... à date.

(somme due)

Le consommateur peut, dans les 30 jours suivant la réception du présent avis:
a) soit remédier au défaut en payant la somme due à date;
b) soit remettre le bien au commerçant.
Si le consommateur n'a pas remédié au défaut ou n'a pas remis le bien au commerçant à ....

(adresse)

dans les 30 jours qui suivent la réception du présent avis, le commerçant exercera son droit de reprise en faisant saisir le(s) bien(s) aux frais du consommateur.

Toutefois, si le consommateur partie à un contrat de louage à valeur résiduelle garantie a déjà payé au moins la moitié de son obligation maximale, le commerçant ne pourra exercer son droit de reprise qu'après avoir obtenu la permission du tribunal (article 150.32).

Au cas de remise volontaire ou de reprise forcée du bien à la suite du présent avis, le contrat est résilié. Le commerçant n'est alors pas tenu de remettre le montant des paiements échus qu'il a déjà perçus et il ne peut réclamer que les seuls dommages-intérêts réels qui soient une suite directe et immédiate de cette résiliation (article 150.15).

Le consommateur aura avantage à consulter son contrat, et, au besoin, à communiquer avec l'Office de la protection du consommateur.

....

(nom du commerçant)

....

(signature du commerçant)

1991, c. 24, a. 19.

....

....

(address of merchant)

....

(name of consumer)

....

....

(address of consumer)

Description of the object of the contract: ....

....

(make, model, serial number, model year)

1. Total value of goods
   (a) Retail price $ ....
   (b) Preparation, delivery and
        installation charges $ ....
   (c) Other .... $........................
                     (specify)
                                Total $........................

2. Payment on account
   (except applicable taxes)
   (a) Trade-in $ ....
   (b) First instalment $ ....
   (c) Instalment(s) paid in advance,
        other than (b)................................... $........................
                  (specify which)
   (d) Any other amount paid before the
        start of the leasing period, including
        the value of a negotiable instrument
        payable on demand $ ....
                                  Total $........................

3. Amount of net obligation (1 - 2) $========

4. Instalments
   (a) (i) .... × $ ....
          (instalment)   *(number)*
      (ii) last instalment $
          (if less than i)
      (iii) total instalments
          (i + ii)   = $========

   (b) (i) .... + ... = $ ....
          (instalment)   *(taxes)*   *(periodic*
                                      payment)

      (ii) .... × .... = $........................
          (periodic   *(number)*
          payment)

      (iii) .... + ... = $........................
           (last   *(taxes)*
          instalment)
      (iv) Total payments
          (ii + iii) $========

ANNEXE 7.3

Contrat de louage à valeur résiduelle garantie par le consommateur

(Loi sur la protection du consommateur, art. 150.22)

Date: ....
(date de la formation du contrat)

Lieu: ....
(lieu de la formation du contrat, s'il est formé en présence du commerçant et du consommateur)

....
(nom du commerçant)

....
(adresse du commerçant)

....
(nom du consommateur)

....
(adresse du consommateur)

Description de l'objet du contrat: ....
....
(marque, modèle, numéro de série, année)

1. Valeur totale du bien
   a) Prix de détail $.........................
   b) Frais de préparation, de livraison
      et d'installation $.........................
   c) Autres .... $.........................
                    (préciser)
                                   Total $.........................
2. Acompte
   (autre que les taxes applicables)
   a) Montant alloué pour le bien cédé
      en contrepartie de la location $.........................
   b) Premier versement périodique $.........................
   c) Versement(s) périodique(s)
      payé(s) par anticipation, autre(s)
      que b) .... $.........................
              (préciser le(s)quel(s))
   d) Autre somme reçue avant le
      début de la période de location, y
      compris la valeur d'un effet de
      commerce payable à demande $.........................
                                   Total $.........................
3. Montant de l'obligation nette (1 - 2) $=========

                                                  $.........................

5. Amount of the instalment obligation
   (a) Total of instalments minus those
      included in the payment on
      account (4 (a) (iii) - 2 (b) et 2 (c)) $ ....
   (b) Residual value of goods $ ....
       (*wholesale value at the end*
       of the leasing period)
                     Total $ _____

6. Implied credit charges and rate
   (a) Implied credit charges (5 - 3) $ ....
   (b) Leasing period   .... months
   (c) Implied annual credit rate   ....%

7. MAXIMUM OBLIGATION OF THE CONSUMER
   (*not including applicable taxes and*
   charges relating to the degree of
   use of the goods)   (2 + 5) $ _____

The obligation of the consumer is payable at..
                                           (*address*)

The amounts to be paid during the leasing period are payable in.............................
                                          (*number*)
instalments of .... on the..
               (*amount*)
day of each consecutive .... from..
                    (*period*)   (*date of delivery of the goods*)
and a final instalment of $...................... on ....
                  (*amount*)   (*date*)

The consumer shall defray the residual value if he acquires the goods during the leasing period. If the consumer elects not to exercise this option, he guarantees that the merchant will obtain from alienation of the goods by onerous title within a reasonable time of their return a value equal to or greater than the residual value and that, if the merchant fails to obtain at least that value the consumer will assume the difference up to 20% of the residual value.

The consumer shall give to the merchant as acknowledgement of or security for his obligation the following object or document:

....
                                         (*description*)
The merchant shall deliver the goods being the subject of this contract on the making of this contract ☐ or on ....
       (*yes*)   (*date of delivery of the goods*)

....
                             (*signature of the merchant*)

....
                             (*signature of the consumer*)

4. Paiements périodiques
   a) i) .... × .... = $ ....
          (*versement*   *(nombre)*
          périodique)
      ii) Dernier versement périodique $ ....
          (*s'il est moindre de i*)
      iii) Total des versements périod.
          (i + ii) $ _____

   b) i) .... + ... = $ ....
          (*versement*   *(taxes)*   (*paiement*
          périodique)   *périodique)*
      ii) .... × .... = $ ....
          (*paiement*   *(nombre)*
          périodique)
      iii) .... + ... = $ ....
          (*dernier*   *(taxes)*
          versement)
          périodique)
      iv) Total des paiements périodiques
          (ii + iii) $ _____

5. Montant de l'obligation à tempérament
   a) Total des versements périodiques
      moins ceux compris dans
      l'acompte (4 a) iii - 2 b) et 2 c)) $ ....
   b) Valeur résiduelle du bien $ ....
      (*valeur au gros à la fin de la
      période de location*)
                       Total $ _____

6. Frais et taux de crédit implicites
   a) Frais de crédit implicites (5 - 3) $ ....
   b) Période de location   .... mois
   c) Taux de crédit implicite annuel   ....%

7. OBLIGATION MAXIMALE DU CONSOMMATEUR
   (*ne comprend pas les taxes applicables
   et les frais relatifs au degré
   d'utilisation du bien*)   (2 + 5) $ _____

L'obligation du consommateur est payable à..
                                                            (*adresse*)

Les sommes à acquitter pendant la période de location sont payables en..................
                                                          (*nombre*)

paiements périodiques de .... à effectuer le.....................................
                  (*montant*)

de chaque .... consécutif à compter du ....
              (*période*)   (*date de la livraison du bien*)

et un dernier paiement de .... $ le ....
                         (*montant*)   (*date*)

Quant à la valeur résiduelle, le consommateur devra l'acquitter s'il se porte acquéreur du bien pendant la période de location. Si le consommateur n'exerce pas ce choix, il garantit au commerçant qu'il obtiendra de l'aliénation à titre onéreux du bien dans un délai raisonnable de sa remise une valeur au moins égale à la valeur résiduelle et, qu'à défaut par le commerçant d'obtenir au moins telle valeur le consommateur assumera la différence jusqu'à concurrence de 20% de la valeur résiduelle.

SCHEDULE 7.4

Notice of Right of Preemption

(Consumer Protection Act, section 150.30)

Date: ....
(*date on which notice is sent or remitted*)

....
(*name of merchant*)

....
(*telephone number of merchant*)

....

....
(*address of merchant*)

....
(*telephone number of merchant*)

hereinafter called the merchant, notifies

....
(*name of consumer*)

....

....
(*address of consumer*)

hereinafter called the consumer,

1 – that the merchant has received from ....
(*name and address*)
(hereinafter called the prospective acquirer) an offer to purchase the goods which are the object of the contract of lease with guaranteed residual value
(No. ....) made between
(*the number of the contract, if indicated*)
the consumer and the merchant at...
(*place where the contract was made*)
on.. and that this offer
(*date when the contract was made*)
to acquire is in the amount of $ .... and that this amount
(*amount*)
is less than the residual value indicated in the contract, namely $................................. ;
(*amount*)

2 – that the consumer may, within 5 days after receipt of this notice,
    (a) acquire the goods by paying in cash a price equal to that offered by the prospective acquirer; or
    (b) present a third person who agrees to pay in cash for the goods a price equal to or greater than that offered by the prospective acquirer.

In the latter case, if the merchant does not agree to sell the goods to the third person presented by the consumer, the consumer is released from his obligation to guarantee the residual value.

If the consumer fails to acquire the goods or to present a third person within 5 days after receipt of this notice, the merchant will sell the goods to the prospective acquirer at the price offered by him and indicated in paragraph 1.

Le consommateur donne au commerçant en reconnaissance ou en garantie de son obligation l'objet ou le document suivant:

....
(description)

Le commerçant livre le(s) bien(s) faisant l'objet du présent contrat lors de la formation du contrat ☐ ou, le ....
     (oui)   *(date de la livraison du bien)*

....
(signature du commerçant)

....
(signature du consommateur)

1991, c. 24, a. 19.

ANNEXE 7.4

Avis de droit de préemption

(Loi sur la protection du consommateur, art. 150.30)

Date: ....
(date de l'envoi ou de la remise de l'avis)

....
(nom du commerçant)

....
(numéro de téléphone du commerçant)

....
(adresse du commerçant)

ci-après appelé le commerçant, donne avis à

....
(nom du consommateur)

....

....
(adresse du consommateur)

ci-après appelé le consommateur,

1 – que le commerçant a reçu de ....
(nom et adresse)

(ci-après appelé l'acquéreur potentiel) une offre d'acquisition du bien faisant l'objet du contrat de louage à valeur résiduelle garantie

(No ....) intervenu entre le
(numéro du contrat s'il est indiqué)

commerçant et le consommateur à ....
(lieu de la formation du contrat)

le.. et que cette
(date de la formation du contrat)

offre d'acquisition est pour un montant de.. \$, ce montant
(montant)

étant inférieur à la valeur résiduelle indiquée au contrat, soit.................................... \$;
(montant)

The consumer is advised to examine his contract and, if further information is necessary, to contact the Office de la protection du consommateur.

....
(name of the merchant)

....
(signature of the merchant)

SCHEDULE 8

Cancellation Form

(Consumer Protection Act, section 190)

To: ....
(name of merchant)

....

....
(address of merchant)

Date: ....
(date of sending of this form)

By virtue of section 193 of the Consumer Protection Act, I cancel the contract
(No ....)
(number of the contract if indicated)

made.. at ....
(date when the contract was made)   *(place where the contract was made)*

....
(name of consumer)

....
(signature of consumer)

....
(address of consumer)

SCHEDULE 9

Cancellation Form

(Consumer Protection Act, section 199)

To: ....
(name of merchant)

....

....
(address of merchant)

2 – que le consommateur peut, dans les 5 jours qui suivent la réception du présent avis:

a) soit acquérir le bien en payant comptant un prix égal à celui offert par l'acquéreur potentiel;

b) soit présenter un tiers qui convient de payer comptant pour ce bien un prix au moins égal à celui offert par l'acquéreur potentiel.

Dans ce dernier cas, si le commerçant n'accepte pas de vendre le bien au tiers présenté par le consommateur, ce dernier est libéré de son obligation de garantie de la valeur résiduelle.

À défaut par le consommateur d'acquérir le bien ou de présenter un tiers dans les 5 jours qui suivent la réception du présent avis, le commerçant vendra le bien à l'acquéreur potentiel au prix proposé par celui-ci et indiqué au paragraphe 1.

Le consommateur aura avantage à consulter son contrat, et, au besoin, à communiquer avec l'Office de la protection du consommateur.

....

(nom du commerçant)

....

(signature du commerçant)

1991, c. 24, a. 19.

ANNEXE 8

Formule de résiliation

(Loi sur la protection du consommateur, art. 190)

À: ....

(nom du commerçant)

....

....

(adresse du commerçant)

Date: ....

(date d'envoi de la formule)

En vertu de l'article 193 de la Loi sur la protection du consommateur, je résilie le contrat
(No ....)

(numéro du contrat s'il est indiqué)

conclu le .... à ....

(date de la conclusion du contrat)   *(lieu de la conclusion du contrat)*

....

(nom du consommateur)

....

(signature du consommateur)

....

....

(adresse du consommateur)

1978, c. 9, ann. 8.

Date: ....
(date of sending of this form)

By virtue of section 204 of the Consumer Protection Act, I cancel the contract
(No. ....)
(number of the contract if indicated)

made.. at ....
(date when the contract was made)   *(place where the contract was made)*

....
(name of consumer)

....
(signature of consumer)

....
....
(address of consumer)

SCHEDULE 10

Cancellation Form

(Consumer Protection Act, section 208)

To: ....
(name of merchant)

....
....
(address of merchant)

Date: ....
(date of sending of this form)

By virtue of section 209 of the Consumer Protection Act, I cancel the contract
(No. ....)
(number of the contract if indicated)

made.. at ....
(date when the contract was made)   *(place where the contract was made)*

....
(name of consumer)

....
(signature of consumer)

....
....
(address of consumer)

ANNEXE 9

Formule de résiliation

(Loi sur la protection du consommateur, art. 199)

À: ....
(nom du commerçant)

....

....
(adresse du commerçant)

Date: ....
(date d'envoi de la formule)

En vertu de l'article 204 de la Loi sur la protection du consommateur, je résilie le contrat
(No ....)
(numéro du contrat s'il est indiqué)

conclu le .... à ....
(date de la conclusion du contrat)　　　*(lieu de la conclusion du contrat)*

....
(nom du consommateur)

....
(signature du consommateur)

....
(adresse du consommateur)

1978, c. 9, ann. 9.

ANNEXE 10

Formule de résolution

(Loi sur la protection du consommateur, art. 208)

À: ....
(nom du commerçant)

....

....
(adresse du commerçant)

Date: ....
(date d'envoi de la formule)

En vertu de l'article 209 de la Loi sur la protection du consommateur, j'annule le contrat
(No ....)
(numéro du contrat s'il est indiqué)

conclu le .... à ....
(date de la conclusion du contrat)　　　*(lieu de la conclusion du contrat)*

SCHEDULE 11

Undertaking by the Trust Company

(Consumer Protection Act, section 260.9)

WE, THE UNDERSIGNED, ...
undertake to assume the duties, obligations and responsibilities imposed on a trust company by the Consumer Protection Act with respect to the sums deposited in a reserve account pursuant to the said Act by ....

(*name of the merchant*)

Undertaking signed at ....
on ....
by ....

(*duly authorized person*)

....
(*nom du consommateur*)

....
(*signature du consommateur*)

....

....
(*adresse du consommateur*)

1978, c. 9, ann. 10.

ANNEXE 11

Engagement de la société de fiducie

(Loi sur la protection du consommateur, art. 260.9)

NOUS SOUSSIGNÉS, ...
nous engageons à assumer les devoirs, les obligations et les responsabilités que la Loi
sur la protection du consommateur impose à une société de fiducie quant aux sommes
déposées dans un compte de réserves en vertu de cette loi par ....
....
(*nom du commerçant*)

Engagement signé à ....
le ....

par..
(*personne dûment autorisée*)

1988, c. 45, a. 13.

LOI SUR L'ASSURANCE AUTOMOBILE

L.R.Q., c. A-25

TITRE I
DÉFINITIONS

1. Dans la présente loi, à moins que le contexte n'indique un sens différent, on entend par:

«accident»: tout événement au cours duquel un préjudice est causé par une automobile;

«automobile»: tout véhicule mû par un autre pouvoir que la force musculaire et adapté au transport sur les chemins publics mais non sur les rails;

«chargement»: tout bien qui se trouve dans une automobile ou sur celle-ci ou est transporté par une automobile;

«chemin public»: la partie d'un terrain ou d'un ouvrage d'art destiné à la circulation publique des automobiles, à l'exception de la partie d'un terrain ou d'un ouvrage d'art utilisé principalement pour la circulation des véhicules suivants, tels que définis par règlement:

1° un tracteur de ferme, une remorque de ferme, un véhicule d'équipement ou une remorque d'équipement;

2° une motoneige;

3° un véhicule destiné à être utilisé en dehors d'un chemin public;

«préjudice causé par une automobile»: tout préjudice causé par une automobile, par son usage ou par son chargement, y compris le préjudice causé par une remorque utilisée avec une automobile, mais à l'exception du préjudice causé par l'acte autonome d'un animal faisant partie du chargement et du préjudice causé à une personne ou à un bien en raison d'une action de cette personne reliée à l'entretien, la réparation, la modification ou l'amélioration d'une automobile;

«propriétaire»: la personne qui acquiert une automobile ou la possède en vertu d'un titre de propriété ou en vertu d'un titre assorti d'une condition ou d'un terme qui lui donne le droit d'en devenir propriétaire ou en vertu d'un titre qui lui donne le droit d'en jouir comme propriétaire à charge de rendre ainsi que la personne qui prend en location une automobile pour une période d'au moins un an;

«vol»: l'infraction prévue à l'article 322 du Code criminel (L.R.C. (1985), chapitre C-46).

AUTOMOBILE INSURANCE ACT

R.S.Q., c. A-25

TITLE I
DEFINITIONS

1. In this Act, unless otherwise indicated by the context,

"accident" means any event in which damage is caused by an automobile;

"automobile" means any vehicle propelled by any power other than muscular force and adapted for transportation on public highways but not on rails;

"damage caused by an automobile" means any damage caused by an automobile, by the use thereof or by the load carried in or on an automobile, including damage caused by a trailer used with an automobile, but excluding damage caused by the autonomous act of an animal that is part of the load and injury or damage caused to a person or property by reason of an action performed by that person in connection with the maintenance, repair, alteration or improvement of an automobile;

"load" means any property in, on, or transported by an automobile;

"owner" means a person who acquires or possesses an automobile under a title of ownership, under a title involving a condition or a term giving him the right to become the owner thereof, or under a title giving him the right to use it as the owner thereof charged to deliver over, and a person who leases an automobile for a period of not less than one year;

"public highway" means that part of any land or structure which is intended for public automobile traffic, except any part of any land or structure which is mainly used by the following vehicles, as defined by regulation:

(1) farm tractors, farm trailers, specialized equipment or drawn machinery;

(2) snowmobiles;

(3) vehicles intended for use off a public highway;

"theft" refers to the offence described in section 322 of the Criminal Code (R.S.C., 1985, chapter C-46).

1977, c. 68, a. 1; 1980, c. 38, a. 1, a. 24; 1981, c. 7, a. 540; 1982, c. 59, a. 1; 1982, c. 52, a. 50, a. 51; 1982, c. 59, a. 68; 1986, c. 91, a. 661; 1989, c. 15, a. 1; 1991, c. 58, a. 1; 1999, c. 40, a. 26.

1.1 Remplacé.
1989, c. 15, a. 1.

1.1 Replaced.

TITRE II
INDEMNISATION DU PRÉJUDICE CORPOREL

CHAPITRE I
DISPOSITIONS GÉNÉRALES

SECTION I
DÉFINITIONS ET INTERPRÉTATION

2. Dans le présent titre, à moins que le contexte n'indique un sens différent, on entend par:

«conjoint»: la personne qui est liée par un mariage ou une union civile à la victime et cohabite avec elle ou qui vit maritalement avec la victime, qu'elle soit de sexe différent ou de même sexe et qui est publiquement représentée comme son conjoint depuis au moins trois ans, ou, dans les cas suivants, depuis au moins un an:

– un enfant est né ou à naître de leur union,
– elles ont conjointement adopté un enfant,
– l'une d'elles a adopté un enfant de l'autre;

«emploi»: toute occupation génératrice de revenus;

«personne à charge»:

1° le conjoint;

2° la personne qui est séparée de fait ou légalement de la victime ou dont le mariage ou l'union civile avec celle-ci est dissous ou déclaré nul par un jugement définitif ou, encore, dont l'union civile est dissoute par une déclaration commune notariée de dissolution et qui a droit de recevoir de la victime une pension alimentaire en vertu d'un jugement ou d'une convention;

3° l'enfant mineur de la victime et la personne mineure à qui la victime tient lieu de mère ou de père;

4° l'enfant majeur de la victime et la personne majeure à qui la victime tient lieu de mère ou de père, à la condition que la victime subvienne à plus de 50% de leurs besoins vitaux et frais d'entretien;

5° toute autre personne liée à la victime par le sang ou l'adoption et toute autre personne lui tenant lieu de mère ou de père, à la condition que la victime subvienne à plus de 50% de leurs besoins vitaux et frais d'entretien;

«préjudice corporel»: tout préjudice corporel d'ordre physique ou psychique d'une victime y compris le décès, qui lui est causé dans un accident, ainsi que les dommages aux vêtements que porte la victime.

TITLE II
COMPENSATION FOR BODILY INJURY

CHAPTER I
GENERAL PROVISIONS

DIVISION I
DEFINITIONS AND INTERPRETATION

2. In this title, unless otherwise indicated by the context,

"bodily injury" means any physical or mental injury, including death, suffered by a victim in an accident, and any damage to the clothing worn by a victim;

"dependant" means

(1) the spouse;

(2) the person who is separated from the victim *de facto* or legally, whose marriage to or civil union with the victim has been dissolved or declared null by a final judgment, or whose civil union has been dissolved by a notarized joint declaration of dissolution and who is entitled to receive support from the victim by virtue of a judgment or agreement;

(3) a minor child of the victim and a minor person to whom the victim stands *in loco parentis*;

(4) a child of full age of the victim and a person of full age to whom the victim stands *in loco parentis*, provided that their basic needs and maintenance costs are borne by the victim to the extent of over 50%;

(5) any other person related to the victim by blood or adoption and any other person who stands *in loco parentis* to the victim, provided that their basic needs and maintenance costs are borne by the victim to the extent of over 50%;

"employment" means any remunerative occupation;

"spouse" means the person who is married to or in a civil union with and living with the victim or who has been living in a *de facto* union with the victim, whether the person is of the opposite or the same sex, and has been publicly represented as the victim's spouse for at least three years or, in the following cases, for at least one year:

– a child has been born or is to be born of their union;
– they have adopted a child together; or
– one of them has adopted a child of the other.

1977, c. 68, a. 2; 1989, c. 15, a. 1; 1993, c. 56, a. 1; 1999, c. 14, a. 6; 1999, c. 40, a. 26; 2002, c 6, a. 85.

3. Abrogé.

1992, c. 57, a. 433.

4. Pour l'application du présent titre, une indemnité comprend le remboursement des frais visés au chapitre V.

1977, c. 68, a. 4; 1985, c. 6, a. 485; 1989, c. 15, a. 1.

3. Repealed.

4. For the purposes of this title, compensation includes the reimbursement of the expenses referred to in Chapter V.

SECTION II
RÈGLES D'APPLICATION GÉNÉRALE

DIVISION II
GENERAL RULES

5. Les indemnités accordées par la Société de l'assurance automobile du Québec en vertu du présent titre le sont sans égard à la responsabilité de quiconque.

1977, c. 68, a. 5; 1989, c. 15, a. 1; 1990, c. 19, a. 11.

5. Compensation under this title is granted by the Société de l'assurance automobile du Québec regardless of who is at fault.

6. Est une victime, la personne qui subit un préjudice corporel dans un accident.

À moins que le contexte n'indique un sens différent, est présumée être victime, aux fins de la présente section, la personne qui a droit à une indemnité de décès lorsque le décès de la victime résulte de l'accident.

1977, c. 68, a. 6; 1989, c. 15, a. 1; 1999, c. 40, a. 26.

6. Every person who suffers bodily injury in an accident is a victim.

Unless the context indicates otherwise, every person who is entitled to a death benefit where the death of the victim results from the accident is also presumed to be a victim for the purposes of this division.

7. La victime qui réside au Québec et les personnes à sa charge ont droit d'être indemnisées en vertu du présent titre, que l'accident ait lieu au Québec ou hors du Québec.

Sous réserve du paragraphe 1° de l'article 195, est une personne qui réside au Québec, celle qui demeure au Québec, qui y est ordinairement présente et qui a le statut de citoyen canadien, de résident permanent ou de personne qui séjourne légalement au Québec.

1977, c. 68, a. 7; 1989, c. 15, a. 1.

7. Every victim resident in Québec and his dependants are entitled to compensation under this title, whether the accident occurs in Québec or outside Québec.

Subject to paragraph 1 of section 195, a person resident in Québec is a person who lives in Québec and is ordinarily in Québec, and has the status of Canadian citizen, permanent resident or person having lawful permission to come into Québec as a visitor.

8. Lorsque l'accident a lieu au Québec, est réputé résider au Québec le propriétaire, le conducteur ou le passager d'une automobile pour laquelle un certificat d'immatriculation a été délivré au Québec.

1977, c. 68, a. 8; 1989, c. 15, a. 1; 1999, c. 40, a. 26; 2000, c. 64, a. 30.

8. Where an automobile for which a registration certificate has been issued in Québec is involved in an accident in Québec, the owner, the driver and the passengers are deemed to be resident in Québec.

9. Lorsque l'accident a lieu au Québec, la victime qui ne réside pas au Québec a droit d'être indemnisée en vertu du présent titre mais seulement dans la proportion où elle n'est pas responsable de l'accident, à moins d'une entente différente entre la Société et la juridiction du lieu de résidence de cette victime.

Sous réserve des articles 108 à 114, la responsabilité est déterminée suivant les règles du droit commun.

9. Where the victim of an accident that occurs in Québec is not resident in Québec, he is entitled to compensation under this title but only to the extent that he is not responsible for the accident, unless otherwise agreed between the Société and the competent authorities of the place of residence of the victim.

Subject to sections 108 to 114, responsibility is determined according to the ordinary rules of law.

Malgré les articles 83.45, 83.49 et 83.57, en cas de désaccord entre la Société et la victime sur la responsabilité de cette dernière, le recours de la victime contre la Société à ce sujet est soumis au tribunal compétent. Ce recours doit être intenté dans les 180 jours de la décision sur la responsabilité rendue par la Société.

1977, c. 68, a. 9; 1989, c. 15, a. 1; 1990, c. 19, a. 11.

10. Nul n'a droit d'être indemnisé en vertu du présent titre dans les cas suivants:

1° si le préjudice est causé, lorsque l'automobile n'est pas en mouvement dans un chemin public, soit par un appareil susceptible de fonctionnement indépendant, tel que défini par règlement, qui est incorporé à l'automobile, soit par l'usage de cet appareil;

2° si l'accident au cours duquel un préjudice est causé par un tracteur de ferme, une remorque de ferme, un véhicule d'équipement ou une remorque d'équipement, tels que définis par règlement, survient en dehors d'un chemin public;

3° si le préjudice est causé par une motoneige ou un véhicule destiné à être utilisé en dehors d'un chemin public, tels que définis par règlement;

4° si l'accident survient en raison d'une compétition, d'un spectacle ou d'une course d'automobiles sur un parcours ou un terrain fermé, de façon temporaire ou permanente, à toute autre circulation automobile, que l'automobile qui a causé le préjudice participe ou non à la course, à la compétition ou au spectacle.

Dans chaque cas, sous réserve des articles 108 à 114, la responsabilité est déterminée suivant les règles du droit commun.

Toutefois, dans les cas prévus aux paragraphes 2° et 3° du premier alinéa, une victime a droit à une indemnité si une automobile en mouvement autre que les véhicules mentionnés dans ces paragraphes est impliquée dans l'accident.

1977, c. 68, a. 10; 1978, c. 57, a. 92; 1979, c. 63, a. 329; 1985, c. 6, a. 486; 1988, c. 51, a. 100; 1989, c. 15, a. 1; 1999, c. 40, a. 26.

11. Le droit à une indemnité visée au présent titre se prescrit par trois ans à compter de l'accident ou de la manifestation du préjudice et, dans le cas d'une indemnité de décès, à compter du décès.

La Société peut permettre à la personne qui fait la demande d'indemnité d'agir après l'expiration de ce délai si celle-ci n'a pu, pour des motifs sérieux et légitimes, agir plus tôt.

Notwithstanding sections 83.45, 83.49 and 83.57, in case of disagreement between the Société and the victim with regard to his responsibility, the remedy of the victim against the Société in that respect is submitted to the competent court. The remedy must be exercised within 180 days of the decision as to responsibility rendered by the Société.

10. No person is entitled to compensation under this title in the following cases:

(1) if the injury is caused, while the automobile is not in motion on a public highway, by, or by the use of, a device that can be operated independently, as defined by regulation, and that is incorporated with the automobile;

(2) if the accident in which an injury is caused by a farm tractor, a farm trailer, a specialized vehicle or drawn machinery, as defined by regulation, occurs off a public highway;

(3) if the injury is caused by a snowmobile or a vehicle intended for use off a public highway, as defined by regulation;

(4) if the accident occurs as a result of an automobile contest, show or race on a track or other location temporarily or permanently closed to all other automobile traffic, whether or not the automobile that causes the injury is participating in the race, the contest or the show.

In each case, subject to sections 108 to 114, responsibility is determined according to the ordinary rules of law.

However, in the cases described in subparagraphs 2 and 3 of the first paragraph, a victim is entitled to compensation if an automobile in motion, other than a vehicle mentioned in those subparagraphs, is involved in the accident.

11. Entitlement to compensation under this title is prescribed by three years from the accident or the time the injury appears and, with regard to a death benefit, from the time of death.

The Société may allow an applicant to apply for compensation after the prescribed time if the applicant was unable, for serious and valid reasons, to act sooner.

Une demande d'indemnité produite conformément au présent titre interrompt la prescription prévue au Code civil du Québec jusqu'à ce qu'une décision définitive soit rendue.

An application for compensation filed in accordance with this title interrupts the prescription that applies pursuant to the Civil Code of Québec until a final decision is rendered.

1977, c. 68, a. 11; 1989, c. 15, a. 1; 1990, c. 19, a. 11; 1999, c. 22, a. 1; 1999, c. 40, a. 26.

11.1 Remplacé.

1989, c. 15, a. 1.

11.1 Replaced.

12. Toute cession du droit à une indemnité visée au présent titre est nulle de nullité absolue.

La personne qui transfère une partie de son indemnité en vertu d'une telle cession a droit de répétition contre celui qui la reçoit.

12. Any transfer of the right to an indemnity contemplated in this title is absolutely null.

Any person who transfers part of his indemnity pursuant to such an assignment has a right of recovery against the person receiving it.

1977, c. 68, a. 12; 1989, c. 15, a. 1; 1992, c. 57, a. 434; 1999, c. 40, a. 26.

12.1 La Société doit être mise en cause dans toute action où il y a lieu de déterminer si le préjudice corporel a été causé par une automobile.

12.1 The Société must be impleaded in any action where a determination is to be made as to whether the bodily injuries were caused by an automobile.

1993, c. 56, a. 2; 1999, c. 40, a. 26.

CHAPITRE II
INDEMNITÉS DE REMPLACEMENT DU REVENU ET AUTRES INDEMNITÉS PARTICULIÈRES

CHAPTER II
INCOME REPLACEMENT INDEMNITY AND OTHER INDEMNITIES

SECTION I
DROIT À UNE INDEMNITÉ

DIVISION I
ENTITLEMENT TO AN INDEMNITY

§ 1. — *Victime exerçant un emploi à temps plein*

§ 1. — *Victim Holding Full-time Employment*

13. La présente sous-section ne s'applique pas à une victime âgée de moins de 16 ans, ni à celle âgée de 16 ans et plus qui fréquente à temps plein un établissement d'enseignement de niveau secondaire ou post-secondaire.

13. This subdivision does not apply to a victim under 16 years of age or to a victim 16 years of age or over attending a secondary or post-secondary educational institution on a full-time basis.

1977, c. 68, a. 13; 1989, c. 15, a. 1, a. 24; 1992, c. 68, a. 157.

13.1 Abrogé.

1989, c. 15, a. 24.

13.1 Repealed.

14. La victime qui, lors de l'accident, exerce habituellement un emploi à temps plein a droit à une indemnité de remplacement du revenu si, en raison de cet accident, elle est incapable d'exercer son emploi.

14. A victim who, at the time of the accident, holds a regular employment on a full-time basis is entitled to an income replacement indemnity if, by reason of the accident, he is unable to hold his employment.

1977, c. 68, a. 14; 1989, c. 15, a. 1.

15. Cette indemnité de remplacement du revenu est calculée de la façon suivante:

15. The income replacement indemnity is computed in the following manner:

1° si la victime exerce son emploi comme travailleur salarié, l'indemnité est calculée à partir du revenu brut qu'elle tire de son emploi;

2° si elle exerce son emploi comme travailleur autonome, l'indemnité est calculée à partir du revenu brut que la Société fixe par règlement pour un emploi de même catégorie, ou à partir de celui qu'elle tire de son emploi, s'il est plus élevé.

Si en raison de cet accident, la victime est également privée de prestations régulières ou de prestations d'emploi ayant pour objet d'aider à acquérir par un programme de formation des compétences liées à l'emploi, prévues à la Loi concernant l'assurance-emploi au Canada (Lois du Canada, 1996, chapitre 23) auxquelles elle avait droit au moment de l'accident, elle a droit de recevoir une indemnité additionnelle calculée à partir des prestations qui lui auraient été versées. Ces prestations sont réputées faire partie de son revenu brut.

1977, c. 68, a. 15; 1989, c. 15, a. 1; 1990, c. 19, a. 11; 1991, c. 58, a. 2; 1999, c. 22, a. 39; 1999, c. 40, a. 26.

16. La victime qui, lors de l'accident, exerce habituellement plus d'un emploi, dont au moins un à temps plein, a droit à une indemnité de remplacement du revenu si, en raison de cet accident, elle est incapable d'exercer l'un de ses emplois.

Cette indemnité est calculée selon les règles prévues à l'article 15 à partir du revenu brut que tire la victime de cet emploi, s'il s'agit d'un seul emploi, ou s'il s'agit de plus d'un emploi, à partir de l'ensemble des revenus bruts que tire la victime des emplois qu'elle devient incapable d'exercer.

1977, c. 68, a. 16; 1982, c. 59, a. 4; 1989, c. 15, a. 1.

17. Toutefois, si la victime fait la preuve qu'elle aurait exercé un emploi plus rémunérateur lors de l'accident, n'eût été de circonstances particulières, elle a droit de recevoir une indemnité de remplacement du revenu calculée à partir du revenu brut qu'elle aurait tiré de cet emploi, à la condition qu'elle soit incapable de l'exercer en raison de cet accident.

Il doit s'agir d'un emploi que la victime aurait pu exercer habituellement à temps plein, compte tenu de sa formation, de son expérience et de ses capacités physiques et intellectuelles à la date de l'accident.

1977, c. 68, a. 17; 1982, c. 59, a. 5; 1989, c. 15, a. 1.

(1) if the victim holds an employment as a salaried worker, the indemnity is computed on the basis of the gross income he derives from his employment;

(2) if the victim is self-employed, the indemnity is computed on the basis of the gross income determined by regulation of the Société for an employment of the same class, or on the basis of the gross income he derives from his employment, if that is higher.

A victim who, by reason of the accident, is deprived of regular benefits or employment benefits established to assist in obtaining skills for employment through a training program under the Act respecting employment insurance in Canada (Statutes of Canada, 1996, chapter 23) to which he was entitled at the time of the accident is entitled to receive an additional indemnity computed on the basis of the benefits that would have been paid to him. These benefits are deemed to form part of his gross income.

16. A victim who, at the time of the accident, holds more than one regular employment including at least one full-time employment is entitled to an income replacement indemnity if, by reason of the accident, he is unable to hold one of these employments.

The indemnity is computed, in accordance with the rules set out in section 15, on the basis of the gross income the victim derives from the employment he is unable to hold, or on the basis of the aggregate of the gross incomes he derives from the several employments he becomes unable to hold, where that is the case.

17. A victim who proves that he would have held a more remunerative employment at the time of the accident but for special circumstances is entitled to receive an income replacement indemnity computed on the basis of the gross income he would have derived from that employment, provided he is unable to hold it by reason of the accident.

The employment must be a regular full-time employment that would have been compatible with the training, experience and physical and intellectual abilities of the victim on the date of the accident.

§ 2. — Victime exerçant un emploi temporaire ou un emploi à temps partiel

18. La présente sous-section ne s'applique pas à une victime de moins de 16 ans, ni à celle âgée de 16 ans et plus qui fréquente à temps plein un établissement d'enseignement de niveau secondaire ou post-secondaire.

1977, c. 68, a. 18; 1982, c. 59, a. 6; 1985, c. 6, a. 487; 1989, c. 15, a. 1; 1992, c. 68, a. 157.

18.1-18.4 Remplacés.

1989, c. 15, a. 1.

19. La victime qui, lors de l'accident, exerce habituellement un emploi temporaire ou un emploi à temps partiel a droit à une indemnité de remplacement du revenu durant les premiers 180 jours qui suivent l'accident si, en raison de cet accident, elle est incapable d'exercer son emploi.

Elle a droit à cette indemnité, durant cette période, tant qu'elle demeure incapable d'exercer cet emploi en raison de cet accident.

1977, c. 68, a. 19; 1989, c. 15, a. 1.

20. Cette indemnité de remplacement du revenu est calculée de la façon suivante:

1° si la victime exerce son emploi comme travailleur salarié, l'indemnité est calculée à partir du revenu brut qu'elle tire de son emploi;

2° si la victime exerce son emploi comme travailleur autonome, l'indemnité est calculée à partir du revenu brut que la Société fixe par règlement pour un emploi de même catégorie, ou à partir de celui qu'elle tire de son emploi s'il est plus élevé;

3° si la victime exerce plus d'un emploi, l'indemnité est calculée à partir du revenu brut qu'elle tire de l'emploi qu'elle devient incapable d'exercer ou s'il y a lieu, des emplois qu'elle devient incapable d'exercer.

Si en raison de cet accident, la victime est également privée de prestations régulières ou de prestations d'emploi ayant pour objet d'aider à acquérir par un programme de formation des compétences liées à l'emploi, prévues à la Loi concernant l'assurance-emploi au Canada (Lois du Canada, 1996, chapitre 23) auxquelles elle avait droit au moment de l'accident, elle a droit de recevoir une indemnité additionnelle calculée à partir des prestations qui lui auraient été versées. Ces prestations sont réputées faire partie de son revenu brut.

1977, c. 68, a. 20; 1982, c. 59, a. 7; 1989, c. 15, a. 1; 1990, c. 19, a. 11; 1991, c. 58, a. 3; 1999, c. 22, a. 39; 1999, c. 40, a. 26.

§ 2. — Victim Holding Temporary or Part-time Employment

18. This subdivision does not apply to a victim under 16 years of age or to a victim 16 years of age or over attending a secondary or post-secondary educational institution on a full-time basis.

18.1-18.4 Replaced.

19. A victim who, at the time of the accident, holds a regular employment on a temporary or part-time basis is entitled to an income replacement indemnity for the first 180 days following the accident if, by reason of the accident, he is unable to hold his employment.

During that period, the victim is entitled to the indemnity for such time as he remains unable, by reason of the accident, to hold that employment.

20. The income replacement indemnity is computed in the following manner:

(1) if the victim holds an employment as a salaried worker, the indemnity is computed on the basis of the gross income he derives from his employment;

(2) if the victim is self-employed, the indemnity is computed on the basis of the gross income determined by regulation of the Société for an employment of the same class, or on the basis of the gross income he derives from his employment, if that is higher;

(3) if the victim holds more than one employment, the indemnity is computed on the basis of the gross income he derives from the employment or, where such is the case, the employments he becomes unable to hold.

A victim who, by reason of the accident, is deprived of regular benefits or employment benefits established to assist in obtaining skills for employment through a training program under the Act respecting employment insurance in Canada (Statutes of Canada, 1996, chapter 23) to which he was entitled at the time of the accident is entitled to receive an additional indemnity computed on the basis of the benefits that would have been paid to him. These benefits are deemed to form part of his gross income.

21. À compter du 181e jour qui suit l'accident, la Société détermine à la victime un emploi conformément à l'article 45.

La victime a droit à une indemnité de remplacement du revenu si, en raison de cet accident, elle est incapable d'exercer l'emploi que la Société lui détermine.

Cette indemnité est calculée à partir du revenu brut que la victime aurait pu tirer de l'emploi que la Société lui a déterminé. Cette dernière fixe ce revenu brut de la manière prévue par règlement en tenant compte:

1° du fait que la victime aurait pu exercer cet emploi à temps plein ou à temps partiel;

2° de l'expérience de travail de la victime durant les cinq années qui ont précédé la date de l'accident et, notamment, des périodes pendant lesquelles elle était apte à exercer un emploi ou a été sans emploi ou n'a exercé qu'un emploi temporaire ou un emploi à temps partiel;

3° du revenu brut que la victime a tiré d'un emploi qu'elle a exercé avant l'accident.

Si, lors de l'accident, la victime exerçait plus d'un emploi temporaire ou à temps partiel, la Société lui détermine un seul emploi conformément à l'article 45.

Le premier alinéa ne s'applique pas à la victime qui a droit à une indemnité pour frais de garde conformément à l'article 80.

1977, c. 68, a. 21; 1982, c. 59, a. 8; 1989, c. 15, a. 1; 1990, c. 19, a. 11.

21.1-21.3 Remplacés.
1989, c. 15, a. 1.

22. Abrogé.
1999, c. 22, a. 2.

§ 3. — Victime sans emploi capable de travailler

23. La présente sous-section ne s'applique pas à une victime âgée de moins de 16 ans, ni à celle âgée de 16 ans et plus qui fréquente à temps plein un établissement d'enseignement de niveau secondaire ou post-secondaire.

1977, c. 68, a. 23; 1989, c. 15, a. 1; 1992, c. 68, a. 157.

24. La victime qui, lors de l'accident, n'exerce aucun emploi tout en étant capable de travailler a droit à une indemnité de remplacement du revenu durant les premiers 180 jours qui suivent l'accident dans les cas suivants:

21. From the one hundred and eighty-first day after the accident, the Société shall determine an employment for the victim in accordance with section 45.

The victim is entitled to an income replacement indemnity if, by reason of the accident, he is unable to hold the employment determined by the Société.

The indemnity is computed on the basis of the gross income that the victim could have derived from the employment determined for him by the Société. The Société shall establish the gross income of the victim in the manner prescribed by regulation, taking into account

(1) the fact that the victim could have held the employment on a full-time or part-time basis;

(2) the work experience of the victim in the five years preceding the accident and, in particular, the periods during which he was fit to hold employment or was unemployed or held only temporary or part-time employment;

(3) the gross income the victim derived from an employment held before the accident.

If the victim held more than one temporary or part-time employment at the time of the accident, the Société shall determine only one employment for him in accordance with section 45.

The first paragraph does not apply to a victim entitled to an indemnity for care expenses under section 80.

21.1-21.3 Replaced.

22. Repealed.

§ 3. — Victim Unemployed but Able to Work

23. This subdivision does not apply to a victim under 16 years of age or to a victim 16 years of age or over attending a secondary or post-secondary educational institution on a full-time basis.

24. A victim who, at the time of the accident, is unemployed but able to work is entitled to an income replacement indemnity for the first 180 days following the accident if,

1° en raison de cet accident, elle est incapable d'exercer un emploi qu'elle aurait exercé durant cette période si l'accident n'avait pas eu lieu;

2° en raison de cet accident, elle est privée de prestations régulières ou de prestations d'emploi ayant pour objet d'aider à acquérir par un programme de formation des compétences liées à l'emploi, prévues à la Loi concernant l'assurance-emploi au Canada (Lois du Canada, 1996, chapitre 23) auxquelles elle avait droit au moment de l'accident.

La victime a droit, durant cette période, à cette indemnité, dans le cas prévu au paragraphe 1° du premier alinéa, tant que l'emploi aurait été disponible et qu'elle est incapable de l'exercer en raison de l'accident et, dans le cas prévu au paragraphe 2° du premier alinéa, tant qu'elle en est privée pour ce motif.

Toutefois, si la victime est à la fois visée aux paragraphes 1° et 2° du premier alinéa, elle ne peut cumuler les indemnités et, tant que cette situation demeure, reçoit la plus élevée.

1977, c. 68, a. 24; 1989, c. 15, a. 1; 1991, c. 58, a. 4; 1999, c. 22, a. 39.

25. L'indemnité à laquelle a droit la victime visée au paragraphe 1° du premier alinéa de l'article 24 est calculée à partir du revenu brut tiré de l'emploi qu'elle aurait exercé si l'accident n'avait pas eu lieu.

L'indemnité à laquelle a droit la victime visée au paragraphe 2° du premier alinéa de l'article 24 est calculée à partir des prestations qui lui auraient été versées si l'accident n'avait pas eu lieu.

Pour l'application du présent article, les prestations auxquelles la victime aurait eu droit sont réputées être son revenu brut.

1977, c. 68, a. 25; 1989, c. 15, a. 1; 1991, c. 58, a. 5; 1999, c. 22, a. 39; 1999, c. 40, a. 26.

26. À compter du 181e jour qui suit l'accident, la Société détermine à la victime un emploi conformément à l'article 45.

La victime a droit à une indemnité de remplacement du revenu si, en raison de cet accident, elle est incapable d'exercer l'emploi que la Société lui détermine.

Cette indemnité est calculée conformément au troisième alinéa de l'article 21.

(1) by reason of the accident, he is unable to hold an employment that he would have held during that period had the accident not occurred;

(2) by reason of the accident, he is deprived of regular benefits or employment benefits established to assist in obtaining skills for employment through a training program under the Act respecting employment insurance in Canada (Statutes of Canada, 1996, chapter 23) to which he was entitled at the time of the accident.

The victim is entitled, during that period, to the indemnity, in the case described in subparagraph 1 of the first paragraph, for such time as the employment would have been available and for such time as he is unable to hold it by reason of the accident or, in the case described in subparagraph 2 of the first paragraph, for such time as he is deprived of benefits by reason of the accident.

However, where both subparagraphs 1 and 2 of the first paragraph apply, the victim cannot receive both indemnities, but shall, for such time as both of the said subparagraphs continue to apply, receive the greater of the indemnities.

25. The indemnity to which the victim described in subparagraph 1 of the first paragraph of section 24 is entitled is computed on the basis of the gross income he would have derived from the employment he would have held had the accident not occurred.

The indemnity to which the victim described in subparagraph 2 of the first paragraph of section 24 is entitled is computed on the basis of the benefits that would have been paid to him had the accident not occurred.

For the purposes of this section, the benefits to which the victim would have been entitled are deemed to be his gross income.

26. From the one hundred and eighty-first day after the accident, the Société shall determine an employment for the victim in accordance with section 45.

The victim is entitled to an income replacement indemnity if, by reason of the accident, he is unable to hold the employment determined by the Société.

The indemnity is computed in accordance with the third paragraph of section 21.

Le premier alinéa ne s'applique pas à la victime qui a droit à une indemnité pour frais de garde conformément à l'article 80.

The first paragraph does not apply to a victim entitled to an indemnity for care expenses under section 80.

1977, c. 68, a. 26; 1982, c. 59, a. 10; 1989, c. 15, a. 1; 1990, c. 19, a. 11; 1999, c. 22, a. 3.

26.1 Remplacé.

1989, c. 15, a. 1.

26.1 Replaced.

§ 4. — Victime âgée de 16 ans et plus qui fréquente à temps plein un établissement d'enseignement

§ 4. — Victim 16 Years of Age or Over in Full-time Attendance at an Educational Institution

27. Pour l'application de la présente sous-section:

1° les études en cours sont celles comprises dans un programme de niveau secondaire ou post-secondaire que la victime, à la date de l'accident, est admise à entreprendre ou à poursuivre dans un établissement d'enseignement;

2° une victime est réputée fréquenter à temps plein un établissement dispensant des cours d'un niveau secondaire ou post-secondaire, à partir du moment où elle est admise par l'établissement à fréquenter à temps plein un programme de ce niveau, jusqu'au moment où elle complète la session terminale, abandonne ses études, ou ne satisfait plus aux exigences de l'établissement fréquenté relativement à la poursuite de ses études, selon la première éventualité.

27. For the purposes of this subdivision,

(1) current studies are studies forming part of a program of studies at the secondary or post-secondary level which, on the day of the accident, the victim has admission to begin or continue at an educational institution;

(2) a victim is deemed to be attending, on a full-time basis, an institution offering courses at the secondary or post-secondary level from such time as he is admitted by the institution as a full-time student in a program of that level, until such time as he completes the last term, abandons his studies, or no longer meets the requirements set by the institution he is attending for continuing his studies, whichever occurs first.

1977, c. 68, a. 27 (ptie); 1982, c. 59, a. 12; 1989, c. 15, a. 1; 1992, c. 68, a. 157; 1999, c. 40, a. 26.

28. La victime qui, à la date de l'accident, est âgée de 16 ans et plus et qui fréquente à temps plein un établissement d'enseignement de niveau secondaire ou post-secondaire a droit à une indemnité tant que, en raison de cet accident, elle est incapable d'entreprendre ou de poursuivre ses études en cours et si elle subit un retard dans celles-ci. Le droit à cette indemnité cesse à la date prévue, au moment de l'accident, pour la fin des études en cours.

28. A victim who on the day of the accident is 16 years of age or over and attending a secondary or post-secondary educational institution on a full-time basis is entitled to an indemnity for such time as, by reason of the accident, he is unable to begin or to continue his current studies, if they are delayed. The right to the indemnity ceases on the date scheduled, at the time of the accident, for the completion of his current studies.

1977, c. 68, a. 28; 1989, c. 15, a. 1; 1992, c. 68, a. 157.

29. Cette indemnité s'élève à:

1° 5 500 $ par année scolaire ratée au niveau secondaire;

2° 5 500 $ par session d'études ratée au niveau post-secondaire, jusqu'à concurrence de 11 000 $ par année.

29. The indemnity shall be in the amount of

(1) $5 500 for every school year missed at the secondary level;

(2) $5 500 for every term missed at the post-secondary level, up to $11 000 a year.

1977, c. 68, a. 29; 1982, c. 59, a. 13; 1989, c. 15, a. 1.

29.1 La victime qui, en raison de l'accident, est privée de prestations régulières ou de prestations d'emploi ayant pour objet d'aider à acquérir par un programme de formation des compétences liées à

29.1 A victim who, by reason of the accident, is deprived of regular benefits or employment benefits established to assist in obtaining skills for employment through a training program under the Act

l'emploi, prévues à la Loi concernant l'assurance-emploi au Canada (Lois du Canada, 1996, chapitre 23) auxquelles elle avait droit au moment de l'accident, a droit à une indemnité de remplacement du revenu tant qu'elle en est privée pour ce motif, sans toutefois excéder la date prévue au moment de l'accident pour la fin des études en cours.

L'indemnité à laquelle a droit la victime est calculée à partir des prestations qui lui auraient été versées si l'accident n'avait pas eu lieu.

Pour l'application du présent article, les prestations auxquelles la victime aurait eu droit sont réputées être son revenu brut.

1991, c. 58, a. 6; 1999, c. 22, a. 39; 1999, c. 40, a. 26;

respecting employment insurance in Canada (Statutes of Canada, 1996, chapter 23) to which he was entitled at the time of the accident is entitled to an income replacement indemnity for such time as he is deprived of benefits by reason of the accident but not beyond the date scheduled, at the time of the accident, for the completion of current studies.

The indemnity to which the victim is entitled is computed on the basis of the benefits that would have been paid to him had the accident not occurred.

For the purposes of this section, the benefits to which the victim would have been entitled are deemed to be his gross income.

1999, c. 22, a. 4.

30. La victime qui, lors de l'accident, exerce également un emploi ou qui, si l'accident n'avait pas eu lieu, aurait exercé un emploi, a droit, en outre, à une indemnité de remplacement du revenu si, en raison de cet accident, elle est incapable d'exercer cet emploi.

La victime a droit à l'indemnité tant que l'emploi aurait été disponible et qu'elle est incapable de l'exercer en raison de l'accident, sans toutefois excéder la date prévue au moment de l'accident pour la fin des études en cours.

1977, c. 68, a. 30; 1989, c. 15, a. 1; 1999, c. 22, a. 5.

30. A victim who, at the time of the accident, also holds an employment or, had the accident not occurred, would have held an employment is entitled, in addition, to an income replacement indemnity if, by reason of the accident, he is unable to hold that employment.

The victim is entitled to the indemnity for such time as the employment would have been available and for such time as he is unable to hold it by reason of the accident but not beyond the date scheduled, at the time of the accident, for the completion of current studies.

31. Cette indemnité de remplacement du revenu est calculée de la façon suivante:

1° si la victime exerce ou avait pu exercer un emploi comme travailleur salarié, l'indemnité est calculée à partir du revenu brut qu'elle tire ou aurait tiré de son emploi;

2° si la victime exerce ou avait pu exercer un emploi comme travailleur autonome, l'indemnité est calculée à partir du revenu brut que la Société fixe par règlement pour un emploi de même catégorie ou, s'il est plus élevé, à partir de celui qu'elle tire ou aurait tiré de son emploi;

3° si la victime exerce ou avait pu exercer plus d'un emploi, l'indemnité est calculée à partir du revenu brut qu'elle tire ou aurait tiré de l'emploi qu'elle devient incapable d'exercer ou s'il y a lieu, des emplois qu'elle devient incapable d'exercer.

1977, c. 68, a. 31; 1982, c. 59, a. 14; 1989, c. 15, a. 1;

31. The income replacement indemnity is computed in the following manner:

(1) if the victim holds or could have held an employment as a salaried worker, the indemnity is computed on the basis of the gross income he derives or would have derived from his employment;

(2) if the victim is or could have been self-employed, the indemnity is computed on the basis of the gross income determined by regulation of the Société for an employment of the same class, or on the basis of the gross income he derives or would have derived from his employment, if that is higher;

(3) if the victim holds or could have held more than one employment, the indemnity is computed on the basis of the gross income he derives or would have derived from the employment or employments he becomes unable to hold.

1990, c. 19, a. 11.

32. La victime qui, après la date prévue au moment de l'accident pour la fin de ses études en cours, est incapable, en raison de l'accident, d'en-

32. A victim who, after the scheduled date at the time of the accident for completion of his current studies, is unable, by reason of the accident, to

treprendre ou de poursuivre celles-ci et d'exercer tout emploi a droit, tant que durent ces incapacités, à une indemnité de remplacement du revenu.

Cette indemnité est calculée à partir d'un revenu brut égal à une moyenne annuelle établie à partir de la rémunération hebdomadaire moyenne des travailleurs de l'ensemble des activités économiques du Québec fixée par Statistique Canada pour chacun des 12 mois précédant le 1er juillet de l'année qui précède la date prévue pour la fin de ses études.

1977, c. 68, a. 32; 1982, c. 59, a. 15; 1989, c. 15, a. 1.

33. La victime qui reprend ses études mais qui est incapable, en raison de l'accident, d'exercer tout emploi après avoir terminé ses études en cours ou y avoir mis fin a droit, à compter de la fin de ses études et tant que dure cette incapacité, à une indemnité.

Si ses études prennent fin avant la date qui était prévue au moment de l'accident, la victime a droit:

1° jusqu'à la date qui était prévue pour la fin de ses études, à une indemnité de:

a) 5 500 $ par année scolaire non complétée au niveau secondaire;

b) 5 500 $ par session d'études non complétée au niveau post-secondaire, jusqu'à concurrence de 11 000 $ par année;

2° à compter de la date qui était prévue pour la fin de ses études, à l'indemnité de remplacement du revenu visée au troisième alinéa.

Si elles prennent fin après cette date, elle a droit à une indemnité de remplacement du revenu calculée à partir d'un revenu brut égal à une moyenne annuelle établie à partir de la rémunération hebdomadaire moyenne des travailleurs de l'ensemble des activités économiques du Québec fixée par Statistique Canada pour chacun des 12 mois précédant le 1er juillet de l'année qui précède la date où elles prennent fin.

1977, c. 68, a. 33; 1982, c. 59, a. 16; 1989, c. 15, a. 1; 1991, c. 58, a. 7.

§ 5. — *Victime âgée de moins de 16 ans*

34. Pour l'application de la présente sous-section:

1° une année scolaire débute le 1er juillet d'une année et se termine le 30 juin de l'année suivante;

begin or to continue the studies and unable to hold any employment is entitled to an income replacement indemnity for as long as he remains incapacitated for that reason.

The indemnity is computed on the basis of a gross income equal to a yearly average computed on the basis of the average weekly earnings of the Industrial Composite in Québec as established by Statistics Canada for each of the 12 months preceding 1 July of the year which precedes the scheduled date of completion of his studies.

33. A victim who resumes his studies but who, by reason of the accident, is unable to hold any employment after completing or ending his current studies is entitled to an indemnity from the date of the end of his studies and for such time as he remains incapacitated for that reason.

If his studies end before the scheduled date therefor at the time of the accident, the victim is entitled

(1) until the date scheduled, at the time of the accident, as the date of the end of his studies, to an indemnity of

(a) $5 500 for every school year not completed at the secondary level;

(b) $5 500 for every term of studies not completed at the post-secondary level, up to $11 000 per year;

(2) from the date scheduled as the date of the end of his studies, to the income replacement indemnity provided for in the third paragraph.

If his studies end after such date, the victim is entitled to an income replacement indemnity computed on the basis of a gross income equal to an annual average established on the basis of the average weekly earnings of the Industrial Composite in Québec as established by Statistics Canada for each of the 12 months preceding 1 July of the year which precedes the date on which his studies end.

§ 5. — *Victim Under 16 Years of Age*

34. For the purposes of this subdivision,

(1) a school year begins on 1 July in one year and ends on 30 June in the following year;

2° le niveau primaire s'étend de la maternelle à la sixième année.

1977, c. 68, a. 34; 1982, c. 59, a. 17; 1989, c. 15, a. 1.

35. La victime qui, à la date de l'accident, est âgée de moins de 16 ans a droit à une indemnité tant que, en raison de cet accident, elle est incapable d'entreprendre ou de poursuivre ses études et si elle subit un retard dans celles-ci.

Le droit à cette indemnité cesse à la fin de l'année scolaire au cours de laquelle elle atteint l'âge de 16 ans.

1977, c. 68, a. 35; 1989, c. 15, a. 1.

36. Cette indemnité s'élève à:

1° 3 000 $ par année scolaire ratée au niveau primaire;

2° 5 500 $ par année scolaire ratée au niveau secondaire.

1977, c. 68, a. 36; 1989, c. 15, a. 1.

36.1 La victime qui, en raison de l'accident, est privée de prestations régulières ou de prestations d'emploi ayant pour objet d'aider à acquérir par un programme de formation des compétences liées à l'emploi, prévues à la Loi concernant l'assurance-emploi au Canada (Lois du Canada, 1996, chapitre 23) auxquelles elle avait droit au moment de l'accident, a droit à une indemnité de remplacement du revenu tant qu'elle en est privée pour ce motif, sans toutefois excéder la fin de l'année scolaire au cours de laquelle elle atteint l'âge de 16 ans.

L'indemnité à laquelle a droit la victime est calculée à partir des prestations qui lui auraient été versées si l'accident n'avait pas eu lieu.

Pour l'application du présent article, les prestations auxquelles la victime aurait eu droit sont réputées être son revenu brut.

1991, c. 58, a. 8; 1999, c. 22, a. 6, 39; 1999, c. 40, a. 26.

37. La victime qui, lors de l'accident, exerce également un emploi ou qui, si l'accident n'avait pas eu lieu, aurait exercé un emploi, a droit, en outre, à une indemnité de remplacement du revenu si, en raison de cet accident, elle est incapable d'exercer cet emploi.

La victime a droit à cette indemnité tant que l'emploi aurait été disponible et qu'elle est incapable de l'exercer en raison de cet accident, sans toutefois excéder la fin de l'année scolaire au cours de laquelle elle atteint l'âge de 16 ans.

Le calcul de cette indemnité se fait de la façon prévue à l'article 31.

(2) the elementary level extends from kindergarten to the sixth grade.

35. A victim who, at the time of the accident, is under 16 years of age is entitled to an indemnity for such time as, by reason of the accident, he is unable to begin or to continue his studies, if they are delayed.

The right to the indemnity ceases at the end of the school year in which he reaches 16 years of age.

36. The indemnity shall be in the amount of

(1) $3 000 for every school year missed at the elementary level;

(2) $5 500 for every school year missed at the secondary level.

36.1 A victim who, by reason of the accident, is deprived of regular benefits or employment benefits established to assist in obtaining skills for employment through a training program under the Act respecting employment insurance in Canada (Statutes of Canada, 1996, chapter 23) to which he was entitled at the time of the accident is entitled to an income replacement indemnity for such time as he is deprived of benefits by reason of the accident but not beyond the end of the school year in which he reaches 16 years of age.

The indemnity to which the victim is entitled is computed on the basis of the benefits that would have been paid to him had the accident not occurred.

For the purposes of this section, the benefits to which the victim would have been entitled are deemed to be his gross income.

37. A victim who, at the time of the accident, also holds an employment or, had the accident not occurred, would have held an employment is, in addition, entitled to an income replacement indemnity if, by reason of the accident, he is unable to hold that employment.

The victim is entitled to the indemnity for such time as the employment would have been available and for such time as he is unable to hold it by reason of the accident but not beyond the end of the school year in which he reaches 16 years of age.

The indemnity is computed in the manner set out in section 31.

Si la victime a droit à la fois à cette indemnité et à une indemnité de remplacement du revenu visée à l'article 39, elle ne peut les cumuler.

Elle reçoit, toutefois, la plus élevée des indemnités auxquelles elle a droit.

1977, c. 68, a. 37; 1982, c. 59, a. 18; 1989, c. 15, a. 1; 1999, c. 22, a. 7.

38. La victime qui, à compter de la fin de l'année scolaire au cours de laquelle elle atteint l'âge de 16 ans, est incapable d'entreprendre ou de poursuivre ses études et d'exercer tout emploi, en raison de l'accident, a droit, tant que dure cette incapacité, à une indemnité de remplacement du revenu.

Cette indemnité est calculée à partir d'un revenu brut égal à une moyenne annuelle établie à partir de la rémunération hebdomadaire moyenne des travailleurs de l'ensemble des activités économiques du Québec fixée par Statistique Canada pour chacun des 12 mois précédant le 1er juillet de l'année qui précède la fin de l'année scolaire au cours de laquelle elle atteint l'âge de 16 ans.

1977, c. 68, a. 38; 1982, c. 59, a. 19; 1989, c. 15, a. 1.

39. La victime qui reprend ses études mais qui est incapable, en raison de l'accident, d'exercer tout emploi après avoir terminé ses études ou y avoir mis fin a droit, à compter de la fin de ses études, et tant que dure cette incapacité, à une indemnité.

Si ses études prennent fin avant la date qui était prévue au moment de l'accident, la victime a droit:

1° jusqu'à la date qui était prévue pour la fin de ses études, à une indemnité de:

a) 3 000 $ par année scolaire non complétée au niveau primaire;

b) 5 500 $ par année scolaire non complétée au niveau secondaire;

2° à compter de la date qui était prévue pour la fin de ses études, à l'indemnité de remplacement du revenu visée au troisième alinéa.

Si elles prennent fin après cette date, elle a droit à une indemnité de remplacement du revenu calculée à partir d'un revenu brut égal à une moyenne annuelle établie à partir de la rémunération hebdomadaire moyenne des travailleurs de l'ensemble des activités économiques du Québec fixée par Statistique Canada pour chacun des 12 mois précédant le 1er juillet de l'année qui précède la date où elles prennent fin.

1977, c. 68, a. 39; 1982, c. 59, a. 20; 1984, c. 27, a. 39; 1989, c. 15, a. 1; 1991, c. 58, a. 9.

If the victim is entitled to both the income replacement indemnity contemplated in this section and that contemplated in section 39, he cannot receive both indemnities.

He shall receive, however, the greater of the indemnities to which he is entitled.

38. A victim who, from the end of the school year in which he reaches 16 years of age, is unable to begin or to continue his studies and to hold any employment, by reason of the accident, is entitled to an income replacement indemnity for such time as he remains incapacitated for that reason.

The indemnity is computed on the basis of a gross income equal to a yearly average established on the basis of the average weekly earnings of the Industrial Composite in Québec as established by Statistics Canada for each of the 12 months preceding 1 July of the year which precedes the end of school year during which the victim reaches 16 years of age.

39. A victim who resumes his studies but who, by reason of the accident, is unable to hold any employment after finishing or ending his studies is entitled to an indemnity from the end of his studies and for such time as he remains incapacitated for that reason.

If his studies end before the scheduled date therefor at the time of the accident, the victim is entitled

(1) until the date scheduled as the date of the end of his studies, to an indemnity of

(a) $3 000 for every school year not completed at the elementary level;

(b) $5 500 for every school year not completed at the secondary level;

(2) from the date scheduled as the date of the end of his studies, to the income replacement indemnity provided for in the third paragraph.

If his studies end after the scheduled date, the victim is entitled to an income replacement indemnity computed on the basis of a gross income equal to a yearly average established on the basis of the average weekly earnings of the Industrial Composite in Québec as established by Statistics Canada for each of the 12 months preceding 1 July of the year which precedes the date on which the studies are interrupted.

§ 6. — *Victime âgée de 64 ans et plus*

40. Lorsqu'une victime, à la date de l'accident, est âgée de 64 ans et plus, l'indemnité de remplacement du revenu à laquelle elle a droit est réduite de 25% à compter de la deuxième année qui suit la date de l'accident, de 50% à compter de la troisième année et de 75% à compter de la quatrième année.

La victime cesse d'avoir droit à cette indemnité quatre ans après la date de l'accident.

1977, c. 68, a. 40; 1989, c. 15, a. 1.

41. La victime qui, à la date de l'accident, est âgée de 65 ans et plus et n'exerce aucun emploi ne peut recevoir une indemnité de remplacement du revenu.

1977, c. 68, a. 41; 1982, c. 59, a. 21; 1989, c. 15, a. 1.

42. Malgré l'article 41, une victime âgée de 65 ans et plus a droit à une indemnité de remplacement du revenu durant les premiers 180 jours qui suivent l'accident dans les cas suivants:

1° en raison de cet accident, elle est incapable d'exercer un emploi qu'elle aurait exercé durant cette période si l'accident n'avait pas eu lieu;

2° en raison de cet accident, elle est privée de prestations régulières ou de prestations d'emploi ayant pour objet d'aider à acquérir par un programme de formation des compétences liées à l'emploi, prévues à la Loi concernant l'assurance-emploi au Canada (Lois du Canada, 1996, chapitre 23) auxquelles elle avait droit au moment de l'accident.

La victime a droit, durant cette période, à cette indemnité, dans le cas prévu au paragraphe 1° du premier alinéa, tant que l'emploi aurait été disponible et qu'elle est incapable de l'exercer en raison de l'accident et, dans le cas prévu au paragraphe 2° du premier alinéa, tant qu'elle en est privée pour ce motif.

Toutefois, si la victime est à la fois visée aux paragraphes 1° et 2° du premier alinéa, elle ne peut cumuler les indemnités et, tant que cette situation demeure, reçoit la plus élevée.

À compter du 181e jour qui suit l'accident, la victime a droit, sous réserve de l'article 40, à une indemnité de remplacement du revenu calculée conformément à l'article 21.

1977, c. 68, a. 42; 1989, c. 15, a. 1; 1991, c. 58, a. 10; 1999, c. 22, a. 8, a. 39.

42.1 L'indemnité à laquelle a droit la victime visée au paragraphe 1° du premier alinéa de l'article 42 est calculée à partir du revenu brut tiré de l'emploi qu'elle aurait exercé si l'accident n'avait pas eu lieu.

§ 6. — *Victims 64 Years of Age or Over*

40. Where a victim is 64 years of age or over on the date of the accident, the income replacement indemnity to which he is entitled is reduced by 25% from the second year following the date of the accident, by 50% from the third year and by 75% from the fourth year.

The victim ceases to be entitled to the indemnity four years after the date of the accident.

41. A victim who, on the date of the accident, is 65 years of age or over and does not hold any employment is not entitled to an income replacement indemnity.

42. Notwithstanding section 41, a victim 65 years of age or over is entitled to an income replacement indemnity during the first 180 days following the accident if

(1) by reason of the accident, he is unable to hold an employment that he would have held during that period had the accident not occurred;

(2) by reason of the accident, he is deprived of regular benefits or employment benefits established to assist in obtaining skills for employment through a training program under the Act respecting employment insurance in Canada (Statutes of Canada, 1996, chapter 23) to which he was entitled at the time of the accident.

During that period, the victim is entitled to the indemnity, in the case described in subparagraph 1 of the first paragraph, for such time as the employment would have been available and for such time as he is unable to hold it by reason of the accident and, in the case described in subparagraph 2 of the first paragraph, for such time as he is deprived of the benefits or allowances by reason of the accident.

However, if both subparagraphs 1 and 2 of the first paragraph apply, the victim cannot receive both indemnities but shall receive the greater indemnity for as long as the situation prevails.

From the one hundred and eighty-first day following the accident, the victim is entitled to an income replacement indemnity computed in accordance with section 21, subject to section 40.

42.1 The indemnity to which the victim described in subparagraph 1 of the first paragraph of section 42 is entitled is computed on the basis of the gross income derived from the employment he would have held had the accident not occurred.

L'indemnité à laquelle a droit la victime visée au paragraphe 2° du premier alinéa de l'article 42 est calculée à partir des prestations qui lui auraient été versées si l'accident n'avait pas eu lieu.

Pour l'application du présent article, les prestations auxquelles la victime aurait eu droit sont réputées être son revenu brut.

1991, c. 58, a. 10; 1999, c. 22, a. 39; 1999, c. 40, a. 26.

43. Lorsqu'une victime reçoit déjà une indemnité de remplacement du revenu en vertu du présent chapitre et qu'elle atteint son soixante-cinquième anniversaire de naissance, l'indemnité à laquelle elle a droit est réduite de 25% à compter de cette date, de 50% à compter de la date de son soixante-sixième anniversaire de naissance et de 75% à compter de la date de son soixante-septième anniversaire.

La victime cesse d'avoir droit à cette indemnité à compter de la date de son soixante-huitième anniversaire de naissance.

1977, c. 68, a. 43; 1989, c. 15, a. 1.

§ 7. — Victime régulièrement incapable d'exercer tout emploi

44. La victime qui, lors de l'accident, est régulièrement incapable d'exercer tout emploi pour quelque cause que ce soit, excepté l'âge, ne peut recevoir une indemnité de remplacement du revenu.

1977, c. 68, a. 44; 1989, c. 15, a. 1.

SECTION II
DÉTERMINATION D'UN EMPLOI À UNE VICTIME

45. Lorsque la Société est tenue de déterminer un emploi à une victime à compter du 181e jour qui suit l'accident, elle doit tenir compte, outre les normes et modalités prévues par règlement, de la formation, de l'expérience de travail et des capacités physiques et intellectuelles de la victime à la date de l'accident.

Il doit s'agir d'un emploi que la victime aurait pu exercer habituellement, à temps plein ou, à défaut, à temps partiel, lors de l'accident.

1977, c. 68, a. 45; 1982, c. 59, a. 23; 1989, c. 15, a. 1; 1990, c. 19, a. 11.

46. À compter de la troisième année de la date de l'accident, la Société peut déterminer un emploi à une victime capable de travailler mais qui, en raison de l'accident, est devenue incapable d'exercer l'un des emplois suivants:

The indemnity to which the victim described in subparagraph 2 of the first paragraph of section 42 is entitled is computed on the basis of the benefits that would have been paid to him had the accident not occurred.

For the purposes of this section, the benefits to which the victim would have been entitled are deemed to be his gross income.

43. When a victim receiving an income replacement indemnity under this chapter reaches his sixty-fifth birthday, the indemnity to which he is entitled is reduced by 25% from that date; it is reduced by 50% from the date of his sixty-sixth birthday and by 75% from the date of his sixty-seventh birthday.

The victim ceases to be entitled to the indemnity from the date of his sixty-eighth birthday.

§ 7. — Victim Regularly Unable to Hold any Employment

44. A victim who, at the time of the accident, is regularly unable to hold any employment for any reason whatever except age is not entitled to an income replacement indemnity.

DIVISION II
DETERMINATION OF AN EMPLOYMENT FOR A VICTIM

45. Where the Société is required, from the one hundred and eighty-first day after an accident, to determine an employment for a victim, it must take into account, in addition to the standards and terms and conditions prescribed by regulation, the training, work experience and physical and intellectual abilities of the victim on the date of the accident.

The employment must be an employment which the victim could have held at the time of the accident on a regular and full-time or, failing that, part-time basis.

46. From the third year after the date of an accident, the Société may determine an employment that could be held by a victim able to work but who, by reason of the accident, has become unable to hold

1° celui qu'elle exerçait lors de l'accident, visé à l'un des articles 14 et 16;

2° celui visé à l'article 17;

3° celui que la Société lui a déterminé à compter du 181e jour qui suit l'accident conformément à l'article 45.

1977, c. 68, a. 46; 1989, c. 15, a. 1; 1990, c. 19, a. 11.

47. En tout temps à compter de la date prévue pour la fin des études en cours d'une victime visée aux sous-sections 4 et 5 de la section I, la Société peut lui déterminer un emploi si cette victime est capable de travailler mais incapable, en raison de l'accident, d'exercer un emploi dont le revenu brut est égal ou supérieur à celui qui lui aurait été applicable en vertu de l'un des articles 32, 33, 38 ou 39 selon le cas, si elle avait été incapable d'exercer tout emploi en raison de l'accident.

1977, c. 68, a. 47; 1982, c. 59, a. 24; 1989, c. 15, a. 1; 1990, c. 19, a. 11.

48. Lorsque la Société détermine un emploi dans l'un des cas visés aux articles 46 et 47, elle doit tenir compte, outre les normes et modalités prévues par règlement, des facteurs suivants:

1° la formation, l'expérience de travail et les capacités physiques et intellectuelles de la victime au moment où la Société décide de lui déterminer un emploi en vertu de cet article;

2° s'il y a lieu, les connaissances et habiletés acquises par la victime dans le cadre d'un programme de réadaptation approuvé par la Société.

Il doit s'agir d'un emploi normalement disponible dans la région où réside la victime et que celle-ci peut exercer habituellement, à temps plein ou, à défaut, à temps partiel.

1977, c. 68, a. 48; 1989, c. 15, a. 1; 1990, c. 19, a. 11.

SECTION III
CESSATION DU DROIT À UNE INDEMNITÉ DE REMPLACEMENT DU REVENU

49. Une victime cesse d'avoir droit à l'indemnité de remplacement du revenu:

1° lorsqu'elle devient capable d'exercer l'emploi qu'elle exerçait lors de l'accident;

2° lorsqu'elle devient capable d'exercer l'emploi qu'elle aurait exercé lors de l'accident, n'eût été de circonstances particulières;

3° lorsqu'elle devient capable d'exercer l'emploi que la Société lui a déterminé conformément à l'article 45;

(1) the employment he held at the time of the accident and which is contemplated in either section 14 or section 16;

(2) an employment referred to in section 17; or

(3) the employment determined for him by the Société pursuant to section 45 from the one hundred and eighty-first day after the accident.

47. The Société may determine an employment for a victim contemplated in subdivisions 4 and 5 of Division I at any time from the scheduled date of the end of his current studies if the victim is able to work but unable, by reason of the accident, to hold an employment from which the gross income is equal to or greater than the gross income that would have applied to him under section 32, 33, 38 or 39, as the case may be, if he had been unable to hold any employment by reason of the accident.

48. In determining an employment in any case described in section 46 or 47, the Société shall take the following factors into account, in addition to the standards and terms and conditions prescribed by regulation:

(1) the training, work experience and physical and intellectual abilities of the victim at the time it decides to determine an employment for him pursuant to that section;

(2) where applicable, the knowledge and skills acquired by the victim through a rehabilitation program approved by the Société.

The employment must be an employment which is normally available in the region where the victim resides and which he is able to hold on a regular and full-time or, failing that, part-time basis.

DIVISION III
CESSATION OF ENTITLEMENT TO INCOME REPLACEMENT INDEMNITY

49. A victim ceases to be entitled to an income replacement indemnity

(1) when he becomes able to hold the employment he held at the time of the accident;

(2) when he becomes able to hold the employment he would have held at the time of the accident but for particular circumstances;

(3) when he becomes able to hold an employment determined for him by the Société pursuant to section 45;

4° un an après être devenue capable d'exercer un emploi que la Société lui a déterminé conformément à l'article 46 ou à l'article 47;

4.1° lorsqu'elle exerce un emploi lui procurant un revenu brut égal ou supérieur à celui à partir duquel la Société a calculé l'indemnité de remplacement du revenu;

5° au moment fixé par une disposition de la section I du présent chapitre qui diffère de ceux prévus aux paragraphes 1° à 4°;

6° à son décès.

1977, c. 68, a. 49; 1982, c. 59, a. 25; 1989, c. 15, a. 1;

49.1 Lorsqu'à la suite d'un examen que la Société a requis en vertu de l'article 83.12, la victime n'a plus droit à l'indemnité de remplacement du revenu qu'elle recevait à la date de cet examen en vertu des articles 14, 16, 17, 19, 21, 24, 26, 30, 32, 33, 37, 38, 39, 42 ou 57, cette indemnité continue de lui être versée jusqu'à la date de la décision de la Société.

Toutefois, le premier alinéa ne s'applique pas lorsque la victime a droit, à la date de l'examen, à une indemnité de remplacement du revenu en vertu du paragraphe 4° de l'article 49 ou de l'article 50.

1993, c. 56, a. 3.

50. Malgré les paragraphes 1° à 3° de l'article 49, la victime qui, lors de l'accident, exerce habituellement un emploi à temps plein ou un emploi à temps partiel, continue d'avoir droit à l'indemnité de remplacement du revenu, même lorsqu'elle redevient capable d'exercer son emploi, si elle a perdu celui-ci en raison de l'accident.

Cette indemnité continue de lui être versée après qu'elle soit redevenue capable d'exercer son emploi pendant l'une des périodes suivantes:

1° 30 jours, si l'incapacité de la victime a duré au moins 90 jours mais au plus 180 jours;

2° 90 jours, si elle a duré plus de 180 jours mais au plus un an;

3° 180 jours, si elle a duré plus d'un an mais au plus deux ans;

4° un an, si elle a duré plus de deux ans.

Lorsque, à la suite d'un examen requis en vertu de l'article 83.12, la victime est avisée par la Société qu'elle n'a plus droit à l'indemnité de remplacement du revenu, la période prévue au deuxième alinéa ne débute qu'à compter de la date de la décision de la Société.

1977, c. 68, a. 50; 1982, c. 59, a. 26; 1989, c. 15, a. 1;

(4) one year after becoming able to hold an employment determined for him by the Société pursuant to section 46 or 47;

(4.1) when he holds an employment from which he derives a gross income equal to or greater than the gross income on the basis of which the Société has computed the income replacement indemnity;

(5) at any time fixed pursuant to a provision of Division I of this chapter different from the times provided for in paragraphs 1 to 4; or,

(6) at his death.

1990, c. 19, a. 11; 1991, c. 58, a. 11.

49.1 Where, following an examination required by the Société under section 83.12, the victim is no longer entitled to the income replacement indemnity he was receiving on the date of the examination under section 14, 16, 17, 19, 21, 24, 26, 30, 32, 33, 37, 38, 39, 42 or 57, he shall continue to receive the indemnity until the date of the decision of the Société.

However, the first paragraph does not apply where, on the date of the examination, the victim is entitled to an income replacement indemnity under paragraph 4 of section 49 or section 50.

50. Notwithstanding paragraphs 1 to 3 of section 49, a victim who, at the time of the accident, held a regular full-time or part-time employment continues to be entitled to the income replacement indemnity even when he regains the ability to hold his employment, if he lost such employment by reason of the accident.

The Société shall continue to pay the indemnity to the victim after he regains the ability to hold his employment for a period of

(1) 30 days if the victim's disability lasted for not less than 90 days but not more than 180 days;

(2) 90 days if the disability lasted for more than 180 days but not more than one year;

(3) 180 days if the disability lasted for more than one year but not more than two years;

(4) one year if the disability lasted for more than two years.

Where, following an examination required under section 83.12, the victim is informed by the Société that he is no longer entitled to an income replacement indemnity, the period determined under the second paragraph only begins on the date of the Société's decision.

1990, c. 19, a. 11; 1991, c. 58, a. 12; 1999, c. 22, a. 9.

SECTION IV
CALCUL DE L'INDEMNITÉ

DIVISION IV
COMPUTATION OF INDEMNITY

51. L'indemnité de remplacement du revenu d'une victime visée au présent chapitre est égale à 90% de son revenu net calculé sur une base annuelle.

Toutefois, sous réserve des articles 40, 43, 55 et 56, l'indemnité de remplacement du revenu d'une victime qui lors de l'accident, exerçait habituellement un emploi à temps plein ou d'une victime à qui la Société détermine un emploi à compter du 181e jour qui suit l'accident conformément à l'article 45, ne peut être inférieure à l'indemnité qui serait calculée à partir d'un revenu brut annuel déterminé sur la base du salaire minimum prévu à l'article 3 du Règlement sur les normes du travail (R.R.Q., 1981, chapitre N-1.1, r. 3) et sauf lorsqu'il s'agit d'un emploi à temps partiel, de la semaine normale de travail visée à l'article 52 de la Loi sur les normes du travail (L.R.Q., chapitre N-1.1), tels qu'ils se lisent au jour où ils doivent être appliqués.

1977, c. 68, a. 51; 1989, c. 15, a. 1; 1990, c. 19, a. 11;

51. The income replacement indemnity of a victim contemplated by this chapter is equal to 90% of his net income computed on a yearly basis.

Subject to sections 40, 43, 55 and 56, the income replacement indemnity of a victim who, at the time of the accident, held a regular full-time employment, or of a victim for whom the Société determines an employment from the one hundred and eighty-first day following the accident, in accordance with section 45, shall not be less, however, than the indemnity that would be computed on the basis of a gross annual income determined on the basis of the minimum wage as defined in section 3 of the Regulation respecting labour standards (R.R.Q., 1981, chapter N-1.1, r. 3) and, except in the case of a part-time employment, of the regular workweek as defined in section 52 of the Act respecting labour standards (R.S.Q., chapter N-1.1), as they read on the day on which they are applied.

1991, c. 58, a. 13.

52. Le revenu net de la victime est égal à son revenu brut annuel d'emploi, jusqu'à concurrence du montant maximum annuel assurable, moins un montant équivalent à l'impôt sur le revenu établi en vertu de la Loi sur les impôts (L.R.Q., chapitre I-3) et de la Loi concernant les impôts sur le revenu (S.C., 1970-71-72, chapitre 63), à la cotisation ouvrière établie en vertu de la Loi concernant l'assurance-emploi au Canada (Lois du Canada, 1996, chapitre 23) et à la cotisation établie en vertu de la Loi sur le régime de rentes du Québec (L.R.Q., chapitre R-9), le tout calculé de la manière prévue par règlement.

Les lois énumérées au premier alinéa s'appliquent telles qu'elles se lisent au 31 décembre de l'année qui précède celle pour laquelle la Société procède au calcul d'un revenu net en vertu du présent chapitre.

1977, c. 68, a. 52; 1989, c. 15, a. 1; 1990, c. 19, a. 11;

52. The net income of the victim is equal to his gross yearly employment income up to the amount of the Maximum Yearly Insurable Earnings less an amount equivalent to the income tax determined under the Taxation Act (R.S.Q., chapter I-3) and the Income Tax Act (S.C., 1970-71-72, chapter 63), the employee's premium determined under the Act respecting employment insurance in Canada (Statutes of Canada, 1996, chapter 23) and the contribution determined under the Act respecting the Québec Pension Plan (R.S.Q., chapter R-9), all of which are computed in the manner prescribed by regulation.

The Acts mentioned in the first paragraph apply as they read on 31 December of the year preceding that for which the Société makes the computation of net income under this chapter.

1993, c. 15, a. 91; 1999, c. 22, a. 39.

53. Pour l'application des déductions visées à l'article 52, la Société tient compte du nombre de personnes à charge à la date de l'accident.

1977, c. 68, a. 53; 1989, c. 15, a. 1; 1990, c. 19, a. 11.

53. For the purposes of the deductions under section 52, the Société shall take into account the number of dependants of the victim on the date of the accident.

54. Pour l'année 1989, le maximum annuel assurable est de 38 000 $.

54. For the year 1989, the amount of the Maximum Yearly Insurable Earnings is $38 000.

Pour l'année 1990 et chaque année subséquente, le maximum annuel assurable est obtenu en multipliant le maximum fixé pour l'année 1989 par le rapport entre la somme des rémunérations hebdomadaires moyennes des travailleurs de l'ensemble des activités économiques du Québec fixées par Statistique Canada pour chacun des 12 mois précédant le 1er juillet de l'année qui précède celle pour laquelle le maximum annuel assurable est calculé et cette même somme pour chacun des 12 mois précédant le 1er juillet 1988.

Le maximum annuel assurable est établi au plus haut 500 $ et est applicable pour une année à compter du 1er janvier de chaque année.

Pour l'application du présent article, la Société utilise les données fournies par Statistique Canada au 1er octobre de l'année qui précède celle pour laquelle le maximum annuel assurable est calculé.

Si les données fournies par Statistique Canada ne sont pas complètes le 1er octobre d'une année, la Société peut utiliser celles qui sont alors disponibles pour établir le maximum annuel assurable.

Si Statistique Canada applique une nouvelle méthode pour déterminer la rémunération hebdomadaire moyenne, la Société ajuste le calcul du montant maximum annuel assurable en fonction de l'évolution des rémunérations hebdomadaires moyennes à compter du 1er janvier de l'année qui suit ce changement de méthode.

1977, c. 68, a. 54; 1989, c. 15, a. 1; 1990, c. 19, a. 11.

55. Si la victime est devenue capable d'exercer un emploi que la Société lui a déterminé conformément à l'article 46 ou à l'article 47 et qu'en raison de son préjudice corporel, elle ne peut tirer de cet emploi qu'un revenu brut inférieur à celui à partir duquel la Société a calculé l'indemnité de remplacement du revenu qu'elle recevait avant la détermination de cet emploi, la victime a alors droit, à l'expiration de l'année visée au paragraphe 4° de l'article 49, à une indemnité de remplacement du revenu égale à la différence entre l'indemnité qu'elle recevait au moment où la Société lui a déterminé cet emploi et le revenu net qu'elle tire ou pourrait tirer de l'emploi déterminé par la Société.

1977, c. 68, a. 55; 1989, c. 15, a. 1; 1990, c. 19, a. 11; 1993, c. 56, a. 4; 1999, c. 40, a. 26.

56. Lorsqu'une victime qui a droit à une indemnité de remplacement du revenu exerce un emploi lui procurant un revenu brut inférieur à celui à partir

For the year 1990 and each subsequent year, the amount of the Maximum Yearly Insurable Earnings is obtained by multiplying the Maximum for the year 1989 by the ratio between the sum of the average of weekly salaries and wages of the Industrial Composite in Québec as established by Statistics Canada for each of the 12 months preceding 1 July of the year preceding the year for which the amount of the Maximum Yearly Insurable Earnings is computed and the same sum for each of the 12 months preceding 1 July 1988.

The amount of the Maximum Yearly Insurable Earnings shall be rounded off to the next highest $500 and is applicable for one year from 1 January of each year.

For the purposes of this section, the Société shall use the data furnished by Statistics Canada on 1 October of the year preceding the year for which the amount of the Maximum Yearly Insurable Earnings is computed.

If, on 1 October in any year, the data furnished by Statistics Canada are incomplete, the Société may use the data available at that time to establish the Maximum Yearly Insurable Earnings.

If Statistics Canada uses a new method to determine the average of weekly salaries and wages, the Société shall adjust the computation of the amount of the Maximum Yearly Insurable Earnings in relation to the evolution of the average of weekly salaries and wages from 1 January of the year following the change of method.

55. If the victim becomes able to hold an employment determined for him by the Société pursuant to section 46 or 47 and if, by reason of his bodily injury, he can derive from his employment only a gross income that is less than the income used by the Société as the basis for computing the income replacement indemnity he was receiving before the determination of that employment, the victim is entitled, at the expiry of the year referred to in paragraph 4 of section 49, to an income replacement indemnity equal to the difference between the indemnity he was receiving at the time the Société determined the employment for him and the net income he derives or could derive from the employment determined by the Société.

56. Where a victim who is entitled to an income replacement indemnity holds an employment providing him with a gross income less than the income

duquel la Société a calculé l'indemnité de remplacement du revenu, cette dernière est réduite de 75% du revenu net tiré de l'emploi.

Le présent article ne s'applique pas dans le cas d'une indemnité réduite conformément à l'article 55.

1977, c. 68, a. 56; 1989, c. 15, a. 1; 1990, c. 19, a. 11.

57. Si la victime subit une rechute de son préjudice corporel dans les deux ans qui suivent la fin de la dernière période d'incapacité pour laquelle elle a eu droit à une indemnité de remplacement du revenu ou, si elle n'a pas eu droit à une telle indemnité, dans les deux ans de l'accident, elle est indemnisée, à compter de la date de la rechute, comme si son incapacité lui résultant de l'accident n'avait pas été interrompue.

Toutefois, si l'indemnité calculée à partir du revenu brut effectivement gagné par la victime au moment de la rechute est supérieure à l'indemnité à laquelle la victime aurait droit en vertu du premier alinéa, la victime reçoit la plus élevée.

Si la victime subit une rechute plus de deux ans après le moment indiqué au premier alinéa, elle est indemnisée comme si cette rechute était un nouvel accident.

1977, c. 68, a. 57; 1989, c. 15, a. 1; 1999, c. 40, a. 26.

58. L'indemnité de remplacement du revenu mentionnée au premier alinéa de l'article 57 ne comprend pas l'indemnité visée à l'un des articles 55 et 56.

1977, c. 68, a. 58; 1982, c. 59, a. 27; 1989, c. 15, a. 1.

59. La victime qui reçoit une indemnité de remplacement du revenu, autre que celles visées aux articles 50, 55 et 56, et qui réclame une telle indemnité après un nouvel accident ou une rechute, ne peut les cumuler.

Elle reçoit, toutefois, la plus élevée des indemnités auxquelles elle a droit.

1977, c. 68, a. 59; 1989, c. 15, a. 1.

CHAPITRE III
INDEMNITÉ DE DÉCÈS

SECTION I
INTERPRÉTATION ET APPLICATION

60. Pour l'application du présent chapitre:

1° abrogé;

used by the Société as the basis for computing his income replacement indemnity, such indemnity shall be reduced by 75% of the net income he derives from the employment.

This section does not apply in the case of an indemnity reduced pursuant to section 55.

57. If a victim suffers a relapse of his bodily injury within two years from the end of his last period of disability in respect of which he was entitled to an income replacement indemnity or, if he was not entitled to such an indemnity, within two years of the accident, he shall receive compensation from the date of the relapse as though his disability resulting from the accident had not been interrupted.

However, if the indemnity computed on the basis of the gross income actually earned by the victim at the time of the relapse is greater than the indemnity to which the victim would be entitled under the first paragraph, the victim shall receive the greater indemnity.

If the victim suffers a relapse more than two years after the time referred to in the first paragraph, he shall receive compensation as if the relapse were a second accident.

58. The income replacement indemnity referred to in the first paragraph of section 57 does not include the indemnity contemplated in either section 55 or section 56.

59. A victim receiving an income replacement indemnity, other than those under sections 50, 55 and 56, who claims such an indemnity following a second accident or a relapse cannot receive both indemnities.

He shall receive, however, the greater of the indemnities to which he is entitled.

CHAPTER III
DEATH BENEFIT

DIVISION I
INTERPRETATION AND APPLICATION

60. For the purposes of this chapter,

(1) subparagraph repealed;

2° la mère ou le père de la victime comprend la personne qui tient lieu de mère ou de père à la victime lors de son décès;

3° une personne est invalide lorsqu'elle est atteinte d'une invalidité physique ou mentale grave et prolongée.

Pour l'application du paragraphe 3° du premier alinéa, une invalidité est grave si elle rend la personne régulièrement incapable d'exercer une occupation véritablement rémunératrice. Elle est prolongée si elle doit vraisemblablement entraîner la mort ou durer indéfiniment.

1977, c. 68, a. 60; 1989, c. 15, a. 1; 1993, c. 56, a. 5.

61. Pour l'application du présent chapitre, est réputée à charge de la victime qui n'avait pas d'emploi au moment de l'accident, la personne qui aurait été à la charge de la victime si cette dernière avait eu un emploi.

1977, c. 68, a. 61; 1989, c. 15, a. 1; 1999, c. 40, a. 26.

62. Le décès d'une victime en raison d'un accident donne droit aux indemnités prévues par le présent chapitre.

1977, c. 68, a. 62; 1989, c. 15, a. 1.

SECTION II
INDEMNITÉ AUX PERSONNES À CHARGE

63. Le conjoint d'une victime à la date du décès de celle-ci a droit à la plus élevée des indemnités forfaitaires suivantes:

1° une indemnité dont le montant est égal au produit obtenu en multipliant, par le facteur prévu à l'annexe I en fonction de l'âge de la victime à la date de son décès, le revenu brut servant au calcul de l'indemnité de remplacement du revenu à laquelle la victime avait droit le 181e jour qui suit la date de l'accident ou aurait eu droit à cette date si elle avait survécu et avait été incapable d'exercer tout emploi en raison de l'accident;

2° une indemnité de 49 121 $.

Si, à la date du décès de la victime, le conjoint était invalide, l'indemnité prévue au paragraphe 1° du premier alinéa est alors calculée en fonction des facteurs prévus à l'annexe II.

1977, c. 68, a. 63; 1989, c. 15, a. 1; 1993, c. 56, a. 6; 1999, c. 22, a. 10.

64-65. Abrogés.

1999, c. 22, a. 11.

(2) mother or father of a victim includes the person who stands *in loco parentis* to the victim at the time of his death;

(3) a person suffering from severe and prolonged physical or mental disability is considered to be disabled.

For the purposes of subparagraph 3 of the first paragraph, a disability is severe if the person is incapable regularly of pursuing any substantially gainful occupation; a disability is prolonged if it is likely to result in death or to be of indefinite duration.

61. For the application of this chapter, a person who would have been a dependant of the victim if the victim had had an employment at the time of the accident is deemed to be a dependant of the victim although the victim had no employment at that time.

62. The death of a victim by reason of an accident gives entitlement to compensation under this chapter.

DIVISION II
INDEMNITIES TO DEPENDANTS

63. The spouse of a victim on the date of the victim's death is entitled to a lump sum indemnity equal to the greater of

(1) the amount obtained by multiplying the gross income used in computing the income replacement indemnity to which the victim was entitled on the one hundred and eighty-first day after the accident, or would have been entitled to on that date if he had survived but had been unable to hold any employment by reason of the accident, by the factor appearing in Schedule I opposite the age of the victim on the date of his death; and

(2) $49,121.

If the spouse was disabled on the date of the victim's death, the indemnity amount referred to in subparagraph 1 of the first paragraph is determined on the basis of the factors appearing in Schedule II.

64-65. Repealed.

66. La personne à charge d'une victime à la date de son décès, autre que le conjoint, a droit à l'indemnité forfaitaire dont le montant est prévu à l'annexe III en fonction de son âge à cette date.

Pour l'application du présent article, l'enfant de la victime né après le décès de celle-ci est également réputé une personne à charge âgée de moins d'un an.

1977, c. 68, a. 66; 1989, c. 15, a. 1; 1993, c. 56, a. 8; 1999, c. 40, a. 26.

67. Si la personne à charge visée à l'article 66 est invalide à la date du décès de la victime, elle a droit à une indemnité forfaitaire additionnelle de 16 500 $.

1977, c. 68, a. 67; 1989, c. 15, a. 1.

68. Lorsque la victime n'a pas de conjoint à la date de son décès mais a une personne à charge visée au paragraphe 3° ou 4° du quatrième sous-alinéa de l'article 2, celle-ci a droit, en plus de l'indemnité visée à l'article 66 et, s'il y a lieu, de celle visée à l'article 67, à une indemnité forfaitaire dont le montant est égal à l'indemnité prévue à l'article 63. S'il y a plus d'une personne à charge, l'indemnité est divisée en parts égales entre elles.

1977, c. 68, a. 68; 1989, c. 15, a. 1; 1993, c. 56, a. 9; 1999, c. 22, a. 12.

68.1 Remplacé.

1989, c. 15, a. 1.

69. Si, à la date de son décès, la victime est mineure et n'a pas de personne à charge, son père et sa mère ont droit, à parts égales, à une indemnité forfaitaire de 40 000 $. Si l'un des deux est décédé, a été déchu de son autorité parentale ou a abandonné la victime, sa part accroît à l'autre. Si les deux sont décédés, l'indemnité est versée à sa succession sauf si c'est l'État qui en recueille les biens.

Si, à la date de son décès, la victime est majeure et n'a pas de personne à charge, l'indemnité est versée à sa succession sauf si c'est l'État qui en recueille les biens.

1977, c. 68, a. 69; 1989, c. 15, a. 1; 1993, c. 56, a. 10; 1999, c. 22, a. 13.

70. La succession d'une victime a droit à une indemnité forfaitaire de 3 000 $ pour les frais funéraires.

1977, c. 68, a. 70; 1981, c. 25, a. 12; 1982, c. 53, a. 57; 1986, c. 95, a. 16; 1987, c. 68, a. 17; 1989, c. 15, a. 1.

66. The dependant of a victim on the date of the victim's death, other than his spouse, is entitled to a lump sum indemnity in the amount listed in Schedule III opposite the age of the dependant on that date.

For the purposes of this section, the posthumous child of the victim is deemed a dependant under one year of age.

67. If the dependant referred to in section 66 is disabled on the date of death of the victim, he is entitled to an additional lump sum indemnity of $16 500.

68. If the victim has no spouse on the date of his death but has a dependant as defined in paragraph 3 or 4 of the definition of the word "dependant" in section 2, the dependant is entitled, in addition to an indemnity under section 66 and, as the case may be, in addition to an indemnity under section 67, to a lump sum indemnity in an amount equal to the indemnity provided for by section 63. If there is more than one dependant, the indemnity shall be divided equally among them.

68.1 Replaced.

69. If the victim is a minor and has no dependants on the date of his death, his mother and father are entitled to equal shares of a lump sum indemnity of $40,000. If one of the parents is deceased, has been deprived of parental authority or has abandoned the victim, the share of that parent accrues to the other parent. If both parents are deceased, the indemnity shall be paid to the victim's succession except where the property of the succession is to be taken by the State.

If the victim is of full age and has no dependants on the date of his death, the indemnity shall be paid to his succession except where the property of the succession is to be taken by the State.

70. The succession of a victim is entitled to a lump sum indemnity of $3 000 for funeral expenses.

71. La Société peut, à la demande d'une personne à charge qui a droit à une indemnité en vertu de la présente section, verser celle-ci, sur une période de temps qui ne peut excéder 20 ans, sous forme de versements périodiques représentatifs de la valeur de l'indemnité forfaitaire.

1977, c. 68, a. 71; 1986, c. 95, a. 17; 1989, c. 15, a. 1; 1990, c. 19, a. 11.

71. The Société, on the application of a dependant entitled to an indemnity under this division, may pay the indemnity over a period not exceeding 20 years, in periodic instalments corresponding to a proportion of the value of the lump sum indemnity.

SECTION III
ABROGÉE

DIVISION III
REPEALED

72. Abrogé.

1999, c. 22, a. 14.

72. Repealed.

CHAPITRE IV
INDEMNITÉ POUR PRÉJUDICE NON PÉCUNIAIRE

CHAPTER IV
NON-PECUNIARY DAMAGE INDEMNITY

73. Pour la perte de jouissance de la vie, les douleurs, les souffrances psychiques et les autres inconvénients subis en raison de blessures ou de séquelles d'ordre fonctionnel ou esthétique pouvant l'affecter temporairement ou en permanence à la suite d'un accident, une victime a droit, dans la mesure prévue par règlement, à une indemnité forfaitaire pour préjudice non pécuniaire, dont le montant ne peut excéder 175 000 $.

1977, c. 68, a. 73; 1987, c. 68, a. 19; 1989, c. 15, a. 1; 1999, c. 40, a. 26; 1999, c. 22, a. 15.

73. For loss of enjoyment of life, pain, mental suffering and other consequences of the temporary or permanent injuries or functional or cosmetic sequelae that a victim may suffer following an accident, a victim is entitled, to the extent determined by regulation, to a lump sum indemnity not exceeding $175,000 for non-pecuniary damage.

74. Aucune indemnité n'est payable lorsque la victime décède dans les 24 heures suivant l'accident.

1977, c. 68, a. 74; 1981, c. 12, a. 44; 1982, c. 53, a. 57; 1988, c. 51, a. 101; 1989, c. 15, a. 1; 1999, c. 22, a. 15.

74. No indemnity is payable if the victim dies within 24 hours after the accident.

75. Si la victime décède plus de 24 heures après l'accident mais dans les 12 mois suivant ce dernier, l'indemnité qui peut être payée est celle qui est fixée par règlement pour l'indemnisation du préjudice subi en raison de blessures.

1977, c. 68, a. 75; 1982, c. 59, a. 29; 1989, c. 15, a. 1; 1990, c. 19, a. 11; 1999, c. 40, a. 26; 1999, c. 22, a. 15.

75. If the victim dies more than 24 hours but within 12 months after the accident, the indemnity that may be paid is the indemnity fixed by regulation for the compensation of bodily injury.

76. Les montants que doit utiliser la Société pour l'établissement de l'indemnité sont ceux en vigueur à la date de la décision.

1977, c. 68, a. 76; 1982, c. 59, a. 29; 1989, c. 15, a. 1; 1990, c. 19, a. 11; 1999, c. 22, a. 15.

76. The indemnity shall be determined by the Société on the basis of the amounts in force on the date of the decision.

77-78. Remplacés.

1999, c. 22, a. 15.

77-78. Replaced.

CHAPITRE V
REMBOURSEMENT DE CERTAINS FRAIS ET RÉADAPTATION

SECTION I
REMBOURSEMENT DE CERTAINS FRAIS

§ 1. — *Aide personnelle et frais de garde*

79. A droit à un remboursement des frais qu'elle engage pour une aide personnelle à domicile, la victime qui, en raison de l'accident, est dans un état physique ou psychique qui nécessite la présence continuelle d'une personne auprès d'elle ou qui la rend incapable de prendre soin d'elle-même ou d'effectuer sans aide les activités essentielles de la vie quotidienne.

La Société détermine, aux conditions et selon les modalités de calcul prescrites par règlement, les besoins en aide personnelle de la victime ainsi que le montant du remboursement. Ce remboursement est effectué sur présentation de pièces justificatives, mais ne peut toutefois excéder 614 $ par semaine.

La Société peut, dans les cas et aux conditions prescrits par règlement, remplacer le remboursement de frais par une allocation hebdomadaire équivalente.

1977, c. 68, a. 79; 1982, c. 59, a. 29; 1989, c. 15, a. 1; 1991, c. 58, a. 14; 1999, c. 22, a. 16.

80. Sous réserve de l'article 80.1, la victime exerçant un emploi à temps partiel ou la victime sans emploi capable de travailler qui, à la date de l'accident, a comme occupation principale de prendre soin sans rémunération d'un enfant de moins de 16 ans ou d'une personne régulièrement incapable d'exercer tout emploi pour quelque cause que ce soit, a droit à une indemnité pour frais de garde.

Cette indemnité est hebdomadaire et s'élève à:

1° 250 $ lorsque la victime prend soin d'une personne visée au premier alinéa;

2° 280 $ lorsque la victime prend soin de deux personnes visées au premier alinéa;

3° 310 $ lorsque la victime prend soin de trois personnes visées au premier alinéa;

4° 340 $ lorsque la victime prend soin de quatre personnes et plus visées au premier alinéa.

Cette indemnité est versée tant que dure l'incapacité de la victime de prendre soin d'une personne visée au premier alinéa.

CHAPTER V
REIMBURSEMENT OF CERTAIN EXPENSES AND REHABILITATION

DIVISION I
REIMBURSEMENT OF CERTAIN EXPENSES

§ 1. — *Personal Assistance and Care Expenses*

79. Where, by reason of the accident, a victim's physical or mental condition warrants the continual attendance of another person or renders him unable to care for himself or perform, without assistance, the essential activities of every day life, he is entitled to the reimbursement of expenses incurred for personal home assistance.

The Société shall determine, subject to the conditions and in accordance with the computation method prescribed by regulation, the personal home assistance needs of the victim and the amount of the reimbursement. Expenses are reimbursed on presentation of vouchers, but no reimbursement may exceed $614 per week.

In the cases and subject to the conditions prescribed by regulation, the Société may replace the reimbursement of expenses by an equivalent weekly allowance.

80. Subject to section 80.1, a victim holding a part-time employment or an unemployed victim able to work whose main occupation consists, on the date of the accident and for no remuneration, in taking care of a child under 16 years of age or of a person who, for any reason whatever, is ordinarily unable to hold any employment is entitled to an indemnity for care expenses.

The indemnity shall be a weekly payment in the amount of

(1) $250 where the victim has the care of a person contemplated in the first paragraph;

(2) $280 where the victim has the care of two persons contemplated in the first paragraph;

(3) $310 where the victim has the care of three persons contemplated in the first paragraph;

(4) $340 where the victim has the care of four or more persons contemplated in the first paragraph.

The victim shall receive the indemnity for as long as he is unable to care for the person contemplated in the first paragraph.

Pendant l'incapacité de la victime, l'indemnité est réajustée dans les cas et aux conditions prescrits par règlement, en fonction de la variation du nombre de personnes visées au premier alinéa.

Le réajustement de l'indemnité ou la cessation du versement de celle-ci s'opère à la fin de la semaine pendant laquelle survient la variation du nombre de personnes ou la cessation de l'incapacité de la victime, selon le cas.

1977, c. 68, a. 80; 1982, c. 59, a. 30; 1989, c. 15, a. 1; 1991, c. 58, a. 15.

80.1 Si, en raison d'un emploi à temps plein ou temporaire qu'elle aurait exercé, une victime visée à l'article 80 est également visée au paragraphe 1° de l'article 24, elle ne peut cumuler les indemnités et, tant que cette situation demeure, elle reçoit l'indemnité de remplacement du revenu.

Toutefois, durant cette même période, l'article 83 lui est applicable aux conditions qui y sont énoncées.

1991, c. 58, a. 16.

81. Abrogé.

1991, c. 58, a. 17.

82. À compter du 181e jour qui suit l'accident d'une victime visée à l'article 80, celle-ci peut, au moment qu'elle jugera opportun, choisir entre l'une ou l'autre des indemnités suivantes:

1° le maintien de l'indemnité qu'elle reçoit en vertu de l'article 80;

2° une indemnité de remplacement du revenu accordée en vertu de l'article 26 à une victime sans emploi capable de travailler.

La Société doit, avant le 181e jour qui suit l'accident, fournir à la victime l'assistance et l'information nécessaires pour lui permettre de faire un choix éclairé.

1977, c. 68, a. 82; 1982, c. 59, a. 30; 1989, c. 15, a. 1; 1990, c. 19, a. 11.

83. La victime qui, en raison de l'accident, devient incapable de prendre soin d'un enfant de moins de 16 ans ou d'une personne qui est régulièrement incapable d'exercer tout emploi pour quelque cause que ce soit a droit, si elle ne reçoit pas déjà l'indemnité prévue à l'article 80, au remboursement des frais engagés pour prendre soin de ces personnes.

Le droit à ce remboursement est maintenu lorsqu'elle est redevenue capable d'en prendre soin si elle ne peut momentanément le faire en raison du fait qu'elle doit:

During such time as the victim is so unable, the indemnity shall be adjusted, in the cases and on the conditions prescribed by regulation, according to any variation in the number of persons contemplated in the first paragraph.

The adjustment or cessation of payment of the indemnity shall take effect at the end of the week during which the number of persons varied or the victim ceased to be so unable, as the case may be.

80.1 If, by reason of full-time or temporary employment the victim would have held, section 80 and subparagraph 1 of section 24 apply, the victim cannot receive both indemnities but shall receive the income replacement indemnity for as long as the situation prevails.

However, during that period, section 83 applies to the victim on the conditions set forth therein.

81. Repealed.

82. From the one hundred and eighty-first day following his accident, the victim contemplated in section 80 may, at any time he considers appropriate, elect one of the following indemnities:

(1) the same indemnity as he is already receiving under section 80;

(2) an income replacement indemnity granted under section 26 to an unemployed victim who is able to work.

The Société shall, before the one hundred and eighty-first day following the accident, provide the victim with the assistance and information necessary to make an enlightened choice.

83. A victim who, by reason of the accident, has become unable to care for a child under 16 years of age or for a person ordinarily unable, for any reason whatever, to hold any employment is entitled, if the victim is not already receiving an indemnity under section 80, to the reimbursement of expenses incurred for the care of that child or person.

Entitlement to the reimbursement is maintained when the victim regains the ability to care for the child or person but cannot do so for a time because the victim must

1° recevoir des soins médicaux ou paramédicaux;

2° se soumettre à l 'examen d'un professionnel de la santé exigé par la Société.

Ces frais sont remboursés sur une base hebdomadaire et sur présentation de pièces justificatives jusqu'à concurrence de:

1° 75 $ lorsque la victime prend soin d'une personne visée au premier alinéa;

2° 100 $ lorsque la victime prend soin de deux personnes visées au premier alinéa;

3° 125 $ lorsque la victime prend soin de trois personnes visées au premier alinéa;

4° 150 $ lorsque la victime prend soin de quatre personnes et plus visées au premier alinéa.

Ces frais sont remboursés tant que dure l'incapacité de la victime de prendre soin d'une personne visée au premier alinéa.

Pendant l'incapacité de la victime, le remboursement de frais est réajusté dans les cas et aux conditions prescrits par règlement, en fonction de la variation du nombre de personnes visées au premier alinéa.

Toutefois, lorsque la victime a un conjoint, elle peut recevoir le remboursement de ces frais uniquement dans les cas où son conjoint, en raison d'une maladie, d'une infirmité ou d'une absence pour les fins de son travail ou de ses études, ne peut non plus prendre soin d'une personne visée au premier alinéa.

1977, c. 68, a. 83; 1982, c. 59, a. 30; 1989, c. 15, a. 1; 1991, c. 58, a. 18; 1992, c. 68, a. 157; 1999, c. 22, a. 17.

83.1 La victime qui, lors de l'accident, travaille sans rémunération dans une entreprise familiale et qui en raison de cet accident, est incapable d'exercer ses fonctions habituelles, a droit au remboursement des frais qu'elle engage, durant les 180 premiers jours qui suivent l'accident, pour couvrir le coût de la main-d'oeuvre requise pour exercer ces fonctions à sa place.

Ces frais sont remboursés, sur présentation de pièces justificatives, jusqu'à concurrence de 500 $ par semaine.

1989, c. 15, a. 1.

§ 2. — Frais généraux

83.2 Une victime a droit, dans les cas et aux conditions prescrits par règlement et dans la mesure où ils ne sont pas déjà couverts par un régime de sécurité sociale, au remboursement des frais qu'elle engage en raison de l'accident:

(1) receive medical or paramedical care; or

(2) undergo an examination by a health professional, as required by the Société.

The expenses shall be reimbursed on a weekly basis on presentation of vouchers, up to the amount of

(1) $75 where the victim has the care of one person contemplated in the first paragraph;

(2) $100 where the victim has the care of two persons contemplated in the first paragraph;

(3) $125 where the victim has the care of three persons contemplated in the first paragraph;

(4) $150 where the victim has the care of four or more persons contemplated in the first paragraph.

The expenses shall be reimbursed for such time as the victim remains unable to care for the person contemplated in the first paragraph.

For such time as the victim is so unable, the reimbursement of expenses shall be adjusted, in the cases and on the conditions prescribed by regulation, according to any variation in the number of persons contemplated in the first paragraph.

However, where the victim has a spouse, the victim cannot receive the reimbursement of his expenses unless his spouse, by reason of illness, disability or absence for the purposes of work or studies is also unable to care for the person contemplated in the first paragraph.

83.1 A victim working at the time of the accident without pay in a family enterprise who is unable to perform his regular duties by reason of the accident is entitled to the reimbursement of his expenses during the 180 days after the accident to cover the cost of manpower required to perform those duties in his place.

Such expenses of up to $500 weekly shall be reimbursed on the presentation of vouchers.

§ 2. — General Expenses

83.2 A victim is entitled, in the cases and on the conditions prescribed by regulation, to the extent that they are not already covered by a social security scheme, to the reimbursement of his expenses incurred by reason of the accident

1° pour recevoir des soins médicaux ou paramédicaux;

2° pour le déplacement ou le séjour en vue de recevoir ces soins;

3° pour l'achat de prothèses ou d'orthèses;

4° pour le nettoyage, la réparation ou le remplacement d'un vêtement qu'elle portait et qui a été endommagé.

La victime a également droit, dans les cas et aux conditions prescrits par règlement, au remboursement de tous les autres frais que la Société détermine par règlement.

1989, c. 15, a. 1; 1990, c. 19, a. 11.

83.3 Une personne qui acquitte, pour une victime, des frais visés à l'article 83.2 a droit d'en être remboursée de la façon prévue à cet article.

1989, c. 15, a. 1.

83.4 Un régime de sécurité sociale ne peut exclure des frais qu'il couvre ceux qui sont engagés par une victime ou pour elle.

1989, c. 15, a. 1.

83.5 Une victime qui se soumet à un examen exigé par la Société a droit au remboursement des frais de séjour et de déplacement engagés pour ce motif.

En outre, une victime qui doit momentanément s'absenter de son travail pour recevoir, en raison de son accident, des soins médicaux ou paramédicaux ou pour se soumettre à un examen exigé par la Société, a droit à une indemnité si elle a perdu un salaire en raison de cette absence.

La personne qui accompagne une victime dont l'état physique ou psychique ou l'âge le requiert, lorsque celle-ci doit recevoir des soins médicaux ou paramédicaux ou se soumettre à un examen exigé par la Société, a droit à une allocation de disponibilité. Elle a également droit au remboursement des frais de séjour et de déplacement engagés pour ces motifs.

Le versement de l'allocation et de l'indemnité ainsi que le remboursement des frais de séjour et de déplacement s'effectuent dans les cas et selon les conditions prescrits par règlement.

1989, c. 15, a. 1; 1999, c. 22, a. 18.

83.6 Les frais visés à la présente sous-section sont remboursables sur présentation de pièces justificatives.

1989, c. 15, a. 1.

(1) for medical and paramedical care;

(2) for transportation and lodging for the purpose of receiving such care;

(3) for the purchase of prostheses or orthopedic devices;

(4) for the cleaning, repair or replacement of clothing he was wearing and which was damaged.

The victim is also entitled, in the cases and on the conditions prescribed by regulation, to the reimbursement of any other expenses determined by regulation of the Société.

83.3 A person who pays any of the expenses referred to in section 83.2 on behalf of a victim is entitled to the reimbursement of the expenses as provided in that section.

83.4 No social security scheme may exclude expenses incurred by or on behalf of a victim from its coverage.

83.5 A victim who undergoes an examination as required by the Société is entitled to the reimbursement of lodging and transportation expenses.

As well, a victim who must be absent from work for a time to receive medical or paramedical care by reason of the accident or to undergo an examination as required by the Société is entitled to an indemnity for any resulting loss of salary.

A person who accompanies a victim whose physical or mental condition or age so requires when the victim must receive medical or paramedical care or undergo an examination as required by the Société is entitled to an availability allowance. The person is also entitled to the reimbursement of lodging and transportation expenses.

The payment of the allowance and of the indemnity and the reimbursement of lodging and transportation expenses shall be made in the cases and subject to the conditions prescribed by regulation.

83.6 The expenses contemplated in this subdivision shall be reimbursed on the presentation of vouchers.

SECTION II
RÉADAPTATION

83.7 La Société peut prendre les mesures nécessaires pour contribuer à la réadaptation d'une victime, pour atténuer ou faire disparaître toute incapacité résultant d'un préjudice corporel et pour faciliter son retour à la vie normale ou sa réinsertion dans la société ou sur le marché du travail.

1989, c. 15, a. 1; 1990, c. 19, a. 11; 1999, c. 40, a. 26.

CHAPITRE VI
PROCÉDURE DE RÉCLAMATION

83.8 Pour l'application du présent chapitre, est un professionnel de la santé toute personne membre d'un ordre professionnel déterminé par un règlement de la Société.

1989, c. 15, a. 1; 1999, c. 22, a. 19.

83.9 Une personne qui demande une indemnité à la Société doit le faire sur la formule que celle-ci lui fournit et selon les règles qu'elle détermine par règlement.

1989, c. 15, a. 1; 1990, c. 19, a. 11.

83.10 Tout employeur doit, à la demande de la Société, lui fournir dans les six jours qui suivent, une attestation du revenu d'un de ses employés qui fait une demande d'indemnité à la Société.

1989, c. 15, a. 1; 1990, c. 19, a. 11.

83.11 Une personne doit, à la demande de la Société et aux frais de celle-ci, se soumettre à l'examen d'un professionnel de la santé choisi par cette personne.

1989, c. 15, a. 1; 1990, c. 19, a. 11.

83.12 Lorsqu'elle l'estime nécessaire, la Société peut, à ses frais, exiger d'une personne qu'elle se soumette à l'examen d'un professionnel de la santé choisi par la Société à partir d'une liste de professionnels dressée par celle-ci après consultation des ordres professionnels concernés.

1989, c. 15, a. 1; 1990, c. 19, a. 11; 1999, c. 22, a. 20.

83.13 Abrogé.

1999, c. 22, a. 21.

83.14 Le professionnel de la santé qui examine une personne à la demande de la Société doit faire rapport à celle-ci sur l'état de santé de cette personne et sur toute autre question pour laquelle l'examen a été requis.

DIVISION II
REHABILITATION

83.7 The Société may take any necessary measures to contribute to the rehabilitation of a victim, to lessen or cure any disability resulting from bodily injury and to facilitate his return to a normal life or his reintegration into society or the labour market.

CHAPTER VI
CLAIMS PROCEDURE

83.8 For the purposes of this chapter, a member of a professional order designated by a regulation of the Société is a health professional.

83.9 A person applying to the Société for compensation must do so on a form provided by the Société and in accordance with the rules it determines by regulation.

83.10 Every employer shall, at the request of the Société, furnish to it within the following six days an attestation of the salary of any of his employees who applies to the Société for compensation.

83.11 A person who applies for compensation shall, at the request of the Société and at its expense, undergo an examination to be administered by the health professional of his choice.

83.12 The Société, where it considers it necessary, may, at its own expense, require a person to be examined by a health professional chosen by the Société from a list of professionals drawn up after consultation with the professional orders concerned.

83.13 Repealed.

83.14 The health professional who examines a victim at the request of the Société shall make a report to the Société on the condition of the victim and on any other matter for which the examination was required.

Sur réception de ce rapport, la Société doit en transmettre une copie à tout professionnel de la santé désigné par la personne qui a subi l'examen visé au premier alinéa.

1989, c. 15, a. 1; 1990, c. 19, a. 11.

83.15 Tout établissement au sens de la Loi sur les services de santé et les services sociaux (L.R.Q., chapitre S-4.2) ou au sens de la Loi sur les services de santé et les services sociaux pour les autochtones cris (L.R.Q., chapitre S-5), tout professionnel de la santé qui a traité une personne à la suite d'un accident ou qui a été consulté par une personne à la suite d'un accident doit, à la demande de la Société, lui faire rapport de ses constatations, traitements ou recommandations.

Ce rapport doit être transmis dans les six jours qui suivent la demande de la Société.

Il doit également fournir à la Société, dans le même délai, tout autre rapport qu'elle lui demande relativement à cette personne.

1989, c. 15, a. 1; 1990, c. 19, a. 11; 1992, c. 21, a. 88, a. 375; 1994, c. 23, a. 23.

83.16 Une personne qui a fait une demande d'indemnité doit, sans délai, aviser la Société de tout changement de situation qui affecte son droit à une indemnité ou qui peut influer sur le montant de celle-ci.

1989, c. 15, a. 1; 1990, c. 19, a. 11.

83.17 Une personne doit fournir à la Société tous les renseignements pertinents requis pour l'application de la présente loi ou donner les autorisations nécessaires pour leur obtention.

Une personne doit fournir à la Société la preuve de tout fait établissant son droit à une indemnité.

1989, c. 15, a. 1; 1990, c. 19, a. 11.

83.18 La Société peut, aux conditions qu'elle détermine par règlement, autoriser une personne qui doit lui transmettre un avis, un rapport, une déclaration ou quelque autre document à le lui communiquer au moyen d'un support magnétique ou d'une liaison électronique.

Une transcription écrite des données visées au premier alinéa doit reproduire fidèlement celles-ci. Cette transcription fait preuve de son contenu lorsqu'elle est certifiée conforme par un fonctionnaire autorisé conformément à l'article 15 de la Loi sur la Société de l'assurance automobile du Québec (L.R.Q., chapitre S-11.011).

1989, c. 15, a. 1; 1990, c. 19, a. 11.

The Société shall, on receiving the report, transmit a copy to any health professional designated by the person who underwent the examination referred to in the first paragraph.

83.15 Every institution within the meaning of the Act respecting health services and social services (R.S.Q., chapter S-4.2) or within the meaning of the Act respecting health services and social services for Cree Native persons (R.S.Q., chapter S-5) and every health professional having treated a person or having been consulted by a person following an accident shall, at the request of the Société, make a report of its or his findings, treatment and recommendations to the Société.

The report must be transmitted within six days following the request of the Société.

Any other report required by the Société in respect of that person must be transmitted within the same time limit.

83.16 Every person who applies for compensation must notify the Société without delay of any change in his situation affecting his right to an indemnity or which may affect the amount of such indemnity.

83.17 A person must furnish to the Société any relevant information required for the purposes of this Act or give the authorizations that are necessary to obtain it.

A person must furnish to the Société the proof of any fact establishing his entitlement to compensation.

83.18 The Société may, on the conditions it determines by regulation, authorize a person required to transmit a notice, report, statement or other document to send it by means of a magnetic medium or electronic system.

A written transcription of the data contemplated in the first paragraph must reproduce such data faithfully. The transcription, where certified by an officer authorized in accordance with section 15 of the Act respecting the Société de l'assurance automobile du Québec (R.S.Q., chapter S-11.011), is proof of its contents.

83.19 Une transcription écrite et intelligible des données que la Société a emmagasinées par ordinateur ou sur tout autre support magnétique constitue un document de la Société et fait preuve de son contenu lorsqu'elle est certifiée conforme par un fonctionnaire autorisé conformément à l'article 15 de la Loi sur la Société de l'assurance automobile du Québec (L.R.Q., chapitre S-11.011).

1989, c. 15, a. 1; 1990, c. 19, a. 11.

CHAPITRE VII
PAIEMENT DES INDEMNITÉS

83.20 L'indemnité de remplacement du revenu est versée sous forme de rente à tous les 14 jours.

Elle n'est pas due avant le septième jour qui suit celui de l'accident, sauf dans le cas prévu au troisième alinéa de l'article 57.

L'indemnité accordée à une personne visée à l'article 80 est versée à tous les 14 jours.

L'indemnité accordée à une personne visée à l'article 28 ou à l'article 35 est versée à la fin de la session ou de l'année scolaire que l'étudiant rate en raison de l'accident.

L'indemnité, autre que l'indemnité de remplacement du revenu, accordée à une personne visée à l'article 33 ou à l'article 39 est versée à la fin de la session ou de l'année scolaire non complétée.

1989, c. 15, a. 1.

83.21 Sur réception d'une demande d'indemnité, la Société peut verser l'indemnité avant même de rendre sa décision sur le droit à cette indemnité si elle est d'avis que la demande apparaît fondée à sa face même.

Malgré l'article 83.50, si par la suite, la Société rejette la demande ou l'accepte en partie seulement, la somme déjà versée n'est pas recouvrable à moins qu'elle n'ait été obtenue par suite d'une fraude.

1989, c. 15, a. 1; 1990, c. 19, a. 11.

83.22 La Société peut payer une indemnité de remplacement du revenu en un versement unique, dont le montant est calculé selon les règles, les conditions et les modalités prescrites par règlement, dans les cas suivants:

1° lorsque le montant à être versé à tous les 14 jours est inférieur à 100 $;

2° lorsque la personne qui a droit à cette indemnité ne résidait pas au Québec à la date de l'accident et n'y a pas résidé depuis;

83.19 An intelligible transcription in writing of the data stored by the Société in a computer or on any other magnetic medium is a document of the Société and is proof of its contents where such transcription is certified by an authorized officer in accordance with section 15 of the Act respecting the Société de l'assurance automobile du Québec (R.S.Q., chapter S-11.011).

CHAPTER VII
PAYMENT OF INDEMNITIES

83.20 An income replacement indemnity shall be paid in the form of a pension once every 14 days.

The indemnity is not due until the seventh day following the date of the accident, except in the case provided for in the third paragraph of section 57.

The indemnity granted to a person contemplated in section 80 shall be paid once every 14 days.

The indemnity granted under section 28 or 35 shall be paid at the end of the term or school year that the student misses by reason of the accident.

Except for the income replacement indemnity, the indemnity granted to a person contemplated in section 33 or 39 shall be paid at the end of the uncompleted term or school year.

83.21 On receiving an application for compensation, the Société may pay an indemnity even before rendering its decision on entitlement to the indemnity if it is of the opinion that the application appears *prima facie* to be well founded.

Notwithstanding section 83.50, if the Société subsequently dismisses the application or grants it only in part, the amount already paid shall not be recoverable unless it was obtained through fraud.

83.22 The Société may pay an income replacement indemnity in a single payment, the amount of which shall be computed in accordance with the rules, conditions and method prescribed by regulation, where

(1) the amount to be paid once every 14 days is less than $100;

(2) the person entitled to the indemnity was not resident in Québec on the date of the accident and has not been resident therein since that date;

3° lorsque la personne qui a droit à cette indemnité résidait au Québec à la date de l'accident ou y a résidé depuis cette date mais n'y réside plus depuis au moins trois ans au moment de la demande de capitalisation.

Une indemnité de remplacement du revenu ne peut être payée en un versement unique si la personne qui y a droit est visée par l'article 105.1 de la Loi sur le régime de rentes du Québec (L.R.Q., chapitre R-9).

1989, c. 15, a. 1; 1990, c. 19, a. 11; 1993, c. 56, a. 12; 1995, c. 55, a. 4; 1999, c. 22, a. 22.

83.23 Abrogé.

1993, c. 56, a. 13.

83.24 Les frais visés aux articles 79, 83, 83.1, 83.2, 83.7 ainsi que le coût de l'expertise visée à l'article 83.31 peuvent être payés, à la demande de la victime, directement au fournisseur.

La Société peut désigner tout membre de son personnel pour agir à titre d'inspecteur chargé de contrôler, auprès des fournisseurs, l'exactitude des coûts et de la fourniture des biens livrés ou des services rendus à la victime en raison de l'accident.

Un inspecteur peut exiger du fournisseur la communication des renseignements ou documents pertinents à l'accomplissement de son mandat, notamment les livres, comptes, registres ou dossiers et en tirer copie.

Toute personne qui a la garde, la possession ou le contrôle de ces livres, registres, comptes, dossiers et autres documents doit, sur demande, en donner communication à l'inspecteur et lui en faciliter l'examen.

Il est interdit d'entraver l'action d'un inspecteur, de le tromper par des réticences ou par des déclarations fausses ou mensongères, de refuser de lui fournir un renseignement ou un document qu'il a le droit d'exiger ou d'examiner.

1989, c. 15, a. 1; 1993, c. 56, a. 14.

83.25 Une indemnité impayée à la date du décès de la personne qui y a droit est versée à sa succession.

1989, c. 15, a. 1.

83.26 Une demande de révision ou un recours formé devant le Tribunal administratif du Québec ne suspend pas le paiement d'une indemnité.

1989, c. 15, a. 1; 1997, c. 43, a. 39.

(3) the person entitled to the indemnity was resident in Québec on the date of the accident or has been resident therein since that date but, at the time of the application for capitalization, has not been resident in Québec for at least three years.

An income replacement indemnity may not be paid in a single payment if the person who is entitled to it is a person to whom section 105.1 of the Act respecting the Québec Pension Plan (R.S.Q., chapter R-9) applies.

83.23 Repealed.

83.24 The expenses referred to in sections 79, 83, 83.1, 83.2 and 83.7 and the cost of the medical report referred to in section 83.31 may, at the request of the victim, be paid directly to the suppliers.

The Société may appoint any member of its staff to act as an inspector responsible for verifying, with suppliers, the accuracy of the costs and supply of goods delivered or services rendered to the victim by reason of the accident.

An inspector may require the supplier to communicate any information or documents relevant to the carrying out of his assignment including books, accounts, registers or files, and make copies thereof.

Every person who has the custody, possession or charge of such books, registers, accounts, files or other documents must, on request, furnish them to the inspector and facilitate his examination of them.

No person shall hinder the work of an inspector, mislead him by concealment or false information or refuse to supply information or a document he is entitled to require or to examine.

83.25 Any unpaid indemnity on the date of death of the person entitled thereto shall be paid to his succession.

83.26 An application for review or a proceeding brought before the Administrative Tribunal of Québec does not suspend the payment of an indemnity.

83.27 Lorsqu'une personne ayant droit à une indemnité est incapable, la Société doit verser cette indemnité à son tuteur ou à son curateur, selon le cas, ou, à défaut, à une personne que la Société désigne; celle-ci a les pouvoirs et les devoirs d'un tuteur ou d'un curateur, selon le cas.

La Société donne avis au curateur public de tout versement qu'elle fait conformément au premier alinéa.

1989, c. 15, a. 1; 1990, c. 19, a. 11.

83.28 Les indemnités de remplacement du revenu sont réputées être le salaire du bénéficiaire et sont saisissables à titre de dette alimentaire conformément au deuxième alinéa de l'article 553 du Code de procédure civile (L.R.Q., chapitre C-25), compte tenu des adaptations nécessaires. À l'égard de toute autre dette, ces indemnités sont insaisissables.

Toute autre indemnité versée en vertu du présent titre est insaisissable.

La Société doit, sur demande du ministre de l'Emploi et de la Solidarité, déduire des indemnités payables à une personne en vertu de la présente loi le montant remboursable en vertu de l'article 102 de la Loi sur le soutien du revenu et favorisant l'emploi et la solidarité sociale (L.R.Q., chapitre S-32.001).

La Société remet le montant ainsi déduit au ministre de l'Emploi et de la Solidarité.

La Société doit également, sur demande de la Régie des rentes du Québec, déduire de l'indemnité de remplacement du revenu payable à une personne en vertu de la présente loi le montant de la rente d'invalidité ou de la rente de retraite qui a été versée à cette personne en vertu de la Loi sur le régime de rentes du Québec (L.R.Q., chapitre R-9) mais qui n'aurait pas dû l'être en raison de l'article 105.1 ou 106.3 de cette loi. Elle remet le montant ainsi déduit à la Régie.

1989, c. 15, a. 1; 1990, c. 19, a. 11; 1992, c. 44, a. 81; 1994, c. 12, a. 67; 1995, c. 55, a. 5; 1997, c. 63, a. 128; 1997, c. 73, a. 89; 1998, c. 36, a. 166.

83.29 La Société peut refuser une indemnité, en réduire le montant, en suspendre ou en cesser le paiement dans les cas suivants:

1° si la personne qui réclame une indemnité:

a) fournit volontairement un renseignement faux ou inexact;

b) refuse ou néglige de fournir tout renseignement que la Société requiert ou de donner l'autorisation nécessaire pour l'obtenir;

2° si la personne, sans raison valable:

83.27 Where a person entitled to compensation is under legal incapacity, the Société shall pay the indemnity to his tutor or curator, as the case may be, or, if none, to the person it designates; the designated person has the powers and duties of a tutor or of a curator, as the case may be.

The Société shall notify the Public Curator of any payment it makes pursuant to the first paragraph.

83.28 Income replacement indemnities are deemed to be the salary of the person receiving them and are seizable as a debt for support in accordance with the last paragraph of article 553 of the Code of Civil Procedure (R.S.Q., chapter C-25), adapted as required. Such indemnities are unseizable in respect of any other debt.

Every other indemnity paid under this title is unseizable.

The Société shall, at the request of the Minister of Employment and Solidarity, deduct from the indemnities payable to a person under this Act the amount repayable under section 102 of the Act respecting income support, employment assistance and social solidarity (R.S.Q., chapter S-32.001).

The Société shall remit the deducted amount to the Minister of Employment and Solidarity.

The Société shall so, at the request of the Régie des rentes du Québec, deduct from the income replacement indemnity payable to a person under this Act the amount of disability pension or retirement pension which was paid to such person under the Act respecting the Québec Pension Plan (R.S.Q., chapter R-9) but which should not have been paid by reason of section 105.1 or 106.3 of the said Act. The Société shall remit the deducted amount to the Régie des rentes du Québec.

83.29 The Société may refuse to pay compensation, reduce the amount of an indemnity or interrupt or terminate its payment

(1) where the claimant

(a) deliberately produces false or inaccurate information;

(b) refuses or neglects to produce any information required by the Société or to give the authorization necessary for obtaining it;

(2) where the person, without valid reason,

a) refuse un nouvel emploi, refuse de reprendre son ancien emploi ou abandonne un emploi qu'elle pourrait continuer à exercer;

b) entrave un examen exigé par la Société ou omet ou refuse de se soumettre à cet examen;

c) entrave les soins médicaux ou paramédicaux recommandés ou omet ou refuse de s'y soumettre;

d) pose un acte ou s'adonne à une pratique qui empêche ou retarde sa guérison;

e) entrave les mesures de réadaptation mises à sa disposition par la Société en vertu de l'article 83.7 ou omet ou refuse de s'en prévaloir.

1989, c. 15, a. 1; 1990, c. 19, a. 11.

83.30 Lorsqu'une victime est incarcérée dans un pénitencier, emprisonnée dans un établissement de détention ou en détention dans une installation maintenue par un établissement qui exploite un centre de réadaptation visé par la Loi sur les services de santé et les services sociaux (L.R.Q., chapitre S-4.2) ou dans un centre d'accueil visé par la Loi sur les services de santé et les services sociaux pour les autochtones cris (L.R.Q., chapitre S-5), en raison d'une infraction prévue au sous-paragraphe a) du paragraphe (1) ou aux paragraphes (3) ou (4) de l'article 249, au paragraphe (1) de l'article 252, à l'article 253, au paragraphe (5) de l'article 254, aux paragraphes (2) ou (3) de l'article 255 du Code criminel (L.R.C. (1985), chapitre C-46) ou, si l'infraction est commise avec une automobile, à l'un des articles 220, 221 et 236 de ce Code, la Société doit réduire l'indemnité de remplacement du revenu à laquelle elle a droit en raison de l'accident, d'un montant équivalant annuellement au pourcentage suivant:

1° 75% dans le cas d'une victime sans personne à charge;

2° 45% dans le cas d'une victime avec une personne à charge;

3° 35% dans le cas d'une victime avec deux personnes à charge;

4° 25% dans le cas d'une victime avec trois personnes à charge;

5° 10% dans le cas d'une victime avec quatre personnes à charge ou plus.

Cette réduction demeure en vigueur jusqu'à la fin de la période d'incarcération, d'emprisonnement ou de détention de la victime ou, le cas échéant, jusqu'à la date du jugement déclarant celle-ci non coupable de l'infraction visée au premier alinéa.

(a) refuses a new employment, refuses to return to his former employment or leaves an employment that he could continue to hold;

(b) interferes with an examination required by the Société or neglects or refuses to undergo such an examination;

(c) does not follow the recommended medical or paramedical treatment or is not available for or refuses such treatment;

(d) prevents or delays his recovery by his action or activities;

(e) does not follow the rehabilitation program put at his disposal by the Société under section 83.7 or is not available for or refuses such program.

83.30 Where a victim is committed to penitentiary, imprisoned in a house of detention or detained in a facility maintained by an institution operating a rehabilitation centre governed by the Act respecting health services and social services (R.S.Q., chapter S-4.2) or in a reception centre governed by the Act respecting health services and social services for Cree Native persons (R.S.Q., chapter S-5) by reason of an offence described in paragraph a of subsection 1 or in subsection 3 or 4 of section 249, subsection 1 of section 252, section 253, subsection 5 of section 254 or subsection 2 or 3 of section 255 of the Criminal Code (R.S.C., 1985, chapter C-46) or, if the offence is committed with an automobile, in section 220, 221 or 236 of that Code, the Société shall reduce the income replacement indemnity to which the victim is entitled by reason of the accident, by an amount equivalent on a yearly basis to the following percentage thereof:

(1) 75% in the case of a victim with no dependants;

(2) 45% in the case of a victim with one dependant;

(3) 35% in the case of a victim with two dependants;

(4) 25% in the case of a victim with three dependants;

(5) 10% in the case of a victim with four or more dependants.

This reduction remains in force until the end of the period of committal, imprisonment or detention of the victim or, as the case may be, until the date of the judgment finding the victim not guilty of the offence contemplated in the first paragraph.

Elle est réajustée pendant l'incarcération, l'emprisonnement ou la détention de la victime, dans les cas et aux conditions prescrits par règlement, en fonction de la variation du nombre de personnes à charge.

Pour l'application du présent article, l'indemnité de remplacement du revenu à laquelle a droit une victime ayant une ou plusieurs personnes à charge à la date de l'accident est versée à celles-ci selon les conditions et les modalités établies par règlement.

Si la victime est déclarée non coupable de l'infraction visée au premier alinéa, la Société doit lui remettre le montant qui a été soustrait de l'indemnité de remplacement du revenu avec intérêts fixés conformément à l'article 83.32 et calculés à compter du début de la réduction.

1989, c. 15, a. 1; 1990, c. 19, a. 11; 1992, c. 21, a. 89; 1993, c. 56, a. 15; 1994, c. 23, a. 23.

83.31 Une personne dont la demande de révision ou le recours formé devant le Tribunal administratif du Québec est accueilli et qui a soumis une expertise médicale écrite à l'appui de sa demande a droit au remboursement du coût de cette expertise, jusqu'à concurrence des sommes fixées par règlement.

1989, c. 15, a. 1; 1997, c. 43, a. 40.

83.32 Lorsque, à la suite d'une demande de révision ou d'un recours formé devant le Tribunal administratif du Québec, la Société ou ce tribunal reconnaît à une personne le droit à une indemnité qui lui avait d'abord été refusée ou augmente le montant d'une indemnité, la Société ou ce tribunal ordonne, dans tous les cas, que des intérêts soient payés à cette personne. Ils sont calculés à compter de la date de la décision refusant de reconnaître le droit à une indemnité ou d'augmenter le montant d'une indemnité, selon le cas.

Un règlement peut prévoir d'autres cas donnant lieu au paiement d'intérêts par la Société.

Le taux d'intérêt applicable est celui fixé en vertu du deuxième alinéa de l'article 28 de la Loi sur le ministère du Revenu (L.R.Q., chapitre M-31).

1989, c. 15, a. 1; 1990, c. 19, a. 11; 1993, c. 56, a. 16; 1997, c. 43, a. 41; 1999, c. 22, a. 23.

CHAPITRE VIII
REVALORISATION

83.33 Le montant du revenu brut annuel qui sert de base au calcul de l'indemnité de remplacement du revenu est revalorisé chaque année à la date anniversaire de l'accident.

The reduction shall be adjusted during the committal, imprisonment or detention of the victim, in the cases and on the conditions prescribed by regulation, according to variations in the number of dependants.

For the purposes of this section, the income replacement indemnity to which a victim with one or several dependants on the date of the accident is entitled shall be paid to the dependants in accordance with the terms and conditions prescribed by regulation.

If the victim is found not guilty of the offence contemplated in the first paragraph, the Société shall remit to the victim the amount that had been subtracted from the income replacement indemnity, with interest computed in accordance with section 83.32 from the start of the reduction.

83.31 A person whose application for review or proceeding before the Administrative Tribunal of Québec is allowed and who has filed a medical expert's written report in support of his petition is entitled to reimbursement of the cost of that report, up to the amount established by regulation.

83.32 Where, following an application for review or a proceeding brought before the Administrative Tribunal of Québec, the Société or the Tribunal recognizes a person's entitlement to an indemnity that was formerly denied or increases the amount of an indemnity, the Société shall order, in every case, that the person be paid interest computed from the date of the decision refusing to recognize entitlement to an indemnity or refusing to increase the amount of an indemnity, as the case may be.

Other cases requiring the payment of interest by the Société may be prescribed by regulation.

The applicable interest rate is the rate fixed under the second paragraph of section 28 of the Act respecting the Ministère du Revenu (R.S.Q., chapter M-31).

CHAPTER VIII
REVALORIZATION

83.33 The amount of the gross annual income used as the basis for computing the income replacement indemnity shall be revalorized each year, on the anniversary of the accident.

Le montant du revenu brut annuel que la Société fixe pour l'emploi déterminé conformément à l'article 45, 46 ou 47 est revalorisé chaque année à cette date.

1989, c. 15, a. 1; 1990, c. 19, a. 11; 1993, c. 56, a. 17.

83.34 Sont revalorisées le 1er janvier de chaque année, toutes les sommes d'argent fixées dans l'annexe III et dans les dispositions du présent titre.

Sont également revalorisés le 1er janvier de chaque année, en outre du montant prévu à l'article 73, les montants d'indemnité fixés dans un règlement pris pour l'application de cet article.

1989, c. 15, a. 1; 1999, c. 22, a. 24.

83.35 La revalorisation est faite en multipliant le montant à revaloriser par le rapport entre l'indice des prix à la consommation de l'année courante et celui de l'année précédente.

1989, c. 15, a. 1.

83.36 L'indice des prix à la consommation pour une année est la moyenne annuelle calculée à partir des indices mensuels des prix à la consommation au Canada établis par Statistique Canada pour les 12 mois précédant le 1er novembre de l'année qui précède celle pour laquelle cet indice est calculé.

Si les données fournies par Statistique Canada ne sont pas complètes le 1er décembre d'une année, la Société peut utiliser celles qui sont alors disponibles pour établir l'indice des prix à la consommation.

Si Statistique Canada applique une nouvelle méthode pour calculer l'indice mensuel des prix à la consommation, la Société ajuste le calcul de la revalorisation en fonction de l'évolution de l'indice mensuel des prix à la consommation à compter du 1er janvier de l'année qui suit ce changement.

1989, c. 15, a. 1; 1990, c. 19, a. 11.

83.37 Si la moyenne annuelle calculée à partir des indices mensuels des prix à la consommation a plus d'une décimale, seule la première est retenue et elle est augmentée d'une unité si la deuxième est supérieure au chiffre 4.

1989, c. 15, a. 1.

83.38 Si le rapport entre l'indice des prix à la consommation de l'année courante et celui de l'année précédente a plus de trois décimales, seules les trois premières sont retenues et la troisième est augmentée d'une unité si la quatrième est supérieure au chiffre 4.

1989, c. 15, a. 1.

The amount of the gross annual income fixed by the Société for the employment determined pursuant to section 45, 46 or 47 shall be revalorized each year on that date.

83.34 All amounts of money listed in Schedule III or referred to in this title shall be revalorized on 1 January each year.

The amount provided for in section 73 as well as the indemnity amounts prescribed by a regulation under that section shall also be revalorized on 1 January each year.

83.35 The revalorization is made by multiplying the amount to be revalorized by the ratio between the Consumer Price Index for the current year and that for the preceding year.

83.36 The Consumer Price Index for a year is the yearly average computed on the basis of the monthly Consumer Price Index in Canada established by Statistics Canada for the 12 months preceding 1 November of the year preceding the year for which the Index is computed.

If, on 1 December of a year, the data furnished by Statistics Canada are incomplete, the Société may use the data available at that time to establish the Consumer Price Index.

If Statistics Canada uses a new method to compute the monthly Consumer Price Index, the Société shall modify the computation of the revalorization according to the change in the monthly Consumer Price Index from 1 January of the year following the change of method.

83.37 If the yearly average computed on the basis of the monthly Consumer Price Index includes more than one decimal, only the first digit is retained and it is increased by one unit if the second digit is greater than 4.

83.38 If the ratio between the Consumer Price Index for the current year and that for the preceding year includes more than three decimals, only the first three digits are retained and the third digit is increased by one unit if the fourth digit is greater than 4.

83.39 Le montant obtenu par la revalorisation est arrondi au dollar le plus près.

1989, c. 15, a. 1.

83.40 Le montant d'une rente versée en vertu d'un régime privé d'assurance ne peut être aucunement diminué en raison d'une revalorisation d'un revenu brut annuel qui sert de base au calcul de l'indemnité de remplacement du revenu.

1989, c. 15, a. 1.

83.39 The amount obtained through revalorization is rounded off to the nearest dollar.

83.40 The amount of a pension paid under a private insurance scheme shall in no way be diminished by reason of the revalorization of the gross annual income used as the basis for computing an income replacement indemnity.

CHAPITRE IX
COMPÉTENCE DE LA SOCIÉTÉ, RÉVISION ET RECOURS DEVANT LE TRIBUNAL ADMINISTRATIF DU QUÉBEC

SECTION I
COMPÉTENCE DE LA SOCIÉTÉ

83.41 Sous réserve des articles 83.49 et 83.67, la Société a compétence exclusive pour examiner et décider toute question relative à l'indemnisation en vertu du présent titre.

À cette fin, elle peut déléguer ses pouvoirs à un ou plusieurs de ses fonctionnaires qu'elle désigne.

Les membres de la Société et les fonctionnaires ainsi désignés sont investis des pouvoirs et de l'immunité des commissaires nommés en vertu de la Loi sur les commissions d'enquête (L.R.Q., chapitre C-37), sauf de celui d'ordonner l'emprisonnement.

1989, c. 15, a. 1; 1990, c. 19, a. 11; 1997, c. 43, a. 43.

83.42 La Société peut établir par règlement les règles de procédure applicables à l'examen des questions sur lesquelles elle a compétence.

1989, c. 15, a. 1; 1990, c. 19, a. 11; 1997, c. 43, a. 44.

83.43 Une décision doit être motivée et communiquée par écrit à la personne intéressée.

Si la décision est rendue par un fonctionnaire, celui-ci doit, en communiquant sa décision, aviser la personne intéressée qu'elle peut en demander la révision, sauf s'il s'agit d'une décision qui accorde une indemnité maximum ou le remboursement complet des frais auxquels elle a droit.

CHAPTER IX
JURISDICTION OF THE SOCIÉTÉ, REVIEW AND PROCEEDING BEFORE THE ADMINISTRATIVE TRIBUNAL OF QUÉBEC

DIVISION I
JURISDICTION OF THE SOCIÉTÉ

83.41 Subject to sections 83.49 and 83.67, the Société has exclusive jurisdiction to examine and decide any matter related to compensation under this title.

For that purpose, the Société may delegate its powers to one or several of its officers whom it designates.

The members of the Société and the officers so designated are vested with the powers and immunity of commissioners appointed under the Act respecting public inquiry commissions (R.S.Q., chapter C-37), except the power to order imprisonment.

83.42 The Société may by regulation establish the rules of procedure applicable to the examination of matters over which it has jurisdiction.

83.43 A decision must give reasons and be transmitted in writing to the interested person.

If the decision is rendered by an officer, he shall, when transmitting his decision, inform the interested person that he may apply for a review, except in the case of a decision granting a maximum indemnity or the full reimbursement of expenses to which such person is entitled.

Si la décision est rendue par la Société, celle-ci doit, en communiquant sa décision, aviser la personne intéressée qu'elle peut la contester devant le Tribunal administratif du Québec, sauf s'il s'agit d'une décision qui accorde une indemnité maximum ou le remboursement complet des frais auxquels elle a droit.

1989, c. 15, a. 1; 1990, c. 19, a. 11; 1997, c. 43, a. 45.

83.44 En tout temps, la Société peut rendre une nouvelle décision s'il se produit un changement de situation qui affecte le droit de la personne intéressée à une indemnité ou qui peut influer sur le montant de celle-ci.

1989, c. 15, a. 1; 1990, c. 19, a. 11; 1991, c. 58, a. 19.

83.44.1 Tant qu'une demande de révision n'a pas été présentée ou un recours formé devant le Tribunal administratif du Québec à l'égard d'une décision, la Société peut, de sa propre initiative ou à la demande d'une personne intéressée, reconsidérer cette décision:

1° si celle-ci a été rendue avant que soit connu un fait essentiel ou a été fondée sur une erreur relative à un tel fait;

2° si celle-ci est entachée d'un vice de fond ou de procédure de nature à l'invalider;

3° si celle-ci est entachée d'une erreur d'écriture, de calcul ou de toute autre erreur de forme.

Cette nouvelle décision remplace la décision initiale qui cesse d'avoir effet et les dispositions de la section II s'appliquent selon le cas.

1991, c. 58, a. 19; 1997, c. 43, a. 46.

83.44.2 Une décision concernant le remboursement de frais prévus à la section I du chapitre V n'a d'effet qu'à l'égard de ce qui en a fait l'objet et ne peut être interprétée comme constituant une reconnaissance du droit à quelque autre indemnité.

1999, c. 22, a. 25.

SECTION II
RÉVISION ET RECOURS DEVANT LE TRIBUNAL ADMINISTRATIF DU QUÉBEC

83.45 Sauf dans les cas où une décision accorde une indemnité maximum ou lorsque les frais auxquels elle a droit ont été remboursés en totalité, une personne qui se croit lésée par une décision rendue par un fonctionnaire peut, dans les 60 jours de la notification de la décision, demander par écrit à la Société la révision de cette décision.

If the decision is rendered by the Société, it shall, when transmitting its decision, inform the interested person that he may contest the decision before the Administrative Tribunal of Québec, except in the case of a decision granting a maximum indemnity or the full reimbursement of expenses to which such person is entitled.

83.44 The Société may, at any time, render a new decision if a change affecting the right of the person concerned to an indemnity or likely to have repercussions on the amount of an indemnity occurs.

83.44.1 So long as no application for review has been presented and no proceeding brought before the Administrative Tribunal of Québec in respect of a decision, the Société may, on its own motion or at the request of an interested person, reconsider the decision

(1) if the decision was rendered before an essential fact became known, or was based on an error pertaining to an essential fact;

(2) where a substantive or procedural defect is likely to invalidate the decision;

(3) if the decision contains an error in writing, mistakes in calculation or any other clerical error.

The new decision replaces the initial decision which ceases to be effective and the provisions of Division II apply where expedient.

83.44.2 A decision concerning the reimbursement of expenses under Division I of Chapter V has effect only in respect of the subject-matter of the decision and shall not be construed as a recognition of entitlement to any other indemnity.

DIVISION II
REVIEW AND PROCEEDING BEFORE THE ADMINISTRATIVE TRIBUNAL OF QUÉBEC

83.45 Except in the case of a decision granting a maximum indemnity or the full reimbursement of expenses to which he is entitled, a person who believes he has been wronged by a decision rendered by an officer may, within 60 days of notification of the decision, apply in writing to the Société for a review of the decision.

Cette demande doit mentionner les principaux motifs sur lesquels elle s'appuie.

1989, c. 15, a. 1; 1990, c. 19, a. 11; 1997, c. 43, a. 48.

83.46 La Société peut permettre à une personne d'agir après l'expiration du délai fixé par l'article 83.45 si celle-ci n'a pu, pour des motifs sérieux et légitimes, agir plus tôt.

1989, c. 15, a. 1; 1990, c. 19, a. 11; 1999, c. 22, a. 26.

83.47 La Société, lorsqu'elle est saisie d'une demande de révision, peut confirmer, infirmer ou modifier la décision rendue.

Elle peut également accorder une indemnité, en déterminer le montant ou décider qu'aucune indemnité n'est payable en vertu du présent titre.

1989, c. 15, a. 1; 1990, c. 19, a. 11; 1997, c. 43, a. 49.

83.48 Une décision rendue en révision par un fonctionnaire doit être motivée et communiquée par écrit à la personne intéressée.

En communiquant sa décision, le fonctionnaire doit aviser la personne qu'elle peut la contester devant le Tribunal administratif du Québec, sauf s'il s'agit d'une décision qui accorde une indemnité maximum ou le remboursement complet des frais auxquels cette personne a droit.

1989, c. 15, a. 1; 1997, c. 43, a. 50.

83.49 Une personne qui se croit lésée par une décision rendue par la Société ou par une décision rendue en révision peut, dans les 60 jours de sa notification, la contester devant le Tribunal administratif du Québec, sauf s'il s'agit d'une décision qui accorde une indemnité maximum ou le remboursement complet des frais auxquels elle a droit.

1989, c. 15, a. 1; 1990, c. 19, a. 11; 1997, c. 43, a. 51.

CHAPITRE X
RECOURS

SECTION I
RECOUVREMENT DES INDEMNITÉS

83.50 Une personne qui a reçu une indemnité à laquelle elle n'a pas droit ou dont le montant excède celui auquel elle a droit, doit rembourser le trop-perçu à la Société.

La Société peut recouvrer cette dette dans les trois ans du paiement de l'indemnité.

The application must mention the main grounds on which it is based.

83.46 The Société may allow a person to act after the expiry of the time prescribed in section 83.45 if the person was unable, for serious and valid reasons, to act sooner.

83.47 The Société may, where an application for review is submitted to it, confirm, quash or amend the decision.

The Société may also grant an indemnity and determine the amount thereof or decide that no indemnity is payable under this title.

83.48 A decision rendered in review by an officer must give reasons and be transmitted in writing to the interested person.

The officer, when transmitting his decision, shall inform the person that he may contest the decision before the Administrative Tribunal of Québec, except in the case of a decision granting a maximum indemnity or the full reimbursement of expenses to which such person is entitled.

83.49 A person who believes he has been wronged by a decision rendered by the Société or by a decision rendered after a review may, within 60 days of notification of the decision, contest the decision before the Administrative Tribunal of Québec, except in the case of a decision granting a maximum indemnity or the full reimbursement of expenses to which such person is entitled.

CHAPTER X
REMEDIES

DIVISION I
RECOVERY OF INDEMNITIES

83.50 A person who has received an indemnity to which he is not entitled or the amount of which exceeds that to which he is entitled shall reimburse the amount received in excess to the Société.

The Société may recover the amount of the debt within three years of payment of the indemnity.

Elle peut aussi remettre cette dette si elle juge que le montant ne peut être recouvré compte tenu des circonstances ou, de la manière déterminée par règlement, déduire le montant de cette dette de toute somme due au débiteur par la Société.

La Société peut effectuer une déduction en vertu du troisième alinéa malgré la demande de révision ou le recours du débiteur devant le Tribunal administratif du Québec.

1989, c. 15, a. 1; 1990, c. 19, a. 11; 1997, c. 43, a. 52.

83.51 Malgré l'article 83.50, si, à la suite d'une demande de révision ou d'un recours formé devant le Tribunal administratif du Québec, la Société ou ce tribunal rend une décision qui a pour effet d'annuler ou de réduire le montant d'une indemnité, les sommes déjà versées ne peuvent être recouvrées, à moins qu'elles n'aient été obtenues par suite d'une fraude ou que la demande de révision ou le recours formé devant ce tribunal ne porte sur une décision rendue en vertu de l'article 83.50.

1989, c. 15, a. 1; 1990, c. 19, a. 11; 1997, c. 43, a. 53.

83.52 Malgré l'article 83.50, lorsque la Société reconsidère sa décision parce que celle-ci a été rendue avant que soit connu un fait essentiel ou a été fondée sur une erreur relative à un tel fait ou parce que celle-ci est entachée d'un vice de fond ou de procédure de nature à l'invalider, la somme déjà versée n'est pas recouvrable à moins qu'elle n'ait été obtenue par suite d'une fraude.

1989, c. 15, a. 1; 1990, c. 19, a. 11; 1991, c. 58, a. 20.

83.53 La personne qui prive volontairement la Société de son recours subrogatoire contrairement au deuxième alinéa de l'article 83.59 doit rembourser l'indemnité reçue de la Société.

La Société peut recouvrer cette dette dans les trois ans de l'acte qui prive la Société de son recours subrogatoire.

Elle peut aussi remettre cette dette si elle juge que le montant ne peut être recouvré compte tenu des circonstances.

1989, c. 15, a. 1; 1990, c. 19, a. 11.

83.54 La Société met en demeure le débiteur par une décision qui énonce le montant et les motifs d'exigibilité de la dette.

Cette décision interrompt la prescription prévue à l'un des articles 83.50, 83.53 ou 83.61, selon le cas.

1989, c. 15, a. 1; 1990, c. 19, a. 11.

The Société may also cancel the debt if it considers that the amount is unrecoverable under the circumstances or deduct, in the manner determined by regulation, the amount of the debt from any sum due to the debtor by the Société.

The Société may make a deduction pursuant to the third paragraph notwithstanding an application for review or proceeding brought before the Administrative Tribunal of Québec by a debtor.

83.51 Notwithstanding section 83.50, if, following an application for review or a proceeding brought before the Administrative Tribunal of Québec, the Société or the Tribunal renders a decision which cancels an indemnity or reduces its amount, the sums already paid are not recoverable unless they were obtained through fraud or unless the application for review or the proceeding brought before the Tribunal pertains to a decision rendered pursuant to section 83.50.

83.52 Notwithstanding section 83.50, where a decision is reconsidered by the Société because it was rendered before an essential fact became known or was based on an error pertaining to an essential fact, or because it contains a substantive or procedural defect which is likely to invalidate it, the sum already paid shall not be recoverable unless it was obtained through fraud.

83.53 A person who, contrary to the second paragraph of section 83.59, prevents the Société from exercising its recourse as subrogee is required to reimburse the indemnity received from the Société.

The Société may recover the amount of the debt within three years of the action preventing the Société from acting as subrogee.

The Société may also cancel the debt if it considers that the amount is unrecoverable under the circumstances.

83.54 The Société shall put the debtor in default by a decision stating the amount and reasons for the exigibility of the debt.

The decision interrupts prescription as provided in section 83.50, 83.53 or 83.61, as the case may be.

83.55 Lorsqu'une dette visée à la présente section n'a pas été recouvrée ni remise, la Société peut délivrer un certificat:

1° qui atteste le défaut du débiteur de se pourvoir à l'encontre de la décision rendue en vertu de l'article 83.54 ou, selon le cas, qui allègue la décision définitive qui maintient cette décision;

2° qui atteste l'exigibilité de la dette et le montant dû.

Ce certificat est une preuve de l'exigibilité de la dette. Il peut être délivré par la Société en tout temps après l'expiration du délai pour demander la révision ou pour contester la décision ou après la décision du Tribunal administratif du Québec.

1989, c. 15, a. 1; 1990, c. 19, a. 11; 1997, c. 43, a. 54.

83.56 Sur dépôt de ce certificat au greffe du tribunal compétent, la décision de la Société ou du Tribunal administratif du Québec devient exécutoire comme s'il s'agissait d'un jugement final et sans appel de ce tribunal et en a tous les effets.

1989, c. 15, a. 1; 1990, c. 19, a. 11; 1997, c. 43, a. 55.

83.55 Where a debt referred to in this division is not recovered or cancelled, the Société may issue a certificate

(1) attesting the failure of the debtor to appeal from the decision rendered under section 83.54 or confirming the decision of the Administrative Tribunal of Québec maintaining the decision, as the case may be;

(2) attesting the exigibility of the debt and the amount due.

The certificate is proof of the exigibility of the debt. It may be issued by the Société at any time after the end of the time allotted to apply for a review of the decision or to contest the decision or after the decision of the Administrative Tribunal of Québec.

83.56 From the filing of the certificate in the office of the court of competent jurisdiction, the decision of the Société or of the Administrative Tribunal of Québec becomes executory as if it were a final decision without appeal of such court and has all the effects of such a decision.

SECTION II
RESPONSABILITÉ CIVILE

DIVISION II
CIVIL LIABILITY

83.57 Les indemnités prévues au présent titre tiennent lieu de tous les droits et recours en raison d'un dommage corporel et nulle action à ce sujet n'est reçue devant un tribunal.

Sous réserve des articles 83.63 et 83.64, lorsqu'un dommage corporel a été causé par une automobile, les prestations ou avantages prévus pour l'indemnisation de ce dommage par la Loi sur les accidents du travail et les maladies professionnelles (L.R.Q., chapitre A-3.001), la Loi visant à favoriser le civisme (L.R.Q., chapitre C-20) ou la Loi sur l'indemnisation des victimes d'actes criminels (L.R.Q., chapitre I-6) tiennent lieu de tous les droits et recours en raison de ce préjudice et nulle action à ce sujet n'est reçue devant un tribunal.

1989, c. 15, a. 1; 1999, c. 40, a. 26.

83.57 Compensation under this title stands in lieu of all rights and remedies by reason of bodily injury and no action in that respect shall be admitted before any court of justice.

Subject to sections 83.63 and 83.64, where bodily injury was caused by an automobile, the benefits or pecuniary benefits provided for the compensation of such injury by the Act respecting industrial accidents and occupational diseases (R.S.Q., chapter A-3.001), the Act to promote good citizenship (R.S.Q., chapter C-20) or the Crime Victims Compensation Act (R.S.Q., chapter I-6) stand in lieu of all rights and remedies by reason of such bodily injury and no action in that respect shall be admitted before any court of justice.

83.58 Rien dans la présente section ne limite le droit d'une personne de réclamer une indemnité en vertu d'un régime privé d'assurance, sans égard à la responsabilité de quiconque.

1989, c. 15, a. 1.

83.58 Nothing in this division limits the right of a person to claim an indemnity under a private insurance scheme, regardless of who is at fault.

83.59 La personne qui a droit à une indemnité prévue au présent titre à la suite d'un accident survenu hors du Québec peut bénéficier de celle-ci tout en conservant son recours pour l'excédent en vertu de la loi du lieu de l'accident.

La personne qui exerce un tel recours ne doit pas, sans l'autorisation de la Société, priver volontairement celle-ci du recours subrogatoire qu'elle possède en vertu de l'article 83.60. La Société est libérée de son obligation envers cette personne si celle-ci la prive ainsi de son recours.

1989, c. 15, a. 1; 1990, c. 19, a. 11.

83.60 Malgré l'article 83.57, lorsque la Société indemnise une personne à la suite d'un accident survenu hors du Québec, elle est subrogée dans les droits de cette personne et peut recouvrer les indemnités ainsi que le capital représentatif des rentes qu'elle est appelée à verser, de toute personne qui ne réside pas au Québec et qui, en vertu de la loi du lieu de l'accident, est responsable de cet accident et de toute personne qui est tenue d'indemniser le préjudice corporel causé dans cet accident par celle-ci.

La subrogation s'opère de plein droit par la décision de la Société d'indemniser la personne.

1989, c. 15, a. 1; 1990, c. 19, a. 11; 1999, c. 40, a. 26.

83.61 Malgré l'article 83.57, lorsque la Société indemnise une personne en raison d'un accident survenu au Québec, elle est subrogée dans les droits de cette personne et peut recouvrer les indemnités ainsi que le capital représentatif des rentes qu'elle est appelée à verser, de toute personne qui ne réside pas au Québec et qui est responsable de l'accident, dans la proportion où elle en est responsable, et de toute personne qui est tenue d'indemniser le préjudice corporel causé dans cet accident par celle-ci.

La subrogation s'opère de plein droit par la décision de la Société d'indemniser la personne.

Le recours subrogatoire de la Société est soumis au tribunal et se prescrit par trois ans à compter de cette décision.

La responsabilité est déterminée suivant les règles du droit commun dans la mesure où les articles 108 à 114 n'y dérogent pas.

1989, c. 15, a. 1; 1990, c. 19, a. 11; 1999, c. 40, a. 26.

83.62 Malgré l'article 83.57, lorsque, à la suite d'un accident, les organismes suivants sont subrogés dans les droits d'une personne en vertu des lois suivantes, ils possèdent le même recours que la

83.59 A person entitled to compensation under this title by reason of an accident that occurred outside Québec may benefit by the compensation while retaining his remedy with regard to any compensation in excess thereof under the law of the place where the accident occurred.

No person who exercises such remedy may, unless authorized by the Société, prevent the Société from exercising its remedy as subrogee pursuant to section 83.60. The Société is released from its obligation toward a person who prevents it from exercising that remedy.

83.60 Notwithstanding section 83.57, where the Société compensates a person by reason of an accident that occurred outside Québec, it is subrogated to the person's rights and is entitled to recover the indemnities and the capital representing the pensions that the Société is required to pay from any person not resident in Québec who, under the law of the place where the accident occurred, is responsible for the accident and from any person liable for compensation for bodily injury caused in the accident by such non-resident.

The subrogation is effected of right by the decision of the Société to compensate the victim.

83.61 Notwithstanding section 83.57, where the Société compensates a person by reason of an accident that occurred in Québec, it is subrogated to the person's rights and is entitled to recover the indemnities and the capital value of the pensions that the Société is required to pay from any person not resident in Québec who is responsible for the accident to the extent that he is responsible therefor and from any person liable for compensation for bodily injury caused in the accident by such non-resident.

The subrogation is effected of right by the decision of the Société to compensate the victim.

The remedy of the Société as subrogee is subject to decision of the court and is prescribed by three years from the date of the decision.

Responsibility is determined according to the ordinary rules of law to the extent that sections 108 to 114 do not derogate therefrom.

83.62 Notwithstanding section 83.57, where, following an accident, the following bodies are subrogated to the rights of a person under the Acts hereinafter mentioned, they shall have the same

Société pour recouvrer leur créance de la personne qui ne réside pas au Québec et qui est responsable de l'accident ou de la personne tenue d'indemniser le préjudice corporel causé dans cet accident par celle-ci:

1° la Commission de la santé et de la sécurité du travail et, le cas échéant, l'employeur en vertu de la Loi sur les accidents du travail et les maladies professionnelles (L.R.Q., chapitre A-3.001);

2° la Commission de la santé et de la sécurité du travail en vertu de la Loi visant à favoriser le civisme (L.R.Q., chapitre C-20) et de la Loi sur l'indemnisation des victimes d'actes criminels (L.R.Q., chapitre I-6);

3° la Régie de l'assurance-maladie du Québec en vertu de la Loi sur l'assurance-maladie (L.R.Q., chapitre A-29);

4° le gouvernement en vertu de la Loi sur l'assurance-hospitalisation (L.R.Q., chapitre A-28) et de la Loi sur le soutien du revenu et favorisant l'emploi et la solidarité sociale (L.R.Q., chapitre S-32.001).

1989, c. 15, a. 1; 1990, c. 19, a. 11; 1998, c. 36, a. 167; 1999, c. 40, a. 26.

SECTION III
RECOURS EN VERTU D'UN AUTRE RÉGIME

83.63 Lorsqu'en raison d'un accident, une personne a droit à la fois à une indemnité en vertu du présent titre et à une prestation ou à un avantage pécuniaire en vertu de la Loi sur les accidents du travail et les maladies professionnelles (L.R.Q., chapitre A-3.001) ou d'une autre loi relative à l'indemnisation de personnes victimes d'un accident du travail, en vigueur au Québec ou hors du Québec, cette personne doit réclamer la prestation ou l'avantage pécuniaire prévu par ces dernières lois.

1989, c. 15, a. 1.

83.64 Lorsqu'en raison d'un accident, une personne a droit à la fois à une indemnité en vertu du présent titre et à une prestation ou à un avantage en vertu de la Loi visant à favoriser le civisme (L.R.Q., chapitre C-20) ou de la Loi sur l'indemnisation des victimes d'actes criminels (L.R.Q., chapitre I-6), cette personne peut, à son option, se prévaloir de l'indemnité prévue au présent titre ou réclamer cette prestation ou cet avantage.

L'indemnisation en vertu de la Loi visant à favoriser le civisme ou de la Loi sur l'indemnisation des victimes d'actes criminels fait perdre tout droit à l'indemnisation en vertu du présent titre.

1989, c. 15, a. 1.

remedies as the Société to recover their claim from the person not resident in Québec who is responsible for the accident or from the person liable for compensation for bodily injury caused in the accident by that person:

(1) the Commission de la santé et de la sécurité du travail and, as the case may be, the employer by virtue of the Act respecting industrial accidents and occupational diseases (R.S.Q., chapter A-3.001);

(2) the Commission de la santé et de la sécurité du travail by virtue of the Act to promote good citizenship (R.S.Q., chapter C-20) and the Crime Victims Compensation Act (R.S.Q., chapter I-6);

(3) the Régie de l'assurance-maladie du Québec by virtue of the Health Insurance Act (R.S.Q., chapter A-29);

(4) the Government by virtue of the Hospital Insurance Act (R.S.Q., chapter A-28) and the Act respecting income support, employment assistance and social solidarity (R.S.Q., chapter S-32.001).

DIVISION III
REMEDIES UNDER OTHER PLANS

83.63 Where, by reason of an accident, a person is entitled to both an indemnity under this title and an indemnity or pecuniary benefit under the Act respecting industrial accidents and occupational diseases (R.S.Q., chapter A-3.001) or another Act relating to the compensation of persons who are victims of an industrial accident, in force in or outside Québec, that person shall claim the indemnity or pecuniary benefit provided for by that Act.

83.64 Where, by reason of an accident, a person is entitled to both an indemnity under this title and an indemnity or pecuniary benefit under the Act to promote good citizenship (R.S.Q., chapter C-20) or the Crime Victims Compensation Act (R.S.Q., chapter I-6), that person may elect to avail himself of the compensation provided for by this title or claim the indemnity or benefit.

Compensation under the Act to promote good citizenship or the Crime Victims Compensation Act sets aside any right to compensation under this title.

83.65 Une personne qui reçoit une indemnité de remplacement du revenu en vertu du présent titre et qui réclame, en raison d'un nouvel événement, une indemnité de remplacement du revenu en vertu de la Loi sur les accidents du travail et les maladies professionnelles (L.R.Q., chapitre A-3.001) ou une rente pour incapacité totale en vertu de la Loi visant à favoriser le civisme (L.R.Q., chapitre C-20) ou de la Loi sur l'indemnisation des victimes d'actes criminels (L.R.Q., chapitre I-6), ne peut les cumuler.

La Société continue de verser l'indemnité de remplacement du revenu, s'il y a lieu, en attendant que soient déterminés le droit et le montant de l'indemnité et de la rente payable en vertu de chacune des lois applicables.

1989, c. 15, a. 1; 1990, c. 19, a. 11.

83.66 La Société et la Commission de la santé et de la sécurité du travail prennent entente pour établir un mode de traitement des réclamations faites en vertu de la Loi sur les accidents du travail et les maladies professionnelles (L.R.Q., chapitre A-3.001), de la Loi visant à favoriser le civisme (L.R.Q., chapitre C-20) ou de la Loi sur l'indemnisation des victimes d'actes criminels (L.R.Q., chapitre I-6) par une personne visée à l'article 83.65.

Cette entente doit permettre de:

1° distinguer le préjudice qui découle du nouvel événement et celui qui est attribuable à l'accident;

2° déterminer en conséquence le droit et le montant des prestations, avantages ou indemnités payables en vertu de chacune des lois applicables;

3° déterminer les prestations, avantages ou indemnités que doit verser chaque organisme et de préciser les cas, les montants et les modalités de remboursement entre eux.

1989, c. 15, a. 1; 1990, c. 19, a. 11; 1999, c. 40, a. 26.

83.67 Lorsqu'une personne visée à l'article 83.65 réclame une indemnité de remplacement du revenu en vertu de la Loi sur les accidents du travail et les maladies professionnelles (L.R.Q., chapitre A-3.001) ou une rente pour incapacité totale en vertu de la Loi visant à favoriser le civisme (L.R.Q., chapitre C-20) ou de la Loi sur l'indemnisation des victimes d'actes criminels (L.R.Q., chapitre I-6), la Société et la Commission de la santé et de la sécurité du travail doivent, dans l'application de l'entente visée à l'article 83.66, rendre conjointement une décision qui distingue le préjudice attribuable à chaque événement et qui détermine en conséquence le droit aux prestations, avantages ou indemnités payables en vertu de chacune des lois applicables.

83.65 A person who receives an income replacement indemnity under this title and who, by reason of a new event, claims an income replacement indemnity under the Act respecting industrial accidents and occupational diseases (R.S.Q., chapter A-3.001) or total disability benefits under the Act to promote good citizenship (R.S.Q., chapter C-20) or the Crime Victims Compensation Act (R.S.Q., chapter I-6), is not entitled to receive both indemnities at the same time.

The Société shall continue to pay the income replacement indemnity, where that is the case, until the entitlement to and the amount of the indemnity and the pension payable under each of the Acts applicable are determined.

83.66 The Société shall reach an agreement with the Commission de la santé et de la sécurité du travail to establish a procedure for the processing of claims filed under the Act respecting industrial accidents and occupational diseases (R.S.Q., chapter A-3.001), the Act to promote good citizenship (R.S.Q., chapter C-20) or the Crime Victims Compensation Act (R.S.Q., chapter I-6) by any person contemplated in section 83.65.

The agreement must make it possible to

(1) distinguish between the damage resulting from the new event and the damage attributable to the accident;

(2) determine the entitlement to and the amount of the benefits, compensation or indemnities payable under each of the applicable Acts;

(3) determine the benefits, compensation or indemnities each body is required to pay and specify the cases, amounts and conditions of reimbursement among them.

83.67 Where a person referred to in section 83.65 claims an income replacement indemnity under the Act respecting industrial accidents and occupational diseases (R.S.Q., chapter A-3.001) or total disability benefits under the Act to promote good citizenship (R.S.Q., chapter C-20) or the Crime Victims Compensation Act (R.S.Q., chapter I-6), the Société and the Commission de la santé et de la sécurité du travail shall, in carrying out the agreement described in section 83.66, render a joint decision which distinguishes between the damage attributable to each event and determines the corresponding entitlement to and amount of the benefits, compensation or indemnities payable under each of the applicable Acts.

La personne qui se croit lésée par cette décision peut, à son choix, la contester devant le Tribunal administratif du Québec suivant la présente loi ou suivant la Loi sur les accidents du travail et les maladies professionnelles, la Loi visant à favoriser le civisme ou la Loi sur l'indemnisation des victimes d'actes criminels, selon le cas.

Le recours formé devant ce tribunal en vertu de l'une de ces lois empêche la formation d'un recours devant ce tribunal en vertu des autres et la décision rendue par ce tribunal lie les deux organismes.

1989, c. 15, a. 1; 1990, c. 19, a. 11; 1997, c. 43, a. 56; 1999, c. 40, a. 26.

83.68 Lorsqu'en raison d'un accident, une victime a droit à la fois à une indemnité de remplacement du revenu payable en vertu de la présente loi et à une prestation d'invalidité payable en vertu d'un programme de sécurité du revenu d'une autre juridiction équivalant à celui établi par la Loi sur le régime de rentes du Québec (L.R.Q., chapitre R-9), l'indemnité de remplacement du revenu est réduite du montant de la prestation d'invalidité payable à cette victime en vertu d'un tel programme.

1989, c. 15, a. 1; 1995, c. 55, a. 6.

A person who believes he has been wronged by the decision may elect to contest the decision before the Administrative Tribunal of Québec under this Act, the Act respecting industrial accidents and occupational diseases, the Act to promote good citizenship or the Crime Victims Compensation Act, as the case may be.

A proceeding brought before the Tribunal under any of the said Acts precludes any proceeding before the Tribunal under any other of them and the decision made by the Tribunal is binding on both bodies.

83.68 Where, by reason of an accident, a victim is entitled to both an income replacement indemnity payable under this Act and a disability benefit payable under an income security programme of another jurisdiction equivalent to the programme established by the Act respecting the Québec Pension Plan (R.S.Q., chapter R-9), the income replacement indemnity is reduced by the amount of disability benefit payable to the victim under such a programme.

TITRE III
L'INDEMNISATION DU PRÉJUDICE MATÉRIEL —RESPONSABILITÉ CIVILE ET RÉGIME D'ASSURANCE

TITLE III
COMPENSATION FOR PROPERTY DAMAGE — CIVIL LIABILITY AND INSURANCE SCHEME

CHAPITRE I
RÉGIME D'ASSURANCE

CHAPTER I
INSURANCE SCHEME

SECTION I
ASSURANCE OBLIGATOIRE

DIVISION I
COMPULSORY INSURANCE

84. Le propriétaire de toute automobile circulant au Québec doit détenir, suivant la section II du présent chapitre, un contrat d'assurance de responsabilité garantissant l'indemnisation du préjudice matériel causé par cette automobile.

1977, c. 68, a. 84; 1999, c. 40, a. 26.

84.1 Est un préjudice matériel, pour l'application du présent titre, tout dommage causé dans un accident à une automobile ou à un autre bien.

84. The owner of any automobile operating in Québec must have, in accordance with Division II of this chapter, a liability insurance contract guaranteeing compensation for property damage caused by such automobile.

1977, c. 68, a. 84; 1999, c. 40, a. 26.

84.1 For the purposes of this title, any damage caused in an accident to an automobile or to other property is deemed to be property damage.

Est une victime pour l'application du présent titre, toute personne qui subit un préjudice matériel dans un accident.

1989, c. 15, a. 2; 1999, c. 40, a. 26.

SECTION II
LE CONTRAT D'ASSURANCE DE RESPONSABILITÉ

85. Le contrat d'assurance de responsabilité doit garantir le propriétaire de l'automobile et toute personne qui conduit l'automobile, à l'exception de celui qui l'a obtenue par vol, contre les conséquences pécuniaires de la responsabilité civile pouvant leur incomber en raison du préjudice matériel causé lors d'un accident au Canada et aux États-Unis.

Le contrat d'assurance de responsabilité doit garantir aussi le propriétaire assuré contre les conséquences pécuniaires de sa responsabilité lorsqu'il conduit l'automobile d'un tiers.

Le contrat d'assurance de responsabilité doit garantir également les personnes visées dans le présent article contre les conséquences pécuniaires de leur responsabilité pour un préjudice corporel visé au deuxième sous-alinéa de l'article 2 et qui a été causé par l'automobile hors du Québec, ailleurs au Canada et aux États-Unis.

1977, c. 68, a. 85; 1989, c. 15, a. 9; 1999, c. 40, a. 26.

86. Nonobstant toute stipulation à l'effet contraire qui y serait contenue, le contrat d'assurance est réputé comporter des garanties au moins égales à celles requises par la présente loi et ses règlements.

1977, c. 68, a. 86.

87. Le montant obligatoire minimum de l'assurance de responsabilité est de cinquante mille dollars.

1977, c. 68, a. 87

87.1 Le montant obligatoire minimum de l'assurance de responsabilité pour le propriétaire ou l'exploitant visé au titre VIII.1 du Code de la sécurité routière (L.R.Q., chapitre C-24.2) est de 1 000 000 $.

Toutefois, ce montant est de 2 000 000 $ lorsque la personne visée au premier alinéa transporte l'une des matières dangereuses énumérées à l'annexe XII, dans une quantité supérieure à celle indiquée à la colonne IV de cette annexe du Règlement concernant les marchandises dangereuses ainsi que la

For the purposes of this title, every person who sustains property damage in an accident is deemed to be a victim.

DIVISION II
LIABILITY INSURANCE CONTRACT

85. The liability insurance contract must protect the owner of an automobile and any person driving it, except a person having obtained it by theft, against the pecuniary consequences of any civil liability they may incur by reason of property damage caused in an accident in Canada or the United States.

The liability insurance contract must also protect the insured owner against the pecuniary consequences of any liability he may incur while driving the automobile of a third person.

The liability insurance contract must also protect the persons contemplated in this section against the pecuniary consequences of any liability they may incur for bodily injuries referred to in the definition of "bodily injury" in section 2 and that have been caused by the automobile outside Québec, elsewhere in Canada and in the United States.

86. Notwithstanding any provision to the contrary that it may contain, an insurance contract is deemed to provide protection at least equal to that required by this act and the regulations hereunder.

87. The minimum compulsory amount of liability insurance is $50 000.

87.1 The minimum compulsory amount of liability insurance for an owner or operator subject to Title VIII.1 of the Highway Safety Code (R.S.Q., chapter C-24.2) is $1 000 000.

However, the minimum amount is $2 000 000 in the case of a carrier contemplated in the first paragraph who transports a dangerous substance listed in Schedule XII to the Regulations respecting the handling, offering for transport and transporting of dangerous goods, made by Order in Council

manutention, la demande de transport et le transport des marchandises dangereuses, édicté par le décret DORS/85-77 du 18 janvier 1985, publié à la *Gazette du Canada*, Partie II, le 6 février 1985.

1987, c. 94, a. 104; 1998, c. 40, a. 52.

88. Il doit être stipulé au contrat que le montant d'assurance de responsabilité est égal au montant minimum d'assurance de responsabilité prescrit par une législation relative à l'assurance automobile en vigueur dans l'état, province ou territoire du Canada ou des États-Unis où survient l'accident lorsque ce montant est supérieur au montant d'assurance de responsabilité souscrit par l'assuré.

Il doit également être stipulé au contrat que l'assureur n'aura recours à aucun moyen de défense interdit aux assureurs de l'endroit du sinistre si ce dernier est survenu au Canada ou aux États-Unis.

1977, c. 68, a. 88; 1989, c. 47, a. 1.

88.1 Un contrat additionnel pour un montant immédiatement consécutif à celui visé par un premier contrat peut être conclu pour un montant autre que les montants minimums obligatoires et ne pas comporter les stipulations prévues à l'article 88. Toutefois, il est réputé couvrir de tels montants et comporter de telles stipulations lorsque le premier contrat cesse d'être en vigueur.

1989, c. 47, a. 2.

89. Il peut être stipulé au contrat d'assurance que l'assuré conservera à sa charge une partie de l'indemnité due à la victime par franchise ou autrement; en ce cas, l'assureur est quand même responsable envers la victime du paiement de l'indemnité entière, y compris la partie qui, en vertu du contrat, reste à la charge de l'assuré.

L'assureur est alors subrogé aux droits de la victime contre l'assuré pour la part qu'il a dû payer à la victime mais que l'assuré a conservé à sa charge en vertu du contrat.

1977, c. 68, a. 89.

90. Le contrat d'assurance est renouvelé de plein droit, pour une prime identique et pour la même période, à chaque échéance du contrat, à moins d'un avis contraire émanant de l'assureur ou de l'assuré; lorsqu'il émane de l'assureur, l'avis de non-renouvellement ou de modification de la prime doit être adressé à l'assuré, à sa dernière adresse connue, au plus tard le trentième jour précédant et incluant le jour de l'échéance.

S.O.R./85-77 of 18 January 1985 and published in the *Canada Gazette* Part II of 6 February 1985, in an amount exceeding that indicated in column IV of the said Schedule.

88. The contract must stipulate that the amount of liability insurance is equal to the minimum amount of liability insurance prescribed by the legislation respecting automobile insurance in force in the state, province or territory of Canada or the United States where the accident occurs, when that amount is greater than the amount of liability insurance subscribed by the insured.

The contract shall also stipulate that the insurer shall not set up any ground of defence prohibited to insurers of the place of the accident if it occurred in Canada or the United States.

88.1 A supplementary contract for an amount immediately above the amount of the first contract may be entered into for an amount other than any minimum compulsory amount and not include the stipulations provided for in section 88. However, the contract is deemed to cover such minimum amount and include such stipulations when the first contract ceases to be in force.

89. An insurance contract may stipulate that the insured shall remain liable for a portion of the indemnity owed to the victim under a deductible coverage clause or otherwise; in such case, the insurer remains liable to the victim for the payment of the full indemnity, including the portion for which the insured remains liable under the contract.

The insurer is then subrogated in the rights of the victim against the insured for the portion the insurer has had to pay to the victim for which the insured remains liable under the contract.

90. The insurance contract is renewed of right, for the same premium and for the same period, at each maturity of the contract, unless notice to the contrary is given by the insurer or the insured; if given by the insurer, the notice of non-renewal or of a change in the premium must be sent to the insured, at his last known address, not later than the thirtieth day preceding the date of maturity, counting that date.

Lorsque l'assuré fait affaires par l'entremise d'un courtier, l'avis prévu dans le premier alinéa est transmis par l'assureur au courtier, à charge par ce dernier de le remettre à l'assuré.

1977, c. 68, a. 90.

91. L'assureur peut résilier le contrat dans les soixante jours de sa date d'entrée en vigueur sur simple avis à l'assuré; en ce cas, le contrat se termine quinze jours après la réception de cet avis.

À l'expiration de cette période de 60 jours, le contrat d'assurance ne peut être résilié par l'assureur qu'en cas d'aggravation du risque de nature à influencer sensiblement un assureur raisonnable dans la décision de continuer à assurer, ou lorsque la prime n'a pas été payée.

L'assureur qui veut ainsi résilier le contrat doit en donner avis écrit à l'assuré; la résiliation prend effet trente jours après réception de cet avis ou, si l'automobile mentionnée au contrat, à l'exception d'un autobus scolaire, en est une visée au titre VIII.1 du Code de la sécurité routière (L.R.Q., chapitre C-24.2), quinze jours après la réception de l'avis.

1977, c. 68, a. 91; 1989, c. 47, a. 3.

92. L'assureur ne peut demander l'annulation du contrat que si l'assuré a fait de fausses déclarations ou réticences sur les circonstances connues de lui qui sont de nature à influencer sensiblement un assureur raisonnable dans la décision d'accepter le risque.

1977, c. 68, a. 92.

NON EN VIGUEUR

93. L'assureur doit, sur tout document faisant état du montant de la prime exigée pour le contrat d'assurance, indiquer clairement le montant et le pourcentage de la commission qui sont versés à un cabinet, à une société ou un représentant autonome au sens de la Loi sur la distribution de produits et services financiers (L.R.Q., chapitre D-9.2); cette mention doit aussi apparaître sur tout tel document émanant d'un cabinet, d'une société autonome ou d'un représentant autonome.

L'assureur qui ne fait pas affaires par l'entremise de courtiers doit, sur tout document faisant état du montant de la prime exigée pour le contrat d'assurance, indiquer clairement le montant et le pourcentage de ses frais de mise en marché, tels que déterminés par règlement du gouvernement sur recommandation de l'inspecteur général des institutions financières.

1977, c. 68, a. 93; 1977, c. 5, a. 14; 1982, c. 52, a. 51; 1989, c. 48, a. 222; 1998, c. 37, a. 495.

Where the insured deals through a broker, the notice provided for in the first paragraph is sent by the insurer to the broker, the latter being entrusted to remit it to the insured.

91. The insurer may cancel a contract within 60 days after its coming into force by a mere notice to the insured; in that case, the contract is terminated 15 days after such notice is received.

At the expiry of such period of 60 days, an insurance contract shall not be cancelled by the insurer except in the case of an aggravation of risk which is likely to materially influence a reasonable insurer in the decision to continue to insure, or when the premium has not been paid.

The insurer so wishing to cancel the contract must notify the insured of it in writing; the cancellation has effect thirty days after such notice is received or, if the automobile mentioned in the contract, with the exception of a school bus, is an automobile contemplated in Title VIII.1 of the Highway Safety Code (R.S.Q., chapter C-24.2), 15 days after receipt of the notice.

92. The insurer shall not demand that the contract be void *ab initio* unless the insured has misrepresented or deceitfully concealed any fact known to him likely to materially influence a reasonable insurer in the decision to cover the risk.

NOT IN FORCE

93. The insurer must, on every document stating the amount of the premium required for the insurance contract, clearly indicate the amount and the percentage of the commission paid to a firm, to an independent partnership or to an independent representative within the meaning of the Act respecting the distribution of financial products and services (R.S.Q., chapter D-9.2); this information must also appear on any such document issued by a firm, an independent partnership or independent representative.

The insurer who is not doing business through brokers must, on every document stating the amount of the premium required for the insurance contract, clearly indicate the amount and the percentage of his marketing expenses, as determined by regulation of the Government, upon the recommendation of the Inspector General of Financial Institutions.

94. L'assurance contractée par une personne autre que le propriétaire ne dégage ce dernier de son obligation en vertu de l'article 84 que si l'identité de ce propriétaire a été déclarée à l'assureur et que mention en est faite au contrat d'assurance.

1977, c. 68, a. 94.

95. Nulle opposition, contestation ou intervention n'est recevable à l'encontre de la saisie d'une automobile qui a causé un accident donnant ouverture au paiement d'une indemnité, à moins que le propriétaire ne prouve qu'il a contracté l'assurance de responsabilité.

1977, c. 68, a. 95.

SECTION III
L'ATTESTATION D'ASSURANCE ET L'ATTESTATION DE SOLVABILITÉ

96. La Société peut exiger en tout temps du propriétaire d'une automobile qu'il fournisse une déclaration attestant qu'il satisfait aux obligations imposées par la présente loi concernant l'assurance de responsabilité de même qu'une attestation d'assurance ou de solvabilité.

La déclaration doit énoncer le nom de l'assureur et, sauf dans le cas d'une personne qui détient une attestation provisoire visée dans l'article 98, le numéro de la police et sa date d'expiration.

Les mentions prévues au deuxième alinéa ne sont pas requises dans le cas d'une personne qui a obtenu de la Société une attestation de solvabilité conformément à l'article 102.

1977, c. 68, a. 96; 1980, c. 38, a. 18; 1982, c. 59, a. 69; 1990, c. 19, a. 11; 1990, c. 83, a. 244.

97. L'assureur doit, sans frais, délivrer une attestation d'assurance pour chacune des automobiles assurées par la police, indiquant:

1. le nom et l'adresse de l'assureur;

2. le nom et l'adresse du propriétaire de l'automobile et, le cas échéant, de la personne assurée;

3. le numéro de la police et la période de validité de cette dernière;

4. s'il s'agit d'un garagiste, la mention de ce fait;

5. sauf s'il s'agit d'un garagiste, les caractéristiques de l'automobile, notamment le numéro du châssis;

6. toute autre mention déterminée par règlement du gouvernement.

94. Insurance taken out by a person other than the owner does not discharge the latter from his obligation under section 84 unless the identity of such owner has been declared to the insurer and mention of it is made in the insurance contract.

95. No opposition, contestation or intervention lies against the seizure of an automobile having caused an accident giving rise to the payment of an indemnity, unless the owner proves he has contracted liability insurance.

DIVISION III
CERTIFICATE OF INSURANCE AND CERTIFICATE OF FINANCIAL RESPONSIBILITY

96. The Société may, at any time, require the owner of an automobile to furnish a statement attesting that he meets the requirements imposed under this Act with respect to liability insurance as well as a certificate of insurance or of financial responsibility.

Such a declaration must state the name of the insurer and, except in the case of a person holding a temporary certificate referred to in section 98, the policy number and its date of expiry.

The particulars prescribed in the second paragraph are not required in the case of a person who has obtained from the Société a certificate of financial responsibility in accordance with section 102.

97. An insurer must, without cost, issue a certificate of insurance for each of the automobile insured by the policy, setting forth:

(1) the name and address of the insurer;

(2) the name and address of the owner of the automobile and, if such is the case, of the person insured;

(3) the number and date of expiry of the policy;

(4) the fact that the certificate is issued to a garagist, if such is the case;

(5) except in the case of a garagist, the specifications of the automobile, in particular the serial number;

(6) any other information determined by regulation of the Government.

Pour l'application du présent titre, un garagiste est la personne qui exploite un établissement où les automobiles sont, moyennant rémunération, entretenues ou réparées.

1977, c. 68, a. 97; 1977, c. 5, a. 14; 1989, c. 15, a. 4.

97.1 L'assureur agréé peut également délivrer une attestation d'assurance à une personne qui ne réside pas au Québec, à condition que sa police émise en dehors du Québec réponde aux exigences de la section II.

L'assureur qui n'est pas un assureur agréé peut être autorisé par l'inspecteur général des institutions financières à délivrer une telle attestation à cette personne s'il permet à l'inspecteur général des institutions financières de recevoir signification de toute poursuite intentée contre lui en raison d'un accident survenu au Québec.

Dans l'un et l'autre cas, l'assureur doit de plus s'engager, par un écrit remis à l'inspecteur général des institutions financières, à satisfaire à toute condamnation comme si la police d'assurance et l'attestation avaient été émises au Québec.

L'inspecteur général des institutions financières révoque l'autorisation de tout assureur qui n'exécute pas ses engagements; ses attestations sont dès lors invalides.

1981, c. 7, a. 542; 1990, c. 15, a. 5.

98. L'assureur émet l'attestation d'assurance au plus tard dans les vingt et un jours de la demande d'assurance.

Si l'attestation d'assurance n'est pas émise dès le moment de l'acceptation, l'assureur doit délivrer, sans frais, au moment de l'acceptation, une attestation provisoire pour une durée de vingt et un jours; cette attestation doit indiquer les mentions prévues aux paragraphes 1, 2 et 4 à 6 de l'article 97 ainsi que la période de validité de l'attestation.

1977, c. 68, a. 98.

99. Abrogé.

1991, c. 58, a. 21.

100. La Société peut en tout temps exiger de tout assureur les renseignements qui lui sont nécessaires à l'exercice de ses pouvoirs et qui concernent l'obligation visée dans l'article 84.

1977, c. 68, a. 100; 1980, c. 38, a. 18; 1990, c. 19, a. 11.

101. Le gouvernement, ses agents et les mandataires de l'État sont dispensés de l'obligation de contracter l'assurance prévue par l'article 84.

1977, c. 68, a. 101; 1977, c. 5, a. 14; 1999, c. 40, a. 26.

For the purposes of this title, a garagist or garage operator is a person who operates an establishment where automobiles are maintained or repaired, and receives payment therefor.

97.1 An authorized insurer may also issue a certificate of insurance to a person who is not resident in Québec provided the policy issued by him outside Québec meets the requirements of Division II.

An unauthorized insurer may be authorized by the Inspector General of Financial Institutions to issue such a certificate to such a person if he authorizes the Inspector General of Financial Institutions to receive service of any proceeding instituted against him by reason of an accident that occurred in Québec.

In both cases, the insurer must, furthermore, undertake, in a written document remitted to the Inspector General of Financial Institutions, to satisfy any judgment as if the insurance policy and the certificate had been issued in Québec.

The Inspector General of Financial Institutions shall revoke the authorization of every insurer who fails to carry out his undertakings; from then on, the certificates issued by that insurer are void.

98. The insurer shall issue the certificate of insurance not over twenty-one days after the application for insurance.

If the certificate of insurance is not issued upon acceptance, the insurer must deliver, without cost, at the time of acceptance, a temporary certificate for a period of twenty-one days; such certificate must set forth the particulars provided for in paragraphs 1, 2 and 4 to 6 of section 97 and the date of expiry of the certificate.

99. Repealed.

100. The Société may at all times require from any insurer the information necessary for it to exercise its powers and respecting the obligation contemplated in section 84.

101. The Government, its agents and mandataries of the State are exempt from the obligation of contracting the insurance provided for in section 84.

102. La dispense de l'obligation de contracter l'assurance prévue par l'article 84 peut également être accordée par la Société à toute personne qui produit une preuve de solvabilité en la manière prévue par la présente loi et selon les modalités déterminées par règlement du gouvernement.

Sur production de cette preuve de solvabilité qui doit s'étendre pendant toute la durée de l'immatriculation, la Société peut émettre une attestation de solvabilité.

1977, c. 68, a. 102; 1977, c. 5, a. 14; 1982, c. 59, a. 69; 1990, c. 19, a. 11.

103. À l'égard de toute automobile dont il est propriétaire, le gouvernement, ses agents et les mandataires de l'État ou une personne visée dans l'article 102, ont les droits et les obligations d'un assureur en vertu de la présente loi.

Si une personne s'est emparée par vol d'une automobile leur appartenant, le gouvernement, ses agents et les mandataires de l'État ou une personne visée dans l'article 102, sont tenues, à l'égard de la victime, des obligations mises à la charge de la Société.

1977, c. 68, a. 103; 1977, c. 5, a. 14; 1982, c. 59, a. 69; 1990, c. 19, a. 11; 1999, c. 40, a. 26.

104. La Société peut délivrer à une personne une attestation de solvabilité si, à sa satisfaction, et selon les modalités déterminées par règlement du gouvernement:

1. cette personne fournit un cautionnement d'une personne morale autorisée à se porter caution en justice;

2. cette personne fait un dépôt en argent ou en obligations émises ou garanties par le Québec; ou

3. dans le cas d'une personne morale, celle-ci produit un certificat attestant qu'elle a, en fiducie, un fonds d'assurance distinct suffisant.

1977, c. 68, a. 104; 1977, c. 5, a. 14; 1982, c. 59, a. 69; 1990, c. 19, a. 11; 1999, c. 40, a. 26.

105. L'attestation de solvabilité visée dans l'article 102 doit indiquer:

1. la date de l'attestation et la période pour laquelle elle est émise;

2. le nom et l'adresse de la personne à qui l'attestation est octroyée;

3. la description de l'automobile dont cette personne est propriétaire, sauf s'il s'agit d'un garagiste ou d'une personne morale visée dans le paragraphe 3 de l'article 104;

4. si l'attestation est octroyée à un garagiste, la mention de ce fait;

5. le montant obligatoire minimum requis par l'article 87;

102. The exemption from the obligation of contracting the insurance provided for in section 84 may also be granted by the Société to any person who produces proof of financial responsibility in the manner provided for in this act and in accordance with the terms and conditions determined by regulation of the Government.

Upon production of such proof of financial responsibility, which must cover the entire registration period, the Société may issue a certificate of financial responsibility.

1977, c. 68, a. 102; 1977, c. 5, a. 14; 1982, c. 59, a. 69; 1990, c. 19, a. 11.

103. With respect to any automobile owned by it or him, the Government, its agents and mandataries of the State, and a person contemplated in section 102, have the rights and obligations of an insurer under this act.

If a person has, by theft, obtained possession of an automobile owned by the Government, its agents and mandataries of the State, or a person contemplated in section 102, they are liable towards the victim for the obligations imposed upon the Société.

1977, c. 68, a. 103; 1977, c. 5, a. 14; 1982, c. 59, a. 69; 1990, c. 19, a. 11; 1999, c. 40, a. 26.

104. The Société may deliver to any person a certificate of financial responsibility if, to its satisfaction, and in accordance with the terms and conditions determined by regulation of the Government:

(1) such person gives a bond of a legal person authorized to become a judicial surety;

(2) such person makes a deposit in cash or in bonds issued or guaranteed by Québec; or

(3) in the case of a legal person, the latter produces a certificate attesting that it maintains, in trust, an adequate separate insurance fund.

1977, c. 68, a. 104; 1977, c. 5, a. 14; 1982, c. 59, a. 69; 1990, c. 19, a. 11; 1999, c. 40, a. 26.

105. The certificate of financial responsibility contemplated in section 102 must set forth:

(1) the date of the certificate and the period for which it is issued;

(2) the name and address of the person to whom the certificate is issued;

(3) a description of the automobile owned by such person, except in the case of a garagist or a legal person contemplated in paragraph 3 of section 104;

(4) the fact that the certificate is issued to a garagist, if such is the case;

(5) the minimum compulsory amount required by section 87;

6. toute autre mention déterminée par règlement du gouvernement.

Lorsqu'il s'agit d'une personne morale visée dans le paragraphe 3 de l'article 104, la Société met à la disposition de la personne morale des formules pour chacune des automobiles dont elle est propriétaire attestant en la manière déterminée par règlement du gouvernement que la personne morale détient l'attestation de solvabilité visée dans l'article 102.

1977, c. 68, a. 105; 1977, c. 5, a. 14; 1982, c. 59, a. 69; 1990, c. 19, a. 11; 1999, c. 40, a. 26.

106. Les garagistes doivent détenir un contrat d'assurance de responsabilité, tant pour eux-mêmes que pour les personnes qui sont sous leur autorité; ce contrat doit les garantir contre les conséquences pécuniaires de la responsabilité pouvant leur incomber suite à un préjudice matériel causé par les automobiles qui leur sont confiées en raison de leurs fonctions ou de leur activité habituelle.

1977, c. 68, a. 106; 1999, c. 40, a. 26.

107. En cas de perte ou de vol des documents prévus par le présent titre, l'assureur ou l'autorité compétente en délivre un duplicata sur demande de la personne au profit de laquelle le document original avait été établi.

Le duplicata indique, outre les mentions du document original, la date à laquelle il est établi et le mot «duplicata»; le duplicata a valeur de document original.

1977, c. 68, a. 107.

CHAPITRE II
RESPONSABILITÉ CIVILE

108. Le propriétaire de l'automobile est responsable du préjudice matériel causé par cette automobile.

Il ne peut repousser ou atténuer cette responsabilité qu'en faisant la preuve:

1. que le préjudice a été causé par la faute de la victime, d'un tiers, ou par cas fortuit autre que celui résultant de l'état ou du fonctionnement de l'automobile, du fait ou de l'état de santé du conducteur ou d'un passager;

2. que, lors de l'accident, il avait été dépossédé de son automobile par vol et qu'il n'avait pu encore la recouvrer, sauf toutefois les cas visés dans l'article 103;

3. que, lors de l'accident survenu en dehors d'un chemin public, l'automobile était en la possession d'un garagiste ou d'un tiers pour remisage, réparation ou transport.

(6) any other information determined by regulation of the Government.

In the case of a legal person contemplated in paragraph 3 of section 104, the Société shall supply the legal person with forms for each of the automobiles owned by it attesting in the manner determined by regulation of the Government that the legal person has the certificate of financial responsibility contemplated in section 102.

106. Garagists must have a liability insurance contract, for themselves and the persons under their authority; such contract must protect them against the pecuniary consequences of any liability they may incur by reason of property damage caused by the automobiles entrusted to them by reason of their duties and ordinary activities.

107. In the case of loss or theft of the documents provided for in this title, the insurer or competent authority shall deliver a duplicate of them upon application of the person for whose benefit the original document had been established.

The duplicate contains, in addition to the particulars of the original document, the date on which it is established and the word "duplicate"; the duplicate has the value of an original document.

CHAPTER II
CIVIL LIABILITY

108. The owner of an automobile is liable for the property damage caused by such automobile.

He cannot rebut or reduce such liability unless he proves:

(1) that the damage has been caused by the fault of the victim or of a third person, or by a fortuitous event other than one resulting from the condition or the running order of the automobile, or from the fault or the state of health of the driver or a passenger;

(2) that, at the time of the accident, he had lost possession of his automobile by theft and that he had not yet been able to recover it, except, however, in the cases contemplated in section 103;

(3) that at the time of an accident that occurred elsewhere than on a public highway, the automobile was in the possession of a garagist or a third person for storage, repair or transportation.

La personne en possession de l'automobile est responsable comme si elle en était le propriétaire dans les cas visés dans les paragraphes 2 et 3 du deuxième alinéa.

La responsabilité du propriétaire s'applique même au-delà du montant d'assurance obligatoire minimum; l'assureur est directement responsable envers la victime du paiement de l'indemnité qui pourrait lui être due, jusqu'à concurrence du montant de l'assurance souscrite.

1977, c. 68, a. 108; 1999, c. 40, a. 26.

109. Le conducteur d'une automobile est pareillement et solidairement responsable avec le propriétaire, à moins qu'il ne prouve que l'accident a été causé par la faute de la victime, d'un tiers ou par cas fortuit autre que celui résultant de son état de santé ou du fait d'un passager.

1977, c. 68, a. 109.

110. Lorsqu'une automobile est immatriculée au nom d'une personne autre que le propriétaire, cette personne est solidairement responsable avec le propriétaire, à moins qu'elle ne prouve que l'immatriculation a été faite par fraude et qu'elle en ignorait l'existence.

1977, c. 68, a. 110.

111. L'assureur du conducteur d'une automobile n'est tenu de contribuer au paiement en réparation d'un préjudice que subit une victime et dont le propriétaire est responsable que dans la mesure où le montant de cette réparation excède l'obligation de l'assureur du propriétaire de cette automobile envers ce dernier.

1977, c. 68, a. 111; 1999, c. 40, a. 26.

112. Tout contrat d'assurance ne désignant pas expressément les automobiles assurées et garantissant contre les conséquences pécuniaires de la responsabilité civile des garagistes, doit couvrir en priorité sur tout autre contrat d'assurance, le préjudice matériel causé par les automobiles n'appartenant pas au garagiste mais qui font au moment de l'accident l'objet d'une activité professionnelle de garagiste; la garantie des autres contrats d'assurance ne s'applique qu'en cas d'insuffisance de la garantie du contrat d'assurance du garagiste.

1977, c. 68, a. 112; 1999, c. 40, a. 26.

113. La responsabilité établie par les articles 108 à 112 s'applique même si l'accident implique plusieurs automobiles.

In the cases contemplated in subparagraphs 2 and 3 of the second paragraph, the person in possession of the automobile is liable as if he were the owner.

The liability of the owner extends even beyond the minimum compulsory amount of insurance; the insurer is directly liable towards the victim for the payment of any indemnity that may be payable to him, up to the amount of the insurance subscribed.

109. The driver of an automobile is jointly and severally liable in like manner with the owner, unless he proves that the accident has been caused by the fault of the victim or of a third person, or by a fortuitous event other than one resulting from his state of health or the fault of a passenger.

110. When an automobile is registered in the name of a person other than the owner, such person is jointly and severally liable with the owner, unless he proves that the registration was effected by fraud and without his knowledge.

111. The insurer of the driver of an automobile is not obliged to contribute towards payment for any loss to a victim for which the owner is liable except to the extent that such loss exceeds the obligation of the insurer of such automobile towards the owner.

112. Every insurance contract in which the automobiles insured are not designated expressly, affording protection against the pecuniary consequences of the civil liability of garagists, must cover by priority over any other insurance contract, any property damage caused by automobiles not belonging to the garagist which are at the time of the accident the object of a garagist's professional activity; the protection of the other insurance contracts applies only in the case of insufficiency of the protection of the garagist's insurance contract.

113. Liability as established in sections 108 to 112 applies even if an accident involves several automobiles.

Entre les propriétaires qui ne peuvent s'exonérer, la responsabilité est solidaire et, en l'absence de preuve de fautes inégales, cette responsabilité est présumée égale entre chaque propriétaire.

1977, c. 68, a. 113.

114. Nonobstant les dispositions du présent chapitre, lorsqu'un accident implique une automobile effectuant un transport public ou un transport à titre onéreux dans le cours normal des affaires, son propriétaire ou son assureur répond seul du préjudice matériel subi par les passagers; il conserve son droit d'être subrogé contre l'auteur de l'accident.

La contribution à tout autre préjudice s'établit selon les dispositions du présent titre.

1977, c. 68, a. 114; 1999, c. 40, a. 26.

CHAPITRE III
L'INDEMNISATION DU PRÉJUDICE MATÉRIEL

115. La victime d'un préjudice matériel causé par une automobile est indemnisée suivant les règles du droit commun dans la mesure où les articles 108 à 114 n'y dérogent pas.

1977, c. 68, a. 115; 1999, c. 40, a. 26.

116. Le recours du propriétaire d'une automobile en raison du préjudice matériel subi lors d'un accident d'automobiles ne peut, dans la mesure où la convention d'indemnisation directe visée dans l'article 173 s'applique, être exercé qu'à l'encontre de l'assureur avec lequel il a contracté une assurance de responsabilité automobile.

Toutefois, le propriétaire peut, s'il n'est pas satisfait du règlement effectué suivant la convention, exercer ce recours contre l'assureur suivant les règles du droit commun dans la mesure où les articles 108 à 114 n'y dérogent pas.

1977, c. 68, a. 116; 1989, c. 47, a. 4; 1999, c. 40, a. 26.

117. La renonciation, par une victime ou par un assuré, à un droit découlant des dispositions du présent titre ne lui est opposable que si elle est faite par écrit et porte sa signature.

1977, c. 68, a. 117.

118. Si le montant d'assurance est insuffisant pour acquitter toutes les indemnités payables à la suite d'un même accident, l'assureur paie ces indemnités au marc le dollar.

1977, c. 68, a. 118.

Between owners who cannot exonerate themselves, the liability is joint and several and, failing evidence of unequal faults, such liability is presumed to be equally shared by each owner.

114. Notwithstanding this chapter, when an accident involves an automobile effecting public transportation or transportation for a consideration in the normal course of business, its owner or its insurer alone is liable for the property damage sustained by the passengers, without prejudice to his right to be subrogated against the author of the accident.

Liability for other damage is established in accordance with this title.

CHAPTER III
COMPENSATION FOR PROPERTY DAMAGE

115. The victim of property damage caused by an automobile is compensated in accordance with the ordinary rules of law to the extent that sections 108 to 114 do not derogate therefrom.

116. The recourse of the owner of an automobile by reason of property damage sustained in an automobile accident shall not be exercised except against the insurer with whom he subscribed his automobile liability insurance, to the extent that the direct compensation agreement contemplated in section 173 applies.

However, the owner may, if he is not satisfied with the settlement made in accordance with the agreement, exercise such recourse against the insurer in accordance with the ordinary rules of law to the extent that sections 108 to 114 do not derogate therefrom.

117. The waiver, by a victim or an insured, of a right arising under this title, cannot be set up against him unless it is in writing and bears his signature.

118. If the amount of insurance is insufficient to pay all the indemnities payable following the same accident, the insurer pays such indemnities *pro rata*.

119. L'assureur d'une personne soumise à l'obligation de l'article 84 ne peut, jusqu'à concurrence du montant obligatoire d'assurance de responsabilité, opposer au tiers aucune nullité, déchéance ou exception susceptibles d'être invoquées contre l'assuré; jusqu'à concurrence de ce montant, l'assureur reste tenu de payer les indemnités et, dans la mesure permise par l'article 120, est subrogé aux droits du tiers contre l'assuré.

1977, c. 68, a. 119.

120. L'assureur n'a pas droit de subrogation contre l'assuré ou contre une personne dont la responsabilité est garantie par le contrat d'assurance, sauf lorsque l'assureur paie une indemnité à laquelle il n'est pas obligé en vertu du contrat d'assurance.

1977, c. 68, a. 120.

121. Lorsqu'une automobile est impliquée dans un accident alors qu'elle est conduite par une personne qui s'en est emparée par vol ou qui savait qu'elle avait été volée, l'assureur est dégagé de toute obligation à l'égard de cette personne et de tout receleur.

L'assureur du propriétaire de l'automobile peut également leur réclamer solidairement le montant des indemnités payées en conséquence de l'accident.

1977, c. 68, a. 121.

119. The insurer of a person subject to the obligation imposed in section 84 shall not, up to the compulsory amount of liability insurance, set up against a third person any nullity, lapse or exception susceptible of being invoked against the insured; up to such amount, the insurer remains bound to pay the indemnities and, to the extent permitted by section 120, is subrogated in the third person's rights against the insured.

1977, c. 68, s. 119.

120. The insurer has no right of subrogation against the insured or against a person whose liability is covered by the insurance contract, except when the insurer pays an indemnity to which he was not bound under the insurance contract.

1977, c. 68, s. 120.

121. When an automobile is involved in an accident while being driven by a person who obtained it by theft or who knew it to have been obtained by theft, the insurer is discharged from any obligation towards such person and any receiver.

The insurer of the owner of the automobile may also claim from them jointly and severally the amount of indemnities paid as a consequence of the accident.

1977, c. 68, s. 121.

TITRE IV
INDEMNISATION PAR LA SOCIÉTÉ

TITLE IV
INDEMNISATION BY THE SOCIÉTÉ

CHAPITRE I
ABROGÉ

122-141. Abrogés.

1982, c. 59, a. 33.

CHAPTER I
REPEALED

122-141. Repealed.

CHAPITRE II
OPÉRATION DE LA SOCIÉTÉ

141.1 Est une victime, pour l'application du présent titre, toute personne qui subit un préjudice matériel dans un accident.

1989, c. 15, a. 6; 1999, c. 40, a. 26.

CHAPTER II
OPERATION OF THE SOCIÉTÉ

141.1 For the purposes of this title, every person who sustains property damage in an accident is deemed to be a victim.

142. La victime d'un préjudice matériel visé à l'article 84.1, ainsi que la victime d'un préjudice corporel visée dans les paragraphes 2° et 3° de l'article 10 qui ont obtenu au Québec un jugement définitif en leur faveur suite à un accident d'automobile survenu au Québec, peuvent, dans un délai d'un an, demander à la Société de satisfaire à ce jugement selon les règles et conditions contenues au présent chapitre.

1977, c. 68, a. 142; 1982, c. 59, a. 69; 1989, c. 15, a. 7; 1990, c. 19, a. 11; 1999, c. 40, a. 26.

142. The victim of property damage described in section 84.1 and the victim of bodily injury contemplated in subparagraphs 2 and 3 of the first paragraph of section 10 who have obtained in Québec a final judgment in their favour by reason of an automobile accident that occurred in Québec may, within a delay of one year, apply to the Société to have such judgment satisfied in accordance with the rules and conditions contained in this chapter.

143. Les montants maximums que peut payer la Société par accident, outre les intérêts et les frais judiciaires, sont de 50 000 $ pour le préjudice corporel et de 10 000 $ pour le préjudice matériel.

1977, c. 68, a. 143; 1982, c. 59, a. 69; 1989, c. 15, a. 8; 1990, c. 19, a. 11; 1999, c. 22, a. 27.

143. The maximum amounts that may be paid by the Société, exclusive of interest and judicial costs, are $50,000 per accident for bodily injury and $10,000 per accident for property damage.

144. Les victimes visées dans l'article 142 font leur demande à la Société par une déclaration sous serment:

a) attestant qu'il n'a été aucunement satisfait au jugement, ou indiquant, le cas échéant, la somme payée, la valeur de la dation en paiement effectuée ou des services rendus en compensation partielle;

b) démontrant qu'aucun assureur ne bénéficiera du montant réclamé; et

c) révélant toute autre réclamation possible découlant du même accident.

1977, c. 68, a. 144; 1982, c. 59, a. 69; 1990, c. 19, a. 11.

144. The victims contemplated in section 142 apply to the Société by a sworn declaration,

(a) establishing that the judgment has in no way been satisfied, or indicating, if such is the case, the amount paid, the value of the thing given in payment or of the services rendered in partial compensation;

(b) establishing that no insurer will benefit by the amount claimed; and

(c) disclosing any other possible claim arising out of the same accident.

145. Dans les sept jours de la réception de la demande accompagnée d'une copie authentique du jugement, la Société doit y satisfaire, jusqu'à concurrence du montant indiqué dans l'article 143, déduction faite de ce montant de toute somme ou valeur reçue par le réclamant et déduction faite de tout montant dû pour dommages à des biens de la franchise fixée par règlement de la Société.

Si, toutefois, il y a possibilité de réclamations dépassant le montant visé dans le premier alinéa, la Société peut surseoir au paiement dans la mesure jugée nécessaire jusqu'à la liquidation des autres réclamations.

1977, c. 68, a. 145; 1982, c. 59, a. 69; 1990, c. 19, a. 11; 1999, c. 22, a. 28.

145. Within seven days of receipt of the application accompanied by an authentic copy of the judgment, the Société must satisfy this judgment, up to the amount indicated in section 143, but deducting from such amount any sum or value received by the claimant and deducting from any amount due for property damage the deductible fixed by a regulation of the Société.

If, however, there is a possibility of claims exceeding the amount contemplated in the first paragraph, the Société may defer payment to the extent deemed necessary until the other claims are liquidated.

146. Le paiement par la Société lui cède tous les droits du réclamant sans restriction.

Cette cession est dénoncée au protonotaire ou greffier de la Cour qui a rendu le jugement par la production d'un certificat de la Société attestant qu'elle est subrogée aux droits du réclamant et la Société a dès lors droit à l'exécution en son nom.

1977, c. 68, a. 146; 1982, c. 59, a. 69; 1990, c. 19, a. 11; 1999, c. 40, a. 26.

146. Payment by the Société transfers to it all the claimant's rights, without restriction.

Such conveyance shall be notified to the prothonotary or clerk of the court which rendered the judgment by the filing of a certificate from the Société establishing that it is subrogated in the rights of the creditor and the Société shall then be entitled to execute in its own name.

147. Un jugement rendu par défaut, *ex parte*, sur acquiescement à la demande, sur consentement, ou en l'absence du défendeur ou de son procureur, ne peut faire l'objet d'une demande à la Société à moins qu'un avis de trente jours de l'intention du demandeur de procéder ainsi n'ait été donné à la Société. Celle-ci peut alors intervenir dans l'instance et invoquer tout moyen de défense que le défendeur aurait pu faire valoir sans égard à tout consentement ou acquiescement à la demande.

1977, c. 68, a. 147; 1982, c. 17, a. 37; 1982, c. 59, a. 69; 1990, c. 19, a. 11.

148. Les victimes ayant une réclamation susceptible de faire l'objet d'une demande à la Société et qui ne peuvent découvrir l'identité du conducteur ou du propriétaire de l'automobile cause de l'accident doivent en donner à la Société un avis circonstancié dans les 60 jours de l'accident; le défaut de donner cet avis ne prive pas ces victimes de leur droit d'action, si elles prouvent qu'elles furent empêchées de donner cet avis pour des raisons jugées suffisantes. Aucune réclamation n'est recevable:

1° lorsque les réparations ont été effectuées avant que l'expert désigné par la Société n'ait procédé à l'évaluation du préjudice;

2° lorsque l'accident n'a pas été rapporté à un service de police dans les 48 heures de sa survenance, à moins que la personne qui fait la réclamation n'ait pu, pour des motifs sérieux et légitimes, agir plus tôt.

Dans les 60 jours qui suivent la réception de l'avis prévu au premier alinéa, la Société doit satisfaire à la réclamation couvrant la partie des dommages dont la victime n'est pas responsable jusqu'à concurrence des montants indiqués dans l'article 143, déduction faite de tout montant dû pour dommages à des biens, de la franchise fixée par règlement de la Société.

Si la Société ne satisfait pas à la réclamation dans le délai prévu au deuxième alinéa, ces victimes peuvent intenter contre elle une poursuite et la Société est tenue de satisfaire au jugement jusqu'à concurrence des montants indiqués dans l'article 143, déduction faite de tout montant dû pour dommages à des biens de la franchise fixée par règlement de la Société.

1977, c. 68, a. 148; 1982, c. 59, a. 69; 1989, c. 15, a. 9; 1990, c. 19, a. 11; 1999, c. 22, a. 29.

149. Les personnes suivantes ne peuvent faire une demande à la Société:

1. l'assureur, le gouvernement, ses agents et les mandataires de l'État, une personne morale, une société ainsi que toute personne dispensée par la Société en vertu de l'article 102 de contracter l'assurance de responsabilité;

147. No application can be made to the Société in respect of a judgment rendered by default, *ex parte*, on acquiescence in the demand, by consent, or in the absence of the defendant or his attorney, unless thirty days' notice of the plaintiff's intention so to proceed has been given to the Société. The Société may then intervene in the case and set up any ground of defence that the defendant might have set up without regard to any consent or acquiescence in the demand.

148. The victim having a claim that could be the basis of an application to the Société who cannot ascertain the identity of the driver or owner of the automobile that caused the accident may give the Société a detailed notice thereof within 60 days of the accident; failure to give such notice does not deprive such victim of his right of action, if he proves that he was prevented from giving it for reasons deemed sufficient. No claim is admissible if

(1) the repairs were made before the damage was appraised by the expert designated by the Société; or

(2) the accident was not reported to a police department within 48 hours, unless the claimant was unable, for serious and valid reasons, to act sooner.

Within 60 days of receiving the notice referred to in the first paragraph, the Société must satisfy the claim covering the part of the damage for which the victim is not responsible up to the amounts indicated in section 143, deducting from any amount due for damage to property the deductible fixed by a regulation of the Société.

If the Société fails to satisfy the claim within the time prescribed in the second paragraph, the victims may take action against the Société and the Société must satisfy the judgment up to the amounts indicated in section 143, deducting from any amount due for damage to property the deductible fixed by a regulation of the Société.

149. The following persons shall not make a claim to the Société:

(1) the insurer, the Government, its agents and mandataries of the State, legal persons, partnerships and any person exempted by the Société under section 102 from taking out liability insurance;

2. la personne qui subit un préjudice dans un accident qui survient en raison d'une compétition, d'un spectacle ou d'une course d'automobiles sur un parcours ou un terrain fermé, de façon temporaire ou permanente, à toute autre circulation automobile, à l'égard du préjudice causé par une automobile qui participe à la course, à la compétition ou au spectacle;

3. pour les objets qui, lors de l'accident, étaient transportés dans l'automobile du débiteur, le propriétaire de ceux-ci;

4. les personnes domiciliées dans un état, province ou territoire où les personnes résidant au Québec ne bénéficient pas de droits équivalents à ceux accordés par le présent titre;

5. la personne qui est assurée pour le préjudice subi;

6. le propriétaire pour les dommages causés à son automobile et, le cas échéant, à ses autres biens si, au moment de l'accident, il était dans l'une ou l'autre des situations suivantes:

— il conduisait son automobile alors qu'il était sous le coup d'une sanction au sens de l'article 106.1 du Code de la sécurité routière (L.R.Q., chapitre C-24.2) ou n'était pas titulaire du permis prévu à l'article 65 de ce Code;

— il ne détenait pas, en contravention aux dispositions de l'article 84, un contrat d'assurance de responsabilité garantissant l'indemnisation du préjudice matériel causé par une automobile;

— son automobile n'était pas immatriculée ou les droits prévus à l'article 31.1 du Code de la sécurité routière n'étaient pas payés.

1977, c. 68, a. 149; 1977, c. 5, a. 14; 1982, c. 59, a. 69; 1989, c. 15, a. 10; 1990, c. 19, a. 11; 1999, c. 40, a. 26; 1999, c. 22, a. 30.

CHAPITRE III
ACCIDENTS SURVENUS AVANT LE 1ER MARS 1978

149.1 La Société est tenue de satisfaire les réclamations non satisfaites des victimes d'accidents survenus entre le 30 septembre 1961 et le 1er mars 1978 de la manière et dans la mesure prévues au présent chapitre.

1981, c. 7, a. 543; 1982, c. 59, a. 69; 1990, c. 19, a. 11.

149.2 Le propriétaire d'une automobile est responsable de tout préjudice causé par cette automobile ou par son usage, à moins qu'il ne prouve:

1° que le préjudice n'est imputable à aucune faute de sa part ou de la part d'une personne dans l'automobile ou du conducteur de celle-ci,

(2) the person who sustains damage in an accident occurring by reason of an automobile contest, show or race on a track or land that is permanently or temporarily closed to all other automobile traffic, with regard to damage caused by an automobile participating in the race, contest or show;

(3) for the objects which, at the time of the accident, were transported in the automobile of the debtor, the owner of them;

(4) persons domiciled in a state, province or territory where persons residing in Québec do not enjoy rights equivalent to those granted by this title;

(5) a person who is insured against the damage sustained;

(6) the owner of an automobile for damage to the automobile or, where applicable, to other property if, at the time of the accident,

— the owner was driving the automobile while under a sanction within the meaning of section 106.1 of the Highway Safety Code (R.S.Q., chapter C-24.2) or without the licence required by section 65 of that Code;

— the owner, in contravention of section 84, did not have a liability insurance contract guaranteeing compensation for property damage caused by an automobile;

— the automobile was not registered or the duties provided for in section 31.1 of the Highway Safety Code were unpaid.

CHAPTER III
ACCIDENTS HAVING OCCURRED BEFORE 1 MARCH 1978

149.1 The Société is bound to satisfy the unsatisfied claims of victims of accidents having occurred between 30 September 1961 and 1 March 1978 in the manner and to the extent provided under this chapter.

149.2 The owner of an automobile is responsible for all damage caused by such automobile or by the use thereof, unless he proves

(1) that the damage is not imputable to any fault on his part or on the part of a person in the automobile or of the driver thereof, or

2° que, lors de l'accident, l'automobile était conduite par un tiers en ayant obtenu la possession par vol, ou

3° que, lors d'un accident survenu en dehors d'un chemin public, l'automobile était en la possession d'un tiers pour remisage, réparation ou transport.

Le conducteur d'une automobile est pareillement responsable à moins qu'il ne prouve que le préjudice n'est imputable à aucune faute de sa part.

Le préjudice causé lorsque l'automobile n'est pas en mouvement dans un chemin public, par un appareil susceptible de fonctionnement indépendant qui y est incorporé ou par l'usage d'un tel appareil, n'est pas visé dans le présent article.

1981, c. 7, a. 543; 1999, c. 40, a. 26.

149.3 Tout créancier en vertu d'un jugement définitif prononcé au Québec pour dommages-intérêts d'au moins 100 $ en réparation du préjudice résultant de blessures ou d'un décès et découlant d'un accident survenu au Québec après le 30 septembre 1961 ou pour dommages aux biens d'autrui en excédent de 200 $ et découlant d'un tel accident, peut, dans un délai d'un an, demander à la Société de satisfaire à jugement.

1981, c. 7, a. 543; 1982, c. 59, a. 69; 1990, c. 19, a. 11; 1999, c. 40, a. 26.

149.4 Le créancier fait sa demande à la Société par une déclaration sous serment;

1° attestant qu'il n'a été aucunement satisfait au jugement, ou indiquant, le cas échéant, la somme payée ou la valeur de la dation en paiement effectuée ou des services rendus en compensation partielle;

2° démontrant qu'aucun assureur ne bénéficiera du montant réclamé; et

3° révélant toute autre réclamation possible découlant du même accident.

1981, c. 7, a. 543; 1982, c. 59, a. 69; 1990, c. 19, a. 11.

149.5 Dans les sept jours de la réception de la demande accompagnée d'une copie authentique du jugement, la Société doit y satisfaire jusqu'à concurrence de 35 000 $, en outre des intérêts et des frais, déduction faite, de ce montant, de toute somme ou valeur reçue par le créancier, et déduction également faite, de tout montant dû pour dommages à des biens, de la somme de 200 $.

Si, toutefois, il y a possibilité de réclamations dépassant le montant total prescrit, la Société peut surseoir au paiement dans la mesure jugée nécessaire jusqu'à la liquidation des autres réclamations.

1981, c. 7, a. 543; 1982, c. 59, a. 69; 1990, c. 19, a. 11.

(2) that at the time of the accident the automobile was being driven by a third person who obtained possession thereof by theft, or

(3) that at the time of an accident that occurred elsewhere than on a public highway the automobile was in possession of a third party for storage, repair or transportation.

The driver of an automobile is responsible in like manner unless he proves that the damage is not imputable to any fault on his part.

Damage caused, when the automobile is not in motion on a public highway, by apparatus incorporated therein that can be operated independently or by the use of such apparatus is not contemplated by this section.

149.3 Any creditor under a final judgment rendered in Québec awarding damages of $100 or more resulting from bodily injuries or death and arising out of an automobile accident that occurred in Québec after 30 September 1961, or for damage to the property of another in excess of $200 and arising out of such an accident, may apply to the Société within a delay of one year to satisfy such judgment.

149.4 The creditor shall apply to the Société by a sworn declaration

(1) establishing that the judgment has in no way been satisfied or indicating, if need be, the amount paid, the value of the thing given in payment or of the services rendered in partial indemnification;

(2) establishing that no insurer will benefit by the amount claimed; and

(3) disclosing any other possible claim arising out of the same accident.

149.5 Within seven days of receipt of the application accompanied with an authentic copy of the judgment, the Société shall satisfy the judgment, up to $35 000 in addition to interest and costs, but deducting from such amount any sum or value received by the creditor and deducting from any amount due for damage to property the sum of $200.

If, however, there is a possibility of claims exceeding the whole of the prescribed amount, the Société may defer payment to the extent deemed necessary until the other claims are liquidated.

149.6 La demande à la Société lui cède tous les droits du créancier sans restriction.

Cette cession est dénoncée au protonotaire ou greffier de la cour qui a rendu le jugement par la production d'un certificat de la Société attestant qu'elle est subrogée aux droits du créancier; la Société a dès lors droit à l'exécution en son nom.

1981, c. 7, a. 543; 1982, c. 59, a. 69; 1990, c. 19, a. 11; 1999, c. 40, a. 26.

149.7 Les personnes suivantes ne peuvent faire une demande à la Société:

1° un assureur cessionnaire d'un recours visé dans les articles 149.2, 149.3 ou à l'article 200 du Code de la sécurité routière (L.R.Q., chapitre C-24.2), ou subrogé à tel recours;

2° une personne ayant droit aux prestations prévues par la Loi sur les accidents du travail et les maladies professionnelles (L.R.Q., chapitre A-3.001);

3° l'enfant du débiteur ou le conjoint de ce dernier, tel que défini au premier sous-alinéa de l'article 2;

4° pour les objets qui, lors de l'accident, étaient transportés dans l'automobile du débiteur, le propriétaire de ceux-ci;

5° quiconque, y compris l'État, est subrogé aux droits des personnes ci-dessus mentionnées ou en est cessionnaire;

6° toute personne domiciliée dans un état, province ou territoire où ceux qui résident au Québec ne bénéficient pas de droits équivalents à ceux qui sont accordés par le présent chapitre.

1981, c. 7, a. 543; 1982, c. 59, a. 69; 1985, c. 6, a. 477; 1986, c. 91, a. 655; 1989, c. 15, a. 11; 1990, c. 19, a. 11; 1999, c. 40, a. 26.

149.8 Un jugement rendu par défaut, *ex parte*, sur confession de jugement, sur consentement, ou en l'absence du défendeur ou de son procureur, ne peut faire l'objet d'une demande à la Société, à moins qu'un avis de trente jours de l'intention du mandeur de procéder ainsi n'ait été donné à la Société. Celle-ci peut alors intervenir dans l'instance et invoquer tout moyen de défense que le défendeur aurait pu faire valoir sans égard à tout consentement ou confession de jugement.

1981, c. 7, a. 543; 1982, c. 59, a. 69; 1990, c. 19, a. 11.

149.9 Toute personne ayant une réclamation susceptible de faire l'objet d'une demande à la Société et qui ne peut découvrir l'identité du conducteur ou du propriétaire de l'automobile cause de l'accident peut en donner à la Société un avis circonstancié.

149.6 The application to the Société transfers to it all the creditor's rights without restriction.

Such conveyance shall be notified to the prothonotary or clerk of the court which rendered the judgment by the filing of a certificate from the Société establishing that it is subrogated in the rights of the creditor and the Société shall then be entitled to execute in its own name.

149.7 The following persons cannot make an application to the Société:

(1) an insurer to whom a recourse contemplated by section 149.2, 149.3 or by section 200 of the Highway Safety Code (R.S.Q., chapter C-24.2) has been assigned or who is subrogated in such a recourse;

(2) a person entitled to compensation under the Act respecting industrial accidents and occupational diseases (R.S.Q., chapter A-3.001);

(3) the child or the spouse of the debtor, as defined under the definition of the word "spouse" in section 2;

(4) for articles which were being transported in the debtor's automobile at the time of the accident, the owner of such articles;

(5) any person, including the State, subrogated in the rights of the persons mentioned above or to whom the same have been assigned;

(6) any person domiciled in a state, province or territory where residents of Québec do not enjoy rights equivalent to those granted by this chapter.

149.8 No application can be made to the Société in respect of a judgment rendered by default to appear or to plead, on confession of judgment, by consent, or in the absence of the defendant or his attorney, unless thirty days' notice of the plaintiff's intention so to proceed has been given to the Société. The Société may then intervene in the case and set up any ground of defence that the defendant might have set up without regard to any consent or confession of judgment.

149.9 Any person having a claim that could be the basis of an application to the Société who cannot ascertain the identity of the driver or owner of the automobile that caused the accident may give the Société a detailed notice thereof.

À défaut de règlement dans les soixante jours, cette personne peut intenter une poursuite contre la Société, et la Société est tenue de satisfaire au jugement dans la même mesure que si un jugement avait été rendu contre l'auteur de l'accident.

1981, c. 7, a. 543; 1982, c. 59, a. 69; 1990, c. 19, a. 11.

149.10 Aux fins du présent chapitre, la Société a les pouvoirs:

1° d'acquitter, dans la mesure prévue, les condamnations pour dommages-intérêts en réparation d'un préjudice découlant d'accidents auxquelles il n'a pas été satisfait ou les réclamations susceptibles de donner lieu à ces condamnations;

2° d'obtenir subrogation dans les droits d'une personne indemnisée;

3° d'intervenir dans toute action résultant d'un accident;

4° d'indemniser les victimes d'accident lorsque l'auteur de cet accident est inconnu;

5° de transiger ou faire des compromis avec les réclamants.

Les deniers nécessaires à l'indemnisation des victimes visées dans le présent chapitre sont pris à même ceux de la Société.

1981, c. 7, a. 543; 1982, c. 59, a. 69; 1990, c. 19, a. 11; 1999, c. 40, a. 26.

TITRE V
DISPOSITIONS FINANCIÈRES

CHAPITRE I
FINANCEMENT DE LA SOCIÉTÉ

150. Les fonds de la Société requis pour l'application de la présente loi et de la Loi sur la Société de l'assurance automobile du Québec (L.R.Q., chapitre S-11.011) ainsi que ceux qui sont nécessaires à la promotion de la sécurité routière proviennent du montant perçu par la Société conformément aux articles 21, 31.1, 69, 93.1 et 624 du Code de la sécurité routière (L.R.Q., chapitre C-24.2).

Les fonds de la Société sont également alimentés:

1° par les montants qu'elle reçoit dans le cadre d'une entente conclue avec tout gouvernement, l'un de ses ministères ou tout organisme public;

Failing settlement within 60 days, such person may take action against the Société and the Société must satisfy the judgment to the same extent as if it had been rendered against the author of the accident.

149.10 For the purposes of this chapter, the Société has the following powers:

(1) to pay, to the extent prescribed, the unsatisfied judgments awarding damages arising out of accidents or the claims susceptible of giving rise to such judgments;

(2) to obtain subrogation in the rights of any person indemnified;

(3) to intervene in any action resulting from an accident;

(4) to indemnify the victims of accidents when the author thereof is unknown;

(5) to transact or compromise with claimants.

The moneys necessary to indemnify the victims contemplated in this chapter are taken out of the moneys of the Société.

TITLE V
FINANCIAL PROVISIONS

CHAPTER I
FINANCING OF THE SOCIÉTÉ

150. The funds of the Société which are required for the administration of this Act and the Act respecting the Société de l'assurance automobile du Québec (R.S.Q., chapter S-11.011), and the funds which are necessary for the promotion of highway safety shall be taken out of the amounts collected by the Société under sections 21, 31.1, 69, 93.1 and 624 of the Highway Safety Code (R.S.Q., chapter C-24.2).

The funds of the Société shall include

(1) the amounts received pursuant to an agreement made with any government, any department of such a government or any public body;

2° par les montants qu'elle recouvre lorsque la subrogation ou le recours contre l'auteur d'un accident est permis par la présente loi en autant qu'elle est applicable.

1977, c. 68, a. 150; 1980, c. 38, a. 18; 1981, c. 7, a. 544; 1982, c. 59, a. 31; 1986, c. 91, a. 655; 1990, c. 19, a. 7; 1990, c. 83, a. 245.

151. La Société peut fixer, par règlement, après expertise actuarielle, la contribution d'assurance exigible lors de l'obtention d'un permis d'apprenti-conducteur, d'un permis probatoire, d'un permis restreint délivré en vertu de l'article 76 du Code de la sécurité routière (L.R.Q., chapitre C-24.2) ou d'un permis de conduire et celle exigible en vertu de l'article 93.1 du Code de la sécurité routière, en fonction de l'un ou de plusieurs des facteurs suivants:

1° selon la nature du permis demandé;

2° selon sa classe;

3° selon sa catégorie;

4° selon le nombre de points d'inaptitude inscrits au dossier du demandeur tenu conformément à l'article 113 du Code de la sécurité routière;

5° selon les révocations ou les suspensions de permis du demandeur ou du droit d'en obtenir un imposées en vertu de l'un des articles 180, 185 ou 191.2 du Code de la sécurité routière.

1977, c. 68, a. 151; 1977, c. 5, a. 14; 1984, c. 47, a. 12; 1986, c. 91, a. 662; 1990, c. 19, a. 11; 1990, c. 83, a. 246; 1996, c. 56, a. 145.

151.1 La Société peut fixer, par règlement, après expertise actuarielle, la contribution d'assurance exigible lors de l'obtention de l'immatriculation d'un véhicule routier et celle exigible en vertu de l'article 31.1 du Code de la sécurité routière (L.R.Q., chapitre C-24.2), selon le risque d'accident rattaché au type de véhicule routier auquel appartient le véhicule. Le risque d'accident peut être mesuré en fonction, notamment, de l'un ou de plusieurs des facteurs qui suivent:

1° selon la catégorie ou la sous-catégorie de véhicules routiers à laquelle appartient le véhicule;

2° selon sa masse nette;

3° selon son nombre d'essieux;

4° selon sa marque, son modèle ou sa cylindrée;

5° selon son usage;

6° selon l'activité professionnelle, la personnalité juridique ou l'identité de son propriétaire;

7° selon le territoire où il est utilisé.

La liste des marques et des modèles ou des cylindrées des véhicules routiers mentionnés dans un règlement pris en application du premier alinéa n'est pas soumise à l'obligation de publication et au

(2) the amounts recovered where subrogation or an action against a person who caused an accident is permitted by this Act, insofar as it is applicable.

151. The Société may fix, by regulation, after actuarial valuation, the insurance contribution exigible on obtaining a learner's licence, probationary licence, restricted licence issued under section 76 of the Highway Safety Code (R.S.Q., chapter C-24.2) or driver's licence and the contribution exigible pursuant to section 93.1 of the Highway Safety Code, on the basis of one or more of the following factors:

(1) the nature of the licence applied for;

(2) its class;

(3) its category;

(4) the number of demerit points entered in the applicant's record kept in accordance with section 113 of the Highway Safety Code;

(5) the cancellations or suspensions of the applicant's licence or of his right to obtain such licence imposed under any of sections 180, 185 and 191.2 of the Highway Safety Code.

151.1 The Société may fix, by regulation, after actuarial valuation, the insurance contribution exigible on obtaining the registration of a road vehicle and the contribution exigible pursuant to section 31.1 of the Highway Safety Code (R.S.Q., chapter C-24.2), according to the accident risk attached to that type of road vehicle. Accident risk may be measured on the basis of such factors as:

(1) the class or sub-class of road vehicles to which the vehicle belongs;

(2) its net mass;

(3) its number of axles;

(4) its make, model or piston displacement;

(5) its use;

(6) the professional activity, the legal personality or the identity of its owner;

(7) the territory where it is used.

The list of the makes and models or piston displacements of the road vehicles contained in a regulation under the first paragraph is not subject to the publication requirement and date of coming into

délai d'entrée en vigueur prévus aux articles 8 et 17 de la Loi sur les règlements (L.R.Q., chapitre R-18.1). Ce règlement entre en vigueur à la date de sa publication à la *Gazette officielle du Québec* ou à toute date ultérieure qu'il indique.

1990, c. 83, a. 246; 1999, c. 22, a. 31; 2002, c. 29, a. 77.

151.2 La Société peut prescrire, par règlement, les règles de calcul des contributions d'assurance suivantes:

1° celle exigible lors de l'obtention d'un permis d'apprenti-conducteur, d'un permis probatoire, d'un permis restreint délivré en vertu de l'article 76 du Code de la sécurité routière (L.R.Q., chapitre C-24.2) ou d'un permis de conduire en fonction de l'un ou de plusieurs des facteurs suivants:

a) selon le temps à écouler entre la date de délivrance du permis et la date du jour prescrit à l'intérieur de la période prescrite en vertu du paragraphe 4.2° de l'article 619 du Code de la sécurité routière pour le paiement de la contribution d'assurance exigible en vertu de l'article 93.1 de ce code;

b) selon le temps écoulé entre la date de délivrance du permis et la date d'expiration du permis précédent;

c) selon la révocation du permis précédent;

d) selon l'annulation sur demande de son titulaire du permis précédent;

e) selon le droit du demandeur au remboursement d'une partie de sa contribution d'assurance pour son permis précédent;

2° celle exigible lors de l'obtention de l'immatriculation d'un véhicule routier en fonction de l'un ou de plusieurs des facteurs suivants:

a) selon le temps à écouler entre la date de l'immatriculation et la date du jour prescrit à l'intérieur de la période prescrite en vertu du paragraphe 8.8° de l'article 618 du Code de la sécurité routière pour le paiement de la contribution d'assurance exigible en vertu de l'article 31.1 de ce code;

b) selon le droit du demandeur au remboursement d'une partie de la contribution d'assurance pour un autre véhicule routier;

c) selon un pourcentage de la contribution d'assurance fixée en vertu de l'article 151.1 qui serait exigible en vertu de l'article 31.1 du Code de la sécurité routière pour le véhicule routier.

Les règles de calcul prescrites en fonction des facteurs prévus au paragraphe 1° du premier alinéa doivent être basées sur l'une des contributions d'assurance suivantes:

1° la contribution d'assurance sur le permis fixée en vertu de l'article 151 qui serait exigible en vertu de l'article 93.1 du Code de la sécurité routière;

force set out in sections 8 and 17 of the Regulations Act (R.S.Q., chapter R-18.1). The regulation comes into force on the date of its publication in the *Gazette officielle du Québec* or on any later date fixed in the regulation.

151.2 The Société may prescribe, by regulation, calculation methods for the following insurance contributions:

(1) the contribution exigible upon the issue of a learner's licence, probationary licence, restricted licence issued under section 76 of the Highway Safety Code (R.S.Q., chapter C-24.2) or driver's licence on the basis of one or more of the following factors:

(a) the time remaining between the date of issue of the licence and the date of the prescribed day within the prescribed period under paragraph 4.2 of section 619 of the Highway Safety Code for the payment of the insurance contribution exigible under section 93.1 of the said Code;

(b) the time expired between the date of issue of the licence and the expiration date of a previous licence;

(c) the cancellation of a previous licence;

(d) the cancellation of a previous licence at the holder's request;

(e) the applicant's entitlement to a reimbursement of part of the insurance contribution for his previous licence;

(2) the insurance contribution exigible upon the registration of a road vehicle on the basis of one or more of the following factors:

(a) the time remaining between the date of registration and the date of the prescribed day within the prescribed period under paragraph 8.8 of section 618 of the Highway Safety Code for the payment of the insurance contribution exigible under section 31.1 of the said Code;

(b) the entitlement of the applicant to a reimbursement of part of the insurance contribution for another road vehicle;

(c) a percentage of the insurance contribution fixed pursuant to section 151.1 which would be exigible under section 31.1 of the Highway Safety Code for the road vehicle.

The calculation methods prescribed on the basis of the factors referred to in subparagraph 1 of the first paragraph must be based on one of the following insurance contributions:

(1) the insurance contribution on the licence fixed under section 151 which would be exigible under section 93.1 of the Highway Safety Code;

2° la contribution mensuelle d'assurance que fixe la Société, par règlement, en fonction de l'un ou de plusieurs des facteurs prévus à l'article 151.

Les règles de calcul prescrites en fonction des facteurs prévus aux sous-paragraphes a et b du paragraphe 2° du premier alinéa doivent être basées sur l'une des contributions d'assurances suivantes:

1° la contribution d'assurance fixée en vertu de l'article 151.1 qui serait exigible en vertu de l'article 31.1 du Code de la sécurité routière sur le véhicule;

2° la contribution mensuelle d'assurance que fixe la Société, par règlement, sur le véhicule en fonction de l'un ou de plusieurs des facteurs prévus à l'article 151.1.

1990, c. 83, a. 246; 1996, c. 56, a. 146.

151.3 La Société peut, par règlement:

1° prévoir les cas et les conditions donnant droit à des exemptions ou à des réductions de la contribution d'assurance sur un permis d'apprenti-conducteur, un permis probatoire, un permis restreint délivré en vertu de l'article 76 du Code de la sécurité routière (L.R.Q., chapitre C-24.2) ou un permis de conduire exigible en vertu de l'article 93.1 du Code de la sécurité routière ou de la contribution d'assurance sur un véhicule routier exigible en vertu de l'article 31.1 de ce code et établir les règles de calcul ou fixer le montant exact de la contribution d'assurance à soustraire;

2° prévoir à l'égard du propriétaire d'un véhicule routier les exemptions de contribution d'assurance sur le véhicule routier exigible en vertu de l'article 31.1 du Code de la sécurité routière selon la catégorie ou la sous-catégorie de véhicules routiers à laquelle appartient le véhicule.

1990, c. 83, a. 246; 1996, c. 56, a. 147; 1999, c. 22, a. 32.

151.4 Pour l'année 1996 et pour chaque année subséquente, le gouvernement peut revaloriser les contributions d'assurance fixées en vertu des articles 151 à 151.2 ainsi que les droits fixés en vertu du paragraphe 8.4° de l'article 618 et des articles 619.1 à 619.3 du Code de la sécurité routière (L.R.Q., chapitre C-24.2). La revalorisation est faite conformément à la méthode de calcul prévue aux articles 83.35 à 83.39.

Le gouvernement fixe, après consultation de la Société, la date à compter de laquelle la revalorisation prend effet.

(2) the monthly insurance contribution fixed, by regulation, by the Société, on the basis of one or more of the factors referred to in section 151.

The calculation methods prescribed on the basis of the factors referred to in paragraphs a and b of subparagraph 2 of the first paragraph must be based on one of the following insurance contributions:

(1) the insurance contribution fixed under section 151.1 which would be exigible in respect of the vehicle under section 31.1 of the Highway Safety Code;

(2) the monthly insurance contribution fixed, by regulation, by the Société in respect of the vehicle on the basis of one or more of the factors referred to in section 151.1.

1990, c. 83, a. 246; 1996, c. 56, a. 146.

151.3 The Société may, by regulation,

(1) prescribe the cases and conditions giving entitlement to an exemption or a reduction of the insurance contribution on a learner's licence, a probatory licence, restricted licence issued under section 76 of the Highway Safety Code (R.S.Q., chapter C-24.2) or a driver's licence exigible under section 93.1 of the Highway Safety Code or to a reduction of the insurance contribution exigible with respect to a road vehicle under section 31.1 of the said Code and establish the calculation method or fix the exact amount of the insurance contribution to be deducted;

(2) prescribe, with regard to the owner of a road vehicle any exemptions from the insurance contribution exigible in respect of that vehicle under section 31.1 of the Highway Safety Code according to the class or sub-class of road vehicles to which it belongs.

1990, c. 83, a. 246; 1996, c. 56, a. 147; 1999, c. 22, a. 32.

151.4 For the year 1996 and for each subsequent year, the Government may revalorize the insurance contributions fixed pursuant to sections 151 to 151.2 and the duties fixed pursuant to paragraph 8.4 of section 618 and sections 619.1 to 619.3 of the Highway Safety Code (R.S.Q., chapter C-24.2). Revalorization shall be carried out in accordance with the calculation method provided in sections 83.35 to 83.39.

After consulting the Société, the Government shall fix the date on which the revalorization takes effect.

La décision du gouvernement de revaloriser ou de ne pas revaloriser les droits ou les contributions d'assurance, pour une année donnée, est publiée à la *Gazette officielle du Québec*.

1993, c. 57, a. 1.

152. Les contributions d'assurance fixées par la Société en vertu des articles 151 à 151.3 et revalorisées, le cas échéant, conformément à l'article 151.4 ainsi que les sommes allouées, le cas échéant, par le gouvernement conformément à l'article 648 du Code de la sécurité routière (L.R.Q., chapitre C-24.2) doivent être suffisantes pour permettre le paiement de toutes les indemnités découlant d'accidents survenus au cours de la période en vue de laquelle ces contributions d'assurance sont fixées et ces sommes allouées, ainsi que de tous les autres coûts résultant de l'application de la présente loi, de la Loi sur la Société de l'assurance automobile du Québec et du Code de la sécurité routière.

Elles doivent également être fixées de façon à ce que l'actif de la Société, déduction faite de ses dettes et de toute réserve de stabilisation ou provision qu'elle peut établir, soit suffisant pour couvrir le montant, évalué conformément à l'article 153, nécessaire au paiement de toutes les indemnités, présentes et futures, découlant d'accidents survenus au cours des exercices précédents.

Pour la fixation des contributions d'assurance, la Société peut inclure des revenus de placements autres que ceux reliés aux actifs associés au passif actuariel.

1977, c. 68, a. 152; 1981, c. 7, a. 545; 1982, c. 59, a. 32; 1984, c. 47, a. 13; 1986, c. 28, a. 2; 1986, c. 91, a. 655; 1990, c. 19, a. 11; 1990, c. 83, a. 247; 1993, c. 57, a. 2; 1999, c. 22, a. 33.

152.1 Après avoir affecté les sommes qu'elle juge nécessaires pour toute réserve de stabilisation ou provision qu'elle établit, la Société peut, aux conditions et selon les modalités qu'elle détermine et avec l'approbation du gouvernement, utiliser en tout ou en partie un excédent non affecté pour des remises sur les contributions d'assurance.

1999, c. 22, a. 34.

153. La Société doit évaluer actuariellement à la fin de son exercice financier le montant nécessaire au paiement de toutes les indemnités, présentes et futures, découlant d'accidents survenus avant cette date.

1977, c. 68, a. 153; 1990, c. 19, a. 11.

152. The insurance contributions fixed by the Société under sections 151 to 151.3 and revalorized, where that is the case, in accordance with section 151.4 and the sums allocated, where such is the case, by the Government in accordance with section 648 of the Highway Safety Code (R.S.Q., chapter C-24.2) must be sufficient to allow the payment of all the indemnities resulting from accidents that have occurred during the period for which such insurance contributions are fixed and such amounts are appropriated and of all costs incurred for the administration of this Act, the Act respecting the Société de l'assurance automobile du Québec and the Highway Safety Code.

The sums must also be so fixed that the assets of the Société, after deducting therefrom any debt and any contingency reserve or contingency fund it may establish, are sufficient to cover the amounts, established in accordance with section 153, necessary to pay all the indemnities, present or future, resulting from accidents that have occurred during the preceding financial years.

For the fixation of insurance contributions, the Société may include investment income other than investment income from assets held in connection with actuarial liability.

152.1 After appropriating such sums as it considers necessary to any contingency reserve or contingency fund it may establish, the Société may, subject to the conditions and in the manner it determines and with the approval of the Government, use all or part of an unappropriated surplus to grant rebates on insurance contributions.

153. The Société must make an actuarial valuation at the end of its financial year of the amount necessary for the payment of all indemnities, present or future, resulting from accidents that have occurred before such date.

154. L'expertise visée dans les articles 151 et 151.1 et l'évaluation visée dans l'article 153 doivent être faites par un actuaire membre de l'Institut canadien des actuaires ayant le titre de «fellow» ou un statut que cet institut reconnaît comme équivalent.

1977, c. 68, a. 154; 1990, c. 83, a. 248.

155. Les sommes dont la Société prévoit ne pas avoir besoin à court terme pour le paiement de ses obligations et pour son administration sont déposées sans délai auprès de la Caisse de dépôt et placement du Québec.

1977, c. 68, a. 155; 1990, c. 19, a. 11.

CHAPITRE II
SERVICES DE SANTÉ

155.1 Pour l'exercice financier 1998, la Société verse au fonds consolidé du revenu une somme de 88 654 360 $ représentant le coût annuel des services de santé occasionnés par les accidents d'automobile.

1986, c. 28, a. 3; 1990, c. 19, a. 11; 1999, c. 22, a. 35.

155.2 Pour l'exercice financier 1999 et les exercices financiers subséquents de la Société, la somme représentant le coût annuel des services de santé occasionnés par les accidents d'automobile et assumés par la Régie de l'assurance-maladie du Québec est déterminée par entente entre cet organisme, le ministre des Finances et la Société.

Pour ces mêmes exercices financiers, la somme représentant le coût annuel des services de santé occasionnés par les accidents d'automobile et assumés par le ministère de la Santé et des Services sociaux est déterminée par entente entre le ministre de la Santé et des Services sociaux, le ministre des Finances et la Société.

Si, pour un exercice financier donné, les ententes prévues au présent article ne sont pas conclues, la Société verse alors, pour cet exercice, la somme indiquée à l'article 155.1.

La Société verse annuellement au fonds consolidé du revenu, en deux montants égaux, le 31 mars et le 30 septembre, la somme représentant le coût des services de santé.

1986, c. 28, a. 3; 1999, c. 22, a. 35.

155.3 Si le ministre de la Santé et des Services sociaux et la Société en conviennent, le coût des services de santé visés au deuxième alinéa de l'article 155.2 peut, en tout ou en partie, être remboursé sur facturation des services.

1986, c. 28, a. 3; 1999, c. 22, a. 35.

154. The actuarial valuation contemplated in sections 151, 151.1 and 153 must be made by an actuary being a Fellow of the Canadian Institute of Actuaries or having equivalent status recognized by the Institute.

155. The sums for which the Société foresees no need on a short term basis for the payment of its obligations and for its management are deposited without delay with the Caisse de dépôt et placement du Québec.

CHAPTER II
HEALTH SERVICES

155.1 For the fiscal year 1998, the Société shall pay into the consolidated revenue fund the sum of $88,654,360, which represents the annual cost of health services required as a result of automobile accidents.

155.2 For the fiscal year 1999 and subsequent fiscal years of the Société, the sum representing the annual cost of health services required as a result of automobile accidents and defrayed by the Régie de l'assurance-maladie du Québec shall be determined by agreement between that body, the Minister of Finance and the Société.

For those same fiscal years, the sum representing the annual cost of health services required as a result of automobile accidents and defrayed by the Ministère de la Santé et des Services Sociaux shall be determined by agreement between the Minister of Health and Social Services, the Minister of Finance and the Société.

If an agreement under this section is not made for a given fiscal year, the Société shall pay, for that fiscal year, the sum indicated in section 155.1.

The Société shall pay the sum representing the cost of health services annually into the consolidated revenue fund in two equal instalments, on 31 March and 30 September.

155.3 If agreed between the Minister of Health and Social Services and the Société, the cost of health services paid under the second paragraph of section 155.2 may be reimbursed, in whole or in part, upon billing of the services.

155.3.1 Remplacé.

1999, c. 22, a. 35.

155.4 Les parties visées au présent chapitre peuvent échanger les renseignements nominatifs nécessaires à son application.

Elles concluent alors une entente précisant notamment les renseignements transmis, les moyens mis en oeuvre pour en assurer la confidentialité ainsi que les mesures de sécurité. Cette entente est soumise pour avis à la Commission d'accès à l'information.

En cas d'avis défavorable, l'entente peut être soumise au gouvernement pour approbation; elle entre alors en vigueur le jour de son approbation.

L'entente conclue, accompagnée de l'avis de la Commission d'accès à l'information et, le cas échéant, de l'approbation du gouvernement, est déposée à l'Assemblée nationale dans les 30 jours de cet avis ou de cette approbation, selon le cas, ou, si elle ne siège pas, dans les 30 jours de la reprise de ses travaux.

1987, c. 88, a. 1; 1999, c. 22, a. 35.

CHAPITRE III
TRANSPORT AMBULANCIER

155.5 La Société verse aux régies régionales instituées par la Loi sur les services de santé et les services sociaux (L.R.Q., chapitre S-4.2), à l'établissement visé à la partie IV.2 de cette loi, aux conseils régionaux de la santé et des services sociaux visés par la Loi sur les services de santé et les services sociaux pour les autochtones cris (L.R.Q., chapitre S-5) et à la Corporation d'urgences-santé visée par la Loi sur les services préhospitaliers d'urgence et modifiant diverses dispositions législatives (2002, chapitre 69) selon la répartition déterminée par le ministre de la Santé et des Services sociaux, une contribution au coût du transport ambulancier établie de la façon suivante:

1° 9 100 000 $ pour l'exercice financier 1988-1989 du gouvernement;

2° 37 200 000 $ pour l'exercice financier 1989-1990 du gouvernement;

3° 37 500 000 $ pour l'exercice financier 1990-1991 du gouvernement.

Les sommes prévues aux paragraphes 1° et 2° du premier alinéa sont versées le quinzième jour qui suit le 22 juin 1990. Celle prévue au paragraphe

155.3.1 Replaced.

155.4 The parties referred to in this chapter may exchange such nominative information as is necessary for the purposes of this chapter.

In that case, they shall make an agreement specifying the information to be transmitted, the means to be used to ensure confidentiality and the security measures to be applied. The agreement shall be submitted to the Commission d'accès à l'information for an opinion.

Should the Commission give an unfavourable opinion, the agreement may be submitted to the Government for approval; it comes into force on the date of its approval.

The agreement, together with the opinion of the Commission d'accès à l'information and, where applicable, the approval of the Government, shall be tabled in the National Assembly within 30 days of the issue of such opinion or approval or, if the Assembly is not sitting, within 30 days of resumption.

CHAPTER III
AMBULANCE SERVICES

155.5 The Société shall pay to the regional boards established under the Act respecting health services and social services (R.S.Q., chapter S-4.2), to the institution to which Part IV.2 of that Act applies, to the health and social services regional councils governed by the Act respecting health services and social services for Cree Native persons (R.S.Q., chapter S-5) and to Corporation d'urgences-santé governed by the Act respecting prehospital emergency services and amending various legislative provisions (2002, chapter 69) according to the apportionment determined by the Minister of Health and Social Services, a contribution applicable to the cost of ambulance services which shall be established as follows:

(1) $9 100 000 for the fiscal year 1988-89 of the Government;

(2) $37 200 000 for the fiscal year 1989-90 of the Government;

(3) $37 500 000 for the fiscal year 1990-91 of the Government.

The sums prescribed by subparagraphs 1 and 2 of the first paragraph shall be paid 15 days after 22 June 1990. The sum prescribed by subpara-

3° est versée en quatre montants égaux de 9 375 000 $ chacun, les 30 juin 1990, 30 septembre 1990, 31 décembre 1990 et 31 mars 1991.

1990, c. 19, a. 8; 1992, c. 21, a. 90; 1994, c. 23, a. 23; 1998, c. 39, a. 175; 2002, c.69, a. 121.

155.6 Pour l'exercice financier 1991-1992 du gouvernement et les exercices financiers subséquents, la Société verse aux organismes visés à l'article 155.5 et selon la répartition qui y est prévue, une contribution de 37 200 000 $ revalorisée le 1er avril de chaque année, à compter du 1er avril 1991, en fonction du pourcentage de revalorisation applicable le 1er janvier selon la méthode de calcul prévue aux articles 83.35 à 83.39.

La somme prévue au premier alinéa est versée en quatre montants égaux les 30 juin, 30 septembre, 31 décembre et 31 mars de chaque année.

1990, c. 19, a. 8.

CHAPITRE IV
ABROGÉ

155.7-155.14 Abrogés.

1999, c. 22, a. 36.

TITRE VI
GROUPEMENT DES ASSUREURS AUTOMOBILES

156. Un Groupement des assureurs automobiles, ci-après appelé le «Groupement», est constitué par la présente loi.

Un assureur agréé est un assureur qui est autorisé à pratiquer l'assurance automobile en vertu de la Loi sur les assurances (L.R.Q., chapitre A-32) et qui détient un permis délivré par l'inspecteur général des institutions financières, à l'exclusion d'une personne qui ne pratique que la réassurance.

1977, c. 68, a. 156; 1989, c. 15, a. 12; 1989, c. 47, a. 5; 1997, c. 43, a. 875.

157. Le Groupement est une personne morale.

1977, c. 68, a. 157; 1989, c. 47, a. 5; 1999, c. 40, a. 26.

158. Le Groupement a son siège social au Québec, à l'endroit choisi par le Groupement avec l'approbation du ministre. Un avis de la situation ou de tout changement du siège social est publié dans la *Gazette officielle du Québec*.

Le Groupement peut tenir ses séances à tout endroit au Québec.

1977, c. 68, a. 158; 1989, c. 47, a. 5.

graph 3 shall be paid in four equal instalments of $9 375 000 each, on 30 June 1990, 30 September 1990, 31 December 1990 and 31 March 1991.

155.6 From the fiscal year 1991-92 of the Government and subsequent fiscal years, the Société shall pay to the bodies contemplated by section 155.5, apportioned as provided therein, a contribution of $37 200 000 adjusted on 1 April each year, from 1 April 1991, according to the adjustment percentage applicable on 1 January under the calculation method provided in sections 83.35 to 83.39.

The sum prescribed by the first paragraph shall be paid in four equal instalments on 30 June, 30 September, 31 December and 31 March each year.

CHAPTER IV
REPEALED

155.7-155.14 Repealed.

TITLE VI
THE GROUPEMENT DES ASSUREURS AUTOMOBILES

156. A Groupement des assureurs automobiles, hereinafter called the "Groupement", is established by this Act.

An authorized insurer is an insurer authorized to transact automobile insurance under the Act respecting insurance (R.S.Q., chapter A-32), holding a permit issued by the Inspector General of Financial Institutions, except a person who transacts exclusively in reinsurance.

157. The Groupement is a legal person.

158. The head office of the Groupement is in Québec, at the place chosen by it with the approval of the Minister. Notice of the location of the head office or of any change in its location shall be published in the *Gazette officielle du Québec*.

The Groupement may hold its sittings anywhere in Québec.

159. Le Groupement est administré par un conseil d'administration formé d'au moins neuf membres et d'au plus quinze membres.

Nul ne peut être membre du conseil d'administration à moins de résider au Québec.

1977, c. 68, a. 159; 1989, c. 47, a. 5.

160. Les assureurs agréés constitués au Québec, ceux constitués au Canada sauf au Québec et ceux constitués hors du Canada doivent, chacun en tant que groupe, être représentés au conseil d'administration, en tenant compte de la proportion des primes brutes directes perçues par chacun de ces groupes pour l'assurance automobile au Québec.

1977, c. 68, a. 160.

161. L'inspecteur général des institutions financières ainsi qu'une autre personne nommée par le ministre ont le droit d'assister aux séances du conseil d'administration du Groupement qui doit les convoquer comme s'ils étaient membres du conseil d'administration.

1977, c. 68, a. 161; 1982, c. 52, a. 51; 1999, c. 40, a. 26.

162. Les administrateurs sont élus au scrutin des assureurs agréés, qui tiennent leur assemblée générale au plus tard le 31 mars de chaque année.

Le Groupement peut, par règlement, prévoir la pondération des votes en tenant compte de la proportion des primes brutes directes perçues pour l'assurance automobile au Québec au cours de l'année précédente par chacun des assureurs agréés, tout assureur agréé ayant droit à au moins un vote.

À l'expiration de leur mandat, les administrateurs demeurent en fonction jusqu'à ce qu'ils aient été réélus ou remplacés.

1977, c. 68, a. 162; 1989, c. 47, a. 5.

163. Les administrateurs élisent parmi eux un président et nomment un directeur général chargé de l'administration des affaires courantes.

1977, c. 68, a. 163.

164. Le quorum du conseil d'administration du Groupement est fixé à cinq membres.

En cas d'égalité des voix, le président a un vote prépondérant.

1977, c. 68, a. 164; 1989, c. 47, a. 5.

165. Les administrateurs ne reçoivent aucun traitement à ce titre; leurs frais engagés pour assister aux assemblées leur sont remboursés par le Groupement.

1977, c. 68, a. 165; 1989, c. 47, a. 5.

159. The Groupement is administered by a board of directors consisting of not under nine nor over fifteen members.

No one except a resident of Québec may be a director.

160. The authorized insurers established in Québec, those established in Canada except in Québec and those established outside Canada must each be represented as a group on the board of directors, taking into account the proportion of the direct gross premiums collected by each of such groups for automobile insurance in Québec.

161. The Inspector General of Financial Institutions and one other person appointed by the Minister are entitled to attend the sittings of the board of directors of the Groupement, which must convene them as if they were members of the board.

162. The directors are elected, by ballot, by the authorized insurers, who shall hold their general meeting on or before 31 March each year.

The Groupement by by-law, may provide for weighted votes, taking into account the proportion of the direct gross premiums collected for automobile insurance in Québec in the preceding year by each authorized insurer, who in every case has at least one vote.

On the expiry of their term, the directors remain in office until they are reelected or replaced.

163. The directors elect one of their number chairman and appoint a general manager to manage day-to-day business.

164. Five directors form a quorum of the board of the Groupement.

In the case of a tie-vote, the chairman has a casting vote.

165. The directors, as such, receive no remuneration; their expenses incurred in attending meetings are reimbursed to them by the Groupement.

166. Le Groupement peut faire des règlements pour sa régie interne.

1977, c. 68, a. 166; 1989, c. 47, a. 5.

167. Un fonds de développement du Groupement est créé auquel chaque assureur agréé doit verser une contribution dont le montant est fixé par le Groupement; ce montant ne doit cependant pas être inférieur à dix mille dollars.

Le Groupement peut payer annuellement à même ses surplus d'opération un intérêt sur ces contributions aux assureurs agréés.

Le Groupement détermine, par règlement, les modalités et les conditions de remboursement des contributions au fonds de développement des assureurs qui cessent d'être autorisés à pratiquer l'assurance automobile au Québec.

1977, c. 68, a. 167; 1989, c. 47, a. 5.

168. Au début de chaque exercice, le Groupement fait un budget de ses revenus et de ses dépenses pour l'exercice et il impose une cotisation provisoire aux assureurs agréés sur la base de ce budget; il peut également imposer une cotisation supplémentaire en cours d'exercice; à la fin de l'exercice, il impose une cotisation définitive ou, le cas échéant, une remise sur la base de ses revenus et dépenses réelles.

Les cotisations et remises sont calculées pour chaque assureur en proportion du montant des primes brutes directes perçues pour l'assurance automobile au Québec au cours de l'année précédente.

1977, c. 68, a. 168; 1989, c. 47, a. 5.

169. L'exercice financier du Groupement se termine le 31 décembre de chaque année.

1977, c. 68, a. 169; 1989, c. 47, a. 5.

170. Le Groupement doit établir un mécanisme propre à permettre à tout propriétaire d'une automobile de trouver un assureur agréé auprès de qui il peut contracter l'assurance de responsabilité prévue à l'article 84.

1977, c. 68, a. 170; 1989, c. 47, a. 5.

171. Le Groupement doit établir ou agréer des centres d'estimation chargés de faire l'évaluation du dommage subi par une automobile.

Le Groupement détermine les normes d'établissement et d'opération des centres qu'il agrée, ainsi que les conditions de retrait de son agrément.

166. The Groupement may pass by-laws for its internal management.

167. A development fund is created at the Groupement. Each authorized insurer must contribute an amount fixed by the Groupement; however, such amount shall not be less than $10 000.

The Groupement may annually pay interest to the authorized insurers on these contributions, out of its operating surplus.

The Groupement, by by-law, shall determine the terms and conditions of reimbursement, to insurers ceasing to be authorized to transact automobile insurance in Québec, of their contributions to the development fund.

168. At the commencement of each financial year, the Groupement shall prepare a budget of its revenues and expenditures for that year, and levy a provisional assessment from the authorized insurers on the basis of this budget; it may also levy a supplementary assessment during the year; at the end of the year, it shall levy a final assessment or, as the case may be, refund the over-assessment, as indicated by the balance-sheet of its actual revenues and expenditures.

Assessments and refunds are computed for each insurer proportionally to the amount of direct gross premiums collected for automobile insurance in Québec in the preceding year.

169. The financial year of the Groupement ends 31 December each year.

170. The Groupement must establish a mechanism designed to enable every automobile owner to find an authorized insurer with whom he may take out liability insurance provided for in section 84.

171. The Groupement must establish or certify appraisal centres for the appraisal of damage sustained to automobiles.

The Groupement determines the standards on which centres certified by it may be established and operated, and the conditions on which it may withdraw certification.

Les centres d'estimation établis ou agréés en vertu du présent article doivent offrir leurs services à tout assureur agréé et chacun des assureurs agréés doit recourir aux services de ces centres à toutes les fois que la chose est possible.

Le Groupement est en outre responsable de la qualification des personnes qui désirent agir à titre d'estimateur. À cette fin, il établit et administre des programmes de formation et détermine les exigences minimales que requiert l'exercice de l'activité d'estimateur.

1977, c. 68, a. 171; 1989, c. 47, a. 5, a. 6; 1989, c. 48, a. 223.

172. Les centres d'estimation peuvent être chargés de faire la vérification des réparations effectuées à la suite d'un dommage évalué par eux.

1977, c. 68, a. 172; 1989, c. 47, a. 6.

173. Le Groupement doit établir une convention d'indemnisation directe relative:

1. à l'indemnisation directe du préjudice matériel subi par un assuré en raison d'un accident d'automobiles;

2. à l'évaluation des dommages subis par des automobiles et à l'expertise nécessaire;

3. à l'établissement d'un barème de circonstances d'accident pour le partage de la responsabilité du propriétaire de chaque automobile impliquée;

4. à la constitution d'un conseil d'arbitrage pour décider des différends entre assureurs agréés et naissant de l'application de la convention;

5. à l'exercice du droit de subrogation entre assureurs.

1977, c. 68, a. 173; 1989, c. 47, a. 5, a. 7; 1999, c. 40, a. 26.

174. Si une convention d'indemnisation directe reçoit l'assentiment des assureurs agréés qui perçoivent au moins cinquante pour cent des primes brutes directes perçues pour l'assurance automobile au Québec, tout assureur agréé doit lui donner application, à compter de son entrée en vigueur.

Cette convention d'indemnisation ne peut entrer en vigueur que moyennant préavis de trente jours publié dans la *Gazette officielle du Québec* et en reproduisant le texte.

1977, c. 68, a. 174.

175. Le gouvernement, ses agents ou les mandataires de l'État et toute personne visée dans l'article 102 sont liés, comme tout assureur agréé, par la convention visée dans l'article 174.

Appraisal centres established or certified under this section must offer their services to every authorized insurer, and each authorized insurer must engage their services whenever possible.

The Groupement is, in addition, responsible for ensuring that the persons acting as appraisers are qualified. For that purpose, it shall establish and administer training programs and determine the minimum requirements applicable to the activity of appraiser.

172. The appraisal centres may be entrusted with verifying repairs effected following their appraisal of damage.

173. The Groupement must establish a direct compensation agreement regarding:

(1) the direct compensation for property damage sustained by an insured person by reason of an automobile accident;

(2) the appraisal of damage sustained to automobiles, and the necessary adjustments;

(3) the tabulation of accident circumstances to apportion the liability of the owner of each automobile involved;

(4) the establishment of an arbitration board to decide disagreements between authorized insurers arising from the application of the agreement;

(5) the exercise of the right of subrogation between insurers.

174. If a direct compensation agreement obtains the consent of the authorized insurers who collect at least fifty per cent of the direct gross premiums collected for automobile insurance in Québec, every authorized insurer must comply with the agreement, from its coming into force.

Such compensation agreement shall not come into force except on thirty days' notice published in the *Gazette officielle du Québec*, setting out its text.

175. The Government, its agents and mandataries of the State and every person contemplated in section 102 are bound in the same manner as an authorized insurer, by the agreement contemplated in section 174.

Dans l'exercice de ses pouvoirs, la Société n'est pas liée par la convention d'indemnisation directe visée dans l'article 174.

In exercising its powers, the Société is not bound by the direct compensation agreement contemplated in section 174.

1977, c. 68, a. 175; 1977, c. 5, a. 14; 1982, c. 59, a. 69; 1990, c. 19, a. 11; 1999, c. 40, a. 26.

176. En plus des pouvoirs qui lui sont conférés par la présente loi, le Groupement peut:

1. établir un centre ayant pour fonctions de procéder à des études et à des recherches en matière d'évaluation et de réparation d'automobiles accidentées;

2. établir des formules de constat d'accident et de règlement de sinistres à l'usage de tous les assureurs agréés;

3. établir ou agréer des centres de règlements des sinistres;

4. informer le public notamment quant à la convention d'indemnisation directe et à son application, quant à l'établissement ou à l'agrément de centres d'estimation et de leur fonctionnement et quant au mécanisme établi pour permettre à tout propriétaire d'une automobile tenu de contracter l'assurance de responsabilité prévue à l'article 84, de trouver un assureur agréé auprès de qui il peut contracter cette assurance;

5. agir comme agence autorisée en vertu de l'article 178.

1977, c. 68, a. 176; 1989, c. 47, a. 5, a. 6.

176. In addition to its powers under this Act, the Groupement may

(1) establish a centre to examine and perfect techniques of appraisal and repair of damage to automobiles;

(2) standardize the forms to be used by all authorized insurers for reporting accidents and adjusting losses;

(3) establish or certify loss adjustment centres:

(4) provide information to the public, particularly on the direct compensation agreement and its application, on the establishment or certification of appraisal centres and their operation, and on the mechanism established to enable any automobile owner required to take out liability insurance provided for in section 84 to find an authorized insurer with whom he may take out such insurance;

(5) act as an authorized agency under section 178.

TITRE VII
POUVOIRS DE L'INSPECTEUR GÉNÉRAL DES INSTITUTIONS FINANCIÈRES EN MATIÈRE DE DONNÉES STATISTIQUES ET DE TARIFICATION

TITLE VII
POWERS OF THE INSPECTOR GENERAL OF FINANCIAL INSTITUTIONS REGARDING STATISTICS AND RATES

177. L'inspecteur général des institutions financières peut requérir de chaque assureur qu'il dépose, en la forme qu'il prescrit, les données statistiques et les renseignements qu'il détermine concernant l'expérience en assurance automobile au Québec de cet assureur ainsi que l'expérience en conduite automobile des personnes que ce dernier assure.

Les renseignements concernant l'expérience en conduite automobile des personnes que les assureurs assurent ne peuvent couvrir que les dix dernières années.

177. The Inspector General of Financial Institutions may require that every insurer file, in the form prescribed by him, the statistical data and information which he determines concerning the insurer's automobile insurance experience in Québec and the automobile driving experience of persons insured by him.

The information concerning the automobile driving experience of persons insured by the insurers shall cover only the past ten years.

Si l'inspecteur général requiert des assureurs qu'ils lui transmettent des renseignements concernant l'expérience en conduite automobile des personnes qu'ils assurent, chaque assureur doit aviser par écrit ses assurés que certaines informations à cet égard peuvent être transmises à l'inspecteur général et, éventuellement, à d'autres assureurs et qu'ils ont, à leur sujet, les droits d'accès et de rectification prévus par la Loi sur l'accès aux documents des organismes publics et sur la protection des renseignements personnels (L.R.Q., chapitre A-2.1).

1977, c. 68, a. 177; 1982, c. 52, a. 51; 1989, c. 47, a. 8.

178. L'inspecteur général des institutions financières peut autoriser une agence à recueillir pour lui les données et les renseignements visés dans l'article 177 et tout assureur agréé doit le fournir à cette agence sur demande et en la forme indiquée.

Cette autorisation ne peut cependant être accordée que si l'agence a son établissement principal au Québec et si elle tient ses dossiers et registres au Québec.

L'agence ainsi autorisée est assujettie aux pouvoirs d'enquête et d'inspection de l'inspecteur général des institutions financières en vertu de la Loi sur les assurances (L.R.Q., chapitre A-32).

L'inspecteur général des institutions financières peut désigner le Groupement comme agence autorisée en vertu du présent article.

1977, c. 68, a. 178; 1982, c. 52, a. 51; 1989, c. 47, a. 5, a. 9.

179. L'inspecteur général des institutions financières peut requérir l'agence autorisée en vertu de l'article 178 de traiter les données et renseignements reçus, en la manière qu'il juge appropriée; tout assureur agréé doit payer sa quote-part des coûts d'opération de l'agence, en proportion du montant des primes brutes directes perçues pour l'assurance automobile au Québec.

1977, c. 68, a. 179; 1982, c. 52, a. 51; 1989, c. 47, a. 10.

179.1 L'inspecteur général des institutions financières peut, à des fins de classification et de tarification, communiquer, à toute assureur agréé qui en fait la demande, en vue de l'émission ou du renouvellement d'une police d'assurance automobile, les renseignements suivants:

1. le numéro du permis de conduire de la personne qui soumet une demande d'assurance et des conducteurs réguliers de son automobile;

2. la date de tout accident dans lequel ces personnes ont été impliquées comme propriétaires ou conducteurs d'une automobile;

If the Inspector General requires that insurers transmit information concerning the automobile driving experience of the persons they insure, each insurer shall notify in writing the persons insured by him that certain information in that respect may be transmitted to the Inspector General and, possibly to other insurers, and that they have, in respect of such information, the rights of access and correction provided for by the Act respecting Access to documents held by public bodies and the Protection of personal information (R.S.Q., chapter A-2.1).

178. The Inspector General of Financial Institutions may authorize an agency to collect the data and information contemplated in section 177 for him, and every insurer must furnish them to that agency on demand, in the indicated form.

This authorization shall not be granted, however, unless the agency has its main establishment in Québec, and keeps its records and books in Québec.

The agency so authorized is subject to the powers of investigation and inspection vested in the Inspector General of Financial Institutions under the Act respecting insurance (R.S.Q., chapter A-32).

The Inspector General of Financial Institutions may designate the Groupement as an authorized agency under this section.

179. The Inspector General of Financial Institutions may require the authorized agency under section 178 to process the data and information it receives, in the manner he considers appropriate; every authorized insurer must pay his share of the agency's operating costs, proportionally to the amount of the direct gross premiums collected for automobile insurance in Québec.

179.1 The Inspector General of Financial Institutions may, for purposes of classification and rate application, communicate to any authorized insurer who so requests, in view of the issue or renewal of an automobile insurance policy, the following information:

(1) the driver's licence number of the person submitting an application for insurance and of the regular drivers of his automobile;

(2) the date of any accident in which those persons have been involved as the driver or owner of an automobile;

3. la description de l'accident et la garantie affectée;

4. la classe d'utilisation du véhicule dont elles avaient la garde au moment d'un accident;

5. la description du véhicule dont elles avaient la garde au moment d'un accident;

6. le montant des indemnités payées en vertu d'un contrat d'assurance automobile conclu par ces personnes;

7. les réclamations en cours;

8. le pourcentage de responsabilité supportée par ces personnes.

L'inspecteur général peut, à la demande de la Société, lui communiquer ces renseignements, si cette communication est nécessaire à l'application de l'article 22 de la Loi concernant les propriétaires et exploitants de véhicules lourds (1998, chapitre 40).

L'inspecteur général peut également, aux conditions qu'il détermine, autoriser l'agence désignée à l'article 178 à faire pour lui de telles communications.

1989, c. 47, a. 11; 1999, c. 22, a. 37.

179.2 Tout assureur doit, lors de l'émission ou du renouvellement d'une police d'assurance automobile, informer par écrit l'assuré, le cas échéant, qu'il a demandé et obtenu, pour déterminer la tarification qu'il lui a appliquée, des renseignements de l'inspecteur général en vertu de l'article 179.1.

1989, c. 47, a. 11.

179.3 Lors du paiement d'une indemnité faisant suite à une réclamation, l'assureur doit aviser par écrit l'assuré du pourcentage de responsabilité qui lui est attribué en vertu de la convention d'indemnisation directe visée dans l'article 173 et des montants qui lui sont versés en vertu de la partie de la police se rapportant respectivement à l'assurance de responsabilité et à l'assurance des dommages éprouvés par le véhicule assuré.

Cet avis doit également indiquer à l'assuré qu'il n'est pas tenu d'accepter cette indemnité et qu'il peut s'adresser au tribunal pour contester, suivant les règles du droit commun, le pourcentage de responsabilité qui lui est imputé de même que le montant de son indemnité.

1989, c. 47, a. 11.

180. Chaque assureur agréé doit déposer auprès de l'inspecteur général des institutions financières trois exemplaires de son manuel de ta-

(3) the description of the accident and the coverage affected;

(4) the class of use of the vehicle of which the person concerned had custody at the time of an accident;

(5) the description of the vehicle of which the person concerned had custody at the time of an accident;

(6) the amount of the indemnities paid under an automobile insurance contract entered into by every person concerned;

(7) the outstanding claims;

(8) the percentage of liability assumed by the persons.

The Inspector General may, at the request of the Société, communicate to the Société the same information if it is necessary for the purposes of section 22 of the Act respecting owners and operators of heavy vehicles (1998, chapter 40).

The Inspector General may also, on the conditions which he determines, authorize the agency designated in section 178 to make such communications for him.

179.2 Every insurer must, on issuing or renewing an automobile insurance policy, inform the insured in writing that he has requested and obtained information from the Inspector General under section 179.1, where such is the case, in order to determine the rates applied to him.

179.3 On payment of an indemnity subsequent to a claim, the insurer must notify the insured in writing of the percentage of liability attributed to him pursuant to the direct compensation agreement contemplated in section 173 and specify the amounts paid to him under that part of the policy pertaining to liability insurance and under that part of the policy pertaining to insurance of the damage caused to the insured vehicle.

The notice must also indicate to the insured that he is not bound to accept the indemnity and that he may apply to the court, in accordance with the ordinary rules of law, to contest the percentage of liability attributed to him and the amount of his indemnity.

180. Every authorized insurer must file three copies of his rate manual with the Inspector General of Financial Institutions immediately upon its being

rifs, aussitôt après sa confection, et, par la suite, dans les dix jours de toute modification.

Le manuel de tarifs est composé des documents d'un assureur agréé où sont identifiées et définies ses règles de classification des risques ainsi que les primes applicables à chacun de ces risques.

1977, c. 68, a. 180; 1982, c. 52, a. 51; 1989, c. 15, a. 13.

181. Tout assureur agréé doit fournir à l'inspecteur général des institutions financières toute justification que celui-ci exige sur un ou plusieurs éléments de son manuel de tarifs.

1977, c. 68, a. 181; 1982, c. 52, a. 51.

182. Sur réception des données et renseignements concernant l'expérience des assureurs ainsi que des manuels de tarifs visés dans le présent titre, l'inspecteur général des institutions financières doit en faire une analyse.

Avant le dernier jour de mars de chaque année, l'inspecteur général des institutions financières fait rapport au ministre sur le résultat de son analyse des données et manuels qui lui ont été fournis durant l'année précédente.

Le ministre dépose le rapport prévu au deuxième alinéa devant l'Assemblée nationale dans les quinze jours de sa réception si elle est en session ou sinon, dans les quinze jours de la reprise des travaux.

1977, c. 68, a. 182; 1982, c. 52, a. 51; 1989, c. 47, a. 12.

183. L'inspecteur général des institutions financières doit permettre la consultation, par toute personne qui en fait la demande, des manuels de tarifs déposés auprès de lui.

1977, c. 68, a. 183; 1982, c. 52, a. 51.

183.1 L'article 178 s'applique malgré l'article 65 de la Loi sur l'accès aux documents des organismes publics et sur la protection des renseignements personnels (L.R.Q., chapitre A-2.1).

1989, c. 47, a. 13.

TITRE VIII
DISPOSITIONS PÉNALES ET SUSPENSIONS

184. Personne ne doit sciemment obtenir ou recevoir, directement ou indirectement, le paiement d'indemnités ou le remboursement de frais qu'il n'a pas droit d'obtenir ou de recevoir en vertu de la présente loi ou des règlements.

compiled and, thereafter, within ten days of any amendment.

The rate manual is a manual that is made up of the documents of an authorized insurer in which his rules of classification of risks and the premiums applicable to each are identified and defined.

181. Every authorized insurer must furnish such proof to the Inspector General of Financial Institutions as he may demand regarding any matter or matters in his rate manual.

182. On receiving the data and information concerning the experience of insurers and the rate manuals contemplated in this title, the Inspector General of Financial Institutions must analyse them.

Before the last day of March each year, the Inspector General of Financial Institutions shall report to the Minister the results of his analysis of the data and manuals furnished to him in the preceding year.

The Minister shall table the report contemplated in the second paragraph before the National Assembly within fifteen days of its receipt if the National Assembly is in session or if it is not in session within fifteen days of resumption.

183. The Inspector General of Financial Institutions must allow every person requesting it to examine the rate manuals filed with him.

183.1 Section 178 applies notwithstanding section 65 of the Act respecting Access to documents held by public bodies and the Protection of personal information (R.S.Q., chapter A-2.1).

TITLE VIII
PENAL PROVISIONS AND SUSPENSIONS

184. No person shall knowingly obtain or receive, directly or indirectly, the payment of indemnities or the reimbursement of expenses that he is not entitled to obtain or receive under this Act or the regulations.

Quiconque enfreint le présent article est passible d'une amende d'au moins 325 $ et d'au plus 2 800 $.

Every person who contravenes this section is liable to a fine of not less than $325 nor more than $2 800.

1977, c. 68, a. 184; 1986, c. 58, a. 6; 1991, c. 33, a. 6; 1992, c. 61, a. 60.

185. Personne ne doit sciemment aider ou encourager une autre personne à commettre une infraction visée dans l'article 184.

185. No person shall knowingly aid or abet another person in committing an offence contemplated in section 184.

Quiconque enfreint le présent article est passible d'une amende d'au moins 325 $ et d'au plus 2 800 $.

Every person who contravenes this section is liable to a fine of not less than $325 nor more than $2 800.

1977, c. 68, a. 185; 1986, c. 58, a. 7; 1991, c. 33, a. 7; 1992, c. 61, a. 60.

186. Sauf dans le cas prévu à l'article 94, le propriétaire d'une automobile ou le propriétaire ou l'exploitant visé au titre VIII.1 du Code de la sécurité routière (L.R.Q., chapitre C-24.2) qui n'a pas contracté l'assurance obligatoire de responsabilité commet une infraction et est passible d'une amende:

186. Except in the case provided for in section 94, the owner of an automobile or an owner or operator subject to Title VIII.I of the Highway Safety Code (R.S.Q., chapter C-24.2) who has not contracted the compulsory liability insurance is guilty of an offence and is liable to a fine

1° d'au moins 325 $ et d'au plus 2 800 $, s'il est un propriétaire qui utilise ou qui laisse une autre personne utiliser son automobile;

(1) of not less than $325 nor more than $2 800 if he is an owner who uses or allows another person to use his automobile;

2° d'au moins 750 $ et d'au plus 7 300 $, s'il est un propriétaire ou un exploitant visé au titre VIII.1 du Code de la sécurité routière qui utilise ou qui laisse une autre personne utiliser son véhicule automobile.

(2) of not less than $750 nor more than $7 300 if he is an owner or operator to which Title VIII.1 of the Highway Safety Code applies who uses or allows another person to use his motor vehicle.

L'agent de la paix qui constate l'infraction visée dans le présent article doit, sans délai, en faire rapport à la Société.

The peace officer who evidences an offence contemplated in this section must report it to the Société without delay.

Dans toute poursuite intentée en vertu du présent article, il incombe au défendeur ou prévenu de faire la preuve qu'il avait contracté l'assurance obligatoire de responsabilité.

In any proceedings instituted under this section, the burden is on the defendant or accused to prove that he has contracted the compulsory liability insurance.

1977, c. 68, a. 186; 1980, c. 38, a. 18; 1982, c. 59, a. 34; 1986, c. 58, a. 8; 1987, c. 94, a. 105; 1990, c. 4, a. 68; 1990, c. 19, a. 11; 1991, c. 33, a. 8; 1998, c. 40, a. 53; 2002, c. 29, a. 78.

187. Sauf s'il est de bonne foi et qu'on lui a donné des raisons de croire que l'assurance de responsabilité avait été contractée, le conducteur d'une automobile dont le propriétaire ou une autre personne pour lui n'avait pas contracté cette assurance est passible d'une amende d'au moins 325 $ et d'au plus 2 800 $.

187. Where the owner of an automobile or another person on his behalf has not taken out liability insurance, the driver of that automobile is liable to a fine of not less than $325 nor more than $2 800, unless he is in good faith and had been given reason to believe that such insurance had been taken out.

Dans toute poursuite intentée en vertu du présent article, il incombe au défendeur ou prévenu de faire la preuve que l'assurance de responsabilité avait été contractée à l'égard de l'automobile qu'il a conduite.

In any proceedings instituted under this section, the burden is on the defendant or accused to prove that liability insurance had been contracted for the automobile he was driving.

1977, c. 68, a. 187; 1982, c. 59, a. 35; 1986, c. 58, a. 9; 1991, c. 33, a. 9; 1992, c. 61, a. 60.

188. Dans les cas prévus aux articles 186 et 187, le juge saisi de la poursuite peut, en outre, prononcer la suspension, pour une période n'excédant pas un an, du permis de conduire de la personne condamnée.

Un préavis de la demande de suspension doit être donné à cette personne par le poursuivant, sauf si ces parties sont en présence du juge.

Lorsque la preuve est faite à la satisfaction du juge que la personne condamnée doit conduire une automobile déterminée ou un type déterminé d'automobile dans l'exécution du principal travail dont elle tire sa subsistance, le jugement peut permettre à cette personne de conduire une automobile ou ce type d'automobile uniquement dans l'exécution du travail principal dont elle tire sa subsistance. Dans ces cas, le juge doit immédiatement transmettre le permis suspendu à la Société et lui donner avis qu'elle peut délivrer un permis spécial conformément au jugement en autant que les conditions ordinaires d'obtention d'un permis de conduire sont remplies.

1977, c. 68, a. 188; 1980, c. 38, a. 18; 1981, c. 7, a. 546; 1990, c. 19, a. 11; 1992, c. 61, a. 61; 1997, c. 43, a. 875.

189. Abrogé.

1992, c. 61, a. 62.

189.1 L'assureur qui utilise ou tolère que soit utilisé autrement qu'à des fins de classification ou de tarification un renseignement qui lui a été transmis en vertu de l'article 179.1 est passible d'une amende de 575 $ à 5 750 $.

1989, c. 47, a. 14.

189.2 Quiconque, sciemment, donne accès à un renseignement transmis en vertu de l'article 179.1, communique un tel renseignement ou en permet la communication sans avoir obtenu de la personne concernée l'autorisation de le divulguer à une personne déterminée ou sans en avoir reçu l'ordre d'une personne ou d'un organisme ayant le pouvoir de contraindre à leur communication est passible d'une amende de 200 $ à 1 000 $.

1989, c. 47, a. 14.

190. La personne qui contrevient aux dispositions des articles 83.10, 83.15, 97, 174 et 177 à 179 et 179.2 à 181 est passible d'une amende d'au moins 700 $ et d'au plus 7 000 $.

1977, c. 68, a. 190; 1986, c. 58, a. 10; 1989, c. 15, a. 14; 1989, c. 47, a. 15; 1991, c. 33, a. 10; 1992, c. 61, a. 60.

188. In the cases provided for in sections 186 and 187, the judge seized of the suit may, in addition, declare the suspension, for a period not exceeding one year, of the driver's permit of the person convicted.

Prior notice of the application for suspension shall be given to the person by the prosecutor, except where the parties are in the presence of the judge.

Where proof is made to the satisfaction of the judge that the person convicted must drive a specific automobile or a specific type of automobile in carrying on his principal means of livelihood, the judgment may allow such person to drive an automobile or such type of automobile solely in carrying on his principal means of livelihood. In such cases, the judge must immediately send the suspended permit to the Société and notify it that it may issue a special permit in accordance with the judgment so long as the ordinary conditions for obtaining a permit are met.

189. Repealed.

189.1 Any insurer who uses or tolerates the use of any information transmitted to him under section 179.1 otherwise than for purposes of classification or rate application is liable to a fine of not less than $575 nor more than $5 750.

189.2 Any person who, knowingly, gives access to any information transmitted under section 179.1, communicates such information or permits the communication thereof without having obtained the authorization of the person concerned to disclose such information to a person determined or without having received the order of a person or body having the power to compel its communication is liable to a fine of not less than $200 nor more than $1 000.

190. The person who contravenes sections 83.10, 83.15, 97, 174, 177 to 179, and 179.2 to 181 is liable to a fine of not less than $700 nor more than $7 000.

190.1 La personne qui contrevient aux dispositions du cinquième alinéa de l'article 83.24 est passible d'une amende de 300 $ à 600 $.

1993, c. 56, a. 18.

191. La personne qui omet, lorsqu'elle y est tenue, de remettre une attestation ou un duplicata émis en vertu de la présente loi est passible d'une amende d'au moins 325 $ et d'au plus 2 800 $.

1977, c. 68, a. 191; 1986, c. 58, a. 11; 1991, c. 33, a. 11; 1992, c. 61, a. 60.

192. La personne qui, sans excuse raisonnable dont la preuve lui incombe, utilise une attestation d'assurance ou de solvabilité après l'annulation, la résiliation ou l'expiration de l'assurance ou de la garantie y mentionnée, est passible d'une amende d'au moins 325 $ et d'au plus 2 800 $.

1977, c. 68, a. 192; 1986, c. 58, a. 12; 1991, c. 33, a. 12; 1992, c. 61, a. 63.

193. Quiconque enfreint une disposition de la présente loi ou des règlements pour la violation de laquelle aucune peine n'est spécialement prévue, est passible d'une amende ne dépassant pas 1 400 $.

1977, c. 68, a. 193; 1986, c. 58, a. 13; 1990, c. 4, a. 69; 1991, c. 33, a. 13; 1992, c. 61, a. 60.

194. Abrogé.

1992, c. 61, a. 64.

TITRE IX
RÈGLEMENTS

195. La Société peut adopter des règlements, pour l'application des titres I et II, pour:

1° préciser ou restreindre le sens de la définition de l'expression «personne qui réside au Québec»;

2° définir, pour l'application du paragraphe 1° du premier alinéa de l'article 10, l'expression «appareil susceptible de fonctionnement indépendant»;

3° définir, pour l'application du quatrième sous-alinéa de l'article 1 et du paragraphe 2° du premier alinéa de l'article 10, les mots «tracteur de ferme», «remorque de ferme», «véhicule d'équipement» et «remorque d'équipement»;

4° définir, pour l'application du quatrième sous-alinéa de l'article 1 et du paragraphe 3° du premier alinéa de l'article 10, les mots «motoneige» et «véhicule destiné à être utilisé en dehors d'un chemin public»;

190.1 Any person who contravenes the provisions of the fifth paragraph of section 83.24 is liable to a fine of not less than $300 nor more than $600.

191. Any person who fails to surrender, when so required, a certificate or a duplicate issued under this Act is liable to a fine of not less than $325 nor more than $2 800.

192. Any person who, without reasonable excuse, the proof of which devolves upon him, uses a certificate of insurance or of financial responsibility after the annulment, cancellation or expiry of the insurance or of the coverage mentioned therein, is liable to a fine of not less than $325 nor more than $2 800.

193. Any person who infringes a provision of this Act or the regulations for the violation of which no penalty is specially provided, is liable to a fine not exceeding $1 400.

194. Repealed.

TITLE IX
REGULATIONS

195. The Société may make regulations for the purposes of Titles I and II

(1) to specify or to restrict the meaning of the definition of the expression "person resident in Québec";

(2) to define, for the purposes of subparagraph 1 of the first paragraph of section 10, the expression "a device that can be operated independently";

(3) to define, for the purposes of the definition of "public highway" in section 1 and of subparagraph 2 of the first paragraph of section 10, the words "farm tractor", "farm trailer", "specialized vehicle" and "drawn machinery";

(4) to define, for the purposes of the definition of "public highway" in section 1 and of subparagraph 3 of the first paragraph of section 10, the words "snowmobile" and "vehicle intended for use off a public highway";

5° préciser les cas et les conditions où un emploi est réputé à temps plein, à temps partiel ou temporaire;

6° établir la manière de déterminer le revenu brut qu'un travailleur salarié ou un travailleur autonome tire de son emploi;

7° établir la manière de déterminer le revenu brut pour l'application de l'article 17;

8° établir la manière de déterminer le revenu brut pour l'application de l'article 21;

9° identifier les catégories d'emplois, fixer les revenus bruts, sur une base hebdomadaire ou annuelle, qui correspondent à chaque catégorie selon l'expérience de travail et établir la manière de réduire ces revenus pour tenir compte du fait qu'une victime exerce son emploi à temps partiel pour l'application des articles 15, 20 et 31;

10° établir les normes et les modalités pour déterminer un emploi à une victime pour l'application des articles 45 et 48, identifier les catégories d'emplois, fixer les revenus bruts, sur une base hebdomadaire ou annuelle, qui correspondent à chaque catégorie selon l'expérience de travail et établir la manière de réduire ces revenus pour tenir compte du fait qu'une victime exerce son emploi à temps partiel;

11° prévoir la méthode de calculer le revenu net d'une victime et le montant équivalant à l'impôt sur le revenu, à la cotisation et à la contribution visé à l'article 52;

12° déterminer les blessures, les séquelles d'ordre fonctionnel ou esthétique et les conditions minimales d'admissibilité qui sont applicables à l'indemnisation du préjudice non pécuniaire prévue à l'article 73, prescrire les règles relatives à l'évaluation du préjudice non pécuniaire et celles relatives à la fixation des montants d'indemnité;

13°-14° remplacés;

15° prévoir les cas et les conditions qui donnent droit au remboursement des frais visés à l'article 83.2 et le montant maximum accordé pour chacun de ces frais;

16° déterminer les frais dont la victime peut obtenir le remboursement en vertu du deuxième alinéa de l'article 83.2;

17° fixer les sommes payées en remboursement du coût de l'expertise médicale à une personne dont la demande de révision ou le recours formé devant le Tribunal administratif du Québec est accueilli;

18° prescrire les conditions et les modalités de calcul permettant de déterminer les besoins en aide personnelle ainsi que le montant du rembourse-

(5) to specify the cases where and the conditions on which an employment is deemed to be full-time, part-time or temporary;

(6) to establish the manner of determining the gross income that a salaried worker or self-employed worker derives from his employment;

(7) to establish the manner of determining the gross income for the purposes of section 17;

(8) to establish the manner of determining the gross income for the purposes of section 21;

(9) to identify classes of employments, determine gross incomes on a weekly or yearly basis corresponding to each class according to work experience and establish the manner of reducing such incomes to take into account the fact that the victim holds a part-time employment, for the purposes of sections 15, 20 and 31;

(10) to establish the standards and procedures for determining an employment for a victim for the purposes of sections 45 and 48, identifying classes of employments, determining gross incomes on a yearly or weekly basis corresponding to each class according to work experience, and to establish the manner of reducing such incomes to take into account the fact that a victim holds a part-time employment;

(11) to establish the method for computing the net income of a victim and the amount equivalent to the income tax, the premium and the contribution referred to in section 52;

(12) to determine the injuries, the functional or cosmetic sequelae and the minimum eligibility requirements applicable to the compensation of non-pecuniary damage under section 73 and to prescribe rules for evaluating non-pecuniary damage and rules for fixing indemnity amounts;

(13)-(14) replaced;

(15) to determine the cases and conditions entitling a person to the reimbursement of the expenses referred to in section 83.2 and to fix the maximum amount thereof;

(16) to determine what expenses may be reimbursed to a victim under the second paragraph of section 83.2;

(17) to fix the amounts paid to reimburse the cost of a medical expert's report to a person whose application for review or proceeding before the Administrative Tribunal of Québec is allowed;

(18) to prescribe conditions and a computation method for the determination of personal home assistance needs and the amount to be reimbursed

ment des frais et prescrire les cas et les conditions permettant à la Société de remplacer le remboursement par une allocation hebdomadaire équivalente;

19° prescrire les cas et les conditions donnant droit au remboursement des frais ou à l'allocation de disponibilité et déterminer le montant maximum accordé pour ces frais ou cette allocation;

20° déterminer les règles que doit suivre la personne qui demande une indemnité;

21° déterminer les règles qu'un professionnel de la santé doit respecter lorsqu'il examine une personne à la demande de la Société;

22° abrogé;

23° déterminer les conditions auxquelles la Société peut autoriser une personne à lui transmettre un document au moyen d'un support magnétique ou d'une liaison électronique;

24° déterminer les règles de procédure applicables à l'examen des questions sur lesquelles la Société a compétence;

25° déterminer la manière dont le montant d'une dette due par une personne peut être déduit de toute somme due à cette personne par la Société;

26° abrogé;

27° prescrire dans quels cas et à quelles conditions l'indemnité visée à l'article 80 et le remboursement de frais visé à l'article 83 peuvent être réajustés en fonction de la variation du nombre des personnes qui y sont visées;

28° définir, pour l'application du deuxième alinéa de l'article 48, les expressions «emploi normalement disponible» et «région où réside la victime»;

29° prescrire dans quels cas et à quelles conditions l'indemnité de remplacement du revenu visée à l'article 83.30 peut être réajustée en fonction de la variation du nombre des personnes à charge;

30° établir les conditions et les modalités du versement aux personnes à charge de l'indemnité visée à l'article 83.30;

31° déterminer les normes et les modalités permettant de calculer le nombre d'infractions ou le nombre de points d'inaptitude à retenir et de circonscrire la période à prendre en considération pour fixer ou calculer les contributions d'assurance en vertu des articles 151, 151.2 et 151.3;

32° déterminer les normes et les modalités permettant de circonscrire la période à prendre en considération pour fixer ou calculer les contributions d'assurance en vertu des articles 151, 151.2 et 151.3;

and to prescribe the cases in which and the conditions subject to which the Société may replace the reimbursement of expenses by an equivalent weekly allowance;

(19) to prescribe the cases and conditions which give entitlement to the reimbursement of expenses or an availability allowance and to determine the maximum amount of such reimbursement and allowance;

(20) to determine the rules that a person applying for compensation must observe;

(21) to determine the rules that a health professional must observe when examining a person at the request of the Société;

(22) repealed;

(23) to determine the conditions on which the Société may authorize the transmission of a document by means of a magnetic medium or an electronic system;

(24) to determine the rules of procedure applicable to the examination of matters under the jurisdiction of the Société;

(25) to determine the manner in which a person's debt may be deducted from any sum due to that person by the Société;

(26) repealed;

(27) to prescribe in what cases and on what conditions the indemnity described in section 80 and the reimbursement of expenses described in section 83 may be adjusted according to the variation in the number of persons contemplated therein;

(28) to define, for the purposes of the second paragraph of section 48, the expressions "employment normally available" and "region where the victim resides";

(29) to prescribe the cases and conditions in which and on which the income replacement indemnity contemplated in section 83.30 may be adjusted according to variations in the number of dependants;

(30) to prescribe the terms and conditions of payment to dependants of the indemnity contemplated in section 83.30;

(31) to determine the standards and methods allowing the computation of the number of offences or the number of demerit points to be taken into account and limiting the period to be taken into consideration in fixing or computing insurance contributions under sections 151, 151.2 and 151.3;

(32) to determine the standards and methods permitting to limit the period to be taken into consideration in fixing or computing insurance contributions under sections 151, 151.2 and 151.3;

33° déterminer les ordres professionnels dont les membres sont des professionnels de la santé pour l'application du chapitre VI du titre II;

34° prescrire les règles, les conditions et les modalités applicables au calcul du montant payé en un versement unique prévu à l'article 83.22;

35° prévoir les cas donnant lieu au paiement d'intérêts par la Société;

36° fixer les modalités d'application du chapitre II du titre IV de même que les règles relatives à la fixation des franchises prévues aux articles 145 et 148 et prévoir les autres frais dont une victime peut obtenir le remboursement, le montant maximum accordé pour ces frais ainsi que les conditions de ce remboursement.

(33) to determine the professional orders whose members are health professionals for the purposes of Chapter VI of Title II;

(34) to prescribe rules, conditions and a method applicable to the computation of a single-payment indemnity paid under section 83.22;

(35) to prescribe cases requiring the payment of interest by the Société;

(36) to determine rules governing the application of Chapter II of Title IV as well as rules for the determination of the deductibles provided for in sections 145 and 148 and to prescribe the reimbursement of other expenses to victims, the maximum amount that may be so reimbursed and the conditions for reimbursement.

1977, c. 68, a. 195; 1982, c. 59, a. 36; 1986, c. 91, a. 663; 1989, c. 15, a. 15; 1990, c. 19, a. 11; 1990, c. 83, a. 249; 1991, c. 58, a. 22; 1997, c. 43, a. 57; 1999, c. 40, a. 26; 1999, c. 22, a. 38.

195.1 La Société peut, par règlement:

1° définir, relativement à la fixation et au calcul de la contribution d'assurance exigible lors de l'obtention de l'immatriculation d'un véhicule routier et relativement à la fixation et au calcul de la contribution d'assurance exigible en vertu de l'article 31.1 du Code de la sécurité routière (L.R.Q., chapitre C-24.2), les termes «essieu» et «masse nette» et établir la manière de calculer le nombre d'essieux d'un véhicule routier ainsi que les modalités d'augmentation du nombre d'essieux ou de la variation de la masse nette durant l'immatriculation du véhicule;

2° prévoir les cas et les conditions donnant droit au remboursement d'une partie de la contribution d'assurance fixée ou calculée en vertu de l'un des articles 151 à 151.3 et établir les règles de calcul ou fixer le montant exact de la contribution d'assurance remboursable.

195.1 The Société may, by regulation,

(1) define, in relation to the fixing and computing of the insurance contribution exigible for obtaining the registration of a road vehicle and in relation to the fixing and computing of the insurance contribution exigible under section 31.1 of the Highway Safety Code (R.S.Q., chapter C-24.2), the terms "axle" and "net mass" and establish a method for calculating the number of axles of a road vehicle as well as rules governing any increase in the number of axles or any change in the net mass during the period of registration of the vehicle;

(2) prescribe the cases and conditions giving entitlement to the reimbursement of part of the insurance contribution fixed or calculated under any of sections 151 to 151.3 and establish the calculation method or fix the exact amount of the insurance contribution to be reimbursed.

1989, c. 15, a. 15; 1990, c. 19, a. 9, a. 11; 1990, c. 83, a. 250.

196. Le gouvernement peut, par règlement:

a) déterminer ce qui doit être déterminé par règlement du gouvernement en vertu de la présente loi;

b) préciser ou restreindre la définition du mot «automobile» aux fins de la présente loi à l'exception du titre II;

c) exempter les propriétaires des catégories d'automobile qu'il indique, de l'obligation de l'article 84, en totalité ou en partie et aux conditions qu'il détermine;

d) préciser ou restreindre la définition du mot «résident» aux fins de la présente loi à l'exception du titre II;

196. The Government may, by regulation,

(a) determine what must be determined by regulation of the Government under this act;

(b) specify or restrict the definition of the word "automobile" for the purposes of this act, except Title II;

(c) exempt owners of the categories of automobiles it indicates from the obligation of section 84, in whole or in part and on the conditions it determines;

(d) specify or restrict the definition of the word "resident" for the purposes of this act, except Title II;

e) déterminer les qualités requises de toute personne qui demande une attestation de solvabilité; et

f) déterminer le montant de la preuve de solvabilité visée dans les articles 102 et 104.

1977, c. 68, a. 196; 1977, c. 5, a. 14.

197. Un règlement de la Société, sauf celui visé au paragraphe b de l'article 195, doit être approuvé par le gouvernement.

1977, c. 68, a. 197; 1977, c. 5, a. 14; 1986, c. 91, a. 664; 1990, c. 19, a. 11.

TITRE X
DISPOSITIONS TRANSITOIRES ET FINALES

198. Le propriétaire d'une automobile est réputé avoir contracté l'assurance requise par la présente loi s'il justifie d'un contrat d'assurance de responsabilité conclu avec un assureur avant le 1er mars 1978 et ce, tant et aussi longtemps que le contrat est en vigueur.

1977, c. 68, a. 198; 1999, c. 40, a. 26.

199. La présente loi entraîne modification de plein droit, dans les limites de ses dispositions, des obligations de l'assureur en vertu d'un contrat d'assurance en cours.

Cette modification ne peut justifier aucune majoration du montant de la prime fixée par le contrat, ni la résiliation de celui-ci.

Si les obligations de l'assureur en vertu d'un contrat en cours sont réduites, la prime prévue à l'égard de ce contrat doit être ajustée en conséquence.

Si la prime a été payée à l'avance, le montant de l'ajustement doit être remis dans les trois mois à moins que l'assuré n'accepte au cours de cette période qu'il soit porté à son crédit.

1977, c. 68, a. 199.

200. Toute suspension imposée avant le 1er mars 1978 selon l'article 22 de la Loi sur l'indemnisation des victimes d'accidents d'automobile est révoquée à cette date et la preuve de solvabilité exigée en vertu de cet article n'est plus requise.

1977, c. 68, a. 201.

201. Abrogé.

1982, c. 59, a. 33.

202. Le conseil d'administration initial du Groupement constitué par le titre VI de la présente loi est composé de treize membres nommés par le gouvernement pour une période d'un an.

(e) determine the qualifications required of a person applying for a certificate of financial responsibility; and

(f) determine the amount of proof of financial responsibility contemplated in sections 102 and 104.

197. Every regulation of the Société, except a regulation under paragraph b of section 195, must be approved by the Government.

TITLE X
TRANSITIONAL AND FINAL PROVISIONS

198. The owner of an automobile is deemed to have contracted the insurance required by this act if he shows proof of a contract of liability insurance taken out with an insurer before 1 March 1978, and this presumption holds for as long as the contract is in force.

199. This act entails a change *pleno jure,* within the limits of its provisions, in the obligations of an insurer under a contract of insurance in force.

Such change shall not justify any increase of the amount of the premium fixed by the contract, nor its cancellation.

If the obligations of an insurer under a contract in force are reduced, the premium provided for with regard to such contract must be adjusted accordingly.

If the premium has been paid in advance, the amount of adjustment must be remitted within three months unless the insured accepts during that period to be credited with the amount.

200. Every suspension imposed before 1 March 1978 in accordance with section 22 of the Highway Victims Indemnity Act is cancelled on such date and the proof of financial responsibility required under such section shall no longer be required.

201. Repealed.

202. The original board of directors of the Groupement established by Title VI of this act is composed of thirteen members appointed by the Government for a period of one year.

Avant l'expiration de leur mandat, les administrateurs doivent convoquer une assemblée générale des assureurs agréés aux fins d'élire les membres du conseil d'administration prévu à l'article 159.

1977, c. 68, a. 215; 1977, c. 5, a. 14; 1999, c. 40, a. 26.

Before the expiry of their term, the directors must call a general meeting of authorized insurers for the purpose of electing the members of the board of directors provided for in section 159.

202.1 Malgré l'article 151, la Société peut, sans expertise actuarielle mais avec l'approbation du gouvernement, modifier les sommes exigibles fixées en vertu de cet article et qui sont en vigueur le 23 avril 1985.

Cette modification a effet depuis le 24 avril 1985 mais ne s'applique pas à la personne qui, avant cette date, a reçu un avis de renouvellement d'immatriculation ou de permis de conduire et a acquitté les sommes exigibles avant le 16 juin 1985.

1986, c. 15, a. 1; 1990, c. 19, a. 11.

202.1 Notwithstanding section 151, the Société, without actuarial valuation but with the approval of the Government, may alter the exigible sums fixed under that section which are in force on 23 April 1985.

The alteration has effect from 24 April 1985 but does not apply to a person who before that date received a renewal notice respecting a registration or a driver's licence and who paid the exigible amounts before 16 June 1985.

202.2 Le premier règlement adopté après le 26 mai 1986 en vertu du paragraphe n de l'article 195, n'est pas soumis au premier alinéa de l'article 197 et a effet depuis le 24 avril 1985.

1986, c. 15, a. 1.

202.2 The first regulation made after 26 May 1986 under paragraph n of section 195 is not subject to the first paragraph of section 197 and has effect from 24 April 1985.

203. La présente loi s'applique au gouvernement.

1977, c. 68, a. 243; 1977, c. 5, a. 14.

203. This Act applies to the Government.

204. Le ministre des Transports est chargé de l'application de la présente loi, à l'exception des dispositions des titres VI et VII dont l'application relève du ministre des Finances.

1977, c. 68, a. 244; 1993, c. 56, a. 19.

204. The Minister of Transport is responsible for the administration of this Act, except for the provisions of Titles VI and VII, the administration of which falls under the authority of the Minister of Finance.

205. (Cet article a cessé d'avoir effet le 17 avril 1987).

1982, c. 21, a. 1; R.-U., 1982, c. 11, ann. B, ptie I, a. 33.

205. (This section ceased to have effect on 17 April 1987).

ANNEXE I

INDEMNITÉ FORFAITAIRE AU CONJOINT D'UNE VICTIME DÉCÉDÉE

(ARTICLE 63, 1ER ALINÉA)

SCHEDULE I

LUMP SUM INDEMNITY TO SPOUSE OF DECEASED VICTIM

(SECTION 63, FIRST PARAGRAPH)

Âge de la victime (ans)	Facteur	Age of victim (years)	Factor
25 ou moins	1,0	25 or less	1.0
26	1,2	26	1.2
27	1,4	27	1.4
28	1,6	28	1.6
29	1,8	29	1.8
30	2,0	30	2.0
31	2,2	31	2.2
32	2,4	32	2.4
33	2,6	33	2.6
34	2,8	34	2.8
35	3,0	35	3.0
36	3,2	36	3.2
37	3,4	37	3.4
38	3,6	38	3.6
39	3,8	39	3.8
40	4,0	40	4.0
41	4,2	41	4.2
42	4,4	42	4.4
43	4,6	43	4.6
44	4,8	44	4.8
45	5,0	45	5.0
46	4,8	46	4.8
47	4,6	47	4.6
48	4,4	48	4.4
49	4,2	49	4.2
50	4,0	50	4.0
51	3,8	51	3.8
52	3,6	52	3.6
53	3,4	53	3.4
54	3,2	54	3.2
55	3,0	55	3.0
56	2,8	56	2.8
57	2,6	57	2.6
58	2,4	58	2.4
59	2,2	59	2.2
60	2,0	60	2.0
61	1,8	61	1.8
62	1,6	62	1.6
63	1,4	63	1.4
64	1,2	64	1.2
65 et plus	1,0	65 or over	1.0

1989, c. 15, ann. I.

ANNEXE II

INDEMNITÉ FORFAITAIRE AU CONJOINT INVALIDE D'UNE VICTIME DÉCÉDÉE

(ARTICLE 63, 2ᴱ ALINÉA)

SCHEDULE II

LUMP SUM INDEMNITY TO DISABLED SPOUSE OF DECEASED VICTIM

(SECTION 63, SECOND PARAGRAPH)

Âge de la victime (ans)	Facteur	Age of victim (years)	Factor
45 ou moins	5,0	45 or less	5.0
46	4,8	46	4.8
47	4,6	47	4.6
48	4,4	48	4.4
49	4,2	49	4.2
50	4,0	50	4.0
51	3,8	51	3.8
52	3,6	52	3.6
53	3,4	53	3.4
54	3,2	54	3.2
55	3,0	55	3.0
56	2,8	56	2.8
57	2,6	57	2.6
58	2,4	58	2.4
59	2,2	59	2.2
60	2,0	60	2.0
61	1,8	61	1.8
62	1,6	62	1.6
63	1,4	63	1.4
64	1,2	64	1.2
65 et plus	1,0	65 or over	1.0

1989, c. 15, ann. II.

ANNEXE III

SCHEDULE III

INDEMNITÉ FORFAITAIRE À LA PERSONNE À CHARGE D'UNE VICTIME DÉCÉDÉE

LUMP SUM INDEMNITY TO DEPENDANT OF DECEASED VICTIM

(ARTICLE 66)

(SECTION 66)

Âge de la personne à charge (ans)	Montant de l'indemnité ($)	Age of dependant (years)	Amount of indemnity ($)
Moins de 1	35 000 $	Less than 1	$35 000
1	34 000 $	1	$34 000
2	33 000 $	2	$33 000
3	32 000 $	3	$32 000
4	31 000 $	4	$31 000
5	30 000 $	5	$30 000
6	29 000 $	6	$29 000
7	28 000 $	7	$28 000
8	27 000 $	8	$27 000
9	26 000 $	9	$26 000
10	25 000 $	10	$25 000
11	24 000 $	11	$24 000
12	23 000 $	12	$23 000
13	22 000 $	13	$22 000
14	21 000 $	14	$21 000
15	20 000 $	15	$20 000
16 et plus	19 000 $	16 or over	$19 000

1989, c. 15, ann. III.

LOI SUR LA RÉGIE DU LOGEMENT

L.R.Q., c. R-8.1

TITRE I
LA RÉGIE DU LOGEMENT

CHAPITRE I
APPLICATION

1. Le présent titre s'applique à un logement loué, offert en location ou devenu vacant après une location, ainsi qu'aux lieux assimilés à un tel logement au sens de l'article 1892 du Code civil.

1979, c. 48, a. 1; 1999, c. 40, a. 247.

2. Abrogé.

1999, c. 40, a. 247.

3. La présente loi lie le gouvernement, ses ministères, ses organismes et les mandataires de l'État.

1979, c. 48, a. 3; 1999, c. 40, a. 247.

CHAPITRE II
CONSTITUTION ET FONCTIONS DE LA RÉGIE

4. Un organisme, ci-après appelé «la Régie», est institué sous le nom de «Régie du logement».

1979, c. 48, a. 4.

5. La Régie exerce la compétence qui lui est conférée par la présente loi et décide des demandes qui lui sont soumises.

Elle est en outre chargée:

1° de renseigner les locateurs et les locataires sur leurs droits et obligations résultant du bail d'un logement et sur toute matière visée dans la présente loi;

2° de favoriser la conciliation entre locateurs et locataires;

3° de faire des études et d'établir des statistiques sur la situation du logement;

4° de publier périodiquement un recueil de décisions rendues par les régisseurs.

1979, c. 48, a. 5; 1999, c. 40, a. 247.

AN ACT RESPECTING THE RÉGIE DU LOGEMENT

R.S.Q., c. R-8.1

TITLE I
THE RÉGIE DU LOGEMENT

CHAPTER I
APPLICATION

1. This Title applies to a dwelling leased or offered for lease, a dwelling that has become vacant after being leased or premises considered as a dwelling in article 1892 of the Civil Code.

2. Repealed.

3. This act is binding on the Government, Government departments and agencies, and mandataries of the State.

CHAPTER II
ESTABLISHMENT AND FUNCTIONS OF THE RÉGIE

4. A body, hereinafter called "the board", is established under the name of "Régie du logement".

5. The board shall exercise the jurisdiction conferred on it by this act and decide the applications that are submitted to it.

The board is also responsible for

(1) informing lessors and lessees on their rights and obligations resulting from the lease of a dwelling and on any matter contemplated in this act;

(2) promoting conciliation between lessors and lessees;

(3) conducting studies and compiling statistics on the housing situation;

(4) publishing, from time to time, a compendium of the decisions rendered by the commissioners.

SECTION I
NOMINATION DES RÉGISSEURS

6. La Régie est composée de régisseurs nommés par le gouvernement qui en détermine le nombre.

Aux endroits où il l'estime nécessaire en raison de l'éloignement et où le nombre de demandes ne lui paraît pas justifier la nomination d'un régisseur à temps plein, le gouvernement peut nommer un régisseur à temps partiel.

1979, c. 48, a. 6; 1981, c. 32, a. 1; 1997, c. 43, a. 602.

SECTION II
RECRUTEMENT ET SÉLECTION DES RÉGISSEURS

7. Seule peut être nommée régisseur de la Régie, la personne qui possède une expérience pertinente de dix ans à l'exercice des fonctions de la Régie.

1979, c. 48, a. 7; 1997, c. 43, a. 603.

7.1 Les régisseurs sont choisis parmi les personnes déclarées aptes suivant la procédure de recrutement et de sélection établie par règlement du gouvernement. Un tel règlement peut, notamment:

1° déterminer la publicité qui doit être faite pour procéder au recrutement, ainsi que les éléments qu'elle doit contenir;

2° déterminer la procédure à suivre pour se porter candidat;

3° autoriser la formation de comités de sélection chargés d'évaluer l'aptitude des candidats et de fournir un avis sur eux;

4° fixer la composition des comités et le mode de nomination de leurs membres en assurant la représentation du public et du milieu juridique ou encore de l'un d'entre eux;

5° déterminer les critères de sélection dont le comité tient compte;

6° déterminer les renseignements que le comité peut requérir d'un candidat et les consultations qu'il peut effectuer.

1997, c. 43, a. 603.

7.2 Le nom des personnes déclarées aptes est consigné dans un registre au ministère du Conseil exécutif.

La déclaration d'aptitude est valide pour une période de 18 mois ou pour toute autre période fixée par règlement du gouvernement.

1997, c. 43, a. 603.

DIVISION I
APPOINTMENT OF COMMISSIONERS

6. The board is composed of commissioners appointed by the Government in the number determined by the Government.

In places where the Government considers it necessary because of the distance and where the number of applications does not appear to justify the appointment of a full-time commissioner, the Government may appoint a part-time commissioner.

DIVISION II
RECRUITING AND SELECTION OF COMMISSIONERS

7. Only a person who has at least ten years' experience pertinent to the exercise of the functions of the board may be appointed to the board as a commissioner.

7.1 Commissioners shall be selected among persons declared apt according to the recruiting and selection procedure established by government regulation. The regulation may, in particular,

(1) determine the publicity that must be given to the recruiting procedure and the content of such publicity;

(2) determine the procedure by which a person may become a candidate;

(3) authorize the establishment of selection committees to assess the aptitude of candidates and formulate an opinion concerning them;

(4) fix the composition of the committees and mode of appointment of committee members, ensuring adequate representation of the population and the legal community or either of them;

(5) determine the selection criteria to be taken into account by the committees;

(6) determine the information a committee may require from a candidate and the consultations it may hold.

7.2 The names of the persons declared apt shall be recorded in a register kept at the Ministère du Conseil exécutif.

A declaration of aptitude shall be valid for a period of 18 months or for such period as is determined by government regulation.

7.3 Les membres d'un comité de sélection ne sont pas rémunérés, sauf dans les cas, aux conditions et dans la mesure que peut déterminer le gouvernement.

Ils ont cependant droit au remboursement des dépenses faites dans l'exercice de leurs fonctions, aux conditions et dans la mesure que détermine le gouvernement.

1997, c. 43, a. 603.

SECTION III
DURÉE ET RENOUVELLEMENT D'UN MANDAT

7.4 La durée du mandat d'un régisseur est de 5 ans, sous réserve des exceptions qui suivent.

1997, c. 43, a. 603.

7.5 Le gouvernement peut prévoir un mandat d'une durée fixe moindre, indiquée dans l'acte de nomination, lorsque le candidat en fait la demande pour des motifs sérieux ou lorsque des circonstances particulières indiquées dans l'acte de nomination l'exigent.

1997, c. 43, a. 603.

7.6 Le mandat d'un régisseur est, selon la procédure établie en vertu de l'article 7.7, renouvelé pour 5 ans:

1° à moins qu'un avis contraire ne soit notifié au régisseur au moins trois mois avant l'expiration de son mandat par l'agent habilité à cette fin par le gouvernement;

2° à moins que le régisseur ne demande qu'il en soit autrement et notifie sa décision au ministre au plus tard trois mois avant l'expiration de son mandat.

Une dérogation à la durée du mandat ne peut valoir que pour une durée fixe de moins de cinq ans déterminée par l'acte de renouvellement et, hormis le cas où le régisseur en fait la demande pour des motifs sérieux, que lorsque des circonstances particulières indiquées dans l'acte de renouvellement l'exigent.

1997, c. 43, a. 603; 2002, c. 22, a. 36.

7.7 Le renouvellement d'un mandat est examiné suivant la procédure établie par règlement du gouvernement. Un tel règlement peut, notamment:

1° autoriser la formation de comités;

2° fixer la composition des comités et le mode de nomination de leurs membres, lesquels ne doivent pas faire partie de l'Administration gouvernementale au sens de la Loi sur l'administration publique (L.R.Q., chapitre A-6.01), ni la représenter;

7.3 Members of a selection committee shall receive no remuneration except in such cases, subject to such conditions and to such extent as may be determined by the Government.

They are, however, entitled to the reimbursement of expenses incurred in the performance of their duties, subject to the conditions and to the extent determined by the Government.

DIVISION III
TERM OF OFFICE AND RENEWAL

7.4 The term of office of a commissioner is five years, subject to the exceptions that follow.

7.5 The Government may determine a shorter term of office of a fixed duration in the instrument of appointment where the candidate so requests for a valid reason or where required by special circumstances stated in the instrument of appointment.

7.6 The term of office of a commissioner shall be renewed for five years, according to the procedure established under section 7.7,

(1) unless the commissioner is notified otherwise at least three months before the expiry of the term by the agent authorized therefor by the Government; or

(2) unless the commissioner requests otherwise and so notifies the Minister at least three months before the expiry of the term.

A variation of the term of office is valid only for a fixed period of less than five years determined in the instrument of renewal and, except where requested by the commissioner for a valid reason, only where required by special circumstances stated in the instrument of renewal.

7.7 The renewal of a term of office shall be examined according to the procedure established by government regulation. The regulation may, in particular,

(1) authorize the establishment of committees;

(2) fix the composition of the committees and the mode of appointment of committee members, who shall neither belong to nor represent the Administration within the meaning of the Public Administration Act (R.S.Q., chapter A-6.01);

3° déterminer les critères dont le comité tient compte;

4° déterminer les renseignements que le comité peut requérir du régisseur et les consultations qu'il peut effectuer.

Un comité d'examen ne peut faire une recommandation défavorable au renouvellement du mandat d'un régisseur sans, au préalable, informer ce dernier de son intention de faire une telle recommandation et des motifs sur lesquels celle-ci est fondée et sans lui avoir donné l'occasion de présenter ses observations.

Les membres d'un comité d'examen ne peuvent être poursuivis en justice en raison d'actes accomplis de bonne foi dans l'exercice de leurs fonctions.

1997, c. 43, a. 603; 2002, c. 22, a. 36.

7.8 Les membres d'un comité d'examen ne sont pas rémunérés, sauf dans les cas, aux conditions et dans la mesure que peut déterminer le gouvernement.

Ils ont cependant droit au remboursement des dépenses faites dans l'exercice de leurs fonctions, aux conditions et dans la mesure que détermine le gouvernement.

1997, c. 43, a. 603.

SECTION IV
FIN PRÉMATURÉE DE MANDAT ET SUSPENSION

7.9 Le mandat d'un régisseur ne peut prendre fin avant terme que par son admission à la retraite ou sa démission, ou s'il est destitué ou autrement démis de ses fonctions dans les conditions visées à la présente section.

1997, c. 43, a. 603.

7.10 Pour démissionner, le régisseur doit donner au ministre un préavis écrit dans un délai raisonnable et en transmettre copie au président de la Régie.

1997, c. 43, a. 603.

7.11 Le gouvernement peut destituer un régisseur lorsque le Conseil de la justice administrative, institué par la Loi sur la justice administrative (1996, chapitre 54), le recommande, après enquête tenue à la suite d'une plainte portée en application de l'article 8.2 de la présente loi.

Il peut pareillement suspendre le régisseur avec ou sans rémunération pour la période que le Conseil recommande.

1997, c. 43, a. 603.

(3) determine the criteria to be taken into account by the committees;

(4) determine the information a committee may require from a commissioner and the consultations it may hold.

An examination committee may not make a recommendation against the renewal of a commissioner's term of office without first having informed the commissioner of its intention to make such a recommendation and of the reasons therefor and without having given the commissioner the opportunity to present observations.

No judicial proceedings may be brought against members of an examination committee for any act done in good faith in the performance of their duties.

7.8 Members of an examination committee shall receive no remuneration, except in such cases, on such conditions and to such extent as may be determined by the Government.

They are, however, entitled to the reimbursement of expenses incurred in the performance of their duties, on the conditions and to the extent determined by the Government.

1997, c. 43, a. 603.

DIVISION IV
PREMATURE TERMINATION OF TERM OF OFFICE AND SUSPENSION

7.9 The term of office of a commissioner may terminate prematurely only on his retirement or resignation, or on his being dismissed or otherwise removed from office in the circumstances referred to in this division.

7.10 To resign, a commissioner must give the Minister reasonable notice in writing, sending a copy to the chairman of the board.

7.11 The Government may dismiss a commissioner if the Conseil de la justice administrative, instituted by the Act respecting administrative justice (1996, chapter 54), so recommends, after an inquiry conducted following the lodging of a complaint pursuant to section 8.2 of this Act.

The Government may also suspend the commissioner with or without remuneration for the period recommended by the Conseil.

7.12 En outre, le gouvernement peut démettre un régisseur pour une incapacité permanente qui, de l'avis du gouvernement, l'empêche de remplir de manière satisfaisante les devoirs de sa charge; l'incapacité permanente est établie par le Conseil de la justice administrative, après enquête faite sur demande du ministre ou du président de la Régie.

Le Conseil agit conformément aux dispositions des articles 193 à 197 de la Loi sur la justice administrative (1996, chapitre 54), compte tenu des adaptations nécessaires; toutefois, la formation du comité d'enquête obéit aux règles prévues par l'article 8.4.

1997, c. 43, a. 603.

SECTION V
AUTRE DISPOSITION RELATIVE À LA CESSATION DE FONCTIONS

7.13 Tout régisseur peut, à la fin de son mandat, avec l'autorisation du président de la Régie et pour la période que celui-ci détermine, continuer à exercer ses fonctions pour terminer les affaires qu'il a déjà commencé à entendre et sur lesquelles il n'a pas encore statué; il est alors, pendant la période nécessaire, un régisseur en surnombre.

Le premier alinéa ne s'applique pas au régisseur destitué ou autrement démis de ses fonctions.

1997, c. 43, a. 603.

SECTION VI
RÉMUNÉRATION ET AUTRES CONDITIONS DE TRAVAIL

7.14 Le gouvernement détermine par règlement:

1° le mode, les normes et barèmes de la rémunération des régisseurs ainsi que la façon d'établir le pourcentage annuel de la progression du traitement des régisseurs jusqu'au maximum de l'échelle salariale et de l'ajustement de la rémunération des régisseurs dont le traitement est égal à ce maximum;

2° les conditions et la mesure dans lesquelles les dépenses faites par un régisseur dans l'exercice de ses fonctions lui sont remboursées.

Il peut pareillement déterminer d'autres conditions de travail pour tous les régisseurs ou pour certains d'entre eux, y compris leurs avantages sociaux autres que le régime de retraite.

Les dispositions réglementaires peuvent varier selon qu'il s'agit d'un régisseur à temps plein ou à temps partiel ou selon que le régisseur occupe une charge administrative au sein de la Régie.

7.12 The Government may also remove a commissioner from office because of permanent disability which, in the opinion of the Government, prevents the commissioner from performing the duties of his office satisfactorily; permanent disability is ascertained by the Conseil de la justice administrative, after an inquiry conducted at the request of the Minister or of the chairman of the board.

The Conseil shall act in accordance with the provisions of sections 193 to 197 of the Act respecting administrative justice (1996, chapter 54), adapted as required; however, the formation of an inquiry committee is subject to the rules set out in section 8.4.

DIVISION V
OTHER PROVISIONS REGARDING TERMINATION OF DUTIES

7.13 Any commissioner may, with the authorization of and for the time determined by the chairman of the board, continue to perform his duties after the expiry of his term of office in order to conclude the cases he has begun to hear but has yet to determine; he shall be a supernumerary commissioner for the time required.

The first paragraph does not apply to a commissioner who has been dismissed or otherwise removed from office.

DIVISION VI
REMUNERATION AND OTHER CONDITIONS OF OFFICE

7.14 The Government shall make regulations determining

(1) the mode of remuneration of the commissioners and the applicable standards and scales, and the method for determining the annual percentage of salary advancement up to the maximum salary rate and of the adjustment of the remuneration of commissioners whose salary has reached the maximum rate;

(2) the conditions subject to which and the extent to which a commissioner may be reimbursed the expenses incurred in the performance of his duties.

The Government may make regulations determining other conditions of office applicable to all or certain commissioners, including social benefits other than the pension plan.

The regulatory provisions may vary according to whether they apply to full-time or part-time commissioners or to a commissioner charged with an administrative office within the board.

Les règlements entrent en vigueur le quinzième jour qui suit la date de leur publication à la *Gazette officielle du Québec* ou à une date ultérieure qui y est indiquée.

1997, c. 43, a. 603.; 2002, c. 22, a. 37

7.15 Le gouvernement fixe, conformément au règlement, la rémunération, les avantages sociaux et les autres conditions de travail des régisseurs.

1997, c. 43, a. 603.

7.16 La rémunération d'un régisseur ne peut être réduite une fois fixée.

Néanmoins, la cessation d'exercice d'une charge administrative au sein de la Régie entraîne la suppression de la rémunération additionnelle afférente à cette charge.

1997, c. 43, a. 603.

7.17 Le régime de retraite des régisseurs à temps plein est déterminé en application de la Loi sur le régime de retraite du personnel d'encadrement (2001, chapitre 31).

1997, c. 43, a. 603; 2002, c. 30, a. 161.

7.18 Le fonctionnaire nommé régisseur de la Régie cesse d'être assujetti à la Loi sur la fonction publique (L.R.Q., chapitre F-3.1.1) pour tout ce qui concerne sa fonction de régisseur; il est, pour la durée de son mandat et dans le but d'accomplir les devoirs de sa fonction, en congé sans solde total.

1997, c. 43, a. 603.

SECTION VII
DÉONTOLOGIE

8. Le gouvernement peut déterminer, par règlement, un code de déontologie applicable aux régisseurs.

1979, c. 48, a. 8.

8.1 Le Code de déontologie énonce les règles de conduite et les devoirs des régisseurs envers le public, les parties, leurs témoins et les personnes qui les représentent; il indique, notamment, les comportements dérogatoires à l'honneur, à la dignité ou à l'intégrité des régisseurs. Il peut en outre déterminer les activités ou situations incompatibles avec la charge qu'ils occupent, leurs obligations concernant la révélation de leurs intérêts ainsi que les fonctions qu'ils peuvent exercer à titre gratuit.

Ce Code de déontologie peut prévoir des règles particulières pour les régisseurs à temps partiel.

1997, c. 43, a. 605.

The regulations come into force on the fifteenth day following the date of their publication in the *Gazette officielle du Québec* or on any later date indicated therein.

7.15 The Government shall fix, in accordance with the regulations, the remuneration, social benefits and other conditions of office of the commissioners.

7.16 Once fixed, a commissioner's remuneration may not be reduced.

However, additional remuneration attaching to an administrative office within the board shall cease upon termination of such office.

7.17 The pension plan of full-time commissioners shall be determined pursuant to the Act respecting the Pension Plan of Management Personnel (2001, chapter 31).

7.18 A public servant appointed as a commissioner of the board ceases to be subject to the Public Service Act (R.S.Q., chapter F-3.1.1) for all matters concerning such office; for the duration of his term of office, he is on full leave without pay for the purpose of performing his duties of office.

DIVISION VII
ETHICS

8. The Government may determine, by regulation, a code of ethics applicable to commissioners.

8.1 The code of ethics shall set out the rules of conduct and the duties of the commissioners towards the public, the parties, their witnesses and the persons who represent them. It shall indicate, in particular, conduct that is derogatory to the honour, dignity or integrity of the commissioners. In addition, the code of ethics may determine activities or situations that are incompatible with their office, their obligations concerning disclosure of interest, and the duties they may perform gratuitously.

The code of ethics may provide special rules applicable to part-time commissioners.

8.2 Toute personne peut porter plainte au Conseil de la justice administrative contre un régisseur de la Régie, pour un manquement au Code de déontologie, à un devoir imposé par la présente loi ou aux prescriptions relatives aux conflits d'intérêts ou aux fonctions incompatibles.

1997, c. 43, a. 605.

8.3 La plainte doit être écrite et exposer sommairement les motifs sur lesquels elle s'appuie.

Elle est transmise au siège du Conseil.

1997, c. 43, a. 605.

8.4 Le Conseil, lorsqu'il procède à l'examen d'une plainte formulée contre un régisseur, agit conformément aux dispositions des articles 184 à 192 de la Loi sur la justice administrative (1996, chapitre 54), compte tenu des adaptations nécessaires.

Toutefois, lorsque, en application de l'article 186 de cette loi, le Conseil constitue un comité d'enquête, deux des membres qui le composent sont choisis parmi les membres du Conseil visés aux paragraphes 1° à 6° et 9° de l'article 167 de cette loi, dont l'un au moins n'exerce pas une profession juridique et n'est pas membre de l'un des organismes de l'Administration dont le président est membre du Conseil. Le troisième est le membre du Conseil visé au paragraphe 8° ou choisi à partir d'une liste établie par le président de la Régie après consultation de l'ensemble de ses régisseurs. En ce dernier cas, si le comité juge la plainte fondée, ce membre participe également aux délibérations du Conseil pour déterminer la sanction.

1997, c. 43, a. 605; 2002, c. 22, a. 38.

SECTION VIII
MANDAT ADMINISTRATIF

9. Remplacé.
1997, c. 43, a. 606.

9.1 Le gouvernement désigne, parmi les régisseurs de la Régie, un président et deux vice-présidents.
1997, c. 43, a. 606.

9.2 Le président et les vice-présidents doivent exercer leurs fonctions à temps plein.
1997, c. 43, a. 606.

9.3 Le mandat administratif du président ou d'un vice-président est d'une durée fixe déterminée par l'acte de désignation ou de renouvellement.
1997, c. 43, a. 606.

8.2 Any person may lodge a complaint with the Conseil de la justice administrative against a commissioner of the board for breach of the code of ethics, of a duty under this Act or of the prescriptions governing conflicts of interest and incompatible functions.

8.3 A complaint must be in writing and must briefly state the reasons on which it is based.

It shall be transmitted to the seat of the Conseil.

8.4 The Conseil, when examining a complaint against a commissioner, shall act in accordance with sections 184 to 192 of the Act respecting administrative justice (1996, chapter 54), adapted as required.

However, where the Conseil, for the purposes of section 186 of the said Act, forms an inquiry committee, two members of the committee shall be chosen from among the members of the Conseil referred to in paragraphs 1 to 6 and 9 of section 167 of that Act, at least one of whom shall neither practise a legal profession nor be a member of a body of the Administration whose president or chairman is a member of the Conseil. The third member of the inquiry committee shall be the member of the Conseil referred to in paragraph 8 of that section or shall be chosen from a list drawn up by the chairman of the board, after consulting all the commissioners of the board. In the latter case if the inquiry committee finds the complaint to be justified, the third member shall take part in the deliberations of the Conseil for the purpose of determining a penalty.

DIVISION VIII
ADMINISTRATIVE OFFICE

9. Replaced.

9.1 The Government shall designate, among the commissioners of the board, a chairman and two vice-chairmen.

9.2 The chairman and vice-chairmen shall exercise their duties on a full-time basis.

9.3 The administrative office of the chairman or a vice-chairman is of a fixed duration determined in the instrument of appointment or renewal.

9.4 Le mandat administratif du président ou d'un vice-président ne peut prendre fin avant terme que si le régisseur renonce à cette charge administrative, si son mandat de régisseur prend fin prématurément ou n'est pas renouvelé, ou s'il est révoqué ou autrement démis de sa charge administrative dans les conditions visées à la présente section.

1997, c. 43, a. 606.

9.5 Le gouvernement peut révoquer le président ou un vice-président de sa charge administrative lorsque le Conseil de la justice administrative le recommande, après enquête faite sur demande du ministre pour un manquement ne concernant que l'exercice de ses attributions administratives.

Le Conseil agit conformément aux dispositions des articles 193 à 197 de la Loi sur la justice administrative (1996, chapitre 54), compte tenu des adaptations nécessaires; toutefois, la formation du comité d'enquête obéit aux règles prévues par l'article 8.4.

1997, c. 43, a. 606.

SECTION IX
DEVOIRS ET POUVOIRS DES RÉGISSEURS

9.6 Avant d'entrer en fonction, le régisseur prête serment en affirmant solennellement ce qui suit: «Je (...) jure que j'exercerai et accomplirai impartialement et honnêtement, au meilleur de ma capacité et de mes connaissances, les pouvoirs et les devoirs de ma charge.»

Cette obligation est exécutée devant le président de la Régie. Ce dernier doit prêter serment devant un juge de la Cour du Québec.

L'écrit constatant le serment est transmis au ministre de la Justice.

1997, c. 43, a. 606.

9.7 Un régisseur ne peut, sous peine de déchéance de sa charge, avoir un intérêt direct ou indirect dans une entreprise susceptible de mettre en conflit son intérêt personnel et les devoirs de sa fonction, sauf si un tel intérêt lui échoit par succession ou donation, pourvu qu'il y renonce ou en dispose avec toute la diligence possible.

Outre le respect des prescriptions relatives aux conflits d'intérêts ainsi que des règles de conduite et des devoirs imposés par le Code de déontologie pris en application de la présente loi, un régisseur ne peut poursuivre une activité ou se placer dans une situation incompatibles, au sens de ce code, avec l'exercice de ses fonctions.

1997, c. 43, a. 606.

9.4 The administrative office of the chairman or a vice-chairman may terminate prematurely only on the commissioner's relinquishing such office, on the premature termination or non-renewal of his term of office as a commissioner, or on his removal or dismissal from his administrative office in the circumstances referred to in this division.

9.5 The Government may remove the chairman or a vice-chairman from his administrative office if the Conseil de la justice administrative so recommends, after an inquiry conducted at the Minister's request concerning a lapse pertaining only to his administrative duties.

The Conseil shall act in accordance with the provisions of sections 193 to 197 of the Act respecting administrative justice (1996, chapter 54), adapted as required; however, the formation of an inquiry committee is subject to the rules set out in section 8.4.

DIVISION IX
DUTIES AND POWERS OF COMMISSIONERS

9.6 Before taking office, every commissioner shall take an oath, solemnly affirming the following: "I (...) swear that I will exercise the powers and fulfill the duties of my office impartially and honestly and to the best of my knowledge and abilities."

The oath shall be taken before the chairman of the board. The chairman of the board shall take the oath before a judge of the Court of Québec.

The writing evidencing the oath shall be sent to the Minister of Justice.

9.7 A commissioner may not, on pain of forfeiture of office, have a direct or indirect interest in any enterprise that could cause a conflict between his personal interest and his duties of office, unless the interest devolves to him by succession or gift and he renounces it or disposes of it with dispatch.

In addition to observing conflict of interest requirements and the rules of conduct and duties imposed by the code of ethics adopted under this Act, a commissioner may not pursue an activity or place himself in a situation incompatible, within the meaning of the code of ethics, with the exercise of his office.

9.8 La Régie et ses régisseurs sont investis des pouvoirs et immunités d'un commissaire nommé en vertu de la Loi sur les commissions d'enquête (L.R.Q., chapitre C-37), sauf du pouvoir d'imposer une peine d'emprisonnement.

Ils ne peuvent être poursuivis en justice en raison d'un acte accompli de bonne foi dans l'exercice de leurs fonctions.

1997, c. 43, a. 606.

SECTION X
FONCTIONNEMENT, DIRECTION ET ADMINISTRATION DE LA RÉGIE

10. Outre les attributions qui peuvent lui être dévolues par ailleurs, le président est chargé de l'administration et de la direction générale de la Régie.

Il a notamment pour fonctions:

1° de favoriser la participation des régisseurs à l'élaboration d'orientations générales de la Régie en vue de maintenir un niveau élevé de qualité et de cohérence des décisions;

2° de coordonner et de répartir le travail des régisseurs qui, à cet égard, doivent se soumettre à ses ordres et directives;

3° de veiller au respect de la déontologie;

4° de promouvoir le perfectionnement des régisseurs quant à l'exercice de leurs fonctions;

5° de donner au ministre désigné son avis sur toute question que celui-ci soumet, d'analyser les effets de l'application de la présente loi et de faire au ministre les recommandations qu'il juge utiles.

Le vice-président désigné à cette fin par le président peut exercer les fonctions visées au paragraphe 2°.

1979, c. 48, a. 10; 1997, c. 43, a. 607.

10.1 Le président doit édicter un code de déontologie applicable aux conciliateurs et veiller à son application.

Ce code entre en vigueur le quinzième jour qui suit la date de sa publication à la *Gazette officielle du Québec* ou à une date ultérieure qui y est indiquée.

1997, c. 43, a. 607.

10.2 Le président ou le vice-président qu'il désigne détermine quels régisseurs sont appelés à siéger à l'une ou l'autre des séances.

1997, c. 43, a. 607.

9.8 The commissioners are vested with the powers and immunity of commissioners appointed under the Act respecting public inquiry commissions (R.S.Q., chapter C-37), except the power to order imprisonment.

No judicial proceedings may be brought against them by reason of an act done in good faith in the performance of their duties.

DIVISION X
OPERATION, MANAGEMENT AND ADMINISTRATION OF THE BOARD

10. In addition to the powers and duties that may otherwise be assigned to him, the chairman is charged with the administration and general management of the board.

The duties of the chairman include

(1) fostering the participation of commissioners in the formulation of guiding principles for the board so as to maintain a high level of quality and coherence of decisions;

(2) coordinating the activities of and assigning work to the commissioners who shall comply with his orders and directives in that regard;

(3) seeing to the observance of standards of ethical conduct; and

(4) promoting professional development of the commissioners as regards the exercise of their functions;

(5) giving his opinion to the designated minister on any matter submitted by him, analysing the effects of the carrying out of this Act and submitting to the Minister any recommendation he considers expedient.

The vice-chairman designated for such purpose by the chairman may exercise the functions set out in subparagraph 2 of the second paragraph.

10.1 The chairman shall establish a code of ethics applicable to conciliators and shall see that it is observed.

The code of ethics comes into force on the fifteenth day following the date of its publication in the *Gazette officielle du Québec* or on any later date indicated therein.

10.2 The chairman or the vice-chairman designated by the chairman shall determine which commissioners are to take part in the various sittings of the board.

11. Le président ou le vice-président qu'il désigne à cette fin surveille et dirige le personnel de la Régie.

1979, c. 48, a. 11.

12. En cas d'absence ou d'empêchement du président, il est remplacé par le vice-président désigné à cette fin par le gouvernement aux conditions fixées par ce dernier et, en cas d'absence ou d'empêchement du vice-président désigné, par l'autre vice-président.

1979, c. 48, a. 12; 1999, c. 40, a. 247.

13. Les régisseurs à temps plein doivent s'occuper exclusivement du travail de la Régie et des devoirs de leurs fonctions.

1979, c. 48, a. 13; 1997, c. 43, a. 608.

14-17. Abrogés.

1997, c. 43, a. 609.

18. Aucun recours extraordinaire prévu par les articles 834 à 850 du Code de procédure civile (L.R.Q., chapitre C-25) ne peut être exercé ni aucune injonction accordée contre la Régie ou les régisseurs agissant en leur qualité officielle.

Un juge de la Cour d'appel peut, sur requête, annuler sommairement un bref, une ordonnance ou une injonction délivrés ou accordés à l'encontre du présent article.

1979, c. 48, a. 18.

19. Les greffiers, les inspecteurs, les conciliateurs et les autres membres du personnel de la Régie sont nommés suivant la Loi sur la fonction publique (L.R.Q., chapitre F-3.1.1).

1979, c. 48, a. 19; 1983, c. 55, a. 161; 2000, c. 8, a. 242.

20. Les membres du personnel de la Régie ne peuvent être poursuivis en justice en raison d'un acte officiel accompli de bonne foi dans l'exercice de leurs fonctions.

1979, c. 48, a. 20; 1997, c. 43, a. 610.

21. Le personnel de la Régie doit prêter son assistance pour la rédaction d'une demande à une personne qui la requiert.

1979, c. 48, a. 21.

22. La Régie a son siège social à l'endroit déterminé par le gouvernement; un avis de la situation ou de tout changement du siège social est publié à la *Gazette officielle du Québec*.

La Régie a des bureaux et des greffes aux endroits qu'elle détermine.

1979, c. 48, a. 22.

11. The chairman, or the vice-chairman designated by him for that purpose, shall direct and supervise the personnel of the board.

12. If the chairman is absent or unable to act, he shall be replaced by the vice-chairman designated for that purpose by the Government, on such conditions as it may fix and, if the vice-chairman designated is absent or unable to act, by the other vice-chairman.

13. Full-time commissioners shall devote their time exclusively to the work of the board and to the duties of their office.

14-17. Repealed.

18. No extraordinary recourse provided by articles 834 to 850 of the Code of Civil Procedure (R.S.Q., chapter C-25) may be exercised nor any injunction granted against the board or the commissioners acting in their official capacity.

A judge of the Court of Appeal may, on a motion, summarily annul any writ, order or injunction issued or granted contrary to this section.

19. The clerks, inspectors, conciliators and the other members of the personnel of the board are appointed in accordance with the Public Service Act (R.S.Q., chapter F-3.1.1).

20. No member of the personnel of the board may be prosecuted by reason of an official act done in good faith in the exercise of his functions.

21. The personnel of the board must provide assistance for the drafting of an application to every person who requests it.

22. The head office of the board is at the place determined by the Government; a notice of the location or of any change of the head office shall be published in the *Gazette officielle du Québec*.

The board has offices and record offices at any place it determines.

23. La Régie peut tenir ses séances à tout endroit, même un jour férié aux heures déterminées par le président.

1979, c. 48, a. 23.

24. L'exercice financier de la Régie se termine le 31 mars de chaque année.

1979, c. 48, a. 24.

25. La Régie transmet au ministre désigné, au plus tard le 30 juin de chaque année, un rapport de ses activités pour l'exercice financier précédent.

Ce rapport est, dans les trente jours de sa réception, déposé devant l'Assemblée nationale si elle est en session; si elle n'est pas en session, il est déposé dans les trente jours de l'ouverture de la session suivante ou de la reprise des travaux, selon le cas.

1979, c. 48, a. 25.

26. La Régie fournit au ministre désigné tout renseignement et tout rapport que celui-ci requiert sur ses activités.

1979, c. 48, a. 26.

27. Les livres et les comptes de la Régie sont vérifiés chaque année par le vérificateur général et, en outre, chaque fois que le décrète le gouvernement.

1979, c. 48, a. 27.

CHAPITRE III
COMPÉTENCE DE LA RÉGIE

SECTION I
DISPOSITIONS GÉNÉRALES

28. La Régie connaît en première instance, à l'exclusion de tout tribunal, de toute demande:

1° relative au bail d'un logement lorsque la somme demandée ou la valeur de la chose réclamée ou de l'intérêt du demandeur dans l'objet de la demande ne dépasse pas le montant de la compétence de la Cour du Québec;

2° relative à une matière visée dans les articles 1941 à 1964, 1966, 1967, 1969, 1970, 1977, 1984 à 1990 et 1992 à 1994 du Code civil;

3° relative à une matière visée à la section II, sauf aux articles 54.5, 54.6, 54.7 et 54.11 à 54.14.

23. The board may hold its sittings anywhere, even on a holiday, between the hours determined by the chairman.

24. The fiscal period of the board ends on 31 March each year.

25. No later than 30 June each year, the board shall transmit to the designated minister a report of its activities for the preceding fiscal period.

That report shall be tabled before the National Assembly within thirty days of its receipt, if it is in session; if it is not in session, it shall be tabled within thirty days after the opening of the next session or, as the case may be, after resumption.

26. The board shall furnish to the designated minister any information or report he may require on its activities.

27. The books and accounts of the board shall be audited every year by the Auditor General and, in addition, whenever the Government requires it.

CHAPTER III
JURISDICTION OF THE BOARD

DIVISION I
GENERAL PROVISIONS

28. The board hears in first instance, to the exclusion of any tribunal, any application

(1) respecting the lease of a dwelling where the sum claimed or the value of the thing claimed or of the interest of the applicant in the object of the application does not exceed the amount of the jurisdiction of the Court of Québec;

(2) pertaining to any of the matters contemplated in articles 1941 to 1964, 1966, 1967, 1969, 1970, 1977, 1984 to 1990 and 1992 to 1994 of the Civil Code;

(3) pertaining to any of the matters contemplated in Division II, except in sections 54.5, 54.6, 54.7 and 54.11 to 54.14.

Toutefois, la Régie n'est pas compétente pour entendre une demande visée aux articles 645 et 656 du Code de procédure civile (L.R.Q., chapitre C-25).

The board is not competent, however, to hear applications contemplated in articles 645 and 656 of the Code of Civil Procedure (R.S.Q., chapter C-25).

1979, c. 48, a. 28; 1987, c. 63, a. 11; 1987, c. 77, a. 1; 1988, c. 21, a. 66; 1999, c. 40, a. 247.

29. Un régisseur entend et décide seul des demandes qui relèvent de la compétence de la Régie.

29. A commissioner hears and decides, alone, applications that are within the jurisdiction of the board.

Toutefois, le président ou le vice-président qu'il désigne à cette fin peut porter le nombre de régisseurs jusqu'à cinq; il désigne alors, parmi les juges, les avocats ou les notaires, le régisseur qui préside l'audition.

However, the chairman, or the vice-chairman designated by him for that purpose, may increase the number of commissioners for a hearing to five; he shall in that case designate one of them, from among the judges, advocates or notaries, to preside.

1979, c. 48, a. 29; 1999, c. 40, a. 247; 2000, c. 19, a. 33.

30. Lorsqu'un régisseur entend et décide seul d'une demande, il doit être choisi parmi les juges, les avocats ou les notaires.

30. If an application is heard and decided by a commissioner, alone, he must be chosen from among the judges, advocates or notaries.

1979, c. 48, a. 30; 2000, c.19, a. 34.

30.1 Un membre du personnel de la Régie peut être nommé greffier spécial par le ministre désigné, avec l'assentiment du président de la Régie et pour un terme précisé à l'acte de nomination.

30.1 A member of the personnel of the board may be appointed as special clerk by the designated Minister, with the approval of the chairman of the board, and for a term specified in the instrument of appointment.

1981, c. 32, a. 2; 1982, c. 58, a. 68; 1986, c. 95, a. 293.

30.2 Le greffier spécial peut décider de:

1° toute demande ayant pour seul objet le recouvrement du loyer ou la résiliation du bail pour le motif que le locataire est en retard de plus de trois semaines dans le paiement du loyer, ou à la fois le recouvrement du loyer et la résiliation du bail pour ce motif, si au temps fixé pour l'audition, il y a absence de l'une des parties bien qu'elle ait été dûment avisée;

2° l'autorisation de déposer le loyer en vertu de l'article 1907 du Code civil;

3° toute demande ayant pour objet la fixation du loyer ou la modification de la durée ou d'une condition du bail en vertu de l'article 1947 du Code civil.

À cette fin, le greffier spécial est réputé régisseur et a tous les pouvoirs, devoirs et immunités de ce dernier, sauf le pouvoir d'imposer l'emprisonnement.

30.2 The special clerk may decide

(1) every application the sole object of which is the recovery of the rent or the resiliation of the lease on the ground that the lessee has delayed payment of the rent for more than three weeks, or both the recovery of the rent and the resiliation of the lease on such ground if, at the time fixed for the hearing, one of the parties is absent even though he has been duly notified;

(2) the authorization to deposit the rent under article 1907 of the Civil Code;

(3) every application the object of which is the fixing of the rent or the changing of the term or of a condition of the lease pursuant to article 1947 of the Civil Code.

For that purpose, the special clerk is deemed to be a commissioner and has all the powers, duties and immunities of the latter, except the power to impose imprisonment.

1981, c. 32, a. 2; 1982, c. 58, a. 69; 1999, c. 40, a. 247.

30.3 Dans les cas prévus par le paragraphe 2° de l'article 30.2, la décision du greffier spécial peut être révisée par un régisseur à la demande du locataire.

La demande doit être produite à la Régie dans les dix jours de la date de la décision du greffier spécial.

30.3 In the cases provided in paragraph 2 of section 30.2, the decision of the special clerk may be reviewed by a commissioner on the application of the lessee.

The application must be filed with the board within ten days of the date of the decision of the special clerk.

1981, c. 32, a. 2.

30.4 Le greffier spécial peut déférer au régisseur toute affaire qui lui est soumise s'il estime que l'intérêt de la justice le requiert.

1981, c. 32, a. 2.

31. Si les parties y consentent, la Régie peut charger un conciliateur de les rencontrer et de tenter d'effectuer une entente.

1998, c. 36, a. 187.

NON EN VIGUEUR

31.1 Lorsque la Régie accueille une demande en recouvrement du loyer et que le locataire en défaut reçoit une prestation en vertu d'un programme d'aide financière de dernier recours prévu à la Loi sur le soutien du revenu et favorisant l'emploi et la solidarité sociale (L.R.Q., chapitre S-32.001), elle peut ordonner au ministre de l'Emploi et de la Solidarité de verser au locateur concerné la partie de la prestation reliée au logement, selon le montant et les conditions prévus par règlement adopté en application de cette loi, pour tout loyer à échoir pendant le mois pour lequel une telle prestation est accordée. Cette ordonnance est conditionnelle à la renonciation par le locataire à demander la résiliation du bail pour les loyers échus.

NON EN VIGUEUR

La Régie fixe la durée d'application de l'ordonnance, laquelle ne peut toutefois excéder deux ans. Elle est exécutoire pendant toute période où le locataire habite un logement de ce locateur et tant que ce dernier a le droit de percevoir le loyer.

La Régie peut également, lorsque le locataire a déjà été soumis à une telle ordonnance dans les deux années qui précèdent le prononcé d'une nouvelle ordonnance, prévoir que celle-ci puisse, aux mêmes conditions, s'appliquer au locateur concerné et à tout locateur futur.

1998, c. 36, a. 187.

31.2 Pour l'application de l'article 31.1, la Régie peut ordonner au ministre de l'Emploi et de la Solidarité d'informer du fait qu'un locataire est prestataire d'un programme d'aide financière de dernier recours et du montant de la prestation accordée pour le mois au cours duquel l'ordonnance est rendue. La Régie doit garder confidentielle jusqu'à l'audience l'information obtenue du ministre.

1998, c. 36, a. 187.

30.4 The special clerk may refer to the commissioner any matter submitted to him if he considers that the interests of justice require it.

31. With the consent of the parties, the board may entrust a conciliator with meeting the parties and attempting to reach an agreement.

NOT IN FORCE

31.1 Where the board grants an application for the recovery of rent and the defaulting lessee receives a benefit under a last resort financial assistance program provided for in the Act respecting income support, employment assistance and social solidarity (R.S.Q., chapter S-32.001), the board may order the Minister of Employment and Solidarity to pay to the lessor concerned the part of the benefit relating to lodging, in the amount and subject to the conditions prescribed by regulation under that Act, for any rent falling due during the month for which such benefit is granted. The order is contingent on a renunciation by the lessor of his right to apply for the resiliation of the lease.

NOT IN FORCE

The board shall fix the period during which the order is applicable, which shall not exceed two years. The order is executory for any period during which the lessee lives in a dwelling belonging to the lessor and so long as the lessor is entitled to collect the rent.

The board mal also, where the lessee has been subject to such an order in the two years preceding the issue of the new order, provide that the new order is applicable, on the same conditions, to the lessor concerned and to any future lessor.

31.2 For the purposes of section 31.1, the board may order the Minister of Employment and Solidarity to inform the board of the fact that a lessee is a recipient under a last resort financial assistance program and of the amount of the benefit granted for the month during which the order is issued. The board must keep the information received from the Minister confidential until the hearing.

SECTION II
DISPOSITIONS PARTICULIÈRES À LA CONSERVATION DES LOGEMENTS

§ 1. — *Démolition d'un logement*

32. La présente sous-section s'applique à l'égard de tout logement situé ailleurs que sur un territoire municipal local où est en vigueur un règlement adopté en vertu de l'article 412.2 de la Loi sur les cités et villes (L.R.Q., chapitre C-19), de l'article 496 du Code municipal (L.R.Q., chapitre C-27.1) ou du paragraphe 18° de l'article 524 de la Charte de la Ville de Montréal.

1979, c. 48, a. 32; 1996, c. 2, a. 852.

33. Le locateur peut évincer le locataire pour démolir un logement.

Il doit lui donner un avis d'éviction:

1° de six mois avant l'expiration du bail s'il est à durée fixe de plus de six mois;

2° de six mois avant la date à laquelle il entend évincer le locataire si le bail est à durée indéterminée; et

3° d'un mois avant l'expiration du bail s'il est à durée fixe de six mois ou moins.

L'avis doit indiquer le motif et la date de l'éviction.

1979, c. 48, a. 33.

34. Le locataire peut, dans le mois de la réception de l'avis, demander à la Régie de se prononcer sur l'opportunité de démolir, à défaut de quoi il est réputé avoir consenti à quitter les lieux à la date indiquée.

La demande d'un locataire bénéficie à tous les locataires qui ont reçu un avis d'éviction.

1979, c. 48, a. 34.

35. La Régie autorise le locateur à évincer le locataire et à démolir le logement si elle est convaincue de l'opportunité de la démolition compte tenu de l'intérêt public et de l'intérêt des parties.

Avant de se prononcer sur la demande, la Régie considère l'état du logement, le préjudice causé aux locataires, les besoins de logements dans les environs, la possibilité de relogement des locataires, les conséquences sur la qualité de vie, la trame urbaine et l'unité architecturale du voisinage, le coût de la restauration, l'utilisation projetée du terrain et tout autre critère pertinent.

Toutefois, la Régie ne peut autoriser la démolition d'un immeuble dont la démolition est interdite par un règlement municipal adopté en vertu du pa-

DIVISION II
SPECIAL PROVISIONS FOR THE PRESERVATION OF DWELLINGS

§ 1. — *Demolition of Dwellings*

32. This subdivision is applicable in respect of any dwelling situated outside a local municipal territory where a by-law made under section 412.2 of the Cities and Towns Act (R.S.Q., chapter C-19), article 496 of the Municipal Code (R.S.Q., chapter C-27.1) or paragraph 18 of article 524 of the Charter of the City of Montréal is in force.

33. A lessor may evict a lessee in order to demolish a dwelling.

He must give an eviction notice to him

(1) of six months before the expiry of the lease if it is for a fixed term of more than six months;

(2) of six months before the date on which he intends to evict the lessee if the lease is for an indeterminate term; and

(3) of one month before the expiry of the lease if it is for a fixed term of six months or less.

The notice must indicate the reason for and the date of the eviction.

34. The lessee may, within one month of receiving the notice, apply to the board for a declaration on the advisability of the demolition; if he fails to apply, he is deemed to have consented to vacate the premises on the date indicated.

The application of one lessee benefits all the lessees who have received an eviction notice.

35. The board shall authorize a lessor to evict a lessee and demolish a dwelling if it is convinced of the advisability of the demolition, taking into account the public interest and the interest of the parties.

Before deciding an application, the board shall consider the condition of the dwelling, the prejudice caused to the lessees, housing needs in the area, the possibilities of relocating the lessees, the consequences on the quality of life, the urban fabric and the architectural unity of the neighbourhood, the cost of restoration and any other pertinent criterion.

The board shall not, however, authorize the demolition of an immovable the demolition of which is prohibited by a municipal by-law passed pursuant to

ragraphe 5° de l'article 412 de la Loi sur les cités et villes (L.R.Q., chapitre C-19.1) ou en vertu du paragraphe I de l'article 493 du Code municipal (L.R.Q., chapitre C-27.1).

1979, c. 48, a. 35.

36. Une personne qui désire conserver à un logement son caractère locatif peut, lors de l'audition d'une demande, intervenir pour demander un délai afin d'entreprendre ou poursuivre des démarches en vue d'acquérir l'immeuble dans lequel est situé le logement.

1979, c. 48, a. 36; 1999, c. 40, a. 247.

37. Si la Régie estime que les circonstances le justifient, elle reporte le prononcé de sa décision et accorde à l'intervenant un délai d'au plus deux mois à compter de la fin de l'audition pour permettre aux négociations d'aboutir. La Régie ne peut reporter le prononcé de sa décision pour ce motif qu'une fois.

1979, c. 48, a. 37; 1999, c. 40, a. 247.

38. Lorsque la Régie autorise la démolition d'un logement, elle peut imposer les conditions qu'elle estime justes et raisonnables, pourvu que ces conditions ne soient pas incompatibles avec les règlements municipaux. Elle peut notamment déterminer les conditions de relogement d'un locataire.

1979, c. 48, a. 38.

39. Le locateur doit payer au locataire évincé une indemnité de trois mois de loyer et ses frais de déménagement. Si les dommages-intérêts résultant du préjudice que le locataire subit s'élèvent à une somme supérieure, il peut s'adresser à la Régie pour en faire fixer le montant.

L'indemnité est payable à l'expiration du bail et les frais de déménagement, sur présentation des pièces justificatives.

1979, c. 48, a. 39; 1999, c. 40, a. 247.

40. La démolition doit être entreprise et terminée dans le délai fixé par la décision de la Régie.

1979, c. 48, a. 40.

41. La Régie peut, pour un motif raisonnable, modifier le délai fixé pour entreprendre ou terminer les travaux, pourvu que la demande soit faite avant l'expiration de ce délai.

1979, c. 48, a. 41.

42. Si les travaux de démolition ne sont pas entrepris dans le délai fixé par la Régie pour les terminer, l'autorisation de démolir est sans effet. Si, à

paragraph 5 of section 412 of the Cities ans Towns Act (R.S.Q., chapter C-19.1) or pursuant to paragraph I of article 493 of the Municipal Code (R.S.Q., chapter C-27.1).

36. A person who wishes to preserve a dwelling as rental housing may, at the hearing of an application, intervene to ask for time to undertake or pursue negotiations to acquire the immovable in which the dwelling is situated.

37. The board shall postpone its decision if it believes that the circumstances justify it, and grant the intervener a period of not over two months from the end of the hearing to allow the negotiations to reach a conclusion. The board shall not postpone its decision for such purpose more than once.

38. Where the board grants the authorization to demolish a dwelling, it may impose such conditions as it thinks fair and reasonable, provided that the conditions are not inconsistent with the municipal by-laws. It may, in particular, determine the conditions of the relocation of a lessee.

39. The lessor must pay to the evicted lessee an indemnity equal to three months' rent and his moving expenses. If the amount of the damage sustained by the lessee is greater, he may apply to the board to fix the amount.

The indemnity is payable at the expiry of the lease, and the moving expenses, on presentation of the vouchers.

40. The demolition must be undertaken and completed within the time fixed by the decision of the board.

41. The board may, for reasonable cause, change the time fixed to undertake or complete the work, provided that the application is made before that time has expired.

42. If the demolition work has not been undertaken within the time fixed by the board to complete it, the authorization to demolish is without effect. If,

cette date, le locataire continue d'occuper le logement, le bail est reconduit de plein droit et le locateur peut, dans le mois, s'adresser à la Régie pour faire fixer le loyer.

1979, c. 48, a. 42; 1999, c. 40, a. 247.

43. Si les travaux ne sont pas terminés dans le délai fixé, toute personne intéressée peut s'adresser à la Régie pour obtenir une ordonnance enjoignant le contrevenant de les terminer dans le délai que fixe la Régie.

1979, c. 48, a. 43.

44. Si la Régie autorise la démolition, un locataire ne peut être forcé de quitter son logement ni avant l'expiration du bail ni avant l'expiration d'un délai de trois mois à compter de l'autorisation.

1979, c. 48, a. 44.

§ 2. — L'aliénation d'un immeuble situé dans un ensemble immobilier

45. Dans la présente sous-section, on entend par «ensemble immobilier» plusieurs immeubles situés à proximité les uns des autres et comprenant ensemble plus de douze logements, si ces immeubles sont administrés de façon commune par une même personne ou des personnes liées au sens de la Loi sur les impôts (L.R.Q., chapitre I-3) et si certains d'entre eux ont en commun un accessoire, une dépendance ou, à l'exclusion d'un mur mitoyen, une partie de la charpente.

1979, c. 48, a. 45.

46. Nul ne peut, sans l'autorisation de la Régie, ni aliéner un immeuble situé dans un ensemble immobilier ni conférer sur cet immeuble un droit d'occupation, d'usage ou autre droit semblable, à moins qu'il ne s'agisse d'un contrat de louage.

Ne constitue pas une aliénation, la vente forcée, l'expropriation, la prise en paiement ou la reprise de possession de l'immeuble à la suite d'une convention exécutée de bonne foi.

Tout intéressé, dont la Régie peut s'adresser à la Cour supérieure pour faire constater la nullité d'une convention faite à l'encontre du présent article.

1979, c. 48, a. 46; 1992, c. 57, a. 684.

47. Aucune autorisation n'est requise s'il s'agit:

1° d'aliéner l'ensemble immobilier par un seul contrat en faveur d'une seule personne;

on that date, the lessee continues to occupy the dwelling, the lease is renewed of right and the lessor may, within one month, apply to the board to fix the rent.

43. If the work is not completed within the time fixed, any interested person may apply to the board to obtain an order enjoining the offender to complete it within such time as the board may fix.

44. If the board grants the authorization to demolish, no lessee may be compelled to vacate his dwelling before the term of his lease nor before the expiry of three months from the authorization.

§ 2. — The Alienation of an Immovable Situated in a Housing Complex

45. In this subdivision, "housing complex" means several immovables situated near one another and comprising together more than twelve dwellings, if such immovables are administered jointly by the same person or by related persons within the meaning of the Taxation Act (R.S.Q., chapter I-3), and if some of them have an accessory, a dependency or part of the structure, except a common wall, in common.

46. No person may, unless authorized by the board, alienate an immovable situated in a housing complex, or confer a right of occupancy or use or any similar right in respect of that immovable except by a contract of lease.

The forced sale, expropriation, taking in payment or retaking of possession of the immovable following an agreement made in good faith does not result in an alienation.

Any interested person, including the board, may apply to the Superior Court for a declaration of the nullity of an agreement that has been made in contravention of this section.

47. No authorization is required for

(1) the alienation of a housing complex by a single contract to one and the same person;

2° d'aliéner un terrain vacant lorsque celui-ci n'a aucun accessoire ou dépendance en commun avec les autres immeubles de l'ensemble immobilier;

3° d'aliéner une fraction située dans un immeuble sur lequel est inscrite une déclaration de copropriété.

1979, c. 48, a. 47; 1999, c. 40, a. 247.

48. L'autorisation de la Régie peut être demandée par le propriétaire ou par la personne qui, sous condition d'obtenir l'autorisation d'aliéner l'ensemble immobilier par parties, consent une promesse d'achat de tout ou partie de l'ensemble.

L'autorisation de la Régie peut également être demandée par la personne qui, sous condition d'obtenir cette autorisation, consent une promesse d'achat d'une partie d'un ensemble immobilier.

1979, c. 48, a. 48.

49. Avant d'accorder son autorisation, la Régie doit considérer l'effet qu'aurait l'aliénation sur les locataires, le nombre de locataires qui pourraient être évincés à la suite de cette aliénation, l'individualisation des services, accessoires et dépendances du logement ou de l'immeuble, l'état du logement, les conditions de financement, le fait que cet immeuble a été construit ou restauré dans le cadre d'un programme gouvernemental et tout autre critère prescrit par règlement.

1979, c. 48, a. 49.

50. Lorsque la Régie accorde l'autorisation d'aliéner, elle peut imposer les conditions qu'elle estime justes et raisonnables. Elle peut notamment déterminer des conditions pour la protection du locataire ou de l'acquéreur de l'immeuble.

1979, c. 48, a. 50.

§ 3. — Conversion d'un immeuble locatif en copropriété divise

51. Ne peut être converti en copropriété divise sans l'autorisation de la Régie un immeuble comportant, ou ayant comporté au cours des dix années précédant la demande d'autorisation, au moins un logement.

La conversion est interdite si l'immeuble est la propriété d'une coopérative d'habitation, d'un organisme sans but lucratif ou d'une société municipale d'habitation et s'il a été construit, acquis, restauré ou rénové dans le cadre d'un programme gouvernemental d'aide à l'habitation.

(2) the alienation of vacant land where that land has no accessory or dependency in common with the other immovables in the housing complex;

(3) the alienation of a fraction situated in an immovable on which a declaration of co-ownership is registered.

48. The authorization of the board may be applied for by the owner or by a person who promises to purchase the whole or a part of a housing complex provided that he obtains authorization to alienate the complex piece by piece.

The authorization of the board may also be applied for by a person who promises to purchase a part of a housing complex provided that he obtains that authorization.

49. Before granting its authorization, the board shall consider the consequences the alienation of the immovable would have on the lessees, the number of lessees who could be evicted following this alienation, the individualization of the services, accessories and dependencies of the dwelling or immovable, the condition of the dwelling, the financing conditions, the fact that the immovable was erected or restored within the framework of a government programme and any other criterion prescribed by regulation.

50. Where the board grants the authorization to alienate, it may impose such conditions as it deems fair and reasonable. It may, in particular, fix conditions for the protection of the lessee or of the acquirer of the immovable.

§ 3. — Conversion of a Rental Residential Immovable to Divided Co-ownership

51. Without the authorization of the Régie, no immovable comprising or having comprised, in the 10 years preceding the application for authorization, at least one dwelling may be converted to divided co-ownership.

Conversion is prohibited if the immovable is owned by a housing cooperative, a non-profit organization or a municipal housing corporation and was built, acquired, restored or renovated within the scope of a government housing-assistance program.

Elle est interdite sur le territoire de la Ville de Montréal, sauf dérogation accordée en application de l'article 54.12 par résolution du conseil de l'arrondissement dans lequel est situé l'immeuble. Sur le territoire d'une municipalité autre que la Ville de Montréal, elle peut être restreinte ou soumise à certaines conditions, par règlement adopté en application de l'article 54.13. Le présent alinéa ne s'applique pas à l'immeuble dont tous les logements sont occupés par des propriétaires indivis.

Conversion is prohibited in the territory of the Ville de Montréal, unless an exception is granted pursuant to section 54.12 by a resolution of the council of the borough in which the immovable is situated. In the territory of a municipality other than Ville de Montréal, conversion may be restricted or made subject to certain conditions by a by-law adopted pursuant to section 54.13. This paragraph does not apply to an immovable in which all the dwellings are occupied by undivided co-owners.

1979, c. 48, a. 51; 1987, c. 77, a. 2; 1996, c. 2, a. 853; 2000, c. 56, a. 195; 2001, c. 25, a. 220.

52. Le propriétaire d'un immeuble qui projette de le convertir en copropriété divise doit, avant d'entreprendre des démarches en ce sens auprès de la municipalité ou de la Régie et avant de faire visiter le logement à un acquéreur éventuel ou d'y faire effectuer des relevés, expertises ou autres activités préparatoires à la conversion, donner à chacun de ses locataires un avis de cette intention conforme au modèle de l'annexe I et en transmettre copie à la Régie.

52. Where the owner of an immovable intends to convert it to divided co-ownership, he must send each of his lessees a notice of intent conformable to the model provided in Schedule I and transmit a copy thereof to the Régie, before he approaches the municipality or the Régie regarding the conversion and before he has any prospective purchaser visit the dwelling or directs the carrying out of any reading, appraisal or other activity preparatory to the conversion.

Un préavis de 24 heures doit être donné au locataire avant ces visites ou activités.

The lessee must be given twenty-four hour's notice of any such visit or activity.

1979, c. 48, a. 52; 1987, c. 77, a. 2.

53. À compter de l'avis d'intention et jusqu'à ce que l'assemblée des copropriétaires soit majoritairement formée de propriétaires occupants, les seuls travaux qui peuvent être effectués sans l'autorisation de la Régie sont les travaux d'entretien et les réparations urgentes et nécessaires à la conservation de l'immeuble, ainsi que les travaux effectués dans un logement occupé par un copropriétaire.

53. From the date of the notice of intent until such time as a majority of voting rights in the general meeting of co-owners are held by occupant co-owners, no work may be performed without the authorization of the Régie except maintenance work, urgent and necessary repairs for the preservation of the immovable and work performed in the dwelling occupied by a co-owner.

La Régie, lorsqu'elle est appelée à donner son autorisation, considère l'utilité immédiate des travaux pour le locataire. Si elle les autorise, elle peut imposer les conditions qu'elle estime justes et raisonnables et, si l'évacuation temporaire du locataire est nécessaire, elle fixe une indemnité payable par le locateur à la date d'évacuation.

Where the Régie is called upon to authorize work, it must consider the immediate usefulness of the work for the lessee. If the Régie authorizes the work, it may impose such conditions as it deems just and reasonable and, if temporary vacation of the premises by the lessee is necessary, it shall fix an indemnity payable by the lessor on the date he vacates the premises.

1979, c. 48, a. 53; 1987, c. 77, a. 2.

54. À compter de l'avis d'intention, le droit à la reprise de possession d'un logement ne peut plus être exercé à l'encontre du locataire, sauf si ce dernier est cessionnaire du bail et que la cession a eu lieu après l'envoi de l'avis, ou s'il est devenu locataire après que l'autorisation de convertir ait été accordée par la Régie.

54. From the date of the notice of intent, the right to retake possession of the dwelling cannot be exercised against the lessee unless the lease was transferred to him after the sending of the notice of intent or unless he became a lessee after the authorization to convert was granted by the Régie.

1979, c. 48, a. 54; 1987, c. 77, a. 2.

54.1 La demande d'autorisation de convertir un immeuble en copropriété divise doit être produite à la Régie par le propriétaire dans les six mois de l'avis d'intention ou, le cas échéant, de la résolution du conseil de la municipalité accordant une dérogation ou une autorisation ou du certificat de la municipalité attestant que le projet de conversion est conforme au règlement municipal, selon la plus tardive de ces dates. Elle doit être accompagnée de la résolution ou du certificat, s'il y a lieu.

1979, c. 77, a. 2.

54.2 La Régie doit refuser l'autorisation de convertir:

1° lorsque l'immeuble a déjà fait l'objet de travaux en vue de le préparer à la conversion et d'évincer un locataire;

2° lorsqu'un logement a déjà fait l'objet d'une reprise de possession illégale ou faite en vue de convertir l'immeuble en copropriété divise;

3° lorsque, dans les cinq années précédant sa demande, le propriétaire a été déclaré coupable d'une infraction à l'article 112.1 envers un locataire d'un des logements de l'immeuble et pour laquelle il n'a pas obtenu le pardon.

Dans ces cas, une nouvelle demande ne peut être produite qu'après un délai de trois ans du refus.

La Régie ne peut refuser l'autorisation pour le motif que l'avis d'intention comporte un vice de forme ou n'a pas été donné au locataire, si le propriétaire démontre que le locataire n'en a subi aucun préjudice.

1987, c. 77, a. 2.

54.3 La décision de la Régie autorisant la conversion de l'immeuble doit identifier les locataires à l'encontre desquels la reprise de possession ne peut être exercée.

1987, c. 77, a. 2.

54.4 La déclaration de copropriété ne peut être inscrite que si l'autorisation de la Régie y est annexée.

Si la déclaration de copropriété n'est pas inscrite dans l'année de l'autorisation, cette dernière est sans effet. La Régie peut, pour un motif raisonnable, prolonger ce délai pourvu que la demande lui soit adressée avant l'expiration de ce délai.

1987, c. 77, a. 2; 1999, c. 40, a. 247.

54.1 An application for authorization to convert an immovable to divided co-ownership must be produced to the Régie by the owner within six months after the date of the notice of intent or, where such is the case, after the date of the resolution of the council of the municipality granting an exception or an authorization or the date of the certificate of the municipality attesting that the conversion project is consistent with the municipal by-law, whichever occurs last. The application must be accompanied with the resolution or the certificate, where applicable.

54.2 The Régie shall refuse to authorize the conversion where

(1) the immovable has already undergone work with a view to preparing it for conversion and evicting a lessee;

(2) possession of a dwelling has already been retaken illegally or with a view to converting the immovable to divided co-ownership;

(3) in the five years preceding his application, the owner has been found guilty of an offence under section 112.1 against a lessee of one of the dwellings of the immovable for which he has not been pardoned.

In any such case, no new application may be produced until three years have elapsed from the date of refusal.

The Régie shall not refuse to grant authorization on the ground that the notice of intent has a formal defect or was not sent to the lessee if the owner proves that the lessee was in no way adversely affected thereby.

54.3 The decision of the Régie authorizing the conversion of the immovable must identify the lessees against whom the right to retake possession cannot be exercised.

54.4 No declaration of co-ownership may be registered unless the authorization of the Régie is appended thereto.

If the declaration of co-ownership is not registered within one year of the authorization, the authorization is of no effect. The Régie may, for reasonable cause, extend the time for registration so long as the application for an extension is submitted before the expiry of that time.

54.5 L'interdiction de reprendre possession d'un logement, de même que celle de faire des travaux cessent si le propriétaire avise par écrit le locataire qu'il n'a plus l'intention de convertir l'immeuble, si aucune demande n'est produite à la Régie dans le délai requis ou si la déclaration de copropriété n'est pas inscrite dans le délai prévu à la loi ou fixé par la Régie.

1987, c. 77, a. 2; 1999, c. 40, a. 247.

54.6 Le propriétaire doit, avant la première vente de chaque logement de l'immeuble, remettre à l'acquéreur éventuel un rapport d'expert ainsi qu'une circulaire d'information.

Le rapport d'expert contient:

1° l'état d'usure des composantes communes de l'immeuble et leur conformité aux normes de solidité, de salubrité ou de sécurité;

2° l'indication des réparations majeures susceptibles d'être nécessaires dans un délai de cinq ans et l'estimation du coût de ces réparations;

3° l'identification des systèmes mécaniques communs à plus d'un logement;

4° l'indication, si elle est connue, du degré d'insonorisation et d'isolation du logement ainsi que de l'immeuble;

5° l'évaluation générale de la conformité de l'immeuble aux normes de sécurité et de protection contre l'incendie.

La circulaire d'information contient:

1° le nom du propriétaire et de toute personne qui a préparé les principaux documents relatifs à l'implantation et à l'administration du projet de conversion;

2° un plan d'ensemble du projet;

3° s'il y a lieu, les droits d'emphytéose et les droits de propriété superficiaire;

4° les informations relatives à la gérance de l'immeuble, notamment un budget prévisionnel et un état des baux consentis par le propriétaire sur les parties exclusives ou communes de l'immeuble.

Le budget prévisionnel doit être établi par une personne qualifiée sur la base d'une année complète d'occupation de l'immeuble. Il indique, pour chaque fraction, les charges annuelles à payer y compris, le cas échéant, la contribution au fonds de prévoyance. Il doit être accompagné du bilan et de l'état des revenus et dépenses les plus récents et d'un document fournissant les derniers renseignements pertinents aux dettes et créances.

54.5 Any prohibition from retaking possession of a dwelling and from performing any work shall cease if the owner informs the lessee, in writing, that he no longer intends to convert the immovable, if no application is produced to the Régie within the prescribed time or if the declaration of co-ownership is not registered within the time prescribed by law or fixed by the Régie.

54.6 The owner must, before the first sale of each dwelling in the immovable, provide the prospective purchaser with an expert's report and an information circular.

The expert's report must contain

(1) an appraisal of the wear of the common parts of the immovable and of their conformity with structural solidity, sanitation and safety standards;

(2) an indication of major repairs likely to be needed within five years and an estimate of the cost thereof;

(3) the identification of mechanical systems shared by two or more dwellings;

(4) an indication of the soundproofing and insulation levels of the dwelling and of the immovable, if known;

(5) a general appraisal of the compliance of the building with safety and fire prevention standards.

The information circular must contain

(1) the name of the owner and of any person who prepared the principal documents pertaining to the carrying out and administration of the conversion project;

(2) a plan of the overall project;

(3) a statement of any existing rights of emphyteusis or superficies;

(4) information as to the management of the immovable, including a budget forecast and a statement of any leases granted by the owner on the exclusive or common parts.

The budget forecast must be prepared by a qualified person on the basis of a whole year of occupancy of the immovable. It must indicate, for each fraction, the annual expenses to be paid including, where such is the case, the contribution to the contigency fund. The budget forecast must be accompanied with the most recent balance sheet and statement of revenues and expenditures as well as a document containing the latest available information as to debts and claims.

Doivent être annexés à la circulaire d'information une copie de l'autorisation de la Régie et un résumé de la déclaration de copropriété ou, à défaut, du projet de déclaration.

1987, c. 77, a. 2.

54.7 La première vente du logement ne peut être conclue avec une personne autre que le locataire avant qu'il n'ait été offert au locataire aux mêmes prix et conditions que ceux convenus avec cette autre personne. L'offre de vente doit être conforme au modèle de l'annexe II et être accompagnée du rapport d'expert ainsi que de la circulaire d'information.

Le locataire doit, dans le mois de la réception de l'offre de vente, faire savoir par écrit au propriétaire s'il accepte ou non l'offre; sinon il est réputé l'avoir refusée.

Si l'acte de vente n'est pas passé dans les deux mois de l'acceptation de l'offre ou d'un délai plus long convenu par les parties, le propriétaire peut vendre le logement sans avoir à l'offrir de nouveau au locataire, sauf si le défaut de passer l'acte résulte d'un motif hors du contrôle du locataire.

1987, c. 77, a. 2.

54.8 Le locataire peut, si la vente est conclue en violation de son droit de préemption, s'adresser à la Cour supérieure dans l'année de la connaissance de celle-ci pour en demander l'annulation.

1987, c. 77, a. 2.

54.9 Tout intéressé, y compris la Régie, peut s'adresser à la Cour supérieure pour faire radier l'inscription de la déclaration de copropriété faite sans que la Régie n'ait autorisé la conversion et faire annuler toute convention subséquente à cette inscription.

1987, c. 77, a. 2; 1999, c. 40, a. 247.

54.10 Le locataire peut recouvrer les dommages-intérêts résultant de son départ définitif du logement par suite d'une reprise de possession illégale ou faite en vue de convertir l'immeuble en copropriété divise ou par suite de travaux effectués en vue de préparer l'immeuble à la conversion et d'évincer le locataire, que ce dernier ait consenti ou non à quitter le logement.

Le locataire peut également demander des dommages-intérêts punitifs.

1987, c. 77, a. 2; 1999, c. 40, a. 247.

54.11 L'acheteur d'une fraction dans un immeuble locatif converti en copropriété divise peut, dans les trois ans de la signature du contrat de vente, ré-

A copy of the authorization of the Régie and a summary of the declaration of co-ownership or, if it is unavailable, a summary of the draft declaration, must be appended to the information circular.

54.7 The first sale of a dwelling cannot be made to any person other than the lessee unless it was first proposed to the lessee at the same price and on the same terms and conditions as those agreed with the other person. The offer to sell must conform to the model described in Schedule II and be accompanied with the expert's report and the information circular.

The lessee must, within one month after receiving the offer to sell, inform the owner in writing of his decision to accept or refuse the offer; otherwise, the lessee is deemed to have refused the offer.

If the deed of sale is not signed within two months after the acceptance of the offer or within any longer period agreed by the parties, the owner may sell the dwelling without being required to offer it anew to the lessee, unless the deed of sale was not signed for a reason beyond the lessee's control.

54.8 If the sale is made in violation of the lessee's right of preemption, the lessee may, within one year from the time he is aware of the sale, apply to the Superior Court for its annulment.

54.9 Any interested party, including the Régie, may apply to the Superior Court for the cancellation of the registration of a declaration of co-ownership if it was effected without the authorization of the Régie and for the annulment of any agreement subsequent to the registration.

54.10 The lessee may recover damages for his final departure from the dwelling as a result of the retaking of possession illegally or with a view to converting the immovable to divided co-ownership or because of work effected with a view to preparing the immovable for conversion and evicting the lessee, whether or not he had agreed to leave the dwelling.

The lessee may also demand punitive damages.

54.11 The purchaser of a fraction in a rental residential immovable converted to divided co-ownership may, within three years after the signing of the

clamer du vendeur la réduction de ses obligations si le rapport d'expert, la circulaire d'information ou le contrat de vente contiennent des informations fausses, trompeuses ou incomplètes sur un élément substantiel, ou si le vendeur n'a pas remis à l'acheteur le rapport d'expert ou la circulaire d'information. Le tribunal rejette la demande si le vendeur démontre que l'acheteur n'en a subi aucun préjudice.

1987, c. 77, a. 2.

*54.12 Le conseil d'un arrondissement de la Ville de Montréal qui a un comité consultatif d'urbanisme constitué en vertu de la Loi sur l'aménagement et l'urbanisme (L.R.Q., chapitre A-19.1) peut, par règlement, déterminer:

1° des secteurs ou des catégories d'immeubles, ou une combinaison des deux, pour lesquels une dérogation à l'interdiction de convertir un immeuble en copropriété divise peut être accordée;

2° la procédure de demande de dérogation et les frais exigibles pour l'étude de la demande.

1987, c. 77, a. 2; 1996, c. 2, a. 854; 2000, c. 56, a. 196.

*54.13 Afin de satisfaire aux besoins de logements locatifs de la population, le conseil d'une municipalité locale, à l'exception de celui de la Ville de Montréal peut, par règlement:

1° déterminer des secteurs ou des catégories d'immeubles, ou une combinaison des deux, où la conversion en copropriété divise est interdite;

2° soumettre la conversion à des conditions qui peuvent varier selon les secteurs, les catégories d'immeubles ou la combinaison des deux. Dans le cas de la Ville de Québec, de même que dans celui d'une municipalité qui a un comité consultatif d'urbanisme constitué en vertu de la Loi sur l'aménagement et l'urbanisme (L.R.Q., chapitre A-19.1), le règlement peut prévoir que la conversion est soumise à l'autorisation du conseil;

3° déterminer la procédure de demande et de délivrance d'un certificat attestant que le projet de conversion est conforme au règlement et la procédure de demande d'autorisation du conseil, ainsi que les frais exigibles pour la délivrance du certificat et pour l'étude de la demande.

Le certificat est délivré, sur paiement des frais, par le fonctionnaire responsable de la délivrance des permis et certificats en matière d'urbanisme.

1987, c. 77, a. 2; 1996, c. 2, a. 855; 2000, c. 56, a. 197.

deed of sale, claim a reduction of his obligations from the seller, if the expert's report, the information circular or the deed of sale contains false, misleading or incomplete information on a substantial element, or if the seller failed to provide him with the expert's report or the information circular. The court shall dismiss the application if the seller proves that the purchaser was in no way adversely affected thereby.

*54.12 The council of a borough of Ville de Montréal which has a planning advisory committee established under the Act respecting land use planning and development (R.S.Q., chapter A-19.1) may, by by-law,

(1) designate sectors or classes of immovables, or any combination of the two, in respect of which an exception to the prohibition for converting an immovable to divided co-ownership may be granted;

(2) prescribe the procedure for applying for an exception and the fee exigible for the consideration of such an application.

*54.13 To meet rental housing needs, the council of a local municipality, except the council of Ville de Montréal may, by by-law,

(1) designate sectors or classes of immovables, or any combination of the two, where conversion to divided co-ownership is prohibited;

(2) make such conversion subject to conditions which may vary according to the sector, the class of immovable, or any combination of the two. In the case of Ville de Québec and of a municipality which has a planning advisory committee established under the Act respecting land use planning and development (R.S.Q., chapter A-19.1), the by-law may provide that the conversion shall be subject to authorization by the council;

(3) establish the procedure of application for and issue of a certificate attesting that the conversion project complies with the by-law and the procedure of application for authorization by the council, and the fee exigible for the issue of the certificate and for the consideration of such an application.

The certificate shall be issued, upon payment of the fee, by the officer in charge of the issue of permits and certificates in respect of planning.

---

*   Les modifications apportées aux articles 54.12 et 54.13 par 2000, c. 56, a. 196 et 197 entrent en vigueur le 1er janvier 2002.

*   The amendments brought about in sections 54.12 and 54.13 by 2000, c. 56, s. 196 and 197 come into force on 1 January 2002.

54.14 Le conseil d'une municipalité sur le territoire de laquelle est en vigueur soit un règlement sur les dérogations à l'interdiction de convertir un immeuble en copropriété divise, soit un règlement prévoyant que la conversion est soumise à l'autorisation du conseil, accorde la dérogation ou l'autorisation, selon le cas, s'il est convaincu de son opportunité, compte tenu notamment:

1° du taux d'inoccupation des logements locatifs;

2° de la disponibilité de logements comparables;

3° des besoins en logement de certaines catégories de personnes;

4° des caractéristiques physiques de l'immeuble;

5° du fait que l'immeuble a été construit, acquis, restauré ou rénové dans le cadre d'un programme municipal d'aide à l'habitation.

Le conseil de la Ville de Montréal peut, par règlement, déléguer à un comité, formé à cette fin d'au moins cinq membres du conseil qu'il désigne, le pouvoir d'accorder des dérogations à l'interdiction de convertir un immeuble en copropriété divise.

Le greffier ou le secrétaire-trésorier de la municipalité doit, au moins un mois avant la tenue de la séance où le conseil ou le comité doit statuer sur la demande de dérogation ou d'autorisation, faire publier, aux frais du demandeur, un avis conformément à la loi qui régit la municipalité. L'avis indique la date, l'heure et le lieu de la séance du conseil ou du comité et la nature de la demande; il désigne l'immeuble par la voie de circulation et le numéro d'immeuble ou, à défaut, par le numéro cadastral et mentionne que tout intéressé peut se faire entendre par le conseil ou le comité relativement à cette demande.

Dans le cas des municipalités autres que les villes de Montréal et Québec, le conseil rend sa décision après avoir reçu l'avis du comité consultatif d'urbanisme.

Une copie de la résolution par laquelle le conseil rend sa décision doit être transmise au demandeur.

Pour l'application de la présente sous-section, la décision du comité tient lieu de résolution du conseil.

1987, c. 77, a. 2; 1996, c. 2, a. 856.

§ 4. — *Intervention de la Régie*

55. Si une personne contrevient ou est sur le point de contrevenir à la présente section, ou agit ou est sur le point d'agir à l'encontre d'une décision

54.14 The council of a municipality in whose territory a by-law respecting exceptions to the prohibition from converting immovables to divided co-ownership or a by-law providing that such a conversion shall be subject to authorization by the council is in force shall grant the exception or authorization, as the case may be, if it is satisfied of the advisability thereof, taking account in particular of

(1) the vacancy rate in rental dwellings;

(2) the availability of comparable dwellings;

(3) the housing needs of certain categories of persons;

(4) the physical characteristics of the immovable;

(5) the fact that the immovable was built, purchased, restored or renovated within the scope of a municipal housing-assistance program, where such is the case.

The council of Ville de Montréal may, by by-law, delegate to a committee composed, for that purpose, of at least five councillors appointed by the council, the power to grant exceptions to the prohibition from converting immovables to divided co-ownership.

Not less than one month before the sitting at which the council or committee is to rule on the application for the exception or authorization, the clerk or the secretary-treasurer of the municipality shall, at the applicant's expense, publish a notice in accordance with the Act governing the municipality. The notice must indicate the date, time and place of the sitting of the council or committee and the nature of the application; it must designate the immovable by means of the name of the thoroughfare and the number of the immovable or, failing that, the cadastral number; it must indicate that any interested party may be heard by the council or the committee with respect to the application.

In the case of municipalities other than Ville de Montréal or Ville de Québec, the council shall render its decision after receiving the opinion of the planning advisory committee, where such is the case.

A copy of the resolution whereby the council renders its decision must be sent to the applicant.

For the purposes of this subdivision, the decision of the committee is in lieu of the resolution of the council.

§ 4. — *Intervention of the Board*

55. Where a person contravenes or is about to contravene this division, or acts or is about to act against a decision rendered under this division, the

rendue en vertu de la présente section, la Régie peut, d'office ou à la demande d'un intéressé, émettre une ordonnance enjoignant à cette personne de se conformer à la décision ou de cesser ou de ne pas entreprendre ses opérations et, le cas échéant, de remettre les lieux en état.

1979, c. 48, a. 55.

CHAPITRE IV
PROCÉDURE DEVANT LA RÉGIE

SECTION I
PREUVE ET PROCÉDURE

56. Une partie qui produit une demande doit en signifier une copie à l'autre partie dans le délai et en la manière prévue par les règlements de procédure.

1979, c. 48, a. 56.

57. Plusieurs demandes entre les mêmes parties, dans lesquelles les questions en litige sont en substance les mêmes, ou dont les matières pourraient être convenablement réunies en une seule, peuvent être jointes par ordre de la Régie, aux conditions qu'elle fixe.

La Régie peut en outre ordonner que plusieurs demandes portées devant elle, qu'elles soient mues ou non entre les mêmes parties, soient instruites en même temps et jugées sur la même preuve, ou que la preuve faite dans l'une serve dans l'autre, ou que l'une soit instruite et jugée la première, les autres étant suspendues jusque-là.

1979, c. 48, a. 57.

58. Lorsque la Cour supérieure et la Régie sont saisies d'actions et de demandes ayant le même fondement juridique ou soulevant les mêmes points de droit et de faits, la Régie doit suspendre l'instruction de la demande portée devant elle jusqu'au jugement de la Cour supérieure passé en force de chose jugée si une partie le demande et qu'aucun préjudice sérieux ne puisse en résulter pour la partie adverse.

1979, c. 48, a. 58.

59. La Régie peut, pour un motif raisonnable et aux conditions appropriées, prolonger un délai ou relever une partie des conséquences de son défaut de le respecter, si l'autre partie n'en subit aucun préjudice grave.

1979, c. 48, a. 59; 1999, c. 40, a. 247.

60. Avant de rendre une décision, la Régie permet aux parties intéressées de se faire entendre

board may, *ex officio* or at the request of an interested person, issue an order enjoining that person to comply with the decision or to cease or not to undertake his operations and, where necessary, to restore the premises to a state of good repair.

CHAPTER IV
PROCEDURE BEFORE THE BOARD

DIVISION I
PROOF AND PROCEDURE

56. A party who files an application must serve a copy thereof on the other party within the time and in the manner provided in the rules of procedure.

57. Several applications between the same parties, in which the questions at issue are substantially the same, or for matters which might properly be combined in one application, may be joined by order of the board on such conditions as it may fix.

The board may also order that several applications made before it, whether or not between the same parties, be heard at the same time and decided on the same evidence, or that the evidence in one be used in another, or that one application be heard and decided first, and the others meanwhile stayed.

58. Where the Superior Court and the board are seized of actions and applications having the same juridical basis or raising the same questions of law and fact, the board must, if one of the parties so requests and no serious prejudice can result to the adverse party, suspend the hearing of the application before it until the judgment in the case before the Superior Court has become definitive.

59. The board may, for reasonable cause and on appropriate conditions, extend a time limit or release a party from the consequences of his failure to comply with it, provided that no serious prejudice can result thereby to the other party.

60. Before rendering a decision, the board shall allow the interested parties to be heard, and must,

et doit, à cette fin, leur donner un avis d'enquête et d'audition en la manière prévue par les règlements de procédure.

1979, c. 48, a. 60.

61. La Régie, si possible, fixe l'audition à une heure et à une date où les parties et leurs témoins peuvent être présents sans trop d'inconvénients pour leurs occupations ordinaires.

1979, c. 48, a. 61.

62. La partie qui désire produire un témoin peut l'assigner au moyen d'un bref de subpoena émis par la Régie et signifié dans le délai et en la manière prévue par les règlements de procédure.

1979, c. 48, a. 62; 1981, c. 32, a. 3.

63. Au temps fixé pour l'enquête et l'audition, le régisseur appelle la cause, constate la présence ou l'absence des parties et procède à l'enquête et à l'audition.

Le régisseur instruit sommairement les parties des règles de preuve et chaque partie expose ses prétentions et présente ses témoins.

Le régisseur apporte à chacun un secours équitable et impartial de façon à faire apparaître le droit et à en assurer la sanction.

1979, c. 48, a. 63.

64. Un régisseur peut être récusé:

1° s'il est conjoint ou parent ou allié jusqu'au degré de cousin germain inclusivement de l'une des parties;

2° s'il est lui-même partie à une demande portant sur une question pareille à celle dont il s'agit dans la cause;

3° s'il a donné conseil sur le différend, ou s'il en a précédemment connu comme arbitre ou comme conciliateur;

4° s'il a agi comme mandataire pour l'une des parties, ou s'il a exprimé son avis extrajudiciairement;

5° s'il a déjà fourni des services professionnels à l'une des parties;

6° s'il est directement intéressé dans un litige mû devant un tribunal où l'une des parties sera appelée à siéger comme juge;

7° s'il y a inimitié capitale entre lui et l'une des parties ou s'il a formulé des menaces à l'égard d'une partie depuis l'instance ou dans les six mois précédant la récusation proposée;

for that purpose, serve on them a notice of proof and hearing in the manner provided by the rules of procedure.

61. The board shall, if possible, fix the hearing at such a time and date as to allow the parties and their witnesses to be present without too much inconvenience to their ordinary occupations.

62. A party wishing to produce a witness may summon such witness by way of a writ of *subpoena* issued by the board and served within the time and in the manner provided in the rules of procedure.

63. At the time fixed for the proof and hearing, the commissioner shall call the case, acknowledge the presence or absence of the parties and proceed with the proof and hearing.

The commissioner shall summarily instruct the parties on the rules of evidence and each party shall state his pretensions and introduce his witnesses.

The commissioner shall give equitable and impartial assistance to each party so as to render effective the substantive law and to ensure that it is carried out.

64. A commissioner may be recused

(1) if the commissioner is the spouse of or related or allied within the degree of cousin-german inclusively to one of the parties;

(2) if the commissioner is himself or herself a party to an application involving a question similar to the one in dispute;

(3) if the commissioner has given advice upon the matter in dispute, or has previously taken cognizance of it as an arbitrator or as a conciliator;

(4) if the commissioner has acted as a mandatary for one of the parties, or the commissioner has made known his or her opinion extra-judicially;

(5) if the commissioner has provided professional services to one of the parties;

(6) if the commissioner is directly interested in an action pending before a court in which any of the parties will be called to sit as judge;

(7) if there is mortal enmity between him or her and any of the parties, or if the commissioner has made threats against any of the parties, since the institution of the action or within six months previous to the proposed recusation;

8° s'il est tuteur, curateur ou conseiller, successible ou donataire de l'une des parties;

9° s'il est membre d'un groupement ou personne morale, ou s'il est syndic ou protecteur d'un ordre ou communauté, partie au litige;

10° s'il a un intérêt à favoriser l'une des parties;

11° s'il est parent ou allié de l'avocat, du représentant ou de l'avocat-conseil ou de l'associé de l'un ou de l'autre soit en ligne directe, soit en ligne collatérale jusqu'au deuxième degré ou conjoint de l'un d'eux.

1979, c. 48, a. 64; 1992, c. 57, a. 685; 1999, c. 40, a. 247; 2002, c. 6, a. 154.

65. Le régisseur est inhabile si lui ou son conjoint sont intéressés dans la demande.

1979, c. 48, a. 65; 2002, c. 6, a. 236.

66. S'il existe un motif pour lequel un régisseur peut être récusé, il est tenu de le déclarer par écrit sans délai.

Il en est de même pour une partie qui connaît un motif de récusation d'un régisseur.

1979, c. 48, a. 66.

67. Si une partie dûment avisée ne se présente pas ou refuse de se faire entendre, le régisseur peut néanmoins procéder à l'instruction de l'affaire et rendre une décision.

1979, c. 48, a. 67.

68. Le régisseur peut visiter les lieux ou ordonner une expertise ou une inspection, par une personne qualifiée qu'il désigne, pour l'examen et l'appréciation des faits relatifs au litige. Sauf si le régisseur intervient en vertu de l'article 55, une visite du logement ne peut alors avoir lieu avant neuf heures et après vingt et une heures.

Un inspecteur doit s'identifier avant de procéder à une inspection.

La procédure applicable à une expertise est celle que détermine le régisseur.

1979, c. 48, a. 68.

69. Le locataire ou le locateur est tenu de donner accès au logement ou à l'immeuble à un régisseur, à un expert ou à un inspecteur de la Régie qui agit en vertu de l'article 68.

1979, c. 48, a. 69.

70. Dès que la Régie est saisie d'une demande visée dans la section II du chapitre III, elle doit faire afficher, sur l'immeuble visé dans la demande, un

(8) if the commissioner is the tutor, curator or adviser, successor or donee of any of the parties;

(9) if the commissionner is a member of a group or legal person, or is manager or patron of some order or community which is a party to the dispute;

(10) if the commissioner has any interest in favouring any of the parties;

(11) if the commissioner is the spouse of or is related or allied to the advocate, representative or counsel or to the partner of any of them, either in the direct line, or in the collateral line in the second degree.

65. A commissioner is disqualified if he or his spouse is interested in the application.

66. If there is a ground for which a commissioner may be recused, he must immediately declare it in writing.

The same applies to a party who is aware of a ground of recusation of a commissioner.

67. Where a party duly notified does not appear or refuses to be heard, the commissioner may, nevertheless, proceed with the hearing of the matter and render a decision.

68. The commissioner may visit the premises or require an expert opinion or an inspection by such qualified person as he may designate, for the examination and appraisal of the facts relating to the dispute. Unless the commissioner intervenes under section 55, the visit of a dwelling cannot then take place before nine hours nor after twenty-one hours.

An inspector must identify himself before making an inspection.

The procedure applicable to the obtention of an expert opinion is that determined by the commissioner.

69. The lessee or the lessor must give access to the dwelling or immovable to a commissioner, an expert or an inspector of the board acting under section 68.

70. On being seized of an application contemplated in Division II of Chapter III, the board must cause a notice of the application, easily visible to

avis facilement visible pour les passants. De plus, elle peut faire publier un avis public de la demande, en la manière prévue par les règlements de procédure.

Tout avis visé dans le premier alinéa doit indiquer que toute personne peut faire des représentations écrites sur la demande dans les dix jours de la publication de l'avis public ou, à défaut, dans les dix jours qui suivent l'affichage de l'avis sur l'immeuble concerné.

La Régie peut, si elle l'estime opportun, tenir une audition publique où elle peut entendre toute personne qui a fait des représentations.

Lors d'une telle audition, le régisseur peut limiter la durée d'une intervention ou, s'il est d'avis qu'elle n'est pas pertinente, la refuser.

1979, c. 48, a. 70.

71. Le régisseur ou la personne désignée à cette fin par le président doit dresser un procès-verbal de l'audition.

Ce procès-verbal, signé par son auteur, est réputé faire preuve de son contenu.

1979, c. 48, a. 71.

72. Une personne physique peut être représentée par son conjoint ou par un avocat.

Si une telle personne ne peut se présenter elle-même pour cause de maladie, d'éloignement ou toute autre cause jugée suffisante par un régisseur, elle peut aussi être représentée par un parent ou un allié ou, à défaut de parent ou d'allié sur le territoire de la municipalité locale, par un ami.

Une personne morale peut être représentée par un administrateur, un dirigeant, un employé à son seul service, ou par un avocat.

1979, c. 48, a. 72; 1996, c. 2, a. 857; 1999, c. 40, a. 247; 2002, c. 6, a. 155.

73. Malgré la Charte des droits et libertés de la personne (L.R.Q., chapitre C-12), un avocat ne peut agir si la demande a pour seul objet le recouvrement d'une créance qui n'excède pas la compétence de la Cour du Québec en matière de recouvrement des petites créances, exigible d'un débiteur résidant au Québec par une personne en son nom et pour son compte personnel ou par un tuteur ou un curateur en sa qualité officielle.

1979, c. 48, a. 73; 1981, c. 32, a. 4; 1988, c. 21, a. 66.

74. Si une partie est représentée par un mandataire autre que son conjoint ou un avocat, ce mandataire doit fournir à la Régie un mandat écrit, signé

passersby, to be posted on the immovable contemplated in the application. Furthermore, the board may cause a public notice of the application to be published, in the manner provided in the rules of procedure.

Every notice contemplated in the first paragraph must indicate that any person may make written representations on the application within ten days of the publication of the public notice or, if there is no public notice, within ten days following the posting up of the notice on the immovable concerned.

The board may, if it considers it expedient, hold a public hearing at which it may hear any person who has made representations.

At such a hearing, a commissioner may limit the duration of the intervention or refuse it if he considers it not pertinent.

71. The commissioner or the person designated for that purpose must draw up the minutes of the hearing.

These minutes, signed by their author, are proof of their content.

72. A natural person may be represented by his or her spouse, or by an advocate.

If a natural person cannot appear personally by reason of illness, distance or any other cause considered sufficient by a commissioner, he or she may also be represented by a person related to him or her by blood or by marriage or a civil union or, if there is no such person in the territory of the local municipality, by a friend.

A legal person may be represented by a director, an officer, an employee exclusively employed by it, or by an advocate.

73. Notwithstanding the Charter of human rights and freedoms (R.S.Q., chapter C-12), no advocate may act if the sole object of the application is the recovery of a debt not exceeding the jurisdiction of the Court of Québec in matters of recovery of small claims, exigible from a debtor resident in Québec by a person in his own name and account or by a tutor or curator in his official capacity.

74. Where a party is represented by a mandatary other than his spouse or an advocate, the mandatary must furnish to the board a written mandate,

par la personne qu'il représente et indiquant, dans le cas d'une personne physique, les causes qui empêchent la partie d'agir elle-même. Ce mandat doit être gratuit.

1979, c. 48, a. 74; 1981, c. 32, a. 5.

75. Sous réserve des articles 76 et 77, le Livre septième du Code civil s'applique à la preuve faite devant la Régie.

1979, c. 48, a. 75; 1999, c. 40, a. 247.

76. Peut se prouver par la production d'une copie qui en tient lieu si le régisseur est satisfait de sa véracité:

1° un acte juridique constaté dans un écrit; ou

2° le contenu d'un écrit autre qu'authentique.

Toutefois, la preuve peut être faite par tout moyen lorsqu'une partie établit que, de bonne foi, elle ne peut produire l'original de l'écrit, non plus que toute copie qui en tient lieu.

1979, c. 48, a. 76.

77. Une partie peut administrer une preuve testimoniale:

1° même pour contredire ou changer les termes d'un écrit, lorsqu'elle veut prouver que la présente loi n'a pas été respectée;

2° si elle veut prouver que le loyer effectivement payé n'est pas celui qui apparaît au bail;

3° si elle veut interpréter ou compléter un écrit.

1979, c. 48, a. 77.

78. Un régisseur peut décider qu'un rapport d'inspection fait sous la signature d'un inspecteur de la Régie, d'un inspecteur municipal ou d'un inspecteur nommé en vertu de la Loi sur la santé et la sécurité du travail (L.R.Q., chapitre S-2.1), de la Loi sur la qualité de l'environnement (L.R.Q., chapitre Q-2), de la Loi sur la Société d'habitation du Québec (L.R.Q., chapitre S-8), de la Loi sur les installations de tuyauterie (L.R.Q., chapitre I-12.1), ou de la Loi sur les installations électriques (L.R.Q., chapitre I-13.01) tient lieu du témoignage de cet inspecteur.

Toutefois, une partie peut requérir la présence de l'inspecteur à l'audition, mais si la Régie estime que la production du rapport eût été suffisante, elle peut condamner cette partie au paiement des frais dont elle fixe le montant.

1979, c. 48, a. 78; 1975, c. 53, a. 132; 1979, c. 63, a. 333.

75. Subject to sections 76 and 77, Book Seven of the Civil Code applies to the proof made before the board.

76. The following may be proved by producing a copy in lieu thereof if the commissioner is satisfied with the veracity of the copy:

(1) a juridical act evidenced in a writing; or

(2) the content of a writing other than an authentic writing.

However, proof may be made by any means where a party establishes that, in good faith, he can neither produce the original of the writing nor any copy in lieu thereof.

77. A party may administer proof by testimony,

(1) even to contradict or vary the terms of a writing, where he wishes to prove that this act has not been complied with;

(2) where he wishes to prove that the rent actually paid is not that appearing in the lease;

(3) where he wishes to interpret or complete a writing.

78. A commissioner may decide that a report of inspection signed by an inspector of the board, a municipal inspector or an inspector appointed under the Act respecting occupational health and safety (R.S.Q., chapter S-2.1), the Environment Quality Act (R.S.Q., chapter Q-2), the Act respecting the Société d'habitation du Québec (R.S.Q., chapter S-8), the Act respecting piping installations (R.S.Q., chapter I-12.1) or the Act respecting electrical installations (R.S.Q., chapter I-13.01), is accepted in lieu of the testimony of such inspector.

However, one of the parties may require the presence of the inspector at the hearing, but if the board considers that the filing of the report would have sufficed, it may condemn that party to pay costs in such amount as it may fix.

79. Toute décision de la Régie doit être motivée et transmise aux parties en cause, en la manière prévue par les règlements de procédure.

La copie d'une décision, certifiée conforme par le régisseur qui a entendu l'affaire ou par la personne autorisée à cette fin par le président, a la même valeur que l'original.

1979, c. 48, a. 79.

79.1 Lors de la décision, le régisseur peut adjuger sur les frais prévus par règlement.

1981, c. 32, a. 6; 1982, c. 58, a. 70.

80. Lorsque plus d'un régisseur a entendu une affaire, la décision est prise à la majorité des régisseurs ayant entendu cette affaire; lorsque les opinions se partagent également sur une question, celle-ci est tranchée par le régisseur qui a présidé l'audition.

1979, c. 48, a. 80.

81. En cas de cessation de fonction, de retraite, de décès ou d'empêchement d'un régisseur, le président ou le vice-président désigné en vertu de l'article 10 peut ordonner qu'une demande dont ce régisseur est saisi soit continuée et terminée par un autre régisseur ou remise au rôle pour être entendue de nouveau.

Si la cause avait été prise en délibéré, elle est confiée à un autre régisseur ou remise au rôle conformément au premier alinéa, à moins que le président ou le vice-président désigné, en cas de retraite ou de cessation des fonctions du régisseur saisi, ne demande à ce dernier de rendre une décision dans les quatre-vingt-dix jours. À l'expiration de ce délai, le président ou le vice-président désigné procède conformément au premier alinéa.

1979, c. 48, a. 81; 1999, c. 40, a. 247.

82. Sauf si l'exécution provisoire est ordonnée, une décision est exécutoire à l'expiration du délai pour permission d'appeler, ou, selon le cas, du délai de révision. Une décision visée dans la section II du chapitre III est exécutoire dès qu'elle est rendue.

Dans le cas d'une décision relative à une demande ayant pour seul objet le recouvrement d'une créance visée dans l'article 73, la décision est exécutoire à l'expiration d'un délai de vingt jours de sa date, sauf si le régisseur a ordonné autrement.

1979, c. 48, a. 82; 1981, c. 32, a. 7; 1995, c. 39, a. 20; 1996, c. 5, a. 63.

79. Every decision of the board must be substantiated and transmitted to the parties concerned, in the manner provided in the rules of procedure.

A copy of a decision, certified true by the commissioner having heard the case or by the person authorized for that purpose by the chairman, has the same value as the original.

79.1 At the time of the decision, the commissioner may adjudge the costs prescribed by regulation.

80. Where a case is heard by more than one commissioner, the decision is made by a majority of the commissioners having heard the case; where opinions are equally divided on a question, it is decided by the commissioner who has presided at the hearing.

81. When a commissioner ceases to hold office, retires, dies or is unable to act, the chairman, or the vice-chairman designated under section 10, may order that an application of which that commissioner was seized be continued and terminated by another commissioner or replaced on the roll to be heard again.

If the case was taken under advisement, it is entrusted to another commissioner or replaced on the roll in accordance with the first paragraph, unless, where the commissioner seized of the case has retired or ceased to hold office, the chairman or the designated vice-chairman requests the commissioner seized of the case to render a decision within ninety days. Upon the expiry of that time, the chairman or designated vice-chairman proceeds in accordance with the first paragraph.

82. Except where provisional execution is ordered, a decision is executory on the expiry of the time allowed to apply for leave to appeal or, as the case may be, of the time allowed for review. A decision contemplated in Division II of Chapter III is executory on being rendered.

In the case of a decision relating to an application concerning only the recovery of a debt contemplated in section 73, the decision is executory on the expiry of 20 days from the date thereof, except where the commissioner has ordered otherwise.

82.1 Le régisseur peut, s'il le juge à propos, ordonner l'exécution provisoire, nonobstant la révision ou l'appel, de la totalité ou d'une partie de la décision, s'il s'agit:

1° de réparations majeures;

2° d'expulsion des lieux, lorsque le bail est expiré, résilié ou annulé;

3° d'un cas d'urgence exceptionnelle.

1981, c. 32, a. 7

83. Une décision de la Régie peut être exécutée comme s'il s'agissait d'un jugement de la Cour du Québec si elle est enregistrée au greffe de la Cour du lieu où est situé le logement.

1979, c. 48, a. 83; 1982, c. 32, a. 121; 1988, c. 21, a. 66.

84. L'exécution forcée d'une décision relative à une demande ayant pour seul objet une créance visée dans l'article 73 se fait suivant les articles 991 à 994 du Code de procédure civile (L.R.Q., chapitre C-25).

1979, c. 48, a. 84; 2002, c. 7, a. 172.

85. À une assemblée convoquée par le président, les régisseurs peuvent, à la majorité, adopter les règlements de procédure jugés nécessaires.

Sous réserve du paragraphe 5° de l'article 108, les régisseurs peuvent aussi, par règlement, déterminer la forme ou la teneur des avis autres que celui prévu par les articles 1942 et 1943 du Code civil, des demandes ou des formules nécessaires à l'application de la présente loi et des articles 1892 à 2000 du Code civil et en rendre l'utilisation obligatoire. Un tel règlement doit être approuvé par le ministre désigné avant sa publication.

Ces règlements entrent en vigueur à compter de leur publication à la *Gazette officielle du Québec* ou à une date ultérieure qui y est fixée.

1979, c. 48, a. 85; 1999, c. 40, a. 247.

86. En l'absence de dispositions applicables à un cas particulier, un régisseur peut y suppléer par toute procédure non incompatible avec la présente loi ou les règlements de procédure.

1979, c. 48, a. 86.

87. Dans la computation d'un délai prévu par la présente loi ou par les articles 1892 à 2000 du Code civil:

1° le jour qui marque le point de départ n'est pas compté mais celui de l'échéance l'est;

2° les jours fériés sont comptés mais, lorsque le dernier jour est férié, le délai est prorogé au premier jour non férié suivant;

82.1 The commissioner may, if he deems it expedient, order the provisional execution of the decision in whole or in part notwithstanding review or appeal, in the case of

(1) major repairs;

(2) eviction from premises where the lease is expired, resiliated or cancelled;

(3) exceptional urgency.

83. A decision of the board may be executed as if it were a judgment of the Court of Québec, if it is registered in the office of the Court of the place where the dwelling is situated.

84. Compulsory execution of a decision on an application concerning only a debt contemplated in section 73 is effected in accordance with articles 991 to 994 of the Code of Civil Procedure (R.S.Q., chapter C-25).

85. At a meeting called by the chairman, the commissioners may adopt, by a majority, the rules of procedure considered necessary.

Subject to paragraph 5 of section 108, the commissioners may also, by by-law, determine the form or tenor of notices other than that provided for in articles 1942 and 1943 of the Civil Code, and of applications or forms necessary for the application of this Act and articles 1892 to 2000 of the Civil Code, and make their use obligatory. Such a by-law must be approved by the designated minister before its publication.

Such rules and by-laws come into force from their publication in the *Gazette officielle du Québec* or on a later date fixed therein.

86. In the absence of provisions applicable to a particular case, a commissioner may compensate for them by any procedure not inconsistent with this act or the rules of procedure.

87. In computing a time limit provided by this Act or by articles 1892 to 2000 of the Civil Code,

(1) the day which marks the start of the time limit is not counted, but the terminal day is counted;

(2) holidays are counted but when the last day is a holiday, the time limit is extended to the next following day that is not a holiday;

3° le samedi est assimilé à un jour férié de même que le 2 janvier et le 26 décembre.

1979, c. 48, a. 87; 1999, c. 40, a. 247.

SECTION II
PROCÉDURES PARTICULIÈRES

88. Le régisseur qui l'a rendue peut rectifier une décision entachée d'erreur d'écriture ou de calcul, ou de quelque autre erreur matérielle ou qui, par suite d'une inadvertance manifeste, accorde plus qu'il n'était demandé ou omet de prononcer sur une partie de la demande.

Il peut le faire, d'office ou à la demande d'une partie, tant que la décision n'a pas été inscrite en appel ou en révision ou tant que l'exécution n'a pas été commencée.

La demande de rectification suspend l'exécution de la décision et interrompt le délai d'appel ou de révision jusqu'à ce que les parties aient été avisées de la décision.

1979, c. 48, a. 88; 1984, c. 47, a. 138.

89. Si une décision a été rendue contre une partie qui a été empêchée de se présenter ou de fournir une preuve, par surprise, fraude ou autre cause jugée suffisante, cette partie peut en demander la rétractation.

Une partie peut également demander la rétractation d'une décision lorsque la Régie a omis de statuer sur une partie de la demande ou s'est prononcée au-delà de la demande.

La demande de rétractation doit être faite par écrit dans les dix jours de la connaissance de la décision ou, selon le cas, du moment où cesse l'empêchement.

La demande de rétractation suspend l'exécution de la décision et interrompt le délai d'appel ou de révision jusqu'à ce que les parties aient été avisées de la décision.

1979, c. 48, a. 89; 1984, c. 47, a. 139.

90. La Régie peut réviser une décision portant sur une demande dont le seul objet est la fixation ou la révision de loyer, si la demande lui en est faite par une partie dans le mois de la date de cette décision.

La révision a lieu suivant la procédure prévue par la section I. Le président de la Régie ou le vice-président qu'il désigne à cette fin détermine le nombre de régisseurs qui entendent la demande; ce nombre doit être supérieur au nombre de régisseurs ou de greffiers spéciaux ayant entendu la demande de fixation ou de révision de loyer.

(3) Saturday is considered a holiday, as are 2 January and 26 December.

DIVISION II
SPECIAL PROCEDURES

88. The commissioner who rendered a decision may correct it if it contains an error in writing or in calculation, or any other clerical error or, by obvious inadvertence, it grants more than was demanded or omits to adjudicate upon part of the demand.

He may make the correction, *ex officio* or on the motion of one of the parties, so long as the decision has not been appealed or reviewed or before the decision becomes executory.

The motion for correction suspends the execution of the decision and interrupts the time allowed for appeal or review until the parties are notified of the decision.

89. Where a decision has been rendered against a party who was prevented from producing or supplying evidence by surprise, by fraud or by any other reason considered sufficient, that party may apply for the revocation of the decision.

A party may also apply for the revocation of the decision where the board has omitted to adjudicate upon part of the demand or has decided beyond the application.

The application for revocation must be made in writing within ten days after the decision is known or from the time the cause of prevention ceases, as the case may be.

The application for revocation suspends the execution of the decision and interrupts the time allowed for appeal or review until the parties are notified of the decision.

90. The board may review a decision concerning an application the sole object of which is the fixing or revision of the rent, if the application is made by a party within one month from the date of the decision.

The review is effected in accordance with the procedure provided in Division I. The chairman of the board or the vice-chairman designated by him for that purpose shall determine the number of commissioners who are to hear the application; that number must be greater than the number of commissioners or special clerks who heard the application for the fixing or revision of the rent.

Sauf si l'exécution provisoire est ordonnée, la demande de révision suspend l'exécution de la décision. Toutefois, la Régie peut, sur requête, soit ordonner l'exécution provisoire lorsqu'elle ne l'a pas été, soit la défendre ou la suspendre lorsqu'elle a été ordonnée.

1979, c. 48, a. 90; 1981, c. 32, a. 8; 1982, c. 58, a. 71.

90.1 La décision sur la demande de révision est exécutoire à l'expiration d'un délai de dix jours de sa date à moins que l'exécution immédiate n'en soit ordonnée.

1981, c. 32, a. 9.

CHAPITRE V
APPEL

91. Les décisions de la Régie du logement peuvent faire l'objet d'un appel sur permission d'un juge de la Cour du Québec, lorsque la question en jeu en est une qui devrait être soumise à la Cour du Québec.

Toutefois, il n'y a pas d'appel des décisions de la Régie portant sur une demande:

1° dont le seul objet est la fixation ou la révision d'un loyer;

2° dont le seul objet est le recouvrement d'une créance visée dans l'article 73;

3° visée dans la section II du chapitre III, sauf celles visées dans les articles 39 et 54.10;

4° d'autorisation de déposer le loyer faite par requête en vertu des articles 1907 et 1908 du Code civil du Québec.

1979, c. 48, a. 91; 1981, c. 32, a. 10; 1987, c. 77, a. 3; 1988, c. 21, a. 66; 1996, c. 5, a. 64.

92. La demande pour permission d'appeler doit être faite au greffe de la Cour du Québec du lieu où est situé le logement et elle est présentée par requête accompagnée d'une copie de la décision et des pièces de la contestation, si elles ne sont pas reproduites dans la décision.

La requête accompagnée d'un avis de présentation doit être signifiée à la partie adverse et produite au greffe de la Cour dans les 30 jours de la date de la décision. Elle doit préciser les conclusions recherchées et le requérant doit y énoncer sommairement les moyens qu'il prévoit utiliser.

Si la demande est accordée, le jugement qui autorise l'appel tient lieu de l'inscription en appel. Le greffier de la Cour du Québec transmet sans délai copie de ce jugement à la Régie ainsi qu'aux parties et à leur procureur.

Except where provisional execution is ordered, the application for review suspends the execution of the decision. However, the board may, on a motion, either order provisional execution when it has not been ordered, or bar or suspend it when it has been ordered.

90.1 The decision on the application for review is executory on the expiry of ten days from the date thereof unless immediate execution is ordered.

CHAPTER V
APPEAL

91. An appeal lies, on leave of a judge of the Court of Québec, from decisions of the Régie du logement when the matter at issue is one which ought to be submitted to the Court of Québec.

However, no appeal lies from decisions of the board concerning an application

(1) the sole object of which is the fixing of rent or the revision of rent;

(2) the sole object of which is the recovery of a debt contemplated in section 73;

(3) contemplated in Division II of Chapter III, except an application contemplated in section 39 or 54.10;

(4) for authorization to deposit the rent by a motion under articles 1907 and 1908 of the Civil Code of Québec.

92. The application for leave to appeal must be made at the office of the Court of Québec of the place where the dwelling is situated, and is presented by motion accompanied with a copy of the decision and of the documents of the contestation, if they are not reproduced in the decision.

The motion together with a notice of presentation must be served on the adverse party and filed in the office of the court within 30 days after the date of the decision. The motion must state the conclusions sought, and contain a brief statement by the applicant of the grounds he intends to rely on.

If the application is granted, the judgment authorizing the appeal shall serve as an inscription in appeal. The clerk of the Court of Québec shall transmit a copy of this judgment without delay to the board and to the parties and their attorneys.

De la même manière et dans les mêmes délais, l'intimé peut former un appel ou un appel incident.

The respondent may bring an appeal or an incidental appeal in the same manner and within the same time limit.

1979, c. 48, a. 92; 1985, c. 30, a. 83; 1988, c. 21, a. 66; 1996, c. 5, a. 65.

93. Ce délai est de rigueur et emporte déchéance.

Toutefois, si une partie décède avant l'expiration de ce temps et sans avoir appelé, le délai pour permission d'appeler ne court contre ses représentants légaux que du jour où la décision leur est signifiée, ce qui peut être fait conformément à la disposition de l'article 133 du Code de procédure civile (L.R.Q., chapitre C-25).

Le délai pour permission d'appeler ne court contre la partie condamnée par défaut que de l'expiration du temps pendant lequel elle pouvait demander la rétractation de la décision.

1979, c. 48, a. 93; 1981, c. 32, a. 11; 1996, c. 5, a. 66.

94. Sauf si l'exécution provisoire est ordonnée, l'appel suspend l'exécution de la décision.

La demande pour permission d'appeler ne suspend pas l'exécution. Toutefois, lorsque la décision de la Régie entraîne l'expulsion du locataire ou des occupants, par requête, il peut être demandé à un juge de la Cour du Québec de suspendre cette exécution si le requérant démontre qu'il lui en résulterait un préjudice grave et qu'il a produit une demande pour permission d'appeler.

L'exécution provisoire de la totalité ou d'une partie de la décision peut, sur requête, être ordonnée par un juge de la Cour du Québec lorsqu'elle ne l'a pas été par la décision frappée d'appel. Elle peut, de la même manière, être défendue ou suspendue lorsqu'elle a été ordonnée.

1979, c. 48, a. 94; 1981, c. 32, a. 12; 1988, c. 21, a. 66; 1996, c. 5, a. 67.

95. Abrogé.

1996, c. 5, a. 68.

96. Lorsque plus d'une partie interjette appel d'une même décision, tous les appels sont réunis.

1979, c. 48, a. 96.

97. Le tribunal peut, d'office ou sur demande, réunir plusieurs appels si les questions en litige sont en substance les mêmes.

1979, c. 48, a. 97.

93. Such time limit is imperative and its expiry entails forfeiture of the right of appeal.

However, if a party dies before the expiry of the time limit and without having brought an appeal, the time allowed to apply for leave to appeal does not run against the party's legal representatives until the date on which the decision is served on them in accordance with article 133 of the Code of Civil Procedure (R.S.Q., chapter C-25).

The time allowed to apply for leave to appeal begins to run against a party condemned in default only once the time for applying for revocation of the decision has expired.

94. Except where provisional execution is ordered, an appeal suspends the execution of the decision.

An application for leave to appeal does not suspend execution of the decision. However, where the decision of the board entails the eviction of the lessee or of the occupants, a motion may be filed with a judge of the Court of Québec for the suspension of execution of the decision if the applicant shows that execution would cause him serious prejudice and that he has filed an application for leave to appeal.

The provisional execution of the whole or part of the decision may, on a motion, be ordered by a judge of the Court of Québec when such execution has not been ordered by the decision appealed from. It may, in the same manner, be barred or suspended when it has been ordered.

95. Repealed.

96. Where more than one party has appealed from the same decision, all appeals are joined.

97. The Court may, *ex officio* or on a motion, join several appeals if the matters at issue are substantially the same.

98. Le tribunal n'entend que la preuve et les représentations relatives aux questions qui ont été autorisées par la permission d'appeler et les articles 60 à 69, 75 à 78, 86, 88 et 89 s'appliquent, en faisant les adaptations requises, à un appel entendu suivant le présent chapitre.

1979, c. 48, a. 98; 1996, c. 5, a. 69.

99. Le tribunal peut tenir ses séances même un jour férié, aux heures déterminées par le juge en chef.

1979, c. 48, a. 99.

100. Le tribunal, à la demande d'une partie, ou le greffier, du consentement des parties, peuvent reporter l'audition à une date ultérieure.

1979, c. 48, a. 100.

101. Le tribunal peut confirmer, modifier ou infirmer la décision qui fait l'objet de l'appel et rendre le jugement qui aurait dû être rendu.

1979, c. 48, a. 101.

102. Le jugement est sans appel; il doit être écrit, motivé, signé par le juge qui l'a rendu et signifié aux parties en la manière prévue par les règles de pratique.

1979, c. 48, a. 102.

103. Le jugement est exécutoire à l'expiration des dix jours qui suivent la date de signification, sauf si le tribunal en ordonne autrement.

1979, c. 48, a. 103.

104. Lorsque la Cour supérieure et la Cour du Québec sont saisies d'action et d'appel ayant le même fondement juridique ou soulèvent les mêmes points de droit et de fait, la Cour du Québec doit suspendre l'instruction de l'appel porté devant elle jusqu'au jugement de la Cour supérieure, passé en force de chose jugée, si une partie le demande et qu'aucun préjudice sérieux ne puisse en résulter pour la partie adverse.

1979, c. 48, a. 104; 1988, c. 21, a. 66.

105. Le livre quatrième du Code de procédure civile (L.R.Q., chapitre C-25) s'applique, en faisant les adaptations requises, au présent chapitre.

1979, c. 48, a. 105.

106. En rejetant un appel qu'il juge dilatoire ou abusif, le tribunal peut, d'office ou à la demande d'une partie, condamner l'appelant à des dommages-intérêts.

1979, c. 48, a. 106.

98. The Court hears evidence and representations only in relation to matters authorized by the leave to appeal, and sections 60 to 69, 75 to 78, 86, 88 and 89 apply, *mutatis mutandis*, to an appeal heard pursuant to this chapter.

99. The Court may hold its sittings even on a holiday, between the hours determined by the chief judge.

100. The Court, at the request of one of the parties, or the clerk, with the consent of the parties, may postpone the hearing to a later date.

101. The Court may confirm, amend or quash the decision contemplated by the appeal and render the judgment that should have been rendered.

102. The judgment is without appeal; it must be written, substantiated and signed by the judge who rendered it and served on the parties in the manner provided in the rules of practice.

103. The judgment is executory at the expiry of ten days from the date of service, unless otherwise ordered by the Court.

104. When the Superior Court and the Court of Québec are seized of an action and an appeal having the same juridical basis or raising the same questions of law and fact, the Court of Québec must, if one of the parties so requests and no serious prejudice can result to the adverse party, suspend the hearing of the appeal before it until the judgment in the case before the Superior Court has become definitive.

105. Book IV of the Code of Civil Procedure (R.S.Q., chapter C-25) applies to this chapter, *mutatis mutandis*.

106. In dismissing an appeal that it considers dilatory or immoderate, the Court may, *ex officio* or at the request of a party, condemn the appellant to damages.

107. La Cour du Québec peut, en la manière prévue par la Loi sur les tribunaux judiciaires (L.R.Q., chapitre T-16), adopter les règles de pratique jugées nécessaires à la bonne exécution du présent chapitre et notamment permettre l'application d'une procédure incidente prévue par le titre IV du livre deuxième de ce code.

1979, c. 48, a. 107; 1988, c. 21, a. 66, a. 131.

CHAPITRE VI
RÉGLEMENTATION

108. Le gouvernement peut, par règlement:

1° établir, pour les catégories de logements ou d'immeubles qu'il indique, des exigences minimales concernant l'entretien, la sécurité, la salubrité ou l'habitabilité d'un logement ou d'un immeuble comportant un logement;

2° préciser, pour l'application de l'article 1913 du Code civil du Québec, certains cas où un logement est impropre à l'habitation;

3° pour l'application des articles 1952 et 1953 du Code civil du Québec, établir pour les catégories de personnes, de baux, de logements ou de terrains destinés à l'installation d'une maison mobile qu'il détermine, les critères de fixation ou de révision du loyer et leurs règles de mise en application;

4° prescrire, le cas échéant, les droits ou frais exigibles pour tout acte posé par la Régie ou par une partie à l'occasion d'une demande ou d'une procédure, ainsi que les droits ou frais afférents à l'administration de la loi, établir les normes, les conditions et les modalités applicables à la réception, à la conservation et au remboursement de ces droits ou frais, exempter certaines catégories de personnes du paiement de ces droits ou frais et déterminer, s'il y a lieu, le montant maximum qu'une partie peut être tenue de payer en vertu de l'article 79.1 pour la totalité ou pour l'un ou l'autre de ces actes;

5° imposer l'inclusion de mentions obligatoires dans le bail, l'écrit ou l'avis visé dans les articles 1895 et 1896 du Code civil du Québec et, dans le cas du bail ou de l'écrit visé au premier alinéa de l'article 1895 du Code civil du Québec, prescrire l'utilisation obligatoire du formulaire de bail de la Régie du logement ou de l'écrit produit par la Régie et en fixer le prix de vente;

6° sous réserve de l'article 85, prescrire ce qui doit être prescrit par règlement en vertu de la présente loi et des articles 1892 à 2000 du Code civil du Québec.

107. The Court of Québec may, in the manner prescribed under the Courts of Justice Act (R.S.Q., chapter T-16), make the rules of practice necessary for the proper carrying out of this chapter and, in particular, permit the application of an incidental procedure provided by Title IV of Book II of that Code.

CHAPTER VI
REGULATIONS

108. The Government may make regulations

(1) establishing, for such categories of dwellings or immovables as it may indicate, minimum requirements concerning the maintenance, safety, sanitation or habitability of a dwelling or an immovable comprising a dwelling;

(2) determining, for the application of article 1913 of the Civil Code of Québec certain cases where a dwelling is unfit for habitation;

(3) for the application of articles 1952 and 1953 of the Civil Code of Québec, establishing, for such categories of persons, of leases, of dwellings or of land intended for the installation of a mobile home as it may determine, the criteria for the fixing of rent or for the revision of rent and the rules of implementation of these criteria;

(4) prescribing, where such is the case, the duties or costs exigible for any act performed by the board or by a party in the case of an application or a proceeding, and the duties or costs relating to the administration of the Act, establishing the standards, conditions and modalities applicable to the receipt, keeping and reimbursement of such duties or costs, exempting certain categories of persons from the payment of such duties or costs, and determining, where necessary, the maximum amount that a party may be bound to pay under section 79.1 for the whole or one or other of such acts;

(5) making the inclusion of certain particulars mandatory in a lease, writing or notice referred to in articles 1895 and 1896 of the Civil Code of Québec, and in the case of the lease or writing referred to in the first paragraph of article 1895 of the Civil Code of Québec, prescribing the mandatory use of the lease form from the Régie du logement or of the writing produced by the board, and fixing the sales price thereof;

(6) prescribing, subject to section 85, what must be prescribed by regulation under this Act and articles 1892 to 2000 of the Civil Code of Québec.

Ces règlements entrent en vigueur à compter de leur publication à la *Gazette officielle du Québec* ou à une date ultérieure qui y est fixée.

1979, c. 48, a. 108; 1981, c. 32, a. 13; 1995, c. 61, a. 1.

These regulations come into force from their publication in the *Gazette officielle du Québec* or on a later date fixed therein.

TITRE II
DISPOSITIONS MODIFIANT LE CODE CIVIL DU BAS CANADA

109. Omis.

1979, c. 48, a. 109.

110. Omis.

1979, c. 48, a. 110.

111. Omis.

1979, c. 48, a. 111.

TITRE III
DISPOSITIONS PÉNALES

112. Quiconque refuse de se conformer à une ordonnance de la Régie autre que celle prévue par l'article 1973 du Code civil commet un outrage au tribunal.

Toutefois, si le contrevenant refuse de se conformer à une ordonnance prévue par l'article 55 ou par l'article 1918 du Code civil, l'amende est d'au moins 5 000 $ et d'au plus 25 000 $.

1979, c. 48, a. 112; 1992, c. 61, a. 514; 1999, c. 40, a. 247.

112.1 Quiconque, en vue de convertir un immeuble locatif en copropriété divise ou d'évincer un locataire de son logement, use de harcèlement envers celui-ci de manière à restreindre son droit à la jouissance paisible du logement commet une infraction et est passible d'une amende d'au moins 5 800 $ et d'au plus 28 975 $.

1987, c. 77, a. 4; 1991, c. 33, a. 116; 1992, c. 61, a. 515.

113. Quiconque contrevient à l'article 69 et aux articles 1899, 1904, 1913, 1919, 1921, 1930, 1931, 1935 et 1970 du Code civil commet une infraction et est passible d'une amende d'au moins 125 $ et d'au plus 1 225 $ s'il s'agit d'une personne autre qu'une personne morale et d'au moins 250 $ et d'au plus 2 450 $ s'il s'agit d'une personne morale.

1979, c. 48, a. 113; 1990, c. 4, a. 761; 1991, c. 33, a. 117; 1999, c. 40, a. 247.

114. Quiconque fait une déclaration qu'il sait être fausse dans une formule ou un écrit dont l'usage

TITLE II
PROVISIONS AMENDING THE CIVIL CODE OF LOWER CANADA

109. Omitted.

110. Omitted.

111. Omitted.

TITLE III
PENAL PROVISIONS

112. Every person who refuses to comply with an order of the board other than the order provided for in article 1973 of the Civil Code is guilty of contempt of court.

However, where the offender refuses to comply with an order provided for in section 55 or article 1918 of the Civil Code, the fine is not less than $5 000 nor more than $25 000.

112.1 Every person who, with a view to converting a rental residential immovable to divided co-ownership or evicting a lessee from his dwelling, harasses a lessee in such a manner as to limit his right to peaceful enjoyment of his dwelling is guilty of an offence and is liable to a fine of not less than $5 800 nor more than $28 975.

113. Every person who contravenes section 69 or any of articles 1899, 1904, 1913, 1919, 1921, 1930, 1931, 1935 and 1970 of the Civil Code, is guilty of an offence and is liable to a fine of not less than $125 nor more than $1 225 in the case of a person other than a legal person and of not less than $250 nor more than $2 450 in the case of a legal person.

114. Every person who makes a declaration that he knows to be false in a form or writing the use of

est obligatoire en vertu de la présente loi ou des articles 1892 à 2000 du Code civil commet une infraction et est passible d'une amende d'au moins 250 $ et d'au plus 2 450 $.

1979, c. 48, a. 114; 1990, c. 4, a. 761; 1991, c. 33, a. 118; 1999, c. 40, a. 247.

115. Si une personne morale commet une infraction visée dans les articles 113 ou 114, un dirigeant, un administrateur, un employé ou un agent de cette personne morale qui a prescrit ou autorisé l'accomplissement de l'infraction ou qui y a consenti ou acquiescé est réputé être partie à l'infraction et est passible d'une amende n'excédant pas l'amende prévue par ces articles.

1979, c. 48, a. 115; 1999, c. 40, a. 247.

116. Abrogé.

1992, c. 61, a. 516.

117. Abrogé.

1990, c. 4, a. 762.

TITRE IV
DISPOSITIONS DIVERSES, TRANSITOIRES ET FINALES

118-128. Modifications intégrées à d'autres lois.

1979, c. 48, a. 118-128.

129. Omis.

1979, c. 48, a. 129.

130. Inopérant.

1979, c. 48, a. 130 et 137.

131. Inopérant.

1979, c. 48, a. 131 et 137.

132. La cessation de l'effet des articles 16 à 16k de la Loi prolongeant et modifiant la Loi pour favoriser la conciliation entre locataires et propriétaires (1975, chapitre 84) n'a pas pour conséquence de faire disparaître les droits acquis en vertu de ces articles ni de valider rétroactivement les actes déclarés nuls ou illégaux par ces articles.

Les recours et les poursuites pénales relatifs à l'application de ces articles qui ont été exercés ou qui sont en délibéré devant un tribunal, un administrateur ou la Commission des loyers sont continués, instruits et jugés suivant ces articles, lorsque le recours ou la poursuite pénale est basé sur un de ces articles ou qu'il concerne l'application de la Loi pour favoriser la conciliation entre locataires et propriétaires (L.R.Q., chapitre C-50) à un local visé dans ces articles.

which is compulsory under this Act or articles 1892 to 2000 of the Civil Code is guilty of an offence and is liable to a fine of not less than $250 nor more than $2 450.

115. Where a legal person is guilty of an offence contemplated in section 113 or 114, any officer, director, employee or agent of that legal person who ordered, authorized, assented to or acquiesced in the commission of the offence is deemed to be a party to the offence and is liable to a fine not exceeding the fine provided for in these sections.

116. Repealed.

117. Repealed.

TITLE IV
MISCELLANEOUS, TRANSITIONAL AND FINAL PROVISIONS

118-128. Amendments integrated into other Acts.

129. Omitted.

130. Inoperative.

131. Inoperative.

132. The cessation of the effect of sections 16 to 16k of the Act to prolong and amend the Act to promote conciliation between lessees and property-owners (1975, chapter 84) does not entail the loss of the rights acquired under those sections, nor legalize retroactively acts declared null or illegal by those sections.

Recourses and penal proceedings respecting the applicability of those sections that have been exercised or that are under advisement before a court, an administrator or the Commission des loyers are continued, heard and decided in accordance with those sections where the recourse or the penal proceeding is based on one of those sections or where it regards the applicability of the Act to promote conciliation between lessees and property-owners (R.S.Q., chapter C-50) to a dwelling contemplated in those sections.

La prescription d'un tel recours ou d'une telle poursuite pénale qui n'a pas été exercé le 31 décembre 1979 continue de courir après cette date. Tant que cette prescription n'est pas acquise, ce recours ou cette poursuite pénale peuvent être exercés, instruits et jugés suivant les articles mentionnés au premier alinéa.

1979, c. 48, a. 132.

133. Dans le cas d'un bail se terminant après le 30 juin 1980, le loyer fixé par un administrateur ou par la Commission des loyers en vertu des articles 53 ou 54 de la Loi pour favoriser la conciliation entre locataires et propriétaires (L.R.Q., chapitre C-50) est maintenu jusqu'à la fin de ce bail, à moins que l'une des parties ne s'adresse à la Régie pour obtenir une nouvelle fixation de loyer.

La demande doit être faite au moins trois mois avant l'expiration de chaque période de douze mois depuis la date où la dernière fixation a pris effet.

1979, c. 48, a. 133.

134. Les demandes pendantes devant des commissaires ou un administrateur des loyers, le 1er octobre 1980, sont continuées et décidées selon la Loi pour favoriser la conciliation entre locataires et propriétaires (L.R.Q., chapitre C-50).

1979, c. 48, a. 134.

135. Les causes pendantes devant la Cour provinciale le 1er octobre 1980, sont continuées devant cette cour.

1979, c. 48, a. 135.

136. Un avis d'augmentation de loyer, de modification d'une condition du bail, de non-renouvellement du bail ou de reprise de possession donné avant le 1er octobre 1980 est valable malgré la présente loi.

Si les délais accordés au locataire par la Loi pour favoriser la conciliation entre locataires et propriétaires (L.R.Q., chapitre C-50) pour répondre à un avis visé dans le premier alinéa ne sont pas expirés et si le locataire n'a pas déjà répondu à cet avis, les dispositions de la présente loi s'appliquent.

Dans le cas d'un bail à durée fixe de plus de six mois se terminant le ou avant le 30 septembre 1980, l'avis prévu par l'article 33 ou les articles 1659.1 ou 1660.1 du Code civil du Bas Canada est valable s'il est donné trois mois avant la fin du bail.

1979, c. 48, a. 136; 1999, c. 40, a. 247.

136.1-136.2 Abrogés.

1987, c. 77, a. 6.

The prescription of such a recourse or penal proceeding not exercised by 31 December 1979 continues to run after that date. Until that prescription is acquired, that recourse or penal proceeding may be exercised, heard and decided according to the sections mentionned in the first paragraph.

133. In the case of a lease ending after 30 June 1980, the rent fixed by an administrator or by the Commission des loyers pursuant to section 53 or 54 of the Act to promote conciliation between lessees and property-owners (R.S.Q., chapter C-50) shall be maintained until the lease expires unless one of the parties applies to the board to obtain the fixing of a new rent.

The application for the fixing of rent must be made not less than three months before the expiry of every twelve month period from the date the last fixing of rent took effect.

134. Applications pending before commissioners or before a rental administrator on 1 October 1980 are continued and decided in accordance with the Act to promote conciliation between lessees and property-owners (R.S.Q., chapter C-50).

135. Cases pending before the Provincial Court on 1 October 1980 are continued before that Court.

136. A notice of increase of rent, of change of a condition of the lease, of non-renewal of a lease or of retaking of possession given before 1 October 1980 is valid notwithstanding this Act.

If the time granted to the lessee under the Act to promote conciliation between lessees and property-owners (R.S.Q., chapter C-50) to reply to a notice contemplated in the first paragraph has not expired and if he has not replied to such a notice, the provisions of this Act apply.

In the case of a lease for a fixed term of over six months ending on or before 30 September 1980, the notice provided for by section 33 or by article 1659.1 or 1660.1 of the Civil Code of Lower Canada is valid if it is given three months before the end of the lease.

136.1-136.2 Repealed.

137. Omis.

1979, c. 48, a. 137.

138. La Régie du logement succède à la Commission des loyers et, à cette fin, elle assume ses pouvoirs et ses devoirs.

Dans une loi, une proclamation, un arrêté en conseil ou un autre document, l'expression «Commission des loyers» désigne la Régie.

1979, c. 48, a. 138.

139. Les règles de pratique de la Commission des loyers sont, jusqu'à ce qu'elles soient remplacées, les règlements de procédure de la Régie dans la mesure où elles sont compatibles avec la présente loi.

1979, c. 48, a. 139.

140. Les commissaires à temps complet et rémunérés sur une base annuelle deviennent, sans autre formalité et dès le 1er juillet 1980, régisseurs pour une période d'un an.

1979, c. 48, a. 140.

141. Le personnel de la Commission des loyers devient, sans autre formalité, le personnel de la Régie.

1979, c. 48, a. 141.

142. Les sommes requises pour l'application de la présente loi sont prises, pour les exercices financiers 1979-1980 et 1980-1981, à même le fonds consolidé du revenu et, pour les années subséquentes, à même les sommes accordées annuellement à cette fin par la Législature.

1979, c. 48, a. 142.

143. Les commissaires et les administrateurs nommés en vertu de la Loi pour favoriser la conciliation entre locataires et propriétaires (L.R.Q., chapitre C-50) peuvent entendre et décider des demandes pendantes devant la Commission des loyers et demeurent en fonction jusqu'à ce qu'elles soient entendues et décidées.

1979, c. 48, a. 143.

*__144.__ Le gouvernement désigne un ministre qui est chargé de l'application du titre I et de l'article 136.2.

1979, c. 48, a. 144; 1981, c. 32, a. 15.

137. Omitted.

138. The Régie du logement succeeds to the Commission des loyers and, for such purposes, it assumes its powers and duties.

In any Act, proclamation, order in council or other document, the expression "Commission des loyers" designates the board.

139. The rules of practice of the Commission des loyers are, until replaced, the rules of procedure of the board, so far as they are consistent with this Act.

140. The full-time commissioners who are remunerated on an annual basis, become, without other formality and from 1 July 1980, commissioners for a term of one year.

141. The staff of the Commission des loyers becomes, without other formality, the staff of the board.

142. The sums required for the application of this act shall be taken out of the consolidated revenue fund for the fiscal periods 1979-1980 and 1980-1981 and, for the subsequent periods, out of the moneys granted each year for that purpose by the Legislature.

143. The commissioners and administrators appointed under the Act to promote conciliation between lessees and property-owners (R.S.Q., chapter C-50) may hear and decide the applications pending before the Commission des loyers, and they remain in office until they are heard and decided.

*__144.__ The Government shall designate a minister responsible for the carrying out of Title I and section 136.2.

---

* Le ministre des Affaires municipales est chargé de l'application du titre I de la présente loi, D. 126-96 du 96.01.29, (1996) 128 G.O. 2, 1512.

* The Minister of Municipal Affairs is responsible for the application of Title I of this Act, O.C. 126-96 of 96.01.29, (1996) 128 G.O. 2 (French), 1512.

145. Omis.

1979, c. 48, a. 145.

146. Omis.

1979, c. 48, a. 146.

147. (Cet article a cessé d'avoir effet le 17 avril 1987).

1982, c. 21, a. 1; R.-U., 1982, c. 11, ann. B, ptie I, a. 33.

145. Omitted.

146. Omitted.

147. (This section ceased to have effect on 17 April 1987).

ANNEXE I

AVIS D'INTENTION DE CONVERTIR UN IM-
MEUBLE LOCATIF EN COPROPRIÉTÉ DIVISE

(LOI SUR LA RÉGIE DU LOGEMENT, ARTICLE 52)

....
(date)

....
(nom du locataire)

....
(adresse du locataire)

À titre de propriétaire de l'immeuble situé
au ....
....
(adresse de l'immeuble)
et dans lequel vous êtes locataire d'un logement, je vous avise de mon intention de
convertir cet immeuble en copropriété
divise et de demander à la Régie du logement l'autorisation requise pour procéder
à sa conversion.

————————————————————
(signature du propriétaire)

....
(nom du locateur, s'il est différent)

....
(adresse du locateur)

MENTIONS OBLIGATOIRES

À compter du moment où l'avis d'intention est donné:

• le locataire a droit au maintien dans
les lieux et ne peut être évincé de son logement par voie de reprise de possession,
sauf s'il est cessionnaire du bail et que la
cession a eu lieu après l'envoi de l'avis ou
s'il devient locataire après que la Régie du
logement ait autorisé le propriétaire de
l'immeuble à procéder à la conversion;

SCHEDULE I

NOTICE OF INTENT TO CONVERT A RENTAL
RESIDENTIAL IMMOVABLE TO DIVIDED
CO-OWNERSHIP

(ACT RESPECTING THE RÉGIE DU LOGEMENT, SEC-
TION 52)

....
(Date)

....
(Name of lessee)

....
(Address of lessee)

As the owner of the immovable situated
at ....
....
(Address of immovable)
and in which you are the lessee of a dwelling, I hereby notify you of my intent to convert the immovable to divided co-
ownership and to apply to the Régie du
logement for the authorization required for
the conversion.

————————————————————
(Signature of owner)

....
(Name of lessor, if different)

....
(Address of lessor)

MANDATORY PARTICULARS

From the moment the notice of intent is
given,

• the lessee is entitled to remain on the
premises and shall not be evicted from his
dwelling by way of retaking of possession
unless the lease was transferred to him
after the sending of the notice or unless he
became a lessee after the Régie du logement authorized the owner of the immovable to proceed to the conversion;

- le locateur doit obtenir l'autorisation de la Régie pour effectuer des travaux autres que des travaux d'entretien ou des réparations urgentes et nécessaires à la conservation de l'immeuble. Si la Régie autorise l'exécution de travaux nécessitant l'évacuation temporaire du locataire, elle fixe le montant de l'indemnité que le propriétaire devra payer au locataire pour le dédommager des dépenses raisonnables que le locataire devra assumer en raison de cette évacuation;

- l'interdiction de reprendre possession d'un logement, de même que celle de faire des travaux, cessent si le propriétaire avise par écrit le locataire qu'il n'a plus l'intention de convertir l'immeuble, si aucune demande n'est produite à la Régie dans le délai requis ou si la déclaration de copropriété n'est pas enregistrée dans le délai prévu à la loi ou fixé par la Régie;

- un avis de 24 heures doit être donné au locataire s'il est nécessaire de faire effectuer dans le logement des relevés, expertises ou d'autres types d'activités préparatoires à la conversion ou de le faire visiter à un acquéreur éventuel.

Une déclaration de copropriété divise ne peut être enregistrée sur un immeuble locatif sans que la Régie du logement n'ait préalablement autorisé le propriétaire à procéder à la conversion. L'autorisation de la Régie contiendra le nom des locataires à l'encontre desquels la reprise de possession ne peut plus être exercée ni par le locateur, ni par le nouvel acquéreur du logement.

Avant de vendre un logement pour la première fois à une personne autre que le locataire, le propriétaire devra l'offrir au locataire aux mêmes prix et conditions que ceux convenus avec cette autre personne. La formule que doit utiliser le propriétaire pour faire son offre est prévue par la loi.

Le locataire qui désire plus d'informations pourra, au besoin, communiquer avec la Régie du logement.

1987, c. 77, a. 7.

- the lessor shall obtain the authorization of the Régie to carry out any work other than maintenance work or urgent repairs necessary for the preservation of the immovable. If the Régie authorizes the carrying out of work requiring temporary vacation by the lessee, it shall fix the amount of the indemnity that the owner will be required to pay to the lessee to compensate him for reasonable expenses incurred by him by reason of the vacation;

- the prohibition against the lessor's retaking possession of a dwelling and carrying out work shall cease if the owner notifies the lessee in writing that he no longer intends to convert the immovable, if no application is filed with the Régie within the prescribed time or if the declaration of co-ownership is not registered within the time prescribed by law or by the Régie;

- twenty-four hour's notice must be given to the lessee where the lessor intends to make or carry out readings, appraisals or other activities prior to the conversion or to have the dwelling visited by a prospective purchaser.

No declaration of divided co-ownership may be registered in respect of a rental residential immovable unless the Régie du logement has given its prior authorization to the owner to proceed with the conversion. The authorization must contain the names of the lessees against whom the right to retake possession can no longer be exercised by the lessor or any subsequent purchaser of the dwelling.

Before selling a dwelling for the first time to any person other than the lessee, the owner is required to offer it to the lessee at the same price and on the same conditions as those agreed with the other person. The form to be used by the owner for the offer is that prescribed by law.

If necessary, the lessee may obtain further information from the Régie du logement.

ANNEXE II

OFFRE DE VENTE

(LOI SUR LA RÉGIE DU LOGEMENT, ARTICLE 54.7)

....

(nom du locataire)

....

(adresse du locataire)

À titre de locataire bénéficiant d'un droit de priorité d'achat à l'égard du logement suivant..

je vous offre d'acheter ce logement aux mêmes prix et conditions que ceux convenus avec...

(nom du tiers promettant-acquéreur)

....

(adresse)

....

que je me propose d'accepter en cas de refus de votre part.

Le prix est de............................... et les conditions sont...

....

....

Vous disposez d'un délai d'un mois, à compter de la réception de la présente offre, pour me faire connaître par écrit votre décision d'acheter ou non le logement. L'absence de réponse de votre part sera considérée comme un refus d'acheter.

En conformité avec la Loi sur la Régie du logement (L.R.Q., chapitre R-8.1) et le Code civil du Québec, vous trouverez ci-joint:

☐ un rapport d'expert

☐ une circulaire d'information

Si vous acceptez l'offre qui vous est faite, vous aurez deux mois à compter de cette acceptation pour passer l'acte de vente, à moins que vous ne conveniez avec moi d'un délai plus long.

SCHEDULE II

OFFER TO SELL

(ACT RESPECTING THE RÉGIE DU LOGEMENT, SECTION 54.7)

....

(Name of lessee)

....

(Address of lessee)

As a lessee having a right of first refusal in respect of the following dwelling...........

....

....

you are hereby offered to purchase the said dwelling at the same price and on the same conditions as agreed with...............

(Name of third party having promised to purchase the immovable)

....

(Address)

and which I intend to accept should you refuse the offer.

The price is .... and the conditions are the following: ....

....

....

You have one month, after receiving this offer, to inform me in writing of your decision to purchase or not to purchase the dwelling. No answer on your part shall be considered as a refusal to purchase.

In conformity with the Act respecting the Régie du logement (R.S.Q., chapter R-8.1) and the Civil Code of Québec, you will find enclosed

☐ an expert's report;

☐ an information circular

If you accept the offer made to you, you will have two months from the acceptance to sign the deed of sale, unless we agree on a longer period of time.

(signature du propriétaire)	*(Signature of owner)*
....	....
(date)	*(Date)*
....	....
(adresse du propriétaire)	*(Address of owner)*

MENTIONS OBLIGATOIRES

• Ni le propriétaire actuel, ni le nouvel acquéreur ne peuvent reprendre possession d'un logement dont le locataire est identifié dans l'autorisation de la Régie du logement comme étant l'un de ceux à l'encontre desquels une reprise de possession ne peut être exercée.

• Le locataire qui désire plus d'informations pourra, au besoin, communiquer avec la Régie du logement.

1987, c. 77, a. 7; 1992, c. 57, a. 686.

MANDATORY PARTICULARS

• Neither the current owner nor any subsequent purchaser may retake possession of a dwelling in respect of which the lessee is identified in the authorization of the Régie du logement as one of the persons against whom the right to retake possession cannot be exercised.

• If necessary, a lessee may obtain further information from the Régie du logement.

Loi concernant les droits
sur les mutations immobilières

L.R.Q., c. D-15.1

An Act respecting duties
on transfers of immovables

R.S.Q., c. D-15.1

Modifiée par / *Amended by*:

1991, c. 32, a./s. 231 à/*to* 241
1992, c. 57, a./s. 624 à/*to* 627
1993, c. 78, a./s. 19 à/*to* 36
1993, c. 64, a./s. 1
1994, c. 16, a./s. 51
1994, c. 30, a./s. 98 à/*to* 101
1995, c. 7, a./s. 9, 10
1995, c. 33, a./s. 22
1996, c. 2, a./s. 655 à/*to* 657
1996, c. 67, a./s. 67
1997, c. 93, a./s. 112
1999, c. 8, a./s. 20
1999, c. 14, a./s. 12
1999, c. 40, a./s. 112
1999, c. 43, a./s. 13
1999, c. 83, a./s. 19, 20
1999, c. 90, a./s. 21
2000, c. 42, a./s. 157 à/*to* 161
2000, c. 54, a./s. 33, 34
2000, c. 56, a./s. 138, 139
2001, c. 68, a./s. 47
2002, c. 6, a./s. 135
2002, c. 37, a./s. 146, 147

LOI CONCERNANT LES DROITS SUR LES MUTATIONS IMMOBILIÈRES

AN ACT RESPECTING DUTIES ON TRANSFERS OF IMMOVABLES

TABLE DES MATIÈRES

TABLE OF CONTENTS

	Articles
Chapitre I — Interprétation	1-1.1
Chapitre II — Assujettissement au droit de mutation et procédure	2-16
Chapitre III — Exonérations	17-20
Chapitre III.1 — Droit supplétif	20.1-21
Chapitre IV — Dispositions finales	22-29

	Sections
Chapter I — Interpretation	1-1.1
Chapter II — Liability for transfer duties and procedure	2-16
Chapter III — Exemptions	17-20
Chapter III.1 — Special duties	20.1-21
Chapter IV — Final provisions	22-29

Loi concernant les droits sur les mutations immobilières

R.S.Q., c. D-15.1

CHAPITRE I

INTERPRÉTATION

Art. 1. [Interprétation] Dans la présente loi et dans les règlements, à moins que le contexte n'indique un sens différent, on entend par:

[«**contrepartie**» "**consideration**"] «contre partie»: notamment,

a) la valeur de tout bien fourni par le cessionnaire à l'occasion d'un transfert;

b) le numéraire;

c) les priorités, de même que les hypothèques et autres charges grevant un bien au moment du transfert;

d) le montant de la partie de la dette, en capital, intérêts et frais, qui est éteinte lorsqu'un créancier acquiert le droit de propriété d'un bien en conséquence d'une sûreté réelle grevant le bien en sa faveur, sauf quant aux taxes municipales et scolaires;

e) *(paragraphe abrogé)*;

f) *(paragraphe abrogé)*;

[«**droit de mutation**» "**transfer duties**"] «droit de mutation»: le droit prévu à l'article 2;

[«**immeuble**» "**immovable**"] supprimée;

[«**municipalité**» "**municipality**"] «municipalité»: une municipalité locale;

[«**organisme public**» "**public body**"] «organisme public»:

a) un gouvernement;

b) une municipalité locale ou une municipalité régionale de comté;

c) une personne morale de droit public dont le conseil, quant à la majorité de ses membres, est formé d'un collège d'élus municipaux, ou dont le budget, selon la loi, est soumis à un tel collège;

d) une personne morale de droit public de l'un des organismes mentionnés aux paragraphes *a*, *b* et *c*, et qui est désignée par règlement;

e) une commission scolaire;

[«**personne**» "**person**"] «personne»: une personne ainsi qu'une fiducie, une société, une association, un syndicat et tout autre groupement de quelque nature que ce soit;

An Act respecting duties on transfers of immovables

L.R.Q., c. D-15.1

CHAPTER I

INTERPRETATION

Art. 1. [Interpretation] In this Act and in the regulations, unless the context indicates a different meaning,

["**consideration**" «**contrepartie**»] "consideration" includes:

(a) the value of any property furnished by the transferee at the time of a transfer;

(b) money payment;

(c) the prior claims, hypothecs and other charges encumbering a property at the time of the transfer;

(d) the amount, in capital, interest and outlays, of that portion of the debt which is extinguished when a creditor acquires the right of ownership on a property as the consequence of a real security encumbering the property in his favour, except with regard to municipal and school taxes;

(e) *(paragraph repealed)*;

(f) *(paragraph repealed)*;

["**transfer duties**" «**droit de mutation**»] "transfer duties" means the duties provided for in section 2;

["**immovable**" «**immeuble**»] struck out;

["**municipality**" «**municipalité**»] "municipality" means a local municipality;

["**public body**" «**organisme public**»] "public body" means

(a) a government;

(b) a local municipality or a regional county municipality;

(c) a legal person established in the public interest whose council is composed, as to the majority of its members, of a body of elected municipal representatives, or whose budget is submitted to such a body in accordance with the law;

(d) a legal person established in the public interest of one of the bodies mentioned in paragraphs *a*, *b* and *c*, designated by regulation;

(e) a school board;

["**person**" «**personne**»] "person" means a person and a trust, partnership, association, syndicate and any other group of any kind whatever;

[«règlement» **"regulation"**] «règlement»: un règlement adopté par le gouvernement en vertu de la présente loi;

[«transfert» **"transfer"**] «transfert»: le transfert du droit de propriété d'un bien, l'établissement d'une emphytéose et la cession des droits de l'emphytéote, ainsi que le contrat de louage d'un bien, pourvu que la période qui court à compter de la date du transfert jusqu'à celle de l'arrivée du terme du contrat de louage, y compris toute prolongation ou tout renouvellement y mentionné, excède 40 ans; le mot transfert ne comprend pas le transfert fait dans le seul but de garantir le paiement d'une dette ni la rétrocession faite par le créancier.

1976, c. 30, a. 1; 1988, c. 19, a. 257; 1991, c. 32, a. 232; 1992, c. 57, a. 624; 1993, c. 78, a. 19; 1999, c. 40, a. 112; 2000, c. 54, a. 33.

Art. 1.0.1 [Ensemble formé d'un immeuble et de meubles] Lorsqu'il y a transfert à la fois, d'une part, d'un immeuble corporel et, d'autre part, de meubles qui sont, à demeure, matériellement attachés ou réunis à l'immeuble, sans perdre leur individualité et sans y être incorporés, et qui, dans l'immeuble, servent à l'exploitation d'une entreprise ou à la poursuite d'activités, «immeuble» vise, dans toute disposition de la présente loi autre que le paragraphe a de l'article 5 et l'article 9 et dans tout texte d'application d'une telle disposition, l'ensemble formé par l'immeuble et les meubles.

1993, c. 78, a. 20.

Art. 1.1 [Valeur marchande] Pour l'application de la présente loi, lorsqu'un immeuble constitue, au moment de son transfert, une unité d'évaluation inscrite au rôle d'évaluation foncière de la municipalité ou une partie d'une telle unité dont la valeur est distinctement inscrite au rôle, sa valeur marchande est le produit que l'on obtient en multipliant la valeur inscrite au rôle de l'unité ou de sa partie correspondant à l'immeuble cédé, selon le cas, par le facteur du rôle établi conformément à l'article 264 de la Loi sur la fiscalité municipale (L.R.Q., chapitre F-2.1).

1991, c. 32, a. 233; 1999, c. 40, a. 112.

["**regulation**" «règlement»] "regulation" means a regulation made by the Government under this Act;

["**transfer**" «transfert»] "transfer" means the transfer of the right of ownership on a property, the establishment of emphyteusis and the transfer of the rights of the emphyteutic lessee as well as a contract of lease of a property, provided the period running from the date of transfer to the expiry of the term of the contract of lease, including any extension or renewal mentioned therein, exceeds 40 years; the word "transfer" does not include transfer for the purpose only of securing a debt, nor reconveyance by the creditor.

Art. 1.0.1 [Interpretation] In the case of a transfer of both corporeal property and movables which are permanently physically attached or joined to an immovable without losing their individuality and without being incorporated with the immovable and which, in the immovable, are used for the operation of an enterprise or for the carrying on of activities, the word "immovable" refers, in all provisions of this Act except paragraph a of section 5 and section 9, and in all statutory instruments thereunder, to the aggregate of the immovable and movables.

Art. 1.1 [Market value] For the purposes of this Act, where an immovable constitutes, at the time of its transfer, a unit of assessment entered on the property assessment roll of a municipality or part of such a unit the value of which is separately entered on the roll, its market value shall be the product obtained by multiplying the value entered on the roll for the unit or part corresponding to the transferred immovable, as the case may be, by the factor of the roll established in accordance with section 264 of the Act respecting municipal taxation (R.S.Q., chapter F-2.1).

CHAPITRE II
ASSUJETTISSEMENT AU DROIT DE MUTATION ET PROCÉDURE

Art. 2. [Droit sur transfert d'immeuble] Toute municipalité doit percevoir un droit sur le transfert de tout immeuble situé sur son territoire, calculé en fonction de la base d'imposition établie conformément au deuxième alinéa, selon les taux suivants:

CHAPTER II
LIABILITY FOR TRANSFER DUTIES AND PROCEDURE

Art. 2. [Duties] Every municipality must collect duties on the transfer of any immovable situated within its territory, computed in relation to the basis of imposition established in accordance with the second paragraph, according to the following rates:

1° sur la tranche de la base d'imposition qui n'excède pas 50 000 $: 0,5%;

2° sur la tranche de la base d'imposition qui excède 50 000 $ sans excéder 250 000 $: 1%;

3° sur la tranche de la base d'imposition qui excède 250 000 $: 1,5%.

La base d'imposition du droit de mutation est le plus élevé parmi les montants suivants:

1° le montant de la contrepartie fournie pour le transfert de l'immeuble;

2° le montant de la contrepartie stipulée pour le transfert de l'immeuble;

3° le montant de la valeur marchande de l'immeuble au moment de son transfert.

1976, c. 30, a. 2; 1991, c. 32, a. 234; 1993, c. 78, a. 21.

*Art. 3. [Transmission] Le greffier ou secrétaire-trésorier de la municipalité doit transmettre, à l'Officier de la publicité foncière, un avis indiquant la personne ou le service désigné par la municipalité pour l'application de l'article 10.

1976, c. 30, a. 3; 1991, c. 32, a. 234; 1993, c. 78, a. 22; 2000, c. 42, a. 157.

Art. 4. [Responsabilité du cessionnaire] Le cessionnaire de l'immeuble dont il y a transfert est tenu au paiement du droit de mutation à la municipalité.

[Plusieurs cessionnaires] Si le transfert est fait à plusieurs cessionnaires, ceux-ci sont solidairement tenus au paiement du droit de mutation.

[Cessionnaire exonéré pour partie] Si le transfert est fait pour partie à un cessionnaire qui est exonéré du droit de mutation et pour partie à un autre cessionnaire qui ne l'est pas, ce dernier n'est tenu au paiement du droit de mutation que sur la portion de la base d'imposition qui correspond à la partie du transfert qui lui est faite.

1976, c. 30, a. 4; 1993, c. 78, a. 23.

Art. 5. [Cédant et cessionnaire tenus au paiement] Le cédant est solidairement tenu au paiement du droit de mutation avec le cessionnaire dans les cas suivants:

a) si le montant de la contrepartie fournie par le cessionnaire pour le transfert de l'immeuble excède celui qui est mentionné dans la réquisition d'inscription conformément au paragraphe *e* du premier alinéa de l'article 9;

(1) on that part of the basis of imposition which does not exceed $50 000: 0.5%;

(2) on that part of the basis of imposition which is in excess of $50 000 but does not exceed $250 000: 1%;

(3) on that part of the basis of imposition which exceeds $250 000: 1.5%.

The basis of imposition for transfer duties shall be the greatest of the following amounts:

(1) the amount of the consideration furnished for the transfer of the immovable;

(2) the amount of the consideration stipulated for the transfer of the immovable;

(3) the amount of the market value of the immovable at the time of its transfer.

*Art. 3. [Notice] The clerk or the secretary-treasurer of the municipality must send a notice to the Land Registrar indicating the name of the person or service designated by the municipality for the purposes of section 10.

Art. 4. [Transferee liable] The transferee of the immoveable transferred shall be liable for payment of the transfer duties to the municipality.

[Several transferees] Where the transfer is made to several transferees, they shall be jointly and severally liable for the payment of the transfer duties.

[Where one transferee is exempt] Where the transfer is made in part to a transferee exempt from the payment of duties and in part to another transferee who is not exempt, the latter is required to pay the duties on that portion only of the basis of imposition which corresponds to the part of the transfer made to him.

Art. 5. [Transferor jointly liable with transferee] The transferor shall be jointly and severally liable for payment of the transfer duties with the transferee in the following cases:

(a) if the amount of the consideration furnished by the transferee for the transfer of the immovable exceeds the amount mentioned in the application for registration in accordance with subparagraph e of the first paragraph of section 9;

---

* Voir les dispositions transitoires, 2000, c. 42, a. 241, dans l'appendice à la fin de cette Loi.

* See the transitional provisions, 2000, c. 42, s. 241, in the Appendix at the end of this Act.

*a.*1) si le montant de la contrepartie fournie par le cessionnaire pour le transfert de meubles visés à l'article 1.0.1 excède celui qui est mentionné dans la déclaration prévue au deuxième alinéa de l'article 9;

b) si le cédant commet une infraction visée à l'article 23.

1976, c. 30, a. 5; 1993, c. 78, a. 24.

Art. 6. [Date de la dette] Le droit de mutation est dû à compter de l'inscription du transfert.

1976, c. 30, a. 6; 1993, c. 78, a. 25.

Art. 7. [Partage du droit entre municipalités] Lorsqu'un immeuble dont il y a transfert est situé sur le territoire de plus d'une municipalité, un seul droit de mutation est dû pour l'ensemble des municipalités intéressées, qui se le partagent en fonction de la base d'imposition attribuable au territoire de chaque municipalité visée. Le parfait paiement du droit à l'une quelconque de ces municipalités libère le débiteur à l'égard de toutes ces municipalités. Ces dernières peuvent exercer solidairement le recours prévu à l'article 16.

1976, c. 30, a. 7; 1991, c. 32, a. 235; 1996, c. 2, a. 655; 1999, c. 90, a. 21.

Art. 8. 1. [Diminution du produit d'un droit exproprié de la contrepartie de remplacement] La valeur de la contrepartie fournie par le cessionnaire lors d'un transfert d'immeuble acquis en remplacement d'un droit immobilier qu'il a cédé lors d'une expropriation ou qu'il a cédé à une personne à la suite d'un avis d'expropriation donné par cette dernière, doit être diminuée, aux fins du calcul du droit de mutation, d'un montant égal au produit de l'aliénation qui peut raisonnablement être attribué à ce droit immobilier.

2. **[Conditions]** La diminution visée au paragraphe 1 n'a lieu que si:

a) l'immeuble acquis en remplacement est affecté à des fins similaires à celles du droit immobilier remplacé; et

b) l'immeuble acquis en remplacement est acquis avant la fin de la deuxième année suivant

i. le jour du transfert du droit immobilier remplacé, ou

ii. si le droit immobilier a été exproprié, le premier en date des jours suivants:

A) le jour où le cessionnaire a convenu d'une indemnité finale pour le droit immobilier;

*(a.*1) if the amount of the consideration furnished by the transferee for the transfer of movables referred to in section 1.0.1 exceeds the amount mentioned in the declaration provided for in the second paragraph of section 9;

(b) if the transferor is guilty of an offence under section 23.

Art. 6. [Date payable] Transfer duties are payable from the registration of the transfer.

Art. 7. [Several municipalities share single levy] Where an immovable being transferred is situated in the territory of two or more municipalities, transfer duties shall be payable only once and shall be shared by all the interested municipalities according to the basis of imposition attributable to the territory of each municipality concerned. Payment in full of the duties to any of such municipalities discharges the debtor in respect of all such municipalities. The municipalities may exercise jointly and severally the recourse provided for in section 16.

Art. 8. (1) [Value of expropriated right subtracted from consideration for replacement] The value of the consideration furnished by the transferee for the transfer of an immovable acquired in replacement of an immovable right conveyed by him at the time of an expropriation or which he conveyed to a person pursuant to a notice of expropriation from such person, must be reduced, for the purposes of computing the transfer duties, by an amount equal to the proceeds of disposition which may reasonably be attributed to such immovable right.

(2) **[Conditions]** The reduction contemplated in subsection 1 shall not be made unless:

(a) the immovable acquired as a replacement is used for purposes similar to those of the replaced immovable right; and

(b) the immovable acquired as a replacement is acquired before the end of the second year following

i. the day of the transfer of the replaced immovable right, or

ii. if the immovable right was expropriated, the first of the following days:

(A) the day the transferee has agreed to an amount as full compensation for that immovable right;

B) lorsqu'une réclamation ou autre procédure a été produite devant un tribunal compétent, le jour où l'indemnité est définitivement établie par ce tribunal;

C) lorsqu'une réclamation ou autre procédure mentionnée au sous-paragraphe B n'a pas été produite dans les deux ans de l'événement donnant lieu à l'indemnité, le jour du deuxième anniversaire de cet événement.

3. [**Exception: fins spéculatives**] La diminution visée au paragraphe 1 ne s'applique pas si le droit immobilier remplacé était destiné à des fins spéculatives.

1976, c. 30, a. 8.

Art. 8.1 [Base d'imposition d'un transfert] Malgré toute disposition au contraire, la base d'imposition du droit de mutation, dans le cas d'un transfert effectué dans l'exercice du droit de retrait d'un immeuble vendu pour taxes, est le montant qui a été payé pour exercer ce droit.

1978, c. 61, a. 1.; 1994, c. 30, a. 98.

*****Art. 9. [Mentions]** La réquisition d'inscription d'un transfert doit contenir les mentions suivantes:

a) les nom et prénoms du cédant et du cessionnaire;

b) l'adresse de la résidence principale du cédant;

c) l'adresse de la résidence principale du cessionnaire;

d) le nom de la municipalité sur le territoire de laquelle est situé l'immeuble, lorsque celui-ci n'est pas immatriculé;

e) le montant de la contrepartie pour le transfert de l'immeuble, selon le cédant et le cessionnaire;

e.1) le montant constituant la base d'imposition du droit de mutation, selon le cédant et le cessionnaire, et, le cas échéant, la portion de cette base qui est visée au troisième alinéa de l'article 4;

f) le montant du droit de mutation;

g) le cas échéant, la disposition de l'un ou l'autre des articles 17 à 20 en vertu de laquelle, selon le cessionnaire, celui-ci est exonéré du paiement du droit de mutation;

(B) where a claim or other proceeding has been taken before a tribunal of competent jurisdiction, the day on which the amount of the compensation is finally determined by that tribunal;

(C) where a claim or other proceeding referred to in subparagraph B has not been taken within two years after the event giving rise to compensation, the day that is two years following the day of that event.

(3) [**Exception: speculation**] The reduction contemplated in subsection 1 does not apply if the replaced immovable right was intended for purposes of speculation.

Art. 8.1 [Basis of imposition for transfer] Notwithstanding any contrary provision, the basis of imposition for transfer duties in the case of for a transfer made in the exercise of the right of redemption of an immovable sold for taxes is the amount which has been paid for the exercise of such right.

*****Art. 9. [Content of deed of transfer]** The application for registration of a transfer must contain the following particulars:

(*a*) the name and given names of the transferor and of the transferee;

(*b*) the address of the principal residence of the transferor;

(*c*) the address of the principal residence of the transferee;

(*d*) the name of the municipality in the territory of which the immovable is situated, if the immovable is not immatriculated;

(*e*) the amount of the consideration for the transfer of the immovable, according to the transferor and the transferee;

(*e*.1) the amount constituting the basis of imposition of the transfer duties, according to the transferor and the transferee, and, where applicable, the portion thereof that is subject to the third paragraph of section 4;

(*f*) the amount of the transfer duties;

(*g*) where applicable, the provision of any of sections 17 to 20 under which, according to the transferee, the transferee is exempted from the payment of transfer duties;

Voir les dispositions transitoires, 2000, c. 42, a. 241, dans l'appendice à la fin de cette Loi.

* See the transitional provisions, 2000, c. 42, s. 241, in the Appendix, at the end of this Act.

h) toute autre mention prescrite par règlement.

[Mentions] La réquisition doit, en outre, indiquer s'il y a ou non transfert à la fois d'un immeuble corporel et de meubles visés à l'article 1.0.1. Le cas échéant, elle contient également les mentions prévues aux paragraphes *e)* à *h)* du premier alinéa à l'égard de l'ensemble des meubles visés à l'article 1.0.1 qui sont transférés avec l'immeuble.

1976, c. 30, a. 9; 1991, c. 32, a. 236; 1993, c. 78, a. 26; 2000, c. 42, a. 158.

*Art. 9.1 Abrogé.
2000, c. 42, a. 159.

*Art. 9.2 [Refus d'inscrire] L'officier de la publicité des droits doit refuser d'inscrire un transfert s'il constate que la réquisition d'inscription ne contient pas les renseignements requis en vertu du premier alinéa de l'article 9.

Il ne le peut, cependant, lorsque la mention omise est celle que prévoit le paragraphe *d)* du premier alinéa de l'article 9 et que le requérant produit avec sa réquisition une déclaration, faite par une des parties à l'acte, y pourvoyant.

1993, c. 78, a. 27; 2000, c. 42, a. 160.

*Art. 10. [Avis de mutation] Dans les 15 jours qui suivent leur inscription, l'officier de la publicité des droits avise des mutations immobilières la personne ou le service que désigne, par résolution, la municipalité sur le territoire de laquelle sont situés les immeubles en lui transmettant une copie de toutes les réquisitions, de même que des documents qui les accompagnent lorsqu'elles prennent la forme d'un sommaire, visant le transfert d'immeubles situés sur le territoire de la municipalité.

[Responsable de l'évaluation] Dans le cas où la municipalité n'a pas de compétence en matière d'évaluation, la personne ou le service transmet une copie de tout document qui lui a été transmis en vertu du premier alinéa, le plus tôt possible après sa réception, à l'organisme municipal responsable de l'évaluation qui a compétence à l'égard de la municipalité en vertu de la Loi sur la fiscalité municipale (L.R.Q., chapitre F-2.1).

[Liste à jour des immeubles immatriculés] Dans tous les cas, il appartient à chaque municipalité de fournir à l'officier une liste à jour des immeu-

---

(h) any other particular prescribed by regulation.

[Content] The application must, in addition, indicate whether or not the transfer is of both a corporeal immovable and movables referred to in section 1.0.1. If so, the application shall include the particulars required under subparagraphs *e* to *h* of the first paragraph in respect of all movables referred to in section 1.0.1 which are transferred with the immovable.

*Art. 9.1 Repealed.

*Art. 9.2 [Transfer containing incomplete information] The registrar must refuse to register a transfer where he finds that the application for registration does not contain the information required under the first paragraph of section 9.

However, the registrar cannot refuse to register the transfer because the information required under subparagraph *d* of the first paragraph of section 9 is missing, if the applicant produces, with the application, a statement of one of the parties to the act that contains that information.

*Art. 10. [Notice of transfer] Within 15 days of the registration of the transfer of an immovable, the registrar shall give notice of the transfer to the person or service designated by a resolution of the municipality in whose territory the immovable is situated, by transmitting a copy of the application, together with a copy of the accompanying document where the application is in the form of a summary.

[Municipal body responsible for assessment] If the municipality does not have jurisdiction in matters of assessment, the person or service shall send a copy of every document transmitted under the first paragraph, as soon as possible after receiving it, to the municipal body responsible for assessment having jurisdiction in respect of the municipality under the Act respecting municipal taxation (R.S.Q., chapter F-2.1).

[List of immatriculated immovables] In all cases, it is incumbent upon the municipality to provide the registrar with an up-to-date list of the imma-

---

* Voir les dispositions transitoires, 2000, c. 42, a. 241, dans l'appendice, à la fin de cette Loi.

* See the transitional provisions, 2000, c. 42, s. 241, in the Appendix, at the end of this Act.

bles immatriculés situés sur son territoire et de le tenir informé de toute modification apportée à cette liste, autre qu'une modification résultant d'un changement dans la dénomination cadastrale, y compris la numérotation inscrite au plan, d'un immeuble.

1976, c. 30, a. 10; 1991, c. 32, a. 237; 1993, c. 78, a. 28; 2000, c. 42, a. 161.

Art. 11. [Délai de perception du droit et intérêt] Le droit de mutation est exigible à compter du trente et unième jour suivant l'envoi d'un compte à cet effet par le fonctionnaire chargé de la perception des taxes de la municipalité. Il porte intérêt à compter de ce jour au taux alors en vigueur pour les intérêts sur les arriérés de ces taxes.

[Exigences] Le compte doit informer le débiteur des règles prévues au premier alinéa.

1976, c. 30, a. 11; 1991, c. 32, a. 238; 1996, c. 2, a. 656.

Art. 12. [Créance prioritaire] Le droit de mutation constitue une créance prioritaire sur les meubles du débiteur et sur l'immeuble faisant l'objet d'un transfert autre qu'un contrat de louage, au même titre et selon le même rang que les créances visées au paragraphe 5° de l'article 2651 du Code civil du Québec; le droit de mutation est garanti par une hypothèque légale sur ces meubles et, le cas échéant, sur cet immeuble.

1976, c. 30, a. 12; 1992, c. 57, a. 625; 1994, c. 30, a. 99.

12.1 [Droit de mutation] Le droit de mutation dû en raison d'un transfert peut être exigé de toute personne qui devient cessionnaire de l'immeuble après celui qui a été partie à ce transfert.

1994, c. 30, a. 99.

12.2 [Taxe municipale] Outre le mode de recouvrement prévu à l'article 16, le droit de mutation est, pour l'application des dispositions législatives relatives à la vente sous l'autorité d'une municipalité d'un immeuble pour défaut de paiement des taxes, assimilé à une taxe municipale imposée sur l'immeuble faisant l'objet du transfert.

1994, c. 30, a. 99.

Art. 13. [Prescription] La créance résultant du droit de mutation se prescrit par trois ans à compte de l'inscription du transfert, sauf tout montant impayé de cette créance par suite de quelque déclaration frauduleuse ou équivalente à fraude.

1976, c. 30, a. 13; 1993, c. 78, a. 29.

Art. 14. [Changements à la réquisition] Lorsque le fonctionnaire chargé de la perception des taxes de la municipalité est d'avis que le montant de la base d'imposition du droit de mutation ou le

Art. 11. [Interest on overdue] Transfer duties are exigible from the thirty-first day following the day an account therefor is sent by the officer in charge of tax collection for the municipality. Interest thereon accrues from such day at the rate then in force in respect of interest on arrears of such taxes.

[Rules] The account must inform the debtor of the rules prescribed in the first paragraph.

Art. 12. [Transfer duties] The transfer duties constitute a prior claim on the movable property of the debtor and on the immovable that is the subject of a transfer other than a contract of lease, of the same nature and with the same rank as the claims described in paragraph 5 of article 2651 of the Civil Code of Québec; the transfer duties are secured by a legal hypothec on the movable property and, where required, on the immovable.

12.1 [Transfer duties] The transfer duties payable by reason of a transfer are exigible from any person who becomes an assignee of the immovable after the person who was a party to the transfer.

12.2 [Transfer duties] In addition to the mode of recovery provided in section 16, for the purposes of the legislative provisions respecting the sale of an immovable under the authority of a municipality for failure to pay taxes, the transfer duties shall be regarded as a municipal tax imposed on the immovable that is the subject of the transfer.

Art. 13. [Prescription] Any claim resulting from transfer duties is prescribed by three years from the registration of the transfer, except any amount unpaid on such claim as the result of fraudulent representation or of declarations equivalent to fraud.

Art. 14. [Amount of basis of imposition] Where the officer in charge of tax collection in the municipality is of the opinion that the amount of the basis of imposition of the transfer duties or the

montant de ce droit est différent de celui qui est mentionné dans la réquisition d'inscription et dans la déclaration prévue au deuxième alinéa de l'article 9, ou que le transfert a été faussement interprété comme étant l'un de ceux que vise le chapitre III, il doit faire mention au compte de tout changement qu'il juge devoir apporter aux mentions contenues dans la réquisition et dans la déclaration.

[Droit de mutation] Le droit de mutation est payable en fonction des mentions modifiées contenues dans le compte, sous réserve de tout jugement passé en force de chose jugée résultant d'une poursuite intentée en vertu de l'article 16.

1976, c. 30, a. 14; 1993, c. 78, a. 30.

Art. 15. Abrogé.

1991, c. 29, a. 28.

Art. 16. [Modalités de recouvrement] À compter du jour où le droit de mutation est exigible, son recouvrement se fait en la manière prévue pour les poursuites en recouvrement de taxes suivant, selon le cas, les articles 1019 et 1020 du Code municipal (L.R.Q., chapitre C-27.1) ou 509 et 510 de la Loi sur les cités et villes (L.R.Q., chapitre C-19), *mutatis mutandis*. Le tribunal peut alors adjuger sur quelque litige résultant de l'application de l'article 14.

[Recouvrement des montants payés en surplus] Lorsque la différence entre le montant du droit de mutation mentionné dans la réquisition d'inscription et dans la déclaration prévue au deuxième alinéa de l'article 9 et celui indiqué au compte tel qu'établi en vertu de l'article 14 n'excède pas le montant maximum d'une créance pouvant être recouvrée en justice conformément au livre VIII du Code de procédure civile (L.R.Q., chapitre C-25), le cessionnaire qui a payé intégralement le compte dans le délai prescrit par l'article 11 peut se pourvoir conformément à ce livre pour recouvrer tout montant payé en surplus du montant auquel il peut être légalement tenu. Le cessionnaire doit exercer ce recours dans les 90 jours de l'expiration du délai prévu à l'article 11 et il incombe alors à la municipalité de justifier le compte tel qu'établi en vertu de l'article 14.

1976, c. 30, a. 16; 1991, c. 32, a. 239; 1993, c. 78, a. 31; 1999, c. 40, a. 112; 2000, c. 56, a. 138.

amount of such duties differs from the amount mentioned in the application for registration and in the declaration provided for in the second paragraph of section 9, or that the transfer has been falsely interpreted as being a transfer subject to Chapter III, he must mention in the account any change that he considers should be made to the information contained in the application and the declaration.

[Transfer duties payable] The transfer duties are payable on the basis of the amended information contained in the account, subject to any judgment without appeal resulting from an action instituted by virtue of section 16.

Art. 15. Repealed.

Art. 16. [Recoverable as taxes] From the day they are exigible, transfer duties are recoverable in the manner provided for actions in recovery of taxes in accordance with, as the case may be, articles 1019 and 1020 of the Municipal Code (R.S.Q., chapter C-27.1) or sections 509 and 510 of the Cities and Towns Act (R.S.Q., chapter C-19), *mutatis mutandis*. The court may then adjudicate on any litigation resulting from the application of section 14.

[Recourse for overpayment] Where the difference between the amount of the transfer duties mentioned in the application for registration and in the declaration provided for in the second paragraph of section 9 and the amount indicated in the account as established under section 14 is not over the maximum amount of a claim which may be recovered before the courts in accordance with Book VIII of the Code of Civil Procedure (R.S.Q., chapter C-25), the transferee having paid the account in full within the time prescribed in section 11 may bring an action in accordance with the said Book to recover any overpayment of the amount he may be lawfully bound to pay. The transferee must exercise such recourse within 90 days from the expiry of the time provided in section 11, and thereupon it is incumbent on the municipality to justify the account as established under section 14.

CHAPITRE III
EXONÉRATIONS

Art. 17. [Transfert impliquant organisme public, ferme, boisé, mine] Il y a exonération du paiement du droit de mutation dans les cas suivants:

a) lorsque le cessionnaire est un organisme public;

CHAPTER III
EXEMPTIONS

Art. 17. [Transfer involving a public body, farm, woodlot, mine] There shall be an exemption from the payment of transfer duties in the following cases:

(a) where the transferee is a public body;

*a.1) lorsque le cédant et le cessionnaire sont des organismes de bienfaisance enregistrés pour l'application de la Loi sur les impôts (L.R.Q., chapitre I-3);

b) lorsqu'un immeuble acquis par une municipalité en vertu de la Loi sur les immeubles industriels municipaux (L.R.Q., chapitre I-0.1) est cédé par cette municipalité en vertu des articles 6, 11 ou 12 de cette loi ou d'une disposition législative visant les mêmes fins;

c) lorsqu'un immeuble est cédé à des fins industrielles, ou à des fins industrielles et commerciales, par un cédant qui est une personne morale de droit public créée par une loi de la Législature et à qui cette loi impose l'obligation de faire rapport annuellement soit au ministre de l'Industrie et du Commerce, soit au ministre des Affaires municipales et de la Métropole;

d) *(paragraphe supprimé);*

e) lorsque l'immeuble transféré en est un visé à l'article 8 de la Loi sur les mines (L.R.Q., chapitre M-13.1);

f) lorsque l'immeuble est transféré par une municipalité, une municipalité régionale de comté, une commission scolaire ou une fabrique à un cessionnaire qui l'avait antérieurement cédé à titre gratuit à cette municipalité, municipalité régionale de comté, commission scolaire ou fabrique; ou

g) lorsque, en vertu de l'un des articles 66, 67 et 68 de la Loi sur la fiscalité municipale (chapitre F-2.1), l'immeuble n'est pas porté au rôle ou qu'il est exempt de toute taxe foncière, municipale ou scolaire en vertu du paragraphe 7° de l'article 204 de cette loi.

1976, c. 30, a. 17; 1978, c. 61, a. 2; 1979, c. 77, a. 27; 1984, c. 36, a. 44; 1987, c. 2, a. 2; 1987, c. 64, a. 337; 1988, c. 41, a. 89; 1990, c. 85, a. 122; 1991, c. 29, a. 29; 1993, c. 78, a. 32; 1994, c. 16, a. 51; 1994, c. 30, a. 100; 1996, c. 2, a. 657; 1999, c. 8, a. 20; 1999, c. 40, a. 112; 1999, c. 43, a. 13; 1999, c. 83, a. 19; 2000, c. 56, a. 139; 2002, c. 37, a. 146.

Art. 17.1 [Exonération d'une exploitation agricole] Il y a exonération du paiement du droit de mutation lorsque le cessionnaire déclare que l'immeuble fera partie, dans l'année qui suit l'inscription du transfert, d'une exploitation agricole enregistrée à son nom conformément à un règlement pris en vertu de l'article 36.15 de la Loi sur le ministère de l'Agriculture, des Pêcheries et de l'Alimentation (L.R.Q., chapitre M-14).

---

* La modification apportée par 2002, c. 37, a. 146 a effet à l'égard de tout transfert visé par la Loi concernant les droits sur les mutations immobilières (L.R.Q., chapitre D-15.1) et effectué après le 20 décembre 2001.
2002, c. 37, a. 296.

*(a.1) where the transferor and the transferee are registered charities for the purposes of the Taxation Act (R.S.Q., chapter I-3);

(b) where an immovable acquired by a municipality by virtue of the Act respecting municipal industrial immovables (R.S.Q., chapter I-0.1) is transferred by such municipality by virtue of sections 6, 11 or 12 of that Act or any legislative provision to the same effect;

(c) where an immovable is transferred for industrial purposes or for industrial and commercial purposes, by a transferor that is a legal person established in the public interest by an Act of the Legislature, which is under the obligation to make an annual report either to the Minister of Industry and Trade or to the Minister of Municipal Affairs and Greater Montréal;

(d) *(paragraph struck out);*

(e) where the immovable transferred is one of those referred to in section 8 of the Mining Act (R.S.Q., chapter M-13.1);

(f) where the immovable is transferred by a municipality, regional county municipality, school board or *fabrique* to a transferee who had formerly transferred it gratuitously to that municipality, regional county municipality, school board or *fabrique*; or

(g) where, pursuant to any of sections 66, 67 and 68 of the Act respecting municipal taxation (chapter F-2.1), the immovable is not entered on the roll or is exempt from all municipal or school property taxes pursuant to paragraph 7 of section 204 of that Act.

Art. 17.1 [Exemption] There shall be an exemption from the payment of transfer duties if the transferee declares that in the year that follows the registration of the transfer, the immovable will form part of an agricultural operation registered in his name in accordance with a regulation made under section 36.15 of the Act respecting the Ministère de l'Agriculture, des Pêcheries et de l'Alimentation (R.S.Q., chapter M-14).

---

* The amendment brought about by 2002, c. 37, s. 146 has effect in respect of any transfer under the Act respecting duties on transfers of immovables (R.S.Q., chapter D-15.1) made after 20 December 2001.
2002, c. 37, s. 296.

[Défaut de preuve] Si, à l'expiration du délai, la municipalité n'a pas reçu la preuve que l'immeuble est devenu partie d'une exploitation visée au premier alinéa ou si l'immeuble fait l'objet d'un autre transfert avant que la municipalité ne reçoive cette preuve, le cessionnaire qui a invoqué l'exonération devient tenu au paiement du droit de mutation, dont le montant est accru de celui des intérêts calculés au taux visé à l'article 11 depuis la date de l'inscription du transfert jusqu'au paiement du capital. Le compte visé à cet article qui est alors transmis au débiteur doit informer celui-ci du montant des intérêts courus à la date de l'établissement du compte et de la façon de calculer le montant à ajouer pour chaque jour complet postérieur à cette date et antérieur au paiement du capital.

1994, c. 30, a. 101.

Art. 18. [Entreprise du cessionnaire consistant dans le prêt d'argent] Il y a exonération du paiement du droit de mutation lorsque l'entreprise du cessionnaire consiste dans le prêt d'argent assorti de sûretés réelles et que les conditions suivantes ont été remplies:

a) le transfert d'un immeuble au cessionnaire doit résulter de l'exercice d'une prise en paiement ou avoir été fait de toute autre manière dans le but soit d'éteindre une dette assortie de la sûreté réelle, soit d'assurer la protection d'une telle sûreté ou d'une créance;

b) le cessionnaire ne doit pas être une personne liée au cédant au sens de l'article 19 de la Loi sur les impôts (L.R.Q., chapitre I-3); et

c) le cessionnaire ne doit pas avoir acquis l'immeuble à la suite d'une ou de plusieurs opérations faites principalement dans le but d'éviter ou d'éluder le paiement du droit de mutation.

1976, c. 30, a. 18; 1992, c. 57, a. 626; 1993, c. 78, a. 33.

Art. 19. [Transfert entre une personne morale et une personne contrôlant les actions; fusion] Il y a exonération du paiement du droit de mutation dans les cas suivants:

a) le transfert est fait par un cédant, qui est une personne physique, à un cessionnaire qui est une personne morale dont au moins 90 pour cent des actions de son capital-actions, émises et ayant plein droit de vote, sont la propriété de ce cédant immédiatement après le transfert;

b) le transfert est fait par un cédant qui est une personne morale, en faveur d'une personne physi-

[Proof] If the municipality has not received proof, on the expiry of the time limit, that the immovable has become part of an operation referred to in the first paragraph, or the immovable is the subject of another transfer before the municipality receives such proof, the transferee having invoked the exemption becomes bound to pay the transfer duties, the amount of which shall be increased by the amount of interest calculated at the rate referred to in section 11 that accrues from the date of registration of the transfer to the time of payment of the principal. The account contemplated in this section that is then sent to the debtor must inform the debtor of the amount of interest having accrued to the date of the drawing up of the account and of the method of calculation of the amount to be added for each full day after the date but before the payment of the principal.

Art. 18. [Transferee's business is lending on real security] There shall be an exemption from the payment of transfer duties where the business of the transferee consists in the lending of money on the security of real property and the following conditions have been fulfilled:

(a) the transfer of an immovable to the transferee must result from the exercise of a right to take in payment or must have been effected in any other manner for the purpose of extinguishing a debt secured by real property or ensuring the protection of such security or of any claim;

(b) the transferee must not be a person related to the transferor within the meaning of section 19 of the Taxation Act (R.S.Q., chapter I-3); and

(c) the transferee must not have acquired the land pursuant to one or more transactions made mainly for the purpose of avoiding or evading the payment of transfer duties.

Art. 19. [Transfer between legal person and controlling owner; amalgamation] There shall be an exemption from the payment of transfer duties in the following cases:

(a) the transfer is made by a transferor who is a natural person to a transferee who is a legal person of which at least 90 per cent of the issued shares of the capital stock to which are attached full voting rights are owned by such transferor immediately after the transfer;

(b) the transfer is made by a transferor that is a legal person to a natural person, if such person is,

que, si cette dernière est propriétaire, immédiatement avant le transfert, d'au moins 90 pour cent des actions émises, ayant plein droit de vote, du capital-actions du cédant;

c) le cessionnaire est une nouvelle personne morale suite à la fusion de plusieurs personnes morales;

d) le transfert est effectué entre deux personnes morales étroitement liées;

e)-*f*) (*paragraphes abrogés*);

g) le transfert est fait par un cédant qui est une personne morale à but non lucratif à un cessionnaire qui est une personne morale à but non lucratif lorsque 90 pour cent des membres de l'une de ces personnes morales sont, au moment du transfert, membres de l'autre.

[Interprétation] Pour l'application du paragraphe *d* du premier alinéa, une personne morale est étroitement liée à une personne morale donnée si, au moment du transfert, au moins 90% de ses actions émises, ayant plein droit de vote, sont la propriété de la personne morale donnée, d'une filiale déterminée de la personne morale donnée, d'une personne morale dont la personne morale donnée est une filiale déterminée, d'une filiale déterminée d'une personne morale dont la personne morale donnée est une filiale déterminée ou d'une pluralité de telles personnes morales ou filiales. Est une filiale déterminée d'une personne morale donnée une autre personne morale dont au moins 90% des actions émises ayant plein droit de vote sont la propriété de la personne morale donnée.

1976, c. 30, a. 19; 1978, c. 61, a. 3; 1993, c. 78, a. 34; 1995, c. 7, a. 9; 1999, c. 40, a. 112; 1999, c. 83, a. 20.

Art. 19.1 [Droit supplétif] Un droit supplétif au droit de mutation peut être imposé à une personne morale qui est un cessionnaire visé à l'article 19, dans les circonstances prévues à l'article 1129.29 de la Loi sur les impôts (L.R.Q., chapitre I-3).

Toutefois, le droit supplétif ne peut être imposé lorsque, volontairement, le cessionnaire visé au premier alinéa paie à la municipalité, avant que le droit supplétif ne devienne exigible, le droit de mutation qui aurait été payable si l'article 19 n'avait pas été applicable. Dans ce cas, les intérêts prévus au premier alinéa de l'article 11 s'ajoutent au montant du droit de mutation, le cas échéant, comme si un compte avait été expédié le trentième jour suivant la réception des documents visés au premier alinéa de l'article 10.

1993, c. 64, a. 1; 1999, c. 40, a. 112; 2001, c. 68, a. 47.

immediately before the transfer, the owner of at least 90 per cent of the issued full voting shares of the capital stock of the transferor;

(*c*) the transferee is a new legal person resulting from the amalgamation of several legal persons;

(*d*) the transfer is between two closely related legal persons;

(*e*)-(*f*) (*subparagraphs repealed*);

(*g*) the transfer is made by a transferor that is a non-profit legal person to a transferee that is a non-profit legal person, where 90 per cent of the members of one of these legal persons are, at the time of the transfer, members of the other legal person.

[Interpretation] For the purposes of subparagraph *d* of the first paragraph, a legal person is closely related to a particular legal person if, at the time of the transfer, at least 90% of its issued shares having full voting rights are owned by the particular legal person, a qualifying subsidiary of the particular legal person, a legal person of which the particular legal person is a qualifying subsidiary, a qualifying subsidiary of a legal person of which the particular legal person is a qualifying subsidiary or any combination of such legal persons or subsidiaries. A legal person at least 90% of whose issued shares having full voting rights are owned by a particular legal person is a qualifying subsidiary of the particular legal person.

Art. 19.1 [Special duties] Special duties may be imposed in lieu of transfer duties on a legal person that is a transferee contemplated in section 19, in the circumstances set out in section 1129.29 of the Taxation Act (R.S.Q., chapter I-3).

However, special duties may not be imposed where, voluntarily, the transferee referred to in the first paragraph pays to the municipality, before the special duties become payable, the transfer duties that would have been payable if section 19 had not been applicable. In such a case, the interest provided for in the first paragraph of section 11 is added to the amount of the transfer duties, where applicable, as if an account had been sent on the thirtieth day following receipt of the documents transmitted pursuant to the first paragraph of section 10.

*Art. 20. [Autres exonérations] Il y a exonération du paiement du droit de mutation dans les cas suivants:

a) le montant de la base d'imposition est inférieur à 5 000 $;

b) l'acte est relatif au transfert d'un immeuble à une personne morale alors que le cédant est une fiducie qui a été constituée dans le seul but d'acquérir et de détenir temporairement l'immeuble jusqu'à ce que cette personne morale soit constituée;

c) l'acte est relatif au transfert d'un immeuble par un cédant, qui est une personne physique ou une fiducie, à un cessionnaire qui est une fiducie, lorsque celle-ci est établie au bénéfice exclusif du cédant;

d) l'acte est relatif au transfert d'un immeuble en ligne directe, ascendante ou descendante, entre conjoints ou à un cessionnaire qui est le conjoint du fils, de la fille, du père ou de la mère du cédant ou qui est le fils, la fille, le père ou la mère du conjoint du cédant;

e) l'acte est relatif au transfert d'un immeuble par une personne physique à un cessionnaire qui est une fiducie, alors que le cédant et la personne au bénéfice de laquelle la fiducie est établie sont la même personne ou des personnes liées entre elles au sens du paragraphe *d*;

e.1) l'acte est relatif au transfert d'un immeuble par une fiducie à la personne physique au bénéfice de laquelle la fiducie est établie, lorsque cette personne et celle qui a cédé l'immeuble à la fiducie sont la même personne ou des personnes liées entre elles au sens du paragraphe *d*;

f) l'acte est relatif au transfert d'un immeuble à un cessionnaire qui a assuré un prêt hypothécaire, lorsque ce transfert est effectué du créancier hypothécaire à l'assureur en vertu d'une clause de la police d'assurance stipulant que le paiement de l'indemnité, advenant la défaillance du débiteur, est conditionnel à ce transfert;

g) l'acte est relatif au transfert d'un immeuble à un cessionnaire qui reprend le droit de propriété de son immeuble en conséquence d'une réserve de propriété en sa faveur;

*Art. 20. [Other exemptions] There shall be an exemption from the payment of transfer duties in the following cases:

(a) the amount of the basis of imposition is less than $5 000;

(b) the deed relates to the transfer of an immovable to a legal person and the transferor is a trust which was created for the sole purpose of acquiring and holding the immovable temporarily until the legal person is constituted;

(c) the deed relates to the transfer of an immovable by a transferor who is a natural person or a trust to a transferee that is a trust where the latter trust has been established for the exclusive benefit of the transferor;

(d) the deed relates to the transfer of an immovable to an ascendant or descendant in the direct line, or between spouses, or to a transferee who is the spouse of the son, daughter, father or mother of the transferor or is the son, daughter, father or mother of the spouse of the transferor;

(e) the deed relates to the transfer of an immovable by a natural person to a transferee that is a trust, and the transferor and the person in favour of whom the trust was established are the same person or, in relation to one another, related persons within the meaning of paragraph *d*;

(e.1) the deed relates to the transfer of an immovable by a trust to the natural person for whose benefit the trust is established, if that person and the person who transferred the immovable to the trust are the same person or, in relation to one another, related persons within the meaning of paragraph *d*;

(f) the deed relates to the transfer of an immovable to a transferee that has insured a hypothecary loan, where that transfer is made from the hypothecary creditor to the insurer under a clause of the insurance policy stipulating that the payment of the indemnity, in the event of the default of the debtor, depends on that transfer;

(g) the deed relates to the transfer of an immovable to a transferee who recovers the ownership of the immovable as a consequence of a reservation of ownership in his or her favour;

---

* La modification apportée par 2002, c. 37, a. 147 a effet à l'égard de tout transfert visé par la Loi concernant les droits sur les mutations immobilières (L.R.Q., chapitre D-15.1) et effectué après le 20 décembre 2001.
2002, c. 37, a. 296.

* The amendment brought about by 2002, c. 37, s. 147 has effect in respect of any transfer under the Act respecting duties on transfers of immovables (R.S.Q., chapter D-15.1) made after 20 December 2001.
2002, c. 37, a. 296.

h) l'acte est relatif au transfert d'un immeuble à une coopérative d'habitation, alors que le cédant est une fédération de coopératives d'habitation ou un organisme sans but lucratif qui a acquis l'immeuble dans le seul but de le transférer à la coopérative d'habitation.

[«**Conjoints**»] Pour l'application du paragraphe *d* du premier alinéa, on entend par «conjoints», outre les époux et conjoints unis civilement, deux personnes de sexe différent ou de même sexe qui, à la date du transfert, vivent maritalement l'une avec l'autre et qui ont vécu maritalement l'une avec l'autre tout au long d'une période de 12 mois se terminant avant la date du transfert ou sont les père et mère d'un même enfant. Deux personnes de sexe différent ou de même sexe qui vivaient maritalement l'une avec l'autre à un moment quelconque avant la date du transfert sont réputées vivre maritalement l'une avec l'autre à cette date, sauf si elles vivent séparées à cette date en raison de l'échec de leur union et si cette séparation s'est poursuivie durant une période d'au moins 90 jours qui comprend cette date.

[**Exonération non applicable**] L'exonération prévue au paragraphe *d* du premier alinéa ne s'applique pas à un transfert fait à un descendant lorsque le cédant a acquis l'immeuble, soit d'un descendant en ligne directe, soit d'une fiducie qui a acquis l'immeuble d'un tel descendant, et que le cédant n'a pas conservé la propriété de l'immeuble pendant au moins deux ans après cette acquisition, sauf si le transfert résulte du décès du cédant ou si l'immeuble est cédé à la personne ou à la fiducie de qui il a été acquis.

(*h*) the deed relates to the transfer of an immovable to a housing cooperative and the transferor is a federation of housing cooperatives or a non-profit organization which has acquired the immovable for the sole purpose of transferring it to the housing cooperative.

[**"Spouses"**] For the purposes of subparagraph *d* of the first paragraph, the word "spouses", in addition to married or civil union spouses, means two persons of opposite or of the same sex who, on the date of the transfer, are living in a *de facto* union and have lived in a *de facto* union for a period of 12 months ending before the date of the transfer or are the father and mother of a child. Two persons of opposite or of the same sex who were living in a *de facto* union at any time before the date of the transfer are deemed to be living in a *de facto* union on that date, unless they are living apart on that date by reason of the breakdown of their union and the period during which they have lived apart has lasted at least 90 days and includes the date of the transfer.

[**Exemption**] The exemption provided in subparagraph *d* of the first paragraph does not apply to a transfer made to a descendant if the transferor acquired the immovable either from a descendant in the direct line or from a trust that acquired the immovable from such a descendant and the transferor has not retained the ownership of the immovable during a period of at least two years after the acquisition, except if the transfer results from the death of the transferor or the immovable is transferred to the person from whom, or trust from which, the immovable had been acquired.

1976, c. 30, a. 20; 1978, c. 61, a. 4; 1982, c. 63, a. 227; 1992, c. 57, a. 627; 1993, c. 78, a. 35; 1995, c. 7, a. 10; 1997, c. 93, a. 112; 1999, c. 14, a. 12; 1999, c. 40, a. 112; 2002, c. 6, a. 135; 2002, c. 37, a. 147.

CHAPITRE III.1
DROIT SUPPLÉTIF

Art. 20.1 [**Droit supplétif**] Toute municipalité peut prévoir qu'un droit supplétif au droit de mutation doit lui être payé dans tous les cas où survient le transfert d'un immeuble situé sur son territoire et où une exonération la prive du paiement du droit de mutation à l'égard de ce transfert.

[**Exception**] Toutefois, le droit supplétif n'a pas à être payé lorsque l'exonération est prévue au paragraphe *a* du premier alinéa de l'article 20.

2000, c. 54, a. 34.

CHAPTER III.1
SPECIAL DUTIES

Art. 20.1 [**Special duties**] Every municipality may provide that special duties shall be paid to it in lieu of transfer duties in all cases where an immovable situated within its territory is transferred and an exemption deprives the municipality of the payment of transfer duties with respect to the transfer.

[**Exemption**] However, special duties are not required to be paid where the exemption is provided for in subparagraph *a* of the first paragraph of section 20.

Art. 20.2 **[Cumul interdit]** Le droit supplétif n'a pas à être payé en sus de celui que prévoit l'article 19.1.

[Remboursement] Si le débiteur paie le premier avant de recevoir l'avis de cotisation relatif au second, la municipalité rembourse le premier dans les 30 jours qui suivent celui où elle reçoit la remise prévue à l'article 1129.30 de la Loi sur les impôts (L.R.Q., chapitre I-3).

2000, c. 54, a. 34.

Art. 20.3 **[Compensation]** Dans le cas visé au deuxième alinéa de l'article 17.1, le montant du droit supplétif, payé en raison du transfert qui cesse de donner lieu à l'exonération, est appliqué en compensation du montant du droit de mutation qui devient payable.

[Mention au compte] Le compte transmis en vertu de cet alinéa mentionne ce crédit.

2000, c. 54, a. 34.

Art. 20.4 **[Montant]** Le montant du droit supplétif est de 200 $.

[Montant] Toutefois, lorsque la base d'imposition du droit de mutation qui aurait autrement été payable est inférieure à 40 000 $, le montant du droit supplétif est égal à celui du droit de mutation.

2000, c. 54, a. 34.

Art. 20.5 **[Imposition partielle]** Lorsque le transfert est fait pour partie à un cessionnaire qui est exonéré du paiement du droit de mutation et pour partie à un autre qui ne l'est pas, seul le premier doit payer le droit supplétif et le montant de celui-ci est établi en fonction de la portion de la base d'imposition qui correspond à la partie du transfert qui lui est faite.

2000, c. 54, a. 34.

Art. 20.6 **[Dispositions applicables]** Les dispositions de la présente loi, hormis celles du chapitre III, qui sont relatives au droit de mutation et ne sont pas inconciliables avec les articles 20.1 à 20.5 s'appliquent, compte tenu des adaptations nécessaires et notamment de celles que prévoient les articles 20.7 à 20.10, à l'égard du droit supplétif.

2000, c. 54, a. 34.

Art. 20.7 **[Immeuble situé sur une ou plusieurs municipalités intéressées]** L'article 7 s'applique lorsque, au moment de l'inscription du

Art. 20.2 **[Exemption]** The special duties are not required to be paid in addition to the special duties provided for in section 19.1.

[Reimbursement] If the debtor pays the former duties before receiving the notice of assessment relating to the latter duties, the municipality shall reimburse the former duties within 30 days after the day on which the amount provided for in section 1129.30 of the Taxation Act (R.S.Q., chapter I-3) is forwarded to it.

Art. 20.3 **[Amount]** In the case referred to in the second paragraph of section 17.1, the amount of the special duties, paid by reason of a transfer that causes the exemption to lapse, shall be applied to offset the amount of the transfer duties that become payable.

[Account] The account sent under that paragraph shall mention that credit.

Art. 20.4 **[Amount]** The amount of the special duties is $200.

[Basis of imposition] However, where the basis of imposition of the transfer duties that would otherwise have been payable is less than $40,000, the amount of the special duties is equal to the amount of the transfer duties.

Art. 20.5 **[Transfer]** Where the transfer is made in part to a transferee exempt from the payment of transfer duties and in part to another transferee who is not exempt, only the former must pay the special duties, and the amount of the special duties is established according to the portion of the basis of imposition that corresponds to the part of the transfer made to that transferee.

Art. 20.6 **[Provisions applicable]** The provisions of this Act, except those of Chapter III, that relate to transfer duties and are not inconsistent with sections 20.1 to 20.5 apply, with the necessary modifications and in particular with those in sections 20.7 to 20.10, with respect to special duties.

Art. 20.7 **[Resolution]** Section 7 applies where, at the time of registration of the transfer, a resolution passed under section 20.1 by one, some

transfert, est en vigueur une résolution adoptée en vertu de l'article 20.1 par une, quelques-unes ou l'ensemble des municipalités sur le territoire desquelles est situé l'immeuble. Est réputée intéressée toute telle municipalité dont une telle résolution est alors en vigueur.

[Créancier unique] S'il n'y a qu'une municipalité intéressée, elle est le créancier unique du droit supplétif.

[Partage du droit] S'il y en a plusieurs, le partage du droit supplétif est effectué de façon que les quotes-parts correspondent à la proportion que représente, par rapport à la base d'imposition attribuable à l'ensemble des territoires des municipalités intéressées, celle qui est attribuable au territoire de chacune d'elles.

2000, c. 54, a. 34.

Art. 20.8 [Mention non requise] Les documents visés à l'article 9 n'ont pas à contenir la mention du montant du droit supplétif.

2000, c. 54, a. 34.

Art. 20.9 [Dispositions sans effet] Les articles 12 et 12.2 n'ont pas d'effet à l'égard des biens que, suivant l'article 916 du Code civil, nul ne peut s'approprier.

2000, c. 54, a. 34.

Art. 20.10 [Règlement non applicable] Le règlement pris en vertu du paragraphe *a* de l'article 24 ne s'applique pas à l'égard du compte par lequel est exigé le paiement du droit supplétif.

2000, c. 54, a. 34.

Art. 21. Abrogé.

1991, c. 29, a. 30.

CHAPITRE IV
DISPOSITIONS FINALES

Art. 22. [Renseignements confidentiels] Sauf ceux dont la loi prévoit déjà le caractère public, sont confidentiels tous renseignements obtenus dans l'application de la présente loi. Il est interdit à toute personne de communiquer ou de permettre que soit communiqué à une personne qui n'y a pas légalement droit un tel renseignement ou de permettre à une telle personne de prendre connaissance d'un document contenant un tel renseignement ou d'y avoir accès.

or all of the municipalities in whose territory the immovable is situated is in force. Every such municipality having such a resolution in force is deemed to be an interested municipality.

[Creditor] If there is only one interested municipality, it is the sole creditor of the special duties.

[Sharing of duties] If there is more than one interested municipality, the special duties shall be shared in such manner that the aliquot shares correspond to the proportion that the basis of imposition attributable to the territory of each of the interested municipalities is of the basis of imposition attributable to the aggregate of the territories of all the interested municipalities.

Art. 20.8 [Documents] The documents referred to in section 9 need not mention the amount of the special duties.

Art. 20.9 [Effect] Sections 12 and 12.2 have no effect in respect of property that may not be appropriated pursuant to article 916 of the Civil Code.

Art. 20.10 [Regulation] A regulation made under paragraph *a* of section 24 does not apply to accounts requiring the payment of special duties.

Art. 21. Repealed.

CHAPTER IV
FINAL PROVISIONS

Art. 22. [Confidentiality] All information obtained in the application of this Act is confidential, except information which is already public according to law. No one may communicate or allow the communication of any such information to a person not legally entitled thereto, or allow any such person to examine or to have access to a document containing such information.

[Renseignement pouvant être communiqué] Toutefois un tel renseignement peut, à la demande écrite de l'intéressé ou de son représentant autorisé, être communiqué à une personne désignée dans la demande.

[Disposition applicable] Le présent article s'applique malgré l'article 9 de la Loi sur l'accès aux documents des organismes publics et sur la protection des renseignements personnels (L.R.Q., chapitre A-2.1).

[Infraction et peine] Quiconque contrevient au présent article commet une infraction et est passible d'une amende n'excédant pas 1 000 $.

1976, c. 30, a. 22; 1987, c. 68, a. 93; 1990, c. 4, a. 608.

Art. 23. [Infraction et peine] Toute personne qui:

a) fait des déclarations fausses ou trompeuses, ou participe, consent ou acquiesce à leur énonciation dans un document présenté à l'officier de la publicité des droits en vertu de l'article 9.1, ou

b) volontairement et de quelque manière, élude ou tente d'éluder l'observation de la présente loi ou le paiement du droit de mutation,

commet une infraction et est passible d'une amende n'excédant pas 2 000 $ en plus d'une pénalité de vingt-cinq pour cent du montant du droit qu'il a éludé ou tenté d'éluder ou a permis d'être éludé.

1976, c. 30, a. 23; 1993, c. 78, a. 36.

Art. 24. [Règlements] Le gouvernement peut faire des règlements pour:

a) imposer l'inclusion de certaines mentions dans les actes, déclarations, avis, comptes ou autres documents visés à la présente loi;

b) déterminer la manière dont doivent être faites les mentions requises en vertu de la présente loi et des règlements;

c) désigner les personnes morales de droit public visées par le paragraphe *d* de la définition de l'expression «organisme public» à l'article 1;

d) établir les règles concernant la déclaration de la contrepartie fournie dans un transfert et de la valeur marchande d'un bien.

1976, c. 30, a. 24; 1999, c. 40, a. 112.

Art. 25. [Entrée en vigueur des règlements] Un règlement adopté en vertu de la présente loi entre en vigueur à la date de sa publication dans la *Gazette officielle du Québec* ou à toute date ultérieure qui y est fixée.

1976, c. 30, a. 25.

[Request in writing] However, any such information may, on the written request of the interested person or his authorized representative, be communicated to a person designated in the request.

[Applicability] This section applies notwithstanding section 9 of the Act respecting Access to documents held by public bodies and the Protection of personal information (R.S.Q., chapter A-2.1).

[Offence and penalty] Whoever contravenes this section is guilty of an offence and is liable to a fine not exceeding $1 000.

Art. 23. [Offence and penalty] Whoever:

(a) makes or participates in, assents to or acquiesces in the making of false or deceptive statements in a document presented to the registrar under section 9.1, or

(b) wilfully, in any manner, evades or attempts to evade compliance with this Act or the payment of transfer duties,

is guilty of an offence and is liable to a fine not exceeding $2 000 in addition to a penalty of 25% of the amount of the duties which he evaded, attempted to evade or allowed to be evaded.

Art. 24. [Regulations] The Government may make regulations to:

(a) require the inclusion of certain particulars in the deeds, statements, notices, accounts or other documents contemplated by this Act;

(b) determine the manner in which the particulars required under this Act and the regulations must be mentioned;

(c) designate the legal persons established in the public interest contemplated in paragraph *d* of the definition of "public body" in section 1;

(d) establish the rules for the disclosure of the consideration furnished for a transfer and of the market value of any property.

Art. 25. [Coming into force of regulation] A regulation made under this Act shall come into force on the date of its publication in the *Gazette officielle du Québec* or on any later date fixed therein.

Art. 26. Abrogé.

1991, c. 32, a. 240.

Art. 27. [Taxe présumée] Pour l'application des articles 678.0.1 du Code municipal du Québec (L.R.Q., chapitre C-27.1) et 196 et 250.1 de la Loi sur la fiscalité municipale (L.R.Q., chapitre F-2.1), le droit de mutation est assimilé à une taxe municipale.

1976, c. 30, a. 27; 1979, c. 36, a. 105; 1991, c. 32, a. 241; 1996, c. 67, a. 67.

Art. 28. [Ministre responsable] Le ministre des Affaires municipales et de la Métropole est chargé de l'application de la présente loi.

1976, c. 30, a. 28; 1999, c. 43, a. 13.

Art. 29. Cet article a cessé d'avoir effet le 17 avril 1987.

1982, c. 21, a. 1; R.-U., 1982, c. 11, ann. B, ptie I, a. 33.

Art. 26. Repealed.

Art. 27. [Transfer duties] For the purposes of article 678.0.1 of the Municipal Code of Québec (R.S.Q., chapter C-27.1) and sections 196 and 250.1 of the Act respecting municipal taxation (R.S.Q., chapter F-2.1), the transfer duties shall be regarded as a municipal tax.

Art. 28. [Minister responsible] The Minister of Municipal Affairs and Greater Montréal shall have charge of the application of this Act.

Art. 29. This section ceased to have effect on 17 April 1987.

APPENDICE
LOI MODIFIANT LE CODE CIVIL ET D'AUTRES DISPOSITIONS LÉGISLATIVES RELATIVEMENT À LA PUBLICITÉ FONCIÈRE (2000, c. 42)

APPENDIX
AN ACT TO AMEND THE CIVIL CODE AND OTHER LEGISLATIVE PROVISIONS RELATING TO LAND REGISTRATION (2000, c. 42)

DISPOSITIONS TRANSITOIRES

TRANSITIONAL PROVISIONS

...

...

Art. 241. Jusqu'à la date fixée dans l'avis du ministre des Ressources naturelles indiquant qu'un bureau de la publicité des droits est pleinement informatisé en ce qui a trait à la publicité foncière, les dispositions des lois qui suivent, en vigueur le 8 octobre 2001, demeurent applicables relativement à ce bureau:

Art. 241. Until the date fixed in the notice of the Minister of Natural Resources stating that a registry office is fully computerized for land registration purposes the following provisions, in force on 8 October 2001, shall remain applicable to that registry office:

...

...

5° les articles 3, 9, 9.1, 9.2 et 10 de la Loi concernant les droits sur les mutations immobilières (L.R.Q., chapitre D-15.1);

(5) sections 3, 9, 9.1, 9.2 and 10 of the Act respecting duties on transfers of immovables (R.S.Q., chapter D-15.1);

...

...

Articles 3, 9, 9.1, 9.2 et 10 de la Loi concernant les droits sur les mutations immobilières (L.R.Q., c. D-15.1), tels qu'ils se lisaient le 8 octobre 2001.

Sections 3, 9, 9.1, 9.2 and 10 of the Act respecting duties on transfers of immovables (R.S.Q., c. D-15.1), as read on 8 October 2001.

Art. 3. [Transmission] Le greffier ou secrétaire-trésorier de la municipalité doit transmettre, à l'officier de la publicité des droits de toute circonscription foncière qui comprend tout ou partie du territoire de la municipalité, un avis indiquant le titre du fonctionnaire chargé de la perception des taxes de la municipalité.

Art. 3. [Notice] The clerk or the secretary-treasurer of the municipality must forward a notice indicating the title of the officer in charge of tax collection for the municipality to the registrar of any registration division which comprises all or part of the territory of the municipality.

1976, c. 30, a. 3; 1991, c. 32, a. 234; 1993, c. 78, a. 22.

Art. 9. [Mentions] La réquisition d'inscription d'un transfert doit contenir les mentions suivantes:

Art. 9. [Content of deed of transfer] The application for registration of a transfer must contain the following particulars:

a) les nom et prénoms du cédant et du cessionnaire;

(*a*) the name and given names of the transferor and of the transferee;

b) l'adresse de la résidence principale du cédant;

(*b*) the address of the principal residence of the transferor;

c) l'adresse de la résidence principale du cessionnaire;

(*c*) the address of the principal residence of the transferee;

d) le nom de la municipalité sur le territoire de laquelle est situé l'immeuble;

(*d*) the name of the municipality in the territory of which the immovable is situated;

e) le montant de la contrepartie pour le transfert de l'immeuble, selon le cédant et le cessionnaire;

*e.*1) le montant constituant la base d'imposition du droit de mutation, selon le cédant et le cessionnaire, et, le cas échéant, la portion de cette base qui est visée au troisième alinéa de l'article 4;

f) le montant du droit de mutation;

g) le cas échéant, la disposition de l'un ou l'autre des articles 17 à 20 en vertu de laquelle, selon le cessionnaire, celui-ci est exonéré du paiement du droit de mutation;

h) toute autre mention prescrite par règlement.

[Écrit distinct] Les parties doivent, dans un écrit distinct, déclarer s'il y a ou non transfert à la fois d'un immeuble corporel et de meubles visés à l'article 1.0.1. La déclaration contient les mentions prévues aux paragraphes *a* à *d* du premier alinéa. Si elle est positive, elle contient également les mentions prévues aux autres paragraphes de cet alinéa, le cas échéant, à l'égard de l'ensemble des meubles visés à l'article 1.0.1 qui sont transférés avec l'immeuble.

1976, c. 30, a. 9; 1991, c. 32, a. 236; 1993, c. 78, a. 26.

Art. 9.1 [Documents nécessaires au transfert] Aux fins de la présente loi, la personne qui requiert l'inscription d'un transfert doit, outre les documents requis pour l'inscription, présenter à l'officier de la publicité des droits une copie, vidimée ou non, de l'acte de transfert, de même que du sommaire ou de l'extrait si la réquisition est faite par l'un de ces moyens, ainsi que de la déclaration prévue au deuxième alinéa de l'article 9.

[Municipalités visées] Si l'acte de transfert vise des immeubles situés sur le territoire de plusieurs municipalités, le requérant doit présenter une copie par municipalité.

1993, c. 78, a. 27; 1995, c. 33, a. 22.

Art. 9.2 [Refus d'inscrire] L'officier de la publicité des droits doit refuser d'inscrire un transfert s'il constate que la réquisition d'inscription ne contient pas les renseignements requis en vertu du premier alinéa de l'article 9.

[Refus d'inscrire] Il doit également refuser d'inscrire le transfert si le requérant ne présente pas les copies prévues à l'article 9.1.

1993, c. 78, a. 27.

(*e*) the amount of the consideration for the transfer of the immovable, according to the transferor and the transferee;

(*e*.1) the amount constituting the basis of imposition of the transfer duties, according to the transferor and the transferee, and, where applicable, the portion thereof that is subject to the third paragraph of section 4;

(*f*) the amount of the transfer duties;

(*g*) where applicable, the provision of any of sections 17 to 20 under which, according to the transferee, the transferee is exempted from the payment of transfer duties;

(*h*) any other particular prescribed by regulation.

[Declaration] The parties must declare, in a separate writing, whether or not there is a transfer of both a corporeal immovable and movables referred to in section 1.0.1. The declaration shall include the information prescribed under subparagraphs *a* to *d* of the first paragraph. If the declaration mentions that there is such a transfer, it shall also include the information prescribed in the other subparagraphs of the said paragraph, where applicable, in respect of the aggregate of the movables referred to in section 1.0.1 which are transferred with the immovable.

Art. 9.1 [Registration of transfer] For the purposes of this Act, a person applying for the registration of a transfer must present to the registrar, in addition to the documents required for the registration, a copy, authenticated or not, of the deed of transfer, and a copy, authenticated or not, of the summary or extract if the application is made by means of such documents, and the declaration provided for in the second paragraph of section 9.

[Deed of transfer] Where the deed of transfer concerns immovables situated in the territory of more than one municipality, the applicant must present one copy for each municipality.

Art. 9.2 [Transfer containing incomplete information] The registrar must refuse to register a transfer where he finds that the application for registration does not contain the information required under the first paragraph of section 9.

[Failure to file copies] The registrar must also refuse to register the transfer if the applicant fails to file the copies prescribed in section 9.1.

Art. 10. [Avis de mutation] Dans les 15 jours qui suivent l'inscription du transfert, l'officier de la publicité des droits avise de la mutation le fonctionnaire chargé de la perception des taxes de la municipalité sur le territoire de laquelle est situé l'immeuble en lui transmettant les copies présentées par le requérant en vertu de l'article 9.1.

[Responsable de l'évaluation] Dans le cas où la municipalité n'a pas de compétence en matière d'évaluation, le fonctionnaire transmet une copie de tout document qui lui a été transmis en vertu du premier alinéa, le plus tôt possible après sa réception, à l'organisme municipal responsable de l'évaluation qui a compétence à l'égard de la municipalité en vertu de la Loi sur la fiscalité municipale (L.R.Q., chapitre F-2.1).

1976, c. 30, a. 10; 1991, c. 32, a. 237; 1993, c. 78, a. 28.

Art. 10. [Notice to officer in charge of tax collection] Within 15 days of the registration of the transfer, the registrar shall give notice of the transfer to the officer in charge of tax collection in the municipality in the territory of which the immovable is situated by transmitting to him the copies presented by the applicant under section 9.1.

[Municipal body responsible for assessment] If the municipality does not have jurisdiction in matters of assessment, the officer shall send a copy of every document transmitted to him under the first paragraph, as soon as possible after receiving it, to the municipal body responsible for assessment having jurisdiction in respect of the municipality under the Act respecting municipal taxation (R.S.Q., chapter F-2.1).

| LISTE DES BUREAUX DE LA PUBLICITÉ DES DROITS POUR LESQUELS LE MINISTRE DES RESSOURCES NATURELLES A DONNÉ UN AVIS À L'EFFET QU'ILS SONT PLEINEMENT INFORMATISÉS EN CE QUI A TRAIT À LA PUBLICITÉ FONCIÈRE | LIST OF REGISTRY OFFICES FOR WHICH THE MINISTER OF NATURAL RESOURCES HAS GIVEN A NOTICE THAT THEY ARE FULLY COMPUTERIZED FOR LAND REGISTRATION PURPOSES |

Avis numéro 1

Le Bureau de la publicité des droits établi dans la circonscription foncière de Saint-Hyacinthe sera pleinement informatisé à compter du 9 octobre 2001.

Avis, (2001) 133 G.O. 1, 1022.

Avis numéro 2

Le Bureau de la publicité des droits établi dans la circonscription foncière de Montmagny sera pleinement informatisé à compter du 7 janvier 2002.

Avis, (2002) 134 G.O. 1, 10.

Avis numéro 3

Le Bureau de la publicité des droits établi dans la circonscription foncière de L'Islet sera pleinement informatisé à compter du 14 janvier 2002.

Avis, (2002) 134 G.O. 1, 10.

Avis numéro 4

Le Bureau de la publicité des droits établi dans la circonscription foncière de Lotbinière sera pleinement informatisé à compter du 21 janvier 2002.

Avis, (2002) 134 G.O. 1, 10.

Avis numéro 5

Le Bureau de la publicité des droits établi dans la circonscription foncière de Belle-chasse sera pleinement informatisé à compter du 28 janvier 2002.

Avis, (2002) 134 G.O. 1, 10.

Avis numéro 6

Le Bureau de la publicité des droits établi dans la circonscription foncière de Dor-chester sera pleinement informatisé à compter du 4 février 2002.

Avis, (2002) 134 G.O. 1, 91.

Avis numéro 7

Le Bureau de la publicité des droits établi dans la circonscription foncière de Ka-mouraska sera pleinement informatisé à compter du 11 février 2002.

Avis, (2002) 134 G.O. 1, 91.

Avis numéro 8

Le Bureau de la publicité des droits établi dans la circonscription foncière de Coati-cook sera pleinement informatisé à compter du 18 février 2002.

Avis, (2002) 134 G.O. 1, 91.

Avis numéro 9

Le Bureau de la publicité des droits établi dans la circonscription foncière de Comp-ton sera pleinement informatisé à comp-ter du 25 février 2002.

Avis, (2002) 134 G.O. 1, 91.

Avis numéro 10

Le Bureau de la publicité des droits établi dans la circonscription foncière de Stanstead sera pleinement informatisé à compter du 4 mars 2002.

Avis, (2002) 134 G.O. 1, 213.

Avis numéro 11

Le Bureau de la publicité des droits établi dans la circonscription foncière de Richelieu sera pleinement informatisé à compter du 11 mars 2002.

Avis, (2002) 134 G.O. 1, 212.

Avis numéro 12

Le Bureau de la publicité des droits établi dans la circonscription foncière de Rimouski sera pleinement informatisé à compter du 25 mars 2002. Toutefois, certaines réquisitions d'inscription ne pourront être consultées, sur support informatique, que le mardi 26 mars 2002.

Avis, (2002) 134 G.O. 1, 212.

Avis numéro 13

Le Bureau de la publicité des droits établi dans la circonscription foncière de Saint-Jean sera pleinement informatisé à compter du 2 avril 2002. Toutefois, certaines réquisitions d'inscription ne pourront être consultées, sur support informatique, que le mercredi 3 avril 2002.

Avis, (2002) 134 G.O. 1, 212.

Avis numéro 14

Le Bureau de la publicité des droits établi dans la circonscription foncière de Pontiac sera pleinement informatisé à compter du 8 avril 2002.

Avis, (2002) 134 G.O. 1, 379.

Avis numéro 15

Le Bureau de la publicité des droits établi dans la circonscription foncière de Lévis sera pleinement informatisé à compter du 15 avril 2002. Toutefois, certaines réquisitions d'inscription ne pourront être consultées, sur support informatique, que le mercredi 17 avril 2002.

Avis, (2002) 134 G.O. 1, 379.

Avis numéro 16

Le Bureau de la publicité des droits établi dans la circonscription foncière de Matane sera pleinement informatisé à compter du 22 avril 2002.

Avis, (2002) 134 G.O. 1, 379.

Avis numéro 17

Le Bureau de la publicité des droits établi dans la circonscription foncière de Labelle sera pleinement informatisé à compter du 29 avril 2002.

Avis, (2002) 134 G.O. 1, 379.

Avis numéro 18

Le Bureau de la publicité des droits établi dans la circonscription foncière de La Tuque sera pleinement informatisé à compter du 13 mai 2002.

Avis, (2002) 134 G.O. 1, 473.

Avis numéro 19

Le Bureau de la publicité des droits établi dans la circonscription foncière de Sherbrooke sera pleinement informatisé à compter du 21 mai 2002. Toutefois, certaines réquisitions d'inscription ne pourront être consultées, sur support informatique, qu'à compter du mercredi 22 mai 2002.

Avis, (2002) 134 G.O. 1, 473.

Avis numéro 20

Le Bureau de la publicité des droits établi dans la circonscription foncière de Matapédia sera pleinement informatisé à compter du 27 mai 2002.

Avis, (2002) 134 G.O. 1, 473.

Avis numéro 21

Le Bureau de la publicité des droits établi dans la circonscription foncière de Gatineau sera pleinement informatisé à compter du 3 juin 2002.

Avis, (2002) 134 G.O. 1, 663.

Avis numéro 22

Le Bureau de la publicité des droits établi dans la circonscription foncière de Rouville sera pleinement informatisé à compter du 10 juin 2002.

Avis, (2002) 134 G.O. 1, 702.

Avis numéro 23

Le Bureau de la publicité des droits établi dans la circonscription foncière de Témiscouata sera pleinement informatisé à compter du 17 juin 2002.

Avis, (2002) 134 G.O. 1, 702.

Avis numéro 24

Le Bureau de la publicité des droits établi dans la circonscription foncière de Chicoutimi sera pleinement informatisé à compter du 25 juin 2002.

Avis, (2002) 134 G.O. 1, 731.

Avis numéro 25

Le Bureau de la publicité des droits établi dans la circonscription foncière de Hull sera pleinement informatisé à compter du 2 juillet 2002. Toutefois, certaines réquisitions d'inscription ne pourront être consultées, sur support informatique, qu'à compter du mercredi 3 juillet 2002.

Avis, (2002) 134 G.O. 1, 758.

Avis numéro 26

Le Bureau de la publicité des droits établi dans la circonscription foncière de Trois-Rivières sera pleinement informatisé à compter du 15 juillet 2002.

Avis, (2002) 134 G.O. 1, 816.

Avis numéro 27

Le Bureau de la publicité des droits établi dans la circonscription foncière de Lac-Saint-Jean-Est sera pleinement informatisé à compter du 22 juillet 2002.

Avis, (2002) 134 G.O. 1, 840.

Avis numéro 28

Le Bureau de la publicité des droits établi dans la circonscription foncière de Shawinigan sera pleinement informatisé à compter du 29 juillet 2002.

Avis, (2002) 134 G.O. 1, 888.

Avis numéro 29

Le Bureau de la publicité des droits établi dans la circonscription foncière de Lac-Saint-Jean-Ouest sera pleinement informatisé à compter du 5 août 2002.

Avis, (2002) 134 G.O. 1, 907.

Avis numéro 30

Le Bureau de la publicité des droits établi dans la circonscription foncière de Papineau sera pleinement informatisé à compter du 12 août 2002.

Avis, (2002) 134 G.O. 1, 927.

Avis numéro 31

Le Bureau de la publicité des droits établi dans la circonscription foncière de Nicolet sera pleinement informatisé à compter du 19 août 2002.

Avis, (2002) 134 G.O. 1, 956.

Avis numéro 32

Le Bureau de la publicité des droits établi dans la circonscription foncière de Champlain sera pleinement informatisé à compter du 3 septembre 2002.

Avis, (2002) 134 G.O. 1, 996.

Avis numéro 33

Le Bureau de la publicité des droits établi dans la circonscription foncière de Maskinongé sera pleinement informatisé à compter du 9 septembre 2002.

Avis, (2002) 134 G.O. 1, 1036.

Avis numéro 34

Le Bureau de la publicité des droits établi dans la circonscription foncière de Berthier sera pleinement informatisé à compter du 16 septembre 2002.

Avis, (2002) 134 G.O. 1, 1058.

Avis numéro 35

Le Bureau de la publicité des droits établi dans la circonscription foncière de L'Assomption sera pleinement informatisé à compter du 23 septembre 2002. Toutefois, certaines réquisitions d'inscription ne pourront être consultées, sur support informatique, qu'à compter du mercredi 25 septembre 2002.

Avis, (2002) 134 G.O. 1, 1086.

Avis numéro 36

Le Bureau de la publicité des droits établi dans la circonscription foncière de Montcalm sera pleinement informatisé à compter du 7 octobre 2002.

Avis, (2002) 134 G.O. 1, 1137.

Avis numéro 37

Le Bureau de la publicité des droits établi dans la circonscription foncière d'Abitibi sera pleinement informatisé à compter du 15 octobre 2002.

Avis, (2002) 134 G.O. 1, 1166.

Avis numéro 38

Le Bureau de la publicité des droits établi dans la circonscription foncière de Joliette sera pleinement informatisé à compter du 21 octobre 2002.

Avis, (2002) 134 G.O. 1, 1197.

Avis numéro 39

Le Bureau de la publicité des droits établi dans la circonscription foncière de Montréal sera pleinement informatisé à compter du 28 octobre 2002. À compter de cette date, les réquisitions d'inscription pourront être consultées, sur support informatique, au fur et à mesure de leur numérisation qui sera complétée le lundi 16 décembre 2002. De même, les registres pourront être consultés, sur support informatique, à compter du 28 octobre 2002, à l'exception des inscriptions faites à l'index des immeubles antérieurement à cette date, qui ne pourront être consultées, sur support informatique, qu'à compter du lundi 4 novembre 2002.

Avis, (2002) 134 G.O. 1, 1228.

Avis numéro 40

Le Bureau de la publicité des droits établi dans la circonscription foncière de Laval sera pleinement informatisé à compter du 30 décembre 2002. Toutefois, certaines réquisitions d'inscription ne pourront être consultées, sur support informatique, qu'à compter du mardi 7 janvier 2003.

Avis, (2002) 134 G.O. 1, 1480.

Avis numéro 41

Le Bureau de la publicité des droits établi dans la circonscription foncière de Portneuf sera pleinement informatisé à compter du 3 février 2003.

Avis, (2003) 135 G.O. 1, 99.

Avis numéro 42

Le Bureau de la publicité des droits établi dans la circonscription foncière de Montmorency sera pleinement informatisé à compter du 10 février 2003.

Avis, (2003) 135 G.O. 1, 133.

Avis numéro 43

Le Bureau de la publicité des droits établi dans la circonscription foncière de Québec sera pleinement informatisé à compter du 24 février 2003. Toutefois, certaines réquisitions d'inscription ne pourront être consultées, sur support informatique, qu'à compter du lundi 17 mars 2003.

Avis, (2003) 135 G.O. 1, 197.

Avis numéro 44

Le Bureau de la publicité des droits établi dans la circonscription foncière de Deux-Montagnes sera pleinement informatisé à compter du 24 mars 2003. Toutefois, certaines réquisitions d'inscription ne pourront être consultées, sur support informatique, qu'à compter du mardi 25 mars 2003.

Avis, (2003) 135 G.O. 1, 320.

Avis numéro 45

Le Bureau de la publicité des droits établi dans la circonscription foncière de Châteauguay sera pleinement informatisé à compter du 7 avril 2003. Toutefois, certaines réquisitions d'inscription ne pourront être consultées, sur support informatique, qu'à compter du mardi 8 avril 2003.

Avis, (2003) 135 G.O. 1, 344.

Avis numéro 46

Le Bureau de la publicité des droits établi dans la circonscription foncière de Verchères sera pleinement informatisé à compter du 14 avril 2003. Toutefois, certaines réquisitions d'inscription ne pourront être consultées, sur support informatique, qu'à compter du mardi 15 avril 2003.

Avis, (2003) 135 G.O. 1, 373.

Avis numéro 47

Le Bureau de la publicité des droits établi dans la circonscription foncière de Chambly sera pleinement informatisé à compter du 22 avril 2003. Toutefois, certaines réquisitions d'inscription ne pourront être consultées, sur support informatique, qu'à compter du lundi 5 mai 2003.

Avis, (2003) 135 G.O. 1, 387.

Avis numéro 48

Le Bureau de la publicité des droits établi dans la circonscription foncière de Beauharnois sera pleinement informatisé à compter du 12 mai 2003.

Avis, (2003) 135 G.O. 1, 454.

Avis numéro 49

Le Bureau de la publicité des droits établi dans la circonscription foncière de Vaudreuil sera pleinement informatisé à compter du 20 mai 2003.

Avis, (2003) 135 G.O. 1, 482.

Avis numéro 50

Le Bureau de la publicité des droits établi dans la circonscription foncière de Beauce sera pleinement informatisé à compter du 26 mai 2003.

Avis, (2003) 135 G.O. 1, 507.

Avis numéro 51

Le Bureau de la publicité des droits établi dans la circonscription foncière de La Prairie sera pleinement informatisé à compter du 2 juin 2003. Toutefois, certaines réquisitions d'inscription ne pourront être consultées, sur support informatique, qu'à compter du mardi 3 juin 2003.

Avis, (2003) 135 G.O. 1, 525.

Avis numéro 52

Le Bureau de la publicité des droits établi dans la circonscription foncière de Frontenac sera pleinement informatisé à compter du 9 juin 2003.

Avis, (2003) 135 G.O. 1, 557.

Avis numéro 53

Le Bureau de la publicité des droits établi dans la circonscription foncière de Huntingdon sera pleinement informatisé à compter du 16 juin 2003.

Avis, (2003) 135 G.O. 1, 557.

Loi sur certaines ventes de parties de lot pour défaut de paiement de taxes

An Act Respecting Certain Sales of Parts of Lots for Failure to Pay Taxes

1. Aucune vente de partie de lot pour défaut de paiement de taxes municipales ou scolaires, effectuée à la suite d'un avis public donné avant le 23 juin 1987, ne peut être annulée, après l'expiration du délai prescrit pour invoquer l'illégalité de la vente, pour le motif que dans l'avis public précédant cette vente ou que dans cette vente, la description de la partie du lot vendue n'indique pas les tenants et aboutissants, tel qu'exigé à l'article 2168 du Code civil du Bas-Canada. *

1987, c. 49, a. 1.

1. No sale of part of a lot for failure to pay municipal or school taxes made following a public notice given before 23 June 1987 may be cancelled for the reason that in the public notice preceding the sale or that in the sale, the description of the part of the lot sold does not mention the properties conterminous thereto as required by article 2168 of the Civil Code of Lower Canada.*

2. L'article 1 ne s'applique pas lorsque l'absence d'indication des tenants et aboutissants est invoquée dans une action en annulation commencée dans l'année qui suit la date de l'adjudication ou, dans le cas d'une vente faite en vertu du Code municipal (L.R.Q., chapitre C-27.1), dans les deux ans qui suivent cette date.

1987, c. 49, a. 2.

2. Section 1 does not apply where the absence of any mention of conterminous properties is invoked in an action for annulment commenced in the year following the date of the adjudication or, in the case of a sale made pursuant to the Municipal Code of Québec (R.S.Q., chapter C-27.1), within two years after that date.

3. La présente loi ne s'applique pas aux causes pendantes dans lesquelles l'absence d'indication des tenants et aboutissants dans la description de la partie de lot vendue a été invoquée avant le 6 mai 1987.

1987, c. 49, a. 3.

3. This Act does not apply to pending cases in which the absence of any mention of the conterminous properties in the description of the part of a lot sold has been invoked before 6 May 1987.

4. Le ministre de la Justice est chargé de l'application de la présente loi.

1987, c. 49, a. 4.

4. The Minister of Justice is responsible for the administration of this Act.

5. Omis.

1987, c. 49, a. 5.

5. Omitted.

---

* L'article 2168 correspond à l'article 3037 du Code civil du Québec.

1992, c. 57, a. 424.

---

* Article 2168 corresponds to article 3037 of the Civil Code of Québec.

1992, c. 57, s. 424.

LOI CONCERNANT L'INTÉRÊT

L.R.C. (1985) ch. I-15

AN ACT RESPECTING INTEREST

R.S.C., 1985, c. I-15

TITRE ABRÉGÉ

1. [Titre Abrégé] *Loi sur l'intérêt.*

S.R., ch. I-18, art. 1

SHORT TITLE

1. [Short title] This Act may be cited as the *Interest Act.*

TAUX D'INTÉRÊT

2. [Nulle restriction sauf les dispositions des lois] Sauf disposition contraire de la présente loi ou de toute autre loi fédérale, une personne peut stipuler, allouer et exiger, dans tout contrat ou convention quelconque, le taux d'intérêt ou d'escompte qui est convenu.

S.R., ch. I-18, art. 2.

3. [Taux d'intérêt lorsque non fixé] Chaque fois que de l'intérêt est exigible par convention entre les parties ou en vertu de la loi, et qu'il n'est pas fixé de taux en vertu de cette convention ou par la loi, le taux de l'intérêt est de cinq pour cent par an.

S.R., ch. I-18, art. 3

4. [Lorsque le taux par an n'est pas indiqué] Sauf à l'égard des hypothèques sur immeubles ou biens réels, lorsque, aux termes d'un contrat écrit ou imprimé, scellé ou non, quelque intérêt est payable à un taux ou pourcentage par jour, semaine ou mois, ou à un taux ou pourcentage pour une période de moins d'un an, aucun intérêt supérieur au taux ou pourcentage de cinq pour cent par an n'est exigible, payable ou recouvrable sur une partie quelconque du principal, à moins que le contrat n'énonce expressément le taux d'intérêt ou pourcentage par an auquel équivaut cet autre taux ou pourcentage.

S.R., ch. I-18, art. 4; 2001, ch. 4, art. 91.

5. [Recouvrement des sommes payées] En cas de paiement d'une somme à compte d'un intérêt non exigible, payable ou recouvrable en vertu de l'article 4, cette somme peut être recouvrée ou déduite de tout principal ou de tout intérêt à payer en vertu du contrat.

S.R., ch. I-18, art. 5.

RATE OF INTEREST

2. [No restriction except by statute] Except as otherwise provided by this Act or any other Act of Parliament, any person may stipulate for, allow and exact, on any contract or agreement whatever, any rate of interest or discount that is agreed on.

3. [Interest rate when none provided] Whenever any interest is payable by the agreement of parties or by law, and no rate is fixed by the agreement or by law, the rate of interest shall be five per cent per annum.

4. [When per annum rate not stipulated] Except as to mortgages on real property or hypothecs on immovables, whenever any interest is, by the terms of any written or printed contract, whether under seal or not, made payable at a rate or percentage per day, week, month, or at any rate or percentage for any period less than a year, no interest exceeding the rate or percentage of five per cent per annum shall be chargeable, payable or recoverable on any part of the principal money unless the contract contains an express statement of the yearly rate or percentage of interest to which the other rate or percentage is equivalent.

5. [Recovery of sums paid otherwise] If any sum is paid on account of any interest not chargeable, payable or recoverable under section 4, the sum may be recovered back or deducted from any principal or interest payable under the contract.

INTÉRÊT SUR DENIERS
GARANTIS PAR HYPOTHÈQUE
SUR IMMEUBLES OU BIENS RÉELS

INTEREST ON MONEYS
SECURED BY MORTGAGE
ON REAL PROPERTY OR HYPOTHEC
ON IMMOVABLES

6. [Il ne peut être recouvré d'intérêt dans certains cas] Lorsqu'un principal ou un intérêt garanti par hypothèque sur immeubles ou biens réels est stipulé, par l'acte d'hypothèque, payable d'après le système du fonds d'amortissement, d'après tout système en vertu duquel les versements du principal et de l'intérêt sont confondus ou d'après tout plan ou système qui comprend une allocation d'intérêt sur des remboursements stipulés, aucun intérêt n'est exigible, payable ou recouvrable sur une partie quelconque du principal prêté, à moins que l'acte d'hypothèque ne fasse mention du principal et du taux de l'intérêt exigible à son égard, calculé annuellement ou semestriellement, mais non d'avance.

S.R., ch. I-18, art. 6; 1976-77, ch. 28, art. 49; 2001, ch. 4, art. 92.

6. [No interest recoverable in certain cases] Whenever any principal money or interest secured by mortgage on real property or hypothec on immovables is, by the mortgage or hypothec, made payable on a sinking fund plan, on any plan under which the payments of principal money and interest are blended or on any plan that involves an allowance of interest on stipulated repayments, no interest whatever shall be chargeable, payable or recoverable on any part of the principal money advanced, unless the mortgage or hypothec, contains a statement showing the amount of the principal money and the rate of interest chargeable on that money, calculated yearly or half-yearly, not in advance.

7. [L'intérêt recouvrable ne peut dépasser le taux ainsi mentionné] Lorsque le taux d'intérêt mentionné en vertu de l'article 6 est moindre que celui qui serait exigible en vertu de quelque autre disposition, calcul ou stipulation de l'acte d'hypothèque, il n'est exigible, payable ou recouvrable sur le principal avancé aucun intérêt plus élevé que le taux ainsi mentionné.

7. [No rate recoverable beyond that so stated] Whenever the rate of interest shown in the statement mentioned in section 6 is less than the rate of interest that would be chargeable by virtue of any other provision, calculation or stipulation in the mortgage or hypothec, no greater rate of interest shall be chargeable, payable or recoverable, on the principal money advanced, than the rate shown in the statement.

S.R., ch. I-18, art. 7; 1976-77, ch. 28, art. 49; 1980-81-82-83, ch. 47, art. 53; 2001, ch. 4, art. 93.

8. (1) [Pas d'amende sur les versements arriérés] Il ne peut être stipulé, retenu, réservé ou exigé, sur des arrérages de principal ou d'intérêt garantis par hypothèque sur immeubles ou biens réels, aucune amende, pénalité ou taux d'intérêt ayant pour effet d'élever les charges sur ces arrérages au-dessus du taux d'intérêt payable sur le principal non arriéré.

(2) [Intérêt sur les arrérages d'intérêt] Le présent article n'a pas pour effet de prohiber un contrat pour le paiement d'intérêt, sur des arrérages d'intérêt ou de principal, à un taux ne dépassant pas celui payable sur le principal non arriéré.

S.R., ch. I-18, art. 8; 2001, ch. 4, art. 94.

8. (1) [No fine, etc., allowed on payments in arrears] No fine, penalty or rate of interest shall be stipulated for, taken, reserved or exacted on any arrears of principal or interest secured by mortgage on real property or hypothec on immovables that has the effect of increasing the charge on the arrears beyond the rate of interest payable on principal money not in arrears.

(2) [Interest on arrears] Nothing in this section has the effect of prohibiting a contract for the payment of interest on arrears of interest or principal at any rate not greater than the rate payable on principal money not in arrears.

9. [Les surcharges peuvent être recouvrées] En cas de paiement d'une somme à compte d'un intérêt, d'une amende ou pénalité qui ne sont pas exigibles, payables ou recouvrables en vertu des articles 6, 7 ou 8, cette somme peut être recouvrée ou déduite de tout autre intérêt, amende ou pénalité exigibles, payables ou recouvrables sur le principal.

S.R., ch. I-18, art. 9.

9. [Overcharge may be recovered back] If any sum is paid on account of any interest, fine or penalty not chargeable, payable or recoverable under section 6, 7 or 8, the sum may be recovered back or deducted from any other interest, fine or penalty chargeable, payable or recoverable on the principal.

10. (1) **[Nul autre intérêt n'est payable]** Lorsqu'un principal ou un intérêt garanti par hypothèque sur immeubles ou biens réels n'est pas payable, d'après les modalités de l'acte d'hypothèque, avant qu'il se soit écoulé plus de cinq ans à compter de la date de l'hypothèque, alors, si, à quelque époque après l'expiration de ces cinq ans, la personne tenue de payer ou ayant le droit de payer en vue d'éteindre ou de racheter l'hypothèque offre ou paie à la personne qui a droit de recevoir l'argent la somme due à titre de principal et l'intérêt jusqu'à la date du paiement calculé conformément aux articles 6 à 9, en y ajoutant trois mois d'intérêt pour tenir lieu d'avis, nul autre intérêt n'est exigible, payable ou recouvrable à une époque ultérieure sur le principal ni sur l'intérêt dû en vertu de l'acte d'hypothèque.

(2) **[Quand l'article ne s'applique pas]** Le présent article n'a pas pour effet de s'appliquer à une hypothèque sur immeubles ou biens réels consentie par une compagnie par actions ou autre personne morale, non plus qu'aux débentures émises par une telle compagnie ou personne morale, dont le remboursement a été garanti au moyen d'hypothèques sur immeubles ou biens réels.

S.R., ch. I-18, art. 10; 2001, ch. 4, art. 95.

11-14. Abrogés.
1992, ch. 1, art. 146.

10. (1) **[When no further interest payable]** Whenever any principal money or interest secured by mortgage on real property or hypothec on immovables is not, under the terms of the mortgage or hypothec, payable until a time more than five years after the date of the mortgage or hypothec, then, if at any time after the expiration of the five years, any person liable to pay, or entitled to pay in order to redeem the mortgage, or to extinguish the hypothec, tenders or pays, to the person entitled to receive the money, the amount due for principal money and interest to the time of payment, as calculated under sections 6 to 9, together with three months further interest in lieu of notice, no further interest shall be chargeable, payable or recoverable at any time after the payment on the principal money or interest due under the mortgage or hypothec.

(2) **[When section not to apply]** Nothing in this section applies to any mortgage on real property or hypothec on immovables given by a joint stock company or other corporation, nor to any debenture issued by any such company or corporation, for the payment of which security has been given by way of mortgage on real property or hypothec on immovables.

11-14. Repealed.

ANNEXE 1

Loi sur le curateur public

DISPOSITIONS DIVERSES
ET TRANSITOIRES

1989, chapitre 54

198. La présente loi remplace la Loi sur la curatelle publique (L.R.Q., chapitre C-80).

1989, c. 54, a. 198.

199. Dans une autre loi, un règlement, arrêté, décret, contrat, entente ou autre document, tout renvoi à la Loi sur la curatelle publique (L.R.Q., chapitre C-80) ou à une de ses dispositions est censé être un renvoi à la Loi sur le curateur public (L.R.Q., chapitre C-81) ou à la disposition équivalente de cette loi.

1989, c. 54, a. 199.

200. Jusqu'au 1er janvier 1994, les articles 1338 à 1411 du Code civil du Québec (1987, chapitre 18) relatifs à l'administration du bien d'autrui, sont réputés en vigueur pour l'application de la Loi sur le curateur public (L.R.Q., chapitre C-81) et les dispositions relatives aux régimes de protection des majeurs introduits au Code civil du Bas Canada par la présente loi.

1989, c. 54, a. 200; 1992, c. 57, a. 567.

201. Les personnes majeures interdites le 15 avril 1990 sont, à compter de cette date, sous le régime de protection applicable au majeur en tutelle. Cette tutelle s'exerce sur la personne et les biens si elles ont été interdites pour imbécilité, démence ou fureur; elle ne s'exerce que sur les biens dans les autres cas.

Les personnes qui, le 15 avril 1990, sont pourvues d'un conseil judiciaire, sont, à compter de cette date, sous le régime de protection du majeur pourvu d'un conseiller.

1989, c. 54, a. 201.

SCHEDULE 1

Public Curator Act

MISCELLANEOUS AND
TRANSITIONAL PROVISIONS

1989, chapter 54

198. This Act replaces the Public Curatorship Act (R.S.Q., chapter C-80).

199. In any Act, regulation, by-law, order, contract, agreement or other document, any reference to the Public Curatorship Act (R.S.Q., chapter C-80) or to any provision thereof is considered to be a reference to the Public Curator Act (R.S.Q., chapter C-81) or the equivalent provision of that Act.

200. Until 1 January 1994, articles 1338 to 1411 of the Civil Code of Québec (1987, chapter 18), which deal with the administration of the property of others, are deemed in force for the application of the Public Curator Act (R.S.Q., chapter C-81) and of the provisions relating to protective supervision of persons of full age introduced into the Civil Code of Lower Canada by this Act.

201. Persons of full age interdicted on 15 April 1990 shall be, from that date, under protective supervision, as it applies to persons of full age under tutorship. Such tutorship extends to the person and his property where the person has been interdicted for imbecility, insanity or madness; in other cases, the tutorship extends only to the person's property.

Persons who, on 15 April 1990, are provided with a judicial adviser shall be, from that date, subject to protective supervision of persons of full age provided with an adviser.

202. Les personnes visées par un certificat d'incapacité émis en vertu de l'article 10 de la Loi sur la protection du malade mental (L.R.Q., chapitre P-41) ou en vertu de l'article 6 de la Loi sur la curatelle publique (L.R.Q., chapitre C-80) et qui, le 15 avril 1990, ne sont pas autrement sous un régime de protection sont, à compter de cette date, sous le régime de protection applicable au majeur en tutelle à la personne et aux biens.

1989, c. 54, a. 202.

203. Les régimes de protection établis en vertu des articles 201 et 202 peuvent être révisés conformément aux articles 332.10 et 332.11 du Code civil du Bas Canada.

Le délai prévu pour l'examen périodique est de trois ans pour le premier examen, et ce délai court à compter du 15 avril 1990.

1989, c. 54, a. 203.

204. Les sommes provenant de la liquidation de biens qui avaient été confiés à l'administration provisoire du curateur public avant le 18 décembre 1997 sont, lorsque leur liquidation est terminée à cette date, remises au ministre des Finances à la date ou aux dates déterminées par le gouvernement.

Les sommes provenant d'une liquidation postérieure de ces biens sont remises au ministre des Finances au fur et à mesure de leur liquidation.

1989, c. 54, a. 204; 1997, c. 80, a. 44.

205-206. Abrogés.

1997, c. 80, a. 45.

207. Les dispositions de la présente loi entrent en vigueur à la date ou aux dates fixées par le gouvernement.

1989, c. 54, a. 207.

1997, chapitre 80

78. Sous réserve des règles relatives à la prescription, les dispositions des articles 24.2, 24.3, 26 à 26.4, du deuxième alinéa de l'article 26.5 et de l'article 26.6 de la Loi sur le curateur public sont applicables aux biens qui sont devenus des biens non réclamés au sens de l'article 24.1 de cette loi antérieurement au 1er juillet 1999.

202. Persons contemplated by a certificate of incapacity issued under section 10 of the Mental Patients Protection Act (R.S.Q., chapter P-41) or section 6 of the Public Curatorship Act (R.S.Q., chapter C-80) and who, on 15 April 1990, are not otherwise under protective supervision shall be, from that date, under protective supervision, as it applies to persons of full age under tutorship to the person and to property.

203. Protective supervision established under sections 201 and 202 may be reviewed in accordance with articles 332.10 and 332.11 of the Civil Code of Lower Canada.

The term prescribed for the periodic examination is three years for the first examination, and starts running from 15 April 1990.

204. The sums of money deriving from the liquidation of property entrusted to the Public Curator for provisional administration before 18 December 1997 shall, if the liquidation of the property is terminated as of that date, be transferred to the Minister of Finance on the date or dates determined by the Government.

The sums of money deriving from any later liquidation of such property shall be transferred to the Minister of Finance upon its liquidation.

205-206. Repealed.

207. The provisions of this Act will come into force on the date or dates fixed by the Government.

1997, chapter 80

78. Subject to the rules respecting prescription, the provisions of sections 24.2, 24.3 and 26 to 26.4, the second paragraph of section 26.5 and section 26.6 of the Public Curator Act are applicable to property that become unclaimed property within the meaning of section 24.1 of that Act before 1 July 1999.

Cependant, l'obligation faite aux débiteurs ou détenteurs de ces biens de les remettre au curateur public avec l'état qui s'y rapporte, de même que le moment à partir duquel ils lui doivent des intérêts sur ces biens, sont reportés d'autant de jours qu'il est nécessaire pour qu'ils disposent d'un délai d'un an, à compter du 1er juillet 1999, pour donner aux ayants droit l'avis prévu par l'article 26 de cette loi.

1997, c. 80, a. 78.

79. Les sommes constituant le fonds de réserve du curateur public le 18 décembre 1997 sont versées au fonds de roulement du curateur public. 1997, c. 80, a. 79.

80. Le montant maximum du fonds de roulement du curateur public fixé par le gouvernement en application de l'article 58.1 de la Loi sur le curateur public ne peut, pour les deux années qui suivent le 18 décembre 1997, être inférieur au montant des sommes du fonds de réserve versées au fonds de roulement du curateur public en application de l'article 79.

Après cette date, les sommes du fonds de roulement du curateur public qui excèdent le montant fixé par le gouvernement sont remises au ministre des Finances en remboursement de tout ou partie des avances en cours à cette date, le cas échéant, et le solde, s'il en est, est versé au fonds consolidé du revenu.

1997, c. 80, a. 80.

81. Les dispositions de la présente loi ne portent pas atteinte au droit conféré par l'article 205 de la Loi sur le curateur public, tel qu'il se lisait avant le 1er juillet 1999, à un propriétaire, un héritier ou un bénéficiaire visé à cet article de réclamer auprès du curateur public les revenus produits antérieurement au 15 avril 1990 en regard de biens confiés à l'administration provisoire de ce dernier.

1997, c. 80, a. 81.

82. La présente loi entrera en vigueur à la date ou aux dates fixées par le gouvernement, à l'exception des articles 28, 32, 38, 44, 79 et 80 qui entrent en vigueur le 18 décembre 1997.

1997, c. 80, a. 82.

However, the obligation imposed on debtors or holders of such property to transfer the property to the Public Curator together with the related statement, and the time from which the debtors or holders owe the Public Curator interest on such property, shall be postponed by as many days as is required so that the debtors or holders have a period of one year from 1 July 1999 to give to the interested parties the notice required by section 26 of the Public Curator Act.

79. The sums constituting the reserve fund of the Public Curator on 18 December 1997 shall be deposited into the working fund of the Public Curator.

80. The maximum amount of the working fund of the Public Curator fixed by the Government pursuant to section 58.1 of the Public Curator Act may not, for the two years following 18 December 1997, be less than the amount of the sums from the reserve fund deposited into the working fund of the Public Curator pursuant to section 79.

After that date, any amount by which the working fund of the Public Curator exceeds the amount fixed by the Government shall be transferred to the Minister of Finance as repayment of all or part of advances that are outstanding on that date, and the balance, if any, shall be deposited into the consolidated revenue fund.

81. Nothing in this Act shall affect the right granted by section 205 of the Public Curator Act, as it read before 1 July 1999, of an owner, heir or beneficiary referred to in that section to claim from the Public Curator any income accrued before 15 April 1990 in respect of property entrusted to the provisional administration of the Public Curator.

82. This Act comes into force on the date or dates to be fixed by the Government, except sections 28, 32, 38, 44, 79 and 80 which come into force on 18 December 1997.

ANNEXE 2

Loi sur l'assurance automobile

DISPOSITIONS TRANSITOIRES

1989, chapitre 15

23. Le titre I et le titre II de la Loi sur l'assurance automobile (L.R.Q., chapitre A-25) en vigueur le 31 décembre 1989, à l'exception de l'article 45, demeurent en vigueur et continuent de s'appliquer aux personnes qui subissent un dommage corporel avant le 1er janvier 1990.

Toutefois, une personne visée au premier alinéa qui, à compter du 1er janvier 1990, subit une rechute plus de deux ans après la fin de la dernière période d'incapacité pour laquelle elle a eu droit à une indemnité de remplacement du revenu ou, si elle n'a pas eu droit à une telle indemnité, plus de deux ans après la date de son accident, est assujettie aux dispositions de la Loi sur l'assurance automobile (L.R.Q., chapitre A-25) édictées par la présente loi et indemnisée comme si cette rechute était un nouvel accident.

1989, c. 15, a. 23.

24. Les articles 13 et 13.1 de la Loi sur l'assurance automobile (L.R.Q., chapitre A-25) sont abrogés à compter du 19 juin 1989.

1989, c. 15, a. 24.

25. Une personne qui reçoit une indemnité de remplacement du revenu en vertu de la Loi sur l'assurance automobile (L.R.Q., chapitre A-25) telle qu'elle se lit au 31 décembre 1989 et qui, après un nouvel accident, réclame une telle indemnité en vertu des dispositions de cette même loi édictées par la présente loi ne peut les cumuler.

Elle reçoit, toutefois, la plus élevée des indemnités auxquelles elle a droit.

1989, c. 15, a. 25.

26. La présente loi s'applique aux personnes qui subissent un dommage corporel à compter du 1er janvier 1990; toutefois, les articles 79, 81, 83.2 à 83.6 et 83.22 de la Loi sur l'assurance automobile (L.R.Q., chapitre A-25) édictés par la présente loi s'appliquent également aux personnes qui subissent un dommage corporel avant cette date.

1989, c. 15, a. 26.

SCHEDULE 2

Automobile Insurance Act

TRANSITIONAL PROVISIONS

1989, chapter 15

23. Titles I and II of the Automobile Insurance Act (R.S.Q., chapter A-25) in force on 31 December 1989, except section 45, remain in force and continue to apply to persons who suffer bodily injury before 1 January 1990.

However, a person contemplated in the first paragraph who, from 1 January 1990, suffers a relapse more than two years after the end of the last period of disability in respect of which he was entitled to an income replacement indemnity or, if he was not entitled to such an indemnity, more than two years after the date of his accident, is subject to the provisions of the Automobile Insurance Act (R.S.Q., chapter A-25) enacted by this Act and shall receive compensation as if the relapse were a second accident.

24. Sections 13 and 13.1 of the Automobile Insurance Act (R.S.Q., chapter A-25) are repealed from 19 June 1989.

25. No person receiving an income replacement indemnity under the Automobile Insurance Act (R.S.Q., chapter A-25) as it reads on 31 December 1989 who, after a second accident, claims such an indemnity under the provisions of the said Act enacted by this Act shall collect both indemnities.

He shall receive, however, the greater of the indemnities to which he is entitled.

26. This Act applies to persons who suffer bodily injury from 1 January 1990; however, sections 79, 81, 83.2 to 83.6 and 83.22 of the Automobile Insurance Act (R.S.Q., chapter A-25) enacted by this Act apply as well to persons who suffer bodily injury before that date.

1995, chapitre 55

7. L'article 29 de la Loi sur l'assurance automobile (L.R.Q., chapitre A-25), dans sa rédaction antérieure au 1er janvier 1990, qui avait été maintenu en vigueur par la Loi modifiant la Loi sur l'assurance automobile et d'autres dispositions législatives (1989, chapitre 15) à l'égard des personnes ayant subi un dommage corporel avant cette date, cesse de s'appliquer.

1995, c. 55, a. 7.

1999, chapitre 14

36. L'article 1 de la Loi sur l'assurance automobile (1977, chapitre 68), qui a été maintenu en vigueur par l'article 23 de la Loi modifiant la Loi sur l'assurance automobile et d'autres dispositions législatives (1989, chapitre 15) à l'égard des personnes qui ont subi un dommage corporel avant cette date, est modifié au paragraphe 7, dans la définition de «conjoints»:

1° par le remplacement, dans la première ligne, des mots «l'homme et la femme» par les mots «les personnes»;

2° par le remplacement, au paragraphe *a*, du mot «mariés» par le mot «mariées»;

3° par l'insertion, au paragraphe *b* et après le mot «maritalement», des mots «, qu'elles soient de sexe différent ou de même sexe»;

4° par le remplacement, au sous-paragraphe ii du paragraphe *b*, du mot «représentés» par le mot «représentées».

1999, c. 14, a. 36.

1999, chapitre 22

42. Malgré l'article 83.34 de la Loi sur l'assurance automobile, sont revalorisés uniquement à compter du 1er janvier 2001 les montants prévus aux articles 69 et 73 de cette loi, tels qu'édictés respectivement par les articles 13 et 15 de la présente loi, ainsi que les montants d'indemnité fixés dans un règlement pris pour l'application de l'article 73.

1999, c. 22, a. 42.

43. Malgré l'article 23 de la Loi modifiant la Loi sur l'assurance automobile et d'autres dispositions législatives (1989, chapitre 15), le taux d'intérêt fixé en application du troisième alinéa de l'article 83.32 de la Loi sur l'assurance automobile édicté par l'article 23 de la présente loi est le taux applicable au paiement d'intérêts sur les indemnités versées aux victimes d'accidents survenus avant le 1er janvier

1995, chapter 55

7. Section 29 of the Automobile Insurance Act (R.S.Q., chapter A-25), as it read prior to 1 January 1990, which had been maintained in force by the Act to amend the Automobile Insurance Act and other legislation (1989, chapter 15) in respect of persons who suffered bodily injury before that date, ceases to apply.

1999, chapter 14

36. The text of section 1 of the Automobile Insurance Act (1977, chapter 68), maintained in force by section 23 of the Act to amend the Automobile Insurance Act and other legislation (1989, chapter 15) in respect of persons who suffer bodily injury before that date, is amended in paragraph 7 in the definition of "spouses":

(1) by replacing "a man and a woman" in the first line by "two persons";

(2) by replacing "mariés" in the French text of paragraph *a* by "mariées";

(3) by replacing "as husband and wife" in paragraph *b* by "in a de facto union, whether the persons are of the opposite or the same sex,";

(4) by replacing "représentés" in the French text of subparagraph ii of paragraph *b* by "représentées".

1999, chapter 22

42. Notwithstanding section 83.34 of the Automobile Insurance Act, the amounts provided for in section 69 and 73 of that Act, as enacted by sections 13 and 15 of this Act, respectively, and the indemnity amounts fixed in a regulation governing the application of section 73 shall only be indexed from 1 January 2001.

43. Notwithstanding section 23 of the Act to amend the Automobile Insurance Act and other legislative provisions (1989, chapter 15), the interest rate fixed pursuant to the third paragraph of section 83.32 of the Automobile Insurance Act, enacted by section 23 of this Act, is the rate applicable to interest payments on indemnities paid to victims of accidents having occurred before 1 January 1990 and

1990 et les articles 83.35 à 83.39 de la Loi sur l'assurance automobile s'appliquent à la revalorisation des montants des indemnités versées aux victimes d'accidents survenus avant cette date.

1999, c. 22, a. 43.

44. Les dispositions de la Loi sur l'assurance automobile, telles qu'édictées par les articles 2 à 13, 15 à 17, 24 et 27 à 30 de la présente loi, et les dispositions réglementaires prises en application des paragraphes 12°, 18°, 19° et 36° de l'article 195 de la Loi sur l'assurance automobile tels qu'édictés par l'article 38 de la présente loi sont applicables aux accidents ou aux décès, selon le cas, qui surviendront à compter du 1er janvier 2000; les accidents et les décès survenus avant cette date demeurent régis par les dispositions qui leur étaient alors applicables.

1999, c. 22, a. 44.

sections 83.35 to 83.39 of the Automobile Insurance Act apply to the indexation of the amount of indemnities paid to victims of accidents having occurred before that date.

44. The provisions of the Automobile Insurance Act, as enacted by sections 2 to 13, 15 to 17, 24 and 27 to 30 of this Act, and the regulatory provisions adopted under paragraphs 12, 18, 19 and 36 of section 195 of the Automobile Insurance Act, as enacted by section 38 of this Act, shall apply to accidents and deaths that occur on or after 1 January 2000; accidents and deaths having occurred before that date shall continue to be governed by the provisions applicable at that time.

Loi sur l'application de la réforme du Code civil

**Projet de loi 38
(1992, chapitre 57)**

An Act respecting the implementation of the reform of the Civil Code

**Bill 38
(1992, chapter 57)**

Modifiée par / *Amended by*:

1995, c. 33, a./s. 1 à/*to* 10
1998, c. 5, a./s. 19
1999, c. 40, a./s. 335
2000, c. 42, a./s. 87 à/*to* 94

LOI SUR L'APPLICATION DE LA RÉFORME DU CODE CIVIL

AN ACT RESPECTING THE IMPLEMENTATION OF THE REFORM OF THE CIVIL CODE

TABLE DES MATIÈRES

TABLE OF CONTENTS

	Articles
TITRE I — **Dispositions transitoires**	1-170
Disposition préliminaire	1
Chapitre premier — **Dispositions générales**	2-10
Chapitre deuxième — **Dispositions particulières**	11-170
Section I — Personnes	11-30
§ 1. — Changement de nom	11
§ 2. — Absence	12-14
§ 3. — Registres et actes de l'état civil	15-21
§ 4. — Tutelle au mineur	22-29
§ 5. — Personnes morales	30
Section II — Famille	31-36
Section III — Successions	37-47
Section IV — Biens	48-74
Section V — Obligations	75-132
§ 1. — Obligations en général	75-97
I — Formation du contrat	75-80
II — Interprétation du contrat	81
III — Effets du contrat	82-84
IV — Responsabilité civile	85-86
V — Exécution de l'obligation	87-93
VI — Transmission et mutations de l'obligation	94-95
VII — Extinction de l'obligation	96
VIII — Restitution des prestations	97
§ 2. — Contrats nommés	98-132
I — Contrat de vente	98-102
II — Contrat de donation	103-106
III — Contrat de crédit-bail	107
IV — Contrat de louage	108-111
V — Contrat de transport	112-113
VI — Contrat d'entreprise ou de service	114
VII — Contrat de société et d'association	115-125
VIII — Contrat de dépôt	126
IX — Contrat de prêt	127
X — Contrat de cautionnement	128-131
XI — Contrat de rente	132

	Sections
TITLE I — **Transitional provisions**	1-170
Preliminary provision	1
Chapter I — **General provisions**	2-10
Chapter II — **Special provisions**	11-170
Division I — Persons	11-30
§ 1. — Change of name	11
§ 2. — Absence	12-14
§ 3. — Registers and acts of civil status	15-21
§ 4. — Tutorship to minors	22-29
§ 5. — Legal persons	30
Division II — The family	31-36
Division III — Successions	37-47
Division IV — Property	48-74
Division V — Obligations	75-132
§ 1. — Obligations in general	75-97
I — Formation of contracts	75-80
II — Interpretation of contracts	81
III — Effects of contracts	82-84
IV — Civil liability	85-86
V — Performance of obligations	87-93
VI — Transfer and alteration of obligations	94-95
VII — Extinction of obligations	96
VIII — Restitution of prestations	97
§ 2. — Nominate contract	98-132
I — Contracts of sale	98-102
II — Contracts of gift	103-106
III — Contracts of leasing	107
IV — Contracts of lease	108-111
V — Contracts of carriage	112-113
VI — Contracts of enterprise or for services	114
VII — Contracts of partnership and of association	115-125
VIII — Contracts of deposit	126
IX — Contracts of loan	127
X — Contracts of suretyship	128-131
XI — Contracts of annuity	132

Section VI — Priorités et hypothèques		133-140
Section VII — Preuve		141-142
Section VIII — Prescription		143
Section IX — Publicité des droits		144-166
		Articles
§ 1. — Publicité foncière		144-156
§ 2. — Publicité des droits personnels et réels mobiliers		157-164
§ 3. — Abrogée		165-166
Section X — Droit international privé		167-170
TITRE II — **Code de procédure civile**		171-422
TITRE III — **Dispositions relatives aux autres lois**		423-710
Chapitre premier — **Dispositions interprétatives**		423-424
Chapitre deuxième — **Dispositions modificatives particulières**		425-710
Dispositions finales		719

Division VI — Prior claims and hypothecs		133-140
Division VII — Proof		141-142
Division VIII — Prescription		143
Division IX — Publication of rights		144-166
		Sections
§ 1. — Publication by registration in the land register		144-156
§ 2. — Publication of personal and movable real rights		157-164
§ 3. — Repealed		165-166
Division X — Private international law		167-170
TITLE II — **Code of civil Procedure**		171-422
TITLE III — **Provisions relating to other acts**		423-710
Chapter I — **Interpretative provisions**		423-424
Chapter I — **Special amending provisions**		425-710
Final provisions		719

LOI SUR L'APPLICATION DE LA RÉFORME DU CODE CIVIL

Projet de loi 38
(1992, chapitre 57)

AN ACT RESPECTING THE IMPLEMENTATION OF THE REFORM OF THE CIVIL CODE

Bill 38
(1992, chapter 57)

TITRE I
DISPOSITIONS TRANSITOIRES

DISPOSITION PRÉLIMINAIRE

TITLE I
TRANSITIONAL PROVISIONS

PRELIMINARY PROVISION

Art. 1. Les dispositions du présent titre ont pour objet de régler les conflits de lois résultant de l'entrée en vigueur du Code civil du Québec et des modifications corrélatives apportées par la présente loi.

Le chapitre premier pose les règles générales de droit transitoire. Le second présente les règles particulières à chacun des livres du code, lesquelles contiennent des ajouts ou des dérogations aux règles générales ou précisent, dans certains cas, l'application ou la portée de ces règles.

1992, c. 57, a. 1.

Art. 1. The object of the provisions of this Title is to govern conflicts of legislation resulting from the coming into force of the Civil Code of Québec and the corresponding amendments introduced by this Act.

Chapter I lays down the general transitional rules of law. Chapter II sets forth the special rules for each Book of the Code; these rules contain certain additions and exceptions to the general rules, or specify the application or scope of the general rules in certain cases.

CHAPITRE PREMIER
DISPOSITIONS GÉNÉRALES

CHAPTER I
GENERAL PROVISIONS

Art. 2. La loi nouvelle n'a pas d'effet rétroactif: elle ne dispose que pour l'avenir.

Ainsi, elle ne modifie pas les conditions de création d'une situation juridique antérieurement créée ni les conditions d'extinction d'une situation juridique antérieurement éteinte. Elle n'altère pas non plus les effets déjà produits par une situation juridique.

1992, c. 57, a. 2.

Art. 2. The new legislation has no retroactive effect; it applies only to the future.

It does not, therefore, change the conditions for creation of a previously created legal situation, nor the conditions for extinction of a previously extinguished legal situation, and it does not alter the effects already produced by a legal situation.

Art. 3. La loi nouvelle est applicable aux situations juridiques en cours lors de son entrée en vigueur.

Ainsi, les situations en cours de création ou d'extinction sont, quant aux conditions de création ou d'extinction qui n'ont pas encore été remplies, régies par la loi nouvelle; celle-ci régit également les effets à venir des situations juridiques en cours.

1992, c. 57, a. 3.

Art. 3. The new legislation is applicable to legal situations which exist when it comes into force.

Any hitherto unfulfilled conditions for the creation or extinction of situations in the course of being created or extinguished are therefore governed by the new legislation; it also governs the future effects of existing legal situations.

Art. 4. Dans les situations juridiques contractuelles en cours lors de l'entrée en vigueur de la nouvelle loi, la loi ancienne survit lorsqu'il s'agit de recourir à des règles supplétives pour déterminer la portée et l'étendue des droits et des obligations des parties, de même que les effets du contrat.

Cependant, les dispositions de la loi nouvelle s'appliquent à l'exercice des droits et à l'exécution des obligations, à leur preuve, leur transmission, leur mutation ou leur extinction.

1992, c. 57, a. 4.

Art. 5. Les stipulations d'un acte juridique antérieures à la loi nouvelle et qui sont contraires à ses dispositions impératives sont privées d'effet pour l'avenir.

1992, c. 57, a. 5.

Art. 6. Lorsque la loi nouvelle allonge un délai, le nouveau délai s'applique aux situations en cours, compte tenu du temps déjà écoulé.

Si elle abrège un délai, le nouveau délai s'applique, mais il court à partir de l'entrée en vigueur de la loi nouvelle. Le délai prévu par la loi ancienne est cependant maintenu lorsque l'application du délai nouveau aurait pour effet de proroger l'ancien.

Si un délai, qui n'existait pas dans la loi ancienne, est introduit par la loi nouvelle et prend comme point de départ un événement qui, en l'espèce, s'est produit avant son entrée en vigueur, ce délai, s'il n'est pas déjà écoulé, court à compter de cette entrée en vigueur.

1992, c. 57, a. 6.

Art. 7. Les actes juridiques entachés de nullité lors de l'entrée en vigueur de la loi nouvelle ne peuvent plus être annulés pour un motif que la loi nouvelle ne reconnaît plus.

1992, c. 57, a. 7.

Art. 8. Peuvent valablement être prises avant l'entrée en vigueur de la loi nouvelle les mesures préalables à l'exercice d'un droit ou d'un pouvoir conféré par cette dernière, y compris l'envoi d'un avis ou l'obtention d'une autorisation.

1992, c. 57, a. 8.

Art. 9. Les instances en cours demeurent régies par la loi ancienne.

Art. 4. In contractual situations which exist when the new legislation comes into force, the former legislation subsists where supplementary rules are used to determine the extent and scope of the rights and obligations of the parties and the effects of the contract.

However, the provisions of the new legislation apply to the exercise of the rights and the performance of the obligations, and to their proof, transfer, alteration or extinction.

Art. 5. The stipulations of a juridical act made prior to the new legislation which are contrary to its imperative provisions are without effect for the future.

Art. 6. Where the new legislation lengthens a prescribed period of time, the new period applies to existing situations and account is taken of the time already elapsed.

Where it shortens a prescribed period, the new period applies, but begins to run from the coming into force of the new legislation. However, the period prescribed in the former legislation is maintained where it would in fact be extended if the new period applied.

Where a period of time not prescribed in the former legislation is introduced by the new legislation and begins with an event which in fact occurred before the coming into force of that legislation, the period, if not already expired, runs from that coming into force.

Art. 7. Juridical acts which may be annulled when the new legislation comes into force may not be annulled thenceforth for any reason which is no longer recognized under the new legislation.

Art. 8. The measures to be taken before the exercise of a right or power conferred by the new legislation, including the sending of a notice or the obtaining of an authorization, may validly be taken before the coming into force of the new legislation.

Art. 9. Proceedings pending continue to be governed by the former legislation.

Cette règle reçoit exception lorsque le jugement à venir est constitutif de droits ou que la loi nouvelle, en application des dispositions de la présente loi, a un effet rétroactif. Elle reçoit aussi exception pour tout ce qui concerne la preuve et la procédure en l'instance.

1992, c. 57, a. 9.

Art. 10. Les demandes introduites suivant la procédure ordinaire en première instance sont continuées conformément aux règles nouvelles applicables à une telle procédure, même lorsque la loi nouvelle prévoit que de telles demandes seront désormais introduites par voie de requête, sauf aux parties à convenir de procéder suivant la voie nouvelle.

1992, c. 57, a. 10.

CHAPITRE DEUXIÈME
DISPOSITIONS PARTICULIÈRES

SECTION I
PERSONNES

§ 1. — *Changement de nom*

Art. 11. Les demandes de changement de nom ou de changement de la mention du sexe et du prénom formées antérieurement à l'entrée en vigueur de la loi nouvelle demeurent régies par la loi ancienne.

Toutefois, celles qui avaient été adressées au ministre de la Justice sont déférées au directeur de l'état civil.

1992, c. 57, a. 11.

§ 2. — *Absence*

Art. 12. Les curateurs à l'absent deviennent tuteurs à l'absent.

1992, c. 57, a. 12.

Art. 13. Les envoyés en possession provisoire des biens d'un absent demeurent en possession provisoire et sont soumis au régime de la simple administration du bien d'autrui.

La possession provisoire se termine par la nomination d'un tuteur en application de l'article 87 du nouveau code ou par l'une des causes énumérées à l'article 90 du même code.

1992, c. 57, a. 13.

An exception is made to this rule where the judgment to be rendered creates rights or where the new legislation has a retroactive effect pursuant to the provisions of this Act. A further exception is made for all matters concerning proof and procedure in such proceedings.

Art. 10. Applications made according to the ordinary procedure in first instance are continued in accordance with the new rules applicable to ordinary procedure, even where the new legislation provides that in the future such applications are to be made by way of a motion, unless the parties agree to proceed according to the new provisions.

CHAPTER II
SPECIAL PROVISIONS

DIVISION I
PERSONS

§ 1. — *Change of name*

Art. 11. Applications for a change of name or for a change of designation of sex and given name made prior to the coming into force of the new legislation are governed by the former legislation.

However, applications which were addressed to the Minister of Justice are referred to the registrar of civil status.

§ 2. — *Absence*

Art. 12. Curators to absentees become tutors to absentees.

Art. 13. The persons authorized to take provisional possession of the property of an absentee remain in provisional possession and are subject to the regime of simple administration of the property of others.

Provisional possession is terminated by the appointment of a tutor pursuant to article 87 of the new Code or by one of the causes of termination set forth in article 90 of that Code.

Art. 14. Pourvu qu'il y ait préalablement eu envoi en possession provisoire des héritiers présomptifs, les jugements déclaratifs de décès prononcés après l'entrée en vigueur de la loi nouvelle pour une absence survenue avant celle-ci fixent la date du décès au jour de la disparition de l'absent, sauf si les présomptions tirées des circonstances permettent de tenir la mort pour certaine à une autre date.

1992, c. 57, a. 14.

§ 3. — Registres et actes de l'état civil

Art. 15. Le double de tout registre qui n'aurait pas déjà été remis au greffier de la Cour supérieure, doit sans délai être remis au directeur de l'état civil. L'autre exemplaire est conservé par son détenteur ou, à défaut, remis au directeur de l'état civil.

Lorsque les registres n'ont été tenus qu'en un seul exemplaire, celui-ci doit être remis au directeur de l'état civil. Doivent lui être remis également les registres détenus par des greffiers. Le directeur de l'état civil authentifie tout registre qui n'aurait pas déjà été authentifié.

1992, c. 57, a. 15.

Art. 16. Le directeur de l'état civil peut, de la manière prévue au nouveau code, procéder à l'insertion et à la correction d'actes dans les registres déjà tenus.

Avec l'autorisation du ministre de la Justice et selon les conditions que celui-ci détermine, le directeur de l'état civil peut reconstituer, conformément au Code de procédure civile, mais à l'exception de la signification prévue à l'article 871.2, des registres perdus, détruits ou détériorés, ou encore qui devaient être tenus et ne l'ont pas été ou compléter ceux qui l'ont été de manière incomplète.

À ces fins, le directeur de l'état civil jouit de l'immunité et est investi des pouvoirs prévus par la Loi sur les commissions d'enquête (L.R.Q., chapitre C-37), sauf le pouvoir d'imposer l'emprisonnement.

1992, c. 57, a. 16.

Art. 17. Les constats faits en application de la Loi sur la protection de la santé publique (L.R.Q., chapitre P-35) et qualifiés par la loi ancienne de déclarations peuvent servir, après l'entrée en vigueur de la loi nouvelle, à établir un acte de l'état civil.

1992, c. 57, a. 17.

Art. 14. Where the presumptive heirs have been authorized to take provisional possession, a declaratory judgment of death pronounced after the coming into force of the new legislation in respect of an absence beginning before such coming into force fixes as the date of death the day of the disappearance of the absentee, except where the presumptions drawn from the circumstances allow the death to be held to be certain at another date.

§ 3. — Registers and acts of civil status

Art. 15. The duplicate of a register which has not already been handed over to the clerk of the Superior Court shall be handed over without delay to the registrar of civil status. The other copy is retained by its holder or, if not, is handed over to the registrar of civil status.

Where only one copy of a register has been kept, it shall be handed over to the registrar of civil status, as shall any register held by a clerk. The registrar of civil status authenticates any register which has not already been authenticated.

Art. 16. The registrar of civil status may, in the manner provided for in the new Code, insert and correct acts in the registers already kept by him.

With the authorization of and in accordance with the conditions determined by the Minister of Justice, the registrar of civil status may, in accordance with the Code of Civil Procedure and with the exception of the notification provided for in article 871.2, reconstitute any register which has been lost, destroyed or damaged, or which ought to have been kept and has not been kept, or which has been kept in an incomplete manner.

For those purposes, the registrar of civil status has the immunity and is vested with the powers provided for in the Act respecting public inquiry commissions (R.S.Q., chapter C-37), except the power to order imprisonment.

Art. 17. Attestations made pursuant to the Public Health Protection Act (R.S.Q., chapter P-35) and described as declarations by the former legislation may, after the coming into force of the new legislation, be used to establish an act of civil status.

Art. 18. Les extraits des registres de l'état civil délivrés avant l'entrée en vigueur de la loi nouvelle demeurent valables.

1992, c. 57, a. 18.

Art. 19. Les reconstitutions de registres en cours sont complétées suivant l'ancienne Loi sur la reconstitution des registres de l'état civil (L.R.Q., chapitre R-2).

1992, c. 57, a. 19.

Art. 20. Le directeur de l'état civil n'est pas tenu de porter aux actes de naissance, de mariage ou de décès et aux certificats d'état civil qu'il délivre les mentions prévues aux articles 134 et 135 du nouveau code résultant d'événements antérieurs à l'entrée en vigueur de la loi nouvelle.

Il assure la publicité des décès survenus avant l'entrée en vigueur de la loi nouvelle au moyen de copies d'actes de décès, ainsi que de certificats et d'attestations de décès, tirés des actes de sépulture dressés en application de la loi ancienne, et au moyen des constats de décès faits en application de la Loi sur la protection de la santé publique (L.R.Q., chapitre P-35), qualifiés de déclarations par la loi ancienne. S'il y a divergence entre le constat de décès et l'acte de sépulture, celui-ci prévaut.

1992, c. 57, a. 20.

Art. 21. Le directeur de l'état civil peut permettre à toute église qui était autorisée par la loi ancienne à tenir des registres de l'état civil de reconstituer l'exemplaire des registres qu'elle conservait en utilisant le double dont il a la garde.

1992, c. 57, a. 21.

§ 4. — *Tutelle au mineur*

Art. 22. Le curateur au mineur émancipé en justice devient le tuteur au mineur émancipé.

1992, c. 57, a. 22.

Art. 23. Le mineur qui exerçait la tutelle à son enfant continue d'exercer sa charge, conformément aux règles nouvelles de la tutelle.

1992, c. 57, a. 23.

Art. 18. Extracts from the registers of civil status issued before the coming into force of the new legislation remain valid.

Art. 19. Where a register is in the process of being reconstituted, the reconstitution is completed in accordance with the former Act respecting the reconstitution of civil status registers (R.S.Q., chapter R-2).

Art. 20. The registrar of civil status is not bound to make, on acts of birth, marriage or death and on certificates of civil status which he issues, the notations provided for in sections 134 and 135 of the new Code if the events from which such notations result occurred prior to the coming into force of the new legislation.

He publishes deaths occurring before the coming into force of the new legislation by means of copies of acts of death and certificates and attestations of death based on the acts of burial drawn up under the former legislation, and by means of attestations of death made under the Public Health Protection Act (R.S.Q., chapter P-35) and described as declarations by the former legislation. In cases of divergence between the attestation of death and the act of burial, the latter prevails.

Art. 21. The registrar of civil status may allow a church authorized to keep registers of civil status under the former legislation to reconstitute the copy of the registers preserved by that church by using the duplicate of which he has custody.

§ 4. — *Tutorship to minors*

Art. 22. A curator to a judicially emancipated minor becomes a tutor to an emancipated minor.

Art. 23. A minor having tutorship of his child retains it in accordance with the new rules of tutorship.

Art. 24. Les tutelles datives qui, lors de l'entrée en vigueur du nouveau code, sont exercées par un seul des père et mère peuvent, sur simple accord des parents constaté par écrit ou, à défaut, sur décision du tribunal, être converties en tutelles légales attribuées aux deux parents. Ces derniers doivent aviser le curateur public de cette conversion.

Si elles sont exercées par un tiers, elles peuvent, sur demande adressée au tribunal par les parents ou l'un d'eux, être converties en tutelles légales attribuées aux deux parents ou à l'un d'eux, selon le cas.

1992, c. 57, a. 24.

Art. 25. A plein effet la tutelle prévue par testament fait avant la date d'entrée en vigueur de la loi nouvelle, si le décès survient postérieurement à cette date.

1992, c. 57, a. 25.

Art. 26. Les curatelles à l'enfant conçu mais non encore né, qui sont en cours à la date d'entrée en vigueur de la loi nouvelle, demeurent régies par la loi ancienne.

1992, c. 57, a. 26.

Art. 27. Les subrogés-tuteurs et les subrogés-curateurs deviennent des conseils de tutelle formés d'une seule personne. Ils ont les pouvoirs et devoirs d'un conseil de tutelle.

Tout intéressé peut demander au tribunal la constitution d'un nouveau conseil, sans avoir à invoquer des motifs graves.

1992, c. 57, a. 27.

Art. 28. Par dérogation à l'article 188 du nouveau code, les tuteurs aux biens qui sont parties à une instance en cours lors de l'entrée en vigueur de la loi nouvelle la continuent.

1992, c. 57, a. 28.

Art. 29. Les avis donnés par le conseil de famille en application de l'article 297 de l'ancien code, en vue de passer un acte visé à cet article, valent comme avis du conseil de tutelle.

1992, c. 57, a. 29.

Art. 24. A dative tutorship exercised by the father or mother alone when the new Code comes into force may, by simple agreement of the parents in writing or, where there is no such agreement, by decision of the court, be converted to a legal tutorship conferred on both parents. The parents must notify the Public Curator of the conversion.

Where a dative tutorship is exercised by a third person, it may, upon an application to the court by one or both of the parents, be converted to a legal tutorship conferred on one or both of the parents, as the case may be.

Art. 25. A tutorship provided by a will made before the date on which the new legislation comes into force has full effect, provided that death occurs after that date.

Art. 26. Curatorships to children conceived but yet unborn which are in effect on the date on which the new legislation comes into force continue to be governed by the former legislation.

Art. 27. Subrogate tutors and subrogate curators become tutorship councils composed of only one person. They have the powers and duties of tutorship councils.

Any interested person may apply to the court for the establishment of a new council without invoking grave reasons.

Art. 28. By way of exception to article 188 of the new Code, a tutor to property who is a party to proceedings pending when the new legislation comes into force has continuance of suit.

Art. 29. Advice given by a family council pursuant to article 297 of the former Code with a view to the making of an act contemplated in that article is valid as advice from a tutorship council.

§ 5. — *Personnes morales*

Art. 30. Les personnes morales qui existaient au temps de la cession du pays et qui, n'ayant pas été continuées et reconnues par autorité compétente aux termes du second alinéa de l'article 353 de l'ancien code, agissent toujours comme personnes morales sont réputées être légalement constituées.

1992, c. 57, a. 30.

SECTION II
FAMILLE

Art. 31. Les mariages célébrés avant l'entrée en vigueur de la loi nouvelle ne peuvent être annulés que pour les causes que celle-ci reconnaît.

1992, c. 57, a. 31.

Art. 32. La répartition, en propres et en acquêts, des biens visés à l'article 456 du nouveau code est faite suivant la loi en vigueur lors de leur acquisition.

1992, c. 57, a. 32.

Art. 33. L'article 476 du nouveau code est applicable à toute société d'acquêts dissoute avant son entrée en vigueur, lorsque la faculté d'accepter le partage des acquêts ou d'y renoncer n'a pas encore été exercée par les intéressés et que le délai pour l'exercer n'est pas encore écoulé.

1992, c. 57, a. 33.

Art. 34. L'usufruit légal du conjoint survivant, en cours lors de l'entrée en vigueur du nouveau code, demeure régi par les articles 1426 à 1433 de l'ancien code.

1992, c. 57, a. 34.

Art. 35. L'article 540 du nouveau code est applicable même lorsque le consentement à la procréation médicalement assistée a été donné avant l'entrée en vigueur dudit code.

1992, c. 57, a. 35.

Art. 36. Les avis donnés par un conseil de famille en application de l'article 655 de l'ancien Code civil du Québec sont considérés comme des avis d'un conseil de tutelle.

1992, c. 57, a. 36.

§ 5. — *Legal persons*

Art. 30. Legal persons which existed at the time of the cession of the country and which, although they have not been continued or recognized by competent authority pursuant to the second paragraph of article 353 of the former Code, still act as legal persons, are deemed to be legally constituted.

DIVISION II
THE FAMILY

Art. 31. Marriages solemnized before the coming into force of the new legislation may not be annulled except for causes recognized by that legislation.

Art. 32. Property contemplated by article 456 of the new Code is divided into private property and acquests in accordance with the legislation in force when the property is acquired.

Art. 33. Article 476 of the new Code is applicable to every partnership of acquests dissolved before the date on which the new Code comes into force, where the interested parties have not yet accepted or renounced the partition of acquests and where the period for so doing has not yet expired.

Art. 34. The legal usufruct of a surviving consort in effect when the new Code comes into force continues to be governed by articles 1426 to 1433 of the former Code.

Art. 35. Article 540 of the new Code is applicable even where consent to medically assisted procreation was given before the coming into force of that Code.

Art. 36. Advice given by a family council pursuant to article 655 of the former Civil Code of Québec is considered to be advice from a tutorship council.

SECTION III
SUCCESSIONS

Art. 37. Les successions sont régies par la loi en vigueur au jour de leur ouverture.

1992, c. 57, a. 37.

Art. 38. Les causes d'indignité et de révocation de testament ou de legs prévues respectivement par les articles 610 et 893 de l'ancien code qui n'ont pas encore été appliquées lors de l'entrée en vigueur de la loi nouvelle, ne peuvent plus l'être si elles ne sont pas reconnues par cette loi.

En ce qui concerne les successions ouvertes après l'entrée en vigueur de la loi nouvelle, les causes d'indignité prévues par les articles 620 et 621 du nouveau code sont applicables bien que la cause d'indignité soit survenue antérieurement à cette entrée en vigueur.

1992, c. 57, a. 38.

Art. 39. Pour les successions ouvertes avant l'entrée en vigueur de la loi nouvelle:

1° la capacité requise pour exercer le droit d'option après l'entrée en vigueur de la loi nouvelle s'apprécie suivant les dispositions de cette dernière;

2° le droit, prévu par l'article 626 du nouveau code, de se faire reconnaître la qualité d'héritier s'éteint à l'expiration des dix années qui suivent l'entrée en vigueur de la loi nouvelle ou, si ce droit s'ouvre après l'entrée en vigueur, à l'expiration des dix années qui suivent cette ouverture;

3° le droit de rétractation prévu à l'article 657 de l'ancien code ne peut être exercé que dans les dix ans qui suivent l'entrée en vigueur de la loi nouvelle;

4° le successible qui n'a pas exercé son droit d'option avant l'expiration des dix années qui suivent l'entrée en vigueur de la loi nouvelle est réputé avoir renoncé à la succession.

1992, c. 57, a. 39.

Art. 40. Sous réserve de l'article 7, la capacité requise pour tester et les formes du testament s'apprécient suivant la loi en vigueur au jour où le testament est fait.

1992, c. 57, a. 40.

Art. 41. La représentation, dans les successions testamentaires, n'a lieu que dans la mesure prévue par la loi en vigueur au jour où le testament est fait.

1992, c. 57, a. 41.

DIVISION III
SUCCESSIONS

Art. 37. Successions are governed by the legislation in force on the day they open.

Art. 38. The causes of unworthiness and revocation of wills and legacies set forth in articles 610 and 893, respectively, of the former Code which have not yet been applied when the new legislation comes into force may no longer be applied if they are not recognized by that legislation.

The causes of unworthiness set forth in articles 620 and 621 of the new Code are applicable to successions which open after the coming into force of the new legislation, even where the cause of unworthiness arose before such coming into force.

Art. 39. For successions which open before the coming into force of the new legislation,

(1) the capacity required to exercise the right of option after the coming into force of the new legislation is appraised according to the provisions of that legislation;

(2) the right provided in article 626 of the new Code to be recognized as an heir is extinguished upon the expiry of ten years from the coming into force of the new legislation or, where the right arises after such coming into force, upon the expiry of ten years after it arises;

(3) the right to retract a renunciation under article 657 of the former Code may be exercised only within ten years from the coming into force of the new legislation;

(4) a successor who has not exercised his right of option before the expiry of ten years from the coming into force of the new legislation is deemed to have renounced the succession.

Art. 40. Subject to section 7, the capacity required to make a will and the form of the will are appraised according to the legislation in force on the day the will is made.

Art. 41. In testamentary successions, representation takes place only to the extent provided by the legislation in force on the day the will is made.

Art. 42. Les dispositions de l'article 758 du nouveau code, relatives aux clauses pénales et aux clauses d'exhérédation qui prennent la forme d'une clause pénale, sont applicables aux testaments faits avant l'entrée en vigueur de la loi nouvelle.

Cette règle reçoit exception lorsque, s'agissant de successions ouvertes avant l'entrée en vigueur de la loi nouvelle, leur liquidation est déjà commencée lors de cette entrée en vigueur.

1992, c. 57, a. 42.

Art. 43. Dans les successions ouvertes après l'entrée en vigueur de la loi nouvelle, la stipulation d'hypothèque testamentaire, faite en application des dispositions de l'article 880 de l'ancien code, est réputée imposer au liquidateur de la succession la constitution d'une hypothèque immobilière conventionnelle au profit des personnes en faveur desquelles elle a été stipulée.

1992, c. 57, a. 43.

Art. 44. Sont applicables aux testaments faits antérieurement à l'entrée en vigueur de la loi nouvelle les dispositions de l'article 771 du nouveau code, relatives à l'exécution de charges devenues impossibles ou trop onéreuses, ainsi que celles des articles 772 à 775 de ce code, relatives à la preuve et à la vérification des testaments.

1992, c. 57, a. 44.

Art. 45. Les successions ouvertes dont la liquidation n'est pas encore commencée lors de l'entrée en vigueur de la loi nouvelle sont liquidées suivant cette dernière et il peut être fait application, à ces successions, de l'article 835 du nouveau code.

La liquidation d'une succession est réputée commencée dès qu'un legs particulier ou une dette de la succession, autre que celles résultant de comptes usuels d'entreprises de services publics ou dont le paiement revêt un caractère de nécessité, est payé.

1992, c. 57, a. 45.

Art. 46. Les articles 837 à 847, 849 à 866 et 884 à 898 du nouveau code sont applicables, compte tenu des adaptations nécessaires, aux successions ouvertes avant l'entrée en vigueur de la loi nouvelle quant aux biens dont le partage n'est pas encore commencé; le partage d'un bien est réputé commencé dès lors qu'une opération est réalisée, en vue d'y procéder, postérieurement à la décision des héritiers ou du tribunal de partager le bien.

Art. 42. The provisions of article 758 of the new Code, concerning penal clauses or exheredations taking the form of penal clauses, are applicable to wills made before the coming into force of the new legislation.

An exception is made to this rule where liquidation of a succession having opened before the coming into force of the new legislation has already begun when that legislation comes into force.

Art. 43. In a succession which opens after the coming into force of the new legislation, a testamentary stipulation of hypothecation made under the provisions of article 880 of the former Code is deemed to require the liquidator of the succession to grant a conventional immovable hypothec for the benefit of the persons in whose favour the stipulation was made.

Art. 44. The provisions of article 771 of the new Code, concerning the execution of a charge which becomes impossible or too burdensome, and the provisions of articles 772 to 775 of that Code, concerning proof and probate of wills, are applicable to wills made before the coming into force of the new legislation.

Art. 45. Successions that have opened but have not yet begun to be liquidated when the new legislation comes into force are liquidated pursuant to the new legislation, and article 835 of the new Code may be applied to those successions.

Liquidation of a succession is deemed to have begun when a legacy by particular title or a debt of the succession, other than the ordinary public utility bills or debts in need of payment, is paid.

Art. 46. Articles 837 to 847, 849 to 866 and 884 to 898 of the new Code are applicable, adapted as required, to successions which open before the coming into force of the new legislation in respect of property partition of which has not begun; partition of property is deemed to have begun when an operation is effected for the purpose of proceeding therewith, after the decision of the heirs or the court to partition the property.

La présente règle ne s'applique pas aux actions en partage en cours lors de l'entrée en vigueur de la loi nouvelle.

1992, c. 57, a. 46.

Art. 47. Pour les successions ouvertes après l'entrée en vigueur de la loi nouvelle, les donations faites avant cette entrée en vigueur sont exclues de l'application de l'article 630 de l'ancien code, mais demeurent sujettes au rapport en application de ce code.

1992, c. 57, a. 47.

SECTION IV
BIENS

Art. 48. L'article 903 du nouveau code est censé ne permettre de considérer immeubles que les meubles visés qui assurent l'utilité de l'immeuble, les meubles qui, dans l'immeuble, servent à l'exploitation d'une entreprise ou à la poursuite d'activités étant censés demeurer meubles.

1992, c. 57, a. 48.

Art. 49. Toute impense faite avant l'entrée en vigueur de la loi nouvelle est régie par cette loi.

1992, c. 57, a. 49.

Art. 50. Le détenteur d'un bien qui lui a été confié pour être gardé, travaillé ou transformé peut, si le bien n'a pas été réclamé à la fin du travail ou de la période convenue ou s'il a été oublié, en disposer conformément aux dispositions des articles 944 et 945 du nouveau code. Il conserve néanmoins la faculté de procéder à la vente conformément à la loi ancienne si toutes les formalités de publicité prévues par cette loi ont déjà été accomplies lors de l'entrée en vigueur de la loi nouvelle.

1992, c. 57, a. 50.

Art. 51. L'indivision établie par convention avant l'entrée en vigueur de la loi nouvelle est régie par cette loi quant aux droits et obligations des indivisaires, à l'administration du bien indivis ou à la fin de l'indivision et au partage.

1992, c. 57, a. 51.

Art. 52. En matière de copropriété divise d'un immeuble, les collectivités de copropriétaires deviennent des syndicats. Les droits et obligations des administrateurs des copropriétés passent aux syndicats.

This rule does not apply to an action in partition which is pending when the new legislation comes into force.

Art. 47. For successions which open after the coming into force of the new legislation, gifts made before such coming into force are excluded from the application of article 630 of the former Code, but remain subject to return pursuant to that Code.

DIVISION IV
PROPERTY

Art. 48. Under article 903 of the new Code, only those movables referred to which ensure the utility of the immovable are to be considered as immovables, and any movables which, in the immovable, are used for the operation of an enterprise or the pursuit of activities are to remain movables.

Art. 49. All disbursements made before the coming into force of the new legislation are governed by that legislation.

Art. 50. The holder of a thing entrusted for safekeeping, work or processing may, if it is not claimed upon completion of the work or at the end of the agreed period or if it is forgotten, dispose of it in accordance with the provisions of articles 944 and 945 of the new Code. He nevertheless remains entitled to proceed with the sale thereof in accordance with the former legislation if all the formalities of publication required by that legislation have already been completed when the new legislation comes into force.

Art. 51. In situations of indivision established by agreement before the coming into force of the new legislation, the rights and obligations of undivided co-owners, the administration of the undivided property and the end of indivision and partition are governed by the new legislation.

Art. 52. In matters concerning divided co-ownership of an immovable, a group of coproprietors becomes a syndicate. The rights and obligations of the administrators of the co-ownership are transferred to the syndicate.

Les administrateurs de la copropriété deviennent les administrateurs du syndicat et en constituent le conseil d'administration, sauf cause d'inhabilité.

Le syndicat est désigné par le nom que s'est donné la collectivité des copropriétaires ou sous lequel elle est généralement connue, ou encore par l'adresse du lieu où est situé l'immeuble.

1992, c. 57, a. 52.

Art. 53. La copropriété divise d'un immeuble établie avant l'entrée en vigueur de la loi nouvelle est régie par cette loi.

La stipulation de la déclaration de copropriété qui pose la règle de l'unanimité pour les décisions visant à changer la destination de l'immeuble est toutefois maintenue, malgré l'article 1101 du nouveau code.

Est également maintenue, malgré l'article 1064 du nouveau code, la stipulation de la déclaration de copropriété qui fixe la contribution aux charges résultant de la copropriété et de l'exploitation de l'immeuble suivant les dimensions de la partie privative de chaque fraction.

1992, c. 57, a. 53.

Art. 54. Les clauses contenues dans les déclarations de copropriété existantes sont classées dans l'une ou l'autre des catégories visées à l'article 1052 du nouveau code, suivant ce que prévoient les articles 1053 à 1055 de ce code.

1992, c. 57, a. 54.

Art. 55. L'article 1057 du nouveau code est applicable au locataire dont le bail est en cours lors de l'entrée en vigueur de la loi nouvelle.

1992, c. 57, a. 55.

Art. 56. L'article 1058 du nouveau code ne s'applique pas aux copropriétés divises d'immeubles existantes au moment de l'entrée en vigueur de la loi nouvelle sur lesquelles plusieurs personnes détiennent, sur une même fraction, un droit de jouissance périodique et successif.

Toutefois, tant que l'acte constitutif de copropriété n'aura pas été modifié comme le prévoit cet article, l'aliénation de tout droit sur ces fractions, ou sur toute autre fraction du même immeuble est subordonnée, sous peine de nullité, à l'accomplissement des conditions prévues par les dispositions du nouveau code relatives à la vente d'immeubles résidentiels.

1992, c. 57, a. 56.

The administrators of the co-ownership become the directors of the syndicate and constitute the board of directors thereof, except where there is cause for disqualification.

The syndicate is designated by the name which the co-owners as a body have given themselves or by which they are generally known, or by the address of the place where the immovable is located.

Art. 53. Divided co-ownership of an immovable established before the coming into force of the new legislation is governed by that legislation.

However, any stipulation of the declaration of co-ownership which establishes the rule of unanimous approval for decisions changing the destination of the immovable is maintained notwithstanding article 1101 of the new Code.

Notwithstanding article 1064 of the new Code, any stipulation of the declaration of co-ownership which fixes the contribution for expenses arising from the co-ownership and the operation of the immovable on the basis of the dimensions of the private portion of each fraction is also maintained.

Art. 54. The clauses contained in existing declarations of co-ownership are placed in one of the categories contemplated in article 1052 of the new Code, in accordance with the provisions of articles 1053 to 1055 of that Code.

Art. 55. Article 1057 of the new Code is applicable to a lessee under a lease in effect when the new legislation comes into force.

Art. 56. Article 1058 of the new Code does not apply to divided co-ownership of immovables existing when the new legislation comes into force and in which several persons have a periodic and successive right of enjoyment in the same fraction.

However, as long as the act constituting the co-ownership has not been amended pursuant to article 1058, the alienation of any right in such a fraction, or in any other fraction of the same immovable, is subordinate, on pain of nullity, to the fulfillment of the conditions relating to the sale of residential immovables provided in the new Code.

Art. 57. Le défaut de diligence visé au second alinéa de l'article 1081 du nouveau code, s'apprécie conformément à la loi ancienne si le vice caché s'est manifesté avant l'entrée en vigueur de la loi nouvelle.

1992, c. 57, a. 57.

Art. 57. The failure to act with diligence referred to in the second paragraph of article 1081 of the new Code is appraised in accordance with the former legislation if the latent defect was discovered before the coming into force of the new legislation.

Art. 58. Dans les copropriétés divises existantes au moment de l'entrée en vigueur de la loi nouvelle, les délais prévus aux articles 1104 et 1107 du nouveau code courent à compter de l'entrée en vigueur de la loi nouvelle.

1992, c. 57, a. 58.

Art. 58. In divided co-ownerships which exist at the time the new legislation comes into force, the periods provided for in articles 1104 and 1107 of the new Code run from the coming into force of the new legislation.

Art. 59. Les situations juridiques visées par l'ancienne Loi sur les constituts ou sur le régime de tenure (L.R.Q., chapitre C-64) sont régies par les dispositions du nouveau code relatives à la propriété superficiaire, à l'exception des offres d'acquisition déjà faites en application de cette loi.

1992, c. 57, a. 59.

Art. 59. Legal situations which were governed by the former Constitut or Tenure System Act (R.S.Q., chapter C-64), other than offers to acquire already made under that Act, are governed by the provisions of the new Code relating to superficies.

Art. 60. Les articles 1139 à 1141 du nouveau code sont applicables aux usufruits établis par contrat qui sont en cours lors de l'entrée en vigueur de la loi nouvelle.

1992, c. 57, a. 60.

Art. 60. Articles 1139 to 1141 of the new Code are applicable to usufructs established by contract and existing when the new legislation comes into force.

Art. 61. Le retard injustifié de l'usufruitier à faire inventaire ou à fournir une sûreté pour un usufruit ouvert avant la date d'entrée en vigueur du nouveau code ne donne pas lieu à l'application de l'article 1146 dudit code, sauf si l'usufruitier a été mis en demeure par le nu-propriétaire, auquel cas il a soixante jours pour remplir ses obligations.

1992, c. 57, a. 61.

Art. 61. Any unjustified delay on the part of the usufructuary in making an inventory or in furnishing security for a usufruct which opens before the date on which the new Code comes into force does not give rise to the application of article 1146 of that Code, except where the usufructuary has been put in default by the bare owner, in which case he has sixty days to fulfill his obligations.

Art. 62. Les dispositions des articles 1148 et 1149 du nouveau code, relatives à l'assurance du bien sujet à un usufruit, ne s'appliquent pas aux usufruits établis avant l'entrée en vigueur de la loi nouvelle.

1992, c. 57, a. 62.

Art. 62. The provisions of articles 1148 and 1149 of the new Code concerning insurance of property subject to usufruct do not apply to usufructs established before the new legislation comes into force.

Art. 63. Les dispositions du second alinéa de l'article 1153 du nouveau code, relatives au droit de l'usufruitier de se faire rembourser, à la fin de l'usufruit, le coût des réparations majeures auxquelles il a procédé, sont applicables aux réparations faites par l'usufruitier après l'entrée en vigueur de la loi nouvelle.

1992, c. 57, a. 63.

Art. 63. The provisions of the second paragraph of article 1153 of the new Code, concerning the right of usufructuaries to be reimbursed at the end of the usufruct for the cost of major repairs made by them, are applicable to repairs made by a usufructuary after the new legislation comes into force.

Art. 64. Pour les servitudes existantes au moment de l'entrée en vigueur de la loi nouvelle, la faculté de racheter une servitude de passage en application de l'article 1189 du nouveau code peut être exercée à l'expiration d'un délai de trente ans à compter de l'entrée en vigueur de la loi nouvelle.

1992, c. 57, a. 64.

Art. 65. En matière d'emphytéose, les règles de la loi nouvelle sont applicables aux contrats d'emphytéose en cours, lorsqu'il s'agit d'en compléter les dispositions.

1992, c. 57, a. 65.

Art. 66. Celui dont le bien est inaliénable lors de l'entrée en vigueur de la loi nouvelle, par suite d'une stipulation contenue dans une libéralité antérieure à cette date, peut être autorisé par le tribunal à disposer du bien si l'une ou l'autre des conditions prévues à l'article 1213 du nouveau code est réalisée.

1992, c. 57, a. 66.

Art. 67. La substitution constituée par contrat avant l'entrée en vigueur de la loi nouvelle est régie, quant à ses effets et à son ouverture, par la loi nouvelle, de la même manière que la substitution établie par testament.

1992, c. 57, a. 67.

Art. 68. Les substitutions non encore ouvertes à la date d'entrée en vigueur de la loi nouvelle, alors que le grevé est déjà décédé, ou celles dont le grevé est une personne morale, seront ouvertes trente ans après cette date, à moins qu'une époque antérieure n'ait été fixée par le disposant dans l'acte constitutif de la substitution.

1992, c. 57, a. 68.

Art. 69. Lorsqu'avant l'entrée en vigueur de la loi nouvelle le grevé a aliéné ou affecté d'une sûreté les biens substitués, ou lorsque ces biens ont fait l'objet d'une saisie ou d'une vente forcée, le droit de l'appelé de reprendre les biens à l'ouverture de la substitution demeure régi par la loi ancienne.

1992, c. 57, a. 69.

Art. 70. Les sommes détenues par le protonotaire à titre de dépôt judiciaire en vertu de l'article 953a de l'ancien code sont remises au grevé. Les remboursements du capital prêté qui devaient être faits au protonotaire en vertu de ce même article le sont au grevé.

1992, c. 57, a. 70.

Art. 64. Servitudes of right of way which exist when the new legislation comes into force may be redeemed pursuant to article 1189 of the new Code upon the expiry of a period of thirty years from the coming into force of the new legislation.

Art. 65. The rules of the new legislation concerning emphyteusis are applicable to existing contracts of emphyteusis insofar as they complete the provisions thereof.

Art. 66. A person whose property is inalienable when the new legislation comes into force, as a result of a stipulation contained in a liberality made prior to that date, may be authorized by the court to dispose of the property if any of the conditions provided in article 1213 of the new Code is satisfied.

Art. 67. The effects and opening of a substitution established by contract before the new legislation comes into force are governed by the new legislation in the same manner as a substitution established by will.

Art. 68. Substitutions which have not yet opened on the date on which the new legislation comes into force, and in respect of which the institute is already deceased or is a legal person, open thirty years after that date, except where an earlier time has been fixed by the grantor in the act constituting the substitution.

Art. 69. Where, before the coming into force of the new legislation, the institute has alienated the substituted property or used it as security, or where the property has been the subject of a seizure or a forced sale, the right of the substitute to take back the property when the substitution opens continues to be governed by the former legislation.

Art. 70. Amounts held by a prothonotary as judicial deposits under article 953a of the former Code are remitted to the institute. Reimbursements of capital loaned which, under that article, were to be made to the prothonotary, are made to the institute.

Art. 71. Les fondations et les fiducies établies par donation avant l'entrée en vigueur de la loi nouvelle sont régies, quant à leurs effets et leur extinction, par la loi nouvelle, de la même manière que celles établies par testament.

1992, c. 57, a. 71.

Art. 72. La période maximale de cent ans prévue à l'article 1272 du nouveau code court à compter de l'entrée en vigueur de la loi nouvelle pour les fiducies constituées antérieurement, et pour les personnes morales bénéficiaires d'une fiducie si leurs droits sont alors ouverts.

1992, c. 57, a. 72.

Art. 73. L'administration du bien d'autrui confiée par contrat au gérant de biens indivis ou au fiduciaire avant l'entrée en vigueur de la loi nouvelle est régie par cette loi, de la même manière que l'administration du bien d'autrui confiée par un autre mode.

1992, c. 57, a. 73.

Art. 74. Les placements faits avant l'entrée en vigueur de la loi nouvelle suivant les dispositions de l'article 981o de l'ancien code sont des placements présumés sûrs au sens du nouveau code.

1992, c. 57, a. 74.

SECTION V
OBLIGATIONS

§ 1. — *Obligations en général*

I — FORMATION DU CONTRAT

Art. 75. La nullité d'un contrat conclu avant l'entrée en vigueur de la loi nouvelle ne peut plus être prononcée sur le fondement de l'erreur inexcusable d'une des parties.

1992, c. 57, a. 75.

Art. 76. Le vice de consentement provoqué par le dol d'une partie contractante ou d'un tiers à la connaissance d'une partie contractante avant l'entrée en vigueur de la loi nouvelle peut désormais être invoqué par l'autre partie, lors même qu'elle aurait néanmoins contracté, mais à des conditions différentes.

1992, c. 57, a. 76.

Art. 71. The effects and extinction of foundations and trust constituted by gift before the new legislation comes into force are governed by the new legislation in the same manner as foundations and trusts constituted by will.

1992, c. 57, a. 71.

Art. 72. The maximum period of one hundred years provided for in article 1272 of the new Code runs from the coming into force of the new legislation for trusts constituted before that time and for legal persons who are beneficiaries of a trust, provided, in the latter case, that their rights have opened at that time.

Art. 73. Administration of the property of others entrusted by contract to a manager of undivided property or to a trustee before the new legislation comes into force is governed by that legislation, as in the case of the administration of the property of others entrusted otherwise than by contract.

Art. 74. Investments made in accordance with the provisions of article 981o of the former Code before the coming into force of the new legislation are presumed sound investments within the meaning of the new Code.

DIVISION V
OBLIGATIONS

§ 1. — *Obligations in general*

I — FORMATION OF CONTRACTS

Art. 75. The nullity of a contract made before the coming into force of the new legislation may no longer be pronounced on the basis of an inexcusable error on the part of one of the parties.

Art. 76. The defect of consent induced by fraud committed before the coming into force of the new legislation by one of the parties to the contract or by a third person with the knowledge of one of the parties may henceforth be invoked by the other party even where he would still have contracted, but on different terms.

Art. 77. Aucune action, fondée sur la crainte suscitée par un tiers chez une partie à un contrat conclu avant l'entrée en vigueur de la loi nouvelle, ne peut désormais être reçue ou maintenue si la violence ou les menaces du tiers étaient inconnues de l'autre partie au moment du contrat.

1992, c. 57, a. 77.

Art. 78. Les dispositions des articles 1407, 1408 et 1421 du nouveau code, concernant respectivement les recours qui s'offrent à celui dont le consentement est vicié, le pouvoir conféré au tribunal de maintenir dans certains cas le contrat dont la nullité est demandée et la présomption de nullité relative s'attachant au contrat qui n'est pas conforme aux conditions nécessaires à sa formation, sont applicables aux contrats formés avant l'entrée en vigueur de la loi nouvelle.

1992, c. 57, a. 78.

Art. 79. La nullité relative d'un contrat conclu avant l'entrée en vigueur de la loi nouvelle peut être invoquée par le cocontractant de la personne en faveur de qui elle est établie, dans les conditions prévues à l'article 1420 du nouveau code.

1992, c. 57, a. 79.

Art. 80. La confirmation d'un contrat faite antérieurement à l'entrée en vigueur de la loi nouvelle sans respecter les conditions de l'article 1214 de l'ancien code est néanmoins valable si elle satisfait aux conditions établies par l'article 1423 du nouveau code.

1992, c. 57, a. 80.

II — INTERPRÉTATION DU CONTRAT

Art. 81. Les dispositions de l'article 1432 du nouveau code, relatives à l'interprétation d'un contrat d'adhésion ou de consommation, s'appliquent aux contrats en cours.

1992, c. 57, a. 81.

III — EFFETS DU CONTRAT

Art. 82. Les clauses abusives, illisibles ou incompréhensibles d'un contrat antérieur à la loi nouvelle sont nulles, ou l'obligation qui en découle, réductible, dans les conditions prévues aux articles 1436 et 1437 du nouveau code.

1992, c. 57, a. 82.

Art. 77. No action based on fear induced by a third person in a party to a contract made before the coming into force of the new legislation may henceforth be received or maintained if the violence exerted or threats made by the third person were unknown to the other party at the time the contract was made.

Art. 78. The provisions of articles 1407, 1408 and 1421 of the new Code concerning, respectively, the remedies available to the person whose consent is vitiated, the power granted to the court to maintain, in certain cases, a contract in respect of which a demand for annulment has been made, and the presumption of relative nullity of a contract which does not meet the necessary conditions of its formation, are applicable to contracts formed before the coming into force of the new legislation.

Art. 79. The relative nullity of a contract made before the coming into force of the new legislation may, in the conditions set forth in article 1420 of the new Code, be invoked by the party contracting with the person in whose interest the nullity is established.

Art. 80. The confirmation of a contract given prior to the coming into force of the new legislation but which does not comply with the conditions of article 1214 of the former Code is nevertheless valid if it satisfies the conditions established by article 1423 of the new Code.

II — INTERPRETATION OF CONTRACTS

Art. 81. The provisions of article 1432 of the new Code, concerning the interpretation of contracts of adhesion or consumer contracts, apply to existing contracts.

III — EFFECTS OF CONTRACTS

Art. 82. Abusive, illegible or incomprehensible clauses of a contract made prior to the new legislation are null, or the obligation arising from them may be reduced, in the conditions set forth in articles 1436 and 1437 of the new Code.

Art. 83. Pour tout contrat conclu antérieurement à l'entrée en vigueur de la loi nouvelle, la loi ancienne demeure applicable aux garanties, légales ou conventionnelles, dues par les parties contractantes entre elles ou à l'égard de leurs héritiers ou ayants cause à titre particulier.

1992, c. 57, a. 83.

Art. 84. Les dispositions de l'article 1456 du nouveau code, relatives à la charge des risques afférents à un bien qui est l'objet d'un droit réel transféré par contrat, ne s'appliquent pas aux situations où l'obligation de délivrance du bien, même exigible après l'entrée en vigueur de la loi nouvelle, découle d'un transfert effectué antérieurement.

1992, c. 57, a. 84.

IV — RESPONSABILITÉ CIVILE

Art. 85. Les conditions de la responsabilité civile sont régies par la loi en vigueur au moment de la faute ou du fait qui a causé le préjudice.

1992, c. 57, a. 85.

Art. 86. Le droit d'une personne à la réparation du préjudice qu'elle subit en raison du décès d'une autre personne demeure régi par les dispositions de l'article 1056 de l'ancien code, dès lors que le décès résulte d'une faute ou d'un fait antérieurs à l'entrée en vigueur de la loi nouvelle.

1992, c. 57, a. 86.

V — EXÉCUTION DE L'OBLIGATION

Art. 87. Le paiement est régi par la loi en vigueur au moment où il est effectué.

1992, c. 57, a. 87.

Art. 88. Les droits du créancier en cas d'inexécution de l'obligation du débiteur sont régis par la loi en vigueur au moment de l'inexécution, sous réserve des dispositions qui suivent.

1992, c. 57, a. 88.

Art. 89. Est sans effet la stipulation ou la déclaration antérieures à l'entrée en vigueur de la loi nouvelle visant à dispenser le créancier de prouver que le débiteur est en demeure de plein droit.

1992, c. 57, a. 89.

Art. 83. In any contract made before the coming into force of the new legislation, the former legislation continues to apply to the warranties, both legal or conventional, to which the contracting parties are obliged between themselves or in respect of their heirs or successors by particular title.

Art. 84. The provisions of article 1456 of the new Code, concerning the bearing of risks attached to a property which is the subject of a real right transferred by contract, do not apply to situations in which the obligation to deliver the property, even where exigible after the coming into force of the new legislation, arises from a transfer made before that time.

IV — CIVIL LIABILITY

Art. 85. The conditions of civil liability are governed by the legislation in force at the time of the fault or act which causes the injury.

Art. 86. The right of a person to damages for injury suffered by reason of the death of another person continues to be governed by the provisions of article 1056 of the former Code, provided the death occurred as a result of a fault or act having occurred prior to the coming into force of the new legislation.

V — PERFORMANCE OF OBLIGATIONS

Art. 87. Payment is governed by the legislation in force at the time it is made.

Art. 88. The rights of a creditor in case of nonperformance of an obligation of a debtor are governed by the legislation in force at the time of the nonperformance, subject to the provisions which follow.

Art. 89. A stipulation or statement made prior to the coming into force of the new legislation and intended to exempt the creditor from the obligation to prove that the debtor is in default by operation of law is without effect.

Art. 90. Les dispositions de l'article 1604 du nouveau code, relatives à la résolution ou à la résiliation du contrat et à la réduction des obligations qui en découlent, s'appliquent dès l'entrée en vigueur de la loi nouvelle, même si l'inexécution reprochée au débiteur s'est produite antérieurement.

1992, c. 57, a. 90.

Art. 91. Les dispositions des articles 1614 et 1615, du second alinéa de l'article 1616, et de l'article 1618 du nouveau code, relatives à la réparation du préjudice corporel et aux intérêts que portent certains dommages-intérêts, sont applicables aux demandes introduites après l'entrée en vigueur de la loi nouvelle, même si l'inexécution de l'obligation, ou encore la faute ou le fait qui a causé le préjudice, se sont produits avant l'entrée en vigueur.

1992, c. 57, a. 91.

Art. 92. Les dispositions des articles 1623 à 1625 du nouveau code sont applicables aux clauses pénales non encore exécutées, même si l'inexécution de l'obligation s'est produite antérieurement.

1992, c. 57, a. 92.

Art. 93. Les actions obliques ou en inopposabilité en cours ne peuvent être rejetées pour le seul motif que la créance du demandeur n'était pas liquide ou exigible au moment où il a intenté l'action.

1992, c. 57, a. 93.

VI — TRANSMISSION ET MUTATIONS DE L'OBLIGATION

Art. 94. Les cessions de créance sont régies par la loi en vigueur au moment de la cession, mais les conditions d'opposabilité prévues par le nouveau code sont applicables aux cessions antérieures à son entrée en vigueur lorsque les conditions prévues par l'ancien code n'ont pas encore été remplies.

1992, c. 57, a. 94.

Art. 95. Sont privés d'effet pour l'avenir les stipulations antérieures à l'entrée en vigueur de la loi nouvelle subordonnant la subrogation au consentement préalable du débiteur.

1992, c. 57, a. 95.

Art. 90. The provisions of article 1604 of the new Code, concerning the resolution or resiliation of a contract and the reduction of the obligations arising from it, apply upon the coming into force of the new legislation, even where nonperformance by the debtor occurred before that time.

Art. 91. The provisions of articles 1614 and 1615, the second paragraph of article 1616 and article 1618 of the new Code, concerning damages for bodily injury and interest on certain damages, are applicable to applications filed after the coming into force of the new legislation, even where the nonperformance of the obligation or the fault or act causing the injury occurred before such coming into force.

Art. 92. The provisions of articles 1623 to 1625 of the new Code are applicable to penal clauses not yet executed, even if the nonperformance of the obligation occurred previously.

Art. 93. Pending oblique or paulian actions may not be dismissed for the sole reason that the claim of the plaintiff was not liquid and exigible at the time the action was instituted.

VI — TRANSFER AND ALTERATION OF OBLIGATIONS

Art. 94. The assignment of a claim is governed by the legislation in force when the assignment is made, but the conditions provided by the new Code for setting it up are applicable to an assignment made prior to its coming into force if the conditions provided by the former Code have not yet been fulfilled.

Art. 95. Stipulations made prior to the coming into force of the new legislation which render subrogation dependent on the prior consent of the debtor are without effect for the future.

VII — EXTINCTION DE L'OBLIGATION

Art. 96. La libération d'un débiteur, à la suite de l'acquisition, faite antérieurement à l'entrée en vigueur de la loi nouvelle, par un créancier privilégié ou hypothécaire d'un bien qui lui appartenait, demeure régie par la loi ancienne.

1992, c. 57, a. 96.

VIII — RESTITUTION DES PRESTATIONS

Art. 97. Les dispositions des articles 1699 à 1707 du nouveau code sont applicables aux restitutions postérieures à son entrée en vigueur, mais fondées sur des causes de restitution antérieures.

1992, c. 57, a. 97.

§ 2. — *Contrats nommés*

I — CONTRAT DE VENTE

Art. 98. Abrogé.

1998, c. 5, a. 19.

Art. 99. Dans les ventes à tempérament faites avant l'entrée en vigueur de la loi nouvelle, le transfert des risques de perte du bien demeure régi par la loi ancienne.

1992, c. 57, a. 99.

Art. 100. Par dérogation à l'article 1753 du nouveau code, la faculté de rachat stipulée avant l'entrée en vigueur de la loi nouvelle, pour un terme excédant cinq ans, conserve son terme initial.

1992, c. 57, a. 100.

Art. 101. Les ventes en bloc faites avant l'entrée en vigueur de la loi nouvelle demeurent régies par les dispositions des articles 1569a et suivants de l'ancien code.

1992, c. 57, a. 101.

Art. 102. L'article 1801 du nouveau code s'applique aux clauses de dation en paiement stipulées dans un acte portant hypothèque avant l'entrée en vigueur de la loi nouvelle si, à ce moment, le droit à leur exécution n'a pas encore été mis en oeuvre suivant les règles de l'article 1040a de l'ancien code.

VII — EXTINCTION OF OBLIGATIONS

Art. 96. The discharge of a debtor following the acquisition, prior to the coming into force of the new legislation, by a privileged or hypothecary creditor of property which belonged to him continues to be governed by the former legislation.

1992, c. 57, a. 96.

VIII — RESTITUTION OF PRESTATIONS

Art. 97. The provisions of articles 1699 to 1707 of the new Code are applicable to restitutions based on former causes of restitution but made after the coming into force of the new Code.

1992, c. 57, a. 97.

§ 2. — *Nominate contracts*

I — CONTRACTS OF SALE

Art. 98. Repealed.

Art. 99. In instalment sales made before the coming into force of the new legislation, transfers of the risks of loss of the property continue to be governed by the former legislation.

1992, c. 57, a. 99.

Art. 100. By way of exception to article 1753 of the new Code, a right of redemption stipulated before the coming into force of the new legislation for a term exceeding five years retains its original term.

1992, c. 57, a. 100.

Art. 101. Bulk sales made before the coming into force of the new legislation continue to be governed by the provisions of articles 1569a and following of the former Code.

Art. 102. Article 1801 of the new Code applies to clauses of giving in payment stipulated in an act constituting a hypothec before the coming into force of the new legislation if, at that time, the right to execution thereof has not yet been acquired by completion of the formalities set out in article 1040a of the former Code.

Les droits rattachés aux clauses de dation en paiement, qui survivent ou sont exercées suivant le premier alinéa, ou les droits qui découlent de l'exécution de ces clauses sont aussi conservés.

1992, c. 57, a. 102.

The rights attached to clauses of giving in payment which survive or are executed pursuant to the first paragraph, and the rights arising from the execution of such clauses, are also maintained.

II — CONTRAT DE DONATION

Art. 103. Les dispositions de l'article 1812 du nouveau code, relatives à la promesse de donation, sont applicables aux promesses antérieures à l'entrée en vigueur de la loi nouvelle.

Toutefois, le bénéficiaire de la promesse n'a droit, en cas d'inexécution de celle-ci, qu'à des dommages-intérêts équivalents aux avantages qu'il a concédés à compter de la date d'entrée en vigueur de la loi nouvelle et aux frais qu'il a faits à compter de cette date.

1992, c. 57, a. 103.

Art. 104. Le donataire qui, lors d'une donation entre vifs faite par contrat de mariage avant l'entrée en vigueur de la loi nouvelle, s'était obligé à acquitter des dettes ou des charges à venir dont ni la nature ni le montant n'étaient déterminés, n'a désormais cette obligation qu'à concurrence de la valeur des biens donnés.

1992, c. 57, a. 104.

Art. 105. Les donations à cause de mort valablement faites en vertu des dispositions de l'ancien code ne peuvent être annulées sur la base des dispositions de l'article 1840 du nouveau code, même si leur acceptation n'a lieu qu'après l'entrée en vigueur de celui-ci.

1992, c. 57, a. 105.

Art. 106. Les dispositions de l'article 1841 du nouveau code sont applicables aux donations à cause de mort faites avant son entrée en vigueur, si elles n'ont pas encore été exécutées au jour de l'entrée en vigueur.

1992, c. 57, a. 106.

III — CONTRAT DE CRÉDIT-BAIL

Art. 107. Abrogé.

1998, c. 5, a. 19.

II — CONTRACTS OF GIFT

Art. 103. The provisions of article 1812 of the new Code concerning the promise of a gift are applicable to promises made prior to the coming into force of the new legislation.

However, where the promise is not fulfilled, the beneficiary of the promise is entitled to damages equivalent only to the benefits he has granted and the expenses he has incurred since the date on which the new legislation came into force.

Art. 104. A donee who, at the time of a gift *inter vivos* made by marriage contract before the coming into force of the new legislation, obligated himself to pay future debts or charges of an undetermined nature and amount, is thenceforth bound by that obligation only up to the value of the property given.

Art. 105. Gifts in contemplation of death validly made pursuant to the provisions of the former Code may not be annulled on the basis of the provisions of article 1840 of the new Code, even where their acceptance takes place after the coming into force of the new Code.

Art. 106. The provisions of article 1841 of the new Code are applicable to gifts in contemplation of death made before the date on which it comes into force, provided such gifts have not yet been executed on that date.

III — CONTRACTS OF LEASING

Art. 107. Repealed.

IV — CONTRAT DE LOUAGE

Art. 108. Le sous-locateur d'un logement autre qu'une chambre est dispensé du préavis de fin de bail prévu par l'article 1940 du nouveau code, lorsque le bail, ayant été conclu avant l'entrée en vigueur de la loi nouvelle, doit prendre fin dans les dix jours qui suivent cette entrée en vigueur.

1992, c. 57, a. 108.

Art. 109. Les dispositions du dernier alinéa de l'article 1955 du nouveau code ne s'appliquent pas aux baux conclus avant son entrée en vigueur.

1992, c. 57, a. 109.

Art. 110. Outre le cas prévu par l'article 1958 du nouveau code, celui qui, lors de l'entrée en vigueur de la loi nouvelle, est propriétaire d'une part indivise d'un immeuble peut reprendre un logement s'y trouvant si les conditions prévues par les paragraphes 2 et 3 de l'article 1659 de l'ancien code sont remplies.

1992, c. 57, a. 110.

Art. 111. Les dispositions de l'article 1988 du nouveau code, relatives aux recours du locateur en cas de fausse déclaration du locataire, sont applicables aux déclarations précédant d'un an ou moins l'entrée en vigueur de la loi nouvelle.

Le délai prévu par l'article 1988 court à compter de l'entrée en vigueur de la loi nouvelle.

1992, c. 57, a. 111.

V — CONTRAT DE TRANSPORT

Art. 112. Le droit d'action contre un transporteur de biens, pour les pertes ou avaries survenues avant l'entrée en vigueur de la loi nouvelle, demeure régi par les dispositions de l'article 1680 de l'ancien code.

1992, c. 57, a. 112.

Art. 113. Les dispositions des articles 2080 à 2084 du nouveau code, relatives à la responsabilité de l'entrepreneur de manutention, ne s'appliquent que si la faute ou le fait qui a causé le préjudice est survenu après l'entrée en vigueur de la loi nouvelle; au cas contraire, la faute ou le fait demeure régi par l'ancien droit, même si le préjudice ne s'est manifesté qu'après l'entrée en vigueur de la loi nouvelle.

1992, c. 57, a. 113.

IV — CONTRACTS OF LEASE

Art. 108. A sublessor of a dwelling other than a room is not required to provide a prior notice of termination of a lease under article 1940 of the new Code if the lease is entered into before the coming into force of the new legislation and terminates within ten days after such coming into force.

Art. 109. The provisions of the last paragraph of article 1955 of the new Code do not apply to a lease entered into before the coming into force of that article.

Art. 110. Except in the case contemplated in article 1958 of the new Code, the person who, on the coming into force of the new legislation, is the owner of an individed share of an immovable may repossess a dwelling therein if the conditions set forth in subparagraphs 2 and 3 of the second paragraph of article 1659 of the former Code are fulfilled.

Art. 111. The provisions of article 1988 of the new Code, concerning the remedies of a lessor in the case of a false statement by the lessee, are applicable to statements made one year or less before the coming into force of the new legislation.

The period provided in article 1988 runs from the coming into force of the new legislation.

V — CONTRACTS OF CARRIAGE

Art. 112. The right of action against a carrier of property in respect of loss or damage occurring before the coming into force of the new legislation continues to be governed by the provisions of article 1680 of the former Code.

Art. 113. The provisions of articles 2080 to 2084 of the new Code concerning the liablity of the handling contractor apply only if the fault or act which caused the injury occurred after the coming into force of the new legislation; if this is not the case, the fault or act continues to be governed by the former legislation, even where the injury becomes evident only after the coming into force of the new legislation.

VI — CONTRAT D'ENTREPRISE OU DE SERVICE

Art. 114. Les articles 2118 à 2121 et 2124 du nouveau code s'appliquent, à l'égard des pertes résultant d'un vice ou d'une malfaçon, dans la mesure où l'origine du vice ou de la malfaçon est postérieure à l'entrée en vigueur de la loi nouvelle.

1992, c. 57, a. 114.

VII — CONTRAT DE SOCIÉTÉ ET D'ASSOCIATION

Art. 115. Les sociétés civiles deviennent, dès l'entrée en vigueur de la loi nouvelle, des sociétés en nom collectif; la responsabilité de la société et des associés envers les tiers demeure, néanmoins, régie par la loi ancienne pour les actes conclus et les obligations contractées antérieurement.

Ces sociétés sont tenues de se déclarer en application des dispositions des articles 2189 et 2190 du nouveau code, dans un délai d'un an à compter de son entrée en vigueur; à défaut, elles deviennent des sociétés en participation.

1992, c. 57, a. 115.

Art. 116. Les sociétés anonymes deviennent des sociétés en participation.

La responsabilité des associés à l'égard des tiers demeure toutefois régie par les dispositions de l'article 1870 de l'ancien code pour toute obligation contractée avant l'entrée en vigueur de la loi nouvelle.

1992, c. 57, a. 116.

Art. 117. Les sociétés par actions qui étaient soumises, suivant l'article 1889 de l'ancien code, aux règles générales des sociétés commerciales en nom collectif deviennent des sociétés en nom collectif.

1992, c. 57, a. 117.

Art. 118. Les sociétés qui sont en défaut de se déclarer lors de l'entrée en vigueur de la loi nouvelle deviennent des sociétés en participation, en application des dispositions du nouveau code, si elles n'y ont pas remédié à l'expiration d'un délai d'un an à compter de cette entrée en vigueur.

1992, c. 57, a. 118.

VI — CONTRACTS OF ENTERPRISE OR FOR SERVICES

Art. 114. Articles 2118 to 2121 and 2124 of the new Code apply in respect of losses resulting from a defect or poor workmanship, to the extent that the origin of the defect or poor workmanship is subsequent to the coming into force of the new legislation.

VII — CONTRACTS OF PARTNERSHIP AND OF ASSOCIATION

Art. 115. Civil partnerships become general partnerships upon the coming into force of the new legislation; the liability of the partnership and the partners towards third persons nevertheless continues to be governed by the former legislation for acts performed and obligations contracted before that time.

Such partnerships are bound to make declarations, in accordance with the provisions of articles 2189 and 2190 of the new Code, within one year from the coming into force of the new Code; if they fail to do so, they become undeclared partnerships.

Art. 116. Anonymous partnerships become undeclared partnerships.

The liability of the partners towards third persons continues, however, to be governed by the provisions of article 1870 of the former Code with respect to any obligation contracted before the coming into force of the new legislation.

Art. 117. Joint-stock companies which, under article 1889 of the former Code, are subject to the general rules established for commercial partnerships under a collective name become general partnerships.

Art. 118. Partnerships which have not made a declaration when the new legislation comes into force become undeclared partnerships, pursuant to the provisions of the new Code, unless they make a declaration before the expiry of a period of one year from the date on which the new legislation comes into force.

Art. 119. La responsabilité, à l'égard des tiers, des associés d'une société en nom collectif ou en commandite relativement aux obligations de la société résultant d'une déclaration incomplète, inexacte ou irrégulière ou du défaut de produire une déclaration modificative, est régie par la loi en vigueur au moment où l'obligation est née.

1992, c. 57, a. 119.

Art. 120. Le droit d'un associé, prévu par l'article 2209 du nouveau code, d'écarter une personne étrangère à la société qui a acquis, à titre onéreux, la part d'un des associés peut être exercé à l'égard de toute acquisition faite dans l'année qui précède l'entrée en vigueur du nouveau code.

En ce cas, le délai de soixante jours prévu par l'article 2209 court à compter de l'entrée en vigueur du nouveau code.

1992, c. 57, a. 120.

Art. 121. Les actes conclus et les obligations contractées par une société en nom collectif ou en commandite ou par l'un de ses associés avant l'entrée en vigueur de la loi nouvelle demeurent régis par la loi ancienne en ce qui a trait à l'ensemble des rapports de la société et des associés envers les tiers.

1992, c. 57, a. 121.

Art. 122. Les dispositions du deuxième alinéa de l'article 2244 du nouveau code sont applicables aux actes d'immixtion accomplis par un commanditaire avant l'entrée en vigueur de la loi nouvelle.

1992, c. 57, a. 122.

Art. 123. Les dispositions de l'article 2245 du nouveau code s'appliquent aux situations existantes d'impossibilité d'agir des commandités, et le délai de cent vingt jours prévu par cet article pour remplacer les commandités court à compter de l'entrée en vigueur de la loi nouvelle.

1992, c. 57, a. 123.

Art. 124. Toute stipulation qui oblige le commanditaire à cautionner ou à prendre en charge les dettes d'une société en commandite au-delà de l'apport convenu devient sans effet à compter de l'entrée en vigueur de la loi nouvelle.

1992, c. 57, a. 124.

Art. 119. The liability of the partners of a general or limited partnership towards third persons in respect of obligations of the partnership resulting from an incomplete, inaccurate or irregular declaration or from a failure to produce an amending declaration, is governed by the legislation in force at the time the obligation arises.

Art. 120. The right of a partner under article 2209 of the new Code to exclude a person who is not a member of the partnership and who has acquired the share of one of the partners by onerous title may be exercised in respect of any acquisition made in the year preceding the coming into force of the new Code.

In such a case, the period of sixty days provided in article 2209 runs from the coming into force of the new Code.

Art. 121. Acts performed and obligations contracted by a general or limited partnership or by a partner thereof before the coming into force of the new legislation continue to be governed by the former legislation for matters concerning all relations of the partnership and the partners with third persons.

Art. 122. The provisions of the second paragraph of article 2244 of the new Code are applicable to acts of interference by special partners before the coming into force of the new legislation.

Art. 123. The provisions of article 2245 of the new Code apply to existing situations in which the general partners are unable to act, and the period of one hundred and twenty days provided in that article for replacing the general partners runs from the coming into force of the new legislation.

Art. 124. Any stipulation whereby a special partner is bound to secure or assume the debts of a limited partnership beyond the agreed amount of his contribution is without effect from the coming into force of the new legislation.

Art. 125. Les liquidations de sociétés commencées avant l'entrée en vigueur de la loi nouvelle sont poursuivies en application de la loi ancienne, mais les pouvoirs du liquidateur sont ceux prévus par le nouveau code.

La liquidation d'une société est réputée commencer dès la désignation du liquidateur.

1992, c. 57, a. 125.

Art. 125. A liquidation of a partnership begun before the coming into force of the new legislation is continued under the former legislation, but the powers of the liquidator are as provided in the new Code.

Liquidation of a partnership is deemed to begin upon designation of the liquidator.

VIII — CONTRAT DE DÉPÔT

Art. 126. La responsabilité de l'hôtelier, résultant de dépôts antérieurs à l'entrée en vigueur de la loi nouvelle, demeure régie par les dispositions des articles 1814 à 1816 de l'ancien code.

1992, c. 57, a. 126.

VIII — CONTRACTS OF DEPOSIT

Art. 126. The liability of an innkeeper resulting from deposits made prior to the coming into force of the new legislation continues to be governed by the provisions of articles 1814 to 1816 of the former Code.

IX — CONTRAT DE PRÊT

Art. 127. Les dispositions de l'article 2332 du nouveau code, relatives à la nullité ou à la réduction des obligations découlant d'un prêt d'argent, ainsi qu'à la révision de leurs modalités d'exécution, ne s'appliquent aux contrats en cours qu'en ce qui concerne les obligations pécuniaires qui en découlent.

1992, c. 57, a. 127.

IX — CONTRACTS OF LOAN

Art. 127. The provisions of article 2332 of the new Code, concerning the nullity or reduction of the obligations arising from a loan of a sum of money, as well as the revision of the terms and conditions of their performance, apply to existing contracts only with respect to the resulting pecuniary obligations.

X — CONTRAT DE CAUTIONNEMENT

Art. 128. Les effets, à l'égard de la caution, de la déchéance du terme encourue par le débiteur principal sont déterminés par la loi en vigueur au moment de la déchéance.

1992, c. 57, a. 128.

X — CONTRACTS OF SURETYSHIP

Art. 128. The effects in respect of the surety of forfeiture of the term by the principal debtor are determined by the legislation in force at the time of the forfeiture.

Art. 129. Toute renonciation à l'avance au droit à l'information ou au bénéfice de subrogation, faite par une caution avant l'entrée en vigueur de la loi nouvelle, devient sans effet.

1992, c. 57, a. 129.

Art. 129. Any renunciation in advance of the right to be provided with information or the benefit of subrogation, made by a surety before the coming into force of the new legislation, ceases to have effect.

Art. 130. Les obligations des héritiers de la caution s'éteignent dès l'entrée en vigueur de la loi nouvelle, sauf quant aux dettes existantes à ce moment.

1992, c. 57, a. 130.

Art. 130. The obligations of the heirs of a surety are extinguished upon the coming into force of the new legislation, except with respect to debts existing at that time.

Art. 131. Le cautionnement attaché à l'exercice de fonctions particulières qui ont cessé avant la date de l'entrée en vigueur de la loi nouvelle prend fin, sauf quant aux dettes existantes, lors de cette entrée en vigueur.

1992, c. 57, a. 131.

Art. 131. A suretyship attached to the performance of special duties which ceased before the date on which the new legislation comes into force terminates upon such coming into force, except with respect to existing debts.

XI — CONTRAT DE RENTE

Art. 132. Le droit du crédirentier de demander que la vente forcée d'un bien hypothéqué pour garantir le service de sa rente soit réalisée à charge de cette dernière ne peut être exercé que si le processus conduisant à la vente a débuté avant l'entrée en vigueur de la loi nouvelle; autrement, le crédirentier peut seulement exiger, en application de l'article 2387 du nouveau code, que le créancier lui fournisse une caution suffisante pour que la rente continue d'être servie.

1992, c. 57, a. 132.

XI — CONTRACTS OF ANNUITY

Art. 132. The right of an annuitant to require that the forced sale of a property which is hypothecated to secure payment of his annuity be carried out subject to his annuity may be exercised only if the process leading to the sale begins before the coming into force of the new legislation; otherwise, the annuitant may only demand, pursuant to article 2387 of the new Code, that the creditor furnish him with sufficient surety to ensure continued payment of the annuity.

SECTION VI
PRIORITÉS ET HYPOTHÈQUES

Art. 133. Les biens affectés d'une sûreté ayant pris naissance sous le régime de la loi ancienne demeurent régis par cette loi dans la mesure où le droit à l'exécution de la sûreté a été mis en oeuvre, par l'envoi et la publication des avis requis par la loi ancienne ou, à défaut, par une demande en justice, avant l'entrée en vigueur de la loi nouvelle.

Si le droit à l'exécution de la sûreté n'a pas encore été mis en oeuvre, la loi nouvelle est applicable.

1992, c. 57, a. 133.

DIVISION VI
PRIOR CLAIMS AND HYPOTHECS

Art. 133. Property charged as security under the rules of the former legislation continues to be governed by that legislation to the extent that the right to the realization of the security has been acquired by the sending and publication of the notices required under the former legislation or, if not, by means of a judicial demand, before the coming into force of the new legislation.

If the right to the realization of the security has not yet been acquired, the new legislation is applicable.

Art. 134. Sous réserve que leur enregistrement, s'il était requis par la loi ancienne, ait lieu dans les délais que celle-ci prévoyait:

1° les sûretés conventionnelles autres que les transports de créances visés à l'article 136 deviennent des hypothèques conventionnelles, mobilières ou immobilières, selon qu'elles grèvent des biens meubles ou immeubles;

2° les hypothèques testamentaires deviennent des hypothèques conventionnelles;

3° les hypothèques légales ou judiciaires deviennent des hypothèques légales si la loi nouvelle attache cette qualité aux créances qui les fondent;

Art. 134. Subject to registration, if the former legislation so required, within the time prescribed by that legislation,

(1) conventional securities other than transfers of claims contemplated by section 136 become conventional, movable or immovable hypothecs, depending on whether the property charged is movable or immovable property;

(2) hypothecs created by will become conventional hypothecs;

(3) legal or judicial hypothecs become legal hypothecs if the new legislation attributes this quality to the claims on which they are based;

4° les hypothèques légales en faveur des mineurs ou des majeurs en tutelle ou en curatelle demeurent des hypothèques légales tant que le tuteur ou le curateur, en application des dispositions des articles 242, 243 et 266 du nouveau code, n'offre pas une autre sûreté de valeur suffisante;

5° les privilèges deviennent soit des priorités, soit des hypothèques légales, selon la qualité que la loi nouvelle attache aux créances qui les fondent. Toutefois, le privilège du vendeur d'un immeuble devient une hypothèque légale; le privilège du locateur d'un immeuble autre que résidentiel sur les meubles devient une hypothèque légale mobilière qui conserve son opposabilité pour une période d'au plus dix ans à la condition d'être publiée, comme s'il s'agissait d'un renouvellement fait conformément à l'article 157.

Les sûretés ci-dessus conservent dans tous les cas le rang que leur conférait la loi ancienne; cependant, les hypothèques sur des biens qui, en raison de l'application de la loi nouvelle, ont changé de nature doivent, pour conserver ce rang, être publiées dans les douze mois qui suivent, sur le registre approprié.

Les anciennes sûretés légales ou judiciaires autres que le privilège du vendeur d'un immeuble, fondées sur des créances auxquelles la loi nouvelle n'accorde plus aucune préférence, deviennent des priorités colloquées après toute autre priorité.

1992, c. 57, a. 134.

Art. 135. L'application de la loi nouvelle n'aura en aucun cas pour effet de modifier l'objet initial de la sûreté, sans préjudice des pouvoirs accordés au tribunal par l'article 2731 du nouveau code.

1992, c. 57, a. 135.

Art. 136. Les transports des loyers présents et à venir que produit un immeuble, et les transports d'indemnités prévues par les contrats d'assurance qui couvrent ces loyers, deviennent des hypothèques immobilières; ils prennent rang selon la date d'enregistrement des actes qui les renferment, à moins qu'ils n'aient acquis un autre rang en vertu de la loi ancienne. Ces transports, s'ils ne sont pas renfermés dans un acte qui a été porté soit à l'index des immeubles en territoire cadastré, soit à l'index des noms en territoire non cadastré doivent, pour conserver ce rang, faire l'objet d'un renouvellement d'inscription ou d'une inscription, selon le cas, sur le registre foncier avant le 27 février 1996; le renouvellement ou l'inscription se fait par avis.

(4) legal hypothecs in favour of minors or persons of full age under tutorship or curatorship continue to be legal hypothecs as long as the tutor or curator does not offer another security of sufficient value pursuant to articles 242, 243 and 266 of the new Code;

(5) privileges become either prior claims or legal hypothecs, depending on the quality attributed by the new legislation to the claims on which they are based. However, the privilege of the seller of an immovable becomes a legal hypothec; the privilege of the lessor of an immovable, other than a residential immovable, on the furniture becomes a legal movable hypothec which retains its opposability for a period of not more than ten years provided it is published, as though it were a renewal made in accordance with section 157.

The abovementioned securities conserve their rank under the former legislation in all cases; however, hypothecs on property which, by reason of the application of the new legislation, have changed in nature must, to conserve their rank, be published in the appropriate register within the following twelve months.

Former legal or judicial securities, other than the privilege of the seller of an immovable, based on claims which, under the new legislation, no longer have preference, become prior claims collocated after all other prior claims.

1992, c. 57, a. 134.

Art. 135. In no case does the application of the new legislation have the effect of changing the initial object of the security, without prejudice to the powers granted to the court by article 2731 of the new Code.

1992, c. 57, a. 135.

Art. 136. Transfers of present and future rents produced by an immovable, and transfers of indemnities provided by the insurance contracts covering the rents, become immovable hypothecs; they rank according to the date of registration of the acts in which they are contained, unless they have a different rank under the former legislation. Any such transfer not contained in an act entered either in the index of immovables in territory with a cadastral survey or in the index of names in territory without a cadastral survey requires, to conserve its rank, renewal of registration or registration, as the case may be, in the land register before 27 February 1996; the renewal or registration are effected by notice.

Les transports par connaissement deviennent des hypothèques conventionnelles et conservent leur rang initial, pourvu qu'ils soient inscrits avant le 27 février 1996.

1992, c. 57, a. 136; 1995, c. 33, a. 1.

Art. 137. Abrogé.

1998, c. 5, a. 19.

Art. 138. Les aliénations de biens ayant préalablement fait l'objet d'une sûreté mobilière, faites en dehors du cours des activités de l'entreprise et antérieures à l'entrée en vigueur de la loi nouvelle, sont soumises aux dispositions de l'article 2700 du nouveau code.

Cependant, le délai d'inscription de l'avis visé audit article court à compter du 31 août 1996, mais le créancier peut toujours inscrire l'avis avant cette date.

1992, c. 57, a. 138; 1995, c. 33, a. 2.

Art. 139. Les dispositions de l'article 2723 du nouveau code, relatives à la radiation des avis de clôture d'hypothèques ouvertes, sont applicables aux avis d'omission ou de contravention enregistrés en application de l'article 1040a de l'ancien code.

1992, c. 57, a. 139.

Art. 140. Les privilèges acquis par des ouvriers résultant de travaux faits sur un immeuble et terminés avant la date d'entrée en vigueur de la loi nouvelle, sont soumis à la publication d'un avis de conservation d'hypothèque légale dans les trente jours de cette date, pourvu qu'ils subsistent encore à cette même date.

1992, c. 57, a. 140.

SECTION VII

PREUVE

Art. 141. En matière de preuve préconstituée et de présomptions légales, la loi en vigueur au jour de la conclusion de l'acte juridique ou de la survenance des faits s'applique.

1992, c. 57, a. 141.

Art. 142. Abrogé.

1999, c. 40, a. 335.

Transfers by bill of lading become conventional hypothecs and conserve their initial rank, provided they are registered before 27 February 1996.

Art. 137. Repealed.

Art. 138. An alienation of property having been the object of a movable security, made prior to the coming into force of the new legislation and outside the ordinary course of business of an enterprise, is subject to the provisions of article 2700 of the new Code.

However, the period for registration of the notice provided in that article runs from 31 August 1996, but the creditor may register the notice at any time before that date.

Art. 139. The provisions of article 2723 of the new Code, concerning cancellation of the notice of crystallization of a floating hypothec, are applicable to notices of omission or breach registered pursuant to article 1040a of the former Code.

Art. 140. The privileges acquired by workmen as a result of work done on an immovable and completed before the date on which the new legislation comes into force are subject to publication of a notice of preservation of legal hypothec within thirty days after that date, provided they still exist on that date.

DIVISION VII

PROOF

Art. 141. In questions of preconstituted proof and legal presumptions, the applicable legislation is the legislation in force on the day on which the juridical act is entered into or the facts occur.

Art. 142. Repealed.

SECTION VIII
PRESCRIPTION

Art. 143. Celui qui n'a pas encore acquis par prescription, lors de l'entrée en vigueur de la loi nouvelle, un immeuble qu'il a possédé à titre de propriétaire est soumis aux dispositions de l'article 2918 du nouveau code.

Celui qui à cette date est devenu, suivant la loi ancienne, propriétaire d'un immeuble par prescription est toujours admis à s'adresser au tribunal dans le ressort duquel est situé l'immeuble, pour obtenir, par requête, la reconnaissance judiciaire de son droit de propriété.

1992, c. 57, a. 143; 2000, c. 42, a. 87.

SECTION IX
PUBLICITÉ DES DROITS

§ 1. — Publicité foncière

Art. 144-145. Abrogés.

2000, c. 42, a. 88.

Art. 146. À compter de l'entrée en vigueur de la présente section, le registre minier sera connu sous le nom de registre des droits réels d'exploitation de ressources de l'État et le fichier personnel des titulaires de droits miniers sera connu sous le nom de Répertoire des titulaires de droits réels.

1992, c. 57, a. 146; 2000, c. 42, a. 89.

Art. 147-149. Abrogés.

2000, c. 42, a. 90.

Art. 149.1 Pour la période comprise entre le 1er janvier 1994 et le 31 août 1995, et sous réserve des droits des tiers de bonne foi dont les droits ont été publiés pendant cette période, l'absence d'indication quant à l'étendue d'un droit, de même que l'insuffisance ou l'imprécision dans la qualification ou l'étendue d'un droit tant dans l'inscription visée à l'article 149, tel qu'il se lisait le 30 août 1995, que dans la réquisition qui la sous-tend, lorsque celle-ci prend la forme d'un sommaire, ne peut porter atteinte aux droits des parties à la réquisition qui bénéficient de l'inscription, dès lors que l'analyse de la réquisition ou, lorsque celle-ci prend la forme d'un sommaire, du document qui l'accompagne, permet de suppléer à cette absence, à cette insuffisance ou à cette imprécision.

1995, c. 33, a. 4.

DIVISION VIII
PRESCRIPTION

Art. 143. A person who, when the new legislation comes into force, has not yet acquired by prescription ownership of an immovable which he has possessed as owner is subject to the provisions of article 2918 of the new Code.

A person who, when the new legislation comes into force, has become the owner of an immovable by prescription, pursuant to the former legislation, may still apply to the court in whose territory the immovable is located to obtain, by motion, judicial recognition of his right of ownership.

DIVISION IX
PUBLICATION OF RIGHTS

§ 1. — Publication by registration in the land register

Art. 144-145. Repealed.

Art. 146. From the coming into force of this division, the mining register will be known as the register of real rights of State resource development, and the card-index file of the holders of mining rights will be known as the Directory of holders of real rights.

Art. 147-149. Repealed.

Art. 149.1 For the period from 1 January 1994 to 31 August 1995 and subject to the rights of third persons in good faith whose rights were published during that period, absence of an indication as to the extent of a right or insufficiency or inaccuracy in stating the nature or extent of a right either in a registration effected under section 149 as it read on 30 August 1995 or in the application on which the registration is based, where the application is made by means of a summary, shall not affect the rights of the parties to the application who benefit from the registration, if analysis of the application or, where the application is made by means of a summary, of the accompanying document compensates for the absence, insufficiency or inaccuracy.

Art. 149.2 On peut, pour compléter une réquisition faite sous forme d'extrait au cours de la période comprise entre le 1ᵉʳ janvier 1994 et le 31 août 1995, présenter au bureau de la publicité des droits, dans les 180 jours qui suivent la fin de cette période, une copie authentique de l'acte en y joignant, à raison d'un avis par acte visé, un avis en double exemplaire établissant le lien entre l'acte et l'extrait et indiquant, outre la désignation des immeubles, le lieu et le numéro d'inscription de l'extrait. L'avis, qui n'a pas à être attesté, est inscrit sur les registres de la publicité des droits.

À compter de l'inscription de l'avis, et sous réserve des droits des tiers de bonne foi dont les droits ont été publiés entre le 1ᵉʳ janvier 1994 et la date de l'inscription, les dispositions de l'article 149.1 s'appliquent à l'extrait, compte tenu des adaptations nécessaires.

1995, c. 33, a. 4.

Art. 150-154. Abrogés.

2000, c. 42, a. 91.

Art. 155. Tant que le territoire dans lequel un immeuble est situé n'a pas fait l'objet d'une rénovation cadastrale, les dispositions du livre neuvième du nouveau code doivent être considérées avec les réserves exprimées ci-après relativement à l'immeuble:

1° le deuxième alinéa de l'article 2996, le premier alinéa de l'article 3030, le dernier alinéa de l'article 3043 et l'article 3054 ne reçoivent pas application;

2° l'exigence de la mention des mesures prévue par les articles 3036 et 3037 ne reçoit pas application et les dispositions suivantes s'appliquent en lieu et place des dispositions du deuxième alinéa de l'article 3037:

«La désignation d'une partie de lot par distraction des parties de ce lot n'est admise qu'à condition que les parties distraites soient désignées conformément aux dispositions de l'article 3036.»;

3° l'article 3042 ne s'applique pas lorsque la réquisition d'inscription du transfert, de la cession ou du droit visés audit article comporte la déclaration, faite par celui qui est autorisé à exproprier l'immeuble ou à s'approprier un droit de propriété dans celui-ci, que l'immeuble, formé de la partie requise et de la partie résiduelle, correspondait à une ou plusieurs parties de lot au moment de l'inscription de l'avis d'expropriation ou d'appropriation.

Art. 149.2 A person may complete an application made by means of an extract during the period from 1 January 1994 to 31 August 1995 by presenting at the registry office, within 180 days after the end of that period, an authentic copy of the act, accompanied with a notice in duplicate for every act concerned establishing the connection between the act and the extract and indicating, in addition to the description of the immovables, the place of registration and the registration number of the extract. The notice, which does not require certification, shall be entered in the registers.

From the registration of the notice and subject to the rights of third persons in good faith whose rights were published during the period from 1 January 1994 to the date of registration, the provisions of section 149.1, adapted as required, apply to the extract.

Art. 150-154. Repealed.

Art. 155. Until the territory in which an immovable is situated has been the subject of a cadastral renovation, the articles of Book Nine of the new Code shall apply, with regard to that immovable, subject to the following restrictions:

(1) the second paragraph of article 2996, the first paragraph of article 3030, the last paragraph of article 3043 and article 3054 are not applicable;

(2) the requirement under articles 3036 and 3037 that measurements be mentioned is not applicable, and the following shall apply in place of the provisions of the second paragraph of article 3037:

"The description of a part of a lot as the remainder after separation of other parts of the lot is admissible only if the separated parts are described in accordance with the provisions of article 3036.";

(3) article 3042 is not applicable where the application for registration of the transfer, cession or right referred to in that article includes a statement, made by the person authorized to expropriate the immovable or to appropriate a right of ownership in the immovable, that the immovable comprising the required part and the remainder corresponded to one or more parts of a lot at the time when the notice of expropriation or appropriation was registered.

En outre, tant que ce territoire n'a pas fait l'objet d'une rénovation cadastrale, postérieure au 22 juin 1992, en application de la Loi favorisant la réforme du cadastre québécois (L.R.Q., chapitre R-3.1), la présomption d'exactitude qui s'attache au plan cadastral, prévue par l'article 3027 du nouveau code, ne reçoit pas application et les titres relatifs à l'immeuble priment le plan cadastral.

1992, c. 57, a. 155; 1995, c. 33, a. 6; 2000, c. 42, a. 92.

Art. 155.1 Abrogé.

2000, c. 42, a. 93.

*__Art. 156.__ Les actes faits avant l'entrée en vigueur de la loi nouvelle sont admis à la publicité sans qu'il soit nécessaire d'y joindre l'attestation prévue par les articles 2988 à 2991 du nouveau code.

1992, c. 57, a. 156; 1995, c. 33, a. 8.

§ 2. — *Publicité des droits personnels et réels mobiliers*

Art. 157. La publication des cessions de biens en stock, des nantissements agricoles et forestiers, des nantissements commerciaux et des autres sûretés réelles mobilières constituées et enregistrées suivant la loi ancienne, doit être renouvelée dans les douze mois de l'entrée en vigueur de la loi nouvelle par une inscription portée sur le registre des droits personnels et réels mobiliers; il en est de même des hypothèques mobilières publiées en application du deuxième alinéa de l'article 134.

L'inscription de l'avis de renouvellement au registre des droits personnels et réels mobiliers conserve à la sûreté, nonobstant l'article 2942 du nouveau code, son caractère d'opposabilité au rang qu'elle avait à la date de la première publication antérieure, sans égard aux autres dates de publication de la même sûreté.

En l'absence de ce renouvellement, les droits conservés par l'inscription initiale n'ont, à l'expiration des quinze mois après l'entrée en vigueur de la loi nouvelle, aucun effet à l'égard des autres créanciers ou des acquéreurs subséquents de bonne foi dont les droits sont régulièrement publiés.

1992, c. 57, a. 157.

In addition, if the territory has not been the subject of a cadastral renovation after 22 June 1992, pursuant to the Act to promote the reform of the cadastre in Québec (R.S.Q., chapter R-3.1), the presumption of accuracy attaching to the cadastral plan, as established by article 3027 of the new Code, is not applicable and the titles relating to the immovable prevail over the cadastral plan.

Art. 155.1 Repealed.

*__Art. 156.__ Acts made before the coming into force of the new legislation may be published without the accompanying certificate contemplated in articles 2988 to 2991 of the new Code.

§ 2. — *Publication of personal and movable real rights*

Art. 157. Publications of transfers of property in stock, pledges of agricultural and forest property, commercial pledges and other movable real securities created and registered in accordance with the former legislation must be renewed within twelve months from the coming into force of the new legislation by registration in the register of personal and movable real rights; the same applies to movable hypothecs published pursuant to the second paragraph of section 134.

Registration of the notice of renewal in the register of personal and movable real rights preserves the opposability of the security, notwithstanding article 2942 of the new Code, at the rank it held on the date of the first prior publication, regardless of the other dates of publication of the same security.

If the publication is not renewed, the rights preserved by the original registration have no effect, upon the expiry of fifteen months after the coming into force of the new legislation, in respect of other creditors or subsequent purchasers in good faith whose claims have been regularly published.

---

* Les dispositions de l'article 156 modifié par 1995, c. 33, a. 8 ont effet depuis le 1er janvier 1994.

1995, c. 33, a. 35.

* The provisions of section 156 amended by 1995, c. 33, s. 8 have effect from 1 January 1994.

1995, c. 33, s. 35.

Art. 157.1 Les sûretés mobilières constituées en vertu de la loi ancienne qui n'étaient pas soumises à la formalité de l'enregistrement, mais qui sont devenues, par l'effet de la loi nouvelle, des hypothèques mobilières soumises à l'inscription doivent, pour conserver leur opposabilité à leur rang initial, être inscrites sur le registre des droits personnels et réels mobiliers avant le 31 août 1996.

1995, c. 33, a. 9.

Art. 157.2 Par exception à l'article 2700 du nouveau code, le délai d'inscription de l'avis prévu audit article pour la conservation des sûretés visées aux articles 157 et 157.1 ne court, à l'égard des aliénations de biens faites entre le 1er janvier 1994 et le 31 août 1996, qu'à compter de cette dernière date, que ces aliénations soient antérieures ou postérieures à l'inscription des sûretés visées. Cette règle n'a pas pour effet d'empêcher un créancier d'inscrire l'avis avant le 31 août 1996.

1995, c. 33, a. 9.

*Art. 158. Aucune réquisition qui renvoie à un droit dont l'inscription doit être renouvelée ni aucun préavis d'exercice d'un droit hypothécaire, ou autre avis, ne peut être inscrit, à moins que le droit lui-même ne soit publié.

1992, c. 57, a. 158; 1995, c. 33, a. 10.

Art. 159. Il suffit d'un seul avis lorsque la sûreté mobilière dont on entend renouveler la publicité a été publiée, conformément à la loi ancienne, dans plusieurs circonscriptions foncières. L'avis fait alors mention des diverses circonscriptions foncières et indique les dates et numéros d'inscription respectifs de la sûreté.

Durant les quinze mois qui suivent l'entrée en vigueur de la loi nouvelle, l'officier peut, nonobstant le deuxième alinéa de l'article 3007 du nouveau code, si les circonstances l'exigent, traiter en priorité les réquisitions d'inscription qui ne prennent pas la forme d'un avis de renouvellement. Tout relevé des droits inscrits sur le registre des droits personnels et réels mobiliers doit indiquer les dates de certification spécifiques aux différentes inscriptions.

Art. 157.1 All movable securities created under the former legislation that were not subject to the formality of registration but which have become, under the new legislation, movable hypothecs subject to registration require, to preserve their opposability at their original rank, registration in the register of personal and movable real rights before 31 August 1996.

Art. 157.2 Notwithstanding article 2700 of the new Code, the period for registering the notice required by the said article to preserve the securities referred to in sections 157 and 157.1 runs, in respect of alienations of property occurring from 1 January 1994 to 31 August 1996, from the latter date, whether the alienation occurs before or after the registration of the securities affected. This rule shall not prevent a creditor from registering a notice before 31 August 1996.

*Art. 158. No application for registration referring to a right the registration of which must be renewed, no prior notice of intention to exercise a hypothecary right and no other notice may be registered unless the right itself is published.

Art. 159. A single notice is sufficient if the movable security for which publication is to be renewed has been published, in accordance with the former legislation, in several registration divisions. In this case, the notice mentions the various registration divisions and indicates the respective registration dates and numbers of the security.

Notwithstanding the second paragraph of article 3007 of the new Code, the registrar may, in the fifteen months following the coming into force of the new legislation, and if circumstances so require, give priority to applications for registration which are not in the form of a notice of renewal. Any statement of rights registered in the register of personal and movable real rights must indicate the specific dates of certification for each registration.

---

* * Les dispositions de l'article 158 modifié par 1995, c. 33, a. 10 ont effet depuis le 1er janvier 1994.

1995, c. 33, a. 35.

* The provisions of section 158 amended by 1995, c. 33, s. 10 have effect from 1 January 1994.

1995, c. 33, s. 35.

L'officier n'est tenu de faire la notification prévue à l'article 3017 du nouveau code qu'aux créanciers dont les droits auront été inscrits sur le registre des droits personnels et réels mobiliers et qui auront requis l'inscription de leur adresse à des fins de notification.

1992, c. 57, a. 159.

Art. 160. Les droits personnels et les droits réels mobiliers enregistrés suivant la loi ancienne, pour lesquels la loi nouvelle n'exige aucun renouvellement d'inscription, conservent leur caractère d'opposabilité. Ils peuvent être consultés dans les anciens registres.

1992, c. 57, a. 160.

Art. 161. Le registre des nantissements agricoles et forestiers, le registre des nantissements commerciaux et le registre des cessions de biens en stock sont réputés clôturés dès l'entrée en vigueur de la loi nouvelle et aucune radiation, incluant la réduction d'une hypothèque, ne peut y être faite après l'expiration d'un délai de douze mois; ce délai commence à courir dès l'entrée en vigueur de la loi nouvelle.

L'officier dépositaire de ces registres peut, en application de l'article 3016 du nouveau code, y apporter des corrections.

1992, c. 57, a. 161.

Art. 162. Abrogé.

1998, c. 5, a. 19.

Art. 163. Les avis de contrat de mariage ou de modification d'un contrat de mariage inscrits au registre central des régimes matrimoniaux sont portés d'office au registre central des droits personnels et réels mobiliers.

1998, c. 5, a. 19.

Art. 164. Durant les quinze mois qui suivent l'entrée en vigueur de la loi nouvelle, la consultation du registre des droits personnels et réels mobiliers ne dispense pas de consulter, selon le cas, le registre des cessions de biens en stock, le registre des nantissements agricoles et forestiers, le registre des nantissements commerciaux et l'index des noms.

L'officier de la publicité dépositaire de ces registres ou qui était habilité à y faire des inscriptions peut, pendant cette période, délivrer des relevés certifiés des droits subsistants quant aux droits créés avant l'entrée en vigueur de la loi nouvelle et traiter les réquisitions en réduction ou en radiation qui s'y rapportent.

The registrar is bound, under article 3017 of the new Code, to notify only those creditors whose rights are registered in the register of personal and movable real rights and who have requested registration of their address for the purpose of notification.

Art. 160. The personal rights and movable real rights registered in accordance with the former legislation and in respect of which the new legislation requires no renewal of registration retain their opposability. The entries may be consulted in the former registers.

Art. 161. The register of farm and forest pledges, the register of commercial pledges and the register of transfers of property in stock are deemed to be closed upon the coming into force of the new legislation, and no cancellation, or reduction of a hypothec, may be made therein after the expiry of a period of twelve months; this period begins to run from the coming into force of the new legislation.

The registrar who is depositary of the registers may, pursuant to article 3016 of the new Code, make corrections thereto.

Art. 162. Repealed.

Art. 163. Notices of marriage contracts or changes to marriage contracts entered in the central register of matrimonial regimes are entered as of right in the central register of personal and movable real rights.

Art. 164. In the fifteen months following the coming into force of the new legislation, consultation of the register of personal and movable real rights does not grant exemption from consultation, where applicable, of the register of transfers of property in stock, the register of farm and forest pledges, the register of commercial pledges and the index of names.

The registrar who is depositary of the registers or who was qualified to make entries therein may, during that period, issue certified statements of subsisting rights in respect of rights created before the coming into force of the new legislation, and may process applications for reduction or cancellation pertaining to such rights.

Avant l'expiration de ce délai, l'officier de la publicité chargé du registre des droits personnels et réels mobiliers n'est tenu de délivrer un état certifié des droits inscrits sur ce registre que si ces droits ont été publiés après l'entrée en vigueur de la loi nouvelle ou si l'inscription de ces droits résulte d'un renouvellement fait conformément à l'article 157.

1992, c. 57, a. 164.

§ 3. — Abrogée

Art. 165-166. Abrogés.

2000, c. 42, a. 94.

SECTION X
DROIT INTERNATIONAL PRIVÉ

Art. 167. En matière de conflits de lois, la loi régissant les conditions de forme d'un mariage est déterminée en application des dispositions du second alinéa de l'article 3088 du nouveau code, même si le mariage a été célébré avant l'entrée en vigueur de la loi nouvelle.

1992, c. 57, a. 167.

Art. 168. La désignation, faite par testament avant la date d'entrée en vigueur de la loi nouvelle, de la loi applicable à une succession qui s'ouvre postérieurement à cette date a plein effet, pourvu que les conditions prévues par le second alinéa de l'article 3098 du nouveau code soient remplies.

1992, c. 57, a. 168.

Art. 169. Les dispositions de l'article 3100 du nouveau code s'appliquent aux successions ouvertes avant la date d'entrée en vigueur de la loi nouvelle, quant aux biens situés au Québec et dont le partage n'est pas encore commencé à cette date.

1992, c. 57, a. 169.

Art. 170. Les dispositions du nouveau code relatives à la reconnaissance et à l'exécution des décisions étrangères, ne s'appliquent pas aux décisions déjà rendues lors de l'entrée en vigueur de la loi nouvelle ni aux instances alors en cours devant les autorités étrangères.

1992, c. 57, a. 170.

Before the expiry of that period, the registrar entrusted with the register of personal and movable real rights is bound to issue a certified statement of the rights entered in the register only if such rights were published after the coming into force of the new legislation or if the registration of those rights is the result of a renewal made in accordance with section 157.

§ 3. — Repealed

Art. 165-166. Repealed.

DIVISION X
PRIVATE INTERNATIONAL LAW

Art. 167. In questions of conflict of laws, the law governing the formal validity of a marriage is determined pursuant to the provisions of the second paragraph of article 3088 of the new Code, even if the marriage was solemnized before the coming into force of the new legislation.

Art. 168. A designation made by will, before the date on which the new legislation comes into force, of the law applicable to a succession which opens after that date has full effect, provided the conditions set forth in the second paragraph of article 3098 of the new Code are satisfied.

Art. 169. The provisions of article 3100 of the new Code apply to successions which open before the date on which the new legislation comes into force in respect of property situated in Québec and of which partition has not yet begun on that date.

Art. 170. The provisions of the new Code concerning the recognition and enforcement of foreign decisions do not apply to decisions already rendered when the new legislation comes into force, or to proceedings pending at that time before foreign authorities.

Décret 712-93, 19 mai 1993

Code civil du Québec (1991, c. 64)

Loi sur l'application de la réforme du Code civil (1992, c. 57)

— **Entrée en vigueur**

CONCERNANT l'entrée en vigueur du Code civil du Québec (1991, c. 64) et de la Loi sur l'application de la réforme du Code civil (1992, c. 57)

ATTENDU QUE le Code civil du Québec a été sanctionné le 18 décembre 1991;

ATTENDU QUE le dernier alinéa des Dispositions finales du Code civil du Québec prévoit que ce code entrera en vigueur à la date qui sera fixée par le gouvernement, conformément à ce qui sera prévu dans la loi relative à l'application de la réforme du Code civil;

ATTENDU QUE la Loi sur l'application de la réforme du Code civil a été sanctionnée le 18 décembre 1992;

ATTENDU QUE l'article 719 de la Loi sur l'application de la réforme du Code civil prévoit que les dispositions de cette loi, sauf les articles 717 et 718 qui sont entrés en vigueur le 18 décembre 1992, et le Code civil du Québec entreront en vigueur à la date qui sera fixée par décret du gouvernement et que ce décret doit être pris au moins six mois avant cette date;

ATTENDU qu'il y a lieu de fixer au 1er janvier 1994 la date d'entrée en vigueur du Code civil du Québec et de la Loi sur l'application de la réforme du Code civil;

IL EST ORDONNÉ, en conséquence, sur la recommandation du ministre de la Justice:

QUE le 1er janvier 1994 soit la date d'entrée en vigueur du Code civil du Québec (1991, c. 64) et de la Loi sur l'application de la réforme du Code civil (1992, c. 57), à l'exception des articles 717 et 718 de cette loi qui sont entrés en vigueur le 18 décembre 1992.

O.C. 712-93, 19 May 1993

Civil Code of Québec (1991, c. 64)

An Act respecting the implementation of the reform of the Civil Code (1992, c. 57)

— **Coming into force**

COMING INTO FORCE of the Civil Code of Québec (1991, c. 64) and of the Act respecting the implementation of the reform of the Civil Code (1992, c. 57)

WHEREAS the Civil Code of Québec was assented to on 18 December 1991;

WHEREAS the last paragraph of the Final Provisions of the Civil Code of Québec provides that the Code will come into force on the date to be fixed by the Government, in accordance with the provisions of the legislation respecting the implementation of the Civil Code reform;

WHEREAS the Act respecting the implementation of the reform of the Civil Code was assented to on 18 December 1992;

WHEREAS section 719 of the Act respecting the implementation of the reform of the Civil Code provides that the provisions of that Act, with the exception of sections 717 and 718 which came into force on 18 December 1992, and the Civil Code of Québec will come into force on the date which will be fixed by government order and that such order shall be made at least six months before the said date;

WHEREAS it is expedient to fix 1 January 1994 as the date of coming into force of the Civil Code of Québec and of the Act respecting the implementation of the reform of the Civil Code;

IT IS ORDERED, therefore, upon the recommendation of the Minister of Justice:

THAT 1 January 1994 be the date of coming into force of the Civil Code of Québec (1991, c. 64) and of the Act respecting the implementation of the reform of the Civil Code (1992, c. 57), with the exception of sections 717 and 718 which came into force on 18 December 1992.

ANNEXE 4
LOI SUR L'APPLICATION DE LA RÉFORME DU CODE CIVIL

ANNEX 4
AN ACT RESPECTING THE IMPLEMENTATION OF THE REFORM OF THE CIVIL CODE

TITRE III
DISPOSITIONS RELATIVES AUX AUTRES LOIS

TITLE III
PROVISIONS RELATING TO OTHER ACTS

CHAPITRE PREMIER
DISPOSITIONS INTERPRÉTATIVES

CHAPTER I
INTERPRETATIVE PROVISIONS

Art. 423. Dans les lois et leurs textes d'application, les notions du nouveau Code civil remplacent les notions correspondantes de l'ancien code. Certaines de ces notions correspondantes sont identifiées ci-après:

— En matière de droit des personnes:

1° «acte de sépulture» correspond à «acte de décès»;

2° «corporation au sens du Code civil du Bas Canada» correspond à «personne morale au sens du Code civil du Québec»;

3° «corporation municipale» correspond à «municipalité» et «corporation scolaire», à «commission scolaire»;

4° «corporation privée ou publique» correspond à «personne morale de droit privé ou de droit public»;

5° «curatelle à l'absent» correspond à «tutelle à l'absent»;

6° «cure fermée» correspond à «garde d'une personne atteinte de maladie mentale»;

7° «incapacité physique ou mentale» correspond à «inaptitude de fait», «incapacité juridique», à «privation totale ou partielle du droit d'exercer pleinement ses droits civils», et «incapacité d'agir», que l'incapacité soit temporaire ou non, à «empêchement d'agir»;

8° «officier d'une corporation» ou «officier d'un organisme possédant les droits et pouvoirs généraux d'une corporation» correspond à «dirigeant d'une personne morale»;

9° «droits et pouvoirs généraux d'une corporation» correspond à «capacité d'une personne morale»;

10° «personnalité civile» correspond à «personnalité juridique».

— En matière de droit des successions:

Art. 423. In the statutes and statutory instruments, the concepts introduced by the new Code replace the corresponding concepts of the former Code. Some of these corresponding concepts are identified hereinafter:

— In respect of the law of persons:

(1) "act of burial" corresponds to "act of death";

(2) "corporation within the meaning of the Civil Code of Lower Canada" corresponds to "legal person within the meaning of the Civil Code of Québec";

(3) "municipal corporation" corresponds to "municipality" and "school corporation" corresponds to "school board";

(4) "private or public corporation" corresponds to "legal person established for a private interest or in the public interest";

(5) "curatorship to the absentee" corresponds to "tutorship to the absentee";

(6) "close treatment" corresponds to "confinement of a mentally ill person";

(7) "physical or mental disability" corresponds to "*de facto* incapacity", "juridical incapacity" corresponds to "total or partial deprivation of the right to the full exercise of one's civil rights" and "incapacity to act", whether temporary or not, corresponds to "inability to act";

(8) "officer of a corporation" or "officer of a body having the rights and general powers of a corporation" corresponds to "senior officer of a legal person";

(9) "rights and general powers of a corporation" corresponds to "capacity of legal persons";

(10) "civil personality" corresponds to "juridical personality".

— In respect of the law of successions:

1° «exécuteur testamentaire» correspond à «liquidateur de succession»;

2° «légataire», dans l'expression «héritiers et légataires» correspond à «légataire particulier».

— En matière de droit des biens:

1° «bail emphytéotique» correspond à «emphytéose»;

2° «compte en fiducie» correspond à «compte en fidéicommis» et «acte de fidéicommis» lorsque l'objet de l'acte comporte un transfert de propriété, correspond à «acte de fiducie».

— En matière de droit des obligations:

1° «cas fortuit» correspond à «cas de force majeure»;

2° «délits et quasi-délits» correspond à «la faute au sens de la responsabilité civile extracontractuelle»;

3° «dommages exemplaires» correspond à «dommages-intérêts punitifs»;

4° «droit de réméré» correspond à «faculté de rachat» et «vente à réméré», à «vente avec faculté de rachat»;

5° «louage de service personnel» correspond à «contrat de travail»;

6° «société civile» ou «société commerciale» correspond à «société contractuelle au sens du Code civil du Québec», que la société soit en nom collectif, en commandite ou en participation;

7° «vente en bloc» correspond à «vente d'entreprise».

— En matière de droit des priorités et des hypothèques:

«cautionnement par nantissement» correspond à «cautionnement par gage»; «cautionnement par police de garantie», à «cautionnement par police d'assurance»; «cautionnement hypothécaire», à «cautionnement par hypothèque».

— En matière de droit de la preuve:

«précomption *juris et de jure* ou irréfragable» correspond à «présomption absolue», alors que «présomption *juris tantum* ou réfragable» correspond à «présomption simple».

— En matière de publicité des droits:

1° «bureau d'enregistrement» correspond à «bureau de la publicité des droits»;

2° «division d'enregistrement» correspond à «circonscription foncière»;

(1) "testamentary executor" corresponds to "liquidator of the succession";

(2) "legatee" in the expression "heirs and legatees" corresponds to "legatee by particular title".

— In respect of the law of property:

(1) "emphyteutic lease" corresponds to "emphyteusis";

(2) "trust account" corresponds to "account held in trust" and "trust deed" [acte de fidéicommis], where the object of the deed entails a transfer of ownership, corresponds to "trust deed" [acte de fiducie].

— In respect of the law of obligations:

(1) "fortuitous event" corresponds to "superior force";

(2) "offences and quasi-offenses" corresponds to "fault in the context of extra-contractual civil liability";

(3) "exemplary damages" corresponds to "punitive damages";

(4) in French texts, "droit de réméré" [right of redemption] corresponds to "faculté de rachat" [right of redemption] and "vente à réméré" [sale with a right of redemption] corresponds to "vente avec faculté de rachat" [sale with a right of redemption];

(5) "lease and hire of personal services" corresponds to "contract of employment";

(6) "civil partnership" or "commercial partnership" corresponds to "contractual partnership within the meaning of the Civil Code of Québec", whether the partnership is a general, limited or undeclared partnership;

(7) "bulk sale" corresponds to "sale of an enterprise".

— In respect of the law of prior claims and hypothecs:

"security by pledge" corresponds to "suretyship by pledge"; "suretyship by guarantee policy" or "security by guarantee policy" corresponds to "suretyship by insurance policy"; "hypothecary security" corresponds to "hypothecary suretyship".

— In respect of the law or evidence:

"presumption *juris et de jure*" or "irrebuttable presumption" corresponds to "absolute presumption" whereas "presumption *juris tantum*" or "rebuttable presumption" corresponds to "simple presumption".

— In respect of publication of rights:

(1) in French texts, "bureau d'enregistrement" [registry office] corresponds to "bureau de la publicité des droits" [registry office];

(2) in French texts, "division d'enregistrement" [registration division] corresponds to "circonscription foncière" [registration division];

3° «enregistrement» correspond à «inscription» ou «publicité»;

4° «index des immeubles» ou «index aux immeubles» correspond à «registre foncier»;

5° «régistrateur» correspond à «officier de la publicité des droits»;

6° «registre des nantissements agricoles et forestiers» correspond à «registre des droits personnels et réels mobiliers».

— En matière de procédure civile et d'exercice des recours:

1° «protonotaire» correspond à «greffier»;

2° «certificat du registrateur» correspond à «état certifié de l'officier de la publicité des droits».

1992, c. 57, a. 423.

Art. 424. Dans les lois et leurs textes d'application, tout renvoi à une disposition de l'ancien code est un renvoi à la disposition correspondante du nouveau code. En particulier:

1° tout renvoi à l'article 981o du Code civil du Bas Canada est un renvoi à la disposition équivalente concernant les placements présumés sûrs du Code civil du Québec;

2° tout renvoi aux articles 1203 à 1245 du Code civil du Bas Canada est un renvoi à la disposition correspondante du livre De la preuve du Code civil du Québec;

3° tout renvoi aux articles 1650 à 1665.6 du Code civil du Bas Canada est un renvoi à la disposition correspondante des règles particulières au bail d'un logement du livre Des obligations du Code civil du Québec.

1992, c. 57, a. 424.

(3) "registration" corresponds to "registration" or "publication";

(4) "index of immovables" or "index to immovables" corresponds to "land register";

(5) in French texts, "régistrateur" [registrar] corresponds to "officier de la publicité des droits" [registrar];

(6) "register of farm and forest pledges" corresponds to "register of personal and movable real rights".

— In respect of civil procedure and remedies:

(1) "prothonotary" corresponds to "clerk";

(2) "certificate of the registrar" corresponds to "certified statement of the registrar".

Art. 424. In the statutes and statutory instruments, any reference to a provision of the former Code is a reference to the corresponding provision of the new Code. In particular,

(1) any reference to article 981o of the Civil Code of Lower Canada is a reference to the equivalent provision concerning presumed sound investments in the Civil Code of Québec;

(2) any reference to articles 1203 to 1245 of the Civil Code of Lower Canada is a reference to the corresponding provision of the Book on Evidence of the Civil Code of Québec;

(3) any reference to articles 1650 to 1665.6 of the Civil Code of Lower Canada is a reference to the corresponding provision of the rules governing the lease of a dwelling in the Book on Obligations of the Civil Code of Québec.

ANNEXE 5
1980, CHAPITRE 39
(DISPOSITIONS TRANSITOIRES)
ARTICLES 63 À 80

NON EN VIGUEUR

Art. 63. Les mineurs âgés de 16 à 18 ans au jour de l'entrée en vigueur des articles 402 et 403 du Code civil du Québec peuvent se marier sans autorisation judiciaire si des formalités préalables à la célébration du mariage ont déjà été accomplies, pourvu que les consentements requis en vertu des anciens articles 119 à 121 du Code civil du Bas-Canada soient obtenus.

Art. 64. Sous réserve des instances en cours, les mariages conclus antérieurement à l'entrée en vigueur de l'article 405 du Code civil du Québec ne peuvent pas être annulés sur le fondement des anciens articles 125 et 126 du Code civil du Bas-Canada.

La nullité des mariages célébrés antérieurement à l'entrée en vigueur des articles 423 à 439 du Code civil du Québec peut être demandée dans les cas et conditions prévus par ceux-ci. Toutefois, la validité des mariages contractés en conformité de l'ancien article 115 du Code civil du Bas-Canada ne peut pas être remise en cause au seul motif que les époux ou l'un deux avaient moins de 16 ans.

*Une demande en nullité de mariage présentée avant l'entrée en vigueur des articles 423 à 439 du Code civil du Québec est instruite et jugée suivant la loi ancienne. Toutefois, les articles 431 à 439 du Code civil du Québec s'appliquent à ces demandes.

---

* Le troisième alinéa de l'article 64 est entré en vigueur le 1er décembre 1982.

Art. 65. Les dispositions du chapitre sixième du titre premier du Livre deuxième du Code civil du Québec régissent tous les époux sans qu'il y ait lieu de considérer la date à laquelle le mariage a été célébré ou les conventions matrimoniales passées.

Art. 66. Les époux mariés avant le 1er juillet 1970 sous le régime de la communauté légale sont soumis aux dispositions qui régissent la communauté de meubles et acquêts énoncées par les anciens articles 1272 à 1425i du Code civil du Bas-Canada, tels qu'ils ont été modifiés par la Loi concernant les régimes matrimoniaux (1969, c. 77) et les lois postérieures.

ANNEX 5
1980, CHAPTER 39
(TRANSITORY PROVISIONS)
SECTIONS 63 TO 80

NOT IN FORCE

Art. 63. Minors between the ages of 16 and 18 on the day of the coming into force of articles 402 and 403 of the Civil Code of Québec may marry without judicial authorization if formalities prior to the solemnizing of the marriage have already been accomplished, provided that the consents required under former articles 119 to 121 of the Civil Code of Lower Canada are obtained.

Art. 64. Subject to proceedings in progress, no marriages contracted prior to the coming into force of article 405 of the Civil Code of Québec may be annulled on the basis of former articles 125 and 126 of the Civil Code of Lower Canada.

The annulment of marriages contracted prior to the coming into force of articles 423 to 439 of the Civil Code of Québec may be applied for in the cases and on the conditions provided in those articles. However, the validity of marriages contracted in conformity with the former article 115 of the Civil Code of Lower Canada is not subject to question on the sole ground that the spouses were or either of them was less than 16 years of age.

*An action to seek the nullity of a marriage instituted before the coming into force of articles 423 to 439 of the Civil Code of Québec is heard and decided in accordance with the former legislative provisions. However, articles 431 to 439 of the Civil Code of Québec apply to such actions.

---

* Third paragraph of article 64 has been proclaimed on December 1, 1982.

Art. 65. Chapter 6 of Title One of Book Two of the Civil Code of Québec governs all spouses without consideration of the date on which the marriage was solemnized or the marriage covenants were made.

Art. 66. Spouses married before 1 July 1970 under the regime of legal community are subject to the provisions governing the community of moveables and acquests set forth in former articles 1272 to 1425i of the Civil Code of Lower Canada, as amended by the Act respecting matrimonial regimes (1969, c. 77) and subsequent acts.

Les époux mariés sous un régime de communauté, légal ou conventionnel, avant l'entrée en vigueur de l'article 45 de la présente loi continuent à être soumis aux dispositions des articles susvisés et aux stipulations de leur contrat, sous réserve des dispositions impératives de la loi.

Les dispositions transitoires énoncées à l'ancien article 1450 du Code civil du Bas-Canada sont maintenues en vigueur.

Art. 67. Sous réserve des accords amiables déjà intervenus et des décisions judiciaires passées en force de chose jugée, l'article 503 du Code civil du Québec est applicable à toutes les sociétés d'acquêts non liquidées à la date d'entrée en vigueur de cet article.

*Art. 68. Les séparations de corps prononcées antérieurement à l'entrée en vigueur des articles 525 à 536 du Code civil du Québec continuent à être soumis, quant à leurs effets, aux dispositions des anciens articles 206 à 217 du Code civil du Bas-Canada.

De même les divorces prononcés antérieurement à l'entrée en vigueur des articles 556 à 559 du Code civil du Québec, s'il s'agit des effets liés au règlement des intérêts financiers des époux, ou antérieurement à l'entrée en vigueur des articles 560 à 571 dudit code, s'il s'agit d'autres effets du divorce, continuent à être soumis aux dispositions des anciens articles 206 à 217 du Code civil du Bas-Canada et à la Loi sur le divorce (S.R.C., 1970, chapitre D-8).

---

* L'article 68 est entré en vigueur le 1er décembre 1982.

*Art. 69. Les demandes en séparation de corps présentées avant l'entrée en vigueur des articles 525 à 536 du Code civil du Québec sont poursuivies et jugées conformément aux dispositions des anciens articles 186 à 206 du Code civil du Bas-Canada.

Les articles 529 à 536 du Code civil du Québec qui règlent les effets de la séparation de corps et la manière dont elle prend fin sont immédiatement applicables à ces demandes.

---

* L'article 69 est entré en vigueur le 1er décembre 1982.

Spouses married under a regime of community, legal or conventional, before the coming into force of section 45 of this act, continue to be subject to the articles mentioned above and to the stipulations of their contract, subject to the imperative provisions of this act.

The transitional provisions set forth in former article 1450 of the Civil Code of Lower Canada remain in force.

Art. 67. Subject to amicable agreements already made and court decisions having acquired the status of *res judicata*, article 503 of the Civil Code of Québec applies to all partnerships of acquests unliquidated on the date of the coming into force of that article.

*Art. 68. Separations as to bed and board granted prior to the coming into force of articles 525 to 536 of the Civil Code of Québec continue to be subject, with regard to their effects, to former articles 206 to 217 of the Civil Code of Lower Canada.

Similarly, divorces granted prior to the coming into force of articles 556 to 559 of the Civil Code of Québec with regard to effects that are connected with the settlement of the spouses' financial interests, or prior to the coming into force of articles 560 to 571 of the said Code with regard to other effects of the divorce, continue to be subject to former articles 206 to 217 of the Civil Code of Lower Canada and to the Divorce Act (R.S.C., 1970, chapter D-8).

---

* Article 68 has been proclaimed on December 1, 1982.

*Art. 69. Actions for separation as to bed and board brought before the coming into force of articles 525 to 536 of the Civil Code of Québec are continued and decided in conformity with former articles 186 to 206 of the Civil Code of Lower Canada.

Articles 529 to 536 of the Civil Code of Québec which govern the effects of separation as to bed and board and the manner in which it ceases are applicable to these actions immediately.

---

* Article 69 has been proclaimed on December 1, 1982.

Art. 70. Les demandes en divorce présentées avant l'entrée en vigueur des articles 538 à 571 du Code civil du Québec sont poursuivies et jugées conformément à la Loi sur le divorce (S.R.C., 1970, c. D-8) et aux dispositions des anciens articles 200 à 205 du Code civil du Bas-Canada.

*Par ailleurs, les dispositions des articles 555 à 571 du Code civil du Québec qui règlent les effets du divorce sont, au fur et à mesure de leur entrée en vigueur, immédiatement applicables aux causes alors pendantes.

---

*   Le deuxième alinéa de l'article 70 est entré en vigueur le 1er décembre 1982.

*Art. 71. Les demandes en séparation de corps présentées postérieurement à l'entrée en vigueur des articles 525 à 536 du Code civil du Québec peuvent se fonder sur des faits qui se sont produits antérieurement à cette entrée en vigueur.

---

*   Le premier alinéa de l'article 71 est entré en vigueur le 1er décembre 1982.

Il en est de même pour les demandes en divorce présentées postérieurement à l'entrée en vigueur des articles 538 à 542.

Art. 72. Les articles 572 à 594 du Code civil du Québec s'appliquent aux enfants nés avant leur entrée en vigueur.

Il en est fait application dans les instances pendantes au jour de cette entrée en vigueur.

Les actes faits antérieurement à cette date produisent les effets que ces articles y attachent.

Les droits héréditaires résultant de l'article 594 du Code civil du Québec ne peuvent cependant être exercés dans les successions ouvertes avant son entrée en vigueur sauf, dans le cas d'une substitution non encore ouverte, au profit des appelés.

*Art. 73. Les demandes en adoption présentées antérieurement à l'entrée en vigueur des articles 595 à 632 du Code civil du Québec sont poursuivies et jugées conformément aux dispositions de l'ancienne Loi sur l'adoption (L.R.Q., c. A-7).

Art. 70. Petitions for divorce presented before the coming into force of articles 538 to 571 of the Civil Code of Québec are continued and decided in conformity with the Divorce Act (R.S.C., 1970, c. D-8) and with former articles 200 to 205 of the Civil Code of Lower Canada.

*Moreover, those provisions of articles 555 to 571 of the Civil Code of Québec which govern the effects of divorce are, as and when they come into force, immediately applicable to the cases then pending.

---

*   Second paragraph of article 70 has been proclaimed on December 1, 1982.

*Art. 71. Applications for separation as to bed and board presented after the coming into force of articles 525 to 536 of the Civil Code of Québec may be based on facts that occurred prior to their coming into force.

---

*   First paragraph of article 71 has been proclaimed on December 1, 1982.

The same rule applies to applications for divorce made after the coming into force of articles 538 to 542.

Art. 72. Articles 572 to 594 of the Civil Code of Québec apply to children born before the coming into force of those articles.

They apply in the cases pending on the day of their coming into force.

Acts done prior to that date produce the effects attached to them by these articles.

Hereditary rights resulting from article 594 of the Civil Code of Québec are not exercisable, however, with regard to successions opened before the coming into force of that article except, in the case of a substitution not yet opened, for the benefit of the substitutes.

*Art. 73. Applications for adoption presented prior to the coming into force of articles 595 to 632 of the Civil Code of Québec are continued and decided in conformity with the provisions of the former Adoption Act (R.S.Q., c. A-7).

Lorsque le placement en vue de l'adoption a été fait antérieurement à l'entrée en vigueur de ces articles, les adoptants ont la faculté de saisir le tribunal en se fondant sur les dispositions de l'ancienne loi. La demande est alors instruite et jugée conformément aux dispositions de cette loi.

Dans ces deux cas, les articles 623 et 626 du Code civil du Québec sont cependant applicables.

***

*   L'article 73 est entré en vigueur le 1ᵉʳ décembre 1982.

Art. 74. Lorsqu'une demande de pension alimentaire fondée sur les anciens articles 167 et 168 du Code civil du Bas-Canada a été présentée avant l'entrée en vigueur des articles 633 à 644 du Code civil du Québec, elle est jugée conformément à ces anciens articles.

Les décisions de justice attribuant une pension alimentaire à une personne sur le fondement des anciens articles 167 et 168 du Code civil du Bas-Canada continuent à produire leurs effets après l'entrée en vigueur des articles 633 à 644 du Code civil du Québec sans préjudice du droit du débiteur de la pension d'en demander la réduction ou la suppression, si des circonstances nouvelles le justifient.

Art. 75. L'article 658 du Code civil du Québec est applicable même lorsque le jugement prononçant la déchéance de l'autorité parentale a été rendu antérieurement à son entrée en vigueur.

Art. 76. Sous réserve des accords amiables déjà intervenus et des jugements passés en force de chose jugée, les dispositions des nouveaux articles 603 et 735.1 du Code civil du Bas-Canada sont applicables dans les successions non encore liquidées à la date de leur entrée en vigueur.

Toutefois, l'héritier qui a déjà accepté la succession peut néanmoins y renoncer dans l'année qui suit l'entrée en vigueur des articles 603 ou 735.1 du Code civil si ces articles trouvent application quant à la succession qu'il a acceptée.

Art. 77. La limitation apportée par l'ancien article 768 du Code civil du Bas-Canada à certaines catégories de donations ne peut être invoquée, à compter de l'entrée en vigueur de l'article 35 de la présente loi, pour faire annuler ou réduire des donations qui auraient été faites antérieurement. Ces donations sont cependant considérées comme caduques si elles n'ont pas été exécutées avant le décès du donateur.

If placement in view of adoption is made before the coming into force of those articles, the adopters are entitled to refer the matter to the court on the basis of the provisions of the former act. The application is then heard and decided in conformity with the provisions of that act.

In both cases, however, articles 623 and 626 of the Civil Code of Québec apply.

***

*   Article 73 has been proclaimed on December 1, 1982.

Art. 74. Any application for support based on former articles 167 and 168 of the Civil Code of Lower Canada presented before the coming into force of articles 633 to 644 of the Civil Code of Québec is decided in conformity with those articles.

Court decisions awarding support to a person that are based on former articles 167 and 168 of the Civil Code of Lower Canada continue to produce their effects after the coming into force of articles 633 to 644 of the Civil Code of Québec without prejudice to the right that the debtor of support may have to apply for reduction or suppression of support, if new circumstances so justify.

Art. 75. Article 658 of the Civil Code of Québec applies even if the judgment declaring the deprivation of parental authority was rendered prior to the coming into force of that article.

Art. 76. Subject to amicable agreements already made and judgments having acquired the status of *res judicata*, the new articles 603 and 735.1 of the Civil Code of Lower Canada apply to successions not yet liquidated on the date of the coming into force of those articles.

However, an heir who has already accepted a succession may nevertheless renounce it within one year from the coming into force of article 603 or 735.1 of the Civil Code of Lower Canada, if those articles apply to the succession that he has accepted.

Art. 77. No restriction contained in former article 768 of the Civil Code of Lower Canada with regard to certain categories of gifts may be invoked, from the coming into force of section 35 of this act, to obtain the annulment or reduction of gifts executed previously. Such gifts are, however, considered lapsed if they were not made before the death of the donor.

*Art. 78. Les père et mère d'un enfant mineur peuvent, dans les deux ans suivant la date d'entrée en vigueur de l'article 56.1 du Code civil du Bas-Canada, transmettre au ministre de la justice une requête en vue d'attribuer à leur enfant mineur un nom composé d'au plus deux parties provenant des noms de ses père et mère. Lorsque les père et mère sont divorcés ou séparés de corps ou que la garde de l'enfant a été confiée à l'un d'eux par le tribunal, cette requête peut être présentée par l'un d'eux si elle ne peut être formulée conjointement.

Cette requête est faite conformément aux dispositions de la Loi sur le changement de nom et d'autres qualités de l'état civil (L.R.Q., c. C-10). Cependant, les requérants sont dispensés de donner les avis prévus par les articles 5 et 9 de ladite loi.

---

* L'article 78 a été modifié le 11 juin 1982, par suite de l'adoption du projet de loi 18 de 1982, article 82.

Art. 79. Les époux mariés avant l'entrée en vigueur de la présente loi peuvent, s'ils le désirent, conserver l'usage du nom de leur conjoint.

Art. 80. La présente loi entrera en vigueur aux dates fixées par proclamations du gouvernement ultérieures au 1er avril 1981. Toutefois, aucune proclamation ne pourra être faite qui viserait à mettre en vigueur une disposition de la présente loi, dans une matière relevant de la compétence législative du Parlement du Canada en vertu de l'Acte de l'Amérique du Nord Britannique de 1867, avant que ne soient apportées à cet acte les modifications conférant à la Législature du Québec la compétence législative en cette matière.

*Art. 78. The father and mother of a minor child may, within two years after the date of the coming into force of article 56.1 of the Civil Code of Lower Canada, send to the Minister of Justice an application to assign to their minor child a surname consisting of not more than two parts, taken from the surnames of his father and mother. Where the father and mother are divorced or separated as to bed and board or where either of them has been entrusted with custody of the child by the court, either of them may present the application if a joint application is impracticable.

The application is made in conformity with the Act respecting the change of name and of other particulars of civil status (R.S.Q., c. C-10). However, applicants are dispensed from giving the notices provided for in sections 5 and 9 of the said act.

---

* Section 78 has been amended on June 11, 1982, following the adoption of bill 18 of 1982, section 82.

Art. 79. Spouses married before the coming into force of this act may, if they wish, continue to use the surname of their spouse.

Art. 80. This act will come into force on the dates to be fixed by government proclamations later than 1 April 1981. However, no proclamation may be made that would put into force a provision of this act, in a matter falling under the legislative jurisdiction of the Parliament of Canada pursuant to the British North America Act of 1867, before amendments to that act are made to confer on the Legislature of Québec legislative jurisdiction in that matter.

ANNEXE 6
1989, CHAPITRE 55
(DISPOSITIONS TRANSITOIRES)
ARTICLES 42 À 46

Art. 42. Les articles 462.1 à 462.13 du Code civil du Québec relatifs au patrimoine familial des époux sont applicables aux époux mariés avant l'entrée en vigueur desdits articles, à moins qu'ils ne manifestent, dans les dix-huit mois de leur entrée en vigueur, par acte notarié, ou par une déclaration judiciaire conjointe faite au cours d'une instance en divorce, en séparation de corps ou en nullité de mariage dont il est donné acte, leur volonté de ne pas y être assujettis en tout ou en partie. Cet acte notarié doit être inscrit au registre central des régimes matrimoniaux à la diligence du notaire instrumentant.

Ces articles ne sont pas applicables, à moins de reprise de la vie commune, aux époux qui, avant le 15 mai 1989, avaient cessé de faire vie commune et avaient réglé, par une entente écrite ou autrement, les conséquences de leur séparation.

En outre, ils ne sont pas applicables aux demandes en séparation de corps, divorce ou annulation de mariage introduites avant le 15 mai 1989.

L'inapplication à certains époux des articles relatifs au patrimoine familial ne les prive cependant pas du droit au partage de leurs gains inscrits en application de la Loi sur le régime de rentes du Québec ou de programmes équivalents, conformément aux dispositions de ces articles, si ces époux font ultérieurement l'objet d'un jugement en séparation de corps, divorce ou nullité de mariage qui prend effet après le 30 juin 1989 et que le partage de ces gains n'a, à ce jour, jamais été effectué entre eux.

Art. 43. L'article 462.8 du Code civil du Québec relatif à l'aliénation, avant le partage, d'un bien qui faisait partie du patrimoine familial est inapplicable à l'égard des actes d'aliénation conclus avant le 1er juillet 1989, à moins qu'ils n'aient été faits dans le but de diminuer la part de l'époux auquel aurait profité l'inclusion de ce bien au patrimoine familial.

Art. 44. Les articles 102.1 à 102.10 de la Loi sur le régime de rentes du Québec et les règlements adoptés en vertu du paragraphe *u* de l'article 219 de cette loi, en vigueur le 30 juin 1989 continuent de s'appliquer aux partages résultant d'un divorce ou d'une annulation de mariage survenu à la suite d'un jugement dont la prise d'effet est antérieure au 1er juillet 1989.

ANNEX 6
1989, CHAPTER 55
(TRANSITIONAL PROVISIONS)
SECTIONS 42 TO 46

Art. 42. Articles 462.1 to 462.13 of the Civil Code of Québec relating to the family patrimony of the spouses are applicable to spouses married before the coming into force of the said articles unless, within eighteen months from their coming into force, they express, by notarial deed, or by a joint judicial declaration made in the course of proceedings for divorce, separation from bed and board or nullity of marriage and recorded in writing, their wish not to be subject to them in whole or in part. The notarial deed must be registered in the central registry of matrimonial regimes at the behest of the attesting notary.

Those articles are not applicable, unless the spouses resume living together, to spouses who, before 15 May 1989, had ceased living together and, by an agreement in writing or otherwise, had settled the consequences of their separation.

Nor are they applicable to applications for separation from bed and board, divorce or annulment of marriage introduced before 15 May 1989.

The fact that the articles respecting the family patrimony do not apply to certain spouses does not deprive them, however, of the right to partition of their registered earnings pursuant to the Act respecting the Québec Pension Plan or similar plans, in accordance with the provisions of those articles, if such spouses subsequently are subject to a judgment of separation from bed and board, divorce or nullity of marriage which takes effect after 30 June 1989 and if, to that day, no partition of such earnings has ever been made between them.

Art. 43. Article 462.8 of the Civil Code of Québec relating to alienation, before partition, of a property that was included in the family patrimony does not apply in respect of acts of alienation performed before 1 July 1989, unless they were performed with the object of decreasing the share of the spouse who would have benefited from the inclusion of that property in the family patrimony.

Art. 44. Sections 102.1 to 102.10 of the Act respecting the Québec Pension Plan and the regulations under paragraph *u* of section 219 of that Act in force on 30 June 1989 continue to apply to partitions following divorce or annulment of marriage upon a judgment taking effect before 1 July 1989.

Art. 45. La référence faite à la Loi sur les régimes complémentaires de retraite au dernier alinéa de l'article 462.2 du Code civil du Québec, édicté par l'article 8 de la présente loi, doit se lire, jusqu'au 31 décembre 1989, comme étant une référence à la Loi sur les régimes supplémentaires de rentes (L.R.Q., chapitre R-17), dans la mesure où il s'agit d'un régime qui sera couvert par la Loi sur les régimes complémentaires de retraite.

Art. 46. L'établissement et l'évaluation des droits des époux en vertu de l'un ou l'autre des régimes de retraite visés au dernier alinéa de l'article 462.2 du Code civil du Québec, édicté par l'article 8 de la présente loi, ne peuvent être effectués avant la date ou les dates fixées par le gouvernement. Il en est de même de l'acquittement des droits attribués aux époux.

Toutefois, l'établissement et l'évaluation de ces droits ont effet, selon le cas, à la date du décès de l'époux, à la date d'introduction de l'instance en vertu de laquelle il est statué sur la séparation de corps, le divorce, la nullité de mariage ou le paiement d'une prestation compensatoire ou à la date de la cessation de la vie commune.

Art. 45. The reference to the Supplemental Pension Plans Act in the last paragraph of article 462.2 of the Civil Code of Québec, enacted by section 8, shall read, until 31 December 1989, as a reference to the Act respecting supplemental pension plans (R.S.Q., chapter R-17), to the extent that the retirement plan in question will be governed by the Supplemental Pension Plans Act.

Art. 46. The determination and evaluation of the benefits of the spouses under any of the retirement plans contemplated in the last paragraph of article 462.2 of the Civil Code of Québec, enacted by section 8, shall not be made before the date or dates fixed by the Government. The same applies to the payment of benefits awarded to the spouses.

However, the determination and evaluation of the said benefits shall have effect, as the case may be, to the date of the death of the spouse, to the date of introduction of the action following which the separation from bed and board, the divorce or the nullity of the marriage is pronounced or the compensatory allowance is awarded, or to the date of cessation of cohabitation.

Règlement relatif à la tenue et à la publicité du registre de l'état civil

Code civil du Québec (1991, c. 64, a. 151)

SECTION I
MENTIONS ADDITIONNELLES AUX CONSTATS DE NAISSANCE ET DE DÉCÈS

1. Le constat de naissance énonce, en outre des renseignements exigés par les articles 110 et 111 du Code civil du Québec, les mentions additionnelles suivantes:

1° le numéro de code de l'établissement où est survenue la naissance, le cas échéant;

2° le lieu de naissance de la mère;

3° le numéro du permis d'exercice du médecin qui a procédé à l'accouchement, le cas échéant;

2. Le constat de décès énonce, en outre des renseignements exigés par les articles 110, 124 et 128 du Code, les mentions additionnelles suivantes:

1° le numéro de code de l'établissement où est survenu le décès, le cas échéant;

2° le numéro du permis d'exercice du médecin qui a constaté le décès, le cas échéant.

SECTION II
MENTIONS ADDITIONNELLES AUX DÉCLARATIONS DE NAISSANCE, DE MARIAGE ET DE DÉCÈS

3. La déclaration de naissance énonce, en outre des renseignements exigés par les articles 110, 115 et 116 du Code civil du Québec, les mentions additionnelles suivantes:

1° la date de naissance des père et mère de l'enfant;

2° aux fins de la déclaration de filiation de l'enfant, l'indication, le cas échéant, que son père et sa mère sont mariés l'un à l'autre et la date de leur mariage.

4. La déclaration de mariage énonce, en outre des renseignements exigés par les articles 110, 119 et 120 du Code, les mentions additionnelles suivantes:

Regulation respecting the keeping and publication of the register of civil status

Civil Code of Québec (1991, c. 64, a. 151)

DIVISION I
ADDITIONAL PARTICULARS TO APPEAR ON ATTESTATIONS OF BIRTH AND DEATH

1. An attestation of birth shall state, in addition to the information required by articles 110 and 111 of the Civil Code of Québec, the following additional particulars:

(1) the code number of the institution where the birth occurred, where applicable;

(2) the place of birth of the mother; and

(3) the professional permit number of the physician who delivered the baby, where applicable.

2. An attestation of death shall state, in addition to the information required by articles 110, 124 and 128 of the Civil Code of Québec, the following additional particulars:

(1) the code number of the institution where the death occurred, where applicable; and

(2) the professional permit number of the physician who certified the death, where applicable.

DIVISION II
ADDITIONAL PARTICULARS TO APPEAR ON DECLARATIONS OF BIRTH, MARRIAGE AND DEATH

3. A declaration of birth shall state, in addition to the information required by articles 110, 115 and 116 of the Civil Code of Québec, the following additional particulars:

(1) the dates of birth of the child's father and mother; and

(2) for the purposes of the declaration of filiation of the child, whether the child's father and mother are married to each other and the date of their marriage, where applicable.

4. A declaration of marriage shall state, in addition to the information required by articles 110, 119 and 120 of the Civil Code of Québec, the following additional particulars:

1° l'état matrimonial de chacun des futurs époux; s'il est divorcé, la date de son dernier divorce ou, s'il est veuf, la date du décès de son conjoint;

2° le lieu d'enregistrement de la naissance de chacun des époux;

3° le numéro de code attribué au célébrant par le directeur de l'état civil.

5. La déclaration de décès énonce, en outre des renseignements exigés par les articles 110 et 126 du Code, les mentions additionnelles suivantes:

1° le lieu d'enregistrement de la naissance du défunt;

2° l'état matrimonial du défunt.

SECTION III
DISPOSITION FINALE

6. Omis.

D. 1591-93, (1993) 125 G.O. 2, 8051 (eev 94-01-01).

(1) the marital status of each of the spouses to be; if either is divorced or widowed, the date of the last divorce or the date of the former spouse's death;

(2) the place where the birth of each of the spouses was registered; and

(3) the code number assigned to the officiant by the registrar of civil status.

5. A declaration of death shall state, in addition to the information required by articles 110 and 126 of the Civil Code of Québec, the following additional particulars:

(1) the place where the birth of the deceased was registered; and

(2) the marital status of the deceased.

DIVISION III
FINAL

6. Omitted.

O.C. 1591-93, (1993) 125 G.O. 2, 6208 (cf 94-01-01).

Règlement relatif au changement de nom et d'autres qualités de l'état civil

Regulation respecting change of name and of other particulars of civil status

Code civil du Québec (1991, c. 64, a. 64 et 73)

Civil Code of Québec (1991, c. 64, a. 64 and 73)

SECTION I
DEMANDE DE CHANGEMENT DE NOM

DIVISION I
APPLICATION FOR A CHANGE OF NAME

1. La demande de changement de nom, présentée au directeur de l'état civil, est appuyée d'une déclaration sous serment du demandeur attestant que les motifs qui y sont exposés et les renseignements qui y sont donnés sont exacts.

1. An application for a change of name submitted to the registrar of civil status must be supported by an affidavit of the applicant attesting that the reasons and information given in the application are true.

2. La demande qui porte uniquement sur le changement de nom d'une personne majeure comprend les renseignements suivants sur le demandeur:

2. An application to change the name of a person of full age only must include the following information:

1° son nom, tel qu'il est constaté dans son acte de naissance, le nom qu'il demande ainsi que le nom qu'il utilise à la date de la présentation de la demande;

(1) the applicant's name, as recorded on the act of birth, the name applied for and the name being used on the date on which the application is submitted;

2° son sexe;

(2) the applicant's sex;

3° les date et lieu de sa naissance ainsi que l'endroit où elle a été enregistrée;

(3) the applicant's date and place of birth and the place where the birth was registered;

4° l'adresse de son domicile à la date de la présentation de la demande et depuis combien d'années il est domicilié au Québec;

(4) the address of the applicant's domicile on the date on which the application is submitted and the number of years the applicant has been domiciled in Québec;

5° la date à laquelle il est devenu citoyen canadien, s'il est né ailleurs qu'au Canada;

(5) the date on which the applicant, if born outside Canada, became a Canadian citizen;

6° les noms de ses père et mère;

(6) the name of the applicant's father and mother;

7° son état civil et, s'il est marié, le nom de son conjoint ainsi que les date et lieu de leur mariage;

(7) the applicant's marital status and, if the applicant is married, the spouse's name and the date and place of their marriage;

8° le nom de ses enfants, s'il en a, ainsi que leur date de naissance et le nom de l'autre parent de chacun d'eux;

(8) the names of the applicant's children, if any, as well as their date of birth and the name of each child's other parent;

9° s'il a déjà changé de nom, à la suite d'une décision judiciaire ou administrative, le nom qu'il portait avant cette décision ou, si un tel changement de nom lui a été refusé, les motifs de ce refus;

(9) if the applicant's name has been changed following a judicial or administrative decision, the applicant's name before that decision or, if a change of name was refused, the reasons for the refusal; and

10° les motifs pour lesquels il demande le changement de son nom.

(10) the reasons for which the applicant is applying for a change of name.

3. La demande qui porte sur le changement du nom de famille d'une personne majeure et de son enfant mineur, de même que celle qui porte uniquement sur le changement de nom d'un enfant mineur comprend, en outre des renseignements exigés à l'article 2, les renseignements additionnels suivants sur l'enfant:

1° son nom, tel qu'il est constaté dans son acte de naissance, le nom demandé pour lui et le nom qu'il utilise à la date de la présentation de la demande;

2° son sexe;

3° les date et lieu de sa naissance ainsi que l'endroit où elle a été enregistrée;

4° l'adresse de son domicile, à la date de la présentation de la demande et depuis combien d'années il est domicilié au Québec;

5° la date à laquelle il est devenu citoyen canadien, s'il est né ailleurs qu'au Canada;

6° les noms de ses père et mère ainsi que l'adresse de leur domicile à la date de la présentation de la demande;

7° s'il a déjà changé de nom, à la suite d'une décision judiciaire ou administrative, le nom qu'il portait avant cette décision ou, si un tel changement de nom a été refusé, les motifs de ce refus;

8° le cas échéant, l'indication que son père ou sa mère a été déchu de l'autorité parentale par jugement du tribunal;

9° le cas échéant, l'indication que sa filiation a été changée par jugement du tribunal;

10° le cas échéant, l'indication qu'un tuteur lui a été nommé, soit par jugement du tribunal, soit par testament ou déclaration au curateur public conformément à l'article 200 du Code civil du Québec, le nom du tuteur, l'adresse de son domicile à la date de la présentation de la demande, le mode de sa nomination, ainsi que la date de prise d'effet de la tutelle;

11° les motifs pour lesquels le changement de son nom est demandé.

4. La demande de changement de nom est accompagnée des documents suivants:

1° copie des actes de naissance, de mariage et de décès mentionnés à la demande, lorsque ces actes ont été faits hors du Québec;

2° copie du certificat de citoyenneté canadienne du demandeur et de l'enfant mineur pour lequel le changement de nom est demandé, s'ils sont nés ailleurs qu'au Canada;

3. An application to change the surname of a person of full age and of that person's minor child and an application to change the name of a minor child only must include the following information, in addition to the information required in section 2:

(1) the child's name, as recorded on the act of birth, the name applied for in respect of the child and the name the child is using on the date on which the application is submitted;

(2) the child's sex;

(3) the child's date and place of birth and the place where the birth was registered;

(4) the address of the child's domicile on the date on which the application is submitted and the number of years the child has been domiciled in Québec;

(5) the date on which the child, if born outside Canada, became a Canadian citizen;

(6) the names of the child's father and mother and the address of their domicile on the date on which the application is submitted;

(7) if the child's name has been changed before following a judicial or administrative decision, the child's name before that decision or, if a change of name was refused, the reasons for the refusal;

(8) if the child's father or mother has been deprived of parental authority by a judicial decision, an indication of that fact;

(9) if the child's filiation has been changed by a judicial decision, an indication of that fact;

(10) where such is the case, a statement that a tutor has been appointed to the child, either by a judicial decision, or by will or by a declaration filed with the Public Curator in accordance with article 200 of the Civil Code of Québec, the name of the tutor, the address of the tutor's domicile on the date on which the application is submitted, the mode of appointment of the tutor and the date on which the tutorship took effect; and

(11) the reasons for which the change of the child's name is applied for.

4. An application for a change of name must be accompanied with the following documents:

(1) a copy of the acts of birth, marriage and death referred to in the application, where they were drawn up outside Québec;

(2) a copy of the certificates of Canadian citizenship of the applicant and of the minor child for whom the change of name is applied for, if they were born outside Canada;

3° copie du jugement irrévocable ou du certificat de divorce du demandeur, si celui-ci est divorcé;

4° copie du jugement prononçant la nullité du mariage du demandeur, le cas échéant;

5° copie des décisions antérieures de changement de nom du demandeur et de l'enfant mineur pour lequel le changement de nom est demandé, s'ils ont déjà changé de nom;

6° si un tuteur a été nommé à l'enfant mineur pour lequel le changement de nom est demandé, la copie du jugement nommant le tuteur à l'enfant ou, si la désignation du tuteur a été faite par testament ou par une déclaration au curateur public, conformément à l'article 200 du Code civil du Québec, la copie du testament ou de la déclaration.

La demande de changement de nom est également accompagnée du paiement des droits exigibles.

(3) a copy of the applicant's absolute decree of divorce or certificate of divorce, if the applicant is divorced;

(4) a copy of the judgment declaring the nullity of the applicant's marriage, where applicable;

(5) a copy of the previous decisions changing the names of the applicant and of the minor child for whom the change of name is applied for, if their names have been changed before; and

(6) if the minor child for whom the change of name is applied for has a tutor, a copy of the judgment appointing the tutor or, if the tutor was appointed by will or by a declaration filed with the Public Curator in accordance with article 200 of the Civil Code of Québec, a copy of the will or declaration.

The application must also be accompanied with the payable duties.

SECTION II
PUBLICITÉ DE LA DEMANDE DE CHANGEMENT DE NOM

DIVISION II
PUBLICATION OF AN APPLICATION FOR A CHANGE OF NAME

5. À moins qu'il n'en ait été dispensé par le ministre de la Justice, conformément à l'article 63 du Code civil du Québec, le demandeur donne avis de sa demande, une fois par semaine, pendant deux semaines consécutives, à la *Gazette officielle du Québec* et dans un journal publié ou circulant dans le district judiciaire où il a son domicile.

Ces publications sont également faites dans le district judiciaire où l'enfant mineur, pour lequel le changement de nom est demandé, a son domicile si celui-ci est distinct de celui du demandeur.

6. L'avis de demande de changement de nom comprend, lorsque celle-ci porte sur le changement de nom d'une personne majeure, les renseignements suivants:

1° le nom du demandeur, tel qu'il est constaté dans son acte de naissance;

2° l'adresse du domicile du demandeur;

3° le nom demandé au directeur de l'état civil;

4° les lieu et date de l'avis;

5° la signature du demandeur.

Lorsque la demande porte sur le changement de nom d'un enfant mineur, l'avis de demande comprend les renseignements suivants:

1° les nom et adresse du domicile du demandeur;

5. Unless an exemption from publication has been granted by the Minister of Justice in accordance with article 63 of the Civil Code of Québec, the applicant shall publish a notice of his application once a week for two consecutive weeks in the *Gazette officielle du Québec* and in a newspaper published or distributed in the judicial district where the applicant is domiciled.

The notice shall also be published in the same manner in the judicial district where the minor child for whom a change of name is applied for is domiciled, if the child's domicile is different from the applicant's.

6. Where the application is to change the name of a person of full age, the notice of application must include the following information:

(1) the applicant's name, as it appears on the act of birth;

(2) the address of the applicant's domicile;

(3) the name applied for to the registrar of civil status;

(4) the place and date of the notice; and

(5) the applicant's signature.

Where the application is to change the name of a minor child, the notice of application must include the following information:

(1) the applicant's name and the address of the applicant's domicile;

2° le nom de l'enfant, tel qu'il est constaté dans son acte de naissance;

3° le nom demandé pour l'enfant au directeur de l'état civil;

4° les lieu et date de l'avis;

5° la qualité du demandeur et sa signature.

7. Le demandeur doit fournir au directeur de l'état civil, soit la dispense de publication accordée par le ministre de la Justice en application de l'article 63 du Code civil du Québec, soit les pages complètes des journaux et de la *Gazette officielle du Québec* sur lesquelles a été publié l'avis de demande de changement de nom.

SECTION III
AVIS DE DEMANDE DE CHANGEMENT DE NOM D'UN ENFANT MINEUR

8. Le demandeur notifie, de la manière prescrite à la section VI, un avis de la demande qui porte sur le changement de nom d'un enfant mineur aux père et mère de l'enfant, à son tuteur, le cas échéant, et à l'enfant lui-même, s'il est âgé de quatorze ans et plus. Il joint à l'avis une copie de la demande.

9. L'avis de demande comprend les renseignements suivants:

1° les nom et adresse du domicile de la personne à qui l'avis doit être notifié;

2° le nom de l'enfant, tel qu'il est constaté dans son acte de naissance;

3° le nom demandé pour l'enfant;

4° les nom, qualité et adresse du domicile du demandeur;

5° les lieu et date de l'avis;

6° la signature du demandeur.

10. Le demandeur fournit au directeur de l'état civil, de la manière prévue à l'article 22, la preuve que la notification requise par l'article 8 a été faite; dans le cas contraire, il doit démontrer au directeur qu'il n'a pu procéder à la notification.

(2) the child's name, as recorded on the act of birth;

(3) the name applied for in respect of the child to the registrar of civil status;

(4) the place and date of the notice; and

(5) the applicant's capacity and signature.

7. The applicant shall provide the registrar of civil status with either the exemption from publication granted by the Minister of Justice pursuant to article 63 of the Civil Code of Québec or the full pages on which the notice of application for a change of name was published in the newspapers and in the *Gazette officielle du Québec*.

DIVISION III
NOTICE OF AN APPLICATION TO CHANGE THE NAME OF A MINOR CHILD

8. The applicant shall, in the manner prescribed in Division VI, notify the child's father and mother, the child's tutor, where applicable, and the child, if 14 years of age or older, of the notice of application to change the name of a minor child. The applicant shall append to the notice a copy of the application.

9. The notice of application must include the following information:

(1) the name of the person who must be notified of the notice and the address of the person's domicile;

(2) the child's name, as recorded on the act of birth;

(3) the name applied for in respect of the child;

(4) the applicant's name and capacity and the address of the applicant's domicile;

(5) the place and date of the notice; and

(6) the applicant's signature.

10. The applicant shall provide the registrar of civil status, in the manner set out in section 22, with proof that the notification required by section 8 has been made; otherwise, the applicant must prove to the registrar that he was unable to make the required notification.

SECTION IV
OBSERVATIONS SUR UNE DEMANDE, OPPOSITION ET RÉPONSE DU DEMANDEUR

11. Toute personne intéressée peut, dans les vingt jours suivant la date de la dernière publication requise par la section II, notifier ses observations au demandeur et au directeur de l'état civil.

12. Les personnes avisées d'une demande de changement de nom d'un enfant mineur, conformément à la section III, peuvent s'opposer à la demande sous réserve toutefois du cas prévu au deuxième alinéa de l'article 62 du Code civil du Québec.

Elles notifient, conformément à la section VI, leur opposition au directeur de l'état civil et au demandeur, au plus tard le vingtième jour suivant la date de la notification de l'avis de demande.

13. L'opposition à la demande de changement de nom d'un enfant mineur comprend les renseignements suivants:

1° les nom, qualité et adresse du domicile de l'opposant;

2° le nom du demandeur;

3° le nom de l'enfant, tel qu'il est constaté dans son acte de naissance;

4° le nom demandé pour l'enfant;

5° les motifs de l'opposition;

6° les lieu et date de l'opposition;

7° la signature de l'opposant.

14. Le demandeur peut, dans les quinze jours de la notification qui lui en est faite, répondre à une opposition ou aux observations formulées sur sa demande.

Il notifie, conformément à la section VI, sa réponse au directeur de l'état civil et à l'opposant et, le cas échéant, aux autres personnes intéressées.

15. La réponse du demandeur comprend les renseignements suivants:

1° les nom et adresse du domicile du demandeur;

2° le nom de l'opposant ou de la personne qui a formulé des observations sur la demande;

3° la date de la notification au demandeur de l'opposition ou des observations sur la demande;

4° le nom inscrit à l'acte de naissance de la personne dont le changement de nom est demandé;

DIVISION IV
STATEMENT OF VIEWS ON AN APPLICATION, OBJECTION AND APPLICANT'S REPLY

11. Any interested person may, within 20 days following the date of the last publication required by Division II, notify the registrar of civil status and the applicant of his views.

12. The persons notified of an application to change the name of a minor child, in accordance with Division III, may object to the application subject, however, to the second paragraph of article 62 of the Civil Code of Québec.

The registrar of civil status and the applicant must be notified of their objection in accordance with Division VI, not later than the twentieth day following the date of notification of the notice of application.

13. An objection to an application to change the name of a minor child must include the following information:

(1) the objector's name and capacity and the address of the objector's domicile;

(2) the applicant's name;

(3) the child's name, as recorded on the act of birth;

(4) the name applied for in respect of the child;

(5) the reasons for the objection;

(6) the place and date of the objection; and

(7) the objector's signature.

14. The applicant may reply to an objection or to the views stated on the application within 15 days from the day on which the applicant receives notification thereof.

The applicant shall, in accordance with Division VI, give notice of his or her reply to the registrar of civil status, to the objector and, where applicable, to the other interested persons.

15. The applicant's reply must include the following information:

(1) the applicant's name and the address of the applicant's domicile;

(2) the name of the objector or of the person who stated views on the application;

(3) the date on which the applicant was notified of the objection or the views on the application;

(4) the name recorded on the act of birth of the person for whom a change of name is applied for;

5° le nom demandé pour cette personne;

6° les motifs pour lesquels le demandeur considère que l'opposition ou les observations sont mal fondées;

7° les date et lieu de la réponse du demandeur;

8° la signature du demandeur.

SECTION V
DÉCISION DU DIRECTEUR DE L'ÉTAT CIVIL

16. La décision du directeur de l'état civil d'autoriser ou de refuser un changement de nom doit être motivée.

Elle est notifiée au demandeur, à l'opposant et, le cas échéant, aux personnes qui ont formulé des observations sur la demande.

17. Lorsque la décision du directeur de l'état civil d'autoriser un changement de nom n'est plus susceptible d'être révisée, soit à l'expiration du délai de 30 jours prévu à l'article 864.2 du Code de procédure civile, il en donne avis à la *Gazette officielle du Québec*, à moins qu'une dispense spéciale de publication ne soit accordée par le ministre de la Justice en application de l'article 67 du Code civil du Québec.

18. L'avis de changement de nom comprend les renseignements suivants:

1° la date de la décision d'autoriser le changement de nom;

2° le nom inscrit à l'acte de naissance de la personne dont le changement de nom était demandé;

3° la date de naissance de cette personne;

4° le nouveau nom accordé à cette personne;

5° la date de prise d'effet de la décision d'autoriser le changement de nom;

6° les lieu et date de l'avis;

7° la signature du directeur de l'état civil.

19. Le directeur de l'état civil expédie au demandeur un certificat de changement de nom. Il fait au registre de l'état civil les inscriptions nécessaires pour en assurer la publicité.

(5) the name applied for in respect of that person;

(6) the reasons for which the applicant deems the objection or views ill-founded;

(7) the date and place of the applicant's reply; and

(8) the applicant's signature.

DIVISION V
DECISION OF THE REGISTRAR OF CIVIL STATUS

16. The decision of the registrar of civil status to authorize or to refuse a change of name must give reasons.

The applicant, and, where applicable, the objector and the persons who made observations on the application must be notified of the decision.

17. When the decision of the registrar of civil status to authorize a change of name is no longer open to review, namely, upon the expiry of the 30 day period provided for in article 864.2 of the Code of Civil Procedure, the registrar shall give notice of the decision in the *Gazette officielle du Québec*, unless a special exemption from publication is granted by the Minister of Justice pursuant to article 67 of the Civil Code of Québec.

18. The notice of a change of name must include the following information:

(1) the date of the decision to authorize the change of name;

(2) the name recorded on the act of birth of the person for whom the change of name was applied for;

(3) the date of birth of that person;

(4) the new name granted to that person;

(5) the date on which the decision to authorize the change of name takes effect;

(6) the place and date of the notice; and

(7) the signature of the registrar of civil status.

19. The registrar of civil status shall send to the applicant a certificate of change of name. The registrar shall also make the required entries in the register of civil status to ensure the publication of the change of name.

SECTION VI
NOTIFICATION DE DOCUMENTS

20. La notification exigée par les articles 8, 11, 12, 14 et 16 est faite conformément aux articles 146.1 et 146.2 du Code de procédure civile.

21. La notification est réputée faite à la date de signature, par le destinataire, du récépissé des documents ou à la date où a été signé, par le destinataire ou par l'une des personnes mentionnées à l'article 123 du Code de procédure civile, l'avis de réception présenté par le postier au moment de la livraison ou, pour le courrier certifié, l'avis de livraison.

22. La preuve de la notification est faite par la déclaration sous serment de l'expéditeur attestant qu'il a accompli toutes les formalités requises et à laquelle sont attachés, selon le cas, les récépissés, les avis de réception ou, pour le courrier certifié, les avis de livraison.

SECTION VII
CHANGEMENT DE LA MENTION DU SEXE

23. Les articles 1, 2, 4 et 16 à 22 s'appliquent au changement de la mention du sexe en faisant les adaptations nécessaires.

24. On ne peut, dans une demande de modification de la mention du sexe, demander un changement de nom de famille.

SECTION VIII
DISPOSITION FINALE

25. Omis.

D. 1592-93, (1993) 125 G.O. 2, 8053 (eev 94-01-01).

DIVISION VI
NOTIFICATION OF DOCUMENTS

20. The notification required by sections 8, 11, 12, 14 and 16 must be made in accordance with articles 146.1 and 146.2 of the Code of Civil Procedure.

21. Notification is deemed to have been made on the date the receipt for the documents is signed by the person to be notified or on the date on which the acknowledgement of receipt presented by the postal employee at the time of delivery or, in the case of certified mail, the acknowledgement of delivery, is signed by the person to be notified or by one of the persons referred to in article 123 of the Code of Civil Procedure.

22. Notification is proved by an affidavit of the sender attesting that all the required formalities have been completed, to which must be appended, as the case may be, the receipts, the acknowledgements of receipt or, in the case of certified mail, the acknowledgements of delivery.

DIVISION VII
CHANGE OF DESIGNATION OF SEX

23. Sections 1, 2, 4 and 16 to 22 apply *mutatis mutandis* to a change of designation of sex.

24. No one may, in an application for a change of designation of sex, request a change of surname.

DIVISION VIII
MISCELLANEOUS

25. Omitted.

O.C. 1592-93, (1993) 125 G.O. 2, 6209 (cf 94-01-01).

Tarif des droits relatifs aux actes de l'état civil, au changement de nom ou de la mention du sexe

Code civil du Québec (1991, c.64, a.64, 73 et 151)

SECTION I
DROITS RELATIFS AUX ACTES DE L'ÉTAT CIVIL

1. Pour la délivrance de copies d'actes, de certificats et d'attestations, les droits exigibles sont de:

1° 15 $ pour la délivrance d'un certificat de naissance, de mariage ou de décès;

2° 20 $ pour la délivrance d'une copie d'un acte de l'état civil;

3° 25 $ pour la délivrance d'un certificat d'état civil;

4° 6 $ pour la délivrance d'une attestation relative à un acte ou à une mention portée à un acte de l'état civil sous réserve du cas prévu à l'article 2.

Les droits exigibles sont portés à 35 $ pour toute demande qui nécessite un traitement dans un délai accéléré.

D.1593-93, a. 1; D. 1286-96, a. 1; D. 1276-2001, a. 1.

2. Pour la délivrance en bloc d'attestations visées au paragraphe 4° de l'article 1 sur support informatique, les droits sont de 1,75 $ la seconde pour le temps d'utilisation de l'ordinateur, mais ne peuvent être inférieurs à 100 $.

S'ajoutent aux droits calculés suivant le premier alinéa les suivants:

1° 0,10 $ par attestation pour la délivrance de 50001 à 250000 attestations;

2° 0,05 $ par attestation pour la délivrance de 250001 à 450000 attestations;

3° 0,025 $ par attestation pour la délivrance de 450001 attestations et plus.

Des droits additionnels de 20 $ par disquette ou de 40 $ par ruban servant de support à ces attestations sont également exigibles.

3. Abrogé.

D. 1276-2001, a. 2.

Tariff of duties respecting the acts of civil status and change of name or of designation of sex

Civil Code of Québec (1991, c.64, a.64, 73 and 151)

DIVISION I
DUTIES RESPECTING THE ACTS OF CIVIL STATUS

1. For the issuing of copies of acts, certificates or attestations, the duties payable are

(1) $15 for the issuing of a certificate of birth, marriage or death;

(2) $20 for the issuing of a copy of an act of civil status;

(3) $25 for the issuing of a certificate of civil status; and

(4) $6 for the issuing of an attestation related to an act or to a notation made in an act of civil status, subject to the case provided for in section 2.

The duties payable are increased to $35 for any application requiring an accelerated processing time.

2. For the issuing, in bulk on computer media, of attestations referred to in paragraph 4 of section 1, the duties are $1.75 per second during which the computer is in use; however, the duties may not be less than $100.

The following duties are added to the duties calculated in accordance with the first paragraph:

(1) $0.10 per attestation, for 50001 to 250000 attestations;

(2) $0.05 per attestation, for 250001 to 450000 attestations; and

(3) $0.025 per attestation, for 450001 attestations or more.

Additional duties of $20 per diskette or $40 per tape used as media for those attestations are also payable.

3. Repealed.

4. Des droits de 20 $ sont exigibles pour un rapport de consultation du registre de l'état civil rendant compte de la recherche relative à une personne ou à un événement sur une période de 5 ans; s'ajoutent à ces droits 4 $ par année de recherche additionnelle.

5. Des droits de 100 $ sont exigibles pour la confection d'un acte de naissance à la suite d'une enquête sommaire, lorsque la naissance est déclarée plus d'un an après sa survenance; les droits exigibles ne sont toutefois que de 50 $ si la déclaration, bien que tardive, est faite au directeur de l'état civil dans l'année de la naissance.

5.1 Des droits de 100 $ sont exigibles pour l'ajout de la filiation à un acte de naissance lorsqu'elle est déclarée plus d'un an après la naissance; les droits exigibles ne sont toutefois que de 50 $ si la déclaration de filiation, bien que tardive, est faite au directeur de l'état civil dans l'année de la naissance.

D. 490-2002, a. 1.

SECTION II
DROITS RELATIFS AU CHANGEMENT DE NOM

6. Les droits exigibles pour une demande de changement du nom de famille ou du prénom d'une personne sont de 125 $.

7. Lorsque dans une même demande, la personne qui demande le changement de son nom de famille demande que le même nom de famille soit attribué à ses enfants mineurs, les droits prévus à l'article 6 sont majorés de 25 $ par enfant.

8. Les droits exigibles pour la délivrance d'une copie de certificat de changement de nom sont de 10 $.

SECTION III
DROITS RELATIFS AU CHANGEMENT DE LA MENTION DU SEXE

9. Les droits exigibles pour une demande de changement de la mention du sexe sont de 125 $.

10. Les droits exigibles pour la délivrance d'une copie de certificat de changement de la mention du sexe sont de 10 $.

4. Duties of $20 are payable for a consultation report on a search in the register of civil status concerning a person or event and covering a 5-year period; duties of $4 are added for each additional year searched.

5. Duties of $100 are payable for the preparation of an act of birth following a summary investigation, where the birth is declared more than one year after it occurred; the duties payable are only $50 if the declaration, although late, is made to the registrar of civil status during the year of birth.

5.1 Duties of $100 are payable for adding the filiation to an act of birth where the filiation is declared more than one year after the birth; the duties payable are only $50 if the declaration of filiation, although late, is made to the registrar of civil status during the year of birth.

DIVISION II
DUTIES RESPECTING CHANGE OF NAME

6. The duties payable for an application to change the surname or given name of a person are $125.

7. Where a person requests, in a single application, that his or her surname be changed and that the new surname be assigned to his or her minor children, the duties prescribed in section 6 are increased by $25 per child.

8. The duties payable for the issuing of a copy of a certificate of change of name are $10.

DIVISION III
DUTIES RESPECTING CHANGE OF DESIGNATION OF SEX

9. The duties payable for an application for a change of designation of sex are $125.

10. The duties payable for the issuing of a copy of a certificate of change of designation of sex are $10.

SECTION IV
DISPOSITIONS DIVERSES

11. Le Tarif des frais judiciaires en matière civile et des droits de greffe édicté par le décret 738-86 du 28 mai 1986, modifié par le règlement édicté par le décret 52-93 du 20 janvier 1993 est de nouveau modifié par l'abrogation au paragraphe 2° du premier alinéa de l'article 17.

12. Omis.

D. 1593-93, (1993) 125 G.O. 2, 8057 (eev 94-01-01).
D. 1286-96, (1996) 128 G.O. 2, 5794 (eev 96-10-31).
D. 1276-2001, (2001) 133 G.O. 2, 7501 (eev 2001-11-07).
D. 490-2002, (2002) 134 G.O. 2, 2923 (eev 2002-05-01).

DIVISION IV
MISCELLANEOUS

11. The Tariff of Court Fees in Civil Matters and of Court Office Fees, made by Order in Council 738-86 dated 28 May 1986 and amended by the Regulation made by Order in Council 52-93 dated 20 January 1993, is further amended by revoking sub-paragraph 2 of the first paragraph of section 17.

12. Omitted.

O.C. 1593-93, (1993) 125 G.O. 2, 6213 (cf 94-01-01).
O.C. 1286-96, (1996) 128 G.O. 2, 4247 (cf 96-10-31).
O.C. 1276-2001, (2001) 133 G.O. 2, 5854 (cf 2001-11-07).
O.C. 490-2002, (2002) 134 G.O. 2, 2292 (cf 2002-05-01).

Règlement sur le registre des droits personnels et réels mobiliers

Code civil du Québec (1991, c. 64, a. 3024)

Loi sur l'application de la réforme du Code civil (1992, c. 57, a. 165)

Loi sur les bureaux de la publicité des droits (1992, c. 57, a. 446 et 447)

CHAPITRE I
DU REGISTRE DES DROITS PERSONNELS ET RÉELS MOBILIERS

SECTION I
DISPOSITIONS GÉNÉRALES

1. Le registre des droits personnels et réels mobiliers est informatisé.

2. Les réquisitions d'inscription sont numérotées par l'officier de la publicité. La numérotation fait référence à un numéro de séquence commençant par les deux derniers chiffres de l'année civile.

SECTION II
DU BORDEREAU DE PRÉSENTATION

3. Les bordereaux de présentation sont numérotés par l'officier. La numérotation fait référence à un numéro de séquence que précède un caractère distinctif.

4. Le bordereau peut aussi être utilisé par le bureau à des fins d'établissement et de perception des frais exigibles, ainsi que de facturation.

SECTION III
DE LA STRUCTURE DU REGISTRE

5. Le registre des droits personnels et réels mobiliers est constitué de fiches nominatives et de fiches descriptives.

6. Il est établi une fiche nominative pour chaque constituant identifié dans la réquisition d'inscription.

Regulation respecting the register of personal and movable real rights

Civil Code of Québec (1991, c. 64, a. 3024)

An Act respecting the implementation of the reform of the Civil Code (1992, c. 57, s. 165)

An Act respecting registry offices (1992, c. 57, ss. 446 and 447)

CHAPTER I
REGISTER OF PERSONAL AND MOVABLE REAL RIGHTS

DIVISION I
GENERAL PROVISIONS

1. The register of personal and movable real rights shall be kept on computer.

2. Applications for registration shall be numbered by the registrar, using sequence numbers beginning with the last 2 numerals of the calendar year.

DIVISION II
MEMORIALS OF PRESENTATION

3. Memorials of presentation shall be numbered by the registrar, using sequence numbers preceded by an identifying character.

4. Memorials may also be used by the registry office for the purposes of fixing and collecting exigible fees, and for billing purposes.

DIVISION III
STRUCTURE OF THE REGISTER

5. The register of personal and movable real rights is composed of name files and descriptive files.

6. A name file shall be opened for each grantor named in an application for registration.

7. Seul un véhicule routier visé à l'article 15 donne lieu à l'établissement d'une fiche descriptive; les fiches nominative et descriptive sont complémentaires.

D. 1594-93, a. 7; D. 444-98, a. 1.

8. Chacune des fiches nominative et descriptive est constituée d'une fiche synoptique et d'une ou de plusieurs fiches détaillées.

9. Toute fiche nominative ou descriptive comporte un intitulé qui indique notamment le nom du registre, le nom du constituant ou le numéro d'identification du bien visé ainsi que les dates de certification du registre.

D. 1594-93, a. 9; D. 444-98, a. 2.

10. La fiche synoptique, outre l'intitulé mentionné à l'article 9, relate la date, l'heure et la minute de présentation de la réquisition, le numéro d'inscription ainsi que la nature du droit inscrit; elle renvoie aux différentes fiches détaillées.

D. 1594-93, a. 10; D. 444-98, a. 2.

11. La fiche détaillée, outre l'intitulé mentionné à l'article 9, comprend l'inscription du droit donnant lieu à l'établissement de cette fiche.

Après l'établissement d'une fiche détaillée, les inscriptions concernant un droit qui en fait l'objet sont faites sur cette fiche; mention de l'inscription est aussi effectuée sur la fiche synoptique.

12. La radiation d'une inscription sur une fiche détaillée donne lieu à une épuration de concordance sur la fiche synoptique; la réduction qui soustrait totalement de l'inscription le bien qui a donné lieu à l'établissement d'une fiche descriptive, entraîne la suppression de cette inscription sur celle-ci et mention de la réduction est portée sur la fiche nominative.

SECTION IV
DE L'ÉTABLISSEMENT
DE LA FICHE AU REGISTRE

§ 1. *De la fiche nominative*

13. La fiche nominative est établie comme suit:
1° s'il s'agit d'une personne physique: sous son nom et sa date de naissance;

7. A descriptive file shall be opened only for a road vehicle listed in section 15. Name files and descriptive files are supplementary.

8. Both name files and descriptive files are composed of a synoptic file and one or more detailed files.

9. Each name file and descriptive file shall bear a heading indicating, in particular, the name of the register, the name of the grantor or the identification number of the property in question, and the dates of certification of the register.

10. A synoptic file, in addition to bearing the heading prescribed in section 9, shall record the date, hour and minute of presentation of the application, as well as the registration number, and shall indicate the nature of the right registered; it shall cross-refer to the various detailed files.

11. A detailed file, in addition to bearing the heading prescribed in section 9, shall contain the registered entry of the right in respect of which such file has been opened.

Once a detailed file is opened, entries concerning the right in question shall be made in that file, and each such entry shall also be recorded in the synoptic file.

12. Where an entry is cancelled in a detailed file, the record of that entry shall be deleted from the corresponding synoptic file. Where a reduction completely eliminates from a registered entry the property in respect of which a descriptive file was opened, the registered entry shall be deleted from the descriptive file, and the reduction shall be recorded in the name file.

DIVISION IV
OPENING A FILE
IN THE REGISTER

§ 1. *Name files*

13. Name files shall be opened as follows:
(1) in the case of a natural person, under the person's name and date of birth;

1.1° s'il s'agit d'une succession: sous le nom et la date de naissance de la personne décédée;

1.2° s'il s'agit d'une fiducie: sous son nom et le code postal correspondant à l'établissement visé si celui-ci est situé au Canada;

2° s'il s'agit d'une personne morale: sous son nom et le code postal correspondant à l'établissement directement visé, si celui-ci est situé au Canada;

3° s'il s'agit d'une société en nom collectif ou en commandite ou d'une association: sous son nom et le code postal correspondant à l'établissement directement visé, si celui-ci est situé au Canada;

4° s'il s'agit de l'État: sous le nom de l'autorité administrative visée et le code postal correspondant au principal établissement de cette autorité.

Lorsqu'une personne physique agit dans le cadre d'une entreprise qu'elle exploite ou qu'une personne morale agit sous un nom autre que le sien et que sa désignation à la réquisition comprend aussi le nom de l'entreprise ou l'autre nom, la fiche nominative est également établie sous le nom de l'entreprise ou l'autre nom et sous le code postal relatif à l'adresse correspondante à ce nom.

D. 1594-93, a. 13; D. 444-98, a. 3.

13.1 Lors de l'établissement d'une fiche nominative, un algorithme de normalisation d'écriture est appliqué au nom sous lequel la fiche est établie; aucune demande pour éviter l'application de cet algorithme n'est admise.

D. 444-98, a. 4.

§ 2. *De la fiche descriptive*

14. La fiche descriptive est établie sous le numéro d'identification d'un véhicule routier.

15. Donne lieu à l'établissement d'une fiche descriptive, s'il est décrit conformément aux dispositions de l'article 20, un véhicule routier muni d'un numéro d'identification apposé conformément à l'article 210 du Code de la sécurité routière (L.R.Q., c. C-24.2) et qui est:

1° un véhicule de promenade;

2° une motocyclette;

3° un taxi;

4° un véhicule d'urgence;

(1.1) in the case of a succession, under the name and date of birth of the deceased;

(1.2) in the case of a trust, under its name and the postal code for the establishment concerned by the registration, if that establishment is located in Canada;

(2) in the case of a legal person, under the person's name and the postal code for the establishment directly concerned by the registration, if that establishment is located in Canada;

(3) in the case of a general partnership, a limited partnership or an association, under the name of the partnership or association and the postal code for the establishment directly concerned by the registration, if that establishment is located in Canada;

(4) in the case of the State, under the name of the administrative authority concerned by the registration and the postal code for the main establishment of that authority.

Where a natural person acts within the framework of a business that the person operates or where a legal person acts under a name other than its own name and the designation of that natural or legal person on the application includes the name of the business or the other name, a name file shall also be opened under the name of the business or the other name and under the postal code for the address corresponding to that name.

13.1 When a name file is opened, a writing standardization algorithm shall be applied to the name under which the file is opened; any request to waive application of the algorithm shall be denied.

§ 2. *Descriptive files*

14. A descriptive file shall be opened under the identification number of a road vehicle.

15. Descriptive files shall be opened for the following road vehicles, where the description complies with section 20 and the road vehicle is provided with an identification number affixed in accordance with section 210 of the Highway Safety Code (R.S.Q., c. C-24.2):

(1) a passenger vehicle;

(2) a motorcycle;

(3) a taxi;

(4) an emergency vehicle;

5° un autobus;

6° un minibus;

7° un véhicule de commerce;

8° une remorque ou une semi-remorque dont la masse nette est supérieure à 900 kg;

9° une habitation motorisée;

10° une motoneige dont le modèle est postérieur à l'année 1988;

11° un véhicule tout terrain motorisé, muni d'un guidon et d'au moins deux roues, qui peut être enfourché et dont la masse nette n'excède pas 600 kilogrammes.

Pour l'application du premier alinéa:

1° les véhicules routiers visés aux paragraphes 1° à 7° sont ceux définis à l'article 4 du Code de la sécurité routière;

2° les véhicules routiers visés aux paragraphes 8° à 10° sont ceux définis à l'article 2 du Règlement sur l'immatriculation des véhicules routiers édicté par le décret 1420-91 du 16 octobre 1991.

Un véhicule routier appartenant à l'une des catégories visées aux paragraphes 1° et 3° à 9° du premier alinéa ne peut donner lieu à l'établissement d'une fiche descriptive que si son numéro d'identification compte 17 caractères et s'il est vraisemblable à la suite de l'application de l'algorithme de contrôle par l'officier.

D. 1594-93, a. 15; D. 444-98, a. 5; D. 907-99, a. 1.

SECTION V
DE L'OBJET DE CERTAINS DROITS SOUMIS À LA PUBLICITÉ SUR LE REGISTRE

15.01 Outre les cas où ils portent sur des biens acquis ou requis pour le service ou l'exploitation d'une entreprise, sont soumis à la publicité sur le registre en vertu des articles 1745, 1750 et 1852 du Code civil les réserves de propriété, facultés de rachat d'un bail d'une durée de plus d'un an, de même que toute cession de ces réserves, facultés ou droits, portant sur les biens meubles suivants:

1° un véhicule routier appartenant à l'une des catégories visées aux paragraphes 1°, 2°, 9°, 10° et 11° du premier alinéa de l'article 15;

2° une caravane ou une semi-caravane;

3° une maison mobile;

4° un bateau;

5° une motomarine;

6° un aéronef.

D. 907-99, a. 2.

(5) a bus;

(6) a minibus;

(7) a commercial vehicle;

(8) a trailer or semi-trailer whose net weight exceeds 900 kg;

(9) a motor home;

(10) a snowmobile of a model year more recent than 1988;

(11) a motorized all-terrain vehicle equipped with handlebars and at least two wheels, that is designed to be straddled and whose net weight does not exceed 600 kilograms.

For the purposes of the first paragraph,

(1) the road vehicles listed in subparagraphs 1 to 7 are those defined in section 4 of the Highway Safety Code; and

(2) the road vehicles listed in subparagraphs 8 to 10 are those defined in section 2 of the Regulation respecting road vehicle registration, made by Order in Council 1420-91 dated 16 October 1991.

A descriptive file shall be opened for a road vehicle included in one of the classes referred to in subparagraphs 1 and 3 to 9 of the first paragraph only where the vehicle's identification number has 17 characters and has been validated by the registrar using the control algorithm.

DIVISION V
OBJECT OF CERTAIN RIGHTS SUBJECT TO PUBLICATION IN THE REGISTER

15.01 In addition to where they pertain to property acquired or required for the service or operation of an enterprise, reservations of ownership, rights of redemption and rights under a lease of more than one year, as well as any transfer of those reservations or rights, require publication in the register in accordance with articles 1745, 1750 and 1852 of the Civil Code where they pertain to the following property:

(1) a road vehicle included in one of the classes referred to in subparagraphs 1, 2, 9, 10 and 11 of the first paragraph of section 15;

(2) a caravan or a fifth-wheel;

(3) a mobile home;

(4) a boat;

(5) a personal watercraft;

(6) an aircraft.

15.02 Les biens sur lesquels une personne physique qui n'exploite pas une entreprise peut consentir une hypothèque mobilière sans dépossession en application de l'article 2683 du Code civil sont ceux qui sont énumérés à l'article 15.01 ainsi que les droits et indemnités d'assurance présents et à venir couvrant ces biens.

D. 907-99, a. 2.

15.02 The property on which a natural person who does not operate an enterprise may grant a movable hypothec without delivery pursuant to article 2683 of the Civil Code is that listed in section 15.01, as well as the rights and insurance indemnity, present and future, on the property.

CHAPITRE II
DES MOYENS D'ASSURER LA FIABILITÉ DES DOCUMENTS TRANSMIS PAR VOIE ÉLECTRONIQUE

CHAPTER II
MEASURES TO GUARANTEE THE RELIABILITY OF DOCUMENTS TRANSMITTED ELECTRONICALLY

SECTION I
DE LA STRUCTURE TECHNOLOGIQUE

DIVISION I
TECHNOLOGICAL STRUCTURE

15.1 Lors de la transmission par voie électronique d'une réquisition d'inscription et de la demande de service qui y est jointe, les normes de fiabilité et de sécurité prescrites au présent chapitre doivent être respectées.

Le système informatique mis en place et les normes auxquelles il répond, notamment en ce qui a trait à la sécurité, doivent permettre de protéger la confidentialité des documents durant la transmission et, pour assurer leur non-répudiation, d'établir l'identité du requérant ou de la personne qui transmet ces documents sur des réseaux ouverts de communication et de garantir en tout temps leur intégrité et leur intégralité.

D. 755-99, a. 2.

15.1 Where an application for registration and the accompanying request for service are transmitted electronically, the reliability and security standards prescribed in this Chapter shall apply.

The computer system that is installed and the standards with which it must comply, in particular with respect to security, shall protect the confidentiality of the documents during transmission, ensure their nonrepudiation by establishing the identity of the applicant or of the person who sends the documents over an open communications network, and guarantee their integrity and completeness at all times.

15.2 Un système de cryptographie asymétrique, auquel est joint d'une manière auxiliaire un système de cryptographie symétrique, doit être utilisé pour assurer la fiabilité des données qui forment les documents électroniques transmis au bureau de la publicité des droits.

D. 755-99, a. 2.

15.2 An asymmetric cryptographic system, combined with an auxiliary symmetric cryptographic system, shall be used to ensure the reliability of the data constituting the electronic documents transmitted to the registry office.

15.3 La structure technologique utilisée dans le cadre de la transmission électronique de documents au bureau de la publicité des droits doit être établie conformément à un ensemble de recommandations, de normes et de standards internationaux ou reconnus comme tels et, plus particulièrement, selon les critères minima suivants ou selon des critères au moins équivalents:

15.3 The technological structure used for the electronic transmission of documents to the registry office shall be established in accordance with international or internationally recognized recommendations and standards, and more specifically, at a minimum, with the following criteria or criteria that are at least equivalent:

1° la Recommandation X.500 (11/93) de l'Union internationale des télécommunications (UIT), de façon générale, reprise comme norme internationale par l'Organisation internationale de normalisation (ISO) et la Commission électrotechnique internationale (CEI) sous l'appellation globale d'ISO/CEI 9594: 1995, pour ce qui est de la gestion du répertoire dans lequel sont inscrits des renseignements relatifs aux certificats et aux clés publiques qui font partie intégrante des biclés;

2° la Recommandation X.509 (11/93) de l'UIT, de façon particulière, reprise comme norme internationale par l'ISO et la CEI sous l'appellation d'ISO/CEI 9594-8: 1995 Technologies de l'information — Interconnexion de systèmes ouverts (OSI) — L'Annuaire: Cadre d'authentification, pour ce qui est de la délivrance et de l'archivage des biclés et des certificats de signature et de chiffrement;

3° le standard X12 de l'American National Standard Institute (ANSI), pour ce qui est du format et du balisage des données;

4° le standard FIPS 140-1 du National Institute of Standards and Technology (NIST), du gouvernement fédéral américain, pour ce qui est des algorithmes DES, DSA et SHA-1 utilisés dans le cadre de la cryptographie;

5° le jeu de caractères graphiques ISO/CEI 8859-1: 1988 (Alphabet latin no. 1), pour ce qui est de la présentation, de l'emmagasinage, de l'impression ou de la matérialisation des documents.

Les standards décrits aux paragraphes 3° et 4° sont tels qu'ils se trouvaient dans l'état de leur évolution au 1er décembre 1997.

D. 755-99, a. 2; Erratum, (1999) 131 G.O. 2, 3825 (F).

15.4 Le système de cryptographie asymétrique doit prévoir la délivrance d'une biclé de signature qui permet notamment de signer les documents transmis et d'identifier le signataire.

Il doit prévoir également la délivrance d'une biclé de chiffrement dont la fonction est d'assurer la confidentialité des documents lors de leur transmission. La confidentialité des données résulte de leur chiffrement au moyen d'une clé secrète variable de façon aléatoire issue du système de cryptographie symétrique. Cette clé est elle-même chiffrée avec la clé publique qui compose la biclé de chiffrement du destinataire de la transmission, soit le bureau de la publicité des droits, qui déchiffre les données transmises avec sa clé privée.

(1) International Telecommunication Union (ITU) Recommendation X.500 (11/93), in general, adopted as an international standard by the International Organization for Standardization (ISO) and the International Electrotechnical Commission (IEC) under the general designation of ISO/IEC 9594:1995, for the management of the directory containing the information relating to the certificates and public keys that form an integral part of key pairs;

(2) ITU Recommendation X.509 (11/93), in particular, adopted as an international standard by ISO and IEC under the designation ISO/IEC 9594-8:1995 Information Technology — Open systems interconnection (OSI) — The Directory: Authentication framework, for the issue and storage of key pairs and signature verification and encryption certificates;

(3) American National Standards Institute (ANSI) Standard X12 for data format and markup;

(4) The American federal government's National Institute of Standards and Technology (NIST) Standard FIPS 140-1 for the DES, DSA and SHA-1 algorithms used in cryptography; and

(5) ISO/IEC 8859-1: 1988 graphic character sets (Latin alphabet No. 1) for the processing and storage of documents and their printing or conversion into hard copy.

Subsections 3 and 4 above refer to standards as they existed on 1 December 1997.

15.4 The asymmetric cryptographic system shall provide for the issue of a signing key pair by means of which the transmitted documents are signed and their source identified.

The system shall also provide for the issue of an encryption key pair to protect the confidentiality of the documents being transmitted. Confidentiality is ensured by encrypting the data by means of a randomly variable secret key generated by the symmetric cryptographic system. That key is itself encrypted with the public key that forms part of the encryption key pair of the intended recipient, namely, the registry office, which decrypts the transmitted data with its private key.

Ce système doit comporter de plus une fonction de hachage qui permet de vérifier l'intégrité et l'intégralité des documents reçus au bureau.

D. 755-99, a. 2.

15.5 Chacune des biclés de signature et de chiffrement doit être constituée d'une paire unique et indissociable de clés, l'une publique et l'autre privée, mathématiquement liées entre elles. Chaque clé publique doit être mentionnée dans un certificat servant à associer une clé publique au titulaire de la biclé.

La vérification de l'identité du titulaire est faite au moyen de sa clé publique et de son certificat de signature.

D. 755-99, a. 2.

15.6 Les certificats de signature et de chiffrement doivent être sur support électronique. Ils doivent mentionner notamment les éléments suivants:

1° le nom distinctif du titulaire de la biclé et du certificat constitué de son nom auquel est joint un code unique;

2° la clé publique de vérification de signature ou la clé publique de chiffrement, selon le cas, ainsi que le numéro de série, la version, la date de délivrance et celle d'expiration du certificat;

3° le nom de l'émetteur, l'identification de l'algorithme qu'il utilise ainsi que le sceau numérique qui en résulte et par lequel l'émetteur effectue la certification.

D. 755-99, a. 2.

15.7 Les certificats de chiffrement doivent être inscrits dans un répertoire tenu sur support électronique et mis à jour par l'officier de la publicité des droits.

Ce répertoire doit contenir notamment les numéros de série des certificats de signature et de chiffrement suspendus, révoqués, retirés ou supprimés. Au moment de la transmission des documents, la validité d'un certificat est vérifiée automatiquement par le logiciel de réalisation de formulaires.

D. 755-99, a. 2.

The system shall also include a hash function by means of which the registry office can verify the integrity and completeness of the documents it receives.

15.5 Each signing and encryption key pair shall consist of a unique and indissociable pair of keys, one public and the other private, that are linked mathematically. Each public key shall be referred to in a certificate which serves to bind the key to the key pair holder.

The identity of the holder is verified by means of his public key and his signature verification certificate.

15.6 The signature verification certificate and encryption certificate shall be in electronic form and shall include the following information:

(1) the distinguishing name of the key pair and certificate holder which consists of his name combined with a unique code;

(2) the signature verification public key or the encryption public key, as the case may be, together with the certificate serial number, version, issue date and expiry date; and

(3) the name of the issuer, the characteristics of the algorithm and the resulting hash code used in delivering the certificate.

15.7 The encryption certificates shall be entered in an electronic directory and kept up-to-date by the registrar of the registry office.

The directory shall include the serial numbers of the signature verification certificates and encryption certificates that have been suspended, revoked, withdrawn or deleted. The form generation software automatically verifies the validity of a certificate when documents are transmitted.

SECTION II
DE LA DÉLIVRANCE ET DU RENOUVELLEMENT DES BICLÉS ET DES CERTIFICATS

15.8 L'officier est responsable de la délivrance et de l'archivage des biclés et des certificats attestant l'identité des titulaires de biclés.

D. 755-99, a. 2.

15.9 Pour qu'une personne puisse transmettre des réquisitions d'inscription par voie électronique au bureau de la publicité des droits, elle doit obtenir les biclés et les certificats appropriés. Ceux-ci sont obtenus à la suite de la vérification de son identité par un notaire accrédité par l'officier. Cette vérification d'identité est faite aux frais de la personne qui en fait la demande.

D. 755-99, a. 2; Erratum, (1999) 131 G.O. 2, 3825 (F).

15.10 La vérification d'identité requiert la présence de la personne dont l'identité doit être vérifiée, laquelle doit fournir des renseignements exacts et produire les pièces ou documents pertinents.

D. 755-99, a. 2.

15.11 Le notaire qui fait la vérification d'identité doit recueillir les renseignements requis par l'officier notamment le code de vérification que la personne a choisi et qu'elle seule peut utiliser pour s'identifier auprès de l'officier.

Le notaire doit dresser un procès-verbal en minute dans lequel il atteste que l'identité de la personne est établie, que la vérification d'identité est faite dans le but d'obtenir des biclés et des certificats pour transmettre par voie électronique des documents au bureau de la publicité des droits et, selon le cas, que la personne dont l'identité est établie a l'intention de transmettre des réquisitions pour son compte ou qu'elle est autorisée à le faire pour le compte d'une autre personne désignée.

Il doit communiquer à l'officier les renseignements recueillis et les faits attestés, par voie électronique, dans un envoi signé et chiffré au moyen de biclés qui offrent au moins le même degré de sécurité et de fiabilité que celles délivrées par l'officier.

D. 755-99, a. 2.

DIVISION II
ISSUE AND RENEWAL OF KEY PAIRS AND CERTIFICATES

15.8 The registrar is charged with the issue and storage of key pairs and certificates attesting to the identity of the key pair holders.

15.9 In order to send an application for registration to the registry office electronically, a person shall first obtain the appropriate key pairs and certificates. They will be issued after a notary accredited by the registrar has verified the person's identity. The person requiring that verification shall bear its cost.

15.10 The person whose identity is to be verified shall appear in person and provide accurate information and relevant supporting documents.

15.11 The notary verifying an identity shall record the information required by the registrar, including the verification code selected by the applicant that only he can use to identify himself to the registrar.

The notary shall draw up an act *en minute* in which he certifies that the identity of the person has been established, that the identity has been verified for the purpose of obtaining key pairs and certificates for the electronic transmission of documents to the registry office and, where applicable, that the person whose identity has been established intends to send applications on his own behalf or that he is authorized to send applications on behalf of another person who is named.

He shall convey the recorded information and the certified facts to the registrar electronically in a transmission signed and encrypted by means of key pairs that provide at least the same degree of security and reliability as those issued by the registrar.

15.12 Lorsqu'une personne veut obtenir des biclés et des certificats et qu'elle en a été titulaire dans l'année précédente, la vérification de son identité peut être faite à l'aide de son code de vérification si elle a l'intention de transmettre des réquisitions pour son compte seulement.

D. 755-99, a. 2.

15.13 L'officier doit transmettre séparément, à la personne dont l'identité a été vérifiée, deux parties d'un jeton à partir duquel elle doit générer, de son poste de travail ou sur sa carte à puce, sa biclé de signature.

Elle doit choisir en outre un mot de passe servant principalement à déclencher le processus de signature, de chiffrement et de transmission de données électroniques.

La clé publique qui permet la vérification de la signature du titulaire doit être transmise à l'officier. Cette transmission se fait automatiquement par voie électronique.

D. 755-99, a. 2.

15.14 Après réception de la clé publique qui fait partie de la biclé de signature, une biclé de chiffrement ainsi que deux certificats, l'un de signature et l'autre de chiffrement, doivent être délivrés au titulaire. Lorsque le titulaire est autorisé à transmettre des réquisitions pour le compte d'une autre personne, un lien électronique ou par référence doit être établi entre cette information et son certificat de signature.

Le titulaire doit, avant de transmettre des documents par voie électronique, informer l'officier de la réception de ses biclés et de ses certificats afin qu'il les rende utilisables.

D. 755-99, a. 2.

15.15 Un certificat en vigueur peut être renouvelé avant sa date d'expiration pour une durée égale à celle pour laquelle il a été délivré. Le renouvellement s'effectue alors par le branchement du système informatique du titulaire à celui de l'officier dans les délais suivants:

1° dans les deux mois précédant la date d'expiration du certificat, lorsque celui-ci a été délivré pour un an;

2° dans les quatre mois précédant la date d'expiration du certificat, lorsque celui-ci a été délivré pour deux ans;

15.12 Where a person who applies for key pairs and certificates has been a holder of key pairs and certificates in the preceding year, his identity verification code may be used to verify his identity providing he intends to send applications only on his own behalf.

15.13 The registrar shall send to the person whose identity has been verified, in separate deliveries, two parts of a token with which the person shall generate his signing key pair from his workstation or chip card.

The person shall also choose a password to be used primarily to initiate the process of signing, encrypting and transmitting electronic data.

The public key required to verify the holder's signature shall be sent to the registrar. The transmission is done electronically and is automatic.

15.14 After receipt of the public key forming part of the signing key pair, an encryption key pair, together with a signature verification certificate and an encryption certificate, shall be issued to the holder. Where the holder is authorized to transmit applications on behalf of another person, that information shall be linked electronically, or cross-referenced, to his signature verification certificate.

The holder shall, before transmitting documents electronically, notify the registrar of the receipt of his key pairs and certificates in order that the registrar may activate them.

15.15 A valid certificate may be renewed before its expiry date for the same term as that for which it was issued. The renewal shall be effected by means of a link-up between the holder's and the registrar's computer systems within the following time limits:

(1) within two months of the certificate's expiry date, where it was issued for one year;

(2) within four months of the certificate's expiry date, where it was issued for two years;

3° dans les sept mois précédant la date d'expiration du certificat, lorsque celui-ci a été délivré pour trois ans;

4° dans les neuf mois précédant la date d'expiration du certificat, lorsque celui-ci a été délivré pour quatre ans;

5° dans les douze mois précédant la date d'expiration du certificat, lorsque celui-ci a été délivré pour cinq ans.

Le renouvellement entraîne la génération d'une nouvelle biclé. La nouvelle clé publique qui en fait partie est automatiquement transmise à l'officier qui doit ensuite délivrer au titulaire le certificat relatif à la biclé.

D. 755-99, a. 2; Erratum, (1999) 131 G.O. 2, 3825 (F).

SECTION III

DES OBLIGATIONS DU TITULAIRE DE BICLÉS ET DE CERTIFICATS

15.16 Le titulaire ne doit utiliser ses biclés et ses certificats que pour la transmission électronique de documents au bureau de la publicité des droits.

D. 755-99, a. 2.

15.17 Le titulaire doit assurer la sécurité et la confidentialité de la clé privée de chacune de ses biclés et de son code de vérification.

Il doit aviser l'officier le plus rapidement possible, lorsque la sécurité ou la confidentialité d'une clé privée est compromise, notamment lorsqu'il existe des risques d'accès non autorisé à cette clé ou de divulgation volontaire ou accidentelle du mot de passe qui déclenche le processus de signature, de chiffrement et de transmission électroniques des documents ou lorsqu'il croit avoir perdu ou s'être fait voler une clé privée.

D. 755-99, a. 2.

15.18 Le titulaire doit détruire ses biclés lorsque, pour quelque raison, il ne les utilise plus ou ne peut plus les utiliser en raison du non-renouvellement d'un certificat, de son retrait, de sa suppression ou de sa révocation ou en raison du fait qu'il n'est plus autorisé à transmettre des documents pour autrui au bureau de la publicité des droits.

D. 755-99, a. 2.

(3) within seven months of the certificate's expiry date, where it was issued for three years;

(4) within nine months of the certificate's expiry date, where it was issued for four years; or

(5) within twelve months of the certificate's expiry date, where it was issued for five years.

A renewal requires the generation of a new key pair. The new public key that is part of the key pair is automatically sent to the registrar who shall then issue to the holder the certificate relating to the key pair.

DIVISION III

OBLIGATIONS OF KEY PAIR AND CERTIFICATE HOLDERS

15.16 The holder shall use his key pairs and certificates solely for the electronic transmission of documents to the registry office.

15.17 The holder shall guarantee the security and confidentiality of the private key of each of his key pairs and of his identity verification code.

He shall notify the registrar as quickly as possible where the security or the confidentiality of a private key has been compromised, particularly where there is a danger of unauthorized access to the key or of voluntary or accidental disclosure of the password that initiates the process of electronic signing, encryption and transmission of documents, or where he believes that he has lost a private key or has had it stolen.

15.18 The holder shall destroy his key pairs where, for whatever reason, he no longer uses them or may no longer use them because of the non-renewal of a certificate, or because of its withdrawal, its deletion or its revocation or because he is no longer authorized to transmit documents on others' behalf to the registry office.

SECTION IV
DE LA VALIDITÉ DES BICLÉS ET DES CERTIFICATS

15.19 En cas de perte du mot de passe donnant accès à un certificat qui se rapporte à une biclé de chiffrement ou en cas de bris, de dysfonctionnement ou de perte du support d'un tel certificat, le titulaire peut demander à l'officier de rechercher le certificat de chiffrement et d'en permettre la réutilisation.

Une nouvelle biclé de signature doit être générée à partir d'un nouveau jeton expédié au titulaire. La nouvelle clé publique qui fait partie de la biclé de signature est automatiquement transmise à l'officier qui doit ensuite délivrer au titulaire un nouveau certificat de signature et lui transmettre la biclé et le certificat de chiffrement récupérés.

Avant de transmettre des documents par voie électronique, le titulaire doit informer l'officier de la réception de ses biclés et de ses certificats afin que celui-ci les rende utilisables.

D. 755-99, a. 2; Erratum, (1999) 131 G.O. 2, 3825 (F).

15.20 Lorsque le titulaire ne veut plus utiliser ses certificats, il doit informer l'officier de la date à laquelle il entend cesser de les utiliser et demander leur retrait. Les certificats doivent être retirés après la vérification de l'identité du titulaire.

Le retrait prend effet lors de l'inscription des numéros de série des certificats dans la liste des certificats retirés ou révoqués, au plus tard la première journée ouvrable qui suit la date indiquée par le titulaire dans sa demande ou la première journée ouvrable suivant la vérification de son identité.

D. 755-99, a. 2.

15.21 Le titulaire qui n'a jamais utilisé ses certificats peut demander à l'officier la suppression de leur inscription du répertoire. L'inscription doit être supprimée au plus tard la première journée ouvrable qui suit la vérification de l'identité du titulaire.

D. 755-99, a. 2.

15.22 L'officier peut, de sa propre initiative, procéder à la suspension ou à la révocation des biclés et des certificats qui s'y rapportent:

1° s'il est écoulé une période de plus de six mois consécutifs sans que le titulaire n'utilise les certificats;

DIVISION IV
VALIDITY OF KEY PAIRS AND CERTIFICATES

15.19 In the event of the loss of a password accessing a certificate related to an encryption key pair, or in the event of a breakdown, dysfunction or loss of the medium storing the certificate, the holder may request the registrar to retrieve the encryption certificate and reactivate it.

A new signing key pair shall be generated from a new token sent to the holder. The new public key that is part of the signing key pair shall be automatically transmitted to the registrar who shall then issue a new signature verification certificate to the holder and send him the key pair and encryption certificate that were recovered.

Before transmitting documents electronically, the holder shall notify the registrar of the receipt of his key pairs and certificates in order that the registrar may activate them.

15.20 Where a holder no longer wishes to use his certificates, he shall notify the registrar of the date on which he intends to cease using them and request their withdrawal. The certificates shall be withdrawn following verification of the holder's identity.

The withdrawal shall become effective when the certificate serial numbers are entered on the list of withdrawn or revoked certificates, which shall be at the latest on the first working day following the date indicated by the holder in his request or on the first working day following the verification of his identity.

15.21 Where the holder has never used his certificates, he may ask the registrar to delete them from the directory. The certificates shall be deleted at the latest on the first working day following the verification of the holder's identity.

15.22 The registrar may on his own initiative suspend or revoke key pairs and related certificates where

(1) more than six months have elapsed since the holder last used the certificates;

2° s'il y a des raisons de croire qu'un certificat a été altéré;

3° s'il y a des raisons de croire que la sécurité des biclés ou des certificats est compromise;

4° si le titulaire n'est plus autorisé à transmettre électroniquement des documents pour autrui au bureau de la publicité des droits, pourvu que l'officier en soit informé;

5° si le titulaire ne respecte pas ses obligations.

L'officier doit suspendre les biclés et les certificats avant de les révoquer et, sauf dans le cas prévu au paragraphe quatrième du premier alinéa, il doit notifier le titulaire, par tout mode de communication qui permet de ménager une preuve, du fait que son certificat est suspendu et qu'il se propose de le révoquer. Le titulaire a 15 jours à compter de la date où la notification a été faite pour présenter ses observations.

À la suite de cette suspension, les certificats doivent, selon le cas, être remis en vigueur ou révoqués. La révocation prend effet lorsque les numéros de série des certificats sont inscrits dans la liste des certificats retirés ou révoqués, soit au plus tard une journée ouvrable après la révocation.

D. 755-99, a. 2.

15.23 Lorsque le titulaire n'est plus autorisé à transmettre électroniquement des documents pour autrui au bureau de la publicité des droits, la personne pour laquelle il était autorisé à effectuer des transmissions doit en informer l'officier.

D. 755-99, a. 2.

15.24 L'officier doit refuser de délivrer, pendant une période de deux ans à compter de la révocation, d'autres biclés et certificats pour la transmission de documents au bureau de la publicité des droits à une personne dont les biclés et les certificats ont été révoqués en raison du non-respect de ses obligations.

D. 755-99, a. 2; Erratum, (1999) 131 G.O. 2, 3825 (F).

15.25 Lorsque le titulaire des biclés et des certificats demande la récupération d'un certificat ou son retrait, la suppression de l'inscription d'un certificat dans le répertoire ou la rectification du code unique qui compose son nom distinctif, la vérification de son identité peut être faite à l'aide de son code de vérification.

D. 755-99, a. 2.

(2) there is reason to believe that a certificate has been altered;

(3) there is reason to believe that the security of the key pairs or certificates has been compromised;

(4) the holder is no longer authorized to transmit documents electronically on others' behalf to the registry office, provided that the registrar has been notified; or

(5) the holder fails to fulfil his obligations.

The registrar shall suspend the key pairs and certificates before revoking them and, except in the situation described in subparagraph 4 of the first paragraph, notify the holder, by any manner providing proof of delivery, that his certificate has been suspended and that he intends to revoke it. Any comments by the holder shall be submitted within 15 days from the date the notice was given.

Following the suspension, the certificates shall be either reactivated or revoked. The revocation shall take effect when the certificate serial numbers are entered on the list of withdrawn or revoked certificates, which shall be at the latest one working day following the revocation.

15.23 Where a holder is no longer authorized to transmit documents electronically to the registry office on behalf of another person, that person shall notify the registrar accordingly.

15.24 The registrar shall refuse to issue, for a period of two years from the revocation, new key pairs and certificates for the transmission of documents to the registry office to a person whose key pairs and certificates were revoked as a result of a failure to fulfil his obligations.

15.25 Where the holder of key pairs and certificates requests the retrieval or withdrawal of a certificate, the deletion of a certificate from a directory, or the correction of the unique code that forms part of his distinguishing name, his identity may be verified by means of his identity verification code.

15.26 Le titulaire doit être informé de la rectification, du renouvellement, du retrait, de la remise en vigueur après suspension ou de la révocation d'un certificat ainsi que de la suppression de l'inscription d'un certificat dans le répertoire. Il doit en outre être informé du refus de délivrer un certificat et des motifs de ce refus.

D. 755-99, a. 2.

CHAPITRE III
DES RÉQUISITIONS D'INSCRIPTION

SECTION I
DES DÉSIGNATIONS, DES DESCRIPTIONS ET DES QUALIFICATIONS

16. La désignation des personnes doit indiquer:

1° pour une personne physique: le nom et la date de naissance;

2° pour une personne morale: le nom et l'adresse de son siège ou, s'il y a lieu, le nom et l'adresse de l'établissement directement visé;

Lorsqu'une personne physique agit dans le cadre d'une entreprise qu'elle exploite ou qu'une personne morale agit sous un nom autre que le sien, la désignation peut comprendre aussi le nom de l'entreprise ou l'autre nom et l'adresse correspondante.

D. 1594-93, a. 16; D. 907-99, a. 3.

17. La désignation doit indiquer:

1° pour une société en nom collectif ou en commandite ou une association: le nom, la forme juridique qu'elle emprunte et son adresse;

2° pour l'État: le nom de l'autorité administrative visée et l'adresse correspondant au principal établissement de cette autorité;

3° pour une fiducie: le nom de la fiducie et son adresse, s'il en est; le fiduciaire doit également être désigné.

D. 1594-93, a. 17; D. 444-98, a. 6.

18. La réquisition d'inscription doit indiquer clairement pour chaque personne qui y est nommée sa qualité de constituant ou de titulaire du droit qui en fait l'objet.

15.26 The holder shall be notified of any correction, renewal or withdrawal of a certificate, reactivation of a certificate following its suspension or revocation, or deletion of a certificate from the directory. He shall also be notified of any refusal to issue a certificate and the grounds therefor.

CHAPTER III
APPLICATIONS FOR REGISTRATION

DIVISION I
DESIGNATION, DESCRIPTION AND CHARACTERIZATION

16. The designation of persons shall state,

(1) in the case of a natural person, the person's name and date of birth;

(2) in the case of a legal person, its name and the address of its head office or, where applicable, the name and address of the establishment directly concerned by the application for registration.

Where a natural person acts within the framework of a business that the person operates or where a legal person acts under a name other than its own name, the designation may include the name of the business or the other name, and the corresponding address.

17. The designation shall state,

(1) in the case of a general partnership, a limited or an association, its name, juridical form and address;

(2) in the case of the State, the name of the administrative authority concerned and the address of the main establishment of that authority; and

(3) in the case of a trust, its name and address, if any. The trustee shall also be designated.

18. An application for registration shall clearly state whether each person named therein is a grantor or a holder of the right whose registration is being applied for.

19. L'adresse de tout lieu indique le numéro, la rue, la municipalité, la province ou le territoire et, si l'adresse est située au Canada, le code postal. Cette adresse est complétée, le cas échéant, par l'indication du pays, s'il s'agit d'un pays autre que le Canada.

19. All addresses shall state the number, the street name, the name of the municipality, the province or territory and, in the case of an address in Canada, the postal code. Where the country is not Canada, the name of the country shall also be given.

D. 1594-93, a. 19; D. 444-98, a. 7.

20. Le véhicule routier appartenant à l'une des catégories visées aux paragraphes 1° et 3° à 9° du premier alinéa de l'article 15, si son numéro d'identification compte 17 caractères et est conforme à l'algorithme de contrôle, ainsi que celui appartenant à l'une des catégories visées aux paragraphes 2°, 10° et 11° de cet alinéa doit être décrit sous la rubrique «Véhicule routier» du formulaire. La description doit contenir le numéro d'identification du véhicule et la catégorie à laquelle il appartient.

Tout autre véhicule routier, y compris celui dont le numéro d'identification ne compte pas les 17 caractères requis ou n'est pas conforme à l'algorithme de contrôle, doit être décrit sous la rubrique «Autres biens» du formulaire.

20. A road vehicle included in one of the classes referred to in subparagraphs 1 and 3 to 9 of the first paragraph of section 15, where its identification number has at least 17 characters and complies with the control algorithm, and a road vehicle included in one of the classes referred to in subparagraphs 2, 10 and 11 of that paragraph shall be described under the heading "Road vehicle" of the form. The description must contain the vehicle's identification number and class.

Any other road vehicle, including one whose identification number does not have the required 17 characters or does not comply with the control algorithm, shall be described under the heading "Other property" of the form.

D. 1594-93, a. 20; D. 444-98, a. 7; D. 907-99, a. 4.

21. Le droit dont l'inscription est requise doit être qualifié de façon précise en utilisant, s'il en est, les termes de la loi.

21. The right whose registration is requested shall be characterized exactly, using the legal wording where possible.

SECTION II

DES MODES DE RÉALISATION ET DE TRANSMISSION

DIVISION II

MEDIUM AND TRANSMISSION

22. Une réquisition d'inscription peut être réalisée sur support papier. Elle peut aussi être réalisée sur support électronique, dans la mesure où elle est réalisée au moyen du logiciel de réalisation de formulaires mis à la disposition du requérant par le bureau de la publicité des droits.

Elle peut être transmise au dépôt électronique du bureau conformément aux dispositions prévues au Chapitre II relatives à la transmission électronique de documents si elle est réalisée et expédiée au moyen de ce logiciel.

22. An application for registration may be in paper form. It may also be submitted in electronic form insofar as it is generated by means of the form generation software provided to the applicant by the registry office.

It may be transmitted to the registry office's electronic depository in accordance with the provisions of Chapter II relating to the electronic transmission of documents where it is generated and delivered by means of that software.

D. 1594-93, a. 22; D. 444-98, a. 8; D. 755-99, a. 3.

23. La réquisition d'inscription qui prend la forme d'un avis doit être faite en utilisant, soit le formulaire sur support papier produit par le bureau de la publicité des droits, soit le logiciel prévu à l'article 22. Le formulaire utilisé doit être choisi parmi ceux édictés en annexe et correspondre au type de réquisition présentée.

D. 1594-93, a. 23; D. 444-98, a. 9; D. 755-99, a. 3.

23.1 Le logiciel de réalisation de formulaires doit être scellé au moyen d'un sceau numérique pour en garantir l'intégrité. Le requérant ne doit pas modifier le logiciel et il doit utiliser l'une des versions en vigueur au bureau.

D. 755-99, a. 3.

23.2 Un formulaire de réquisition se compose de textes et de mots-clés ainsi que de rubriques et d'espaces qui doivent être remplis conformément aux indications pertinentes au type de réquisition présentée. Les éléments d'information qui composent le formulaire peuvent être disposés différemment selon que le formulaire est sur support papier ou électronique.

D. 755-99, a. 3.

23.3 Toute réquisition d'inscription sur support papier doit être sur des feuilles de 215 mm de largeur sur 355 mm de hauteur, d'au moins 75 g/m^2 à la rame et le formulaire utilisé pour la réquisition qui prend la forme d'un avis ne doit être imprimé que sur l'une des faces de la feuille.

D. 755-99, a. 3.

23.4 Une réquisition d'inscription sur support papier ne doit pas être décalquée; elle doit être dactylographiée, imprimée ou écrite en lettres moulées. L'encre utilisée doit être de bonne qualité. Les caractères doivent être clairs, nets et lisibles, sans rature ni surcharge.

Elle doit porter la signature manuscrite du requérant et son nom doit être dactylographié, imprimé ou écrit en lettres moulées sous la signature ou, le cas échéant, dans l'espace approprié du formulaire de réquisition.

Elle peut être présentée au bureau de la publicité des droits ou y être acheminée par courrier.

D. 755-99, a. 3.

23. The application for registration in the form of a notice shall be prepared by using either the paper form provided by the registry office or the software referred to in section 22. The form to be completed shall be as prescribed in the Schedules to this Regulation and shall be appropriate to the type of application filed.

23.1 The form generation software shall be locked in by means of a hash code that will guarantee its integrity. The applicant shall not modify the software and he shall use one of the versions in use at the registry office.

23.2 An application form consists of texts and key words in addition to headings and spaces that shall be filled in according to the instructions relating to the type of application filed. The basic information making up the form may be arranged differently depending on whether the paper form or electronic form is used.

23.3 An application for registration in paper form shall be submitted on paper measuring 215 x 355 mm and weighing at least 75 g/m^2 per ream; an application in the form of a notice shall be printed on only one side of the sheet.

23.4 An application for registration in paper form may not be a copy; it shall be typed, printed or written in block letters using good quality ink. The characters shall be clear, neat and legible, without deletions or alterations.

It shall bear the applicant's handwritten signature and his name shall be typed, printed or written in block letters under the signature or in the space provided on the application form.

It may be filed in person at the registry office or sent by mail.

23.5 Une réquisition d'inscription sur support électronique se compose des données qui forment et permettent de visualiser sur des pages-écrans le formulaire de réquisition et les mentions qui y sont inscrites. Les données du formulaire et des mentions sont jointes électroniquement ou par référence.

D. 755-99, a. 3.

23.6 Une réquisition d'inscription sur support électronique doit être signée, au moyen du procédé de signature numérique, par le titulaire de la biclé utilisée pour effectuer la transmission électronique des données au bureau de la publicité des droits. Une seule signature est requise pour la transmission d'un groupe de documents composé de réquisitions d'inscription et d'une demande de service.

Le titulaire doit effectuer la transmission par transfert de fichiers au dépôt électronique du bureau où ils sont reçus par l'officier. Il doit joindre aux données transmises son certificat de signature.

D. 755-99, a. 3; Erratum, (1999) 131 G.O. 2, 3825 (F).

23.7 Les données ne sont considérées reçues que si elles sont transmises intégralement et si l'officier peut y avoir accès et les déchiffrer.

D. 755-99, a. 3.

23.8 Lors de la réception d'une réquisition d'inscription sur support électronique, l'officier doit s'assurer que le certificat de signature du titulaire des biclés ainsi que sa signature numérique sont valides et que les données transmises sont intègres.

D. 755-99, a. 3; Erratum, (1999) 131 G.O. 2, 3825 (F).

24. La réquisition d'inscription ne doit pas être décalquée; elle doit être dactylographiée, imprimée ou écrite en lettres moulées. L'encre utilisée doit être de bonne qualité. Les caractères doivent être clairs, nets et lisibles, sans rature ni surcharge.

La réquisition doit porter une signature manuscrite. Le nom du signataire doit aussi être dactylographié, imprimé ou écrit en lettres moulées sous cette signature ou, s'il s'agit d'une formule, dans l'espace prévu à cette fin.

D. 1594-93, a. 24; D. 444-98, a. 10.

23.5 An application for registration in electronic form shall consist of the data constituting the application form and inserted information that appear as screen pages. The form and inserted information data are linked electronically or by reference.

23.6 An application for registration in electronic form shall be signed by means of the digital signature process by the holder of the key pair used to transmit data electronically to the registry office. Only one signature is required for the transmission of a set of documents consisting of several applications for registration and one request for service.

The holder shall make the transmission by file transfer to the registry office's electronic depository where it will be received by the registrar. The holder shall attach his signature verification certificate to the transmitted data.

23.7 The data shall be considered received only where they have been transmitted in full and where the registrar is able to access and decrypt them.

23.8 Upon receipt of an application for registration in electronic form, the registrar shall make sure that the key pair holder's signature verification certificate and digital signature are valid and that the transmitted data are intact.

24. An application for registration shall not be a copy. It shall be typed, printed or written in block capitals with good quality ink. The characters must be clear and legible, without deletions or alterations.

The application shall bear a handwritten signature. In addition, the name of the person signing shall be typewritten, printed or written in block capitals below the signature or, where an application form is used, in the space provided.

SECTION III
CONTENU DE LA RÉQUISITION

25. La réquisition d'inscription d'un droit, en plus de faire référence, s'il en est, au document constitutif du droit, doit contenir l'information suivante:

1° la désignation des personnes visées à la réquisition et, lorsqu'une personne est représentée par un tuteur, un curateur, un mandataire désigné dans le mandat donné en prévision de l'inaptitude d'une partie, un liquidateur, un syndic à la faillite ou un séquestre, le nom et la qualité du représentant;

2° la description du bien, s'il y a lieu;

3° la qualification du droit dont l'inscription est requise, son étendue ainsi que, s'il en est, la date extrême d'effet de l'inscription demandée;

4° l'événement ou la condition, s'il en est, dont dépend l'existence du droit;

5° pour faire référence à un droit qui a fait l'objet d'une inscription antérieure sur le registre, le numéro d'inscription de ce droit;

6° lorsqu'il y a lieu de faire référence à un droit qui fait l'objet d'une réquisition présentée simultanément, le numéro de formulaire de cette réquisition.

La référence à un document constitutif de droit doit énoncer:

1° s'il en est, la date et le lieu de signature du document;

2° si ce document est notarié: le nom du notaire et le numéro de la minute ou la mention qu'il s'agit d'un acte en brevet;

3° si ce document est judiciaire: le tribunal dont il émane, le district judiciaire, le numéro du dossier judiciaire;

4° si ce document est sous seing privé: le nom des témoins qui l'ont attesté, lorsque cette attestation est prescrite par la loi.

D. 1594-93, a. 25; D. 444-98, a. 11.

26. La réquisition qui vise la réduction ou la radiation d'une inscription, en plus de faire référence, s'il en est, au document qui autorise la réduction ou la radiation, doit contenir l'information suivante:

1° abrogé;

2° l'indication du droit que vise la réquisition et le numéro d'inscription de ce droit;

DIVISION III
CONTENT OF APPLICATIONS

25. An application for registration of a right, in addition to referring to the constituting document, if any, shall contain the following information:

(1) designation of the persons named in the application and, where a person is represented by a tutor, a curator, a mandatary appointed in a mandate conferred in anticipation of a party's incapacity, a liquidator, a bankruptcy trustee or a sequestrator, the name and quality of the representative;

(2) a description of the property, if applicable;

(3) characterization of the right whose registration is requested, its extent and where applicable, the date after which the registration applied for ceases to be effective;

(4) the event or condition, if any, on which the existence of the right depends;

(5) to refer to a right in respect of which an entry was previously made in the register, the registration number of the right; and

(6) where it is necessary to refer to a right in respect of which an application is presented simultaneously, the form number of the application.

The reference to a document constituting a right shall state

(1) the date on which the document was signed and its place of signature, where applicable;

(2) in the case of a notarized document, the name of the notary and the number of the minute or, where the document is an act *en brevet*, an indication of that fact;

(3) in the case of a judicial document, the name of the court that issued it, the judicial district and the number of the court record; and

(4) in the case of a private writing, the names of the witnesses who attested the writing, if such attestation is prescribed by law.

26. An application for the reduction or cancellation of a registration, in addition to referring to the document, if any, that authorizes the reduction or cancellation, shall contain the following information:

(1) repealed;

(2) identification of the right in respect of which the application is being presented and the registration number of that right;

3° si la réduction ou la radiation est volontaire: la désignation de la personne qui y consent et, lorsqu'il y a représentation, le nom et la qualité du représentant, de même que la nature de la pièce justificative en vertu de laquelle le représentant agit, ainsi que l'indication du nom du constituant;

4° si la réduction ou la radiation est judiciaire: le nom des personnes visées à l'acte;

5° si la réduction ou la radiation est légale: l'indication du texte de loi sur lequel se fonde le requérant, toute mention ou déclaration prescrite par la loi, ainsi que l'indication, s'il y a lieu, du nom des personnes que vise l'inscription;

6° s'il s'agit de la réduction du montant indiqué dans l'inscription: la somme pour laquelle la réduction est requise ou ordonnée;

7° s'il s'agit de la réduction de l'assiette du droit: la description du bien visé.

La référence au document qui autorise la réduction ou la radiation doit énoncer:

1° s'il en est, la date et le lieu de signature du document;

2° si ce document est notarié: le nom du notaire et le numéro de la minute ou la mention qu'il s'agit d'un acte en brevet;

3° si ce document est judiciaire: le tribunal dont il émane, le district judiciaire, le numéro du dossier judiciaire et, dans le cas d'un jugement, le dispositif du jugement;

4° si ce document est sous seing privé: le nom des témoins qui l'ont attesté, lorsque cette attestation est prescrite par la loi.

D. 1594-93, a. 26; D. 444-98, a. 12.

27. La réquisition du renouvellement de la publicité d'un droit désigne les personnes concernées par la réquisition, décrit, s'il y a lieu, le bien visé et indique le numéro d'inscription du droit visé ainsi que la date extrême d'effet de l'inscription demandée.

D. 1594-93, a. 27; D. 444-98, a. 13.

(3) where the reduction or cancellation is voluntary, designation of the consenting party and, where that person is represented, the name and quality of the representative, as well as a statement of the nature of the document that authorizes the representative to act, and the grantor's name;

(4) where the reduction or cancellation is ordered by judgment, the names of the persons referred to in the instrument;

(5) where the reduction or cancellation is legal, the reference for the legislation on which the applicant has based the application, the statements or declarations prescribed by the legislation and, where applicable, the names of the persons named in the registration;

(6) where the amount stated in a registered entry is being reduced, the sum for which a reduction is requested or ordered; and

(7) where the *situs* of a right is being reduced, a description of the property in question.

The reference to a document authorizing the reduction or cancellation shall state

(1) the date on which the document was signed and its place of signature, where applicable;

(2) in the case of a notarized document, the name of the notary and the number of the minute or, where the document is an act *en brevet*, an indication of that fact;

(3) in the case of a judicial document, the name of the court that issued it, the judicial district, the number of the court record and, in the case of a judgment, the conclusions; and

(4) in the case of a private writing, the names of the witnesses who attested the writing, if such attestation is prescribed by law.

27. An application for renewal of the publication of a right shall designate the persons concerned by the application, shall describe the property, where applicable, and shall indicate the registration number of the right in question, as well as the date after which the registration applied for ceases to have effect.

28. La réquisition de préinscription d'une demande en justice contient la désignation des parties, la description du bien et indique le tribunal, le district et le dossier judiciaires, la personne en possession du bien, l'objet de la demande et le numéro d'inscription du droit visé.

_____

D. 1594-93, a. 28; D. 444-98, a. 13.

29. La réquisition de préinscription d'un droit résultant d'un testament désigne le testateur et indique le lieu et la date du décès; cette réquisition indique, en outre, la nature du droit auquel une personne prétend ainsi que le motif de la préinscription et, s'il y a lieu, la description du bien visé.

_____

D. 1594-93, a. 29; D. 444-98, a. 13.

30. La réquisition d'inscription d'une adresse est faite au moment de la présentation de la réquisition d'inscription du droit visé ou ultérieurement.

La réquisition désigne le bénéficiaire de l'inscription et indique l'adresse où doit être faite la notification ainsi que le numéro d'inscription du droit visé ou, si le droit visé est relaté dans une réquisition présentée simultanément, le numéro de formulaire de cette réquisition. Elle peut également indiquer le numéro de télécopieur du bénéficiaire.

_____

D. 1594-93, a. 30; D. 444-98, a. 14.

31. Le bénéficiaire de l'inscription de l'adresse se voit attribuer par l'officier, lors d'une première inscription d'adresse, un numéro d'avis d'adresse. Dans toute réquisition d'inscription subséquente, l'indication de l'adresse à des fins de notification se fait par référence au numéro d'avis d'adresse ainsi attribué.

32. La réquisition visant le changement ou la modification de l'adresse de notification ou du nom du bénéficiaire, ou l'ajout, le changement ou la modification du numéro de télécopieur, désigne le bénéficiaire et indique le numéro de l'avis d'adresse attribué par l'officier; elle spécifie, en outre, suivant le cas, les adresses de notification ancienne et nouvelle, les noms ancien et nouveau du bénéficiaire ou les numéros de télécopieur ancien et nouveau.

_____

D. 1594-93, a. 32; D. 444-98, a. 15.

28. An application for advance registration of a judicial demand shall designate the parties, shall describe the property and shall state the name of the court, the judicial district, the number of the court record, the name of the person in possession of the property, the purpose of the demand and the registration number of the right in question.

29. An application for advance registration of a right resulting from a will shall designate the testator and shall state the place and date of the testator's death; it shall also state the nature of the right to which a person claims entitlement, as well as the reasons for advance registration and, where applicable, shall contain a description of the property in question.

30. An application for registration of an address may be made at the same time as an application for registration of a right or at some later date.

The application shall designate the beneficiary of the registration and shall state the address to which notification must be sent, as well as the registration number of the right in question or, where that right is recorded on an application presented simultaneously, the form number of that application. It may also indicate the fax number of the beneficiary.

31. When an address is first registered, the registrar shall assign a notice of address number to the person who will benefit from the registration. In all subsequent applications for registration, the address to which notification must be sent shall be indicated by means of the notice of address number thus assigned.

32. An application to have an address to which notification must be sent or the name of the beneficiary of the registration changed or altered or to have a fax number added, changed or altered shall designate the beneficiary and indicate the number of the notice of address assigned by the registrar; it shall also state the former and new addresses to which notification must be sent, the beneficiary's former and new names or the former and new fax numbers, as the case may be.

CHAPITRE IV
DES INSCRIPTIONS

33. Les inscriptions doivent être claires et précises; elles sont limitées aux indications exigées par la loi et le présent règlement.

34. Lorsque la réquisition fixe la date extrême d'effet de l'inscription, il y a lieu de l'indiquer dans l'inscription du droit. Si la date extrême d'effet indiquée dans la réquisition dépasse le délai de péremption légal, l'officier ramène la date au dernier jour de ce délai.

35. L'inscription d'un droit comprend l'indication précise de la nature du droit, son numéro d'inscription ainsi que la date, l'heure et la minute de présentation de la réquisition d'inscription de ce droit.

D. 1594-93, a. 35; D. 444-98, a. 16.

36. La désignation d'une partie dans une inscription sur le registre comprend les indications prescrites aux articles 16 à 19.

D. 1594-93, a. 36; D. 444-98, a. 16.

36.1 Pour préciser l'assiette ou l'étendue d'un droit, l'officier peut, dans l'inscription de ce droit, faire référence à la réquisition par laquelle cette inscription est requise.

D. 444-98, a. 16.

37. Lorsqu'il y a lieu, dans l'inscription d'un droit, de faire référence à un droit qui a fait l'objet d'une inscription antérieure sur le registre, cette référence se fait par l'indication de la nature et du numéro d'inscription du droit visé.

Lorsque la réquisition d'inscription fait référence au droit visé en indiquant un numéro de formulaire tel que prévu au paragraphe 6° du premier alinéa de l'article 25, l'officier peut, dans l'inscription du nouveau droit, substituer au numéro de formulaire le numéro d'inscription correspondant.

D. 1594-93, a. 37; D. 444-98, a. 16.

38. Abrogé.

D. 444-98, a. 17.

CHAPTER IV
REGISTERED ENTRIES

33. Entries shall be clear and exact. They shall contain only the particulars prescribed by law and this Regulation.

34. Where an application specifies a date after which the registration will cease to be effective, that date should be indicated in the entry concerning the right. If the date after which the registration ceases to be effective, indicated in the application, is later than the last day of the legal time limit, the registrar shall bring that date forward to the last day of the time limit.

35. The registered entry of a right shall contain an exact statement of the nature of the right and shall record its registration number, as well as the date, hour and minute of presentation of the application for its registration.

36. The designation of a party in an entry in the register shall contain the particulars prescribed in sections 16 to 19.

36.1 To specify the *situs* or extent of a right, the registrar may, in registering the right, include a reference to the application requesting registration.

37. Where, in registering a right, reference should be made to a right in respect of which an entry was previously made in the register, such reference shall be made by stating the nature of the right in question, along with its registration number.

Where the application for registration refers to the right in question by indicating a form number, as provided for in subparagraph 6 of the first paragraph of section 25, the registrar may, in registering the new right, replace the form number with the corresponding registration number.

38. Repealed.

39. L'inscription d'une réduction ou d'une radiation volontaire, judiciaire ou légale indique la date de présentation de la réquisition et son numéro d'inscription.

L'inscription de la réduction ou de la radiation qui est faite d'office sur le fondement de la péremption d'une inscription est datée.

Dans tous les cas, l'inscription indique le caractère de la réduction ou de la radiation effectuée, ainsi que les numéros des incriptions visées.

40. L'inscription de la réduction d'une somme indique le montant de cette réduction.

L'inscription de la réduction qui vise certains des biens grevés indique les biens visés par la réduction.

Lorsque la réduction n'est pas accordée par tous les créanciers ou titulaires du droit visé, l'inscription doit en faire mention.

D. 1594-93, a. 40; D. 444-98, a. 18.

41. Lorsque l'officier a porté erronément une inscription sur une fiche nominative ou descriptive ou qu'il a omis de faire une inscription, il porte l'inscription sur la fiche appropriée à la suite des inscriptions qui y figurent et supprime, s'il y a lieu, l'inscription erronée.

Une mention de la rectification ainsi que de ses date, heure et minute est faite dans l'espace réservé à cette fin, sous l'inscription du droit visé sur la fiche détaillée appropriée; cette mention indique aussi le nom de l'officier qui a fait la rectification.

D. 1594-93, a. 41; D. 444-98, a. 19.

42. La rectification d'une inscription faite sur la fiche nominative ou descriptive appropriée mais dont le contenu est incomplet ou erroné est faite en ajoutant l'élément omis ou en substituant l'information correcte à celle qui est erronée.

Une mention de la rectification ainsi que de ses date, heure et minute est faite dans l'espace réservé à cette fin sous l'inscription du droit visé sur la fiche détaillée; cette mention indique aussi le nom de l'officier qui a fait la rectification.

39. The entry of a legal or voluntary reduction or cancellation or of a reduction or cancellation ordered by judgment shall state the date on which the application was presented and its registration number.

The entry of a reduction or cancellation made as of right on the basis of the peremption of a registered entry shall be dated.

In all cases, a registered entry shall state the nature of a reduction or cancellation that is registered, along with the registration numbers in question.

40. The entry for the reduction of a sum shall indicate the amount of the reduction.

An entry concerning a reduction that affects some of the property in question shall specify which property is affected by the reduction.

Where a reduction is not granted by all the creditors or all the holders of the right in question, those facts shall be recorded in the entry.

41. Where a registrar mistakenly records an entry on a name file or descriptive file, or where the registrar fails to make an entry, the entry shall be made on the appropriate file, below any entries already recorded, and any erroneous entry shall be deleted.

An indication of the fact that a correction has been made, and the date, hour and minute of correction, shall be entered in the appropriate detailed file, in the space reserved for that purpose below the entry of the right in question. The name of the registrar making the correction shall be entered in the same place.

42. Where an entry is made on the appropriate name file or descriptive file, but the content of that file is incomplete or erroneous, the entry shall be corrected by adding the missing item or by substituting the correct information for the erroneous.

An indication of the fact that a correction has been made, and the date, hour and minute of correction, shall be entered in the detailed file, in the space reserved for that purpose below the entry of the right in question. The name of the registrar making the correction shall be entered in the same place.

CHAPITRE V
DU FICHIER DES ADRESSES

43. Un fichier des adresses complète le registre des droits personnels et réels mobiliers.

Le fichier est constitué de fiches établies, s'il s'agit d'une personne physique, sous le nom du bénéficiaire de l'inscription de l'adresse et sa date de naissance et, dans les autres cas, sous son nom et le code postal correspondant à son adresse si celle-ci est située au Canada.

Chaque fiche comprend notamment le nom du bénéficiaire, son adresse à des fins de notification, son numéro de télécopieur, s'il en est, ainsi que le numéro d'avis d'adresse attribué par l'officier au bénéficiaire de l'inscription.

D. 1594-93, a. 43; D. 444-98, a. 20.

43.1 Lors de l'établissement d'une fiche au fichier des adresses, un algorithme de normalisation d'écriture est appliqué au nom sous lequel la fiche est établie; aucune demande pour éviter l'application de cet algorithme n'est admise.

D. 444-98, a. 21.

44. Toute réquisition d'inscription d'une adresse, tout changement ou modification de l'adresse ou du nom du bénéficiaire, ou tout ajout, changement ou modification du numéro de télécopieur, sont inscrits au fichier des adresses sous le nom du bénéficiaire. Lorsqu'il y a lieu, mention est faite du numéro d'avis d'adresse sur la fiche détaillée pertinente sous l'inscription du droit visé, dans l'espace réservé à cette fin.

D. 1594-93, a. 44; D. 444-98, a. 22.

44.1 La notification prévue à l'article 3017 du Code civil (1991, c. 64) peut être faite par télécopieur, au numéro mentionné au fichier des adresses sous le nom du bénéficiaire concerné.

La preuve de notification peut être établie au moyen d'un bordereau de transmission ou, à défaut, d'une déclaration sous serment de la personne qui a effectué l'envoi et, dans tous les cas, d'une confirmation d'envoi, laquelle spécifie les numéros de télécopieur de l'officier et du bénéficiaire, la date, l'heure et le statut de la transmission ainsi que le nombre de pages acheminées.

Le bordereau de transmission ou, à défaut, la déclaration sous serment doit mentionner:

1° le nom, l'adresse, le numéro de téléphone de l'officier et le numéro de télécopieur utilisé;

CHAPTER V
LIST OF ADDRESSES

43. The register of personal and movable real rights shall include a list of addresses.

The list of addresses is composed of files opened, in the case of a natural person, under the name and date of birth of the beneficiary of the registration of an address and, in the other cases, under the name of the beneficiary and, where the address is in Canada, the postal code.

Each file shall state, in particular, the name of the beneficiary, the beneficiary's address for notification purposes, the fax number, if any, and the notice of address number assigned to the beneficiary by the registrar.

43.1 When a file is opened in the list of addresses, a writing standardization algorithm shall be applied to the name under which the file is opened; any request to waive application of the algorithm shall be denied.

44. Any application to have an address registered, to have the address or name of the beneficiary of the registration changed or altered, or to have a fax number added, changed or altered shall be entered in the list of addresses under the name of the beneficiary. Where applicable, the notice of address number shall be entered in the appropriate detailed file, in the space reserved for that purpose below the entry of the right in question.

44.1 Notification under article 3017 of the Civil Code of Québec (1991, c. 64) may be made by fax, at the number indicated in the list of addresses under the name of the beneficiary in question.

Proof of notification may be established by means of a transmittal slip or, failing that, by means of a sworn statement by the person who sent the fax and, in all instances, by means of a confirmation of transmittal indicating the fax numbers of the registrar and the beneficiary, as well as the date, time and status of the transmittal and the number of pages sent.

A transmittal slip or, failing that, a sworn statement, shall state

(1) the name, address, telephone number of the registrar and fax number used;

2° le nom et le numéro de télécopieur du bénéficiaire à qui la notification est effectuée;

3° le nombre total de pages transmises; y compris le bordereau de transmission;

4° la nature du document.

D. 444-98, a. 22.

CHAPITRE VI
DE LA CONSULTATION

45. La consultation du registre se fait sur place ou à distance, par téléphone ou à partir d'un écran de visualisation.

46. La recherche au registre s'effectue lorsqu'elle concerne:

1° une personne physique ou sa succession, à partir des éléments prévus à l'article 13;

2° une personne morale, une société, une association ou une fiducie, à partir du nom de celle-ci;

3° l'État, à partir du nom de l'autorité administrative visée;

4° un véhicule routier visé à l'article 15, à partir de son numéro d'identification;

5° une inscription non radiée, à partir du numéro d'inscription ou du numéro de formulaire qui y correspond.

D. 1594-93, a. 46; D. 444-98, a. 23.

46.1 Lors de la consultation d'une inscription par téléphone ou à partir d'un écran de visualisation, la liste des biens visés peut ne pas être accessible. En tels cas, l'officier fait parvenir au requérant, sur demande, un état certifié de l'inscription lorsque cette liste est contenue dans le registre ou, dans le cas prévu à l'article 36.1, une copie certifiée de la réquisition qui contient la liste des biens.

D. 444-98, a. 23.

46.2 La consultation du fichier des adresses s'effectue, sous le nom du bénéficiaire de l'inscription de l'adresse, à partir des mêmes éléments que pour la consultation du registre.

Elle peut s'effectuer également à partir du numéro d'avis d'adresse du bénéficiaire.

D. 444-98, a. 23.

(2) the name and fax number of the beneficiary to whom notification is given;

(3) the total number of pages sent, including the transmittal slip; and

(4) the nature of the document.

CHAPTER VI
EXAMINATION OF THE REGISTER

45. The register may be examined at the registry office, or through a telephone intermediary or by means of a display screen.

46. A search in the register shall be done,

(1) where it concerns a natural person or his succession, using the particulars provided for in section 13;

(2) where it concerns a legal person, a partnership, an association or a trust, using the name thereof;

(3) where it concerns the State, using the name of the administrative authority concerned by the registration;

(4) where it concerns a road vehicle referred to in section 15, using its identification number; and

(5) where it concerns an uncancelled entry, using the corresponding registration number or form number.

46.1 Where a registered entry is examined through a telephone intermediary or by means of a display screen, it may not be possible to access the list of property in question. In such cases, the registrar shall send to the person so requesting a certified statement of the entry where the list is contained in the register or, in the case provided for in section 36.1, a certified copy of the application containing the list of the property.

46.2 The list of addresses may be examined, under the name of the beneficiary of the registration of the address, using the same particulars as those used for examination of the register.

It may also be examined using the beneficiary's notice of address number.

46.3 Lors d'une consultation, le nom qui fait l'objet de la recherche est soumis à l'application de l'algorithme de normalisation mentionné aux articles 13.1 et 43.1.

D. 444-98, a. 23.

47. La consultation d'une inscription radiée ou d'une inscription qui vise la radiation d'une autre s'effectue par une demande spécifique qui désigne le droit visé et son numéro d'inscription.

47.1 Lorsque l'officier doit fournir une copie d'un document électronique signé numériquement, le document doit être matérialisé à partir des données qui ont été reçues et déchiffrées et dont l'intégrité a été vérifiée. À ces données, s'ajoutent les mentions qui forment le formulaire.

Le nom du signataire résultant de la vérification de son identité ainsi que, le cas échéant, le nom de la personne pour laquelle la réquisition d'inscription a été transmise doivent apparaître sur le document matérialisé.

D. 755-99, a. 5.

48. La signature de l'officier apposée à des fins de certification sur un état des droits inscrits sur le registre, sur un état d'une inscription particulière ou sur une copie des documents faisant partie des archives du bureau peut l'être par un moyen mécanique ou informatique.

CHAPITRE VII

DE LA CONSERVATION, DE LA REPRODUCTION ET DU TRANSFERT

49. La réquisition d'inscription et la pièce justificative qui y est jointe, le cas échéant, peuvent, lorsqu'elles sont sur support papier, être reproduites sur microfilms ou sur un support optique non réinscriptible.

D. 1594-93, a. 49; D. 755-99, a. 6.

49.1 Les données qui forment les réquisitions d'inscription et les documents transmis sur support électronique au bureau de la publicité des droits doivent être conservées telles que reçues.

46.3 During examination, the standardization algorithm referred to in sections 13.1 and 43.1 shall be applied to the name under which the search is made.

47. A cancelled entry or an entry that will cancel another entry may be examined upon presentation of an application to that effect; the application shall designate the right in question and shall state its registration number.

47.1 Where the registrar must provide a copy of a digitally signed electronic document, the document shall be converted into hard copy from the data that was received and decrypted and whose integrity has been verified. The information constituting the form shall be added to these data.

The name of the signatory resulting from the verification of his identity and, if applicable, the name of the person on whose behalf the application for registration was transmitted shall appear on the hard copy.

48. The registrar's signature may be affixed mechanically or by computer for the purposes of certifying a statement concerning rights entered in the register, a statement concerning a specific entry, or a copy of a document forming part of the records of the registry office.

CHAPTER VII

CONSERVATION, REPRODUCTION AND TRANSFER

49. An application for registration and any supporting document may, where they are in paper form, be reproduced on microfilm or on a non-rewritable optical medium.

49.1 The data constituting the applications for registration and documents transmitted in electronic form to the registry office shall be conserved as received.

Elles peuvent cependant être transférées sur un support optique non réinscriptible, afin de protéger les données reçues, notamment contre des altérations accidentelles.

D. 755-99, a. 6.

49.2 Une copie de sauvegarde des microfilms ou des disques optiques doit être entreposée ailleurs qu'au bureau de la publicité des droits.

D. 755-99, a. 6.

50. Les inscriptions radiées ainsi que les inscriptions qui visent la radiation d'une inscription peuvent être transférées sur un support magnétique ou optique non réinscriptible.

D. 1594-93, a. 50; D. 755-99, a. 6.

CHAPITRE VIII
DISPOSITIONS DIVERSES

51. Abrogé.

D. 444-98, a. 24.

52. Le bureau où est tenu le registre est ouvert tous les jours, exceptés les samedis et les jours visés à l'article 6 du Code de procédure civile (L.R.Q., c. C-25).

Les heures de présentation des réquisitions sont de 9 h à 15 h; celles de consultation sur place ou par téléphone sont de 9 h à 16 h.

Malgré le deuxième alinéa, le bureau est ouvert de 9 h à 10 h les 24 et 31 décembre.

D. 1594-93, a. 52; D. 444-98, a. 25.

52.1 La consultation du registre à distance, faite à partir d'un écran de visualisation, est disponible de 8 h à 21 h tous les jours, excepté les samedis et les jours visés à l'article 6 du Code de procédure civile (L.R.Q., c. C-25).

Les samedis, le registre peut être consulté à distance de 8 h à 17 h.

Malgré les premier et deuxième alinéas, le registre peut être consulté à distance de 9 h à 10 h les 24 et 31 décembre.

D. 444-98, a. 26.

They may however be transferred to a non-rewritable optical medium in order to protect the data received, in particular against acccidental alterations.

49.2 A backup copy of the microfilm or optical disks shall be stored elsewhere than at the registry office.

50. Cancelled entries or entries cancelling other entries may be transferred to a magnetic or non-rewritable optical medium.

CHAPTER VIII
MISCELLANEOUS PROVISIONS

51. Repealed.

52. The office at which the register is kept shall be open every day, except Saturdays and the days referred to in article 6 of the Code of Civil Procedure (R.S.Q., c. C-25).

Applications may be presented from 9:00 a.m. to 3:00 p.m. The register may be examined at the registry office or through a telephone intermediary from 9:00 a.m. to 4:00 p.m.

Notwithstanding the second paragraph, the registry office shall be open from 9:00 a.m. to 10:00 a.m. on December 24 and 31.

52.1 The register may be examined by remote by means of a display screen every day from 8:00 a.m. to 9:00 p.m., except Saturdays and the days referred to in article 6 of the Code of Civil Procedure (R.S.Q., c. C-25).

The Register may be examined by remote on Saturdays, from 8:00 a.m. to 5:00 p.m.

Notwithstanding the first and second paragraphs, the register may be examined by remote on December 24 and 31, from 9:00 a.m. to 10:00 a.m.

52.2 La réquisition d'inscription d'un droit visé à l'article 24 de la Loi modifiant le Code civil et d'autres dispositions législatives relativement à la publicité des droits personnels et réels mobiliers et à la constitution d'hypothèques mobilières sans dépossession (1998, c. 5) est faite sur le formulaire RZ «Réquisition d'inscription d'une réserve de propriété, des droits résultant d'un bail ou de certains autres droits — Droit transitoire».

Toutefois, cette réquisition est faite sur le formulaire RD «Réquisition d'inscription d'une réserve de propriété, des droits résultant d'un bail ou de certains autres droits» lorsque l'inscription du droit est requise en vertu de l'article 2961.1 du Code civil.

D. 907-99, a. 5.

53. Omis.

52.2 The application for registration of a right referred to in section 24 of the Act to amend the Civil Code and other legislative provisions as regards the publication of personal and movable real rights and the constitution of movable hypothecs without delivery (1998, c. 5) shall be made on the form RZ "Application for registration of a reservation of ownership, rights under a lease or certain other rights — Transitional law".

Notwithstanding the foregoing, the application shall be made on the form RD "Application for registration of a reservation of ownership, rights under a lease or certain other rights" where registration of the right is required under article 2961.1 of the Civil Code.

53. Omitted.

SCHEDULE I (s. 23)

Gouvernement du Québec
Ministère de la Justice
Register of personal and movable real rights

APPLICATION FOR REGISTRATION OF A MOVABLE HYPOTHEC
Form RH — Page 1

NATURE

1- Check one

a Conventional hypothec without delivery
b Conventional hypothec with delivery (pledge)
c Floating hypothec
d Legal hypothec of the State or of a legal person established in the public interest
e Legal hypothec under a judgment
f Renewal or publication of a hypothec

g Renewal on a new movable
h Renewal on new shares
i Extension of hypothec on property tendered or deposited
j Extension of hypothec on property acquired as a replacement
k Charging of property with legal hypothec

CHARGE

2- DATE AFTER WHICH REGISTRATION CEASES TO BE EFFECTIVE
Note : Registration may be cancelled on the day following this date without presentation of an application to that effect

Year Month Day

PARTIES

① HOLDER   See instructions

3- Notice of address number

4- Surname   5- Given name   6- Date of birth
Year Month Day

7- Name of organization or government agency

8- Address (no., street, municipality, province)   9- Postal code

If necessary, use Annex AP or AD

② GRANTOR   See instructions

10- Surname   11- Given name   12- Date of birth
Year Month Day

13- Name of organization or government agency

14- Address (no., street, municipality, province)   15- Postal code

If necessary, use Annex AP or AD   Where applicable, check ☐ certified statement of rights, also sent by ☐ fax ☐ e-mail

ROAD VEHICLE   See instructions

16- Class   17- Identification number   18- Year   19- Description
①

If necessary, use Annex AV   Where applicable, check ☐ certified statement of rights, also sent by ☐ fax ☐ e-mail

PROPERTY

20- OTHER PROPERTY

If necessary, use Annex AG

PARTICULARS

21- Sum of hypothec   See instructions

22- Reference to legislation granting hypothec   23- Cause of claim

REFERENCE TO REGISTRATION IN THE REGISTER OF PERSONAL AND MOVABLE REAL RIGHTS
24- Entry no. ①   If necessary, use Annex AI
25- Where applicable, check one
a The hypothec is granted to secure payment of bonds or other titles of indebtedness (C.c.Q., art. 2692)
b The hypothec is granted to secure a right ending at death.

REFERENCE TO CONSTITUTING ACT
26- Form of act   Check one   a Private writing   b Notarial act en minute   c Notarial act en brevet   d Judgment
27- Date   28- Place or judicial district
Year Month Day
29- No. of minute of record   30- Full name of notary or name of court

31- OTHER PARTICULARS

If necessary, use Annex AG

SIGNATURE

The undersigned hereby requests that this notice be registered.   Form no.
32- Name of person signing

33- X   Signature

O.C. 1594-93, Sch. I; O.C. 444-98, s. 27; O.C. 907-99, s. 6.

ANNEXE I (a. 23)

Gouvernement du Québec
Ministère de la Justice
Registre des droits personnels et réels mobiliers

RÉQUISITION D'INSCRIPTION D'UNE HYPOTHÈQUE MOBILIÈRE
Formulaire RH — Page 1

NATURE

1- *Cocher une seule case*

a Hypothèque conventionnelle sans dépossession
b Hypothèque conventionnelle avec dépossession (gage)
c Hypothèque ouverte
d Hypothèque légale de l'État ou d'une personne morale de droit public
e Hypothèque légale résultant d'un jugement
f Renouvellement de la publicité d'une hypothèque

g Renouvellement sur un meuble nouveau
h Renouvellement sur de nouvelles actions
i Report sur le bien offert ou consigné
j Report sur le bien acquis en remplacement
k Affectation d'un bien à une hypothèque légale

D.E.E.

2- DATE EXTRÊME D'EFFET DE L'INSCRIPTION

Note : L'inscription pourra être radiée le lendemain de cette date sans présentation d'une réquisition à cet effet

Année   Mois   Jour

PARTIES

① TITULAIRE   *Consulter les directives*

4- Nom

5- Prénom

3- Numéro d'avis d'adresse

6- Date de naissance
Année   Mois   Jour

7- Nom de l'organisme

8- Adresse (numéro, rue, ville, province)

9- Code postal

Au besoin, utiliser les annexes AP ou AD

② CONSTITUANT   *Consulter les directives*

10- Nom

11- Prénom

12- Date de naissance
Année   Mois   Jour

13- Nom de l'organisme

14- Adresse (numéro, rue, ville, province)

15- Code postal

Au besoin, utiliser les annexes AP ou AD

S'il y a lieu, cocher ☐ état certifié des droits, expédié aussi par ☐ télécopieur ☐ messagerie électronique

BIENS

VÉHICULE ROUTIER   *Consulter les directives*

16- Catégorie   17- Numéro d'identification
①

18- Année   19- Description

Au besoin, utiliser l'annexe AV

S'il y a lieu, cocher ☐ état certifié des droits, expédié aussi par ☐ télécopieur ☐ messagerie électronique

20- AUTRES BIENS

Au besoin, utiliser l'annexe AG

MENTIONS

21- Somme de l'hypothèque   *Consulter les directives*

22- Référence à la loi créant l'hypothèque

23- Cause de la créance

RÉFÉRENCE À L'INSCRIPTION VISÉE AU REGISTRE DES DROITS PERSONNELS ET RÉELS MOBILIERS
24- Numéro   ①

Au besoin, utiliser l'annexe AI

25- S'il y a lieu, cocher une seule case

a L'hypothèque est consentie pour garantir le paiement d'obligations ou autres titres d'emprunt (article 2692 C.c.Q.)
b L'hypothèque est consentie en garantie d'un droit viager

RÉFÉRENCE À L'ACTE CONSTITUTIF
26- Forme de l'acte   *Cocher une seule case*   a Sous seing privé   b Notarié en minute   c Notarié en brevet   d Jugement
27- Date   28- Lieu ou district judiciaire
Année   Mois   Jour
29- N° de minute ou de dossier   30- Nom et prénom du notaire ou du tribunal

31- AUTRES MENTIONS

Au besoin, utiliser l'annexe AG

SIGNATURE

Le signataire requiert l'inscription du présent avis.

32- Nom du signataire

Numéro du formulaire

33- X
Signature

• BE-177 (97-07)

D. 1594-93, ann. I; D. 444-98, a. 27; D. 907-99, a. 6.

SCHEDULE II   (s. 23)

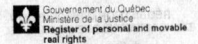

Gouvernement du Québec
Ministère de la Justice
**Register of personal and movable
real rights**

**APPLICATION FOR REGISTRATION OF A
RESERVATION OF OWNERSHIP,
RIGHTS UNDER A LEASE
OR CERTAIN OTHER RIGHTS**

Form RD — Page 1

NATURE

1- NATURE *Check one*

a	Reservation of ownership (instalment sale)	e	Reservation of ownership and transfer of the reservation of ownership
b	Rights under a lease	f	Rights under a lease and transfer of rights
c	Right of redemption	g	Right of redemption and transfer of the right of redemption
d	Rights of ownership of the lessor (leasing)	h	Rights of ownership of the lessor (leasing) and transfer

2- SINGLE REGISTRATION

a   Check, where the registration is to apply to rights of the same nature granted subsequently to the registration (C.C.Q., art. 2961.1).

D.R.C.E.

3- DATE AFTER WHICH REGISTRATION CEASES TO BE EFFECTIVE   *Note: Registration may be cancelled on the day following this date
without presentation of an application to that effect.*

Year   Month   Day

PARTIES

① **4- Check one**   a   Seller   b   Lessor (Lease)   c   Lessor (Leasing)   *See Instructions*   **5-** Notice of address no.

6- Surname   **7-** Given Name   **8-** Date of birth

                                  Year   Month   Day

9- Name of organization or government agency

10- Address (no., street, municipality, province)   **11-** Postal code

If necessary, use Annex AP or AD

② **12- Check one**   d   Buyer   e   Lessee (Lease)   f   Lessee (Leasing)   *See Instructions*

13- Surname   **14-** Given Name   **15-** Date of birth

                                  Year   Month   Day

16- Name of organization or government agency

17- Address (no., street, municipality, province)   **18-** Postal code

If necessary, use Annex AP or AD   Where applicable, check ☐ certified statement of rights, also sent by ☐ fax ☐ e-mail

③ **TRANSFEREE**   *See instructions*   **19-** Notice of address no.

20- Surname   **21-** Given name   **22-** Date of birth

                                  Year   Month   Day

23- Name of organization or government agency

24- Address (no., street, municipality, province)   **25-** Postal code

If necessary, use Annex AP or AD

PROPERTY

ROAD VEHICLE   *See instructions*

26- Class   **27-** Identification no.   **28-** Year   **29-** Description

If necessary, use Annex AV   Where applicable, check ☐ certified statement of rights, also sent by ☐ fax ☐ e-mail

30- OTHER PROPERTY

If necessary, use Annex AG

PARTICULARS

REFERENCE TO CONSTITUTING ACT

31- Form of act   *Check one*   a   Private writing   b   Notarial act *en minute*   c   Notarial act *en brevet*

32- Date   **33-** Place

Year   Month   Day

34- No. of minute   **35-** Full name of notary

36- EXTENT OF THE TRANSFER   *Check one, where applicable*

a   Transfer of all the rights   b   Transfer of a part of the rights

37- OTHER PARTICULARS

If necessary, use Annex AG

SIGNATURE

The undersigned hereby requests that this notice be registered

Form No.

38- Name of person signing

39- X   Signature

O.C. 1594-93, Sch. II; O.C. 444-98, s. 27; O.C. 907-99, s. 6.

ANNEXE II (a. 23)

Gouvernement du Québec
Ministère de la Justice
Registre des droits personnels et réels mobiliers

RÉQUISITION D'INSCRIPTION D'UNE
RÉSERVE DE PROPRIÉTÉ, DES DROITS
RÉSULTANT D'UN BAIL OU DE CERTAINS
AUTRES DROITS
Formulaire RD — Page 1

1- NATURE *Cocher une seule case*

a Réserve de propriété (vente à tempérament)
b Droits résultant d'un bail
c Faculté de rachat (vente à réméré)
d Droits de propriété du crédit-bailleur

e Réserve de propriété et cession de la réserve
f Droits résultant d'un bail et cession des droits
g Faculté de rachat et cession de la faculté de rachat
h Droits de propriété du crédit-bailleur et cession

2- INSCRIPTION GLOBALE

a Cocher cette case, s'il y a lieu, pour que l'inscription vaille aussi à l'égard des droits de même nature consentis ultérieurement à l'inscription (article 2961.1 Code civil)

3- DATE EXTRÊME D'EFFET DE L'INSCRIPTION   *Note: L'inscription pourra être radiée le lendemain de cette date sans présentation d'une réquisition à cet effet*

Année   Mois   Jour

① **4- Cocher une seule case** a Vendeur b Locateur c Crédit-bailleur *Consulter les directives*
5- Nom   5- N° d'avis d'adresse
7- Prénom   8- Date de naissance

9- Nom de l'organisme   Année   Mois   Jour

10- Adresse (numéro, rue, ville, province)

11- Code postal

Au besoin, utiliser les annexes AP ou AD

② **12- Cocher une seule case** d Acheteur e Locataire f Crédit-preneur *Consulter les directives*
13- Nom   15- Date de naissance
14- Prénom

16- Nom de l'organisme   Année   Mois   Jour

17- Adresse (numéro, rue, ville, province)   18- Code postal

Au besoin, utiliser les annexes AP ou AD s'il y a lieu, cocher état certifié des droits, expédié aussi par télécopieur messagerie électronique

③ **CESSIONNAIRE** *Consulter les directives*   19- N° d'avis d'adresse
20- Nom   22- Date de naissance
21- Prénom

23- Nom de l'organisme   Année   Mois   Jour

24- Adresse (numéro, rue, ville, province)   25- Code postal

Au besoin, utiliser les annexes AP ou AD

VÉHICULE ROUTIER *Consulter les directives*
25- Catégorie 27- Numéro d'identification 28- Année 29- Description

Au besoin, utiliser l'annexe AV s'il y a lieu, cocher état certifié des droits, expédié aussi par télécopieur messagerie électronique

30- AUTRES BIENS

Au besoin, utiliser annexe AG

RÉFÉRENCE À L'ACTE CONSTITUTIF
31- Forme de l'acte *Cocher une seule case* a Sous seing privé b Notarié en minute c Notarié en brevet
32- Date 33- Lieu

Année Mois Jour

34- N° de minute 35- Nom et prénom du notaire

36- ÉTENDUE DE LA CESSION *Cocher une seule case, s'il y a lieu*
a Cession de tous les droits b Cession d'une partie des droits
37- AUTRES MENTIONS

Au besoin, utiliser l'annexe AG

Le signataire requiert l'inscription du présent avis.

38- Nom du signataire   Numéro du formulaire

39- X   Signature

D. 1594-93, ann. II; D. 444-98, a. 27; D. 907-99, a. 6.

SCHEDULE III (s. 23)

Gouvernement du Québec
Ministère de la Justice
Register of personal and movable real rights

APPLICATION FOR REGISTRATION OF A
RESERVATION OF OWNERSHIP,
RIGHTS UNDER A LEASE OR CERTAIN
OTHER RIGHTS — TRANSITIONAL LAW

Form RZ — Page 1

NATURE

1- Check one

a　Reservation of ownership (instalment sale)
b　Rights under a lease
c　Right of redemption
d　Rights of ownership of the lessor

i　Stipulation of unseizability

e　Reservation of ownership and transfer of the reservation of ownership
f　Rights under a lease and transfer of rights
g　Right of redemption and transfer of the right of redemption
h　Rights of ownership of the lessor and transfer

D.R.C.E.

2- DATE AFTER WHICH REGISTRATION CEASES TO BE EFFECTIVE — *Note: Registration may be cancelled on the day following this date without presentation of an application to that effect*

Year　Month　Day

PARTIES

①　3- Check one　a　Seller　b　Lessor (Lease)　c　Lessor (Leasing)　d　Stipulator　*See instructions*　4- Notice of address n°
5- Surname　6- Given Name　7- Date of birth
Year　Month　Day

8- Name of organization or government agency

9- Address (no., street, municipality, province)　10- Postal code

If necessary, use Annex AP or AD

②　11- Check one　e　Buyer　f　Lessee (Lease)　g　Lessee (Leasing)　h　Beneficiary　*See instructions*
12- Surname　13- Given Name　14- Date of birth
Year　Month　Day

15- Name of organization or government agency

16- Address (no., street, municipality, province)　17- Postal code

If necessary, use Annex AP or AD　Where applicable, check ☐ certified statement of rights. Also sent by ☐ fax ☐ e-mail

③　TRANFEREE　*See instructions*　18- Notice of address no.
19- Surname　20- Given name　21- Date of birth
Year　Month　Day

22- Name of organization or government agency

23- Address (no., street, municipality, province)　24- Postal code

If necessary, use Annex AP or AD

PROPERTY

ROAD VEHICLE　*See instructions*
25- Class　26- Identification no.　27- Year　28- Description

If necessary, use Annex AV　Where applicable, check ☐ certified statement of rights. Also sent by ☐ fax ☐ e-mail

29- OTHER PROPERTY

If necessary, use Annex AG

PARTICULARS

REFERENCE TO CONSTITUTING ACT
30- Form of act　*Check one*　a　Private writing　b　Notarial act *en minute*　c　Notarial act *en brevet*　d　Judgment
31- Date　32- Place or judicial district
Year　Month　Day
33- No. of minute or record　34- Full name of notary or name of court

35- EXTENT OF THE TRANSFER　*Check one, where applicable*
a　Transfer of all the rights　b　Transfer of a part of the rights
36- OTHER PARTICULARS

If necessary, use Annex AG

SIGNATURE

The undersigned hereby requests that this notice be registered.
37- Name of person signing

Form No.

38- X　Signature

O.C. 1594-93, Sch. III; O.C. 444-98, s. 27; O.C. 907-99, s. 6.

ANNEXE III (a. 23)

Gouvernement du Québec
Ministère de la Justice
Registre des droits personnels et réels mobiliers

RÉQUISITION D'INSCRIPTION D'UNE
RÉSERVE DE PROPRIÉTÉ, DES DROITS
RÉSULTANT D'UN BAIL OU DE CERTAINS
AUTRES DROITS - DROIT TRANSITOIRE
Formulaire RZ — Page 1

NATURE

1- *Cocher une seule case*

a Réserve de propriété (vente à tempérament)
b Droits résultant d'un bail
c Faculté de rachat (vente à réméré)
d Droits de propriété du crédit-bailleur

e Réserve de propriété et cession de la réserve
f Droits résultant d'un bail et cession des droits
g Faculté de rachat et cession de la faculté de rachat
h Droits de propriété du crédit-bailleur et cession

i Stipulation d'insaisissabilité

D.E.E.

2- **DATE EXTRÊME D'EFFET DE L'INSCRIPTION**

Année Mois Jour

Note: L'inscription pourra être radiée le lendemain de cette date sans présentation d'une réquisition à cet effet

PARTIES

① 3- *Cocher une seule case* a Vendeur b Locateur c Crédit-bailleur d Stipulant *Consulter les directives*
4- N° d'avis d'adresse
5- Nom 6- Prénom 7- Date de naissance
8- Nom de l'organisme Année Mois Jour
9- Adresse (numéro, rue, ville, province) 10- Code postal
Au besoin, utiliser les annexes AP ou AD

② 11- *Cocher une seule case* e Acheteur f Locataire g Crédit-preneur h Bénéficiaire *Consulter les directives*
12- Nom 13- Prénom 14- Date de naissance
15- Nom de l'organisme Année Mois Jour
16- Adresse (numéro, rue, ville, province) 17- Code postal
Au besoin, utiliser les annexes AP ou AD s'il y a lieu, cocher état certifié des droits, expédié aussi par télécopieur messagerie électronique

③ **CESSIONNAIRE** *Consulter les directives* 18- N° d'avis d'adresse
19- Nom 20- Prénom 21- Date de naissance
22- Nom de l'organisme Année Mois Jour
23- Adresse (numéro, rue, ville, province) 24- Code postal
Au besoin, utiliser les annexes AP ou AD

BIENS

VÉHICULE ROUTIER *Consulter les directives*
25- Catégorie 26- Numéro d'identification 27- Année 28- Description

Au besoin, utiliser l'annexe AV s'il y a lieu, cocher état certifié des droits, expédié aussi par télécopieur messagerie électronique
29- **AUTRES BIENS**

Au besoin, utiliser l'annexe AG

MENTIONS

RÉFÉRENCE À L'ACTE CONSTITUTIF
30- Forme de l'acte *Cocher une seule case* a Sous seing privé b Notarié en minute c Notarié en brevet d Jugement
31- Date 32- Lieu ou district judiciaire

Année Mois Jour
33- N° de minute, ou de dossier 34- Nom et prénom du notaire ou tribunal

35- **ÉTENDUE DE LA CESSION** *Cocher une seule case, s'il y a lieu*
a Cession de tous les droits b Cession d'une partie des droits
36- **AUTRES MENTIONS**

Au besoin, utiliser l'annexe AG

SIGNATURE

Le signataire requiert l'inscription du présent avis.
37- Nom du signataire Numéro du formulaire

38- X Signature

D. 1594-93, ann. III; D. 444-98, a. 27; D. 907-99, a. 6.

SCHEDULE IV   (s. 23)

**APPLICATION FOR A
MATRIMONIAL REGISTRATION**

Form **RM** — Page 1

NATURE

1- Check one

MARRIAGE	a Marriage contract	b Change in marriage contract or matrimonial regime	
JUGMENT	c Separation from bed and board	d Separation as to property	e Nullity of marriage f Divorce
RENONCIATION	g Partition of value of acquests	h Partition of value of family patrimony	i Community of property
ANNULMENT OF A RENUNCIATION	j Partition of value of acquests	k Partition of value of family patrimony	
	l Community of property		

PARTIES

① 2- Check one   a Husband   b Renouncing husband   c Husband deceased   *See instructions*

3- Surname   4- Given name   5- Date of birth

6- Address (no., street, municipality, province)   7- Postal code   Year Month Day

Where applicable, check ☐ certified statement of rights, also sent by ☐ fax ☐ e-mail

② 8- Check one   c Wife   d Renouncing wife   f Wife deceased   *See instructions*

9- Surname   10- Given name   11- Date of birth

12- Address (no., street, municipality, province)   13- Postal code   Year Month Day

If necessary, use Annex AP   Where applicable, check ☐ certified statement of rights, also sent by ☐ fax ☐ e-mail

PARTICULARS

14- REGIME CHOSEN: *Check one*

a Separation as to property   b Partnership of acquests   c Community of property

d Other (specify)

15- OBJECT OF CHANGE   (other than change of matrimonial regime)

If necessary, use Annex AG

REFERENCE TO PREVIOUS MARRIAGE CONTRACT   *Fill in a, b or c*

a- Marriage contract registered in the Register of personal and real rights

   16- Number of entry

b- Marriage contract signed prior to 1 July 1970

   17- Minute number   18- Date   Year Month Day

19- Full name of notary

c- No marriage contract

20- Date of marriage   Year Month Day   21- Place

SPOUSE OF PERSON RENOUNCING OR SPOUSE OF DECEASED

22- Full name

REFERENCE TO REGISTRATION OF ANNULED RENUNCIATION   *Fill in space 23 or spaces 24 and 25*

23- Number of entry in the Register of personal and movable real rights

24- Number   25- Registration division

REFERENCE TO CONSTITUTING ACT

26- Forme of act   *Check one*   a Notarial act en minute   b Judgment

27- Date   28- Place or judicial district

29- No. of minute or record   Year Month Day   30- Full name of notary or name of court

31- OTHER PARTICULARS

If necessary, use Annex AG

SIGNATURE

The undersigned hereby requests that this notice be registered.   Form no.

32- Name of person signing

33- X   Signature

O.C. 1594-93, Sch. IV; O.C. 444-98, s. 27; O.C. 907-99, s. 6.

ANNEXE IV (a. 23)

Gouvernement du Québec
Ministère de la Justice
**Registre des droits personnels et
réels mobiliers**

**RÉQUISITION D'INSCRIPTION
DE NATURE MATRIMONIALE**
Formulaire **RM** — Page 1

NATURE

1- *Cocher une seule case*

MARIAGE a Contrat de mariage b Modification d'un contrat de mariage ou d'un régime matrimonial

JUGEMENT c Séparation de corps d Séparation de biens e Nullité de mariage f Divorce

RENONCIATION g Partage de la valeur des acquêts h Partage de la valeur du patrimoine familial i Communauté de biens

ANNULATION D'UNE RENONCIATION j Partage de la valeur des acquêts k Partage de la valeur du patrimoine familial
l Communauté de biens

PARTIES

① 2- *Cocher une seule case* a Époux b Époux renonçant c Époux décédé *Consulter les directives*
3- Nom 4- Prénom 5- Date de naissance

6- Adresse (numéro, rue, ville, province) 7- Code postal

S'il y a lieu, cocher ☐ état certifié des droits, expédié aussi par ☐ télécopieur ☐ messagerie électronique

② 8- *Cocher une seule case* c Épouse d Épouse renonçante f Épouse décédée *Consulter les directives*
9- Nom 10- Prénom 11- Date de naissance

12- Adresse (numéro, rue, ville, province) 13- Code postal

Au besoin, utiliser l'annexe AP S'il y a lieu, cocher ☐ état certifié des droits, expédié aussi par ☐ télécopieur ☐ messagerie électronique

MENTIONS

14- CHOIX DU RÉGIME *Cocher une seule case*

a Séparation de biens b Société d'acquêts c Communauté de biens
d Autre, préciser

15- OBJET DE LA MODIFICATION (autre que celle du régime matrimonial)

Au besoin, utiliser l'annexe AG

RÉFÉRENCE AU CONTRAT DE MARIAGE ANTÉRIEUR *Remplir une seule des sections a, b ou c*
a- Contrat de mariage inscrit au registre des droits personnels et réels mobiliers.
16- Numéro
b- Contrat de mariage antérieur au 1er juillet 1970.
17- Numéro de minute 18- Date
19- Nom et prénom du notaire
c- Sans contrat de mariage.
20- Date du mariage 21- Lieu

CONJOINT DU RENONÇANT OU DU DÉFUNT

22- Nom et prénom

RÉFÉRENCE À L'INSCRIPTION DE LA RENONCIATION ANNULÉE *Remplir la rubrique 23 ou les rubriques 24 et 25*
23- Numéro au registre des droits personnels et réels mobiliers
24- Numéro 25- Circonscription foncière

RÉFÉRENCE À L'ACTE CONSTITUTIF
26- Forme de l'acte *Cocher une seule case* a Notarié en minute b Jugement
27- Date 28- Lieu ou district judiciaire
29- N° de minute ou de dossier 30- Nom et prénom du notaire ou tribunal

31- AUTRES MENTIONS

Au besoin, utiliser l'annexe AG

SIGNATURE

Le signataire requiert l'inscription du présent avis.
32- Nom du signataire Numéro du formulaire

33- X
Signature

D. 1594-93, ann. IV; D. 444-98, a. 27; D. 907-99, a. 6.

SCHEDULE V   (s. 23)

Gouvernement du Québec
Ministère de la Justice
**Register of personal and movable
real rights**

**GENERAL APPLICATION
FOR REGISTRATION**
Form **RG** — Page 1

DORR/SE NATURE

Indicate one nature of right

1- Nature

2- DATE AFTER WHICH REGISTRATION CEASES TO BE EFFECTIVE   *Note : Registration may be cancelled on the day following this date without presentation of an application to that effect*

Year   Month   Day

PARTIES

① *See instructions*

4- Check one   a   Holder   b   Grantor   c   Other (specify)

3- Notice of address no.

5- Surname   6- Given name

7- Date of birth

Year   Month   Day

8- Name of organization or government agency

9- Address (no., street, municipality, province)

10- Postal code

Where applicable, check ☐ certified statement of rights, also sent by ☐ fax ☐ e-mail

② *See instructions*

11- Notice of address no.

12- Check one   a   Holder   b   Grantor   c   Other (specify)

13- Surname   14- Given name

15- Date of birth

Year   Month   Day

16- Name of organization or government agency

17- Address (no., street, municipality, province)

18- Postal code

If necessary, use Annex AP or AD   Where applicable, check ☐ certified statement of rights, also sent by ☐ fax ☐ e-mail

ROAD VEHICLE   *See instructions*

19- Class   20- Identification number   21- Year   22- Description
①

If necessary, use Annex AV   Where applicable, check ☐ certified statement of rights, also sent by ☐ fax ☐ e-mail

PROPERTY

23- OTHER PROPERTY

If necessary, use Annex AG

PARTICULARS

24- Amount

REFERENCE TO REGISTRATION IN THE REGISTER OF PERSONAL AND MOVABLE REAL RIGHTS

25- Entry number   ①   ②   *If necessary, use annex AI.*

REFERENCE TO CONSTITUTING ACT

26- Form of act   Check one
   a   Private writing   b   Notarial act *en minute*   c   Notarial act *en brevet*   d   Judgment
   e   Other (specify)

27- Date   28- Place or judicial district

Year   Month   Day

29- No. of minute or record   30- Full name of notary, name of court or full names of witnesses

31- OTHER PARTICULARS

If necessary, use Annex AG

SIGNATURE

The undersigned hereby requests that this notice be registered.

32- Name of person signing

Form no.

33- X   Signature

SE-176 197-07-1

O.C. 1594-93, Sch. V; O.C. 444-98, s. 27; O.C. 907-99, s. 6.

ANNEXE V (a. 23)

Gouvernement du Québec
Ministère de la Justice
Registre des droits personnels et réels mobiliers

RÉQUISITION GÉNÉRALE D'UNE INSCRIPTION
Formulaire **RG** — Page 1

NATURE / **D.E.E.** — *Indiquer une seule nature de droit*

1- Nature

2- **DATE EXTRÊME D'EFFET DE L'INSCRIPTION**   *Note : L'inscription pourra être radiée le lendemain de cette date sans présentation d'une réquisition à cet effet*

Année   Mois   Jour

PARTIES

① *Consulter les directives*

4- *Cocher une seule case*   a   Titulaire   b   Constituant   c   Autre, préciser

3- N° d'avis d'adresse

5- Nom   6- Prénom

7- Date de naissance
Année   Mois   Jour

8- Nom de l'organisme

9- Adresse (numéro, rue, ville, province)   10- Code postal

S'il y a lieu, cocher ☐ état certifié des droits, expédié aussi par ☐ télécopieur ☐ messagerie électronique

② *Consulter les directives*

12- *Cocher une seule case*   a   Titulaire   b   Constituant   c   Autre, préciser

11- N° d'avis d'adresse

13- Nom   14- Prénom

15- Date de naissance
Année   Mois   Jour

16- Nom de l'organisme

17- Adresse (numéro, rue, ville, province)   18- Code postal

Au besoin, utiliser les annexes AP ou AD   *S'il y a lieu, cocher* ☐ état certifié des droits, expédié aussi par ☐ télécopieur ☐ messagerie électronique

VÉHICULE ROUTIER   *Consulter les directives au verso*

19- Catégorie   20- Numéro d'identification   21- Année   22- Description
①

Au besoin, utiliser l'annexe AV   *S'il y a lieu, cocher* ☐ état certifié des droits, expédié aussi par ☐ télécopieur ☐ messagerie électronique

BIENS

23- AUTRES BIENS

Au besoin, utiliser l'annexe AG

24- Montant

RÉFÉRENCE À L'INSCRIPTION VISÉE AU REGISTRE DES DROITS PERSONNELS ET RÉELS MOBILIERS
25- Numéro   ①   ②   *Au besoin, utiliser l'annexe AI*

RÉFÉRENCE À L'ACTE CONSTITUTIF
26- Forme de l'acte   *Cocher une seule case*
a   Sous seing privé   b   Notarié en minute   c   Notarié en brevet   d   Jugement
e   Autre, préciser

MENTIONS

27- Date
Année   Mois   Jour

28- Lieu ou district judiciaire

29- N° de minute ou de dossier   30- Nom et prénom du notaire, tribunal ou nom et prénom des témoins

31- AUTRES MENTIONS

Au besoin, utiliser l'annexe AG

SIGNATURE

Le signataire requiert l'inscription du présent avis.

32- Nom du signataire   Numéro du formulaire

33- X
Signature

• SE-170 (07-01)

D. 1594-93, ann. V; D. 444-98, a. 27; D. 907-99, a. 6.

SCHEDULE VI (s. 23)

Gouvernement du Québec
Ministère de la Justice
Register of personal and movable real rights

APPLICATION FOR REGISTRATION OF PRIOR NOTICE OF INTENTION
Form **RP** — Page 1

1- Nature of prior notice *Check one*

NATURE

a ☐ Prior notice of intention to exercise hypothecary right   b ☐ Prior notice of intention to exercise rights resulting from a trust by onerous title
c ☐ Prior notice of intention to exercise seller's right of repossession   d ☐ Prior notice requiring seller to exercise right of redemption
e ☐ Other (specify)

PARTIES

① - *Check one*   a ☐ Holder   b ☐ Seller   *See instructions*

2- Surname   3- Given name   4- Date of birth   Year Month Day

5- Name of organization or government agency

6- Address (no., street, municipality, province)   7- Postal code

If necessary, use Annex AP or AD

② - *Check one*   c ☐ Grantor   d ☐ Buyer   *See instructions*

8- Surname   9- Given name   10- Date of birth   Year Month Day

11- Name of organization or government agency

12- Address (no., street, municipality, province)   13- Postal code

If necessary, use Annex AP or AD   Where applicable, check ☐ certified statement of rights, also sent by ☐ fax ☐ e-mail

PROPERTY

ROAD VEHICLE   *See instructions*

14- Class   15- Identification number   16- Year   17- Description
①

If necessary, use Annex AV   Where applicable, check ☐ certified statement of rights, also sent by ☐ fax ☐ e-mail

18- OTHER PROPERTY

If necessary, use Annex AG

PARTICULARS

19- Right whose exercise is intended   *Check one*

a ☐ Taking possession for administrative purposes   b ☐ Taking in payment
c ☐ Sale by creditor   d ☐ Sale by judicial authority
e ☐ Other (specify)

REFERENCE TO REGISTRATION IN THE REGISTER OF PERSONAL AND MOVABLE REAL RIGHTS
20- Entry no. ①

REFERENCE TO PRIOR NOTICE
21- Form of prior notice   *Check one*   a ☐ Private writing   b ☐ Notarial act en minute   c ☐ Notarial act en brevet

22- Date   23- Place
Year Month Day

24- Minute number   25- Full name of notary

26- OTHER PARTICULARS

If necessary, use Annex AG

The debtor having failed to fulfil his obligations, the holder has served a prior notice of intention in accordance with the legislative provisions.
The prior notice of intention is filed with this application, along with proof of its service.

SIGNATURE

The undersigned hereby requests that this notice be registered.   Form no.

27- Name of person signing

28- X _____ Signature

O.C. 1594-93, Sch. VI; O.C. 444-98, s. 27; O.C. 907-99, s. 6.

ANNEXE VI (a. 23)

Gouvernement du Québec
Ministère de la Justice
Registre des droits personnels et réels mobiliers

RÉQUISITION D'INSCRIPTION D'UN PRÉAVIS D'EXERCICE
Formulaire **RP** — Page 1

NATURE

1- Nature du préavis   *Cocher une seule case*

a   Préavis d'exercice d'un droit hypothécaire

c   Préavis d'exercice du droit de reprise du vendeur

e   Autre, préciser

b   Préavis d'exercice des droits résultant d'une fiducie à titre onéreux

d   Préavis exigeant du vendeur l'exercice de la faculté de rachat

PARTIES

① - *Cochez une seule case*   a ☐ **TITULAIRE**   b ☐ **VENDEUR**   *Consulter les directives*

2- Nom

3- Prénom

4- Date de naissance
Année   Mois   Jour

5- Nom de l'organisme

6- Adresse (numéro, rue, ville, province)

7- Code postal

Au besoin, utiliser les annexes AP ou AD

② - *Cochez une seule case*   c ☐ **CONSTITUANT**   d ☐ **ACHETEUR**   *Consulter les directives*

8- Nom

9- Prénom

10- Date de naissance
Année   Mois   Jour

11- Nom de l'organisme

12- Adresse (numéro, rue, ville, province)

13- Code postal

Au besoin, utiliser les annexes AP ou AD   S'il y a lieu, cocher ☐ état certifié des droits, expédié aussi par ☐ télécopieur ☐ messagerie électronique

VÉHICULE ROUTIER   *Consulter les directives*

14- Catégorie   15- Numéro d'identification   16- Année   17- Description
①

Au besoin, utiliser l'annexe AV   S'il y a lieu, cocher ☐ état certifié des droits, expédié aussi par ☐ télécopieur ☐ messagerie électronique

BIENS

18- **AUTRES BIENS**

Au besoin, utiliser l'annexe AG

19- Droit dont l'exercice est projeté   *Cocher une seule case*

a   Prise de possession à des fins d'administration   b   Prise en paiement

c   Vente par le créancier   d   Vente sous contrôle de justice

e   Autre, préciser

RÉFÉRENCE À L'INSCRIPTION VISÉE AU REGISTRE DES DROITS PERSONNELS ET RÉELS MOBILIERS
20- Numéro ①

RÉFÉRENCE AU PRÉAVIS
21- Forme du préavis   *Cocher une seule case*   a   Sous seing privé   b   Notarié en minute   c   Notarié en brevet

MENTIONS

22- Date

23- Lieu
Année   Mois   Jour

24- N° de minute

25- Nom et prénom du notaire

26- **AUTRES MENTIONS**

Au besoin, utiliser l'annexe AG

Le débiteur étant en défaut d'exécuter ses obligations, le titulaire a signifié un préavis d'exercice conformément aux dispositions de la loi.
Le préavis d'exercice ainsi que la preuve de sa signification sont produits avec la présente.

SIGNATURE

Le signataire requiert l'inscription du présent avis.

27- Nom du signataire

Numéro du formulaire

28- X _____   Signature

• BE-181 (57-07)

D. 1594-93, ann. VI; D. 444-98, a. 27; D. 907-99, a. 6.

SCHEDULE VII (s. 23)

Gouvernement du Québec Ministère de la Justice Register of personal and movable real rights	**APPLICATION FOR REGISTRATION OF A CORRECTION** Form **RR** — Page 1

NATURE

1- Check one

a Correction by an interested person   b Correction ordered by judgment

PARTIES

① See instructions

2- Check one   a Holder   b Grantor   c Other (specify)

3- Notice of address number

4- Surname   5- Given name

6- Date of birth   Year Month Day

7- Name of organization or government agency

8- Address (no., street, municipality, province)

9- Postal code

Where applicable, check ☐ certified statement of rights, also sent by ☐ fax ☐ e-mail

② See instructions

10- Check one   a Holder   b Grantor   c Other (specify)

11- Notice of address number

12- Surname   13- Given name

14- Date of birth   Year Month Day

15- Name of organization or government agency

16- Address (no., street, municipality, province)

17- Postal code

If necessary, use Annex AP or AD   Where applicable, check ☐ certified statement of rights, also sent by ☐ fax ☐ e-mail

PARTICULARS

REFERENCE TO REGISTRATION IN THE REGISTER OF PERSONAL AND MOVABLE REAL RIGHTS

18- Entry No. ①   If necessary, use Annex AI

REFERENCE TO JUDGMENT

19- Date   20- Judicial district

21- Court record number   22- Court

23- OBJET OF CORRECTION

If necessary, use Annex AG

If the correction concerns a road vehicle, enter the corrected description below

24- Class   25- Identification number   26- Year   27- Description
①

If necessary, use Annex AV   Where applicable, check ☐ certified statement of rights, also sent by ☐ fax ☐ e-mail

If the correction brings forward the date after which registration ceases to be effective, enter the corrected description below

28- DATE AFTER WHICH REGISTRATION CEASES TO BE EFFECTIVE

Year Month Day   Note : Registration may be cancelled on the day following this date without presentation of an application to that effect

29- OTHER PARTICULARS

If necessary, use Annex AG

The undersigned hereby requests that this notice be registered.

30- Name and signature of person signing

SIGNATURE

Form no.

O.C. 1594-93, Sch. VII; O.C. 444-98, s. 27; O.C. 907-99, s. 6.

ANNEXE VII (a. 23)

Gouvernement du Québec
Ministère de la Justice
Registre des droits personnels et réels mobiliers

RÉQUISITION D'INSCRIPTION D'UNE RECTIFICATION

Formulaire RR — Page 1

NATURE

1- Cocher une seule case

a Rectification par une personne intéressée   b Rectification judiciaire

PARTIES

① Consulter les directives

2- Cocher une seule case   a Titulaire   b Constituant   c Autre, préciser
4- Nom
5- Prénom
3- N° d'avis d'adresse
6- Date de naissance
Année   Mois   Jour

7- Nom de l'organisme

8- Adresse (numéro, rue, ville, province)
9- Code postal

S'il y a lieu, cocher ☐ état certifié des droits, expédié aussi par ☐ télécopieur ☐ messagerie électronique

② Consulter les directives

10- Cocher une seule case   a Titulaire   b Constituant   c Autre, préciser
12- Nom
13- Prénom
11- N° d'avis d'adresse
14- Date de naissance
Année   Mois   Jour

15- Nom de l'organisme

16- Adresse (numéro, rue, ville, province)
17- Code postal

Au besoin, utiliser les annexes AP ou AO   S'il y a lieu, cocher ☐ état certifié des droits, expédié aussi par ☐ télécopieur ☐ messagerie électronique

MENTIONS

RÉFÉRENCE À L'INSCRIPTION VISÉE AU REGISTRE DES DROITS PERSONNELS ET RÉELS MOBILIERS
18- Numéro   ①
Au besoin, utiliser l'annexe AI

RÉFÉRENCE AU JUGEMENT
19- Date   20- District judiciaire
Année   Mois   Jour
21- N° de dossier   22- Tribunal

23- OBJET DE LA RECTIFICATION

Au besoin, utiliser l'annexe AG
Si la rectification porte sur un véhicule routier, inscrire la description correcte ci-dessous :
24- Catégorie   25- Numéro d'identification   26- Année   27- Description
①

Au besoin, utiliser l'annexe AV   S'il y a lieu, cocher ☐ état certifié des droits, expédié aussi par ☐ télécopieur ☐ messagerie électronique
Si la rectification consiste à ramener à la baisse la date extrême d'effet de l'inscription, inscrire la date extrême d'effet corrigée ci-dessous :

28- DATE EXTRÊME D'EFFET DE L'INSCRIPTION
Année   Mois   Jour   Note : L'inscription pourra être radiée le lendemain de cette date sans présentation d'une réquisition à cet effet

29- AUTRES MENTIONS

Au besoin, utiliser l'annexe AG

SIGNATURE

Le signataire requiert l'inscription du présent avis.
30- Nom et signature du signataire

Numéro du formulaire

• BE-182 (97-07)

D. 1594-93, ann. VII; D. 444-98, a. 27; D. 907-99, a. 6.

SCHEDULE VIII (s. 23)

Gouvernement du Québec
Ministère de la Justice
**Registre des droits personnels et
réels mobiliers**

**RÉQUISITION D'INSCRIPTION
D'UNE ADRESSE**
Formulaire RA — Page 1

NATURE

1- *Cocher une seule case et remplir la section correspondante*

a Inscription d'adresse à des fins de notification

b Changement de nom ou d'adresse de notification

c Inscription d'un numéro d'avis d'adresse ultérieure à l'inscription du droit visé

d Rectification

BÉNÉFICIAIRE

Consulter les directives

2- Nom	3- Prénom	4- Date de naissance
		Année Mois Jour

5- Nom de l'organisme

6- Adresse (numéro, rue, ville, province)	7- Code postal

OBJET DE L'INSCRIPTION

A- INSCRIPTION D'ADRESSE À DES FINS DE NOTIFICATION *Remplir la section RÉFÉRENCES*

ADRESSE DE NOTIFICATION

8- Adresse	9- Code postal	10- Numéro de télécopieur

B- CHANGEMENT DE NOM OU D'ADRESSE DE NOTIFICATION

11- Numéro d'avis d'adresse

Changement de nom *Remplir les rubriques 12, 13, 14, 16, 17, 18 ou 15, 19*

Ancien nom

12- Nom	13- Prénom	14- Date de naissance
		Année Mois Jour

15- Nom de l'organisme

Nouveau nom

16- Nom	17- Prénom	18- Date de naissance
		Année Mois Jour

19- Nom de l'organisme

Changement d'adresse de notification *Remplir les rubriques 20 à 25*

Ancienne adresse

20- Adresse	21- Code postal	22- Numéro de télécopieur

Nouvelle adresse

23- Adresse	24- Code postal	25- Numéro de télécopieur

C- INSCRIPTION D'UN NUMÉRO D'AVIS D'ADRESSE ULTÉRIEURE À L'INSCRIPTION DU DROIT VISÉ

26- Numéro d'avis d'adresse	*Remplir la section RÉFÉRENCES*

D- RECTIFICATION *Remplir a ou b*

a- D'un numéro d'inscription

27- Numéro d'inscription erroné

28- Numéro d'inscription exact

29- Numéro d'avis d'adresse visé

b- D'un numéro d'avis d'adresse *Remplir la section RÉFÉRENCES*

30- Numéro d'avis d'adresse erroné	31- Numéro d'avis d'adresse exact

RÉFÉRENCES

32- NUMÉRO D'INSCRIPTION OU DE FORMULAIRE

① ② ③ ④

⑤ ⑥ ⑦ ⑧

Au besoin, utiliser l'annexe A

SIGNATURE

Le signataire requiert l'inscription du présent avis

33- Nom du signataire

Numéro du formulaire

34- X _____ Signature

-SF-174 (97-07)-

O.C. 1594-93, Sch. VIII; O.C. 444-98, s. 27; O.C. 907-99, s. 6.

ANNEXE VIII (a. 23)

Gouvernement du Québec
Ministère de la Justice
Registre des droits personnels et réels mobiliers

RÉQUISITION D'INSCRIPTION D'UNE ADRESSE
Formulaire RA — Page 1

NATURE

1- *Cocher une seule case et remplir la section correspondante*

a Inscription d'adresse à des fins de notification
c Inscription d'un numéro d'avis d'adresse ultérieure à l'inscription du droit visé
b Changement de nom ou d'adresse de notification
d Rectification

Consulter les directives

BÉNÉFICIAIRE

2- Nom
3- Prénom
4- Date de naissance
Année Mois Jour

5- Nom de l'organisme

6- Adresse (numéro, rue, ville, province)
7- Code postal

OBJET DE L'INSCRIPTION

A- INSCRIPTION D'ADRESSE À DES FINS DE NOTIFICATION *Remplir la section RÉFÉRENCES*

ADRESSE DE NOTIFICATION

8- Adresse
9- Code postal 10- Numéro de télécopieur

B- CHANGEMENT DE NOM OU D'ADRESSE DE NOTIFICATION

11- Numéro d'avis d'adresse

Changement de nom *Remplir les rubriques 12, 13, 14, 16, 17, 18 ou 15, 19*

Ancien nom
12- Nom
13- Prénom
14- Date de naissance
Année Mois Jour

15- Nom de l'organisme

Nouveau nom
16- Nom
17- Prénom
18- Date de naissance
Année Mois Jour

19- Nom de l'organisme

Changement d'adresse de notification *Remplir les rubriques 20 à 25*

Ancienne adresse
20- Adresse
21- Code postal 22- Numéro de télécopieur

Nouvelle adresse
23- Adresse
24- Code postal 25- Numéro de télécopieur

C- INSCRIPTION D'UN NUMÉRO D'AVIS D'ADRESSE ULTÉRIEURE À L'INSCRIPTION DU DROIT VISÉ

26- Numéro d'avis d'adresse *Remplir la section RÉFÉRENCES*

D- RECTIFICATION *Remplir a ou b*

a- D'un numéro d'inscription

27- Numéro d'inscription erroné
28- Numéro d'inscription exact

29- Numéro d'avis d'adresse visé

b- D'un numéro d'avis d'adresse *Remplir la section RÉFÉRENCES*

30- Numéro d'avis d'adresse erroné
31- Numéro d'avis d'adresse exact

RÉFÉRENCES

32- NUMÉRO D'INSCRIPTION OU DE FORMULAIRE

① ② ③ ④
⑤ ⑥ ⑦ ⑧

Au besoin, utiliser l'annexe AI

Le signataire requiert l'inscription du présent avis.

33- Nom du signataire
Numéro du formulaire

SIGNATURE

34- X
Signature

BF- 14 (ST 07)

D. 1594-93, ann. VIII; D. 444-98, a. 27; D. 907-99, a. 6.

SCHEDULE IX (s. 23)

Gouvernement du Québec
Ministère de la Justice
Register of personal and movable
real rights

**APPLICATION FOR REGISTRATION
OF A VOLUNTARY CANCELLATION**
Form RV — Page 1

1- HOLDER

Designate the person consenting to the cancellation.
- *if the holder has changed, explain the change and file the required supporting document.*
- *if the holder is represented, indicate the name and quality of the representative, as well as the nature of the document authorizing the representative to act.*

PARTIES

If necessary, use Annex AG

2- GRANTOR

State the grantor's name.

If necessary, use Annex AG

Fill in spaces 3 and 4 or 5 and 6

TOTAL ACQUITTANCE - The holder hereby informs the registrar that any sum owing by virtue of the claim secured by the right referred to below has been paid to him in full and that, accordingly, he requests cancellation of the following registration(s) :

3- Entry number   **4- Nature**
① ② ③

If necessary, use Annex AG

CONSENT TO CANCELLATION - The holder hereby informs the registrar that he consents to the cancellation of the following registration(s) :

5- Entry number   **6- Nature**
① ② ③

If necessary, use Annex AG

OBJECT OF CANCELLATION

7- OTHER PARTICULARS

If necessary, use Annex AG

The undersigned hereby requests that this notice be registered.

8- Name and signature of person signing

SIGNATURE

Form no.

O.C. 1594-93, Sch. IX; O.C. 444-98, s. 27; O.C. 907-99, s. 6.

ANNEXE IX (a. 23)

Gouvernement du Québec
Ministère de la Justice
Registre des droits personnels et réels mobiliers

RÉQUISITION D'INSCRIPTION D'UNE RADIATION VOLONTAIRE

Formulaire **RV** — page 1

PARTIES

1- TITULAIRE

Désigner la personne qui consent à la radiation.
- S'il y a lieu, expliquer le changement de titulaire et produire la pièce justificative requise.
- S'il y a représentation, indiquer le nom et la qualité du représentant de même que la nature de la pièce justificative en vertu de laquelle il agit.

Au besoin, utiliser l'annexe AG

2- CONSTITUANT

Indiquer le nom du constituant

Au besoin, utiliser l'annexe AG

OBJET DE LA RADIATION

Remplir les rubriques 3 et 4 ou 5 et 6

QUITTANCE TOTALE - Le titulaire avise l'officier de la publicité qu'il a été entièrement payé de toute somme due en vertu de la créance garantie par le droit auquel il est fait référence ci-dessous et qu'en conséquence, il requiert la radiation des inscriptions suivantes :

3- Numéro   **4- Nature**
① ② ③

Au besoin, utiliser l'annexe AG

CONSENTEMENT À RADIATION - Le titulaire avise l'officier de la publicité qu'il consent, par la présente, à la radiation de l'inscription suivante :

5- Numéro   **6- Nature**
① ② ③

Au besoin, utiliser l'annexe AG

7- AUTRES MENTIONS

Au besoin, utiliser l'annexe AG

SIGNATURE

Le signataire requiert l'inscription du présent avis.

8- Nom et signature du signataire

Numéro du formulaire

* BE-154 (97-07)

___

D. 1594-93, ann. IX; D. 444-98, a. 27; D. 907-99, a. 6.

SCHEDULE X   (s. 23)

Gouvernement du Québec
Ministère de la Justice
Register of personal and movable real rights

APPLICATION FOR REGISTRATION OF A VOLUNTARY REDUCTION
Form **RE** — Page 1

PARTIES

1- HOLDER
Designate the person consenting to the reduction.
- If the holder has changed, explain the change and file the required supporting document.
- If the holder is represented, indicate the name and quality of the representative, as well as the nature of the document authorizing the representative to act.

If necessary, use Annex AG

2- GRANTOR
State the grantor's name

If necessary, use Annex AG

CONSENT TO REDUCTION

3- THE HOLDER HEREBY INFORMS THE REGISTRAR THAT HE CONSENTS TO THE FOLLOWING REDUCTION:

If necessary, use Annex AG

If the reduction concerns a **road vehicle**, enter the description below

4- Class **5- Identification number** **6- Year** **7- Description**
①

If necessary, use Annex AV

The undersigned hereby requests that this notice be registered.

8- Name and signature of person signing

SIGNATURES

Form no.

- RE-175 (92-01)

O.C. 1594-93, Sch. X; O.C. 444-98, s. 27; O.C. 907-99, s. 6.

ANNEXE X (a. 23)

Gouvernement du Québec
Ministère de la Justice
Registre des droits personnels et
réels mobiliers

RÉQUISITION D'INSCRIPTION
D'UNE RÉDUCTION VOLONTAIRE
Formulaire RE — Page 1

PARTIES

1- TITULAIRE
Désigner la personne qui consent à la réduction.
- S'il y a lieu, expliquer le changement de titulaire et produire la pièce justificative requise.
- S'il y a représentation, indiquer le nom et la qualité du représentant de même que la nature de la pièce justificative en vertu de laquelle il agit.

Au besoin, utiliser l'annexe AG

2- CONSTITUANT
Indiquer le nom du constituant

Au besoin, utiliser l'annexe AG

CONSENTEMENT À LA RÉDUCTION

3- LE TITULAIRE AVISE L'OFFICIER DE LA PUBLICITÉ QU'IL CONSENT, PAR LA PRÉSENTE, À LA RÉDUCTION SUIVANTE :

Au besoin, utiliser l'annexe AG

Si la réduction porte sur un **véhicule routier**, le décrire ci-dessous

4- Catégorie 5- Numéro d'identification 6- Année 7- Description
①

Au besoin, utiliser l'annexe AV

Le signataire requiert l'inscription du présent avis.

8- Nom et signature du signataire

SIGNATURE

Numéro du formulaire

• BE-175 (97-07)

D. 1594-93, ann. X; D. 444-98, a. 27; D. 907-99, a. 6.

SCHEDULE XI (s. 23)

Gouvernement du Québec
Ministère de la Justice
**Register of personal and movable
real rights**

APPLICATION FOR REGISTRATION OF A REDUCTION
OR CANCELLATION ORDERED BY JUDGMENT

Form **RJ** — Page 1

REFERENCE TO JUDGMENT

1- Name and quality of parties

If necessary, use Annex AG

2- Date of judgment
3- Court
4- Judicial district
5- Court record number

OBJECT OF REGISTRATION

6- CONCLUSIONS OF JUDGMENT

The undersigned hereby notifies the registrar that the conclusions of the judgment designated above are as follows:

If necessary, use Annex AG

The undersigned hereby requests that this notice be registered.

7- Name of person signing

Form no.

SIGNATURE

8- X   Signature

O.C. 1594-93, Sch. XI; O.C. 444-98, s. 27; O.C. 907-99, s. 6.

ANNEXE XI (a. 23)

Gouvernement du Québec
Ministère de la Justice
Registre des droits personnels et réels mobiliers

**RÉQUISITION D'INSCRIPTION
D'UNE RÉDUCTION OU D'UNE RADIATION JUDICIAIRE**
Formulaire **RJ** — Page 1

RÉFÉRENCE AU JUGEMENT

1- Nom et qualité des parties

Au besoin, utiliser l'annexe AG

2- Date du jugement
3- Tribunal
4- District judiciaire
5- Numéro du dossier judiciaire

6- DISPOSITIF DU JUGEMENT
Le signataire avise l'officier de la publicité que le dispositif du jugement décrit ci-dessus est le suivant :

OBJET DE L'INSCRIPTION

Au besoin, utiliser l'annexe AG

Le signataire requiert l'inscription du présent avis.

7- Nom du signataire

Numéro du formulaire

SIGNATURE

8- X

Signature

• SE-178 (97-07)

D. 1594-93, ann. XI; D. 444-98, a. 27; D. 907-99, a. 6.

SCHEDULE XII   (s. 23)

Gouvernement du Québec
Ministère de la Justice
Register of personal and movable
real rights

**APPLICATION FOR REGISTRATION
OF A LEGAL REDUCTION OR CANCELLATION**
Form RL — Page 1

1- Check one

LEGAL REDUCTION OR CANCELLATION

NATURE

a   of a right ending at death and of the hypothec securing it following the death of the beneficiary (C.C.Q., art. 3067)
b   following a taking in payment (C.C.Q., art. 3069, par. 1)
c   following a sale by a creditor (C.C.Q., art. 3069, par. 1)
d   following a sale by judicial authority (C.C.Q., art. 3069, par. 1)
e   following a forced sale (C.C.Q., art. 3069, par. 1, and C.C.P., art. 611.1)
f   Other (specify)

PARTIES

① See instructions

2- Check one   a   Holder   b   Grantor   c   Other (specify)
3- Surname   **4- Given name**   **5- Date of birth**
     Year   Month   Day

6- Name of organization or government agency

7- Address (no., street, municipality, province)   **8- Postal code**

② See instructions

9- Check one   a   Holder   b   Grantor   c   Other (specify)
10- Surname   **11- Given name**   **12- Date of birth**
     Year   Month   Day

13- Name of organization or government agency

14- Address (no., street, municipality, province)   **15- Code postal**

If necessary, use Annex AP or AD

OBJECT OF REGISTRATION

16- THE UNDERSIGNED HEREBY NOTIFIES THE REGISTRAR THAT: Describe the events, documents and all relevant facts warranting a legal reduction or cancellation. Give references for the registered entries and, where applicable, describe the property in respect of which this application is being filed.

If necessary, use Annex AG

The undersigned hereby requests that this notice be registered.   Form no.

SIGNATURE

17- Name of person signing

18- X   Signature

- RE-175 (97-07)

O.C. 1594-93, Sch. XII; O.C. 444-98, s. 27; O.C. 907-99, s. 6.

ANNEXE XII (a. 23)

Gouvernement du Québec
Ministère de la Justice
Registre des droits personnels et réels mobiliers

RÉQUISITION D'INSCRIPTION
D'UNE RÉDUCTION OU D'UNE RADIATION LÉGALE

Formulaire RL — Page 1

NATURE

1- *Cocher une seule case*

RÉDUCTION OU RADIATION LÉGALE

a d'un droit viager et de l'hypothèque qui le garantit à la suite du décès du bénéficiaire (art. 3067 C.c.Q.)
b à la suite d'une prise en paiement (art. 3069 al.1 C.c.Q.)
c à la suite d'une vente par un créancier (art. 3069 al.1 C.c.Q.)
d à la suite d'une vente sous contrôle de justice (art. 3069 al.1 C.c.Q.)
e à la suite d'une vente forcée (art. 3069 al.1 C.c.Q. et 611.1 C.p.c.)
f Autre, préciser

PARTIES

① *Consulter les directives*

2- *Cocher une seule case* a Titulaire b Constituant c Autre, préciser
3- Nom
4- Prénom
5- Date de naissance
6- Nom de l'organisme
Année Mois Jour
7- Adresse (numéro, rue, ville, province)
8- Code postal

② *Consulter les directives*

9- *Cocher une seule case* a Titulaire b Constituant c Autre, préciser
10- Nom
11- Prénom
12- Date de naissance
13- Nom de l'organisme
Année Mois Jour
14- Adresse (numéro, rue, ville, province)
15- Code postal

Au besoin, utiliser les annexes AP ou AD

OBJET DE L'INSCRIPTION

16- LE SIGNATAIRE AVISE L'OFFICIER DE LA PUBLICITÉ DE CE QUI SUIT :   Relater les événements, les documents et tout fait pertinent qui permettent la réduction ou la radiation légale. Faire référence aux inscriptions et décrire, s'il y a lieu, les biens visés par la présente.

Au besoin, utiliser l'annexe AG

SIGNATURE

Le signataire requiert l'inscription du présent avis.

17- Nom du signataire

Numéro du formulaire

18- X
Signature

• BE 179 (97-07)

D. 1594-93, ann. XII; D. 444-98, a. 27; D. 907-99, a. 6.

SCHEDULE XIII (s. 23)

ANNEX: PARTIES

Gouvernement du Québec
Ministère de la Justice
Register of personal and movable real rights

Form AP

Enter the form number of the first page of the application.	Number the annex in the order in which it appears on the application form.	

③ See instructions | | 2- Notice of address number

1- *Check one* a Holder b Grantor c Other (specify)
3- Surname 4- Given name | 5- Date of birth
Year Month Day

6- Name of organization or government agency

7- Address (no., street, municipality, province) | 8- Postal code

9- Represented by | 10- Quality of representative

Where applicable, check ☐ certified statement of rights, also sent by ☐ fax ☐ e-mail

④ See instructions | | 2- Notice of address number

1- *Check one* a Holder b Grantor c Other (specify)
3- Surname 4- Given name | 5- Date of birth
Year Month Day

6- Name of organization or government agency

7- Address (no., street, municipality, province) | 8- Postal code

9- Represented by | 10- Quality of representative

Where applicable, check ☐ certified statement of rights, also sent by ☐ fax ☐ e-mail

⑤ See instructions | | 2- Notice of address number

1- *Check one* a Holder b Grantor c Other (specify)
3- Surname 4- Given name | 5- Date of birth
Year Month Day

6- Name of organization or government agency

7- Address (no., street, municipality, province) | 8- Postal code

9- Represented by | 10- Quality of representative

Where applicable, check ☐ certified statement of rights, also sent by ☐ fax ☐ e-mail

⑥ See instructions | | 2- Notice of address number

1- *Check one* a Holder b Grantor c Other (specify)
3- Surname 4- Given name | 5- Date of birth
Year Month Day

6- Name of organization or government agency

7- Address (no., street, municipality, province) | 8- Postal code

9- Represented by | 10- Quality of representative

Where applicable, check ☐ certified statement of rights, also sent by ☐ fax ☐ e-mail

⑦ See instructions | | 2- Notice of address number

1- *Check one* a Holder b Grantor c Other (specify)
3- Surname 4- Given name | 5- Date of birth
Year Month Day

6- Name of organization or government agency

7- Address (no., street, municipality, province) | 8- Postal code

9- Represented by | 10- Quality of representative

Where applicable, check ☐ certified statement of rights, also sent by ☐ fax ☐ e-mail

Form no.

O.C. 1594-93, Sch. XIII; O.C. 444-98, s. 27; O.C. 907-99, s. 6.

ANNEXE XIII (a. 23)

Gouvernement du Québec
Ministère de la Justice
Registre des droits personnels et réels mobiliers

ANNEXE PARTIES

Formulaire **AP**

Indiquer le numéro de formulaire de la première page de la réquisition

Paginer l'annexe selon son ordre de présentation dans la réquisition

---

③ Consulter les directives

1- *Cocher une seule case* **a** Titulaire **b** Constituant **c** Autre, préciser

2- N° d'avis d'adresse

3- Nom

4- Prénom

5- Date de naissance

6- Nom de l'organisme

Année Mois Jour

7- Adresse (numéro, rue, ville, province)

8- Code postal

9- Représenté par

10- En qualité de

S'il y a lieu, cocher ☐ état certifié des droits, expédié aussi par ☐ télécopieur ☐ messagerie électronique

---

④ Consulter les directives

1- *Cocher une seule case* **a** Titulaire **b** Constituant **c** Autre, préciser

2- N° d'avis d'adresse

3- Nom

4- Prénom

5- Date de naissance

6- Nom de l'organisme

Année Mois Jour

7- Adresse (numéro, rue, ville, province)

8- Code postal

9- Représenté par

10- En qualité de

S'il y a lieu, cocher ☐ état certifié des droits, expédié aussi par ☐ télécopieur ☐ messagerie électronique

---

⑤ Consulter les directives

1- *Cocher une seule case* **a** Titulaire **b** Constituant **c** Autre, préciser

2- N° d'avis d'adresse

3- Nom

4- Prénom

5- Date de naissance

6- Nom de l'organisme

Année Mois Jour

7- Adresse (numéro, rue, ville, province)

8- Code postal

9- Représenté par

10- En qualité de

S'il y a lieu, cocher ☐ état certifié des droits, expédié aussi par ☐ télécopieur ☐ messagerie électronique

---

⑥ Consulter les directives

1- *Cocher une seule case* **a** Titulaire **b** Constituant **c** Autre, préciser

2- N° d'avis d'adresse

3- Nom

4- Prénom

5- Date de naissance

6- Nom de l'organisme

Année Mois Jour

7- Adresse (numéro, rue, ville, province)

8- Code postal

9- Représenté par

10- En qualité de

S'il y a lieu, cocher ☐ état certifié des droits, expédié aussi par ☐ télécopieur ☐ messagerie électronique

---

⑦ Consulter les directives

1- *Cocher une seule case* **a** Titulaire **b** Constituant **c** Autre, préciser

2- N° d'avis d'adresse

3- Nom

4- Prénom

5- Date de naissance

6- Nom de l'organisme

Année Mois Jour

7- Adresse (numéro, rue, ville, province)

8- Code postal

9- Représenté par

10- En qualité de

S'il y a lieu, cocher ☐ état certifié des droits, expédié aussi par ☐ télécopieur ☐ messagerie électronique

---

Numéro du formulaire

D. 1594-93, ann. XIII; D. 444-98, a. 27; D. 907-99, a. 6.

SCHEDULE XIV (s. 23)

Gouvernement du Québec
Ministère de la Justice
Register of personal and movable
real rights

Enter the form number of the first page of the application.	Number the annex in the order in which it appears on the application form.

③ NAME (ASSUMED NAME)

1- *Check one*   a Holder   b Grantor   c Other (specify)

2- Name

3- Address (no., street, municipality, province)   4- Postal code

Where applicable, check ☐ certified statement of rights, also sent by ☐ fax ☐ e-mail

NAMES OF PERSONS ACTING UNDER ABOVE NAME (ASSUMED NAME)

④ *See instructions*
6- Surname   7- Given name   5- Notice of address number

8- Date of birth
Year   Month   Day

9- Name of organization or government agency

10- Address (no., street, municipality, province)   11- Postal code

Where applicable, check ☐ certified statement of rights, also sent by ☐ fax ☐ e-mail

⑤ *See instructions*
6- Surname   7- Given name   5- Notice of address number

8- Date of birth
Year   Month   Day

9- Name of organization or government agency

10- Address (no., street, municipality, province)   11- Postal code

Where applicable, check ☐ certified statement of rights, also sent by ☐ fax ☐ e-mail

⑥ *See instructions*
6- Surname   7- Given name   5- Notice of address number

8- Date of birth
Year   Month   Day

9- Name of organization or government agency

10- Address (no., street, municipality, province)   11- Postal code

Where applicable, check ☐ certified statement of rights, also sent by ☐ fax ☐ e-mail

⑦ *See instructions*
6- Surname   7- Given name   5- Notice of address number

8- Date of birth
Year   Month   Day

9- Name of organization or government agency

10- Address (no., street, municipality, province)   11- Postal code

Where applicable, check ☐ certified statement of rights, also sent by ☐ fax ☐ e-mail

⑧ *See instructions*
6- Surname   7- Given name   5- Notice of address number

8- Date of birth
Year   Month   Day

9- Name of organization or government agency

10- Address (no., street, municipality, province)   11- Postal code

Where applicable, check ☐ certified statement of rights, also sent by ☐ fax ☐ e-mail

Form no.

O.C. 1594-93, Sch. XIV; O.C. 444-98, s. 27; O.C. 907-99, s. 6.

ANNEXE XIV (a. 23)

Gouvernement du Québec
Ministère de la Justice
Registre des droits personnels et
réels mobiliers

ANNEXE
DÉNOMINATION
Formulaire AD

Indiquer le numéro de formulaire de la première page de la réquisition	Paginer l'annexe selon son ordre de présentation dans la réquisition

③ IDENTIFICATION DE LA DÉNOMINATION (NOM D'EMPRUNT)

1- Cocher une seule case   a   Titulaire   b   Constituant   c   Autre, préciser

2- Dénomination

3- Adresse (numéro, rue, ville, province)   4- Code postal

S'il y a lieu, cocher ☐ état certifié des droits, expédié aussi par ☐ télécopieur ☐ messagerie électronique

NOM DES PERSONNES AGISSANT SOUS CETTE DÉNOMINATION (CE NOM D'EMPRUNT)

④ Consulter les directives
6- Nom   7- Prénom   5- N° d'avis d'adresse
8- Date de naissance
9- Nom de l'organisme   Année Mois Jour

10- Adresse (numéro, rue, ville, province)   11- Code postal

S'il y a lieu, cocher ☐ état certifié des droits, expédié aussi par ☐ télécopieur ☐ messagerie électronique

⑤ Consulter les directives
6- Nom   7- Prénom   5- N° d'avis d'adresse
8- Date de naissance
9- Nom de l'organisme   Année Mois Jour

10- Adresse (numéro, rue, ville, province)   11- Code postal

S'il y a lieu, cocher ☐ état certifié des droits, expédié aussi par ☐ télécopieur ☐ messagerie électronique

⑥ Consulter les directives
6- Nom   7- Prénom   5- N° d'avis d'adresse
8- Date de naissance
9- Nom de l'organisme   Année Mois Jour

10- Adresse (numéro, rue, ville, province)   11- Code postal

S'il y a lieu, cocher ☐ état certifié des droits, expédié aussi par ☐ télécopieur ☐ messagerie électronique

⑦ Consulter les directives
6- Nom   7- Prénom   5- N° d'avis d'adresse
8- Date de naissance
9- Nom de l'organisme   Année Mois Jour

10- Adresse (numéro, rue, ville, province)   11- Code postal

S'il y a lieu, cocher ☐ état certifié des droits, expédié aussi par ☐ télécopieur ☐ messagerie électronique

⑧ Consulter les directives
6- Nom   7- Prénom   5- N° d'avis d'adresse
8- Date de naissance
9- Nom de l'organisme   Année Mois Jour

10- Adresse (numéro, rue, ville, province)   11- Code postal

S'il y a lieu, cocher ☐ état certifié des droits, expédié aussi par ☐ télécopieur ☐ messagerie électronique

Numéro du formulaire

D. 1594-93, ann. XIV; D. 444-98, a. 27; D. 907-99, a. 6.

SCHEDULE XV (s. 23)

Gouvernement du Québec Ministère de la Justice Register of personal and movable real rights	ANNEX DESCRIPTION OF ROAD VEHICLES Form AV
Enter the form no. of the first page of the application.	Number the annex in the order in which it appears on the application form.

ROAD VEHICLES

1- Class	2- Identification number	3- Year	4- Description

Where applicable, check ☐ certified statement of rights, also sent by ☐ fax ☐ e-mail

Where applicable, check ☐ certified statement of rights, also sent by ☐ fax ☐ e-mail

Where applicable, check ☐ certified statement of rights, also sent by ☐ fax ☐ e-mail

Where applicable, check ☐ certified statement of rights, also sent by ☐ fax ☐ e-mail

Where applicable, check ☐ certified statement of rights, also sent by ☐ fax ☐ e-mail

Where applicable, check ☐ certified statement of rights, also sent by ☐ fax ☐ e-mail

Where applicable, check ☐ certified statement of rights, also sent by ☐ fax ☐ e-mail

Where applicable, check ☐ certified statement of rights, also sent by ☐ fax ☐ e-mail

Where applicable, check ☐ certified statement of rights, also sent by ☐ fax ☐ e-mail

Where applicable, check ☐ certified statement of rights, also sent by ☐ fax ☐ e-mail

Where applicable, check ☐ certified statement of rights, also sent by ☐ fax ☐ e-mail

Where applicable, check ☐ certified statement of rights, also sent by ☐ fax ☐ e-mail

Where applicable, check ☐ certified statement of rights, also sent by ☐ fax ☐ e-mail

Where applicable, check ☐ certified statement of rights, also sent by ☐ fax ☐ e-mail

Where applicable, check ☐ certified statement of rights, also sent by ☐ fax ☐ e-mail

Where applicable, check ☐ certified statement of rights, also sent by ☐ fax ☐ e-mail

Where applicable, check ☐ certified statement of rights, also sent by ☐ fax ☐ e-mail

Where applicable, check ☐ certified statement of rights, also sent by ☐ fax ☐ e-mail

Where applicable, check ☐ certified statement of rights, also sent by ☐ fax ☐ e-mail

Where applicable, check ☐ certified statement of rights, also sent by ☐ fax ☐ e-mail

Where applicable, check ☐ certified statement of rights, also sent by ☐ fax ☐ e-mail

Form no.

O.C. 1594-93, Sch. XV; O.C. 444-98, s. 27; O.C. 907-99, s. 6.

ANNEXE XV (a. 23)

Gouvernement du Québec
Ministère de la Justice
Registre des droits personnels et réels mobiliers

ANNEXE
DESCRIPTION DES VÉHICULES ROUTIERS
Formulaire AV

Indiquer le numéro de formulaire de la première page de la réquisition

Paginer l'annexe selon son ordre de présentation dans la réquisition

VÉHICULES ROUTIERS

1- Catégorie   2- Numéro d'identification   3- Année   4- Description

S'il y a lieu, cocher ☐ état certifié des droits, expédié aussi par ☐ télécopieur ☐ messagerie électronique

Numéro du formulaire

D. 1594-93, ann. XV; D. 444-98, a. 27; D. 907-99, a. 6.

SCHEDULE XVI (s. 23)

Enter the form no. of the first
page of the application.

Number the annex in the order in which
it appears on the application form.

Use this form if space is lacking under "Other property", "Object of change", "Object of correction" or "Other particulars", or to complete the information under a heading on an application for registration of a reduction or a cancellation. If no other annex is provided, in these cases, enter in the left-hand column the number of the heading to which this annex relates and that it completes. If the information under a heading other than those indicated above is completed on this annex, enter in the left-hand column the number of the heading "Other particulars" on the form to which this annex relates and that it completes.

Number
of heading
to be
completed

Note : Please leave a line between each heading.

Form no.

O.C. 1594-93, Sch. XVI; O.C. 444-98, s. 27; O.C. 907-99, s. 6.

ANNEXE XVI (a. 23)

Gouvernement du Québec
Ministère de la Justice
**Registre des droits personnels et
réels mobiliers**

ANNEXE GÉNÉRALE

Formulaire **AG**

Indiquer le numéro de formulaire de la première page de la réquisition	Paginer l'annexe selon son ordre de présentation dans la réquisition

Utiliser la présente annexe lorsque l'espace prévu aux rubriques «Autres biens», «Objet de la modification», «Objet de la rectification» ou «Autres mentions» est insuffisant ou encore pour compléter l'information d'une rubrique dans une réquisition d'inscription de réduction ou de radiation lorsque aucune autre annexe n'est prévue. Dans ces cas, indiquer, dans la colonne de gauche, le numéro de la rubrique du formulaire auquel la présente annexe se rattache et dont l'information est complétée. Si une rubrique autre que celles identifiées ci-dessus est complétée sur la présente annexe, indiquer, dans la colonne de gauche, le numéro de la rubrique «Autres mentions» du formulaire auquel la présente annexe se rattache.

Numéro
de la
rubrique
complétée

Note : Laisser un espace entre chaque rubrique.

Numéro du formulaire

D. 1594-93, ann. XVI; D. 444-98, a. 27; D. 907-99, a. 6.

SCHEDULE XVII   (s. 23)

Gouvernement du Québec
Ministère de la Justice
Register of personal and movable real rights

ANNEX: REGISTRATIONS

Form **AI**

Enter the form no. of the first page of the application.	Number the annex in the order in which it appears on the application form.

Registration or form number

①	②	③	④
⑤	⑥	⑦	⑧
⑨	⑩	⑪	⑫
⑬	⑭	⑮	⑯
⑰	⑱	⑲	⑳
㉑	㉒	㉓	㉔
㉕	㉖	㉗	㉘
㉙	㉚	㉛	㉜
㉝	㉞	㉟	㊵
㊲	㊳	㊴	㊵
㊶	㊷	㊸	㊹
㊺	㊻	㊼	㊽
㊾	㊿	51	52
53	54	55	56
57	58	59	60
61	62	63	64
65	66	67	68
69	70	71	72
73	74	75	76
77	78	79	80
81	82	83	84
85	86	87	88
89	90	91	92
93	94	95	96
97	98	99	100
101	102	103	104
105	106	107	108
109	110	111	112
113	114	115	116
117	118	119	120

Form no.

O.C. 1594-93, Sch. XVII; O.C. 444-98, s. 27; O.C. 907-99, s. 6.

ANNEXE XVII (a. 23)

Gouvernement du Québec
Ministère de la Justice
Registre des droits personnels et réels mobiliers

ANNEXE INSCRIPTIONS

Formulaire AI

Indiquer le numéro de formulaire de la première page de la réquisition.

Paginer l'annexe selon son ordre de présentation dans la réquisition

Numéro d'inscription ou de formulaire

Numéro du formulaire

D. 1594-93, ann. XVII; D. 444-98, a. 27; D. 907-99, a. 6.

D. 1594-93, (1993) 125 G.O. 2, 8058
(eev 94-01-01).
D. 444-98, (1998) 130 G.O. 2, 2015
(eev 98-05-19).
D. 755-99, (1999) 131 G.O. 2, 3035
(eev 99-08-05).
Erratum, (1999) 131 G.O. 2, 3825.
D. 907-99, (1999) 131 G.O. 2, 3846
(eev 99-09-17).
D. 972-99, (1999) 131 G.O. 2, 3997.

O.C. 1594-93, (1993) 125 G.O. 2, 6215
(cf 94-01-01).
O.C. 444-98, (1998) 130 G.O. 2, 1513
(cf 98-05-19).
O.C. 755-99, (1999) 131 G.O. 2, 2055
(cf 99-08-05).
O.C. 907-99, (1999) 131 G.O. 2, 2719
(cf 99-09-17).
O.C. 972-99, (1999) 131 G.O. 2, 2835.

Tarif des droits relatifs au registre des droits personnels et réels mobiliers

Loi sur les bureaux de la publicité des droits (L.R.Q., c. B-9, a. 8; 1992, c. 57, a. 446 et 447)

1. Les droits pour l'inscription d'un droit mentionné dans une réquisition qui, selon la loi, doit fixer la date extrême d'effet de l'inscription sont de 27,00 $ par réquisition auxquels s'ajoutent des droits relatifs à la durée de la publicité de 3,00 $ par année ou fraction d'année de publicité prévue, jusqu'à concurrence de 15,00 $.

De plus, dans le calcul des droits pour l'inscription du renouvellement de la publicité d'un droit, les droits relatifs à la durée de la publicité prévue sont multipliés par le nombre de numéros d'inscription indiqués à la rubrique «Référence à l'inscription visée au registre des droits personnels et réels mobiliers» du formulaire approprié.

D. 1595-93, a. 1; D. 445-98, a. 1; D. 908-99, a. 1.

1.1 Les droits pour l'inscription d'un droit mentionné dans une réquisition qui n'a pas à préciser la date extrême d'effet de l'inscription ou d'une rectification d'une inscription sont de 42,00 $ par réquisition.

D. 908-99, a. 1.

2. Les droits pour l'inscription d'une adresse, d'un changement ou d'une modification de l'adresse, du numéro de télécopieur ou du nom du bénéficiaire sont de 42,00 $ par réquisition.

Toutefois, aucun droit n'est exigible pour ajouter, dans l'année qui suit le 19 mai 1998, un numéro de télécopieur dans l'inscription d'une adresse apparaissant déjà au fichier des adresses à cette date.

D. 1595-93, a. 2; D. 445-98, a. 1.

2.1 Les droits exigibles en vertu des articles 1, 1.1 et 2 sont diminués de 8,00 $ par réquisition lorsque la réquisition est présentée sur support électronique.

D. 908-99, a. 2.

3. Malgré les articles 1 et 1.1, aucun droit n'est exigible pour l'inscription:

Tariff of fees respecting the register of personal and movable real rights

An Act respecting registry offices (R.S.Q., c. B-9, s. 8; 1992, c. 57, ss. 446 and 447)

1. The fee for the registration of a right mentioned in an application which, according to law, must fix the date after which registration ceases to be effective is $27.00 per application, plus fees for the duration of the publication equal to $3.00 per year or fraction of a year of intended publication, up to $15.00.

In addition, in computing the fee for the registration of the renewal of the publication of a right, the fees for the duration of the intended publication shall be multiplied by the number of registration numbers indicated under the heading "Reference to registration in the register of personal and movable real rights" on the appropriate form.

1.1 The fee for the registration of a right mentioned in an application that does not have to specify the date after which registration ceases to be effective or for the registration of a correction in an entry is $42.00 per application.

2. The fee for the registration of an address or for a change or alteration in a beneficiary's name, address or fax number is $42.00 per application.

Notwithstanding the foregoing, no fee is exigible for a period of one year starting on 19 May 1998 for adding a fax number to an address already in the list of addresses on that date.

2.1 The fees exigible under sections 1, 1.1 and 2 shall be reduced by $8.00 per application where the application is presented by electronic means.

3. Notwithstanding section 1 and section 1.1, no fee is exigible to register:

1° d'un jugement notifié par le greffier en vertu de l'article 817.2 du Code de procédure civile (L.R.Q., c. C-25);

2° d'un contrat de mariage visé à l'article 442 du Code civil du Québec (1991, c. 64);

3° d'une rectification qui concerne les droits visés aux paragraphes 1° et 2°;

4° d'une radiation ou d'une réduction d'inscription;

5° d'un droit mentionné dans une réquisition présentée sous la forme d'un avis fait sur le formulaire RZ «Réquisition d'inscription d'une réserve de propriété, des droits résultant d'un bail ou de certains autres droits — Droit transitoire».

D. 1595-93, a. 3; D. 445-98, a. 1; D. 908-99. a. 3.

4-5. Abrogés.

D. 445-98, a. 2.

6. Les droits pour un état, certifié par l'officier de la publicité des droits, d'une inscription particulière délivré conformément à l'article 3019 du Code civil du Québec (1991, c. 64) sont de 5,00 $.

7. Les droits pour un état ou relevé, certifié par l'officier, des droits inscrits sur le registre sont:

1° si l'état ou le relevé est établi sous le nom d'une personne physique, de 12,00 $ par nom pour une date de naissance donnée;

2° si l'état ou le relevé est établi sous un nom autre que celui d'une personne physique, de 12,00 $ par nom;

3° si l'état ou le relevé est établi sous le numéro d'identification d'un véhicule routier, de 12,00 $ par numéro d'identification.

D. 1595-93, a. 7; D. 445-98, a. 3.

8. Les droits pour chaque copie ou extrait délivré par l'officier d'une réquisition d'inscription ou d'un bordereau sont de 5,00 $ par copie ou extrait.

Ces droits sont portés au double lorsque la copie ou l'extrait est certifié par l'officier.

D. 1595-93, a. 8; D. 445-98, a. 4.

8.1 Malgré les articles 6 et 8, aucun droit n'est exigible pour la délivrance en vertu de l'article 46.1 du Règlement sur le registre des droits personnels et réels mobiliers d'un état ou d'une copie certifié par l'officier.

D. 445-98, a. 5.

(1) a judgment, as notified by the court clerk pursuant to article 817.2 of the Code of Civil Procedure (R.S.Q., c. C-25);

(2) a marriage contract referred to in article 442 of the Civil Code of Québec (1991, c. 64);

(3) a correction with regard to the rights referred to in paragraphs 1 and 2;

(4) a cancellation or reduction of a registration; or

(5) a right mentioned in an application presented in the form of a notice made on the form RZ "Application for registration of a reservation of ownership, rights under a lease or certain other rights — Transitional law".

4-5. Repealed.

6. The fee for a statement of a particular entry, certified by the registrar and issued in accordance with article 3019 of the Civil Code of Québec (1991, c. 64), is $5.00.

7. The fee for a statement of the rights registered in the register, certified by the registrar, is,

(1) if the statement is made under the name of a natural person, $12.00 per name for a given date of birth;

(2) if the statement is made under a name other than that of a natural person, $12.00 per name; and

(3) if the statement is made under the identification number of a road vehicle, $12.00 per identification number.

8. The fee for each issue by the registrar of a copy of or extract from an application for registration or a memorial of presentation is $5.00 per copy or extract.

This fee is doubled where the copy or extract is certified by the registrar.

8.1 Notwithstanding sections 6 and 8, no fee is exigible for the issue of a certified statement or copy by the registrar pursuant to section 46.1 of the Regulation respecting the register of personal and movable real rights.

9. Les droits pour tout autre certificat sont de 5,00 $, sauf le cas où la loi prévoit expressément qu'aucuns droits ne sont perçus ou que des droits déterminés sont fixés.

9. The fee for any other certificate is $5.00, unless the law expressly provides that no fees are to be collected or that specific fees are fixed.

10. Des droits de 5,00 $ par document s'ajoutent à ceux prévus à l'un des articles 6, 7 ou 8, lorsqu'un état, un relevé, une copie ou un extrait est transmis par télécopieur.

10. A fee of $5.00 per document shall be added to the fees provided for in sections 6, 7 and 8 where a statement, copy or extract is sent by fax.

D. 1595-93, a. 10; D. 445-98, a. 6.

11. Les droits pour la délivrance de rapports statistiques sont de 1,75 $ la seconde pour le temps d'utilisation de l'ordinateur, mais ne peuvent être inférieurs à 100,00 $.

11. The fee for the issue of statistical reports is $1.75 per second during which the computer is in use; however, the fee may not be less than $100.00.

12-13. Abrogés.

12-13. Repealed.

D. 445-98, a. 7.

13.1 Les droits exigibles pour la consultation du registre à partir d'un nom sont de 8,00 $ par nom qui fait l'objet de la recherche ou, s'il s'agit d'une personne physique, de 8,00 $ par nom couplé à une date de naissance donnée.

13.1 The fee exigible for consulting the register for a name is $8.00 per name or, in the case of a natural person, $8.00 per name coupled to a date of birth.

D. 445-98, a. 8.

13.2 Les droits exigibles pour la consultation du registre à partir du numéro d'identification d'un véhicule routier sont de 3,00 $ par numéro.

13.2 The fee exigible for consulting the register using the identification number of a road vehicle is $3.00 per number.

D. 445-98, a. 8; D. 908-99, a. 4.

13.3 Les droits exigibles pour la consultation d'une inscription particulière contenue dans le registre à partir de son numéro ou du numéro de formulaire de la réquisition sur le fondement de laquelle cette inscription a été effectuée sont de 3,00 $ par numéro.

13.3 The fee exigible for consulting a specific entry in the register using its number or the form number of the application whereby that entry was made is $3.00 per number.

D. 445-98, a. 8.

13.4 Les droits exigibles pour la consultation du fichier des adresses à partir d'un nom sont de 3,00 $ par nom qui fait l'objet de la recherche ou, s'il s'agit d'une personne physique, de 3,00 $ par nom couplé à une date de naissance donnée.

13.4 The fee exigible for consulting the list of addresses using a name is $3.00 per name or, in the case of a natural person, $3.00 per name coupled to a date of birth.

Les droits exigibles pour la consultation de ce fichier à partir d'un numéro d'avis d'adresse sont de 3,00 $ par numéro.

The fee exigible for consulting the list using the notice of address number is $3.00 per number.

D. 445-98, a. 8.

13.5 Les droits exigibles en vertu des articles 13.1 à 13.4 sont augmentés de 3,00 $ par nom qui fait l'objet de la recherche ou par numéro, lorsque la consultation du registre ou du fichier des adresses s'effectue par téléphone.

D. 445-98, a. 8.

14. Omis.

D. 1595-93, (1993) 125 G.O. 2, 8082 (eev 94-01-01).
D. 445-98, (1998) 130 G.O. 2, 2035 (eev 98-05-16).
D. 908-99, (1999) 131 G.O. 2, 3865 (eev 99-09-17).

13.5 The fees exigible under sections 13.1 to 13.4 shall be increased by $3.00 per name or per number, where the register or the list of addresses is consulted by telephone.

14. Omitted.

O.C. 1595-93, (1993) 125 G.O. 2, 6238 (cf 94-01-01).
O.C. 445-98, (1998) 130 G.O. 2, 1533 (cf 98-05-16).
O.C. 908-99, (1999) 131 G.O. 2, 2739 (cf 99-09-17).

Règlement provisoire sur le registre foncier

Code civil du Québec (1991, c. 64, a. 3024)

Loi sur l'application de la réforme du Code civil (1992, c. 57, a. 165)

Loi sur les bureaux de la publicité des droits (1992, c. 57, a. 446 et 447)

*DISPOSITION PRÉLIMINAIRE

Le présent règlement n'est applicable qu'aux bureaux de la publicité des droits établis pour les circonscriptions foncières du Québec qui, au 9 octobre 2001, n'ont pas fait l'objet, en application de l'article 237 de la Loi modifiant le Code civil et d'autres dispositions législatives relativement à la publicité foncière (2000, c. 42), d'un avis du ministre des Ressources naturelles indiquant qu'ils sont pleinement informatisés en ce qui a trait à la publicité foncière ou à l'égard desquels la date fixée dans cet avis n'est pas arrivée.

Il demeure, pour chacun de ces bureaux, jusqu'à la date fixée dans l'avis du ministre des Ressources naturelles indiquant que ce bureau est pleinement informatisé en ce qui a trait à la publicité foncière; à compter de cette date, le Règlement sur la publicité foncière édicté en application de l'article 3024 du Code civil devient applicable à ce même bureau.

D. 1068-2001, a. 1.

CHAPITRE PREMIER
DE L'ORGANISATION MATÉRIELLE DES BUREAUX DE LA PUBLICITÉ DES DROITS

SECTION I
DES REGISTRES

§ 1. *Dispositions générales*

1. Les registres tenus dans les bureaux de la publicité des droits des circonscriptions foncières sont

---

* Voir la Liste des bureaux de la publicité des droits pour lesquels le ministre des Ressources naturelles a donné un avis à l'effet qu'ils sont pleinement informatisés en ce qui a trait à la publicité foncière, dans l'appendice, à la fin de ce Règlement.

Provisional Regulation respecting the land register

Civil Code of Québec (1991, c. 64, art. 3024)

An Act respecting the implementation of the reform of the Civil Code (1992, c. 57, s. 165)

An Act respecting registry offices (1992, c. 57, ss. 446 and 447)

*PRELIMINARY PROVISION

This Regulation applies only to registry offices established for registration divisions of Québec that, on 9 October 2001, have not been the subject, pursuant to section 237 of the Act to amend the Civil Code and other legislative provisions relating to land registration (2000, c. 42), of a notice of the Minister of Natural Resources stating that they are fully computerized for land registration purposes or with respect to which the date fixed in the notice has not occurred.

This Regulation remains applicable, for each of those offices, until the date fixed in the notice of the Minister of Natural Resources stating that that office is fully computerized for land registration purposes; as of that date, the Regulation respecting land registration made pursuant to article 3024 of the Civil Code becomes applicable to that office.

CHAPTER ONE
PHYSICAL ORGANIZATION OF REGISTRY OFFICES

DIVISION I
REGISTERS

§ 1. *General*

1. This registers kept in registry offices of registration divisions of Québec shall be established either accord-

---

* See the List of registry offices for which the Minister of Natural Resources has given a notice that they are fully computerized for land registration purposes, in the Appendix, at the end of this Regulation.

établis chacun soit selon le modèle correspondant annexé au présent règlement, soit selon le modèle visé aux articles 8, 10, 11 et 16.

D. 1596-93, a. 1; D. 1068-2001, a. 2.

2. Abrogé.

D. 1068-2001, a. 3.

3. Tout feuillet de l'index des immeubles, du registre des droits réels d'exploitation de ressources de l'État et du registre des réseaux de services publics et des immeubles situés en territoire non cadastré porte un en-tête qui indique le registre auquel il est destiné, le nom de la circonscription foncière et la date d'établissement du feuillet.

De plus, l'en-tête du feuillet comprend:

1° pour l'index des immeubles: le numéro de lot marqué sur le plan cadastral auquel le feuillet se rapporte et le nom de ce cadastre;

2° pour le registre des droits réels d'exploitation de ressources de l'État: le numéro d'ordre du feuillet et la nature du droit qui fait l'objet de l'établissement de ce feuillet;

3° pour le registre des réseaux de services publics et des immeubles situés dans la portion non cadastrée du ressort du bureau de la publicité des droits: le numéro d'ordre du feuillet et la nature du réseau ou l'indication que l'immeuble est situé en territoire non cadastré.

Une fois établi, le feuillet qui n'est pas sur support informatique est signé par l'officier.

D. 1596-93, a. 3; D. 1068-2001, a. 4.

4. Abrogé.

D. 1068-2001, a. 5.

5. Toute réquisition est numérotée dans un ordre consécutif et porte mention, sous la signature de l'officier, de la date, de l'heure et de la minute de sa présentation.

L'officier conserve la réquisition destinée à faire partie des archives du bureau et remet tout exemplaire additionnel à la personne qui a requis l'inscription.

6. Tout ajout d'inscription omise est fait après la dernière inscription figurant sur le registre avec indication de la date, de l'heure et de la minute auxquelles il est fait. S'il se trouve d'autres inscriptions entre la date de l'inscription de l'ajout et la date de l'inscription omise, une référence à la nouvelle ins-

ing to the corresponding model attached to this Regulation or according to the model referred to in section 8, 10, 11 or 16.

2. Repealed.

3. Every leaf of the index of immovables, of the register of real rights of State resources development and of the register of public service networks and immovables situated in territory without a cadastral survey shall bear a heading indicating the register to which it belongs, the name of the registration division and the date on which the leaf is opened.

Furthermore, the heading of the leaf shall include

(1) for the index of immovables: the number of the immovable delineated on the cadastral plan to which the leaf relates and the name of the cadastre;

(2) for the register of real rights of State resource development: the serial number of the leaf and the nature of the right for which that leaf is opened;

(3) for the register of public service networks and immovables situated in the part of the registry office's territory that has no cadastral survey: the serial number of the leaf and the nature of the network or an indication that the immovable is situated in territory without a cadastral survey.

Once opened, a leaf that is not kept on a computer system shall be signed by the registrar.

4. Repealed.

5. Every application shall be numbered in consecutive order and shall bear, under the registrar's signature, the date, hour and minute of its presentation.

The registrar shall keep the application intended to form part of the office's records and shall return any additional copy to the person who applied for the registration.

6. Any omitted entry shall be added after the last entry in the register along with the date, hour and minute of the addition. If there are other entries between the date of the addition and the date on which the entry was omitted, a reference to the new entry shall appear where that entry should have been

cription doit être indiquée à l'endroit où aurait dû être faite cette inscription. Tout ajout d'une mention ou inscription omise en marge d'un document est fait en indiquant la date, l'heure et la minute auxquelles il est fait.

Toute rectification d'une erreur matérielle dans une inscription ou un certificat d'inscription sur le registre ou dans une mention ou une inscription en marge d'un document est faite par rature, de manière que le texte raturé reste lisible, et la rectification est faite en surcharge avec indication de la date, de l'heure et de la minute.

Malgré les premier et deuxième alinéas, dans les bureaux des circonscriptions foncières de Laval et de Montréal, lorsque le registre visé est sur support informatique, l'ajout d'une inscription omise ou la suppression d'une inscription est daté. L'ajout d'une inscription se fait après la dernière inscription indiquée sur le registre.

D. 1596-93, a. 6; D. 1068-2001, a. 6.

7. Il est tenu dans chaque bureau de la publicité des droits:

1° un index des noms;

2° un index des immeubles;

3° un registre des droits réels d'exploitation de ressources de l'État;

4° un registre des réseaux de services publics et des immeubles situés dans la portion non cadastrée du ressort du bureau;

5° un répertoire des titulaires de droits réels d'exploitation de ressources de l'État et des propriétaires de réseaux de services publics ou d'immeubles situés en territoire non cadastré;

6° un registre complémentaire.

En outre, dans les circonscriptions foncières de Laval et de Montréal, il est tenu un répertoire des bordereaux de présentation.

D. 1596-93, a. 7; D. 1068-2001, a. 7.

§ 2. *Du bordereau de présentation*

8. Le bordereau de présentation est numéroté dans un ordre consécutif.

Dans les bureaux des circonscriptions foncières de Laval et de Montréal, le livre de présentation est continué, aux mêmes fins, sous le nom de *Répertoire des bordereaux de présentation*, suivant le modèle utilisé au moment de l'entrée en vigueur du présent règlement. Dans ces deux circonscriptions foncières, tout bordereau peut être consulté sur demande.

D. 1596-93, a. 8; D. 1068-2001, a. 8.

made. Any omitted mention or entry shall be added in the margin of a document along with the date, hour and minute of the addition.

Any correction of a clerical error in an entry or a certificate for registration in the register or in a mention or entry in the margin of a document shall be made by crossing out the error, in such a manner that the crossed out text remains legible, and by overwriting the correct information along with the date, hour and minute of the correction.

Notwithstanding the first and second paragraphs, in the offices of the Laval and Montréal registration divisions, if the register concerned is kept on a computer system, every addition of an omitted entry or deletion of an entry shall be dated. Every addition of an entry shall be made after the last entry appearing in the register.

7. The following shall be kept in each registry office:

(1) an index of names;

(2) an index of immovables;

(3) a register of real rights of State resource development;

(4) a register of public service networks and immovables situated in the part of the registry office's territory that has no cadastral survey;

(5) a directory of holders of real rights of State resource development and owners of public service networks or immovables situated in territory without a cadastral survey; and

(6) a complementary register.

In the Laval and Montréal registration divisions, a directory of memorials of presentation shall also be kept.

§ 2. *Memorial of presentation*

8. The memorial of presentation shall be numbered in consecutive order.

In the offices of the Laval and Montréal registration divisions, the entry-book shall be continued, for the same purposes, under the name *Directory of memorials of presentation*, according to the model in use at the time of the coming into force of this Regulation. In both those registration divisions, any memorial may be consulted upon request.

9. Le bordereau peut aussi être utilisé par le bureau à des fins d'établissement et de perception des frais exigibles, ainsi que de facturation.

§ 3. *De l'index des noms*

10. L'index des noms est continué suivant le modèle utilisé au moment de l'entrée en vigueur du présent règlement. Il est tenu par ordre alphabétique des noms de tous les titulaires et constituants de droits désignés dans les réquisitions qui y sont publiées.

D. 1596-93, a. 10; D. 1068-2001, a. 9.

§ 4. *De l'index des immeubles*

11. L'index des immeubles est continué suivant le modèle utilisé au moment de l'entrée en vigueur du présent règlement.

§ 5. *Du registre des droits réels d'exploitation de ressources de l'État*

12. Les registres fournis aux officiers de la publicité des droits pour servir de registres des droits réels d'exploitation de ressources de l'État sont des registres à feuilles volantes d'un format de 215 mm sur 355 mm suivant le modèle prévu à l'annexe I.

La numérotation des feuillets du registre des droits réels d'exploitation de ressources de l'État se fait par l'attribution d'un numéro composé des éléments suivants qu'un tiret sépare les uns des autres:

1° le premier élément du numéro est le code de la circonscription foncière tel qu'établi au répertoire des codes de cadastres tenu au ministère des Ressources naturelles;

2° le deuxième élément du numéro est la lettre A;

3° le troisième élément du numéro est un nombre d'une même série consécutive commençant par le chiffre 1.

Le classement des feuillets du registre des droits réels d'exploitation de ressources de l'État se fait, dans chaque circonscription, suivant l'ordre consécutif du troisième élément du numéro.

D. 1596-93, a. 12; D. 1067-95, a. 1.

§ 6. *Du registre des réseaux de services publics et des immeubles situés en territoire non cadastré*

13. Les registres fournis aux officiers de la publicité des droits, pour servir de registre des réseaux

9. Memorials may also be used by the registry office for the purpose of fixing and collecting the exigible fees and for billing purposes.

§ 3. *Index of names*

10. The index of names shall be continued according to the model in use at the time of the coming into force of this Regulation. It shall be kept in alphabetical order of the names of all holders and grantors of rights designated in the applications that are published in it.

§ 4. *Index of immovables*

11. The index of immovables shall be continued according to the model in use at the time of the coming into force of this Regulation.

§ 5. *Register of real rights of State resource development*

12. The registers provided to registrars to be used as registers of real rights of State resource development are loose-leaf binders with sheets measuring 215 mm by 355 mm in keeping with the model in Schedule I.

The leaves in the register of real rights of State resource development shall be assigned a number composed of the following elements, separated by a dash:

(1) the first element is the code of the registration division, as recorded in the directory of cadastre codes kept by the Ministère des Ressources naturelles;

(2) the second element is the letter A;

(3) the third element is a number in a single consecutive series beginning at 1.

The leaves in the register of real rights of State resource development shall be filed, in each registration division, according to the consecutive order indicated by the third element in the number.

§ 6. *Register of public service networks and immovables situated in territory without a cadastral survey*

13. The registers provided to registrars to be used as registers of public service networks and

de services publics et des immeubles situés en territoire non cadastré sont des registres à feuilles volantes d'un format de 215 mm sur 355 mm suivant le modèle prévu à l'annexe II.

La numérotation des feuillets du registre des réseaux de services publics et des immeubles situés en territoire non cadastré se fait par l'attribution d'un numéro composé des éléments suivants qu'un tiret sépare les uns des autres:

1° le premier élément du numéro est le code de la circonscription foncière tel qu'établi au Répertoire des codes de cadastres tenu au ministère des Ressources naturelles;

2° le deuxième élément est la lettre B;

3° le troisième élément du numéro est un nombre d'une même série consécutive commençant par le chiffre 1.

Le classement des feuillets du registre des réseaux de services publics et des immeubles situés en territoire non cadastré se fait, dans chaque circonscription, suivant l'ordre consécutif du troisième élément du numéro.

D. 1596-93, a. 13; D. 1067-95, a. 2.

§ 7. Du répertoire des titulaires de droits réels

14. Le répertoire des titulaires de droits réels que les officiers doivent tenir pour compléter le registre des droits réels d'exploitation de ressources de l'État et le registre des réseaux de services publics et des immeubles situés en territoire non cadastré est constitué de fiches d'un format de 215 mm sur 355 mm suivant le modèle prévu à l'annexe III.

Pour chaque titulaire d'un droit réel d'exploitation de ressources de l'État et pour chaque propriétaire de réseau de services publics ou d'immeuble situé en territoire non cadastré, il est établi une fiche personnelle par circonscription foncière dans laquelle ce titulaire possède un droit réel d'exploitation, ou dans laquelle ce propriétaire possède un réseau ou un immeuble situé en territoire non cadastré.

La fiche renvoie au numéro d'ordre du feuillet établi au registre des droits réels d'exploitation de ressources de l'État ou au registre des réseaux de services publics et des immeubles situés en territoire non cadastré.

15. Les fiches sont classées sous le nom des titulaires de droits réels par ordre alphabétique, alphanumérique ou numérique.

immovables situated in territory without a cadastral survey are loose-leaf binders with sheets measuring 215 mm by 355 mm in keeping with the model in Schedule II.

The leaves in the register of public service networks and immovables situated in territory without a cadastral survey shall be assigned a number composed of the following elements, separated by a dash:

(1) the first element is the code of the registration division, as recorded in the directory of cadastre codes kept by the Ministère des Ressources naturelles;

(2) the second element is the letter B;

(3) the third element is a number in a single consecutive series beginning at 1.

The leaves in the register of public service networks and immovables situated in territory without a cadastral survey shall be filed, in each registration division, according to the consecutive order indicated by the third element in the number.

§ 7. Directory of holders of real right

14. The directory of holders of real rights that must be kept by registrars to complete the register of real rights of State resource development and the register of public service networks and immovables situated in territory without a cadastral survey is made up of files measuring 215 mm by 355 mm in keeping with the model in Schedule III.

For each holder of a real right of State resource development and for each owner of a public service network or an immovable situated in territory without a cadastral survey, a personal file shall be opened in each registration division where the holder holds a real right of development, or where the owner owns a network or an immovable situated in territory without a cadastral survey.

Each file shall refer to the serial number of the related leaf in the register of real rights of State resource development or in the register of public service networks and immovables situated in territory without a cadastral survey.

15. The files shall be kept under the names of the holders of real rights in alphabetical, alphanumerical or numerical order.

§ 8. *Du registre complémentaire*

16. Le registre complémentaire sert à prolonger et continuer les mentions faites en marge des documents qui font partie des archives du bureau; il est continué suivant le modèle utilisé au moment de l'entrée en vigueur du présent règlement. Lorsque la marge d'un document est remplie, l'officier doit la continuer au registre complémentaire en inscrivant au bas de la dernière page du document que la marge est continuée au registre complémentaire et en précisant la page et le numéro de ce registre.

SECTION II

(Abrogée)

17-18. Abrogés.

D. 1068-2001, a. 10.

CHAPITRE DEUXIÈME
DES RÉQUISITIONS
D'INSCRIPTION

SECTION I

(Abrogée)

19-23. Abrogés.

D. 1067-95, a. 3.

SECTION II
DE LA FORME
DES RÉQUISITIONS D'INSCRIPTION

24. Toute personne désirant présenter une réquisition d'inscription au bureau de la publicité des droits doit utiliser pour la confection de la réquisition destinée à faire partie des archives du bureau du papier de format 215 mm sur 355 mm d'au moins 75 g/m² à la rame.

Il en est de même pour tout autre document dont la loi prévoit la conservation.

25. La réquisition d'inscription ne doit pas être décalquée; elle peut être manuscrite, dactylographiée, imprimée ou reprographiée. L'encre utilisée doit être de bonne qualité. Les caractères doivent être clairs, nets, lisibles et durables.

Lorsque la réquisition doit être inscrite à l'index des noms ou au Répertoire des titulaires de droits réels qui complète le registre des droits réels d'exploitation des ressources de l'État et le registre des réseaux de services publics et des immeubles

§ 8. *Complementary register*

16. The complementary register shall be used to extend and continue the entries made in the margin of documents forming part of the registry office's records; it shall be continued according to the model in use at the time of the coming into force of this Regulation. Where the margin of a document is filled up, the registrar shall continue it in the complementary register and shall write at the bottom of the last leaf of the document that the margin is continued in the complementary register, specifying the leaf and number of that register.

DIVISION II

(Repealed)

17-18. Repealed.

CHAPTER TWO
APPLICATIONS
FOR REGISTRATION

DIVISION I

(Repealed)

19-23. Repealed.

DIVISION II
FORM AND APPLICATIONS
FOR REGISTRATION

24. Any person wishing to present an application for registration in a registry office shall use 215 mm × 355 mm paper weighing at least 75 g/m² per ream for the application intended to form part of the office's records.

The foregoing also applies to any other document whose preservation is prescribed by law.

25. An application for registration may not be a carbon copy; it may be handwritten, typed, printed or photocopied. The ink used shall be of good quality. The characters shall be clear, neat, legible and durable.

Where the application for registration must be entered in the index of names or in the directory of holders of real rights that completes the register of real rights of State resource development and the register of public service networks and immovables

situés en territoire non cadastré, le nom des constituants et titulaires des droits doit figurer en lettres majuscules d'imprimerie; le prénom est porté en lettres minuscules.

situated in territory without a cadastral survey, the names of the grantors and holders of rights shall appear in block capitals. Given names shall appear in small letters.

D. 1596-93, a. 25; D. 1067-95, a. 4.

26. La réquisition d'inscription doit être écrite sur les deux côtés de la feuille de telle sorte que le bas du recto devienne le haut du verso.

Chaque page doit comporter une marge:

1° d'au moins 63 mm sur le côté gauche;

2° d'au moins 12 mm sur le côté droit;

3° d'au moins 50 mm en haut et en bas.

26. An application for registration shall be drawn up on both sides of the sheet, so that the bottom of the front side is the top of the reverse side.

Each sheet shall have a margin

(1) of at least 63 mm on the left side;

(2) of at least 12 mm on the right side; and

(3) of at least 50 mm at the top and bottom.

27. La réquisition d'inscription faite par la présentation de la copie authentique d'un titre originaire délivrée par le registraire du Québec ou le conservateur des Archives nationales et destinée à faire partie des archives du bureau doit être sur du papier de format 215 mm sur 355 mm d'au moins 75 g/m² à la rame. Cette réquisition peut être manuscrite, dactylographiée, imprimée ou reprographiée.

Il en est de même de la réquisition d'inscription faite par la présentation de la copie d'un décret du gouvernement destinée à faire partie des archives du bureau. Cette copie doit, en outre, être certifiée conforme en vertu de l'article 3 de la Loi sur le ministère du Conseil exécutif (L.R.Q., c. M-30).

27. Where an application for registration is made by presenting an authentic copy of an original title issued by the Registrar of Québec or the Keeper of the Archives nationales and intended to form part of the registry office's records, that copy shall be on paper measuring 215 mm by 355 mm weighing at least 75 g/m² per ream. Such application may be hand-written, typed, printed or photocopied.

The foregoing also applies to an application for registration made by presenting a copy of an Order in Council intended to form part of the registry office's records. Such copy shall also be certified true in accordance with section 3 of the Act respecting the Ministère du Conseil exécutif (R.S.Q., c. M-30).

28. Les articles 24 à 26 ne s'appliquent pas aux plans visés au premier alinéa de l'article 2997 du code, aux plans cadastraux, ou au plan qui doit accompagner un procès-verbal de bornage.

28. Sections 24 to 26 do not apply to the plans referred to in the first paragraph of article 2997 of the Code, to cadastral plans or to the plan that must be attached to minutes of boundary determination.

SECTION III
DES MOYENS DE REQUÉRIR L'INSCRIPTION

29. Lorsque la réquisition est sous forme authentique, autre qu'en forme notariée en brevet, le requérant en présente deux extraits ou copies authentiques; lorsqu'elle est en forme notariée en brevet ou sous seing privé, il présente l'original en double.

DIVISION III
PROCEDURE FOR APPLICATION FOR REGISTRATION

29. Where an application is in the form of an authentic act other than a notarial act *en brevet*, the applicant shall present 2 extracts from or authentic copies of the application; where the application is in the form of a notarial act *en brevet* or in private writing, the applicant shall present the original in duplicate.

30. La réquisition qui vise la réduction ou la radiation d'une inscription peut être présentée en un seul exemplaire. Il en est de même de la réquisition dont la loi prévoit la présentation en un seul exemplaire, tels le procès-verbal de saisie ou le préavis de vente pour défaut de paiement de l'impôt foncier.

30. For the reduction or cancellation of a registration, a single copy of the application may be presented. The foregoing also applies where presentation of a single copy of the application is prescribed by law, as in the case of minutes of seizure and prior notices of sale for failure to pay immovables taxes.

La réquisition présentée en un seul exemplaire n'est certifiée que sur demande spéciale, soit sur une copie authentique, soit sur un double, si elle est faite en forme notariée en brevet ou sous seing privé.

Where only one copy of an application is presented, that copy shall be certified on special request only, either on an authentic copy or on a duplicate, if the application is made in the form of a notarial act *en brevet* or in private writing.

D. 1596-93, a. 30; D. 1068-2001, a. 11.

31. Le sommaire destiné à faire partie des archives du bureau est présenté avec une copie ou un extrait authentique du document qu'il résume, si celui-ci est un document authentique autre qu'un acte notarié en brevet, ou avec le document lui-même qu'il résume, si celui-ci est un acte notarié en brevet ou sous seing privé.

31. The summary intended to form part of the registry office's records shall be presented with an authentic copy of or extract from the document summarized if the document is an authentic document other than a notarial act *en brevet*, or with the document summarized if the document is a notarial act *en brevet* or in private writing.

D. 1596-93, a. 31; D. 1067-95, a. 5.

32. Abrogé.

32. Repealed.

D. 1067-95, a. 6.

33. Abrogé.

33. Repealed.

D. 1068-2001, a. 12.

34. Le sommaire est signé par la personne qui requiert l'inscription.

34. The summary shall be signed by the person who applies for the registration.

Il doit énoncer:

The summary shall state:

1° la date et le lieu où il est fait, ainsi que la date du document qu'il résume et le lieu où ce document a été fait;

(1) the date and place where it is made, the date of the summarized document and the place where that document was drawn up;

2° si l'acte est notarié, le nom du notaire, le lieu de son domicile professionnel et le numéro de la minute ou la mention qu'il s'agit d'un acte en brevet;

(2) in the case of a notarial act, the name of the notary, the place of his professional domicile and the number of the act *en minute* or the indication that the act is *en brevet*;

3° si l'acte est judiciaire, le tribunal dont il émane, le district judiciaire, le numéro du dossier judiciaire et, dans le cas d'un jugement, le dispositif du jugement;

(3) in the case of a judicial act, the court that issued it, the judicial district, the court record number and, in the case of a judgment, the conclusions of the judgment;

4° si l'acte est sous seing privé, le nom des témoins qui l'ont attesté, lorsque cette attestation est prescrite par la loi;

(4) in the case of an act in private writing, the names of the witnesses who certified it, where such certification is prescribed by law;

5° la nature du document et, s'il en est, la date extrême d'effet de l'inscription demandée;

(5) the nature of the document and, where applicable, the date on which the registration requested ceases to have effect;

6° s'il s'agit d'une vente ou d'un échange: l'indication du prix ou de la contrepartie;

(6) in the case of a sale or an exchange, an indication of the price or the consideration;

7° s'il s'agit d'une hypothèque: la somme pour laquelle elle est consentie et la nature de l'hypothèque.

(7) in the case of a hypothec, the sum for which it is granted and the nature of the hypothec.

D. 1596-93, a. 34; D. 1067-95, a. 8.

35. Les avis requis par la loi doivent indiquer la date et le lieu où ils ont été faits ainsi que désigner la personne visée par l'avis et celle qui le donne. Ils doivent être signés par la personne qui donne l'avis et, lorsque celle-ci n'en est pas le bénéficiaire, mentionner la désignation de ce dernier.

Ces avis doivent spécifier leur nature et, s'il en est, celle du document concerné, ainsi que le numéro d'inscription de ce document.

D. 1596-93, a. 35; D. 1067-95, a. 9.

36. L'avis de renouvellement de la publicité d'un droit spécifie le droit visé; il indique aussi le lieu, la date, le numéro d'inscription et la nature du document qui constate le droit.

L'avis de renouvellement de l'inscription d'une adresse indique le numéro d'inscription de l'avis d'adresse qu'on veut renouveler, le numéro d'inscription de la réquisition afférente à cet avis, le droit visé, sauf s'il s'agit d'une hypothèque, et le nom de la circonscription foncière dans laquelle est situé l'immeuble sur lequel porte le droit.

L'avis de renouvellement de la publicité d'un droit peut viser à la fois ce renouvellement et celui de l'inscription d'une adresse portée en regard de ce droit, pourvu seulement qu'une demande expresse à cette fin, faisant référence à l'avis d'adresse visé, se retrouve dans l'avis de renouvellement de la publicité du droit.

D. 1596-93, a. 36; D. 1067-95, a. 10; D. 1068-2001, a. 13.

37. L'avis de préinscription d'une demande en justice contient la désignation des parties et indique le tribunal et le numéro du dossier judiciaire; il indique aussi la nature de la demande et du droit qui en fait l'objet ainsi que, le cas échéant, le numéro d'inscription du document visé.

D. 1596-93, a. 37; D. 1067-95, a. 11.

38. L'avis de préinscription d'un testament désigne le testateur et indique la date du décès; cet avis indique, en outre, la nature du droit auquel une personne prétend ainsi que le motif de la préinscription.

D. 1596-93, a. 38; D. 1067-95, a. 12.

35. The notices required by law shall indicate the date and place where they were made, the person concerned by the notice and the person giving notice. They shall be signed by the person giving notice and, where that person is not the beneficiary thereof, shall indicate the designation of the beneficiary.

Such notices shall specify their nature and, where applicable, the nature of the document concerned and the registration number of that document.

36. A notice of renewal of the publication of a right shall specify the right in question and the place, date, registration number and nature of the document evidencing the right.

A notice of renewal of the registration of an address shall specify the registration number of the notice of address that a person wishes to renew, the registration number of the request pertaining to that notice, the right in question, except in the case of a hypothec, and the name of the registration division in which the immovable subject to the right is situated.

A notice of renewal of the publication of a right may apply to that renewal and to the renewal of the registration of an address recorded with respect to that right provided only that an application made especially for that purpose, referring to the notice of address in question, appears in the notice of renewal of publication of the right.

37. A notice of advance registration of a judicial demand shall contain the designation of the parties and shall indicate the court and the court record number. It shall also indicate the nature of the demand and of the right that is the subject thereof and, where applicable, the registration number of the document concerned.

38. A notice of advance registration of a will shall designate the testator and shall indicate the date of the death. That notice shall also indicate the nature of the right claimed by a person and the reason for the advance registration.

39. La réquisition d'inscription de l'adresse des personnes visées à l'article 3022 du code prend la forme d'un avis qui indique le bénéficiaire de l'inscription et l'adresse où doit être faite la notification ainsi que la nature et, s'il y a lieu, le numéro d'inscription du droit visé ou du document, s'il s'agit d'une hypothèque. L'avis peut être présenté en un seul exemplaire.

Lorsqu'il y a plusieurs personnes morales à une même réquisition d'inscription, chacune requiert une inscription d'adresse distincte.

Toutefois, lorsqu'une personne morale a déjà publié son adresse au bureau d'une circonscription foncière, il suffit, dans tout acte visant un immeuble situé dans le ressort de ce bureau, de faire référence, immédiatement après la désignation de la personne morale, au numéro d'inscription de cette adresse et, sauf s'il s'agit d'une hypothèque, de spécifier le droit en regard duquel l'inscription du numéro de l'adresse sera portée.

39. An application for registration of the address of a person referred to in article 3022 of the Civil Code of Québec shall be in the form of a notice indicating the beneficiary of the registration and the address where notification must be made, as well as the nature and, where applicable, the registration number of the right concerned or, in the case of a hypothec, of the document. A single copy of the notice may be filed.

Where several legal persons appear on a same application for registration, a separate registration of address shall be made for each of them.

Notwithstanding the foregoing, where a legal person has already published its address in the registry office of a registration division, it suffices, in any act concerning an immovable situated within the territory of that registry office, to refer, immediately after the designation of the legal person, to the registration number of that address and, except in the case of a hypothec, to specify the right opposite which the registration of the address number will be entered.

D. 1596-93, a. 39; Erratum, (1993) 125 G.O. 2, 8969 (F); D. 1067-95, a. 13; D. 1068-2001, a. 14.

40. L'avis de modification dans l'adresse ou dans le nom des personnes visées à l'article 3022 du code indique le numéro d'inscription de l'avis d'adresse déjà produit et celui du document auquel cet avis se rapporte; il spécifie, en outre, suivant le cas, les adresses ancienne et nouvelle ou les noms ancien et nouveau du bénéficiaire de l'avis. L'avis peut être présenté en un seul exemplaire.

Lorsque l'avis concerne une personne morale, il n'y a pas lieu d'indiquer le numéro du document auquel l'ancien avis se rapporte.

40. A notice of a change in the address or name of a person referred to in article 3022 of the Civil Code of Québec shall indicate the registration number of the notice of address already filed and the registration number of the document to which that notice relates. It shall also specify, where applicable, the former and new address or the former and new name of the beneficiary of the notice. A single copy of the notice may be filed.

Where the notice concerns a legal person, the number of the document to which the former notice relates need not be indicated.

D. 1596-93, a. 40; D. 1067-95, a. 14; D. 1068-2001, a. 15.

40.1 L'avis de modification dans la référence faite au numéro d'inscription d'une adresse mentionne la nature et le numéro d'inscription du document visé, ainsi que les références ancienne et nouvelle au numéro d'inscription de l'adresse.

L'avis d'inscription d'une référence omise au numéro d'inscription d'une adresse mentionne le numéro d'inscription du document visé et la référence au numéro d'inscription de l'adresse. Il spécifie en outre le droit en regard duquel le numéro d'inscription de l'adresse sera porté, sauf s'il s'agit d'une hypothèque.

L'avis de modification ou d'inscription doit être présenté en deux exemplaires.

40.1 The notice of amendment to the reference to the registration number of an address shall state the nature and registration number of the document in question and the former and current references in the registration number of the address.

The notice of entry of a reference omitted in the registration number of an address shall state the registration number of the document in question and the reference to the registration number of the address. In addition, it shall specify the right in respect of which the registration number of address will be entered, except for a hypothec.

Two copies of the notice of amendment or of entry must be filed.

D. 1067-95, a. 15; D. 1068-2001, a. 16.

41. Abrogé.

D. 1068-2001, a. 17.

42. Le numéro d'inscription de toute adresse est noté dans le registre approprié, en regard du document visé; il peut aussi faire l'objet d'une inscription spécifique qui fait référence au numéro d'inscription du document auquel l'avis se rapporte.

L'avis de modification dans l'adresse ou dans le nom d'une personne morale est substitué à l'avis d'adresse qu'il remplace, sous le numéro d'inscription de celui-ci.

D. 1596-93, a. 42; D. 1067-95, a. 17; D. 1068-2001, a. 18.

42.1 L'adresse où doit être faite la notification doit être indiquée de façon précise et être complétée par le code postal lorsque le lieu est situé au Canada ou par l'équivalent du code postal, s'il en est, lorsque le lieu est situé hors du Canada.

D. 1067-95, a. 18.

42.2 Outre les mentions requises par l'article 2999.1 du code, l'avis qui y est visé doit indiquer, le cas échéant, la mention des locataires cédant et cessionnaire et la nature de la modification apportée au bail.

En cas de cession, de modification ou d'extinction du bail, la référence au bail requise par cet article 2999.1 est faite par l'indication du numéro d'inscription du bail ou de l'avis visant l'inscription des droits qui en résultent sur le registre.

D. 1068-2001, a. 19.

43. L'avis cadastral fait référence à la réquisition à laquelle il se rapporte, relate la désignation de l'immeuble contenue à l'acte qui constate le droit et désigne l'immeuble sur lequel l'inscription est requise.

D. 1596-93, a. 43; D. 1067-95, a. 19.

44. Abrogé.

D. 1067-95, a. 20.

45. L'avis qui vise l'inscription d'un document sur un feuillet immobilier établi sous un numéro d'ordre fait référence à la réquisition à laquelle il se rapporte et relate la désignation contenue à cette

41. Repealed.

42. The registration number of any address shall be recorded in the appropriate register opposite the document concerned. A specific entry may also be made for that number and shall refer to the registration number of the document to which the notice relates.

The notice of a change in the address or name of a legal person shall be substituted for the notice of address it replaces, under the same registration number.

42.1 The address at which the notification must be made shall be indicated clearly and shall include the postal code if the address is in Canada or, if the address is outside Canada, the equivalent of the postal code, if such equivalent exists.

42.2 In addition to the particulars required under article 2999.1 of the Code, the notice must contain, where applicable, the names of the lessees, whether assignors or assignees, and the nature of the modification made to the lease.

In case of transfer of, modification to or cancellation of the lease, the reference to the lease required under article 2999.1 of the Code is made by specifying the registration number of the lease or the number of the notice governing the registration of the rights arising therefrom in the register.

43. A cadastral notice shall refer to the application to which it relates, shall state the designation of the immovable, as contained in the act evidencing the right, and shall designate the immovable on which the entry is required.

44. Repealed.

45. A notice concerning the registration of a document on a leaf opened in a land file under a serial number shall refer to the application to which it relates, shall state the designation contained in that

réquisition; il spécifie le numéro d'ordre du feuillet sur lequel l'inscription est requise.

D. 1596-93, a. 45; D. 1067-95, a. 21.

45.1 Lorsqu'une copie d'un acte, d'un extrait ou d'un sommaire est présentée à l'officier en application de l'article 12 de la Loi sur les bureaux de la publicité des droits (L.R.Q., chapitre B-9), la réquisition d'inscription mentionne le nom de la municipalité locale sur le territoire de laquelle est situé l'immeuble visé, et, s'il en est, les autres éléments qui complètent l'adresse de cet immeuble.

D. 1067-95, a. 22.

SECTION IV
DES ATTESTATIONS

46. L'attestation prescrite est portée à la fin de chaque exemplaire de la réquisition, après la signature des parties, ou est jointe à chaque exemplaire de la réquisition à laquelle elle se rapporte.

Lorsque l'attestation est jointe, elle doit faire référence à la réquisition à laquelle elle se rapporte par l'indication de la nature, de la date et du lieu de signature de cette réquisition, ainsi que du nom des personnes qui y sont parties.

D. 1596-93, a. 46; D. 1067-95, a. 23.

47. Abrogé.

D. 1067-95, a. 24.

48-48.1 Abrogés.

D. 1068-2001, a. 20.

CHAPITRE TROISIÈME
DES INSCRIPTIONS

49. Les inscriptions doivent être claires, précises et faites à la suite, sans blancs, grattages ou surcharges, ni interlignes.

D. 1596-93, a. 49; D. 1067-95, a. 27.

50. Abrogé.

D. 1067-95, a. 28.

51. L'inscription sur le registre approprié indique la date de présentation de la réquisition, les personnes qui y sont désignées ainsi que la nature du document dont l'inscription est demandée. Elle fait référence au numéro d'inscription de la réquisition.

application and shall specify the serial number of the leaf on which the entry is required.

45.1 Where a copy of an act, of an extract or of a summary is submitted to the registrar under section 12 of the Act respecting registry offices (R.S.Q., chapter B-9), the application for registration shall indicate the name of the local municipality in whose territory the immovable concerned is located and any other items needed to complete the address of that immovable.

DIVISION IV
CERTIFICATES

46. The certificate prescribed shall appear at the end of each copy of the application below the signatures of the parties, or shall be appended to each copy of the application to which it relates.

Where such a certificate is appended, it shall refer to the application to which it relates by indicating the nature and date of the application, the place where it was signed and the names of the parties thereto.

47. Repealed.

48-48.1 Repealed.

CHAPTER THREE
ENTRIES

49. The entries shall be clear, accurate and consecutive, without blanks, scratches, overwritings or interlineations.

50. Repealed.

51. An entry in the appropriate register shall indicate the date on which the application for registration was presented, the persons designated therein and the nature of the document for which the application for registration is being made. It shall refer to

Elle est complétée, s'il y a lieu, par des indications succintes dans la colonne «remarques» du feuillet du registre.

Lorsqu'il y a plus d'un constituant ou d'un titulaire de droit, il suffit d'indiquer le nom de la première personne désignée en cette qualité dans la réquisition, suivi des mots: «et autres».

D. 1596-93, a. 51; D. 1067-95, a. 29.

52. L'inscription de tout document comprend l'indication de sa nature, au long ou en abrégé.

D. 1596-93, a. 52; D. 1067-95, a. 30.

53. Abrogé.

D. 1067-95, a. 31.

54. L'inscription du renouvellement fait référence à la réquisition constatant le droit visé et à son numéro d'inscription.

D. 1596-93, a. 54; D. 1067-95, a. 32; D. 1068-2001, a. 21.

55. Abrogé.

D. 1067-95, a. 33.

56. L'inscription de la cession ou de la subrogation dans une créance hypothécaire, ou de l'hypothèque d'une créance assortie d'une hypothèque immobilière, fait référence à la créance et à son numéro d'inscription. Malgré l'article 3014.1 du code, la mention de l'hypothèque d'une créance assortie d'une hypothèque immobilière est portée en marge de la réquisition constatant la créance visée.

D. 1596-93, a. 56; D. 1067-95, a. 34; D. 1068-2001, a. 22.

57. La référence sur un registre au numéro d'inscription d'une quittance totale ou d'une mainlevée totale doit être précédée de la lettre T. Toutefois, s'il s'agit d'une réduction du montant de l'inscription ou de l'assiette de la garantie, il suffit d'en rendre le fait apparent par la seule utilisation de la lettre P.

D. 1596-93, a. 57; D. 1067-95, a. 35; D. 1068-2001, a. 23.

CHAPITRE QUATRIÈME
DISPOSITIONS DIVERSES ET FINALES

58. Le bureau est ouvert tous les jours, exceptés les samedis et les jours visés à l'article 6 du Code de procédure civile (L.R.Q., c. C-25).

---

the registration number of the application and shall be supplemented, where applicable, with brief indications in the "comments" column on the register leaf.

Where there is more than one grantor or holder of the right, it suffices to indicate the name of the first person designated as such in the application, followed by the words "and others".

52. The entry for the registration of any document shall state the nature of the document, in full or with abbreviations.

53. Repealed.

54. The entry for a renewal of registration shall refer to the application evidencing the right concerned and to its registration number.

55. Repealed.

56. The entry for the registration of a transfer or of a subrogation in a hypothecary claim, or of the hypothec of a claim secured by an immovable hypothec, shall refer to the claim and to its registration number. Notwithstanding article 3014.1 of the Code, the hypothec of a claim secured by an immovable hypothec shall be mentioned in the margin of the application evidencing the claim.

57. The reference in the register to the registration number of a complete acquittance or discharge shall be preceded by the letter T. Notwithstanding the foregoing, if the reduction concerns the amount registered or the *situs* of the security, that information shall be indicated by using the letter P.

CHAPTER FOUR
MISCELLANEOUS AND FINAL

58. The registry office is open every day, except Saturdays and the days referred to in arti- cle 6 of the Code of Civil Procedure (R.S.Q., c. C-25).

Les heures de présentation des réquisitions sont de 9 h 00 à 15 h 00; celles de consultation sur place sont de 9 h 00 à 16 h 00.

Malgré le deuxième alinéa, le bureau est ouvert de 9 h 00 à 10 h 00 les 24 et 31 décembre.

59. Toute personne peut consulter sur place les registres et les documents faisant partie des archives du bureau.

59.1 L'état certifié délivré en application de l'article 3019 du code doit indiquer, outre le type de l'état certifié, le nom de la personne qui le requiert, le numéro de lot attribué à l'immeuble et le nom du cadastre dans lequel il est situé, ou le numéro d'ordre de la fiche relative au droit réel, au réseau ou à l'immeuble et le nom du registre dans lequel elle est portée, le nom de la circonscription foncière dans laquelle est situé l'immeuble, le droit ou le réseau, le nom de son propriétaire ou titulaire le cas échéant, la période pour laquelle l'état certifié est délivré et tous les numéros d'inscription des réquisitions qui y sont visées, s'il en est.

L'état certifié, daté et signé par l'officier qui le délivre, est complété, s'il en est, par les copies des réquisitions d'inscription qui y sont visées, avec les documents qui les accompagnent lorsqu'elles prennent la forme d'un sommaire et, le cas échéant, un extrait du registre complémentaire afférent à chacune de ces réquisitions.

D. 1068-2001, a. 24.

60. L'officier est tenu de délivrer à toute personne qui le demande copie ou extrait des documents qui ont justifié une inscription sur le registre, mais en y faisant mention des renouvellements, cessions, subrogations, hypothèques de créances assorties d'une hypothèque immobilière, réductions ou radiations qui sont mentionnées en marge.

D. 1596-93, a. 60; D. 1067-95, a. 36.

60.1 L'officier requis de procéder à la réduction ou à la radiation d'une inscription au registre foncier n'a pas à consulter le registre des droits personnels et réels mobiliers.

D. 1067-95, a. 37.

61. Les séries numériques utilisées au moment de l'entrée en vigueur du présent règlement dans

Applications may be presented between 9 a.m. and 3 p.m. and documents may be consulted on the premises between 9 a.m. and 4 p.m.

Notwithstanding the second paragraph, the office is open from 9 a.m. to 10 p.m. on 24 and 31 December.

59. Any person may consult the registers and documents forming part of the registry office's records on the premises.

59.1 The certified statement issued pursuant to article 3019 of the Code must contain, in addition to the type of certified statement, the name of the person requesting it, the lot number given to the immovable and the name of the cadastre in which it is situated, or the serial number of the file relating to the real right, the network or the immovable and the name of the register in which the file is recorded, the name of the registration division in which the immovable is situated, the right or the network, the name of its owner or holder, as the case may be, the period for which the certified statement is issued and all registration numbers of the applications in question, if any.

The certified statement, dated and signed by the registrar issuing it, shall be completed, where applicable, by the copies of the applications for registration in question, with the accompanying documents where they are in the form of a summary and, where applicable, an extract from the complementary register related to each application.

60. The registrar is required to issue, to any person requesting it, a copy of or an extract from any document having entailed an entry in the register and shall, in such a case, mention on the copy or extract any renewal, transfer, subrogation, hypothec of a claim secured by an immovable hypothec, reduction or cancellation mentioned in the margin of the document.

60.1 A registrar required to carry out the reduction or cancellation of an entry in the land register need not consult the register of personal and movable real rights.

61. The numerical series used in registry offices at the time of the coming into force of this Regula-

les bureaux pour les fins de référence aux documents et pour le classement de ceux-ci sont continuées.

62. Les articles 24 à 28 du présent règlement remplacent le Règlement sur la forme et la conservation des documents soumis à l'enregistrement (R.R.Q., 1981, c. B-9, r. 1).

63. Omis.

tion to file documents and to refer thereto shall be continued.

62. Sections 24 to 28 of this Regulation replace the Regulation respecting the form and keeping of documents subject to registration (R.R.Q., 1981, c. B-9, r. 1).

63. Omitted.

Register of real rights of state resource development

SCHEDULE I
(s. 12)

Leaf no.   - A -

Former leaf number (where applicable)	
New leaf number (where applicable)	

Registration division of

Place where right is exercised

Holder (applicant)

Nature of development right

Signature of registrar

Date opened			
	Year	Month	Day

Correspondence (with land files of immovables on which right is exercised)

Names of parties	Nature of act	Date of registration			Registration no.	Comments	Notice of address	Cancellation
		Year	Month	Day				

* BE-18BA (93-11)

Names of parties	Nature of act	Date of registration Year Month Day	Registration no.	Comments	Notice of address	Cancellation

ANNEXE I
(a. 12)

Registre des droits réels d'exploitation de ressources de l'État

Circonscription foncière de

Lieu sur lequel s'exerce le droit

Titulaire requérant

Nature du droit d'exploitation

Concordance (avec les fiches des immeubles sur lesquels il s'exerce)

Feuillet n°   - A -

Numéro de l'ancien feuillet (s'il y a lieu)

Numéro du nouveau feuillet (s'il y a lieu)

Signature de l'officier

Date d'établissement   Année   Mois   Jour

Noms des parties	Nature de l'acte	Date d'inscription			Inscription n°	Remarques	Avis d'adresse	Radiation
		Année	Mois	Jour				

BE-169 (93-11)

Noms des parties	Nature de l'acte	Date d'inscription		Inscription n°	Remarques	Avis d'adresse	Radiation
		Année	Mois	Jour				

SCHEDULE II
(s. 13)

Register of public service networks and immovables situated in territory without a cadastral survey

Registration
division of

Lots or territory
served by network

Owner
(applicant)

Nature of
network

Immovable without cadastral
survey situated at

Leaf no.   - B -

Former leaf number
(where applicable)

New leaf number
(where applicable)

Signature of registrar

Date opened   Year   Month   Day

Names of parties	Nature of act	Date of registration			Registration no.	Comments	Notice of address	Cancellation
		Year	Month	Day				

BE-170A (85-11)

Names of parties	Nature of act	Date of registration			Registration no.	Comments	Notice of address	Cancellation
		Year	Month	Day				

ANNEXE II
(a. 13)

Registre des réseaux de services publics et des immeubles situés en territoire non cadastré

Circonscription
foncière de

Lots ou territoire
desservi par le réseau

Propriétaire
requérant

Nature du
réseau

Immeuble non
cadastré situé à

Feuillet n°   - B -

Numéro de l'ancien
feuillet (s'il y a lieu)

Numéro du nouveau
feuillet (s'il y a lieu)

Signature de l'officier

Date d'établissement   Année   Mois   Jour

| Noms des parties | Nature de l'acte | Date d'inscription | | | Inscription n° | Remarques | Avis d'adresse | Radiation |
		Année	Mois	Jour				

Noms des parties	Nature de l'acte	Date d'inscription			Inscription n°	Remarques	Avis d'adresse	Radiation
		Année	Mois	Jour				

SCHEDULE III
(s. 14)

Directory of holders of real rights

Registration division of	

Name	
Given names	
Date and place of birth	Year Month Day
Juridical form	
Address	

Notice of change of name (Art. 3015 C.C.Q.)

Registration no.	
Former name	
New name	

Serial number of leaf	Nature of network	Nature of development right	Immovable without cadastral survey	Number of cadastre (where applicable)

* BE-171A (93-11)

Serial number of leaf	Nature of network	Nature of development right	Immovable without cadastral survey	Number of cadastre (where applicable)

ANNEXE III
(a. 14)

Répertoire des titulaires de droits réels

Circonscription
foncière de

Avis de changement de nom (Art. 3015 C.c.Q.)

Inscription n°

Nom ancien

Nom nouveau

Nom	
Prénom(s)	
Date et lieu de naissance	Année Mois Jour
Forme juridique	
Adresse	

Numéro d'ordre du feuillet	Nature du réseau	Nature du droit d'exploitation	Immeuble non cadastré	Numéro du cadastre (s'il y a lieu)

BE-171 (93-11)

Numéro d'ordre du feuillet	Nature du réseau	Nature du droit d'exploitation	Immeuble non cadastré	Numéro du cadastre (s'il y a lieu)

Summary   SCHEDULE IV
                                (s. 34)

Date and place

SUMMARIZED DOCUMENT

Date and place

Identification

Designation of parties

Statement of nature of right

Designation of property

Mode of acquisition (where applicable)

Price, consideration, terms and conditions of obligation

Particulars or declarations required by law (transfer)

Signature of parties or applicant

Sommaire　　ANNEXE IV
(a. 34)

Date et lieu

DOCUMENT RÉSUMÉ

Date et lieu

Identification

Désignation des parties

Qualification du droit

Désignation du bien

Mode d'acquisition (s'il en est)

Prix, contrepartie, modalités de l'obligation

Mentions ou déclarations requises par la loi (mutation)

Signature des parties ou du requérant

Certificate

I, the undersigned _____,

certify:

- that the contents of this summary are accurate;

- that I have verified the identity, quality and capacity of the parties;

- that the document represents the will expressed by the parties;

- that (where applicable) the title of the grantor or last holder of the right concerned has been previously and validly published and;

- that the summarized document is valid as to form (where applicable.

Certified at _____

on _____

Name _____

Quality _____

Address _____

_____

_____

Signature

BE-173A (93-07)

O.C. 1596-93, (1993) 125 G.O. 2, 6239 (cf 94-01-01).
O.C. 1067-95, (1995) 127 G.O. 2, 2626 (cf 95-08-31).
O.C. 1068-2001, (2001) 133 G.O. 2, 5002 (cf 2001-10-09).

Déclaration d'attestation

Je, soussigné(e) _____ ,

atteste que :

- le contenu du présent sommaire est exact ;

- j'ai vérifié l'identité, la qualité et la capacité des parties ;

- le document traduit la volonté exprimée par les parties ;

- (le cas échéant), le titre du constituant ou du dernier titulaire du droit visé est déjà valablement publié ;

- le document résumé est valide quant à sa forme (s'il y a lieu).

Attesté à _____

le _____

Nom _____

Qualité _____

Adresse _____

_____

_____

Signature

D. 1596-93, (1993) 125 G.O. 2, 8083 (eev 94-01-01).
Erratum, (1993) 125 G.O. 2, 8969.
D. 1067-95, (1995) 127 G.O. 2, 3793 (eev 95-08-31).
D. 1068-2001, (2001) 133 G.O. 2, 6358 (eev 2001-10-09).

LISTE DES BUREAUX DE LA PUBLICITÉ DES DROITS POUR LESQUELS LE MINISTRE DES RESSOURCES NATURELLES A DONNÉ UN AVIS À L'EFFET QU'ILS SONT PLEINEMENT INFORMATISÉS EN CE QUI A TRAIT À LA PUBLICITÉ FONCIÈRE	LIST OF REGISTRY OFFICES FOR WHICH THE MINISTER OF NATURAL RESOURCES HAS GIVEN A NOTICE THAT THEY ARE FULLY COMPUTERIZED FOR LAND REGISTRATION PURPOSES

Avis numéro 1

Le Bureau de la publicité des droits établi dans la circonscription foncière de Saint-Hyacinthe sera pleinement informatisé à compter du 9 octobre 2001.

Avis, (2001) 133 G.O. 1, 1022.

Avis numéro 2

Le Bureau de la publicité des droits établi dans la circonscription foncière de Montmagny sera pleinement informatisé à compter du 7 janvier 2002.

Avis, (2002) 134 G.O. 1, 10.

Avis numéro 3

Le Bureau de la publicité des droits établi dans la circonscription foncière de L'Islet sera pleinement informatisé à compter du 14 janvier 2002.

Avis, (2002) 134 G.O. 1, 10.

Avis numéro 4

Le Bureau de la publicité des droits établi dans la circonscription foncière de Lotbinière sera pleinement informatisé à compter du 21 janvier 2002.

Avis, (2002) 134 G.O. 1, 10.

Avis numéro 5

Le Bureau de la publicité des droits établi dans la circonscription foncière de Bellechasse sera pleinement informatisé à compter du 28 janvier 2002.

Avis, (2002) 134 G.O. 1, 10.

Avis numéro 6

Le Bureau de la publicité des droits établi dans la circonscription foncière de Dorchester sera pleinement informatisé à compter du 4 février 2002.

Avis, (2002) 134 G.O. 1, 91.

Avis numéro 7

Le Bureau de la publicité des droits établi dans la circonscription foncière de Kamouraska sera pleinement informatisé à compter du 11 février 2002.

Avis, (2002) 134 G.O. 1, 91.

Avis numéro 8

Le Bureau de la publicité des droits établi dans la circonscription foncière de Coaticook sera pleinement informatisé à compter du 18 février 2002.

Avis, (2002) 134 G.O. 1, 91.

Avis numéro 9

Le Bureau de la publicité des droits établi dans la circonscription foncière de Compton sera pleinement informatisé à compter du 25 février 2002.

Avis, (2002) 134 G.O. 1, 91.

Avis numéro 10

Le Bureau de la publicité des droits établi dans la circonscription foncière de Stanstead sera pleinement informatisé à compter du 4 mars 2002.

Avis, (2002) 134 G.O. 1, 213.

Avis numéro 11

Le Bureau de la publicité des droits établi dans la circonscription foncière de Richelieu sera pleinement informatisé à compter du 11 mars 2002.

Avis, (2002) 134 G.O. 1, 212.

Avis numéro 12

Le Bureau de la publicité des droits établi dans la circonscription foncière de Rimouski sera pleinement informatisé à compter du 25 mars 2002. Toutefois, certaines réquisitions d'inscription ne pourront être consultées, sur support informatique, que le mardi 26 mars 2002.

Avis, (2002) 134 G.O. 1, 212.

Avis numéro 13

Le Bureau de la publicité des droits établi dans la circonscription foncière de Saint-Jean sera pleinement informatisé à compter du 2 avril 2002. Toutefois, certaines réquisitions d'inscription ne pourront être consultées, sur support informatique, que le mercredi 3 avril 2002.

Avis, (2002) 134 G.O. 1, 212.

Avis numéro 14

Le Bureau de la publicité des droits établi dans la circonscription foncière de Pontiac sera pleinement informatisé à compter du 8 avril 2002.

Avis, (2002) 134 G.O. 1, 379.

Avis numéro 15

Le Bureau de la publicité des droits établi dans la circonscription foncière de Lévis sera pleinement informatisé à compter du 15 avril 2002. Toutefois, certaines réquisitions d'inscription ne pourront être consultées, sur support informatique, que le mercredi 17 avril 2002.

Avis, (2002) 134 G.O. 1, 379.

Avis numéro 16

Le Bureau de la publicité des droits établi dans la circonscription foncière de Matane sera pleinement informatisé à compter du 22 avril 2002.

Avis, (2002) 134 G.O. 1, 379.

Avis numéro 17

Le Bureau de la publicité des droits établi dans la circonscription foncière de Labelle sera pleinement informatisé à compter du 29 avril 2002.

Avis, (2002) 134 G.O. 1, 379.

Avis numéro 18

Le Bureau de la publicité des droits établi dans la circonscription foncière de La Tuque sera pleinement informatisé à compter du 13 mai 2002.

Avis, (2002) 134 G.O. 1, 473.

Avis numéro 19

Le Bureau de la publicité des droits établi dans la circonscription foncière de Sherbrooke sera pleinement informatisé à compter du 21 mai 2002. Toutefois, certaines réquisitions d'inscription ne pourront être consultées, sur support informatique, qu'à compter du mercredi 22 mai 2002.

Avis, (2002) 134 G.O. 1, 473.

Avis numéro 20

Le Bureau de la publicité des droits établi dans la circonscription foncière de Matapédia sera pleinement informatisé à compter du 27 mai 2002.

Avis, (2002) 134 G.O. 1, 473.

Avis numéro 21

Le Bureau de la publicité des droits établi dans la circonscription foncière de Gatineau sera pleinement informatisé à compter du 3 juin 2002.

Avis, (2002) 134 G.O. 1, 663.

Avis numéro 22

Le Bureau de la publicité des droits établi dans la circonscription foncière de Rouville sera pleinement informatisé à compter du 10 juin 2002.

Avis, (2002) 134 G.O. 1, 702.

Avis numéro 23

Le Bureau de la publicité des droits établi dans la circonscription foncière de Témiscouata sera pleinement informatisé à compter du 17 juin 2002.

Avis, (2002) 134 G.O. 1, 702.

Avis numéro 24

Le Bureau de la publicité des droits établi dans la circonscription foncière de Chicoutimi sera pleinement informatisé à compter du 25 juin 2002.

Avis, (2002) 134 G.O. 1, 731.

Avis numéro 25

Le Bureau de la publicité des droits établi dans la circonscription foncière de Hull sera pleinement informatisé à compter du 2 juillet 2002. Toutefois, certaines réquisitions d'inscription ne pourront être consultées, sur support informatique, qu'à compter du mercredi 3 juillet 2002.

Avis, (2002) 134 G.O. 1, 758.

Avis numéro 26

Le Bureau de la publicité des droits établi dans la circonscription foncière de Trois-Rivières sera pleinement informatisé à compter du 15 juillet 2002.

Avis, (2002) 134 G.O. 1, 816.

Avis numéro 27

Le Bureau de la publicité des droits établi dans la circonscription foncière de Lac-Saint-Jean-Est sera pleinement informatisé à compter du 22 juillet 2002.

Avis, (2002) 134 G.O. 1, 840.

Avis numéro 28

Le Bureau de la publicité des droits établi dans la circonscription foncière de Shawinigan sera pleinement informatisé à compter du 29 juillet 2002.

Avis, (2002) 134 G.O. 1, 888.

Avis numéro 29

Le Bureau de la publicité des droits établi dans la circonscription foncière de Lac-Saint-Jean-Ouest sera pleinement informatisé à compter du 5 août 2002.

Avis, (2002) 134 G.O. 1, 907.

Avis numéro 30

Le Bureau de la publicité des droits établi dans la circonscription foncière de Papineau sera pleinement informatisé à compter du 12 août 2002.

Avis, (2002) 134 G.O. 1, 927.

Avis numéro 31

Le Bureau de la publicité des droits établi dans la circonscription foncière de Nicolet sera pleinement informatisé à compter du 19 août 2002.

Avis, (2002) 134 G.O. 1, 956.

Avis numéro 32

Le Bureau de la publicité des droits établi dans la circonscription foncière de Champlain sera pleinement informatisé à compter du 3 septembre 2002.

Avis, (2002) 134 G.O. 1, 996.

Avis numéro 33

Le Bureau de la publicité des droits établi dans la circonscription foncière de Maskinongé sera pleinement informatisé à compter du 9 septembre 2002.

Avis, (2002) 134 G.O. 1, 1036.

Avis numéro 34

Le Bureau de la publicité des droits établi dans la circonscription foncière de Berthier sera pleinement informatisé à compter du 16 septembre 2002.

Avis, (2002) 134 G.O. 1, 1058.

Avis numéro 35

Le Bureau de la publicité des droits établi dans la circonscription foncière de L'Assomption sera pleinement informatisé à compter du 23 septembre 2002. Toutefois, certaines réquisitions d'inscription ne pourront être consultées, sur support informatique, qu'à compter du mercredi 25 septembre 2002.

Avis, (2002) 134 G.O. 1, 1086.

Avis numéro 36

Le Bureau de la publicité des droits établi dans la circonscription foncière de Montcalm sera pleinement informatisé à compter du 7 octobre 2002.

Avis, (2002) 134 G.O. 1, 1137.

Avis numéro 37

Le Bureau de la publicité des droits établi dans la circonscription foncière d'Abitibi sera pleinement informatisé à compter du 15 octobre 2002.

Avis, (2002) 134 G.O. 1, 1166.

Avis numéro 38

Le Bureau de la publicité des droits établi dans la circonscription foncière de Joliette sera pleinement informatisé à compter du 21 octobre 2002.

Avis, (2002) 134 G.O. 1, 1197.

Avis numéro 39

Le Bureau de la publicité des droits établi dans la circonscription foncière de Montréal sera pleinement informatisé à compter du 28 octobre 2002. À compter de cette date, les réquisitions d'inscription pourront être consultées, sur support informatique, au fur et à mesure de leur numérisation qui sera complétée le lundi 16 décembre 2002. De même, les registres pourront être consultés, sur support informatique, à compter du 28 octobre 2002, à l'exception des inscriptions faites à l'index des immeubles antérieurement à cette date, qui ne pourront être consultées, sur support informatique, qu'à compter du lundi 4 novembre 2002.

Avis, (2002) 134 G.O. 1, 1228.

Avis numéro 40

Le Bureau de la publicité des droits établi dans la circonscription foncière de Laval sera pleinement informatisé à compter du 30 décembre 2002. Toutefois, certaines réquisitions d'inscription ne pourront être consultées, sur support informatique, qu'à compter du mardi 7 janvier 2003.

Avis, (2002) 134 G.O. 1, 1480.

Avis numéro 41

Le Bureau de la publicité des droits établi dans la circonscription foncière de Portneuf sera pleinement informatisé à compter du 3 février 2003.

Avis, (2003) 135 G.O. 1, 99.

Avis numéro 42

Le Bureau de la publicité des droits établi dans la circonscription foncière de Montmorency sera pleinement informatisé à compter du 10 février 2003.

_____

Avis, (2003) 135 G.O. 1, 133.

Avis numéro 43

Le Bureau de la publicité des droits établi dans la circonscription foncière de Québec sera pleinement informatisé à compter du 24 février 2003. Toutefois, certaines réquisitions d'inscription ne pourront être consultées, sur support informatique, qu'à compter du lundi 17 mars 2003.

_____

Avis, (2003) 135 G.O. 1, 197.

Avis numéro 44

Le Bureau de la publicité des droits établi dans la circonscription foncière de Deux-Montagnes sera pleinement informatisé à compter du 24 mars 2003. Toutefois, certaines réquisitions d'inscription ne pourront être consultées, sur support informatique, qu'à compter du mardi 25 mars 2003.

_____

Avis, (2003) 135 G.O. 1, 320.

Avis numéro 45

Le Bureau de la publicité des droits établi dans la circonscription foncière de Châteauguay sera pleinement informatisé à compter du 7 avril 2003. Toutefois, certaines réquisitions d'inscription ne pourront être consultées, sur support informatique, qu'à compter du mardi 8 avril 2003.

_____

Avis, (2003) 135 G.O. 1, 344.

Avis numéro 46

Le Bureau de la publicité des droits établi dans la circonscription foncière de Verchères sera pleinement informatisé à compter du 14 avril 2003. Toutefois, certaines réquisitions d'inscription ne pourront être consultées, sur support informatique, qu'à compter du mardi 15 avril 2003.

_____

Avis, (2003) 135 G.O. 1, 373.

Avis numéro 47

Le Bureau de la publicité des droits établi dans la circonscription foncière de Chambly sera pleinement informatisé à compter du 22 avril 2003. Toutefois, certaines réquisitions d'inscription ne pourront être consultées, sur support informatique, qu'à compter du lundi 5 mai 2003.

Avis, (2003) 135 G.O. 1, 387.

Avis numéro 48

Le Bureau de la publicité des droits établi dans la circonscription foncière de Beauharnois sera pleinement informatisé à compter du 12 mai 2003.

Avis, (2003) 135 G.O. 1, 454.

Avis numéro 49

Le Bureau de la publicité des droits établi dans la circonscription foncière de Vaudreuil sera pleinement informatisé à compter du 20 mai 2003.

Avis, (2003) 135 G.O. 1, 482.

Avis numéro 50

Le Bureau de la publicité des droits établi dans la circonscription foncière de Beauce sera pleinement informatisé à compter du 26 mai 2003.

Avis, (2003) 135 G.O. 1, 507.

Avis numéro 51

Le Bureau de la publicité des droits établi dans la circonscription foncière de La Prairie sera pleinement informatisé à compter du 2 juin 2003. Toutefois, certaines réquisitions d'inscription ne pourront être consultées, sur support informatique, qu'à compter du mardi 3 juin 2003.

Avis, (2003) 135 G.O. 1, 525.

Avis numéro 52

Le Bureau de la publicité des droits établi dans la circonscription foncière de Frontenac sera pleinement informatisé à compter du 9 juin 2003.

—————

Avis, (2003) 135 G.O. 1, 557.

Avis numéro 53

Le Bureau de la publicité des droits établi dans la circonscription foncière de Huntingdon sera pleinement informatisé à compter du 16 juin 2003.

—————

Avis, (2003) 135 G.O. 1, 557.

*Tarif des droits relatifs à la publicité foncière et à l'application de certaines dispositions transitoires relatives aux anciens registres des bureaux d'enregistrement

Loi sur les bureaux de la publicité des droits (L.R.Q., c. B-9, a. 8 et 11; 1992, c. 57, a. 446 et 447)

**1. Le présent tarif s'applique à toute circonscription foncière jusqu'à la date fixée dans l'avis du ministre des Ressources naturelles, conformément à l'article 237 de la Loi modifiant le Code civil et d'autres dispositions législatives relativement à la publicité foncière (2000, c. 42), indiquant que le bureau de la publicité des droits qui y est établi est pleinement informatisé en ce qui a trait à la publicité foncière.

D. 1597-93, a. 1; D. 1075-2001, a. 1.

2. Les droits pour l'inscription d'une réquisition d'inscription de droits sont de 40 $.

D. 1597-93, a. 2; D. 1075-2001, a. 2.

3. Malgré l'article 2, les droits pour l'inscription d'une réquisition d'inscription de droits présentée sous la forme d'un sommaire sont de 40 $ par document résumé par le sommaire.

D. 1597-93, a. 3; D. 1075-2001, a. 3.

4. Les droits pour l'inscription d'une réquisition de radiation ou de réduction d'inscription sont de 50 $, incluant la radiation ou la réduction des droits prévus dans une première réquisition d'inscription visée par la réquisition de radiation ou de réduction, plus 30 $ pour chaque réquisition d'inscription additionnelle.

D. 1597-93, a. 4; D. 1075-2001, a. 4.

---

* Voir la Liste des bureaux de la publicité des droits pour lesquels le ministre des Ressources naturelles a donné un avis à l'effet qu'ils sont pleinement informatisés en ce qui a trait à la publicité foncière, dans l'appendice, à la fin du Règlement provisoire sur le registre foncier.

** Les modifications aux articles 2, 3, 4, 5, 6 (ptie), 7, 11, l'ajout de l'article 5.1 et l'abrogation de l'article 10 entrent en vigueur le 1er janvier 2002.

D. 1075-2001, (2001) 133 G.O. 2, 6364.

*Tariff of fees respecting publication by registration in the land register and the application of certain transitional provisions relating to the former registers of registry offices

An Act respecting registry offices (R.S.Q., c. B-9, ss. 8 and 11; 1992, c. 57, ss. 446 and 447)

**1. This Tariff applies to any registration division until the date fixed in the notice of the Minister of Natural Resources, in accordance with section 237 of the Act to amend the Civil Code and other legislative provisions relating to land registration (2000, c. 42), stating that the registry office established therein is fully computerized for land registration purposes.

2. The fee for the registration of an application for the registration of a right is $40.

3. Notwithstanding section 2, the fee for the registration of an application for registration of rights presented in the form of a summary is $40 per summarized document.

4. The fee for the registration of an application for the cancellation or reduction of a registration is $50, including the cancellation or reduction of rights provided for in a first application for registration covered by the application for cancellation or reduction, plus $30 for each additional application for registration.

---

* See the List of registry offices for which the Minister of Natural Resources has given a notice that they are fully computerized for land registration purposes, in the Appendix, at the end of the Provisional Regulation respecting the land register.

** The amendments to sections 2, 3, 4, 5, 6 (prt), 7, 11, the addition of section 5.1 and the abrogation of section 10 come into force on 1 January 2002.

O.C. 1075-2001, (2001) 133 G.O. 2, 5008.

5. Les droits pour l'inscription d'un préavis de vente pour défaut de paiement de l'impôt foncier sont de 40 $ plus 7 $ par lot ou partie de lot.

D. 1597-93, a. 5; D. 1075-2001, a. 5.

5.1 Les droits pour l'inscription d'une réquisition d'inscription d'une adresse, par avis ou par référence à un avis déjà publié, du renouvellement de l'inscription d'une adresse ou de la référence omise à un avis d'adresse sont de 30 $.

Toutefois, ces droits ne sont pas exigibles pour l'inscription de la modification d'une référence à un avis d'adresse.

D. 1075-2001, a. 6.

6. Malgré les articles 2, 3, 4 et 5.1, aucuns droits ne sont exigibles pour l'inscription:

1° d'une modification dans l'adresse ou dans le nom des personnes visées à l'article 3022 du Code civil du Québec (1991, c. 64) ou d'une radiation ou d'une réduction de l'inscription d'un avis d'adresse;

2° d'une liste des immeubles non vendus lors d'une vente pour défaut de paiement de l'impôt foncier;

3° d'un document constatant le retrait de lots adjugés lors d'une vente pour défaut de paiement de l'impôt foncier;

4° d'un avis signifié en vertu de l'article 813.4 du Code de procédure civile (L.R.Q., c. C-25; 1992, c. 57, a. 369);

5° d'un permis de disposer exigible en vertu de la Loi sur les droits successoraux (L.R.Q., c. D-13.2);

6° d'une action contre le propriétaire de l'immeuble à la suite d'une hypothèque légale en faveur des personnes qui ont participé à la construction ou à la rénovation d'un immeuble, ou à la suite d'une hypothèque légale du syndicat des copropriétaires sur la fraction d'un copropriétaire;

7° de la liste des immeubles adjugés lors de la vente pour défaut de paiement de l'impôt foncier;

8° d'un avis de vente par shérif;

9° de la mainlevée de saisie du shérif;

10° du certificat du greffier attestant qu'une action est discontinuée;

11° du certificat du procureur général énonçant qu'une hypothèque en faveur de l'État est éteinte ou réduite;

12° de l'abandon ou de la révocation d'un droit réel d'exploitation de ressources de l'État qui n'est pas exempté de l'inscription.

D. 1597-93, a. 6; D. 1075-2001, a. 7.

5. The fee for the registration of a prior notice of sale for non-payment of immovable taxes is $40, plus $7 per lot or part of a lot.

5.1 The fee for the registration of an application for registration of an address, by a notice or by a reference to a notice already published, of the renewal of the registration of an address or the omitted reference to a notice of address is $30.

Notwithstanding the foregoing, the fee is not payable for the registration of the change in a reference to a notice of address.

6. Notwithstanding sections 2, 3, 4 and 5.1, no fee is payable for the registration of

(1) a change in the address or name of the persons referred to in article 3022 of the Civil Code of Québec (1991, c. 64) or reduction of the registration of a notice of address;

(2) a list of immovables not sold at a sale for non-payment of immovable taxes;

(3) a document evidencing the redemption of lots adjudicated at a sale for non-payment of immovable taxes;

(4) a notice served pursuant to article 813.4 of the Code of Civil Procedure (R.S.Q., c. C-25; 1992, c. 57, s. 369);

(5) a disposal permit required under the Succession Duty Act (R.S.Q., c. D-13.2);

(6) an action against the owner of the immovable following a legal hypothec in favour of persons having participated in the construction or renovation of an immovable or following a legal hypothec of a syndicate of co-owners on a fraction of a co-owner;

(7) the list of the immovables adjudicated at the sale for non-payment of immovable taxes;

(8) a notice of a sheriff's sale;

(9) a release from a sheriff's seizure;

(10) a clerk's certificate attesting that an action has been discontinued;

(11) a certificate of the Attorney General stating that a hypothec in favour of the State is extinguished or reduced;

(12) the abandonment or revocation of a real right of State resource development that is not exempt from registration.

7. Les droits pour les états certifiés par l'officier de la publicité des droits prévus à l'article 3019 du Code civil et à l'article 704 du Code de procédure civile sont de 10 $ pour l'état certifié et de 10 $ pour chaque copie de réquisition d'inscription, incluant le document qui l'accompagne lorsqu'elle prend la forme d'un sommaire, composant l'état.

D. 1597-93, a. 7; D. 1075-2001, a. 8.

8. Abrogé.

D. 1075-2001, a. 9.

8.1 Les droits pour l'apposition d'un certificat d'inscription additionnel sont de 10 $.

D. 1075-2001, a. 10.

9. Les droits pour tout autre certificat sont de 5 $, sauf le cas où la loi prévoit expressément qu'aucuns droits ne sont perçus ou que des droits déterminés sont fixés.

10. Abrogé.

D. 1075-2001, a. 11.

11. Les droits pour chaque copie ou extrait d'un registre manuscrit, microfilmé ou informatisé, d'un acte ou document publié, déposé ou conservé sont de 5 $ pour les 2 premières pages de la copie ou de l'extrait et de 1 $ par page additionnelle. Les droits pour chaque copie de plan sont de 5 $ par lot faisant l'objet de la demande. Ces droits sont portés au double lorsque la copie ou l'extrait est transmis par télécopieur.

D. 1597-93, a. 11; D. 1075-2001, a. 12.

12. Les droits pour les copies de réquisitions, incluant les documents qui les accompagnent lorsqu'elles prennent la forme de sommaire, transmises aux fins des mutations immobilières ou de la tenue à jour des rôles d'évaluation municipaux, sont de 3 $ par copie, quel que soit le moyen utilisé pour délivrer ces copies.

D. 1597-93, a. 12; D. 1075-2001, a. 13.

13. Abrogé.

D. 1075-2001, a. 14.

14. Les droits pour remplir la formule du ministère du Revenu, relative à une personne qui apparaît inscrite comme propriétaire d'un lot, d'une

7. The fee for the statements certified by the registrar provided for in article 3019 of the Civil Code and in article 704 of the Code of Civil Procedure is $10 for the certified statement and $10 for each copy of application for registration, including the accompanying document where the application is in the form of a summary, making up the statement.

8. Repealed.

8.1 The fee for affixing an additional registration certificate is $10.

9. The fee for any other certificate is $5, unless the law espressly provides that no fees are to be collected or that specific fees are fixed.

10. Repealed.

11. The fee for each extract from or copy of a handwritten, microfilmed or computerized register, or of an act or document published, filed or kept is $5 for the first 2 pages of the copy or extract and $1 for each additional page. The fee for each copy of the plan is $5 per lot subject to the application. The fee is doubled where the copy or extract is forwarded by fax.

12. The fee for copies of applications, including the accompanying documents where they are in the form of a summary, forwarded for the purposes of transfers of immovables or the updating of the municipal assessment rolls, is $3 per copy, regardless of the means used to issue such copies.

13. Repealed.

14. The fee to complete the form of the Ministère du Revenu concerning a person who appears as being registered as owner of a lot, part of a lot or an

partie de lot ou d'un immeuble identifié par numéro d'ordre aux registres, sont de 5 $ pour chaque formule remplie.

immovable identified by a serial number in the registers is $5 for each form completed.

D. 1597-93, a. 14; D. 1075-2001, a. 15.

15. Les droits pour consulter les archives des bureaux de la publicité des droits à d'autres fins que la confection des cadastres faits suivant la Loi favorisant la réforme du cadastre québécois (L.R.Q., c. R-3.1) ou la Loi sur les titres de propriété dans certains districts électoraux (L.R.Q., c. T-11) sont de 5 $ pour une consultation ne dépassant pas une heure et de 5 $ par heure ou fraction d'heure additionnelle. Malgré l'article 11, les droits de consultation comprennent les copies des documents ou des registres microfilmés, microphotographiés ou informatisés, faites à partir des imprimantes mises à la disposition du public.

15. The fee to consult the records of the registry offices for purposes other than the making of cadastres under the Act to promote the reform of the cadastre in Québec (R.S.Q., c. R-3.1) or the Act respecting land titles in certain electoral districts (R.S.Q., c. T-11) is $5 for a consultation of one hour or less and $5 for each additional hour or fraction thereof. Notwithstanding section 11, the consultation fee includes the copies of the microfilmed, microphotographed or computerized documents or registers made using the printers available to the public.

16. Lorsqu'un officier de la publicité des droits fournit verbalement à partir des documents publics qui font partie des archives du bureau de la publicité des droits des renseignements à des personnes qui en font la demande par téléphone, les droits exigibles sont de:

16. Where a registrar gives orally to persons requesting it by telephone information from public documents that form part of the registry office's records, the fee payable is,

1° si les renseignements concernent des inscriptions aux registres, 5 $ par numéro de lot ou numéro d'ordre consulté;

(1) if the information is related to entries in the registers, $5 per lot number or serial number consulted;

2° si les renseignements concernent des plans et livres de renvoi, 5 $ par lot consulté;

(2) if the information is related to the plans and books of reference, $5 per lot consulted;

3° 5 $ pour chaque autre document consulté faisant partie des archives du bureau.

(3) $5 for each other document consulted forming part of the registry office's records.

D. 1597-93, a. 16; D. 1075-2001, a. 16.

17. Le présent tarif remplace le Tarif d'honoraires pour enregistrement et pour divers services rendus par les régistrateurs édicté par le décret 288-89 du 1er mars 1989.

17. This Tariff replaces the Tariff of fees for registration and other services performed by registrars, made by Order in Council 288-89 dated 1 March 1989.

17.1 Les droits prévus au présent tarif sont indexés le 1er avril de chaque année à compter du 1er avril 2003 selon le taux d'augmentation cumulatif de l'indice général des prix à la consommation pour le Canada, tel que déterminé par Statistique Canada, pour la période débutant le 31 décembre 2001 et se terminant le 31 décembre de l'année précédant cet ajustement. Les droits ainsi ajustés sont diminués au dollar le plus près s'ils comprennent une fraction de dollar inférieure à 0,50 $. Ils sont augmentés au dollar le plus près s'ils comprennent une fraction de dollar égale ou supérieure à 0,50 $.

17.1 The fee prescribed in this Tariff shall be indexed on 1 April of each year from 1 April 2003 on the basis of the cumulative rate of increase in the general Consumer Price Index for Canada for the period beginning on 31 December 2001 and ending on 31 December of the year preceding the indexing, as determined by Statistics Canada. The fee indexed in the prescribed manner shall be reduced to the nearest dollar where it contains a fraction of a dollar less than $0.50. It shall be increased to the nearest dollar where it contains a fraction of a dollar equal to or greater than $0.50.

D. 1075-2001, a. 17.

18. Omis.

D. 1597-93, (1993) 125 G.O. 2, 8101 (eev 94-01-01).
D. 1075-2001, (2001) 133 G.O. 2, 6364 (eev 2001-10-09 sauf a. 2 à 6, 7(1) et (2), 8, 11 et 12 eev 2002-01-01).

18. Omitted.

O.C. 1597-93, (1993) 125 G.O. 2, 6257 (cf 94-01-01).
O.C. 1075-2001, 133 G.O. 2, 5008 (cf 2001-10-09 except ss. 2 to 6, 7(1) and (2), 8, 11 and 12 cf 2002-01-01).

Règlement d'application de l'article 1614 du Code civil sur l'actualisation des dommages-intérêts en matière de préjudice corporel

Code civil
(1991, c. 64, a. 1614)

Regulation under article 1614 of the Civil Code respecting the discounting of damages for bodily injury

Civil Code
(1991, c. 64, art. 1614)

1. Les taux d'actualisation applicables, quant aux aspects prospectifs du préjudice, au calcul des dommages-intérêts dus au créancier en réparation du préjudice corporel qu'il subit sont:

1° pour les pertes résultant tant de la diminution de la capacité de gains que de la progression des revenus, traitements ou salaires, de 2%;

2° pour les autres pertes résultant de l'inflation, de 3,25%.

2. Omis.

1. The discount rates applicable to the calculation of the damages owed to the creditor for the bodily injury he sustains are, as to the future aspects of the injury,

(1) for losses resulting from a decrease in earning capacity and progression of income, salary or wages: 2%; and

(2) for other loss resulting from inflation: 3.25%.

2. Omitted.

D. 271-97, (1997) 129 G.O. 2, 1449 (eev 97-04-03).

O.C. 271-97, (1997) 129 G.O. 2, 1141 (cf 97-04-03).

Règles sur la célébration du mariage civil ou de l'union civile

Code civil du Québec
(1991, c. 64, a. 376; 2002, c. 6, a. 25

1. La publication du mariage civil ou de l'union civile se fait au moyen de la formule prévue à l'annexe I ou à l'annexe II, selon le cas, laquelle doit être affichée pendant 20 jours avant la date prévue pour la célébration, à l'endroit où doit avoir lieu la cérémonie et au palais de justice le plus près de cet endroit.

2. Le mariage ou l'union civile célébré par un greffier ou un greffier adjoint de la Cour supérieure ou dans un palais de justice doit l'être entre 9 heures et 16 heures 30. Il ne peut être célébré les jours suivants:

1° les dimanches;

2° les 1er et 2 janvier;

3° le Vendredi saint;

4° le lundi de Pâques;

5° le 24 juin, jour de la fête nationale;

6° le 1er juillet, anniversaire de la Confédération;

7° le premier lundi de septembre, fête du Travail;

8° le deuxième lundi d'octobre;

9° les 24, 25, 26 et 31 décembre;

10° le jour fixé par proclamation du gouverneur général pour marquer l'anniversaire du Souverain;

11° tout autre jour fixé par décret du gouvernement comme jour de fête publique ou d'action de grâces.

Le mariage ou l'union civile célébré par tout autre célébrant compétent suivant l'article 366 du Code civil et ailleurs que dans un palais de justice doit l'être entre 9 heures et 22 heures et peut l'être à tous les jours, y compris ceux visés au premier alinéa.

3. Le greffier ou le greffier adjoint de la Cour supérieure peut célébrer un mariage ou une union civile dans un palais de justice ou dans les endroits visés aux articles 4 et 5.

Rules Respecting the Solemnization of Civil Marriages and Civil Unions

Civil Code of Québec
(1991, c. 64, a. 376; 2002, c. 6, s. 25)

1. The publication of a civil marriage or a civil union shall be made using the form in Schedule I or Schedule II, as the case may be, which must be posted for 20 days before the date of the ceremony, at the place where the ceremony is to be held and at the courthouse nearest to that place.

2. Marriages and civil unions solemnized by a clerk or deputy clerk of the Superior Court or in a courthouse must be solemnized between 9:00 a.m. and 4:30 p.m. They may not be solemnized on

(1) Sundays;

(2) 1 and 2 January;

(3) Good Friday;

(4) Easter Monday;

(5) 24 June, the National Holiday;

(6) 1 July, the anniversary of Confederation;

(7) the first Monday of September, Labour Day;

(8) the second Monday of October;

(9) 24, 25, 26 and 31 December;

(10) the day fixed by proclamation of the Governor General for the celebration of the birthday of the Sovereign; or

(11) any other day fixed by order of the Government as a public holiday or as a day of thanksgiving.

Marriages and civil unions solemnized by any other competent officiant under article 366 of the Civil Code elsewhere than in a courthouse must be solemnized between 9:00 a.m. and 10:00 p.m. and they may be solemnized on any day, including the days referred to in the first paragraph.

3. The clerk or deputy clerk of the Superior Court may solemnize a marriage or civil union in a courthouse or at the places referred to in sections 4 and 5.

Tout autre célébrant peut célébrer un mariage ou une union civile dans un palais de justice, dans un endroit visé à l'article 4 ou dans tout autre endroit convenu avec les futurs conjoints, lequel doit respecter le caractère solennel de la cérémonie et être aménagé à cette fin.

4. Si l'un des futurs conjoints est dans l'impossibilité physique de se déplacer, attestée par certificat médical, la cérémonie peut avoir lieu à l'endroit où il se trouve, sur permission du célébrant, pourvu qu'une demande soit faite à ce dernier avant que l'acte de publication ne soit affiché ou au moment de la demande de dispense de publication.

5. Si l'un des futurs conjoints est incarcéré dans un établissement de détention ou un pénitencier, la cérémonie peut s'y dérouler, pourvu que demande soit faite au greffier ou au greffier adjoint de la Cour supérieure avant que l'acte de publication ne soit affiché ou au moment de la demande de dispense de publication.

6. Le drapeau du Québec doit, si la cérémonie a lieu dans un palais de justice, être arboré dans la salle où cette dernière se déroule.

7. Le greffier ou le greffier adjoint de la Cour supérieure doit être vêtu d'une toge noire avec complet foncé, chemise blanche et cravate foncée ou d'une toge noire fermée devant, à l'encolure relevée et manches longues. S'il s'agit d'une greffière ou d'une greffière adjointe, elle doit porter une toge noire avec jupe foncée et un chemisier blanc à manches longues ou des vêtements foncés.

Tout autre célébrant est dispensé du port de la toge.

8. Au moment de la célébration, le célébrant s'adresse aux futurs conjoints dans les termes de la formule prévue à l'annexe III ou à l'annexe IV, selon le cas. Si le célébrant célèbre plus d'un mariage ou plus d'une union civile à la fois, il ne lit qu'une fois la formule appropriée.

La lecture est faite en français ou en anglais au choix des futurs conjoints. Si l'un d'eux ne comprend ni l'une ni l'autre de ces langues, le célébrant demande que les futurs conjoints fournissent, à leurs frais, les services d'un interprète.

Any other officiant may solemnize a marriage or civil union in a courthouse, in a place referred to in section 4 or in any other place agreed upon by the intended spouses. That place shall be in keeping with the solemn nature of the ceremony and be laid out for that purpose.

4. If one of the intended spouses is physically unable to move about, and that inability is attested to in a medical certificate, the ceremony may take place, with the permission of the officiant, at the place where that intended spouse is, provided that a request to that effect is submitted to the officiant before the posting of the notice of marriage or civil union or at the time of the application for a dispensation from publication of the notice.

5. If one of the intended spouses is confined in a correctional facility or penitentiary, the ceremony may take place at the correctional facility or penitentiary, provided that a request to that effect is submitted to the clerk or deputy clerk of the Superior Court before the posting of the notice of marriage or civil union or at the time of the application for a dispensation from publication of the notice.

6. If the ceremony takes place in a courthouse, the Québec flag must be displayed in the room in which the ceremony takes place.

7. A male clerk or deputy clerk of the Superior Court shall wear a black gown with a dark suit, a white shirt, and dark tie or a black gown, closed in front, with a raised neck opening and long sleeves. A female clerk or deputy clerk shall wear a black gown with a dark skirt and a white long-sleeved blouse or dark clothing.

Any other officiant is exempt from wearing the gown.

8. During the ceremony, the officiant shall address the intended spouses using the text in Schedule III or Schedule IV, as the case may be. If the officiant solemnizes more than one marriage or civil union at the same time, the appropriate text shall be read only once.

The text shall be read in French or in English, as determined by the intended spouses. If either spouse does not understand French or English, the officiant shall ask that the intended spouses provide the services of an interpreter at their expense.

9. Le célébrant reçoit ensuite l'échange de consentements des futurs conjoints de la manière prévue à l'annexe V ou à l'annexe VI, selon le cas.

10. Le célébrant doit conserver, dans un endroit approprié, une copie de l'acte de publication du mariage ou de l'union civile, ou de la dispense, le cas échéant, de la déclaration de mariage ou d'union civile, du bulletin de mariage ou d'union civile et de tout autre document ayant servi à attester la véracité des informations fournies par les conjoints.

Si le célébrant n'est pas un notaire, un maire, un membre d'un conseil municipal ou d'arrondissement ou un fonctionnaire municipal, la copie des documents exigée au premier alinéa doit être déposée au greffe de la Cour supérieure du district judiciaire où la cérémonie s'est déroulée.

11. Les présentes Règles remplacent les Règles sur la célébration du mariage civil édictées par l'arrêté ministériel du ministre de la Justice n° 1440 du 6 juillet 1994.

Toutefois, si les futurs conjoints avaient déjà convenu avec un greffier ou un greffier adjoint de la Cour supérieure, avant la date d'entrée en vigueur des présentes Règles, que la cérémonie de leur mariage ou de leur union civile aurait lieu à l'un des endroits prévus à l'article 5.1 des Règles remplacées, le greffier ou le greffier adjoint pourra célébrer ce mariage ou cette union à cet endroit.

12. Omis.

9. The officiant shall then receive from the intended spouses a statement of their consent in the manner provided for in Schedule V or Schedule VI, as the case may be.

10. The officiant must keep, in an appropriate place, a copy of the notice of marriage or civil union, or of the dispensation from publication, where applicable, of the declaration of marriage or civil union, and a copy of the certificate of marriage or civil union, and of any other document that was used to certify the accuracy of the information provided by the spouses.

If the officiant is not a notary, a mayor, a member of a municipal or borough council or a municipal officer, the copy of the documents required in the first paragraph must be filed with the clerk of the Superior Court in the judicial district where the ceremony took place.

11. These Rules replace the Rules respecting the solemnization of civil marriages made by Ministerial Order 1440 of the Minister of Justice dated 6 July 1994.

However, if the intended spouses had already agreed with a clerk or deputy clerk of the Superior Court, before the date of coming into force of these Rules, that the solemnization of their marriage or civil union would take place at one of the places provided for in section 5.1 of the replaced Rules, the clerk or deputy clerk may solemnize the marriage or civil union at that place.

12. Omitted.

ANNEXE I
(a. 1)

ACTE DE PUBLICATION D'UN MARIAGE CIVIL

Un mariage civil sera célébré par le greffier ou le greffier adjoint de la Cour supérieure ou

....
(nom et qualité du célébrant)

à...
(adresse de l'endroit et nom de la municipalité où aura lieu la cérémonie)

district judiciaire

de ....

le ....

entre..
(nom et adresse du domicile du futur époux)

né le ....

à ....
(municipalité, province ou territoire, pays)

d'une part, et ....
(nom et adresse du domicile de la future épouse)

née le...

à ....d'autre part.
(municipalité, province ou territoire, pays)

Je soussigné, agissant comme témoin, déclare, sous serment, que je suis majeur, que j'ai pris connaissance des informations précitées et que ces énonciations sont exactes.

Témoin...
Adresse ....
Déclaré devant moi à ....
le ....

_____
(signature) (fonction, profession ou qualité)

Le présent acte de publication est affiché ce .... jour du mois de..................
20.......... par moi......................................,
greffier ou greffier adjoint de la Cour supérieure du district judiciaire de
ou
....
(nom et qualité du célébrant)

à
(adresse de l'endroit et nom de la municipalité où aura lieu la cérémonie et identification du palais de justice le plus près)

_____
signature (célébrant)

SCHEDULE I
(s. 1)

NOTICE OF CIVIL MARRIAGE

A civil marriage will be solemnized by the clerk or deputy clerk of the Superior Court or...,
(name and quality of officiant)

at ....
(address of the place and name of the municipality where the ceremony will take place)

in the judicial district of ....

on ....

between ....
(name and address of intended husband's domicile)

born on...

at ....
(municipality, province or territory, country)

and ....
(name and address of intended wife's domicile)

born on...

at ....
(municipality, province or territory, country)

I, the undersigned, acting as witness, declare under oath that I am of full age, that I have taken cognizance of the above information, and that those statements are true.

Witness ....
Address..
Declared before me at ....
this ....

_____
(signature) (function, profession or quality)

This notice of marriage has been posted, this .... day of ...., 20.............., by me, ... , clerk or deputy clerk of the Superior Court in the judicial district of..
or ....
(name and quality of officiant)

at
(address of the place and name of the municipality where the ceremony will take place and identification of the nearest courthouse)

_____
signature (officiant)

ANNEXE II
(a. 1)

SCHEDULE II
(s. 1)

ACTE DE PUBLICATION D'UNE UNION CIVILE

Une union civile sera célébrée par le greffier ou le greffier adjoint de la Cour supérieure ou ....

....
(nom et qualité du célébrant)

à ....
(adresse de l'endroit et nom de la municipalité où aura lieu la cérémonie)

district judiciaire
de ....

le ....

entre ....
(nom et adresse du domicile du (de la) futur(e) conjoint(e))

né(e) le ....

à ....
(municipalité, province ou territoire, pays)

d'une part, et ....
(nom et adresse du domicile de l'autre futur(e) conjoint(e))

né(e) le ....

à ....d'autre part.
(municipalité, province ou territoire, pays)

Je soussigné, agissant comme témoin, déclare, sous serment, que je suis majeur, que j'ai pris connaissance des informations précitées et que ces énonciations sont exactes.

Témoin ....

Adresse ....

Déclaré devant moi à ....

le ....

_____

(signature) (fonction, profession ou qualité)

Le présent acte de publication est affiché ce .... jour du mois de..................
20.......... par moi..
greffier ou greffier adjoint de la Cour supérieure du district judiciaire de...
ou ....
(nom et qualité du célébrant)

à ....
(adresse de l'endroit et nom de la municipalité où aura lieu la cérémonie et identification du palais de justice le plus près)

_____

signature (célébrant)

NOTICE OF CIVIL UNION

A civil union will be solemnized by the clerk or deputy clerk of the Superior Court
or ....
(name and quality of officiant)

at..
(address of the place and name of the municipality where the ceremony will take place)

in the judicial district of ....

on..

between ....
(name and address of intended spouse's domicile)

born on ....

at..
(municipality, province or territory, country)

and..
(name and address of intended spouse's domicile)

born on ....

at..
(municipality, province or territory, country)

I, the undersigned, acting as witness, declare under oath that I am of full age, that I have taken cognizance of the above information and that those statements are true.

Witness..

Address ....

Declared before me at ....

this..

_____

(signature) (function, profession or quality)

This notice of civil union has been posted, this .... day of .... 20..............
by me..
...., cler
or deputy clerk of the Superior Court in the judicial district of..
....
(name and quality of officiant)

at..
(address of the place and name of the municipality where the ceremony will take place and identification of the nearest courthouse)

_____

signature (officiant)

ANNEXE III
(a. 8)

FORMULE UTILISÉE LORS D'UN MARIAGE CIVIL

_____

(nom de l'épouse)

_____

(nom de l'époux)

avant de vous unir par les liens du mariage, je vous fais lecture de certains articles du Code civil qui vous exposent les droits et les devoirs des époux:

Article 392. Les époux ont, en mariage, les mêmes droits et les mêmes obligations.

Ils se doivent mutuellement respect, fidélité, secours et assistance.

Ils sont tenus de faire vie commune.

Article 393. Chacun des époux conserve, en mariage, son nom; il exerce ses droits civils sous ce nom.

Article 394. Ensemble, les époux assurent la direction morale et matérielle de la famille, exercent l'autorité parentale et assument les tâches qui en découlent.

Article 395. Les époux choisissent de concert la résidence familiale.

En l'absence de choix exprès, la résidence familiale est présumée être celle où les membres de la famille habitent lorsqu'ils exercent leurs principales activités.

Article 396. Les époux contribuent aux charges du mariage à proportion de leurs facultés respectives.

Chaque époux peut s'acquitter de sa contribution par son activité au foyer.

SCHEDULE III
(s. 8)

FORM USED FOR A CIVIL MARRIAGE

_____

(name of wife)

_____

(name of husband)

before uniting you in the bonds of marriage, I am required to read to you certain articles of the Civil Code which set out the rights and duties of spouses:

Article 392. The spouses have the same rights and obligations in marriage.

They owe each other respect, fidelity, succour and assistance.

They are bound to live together.

Article 393. In marriage, both spouses retain their respective names and exercise their civil rights under those names.

Article 394. The spouses together take in hand the moral and material direction of the family, exercise parental authority and assume the tasks resulting therefrom.

Article 395. The spouses choose the family residence together.

In the absence of an express choice, the family residence is presumed to be the residence where the members of the family live while carrying on their principal activities.

Article 396. The spouses contribute towards the expenses of the marriage in proportion to their respective means.

The spouses may make their respective contributions by their activities within the home.

ANNEXE IV
(a. 8)

SCHEDULE IV
(s. 8)

FORMULE UTILISÉE LORS D'UNE UNION CIVILE

FORM USED FOR A CIVIL UNION

(nom d'un(e) conjoint(e))

(name of one spouse)

(nom de l'époux)

(name of husband)

avant de vous unir par les liens de l'union civile, je vous fais lecture de certains articles du Code civil qui vous exposent les droits et les devoirs des conjoints:

Article 521.6. Les conjoints ont, en union civile, les mêmes droits et les mêmes obligations.

Ils se doivent mutuellement respect, fidélité, secours et assistance.

Ils sont tenus de faire vie commune.

L'union civile, en ce qui concerne la direction de la famille, l'exercice de l'autorité parentale, la contribution aux charges, la résidence familiale, le patrimoine familial et la prestation compensatoire, a, compte tenu des adaptations nécessaires, les mêmes effets que le mariage.

Les conjoints ne peuvent déroger aux dispositions du présent article quel que soit leur régime d'union civile.

(En vertu de l'article 393) Chacun des conjoints conserve, en union civile, son nom; il exerce ses droits civils sous ce nom.

(En vertu de l'article 394) Ensemble, les conjoints assurent la direction morale et matérielle de la famille, exercent l'autorité parentale et assument les tâches qui en découlent.

(En vertu de l'article 395) Les conjoints choisissent de concert la résidence familiale.

En l'absence de choix exprès, la résidence familiale est présumée être celle où les membres de la famille habitent lorsqu'ils exercent leurs principales activités.

(En vertu de l'article 396) Les conjoints contribuent aux charges de l'union civile à proportion de leurs facultés respectives.

Chaque conjoint peut s'acquitter de sa contribution par son activité au foyer.

before uniting you in the bonds of civil union, I am required to read to you certain articles of the Civil Code which set out the rights and duties of spouses:

Article 521.6. The spouses in a civil union have the same rights and obligations.

They owe each other respect, fidelity, succour and assistance.

They are bound to live together.

The effects of the civil union as regards the direction of the family, the exercise of parental authority, contribution towards expenses, the family residence, the family patrimony and the compensatory allowance are the same as the effects of marriage, with the necessary modifications.

Whatever their civil union regime, the spouses may not derogate from the provisions of this article.

(Under article 393) In a civil union, both spouses retain their respective names and exercise their civil rights under those names.

(Under article 394) The spouses together take in hand the moral and material direction of the family, exercise parental authority and assume the tasks resulting therefrom.

(Under article 395) The spouses choose the family residence together.

In the absence of an express choice, the family residence is presumed to be the residence where the members of the family live while carrying on their principal activities.

(Under article 396) The spouses contribute towards the expenses of the civil union in proportion to their respective means.

The spouses may make their respective contributions by their activities within the home.

ANNEXE V
(a. 9)

SCHEDULE V
(s. 9)

FORMULE UTILISÉE LORS D'UN MARIAGE CIVIL

«.......................................voulez-vous prendre
(nom de l'époux)
.... qui est ici présente,
(nom de l'épouse)
pour épouse?

Répondez: «Oui, je le veux».»

Le futur époux déclare: «Oui, je le veux».

«...voulez-vous prendre
(nom de l'épouse)
.... qui est ici présent,
(nom de l'époux)
pour époux?

Répondez: «Oui, je le veux».»

La future épouse déclare: «Oui, je le veux».

Les époux se donnent alors la main et le célébrant prononce les paroles suivantes:

«En vertu des pouvoirs qui me sont conférés par la loi, vous ....
(nom de l'époux)
et vous.. je vous
(nom de l'épouse)
déclare maintenant unis par les liens du mariage.».

Les époux procèdent alors à l'échange des anneaux. Le célébrant peut ensuite s'adresser en ces termes aux nouveaux époux:

«Vous voilà donc mariés suivant la loi. Je vous offre, madame et monsieur, au nom de toutes les personnes présentes et en mon nom personnel, nos meilleurs voeux de bonheur.».

FORM USED FOR A CIVIL MARRIAGE

".. , do you take
(name of husband)
.... , here present,
(name of wife)
to be your wife?

Answer: "I do"."

The intended husband declares: "I do."

".. , do you take
(name of wife)
.... , here present,
(name of husband)
to be your husband?

Answer: "I do"."

The intended wife declares: "I do".

The spouses then join hands, and the officiant pronounces the following words:

"By virtue of the powers vested in me by law, I now declare you,...
(name of husband)
and you .... united in
(name of wife)
the bonds of marriage.".

The spouses then exchange rings. The officiant may then address the new spouses:

"You are now legally married. Allow me, on my own behalf and on behalf of all those present, to offer you our best wishes for your happiness.".

ANNEXE VI
(a. 9)

SCHEDULE VI
(s. 9)

FORMULE UTILISÉE LORS D'UNE UNION CIVILE

«..voulez-vous prendre
(nom d'un conjoint(e))
....qui est ici présent(e),
(nom de l'autre conjoint(e))
pour conjoint(e)?

Répondez: «Oui, je le veux».»

Le ou la future(e) conjoint(e) déclare: «Oui, je le veux».

«..voulez-vous prendre
(nom d'un conjoint(e))
....qui est ici présent(e),
(nom de l'autre conjoint(e))
pour conjoint(e)?

Répondez: «Oui, je le veux».»

Le ou la futur(e) conjoint(e) déclare: «Oui, je le veux».

Les conjoints se donnent alors la main et le célébrant prononce les paroles suivantes:

«En vertu des pouvoirs qui me sont conférés par la loi, vous ....
(nom d'un conjoint(e))
et vous.. je vous
(nom de l'autre conjoint(e))
déclare maintenant unis par les liens de l'union civile.».

Les conjoints procèdent alors à l'échange des anneaux. Le célébrant peut ensuite s'adresser en ces termes aux nouveaux conjoints:

«Vous voilà donc unis(es) suivant la loi. Je vous offre, au nom de toutes les personnes présentes et en mon nom personnel, nos meilleurs voeux de bonheur.».

FORM USED FOR A CIVIL UNION

".., do you take
(name of one spouse)
...., here present,
(name of other spouse)
to be your spouse?

Answer: "I do"."

The intended spouse declares: "I do".

".., do you take
(name of one spouse)
...., here present,
(name of other spouse)
to be your spouse?

Answer: "I do"."

The intended spouse declares: "I do".

The spouses then join hands and the officiant pronounces the following words:

"By virtue of the powers vested in me by law, I now declare you, ...
(name of one spouse)
and you... united in
(name of other spouse)
the bonds of civil union.".

The spouses then exchange rings. The officiant may then address the new spouses:

"You are now legally united. Allow me, on my own behalf and on behalf of all those present, to offer you our best wishes for your happiness.".

A.M., 2003, 2003-02-21, (2003) 135 G.O. 2, 1506 (eev 2003-03-27).

M.O., 2003, 2003-02-21, (2003) 135 G.O. 2, 1217 (cf 2003-03-27).

Règlement sur la publicité foncière

Code civil du Québec
(1991, c. 64, a. 3024)

Loi sur les bureaux de la publicité
des droits (L.R.Q., c. B-9, a. 5)

CHAPITRE PREMIER
DES REGISTRES DE LA PUBLICITÉ FONCIÈRE

SECTION I
DISPOSITIONS GÉNÉRALES

1. Sont tenus au Bureau de la publicité foncière, pour chacune des circonscriptions foncières du Québec et comme faisant partie du registre foncier, les registres suivants:

1° un index des immeubles;

2° un registre des droits réels d'exploitation de ressources de l'État;

3° un registre des réseaux de services publics et des immeubles situés en territoire non cadastré;

4° un index des noms.

Les registres qui suivent sont également tenus au Bureau de la publicité foncière:

1° un répertoire des titulaires de droits réels, pour chacune des circonscriptions foncières du Québec;

2° un registre des mentions;

3° un livre de présentation;

4° un répertoire des adresses.

Les registres visés par le présent article sont tenus et conservés sur un support informatique.

2. Il est tenu, dans chacun des bureaux de la publicité des droits établis pour les circonscriptions foncières de Montréal et de Laval, un registre complémentaire de l'index des noms microfilmé ou microfiché.

Ce registre est tenu et conservé sur un support papier.

3. Les fiches établies conformément aux règles du présent chapitre n'ont pas à être signées par l'officier de la publicité des droits.

Regulation respecting land registration

Civil Code of Québec
(1991, c. 64, a. 3024)

An Act respecting registry offices
(R.S.Q., c. B-9, s. 5)

CHAPTER ONE
REGISTERS

DIVISION I
GENERAL

1. The following registers shall be kept in the Land Registry Office for every Québec registration division and as part of the land register:

(1) an index of immovables;

(2) a register of real rights of State resource development;

(3) a register of public service networks and immovables situated in territory without a cadastral survey; and

(4) an index of names.

The following registers shall also be kept in the Land Registry Office:

(1) a directory of holders of real rights, for every Québec registration division;

(2) a register of mentions;

(3) a book of presentation; and

(4) a directory of addresses.

Registers referred to in this section shall be kept on a computer system.

2. In every registry office established for the registration divisions of Montréal and Laval, a register complementary to the index of names in the form of microfilms or microfiches shall be kept.

That register shall be kept in paper form.

3. Files opened in accordance with the rules of this Chapter do not need to be signed by the registrar.

SECTION II
DE L'INDEX DES IMMEUBLES

4. Chaque fiche immobilière comprise dans un index des immeubles comporte un en-tête dans lequel sont portés, outre le nom de cet index, les renseignements suivants:

1° le nom de la circonscription foncière et du cadastre dans lesquels est situé l'immeuble faisant l'objet de la fiche;

2° le numéro du lot marqué sur le plan cadastral auquel la fiche se rapporte;

3° la date d'établissement de la fiche;

4° l'indication du plan cadastral en vertu duquel la fiche est établie;

5° la concordance, le cas échéant, entre l'ancien numéro de lot ou l'ancien numéro d'ordre de la fiche immobilière et le numéro de lot nouveau;

6° la date, l'heure et la minute des dernières mises à jour des inscriptions de droits et des indications de radiation ou de réduction faites sur la fiche.

5. La fiche immobilière doit permettre d'y porter, à la suite de l'en-tête, les renseignements suivants:

1° la date de présentation des réquisitions d'inscription de droits se rapportant à l'immeuble qui fait l'objet de la fiche et le numéro d'inscription de ces réquisitions;

2° l'indication sommaire de la nature des documents présentés à l'officier de la publicité des droits, ainsi que le nom et la qualité des titulaires et constituants de droits qui y sont désignés;

3° le numéro d'inscription des avis d'adresse donnés relativement à l'immeuble qui fait l'objet de la fiche;

4° les indications de radiation ou de réduction se rapportant aux inscriptions faites sur la fiche;

5° toute remarque jugée pertinente par l'officier de la publicité des droits.

6. Nonobstant l'article 4, les renseignements visés aux paragraphes 3°, 4° et 5° du même article ne sont portés dans l'en-tête de la fiche immobilière que si celle-ci est établie postérieurement à la date fixée dans l'avis du ministre des Ressources naturelles indiquant que le bureau de la publicité des droits de la circonscription foncière dans laquelle est situé l'immeuble qui fait l'objet de la fiche est pleinement informatisé en ce qui a trait à la publicité foncière ou, dans les cas où l'immeuble qui fait l'objet de cette fiche est situé dans les circonscriptions foncières de Montréal et de Laval, postérieurement au 1er septembre 1980 et au 1er août 1980 respectivement.

DIVISION II
INDEX OF IMMOVABLES

4. Each land file contained in an index of immovables comprises a heading in which the following information is recorded in addition to the name of the index:

(1) the name of the registration division and of the cadastre in which the immovable that is the subject of the file is situated;

(2) the lot number on the cadastral plan to which the file relates;

(3) the date the file was opened;

(4) the cadastral plan under which the file was opened;

(5) the correspondence, if any, between the former lot number or the former serial number of the land file and the new lot number; and

(6) the date, hour and minute of the last updates of the registrations of rights and the indication that cancellations or reductions were made on the file.

5. A land file must allow the addition of the following information after the heading:

(1) the date of presentation of the applications for registration of rights relating to the immovable that is the subject of the file and the registration numbers of the applications;

(2) a brief statement of the nature of the documents presented to the registrar and the name and quality of the holders and grantors of rights designated therein;

(3) the registration numbers of notices of addresses given with respect to the immovable that is the subject of the file;

(4) the indication that cancellations or reductions were made with respect to entries on the file; and

(5) any comment deemed relevant by the registrar.

6. Notwithstanding section 4, the information referred to in paragraphs 3, 4 and 5 of the same section shall be recorded in the heading of the land file only if the file is opened after the date fixed in the notice of the Minister of Natural Resources stating that the registry office of the registration division in which the immovable that is the subject of the file is situated is fully computerized for land registration purposes or, where the immovable that is the subject of the file is situated in the registration division of Montréal or Laval, after 1 September 1980 or 1 August 1980, as the case may be.

Si la fiche a été établie antérieurement à cette date, les renseignements visés sont portés à la fin de la fiche qui la reproduit en application d'un arrêté ministériel pris en vertu de l'article 3 de la Loi sur les bureaux de la publicité des droits (L.R.Q., c. B-9), dans une section distincte réservée, d'une part, à la reproduction de la fiche et, d'autre part, aux inscriptions, mentions ou indications relatives à cette fiche.

SECTION III
DU REGISTRE DES DROITS RÉELS D'EXPLOITATION DE RESSOURCES DE L'ÉTAT

7. Chaque fiche immobilière comprise dans un registre des droits réels d'exploitation de ressources de l'État comporte un en-tête dans lequel sont portés, outre le nom de ce registre, les renseignements suivants:

1° le nom de la circonscription foncière dans laquelle est situé l'immeuble sur lequel s'exerce le droit réel faisant l'objet de la fiche;

2° le numéro d'ordre de la fiche;

3° la date d'établissement de la fiche;

4° la nature du droit réel visé;

5° la concordance, le cas échéant, entre l'ancien numéro d'ordre de la fiche et son nouveau numéro d'ordre;

6° la concordance, le cas échéant, entre cette fiche et la fiche établie, relativement à l'immeuble sur lequel s'exerce le droit réel, à l'index des immeubles ou au registre des réseaux de services publics et des immeubles situés en territoire non cadastré;

7° la date, l'heure et la minute des dernières mises à jour des inscriptions de droits et des indications de radiation ou de réduction faites sur la fiche.

8. La fiche immobilière doit permettre d'y porter, à la suite de l'en-tête, les renseignements suivants:

1° la date de présentation des réquisitions d'inscription de droits se rapportant au droit réel qui fait l'objet de la fiche et le numéro d'inscription de ces réquisitions;

2° l'indication sommaire de la nature des documents présentés à l'officier de la publicité des droits, ainsi que le nom et la qualité des titulaires et constituants de droits qui y sont désignés;

3° le numéro d'inscription des avis d'adresse donnés relativement au droit réel qui fait l'objet de la fiche;

4° les indications de radiation ou de réduction se rapportant aux inscriptions faites sur la fiche;

If the file was opened before that date, the information in question shall be recorded at the end of the file that reproduces it pursuant to a ministerial order under section 3 of the Act respecting registry offices (R.S.Q., c. B-9), in a distinct section reserved, on the one hand, for the reproduction of the file and, on the other hand, for entries, mentions or indications related to that file.

DIVISION III
REGISTER OF REAL RIGHTS OF STATE RESOURCE DEVELOPMENT

7. Every land file contained in a register of real rights of State resource development comprises a heading in which the following information is recorded in addition to the name of the register:

(1) the name of the registration division in which the real right that is the subject of the file is exercised;

(2) the serial number of the file;

(3) the date the file was opened;

(4) the nature of the real right in question;

(5) the correspondence, if any, between the former serial number of the file and its new serial number;

(6) the correspondence, if any, between that file and the file that was opened, relating to the immovable on which the real right is exercised in the index of immovables or in the register of public service networks and immovables situated in territory without a cadastral survey; and

(7) the date, hour and minute of the last updates of the registrations of rights and the indication that cancellations or reductions were made on the file.

8. A land file must allow the addition of the following information after the heading:

(1) the date of presentation of the applications for registration of rights relating to the real right that is the subject of the file and the registration numbers of the applications;

(2) a brief statement of the nature of the documents presented to the registrar and the name and quality of the holders and grantors of rights designated therein;

(3) the registration numbers of notices of addresses given with respect to the real right that was the subject of the file;

(4) the indication that cancellations or reductions were made with respect to entries on the file; and

5° toute remarque jugée pertinente par l'officier de la publicité des droits.

9. Nonobstant l'article 7, les renseignements visés aux paragraphes 3°, 4°, 5° et 6° du même article ne sont portés dans l'en-tête de la fiche immobilière que si celle-ci est établie postérieurement à la date fixée dans l'avis du ministre des Ressources naturelles indiquant que le bureau de la publicité des droits de la circonscription foncière dans laquelle est situé l'immeuble sur lequel s'exerce le droit réel qui fait l'objet de la fiche est pleinement informatisé en ce qui a trait à la publicité foncière.

Si la fiche a été établie antérieurement à cette date, les renseignements visés sont portés à la fin de la fiche qui la reproduit en application d'un arrêté ministériel pris en vertu de l'article 3 de la Loi sur les bureaux de la publicité des droits, dans une section distincte réservée, d'une part, à la reproduction de la fiche et, d'autre part, aux inscriptions, mentions ou indications relatives à cette fiche.

10. La numérotation des fiches immobilières comprises dans un registre des droits réels d'exploitation de ressources de l'État se fait par l'attribution d'un numéro composé, dans l'ordre, des éléments suivants qu'un tiret sépare les uns des autres:

1° le code de la circonscription foncière tel qu'établi au répertoire des codes de cadastre tenu au ministère des Ressources naturelles;

2° la lettre A;

3° un nombre d'une même série consécutive commençant par le chiffre 1.

SECTION IV
DU REGISTRE DES RÉSEAUX DE SERVICES PUBLICS ET DES IMMEUBLES SITUÉS EN TERRITOIRE NON CADASTRÉ

11. Chaque fiche immobilière comprise dans un registre des réseaux de services publics et des immeubles situés en territoire non cadastré comporte un en-tête dans lequel sont portés, outre le nom de ce registre, les renseignements suivants:

1° le nom de la circonscription foncière dans laquelle est situé le réseau ou l'immeuble;

2° le numéro d'ordre de la fiche;

3° la date d'établissement de la fiche;

4° la nature générale du réseau ou le lieu où se trouve l'immeuble;

5° la concordance, le cas échéant, entre l'ancien numéro d'ordre de la fiche et son nouveau numéro d'ordre;

(5) any comment deemed relevant by the registrar.

9. Notwithstanding section 7, the information referred to in paragraphs 3, 4, 5 and 6 of the same section shall be recorded in the heading of the land file only if the file is opened after the date fixed in the notice of the Minister of Natural Resources stating that the registry office of the registration division, in which the immovable on which the right is exercised and that is the subject of the file is situated, is fully computerized for land registration purposes.

If the file was opened before that date, the information in question shall be recorded at the end of the file that reproduces it pursuant to a ministerial order under section 3 of the Act respecting registry offices, in a distinct section reserved, on the one hand, for the reproduction of the file and, on the other hand, for entries, mentions or indications related to that file.

10. The land files contained in a register of real rights of State resource development shall be assigned a number composed of the following elements, separated by a dash:

(1) the code of the registration division, as recorded in the directory of cadastre codes kept at the Ministère des Ressources naturelles;

(2) the letter A; and

(3) a number in a single consecutive series beginning with 1.

DIVISION IV
REGISTER OF PUBLIC SERVICE NETWORKS AND IMMOVABLES SITUATED IN TERRITORY WITHOUT A CADASTRAL SURVEY

11. Each land file contained in a register of public service networks and immovables situated in territory without a cadastral survey comprises a heading in which the following information is recorded in addition to the name of the register:

(1) the name of the registration division in which the network or the immovable is situated;

(2) the serial number of the file;

(3) the date the file was opened;

(4) the general nature of the network or the place where the immovable is situated;

(5) the correspondence, if any, between the former serial number of the file and its new serial number; and

6° la date, l'heure et la minute des dernières mises à jour des inscriptions de droits et des indications de radiation ou de réduction faites sur la fiche.

12. La fiche immobilière doit permettre d'y porter, à la suite de l'en-tête, les renseignements suivants:

1° la date de présentation des réquisitions d'inscription de droits se rapportant au réseau ou à l'immeuble qui fait l'objet de la fiche et le numéro d'inscription de ces réquisitions;

2° l'indication sommaire de la nature des documents présentés à l'officier de la publicité des droits, ainsi que le nom et la qualité des titulaires et constituants de droits qui y sont désignés;

3° le numéro d'inscription des avis d'adresse donnés relativement au réseau ou à l'immeuble qui fait l'objet de la fiche;

4° les indications de radiation ou de réduction se rapportant aux inscriptions faites sur la fiche;

5° toute remarque jugée pertinente par l'officier de la publicité des droits.

13. Nonobstant l'article 11, les renseignements visés aux paragraphes 3°, 4° et 5° du même article ne sont portés dans l'en-tête de la fiche immobilière que si celle-ci est établie postérieurement à la date fixée dans l'avis du ministre des Ressources naturelles indiquant que le bureau de la publicité des droits de la circonscription foncière dans laquelle est situé le réseau ou l'immeuble qui fait l'objet de la fiche est pleinement informatisé en ce qui a trait à la publicité foncière.

Si la fiche a été établie antérieurement à cette date, les renseignements visés sont portés à la fin de la fiche qui la reproduit en application d'un arrêté ministériel pris en vertu de l'article 3 de la Loi sur les bureaux de la publicité des droits, dans une section distincte réservée, d'une part, à la reproduction de la fiche et, d'autre part, aux inscriptions, mentions ou indications relatives à cette fiche.

14. La numérotation des fiches immobilières comprises dans un registre des réseaux de services publics et des immeubles situés en territoire non cadastré se fait par l'attribution d'un numéro composé, dans l'ordre, des éléments suivants qu'un tiret sépare les uns des autres:

1° le code de la circonscription foncière tel qu'établi au répertoire des codes de cadastre tenu au ministère des Ressources naturelles;

2° la lettre *B*;

3° un nombre d'une même série consécutive commençant par le chiffre 1.

(6) the date, hour and minute of the last updates of the registrations of rights and the indication that cancellations or reductions were made on the file.

12. A land file must allow the addition of the following information after the heading:

(1) the date of presentation of the applications for registration of rights relating to the network or the immovable in respect of which the file was opened and the registration numbers of the applications;

(2) a brief statement of the nature of the documents presented to the registrar and the name and quality of the holders and grantors of rights designated therein;

(3) the registration numbers of notices of addresses given with respect to the network or the immovable in respect of which the file was opened;

(4) the indication that cancellations or reductions were made with respect to entries on the file; and

(5) any comment deemed relevant by the registrar.

13. Notwithstanding section 11, the information referred to in paragraphs 3, 4 and 5 of the same section shall be recorded in the heading of the land file only if the file is opened after the date fixed in the notice of the Minister of Natural Resources stating that the registry office of the registration division, in which the network or immovable that is the subject of the file is situated, is fully computerized for land registration purposes.

If the file was opened before that date, the information in question shall be recorded at the end of the file that reproduces it pursuant to a ministerial order under section 3 of the Act respecting registry offices, in a distinct section reserved, on the one hand, for the reproduction of the file and, on the other hand, for entries, mentions or indications related to that file.

14. The land files contained in a register of public service networks and immovables situated in territory without a cadastral survey shall be assigned a number composed of the following elements, separated by a dash:

(1) the code of the registration division, as recorded in the directory of cadastre codes kept at the Ministère des Ressources naturelles;

(2) the letter *B*; and

(3) a number in a single consecutive series beginning with 1.

SECTION V
DE L'INDEX DES NOMS

15. Tout index des noms comprend autant de fiches qu'il y a de noms de titulaires et de constituants de droits désignés dans les réquisitions qui sont publiées à cet index relativement à des immeubles situés dans la circonscription foncière visée.

Les cas où plusieurs titulaires ou constituants de droits portent le même nom ne donnent lieu qu'à une seule fiche, établie sous ce nom commun.

16. Chaque fiche comprise dans un index des noms comporte un en-tête dans lequel sont portés, outre le nom de cet index, ceux de la circonscription foncière visée et du titulaire ou constituant à l'égard duquel elle est établie, ainsi que les date, heure et minute de la dernière mise à jour des inscriptions de droits qui y sont faites.

17. La fiche doit permettre d'y porter, à la suite de l'en-tête, les renseignements suivants:

1° la date de présentation des réquisitions d'inscription de droits se rapportant aux droits des titulaires et constituants visés et le numéro d'inscription de celles-ci;

2° l'indication sommaire de la nature des documents présentés à l'officier de la publicité des droits, ainsi que le nom et la qualité des titulaires et constituants de droits qui y sont désignés;

3° toute remarque jugée pertinente par l'officier de la publicité des droits.

SECTION VI
DU RÉPERTOIRE DES TITULAIRES DE DROITS RÉELS

18. Tout répertoire des titulaires de droits réels comprend, pour la circonscription foncière à l'égard de laquelle il est tenu, autant de fiches qu'il y a de noms de titulaires de droits réels d'exploitation de ressources de l'État ou de propriétaires de réseaux de services publics ou d'immeubles situés en territoire non cadastré désignés dans les réquisitions qui sont publiées aux registres qu'il complète.

Les cas où plusieurs titulaires de droits réels ou propriétaires de réseaux ou d'immeubles portent le même nom ne donnent lieu qu'à une seule fiche, établie sous ce nom commun.

19. Chaque fiche comprise dans un répertoire des titulaires de droits réels comporte un en-tête dans lequel sont portés, outre le nom de ce répertoire, ceux de la circonscription foncière visée et du titulaire ou propriétaire à l'égard duquel elle est établie.

DIVISION V
INDEX OF NAMES

15. An index of names contains one file for each name of holder or grantor of rights designated in the applications published in that index with respect to immovables situated in the registration division in question.

Where several holders or grantors of rights bear the same name, only one file is opened under that common name.

16. Each file contained in an index of names comprises a heading in which the names of the index, of the registration division in question and of the holder or grantor in respect of which a file was opened and the date, hour and minute of the last update of the registrations of rights made therein are recorded.

17. A land file must allow the addition of the following information after the heading:

(1) the date of presentation of the applications for registration of rights relating to the rights of the holders and grantors in question and the registration numbers of the applications;

(2) a brief statement of the nature of the documents presented to the registrar and the name and quality of the holders and grantors of rights designated therein; and

(3) any comment deemed relevant by the registrar.

DIVISION VI
DIRECTORY OF HOLDERS OF REAL RIGHTS

18. A directory of holders of real rights contains, for the registration division for which it is kept, one file for every name of holder of real rights of State resource development or of owner of public service networks and immovable situated in territory without a cadastral survey described in the applications published in the registers that the directory completes.

Where several holders of real rights or owners of networks or immovables bear the same name, only one file shall be established under that common name.

19. Each file contained in a directory of holders of real rights comprises a heading in which the names of the directory, of the registration division in question and of the holder or owner in respect of which the file was opened are recorded.

20. La fiche doit permettre d'y porter, à la suite de l'en-tête, les renseignements suivants:

1° le numéro d'ordre de la fiche sur laquelle la réquisition conférant la qualité de titulaire du droit réel ou de propriétaire du réseau ou de l'immeuble a été inscrite et le numéro d'inscription de cette réquisition;

2° la nature du droit réel ou du réseau, ou l'indication que la fiche concerne un immeuble situé en territoire non cadastré;

3° toute remarque jugée pertinente par l'officier de la publicité des droits.

21. Toute fiche comprise dans un répertoire des titulaires de droits réels reproduisant une fiche en application d'un arrêté ministériel pris en vertu de l'article 3 de la Loi sur les bureaux de la publicité des droits comporte, à la fin, une section distincte réservée, d'une part, à la reproduction de cette fiche et, d'autre part, aux inscriptions ou mentions relatives à la fiche ainsi reproduite.

SECTION VII
DU REGISTRE DES MENTIONS

22. Le registre des mentions comprend autant de fiches qu'il y a de réquisitions d'inscription sur le registre foncier ou sur les autres registres de la publicité foncière donnant lieu, notamment en application des articles 3014, 3014.1 et 3057 du Code civil, à une inscription ou à une mention sur le registre des mentions.

23. Chaque fiche comprise dans le registre des mentions doit permettre d'y porter, dans des sections distinctes, les mentions et inscriptions suivantes:

1° les mentions résultant de réquisitions d'inscription de droits;

2° les inscriptions de radiation ou de réduction;

3° les mentions ou inscriptions résultant de corrections d'erreurs matérielles relativement:

— à des mentions ou inscriptions faites ou omises en marge des réquisitions,

— à des mentions ou inscriptions faites ou omises sur le registre complémentaire des mentions en marge, ou sur le registre des mentions des actes microfilmés tenu dans le bureau de la publicité des droits établi pour la circonscription foncière de Montréal, visés aux articles 243 et 244 de la Loi modifiant le Code civil et d'autres dispositions législatives relativement à la publicité foncière (2000, c. 42),

20. A file must allow the addition of the following information after the heading:

(1) the serial number of the file on which the application conferring the quality of the holder of the real right or owner of the network or of the immovable was entered and the registration number of the application;

(2) the nature of the real right or of the network, or the indication that the file concerns an immovable situated in territory without a cadastral survey; and

(3) any comment deemed relevant by the registrar.

21. Any file contained in a directory of holders of real rights reproducing a file pursuant to a ministerial order under section 3 of the Act respecting registry offices shall comprise, at the end, a distinct section reserved, on the one hand, for the reproduction of that file and, on the other hand, for entries or mentions relating to the file so converted.

DIVISION VII
REGISTER OF MENTIONS

22. The register of mentions contains one file for every application for registration in the land register or in the other land registration registers in respect of which an entry or a mention in the register of mentions was made, in particular, pursuant to sections 3014, 3014.1 and 3057 of the Civil Code.

23. Each file contained in the register of mentions must allow the recording in it, in distinct sections, of the following mentions and entries:

(1) the mentions resulting from the applications for registration of rights;

(2) the entries about cancellations or reductions that were made; and

(3) mentions or entries resulting from the correction of clerical errors relating to

— mentions or entries made or omitted in the margin of the applications;

— mentions or entries made or omitted in the complementary register of mentions made in the margin, or in the register of mentions for microfilmed acts kept in the registry office established for the registration division of Montréal, referred to in sections 243 and 244 of the Act to amend the Civil Code and other legislative provisions relating to land registration (2000, c. 42); and

— aux états certifiés d'inscription délivrés pour tout acte publié dans un bureau de la publicité des droits avant la date fixée dans l'avis du ministre des Ressources naturelles indiquant que ce bureau est pleinement informatisé en ce qui a trait à la publicité foncière.

Dans le cas de réquisitions d'inscription conservées dans le bureau de la publicité des droits établi pour la circonscription foncière de Montréal, la fiche doit également permettre de porter sur le registre des mentions, dans une autre section distincte, les mentions et inscriptions contenues dans le registre des mentions des actes microfilmés tenu dans ce bureau.

SECTION VIII
DU LIVRE DE PRÉSENTATION

24. Le livre de présentation fait état de toutes les réquisitions d'inscription présentées dans les bureaux de la publicité des droits.

Il est tenu par ordre chronologique de présentation de ces réquisitions.

25. Le livre de présentation comporte un en-tête dans lequel est porté le nom de ce livre.

Il doit par ailleurs permettre d'y porter, en regard de chaque réquisition, les date, heure et minute de sa présentation, son numéro d'inscription, le nom de la personne qui acquitte les frais d'inscription ou, en cas de gratuité, celui du requérant, avec l'indication que la réquisition est acceptée, refusée ou en cours de traitement ou, le cas échéant, que le numéro d'inscription de la réquisition a été annulé.

SECTION IX
DU RÉPERTOIRE DES ADRESSES

26. Le répertoire des adresses comporte autant de fiches qu'il y a d'avis d'adresse présentés et acceptés au Bureau de la publicité foncière.

Il comporte également autant de fiches qu'il y a d'avis d'adresse qui sont présentés et acceptés dans chacun des bureaux de la publicité des droits établis pour les circonscriptions foncières à compter de la date fixée dans l'avis du ministre des Ressources naturelles indiquant que ce bureau est pleinement informatisé en ce qui a trait à la publicité foncière, ou qui ont été présentés et acceptés dans ce bureau:

1° entre le 23 juin 1982 et la date fixée dans l'avis du ministre ou, dans le cas d'un bureau établi pour la circonscription foncière de Montréal ou de Laval, entre le 1er septembre 1980 ou le 1er août 1980, selon le cas, et cette même date;

— certified statements of registration issued for any act published in a registry office before the date fixed in the notice of the Minister of Natural Resources stating that that office is fully computerized for registration purposes.

For applications for registration kept in the registry office for the registration division of Montréal, the file must also allow to record in the register of mentions, in another distinct section, the mentions and entries contained in the register of mentions for microfilmed acts kept at that office.

DIVISION VIII
BOOK OF PRESENTATION

24. The book of presentation shall state all the applications for registration presented to registry offices.

It shall be kept in chronological order of presentation of the applications.

25. The book of presentation comprises a heading in which the name of the book is recorded.

It must also allow the recording in it, with respect to each application, of the date, hour and minute of its presentation, its registration number, the name of the person who pays for the registration fee or, where free of charge, the name of the applicant, with the indication that the application is accepted, refused or is being processed or, where applicable, that the registration number of the application was cancelled.

DIVISION IX
DIRECTORY OF ADDRESSES

26. The directory of addresses contains one file for each notice of address presented to the registry office and accepted.

It also contains one file for each notice of address presented to and accepted at each registry office established for registration divisions as of the date fixed in the notice of the Minister of Natural Resources stating that the office is fully computerized for land registration purposes, or presented to that office and accepted

(1) between 23 June 1982 and the date fixed in the notice of the Minister or, for an office established for the registration division of Montréal or Laval, between 1 September 1980 or 1 August 1980, as the case may be, and that date; or

2° à toute date antérieure à la date fixée dans l'avis du ministre, si les avis d'adresse ont donné lieu, depuis cette date, soit à des notifications de la part d'un officier de la publicité des droits, soit à des modifications dans l'adresse ou dans le nom qui y est indiqué.

27. Chaque fiche comprise dans le répertoire des adresses comporte un en-tête dans lequel est porté le nom de ce répertoire.

Elle doit permettre d'y porter, à la suite de l'en-tête, les renseignements suivants:

1° le nom de la circonscription foncière du bureau de la publicité des droits dans lequel l'avis d'adresse a été présenté, lorsque cet avis a été présenté antérieurement à la date fixée dans un avis du ministre des Ressources naturelles indiquant que ce bureau est pleinement informatisé en ce qui a trait à la publicité foncière;

2° le numéro d'inscription de l'avis d'adresse;

3° les derniers nom et adresse de la personne qui bénéficie de l'inscription de l'adresse.

SECTION X
DU REGISTRE COMPLÉMENTAIRE DE L'INDEX DES NOMS MICROFILMÉ OU MICROFICHÉ

28. Le registre complémentaire de l'index des noms microfilmé ou microfiché, tenu dans chacun des bureaux de la publicité des droits établis pour les circonscriptions foncières de Montréal et Laval, porte les corrections d'erreurs matérielles ou d'omissions relatives à des inscriptions faites à l'index des noms conservé, dans ces bureaux, sur microfilms ou microfiches.

Il est tenu sur feuilles volantes d'un format de 215 mm sur 355 mm.

29. Chaque registre complémentaire de l'index des noms microfilmé ou microfiché comporte autant de fiches qu'il y a de personnes bénéficiant des rectifications ou inscriptions faites sur ce registre.

Les cas où plusieurs personnes bénéficiant des rectifications ou inscriptions faites sur ce registre portent le même nom ne donnent lieu qu'à une seule fiche, établie sous ce nom commun, par circonscription foncière visée.

30. Chaque fiche comprise dans un registre complémentaire de l'index des noms microfilmé ou microfiché comporte un en-tête dans lequel sont portés, outre le nom de ce registre, celui de la circonscription foncière visée et de la personne pour laquelle la rectification ou l'inscription est faite.

(2) on any date prior to the date fixed in the notice of the Minister, if the notices of addresses have given rise, since that date, to notifications from a registrar or to changes in the address or in the name indicated therein.

27. Each file contained in the directory of addresses comprises a heading in which the name of the directory is recorded.

It must allow the addition of the following information after the heading:

(1) the name of the registration division for the registration division in which the notice of address was presented, where that notice was presented prior to the date fixed in a notice of the Minister of Natural Resources stating that the office is fully computerized for land registration purposes;

(2) the registration number of the notice of address; and

(3) the latest name and address of the person who benefits from the registration of the address.

DIVISION X
REGISTER COMPLEMENTARY TO THE INDEX OF NAMES IN THE FORM OF MICROFILMS OR MICROFICHES

28. The correction of clerical errors or omissions related to registrations made in the index of names kept, in those offices, on microfilms or microfiches shall appear in the register complementary to the index of names in the form of microfilms or microfiches, kept in each registry office established for the registration division of Montréal or Laval.

It shall be kept on loose leaves measuring 215 mm by 355 mm.

29. Each register complementary to the index of names in the form of microfilms or microfiches contains one file for each person benefiting from corrections or entries made in that register.

Where several persons who benefit from corrections or entries made in the register bear the same name, only one file shall be opened under that common name per registration division in question.

30. Each file contained in a register complementary to the index of names in the form of microfilms or microfiches comprises a heading in which the names of the register, of the registration division in question and of the person for which the correction or entry was made are recorded.

La fiche doit permettre d'y porter, à la suite de l'en-tête, les renseignements suivants:

1° la date de présentation de la réquisition d'inscription et son numéro d'inscription;

2° l'indication sommaire de la nature des documents présentés à l'officier de la publicité des droits, ainsi que le nom et la qualité des titulaires et constituants de droits qui y sont désignés;

3° toute remarque jugée pertinente par l'officier de la publicité des droits.

The file must allow to record the following information after the heading:

(1) the date of presentation of the application for registration and its registration number;

(2) a brief statement of the nature of the documents presented to the registrar and the name and quality of the holders and grantors of rights designated therein; and

(3) any comment deemed relevant by the registrar.

CHAPITRE DEUXIÈME
DES RÉQUISITIONS D'INSCRIPTION SUR LES REGISTRES

SECTION I
DE LA FORME DES RÉQUISITIONS

31. Les réquisitions d'inscription présentées sur un support papier doivent être d'un même format de 215 mm sur 280 mm ou de 215 mm sur 355 mm; le papier utilisé doit être d'au moins 75 g/m² à la rame.

Les documents qui accompagnent ces réquisitions, lesquels doivent aussi être sur du papier d'au moins 75 g/m² à la rame, doivent être d'un format ne dépassant pas 215 mm sur 355 mm, et les pages d'un document doivent toutes être d'un même format.

32. Les réquisitions d'inscription présentées sur un support papier ne doivent pas être décalquées; elles peuvent être manuscrites, dactylographiées, imprimées ou reprographiées. L'encre utilisée pour leur confection doit être de bonne qualité.

33. Le caractère de toute réquisition d'inscription, comme celui des documents qui l'accompagnent, doit être clair, net et lisible.

Lorsqu'une réquisition doit être inscrite à l'index des noms ou au répertoire des titulaires de droits réels, ou être portée sur le répertoire des adresses, sauf, en ce dernier cas, si la réquisition vise à modifier seulement une adresse portée sur ce répertoire, le nom des constituants et titulaires de droits qui y sont visés doit figurer en lettres majuscules d'imprimerie, et leur prénom, sauf pour la première lettre, en lettres minuscules. À moins que d'autres éléments ne permettent d'y distinguer clairement et précisément l'un de l'autre, la réquisition qui ne rencontre pas ces exigences doit être refusée par l'officier de la publicité des droits.

34. Les pages des réquisitions présentées sur un support papier doivent toutes être écrites ou bien sur

CHAPTER TWO
APPLICATIONS FOR REGISTRATION IN REGISTERS

DIVISION I
FORM OF APPLICATIONS

31. Applications for registration presented in paper form shall be on sheets of the same size measuring 215 mm by 280 mm or 215 mm by 355 mm, on paper weighing at least 75 g/m² per ream.

The documents accompanying the applications, which shall also be on paper weighing at least 75 g/m² per ream, shall be on sheets that do not exceed 215 mm by 355 mm and the pages of a document shall all be of the same size.

32. Applications for registration presented in paper form may not be carbon copies; they shall be handwritten, typed, printed or photocopied. The ink used to make them shall be of good quality.

33. The characters of any application for registration, as for the accompanying documents, shall be clear, neat and legible.

Where an application must be entered in the index of names or in the directory of holders of real rights, or be recorded in the directory of addresses, except, in the latter case, if the application is intended only to change an address recorded in that directory, the surnames of the grantors and holders of rights covered thereby must be in block capitals and their given names, except for the first letter, in small letters. Unless other elements make it possible to clearly differentiate one from the other, the application that does not meet those requirements shall be refused by the registrar.

34. The pages of applications presented in paper form shall all be written on both sides or on the first

les deux faces, ou bien sur le recto seulement; dans le premier cas, elles doivent toutes êtres écrites soit tête-bêche, soit dans un même sens.

35. Les réquisitions d'inscription faites par la présentation, sur un support papier, d'une copie authentique d'un titre originaire délivrée par le registraire du Québec ou le conservateur des Archives nationales doivent être d'un format de 215 mm sur 280 mm ou de 215 mm sur 355 mm, sur du papier d'au moins 75 g/m² à la rame. Elles peuvent être manuscrites, dactylographiées, imprimées ou reprographiées.

Il en est de même des réquisitions d'inscription faites par la présentation, sur un support papier, d'une copie d'un décret du gouvernement. Toute copie d'un tel décret, qu'elle soit présentée sur un support papier ou sur un support informatique, doit être certifiée conforme en vertu de l'article 3 de la Loi sur le ministère du Conseil exécutif (L.R.Q., c. M-30).

Les réquisitions d'inscription visées par le présent article ne sont assujetties à aucune autre règle de forme prévue par la présente section.

36. Les articles 31 à 34 ne s'appliquent pas aux plans visés au premier alinéa de l'article 2997 du code, aux plans cadastraux et aux plans qui doivent accompagner les procès-verbaux de bornage.

Le format de ces plans doit, s'ils sont présentés sur un support papier, être d'au moins 215 mm sur 280 mm sans toutefois dépasser 90 cm sur 150 cm.

SECTION II
DES MOYENS DE REQUÉRIR L'INSCRIPTION

37. La présentation d'une réquisition qui prend la forme d'un acte authentique, autre qu'un acte notarié en brevet, se fait par la présentation d'un extrait de cet acte ou d'une copie authentique de celui-ci.

La présentation d'une réquisition qui prend la forme d'un acte notarié en brevet ou d'un acte sous seing privé se fait par la présentation d'un original de cet acte.

38. L'indication, en application de l'article 3075.1 du code, des fins pour lesquelles une réquisition est présentée à l'officier de la publicité des droits est faite:

1° dans le cas d'une réquisition présentée sur un support informatique, au moyen d'une mention que fait le requérant dans le fichier explicatif qui accompagne la réquisition;

side only; in the first case, they shall all be written top down or in the same way.

35. Where applications for registration are made by presenting, in paper form, authentic copies of original titles issued by the Registrar of Québec or the Keeper of the Archives nationales, they shall be on paper measuring 215 mm by 280 mm or 215 mm by 355 mm weighing at least 75 g/m² per ream. They may be hand-written, typed, printed or photocopied.

The foregoing shall also apply to applications for registration made by presenting, in paper form, a copy of an Order in Council. A copy of such Order in Council, whether presented in paper form or in electronic form, shall be certified true in accordance with section 3 of the Act respecting the Ministère du Conseil exécutif (R.S.Q., c. M-30).

Applications for registration covered by this section shall not be subject to any other form rule provided for in this Division.

36. Sections 31 to 34 do not apply to the plans referred to in the first paragraph of article 2997 of the Code, to cadastral plans and to the plans that must be appended to the minutes of boundary determination.

The size of the plans, if presented in paper form, must be at least 215 mm by 280 mm without however exceeding 90 cm by 150 cm.

DIVISION II
PROCEDURE FOR APPLICATION FOR REGISTRATION

37. The presentation of an application in the form of an authentic act other than a notarial act *en brevet* shall be made by presenting an extract of that act or an authentic copy thereof.

The presentation of an application in the form of a notarial act *en brevet* or an act in private writing shall be made by presenting one original of that act.

38. Pursuant to article 3075.1 of the Code, the purposes for which the application is presented must be indicated as follows:

(1) for an application presented electronically, the applicant shall state those purposes in the explanatory file accompanying the application;

2° dans le cas d'une réquisition présentée sur un support papier, au moyen d'une mention que fait le requérant à même la réquisition ou dans un écrit distinct qu'il joint à celle-ci.

39. Les sommaires sont présentés avec une copie ou un extrait authentique des documents qu'ils résument, si ceux-ci sont des documents authentiques autres que des actes notariés en brevet, ou avec un original des documents mêmes qu'ils résument, si ceux-ci sont des actes notariés en brevet ou sous seing privé.

SECTION III
DU CONTENU DES RÉQUISITIONS

40. Tout sommaire doit énoncer:

1° la date et le lieu où il est fait, ainsi que la date du document qu'il résume et le lieu où ce document a été fait;

2° si le document qu'il résume est un acte notarié, le nom du notaire, le lieu où il exerce sa profession et le numéro de la minute ou la mention qu'il s'agit d'un acte en brevet;

3° si le document qu'il résume est un acte judiciaire, le tribunal qui émane, le district judiciaire, le numéro du dossier judiciaire et, dans le cas d'un jugement, le dispositif du jugement;

4° si le document qu'il résume est un acte sous seing privé, le nom des témoins qui l'ont attesté, lorsque cette attestation est prescrite par la loi;

5° la nature du document qu'il résume et, s'il en est, la date extrême d'effet de l'inscription demandée;

6° si le document qu'il résume est un acte de vente ou d'échange ou comporte un tel acte, l'indication du prix ou de la contrepartie;

7° si le document qu'il résume est un acte d'hypothèque ou comporte un tel acte, la somme pour laquelle elle est consentie et la nature de l'hypothèque.

Il est signé par la personne qui requiert l'inscription.

41. Les avis requis par la loi doivent indiquer la date et le lieu où ils ont été faits et désigner la personne visée par l'avis, ainsi que celle qui le donne. Ils doivent être signés par la personne qui donne l'avis et, lorsque celle-ci n'en est pas le bénéficiaire, porter la désignation de ce dernier.

Ces avis doivent spécifier leur nature et, s'il en est, celle du document concerné, ainsi que le numéro d'inscription de ce document.

(2) for an application presented in paper form, the applicant shall state those purposes on the application or on a separate written document appended to the application.

39. The summaries shall be presented with an authentic copy or extract from the documents summarized if the documents are authentic documents other than notarial acts *en brevet*, or with the originals of the summarized documents if the documents are notarial acts *en brevet* or in private writing.

DIVISION III
CONTENT OF APPLICATIONS

40. A summary shall state

(1) the date and place where it is made, the date of the summarized document and the place where that document was drawn up;

(2) if the summarized document is a notarial act, the name of the notary, the place of his professional domicile and the number of the act *en minute* or the indication that the act is *en brevet*;

(3) if the summarized document is a judicial act, the court that issued it, the judicial district, the court record number and, for a judgment, the conclusions of the judgment;

(4) if the summarized document is an act in private writing, the names of the witnesses who certified it, where such certification is prescribed by the law;

(5) the nature of the summarized document and, if applicable, the date on which the requested application ceases to have effect;

(6) if the summarized document is a deed of sale or exchange or if it includes such a deed, the price or consideration; and

(7) if the summarized document is an act constituting a hypothec or if it includes such an act, the amount for which it is granted and the nature of the hypothec.

It shall be signed by the person requesting the registration.

41. The notices required by the law shall specify the place where and the date they were made and designate the person covered by the notice and the person giving notice. They shall be signed by the person giving notice and, where that person is not the beneficiary thereof, bear the designation of the beneficiary.

They shall specify the nature of the notices and, where applicable, the nature of the document in question and its registration number.

42. Outre les mentions requises par l'article 2999.1 du code, l'avis qui y est visé doit indiquer, le cas échéant, la mention des locataires cédant et cessionnaire et la nature de la modification apportée au bail.

En cas de cession, de modification ou d'extinction du bail, la référence au bail requise par ce même article 2999.1 est faite par l'indication du numéro d'inscription du bail ou de l'avis visant l'inscription des droits qui en résultent sur le registre.

43. L'avis de préinscription d'une demande en justice contient la désignation des parties et indique le tribunal saisi, le district judiciaire et le numéro du dossier judiciaire; il indique aussi la nature de la demande et du droit qui en fait l'objet ainsi que, le cas échéant, le numéro d'inscription du document visé.

44. L'avis de préinscription d'un testament désigne le testateur et indique la date du décès; il indique, en outre, la nature du droit auquel une personne prétend ainsi que le motif de la préinscription.

45. La réquisition d'inscription de l'adresse des personnes visées à l'article 3022 du code prend la forme d'un avis qui indique le bénéficiaire de l'inscription et l'adresse où doit être faite la notification, ainsi que la nature et, s'il y a lieu, le numéro d'inscription du droit visé, ou la nature du document s'il s'agit d'une hypothèque.

On ne peut, dans un même avis d'adresse, requérir l'inscription de plus d'une adresse postale et d'une adresse électronique. En outre, lorsqu'il y a plusieurs personnes à une même réquisition d'inscription de droits, chacune doit requérir une inscription d'adresse distincte.

Nonobstant les premier et deuxième alinéas, lorsqu'une personne a déjà publié son adresse sur un registre, il suffit, dans toute réquisition d'inscription présentée postérieurement concernant cette personne, de faire référence, immédiatement après la désignation de cette même personne, au numéro d'inscription de l'avis d'adresse qui la concerne et, sauf s'il s'agit d'une hypothèque, de spécifier le droit en regard duquel ce numéro d'inscription sera porté. Cette règle n'est toutefois applicable qu'à l'égard d'adresses publiées postérieurement à la date fixée dans un avis du ministre des Ressources naturelles indiquant que le bureau de la circonscription foncière dans laquelle est situé l'immeuble, sur

42. In addition to the particulars required under article 2999.1 of the Code, the notice shall contain, where applicable, the names of the lessees, whether assignors or assignees, and the nature of the modification made to the lease.

In case of transfer of, correction to or cancellation of the lease, the reference to the lease required under article 2999.1 shall be made by specifying the registration number of the lease or the number of the notice governing the registration of the rights arising therefrom in the register.

43. A notice of advance registration of a judicial demand shall contain the designation of the parties and shall identify the court seized of the matter, the judicial district and specify the court record number; it shall also specify the nature of the demand and of the right that is the subject of the demand and, where applicable, the registration number of the document in question.

44. A notice of advance registration of a will shall designate the testator and shall specify the date of death; it shall also specify the nature of the right claimed by a person and the reason for advance registration.

45. An application for the registration of the address of a person referred to in article 3022 of the Code shall be in the form of a notice specifying the beneficiary of the registration and the address where notification shall be made, as well as the nature and, where applicable, the registration number of the right in question or the nature of the document for a hypothec.

It is impossible to request, in the same notice of address, the entry of more than one postal address and electronic mail address. In addition, where several persons appear on the same application for registration of rights, a separate registration of address shall be made for each of them.

Notwithstanding the first and second paragraphs, where a person has already published his address in a register, the only requirement, in any application for registration previously presented concerning that person, is to refer, immediately after the designation of that person, to the registration number of the notice of address concerning that person and, except for a hypothec, to specify the right opposite to which the registration number will be recorded. Notwithstanding the foregoing, that rule applies only to addresses published after the date fixed in a notice of the Minister of Natural Resources stating that the registry office of the registration division in which the immovable is situated is

lequel porte le droit réel le cas échéant, visé par l'avis d'adresse est pleinement informatisé en ce qui a trait à la publicité foncière.

46. L'avis de modification dans l'adresse ou dans le nom des personnes visées à l'article 3022 du code indique le numéro d'inscription de l'avis d'adresse déjà produit. Il reprend en outre tous les renseignements relatifs aux adresses ancienne et nouvelle et aux noms ancien et nouveau de chacun des bénéficiaires de l'avis d'adresse; les notifications postérieures à la modification sont faites sur le seul fondement de ces renseignements.

Lorsque l'avis d'adresse a été publié dans une circonscription foncière antérieurement à la date fixée dans un avis du ministre des Ressources naturelles indiquant que le bureau de cette circonscription foncière est pleinement informatisé en ce qui a trait à la publicité foncière, l'avis de modification indique également le nom de cette circonscription foncière.

47. L'avis de modification dans la référence faite au numéro d'inscription d'une adresse mentionne la nature et le numéro d'inscription du document visé, ainsi que les références ancienne et nouvelle au numéro d'inscription de l'adresse.

L'avis d'inscription d'une référence omise au numéro d'inscription d'une adresse mentionne le numéro d'inscription du document visé et la référence au numéro d'inscription de l'adresse. Il spécifie en outre le droit en regard duquel le numéro d'inscription de l'adresse sera porté, sauf s'il s'agit d'une hypothèque.

48. Tout avis d'adresse ou de modification dans l'adresse ou dans le nom d'une personne doit porter une adresse postale à laquelle seront faites les notifications requises. Il peut aussi porter une adresse électronique.

L'adresse doit être indiquée de façon précise et être complétée, dans le cas d'une adresse postale, par le code postal lorsque le lieu est situé au Canada ou par l'équivalent du code postal, s'il en est, lorsque le lieu est situé hors du Canada.

L'indication d'une adresse électronique est réputée marquer la préférence du bénéficiaire pour une notification faite à cette adresse.

49. L'avis de renouvellement de la publicité d'un droit spécifie le droit visé; il indique aussi le lieu, la date, le numéro d'inscription et la nature du document qui constate le droit.

L'avis de renouvellement de l'inscription d'une adresse indique le numéro d'inscription de l'avis d'adresse qu'on veut renouveler, le numéro d'ins-

fully computerized for land registration purposes. The immovable in question, referred to in the notice of address, is subject to a real right.

46. A notice of a change in the addresses or names of the persons referred to in article 3022 of the Code shall specify the registration number of the notice of address already filed. It shall state all the information relating to the former and new addresses and the former and new names of each of the beneficiaries of the notice of address; the notifications subsequent to the change shall be made only on the basis of that information.

Where the notice of address was published in a registration division prior to the date fixed in a notice of the Minister of Natural Resources stating that the registry office of the registration division is fully computerized for land registration purposes, the notice of change shall also specify the name of that registration division.

47. The notice of amendment to the reference to the registration number of an address shall state the nature and registration number of the document in question and the former and current references in the registration number of the address.

The notice of entry of a reference omitted in the registration number of an address shall state the registration number of the document in question and the reference to the registration number of the address. In addition, it shall specify the right in respect of which the registration number of address will be entered, except for a hypothec.

48. There shall be a postal address in any notice of address or of change in the address or name of a person at which the required notifications will be made. There may also be an electronic mail address.

The address shall be entered in a precise manner and be completed, for a postal address, by the postal code where the place is in Canada or the equivalent of the postal code where the place is outside Canada.

Where an electronic mail address is recorded, it shall be deemed that the beneficiary prefers the notification to be sent to that address.

49. A notice of renewal of the publication of a right shall specify the right in question and the place, date, registration number and nature of the document evidencing the right.

A notice of renewal of the registration of an address shall specify the registration number of the notice of address that a person wishes to renew, the

cription de la réquisition afférente à cet avis, le droit visé, sauf s'il s'agit d'une hypothèque, et le nom de la circonscription foncière dans laquelle est situé l'immeuble sur lequel porte le droit.

L'avis de renouvellement de la publicité d'un droit peut viser à la fois ce renouvellement et celui de l'inscription d'une adresse portée en regard de ce droit, pourvu seulement qu'une demande expresse à cette fin, faisant référence à l'avis d'adresse visé, se retrouve dans l'avis de renouvellement de la publicité du droit.

50. L'avis cadastral fait référence à la réquisition à laquelle il se rapporte, relate la désignation de l'immeuble contenue à l'acte qui constate le droit et désigne l'immeuble sur lequel l'inscription est requise.

51. L'avis qui vise l'inscription d'un document sur une fiche immobilière établie sous un numéro d'ordre fait référence à la réquisition à laquelle il se rapporte et relate la désignation contenue à cette réquisition; il spécifie le numéro d'ordre de la fiche sur laquelle l'inscription est requise.

52. Les réquisitions visant l'inscription d'actes de la nature de ceux qui sont énumérés à l'article 12 de la Loi sur les bureaux de la publicité des droits doivent, lorsque l'immeuble visé n'est pas immatriculé, porter non seulement le nom de la municipalité locale sur le territoire de laquelle cet immeuble est situé, mais également, s'il en est, les autres éléments permettant de compléter l'adresse de cet immeuble.

53. Les réquisitions de radiation ou de réduction d'inscriptions sur les registres doivent, dans tous les cas, indiquer le nom des circonscriptions foncières à l'égard desquelles les inscriptions dont on requiert la radiation ou la réduction ont été faites.

SECTION IV
DES ATTESTATIONS

54. Les attestations prescrites sont portées à la fin des réquisitions, après la signature des parties, ou sont jointes aux réquisitions auxquelles elles se rapportent.

Lorsque des attestations sont jointes, elles doivent faire référence aux réquisitions auxquelles elles se rapportent par l'indication de la nature, de la date et du lieu de signature de ces réquisitions, ainsi que du nom des personnes qui y sont parties.

registration number of the application pertaining to that notice, the right in question, except for a hypothec, and the name of the registration division in which the immovable subject to the right is situated.

A notice of renewal of the publication of a right may apply to that renewal and to the renewal of the registration of an address recorded with respect to that right provided only that a request made especially for that purpose, referring to the notice of address in question, appears in the notice of renewal of publication of the right.

50. A cadastral notice shall refer to the application to which it relates, state the designation of the immovable contained in the act evidencing the right and designate the immovable for which the registration is required.

51. A notice applying to the registration of a document in a land file identified by a serial number refers to the application to which it relates and states the designation contained in that application; it shall specify the serial number of the file in which the registration is required.

52. Applications to register acts similar to those listed in section 12 of the Act respecting registry offices shall, where the immovable in question is not registered, bear the name of the local municipality in the territory of which the immovable is situated and any other element allowing to complete the address of that immovable.

53. When applications for the cancellation or reduction of entries in registers are made, the names of the registration divisions in respect of which the entries are made and for which entries the cancellation or reduction is applied for shall be specified.

DIVISION IV
CERTIFICATES

54. The prescribed certificates shall appear at the end of the applications, below the parties' signatures, or shall be appended to the applications to which they relate.

Where such certificates are appended, they shall refer to the applications to which they relate by specifying the nature and place where the applications and the date they were signed and the names of the parties thereto.

SECTION V
DE LA NUMÉROTATION DES RÉQUISITIONS

55. Les réquisitions d'inscription sont, dès leur réception par l'officier de la publicité des droits, numérotées dans un ordre consécutif double, l'un pour les réquisitions d'inscription de droits et de radiations ou de réductions, l'autre pour les réquisitions d'inscription d'adresses.

Cette numérotation est unique pour tout le territoire du Québec; elle vaut pour l'ensemble des réquisitions présentées dans les bureaux de la publicité des droits.

CHAPITRE TROISIÈME
DES INSCRIPTIONS SUR LES REGISTRES ET DE LA CORRECTION D'ERREURS MATÉRIELLES OU D'OMISSIONS QUI S'Y TROUVENT

SECTION I
DES INSCRIPTIONS

56. Les inscriptions sur les registres doivent être claires et précises.

57. Lorsqu'une inscription sur un registre faisant partie du registre foncier concerne plus de deux constituants ou titulaires de droits, il suffit d'inscrire le nom des deux premières personnes désignées en cette qualité dans la réquisition, suivis des mots «et autres».

58. L'inscription de tout document comprend l'indication de sa nature, au long ou en abrégé.

59. Le numéro d'inscription d'un avis d'adresse sur un registre faisant partie du registre foncier est noté, dans ce registre, en regard de la réquisition d'inscription du droit auquel se rapporte l'adresse. Toutefois, lorsque cette réquisition a été inscrite sur une fiche ayant subséquemment fait l'objet d'un arrêté ministériel pris en application de l'article 3 de la Loi sur les bureaux de la publicité des droits visant à la reproduire sur un support informatique, le numéro d'inscription de l'avis d'adresse est noté dans la section distincte, figurant à la fin de la nouvelle fiche, réservée aux inscriptions, mentions ou indications relatives à la fiche que celle-ci reproduit.

Dans tous les cas, un avis d'adresse se rapportant à une créance prioritaire non inscrite sur le registre foncier ne donne lieu qu'à une inscription isolée, après la dernière inscription figurant sur le registre, faisant référence à cette créance prioritaire.

DIVISION V
ASSIGNMENT OF NUMBERS TO APPLICATIONS

55. Applications for registration shall, as of the date they are received by the registrar, be assigned numbers in a double consecutive order, one for the applications for registration of rights and cancellations or reductions and the other for the applications for registration of addresses.

Applications shall be assigned unique numbers for all the territory of Québec: the assignment of numbers shall apply to all the applications presented to registry offices.

CHAPTER THREE
ENTRIES IN REGISTERS AND CORRECTION OF CLERICAL ERRORS OR OMISSIONS

DIVISION I
ENTRIES

56. Entries in registers shall be clear and precise.

57. Where a registration in a register that is part of the land register concerns more than two grantors or holders of rights, the name of the first two persons designated as such in the application may be indicated only, followed by the words "and others".

58. The registration of any document shall state the nature of the document, in full or with abbreviations.

59. The registration number of a notice of address in a register that is part of the land register shall be noted, in that register, opposite to the application for registration of the right to which the address relates. Notwithstanding the foregoing, where the application was entered in a file that was subsequently the subject of a ministerial order under the Act respecting registry offices to convert it to electronic form, the registration number of the notice of address shall be noted in the distinct section, at the end of the new file, reserved for entries, mentions or indications related to the file that is reproduced by the new file.

In all cases, for a notice of address relating to a prior claim not entered in the land register, only one isolated entry referring to that prior claim shall be entered after the last entry appearing in the register.

60. L'avis de modification dans l'adresse ou dans le nom d'une personne porte le numéro d'inscription de l'avis d'adresse qu'il modifie.

À moins que l'avis d'adresse n'ait été présenté et accepté dans un bureau de la publicité des droits antérieurement à la date fixée dans l'avis du ministre des Ressources naturelles indiquant que ce bureau est pleinement informatisé en ce qui a trait à la publicité foncière, l'avis de modification se substitue à l'avis d'adresse qu'il modifie.

Les informations nouvelles résultant des modifications se substituent, le cas échéant, aux informations qu'elles remplacent sur la fiche du répertoire des adresses afférente à l'avis d'adresse remplacé.

L'avis de modification dans l'adresse ou dans le nom d'une personne n'est pas noté sur le registre foncier.

61. L'inscription, sur le registre des mentions, de la radiation ou de la réduction d'une inscription sur un registre indique le numéro d'inscription de la réquisition qui constate le droit faisant l'objet de la radiation ou de la réduction.

Toutefois, lorsque la radiation ou la réduction concerne l'inscription d'une adresse sur un registre faisant partie du registre foncier, l'inscription qui en est faite sur le registre des mentions indique le numéro d'inscription du droit auquel se rapporte l'adresse.

62. L'indication, sur le registre foncier, de la radiation ou de la réduction d'un droit est faite en regard de l'inscription de ce droit. Lorsque ce droit a été inscrit sur une fiche ayant subséquemment fait l'objet d'un arrêté ministériel pris en application de l'article 3 de la Loi sur les bureaux de la publicité des droits visant à la reproduire sur un support informatique, l'indication de la radiation ou de la réduction est faite dans la section distincte, figurant à la fin de la fiche qui la reproduit, réservée aux inscriptions, mentions ou indications relatives à la fiche reproduite.

63. La référence, sur le registre foncier, au numéro d'inscription d'une quittance totale ou d'une mainlevée totale est précédée de la lettre *T*. Toutefois, s'il s'agit d'une réduction du montant de l'inscription ou de l'assiette de la garantie, il suffit d'en rendre le fait apparent par la seule utilisation de la lettre *P*.

64. L'indication, sur le registre foncier, de la radiation de l'inscription d'une adresse est faite par la mention de la lettre *R* immédiatement avant le numéro d'inscription de l'avis d'adresse. Celle de la

60. A notice of a change in a person's address or name shall bear the registration number of the notice it changes.

Unless the notice of address was presented and accepted in a registry office before the date fixed in the notice of the Minister of Natural Resources stating that the registry office is fully computerized for land registration purposes, the notice of change shall be substituted for the notice of address it changes.

New information resulting from changes shall be substituted, where applicable, for the information that is replaced in the file of the directory of addresses related to the replaced notice of address.

The notice of a change in a person's address or name shall not be noted in the land register.

61. Registration, in the register of mentions, of the cancellation or reduction of an entry shall specify the registration number of the application evidencing the right subject to the cancellation or reduction.

Notwithstanding the foregoing, where the cancellation or reduction concerns the registration of an address in a register that is part of the land register, that registration made in the register of mentions shall specify the registration number of the right to which the address relates.

62. Indication in the land register that a right was cancelled or reduced shall be made with respect to the registration of that right. Where the right was registered in a file that was subsequently subject to a ministerial order under section 3 of the Act respecting registry offices to convert it to electronic form, cancellations or reductions shall be indicated in the distinct section, at the end of the file that reproduces it, reserved for entries, mentions or indications related to the converted file.

63. The reference in the land register to the registration number of a total acquittance or discharge shall be preceded by the letter *T*. Notwithstanding the foregoing, if the reduction concerns the amount registered or the *situs* of the security, that information shall be indicated by using the letter *P*.

64. Indication in the land register that the registration of an address was cancelled shall be made by using the letter *R* right before the registration number of the notice of address. Indication that

réduction d'une telle inscription est faite par la mention de la lettre *P* au même endroit que l'indication de la réduction d'un droit.

L'indication, sur le même registre, de la radiation de toute indication de radiation ou de réduction est faite par la mention des lettres *RR* après le numéro d'inscription de la réquisition de radiation antérieure ou, dans le cas d'une indication de réduction, après la lettre *P* figurant sur le registre. L'indication est suivie du numéro d'inscription de la radiation.

Il est fait exception à ces règles dans tous les cas où l'indication de radiation ou de réduction concerne une adresse, une radiation ou une réduction inscrite ou indiquée sur une fiche ayant subséquemment fait l'objet d'un arrêté ministériel pris en application de l'article 3 de la Loi sur les bureaux de la publicité des droits visant à la reproduire sur un support informatique. En ces cas, l'indication de radiation ou de réduction n'est faite non pas sur cette fiche, mais dans la section distincte, figurant à la fin de la fiche qui la reproduit, réservée aux inscriptions, mentions ou indications relatives à la fiche reproduite.

65. L'officier de la publicité des droits requis de procéder à la radiation ou à la réduction d'une inscription sur un registre faisant partie du registre foncier n'a pas à consulter le registre des droits personnels et réels mobiliers.

66. L'état certifié d'inscription délivré par l'officier pour toute réquisition d'inscription acceptée à la publicité porte le numéro d'inscription de la réquisition à laquelle l'état se rapporte. Il mentionne la date, l'heure et la minute de présentation de cette réquisition, indique le livre foncier dans lequel elle a été inscrite et énonce, le cas échéant, les restrictions applicables relativement aux inscriptions portées sur les registres.

Le double de cet état certifié joint à la réquisition conservée au Bureau de la publicité foncière ne porte pas la signature de l'officier, mais il a la même valeur que s'il portait cette signature.

SECTION II
DE LA CORRECTION D'ERREURS MATÉRIELLES OU D'OMISSIONS

67. La rectification, par l'officier de la publicité des droits, d'une inscription, mention ou indication sur un registre tenu sur un support informatique est faite par rature, de manière que le texte raturé reste lisible. Sauf en cas de suppression pure et simple de l'inscription, mention ou indication, la rectification est suivie immédiatement, en dessous du texte raturé, de l'inscription, mention ou indication nouvelle.

such a registration was reduced shall be made by using the letter *P* at the same place as the reduction of a right.

Indication in the same register that any indication of cancellation was cancelled shall be made by using the letters *RR* after the registration number of the previous application for cancellation or, for an indication of cancellation, after the letter *P* appearing on the register. The indication shall be followed by the registration number of the cancellation.

Those rules are not applicable where the indication of cancellation or reduction concerns an address, a cancellation or a reduction entered or indicated on a file that was subsequently subject to a ministerial order under section 3 of the Act respecting registry offices to convert it to electronic form. In such cases, the indication that a cancellation or reduction was made shall be made not on that file but in the distinct section, at the end of the file that reproduces it, reserved for entries, mentions or indications related to the converted file.

65. The registrar who is required to cancel or reduce an entry in a register that is part of the land register need not consult the register of personal and movable real rights.

66. The certified statement of registration issued by the registrar for any application for registration accepted for publication bears the registration number of the application to which the statement relates. It shall specify the date, hour and minute of presentation of the application, specify the land book in which it was registered and any applicable restriction relating to the registrations recorded in the registers.

The duplicate of that certified statement appended to the application kept in the Land Registry Office does not bear the signature of the registrar but has the same value as if it bore his signature.

DIVISION II
CORRECTION OF CLERICAL ERRORS OR OMISSIONS

67. Correction by the registrar to an entry, mention or indication in a register kept on a computer system shall be made by crossing out the entry, mention or indication, in such a manner that the crossed out text remains legible. Except where the entry, mention or indication is deleted, the correction is followed by the new entry, mention or indication right under the crossed out text.

68. Nonobstant l'article 67:

1° les rectifications sur le registre foncier sont faites non seulement par la rature de l'inscription ou de l'indication erronée, mais également par la rature de toutes les inscriptions ou indications qui y sont accolées, et le texte raturé est suivi immédiatement, en dessous, non seulement de l'inscription ou de l'indication nouvelle, mais également de toutes les autres inscriptions ou indications ainsi raturées;

2° les inscriptions résultant d'une rectification faite sur le registre foncier ou sur le livre de présentation, lorsqu'elles portent sur la date, l'heure ou la minute de présentation de la réquisition d'inscription, ne suivent pas le texte raturé, mais sont plutôt portées à l'endroit où elles auraient dû apparaître;

3° la rectification des renseignements portés dans l'en-tête d'une fiche comprise dans le registre foncier ou dans le répertoire des titulaires de droits réels est faite non pas par rature des renseignements erronés, mais par substitution des nouveaux renseignements;

4° la rectification des inscriptions, mentions ou indications portées dans une section distincte à la fin d'une fiche comprise dans le registre foncier en application des articles 6, 9, 13 et 21 sont faites au moyen d'une note, précisant la nature de la rectification, insérée à l'endroit réservé à cette fin dans la section distincte.

69. L'ajout d'une inscription, mention ou indication omise sur un registre tenu sur support informatique est fait à l'endroit où celle-ci aurait dû apparaître.

Toutefois, si l'ajout vise à porter l'inscription d'une adresse ou l'indication d'une radiation ou d'une réduction sur le registre foncier, la correction est faite par rature de toutes les inscriptions de droits ou d'adresses et de toutes les indications de radiation ou de réduction, suivie immédiatement, en dessous, de l'inscription ou indication nouvelle et de la reproduction de toutes les autres inscriptions ou indications ainsi raturées. En outre, l'ajout des inscriptions, mentions ou indications qui auraient dû être portées dans la section distincte d'une fiche comprise dans le registre foncier ou dans le répertoire des titulaires de droits réels en application des articles 6, 9, 13 et 21 sont faites au moyen d'une note, précisant la nature de l'ajout, insérée à l'endroit réservé à cette fin dans la section distincte.

70. Toute rectification ou tout ajout fait sur le registre foncier donne obligatoirement lieu à une référence, faite après la dernière inscription figurant sur ce registre, à cette rectification ou à cet ajout.

68. Notwithstanding section 67,

(1) corrections in the land register are made not only by crossing out the erroneous entry or indication, but also by crossing out all related entries or indications and the crossed out text shall be followed right under by the new entry or indication and by all other entries or indications thus crossed out;

(2) entries resulting from a correction made in the land register or in the book of presentation, where they affect the date, hour or minute of presentation of the application for registration, do not follow the crossed out text, but shall be made at the place where they should have appeared;

(3) correction to information recorded in the heading of a file contained in the land register or in the directory of holders of real rights shall not be made by crossing out erroneous information but by substituting it by new information; and

(4) correction to entries, mentions or indications recorded in a distinct section at the end of the file contained in the land register pursuant to sections 6, 9, 13 and 21 shall be made by a note, specifying the nature of the correction, inserted at the place reserved for that purpose in the distinct section.

69. An entry, mention or indication omitted in a register kept on a computer system shall be added at the place where it should have appeared.

Notwithstanding the foregoing, if the addition is intended to record the registration of an address or the indication that a cancellation was made in the land register, the correction shall be made by crossing out all registrations of rights or addresses and all indications that cancellations were made, followed right under by the new registration or indication and the reproduction of all the other registrations or indications thus crossed out. In addition, the addition of entries, mentions or indications that should have been recorded in the distinct section of a file contained in the land register or in the directory of holders of real rights pursuant to sections 6, 9, 13 and 21 shall be made by a note, specifying the nature of the addition, inserted at the place reserved for that purpose in the distinct section.

70. Any correction or addition made in the land register gives rise to a reference made after the last entry appearing in that register to that correction or addition.

71. La rectification d'une inscription sur un registre conservé sur un support papier est faite par rature de l'inscription erronée, et l'inscription nouvelle, s'il en est, est faite en surcharge.

L'ajout d'une inscription omise sur un tel registre est fait après la dernière inscription figurant sur ce registre. S'il se trouve des inscriptions entre la date de l'inscription de l'ajout et la date à laquelle l'inscription aurait dû être faite, une référence à la nouvelle inscription doit être faite à l'endroit où aurait dû apparaître cette inscription.

72. La rectification de l'inscription d'un droit à l'index des noms microfilmé ou microfiché tenu dans les bureaux de la publicité des droits établis pour les circonscriptions foncières de Montréal et de Laval est faite au moyen d'une note, précisant la nature de la rectification, insérée dans la fiche ouverte sous le nom de la personne qui bénéficie de cette rectification au registre complémentaire de cet index.

L'ajout de l'inscription d'un droit à cet index est fait sur la fiche ouverte, sous le nom de la personne qui bénéficie de l'ajout, au registre complémentaire de ce même index.

73. La rectification d'une inscription ou mention en marge d'une réquisition d'inscription, de même que sur le registre complémentaire des mentions en marge des réquisitions des actes microfilmés visés aux articles 243 et 244 de la Loi modifiant le Code civil et d'autres dispositions législatives relativement à la publicité foncière, est faite au moyen d'une note, précisant la nature de la rectification, insérée dans la fiche tenue au registre des mentions pour la réquisition visée par la mention ou l'inscription nouvelle.

L'ajout d'une inscription ou mention omise sur la réquisition ou sur le registre est fait sur la fiche tenue au registre des mentions pour la réquisition visée par l'ajout.

74. La rectification d'un état certifié d'inscription est faite par la délivrance d'un nouvel état certifié. Lorsque la rectification concerne l'un des éléments qui doivent figurer à l'état certifié en application de l'article 66, le nouvel état indique la nature de la rectification; dans les autres cas, il ne porte aucune indication de rectification.

Nonobstant le premier alinéa, lorsque l'état certifié a été délivré par l'officier d'un bureau de la publicité des droits établi par une circonscription foncière avant la date fixée dans un avis du ministre des Ressources naturelles indiquant que ce bureau est pleinement informatisé en ce qui a trait à la publicité

71. The correction to an entry in a register kept in paper form shall be made by crossing out the erroneous entry and any new entry shall be overwritten.

An entry omitted in such a register shall be added after the last entry appearing in that register. If there are entries between the date the addition was entered and the date on which that entry should have been made, a reference to the new entry shall be made at the place where that entry should have appeared.

72. Correction in the registration of a right in the index of names in the form of microfilms or microfiches kept in the registry offices established for the registration divisions of Montréal and Laval shall be made by a note, specifying the nature of the correction, inserted in the opened file, under the name of the person who benefits from that correction, in the register complementary to that index.

The registration of a right in that index shall be added in the opened file, under the name of the person who benefits from that addition, in the register complementary to that index.

73. The correction of any entry or mention in the margin of a registration for application, and in the register complementary to mentions made in the margin or the register of mentions for microfilmed acts referred to in sections 243 and 244 of the Act to amend the Civil Code and other legislative provisions relating to land registration, shall be made by a note, specifying the nature of the correction inserted in the file kept in the register of mentions for the application covered by the new mention or entry.

An entry or mention omitted in the application or in the register shall be added in the file kept in the register of mentions for the application covered by the addition.

74. Correction to a certified statement of registration shall be made by issuing a new certified statement. Where the correction concerns one of the elements that must appear in the certified statement pursuant to section 66, the new certified statement shall specify the nature of the correction; in any other case, no specification of correction shall be made.

Notwithstanding the first paragraph, where the certified statement that has been issued by the registrar of a registry office established for a registration division before the date fixed in a notice of the Minister of Natural Resources stating that the registry office is fully computerized for land registration

foncière, sa rectification est faite au moyen d'une note, précisant la nature de la rectification, insérée dans la fiche tenue au registre des mentions relativement à la réquisition d'inscription pour laquelle l'état certifié a été délivré.

CHAPITRE QUATRIÈME
DE L'ACCÈS AUX REGISTRES ET AUTRES DOCUMENTS

SECTION I
DISPOSITIONS GÉNÉRALES

75. Les bureaux de la publicité des droits sont ouverts tous les jours, excepté les samedis et les jours visés à l'article 6 du Code de procédure civile (L.R.Q., c. C-25).

Le Bureau de la publicité foncière est toutefois ouvert le samedi, mais à des fins de consultation seulement.

76. Les heures de présentation, sur place ou à distance, des réquisitions sont de 9h à 15h dans tous les bureaux de la publicité des droits.

77. La consultation des registres et autres documents tenus ou conservés dans les bureaux de la publicité des droits à des fins de publicité se fait sur place ou à distance et, en ce dernier cas, elle se fait à partir d'un écran de visualisation.

La consultation sur place ne peut toutefois se faire que dans les bureaux établis pour les circonscriptions foncières. En outre, la consultation à distance n'est possible qu'à l'égard des registres et autres documents tenus ou conservés sur un support informatique.

78. Les heures de consultation sur place sont de 9h à 16h; à distance, les registres doivent être accessibles à la consultation, à partir d'autres écrans de visualisation que ceux des bureaux établis pour les circonscriptions foncières, au moins de 8h à 23h, sauf le samedi, où ils doivent être ainsi accessibles au moins de 8h à 17h.

79. Nonobstant les articles 76 et 78, les heures de présentation des réquisitions dans les bureaux de la publicité des droits, de même que celles de consultation, sur place ou à distance, des registres et autres documents qui y sont tenus ou conservés sont de 9h à 10h les 24 et 31 décembre.

80. L'état certifié que l'officier de la publicité des droits est tenu de délivrer à toute personne qui le requiert en application de l'article 3019 du code doit indiquer, outre le type de l'état certifié, le nom de la

purposes, the correction shall be made by a note, specifying the nature of the correction, inserted in a file kept in the register of mentions relating to the application for registration for which the certified statement was issued.

CHAPTER FOUR
ACCESS TO THE REGISTERS AND OTHER DOCUMENTS

DIVISION I
GENERAL

75. Registry offices are open every day, except Saturdays, and the days referred to in article 6 of the Code of Civil Procedure (R.S.Q., c. C-25).

The Land Registry Office is opened on Saturdays for consultation purposes only.

76. Applications may be presented on the premises or remotely between 9 a.m. and 3 p.m. in every registry office.

77. Registers and other documents kept in registry offices for publication purposes shall be consulted on the premises or remotely and, in the latter case, by means of a display screen.

Consultation on the premises is allowed only in the offices established for registration divisions. In addition, remote consultation is allowed with respect to registers and other documents kept in electronic form only.

78. Consultation on the premises is allowed between 9 a.m. and 4 p.m.; remote consultation, using other display screens than those located in offices established for registration divisions, is allowed between at least 8 a.m. and 11 p.m., except on Saturdays where it is allowed between at least 8 a.m. and 5 p.m.

79. Notwithstanding sections 76 and 78, applications may be presented to registry offices and registers and other documents kept there may be consulted, on the premises or remotely, from 9 a.m. to 10 a.m. on 24 and 31 December.

80. The certified statement that the registrar is required to issue to any person who requests it pursuant to article 3019 of the Code shall specify the type of certified statement, the name of the person

personne qui le requiert, le numéro du lot attribué à l'immeuble et le nom du cadastre dans lequel il est situé, ou le numéro d'ordre de la fiche relative au droit réel, au réseau ou à l'immeuble et le nom du registre dans lequel elle est portée, le nom de la circonscription foncière dans laquelle est situé l'immeuble, le droit ou le réseau, le nom de son propriétaire ou titulaire le cas échéant, la période pour laquelle l'état est délivré et tous les numéros d'inscription des réquisitions qui y sont visées, s'il en est.

Daté et signé par l'officier qui le délivre, l'état certifié est complété, s'il en est, par les copies des réquisitions d'inscription qui y sont visées, avec les documents qui les accompagnent lorsqu'elles prennent la forme d'un sommaire et, le cas échéant, les extraits pertinents du registre des mentions et du registre complémentaire afférents à chacune de ces réquisitions.

81. Les copies ou extraits des documents qui ont justifié une inscription sur les registres et que l'officier de la publicité des droits est tenu de délivrer à toute personne qui le requiert en application de l'article 3019 du code doivent être accompagnés, le cas échéant, des extraits pertinents du registre des mentions et du registre complémentaire.

SECTION II
DISPOSITIONS PARTICULIÈRES RÉGISSANT L'ACCÈS À DISTANCE

82. Les réquisitions d'inscription présentées au Bureau de la publicité foncière, de même que les documents qui les accompagnent, sont acheminés par voie électronique.

Ces réquisitions et documents ne peuvent y être acceptés que si l'envoi électronique est accompagné d'un sceau de même nature apposé au moyen d'un dispositif, fourni par l'Officier de la publicité foncière aux producteurs des logiciels requis, attestant que l'envoi rencontre outes les spécifications techniques requises et qu'il comporte un fichier explicatif, conforme à ces spécifications, portant entre autres un numéro de client attribué par l'Officier de la publicité foncière.

t**83.** La présentation des réquisitions d'inscription et des documents qui les accompagnent au Bureau de la publicité foncière requiert l'utilisation de biclés et certificats de signature et de chiffrement délivrés par un prestataire de services de certification agréé par le Conseil du trésor.

Un prestataire de services de certification ne peut être agréé par le Conseil du trésor que si la dé-

requesting it, the lot number given to the immovable and the name of the cadastre in which it is situated, or the serial number of the file relating to the real right, the network or the immovable and the name of the register in which the file is recorded, the name of the registration division in which the immovable, right or network is situated, the name of its owner or holder, as the case may be, the period for which the certified statement is issued and all registration numbers of the applications in question, if any.

The certified statement, dated and signed by the registrar issuing it, shall be completed, where applicable, by the copies of the applications for registration in question, with the accompanying documents where they are in the form of a summary and, where applicable, relevant extracts from the register of mentions and the complementary register related to each application.

81. Copies of or extracts from documents that justified registrations in the registers and that the registrar is required to issue to any person requesting it pursuant to article 3019 of the Code must be accompanied, where applicable, by relevant extracts from the register of mentions and from the complementary register.

DIVISION II
PARTICULAR PROVISIONS GOVERNING REMOTE ACCESS

82. Applications for registration presented to the Land Registry Office, as well as the accompanying documents, shall be forwarded electronically.

Those applications and documents may be accepted at the Land Registry Office only if the electronic transmission is accompanied by a code of the same nature affixed by means of a device, provided by the Land Registrar for firms that develop the required software, attesting that the transmission meets all the required technical specifications and that it contains an explanatory file, complying with the specifications, bearing a client number given by the Land Registrar.

83. Presentation of applications for registration and accompanying documents to the Land Registry Office requires the use of key pairs and signature verification and encryption certificates issued by a provider of certification services certified by the Conseil du trésor.

A provider of certification services may be certified by the Conseil du trésor only if the issue and

livrance et l'archivage des biclés et certificats qu'il assume rencontrent les conditions minimales prévues en annexe au présent règlement.

84. Toute signature requise pour la présentation d'une réquisition d'inscription au Bureau de la publicité foncière doit être apposée au moyen d'une biclé de signature.

85. Les données formant les réquisitons d'inscription et les documents présentés au Bureau de la publicité foncière n'y sont considérées reçues que si elles sont transmises intégralement et si l'Officier de la publicité foncière peut y avoir accès et les déchiffrer.

Lorsque ces conditions sont remplies, l'Officier de la publicité foncière transmet aussitôt, par voie électronique, un accusé de réception aux personnes qui ont requis l'inscription.

86. Dès la réception des données formant les réquisitions d'inscription et les documents présentés au Bureau de la publicité foncière, l'Officier de la publicité foncière vérifie l'identité des personnes dont la signature était requise pour la présentation des réquisitions au moyen de la clé publique et du certificat de signature dont ces personnes sont titulaires. Il doit s'assurer que le certificat de signature de chacun de ces titulaires, ainsi que sa signature numérique, sont valides et que les données transmises sont intègres.

87. Les réquisitions d'inscription et les documents présentés au Bureau de la publicité foncière sont conservés tels quels, mais épurés des formats de transmission et des balises de données qui les accompagnaient. Ces réquisitions et documents, ainsi épurés, sont accessibles au public.

Les réquisitions d'inscription et les documents transmis au Bureau de la publicité foncière par l'officier du bureau de la publicité des droits d'une circonscription foncière dans lequel ces réquisitions et documents avaient été présentés sur un support papier, sont conservés au moyen d'un algorithme de compression de type «sans perte de données». Une version compressée de ces réquisitions et documents est produite au moyen d'un algorithme de compression de type «avec perte de données», lequel conserve néanmoins intacte et intégrale l'information transmise, et seule cette version est accessible au public.

88. Lorsque l'Officier de la publicité foncière doit fournir une copie d'une réquisition d'inscription ou

storage of key pairs and certificates that it is responsible for meet the minimum conditions provided for in the Schedule to this Regulation.

84. Any signature required for the presentation of an application for registration to the Land Registry Office shall be affixed by means of a signature key pair.

85. Data constituting the applications for registration and documents presented to the Land Registry Office shall be considered received only if they are transmitted completely and if the Land Registrar may have access to them and decrypt them.

Where those conditions are met, the Land Registrar shall immediately transmit, electronically, an acknowledgement of receipt to the persons whose requested registration.

86. Upon receipt of the data constituting the applications for registration and documents presented to the Land Registry Office, the Land Registrar shall verify the identity of the persons whose signatures were required for the presentation of applications by means of the public key and signature verification certificate those persons hold. He shall ensure that the signature verification certificate of each holder, and his digital signature, are valid and that the transmitted data is intact.

87. Applications for registration and documents presented to the Land Registry Office shall be kept as such but transmission formats and data markup that accompanied the applications shall be removed from them. Those applications and documents, from which transmission formats and data markup were thus removed, shall be available to the public.

Applications for registration and documents transmitted to the Land Registry Office by the registrar of a registration division in whose registry office the applications and documents were presented in paper form shall be kept by means of a lossless data compression algorithm. A compressed version of the applications and documents shall be produced by means of a lossy data compression algorithm, which keeps nonetheless the transmitted information intact and complete and only that version is available to the public.

88. Where a copy of an application for registration or of a document kept on a computer system

d'un document conservé sur un support informatique, cette copie est fournie à partir de la réquisition ou du document accessible au public, ou à partir de la version accessible au public de cette réquisition ou de ce document, selon le cas.

Le nom des signataires, déterminé après vérification de leur identité, doit apparaître sur la copie, lorsque celle-ci a été produite à partir de la réquisition ou du document présenté au Bureau de la publicité foncière.

89. Les documents qui, en vertu de la loi, doivent porter la signature de l'Officier de la publicité foncière agissant dans l'exercice de ses fonctions d'officier public ne peuvent être transmis par voie électronique qu'au moyen d'une biclé de signature délivrée par un prestataire de services de certification agréé par le Conseil du trésor.

must be provided by the Land Registrar, such copy shall be made from that application or from the document available to the public, or from the version of the application or document available to the public, as the case may be.

The names of the sources, determined after their identity is verified, shall appear on the copy, where the copy was made from the application or from the document presented to the Land Registry Office.

89. Documents that, under the law, shall bear the signature of the Land Registrar acting in the performance of his duties of public registrar may be transmitted electronically only by means of a signature key pair issued by a provider of certification services certified by the Conseil du trésor.

CHAPITRE CINQUIÈME
DISPOSITIONS TRANSITOIRES ET FINALES

90. La numérotation des fiches d'un registre des droits réels d'exploitation de ressources de l'État prévue à l'article 10, de même que celle des fiches d'un registre des réseaux de services publics et des immeubles situés en territoire non cadastré prévue à l'article 14, se font en tenant compte de la numérotation existante dans ces registres à la date fixée dans l'avis du ministre des Ressources naturelles indiquant que le bureau de la publicité des droits qui les tient est pleinement informatisé en ce qui a trait à la publicité foncière.

91. Afin de tenir compte de la numérotation existante des réquisitions d'inscription conservées dans les bureaux de la publicité des droits jusqu'à la date fixée dans l'avis du ministre des Ressources naturelles indiquant, pour chacun de ces bureaux, qu'il est pleinement informatisé en ce qui a trait à la publicité foncière, la numérotation visée à l'article 55 commence, pour les réquisitions reçues à compter de cette date, au numéro 10.000.001 dans le cas des réquisitions d'inscription de droits et de radiations ou de réductions, et au numéro 6.000.001 dans le cas des réquisitions d'inscription d'adresses.

92. Les articles 15, 16 et 17 sont applicables, dans les bureaux de la publicité des droits établis pour les circonscriptions foncières de Montréal et de Laval, non seulement aux réquisitions d'inscription publiées à l'index des noms tenu dans ces bureaux à compter des dates fixées dans un avis du ministre des Ressources naturelles indiquant qu'ils

CHAPTER FIVE
TRANSITIONAL AND FINAL

90. When assigning numbers to files in a register of real rights of State resource development as provided for in section 10 and files in a register of public service networks and immovables situated in territory without a cadastral survey as provided for in section 14, the current numbers of the files in those registers on the date fixed in the notice of the Minister of Natural Resources stating that the registry office that keeps them is fully computerized for land registration purposes shall be taken into account.

91. In order to take into account the current numbers of applications for registration kept in registry offices until the date fixed in the notice of the Minister of Natural Resources stating, for each office, that it is fully computerized for land registration purposes, the assignment of numbers referred to in section 55 shall begin, for applications received as of that date, at number 10.000.001 for applications for registration of rights and cancellations or reductions, and at number 6.000.001 for applications for registration of addresses.

92. Sections 15, 16 and 17 shall apply, in registry offices of the registration divisions of Montréal and Laval, to applications for registration published in the index of names kept in those offices as of the dates fixed in a notice of the Minister of Natural Resources stating that they are fully computerized for land registration purposes and to all the applica-

sont pleinement informatisés en ce qui a trait à la publicité foncière, mais également à toutes les réquisitions d'inscription qui y ont été publiées depuis le 1er janvier 1994.

93. Les dispositions du paragraphe 1° du deuxième alinéa de l'article 26, relatives aux avis d'adresse qui ont été présentés et acceptés dans un bureau de la publicité des droits antérieurement à la date fixée dans l'avis du ministre des Ressources naturelles indiquant qu'il est pleinement informatisé en ce qui a trait à la publicité foncière, n'ont d'effet, à l'égard de tout bureau autre que ceux établis dans les circonscriptions foncières de Montréal et de Laval, qu'à compter de la date fixée dans un arrêté pris à cette fin par le ministre des Ressources naturelles.

94. Omis.

tions for registration that have been published in it since 1 January 1994.

93. The provisions of subparagraph 1 of the second paragraph of section 26, related to the notices of addresses that were presented to a registry office before the date fixed in the notice of the Minister of Natural Resources stating that the office is fully computerized for registration purposes have effect, with respect to any other office than those established in the registration divisions of Montréal and Laval, only as of the date fixed in an order made for that purpose by the Minister of Natural Resources.

94. Omitted.

ANNEXE
(a. 83)

SCHEDULE
(s. 83)

CONDITIONS MINIMALES DE DÉLIVRANCE ET D'ARCHIVAGE DE BICLÉS ET DE CERTIFICATS DE SIGNATURE ET DE CHIFFREMENT

MINIMUM CONDITIONS FOR ISSUING AND STORING KEY PAIRS AND SIGNATURE VERIFICATION AND ENCRYPTION CERTIFICATES

Les conditions minimales de délivrance et d'archivage de biclés et de certificats de signature et de chiffrement que doit remplir un prestataire de services de certification pour être agréé par le Conseil du trésor en application de l'article 83 sont les suivantes:

1° la fiabilité des données formant les réquisitions d'inscription et les documents présentés au Bureau de la publicité foncière doit être assurée par un système de cryptographie asymétrique;

2° le système de cryptotraphie asymétrique utilisé doit comporter une fonction de hachage permettant de vérifier l'intégrité et l'intégralité des données reçues au Bureau de la publicité foncière;

3° le système de cryptographie asymétrique utilisé doit prévoir la délivrance d'une biclé de signature permettant notamment de signer les réquisitions d'inscription et les documents présentés et d'identifier leur signataire, de même que la délivrance d'une biclé de chiffrement dont la fonction est d'assurer la confidentialité des réquisitions et des documents; cette confidentialité doit résulter du chiffrement des données formant ces réquisitions ou documents, au moyen d'une clé secrète variable de façon aléatoire issue d'un système de cryptographie symétrique; cette clé doit elle-même être chiffrée avec la clé publique qui compose la biclé de chiffrement du Bureau de la publicité foncière, et celui-ci doit pouvoir déchiffrer les données transmises avec sa clé privée;

4° chacune des biclés de signature et de chiffrement délivrées doit être constituée d'une paire unique et indissociable de clés, l'une publique et l'autre privée, mathématiquement liées entre elles; chaque clé publique doit être mentionnée dans un certificat, que délivre le prestataire de services de certification, servant à associer cette clé publique au titulaire de la biclé;

5° les certificats de signature et de chiffrement délivrés doivent être sur un support informatique et porter notamment les éléments suivants:

— le nom distinctif de leur titulaire, constitué de son nom joint à un code unique,

— le nom du prestataire de services de certification et sa signature,

The following are the minimum conditions for issuing and storing key pairs and signature verification and encryption certificates that must be met by a provider of certification services to be certified by the Conseil du trésor pursuant to section 83:

(1) the reliability of the data constituting the applications for registration and documents presented to the Land Registry Office shall be ensured by using an asymmetric cryptographic system;

(2) the asymmetric cryptographic system used shall also include a hash function by means of which the Land Registry Office can verify the integrity and completeness of the data it receives;

(3) the asymmetric cryptographic system used shall provide for the issue of a signing key pair by means of which the applications for registration and documents presented are signed and their source identified and shall also provide for the issue of an encryption key pair to protect the confidentiality of the applications and documents; such confidentiality is ensured by encrypting the data by means of a randomly variable secret key generated by the symmetric cryptographic system; that key must itself be encrypted with the public key that forms part of the encryption key pair of the Land Registry Office, which shall be able to decrypt the transmitted data with its private key;

(4) each signing key and encryption key pair issued shall consist of a unique and indissociable pair of keys, one public and the other private, that are linked mathematically; each public key shall be referred to in a certificate, issued by the provider of certification services, which serves to bind the key to the key pair holder;

(5) the signature verification certificate and encryption certificate issued shall be on a computer system and shall include the following information:

— the distinguishing name of their holder which consists of his name combined with a unique code;

— the name of the provider of certification services and its signature;

— la clé publique de vérification de signature ou la clé publique de chiffrement, selon le cas, ainsi que le numéro de série, la version, la date de délivrance et la date d'expiration du certificat,

— le nom de leur émetteur et l'identification de l'algorithme qu'il utilise, ainsi que le sceau numérique qui en résulte et par lequel l'émetteur effectue la certification;

6° les certificats de chiffrement doivent être inscrits dans un répertoire tenu sur un support informatique et mis à jour par le prestataire de services de certification émetteur; ce répertoire doit contenir notamment les numéros de série des certificats de signature et de chiffrement suspendus, révoqués, retirés ou supprimés;

7° le prestataire de services de certification doit respecter les recommandations, normes ou standards qui suivent ou leur équivalent:

— la Recommandation X.500 (11/93) de l'Union internationale des télécommunications (UIT), de façon générale, reprise comme norme internationale par l'Organisation internationale de normalisation (ISO) et la Commission électrotechnique internationale (CEI) sous l'appellation globale d'ISO/CEI 9594: 1995, pour ce qui est de la gestion du répertoire dans lequel sont inscrits des renseignements relatifs aux certificats et aux clés publiques qui font partie intégrante des biclés,

— la Recommandation X.509 (11/93) de l'UIT, de façon particulière, reprise comme norme internationale par l'ISO et la CEI sous l'appellation d'ISO/CEI 9594-8: 1995 Technologies de l'information — Interconnexion de systèmes ouverts (OSI) — L'Annuaire: Cadre d'authentification, pour ce qui est de la délivrance et de l'archivage des biclés et des certificats de signature et de chiffrement,

— le standard FIPS 140-1 du National Institute of Standards and Technology (NIST), du gouvernement fédéral des États-Unis, pour ce qui est des algorithmes DES, DSA et SHA-1 utilisés dans le cadre de la cryptographie.

D. 1067-2001, (2001) 133 G.O. 2, 6345 (eev 2001-10-09).

— the signature verification public key or the encryption public key, as the case may be, together with the certificate serial number, version, issue date and expiry date; and

— the name of the issuer, the characteristics of the algorithm and the resulting hash code used in delivering the certificate;

(6) the encryption certificates shall be entered in an electronic directory and kept up-to-date by the issuing provider of certification services; the directory shall include the serial numbers of the signature verification certificates and encryption certificates that have been suspended, revoked, withdrawn or deleted; and

(7) the provider of certification services shall comply with the following recommendations or standards or their equivalents:

— International Telecommunication Union (ITU) Recommendation X.500 (11/93), in general, adopted as an international standard by the International Organization for Standardization (ISO) and the International Electrotechnical Commission (IEC) under the general designation of ISO/IEC 9594: 1995, for the management of the directory containing the information relating to the certificates and public keys that form and integral part of key pairs;

— ITU Recommendation X.509 (11/93), in particular, adopted as an international standard by ISO and IEC under the designation ISO/IEC 9594-8: 1995 Information Technology — Open systems interconnection (OSI) — The Directory: Authentication framework, for the issue and storage of key pairs and signature verification and encryption certificates; and

— the United States government's National Institute of Standards and Technology (NIST) Standard FIPS 140-1 for the DES, DSA and SHA-1 algorithms used in cryptography.

O.C. 1067-2001, (2001) 133 G.O. 2, 4989 (cf 2001-10-09).

Tarif des droits relatifs à la publicité foncière

Loi sur les bureaux de la publicité des droits
(L.R.Q., c. B-9, a. 8; 2000, c. 42, a. 116)

1. Le présent tarif s'applique à toute circonscription foncière à compter de la date fixée dans l'avis du ministre des Ressources naturelles, conformément à l'article 237 de la Loi modifiant le Code civil et d'autres dispositions législatives relativement à la publicité foncière (2000, c. 42), indiquant que le bureau de la publicité des droits qui y est établi est pleinement informatisé en ce qui a trait à la publicité foncière.

2. Les droits pour l'inscription d'une réquisition d'inscription de droits sont de 50 $ lorsque la réquisition est présentée sur support papier dans un bureau de la publicité des droits établi pour une circonscription foncière. Ces droits sont diminués de 10 $ lorsque la réquisition est présentée par voie électronique au Bureau de la publicité foncière.

3. Malgré l'article 2, les droits pour l'inscription d'une réquisition d'inscription de droits présentée sous la forme d'un sommaire sont de 50 $ par document résumé par le sommaire lorsque la réquisition est présentée sur support papier dans un bureau de la publicité des droits établi pour une circonscription foncière. Ces droits sont diminués de 10 $ par document résumé lorsque la réquisition est présentée par voie électronique au Bureau de la publicité foncière.

4. Les droits pour l'inscription d'une réquisition de radiation ou de réduction d'inscription sont de 60 $, incluant la radiation ou la réduction des droits prévus dans une première réquisition d'inscription visée par la réquisition de radiation ou de réduction, plus 40 $ pour chaque réquisition additionnelle, lorsque la réquisition de radiation ou de réduction est présentée sur support papier dans un bureau de la publicité des droits établi pour une circonscription foncière. Ces droits sont diminués, respectivement, d'un montant de 10 $ lorsque la réquisition de radiation ou de réduction est présentée par voie électronique au Bureau de la publicité foncière.

5. Les droits pour l'inscription d'un préavis de vente pour défaut de paiement de l'impôt foncier sont de 50 $ plus 7 $ par lot ou partie de lot lorsque la réquisition est présentée sur support papier dans un bureau de la publicité des droits établi pour une circonscription foncière. Ces droits sont de 40 $ plus 7 $ par lot ou partie de lot lorsque la réquisition est présentée par voie électronique au Bureau de la publicité foncière.

Tariff of fees respecting land registration

An Act respecting registry offices
(R.S.Q., c. B-9, s. 8; 2000, c. 42, s. 116)

1. This Tariff applies to any registration division as of the date fixed in the notice of the Minister of Natural Resources, in accordance with section 237 of the Act to amend the Civil Code and other legislative provisions relating to land registration (2000, c. 42), stating that the registry office established therein is fully computerized for land registration purposes.

2. The fee for the registration of an application for registration of rights is $50 where the application is presented in paper form to a registry office established for a registration division. The fee is reduced by $10 where the application is presented electronically to the Land Registry Office.

3. Notwithstanding section 2, the fee for the registration of an application for registration of rights presented in the form of a summary is $50 per summarized document where the application is presented in paper form to a registry office established for a registration division. The fee is reduced by $10 per summarized document where the application is presented electronically to the Land Registry Office.

4. The fee for the registration of an application for cancellation or reduction of registration is $60, including the cancellation or reduction of the rights provided for in the first application for registration covered by the application for cancellation or reduction, plus $40 for every additional application, where the application for cancellation or reduction is presented in paper form to a registry office established for a registration division. The fee is reduced, respectively, by $10 where the application for cancellation or reduction is presented electronically to the Land Registry Office.

5. The fee for the registration of a prior notice of sale for non-payment of immovable taxes is $50 plus $7 per lot or part of a lot where the application is presented in paper form to a registry office established for a registration division. The fee is $40 plus $7 per lot or part of a lot where the application is presented electronically to the Land Registry Office.

6. Les droits pour l'inscription d'une réquisition d'inscription d'une adresse, par avis ou par référence à un avis déjà publié, du renouvellement de l'inscription d'une adresse ou de la référence omise à un avis d'adresse sont de 30 $.

Toutefois, ces droits ne sont pas exigibles pour l'inscription de la modification d'une référence à un avis d'adresse.

7. Malgré les articles 2 à 6, aucuns droits ne sont exigibles pour l'inscription:

1° d'une modification dans l'adresse ou dans le nom des personnes visées à l'article 3022 du Code civil du Québec (1991, c. 64) ou d'une radiation ou d'une réduction de l'inscription d'un avis d'adresse;

2° d'une liste des immeubles non vendus lors d'une vente pour défaut de paiement de l'impôt foncier;

3° d'un document constatant le retrait de lots adjugés lors d'une vente pour défaut de paiement de l'impôt foncier;

4° d'un avis signifié en vertu de l'article 813.4 du Code de procédure civile (L.R.Q., c. C-25);

5° d'un permis de disposer exigible en vertu de la Loi sur les droits successoraux (L.R.Q., c. D-13.2);

6° d'une action contre le propriétaire de l'immeuble à la suite d'une hypothèque légale en faveur des personnes qui ont participé à la construction ou à la rénovation d'un immeuble, ou à la suite d'une hypothèque légale du syndicat des copropriétaires sur la fraction d'un copropriétaire;

7° de la liste des immeubles adjugés lors de la vente pour défaut de paiement de l'impôt foncier;

8° d'un avis de vente par le shérif;

9° de la mainlevée de saisie du shérif;

10° du certificat du greffier attestant qu'une action est discontinuée;

11° du certificat du procureur général énonçant qu'une hypothèque en faveur de l'État est éteinte ou réduite;

12° de l'abandon ou de la révocation d'un droit réel d'exploitation de ressources de l'État qui n'est pas exempté de l'inscription.

8. Les droits pour les états certifiés par l'officier de la publicité des droits prévus au premier alinéa de l'article 3019 du Code civil et à l'article 704 du Code de procédure civile sont de 10 $ pour l'état certifié et de 10 $ pour chaque copie de réquisition d'inscription, incluant le document qui l'accompagne lorsqu'elle prend la forme d'un sommaire, composant l'état.

6. The fee for the registration of an application for registration of an address, by a notice or by a reference to a notice already published, of the renewal of the registration of an address or the omitted reference to a notice of address is $30.

Notwithstanding the foregoing, the fee shall not be payable for the registration of the change in a reference to a notice of address.

7. Notwithstanding sections 2 to 6, no fee is payable for the registration of

(1) a change in the address or in the name of the persons referred to in article 3022 of the Civil Code of Québec (1991, c. 64) or a cancellation or reduction of the registration of a notice of address;

(2) a list of immovables that were not sold at a sale for non-payment of immovable taxes;

(3) a document evidencing the redemption of lots adjudicated at a sale for non-payment of immovable taxes;

(4) a notice served pursuant to article 813.4 of the Code of Civil Procedure (R.S.Q., c. C-25);

(5) a disposal permit required under the Succession Duty Act (R.S.Q., c. D-13.2);

(6) an action against the owner of the immovable following a legal hypothec in favour of persons having participated in the construction or renovation of an immovable or following a legal hypothec of a syndicate of co-owners on a fraction of a co-owner;

(7) a list of immovables adjudicated at the sale for non-payment of immovable taxes;

(8) a notice of a sheriff's sale;

(9) a release from a sheriff's seizure;

(10) a clerk's certificate attesting that an action has been discontinued;

(11) a certificate of the Attorney General stating that a hypothec in favour of the State is extinguished or reduced; and

(12) the abandonment or revocation of a real right of State resource development that is not exempt from registration.

8. The fee for the statements certified by the registrar provided for in the first paragraph of article 3019 of the Civil Code and in article 704 of the Code of Civil Procedure is $10 for the certified statement and $10 for each copy of application for registration, including the accompanying document where it is in the form of a summary, composing the statement.

9. Les droits pour tout autre certificat sont de 10 $, sauf le cas où la loi prévoit expressément qu'aucuns droits ne sont perçus ou que des droits déterminés sont fixés.

*10. Les droits pour chaque copie ou extrait d'un registre tenu au Bureau de la publicité foncière sont de 15 $ par fiche immobilière ou par fiche ouverte à l'index des noms, au répertoire des adresses, au répertoire des titulaires de droits réels ou par date et circonscription foncière dans le cas du livre de présentation. Ces droits sont de 15 $ par fiche dans le cas du registre complémentaire de l'index des noms microfilmé ou microfiché tenu pour les circonscriptions foncières de Montréal et de Laval.

Les droits pour chaque copie ou extrait de registre conservé, en vertu de l'article 245 de la Loi modifiant le Code civil et d'autres dispositions législatives relativement à la publicité foncière (2000, c. 42), dans un bureau de la publicité des droits établi pour une circonscription foncière sont de 15 $ par page de registre.

Les droits pour chaque copie de plan d'un lot sont de 5 $. Ces droits sont de 15 $ pour chaque copie ou extrait d'une réquisition d'inscription, incluant le document qui l'accompagne lorsqu'elle prend la forme d'un sommaire, ou de tout autre document.

11. Les droits pour les copies de réquisitions, incluant les documents qui les accompagnent lorsqu'elles prennent la forme de sommaire, transmises aux fins des mutations immobilières ou de la tenue à jour des rôles d'évaluation municipaux, sont de 3 $ par copie, quel que soit le moyen utilisé pour délivrer ces copies.

12. Des droits de 15 $ s'ajoutent aux droits exigibles lorsqu'une copie, un extrait ou un état est transmis par télécopieur.

13. Les organismes municipaux sont facturés mensuellement pour les droits exigibles en raison des copies de réquisitions et de documents qui leur sont acheminées aux fins des mutations immobilières et de la mise à jour des rôles d'évaluation municipaux.

14. Les droits pour remplir la formule du ministère du Revenu, relative à une personne qui apparaît inscrite comme propriétaire d'un lot, d'une partie de lot ou d'un immeuble identifié par un numéro d'ordre aux registres, sont de 5 $ pour chaque formule remplie.

9. The fee for any other certificate is $10, unless the law specifically provides that no fees are to be collected or that specific fees are fixed.

*10. The fee for each copy of or extract from a register kept at the Land Registry Office is $15 per land file or per file opened in the index of names, directory of addresses, directory of holders of real rights or per date and registration division for the book of presentation. The fee is $15 per file for the register complementary to the index of names in the form of microfilms or microfiches kept for the registration divisions of Montréal and Laval.

The fee for each copy of or extract from the register kept, under section 245 of the Act to amend the Civil Code and other legislative provisions relating to land registration (2000, c. 42), in a registry office established for a registration division is $15 per page of the register.

The fee for each copy of the plan of a lot is $5. The fee is $15 for each copy of or extract from an application for registration, including the accompanying document where it is in the form of a summary, or from any other document.

11. The fee for copies of applications, including the accompanying documents where they are in the form of a summary, forwarded for the purposes of transfers of immovables or the updating of the municipal assessment rolls, is $3 per copy, regardless of the means used to issue such copies.

12. A fee of $15 is added to the fee payable where a copy, an extract or a statement is forwarded by fax.

13. The municipal bodies are billed monthly for the fees payable owing to the copies of applications and documents that are forwarded to them for the purposes of transfers of immovables and the updating of the municipal assessment rolls.

14. The fee to complete the form of the Ministère du Revenu concerning a person who appears as being registered as owner of a lot, part of a lot or an immovable identified by a serial number in the registers is $5 for each form completed.

---

* Voir l'article 20 de ce Règlement.

* See section 20 of this Regulation.

15. Les droits pour consulter, dans les bureaux de la publicité des droits établis pour les circonscriptions foncières, les registres, plans et autres documents conservés sur support papier ou sur microfilms ou microfiches sont de 5 $ par personne par jour ou fraction de jour. Ces droits de consultation comprennent les copies de registres et autres documents microfilmés ou microphotographiés faites à partir des imprimantes mises à la disposition du public. Aucuns droits ne sont exigibles lorsque la consultation est effectuée aux fins de la confection des cadastres faits suivant la Loi favorisant la réforme du cadastre québécois (L.R.Q., c. R-3.1) ou la Loi sur les titres de propriété dans certains districts électoraux (L.R.Q., c. T-11).

16. Les droits pour consulter les registres, plans et autres documents conservés sur support informatique sont de 3 $ par lot, document, nom, circonscription foncière ou autres caractères de recherche, selon le document ou le registre consulté. Ces droits sont de 1 $ par lot, document, nom, circonscription foncière ou autres caractères de recherche lorsque la consultation n'est pas réalisée à l'aide des écrans de visualisation disponibles dans les bureaux de la publicité des droits établis pour les circonscriptions foncières. Les droits de consultation comprennent les copies de registres, plans ou autres documents conservés sur support informatique faites par le public à partir des imprimantes mises à sa disposition. Aucuns droits ne sont exigibles lorsque la consultation est effectuée, à l'aide des écrans de visualisation disponibles dans les bureaux de la publicité des droits établis pour les circonscriptions foncières, aux fins de la confection des cadastres faits suivant la Loi sur le cadastre (L.R.Q., c. C-1), la Loi favorisant la réforme du cadastre québécois ou la Loi sur les titres de propriété dans certains districts électoraux.

17. Les droits pour un état certifié d'inscription sur support papier sont de 10 $. Toutefois, ces droits ne sont pas exigibles pour un premier état certifié d'inscription émis à l'égard d'une réquisition d'inscription présentée sur support papier dans un bureau de la publicité des droits établi pour une circonscription foncière.

18. Les droits prévus au présent tarif sont indexés le 1er avril de chaque année à compter du 1er avril 2003 selon le taux d'augmentation cumulatif de l'indice général des prix à la consommation pour le Canada, tel que déterminé par Statistique Canada, pour la période débutant le 31 décembre 2001 et se terminant le 31 décembre de l'année précédant cet ajustement. Les droits ainsi ajustés sont diminués au dollar le plus près s'ils comprennent une fraction de

15. The fee to consult, in registry offices established for registration divisions, registers, plans and other documents kept in paper form, on microfilms or microfiches is $5 per person per day or fraction of a day. The consultation fee includes copies of registers and other microfilmed or microphotographed documents made using the printers available to the public. No fee is payable where the consultation is carried out for the purposes of making cadastres under the Act to promote the reform of the cadastre in Québec (R.S.Q., c. R-3.1) or the Act respecting land titles in certain electoral districts (R.S.Q., c. T-11).

16. The fee to consult the registers, plans and other documents kept on a computer system is $3 per lot, document, name, registration division or other character researched, according to the document or register consulted. The fee is $1 per lot, document, name, registration division or other character researched, where the consultation is not carried out by means of display screens available in registry offices established for registration divisions. The consultation fee includes the copies of registers, plans and other documents kept on a computer system made by the public using the printers put at their disposal. No fee is payable where the consultation is carried out, by means of display screens available in registry offices established for registration divisions, for the purposes of making cadastres under the Cadastre Act (R.S.Q., c. C-1), the Act to promote the reform of the cadastre in Québec or the Act respecting land titles in certain electoral districts.

17. The fee for a certified statement of registration in paper form is $10. Notwithstanding the foregoing, the fee shall not be payable for a first certified statement of registration issued in respect of an application for registration presented in paper form to a registry office established in a registration division.

18. The fee provided for in this Tariff shall be indexed on 1 April of each year from 1 April 2003 on the basis of the cumulative rate of increase in the general Consumer Price Index for Canada for the period beginning on 31 December 2001 and ending on 31 December of the year preceding the indexing, as determined by Statistics Canada. The fee indexed in the prescribed manner shall be reduced to the nearest dollar where it contains a fraction of a

dollar inférieure à 0,50 $. Ils sont augmentés au dollar le plus près s'ils comprennent une fraction de dollar égale ou supérieure à 0,50 $.

19. Jusqu'au 1er janvier 2002, les dispositions du présent tarif doivent être considérées avec les réserves qui suivent:

1° les droits pour l'inscription d'une réquisition d'inscription de droits sont de 42 $ lorsque la réquisition est présentée sur support papier dans un bureau de la publicité des droits établi pour une circonscription foncière. Ces droits ne sont pas exigibles lorsque la réquisition est présentée par voie électronique au Bureau de la publicité foncière;

2° les droits pour l'inscription d'une réquisition d'inscription de droits présentée sous la forme d'un sommaire sont de 42 $ par document résumé par le sommaire lorsque la réquisition est présentée sur support papier dans un bureau de la publicité des droits établi pour une circonscription foncière. Ces droits ne sont pas exigibles lorsque la réquisition est présentée par voie électronique au Bureau de la publicité foncière;

3° les droits pour l'inscription d'une réquisition de radiation ou de réduction d'inscription sont de 42 $ par créance, par droit principal ou par avis, plus 10 $ par inscription au registre des mentions prévu à l'article 2979.1 du Code civil introduit par l'article 26 de la Loi modifiant le Code civil et d'autres dispositions législatives relativement à la publicité foncière, lorsque la réquisition est présentée sur support papier dans un bureau de la publicité des droits établi pour une circonscription foncière. Ces droits ne sont pas exigibles lorsque la réquisition est présentée par voie électronique au Bureau de la publicité foncière;

4° les droits pour l'inscription d'un préavis de vente pour défaut de paiement de l'impôt foncier sont de 20 $ plus 5 $ par lot ou partie de lot lorsque la réquisition est présentée sur support papier dans un bureau de la publicité des droits établi pour une circonscription foncière. Ces droits ne sont pas exigibles lorsque la réquisition est présentée par voie électronique au Bureau de la publicité foncière;

5° les droits pour l'inscription d'une réquisition d'inscription d'une adresse, par avis ou par référence à un avis déjà publié, du renouvellement de l'inscription d'une adresse ou de la référence omise à un avis d'adresse ne sont pas exigibles;

6° les droits pour les états certifiés par l'officier de la publicité des droits prévus au premier alinéa de l'article 3019 du Code civil et à l'article 704 du Code de procédure civile sont de 20 $ pour l'état certifié et

dollar less than $0.50. It shall be increased to the nearest dollar where it contains a fraction of a dollar equal to or greater than $0.50.

19. Until 1 January 2002, the provisions of this Tariff shall be considered with the following restrictions:

(1) the fee for the registration of an application for registration of rights is $42 where the application is presented in paper form to a registry office established for a registration division. The fee shall not be payable where the application is presented electronically to the Land Registry Office;

(2) the fee for the registration of an application for registration of rights presented in the form of a summary is $42 per summarized document where the application is presented in paper form to a registry office established for a registration division. The fee shall not be applicable where the application is presented electronically to the Land Registry Office;

(3) the fee for the registration of an application for cancellation or reduction of a registration is $42 per claim, principal right or notice, plus $10 per registration in the register of mentions provided for in article 2979.1 of the Civil Code, introduced by section 26 of the Act to amend the Civil Code and other legislative provisions relating to land registration, where the application is presented in paper form to a registry office established for a registration division. The fee shall not be payable where the application is presented electronically to the Land Registry Office;

(4) the fee for the registration of a prior notice of sale for non-payment of immovable taxes is $20 plus $5 per lot or part of a lot where the application is presented in paper form to a registry office established for a registration division. The fee shall not be payable where the application is presented electronically to the Land Registry Office;

(5) the fee for the registration of an application for registration of an address, per notice or reference to a notice already published, for the renewal of the registration of an address or for the omitted reference to a notice of address shall not be payable;

(6) the fee for statements certified by a registrar provided for in the first paragraph of article 3019 of the Civil Code and in article 704 of the Code of Civil Procedure is $20 for the certified statement and $5

de 5 $ pour chaque copie de réquisition d'inscription, incluant le document qui l'accompagne lorsqu'elle prend la forme d'un sommaire, composant l'état;

7° les droits pour tout autre certificat sont de 5 $, sauf le cas où la loi prévoit expressément qu'aucuns droits ne sont perçus ou que des droits déterminés sont fixés;

8° les droits pour consulter, dans les bureaux de la publicité des droits établis pour les circonscriptions foncières, les registres, plans et autres documents conservés sur support papier ou sur microfilms ou microfiches sont de 5 $ l'heure ou fraction d'heure;

9° les droits pour consulter les registres, plans et autres documents conservés sur support informatique sont de 5 $ l'heure ou fraction d'heure. Ces droits ne sont pas exigibles lorsque la consultation est réalisée autrement qu'à l'aide des écrans de visualisation disponibles dans les bureaux de la publicité des droits établis pour les circonscriptions foncières.

20. Le présent tarif entre en vigueur à la date fixée dans l'avis du ministre des Ressources naturelles, conformément à l'article 237 de la Loi modifiant le Code civil et d'autres dispositions législatives relativement à la publicité foncière, indiquant qu'un premier bureau de la publicité des droits est pleinement informatisé en ce qui a trait à la publicité foncière (9 octobre 2001), à l'exception de l'article 10 en tant qu'il prévoit les droits exigibles pour les copies ou extraits du registre complémentaire de l'index des noms microfilmé ou microfiché tenu pour les circonscriptions foncières de Montréal et de Laval, qui entrera en vigueur, pour chacune de ces circonscriptions foncières, aux dates fixées dans les avis du ministre des Ressources naturelles indiquant que chacun de ces bureaux est pleinement informatisé en ce qui a trait à la publicité foncière.

D. 1074-2001, (2001) 133 G.O. 2, 6361 (eev 2001-10-09 sauf a. 10).

for each copy of the application for registration, including the accompanying document where the application is in the form of a summary, making up the statement;

(7) the fee for any other certificate is $5, except where the law specifically provides that no fee is collected or that a specific fee is fixed;

(8) the fee to consult registers, plans and other documents kept in paper form or on microfilms or microfiches in registry offices established for registration divisions is $5 per hour or fraction of an hour; and

(9) the fee to consult registers, plans and other documents kept on a computer system is $5 per hour or fraction of an hour. The fee shall not be payable where the consultation is carried out in another way than by using display screens available in registry offices established for registration divisions.

20. This Tariff comes into force on the date fixed in the notice of the Minister of Natural Resources, in accordance with section 237 of the Act to amend the Civil Code and other legislative provisions relating to land registration (2000, c. 42), stating that a first registry office is fully computerized for land registration purposes (9 October 2001), with the exception of section 10 insofar as it provides the fee payable for copies of or extracts from the register complementary to the index of names in the form of microfilms or microfiches kept for the registration divisions of Montréal and Laval, which will come into force, for each of those registration divisions, on the dates fixed in the notices of the Minister of Natural Resources stating that each of those offices is fully computerized for land registration purposes.

O.C. 1074-2001, (2001) 133 G.O. 2, 5005 (cf 2001-10-09 except s. 10).

Règlement concernant la publication d'un avis de déclaration tardive de filiation

Code civil du Québec
(1991, c. 64, a. 130; 1999, c. 47, a. 8)

1. L'auteur d'une déclaration tardive de filiation faite au directeur de l'état civil, conformément à l'article 130 du Code civil du Québec (1991, c. 64), donne avis de sa déclaration, une fois par semaine, pendant deux semaines consécutives, à la *Gazette officielle du Québec* et dans un journal publié ou circulant dans le district judiciaire où il a son domicile.

Ces publications sont également faites dans un journal publié ou circulant dans le district judiciaire du domicile de l'enfant dont la filiation est déclarée tardivement, si ce domicile est distinct de celui de l'auteur de la déclaration tardive.

2. L'avis de déclaration tardive de filiation comprend:

1° les nom, qualité et adresse du domicile de l'auteur de cette déclaration;

2° les nom, date et lieu de naissance de l'enfant dont la filiation est déclarée tardivement, tels qu'ils sont constatés dans son acte de naissance;

3° les nom, qualité et adresse du domicile de l'auteur de la déclaration précédente;

4° le cas échéant, l'ajout au nom de famille de l'enfant, du nom de famille de l'auteur de la déclaration tardive de filiation ou d'une partie de ce nom, s'il est composé;

5° les lieux et date de l'avis;

6° la signature de l'auteur de la déclaration tardive de filiation;

7° la mention que l'objection d'un tiers à la déclaration tardive de filiation doit être notifiée aux déclarants, à l'enfant mineur âgé de quatorze ans ou plus et au directeur de l'état civil au plus tard dans les vingt jours de la dernière publication d'un avis de cette déclaration.

3. Omis.

D. 489-2002, (2002) 134 G.O. 2, 2922 (eev 2002-05-01).

Regulation respecting the publication of a notice of tardy declaration of filiation

Civil Code of Québec
(1991, c. 64, art. 130; 1999, c. 47, s. 8)

1. The author of a tardy declaration of filiation made to the registrar of civil status, in accordance with article 130 of the Civil Code of Québec (1991, c. 64) shall give notice of the declaration, once a week for two consecutive weeks, in the *Gazette officielle du Québec* and in a newspaper published or circulated in the judicial district of the author's domicile.

The notice shall also be published in a newspaper published or circulated in the judicial district of the domicile of the child whose filiation is tardily declared, if the child's domicile is not the same as that of the author of the tardy declaration.

2. The notice of tardy declaration shall contain

(1) the name, status and home address of the author of the declaration;

(2) the name, date and place of birth of the child whose filiation is tardily declared, as they appear on the act of birth;

(3) the name, status and home address of the author of the previous declaration;

(4) where applicable, the surname of the author of the tardy declaration of filiation to be added to the child's surname, or part of the author's surname if it is a compound name;

(5) the date and place of the notice;

(6) the signature of the author of the tardy declaration of filiation; and

(7) a mention that objections from third persons to the tardy declaration of filiation must be known to the authors of the declaration, to the minor child of 14 years of age or over and to the registrar of civil status within 20 days of the last publication of a notice of that declaration.

3. Omitted.

O.C. 489-2002, (2002) 134 G.O. 2, 2291 (cf 2002-05-01).

Règlements fédéraux

Federal Regulations

Lignes directrices fédérales sur les pensions alimentaires pour enfants

DORS/97-175, (1997) 131 GAZ CAN.,
PARTIE II, 1031

Federal Child Support Guidelines

SOR/97-175, (1997) 131 CAN. GAZ.,
PART II, 1031

OBJECTIFS

1. **[Objectifs]** Les présentes lignes directrices visent à:

   a) établir des normes équitables en matière de soutien alimentaire des enfants afin de leur permettre de continuer de bénéficier des ressources financières des époux après leur séparation;

   b) réduire les conflits et les tensions entre époux en rendant le calcul du montant des ordonnances alimentaires plus objectif;

   c) améliorer l'efficacité du processus judiciaire en guidant les tribunaux et les époux dans la détermination du montant de telles ordonnances et en favorisant le règlement des affaires;

   d) assurer un traitement uniforme des époux et des enfants qui se trouvent dans des situations semblables les unes aux autres.

OBJECTIVES

1. **[Objectives]** The objectives of these Guidelines are

   (*a*) to establish a fair standard of support for children that ensures that they continue to benefit from the financial means of both spouses after separation;

   (*b*) to reduce conflict and tension between spouses by making the calculation of child support orders more objective;

   (*c*) to improve the efficiency of the legal process by giving courts and spouses guidance in setting the levels of child support orders and encouraging settlement; and

   (*d*) to ensure consistent treatment of spouses and children who are in similar circumstances.

DÉFINITIONS ET INTERPRÉTATION

2. (1) **[Définitions]** Les définitions qui suivent s'appliquent aux présentes lignes directrices.

   [**«cessionnaire de la créance alimentaire»** *"order assignee"*] «cessionnaire de la créance alimentaire» Le ministre, le membre ou l'administration à qui la créance alimentaire octroyée par une ordonnance alimentaire a été cédée en vertu du paragraphe 20.1(1) de la Loi.

   [**«enfant»** *"child"*] «enfant» Enfant à charge.

   [**«époux»** *"spouse"*] «époux» S'entend au sens du paragraphe 2(1) de la Loi et, en outre, d'un ex-époux.

   [**«Loi»** *"Act"*] «Loi» La *Loi sur le divorce.*

   [**«ordonnance alimentaire»** *French version only*] «ordonnance alimentaire» Ordonnance alimentaire au profit d'un enfant.

   [**«revenu»** *"income"*] «revenu» Revenu annuel déterminé conformément aux articles 15 à 20.

   [**«table»** *"table"*] «table» L'une des tables fédérales de pensions alimentaires pour enfants figurant à l'annexe I.

INTERPRETATION

2. (1) **[Definitions]** The definitions in this subsection apply in these Guidelines.

   [**"Act"** *«Loi»*] "Act" means the *Divorce Act.*

   [**"child"** *«enfant»*] "child" means a child of the marriage.

   [**"income"** *«revenu»*] "income" means the annual income determined under sections 15 to 20.

   [**"order assignee"** *«cessionnaire de la créance alimentaire»*] "order assignee" means a minister, member or agency referred to in subsection 20.1(1) of the Act to whom a child support order is assigned in accordance with that subsection.

   [**"spouse"** *«époux»*] "spouse" has the meaning assigned by subsection 2(1) of the Act, and includes a former spouse.

   [**"table"** *«table»*] "table" means a federal child support table set out in Schedule I.

(2) **[*Loi de l'impôt sur le revenu*]** Les autres termes utilisés dans les articles 15 à 21 s'entendent au sens de la *Loi de l'impôt sur le revenu.*

(3) **[Renseignements à jour]** La détermination de tout montant aux fins des présentes lignes directrices se fait selon les renseignements les plus à jour.

(4) **[Application des lignes directrices]** Outre les ordonnances alimentaires, les présentes lignes directrices s'appliquent, avec les adaptations nécessaires:

a) aux ordonnances provisoires visées aux paragraphes 15.1(2) et 19(9) de la Loi;

b) aux ordonnances modificatives d'une ordonnance alimentaire;

c) aux ordonnances visées au paragraphe 19(7) de la Loi;

d) aux nouveaux montants d'ordonnance alimentaire fixés sous le régime de l'alinéa 25.1(1)b) de la Loi.

(5) **[Fixation d'un nouveau montant]** Il est entendu que les dispositions des présentes lignes directrices qui confèrent au tribunal un pouvoir discrétionnaire ne s'appliquent pas aux nouveaux montants fixés par le service provincial des aliments pour enfants sous le régime de l'alinéa 25.1(1)b) de la Loi.

MONTANT DE L'ORDONNANCE ALIMENTAIRE

3. (1) **[Règle générale]** Sauf disposition contraire des présentes lignes directrices, le montant de l'ordonnance alimentaire à l'égard d'enfants mineurs est égal à la somme des montants suivants:

a) le montant prévu dans la table applicable, selon le nombre d'enfants mineurs visés par l'ordonnance et le revenu de l'époux faisant l'objet de la demande;

b) le cas échéant, le montant déterminé en application de l'article 7.

(2) **[Enfant majeur]** Sauf disposition contraire des présentes lignes directrices, le montant de l'ordonnance alimentaire à l'égard d'un enfant majeur visé par l'ordonnance est:

a) le montant déterminé en application des présentes lignes directrices comme si l'enfant était mineur;

(2) **[*Income Tax Act*]** Words and expressions that are used in sections 15 to 21 and that are not defined in this section have the meanings assigned to them under the *Income Tax Act.*

(3) **[Most current information]** Where, for the purposes of these Guidelines, any amount is determined on the basis of specified information, the most current information must be used.

(4) **[Application of Guidelines]** In addition to child support orders, these Guidelines apply, with such modifications as the circumstances require, to

(a) interim orders under subsections 15.1(2) and 19(9) of the Act;

(b) orders varying a child support order;

(c) orders referred to in subsection 19(7) of the Act; and

(d) recalculations under paragraph 25.1(1)(b) of the Act.

(5) **[Recalculations]** For greater certainty, the provisions of these Guidelines that confer a discretionary power on a court do not apply to recalculations under paragraph 25.1(1)(b) of the Act by a provincial child support service.

AMOUNT OF CHILD SUPPORT

3. (1) **[Presumptive rule]** Unless otherwise provided under these Guidelines, the amount of a child support order for children under the age of majority is

(a) the amount set out in the applicable table, according to the number of children under the age of majority to whom the order relates and the income of the spouse against whom the order is sought; and

(b) the amount, if any, determined under section 7.

(2) **[Child the age of majority or over]** Unless otherwise provided under these Guidelines, where a child to whom a child support order relates is the age of majority or over, the amount of the child support order is

(a) the amount determined by applying these Guidelines as if the child were under the age of majority; or

b) si le tribunal est d'avis que cette approche n'est pas indiquée, tout montant qu'il juge indiqué compte tenu des ressources, des besoins et,

d'une façon générale, de la situation de l'enfant, ainsi que de la capacité financière de chaque époux de contribuer au soutien alimentaire de l'enfant.

(3) **[Table applicable]** La table applicable est:

a) si l'époux faisant l'objet de la demande d'ordonnance alimentaire réside au Canada:

(i) la table de la province où il réside habituellement à la date à laquelle la demande d'ordonnance ou la demande de modification de celle-ci est présentée ou à la date à laquelle le nouveau montant de l'ordonnance doit être fixé sous le régime de l'article 25.1 de la Loi,

(ii) lorsque le tribunal est convaincu que la province de résidence habituelle de l'époux a changé depuis cette date, la table de la province où il réside habituellement au moment de la détermination du montant de l'ordonnance,

(iii) lorsque le tribunal est convaincu que, dans un proche avenir après la détermination du montant de l'ordonnance, l'époux résidera habituellement dans une province donnée autre que celle où il réside habituellement au moment de cette détermination, la table de cette province donnée;

b) s'il réside à l'extérieur du Canada ou si le lieu de sa résidence est inconnu, la table de la province où réside habituellement l'autre époux à la date à laquelle la demande d'ordonnance alimentaire ou la demande de modification de celle-ci est présentée ou à la date à laquelle le nouveau montant de l'ordonnance doit être fixé sous le régime de l'article 25.1 de la Loi.

DORS/SOR/97-175; DORS/SOR/97-563.

4. [Revenu supérieur à 150 000 $] Lorsque le revenu de l'époux faisant l'objet de la demande d'ordonnance alimentaire est supérieur à 150 000 $, le montant de l'ordonnance est le suivant:

a) le montant déterminé en application de l'article 3;

b) si le tribunal est d'avis que ce montant n'est pas indiqué;

(i) pour les premiers 150 000 $, le montant prévu dans la table applicable, selon le nombre d'enfants mineurs visés par l'ordonnance,

(*b*) if the court considers that approach to be inappropriate, the amount that it considers appropriate, having regard to the condition, means,

needs and other circumstances of the child and the financial ability of each spouse to contribute to the support of the child.

(3) **[Applicable table]** The applicable table is

(*a*) if the spouse against whom an order is sought resides in Canada,

(i) the table for the province in which that spouse ordinarily resides at the time the application for the child support order, or for a variation order in respect of a child support order, is made or the amount is to be recalculated under section 25.1 of the Act,

(ii) where the court is satisfied that the province in which that spouse ordinarily resides has changed since the time described in subparagraph (i), the table for the province in which the spouse ordinarily resides at the time of determining the amount of support, or

(iii) where the court is satisfied that, in the near future after determination of the amount of support, that spouse will ordinarily reside in a given province other than the province in which the spouse ordinarily resides at the time of that determination, the table for the given province; and

(*b*) if the spouse against whom an order is sought resides outside of Canada, or if the residence of that spouse is unknown, the table for the province where the other spouse ordinarily resides at the time the application for the child support order or for a variation order in respect of a child support order is made or the amount is to be recalculated under section 25.1 of the Act.

4. [Incomes over $150,000] Where the income of the spouse against whom a child support order is sought is over $150,000, the amount of a child support order is

(*a*) the amount determined under section 3; or

(*b*) if the court considers that amount to be inappropriate,

(i) in respect of the first $150,000 of the spouse's income, the amount set out in the applicable table for the number of children under the age of majority to whom the order relates;

(ii) pour l'excédent, tout montant que le tribunal juge indiqué compte tenu des ressources, des besoins et, d'une façon générale, de la situation des enfants en cause, ainsi que de la capacité financière de chaque époux de contribuer à leur soutien alimentaire,

(iii) le cas échéant, le montant déterminé en application de l'article 7.

5. [Époux tenant lieu de père ou de mère] Si l'époux faisant l'objet de la demande d'ordonnance alimentaire tient lieu de père ou de mère à l'égard d'un enfant, le montant de l'ordonnance pour cet époux est le montant que le tribunal juge indiqué compte tenu des présentes lignes directrices et de toute autre obligation légale qu'a un autre père ou mère pour le soutien alimentaire de l'enfant.

6. [Assurance médicale et dentaire] En rendant l'ordonnance alimentaire, le tribunal peut enjoindre à l'un des époux de contracter ou de maintenir une assurance médicale ou dentaire au profit de l'enfant, si une telle assurance est disponible par l'entremise de l'employeur de l'époux ou autrement à un taux raisonnable.

7. (1) **[Dépenses spéciales ou extraordinaires]** Le tribunal peut, sur demande de l'un des époux, prévoir dans l'ordonnance alimentaire une somme, qui peut être estimative, pour couvrir tout ou partie des frais ci-après, compte tenu de leur nécessité par rapport à l'intérêt de l'enfant et de leur caractère raisonnable par rapport aux ressources des époux et de l'enfant et aux habitudes de dépenses de la famille avant la séparation:

a) les frais de garde de l'enfant engagés pour permettre au parent en ayant la garde d'occuper un emploi, ou de poursuivre ses études ou de recevoir de la formation en vue d'un emploi, ou engagés en raison d'une maladie ou d'une invalidité du parent;

b) la portion des primes d'assurance médicale et dentaire attribuable à l'enfant;

c) les frais relatifs aux soins de santé dépassant d'au moins 100 $ par année la somme que la compagnie d'assurance rembourse, notamment les traitements orthodontiques, les consultations professionnelles d'un psychologue, travailleur social, psychiatre ou toute autre personne, la physiothérapie, l'ergothérapie, l'orthophonie, les médicaments délivrés sur ordonnance, les prothèses auditives, les lunettes et les lentilles cornéennes;

(ii) in respect of the balance of the spouse's income, the amount that the court considers appropriate, having regard to the condition, means, needs and other circumstances of the children who are entitled to support and the financial abil-ity of each spouse to contribute to the support of the children; and

(iii) the amount, if any, determined under section 7.

5. [Spouse in place of a parent] Where the spouse against whom a child support order is sought stands in the place of a parent for a child, the amount of a child support order is, in respect of that spouse, such amount as the court considers appropriate, having regard to these Guidelines and any other parent's legal duty to support the child.

6. [Medical and dental insurance] In making a child support order, where medical or dental insurance coverage for the child is available to either spouse through his or her employer or otherwise at a reasonable rate, the court may order that coverage be acquired or continued.

7. (1) **[Special or extraordinary expenses]** In a child support order the court may, on either spouse's request, provide for an amount to cover all or any portion of the following expenses, which expenses may be estimated, taking into account the necessity of the expense in relation to the child's best interests and the reasonableness of the expense in relation to the means of the spouses and those of the child and to the family's spending pattern prior to the separation:

(a) child care expenses incurred as a result of the custodial parent's employment, illness, disability or education or training for employment;

(b) that portion of the medical and dental insurance premiums attributable to the child;

(c) health-related expenses that exceed insurance reimbursement by at least $100 annually, including orthodontic treatment, professional counselling provided by a psychologist, social worker, psychiatrist or any other person, physiotherapy, occupational therapy, speech therapy and prescription drugs, hearing aids, glasses and contact lenses;

d) les frais extraordinaires relatifs aux études primaires ou secondaires ou à tout autre programme éducatif qui répond aux besoins particuliers de l'enfant;

e) les frais relatifs aux études postsecondaires;

f) les frais extraordinaires relatifs aux activités parascolaires.

(2) **[Partage des dépenses]** La détermination du montant des dépenses aux termes du paragraphe (1) procède du principe qu'elles sont partagées en proportion du revenu de chaque époux, déduction faite de la contribution fournie par l'enfant, le cas échéant.

(3) **[Avantage, subvention, ou déduction ou crédit d'impôt]** Lorsqu'il calcule le montant des dépenses visées au paragraphe (1), le tribunal tient compte de tout avantage ou subvention, ou déduction ou crédit d'impôt, relatifs aux dépenses, ou de l'admissibilité à ceux-ci.

DORS/SOR/97-175; DORS/SOR/2000-337; DORS/SOR/2000-390.

8. [Garde exclusive] Si les deux époux ont chacun la garde d'un ou de plusieurs enfants, le montant de l'ordonnance alimentaire est égal à la différence entre les montants que les époux auraient à payer si chacun d'eux faisait l'objet d'une demande d'ordonnance alimentaire.

9. [Garde partagée] Si un époux exerce son droit d'accès auprès d'un enfant, ou en a la garde physique, pendant au moins 40% du temps au cours d'une année, le montant de l'ordonnance alimentaire est déterminé compte tenu:

a) des montants figurant dans les tables applicables à l'égard de chaque époux;

b) des coûts plus élevés associés à la garde partagée;

c) des ressources, des besoins et, d'une façon générale, de la situation de chaque époux et de tout enfant pour lequel une pension alimentaire est demandée.

10. (1) **[Difficultés excessives]** Le tribunal peut, sur demande de l'un des époux, fixer comme montant de l'ordonnance alimentaire un montant différent de celui qui serait déterminé en application des articles 3 à 5, 8 et 9, s'il conclut que, sans cette mesure, l'époux qui fait cette demande ou tout enfant visé par celle-ci éprouverait des difficultés excessives.

(2) **[Exemples]** Des difficultés excessives peuvent résulter, notamment:

(*d*) extraordinary expenses for primary or secondary school education or for any other educational programs that meet the child's particular needs;

(*e*) expenses for post-secondary education; and

(*f*) extraordinary expenses for extracurricular activities.

(2) **[Sharing of expense]** The guiding principle in determining the amount of an expense referred to in subsection (1) is that the expense is shared by the spouses in proportion to their respective incomes after deducting from the expense, the contribution, if any, from the child.

(3) **[Subsidies, tax deductions, etc.]** In determining the amount of an expense referred to in subsection (1), the court must take into account any subsidies, benefits or income tax deductions or credits relating to the expense, and any eligibility to claim a subsidy, benefit or income tax deduction or credit relating to the expense.

8. [Split custody] Where each spouse has custody of one or more children, the amount of a child support order is the difference between the amount that each spouse would otherwise pay if a child support order were sought against each of the spouses.

9. [Shared custody] Where a spouse exercises a right of access to, or has physical custody of, a child for not less than 40 per cent of the time over the course of a year, the amount of the child support order must be determined by taking into account

(*a*) the amounts set out in the applicable tables for each of the spouses;

(*b*) the increased costs of shared custody arrangements; and

(*c*) the conditions, means, needs and other circumstances of each spouse and of any child for whom support is sought.

10. (1) **[Undue hardship]** On either spouse's application, a court may award an amount of child support that is different from the amount determined under any of sections 3 to 5, 8 or 9 if the court finds that the spouse making the request, or a child in respect of whom the request is made, would otherwise suffer undue hardship.

(2) **[Circumstances that may cause undue hardship]** Circumstances that may cause a spouse or child to suffer undue hardship include the following:

a) des dettes anormalement élevées qui sont raisonnablement contractées par un époux pour soutenir les époux et les enfants avant la séparation ou pour gagner un revenu;

b) des frais anormalement élevés liés à l'exercice par un époux du droit d'accès auprès des enfants;

c) des obligations légales d'un époux découlant d'un jugement, d'une ordonnance ou d'une entente de séparation écrite pour le soutien alimentaire de toute personne;

d) des obligations légales d'un époux pour le soutien alimentaire d'un enfant, autre qu'un enfant à charge, qui:

　(i) n'est pas majeur,

　(ii) est majeur, sans pouvoir, pour cause notamment de maladie ou d'invalidité, subvenir à ses propres besoins;

e) des obligations légales d'un époux pour le soutien alimentaire de toute personne qui ne peut subvenir à ses propres besoins pour cause de maladie ou d'invalidité.

(3) **[Niveaux de vie]** Même s'il conclut à l'existence de difficultés excessives, le tribunal doit rejeter la demande faite en application du paragraphe (1) s'il est d'avis que le ménage de l'époux qui les invoque aurait, par suite de la détermination du montant de l'ordonnance alimentaire en application des articles 3 à 5, 8 et 9, un niveau de vie plus élevé que celui du ménage de l'autre époux.

(4) **[Méthode de comparaison des niveaux de vie]** Afin de comparer les niveaux de vie des ménages visés au paragraphe (3), le tribunal peut utiliser la méthode prévue à l'annexe II.

(5) **[Période raisonnable]** S'il rajuste le montant de l'ordonnance alimentaire en vertu du paragraphe (1), le tribunal peut, dans l'ordonnance, prévoir une période raisonnable pour permettre à l'époux de satisfaire les obligations qui causent des difficultés excessives et fixer le montant de celle-ci à l'expiration de cette période.

(6) **[Motifs]** Le tribunal doit enregistrer les motifs de sa décision de rajuster le montant de l'ordonnance alimentaire en vertu du présent article.

ÉLÉMENTS DE L'ORDONNANCE ALIMENTAIRE

11. [Forme de paiement] Le tribunal peut exiger dans l'ordonnance alimentaire que le montant de celle-ci soit payable sous forme de capital ou de pension, ou des deux.

(*a*) the spouse has responsibility for an unusually high level of debts reasonably incurred to support the spouses and their children prior to the separation or to earn a living;

(*b*) the spouse has unusually high expenses in relation to exercising access to a child;

(*c*) the spouse has a legal duty under a judgment, order or written separation agreement to support any person;

(*d*) the spouse has a legal duty to support a child, other than a child of the marriage, who is

　(i) under the age of majority, or

　(ii) the age of majority or over but is unable, by reason of illness, disability or other cause, to obtain the necessaries of life; and

(*e*) the spouse has a legal duty to support any person who is unable to obtain the necessaries of life due to an illness or disability.

(3) **[Standards of living must be considered]** Despite a determination of undue hardship under subsection (1), an application under that subsection must be denied by the court if it is of the opinion that the household of the spouse who claims undue hardship would, after determining the amount of child support under any of sections 3 to 5, 8 or 9, have a higher standard of living than the household of the other spouse.

(4) **[Standards of living test]** In comparing standards of living for the purpose of subsection (3), the court may use the comparison of household standards of living test set out in Schedule II.

(5) **[Reasonable time]** Where the court awards a different amount of child support under subsection (1), it may specify, in the child support order, a reasonable time for the satisfaction of any obligation arising from circumstances that cause undue hardship and the amount payable at the end of that time.

(6) **[Reasons]** Where the court makes a child support order in a different amount under this section, it must record its reasons for doing so.

ELEMENTS OF A CHILD SUPPORT ORDER

11. [Form of payments] The court may require in a child support order that the amount payable under the order be paid in periodic payments, in a lump sum or in a lump sum and periodic payments.

12. [Garantie] Le tribunal peut exiger dans l'ordonnance alimentaire que le montant de celle-ci soit versé ou garanti, ou versé et garanti, selon les modalités prévues par l'ordonnance.

13. [Détail de l'ordonnance] L'ordonnance alimentaire doit contenir les renseignements suivants:

a) les nom et date de naissance des enfants visés par elle;

b) le revenu de tout époux qui a servi à la détermination du montant de l'ordonnance;

c) le montant déterminé selon l'alinéa 3(1)a) à l'égard des enfants visés par l'ordonnance;

d) le montant déterminé selon l'alinéa 3(2)b) à l'égard de tout enfant majeur;

e) le détail des dépenses visées au paragraphe 7(1), le nom de l'enfant auquel elles se rapportent et leur montant ou, si celui-ci ne peut être déterminé, la proportion à payer;

f) la date à laquelle le capital ou le premier paiement de la pension est payable et le jour du mois — ou de toute autre période — où les paiements subséquents doivent être faits.

MODIFICATION DE L'ORDONNANCE ALIMENTAIRE

14. [Changements de situation] Pour l'application du paragraphe 17(4) de la Loi, l'un ou l'autre des changements ci-après constitue un changement de situation au titre duquel une ordonnance alimentaire modificative peut être rendue:

a) dans les cas d'une ordonnance alimentaire dont tout ou partie du montant a été déterminé selon la table applicable, tout changement qui amènerait une modification de l'ordonnance ou de telle de ses dispositions;

b) dans le cas d'une ordonnance alimentaire dont le montant n'a pas été déterminé selon une table, tout changement dans les ressources, les besoins ou, d'une façon générale, dans la situation de l'un ou l'autre des époux ou de tout enfant ayant droit à une pension alimentaire;

c) dans le cas d'une ordonnance rendue avant le 1er mai 1997, l'entrée en vigueur de l'article 15.1 de la Loi, édicté par l'article 2 du chapitre 1 des Lois du Canada (1997).

12. [Security] The court may require in the child support order that the amount payable under the order be paid or secured, or paid and secured, in the manner specified in the order.

13. [Information to be specified in order] A child support order must include the following information:

(a) the name and birth date of each child to whom the order relates;

(b) the income of any spouse whose income is used to determine the amount of the child support order;

(c) the amount determined under paragraph 3(1)(a) for the number of children to whom the order relates;

(d) the amount determined under paragraph 3(2)(b) for a child the age of majority or over;

(e) the particulars of any expense described in subsection 7(1), the child to whom the expense relates, and the amount of the expense or, where that amount cannot be determined, the proportion to be paid in relation to the expense; and

(f) the date on which the lump sum or first payment is payable and the day of the month or other time period on which all subsequent payments are to be made.

VARIATION OF CHILD SUPPORT ORDERS

14. [Circumstances for variation] For the purposes of subsection 17(4) of the Act, any one of the following constitutes a change of circumstances that gives rise to the making of a variation order in respect of a child support order:

(a) in the case where the amount of child support includes a determination made in accordance with the applicable table, any change in circumstances that would result in a different child support order or any provision thereof;

(b) in the case where the amount of child support does not include a determination made in accordance with a table, any change in the condition, means, needs or other circumstances of either spouse or of any child who is entitled to support; and

(c) in the case of an order made before May 1, 1997, the coming into force of section 15.1 of the Act, enacted by section 2 of chapter 1 of the Statutes of Canada, (1997).

DORS/SOR/97-175; DORS/SOR/97-563; DORS/SOR/2000-337.

REVENU

15. (1) **[Détermination du revenu annuel]** Sous réserve du paragraphe (2), le revenu annuel de l'époux est déterminé par le tribunal conformément aux articles 16 à 20.

(2) **[Entente]** Si les époux s'entendent, par écrit, sur le revenu annuel de l'un d'eux, le tribunal peut, s'il juge que ce montant est raisonnable compte tenu des renseignements fournis en application de l'article 21, considérer ce montant comme le revenu de l'époux pour l'application des présentes lignes directrices.

16. **[Calcul du revenu annuel]** Sous réserve des articles 17 à 20, le revenu annuel de l'époux est déterminé au moyen des sources de revenu figurant sous la rubrique «Revenu total» dans la formule T1 Générale établie par l'Agence des douanes et du revenu du Canada, et est rajusté conformément à l'annexe III.

DORS/SOR/97-175; DORS/SOR/2000-337.

17. (1) **[Tendance du revenu]** S'il est d'avis que la détermination du revenu annuel de l'époux en application de l'article 16 ne correspond pas à la détermination la plus équitable, le tribunal peut, compte tenu du revenu de l'époux pour les trois dernières années, déterminer une somme équitable et raisonnable en fonction de toute tendance ou fluctuation du revenu au cours de cette période ou de toute somme non récurrente reçue au cours de celle-ci.

(2) **[Pertes non récurrentes]** Si l'époux a subi une perte en capital ou une perte au titre de placements d'entreprise non récurrentes, le tribunal peut, s'il est d'avis que la détermination du revenu annuel de l'époux en application de l'article 16 ne correspond pas à la détermination la plus équitable, rajuster le montant de la perte, y compris les dépenses y afférentes et les frais financiers et frais d'intérêt, de la façon qu'il juge indiquée, au lieu de le faire en application des articles 6 ou 7 de l'annexe III.

DORS/SOR/97-175; DORS/SOR/2000-337.

18. (1) **[Actionnaires, administrateurs ou dirigeants]** Si l'époux est un actionnaire, administrateur ou dirigeant d'une société, le tribunal peut, s'il est d'avis que son revenu annuel déterminé conformément à l'article 16 ne correspond pas fidèlement aux sommes disponibles pour payer une pension alimentaire pour enfants, tenir compte des situations visées à l'article 17 et inclure dans le revenu annuel:

INCOME

15. (1) **[Determination of annual income]** Subject to subsection (2), a spouse's annual income is determined by the court in accordance with sections 16 to 20.

(2) **[Agreement]** Where both spouses agree in writing on the annual income of a spouse, the court may consider that amount to be the spouse's income for the purposes of these Guidelines if the court thinks that the amount is reasonable having regard to the income information provided under section 21.

16. **[Calculation of annual income]** Subject to sections 17 to 20, a spouse's annual income is determined using the sources of income set out under the heading "Total income" in the T1 General form issued by the Canada Customs and Revenue Agency and is adjusted in accordance with Schedule III.

17. (1) **[Pattern of income]** If the court is of the opinion that the determination of a spouse's annual income under section 16 would not be the fairest determination of that income, the court may have regard to the spouse's income over the last three years and determine an amount that is fair and reasonable in light of any pattern of income, fluctuation in income or receipt of a non-recurring amount during those years.

(2) **[Non-recurring losses]** Where a spouse has incurred a non-recurring capital or business investment loss, the court may, if it is of the opinion that the determination of the spouse's annual income under section 16 would not provide the fairest determination of the annual income, choose not to apply sections 6 and 7 of Schedule III, and adjust the amount of the loss, including related expenses and carrying charges and interest expenses, to arrive at such amount as the court considers appropriate.

18. (1) **[Shareholder, director or officer]** Where a spouse is a shareholder, director or officer of a corporation and the court is of the opinion that the amount of the spouse's annual income as determined under section 16 does not fairly reflect all the money available to the spouse for the payment of child support, the court may consider the situations described in section 17 and determine the spouse's annual income to include

a) soit tout ou partie du montant de profit avant impôt de la société, et de toutes autres sociétés avec lesquelles elle est liée, pour la dernière année d'imposition;

b) soit un montant correspondant à la valeur des services qu'il fournit à la société, jusqu'à concurrence du montant de profit avant impôt de celle-ci.

(2) **[Rajustement du profit avant impôt]** Aux fins de la détermination du profit avant impôt d'une société en application du paragraphe (1), les montants qu'elle paie, au titre notamment des salaires, rémunérations, frais de gestion ou avantages, aux personnes avec lesquelles elle a un lien de dépendance, ou au nom de celles-ci, sont ajoutés au profit avant impôt de la société, à moins que l'époux n'établisse qu'ils sont raisonnables dans les circonstances.

19. (1) **[Attribution de revenu]** Le tribunal peut attribuer à l'époux le montant de revenu qu'il juge indiqué, notamment dans les cas suivants:

a) l'époux a choisi de ne pas travailler ou d'être sous-employé, sauf s'il a fait un tel choix lorsque l'exigent les besoins d'un enfant à charge ou de tout autre enfant mineur ou des circonstances raisonnables liées à sa santé ou la poursuite d'études par lui;

b) il est exempté de l'impôt fédéral ou provincial;

c) il vit dans un pays où les taux d'imposition effectifs sont considérablement inférieurs à ceux en vigueur au Canada;

d) des revenus semblent avoir été détournés, ce qui aurait pour effet d'influer sur le montant de l'ordonnance alimentaire à déterminer en application des présentes lignes directrices;

e) les biens de l'époux ne sont pas raisonnablement utilisés pour gagner un revenu;

f) il n'a pas fourni les renseignements sur le revenu qu'il est légalement tenu de fournir;

g) il déduit de façon déraisonnable des dépenses de son revenu;

h) il tire une portion considérable de son revenu de dividendes, de gains en capital ou d'autres sources qui sont imposés à un taux moindre que le revenu d'emploi ou d'entreprise ou qui sont exonérés d'impôt;

i) il reçoit ou recevra un revenu ou d'autres avantages à titre de bénéficiaire d'une fiducie.

(a) all or part of the pre-tax income of the corporation, and of any corporation that is related to that corporation, for the most recent taxation year; or s

(b) an amount commensurate with the services that the spouse provides to the corporation, provided that the amount does not exceed the corporation's pre-tax income.

(2) **[Adjustment to corporation's pre-tax income]** In determining the pre-tax income of a corporation for the purposes of subsection (1), all amounts paid by the corporation as salaries, wages or management fees, or other payments or benefits, to or on behalf of persons with whom the corporation does not deal at arm's length must be added to the pre-tax income, unless the spouse establishes that the payments were reasonable in the circumstances.

19. (1) **[Imputing income]** The court may impute such amount of income to a spouse as it considers appropriate in the circumstances, which circumstances include the following:

(a) the spouse is intentionally under-employed or unemployed, other than where the under-employment or unemployment is required by the needs of a child of the marriage or any child under the age of majority or by the reasonable educational or health needs of the spouse;

(b) the spouse is exempt from paying federal or provincial income tax;

(c) the spouse lives in a country that has effective rates of income tax that are significantly lower than those in Canada;

(d) it appears that income has been diverted which would affect the level of child support to be determined under these Guidelines;

(e) the spouse's property is not reasonably utilized to generate income;

(f) the spouse has failed to provide income information when under a legal obligation to do so;

(g) the spouse unreasonably deducts expenses from income;

(h) the spouse derives a significant portion of income from dividends, capital gains or other sources that are taxed at a lower rate than employment or business income or that are exempt from tax; and

(i) the spouse is a beneficiary under a trust and is or will be in receipt of income or other benefits from the trust.

(2) **[Caractère raisonnable des dépenses]** Pour l'application de l'alinéa (1)*g*), une déduction n'est pas nécessairement considérée comme raisonnable du seul fait qu'elle est permise en vertu de la *Loi de l'impôt sur le revenu.*
DORS/SOR/97-175; DORS/SOR/2000-337.

20. **[Non-résident]** Le revenu annuel de l'époux qui ne réside pas au Canada est déterminé comme s'il y résidait.

RENSEIGNEMENTS SUR LE REVENU

21. (1) **[Obligation du demandeur]** L'époux qui présente une demande d'ordonnance alimentaire et dont les renseignements sur le revenu sont nécessaires pour en déterminer le montant doit joindre à sa demande:

a) une copie de ses déclarations de revenus personnelles, pour les trois dernières années d'imposition;

b) une copie de ses avis de cotisation et de nouvelle cotisation, pour les trois dernières années d'imposition;

c) s'il est un employé, le relevé de paye le plus récent faisant état des gains cumulatifs pour l'année en cours, y compris les payes de surtemps ou, si un tel relevé n'est fourni par l'employeur, une lettre de celui-ci précisant ces renseignements et le salaire ou la rémunération annuels de l'employé;

d) s'il est un travailleur indépendant, pour les trois dernières années d'imposition:

(i) les états financiers de son entreprise ou de sa pratique professionnelle, sauf s'il s'agit d'une société de personnes,

(ii) un relevé de la répartition des montants payés, au titre notamment des salaires, rémunérations, frais de gestion ou avantages, à des particuliers ou sociétés avec qui il a un lien de dépendance, ou au nom de ceux-ci;

e) s'il est membre d'une société de personnes, une attestation du revenu qu'il en a tiré, des prélèvements qu'il en a faits et des fonds qu'il y a investis, pour les trois dernières années d'imposition de la société;

f) s'il contrôle une société, pour les trois dernières années d'imposition de celle-ci:

(i) les états financiers de celle-ci et de ses filiales,

(2) **[Reasonableness of expenses]** For the purpose of paragraph (1)(*g*), the reasonableness of an expense deduction is not solely governed by whether the deduction is permitted under the *Income Tax Act.*

20. **[Non-resident]** Where a spouse is a non-resident of Canada, the spouse's annual income is determined as though the spouse were a resident of Canada.

INCOME INFORMATION

21. (1) **[Obligation of applicant]** A spouse who is applying for a child support order and whose income information is necessary to determine the amount of the order must include the following with the application:

(*a*) a copy of every personal income tax return filed by the spouse for each of the three most recent taxation years;

(*b*) a copy of every notice of assessment and reassessment issued to the spouse for each of the three most recent taxation years;

(*c*) where the spouse is an employee, the most recent statement of earnings indicating the total earnings paid in the year to date, including overtime or, where such a statement is not provided by the employer, a letter from the spouse's employer setting out that information including the spouse's rate of annual salary or remuneration;

(*d*) where the spouse is self-employed, for the three most recent taxation years

(i) the financial statements of the spouse's business or professional practice, other than a partnership, and

(ii) a statement showing a breakdown of all salaries, wages, management fees or other payments or benefits paid to, or on behalf of, persons or corporations with whom the spouse does not deal at arm's length;

(*e*) where the spouse is a partner in a partnership, confirmation of the spouse's income and draw from, and capital in, the partnership for its three most recent taxation years;

(*f*) where the spouse controls a corporation, for its three most recent taxation years

(i) the financial statements of the coporation and its subsidiaries, and

(ii) un relevé de la répartition des montants payés, au titre notamment des salaires, rémunérations, frais de gestion ou avantages, à des particuliers ou sociétés avec qui la société ou toute société liée a un lien de dépendance, ou au nom de ceux-ci;

g) s'il est bénéficiaire d'une fiducie, une copie de l'acte constitutif de celle-ci et de ses trois derniers états financiers;

h) en plus de tout renseignement à joindre à sa demande aux termes des alinéas *c)* à *g),* s'il a reçu un revenu au titre de l'assurance-emploi, de l'assistance sociale, d'une pension, d'indemnités d'accident du travail, de prestations d'invalidité ou un revenu de toute autre source, le dernier relevé indiquant la somme totale versée durant l'année en cours à l'égard de la source applicable ou, si un tel relevé n'est pas fourni, une lettre de l'autorité en cause indiquant cette somme.

(2) **[Obligation du défendeur]** L'époux qui se fait signifier une demande d'ordonnance alimentaire et dont les renseignements sur le revenu sont nécessaires pour en déterminer le montant doit fournir au tribunal ainsi qu'à l'autre époux ou au cessionnaire de la créance alimentaire, selon le cas, les documents visés au paragraphe (1) dans les 30 jours suivant la date de la signification, s'il réside au Canada ou aux États-Unis, ou dans les 60 jours suivant cette date, s'il réside ailleurs, ou encore dans tout autre délai fixé par le tribunal.

(3) **[Dépenses spéciales et difficultés excessives]** Si, dans le cadre d'une procédure relative à une demande d'ordonnance alimentaire, un époux demande un montant pour des dépenses visées au paragraphe 7(1) ou invoque des difficultés excessives, l'époux qui aurait droit au montant de l'ordonnance alimentaire doit fournir au tribunal et à l'autre époux les documents visés au paragraphe (1) dans les 30 jours suivant la date de la demande du montant pour dépenses ou de l'allégation des difficultés excessives, s'il réside au Canada ou aux États-Unis, ou dans les 60 jours suivant cette date, s'il réside ailleurs, ou encore dans tout autre délai fixé par le tribunal.

(4) **[Revenu supérieur à 150 000 $]** Si, dans le cadre d'une procédure relative à une demande d'ordonnance alimentaire, il est établi que le revenu de l'époux faisant l'objet de la demande est supérieur à 150 000 $, l'autre époux doit fournir à celui-ci et au tribunal les documents visés au paragraphe (1) dans les 30 jours suivant l'établissement du montant de ce revenu, s'il réside au Canada ou aux États-Unis, ou dans les 60 jours suivant cette date,

(ii) a statement showing a breakdown of all salaries, wages, management fees or other payments or benefits paid to, or on behalf of, persons or corporations with whom the corporation, and every related corporation, does not deal at arm's length;

(g) where the spouse is a beneficiary under a trust, a copy of the trust settlement agreement and copies of the trust's three most recent financial statements; and

(h) in addition to any income information that must be included under paragraphs *(c)* to *(g),* where the spouse receives income from employment insurance, social assistance, a pension, workers compensation, disability payments or any other source, the most recent statement of income indicating the total amount of income from the applicable source during the current year, or if such a statement is not provided, a letter from the appropriate authority stating the required information.

(2) **[Obligation of respondent]** A spouse who is served with an application for a child support order and whose income information is necessary to determine the amount of the order, must, within 30 days after the application is served if the spouse resides in Canada or the United States or within 60 days if the spouse resides elsewhere, or such other time limit as the court specifies, provide the court, as well as the other spouse or the order assignee, as the case may be, with the documents referred to in subsection (1).

(3) **[Special expenses or undue hardship]** Where, in the course of proceedings in respect of an application for a child support order, a spouse requests an amount to cover expenses referred to in subsection 7(1) or pleads undue hardship, the spouse who would be receiving the amount of child support must, within 30 days after the amount is sought or undue hardship is pleaded if the spouse resides in Canada or the United States or within 60 days if the spouse resides elsewhere, or such other time limit as the court specifies, provide the court and the other spouse with the documents referred to in subsection (1).

(4) **[Income over $150,000]** Where, in the course of proceedings in respect of an application for a child support order, it is established that the income of the spouse who would be paying the amount of child support is greater than $150,000, the other spouse must, within 30 days after the income is established to be greater than $150,000 if the other spouse resides in Canada or the United States or within 60 days if the other spouse resides elsewhere, or such

s'il réside ailleurs, ou encore dans tout autre délai fixé par le tribunal.

(5) **[Établissement des règles]** Le présent article n'a pas pour effet d'empêcher les autorités compétentes, au sens de l'article 25 de la Loi, d'établir des règles concernant la communication de renseignements sur le revenu qui sont considérés comme nécessaires pour la détermination du montant d'une ordonnance alimentaire.

DORS/SOR/97-175; DORS/SOR/2000-337.

22. (1) **[Défaut de fournir des renseignements]** Si l'époux ne se conforme pas à l'article 21, l'autre époux peut demander:

a) que la cause concernant la demande d'ordonnance alimentaire soit inscrite au rôle pour instruction ou qu'un jugement soit rendu;

b) que soit rendue une ordonnance enjoignant à l'époux en défaut de fournir les documents requis au tribunal ainsi qu'à l'autre époux ou au cessionnaire de la créance alimentaire, selon le cas.

(2) **[Dépens]** S'il rend une ordonnance en vertu des alinéas (1)*a)* ou b), le tribunal peut adjuger les dépens à l'autre époux, jusqu'à concurrence d'un montant couvrant tous les frais relatifs à la procédure.

23. **[Conclusion défavorable]** Lorsque le tribunal procède à l'instruction par suite d'une demande faite en vertu de l'alinéa 22(1)*a)*, il peut tirer une conclusion défavorable à l'époux en défaut et lui attribuer le montant de revenu qu'il juge indiqué.

24. **[Défaut de se conformer à l'ordonnance]** Si l'époux ne se conforme pas à l'ordonnance rendue par suite d'une demande faite en vertu de l'alinéa 22(1)*b)*, le tribunal peut:

a) rejeter tout acte de procédure de l'époux en défaut;

b) rendre contre celui-ci une ordonnance d'outrage au tribunal;

c) procéder à l'instruction, au cours de laquelle il peut tirer une conclusion défavorable à celui-ci et lui attribuer le montant de revenu qu'il juge indiqué;

d) adjuger les dépens à l'autre époux, jusqu'à concurrence d'un montant couvrant tous les frais relatifs à la procédure.

other time limit as the court specifies, provide the court and the spouse with the documents referred to in subsection (1).

(5) **[Making of rules not precluded]** Nothing in this section precludes the making of rules by a competent authority, within the meaning of section 25 of the Act, respecting the disclosure of income information that is considered necessary for the purposes of the determination of an amount of a child support order.

22. (1) **[Failure to comply]** Where a spouse fails to comply with section 21, the other spouse may apply

(*a*) to have the application for a child support order set down for a hearing, or move for judgment; or

(*b*) for an order requiring the spouse who failed to comply to provide the court, as well as the other spouse or order assignee, as the case may be, with the required documents.

(2) **[Costs of the proceedings]** Where a court makes an order under paragraph (1)(*a*) or (*b*), the court may award costs in favour of the other spouse up to an amount that fully compensates the other spouse for all costs incurred in the proceedings.

23. **[Adverse inference]** Where the court proceeds to a hearing on the basis of an application under paragraph 22(1)(*a*), the court may draw an adverse inference against the spouse who failed to comply and impute income to that spouse in such amount as it considers appropriate.

24. **[Failure to comply with court order]** Where a spouse fails to comply with an order issued on the basis of an application under paragraph 22(1)(*b*), the court may

(*a*) strike out any of the spouse's pleadings;

(*b*) make a contempt order against the spouse;

(*c*) proceed to a hearing, in the course of which it may draw an adverse inference against the spouse and impute income to that spouse in such amount as it considers appropriate; and

(*d*) award costs in favour of the other spouse up to an amount that fully compensates the other spouse for all costs incurred in the proceedings.

25. (1) **[Obligation continuelle de fournir des renseignements]** Le débiteur alimentaire doit, sur demande écrite de l'autre époux ou du cessionnaire de la créance alimentaire, au plus une fois par année après le prononcé de l'ordonnance et tant que l'enfant est un enfant au sens des présentes lignes directrices, lui fournir:

a) les documents visés au paragraphe 21(1) pour les trois dernières années d'imposition, sauf celles pour lesquelles ils ont déjà été fournis;

b) le cas échéant, par écrit, des renseignements à jour sur l'état des dépenses qui sont prévues dans l'ordonnance en vertu du paragraphe 7(1);

c) le cas échéant, par écrit, des renseignements à jour sur les circonstances sur lesquelles s'est fondé le tribunal pour établir l'existence de difficultés excessives.

(2) **[Revenu inférieur au seuil applicable]** Si le tribunal détermine que l'époux faisant l'objet de la demande d'ordonnance alimentaire n'a rien à payer au titre de l'ordonnance alimentaire étant donné que son revenu est inférieur au seuil prévu pour l'application des tables, cet époux doit, sur demande écrite de l'autre époux, au plus une fois par année après la détermination et tant que l'enfant est un enfant au sens des présentes lignes directrices, lui fournir les documents visés au paragraphe 21(1) pour les trois dernières années d'imposition, sauf celles pour lesquelles ils ont déjà été fournis.

(3) **[Obligation du créancier alimentaire]** Si les renseignements sur le revenu de l'époux en faveur duquel a été rendue l'ordonnance alimentaire servent à en déterminer le montant, cet époux doit, sur demande écrite du débiteur alimentaire, au plus une fois par année après le prononcé de l'ordonnance et tant que l'enfant est un enfant au sens des présentes lignes directrices, lui fournir les documents et renseignements visés au paragraphe (1).

(4) **[Demande assortie de renseignements]** L'époux qui fait une demande en application de l'un des paragraphes (1) à (3) — ou le cessionnaire qui le fait en son nom — et dont les renseignements sur le revenu servent à déterminer le montant de l'ordonnance alimentaire doit joindre à sa demande les documents et renseignements visés au paragraphe (1).

(5) **[Délai]** L'époux qui reçoit une demande en application de l'un des paragraphes (1) à (3) doit fournir les documents requis dans les 30 jours suivant la date de réception de la demande, s'il réside au Canada ou aux États-Unis, ou dans les 60 jours suivant cette date, s'il réside ailleurs.

25. (1) **[Continuing obligation to provide income information]** Every spouse against whom a child support order has been made must, on the written request of the other spouse or the order assignee, not more than once a year after the making of the order and as long as the child is a child within the meaning of these Guidelines, provide that other spouse or the order assignee with

(a) the documents referred to in subsection 21(1) for any of the three most recent taxation years for which the spouse has not previously provided the documents;

(b) as applicable, any current information, in writing, about the status of any expenses included in the order pursuant to subsection 7(1); and

(c) as applicable, any current information, in writing, about the circumstances relied on by the court in a determination of undue hardship.

(2) **[Below minimum income]** Where a court has determined that the spouse against whom a child support order is sought does not have to pay child support because his or her income level is below the minimum amount required for application of the tables, that spouse must, on the written request of the other spouse, not more than once a year after the determination and as long as the child is a child within the meaning of these Guidelines, provide the other spouse with the documents referred to in subsection 21(1) for any of the three most recent taxation years for which the spouse has not previously provided the documents.

(3) **[Obligation of receiving spouse]** Where income information of the spouse in favour of whom a child support order is made is used to determine the amount of the order, the spouse must, not more than once a year after the making of the order and as long as the child is a child within the meaning of these Guidelines, on the written request of the other spouse, provide the other spouse with the documents and information referred to in subsection (1).

(4) **[Information requests]** Where a spouse or an order assignee requests information from the other spouse under any of subsections (1) to (3) and the income information of the requesting spouse is used to determine the amount of the child support order, the requesting spouse or order assignee must include the documents and information referred to in subsection (1) with the request.

(5) **[Time limit]** A spouse who receives a request made under any of subsections (1) to (3) must provide the required documents within 30 days after the request's receipt if the spouse resides in Canada or the United States and within 60 days after the request's receipt if the spouse resides elsewhere.

(6) **[Présomption]** L'époux est présumé avoir reçu la demande 10 jours après son envoi.

(7) **[Défaut de se conformer]** Si l'époux ne se conforme pas à l'un des paragraphes (1) à (3), le tribunal peut, sur demande de l'autre époux ou du cessionnaire de la créance alimentaire:

a) considérer le défaut comme un outrage au tribunal et adjuger les dépens au demandeur, jusqu'à concurrence d'un montant couvrant tous les frais relatifs à la procédure;

b) rendre une ordonnance enjoignant à l'époux en défaut de fournir les documents requis au tribunal ainsi qu'à l'autre époux ou au cessionnaire de la créance alimentaire, selon le cas.

(8) **[Ordre public]** Toute disposition dans un jugement, ordonnance ou entente visant à restreindre l'obligation d'un époux de fournir des documents conformément au présent article est inexécutoire.

DORS/SOR/97-175; DORS/SOR/97-563.

26. **[Mandat]** Tout époux ou le cessionnance de la créance alimentaire peut mandater le service provincial des aliments pour enfants aux fins de l'obtention des renseignements visés aux paragraphes 25(1) à (3) et de la demande prévue au paragraphe 25(7).

ENTRÉE EN VIGUEUR

27. **[Entrée en vigueur]** Les présentes lignes directrices entrent en vigueur le 1er mai 1997.

(6) **[Deemed receipt]** A request made under any of subsections (1) to (3) is deemed to have been received 10 days after it is sent.

(7) **[Failure to comply]** A court may, on application by either spouse or an order assignee, where the other spouse has failed to comply with any of subsections (1) to (3)

(a) consider the other spouse to be in contempt of court and award costs in favour of the applicant up to an amount that fully compensates the applicant for all costs incurred in the proceedings; or

(b) make an order requiring the other spouse to provide the required documents to the court, as well as to the spouse or order assignee, as the case may be.

(8) **[Unenforceable provision]** A provision in a judgment, order or agreement purporting to limit a spouse's obligation to provide documents under this section is unenforceable.

26. **[Provincial child support services]** A spouse or an order assignee may appoint a provincial child support service to act on their behalf for the purposes of requesting and receiving income information under any of subsections 25(1) to (3), as well as for the purposes of an application under subsection 25(7).

COMING INTO FORCE

27. **[Coming into force]** These Guidelines come into force on May 1, 1997.

ANNEXE I	SCHEDULE I
(paragraphe 2(1))	(Subsection 2(1))

TABLES FÉDÉRALES DE PENSIONS ALIMENTAIRES POUR ENFANTS	FEDERAL CHILD SUPPORT TABLES

Notes:

1. Les tables fédérales de pensions alimentaires pour enfants fixent, pour chaque province, le paiement mensuel de la pension alimentaire, selon le revenu de l'époux tenu de verser celle-ci (le «débiteur alimentaire») et le nombre d'enfants en cause. Reportez-vous aux présentes lignes directrices pour savoir si des mesures spéciales s'appliquent.

2. Les tables prévoient les revenus annuels minimal et maximal du débiteur alimentaire sur lesquels se fonde la détermination du montant de la pension alimentaire selon le nombre d'enfants. Pour les débiteurs alimentaires dont le revenu dépasse 150 000 $, reportez-vous à l 'article 4 des présentes lignes directrices pour déterminer le montant de la pension alimentaire.

3. Le revenu est indiqué par tranche de 1 000 $. Le paiement mensuel est déterminé par addition du montant de base applicable et le montant calculé en multipliant la fraction de revenu qui excède le montant inférieur de la tranche de revenu applicable par le pourcentage indiqué.

Exemple:

Province: Colombie-Britannique
Nombre d'enfants: 2
Revenu annuel du débiteur alimentaire: 33 760 $
Montant de base: 480 $
Pourcentage: 1,20%
Montant inférieur de la tranche de revenu: 33 000 $

Le paiement mensuel de la pension alimentaire est calculé comme suit:

480 $ + [1,2% × (33 760 $ – 33 000 $)]
480 $ + [1,2/100 × 760 $]
480 $ + [0,012 × 760 $]
480 $ + 9,12 $ = 489,12 $

4. Il y a des tables distinctes pour chaque province. Les montants varient d'une province à l'autre en raison des différents taux d'imposition de chaque province. Les tables figurent dans l'ordre suivant:

   a) *Ontario*

   b) *Québec*

   c) *Nouvelle-Écosse*

Notes:

1. The federal child support tables set out the amount of monthly child support payments for each province on the basis of the annual income of the spouse ordered to pay child support (the "support payer") and the number of children for whom a table amount is payable. Refer to these Guidelines to determine whether special measures apply.

2. There is a threshold level of income below which no amount of child support is payable. Child support amounts are specified for incomes up to $150,000 per year. Refer to section 4 of these Guidelines to determine the amount of child support payments for support payers with incomes over $150,000.

3. Income set out in the tables in intervals of $1,000. Monthly amounts are determined by adding the basic amount and the amount calculated by multiplying the applicable percentage by the portion of the income that exceeds the lower amount within that interval of income.

Example:

Province: British Columbia
Number of children: 2
Annual income of support payer: $33,760
Basic amount: $480
Percentage: 1.20%
Lower amount of the income interval: $33,000

The amount of monthly child support is calculated as follows:

$480 + [1.2% × ($33,760 – $33,000)]
$480 + [1.2/100 × $760]
$480 + [0.012 × $760]
$480 + $9.12 = $489.12

4. There are separate tables for each province. The amounts vary from one province to another because of differences in provincial income tax rates. The tables are in the following order:

   (a) *Ontario*;

   (b) *Quebec*;

   (c) *Nova Scotia*;

d) *Nouveau-Brunswick*

e) *Manitoba*

f) *Colombie-Britannique*

g) *Île-du-Prince-Édouard*

h) *Saskatchewan*

i) *Alberta*

j) *Terre-Neuve*

k) *Yukon*

l) *Territoires du Nord-Ouest*

m) *Nunavut.*

5. Les montants figurant dans les tables reposent sur des études économiques sur ce qu'il en coûte pour élever des enfants dans des familles à divers niveaux de revenu au Canada. Ils ont été calculés compte tenu du fait que les pensions alimentaires reçues ne sont plus imposables et que celles payées ne sont plus déductibles. Ils ont été calculés selon une formule mathématique et produits au moyen d'un programme informatique.

6. La formule permet d'établir des montants de pensions alimentaires qui tiennent compte de la dépense moyenne que représente un enfant pour un époux avec un nombre d'enfants et un revenu donnés. Le calcul se fonde sur le revenu du débiteur alimentaire. Elle tient compte du crédit d'impôt non remboursable au titre du montant personnel de base pour reconnaître les dépenses personnelles. Elle tient également compte d'autres taxes et crédits fédéraux et provinciaux sur le revenu. Les prestations fiscales fédérales pour enfants et le crédit pour la taxe sur les produits et services sont exclus du calcul. Pour les revenus annuels moins élevés, la formule permet d'établir le montant sans perdre de vue l'incidence combinée des impôts et des paiements de la pension alimentaire pour enfants sur le revenu disponible limité dont dispose le débiteur alimentaire.

(d) *New Brunswick;*

(e) *Manitoba;*

(f) *British Columbia;*

(g) *Prince Edward Island;*

(h) *Saskatchewan;*

(i) *Alberta;*

(j) *Newfoundland;*

(k) *Yukon;*

(l) *Northwest Territories;* and

(m) *Nunavut.*

5. The amounts in the tables are based on economic studies of average spending on children in families at different income levels in Canada. They are calculated on the basis that child support payments are no longer taxable in the hands of the receiving parent and no longer deductible by the paying parent. They are calculated using a mathematical formula and generated by a computer program.

6. The formula referred to in note 5 sets support amounts to reflect average expenditures on children by a spouse with a particular number of children and level of income. The calculation is based on the support payer's income. The formula uses the basic personal amount for nonrefundable tax credits to recognize personal expenses, and takes other federal and provincial income taxes and credits into account. Federal Child Tax benefits and Goods and Services Tax credits for children are excluded from the calculation. At lower income levels, the formula sets the amounts to take into account the combined impact of taxes and child support payments on the support payer's limited disposable income.

Federal Child Support Tables / Tables fédérales de pensions alimentaires pour enfants

Province: Ontario

No. of Children/Nᵇʳᵉ d'enfants: One/Un

Income/Revenu ($) From/De	To/À	Basic Amount/Montant de base	Plus (%)	of income over/du revenu dépassant
0	6729	0	—	—
6730	6999	0	5.00	6730
7000	7999	14	4.81	7000
8000	8999	62	0.86	8000
9000	9999	70	0.86	9000
10000	10999	79	0.86	10000
11000	11999	87	0.86	11000
12000	12999	96	0.86	12000
13000	13999	105	0.86	13000
14000	14999	113	0.68	14000
15000	15999	120	0.68	15000
16000	16999	127	0.68	16000
17000	17999	134	0.68	17000
18000	18999	140	0.72	18000
19000	19999	148	1.50	19000
20000	20999	163	1.50	20000
21000	21999	178	1.50	21000
22000	22999	192	1.06	22000
23000	23999	203	0.95	23000
24000	24999	213	0.95	24000
25000	25999	222	0.88	25000
26000	26999	232	0.88	26000
27000	27999	240	0.88	27000
28000	28999	249	0.88	28000
29000	29999	258	0.80	29000
30000	30999	266	0.71	30000
31000	31999	273	0.76	31000
32000	32999	281	0.83	32000
33000	33999	289	0.83	33000
34000	34999	297	0.79	34000
35000	35999	305	0.78	35000
36000	36999	313	0.81	36000
37000	37999	321	0.81	37000
38000	38999	329	0.81	38000
39000	39999	337	0.81	39000
40000	40999	345	0.84	40000
41000	41999	354	0.84	41000
42000	42999	362	0.84	42000
43000	43999	371	0.84	43000
44000	44999	379	0.84	44000
45000	45999	387	0.84	45000
46000	46999	396	0.84	46000
47000	47999	404	0.84	47000
48000	48999	413	0.84	48000
49000	49999	421	0.84	49000
50000	50999	429	0.84	50000
51000	51999	438	0.84	51000
52000	52999	446	0.76	52000
53000	53999	454	0.72	53000

Income/Revenu ($) From/De	To/À	Basic Amount/Montant de base	Plus (%)	of income over/du revenu dépassant
54000	54999	461	0.72	54000
55000	55999	468	0.73	55000
56000	56999	475	0.80	56000
57000	57999	483	0.80	57000
58000	58999	492	0.80	58000
59000	59999	500	0.75	59000
60000	60999	507	0.74	60000
61000	61999	514	0.74	61000
62000	62999	522	0.74	62000
63000	63999	529	0.70	63000
64000	64999	536	0.67	64000
65000	65999	543	0.51	65000
66000	66999	548	0.52	66000
67000	67999	553	0.55	67000
68000	68999	559	0.64	68000
69000	69999	565	0.67	69000
70000	70999	572	0.67	70000
71000	71999	578	0.67	71000
72000	72999	585	0.67	72000
73000	73999	592	0.67	73000
74000	74999	599	0.67	74000
75000	75999	605	0.67	75000
76000	76999	612	0.67	76000
77000	77999	619	0.67	77000
78000	78999	625	0.67	78000
79000	79999	632	0.67	79000
80000	80999	639	0.67	80000
81000	81999	645	0.67	81000
82000	82999	652	0.67	82000
83000	83999	659	0.67	83000
84000	84999	666	0.67	84000
85000	85999	672	0.67	85000
86000	86999	679	0.67	86000
87000	87999	686	0.67	87000
88000	88999	692	0.67	88000
89000	89999	699	0.67	89000
90000	90999	706	0.67	90000
91000	91999	712	0.67	91000
92000	92999	719	0.67	92000
93000	93999	726	0.67	93000
94000	94999	733	0.67	94000
95000	95999	739	0.67	95000
96000	96999	746	0.67	96000
97000	97999	753	0.67	97000
98000	98999	759	0.67	98000
99000	99999	766	0.67	99000
100000	100999	773	0.67	100000
101000	101999	779	0.67	101000
102000	102999	786	0.67	102000

Income/Revenu ($) From/De	To/À	Basic Amount/Montant de base	Plus (%)	of income over/du revenu dépassant
103000	103999	793	0.67	103000
104000	104999	799	0.67	104000
105000	105999	806	0.67	105000
106000	106999	813	0.67	106000
107000	107999	820	0.67	107000
108000	108999	826	0.67	108000
109000	109999	833	0.67	109000
110000	110999	840	0.67	110000
111000	111999	846	0.67	111000
112000	112999	853	0.67	112000
113000	113999	860	0.67	113000
114000	114999	866	0.67	114000
115000	115999	873	0.67	115000
116000	116999	880	0.67	116000
117000	117999	887	0.67	117000
118000	118999	893	0.67	118000
119000	119999	900	0.67	119000
120000	120999	907	0.67	120000
121000	121999	913	0.67	121000
122000	122999	920	0.67	122000
123000	123999	927	0.67	123000
124000	124999	933	0.67	124000
125000	125999	940	0.67	125000
126000	126999	947	0.67	126000
127000	127999	954	0.67	127000
128000	128999	960	0.67	128000
129000	129999	967	0.67	129000
130000	130999	974	0.67	130000
131000	131999	980	0.67	131000
132000	132999	987	0.67	132000
133000	133999	994	0.67	133000
134000	134999	1000	0.67	134000
135000	135999	1007	0.67	135000
136000	136999	1014	0.67	136000
137000	137999	1020	0.67	137000
138000	138999	1027	0.67	138000
139000	139999	1034	0.67	139000
140000	140999	1041	0.67	140000
141000	141999	1047	0.67	141000
142000	142999	1054	0.67	142000
143000	143999	1061	0.67	143000
144000	144999	1067	0.67	144000
145000	145999	1074	0.67	145000
146000	146999	1081	0.67	146000
147000	147999	1087	0.67	147000
148000	148999	1094	0.67	148000
149000	149999	1101	0.67	149000
150000 or greater/ou plus		1108	0.67	150000

FEDERAL CHILD SUPPORT TABLES/
TABLES FÉDÉRALES DE PENSIONS ALIMENTAIRES POUR ENFANTS

PROVINCE: *Ontario*
No. OF CHILDREN/Nᵇʳᵉ D'ENFANTS: *Two/Deux*

Income/Revenu ($)		Monthly Award/Paiement mensuel ($)		
From/De	To/À	Basic Amount/Montant de base	Plus (%)	of income over/du revenu dépassant
0	6729	0		
6730	6999	0	5.42	6730
7000	7999	15	5.23	7000
8000	8999	67	3.54	8000
9000	9999	102	1.65	9000
10000	10999	119	2.06	10000
11000	11999	147	2.90	11000
12000	12999	176	2.21	12000
13000	13999	198	1.24	13000
14000	14999	211	1.24	14000
15000	15999	223	1.24	15000
16000	16999	236	1.24	16000
17000	17999	248	1.24	17000
18000	18999	260	1.24	18000
19000	19999	273	1.24	19000
20000	20999	285	1.24	20000
21000	21999	297	1.24	21000
22000	22999	310	1.24	22000
23000	23999	322	1.80	23000
24000	24999	340	1.96	24000
25000	25999	360	1.95	25000
26000	26999	379	1.85	26000
27000	27999	398	1.85	27000
28000	28999	416	1.66	28000
29000	29999	433	1.25	29000
30000	30999	446	1.10	30000
31000	31999	456	1.15	31000
32000	32999	468	1.26	32000
33000	33999	481	1.26	33000
34000	34999	493	1.26	34000
35000	35999	506	1.26	35000
36000	36999	518	1.30	36000
37000	37999	531	1.30	37000
38000	38999	544	1.26	38000
39000	39999	557	1.26	39000
40000	40999	570	1.31	40000
41000	41999	583	1.31	41000
42000	42999	596	1.31	42000
43000	43999	609	1.31	43000
44000	44999	622	1.31	44000
45000	45999	635	1.31	45000
46000	46999	648	1.31	46000
47000	47999	661	1.31	47000
48000	48999	674	1.31	48000
49000	49999	687	1.31	49000
50000	50999	700	1.31	50000
51000	51999	713	1.31	51000
52000	52999	726	1.22	52000
53000	53999	739	1.17	53000

Income/Revenu ($)		Monthly Award/Paiement mensuel ($)		
From/De	To/À	Basic Amount/Montant de base	Plus (%)	of income over/du revenu dépassant
54000	54999	750	1.17	54000
55000	55999	762	1.18	55000
56000	56999	774	1.25	56000
57000	57999	786	1.25	57000
58000	58999	799	1.25	58000
59000	59999	811	1.16	59000
60000	60999	823	1.15	60000
61000	61999	834	1.15	61000
62000	62999	846	1.15	62000
63000	63999	857	1.10	63000
64000	64999	868	1.07	64000
65000	65999	879	0.91	65000
66000	66999	888	0.91	66000
67000	67999	897	0.94	67000
68000	68999	907	1.02	68000
69000	69999	917	1.04	69000
70000	70999	927	1.04	70000
71000	71999	938	1.04	71000
72000	72999	948	1.04	72000
73000	73999	959	1.04	73000
74000	74999	969	1.04	74000
75000	75999	979	1.04	75000
76000	76999	990	1.04	76000
77000	77999	1000	1.04	77000
78000	78999	1011	1.04	78000
79000	79999	1021	1.04	79000
80000	80999	1031	1.04	80000
81000	81999	1042	1.04	81000
82000	82999	1053	1.04	82000
83000	83999	1063	1.04	83000
84000	84999	1073	1.04	84000
85000	85999	1084	1.04	85000
86000	86999	1094	1.04	86000
87000	87999	1104	1.04	87000
88000	88999	1115	1.04	88000
89000	89999	1125	1.04	89000
90000	90999	1136	1.04	90000
91000	91999	1146	1.04	91000
92000	92999	1156	1.04	92000
93000	93999	1167	1.04	93000
94000	94999	1177	1.04	94000
95000	95999	1188	1.04	95000
96000	96999	1198	1.04	96000
97000	97999	1209	1.04	97000
98000	98999	1219	1.04	98000
99000	99999	1229	1.04	99000
100000	100999	1240	1.04	100000
101000	101999	1250	1.04	101000
102000	102999	1261	1.04	102000

Income/Revenu ($)		Monthly Award/Paiement mensuel ($)		
From/De	To/À	Basic Amount/Montant de base	Plus (%)	of income over/du revenu dépassant
103000	103999	1271	1.04	103000
104000	104999	1281	1.04	104000
105000	105999	1292	1.04	105000
106000	106999	1302	1.04	106000
107000	107999	1313	1.04	107000
108000	108999	1323	1.04	108000
109000	109999	1334	1.04	109000
110000	110999	1344	1.04	110000
111000	111999	1354	1.04	111000
112000	112999	1365	1.04	112000
113000	113999	1375	1.04	113000
114000	114999	1386	1.04	114000
115000	115999	1396	1.04	115000
116000	116999	1406	1.04	116000
117000	117999	1417	1.04	117000
118000	118999	1427	1.04	118000
119000	119999	1438	1.04	119000
120000	120999	1448	1.04	120000
121000	121999	1459	1.04	121000
122000	122999	1469	1.04	122000
123000	123999	1479	1.04	123000
124000	124999	1490	1.04	124000
125000	125999	1500	1.04	125000
126000	126999	1511	1.04	126000
127000	127999	1521	1.04	127000
128000	128999	1531	1.04	128000
129000	129999	1542	1.04	129000
130000	130999	1552	1.04	130000
131000	131999	1563	1.04	131000
132000	132999	1573	1.04	132000
133000	133999	1584	1.04	133000
134000	134999	1594	1.04	134000
135000	135999	1605	1.04	135000
136000	136999	1615	1.04	136000
137000	137999	1625	1.04	137000
138000	138999	1636	1.04	138000
139000	139999	1646	1.04	139000
140000	140999	1656	1.04	140000
141000	141999	1667	1.04	141000
142000	142999	1677	1.04	142000
143000	143999	1688	1.04	143000
144000	144999	1698	1.04	144000
145000	145999	1709	1.04	145000
146000	146999	1719	1.04	146000
147000	147999	1729	1.04	147000
148000	148999	1740	1.04	148000
149000	149999	1750	1.04	149000
150000 or greater/ou plus		1761	1.04	150000

FEDERAL CHILD SUPPORT TABLES/
TABLES FÉDÉRALES DE PENSIONS ALIMENTAIRES POUR ENFANTS

PROVINCE: ONTARIO

No. OF CHILDREN/Nᵇʳᵉ D'ENFANTS: Three/Trois

Income/Revenu ($) From/De	To/À	Basic Amount/ Montant de base	Plus (%)	of Income over/ du revenu dépassant
0	6729	0	5.83	6730
6730	6999	0	5.83	6730
7000	7999	16	5.65	7000
8000	8899	72	3.95	8000
9000	9999	112	2.06	9000
10000	10999	132	3.27	10000
11000	11999	165	3.32	11000
12000	12999	198	3.20	12000
13000	13999	230	3.20	13000
14000	14999	262	3.20	14000
15000	15999	294	2.81	15000
16000	16999	323	3.39	16000
17000	17999	356	1.68	17000
18000	18999	373	1.68	18000
19000	19999	390	1.68	19000
20000	20999	407	1.68	20000
21000	21999	424	1.68	21000
22000	22999	440	1.68	22000
23000	23999	457	1.68	23000
24000	24999	474	1.67	24000
25000	25999	491	1.54	25000
26000	26999	506	1.88	26000
27000	27999	525	2.20	27000
28000	28999	547	2.14	28000
29000	29999	568	2.09	29000
30000	30999	589	2.14	30000
31000	31999	611	2.28	31000
32000	32999	633	1.64	32000
33000	33999	650	1.60	33000
34000	34999	666	1.66	34000
35000	35999	682	1.66	35000
36000	36999	698	1.66	36000
37000	37999	715	1.66	37000
38000	38999	732	1.67	38000
39000	39999	748	1.72	39000
40000	40999	765	1.70	40000
41000	41999	782	1.68	41000
42000	42999	799	1.68	42000
43000	43999	816	1.68	43000
44000	44999	833	1.68	44000
45000	45999	850	1.68	45000
46000	46999	866	1.68	46000
47000	47999	883	1.68	47000
48000	48999	900	1.68	48000
49000	49999	917	1.68	49000
50000	50999	934	1.68	50000
51000	51999	950	1.59	51000
52000	52999	966	1.54	52000
53000	53999	981	1.54	53000
54000	54999	982	1.54	54000
55000	55999	997	1.55	55000
56000	56999	1013	1.61	56000
57000	57999	1029	1.61	57000
58000	58999	1045	1.61	58000
59000	59999	1061	1.50	59000
60000	60999	1076	1.47	60000
61000	61999	1091	1.47	61000
62000	62999	1105	1.47	62000
63000	63999	1120	1.43	63000
64000	64999	1134	1.39	64000
65000	65999	1148	1.22	65000
66000	66999	1160	1.22	66000
67000	67999	1173	1.24	67000
68000	68999	1185	1.32	68000
69000	69999	1198	1.34	69000
70000	70999	1212	1.34	70000
71000	71999	1225	1.34	71000
72000	72999	1238	1.34	72000
73000	73999	1252	1.34	73000
74000	74999	1265	1.34	74000
75000	75999	1279	1.34	75000
76000	76999	1292	1.34	76000
77000	77999	1305	1.34	77000
78000	78999	1319	1.34	78000
79000	79999	1332	1.34	79000
80000	80999	1346	1.34	80000
81000	81999	1359	1.34	81000
82000	82999	1372	1.34	82000
83000	83999	1386	1.34	83000
84000	84999	1399	1.34	84000
85000	85999	1413	1.34	85000
86000	86999	1426	1.34	86000
87000	87999	1439	1.34	87000
88000	88999	1453	1.34	88000
89000	89999	1466	1.34	89000
90000	90999	1480	1.34	90000
91000	91999	1493	1.34	91000
92000	92999	1506	1.34	92000
93000	93999	1520	1.34	93000
94000	94999	1533	1.34	94000
95000	95999	1546	1.34	95000
96000	96999	1560	1.34	96000
97000	97999	1573	1.34	97000
98000	98999	1587	1.34	98000
99000	99999	1600	1.34	99000
100000	100999	1613	1.34	100000
101000	101999	1627	1.34	101000
102000	102999	1640	1.34	102000
103000	103999	1654	1.34	103000
104000	104999	1667	1.34	104000
105000	105999	1680	1.34	105000
106000	106999	1694	1.34	106000
107000	107999	1707	1.34	107000
108000	108999	1721	1.34	108000
109000	109999	1734	1.34	109000
110000	110999	1747	1.34	110000
111000	111999	1761	1.34	111000
112000	112999	1774	1.34	112000
113000	113999	1788	1.34	113000
114000	114999	1801	1.34	114000
115000	115999	1814	1.34	115000
116000	116999	1828	1.34	116000
117000	117999	1841	1.34	117000
118000	118999	1855	1.34	118000
119000	119999	1868	1.34	119000
120000	120999	1881	1.34	120000
121000	121999	1895	1.34	121000
122000	122999	1908	1.34	122000
123000	123999	1922	1.34	123000
124000	124999	1935	1.34	124000
125000	125999	1948	1.34	125000
126000	126999	1962	1.34	126000
127000	127999	1975	1.34	127000
128000	128999	1988	1.34	128000
129000	129999	2002	1.34	129000
130000	130999	2015	1.34	130000
131000	131999	2029	1.34	131000
132000	132999	2042	1.34	132000
133000	133999	2055	1.34	133000
134000	134999	2069	1.34	134000
135000	135999	2082	1.34	135000
136000	136999	2096	1.34	136000
137000	137999	2109	1.34	137000
138000	138999	2122	1.34	138000
139000	139999	2136	1.34	139000
140000	140999	2149	1.34	140000
141000	141999	2163	1.34	141000
142000	142999	2176	1.34	142000
143000	143999	2189	1.34	143000
144000	144999	2203	1.34	144000
145000	145999	2216	1.34	145000
146000	146999	2230	1.34	146000
147000	147999	2243	1.34	147000
148000	148999	2256	1.34	148000
149000	149999	2270	1.34	149000
150000	or greater/ ou plus	2283	1.34	150000

FEDERAL CHILD SUPPORT TABLES / TABLES FÉDÉRALES DE PENSIONS ALIMENTAIRES POUR ENFANTS

PROVINCE: *ONTARIO*

No. OF CHILDREN/Nᵇʳᵉ D'ENFANTS: *Four/Quatre*

Income/Revenu ($) From/De	To/À	Basic Amount/ Montant de base	Plus (%)	of income over/ du revenu dépassant
0	6729	0		
6730	6999	0	6.25	6730
7000	7999	17	6.06	7000
8000	8999	78	4.37	8000
9000	9999	121	2.48	9000
10000	10999	146	3.69	10000
11000	11999	183	3.74	11000
12000	12999	220	3.62	12000
13000	13999	256	3.62	13000
14000	14999	293	3.62	14000
15000	15999	329	3.62	15000
16000	16999	365	3.62	16000
17000	17999	401	3.34	17000
18000	18999	435	2.05	18000
19000	19999	455	2.05	19000
20000	20999	476	2.05	20000
21000	21999	496	2.05	21000
22000	22999	517	2.05	22000
23000	23999	537	2.05	23000
24000	24999	558	2.04	24000
25000	25999	578	1.88	25000
26000	26999	598	1.88	26000
27000	27999	617	1.88	27000
28000	28999	636	1.66	28000
29000	29999	655	1.37	29000
30000	30999	672	2.33	30000
31000	31999	685	2.50	31000
32000	32999	709	2.50	32000
33000	33999	733	2.50	33000
34000	34999	758	2.51	34000
35000	35999	783	2.58	35000
36000	36999	809	2.03	36000
37000	37999	834	1.95	37000
38000	38999	855	1.96	38000
39000	39999	874	2.02	39000
40000	40999	894	2.02	40000
41000	41999	914	2.02	41000
42000	42999	934	2.02	42000
43000	43999	954	2.02	43000
44000	44999	975	1.99	44000
45000	45999	995	1.99	45000
46000	46999	1015	1.99	46000
47000	47999	1034	1.99	47000
48000	48999	1054	1.99	48000
49000	49999	1074	1.99	49000
50000	50999	1094	1.99	50000
51000	51999	1114	1.99	51000
52000	52999	1134	1.89	52000
53000	53999	1153	1.84	53000

Income/Revenu ($) From/De	To/À	Basic Amount/ Montant de base	Plus (%)	of income over/ du revenu dépassant
54000	54999	1171	1.84	54000
55000	55999	1189	1.85	55000
56000	56999	1208	1.90	56000
57000	57999	1227	1.90	57000
58000	58999	1246	1.90	58000
59000	59999	1265	1.77	59000
60000	60999	1283	1.74	60000
61000	61999	1300	1.74	61000
62000	62999	1317	1.74	62000
63000	63999	1335	1.69	63000
64000	64999	1352	1.66	64000
65000	65999	1368	1.48	65000
66000	66999	1383	1.48	66000
67000	67999	1398	1.50	67000
68000	68999	1413	1.56	68000
69000	69999	1428	1.58	69000
70000	70999	1444	1.58	70000
71000	71999	1460	1.58	71000
72000	72999	1476	1.58	72000
73000	73999	1492	1.58	73000
74000	74999	1508	1.58	74000
75000	75999	1523	1.58	75000
76000	76999	1539	1.58	76000
77000	77999	1555	1.58	77000
78000	78999	1571	1.58	78000
79000	79999	1587	1.58	79000
80000	80999	1603	1.58	80000
81000	81999	1618	1.58	81000
82000	82999	1634	1.58	82000
83000	83999	1650	1.58	83000
84000	84999	1666	1.58	84000
85000	85999	1682	1.56	85000
86000	86999	1698	1.58	86000
87000	87999	1713	1.58	87000
88000	88999	1729	1.58	88000
89000	89999	1745	1.58	89000
90000	90999	1761	1.58	90000
91000	91999	1777	1.58	91000
92000	92999	1793	1.58	92000
93000	93999	1808	1.58	93000
94000	94999	1824	1.58	94000
95000	95999	1840	1.58	95000
96000	96999	1856	1.58	96000
97000	97999	1872	1.58	97000
98000	98999	1888	1.58	98000
99000	99999	1903	1.58	99000
100000	100999	1919	1.58	100000
101000	101999	1935	1.58	101000
102000	102999	1951	1.58	102000

Income/Revenu ($) From/De	To/À	Basic Amount/ Montant de base	Plus (%)	of income over/ du revenu dépassant
103000	103999	1967	1.58	103000
104000	104999	1983	1.58	104000
105000	105999	1998	1.58	105000
106000	106999	2014	1.58	106000
107000	107999	2030	1.58	107000
108000	108999	2046	1.58	108000
109000	109999	2062	1.58	109000
110000	110999	2077	1.58	110000
111000	111999	2093	1.58	111000
112000	112999	2109	1.58	112000
113000	113999	2125	1.58	113000
114000	114999	2141	1.58	114000
115000	115999	2157	1.58	115000
116000	116999	2172	1.58	116000
117000	117999	2188	1.58	117000
118000	118999	2204	1.58	118000
119000	119999	2220	1.58	119000
120000	120999	2236	1.58	120000
121000	121999	2252	1.58	121000
122000	122999	2267	1.58	122000
123000	123999	2283	1.58	123000
124000	124999	2299	1.58	124000
125000	125999	2315	1.58	125000
126000	126999	2331	1.58	126000
127000	127999	2347	1.58	127000
128000	128999	2362	1.58	128000
129000	129999	2378	1.58	129000
130000	130999	2394	1.58	130000
131000	131999	2410	1.58	131000
132000	132999	2426	1.58	132000
133000	133999	2442	1.58	133000
134000	134999	2457	1.58	134000
135000	135999	2473	1.58	135000
136000	136999	2489	1.58	136000
137000	137999	2505	1.58	137000
138000	138999	2521	1.58	138000
139000	139999	2537	1.58	139000
140000	140999	2552	1.58	140000
141000	141999	2568	1.58	141000
142000	142999	2584	1.58	142000
143000	143999	2600	1.58	143000
144000	144999	2616	1.58	144000
145000	145999	2631	1.58	145000
146000	146999	2647	1.58	146000
147000	147999	2663	1.58	147000
148000	148999	2679	1.58	148000
149000	149999	2695	1.58	149000
150000 or greater/ou plus		2711	1.58	150000

FEDERAL CHILD SUPPORT TABLES/
TABLES FÉDÉRALES DE PENSIONS ALIMENTAIRES POUR ENFANTS

PROVINCE: ONTARIO

NO. OF CHILDREN/N^{BRE} D'ENFANTS: *Five/Cinq*

Income/Revenu ($) From/De	To/À	Monthly Award/Paiement mensuel ($) Basic Amount/Montant de base	Plus (%)	of income over/du revenu dépassant
0	6729	0		
6730	6999	0	6.25	6730
7000	7999	17	6.06	7000
8000	8999	78	4.37	8000
9000	9999	121	2.48	9000
10000	10999	146	3.69	10000
11000	11999	183	3.74	11000
12000	12999	220	3.62	12000
13000	13999	256	3.62	13000
14000	14999	293	3.62	14000
15000	15999	329	3.62	15000
16000	16999	365	3.62	16000
17000	17999	401	3.62	17000
18000	18999	437	3.62	18000
19000	19999	474	3.62	19000
20000	20999	510	3.62	20000
21000	21999	546	3.54	21000
22000	22999	582	3.62	22000
23000	23999	618	2.35	23000
24000	24999	641	2.34	24000
25000	25999	665	2.34	25000
26000	26999	688	2.17	26000
27000	27999	710	2.17	27000
28000	28999	731	2.17	28000
29000	29999	753	1.92	29000
30000	30999	772	1.58	30000
31000	31999	788	1.64	31000
32000	32999	805	1.83	32000
33000	33999	823	2.07	33000
34000	34999	844	2.68	34000
35000	35999	870	2.69	35000
36000	36999	897	2.77	36000
37000	37999	925	2.77	37000
38000	38999	953	2.78	38000
39000	39999	980	2.86	39000
40000	40999	1008	2.35	40000
41000	41999	1037	2.27	41000
42000	42999	1060	2.27	42000
43000	43999	1083	2.27	43000
44000	44999	1106	2.27	44000
45000	45999	1129	2.27	45000
46000	46999	1151	2.27	46000
47000	47999	1174	2.26	47000
48000	48999	1197	2.24	48000
49000	49999	1219	2.24	49000
50000	50999	1242	2.24	50000
51000	51999	1264	2.14	51000
52000	52999	1287	2.09	52000
53000	53999	1308		53000

Income/Revenu ($) From/De	To/À	Monthly Award/Paiement mensuel ($) Basic Amount/Montant de base	Plus (%)	of income over/du revenu dépassant
54000	54999	1329	2.09	54000
55000	55999	1350	2.10	55000
56000	56999	1371	2.15	56000
57000	57999	1392	2.15	57000
58000	58999	1414	2.15	58000
59000	59999	1435	1.99	59000
60000	60999	1455	1.97	60000
61000	61999	1475	1.97	61000
62000	62999	1494	1.97	62000
63000	63999	1514	1.92	63000
64000	64999	1533	1.88	64000
65000	65999	1552	1.69	65000
66000	66999	1569	1.69	66000
67000	67999	1586	1.71	67000
68000	68999	1603	1.77	68000
69000	69999	1620	1.79	69000
70000	70999	1638	1.79	70000
71000	71999	1656	1.79	71000
72000	72999	1674	1.79	72000
73000	73999	1692	1.79	73000
74000	74999	1710	1.79	74000
75000	75999	1728	1.79	75000
76000	76999	1745	1.79	76000
77000	77999	1763	1.79	77000
78000	78999	1781	1.79	78000
79000	79999	1799	1.79	79000
80000	80999	1817	1.79	80000
81000	81999	1835	1.79	81000
82000	82999	1853	1.79	82000
83000	83999	1870	1.79	83000
84000	84999	1888	1.79	84000
85000	85999	1906	1.79	85000
86000	86999	1924	1.79	86000
87000	87999	1942	1.79	87000
88000	88999	1960	1.79	88000
89000	89999	1978	1.79	89000
90000	90999	1995	1.79	90000
91000	91999	2013	1.79	91000
92000	92999	2031	1.79	92000
93000	93999	2049	1.79	93000
94000	94999	2067	1.79	94000
95000	95999	2085	1.79	95000
96000	96999	2103	1.79	96000
97000	97999	2120	1.79	97000
98000	98999	2138	1.79	98000
99000	99999	2156	1.79	99000
100000	100999	2174	1.79	100000
101000	101999	2192	1.79	101000
102000	102999	2210	1.79	102000

Income/Revenu ($) From/De	To/À	Monthly Award/Paiement mensuel ($) Basic Amount/Montant de base	Plus (%)	of income over/du revenu dépassant
103000	103999	2228	1.79	103000
104000	104999	2245	1.79	104000
105000	105999	2263	1.79	105000
106000	106999	2281	1.79	106000
107000	107999	2299	1.79	107000
108000	108999	2317	1.79	108000
109000	109999	2335	1.79	109000
110000	110999	2353	1.79	110000
111000	111999	2370	1.79	111000
112000	112999	2388	1.79	112000
113000	113999	2406	1.79	113000
114000	114999	2424	1.79	114000
115000	115999	2442	1.79	115000
116000	116999	2460	1.79	116000
117000	117999	2478	1.79	117000
118000	118999	2495	1.79	118000
119000	119999	2513	1.79	119000
120000	120999	2531	1.79	120000
121000	121999	2549	1.79	121000
122000	122999	2567	1.79	122000
123000	123999	2585	1.79	123000
124000	124999	2603	1.79	124000
125000	125999	2620	1.79	125000
126000	126999	2638	1.79	126000
127000	127999	2656	1.79	127000
128000	128999	2674	1.79	128000
129000	129999	2692	1.79	129000
130000	130999	2710	1.79	130000
131000	131999	2728	1.79	131000
132000	132999	2745	1.79	132000
133000	133999	2763	1.79	133000
134000	134999	2781	1.79	134000
135000	135999	2799	1.79	135000
136000	136999	2817	1.79	136000
137000	137999	2835	1.79	137000
138000	138999	2853	1.79	138000
139000	139999	2870	1.79	139000
140000	140999	2888	1.79	140000
141000	141999	2906	1.79	141000
142000	142999	2924	1.79	142000
143000	143999	2942	1.79	143000
144000	144999	2960	1.79	144000
145000	145999	2978	1.79	145000
146000	146999	2995	1.79	146000
147000	147999	3013	1.79	147000
148000	148999	3031	1.79	148000
149000	149999	3049	1.79	149000
150000 or greater/ou plus		3067	1.79	150000

Federal Child Support Tables/
Tables fédérales de pensions alimentaires pour enfants

PROVINCE: *Ontario*

No. of Children/N^{bre} d'enfants: *Six or more/Six ou plus*

Income/Revenu From/De	To/À	Basic Amount/Montant de base	Plus (%)	of income over/du revenu dépassant
0	6729	0		
6730	6999	0	6.25	6730
7000	7999	17	6.06	7000
8000	8999	78	4.37	8000
9000	9999	121	2.48	9000
10000	10999	146	3.69	10000
11000	11999	183	3.74	11000
12000	12999	220	3.62	12000
13000	13999	256	3.62	13000
14000	14999	293	3.62	14000
15000	15999	329	3.62	15000
16000	16999	365	3.62	16000
17000	17999	401	3.62	17000
18000	18999	437	3.62	18000
19000	19999	474	3.62	19000
20000	20999	510	3.62	20000
21000	21999	546	3.62	21000
22000	22999	582	3.62	22000
23000	23999	618	3.62	23000
24000	24999	655	3.59	24000
25000	25999	691	3.20	25000
26000	26999	727	3.20	26000
27000	27999	759	3.20	27000
28000	28999	791	3.20	28000
29000	29999	823	2.74	29000
30000	30999	850	2.10	30000
31000	31999	871	2.18	31000
32000	32999	893	2.15	32000
33000	33999	914	2.05	33000
34000	34999	935	2.06	34000
35000	35999	955	2.58	35000
36000	36999	976	2.93	36000
37000	37999	1002	2.93	37000
38000	38999	1031	2.94	38000
39000	39999	1060	3.03	39000
40000	40999	1090	3.03	40000
41000	41999	1120	3.03	41000
42000	42999	1151	3.03	42000
43000	43999	1181	3.03	43000
44000	44999	1211	2.53	44000
45000	45999	1241	2.49	45000
46000	46999	1267	2.49	46000
47000	47999	1292	2.49	47000
48000	48999	1316	2.49	48000
49000	49999	1341	2.49	49000
50000	50999	1366	2.49	50000
51000	51999	1391	2.49	51000
52000	52999	1416	2.38	52000
53000	53999	1439	2.30	53000

Income/Revenu From/De	To/À	Basic Amount/Montant de base	Plus (%)	of income over/du revenu dépassant
54000	54999	1462	2.30	54000
55000	55999	1485	2.31	55000
56000	56999	1508	2.35	56000
57000	57999	1532	2.35	57000
58000	58999	1555	2.35	58000
59000	59999	1579	2.19	59000
60000	60999	1601	2.15	60000
61000	61999	1622	2.15	61000
62000	62999	1644	2.15	62000
63000	63999	1665	2.10	63000
64000	64999	1686	2.07	64000
65000	65999	1707	1.87	65000
66000	66999	1726	1.87	66000
67000	67999	1744	1.88	67000
68000	68999	1763	1.94	68000
69000	69999	1783	1.96	69000
70000	70999	1802	1.96	70000
71000	71999	1822	1.96	71000
72000	72999	1841	1.96	72000
73000	73999	1861	1.96	73000
74000	74999	1881	1.96	74000
75000	75999	1900	1.96	75000
76000	76999	1920	1.96	76000
77000	77999	1939	1.96	77000
78000	78999	1959	1.96	78000
79000	79999	1978	1.96	79000
80000	80999	1998	1.96	80000
81000	81999	2018	1.96	81000
82000	82999	2037	1.96	82000
83000	83999	2057	1.96	83000
84000	84999	2076	1.96	84000
85000	85999	2096	1.96	85000
86000	86999	2115	1.96	86000
87000	87999	2135	1.96	87000
88000	88999	2155	1.96	88000
89000	89999	2174	1.96	89000
90000	90999	2194	1.96	90000
91000	91999	2213	1.96	91000
92000	92999	2233	1.96	92000
93000	93999	2253	1.96	93000
94000	94999	2272	1.96	94000
95000	95999	2292	1.96	95000
96000	96999	2311	1.96	96000
97000	97999	2331	1.96	97000
98000	98999	2350	1.96	98000
99000	99999	2370	1.96	99000
100000	100999	2390	1.96	100000
101000	101999	2409	1.96	101000
102000	102999	2429	1.96	102000

Income/Revenu From/De	To/À	Basic Amount/Montant de base	Plus (%)	of income over/du revenu dépassant
103000	103999	2448	1.96	103000
104000	104999	2468	1.96	104000
105000	105999	2487	1.96	105000
106000	106999	2507	1.96	106000
107000	107999	2527	1.96	107000
108000	108999	2546	1.96	108000
109000	109999	2566	1.96	109000
110000	110999	2585	1.96	110000
111000	111999	2605	1.96	111000
112000	112999	2624	1.96	112000
113000	113999	2644	1.96	113000
114000	114999	2664	1.96	114000
115000	115999	2683	1.96	115000
116000	116999	2703	1.96	116000
117000	117999	2722	1.96	117000
118000	118999	2742	1.96	118000
119000	119999	2761	1.96	119000
120000	120999	2781	1.96	120000
121000	121999	2801	1.96	121000
122000	122999	2820	1.96	122000
123000	123999	2840	1.96	123000
124000	124999	2859	1.96	124000
125000	125999	2879	1.96	125000
126000	126999	2899	1.96	126000
127000	127999	2918	1.96	127000
128000	128999	2938	1.96	128000
129000	129999	2957	1.96	129000
130000	130999	2977	1.96	130000
131000	131999	2996	1.96	131000
132000	132999	3016	1.96	132000
133000	133999	3036	1.96	133000
134000	134999	3055	1.96	134000
135000	135999	3075	1.96	135000
136000	136999	3094	1.96	136000
137000	137999	3114	1.96	137000
138000	138999	3133	1.96	138000
139000	139999	3153	1.96	139000
140000	140999	3173	1.96	140000
141000	141999	3192	1.96	141000
142000	142999	3212	1.96	142000
143000	143999	3231	1.96	143000
144000	144999	3251	1.96	144000
145000	145999	3270	1.96	145000
146000	146999	3290	1.96	146000
147000	147999	3310	1.96	147000
148000	148999	3329	1.96	148000
149000	149999	3349	1.96	149000
150000 or greater/ou plus		3368	1.96	150000

FEDERAL CHILD SUPPORT TABLES/
TABLES FÉDÉRALES DE PENSIONS ALIMENTAIRES POUR ENFANTS

PROVINCE: *QUEBEC/QUÉBEC*
NO. OF CHILDREN/NbRE D'ENFANTS: *One/Un*

Income/Revenu From/De	To/À	Basic Amount/Montant de base	Plus (%)	of Income over/du revenu dépassant
0	6729	0		
6730	6999	0	4.23	6730
7000	7999	11	3.29	7000
8000	8999	44	3.29	8000
9000	9999	77	0.49	9000
10000	10999	82	0.51	10000
11000	11999	87	0.51	11000
12000	12999	92	0.51	12000
13000	13999	97	0.51	13000
14000	14999	102	0.51	14000
15000	15999	107	0.24	15000
16000	16999	110	0.23	16000
17000	17999	112	0.23	17000
18000	18999	115	0.23	18000
19000	19999	117	0.92	19000
20000	20999	126	1.00	20000
21000	21999	136	0.97	21000
22000	22999	146	0.97	22000
23000	23999	155	0.94	23000
24000	24999	165	0.94	24000
25000	25999	174	0.93	25000
26000	26999	184	0.87	26000
27000	27999	192	0.87	27000
28000	28999	201	0.87	28000
29000	29999	210	0.83	29000
30000	30999	218	0.76	30000
31000	31999	225	0.76	31000
32000	32999	233	0.83	32000
33000	33999	241	0.81	33000
34000	34999	249	0.78	34000
35000	35999	257	0.78	35000
36000	36999	265	0.81	36000
37000	37999	273	0.81	37000
38000	38999	281	0.84	38000
39000	39999	290	0.86	39000
40000	40999	298	0.88	40000
41000	41999	307	0.88	41000
42000	42999	316	0.88	42000
43000	43999	325	0.88	43000
44000	44999	334	0.79	44000
45000	45999	342	0.73	45000
46000	46999	349	0.73	46000
47000	47999	356	0.73	47000
48000	48999	364	0.73	48000
49000	49999	371	0.73	49000
50000	50999	378	0.72	50000
51000	51999	385	0.72	51000
52000	52999	393	0.72	52000
53000	53999	400	0.72	53000

Income/Revenu From/De	To/À	Basic Amount/Montant de base	Plus (%)	of Income over/du revenu dépassant
54000	54999	407	0.72	54000
55000	55999	414	0.69	55000
56000	56999	421	0.68	56000
57000	57999	428	0.68	57000
58000	58999	435	0.70	58000
59000	59999	442	0.68	59000
60000	60999	449	0.67	60000
61000	61999	455	0.67	61000
62000	62999	462	0.67	62000
63000	63999	469	0.63	63000
64000	64999	475	0.60	64000
65000	65999	481	0.60	65000
66000	66999	487	0.62	66000
67000	67999	494	0.65	67000
68000	68999	500	0.65	68000
69000	69999	507	0.65	69000
70000	70999	513	0.65	70000
71000	71999	520	0.65	71000
72000	72999	526	0.65	72000
73000	73999	533	0.65	73000
74000	74999	539	0.65	74000
75000	75999	546	0.65	75000
76000	76999	552	0.65	76000
77000	77999	559	0.65	77000
78000	78999	565	0.65	78000
79000	79999	572	0.65	79000
80000	80999	578	0.65	80000
81000	81999	585	0.65	81000
82000	82999	592	0.65	82000
83000	83999	598	0.65	83000
84000	84999	605	0.65	84000
85000	85999	611	0.65	85000
86000	86999	618	0.65	86000
87000	87999	624	0.65	87000
88000	88999	631	0.65	88000
89000	89999	637	0.65	89000
90000	90999	644	0.65	90000
91000	91999	650	0.65	91000
92000	92999	657	0.65	92000
93000	93999	663	0.65	93000
94000	94999	670	0.65	94000
95000	95999	677	0.65	95000
96000	96999	683	0.65	96000
97000	97999	690	0.65	97000
98000	98999	696	0.55	98000
99000	99999	703	0.65	99000
100000	100999	709	0.65	100000
101000	101999	716	0.65	101000
102000	102999	722	0.65	102000

Income/Revenu From/De	To/À	Basic Amount/Montant de base	Plus (%)	of Income over/du revenu dépassant
103000	103999	729	0.65	103000
104000	104999	735	0.65	104000
105000	105999	742	0.65	105000
106000	106999	748	0.65	106000
107000	107999	755	0.65	107000
108000	108999	762	0.65	108000
109000	109999	768	0.65	109000
110000	110999	775	0.65	110000
111000	111999	781	0.65	111000
112000	112999	788	0.65	112000
113000	113999	794	0.65	113000
114000	114999	801	0.65	114000
115000	115999	807	0.65	115000
116000	116999	814	0.65	116000
117000	117999	820	0.65	117000
118000	118999	827	0.65	118000
119000	119999	833	0.65	119000
120000	120999	840	0.65	120000
121000	121999	847	0.65	121000
122000	122999	853	0.65	122000
123000	123999	860	0.65	123000
124000	124999	866	0.65	124000
125000	125999	873	0.65	125000
126000	126999	879	0.65	126000
127000	127999	886	0.65	127000
128000	128999	892	0.65	128000
129000	129999	899	0.65	129000
130000	130999	905	0.65	130000
131000	131999	912	0.65	131000
132000	132999	918	0.65	132000
133000	133999	925	0.65	133000
134000	134999	931	0.65	134000
135000	135999	938	0.65	135000
136000	136999	945	0.65	136000
137000	137999	951	0.65	137000
138000	138999	958	0.65	138000
139000	139999	964	0.65	139000
140000	140999	971	0.65	140000
141000	141999	977	0.65	141000
142000	142999	984	0.65	142000
143000	143999	990	0.65	143000
144000	144999	997	0.65	144000
145000	145999	1003	0.65	145000
146000	146999	1010	0.65	146000
147000	147999	1016	0.65	147000
148000	148999	1023	0.65	148000
149000	149999	1030	0.65	149000
150000 or greater/ou plus		1036	0.65	150000

PROVINCE: *QUEBEC/QUÉBEC*
No. OF CHILDREN/N^{BRE} D'ENFANTS: *Two/Deux*

FEDERAL CHILD SUPPORT TABLES/
TABLES FÉDÉRALES DE PENSIONS ALIMENTAIRES POUR ENFANTS

Income/Revenu		Monthly Award/Paiement mensuel		
From/De	To/À	Basic Amount/Montant de base	Plus (%)	of income over/du revenu dépassant
0	6729	0		
6730	6999	0	4.64	6730
7000	7999	13	3.70	7000
8000	8999	50	3.70	8000
9000	9999	87	3.64	9000
10000	10999	123	2.23	10000
11000	11999	145	2.37	11000
12000	12999	169	2.26	12000
13000	13999	192	0.98	13000
14000	14999	202	0.67	14000
15000	15999	208	0.71	15000
16000	16999	215	0.76	16000
17000	17999	223	0.76	17000
18000	18999	231	0.76	18000
19000	19999	238	0.76	19000
20000	20999	246	0.76	20000
21000	21999	253	1.05	21000
22000	22999	264	1.50	22000
23000	23999	279	1.46	23000
24000	24999	293	1.37	24000
25000	25999	307	1.36	25000
26000	26999	321	1.26	26000
27000	27999	333	1.26	27000
28000	28999	346	1.26	28000
29000	29999	359	1.20	29000
30000	30999	371	1.10	30000
31000	31999	382	1.10	31000
32000	32999	393	1.20	32000
33000	33999	405	1.18	33000
34000	34999	416	1.15	34000
35000	35999	428	1.16	35000
36000	36999	439	1.19	36000
37000	37999	451	1.19	37000
38000	38999	463	1.19	38000
39000	39999	475	1.19	39000
40000	40999	487	1.26	40000
41000	41999	500	1.27	41000
42000	42999	512	1.28	42000
43000	43999	525	1.28	43000
44000	44999	538	1.28	44000
45000	45999	551	1.25	45000
46000	46999	563	1.14	46000
47000	47999	576	1.14	47000
48000	48999	587	1.14	48000
49000	49999	599	1.12	49000
50000	50999	610	1.12	50000
51000	51999	621	1.12	51000
52000	52999	633	1.12	52000
53000	53999	644	1.12	53000

Income/Revenu		Monthly Award/Paiement mensuel		
From/De	To/À	Basic Amount/Montant de base	Plus (%)	of income over/du revenu dépassant
54000	54999	655	1.12	54000
55000	55999	666	1.09	55000
56000	56999	677	1.08	56000
57000	57999	688	1.08	57000
58000	58999	699	1.08	58000
59000	59999	710	1.03	59000
60000	60999	720	1.04	60000
61000	61999	730	1.05	61000
62000	62999	741	1.01	62000
63000	63999	751	0.97	63000
64000	64999	761	0.97	64000
65000	65999	771	0.99	65000
66000	66999	781	1.02	66000
67000	67999	791	1.02	67000
68000	68999	801	1.02	68000
69000	69999	811	1.02	69000
70000	70999	821	1.02	70000
71000	71999	831	1.02	71000
72000	72999	841	1.02	72000
73000	73999	852	1.02	73000
74000	74999	862	1.02	74000
75000	75999	872	1.02	75000
76000	76999	882	1.02	76000
77000	77999	892	1.02	77000
78000	78999	902	1.02	78000
79000	79999	913	1.02	79000
80000	80999	923	1.02	80000
81000	81999	933	1.02	81000
82000	82999	943	1.02	82000
83000	83999	953	1.02	83000
84000	84999	963	1.02	84000
85000	85999	974	1.02	85000
86000	86999	984	1.02	86000
87000	87999	994	1.02	87000
88000	88999	1004	1.02	88000
89000	89999	1014	1.02	89000
90000	90999	1024	1.02	90000
91000	91999	1035	1.02	91000
92000	92999	1045	1.02	92000
93000	93999	1055	1.02	93000
94000	94999	1065	1.02	94000
95000	95999	1075	1.02	95000
96000	96999	1086	1.02	96000
97000	97999	1096	1.02	97000
98000	98999	1106	1.02	98000
99000	99999	1116	1.02	99000
100000	100999	1126	1.02	100000
101000	101999	1136	1.02	101000
102000	102999	1147	1.02	102000

Income/Revenu		Monthly Award/Paiement mensuel		
From/De	To/À	Basic Amount/Montant de base	Plus (%)	of income over/du revenu dépassant
103000	103999	1157	1.02	103000
104000	104999	1167	1.02	104000
105000	105999	1177	1.02	105000
106000	106999	1187	1.02	106000
107000	107999	1197	1.02	107000
108000	108999	1208	1.02	108000
109000	109999	1218	1.02	109000
110000	110999	1228	1.02	110000
111000	111999	1238	1.02	111000
112000	112999	1248	1.02	112000
113000	113999	1258	1.02	113000
114000	114999	1269	1.02	114000
115000	115999	1279	1.02	115000
116000	116999	1289	1.02	116000
117000	117999	1299	1.02	117000
118000	118999	1309	1.02	118000
119000	119999	1319	1.02	119000
120000	120999	1330	1.02	120000
121000	121999	1340	1.02	121000
122000	122999	1350	1.02	122000
123000	123999	1360	1.02	123000
124000	124999	1370	1.02	124000
125000	125999	1380	1.02	125000
126000	126999	1391	1.02	126000
127000	127999	1401	1.02	127000
128000	128999	1411	1.02	128000
129000	129999	1421	1.02	129000
130000	130999	1431	1.02	130000
131000	131999	1441	1.02	131000
132000	132999	1452	1.02	132000
133000	133999	1462	1.02	133000
134000	134999	1472	1.02	134000
135000	135999	1482	1.02	135000
136000	136999	1492	1.02	136000
137000	137999	1502	1.02	137000
138000	138999	1513	1.02	138000
139000	139999	1523	1.02	139000
140000	140999	1533	1.02	140000
141000	141999	1543	1.02	141000
142000	142999	1553	1.02	142000
143000	143999	1563	1.02	143000
144000	144999	1574	1.02	144000
145000	145999	1584	1.02	145000
146000	146999	1594	1.02	146000
147000	147999	1604	1.02	147000
148000	148999	1614	1.02	148000
149000	149999	1624	1.02	149000
150000	or greater/ou plus	1635	1.02	150000

FEDERAL CHILD SUPPORT TABLES/
TABLES FÉDÉRALES DE PENSIONS ALIMENTAIRES POUR ENFANTS

PROVINCE: *QUEBEC/QUÉBEC*
NO. OF CHILDREN/N-BRE D'ENFANTS: *Three/Trois*

Income/Revenu From/De	To/À	Basic Amount/Montant de base	Plus (%)	of Income over/du revenu dépassant
0	6729	0		
6730	6999	0	5.06	6730
7000	7999	14	4.12	7000
8000	8999	55	4.12	8000
9000	9999	96	4.06	9000
10000	10999	137	2.65	10000
11000	11999	163	2.79	11000
12000	12999	191	2.67	12000
13000	13999	218	2.67	13000
14000	14999	245	2.50	14000
15000	15999	270	2.50	15000
16000	16999	295	1.78	16000
17000	17999	312	1.78	17000
18000	18999	323	1.11	18000
19000	19999	335	1.17	19000
20000	20999	347	1.18	20000
21000	21999	359	1.18	21000
22000	22999	371	1.18	22000
23000	23999	383	1.09	23000
24000	24999	393	1.80	24000
25000	25999	411	1.79	25000
26000	26999	429	1.66	26000
27000	27999	446	1.63	27000
28000	28999	462	1.58	28000
29000	29999	478	1.49	29000
30000	30999	493	1.36	30000
31000	31999	507	1.36	31000
32000	32999	520	1.50	32000
33000	33999	535	1.47	33000
34000	34999	550	1.44	34000
35000	35999	564	1.45	35000
36000	36999	579	1.50	36000
37000	37999	594	1.50	37000
38000	38999	609	1.50	38000
39000	39999	624	1.50	39000
40000	40999	639	1.55	40000
41000	41999	654	1.57	41000
42000	42999	670	1.59	42000
43000	43999	685	1.59	43000
44000	44999	701	1.59	44000
45000	45999	717	1.59	45000
46000	46999	733	1.59	46000
47000	47999	749	1.59	47000
48000	48999	765	1.49	48000
49000	49999	781	1.49	49000
50000	50999	796	1.44	50000
51000	51999	810	1.44	51000
52000	52999	825	1.44	52000
53000	53999	839	1.44	53000

Income/Revenu From/De	To/À	Basic Amount/Montant de base	Plus (%)	of Income over/du revenu dépassant
54000	54999	853	1.44	54000
55000	55999	868	1.41	55000
56000	56999	882	1.40	56000
57000	57999	896	1.40	57000
58000	58999	910	1.40	58000
59000	59999	924	1.34	59000
60000	60999	937	1.33	60000
61000	61999	950	1.34	61000
62000	62999	964	1.30	62000
63000	63999	977	1.30	63000
64000	64999	990	1.27	64000
65000	65999	1003	1.28	65000
66000	66999	1015	1.31	66000
67000	67999	1028	1.31	67000
68000	68999	1041	1.31	68000
69000	69999	1054	1.31	69000
70000	70999	1068	1.31	70000
71000	71999	1081	1.31	71000
72000	72999	1094	1.31	72000
73000	73999	1107	1.31	73000
74000	74999	1120	1.31	74000
75000	75999	1133	1.31	75000
76000	76999	1146	1.31	76000
77000	77999	1159	1.31	77000
78000	78999	1172	1.31	78000
79000	79999	1185	1.31	79000
80000	80999	1198	1.31	80000
81000	81999	1211	1.31	81000
82000	82999	1224	1.31	82000
83000	83999	1237	1.31	83000
84000	84999	1251	1.31	84000
85000	85999	1264	1.31	85000
86000	86999	1277	1.31	86000
87000	87999	1290	1.31	87000
88000	88999	1303	1.31	88000
89000	89999	1316	1.31	89000
90000	90999	1329	1.31	90000
91000	91999	1342	1.31	91000
92000	92999	1355	1.31	92000
93000	93999	1368	1.31	93000
94000	94999	1381	1.31	94000
95000	95999	1394	1.31	95000
96000	96999	1407	1.31	96000
97000	97999	1421	1.31	97000
98000	98999	1434	1.31	98000
99000	99999	1447	1.31	99000
100000	100999	1460	1.31	100000
101000	101999	1473	1.31	101000
102000	102999	1486	1.31	102000

Income/Revenu From/De	To/À	Basic Amount/Montant de base	Plus (%)	of Income over/du revenu dépassant
103000	103999	1499	1.31	103000
104000	104999	1512	1.31	104000
105000	105999	1525	1.31	105000
106000	106999	1538	1.31	106000
107000	107999	1551	1.31	107000
108000	108999	1564	1.31	108000
109000	109999	1577	1.31	109000
110000	110999	1590	1.31	110000
111000	111999	1604	1.31	111000
112000	112999	1617	1.31	112000
113000	113999	1630	1.31	113000
114000	114999	1643	1.31	114000
115000	115999	1656	1.31	115000
116000	116999	1669	1.31	116000
117000	117999	1682	1.31	117000
118000	118999	1695	1.31	118000
119000	119999	1708	1.31	119000
120000	120999	1721	1.31	120000
121000	121999	1734	1.31	121000
122000	122999	1747	1.31	122000
123000	123999	1760	1.31	123000
124000	124999	1774	1.31	124000
125000	125999	1787	1.31	125000
126000	126999	1800	1.31	126000
127000	127999	1813	1.31	127000
128000	128999	1826	1.31	128000
129000	129999	1839	1.31	129000
130000	130999	1852	1.31	130000
131000	131999	1865	1.31	131000
132000	132999	1878	1.31	132000
133000	133999	1891	1.31	133000
134000	134999	1904	1.31	134000
135000	135999	1917	1.31	135000
136000	136999	1930	1.31	136000
137000	137999	1943	1.31	137000
138000	138999	1957	1.31	138000
139000	139999	1970	1.31	139000
140000	140999	1983	1.31	140000
141000	141999	1996	1.31	141000
142000	142999	2009	1.31	142000
143000	143999	2022	1.31	143000
144000	144999	2035	1.31	144000
145000	145999	2048	1.31	145000
146000	146999	2061	1.31	146000
147000	147999	2074	1.31	147000
148000	148999	2087	1.31	148000
149000	149999	2100	1.31	149000
150000 or greater/ou plus		2113	1.31	150000

FEDERAL CHILD SUPPORT TABLES/
TABLES FÉDÉRALES DE PENSIONS ALIMENTAIRES POUR ENFANTS

PROVINCE: *QUEBEC/QUÉBEC*
NO. OF CHILDREN/N^{BRE} D'ENFANTS: *Four/Quatre*

Income/Revenu ($) From/De	To/À	Basic Amount/Montant de base	Plus (%)	of income over/du revenu dépassant
0	6729	0		
6730	6999	0	5.48	6730
7000	7999	15	4.54	7000
8000	8999	60	4.54	8000
9000	9999	106	4.48	9000
10000	10999	150	3.07	10000
11000	11999	181	3.21	11000
12000	12999	213	3.09	12000
13000	13999	244	3.09	13000
14000	14999	275	2.92	14000
15000	15999	304	2.92	15000
16000	16999	333	2.92	16000
17000	17999	362	2.92	17000
18000	18999	392	2.42	18000
19000	19999	416	1.46	19000
20000	20999	430	1.48	20000
21000	21999	445	1.53	21000
22000	22999	461	1.53	22000
23000	23999	476	1.41	23000
24000	24999	490	1.41	24000
25000	25999	504	1.40	25000
26000	26999	518	1.76	26000
27000	27999	536	1.91	27000
28000	28999	555	1.91	28000
29000	29999	574	1.80	29000
30000	30999	592	1.65	30000
31000	31999	609	1.60	31000
32000	32999	625	1.75	32000
33000	33999	642	1.72	33000
34000	34999	659	1.68	34000
35000	35999	676	1.70	35000
36000	36999	693	1.75	36000
37000	37999	710	1.75	37000
38000	38999	728	1.75	38000
39000	39999	745	1.75	39000
40000	40999	763	1.81	40000
41000	41999	781	1.81	41000
42000	42999	799	1.81	42000
43000	43999	817	1.82	43000
44000	44999	835	1.81	44000
45000	45999	854	1.84	45000
46000	46999	872	1.84	46000
47000	47999	890	1.84	47000
48000	48999	909	1.84	48000
49000	49999	927	1.84	49000
50000	50999	946	1.81	50000
51000	51999	964	1.77	51000
52000	52999	982	1.70	52000
53000	53999	999	1.70	53000

Income/Revenu ($) From/De	To/À	Basic Amount/Montant de base	Plus (%)	of income over/du revenu dépassant
54000	54999	1016	1.70	54000
55000	55999	1033	1.67	55000
56000	56999	1049	1.66	56000
57000	57999	1066	1.66	57000
58000	58999	1082	1.66	58000
59000	59999	1099	1.59	59000
60000	60999	1115	1.57	60000
61000	61999	1131	1.57	61000
62000	62999	1146	1.57	62000
63000	63999	1162	1.53	63000
64000	64999	1177	1.50	64000
65000	65999	1192	1.51	65000
66000	66999	1208	1.52	66000
67000	67999	1223	1.55	67000
68000	68999	1238	1.55	68000
69000	69999	1254	1.55	69000
70000	70999	1269	1.55	70000
71000	71999	1285	1.55	71000
72000	72999	1300	1.55	72000
73000	73999	1315	1.55	73000
74000	74999	1331	1.55	74000
75000	75999	1346	1.55	75000
76000	76999	1362	1.55	76000
77000	77999	1377	1.55	77000
78000	78999	1393	1.55	78000
79000	79999	1408	1.55	79000
80000	80999	1424	1.55	80000
81000	81999	1439	1.55	81000
82000	82999	1455	1.55	82000
83000	83999	1470	1.55	83000
84000	84999	1485	1.55	84000
85000	85999	1501	1.55	85000
86000	86999	1516	1.55	86000
87000	87999	1532	1.55	87000
88000	88999	1547	1.55	88000
89000	89999	1563	1.55	89000
90000	90999	1578	1.55	90000
91000	91999	1594	1.55	91000
92000	92999	1609	1.55	92000
93000	93999	1625	1.55	93000
94000	94999	1640	1.55	94000
95000	95999	1655	1.55	95000
96000	96999	1671	1.55	96000
97000	97999	1686	1.55	97000
98000	98999	1702	1.55	98000
99000	99999	1717	1.55	99000
100000	100999	1733	1.55	100000
101000	101999	1748	1.55	101000
102000	102999	1764	1.55	102000

Income/Revenu ($) From/De	To/À	Basic Amount/Montant de base	Plus (%)	of income over/du revenu dépassant
103000	103999	1779	1.55	103000
104000	104999	1794	1.55	104000
105000	105999	1810	1.55	105000
106000	106999	1825	1.55	106000
107000	107999	1841	1.55	107000
108000	108999	1856	1.55	108000
109000	109999	1872	1.55	109000
110000	110999	1887	1.55	110000
111000	111999	1903	1.55	111000
112000	112999	1918	1.55	112000
113000	113999	1934	1.55	113000
114000	114999	1949	1.55	114000
115000	115999	1964	1.55	115000
116000	116999	1980	1.55	116000
117000	117999	1995	1.55	117000
118000	118999	2011	1.55	118000
119000	119999	2026	1.55	119000
120000	120999	2042	1.55	120000
121000	121999	2057	1.55	121000
122000	122999	2073	1.55	122000
123000	123999	2088	1.55	123000
124000	124999	2103	1.55	124000
125000	125999	2119	1.55	125000
126000	126999	2134	1.55	126000
127000	127999	2150	1.55	127000
128000	128999	2165	1.55	128000
129000	129999	2181	1.55	129000
130000	130999	2196	1.55	130000
131000	131999	2212	1.55	131000
132000	132999	2227	1.55	132000
133000	133999	2243	1.55	133000
134000	134999	2258	1.55	134000
135000	135999	2273	1.55	135000
136000	136999	2289	1.55	136000
137000	137999	2304	1.55	137000
138000	138999	2320	1.55	138000
139000	139999	2335	1.55	139000
140000	140999	2351	1.55	140000
141000	141999	2366	1.55	141000
142000	142999	2382	1.55	142000
143000	143999	2397	1.55	143000
144000	144999	2412	1.55	144000
145000	145999	2428	1.55	145000
146000	146999	2443	1.55	146000
147000	147999	2459	1.55	147000
148000	148999	2474	1.55	148000
149000	149999	2490	1.55	149000
150000	or greater/ou plus	2505	1.55	150000

FEDERAL CHILD SUPPORT TABLES /
TABLES FÉDÉRALES DE PENSIONS ALIMENTAIRES POUR ENFANTS

PROVINCE: *QUEBEC/QUÉBEC*

No. OF CHILDREN/N^{BRE} D'ENFANTS: *Five/Cinq*

Income/Revenu ($) From/De	To/À	Monthly Award/Paiement mensuel ($) Basic Amount/Montant de base	Plus (%)	of Income over/du revenu dépassant
0	6729	0		
6730	6999	0	5.48	6730
7000	7999	15	4.54	7000
8000	8999	60	4.54	8000
9000	9999	106	4.48	9000
10000	10999	150	3.07	10000
11000	11999	181	3.21	11000
12000	12999	213	3.09	12000
13000	13999	244	3.09	13000
14000	14999	275	2.92	14000
15000	15999	304	2.92	15000
16000	16999	333	2.92	16000
17000	17999	362	2.92	17000
18000	18999	392	2.92	18000
19000	19999	421	2.92	19000
20000	20999	450	2.92	20000
21000	21999	479	2.92	21000
22000	22999	508	2.92	22000
23000	23999	538	2.75	23000
24000	24999	565	2.24	24000
25000	25999	588	1.68	25000
26000	26999	604	1.51	26000
27000	27999	620	1.51	27000
28000	28999	635	1.83	28000
29000	29999	653	2.00	29000
30000	30999	673	1.83	30000
31000	31999	691	1.83	31000
32000	32999	710	2.01	32000
33000	33999	730	1.98	33000
34000	34999	750	1.95	34000
35000	35999	769	1.90	35000
36000	36999	788	1.96	36000
37000	37999	808	1.96	37000
38000	38999	827	1.96	38000
39000	39999	847	1.96	39000
40000	40999	866	2.03	40000
41000	41999	887	2.03	41000
42000	42999	907	2.03	42000
43000	43999	927	2.03	43000
44000	44999	947	2.03	44000
45000	45999	968	2.03	45000
46000	46999	988	2.06	46000
47000	47999	1008	2.06	47000
48000	48999	1029	2.06	48000
49000	49999	1049	2.06	49000
50000	50999	1070	2.02	50000
51000	51999	1090	2.02	51000
52000	52999	1110	2.02	52000
53000	53999	1131	2.02	53000
54000	54999	1151	1.92	54000
55000	55999	1170	1.89	55000
56000	56999	1189	1.88	56000
57000	57999	1208	1.88	57000
58000	58999	1226	1.80	58000
59000	59999	1245	1.80	59000
60000	60999	1263	1.78	60000
61000	61999	1281	1.78	61000
62000	62999	1299	1.78	62000
63000	63999	1317	1.73	63000
64000	64999	1334	1.69	64000
65000	65999	1351	1.69	65000
66000	66999	1368	1.71	66000
67000	67999	1385	1.74	67000
68000	68999	1402	1.74	68000
69000	69999	1420	1.74	69000
70000	70999	1437	1.74	70000
71000	71999	1455	1.74	71000
72000	72999	1472	1.74	72000
73000	73999	1489	1.74	73000
74000	74999	1507	1.74	74000
75000	75999	1524	1.74	75000
76000	76999	1542	1.74	76000
77000	77999	1559	1.74	77000
78000	78999	1577	1.74	78000
79000	79999	1594	1.74	79000
80000	80999	1611	1.74	80000
81000	81999	1629	1.74	81000
82000	82999	1646	1.74	82000
83000	83999	1664	1.74	83000
84000	84999	1681	1.74	84000
85000	85999	1699	1.74	85000
86000	86999	1716	1.74	86000
87000	87999	1733	1.74	87000
88000	88999	1751	1.74	88000
89000	89999	1768	1.74	89000
90000	90999	1786	1.74	90000
91000	91999	1803	1.74	91000
92000	92999	1821	1.74	92000
93000	93999	1838	1.74	93000
94000	94999	1855	1.74	94000
95000	95999	1873	1.74	95000
96000	96999	1890	1.74	96000
97000	97999	1908	1.74	97000
98000	98999	1925	1.74	98000
99000	99999	1943	1.74	99000
100000	100999	1960	1.74	100000
101000	101999	1978	1.74	101000
102000	102999	1995	1.74	102000
103000	103999	2012	1.74	103000
104000	104999	2030	1.74	104000
105000	105999	2047	1.74	105000
106000	106999	2065	1.74	106000
107000	107999	2082	1.74	107000
108000	108999	2100	1.74	108000
109000	109999	2117	1.74	109000
110000	110999	2134	1.74	110000
111000	111999	2152	1.74	111000
112000	112999	2169	1.74	112000
113000	113999	2187	1.74	113000
114000	114999	2204	1.74	114000
115000	115999	2222	1.74	115000
116000	116999	2239	1.74	116000
117000	117999	2256	1.74	117000
118000	118999	2274	1.74	118000
119000	119999	2291	1.74	119000
120000	120999	2309	1.74	120000
121000	121999	2326	1.74	121000
122000	122999	2344	1.74	122000
123000	123999	2361	1.74	123000
124000	124999	2378	1.74	124000
125000	125999	2396	1.74	125000
126000	126999	2413	1.74	126000
127000	127999	2431	1.74	127000
128000	128999	2448	1.74	128000
129000	129999	2466	1.74	129000
130000	130999	2483	1.74	130000
131000	131999	2500	1.74	131000
132000	132999	2518	1.74	132000
133000	133999	2535	1.74	133000
134000	134999	2553	1.74	134000
135000	135999	2570	1.74	135000
136000	136999	2588	1.74	136000
137000	137999	2605	1.74	137000
138000	138999	2622	1.74	138000
139000	139999	2640	1.74	139000
140000	140999	2657	1.74	140000
141000	141999	2675	1.74	141000
142000	142999	2692	1.74	142000
143000	143999	2710	1.74	143000
144000	144999	2727	1.74	144000
145000	145999	2745	1.74	145000
146000	146999	2762	1.74	146000
147000	147999	2779	1.74	147000
148000	148999	2797	1.74	148000
149000	149999	2814	1.74	149000
150000 or greater/ou plus		2832	1.74	150000

FEDERAL CHILD SUPPORT TABLES/
TABLES FÉDÉRALES DE PENSIONS ALIMENTAIRES POUR ENFANTS

PROVINCE: *QUEBEC/QUÉBEC*
NO. OF CHILDREN/N^BRE D'ENFANTS: *Six or more/Six ou plus*

Income/Revenu From/De	To/À	Monthly Award Basic Amount/Montant de base	Plus (%)	of income over/du revenu dépassant
0	6729	0		
6730	6999	0	5.48	6730
7000	7999	15	4.54	7000
8000	8999	60	4.54	8000
9000	9999	106	4.48	9000
10000	10999	150	3.07	10000
11000	11999	181	3.21	11000
12000	12999	213	3.09	12000
13000	13999	244	3.09	13000
14000	14999	275	2.92	14000
15000	15999	304	2.92	15000
16000	16999	333	2.92	16000
17000	17999	362	2.92	17000
18000	18999	392	2.92	18000
19000	19999	421	2.92	19000
20000	20999	450	2.92	20000
21000	21999	479	2.92	21000
22000	22999	508	2.92	22000
23000	23999	538	2.75	23000
24000	24999	565	2.75	24000
25000	25999	593	2.72	25000
26000	26999	620	2.33	26000
27000	27999	643	2.33	27000
28000	28999	667	2.33	28000
29000	29999	690	2.07	29000
30000	30999	711	1.69	30000
31000	31999	727	2.10	31000
32000	32999	744	2.06	32000
33000	33999	765	2.06	33000
34000	34999	786	2.01	34000
35000	35999	806	2.04	35000
36000	36999	826	2.17	36000
37000	37999	848	2.17	37000
38000	38999	870	2.17	38000
39000	39999	892	2.19	39000
40000	40999	913	2.33	40000
41000	41999	937	2.32	41000
42000	42999	960	2.33	42000
43000	43999	983	2.33	43000
44000	44999	1006	2.33	44000
45000	45999	1030	2.33	45000
46000	46999	1053	2.33	46000
47000	47999	1076	2.32	47000
48000	48999	1099	2.33	48000
49000	49999	1123	2.33	49000
50000	50999	1146	2.24	50000
51000	51999	1168	2.24	51000
52000	52999	1191	2.24	52000
53000	53999	1213	2.24	53000

Income/Revenu From/De	To/À	Monthly Award Basic Amount/Montant de base	Plus (%)	of income over/du revenu dépassant
54000	54999	1235	2.24	54000
55000	55999	1258	2.19	55000
56000	56999	1280	2.18	56000
57000	57999	1301	2.18	57000
58000	58999	1323	2.18	58000
59000	59999	1345	1.99	59000
60000	60999	1365	1.96	60000
61000	61999	1384	1.96	61000
62000	62999	1404	1.96	62000
63000	63999	1424	1.89	63000
64000	64999	1443	1.84	64000
65000	65999	1461	1.84	65000
66000	66999	1479	1.84	66000
67000	67999	1498	1.84	67000
68000	68999	1516	1.84	68000
69000	69999	1534	1.84	69000
70000	70999	1553	1.84	70000
71000	71999	1571	1.84	71000
72000	72999	1590	1.84	72000
73000	73999	1608	1.84	73000
74000	74999	1626	1.84	74000
75000	75999	1645	1.84	75000
76000	76999	1663	1.84	76000
77000	77999	1682	1.84	77000
78000	78999	1700	1.84	78000
79000	79999	1718	1.84	79000
80000	80999	1737	1.84	80000
81000	81999	1755	1.84	81000
82000	82999	1774	1.84	82000
83000	83999	1792	1.84	83000
84000	84999	1810	1.84	84000
85000	85999	1829	1.84	85000
86000	86999	1847	1.84	86000
87000	87999	1865	1.84	87000
88000	88999	1884	1.84	88000
89000	89999	1902	1.84	89000
90000	90999	1921	1.84	90000
91000	91999	1939	1.84	91000
92000	92999	1957	1.84	92000
93000	93999	1976	1.84	93000
94000	94999	1994	1.84	94000
95000	95999	2013	1.84	95000
96000	96999	2031	1.84	96000
97000	97999	2049	1.84	97000
98000	98999	2068	1.84	98000
99000	99999	2086	1.84	99000
100000	100999	2105	1.84	100000
101000	101999	2123	1.84	101000
102000	102999	2141	1.84	102000

Income/Revenu From/De	To/À	Monthly Award Basic Amount/Montant de base	Plus (%)	of income over/du revenu dépassant
103000	103999	2160	1.84	103000
104000	104999	2178	1.84	104000
105000	105999	2196	1.84	105000
106000	106999	2215	1.84	106000
107000	107999	2233	1.84	107000
108000	108999	2252	1.84	108000
109000	109999	2270	1.84	109000
110000	110999	2288	1.84	110000
111000	111999	2307	1.84	111000
112000	112999	2325	1.84	112000
113000	113999	2344	1.84	113000
114000	114999	2362	1.84	114000
115000	115999	2380	1.84	115000
116000	116999	2399	1.84	116000
117000	117999	2417	1.84	117000
118000	118999	2435	1.84	118000
119000	119999	2454	1.84	119000
120000	120999	2472	1.84	120000
121000	121999	2491	1.84	121000
122000	122999	2509	1.84	122000
123000	123999	2527	1.84	123000
124000	124999	2546	1.84	124000
125000	125999	2564	1.84	125000
126000	126999	2583	1.84	126000
127000	127999	2601	1.84	127000
128000	128999	2619	1.84	128000
129000	129999	2638	1.84	129000
130000	130999	2656	1.84	130000
131000	131999	2675	1.84	131000
132000	132999	2693	1.84	132000
133000	133999	2711	1.84	133000
134000	134999	2730	1.84	134000
135000	135999	2748	1.84	135000
136000	136999	2766	1.84	136000
137000	137999	2785	1.84	137000
138000	138999	2803	1.84	138000
139000	139999	2822	1.84	139000
140000	140999	2840	1.84	140000
141000	141999	2858	1.84	141000
142000	142999	2877	1.84	142000
143000	143999	2895	1.84	143000
144000	144999	2914	1.84	144000
145000	145999	2932	1.84	145000
146000	146999	2950	1.84	146000
147000	147999	2969	1.84	147000
148000	148999	2987	1.84	148000
149000	149999	3005	1.84	149000
150000 or greater/ou plus		3024	1.84	150000

FEDERAL CHILD SUPPORT TABLES/
TABLES FÉDÉRALES DE PENSIONS ALIMENTAIRES POUR ENFANTS

PROVINCE: *NOVA SCOTIA/NOUVELLE-ÉCOSSE*
NO. OF CHILDREN/N^{BRE} D'ENFANTS: *One/Un*

Income/Revenu From/De	To/À	Basic Amount/ Montant de base	Plus (%)	of Income over/ du revenu dépassant
0	6729			
6730	6999	0	0.76	6730
7000	7999	2	3.31	7000
8000	8999	35	3.31	8000
9000	9999	68	3.27	9000
10000	10999	101	0.96	10000
11000	11999	110	0.07	11000
12000	12999	111	0.36	12000
13000	13999	115	0.62	13000
14000	14999	121	0.62	14000
15000	15999	127	0.38	15000
16000	16999	131	0.38	16000
17000	17999	135	0.62	17000
18000	18999	141	0.88	18000
19000	19999	150	0.88	19000
20000	20999	159	0.88	20000
21000	21999	167	1.12	21000
22000	22999	179	1.12	22000
23000	23999	190	1.12	23000
24000	24999	201	1.12	24000
25000	25999	212	1.12	25000
26000	26999	224	1.05	26000
27000	27999	234	0.88	27000
28000	28999	243	0.88	28000
29000	29999	252	0.80	29000
30000	30999	260	0.68	30000
31000	31999	266	0.68	31000
32000	32999	273	0.75	32000
33000	33999	281	0.75	33000
34000	34999	288	0.75	34000
35000	35999	296	0.78	35000
36000	36999	303	0.78	36000
37000	37999	311	0.78	37000
38000	38999	319	0.78	38000
39000	39999	326	0.81	39000
40000	40999	334	0.81	40000
41000	41999	342	0.81	41000
42000	42999	350	0.81	42000
43000	43999	358	0.81	43000
44000	44999	366	0.81	44000
45000	45999	374	0.81	45000
46000	46999	382	0.81	46000
47000	47999	391	0.81	47000
48000	48999	399	0.81	48000
49000	49999	407	0.81	49000
50000	50999	415	0.81	50000
51000	51999	423	0.81	51000
52000	52999	431	0.81	52000
53000	53999	439	0.81	53000
54000	54999	447	0.81	54000
55000	55999	455	0.81	55000
56000	56999	463	0.81	56000
57000	57999	471	0.81	57000
58000	58999	479	0.75	58000
59000	59999	487	0.74	59000
60000	60999	495	0.74	60000
61000	61999	502	0.74	61000
62000	62999	509	0.74	62000
63000	63999	517	0.70	63000
64000	64999	524	0.67	64000
65000	65999	531	0.69	65000
66000	66999	537	0.72	66000
67000	67999	544	0.72	67000
68000	68999	551	0.72	68000
69000	69999	558	0.72	69000
70000	70999	566	0.72	70000
71000	71999	573	0.72	71000
72000	72999	580	0.72	72000
73000	73999	587	0.72	73000
74000	74999	594	0.72	74000
75000	75999	602	0.72	75000
76000	76999	609	0.72	76000
77000	77999	616	0.72	77000
78000	78999	623	0.72	78000
79000	79999	630	0.66	79000
80000	80999	637	0.64	80000
81000	81999	643	0.64	81000
82000	82999	650	0.67	82000
83000	83999	656	0.69	83000
84000	84999	663	0.69	84000
85000	85999	670	0.69	85000
86000	86999	677	0.69	86000
87000	87999	684	0.69	87000
88000	88999	691	0.69	88000
89000	89999	698	0.69	89000
90000	90999	705	0.69	90000
91000	91999	712	0.69	91000
92000	92999	719	0.69	92000
93000	93999	726	0.69	93000
94000	94999	733	0.69	94000
95000	95999	740	0.69	95000
96000	96999	747	0.69	96000
97000	97999	754	0.69	97000
98000	98999	760	0.69	98000
99000	99999	767	0.69	99000
100000	100999	774	0.69	100000
101000	101999	781	0.69	101000
102000	102999	788	0.69	102000
103000	103999	795	0.69	103000
104000	104999	802	0.69	104000
105000	105999	809	0.69	105000
106000	106999	816	0.69	106000
107000	107999	823	0.69	107000
108000	108999	830	0.69	108000
109000	109999	837	0.69	109000
110000	110999	844	0.69	110000
111000	111999	851	0.69	111000
112000	112999	858	0.69	112000
113000	113999	865	0.69	113000
114000	114999	872	0.69	114000
115000	115999	879	0.69	115000
116000	116999	886	0.69	116000
117000	117999	892	0.69	117000
118000	118999	899	0.69	118000
119000	119999	906	0.69	119000
120000	120999	913	0.73	120000
121000	121999	921	0.78	121000
122000	122999	928	0.78	122000
123000	123999	936	0.76	123000
124000	124999	944	0.72	124000
125000	125999	951	0.72	125000
126000	126999	958	0.72	126000
127000	127999	965	0.72	127000
128000	128999	973	0.72	128000
129000	129999	980	0.72	129000
130000	130999	987	0.72	130000
131000	131999	994	0.72	131000
132000	132999	1001	0.72	132000
133000	133999	1008	0.72	133000
134000	134999	1016	0.72	134000
135000	135999	1023	0.72	135000
136000	136999	1030	0.72	136000
137000	137999	1037	0.72	137000
138000	138999	1044	0.72	138000
139000	139999	1052	0.72	139000
140000	140999	1059	0.72	140000
141000	141999	1066	0.72	141000
142000	142999	1073	0.72	142000
143000	143999	1080	0.72	143000
144000	144999	1087	0.72	144000
145000	145999	1095	0.72	145000
146000	146999	1102	0.72	146000
147000	147999	1109	0.72	147000
148000	148999	1116	0.72	148000
149000	149999	1123	0.72	149000
150000 or greater/ ou plus		1131	0.72	150000

FEDERAL CHILD SUPPORT TABLES/
TABLES FÉDÉRALES DE PENSIONS ALIMENTAIRES POUR ENFANTS

PROVINCE: *NOVA SCOTIA/NOUVELLE-ÉCOSSE*

No. OF CHILDREN/N^bre D'ENFANTS: *Two/Deux*

Income/Revenu From/De	To/À	Basic Amount/Montant de base	Plus (%)	of Income over/du revenu dépassant
0	6729	0		
6730	6999	0	1.18	6730
7000	7999	3	3.72	7000
8000	8999	40	3.72	8000
9000	9999	78	3.68	9000
10000	10999	115	2.94	10000
11000	11999	144	2.89	11000
12000	12999	173	2.78	12000
13000	13999	201	1.82	13000
14000	14999	219	1.19	14000
15000	15999	231	0.92	15000
16000	16999	240	0.92	16000
17000	17999	249	0.92	17000
18000	18999	258	1.07	18000
19000	19999	269	1.37	19000
20000	20999	283	1.37	20000
21000	21999	296	1.63	21000
22000	22999	313	1.63	22000
23000	23999	329	1.63	23000
24000	24999	345	1.63	24000
25000	25999	362	1.62	25000
26000	26999	378	1.52	26000
27000	27999	393	1.52	27000
28000	28999	408	1.52	28000
29000	29999	424	1.39	29000
30000	30999	438	1.10	30000
31000	31999	449	1.05	31000
32000	32999	459	1.16	32000
33000	33999	471	1.16	33000
34000	34999	482	1.16	34000
35000	35999	494	1.17	35000
36000	36999	506	1.21	36000
37000	37999	518	1.21	37000
38000	38999	530	1.21	38000
39000	39999	542	1.21	39000
40000	40999	554	1.25	40000
41000	41999	567	1.25	41000
42000	42999	579	1.25	42000
43000	43999	592	1.25	43000
44000	44999	604	1.25	44000
45000	45999	617	1.25	45000
46000	46999	629	1.25	46000
47000	47999	642	1.25	47000
48000	48999	654	1.25	48000
49000	49999	667	1.25	49000
50000	50999	679	1.25	50000
51000	51999	692	1.25	51000
52000	52999	704	1.25	52000
53000	53999	717	1.25	53000

Income/Revenu From/De	To/À	Basic Amount/Montant de base	Plus (%)	of Income over/du revenu dépassant
54000	54999	729	1.25	54000
55000	55999	742	1.25	55000
56000	56999	754	1.25	56000
57000	57999	767	1.25	57000
58000	58999	780	1.25	58000
59000	59999	792	1.17	59000
60000	60999	804	1.15	60000
61000	61999	815	1.15	61000
62000	62999	827	1.15	62000
63000	63999	838	1.10	63000
64000	64999	849	1.07	64000
65000	65999	860	1.07	65000
66000	66999	871	1.09	66000
67000	67999	882	1.12	67000
68000	68999	893	1.12	68000
69000	69999	904	1.12	69000
70000	70999	915	1.12	70000
71000	71999	926	1.12	71000
72000	72999	937	1.12	72000
73000	73999	948	1.12	73000
74000	74999	960	1.12	74000
75000	75999	971	1.12	75000
76000	76999	982	1.12	76000
77000	77999	993	1.12	77000
78000	78999	1005	1.12	78000
79000	79999	1016	1.05	79000
80000	80999	1026	1.03	80000
81000	81999	1037	1.03	81000
82000	82999	1047	1.06	82000
83000	83999	1057	1.08	83000
84000	84999	1068	1.08	84000
85000	85999	1079	1.08	85000
86000	86999	1090	1.08	86000
87000	87999	1101	1.08	87000
88000	88999	1111	1.08	88000
89000	89999	1122	1.08	89000
90000	90999	1133	1.08	90000
91000	91999	1144	1.08	91000
92000	92999	1155	1.08	92000
93000	93999	1165	1.08	93000
94000	94999	1176	1.08	94000
95000	95999	1187	1.08	95000
96000	96999	1198	1.08	96000
97000	97999	1209	1.08	97000
98000	98999	1219	1.08	98000
99000	99999	1230	1.08	99000
100000	100999	1241	1.08	100000
101000	101999	1252	1.08	101000
102000	102999	1263	1.08	102000

Income/Revenu From/De	To/À	Basic Amount/Montant de base	Plus (%)	of Income over/du revenu dépassant
103000	103999	1274	1.08	103000
104000	104999	1284	1.08	104000
105000	105999	1295	1.08	105000
106000	106999	1306	1.08	106000
107000	107999	1317	1.08	107000
108000	108999	1328	1.08	108000
109000	109999	1338	1.08	109000
110000	110999	1349	1.08	110000
111000	111999	1360	1.08	111000
112000	112999	1371	1.08	112000
113000	113999	1382	1.08	113000
114000	114999	1392	1.08	114000
115000	115999	1403	1.08	115000
116000	116999	1414	1.08	116000
117000	117999	1425	1.08	117000
118000	118999	1436	1.08	118000
119000	119999	1446	1.08	119000
120000	120999	1457	1.12	120000
121000	121999	1468	1.12	121000
122000	122999	1480	1.17	122000
123000	123999	1492	1.15	123000
124000	124999	1503	1.12	124000
125000	125999	1515	1.12	125000
126000	126999	1526	1.12	126000
127000	127999	1537	1.12	127000
128000	128999	1548	1.12	128000
129000	129999	1559	1.12	129000
130000	130999	1570	1.12	130000
131000	131999	1582	1.12	131000
132000	132999	1593	1.12	132000
133000	133999	1604	1.12	133000
134000	134999	1615	1.12	134000
135000	135999	1626	1.12	135000
136000	136999	1637	1.12	136000
137000	137999	1649	1.12	137000
138000	138999	1660	1.12	138000
139000	139999	1671	1.12	139000
140000	140999	1682	1.12	140000
141000	141999	1693	1.12	141000
142000	142999	1704	1.12	142000
143000	143999	1716	1.12	143000
144000	144999	1727	1.12	144000
145000	145999	1738	1.12	145000
146000	146999	1749	1.12	146000
147000	147999	1760	1.12	147000
148000	148999	1772	1.12	148000
149000	149999	1783	1.12	149000
150000 or greater/ou plus		1794	1.12	150000

FEDERAL CHILD SUPPORT TABLES/
TABLES FÉDÉRALES DE PENSIONS ALIMENTAIRES POUR ENFANTS

PROVINCE: *NOVA SCOTIA/NOUVELLE-ÉCOSSE*
No. OF CHILDREN/N^BRE D'ENFANTS: *Three/Trois*

Income/Revenu From/De	To/À	Basic Amount/ Montant de base	Plus (%)	of Income over/ du revenu dépassant
0	6729	0		
6730	6999	0	1.60	6730
7000	7999	4	4.14	7000
8000	8999	46	4.14	8000
9000	9999	87	4.10	9000
10000	10999	128	3.36	10000
11000	11999	162	3.31	11000
12000	12999	195	3.19	12000
13000	13999	227	3.19	13000
14000	14999	259	3.19	14000
15000	15999	291	2.78	15000
16000	16999	318	2.22	16000
17000	17999	341	1.36	17000
18000	18999	354	1.36	18000
19000	19999	368	1.43	19000
20000	20999	382	1.76	20000
21000	21999	400	2.04	21000
22000	22999	420	2.04	22000
23000	23999	440	2.04	23000
24000	24999	461	2.04	24000
25000	25999	481	2.03	25000
26000	26999	501	1.90	26000
27000	27999	520	1.90	27000
28000	28999	539	1.90	28000
29000	29999	558	1.73	29000
30000	30999	576	1.49	30000
31000	31999	591	1.49	31000
32000	32999	606	1.63	32000
33000	33999	622	1.58	33000
34000	34999	638	1.49	34000
35000	35999	653	1.50	35000
36000	36999	668	1.55	36000
37000	37999	683	1.55	37000
38000	38999	699	1.56	38000
39000	39999	714	1.61	39000
40000	40999	730	1.61	40000
41000	41999	746	1.61	41000
42000	42999	762	1.61	42000
43000	43999	778	1.61	43000
44000	44999	794	1.61	44000
45000	45999	810	1.61	45000
46000	46999	827	1.61	46000
47000	47999	843	1.61	47000
48000	48999	859	1.61	48000
49000	49999	875	1.61	49000
50000	50999	891	1.61	50000
51000	51999	907	1.61	51000
52000	52999	923	1.61	52000
53000	53999	939	1.61	53000

Income/Revenu From/De	To/À	Basic Amount/ Montant de base	Plus (%)	of Income over/ du revenu dépassant
54000	54999	955	1.61	54000
55000	55999	972	1.61	55000
56000	56999	988	1.61	56000
57000	57999	1004	1.61	57000
58000	58999	1020	1.61	58000
59000	59999	1036	1.50	59000
60000	60999	1051	1.48	60000
61000	61999	1066	1.48	61000
62000	62999	1081	1.48	62000
63000	63999	1095	1.43	63000
64000	64999	1110	1.40	64000
65000	65999	1124	1.40	65000
66000	66999	1138	1.41	66000
67000	67999	1152	1.44	67000
68000	68999	1166	1.44	68000
69000	69999	1180	1.44	69000
70000	70999	1195	1.44	70000
71000	71999	1209	1.44	71000
72000	72999	1223	1.44	72000
73000	73999	1238	1.44	73000
74000	74999	1252	1.44	74000
75000	75999	1267	1.44	75000
76000	76999	1281	1.44	76000
77000	77999	1295	1.44	77000
78000	78999	1310	1.44	78000
79000	79999	1324	1.37	79000
80000	80999	1338	1.34	80000
81000	81999	1351	1.34	81000
82000	82999	1365	1.37	82000
83000	83999	1378	1.39	83000
84000	84999	1392	1.39	84000
85000	85999	1406	1.39	85000
86000	86999	1420	1.39	86000
87000	87999	1434	1.39	87000
88000	88999	1448	1.39	88000
89000	89999	1462	1.39	89000
90000	90999	1476	1.39	90000
91000	91999	1489	1.39	91000
92000	92999	1503	1.39	92000
93000	93999	1517	1.39	93000
94000	94999	1531	1.39	94000
95000	95999	1545	1.39	95000
96000	96999	1559	1.39	96000
97000	97999	1573	1.39	97000
98000	98999	1587	1.39	98000
99000	99999	1601	1.39	99000
100000	100999	1614	1.39	100000
101000	101999	1628	1.39	101000
102000	102999	1642	1.39	102000

Income/Revenu From/De	To/À	Basic Amount/ Montant de base	Plus (%)	of Income over/ du revenu dépassant
103000	103999	1656	1.39	103000
104000	104999	1670	1.39	104000
105000	105999	1684	1.39	105000
106000	106999	1698	1.39	106000
107000	107999	1712	1.39	107000
108000	108999	1726	1.39	108000
109000	109999	1739	1.39	109000
110000	110999	1753	1.39	110000
111000	111999	1767	1.39	111000
112000	112999	1781	1.39	112000
113000	113999	1795	1.39	113000
114000	114999	1809	1.39	114000
115000	115999	1823	1.39	115000
116000	116999	1837	1.39	116000
117000	117999	1851	1.39	117000
118000	118999	1865	1.39	118000
119000	119999	1878	1.39	119000
120000	120999	1892	1.43	120000
121000	121999	1907	1.48	121000
122000	122999	1921	1.48	122000
123000	123999	1936	1.47	123000
124000	124999	1951	1.44	124000
125000	125999	1965	1.44	125000
126000	126999	1980	1.44	126000
127000	127999	1994	1.44	127000
128000	128999	2008	1.44	128000
129000	129999	2023	1.44	129000
130000	130999	2037	1.44	130000
131000	131999	2052	1.44	131000
132000	132999	2066	1.44	132000
133000	133999	2080	1.44	133000
134000	134999	2095	1.44	134000
135000	135999	2109	1.44	135000
136000	136999	2123	1.44	136000
137000	137999	2138	1.44	137000
138000	138999	2152	1.44	138000
139000	139999	2166	1.44	139000
140000	140999	2181	1.44	140000
141000	141999	2195	1.44	141000
142000	142999	2210	1.44	142000
143000	143999	2224	1.44	143000
144000	144999	2238	1.44	144000
145000	145999	2253	1.44	145000
146000	146999	2267	1.44	146000
147000	147999	2281	1.44	147000
148000	148999	2296	1.44	148000
149000	149999	2310	1.44	149000
150000 or greater/ou plus		2325	1.44	150000

FEDERAL CHILD SUPPORT TABLES /
TABLES FÉDÉRALES DE PENSIONS ALIMENTAIRES POUR ENFANTS

PROVINCE: *NOVA SCOTIA/NOUVELLE-ÉCOSSE*
NO. OF CHILDREN/N^{BRE} D'ENFANTS: *Four/Quatre*

Income/Revenu From/De	To/À	Basic Amount/Montant de base	Plus (%)	of Income over/du revenu dépassant	Income/Revenu From/De	To/À	Basic Amount/Montant de base	Plus (%)	of Income over/du revenu dépassant	Income/Revenu From/De	To/À	Basic Amount/Montant de base	Plus (%)	of Income over/du revenu dépassant
0	6729	0		6730	54000	54999	1140	1.90	54000	103000	103999	1969	1.64	103000
6730	6999	0	2.01	6730	55000	55999	1159	1.90	55000	104000	104999	1986	1.64	104000
7000	7999	5	4.56	7000	56000	56999	1178	1.90	56000	105000	105999	2002	1.64	105000
8000	8999	51	4.56	8000	57000	57999	1197	1.90	57000	106000	106999	2018	1.64	106000
9000	9999	97	4.52	9000	58000	58999	1217	1.90	58000	107000	107999	2035	1.64	107000
10000	10999	142	3.78	10000	59000	59999	1236	1.77	59000	108000	108999	2051	1.64	108000
11000	11999	180	3.73	11000	60000	60999	1253	1.75	60000	109000	109999	2068	1.64	109000
12000	12999	217	3.61	12000	61000	61999	1271	1.75	61000	110000	110999	2084	1.64	110000
13000	13999	253	3.61	13000	62000	62999	1288	1.75	62000	111000	111999	2101	1.64	111000
14000	14999	289	3.61	14000	63000	63999	1306	1.70	63000	112000	112999	2117	1.64	112000
15000	15999	325	3.19	15000	64000	64999	1323	1.66	64000	113000	113999	2133	1.64	113000
16000	16999	357	3.19	16000	65000	65999	1339	1.66	65000	114000	114999	2150	1.64	114000
17000	17999	389	3.19	17000	66000	66999	1356	1.68	66000	115000	115999	2166	1.64	115000
18000	18999	421	2.89	18000	67000	67999	1373	1.70	67000	116000	116999	2183	1.64	116000
19000	19999	450	1.72	19000	68000	68999	1390	1.70	68000	117000	117999	2199	1.64	117000
20000	20999	467	1.73	20000	69000	69999	1407	1.70	69000	118000	118999	2215	1.64	118000
21000	21999	484	2.37	21000	70000	70999	1424	1.70	70000	119000	119999	2232	1.69	119000
22000	22999	508	2.37	22000	71000	71999	1440	1.70	71000	120000	120999	2248	1.74	120000
23000	23999	532	2.37	23000	72000	72999	1457	1.70	72000	121000	121999	2265	1.74	121000
24000	24999	555	2.36	24000	73000	73999	1474	1.70	73000	122000	122999	2283	1.73	122000
25000	25999	579	2.38	25000	74000	74999	1491	1.70	74000	123000	123999	2300	1.70	123000
26000	26999	603	2.20	26000	75000	75999	1508	1.70	75000	124000	124999	2317	1.70	124000
27000	27999	625	2.20	27000	76000	76999	1525	1.70	76000	125000	125999	2334	1.70	125000
28000	28999	647	2.20	28000	77000	77999	1542	1.70	77000	126000	126999	2351	1.70	126000
29000	29999	669	2.01	29000	78000	78999	1559	1.70	78000	127000	127999	2368	1.70	127000
30000	30999	689	1.73	30000	79000	79999	1576	1.63	79000	128000	128999	2385	1.70	128000
31000	31999	706	1.73	31000	80000	80999	1593	1.60	80000	129000	129999	2402	1.70	129000
32000	32999	723	1.89	32000	81000	81999	1609	1.60	81000	130000	130999	2419	1.70	130000
33000	33999	742	1.89	33000	82000	82999	1625	1.62	82000	131000	131999	2436	1.70	131000
34000	34999	761	1.89	34000	83000	83999	1641	1.64	83000	132000	132999	2453	1.70	132000
35000	35999	780	1.95	35000	84000	84999	1657	1.64	84000	133000	133999	2470	1.70	133000
36000	36999	799	1.84	36000	85000	85999	1674	1.64	85000	134000	134999	2487	1.70	134000
37000	37999	819	1.84	37000	86000	86999	1690	1.64	86000	135000	135999	2504	1.70	135000
38000	38999	837	1.84	38000	87000	87999	1706	1.64	87000	136000	136999	2521	1.70	136000
39000	39999	855	1.90	39000	88000	88999	1723	1.64	88000	137000	137999	2538	1.70	137000
40000	40999	874	1.90	40000	89000	89999	1739	1.64	89000	138000	138999	2555	1.70	138000
41000	41999	893	1.90	41000	90000	90999	1756	1.64	90000	139000	139999	2572	1.70	139000
42000	42999	912	1.90	42000	91000	91999	1772	1.64	91000	140000	140999	2589	1.70	140000
43000	43999	931	1.90	43000	92000	92999	1789	1.64	92000	141000	141999	2606	1.70	141000
44000	44999	950	1.90	44000	93000	93999	1805	1.64	93000	142000	142999	2623	1.70	142000
45000	45999	969	1.90	45000	94000	94999	1821	1.64	94000	143000	143999	2640	1.70	143000
46000	46999	988	1.90	46000	95000	95999	1838	1.64	95000	144000	144999	2657	1.70	144000
47000	47999	1007	1.90	47000	96000	96999	1854	1.64	96000	145000	145999	2674	1.70	145000
48000	48999	1026	1.90	48000	97000	97999	1871	1.64	97000	146000	146999	2691	1.70	146000
49000	49999	1045	1.90	49000	98000	98999	1887	1.64	98000	147000	147999	2708	1.70	147000
50000	50999	1064	1.90	50000	99000	99999	1903	1.64	99000	148000	148999	2725	1.70	148000
51000	51999	1083	1.90	51000	100000	100999	1920	1.64	100000	149000	149999	2742	1.70	149000
52000	52999	1102	1.90	52000	101000	101999	1936	1.64	101000	150000 or greater/ou plus		2759	1.70	150000
53000	53999	1121	1.90	53000	102000	102999	1953	1.64	102000					

FEDERAL CHILD SUPPORT TABLES / TABLES FÉDÉRALES DE PENSIONS ALIMENTAIRES POUR ENFANTS

PROVINCE: *NOVA SCOTIA/NOUVELLE-ÉCOSSE*
No. OF CHILDREN/N^BRE D'ENFANTS: *Five/Cinq*

Income/Revenu From/De	To/À	Basic Amount/Montant de base	Plus (%)	of Income over/du revenu dépassant	Income/Revenu From/De	To/À	Basic Amount/Montant de base	Plus (%)	of Income over/du revenu dépassant	Income/Revenu From/De	To/À	Basic Amount/Montant de base	Plus (%)	of Income over/du revenu dépassant
0	6729	0			54000	54999	1294	2.15	54000	103000	103999	2230	1.85	103000
6730	6999	0	2.01	6730	55000	55999	1316	2.15	55000	104000	104999	2249	1.85	104000
7000	7999	0	4.56	7000	56000	56999	1337	2.15	56000	105000	105999	2267	1.85	105000
8000	8999	51	4.56	8000	57000	57999	1359	2.15	57000	106000	106999	2286	1.85	106000
9000	9999	97	4.52	9000	58000	58999	1380	2.15	58000	107000	107999	2304	1.85	107000
10000	10999	142	3.78	10000	59000	59999	1402	2.00	59000	108000	108999	2323	1.85	108000
11000	11999	180	3.73	11000	60000	60999	1422	1.97	60000	109000	109999	2341	1.85	109000
12000	12999	217	3.61	12000	61000	61999	1442	1.97	61000	110000	110999	2360	1.85	110000
13000	13999	253	3.61	13000	62000	62999	1461	1.97	62000	111000	111999	2378	1.85	111000
14000	14999	289	3.61	14000	63000	63999	1481	1.92	63000	112000	112999	2397	1.85	112000
15000	15999	325	3.19	15000	64000	64999	1500	1.88	64000	113000	113999	2415	1.85	113000
16000	16999	357	3.19	16000	65000	65999	1519	1.88	65000	114000	114999	2434	1.85	114000
17000	17999	389	3.19	17000	66000	66999	1538	1.90	66000	115000	115999	2452	1.85	115000
18000	18999	421	3.19	18000	67000	67999	1557	1.92	67000	116000	116999	2471	1.85	116000
19000	19999	453	3.19	19000	68000	68999	1576	1.92	68000	117000	117999	2489	1.85	117000
20000	20999	485	3.19	20000	69000	69999	1595	1.92	69000	118000	118999	2508	1.85	118000
21000	21999	517	3.61	21000	70000	70999	1614	1.92	70000	119000	119999	2526	1.85	119000
22000	22999	553	3.61	22000	71000	71999	1633	1.92	71000	120000	120999	2545	1.90	120000
23000	23999	589	3.55	23000	72000	72999	1652	1.92	72000	121000	121999	2564	1.95	121000
24000	24999	625	2.63	24000	73000	73999	1672	1.92	73000	122000	122999	2584	1.95	122000
25000	25999	660	2.46	25000	74000	74999	1691	1.92	74000	123000	123999	2603	1.94	123000
26000	26999	687	2.46	26000	75000	75999	1710	1.92	75000	124000	124999	2623	1.92	124000
27000	27999	711	2.46	27000	76000	76999	1729	1.92	76000	125000	125999	2642	1.92	125000
28000	28999	736	2.46	28000	77000	77999	1748	1.92	77000	126000	126999	2661	1.92	126000
29000	29999	761	2.24	29000	78000	78999	1767	1.92	78000	127000	127999	2680	1.92	127000
30000	30999	783	1.92	30000	79000	79999	1787	1.84	79000	128000	128999	2699	1.92	128000
31000	31999	802	1.92	31000	80000	80999	1805	1.81	80000	129000	129999	2718	1.92	129000
32000	32999	821	2.11	32000	81000	81999	1823	1.81	81000	130000	130999	2737	1.92	130000
33000	33999	843	2.11	33000	82000	82999	1841	1.84	82000	131000	131999	2757	1.92	131000
34000	34999	864	2.11	34000	83000	83999	1860	1.85	83000	132000	132999	2776	1.92	132000
35000	35999	885	2.12	35000	84000	84999	1878	1.85	84000	133000	133999	2795	1.92	133000
36000	36999	906	2.19	36000	85000	85999	1897	1.85	85000	134000	134999	2814	1.92	134000
37000	37999	928	2.19	37000	86000	86999	1915	1.85	86000	135000	135999	2833	1.92	135000
38000	38999	950	2.19	38000	87000	87999	1934	1.85	87000	136000	136999	2852	1.92	136000
39000	39999	971	2.19	39000	88000	88999	1952	1.85	88000	137000	137999	2872	1.92	137000
40000	40999	993	2.17	40000	89000	89999	1971	1.85	89000	138000	138999	2891	1.92	138000
41000	41999	1015	2.15	41000	90000	90999	1989	1.85	90000	139000	139999	2910	1.92	139000
42000	42999	1037	2.15	42000	91000	91999	2008	1.85	91000	140000	140999	2929	1.92	140000
43000	43999	1058	2.15	43000	92000	92999	2026	1.85	92000	141000	141999	2948	1.92	141000
44000	44999	1080	2.15	44000	93000	93999	2045	1.85	93000	142000	142999	2967	1.92	142000
45000	45999	1101	2.15	45000	94000	94999	2063	1.85	94000	143000	143999	2986	1.92	143000
46000	46999	1123	2.15	46000	95000	95999	2082	1.85	95000	144000	144999	3006	1.92	144000
47000	47999	1144	2.15	47000	96000	96999	2100	1.85	96000	145000	145999	3025	1.92	145000
48000	48999	1166	2.15	48000	97000	97999	2119	1.85	97000	146000	146999	3044	1.92	146000
49000	49999	1187	2.15	49000	98000	98999	2137	1.85	98000	147000	147999	3063	1.92	147000
50000	50999	1208	2.15	50000	99000	99999	2156	1.85	99000	148000	148999	3082	1.92	148000
51000	51999	1230	2.15	51000	100000	100999	2174	1.85	100000	149000	149999	3101	1.92	149000
52000	52999	1251	2.15	52000	101000	101999	2193	1.85	101000	150000 or greater/ou plus		3121	1.92	150000
53000	53999	1273	2.15	53000	102000	102999	2212	1.85	102000					

FEDERAL CHILD SUPPORT TABLES/
TABLES FÉDÉRALES DE PENSIONS ALIMENTAIRES POUR ENFANTS

PROVINCE: NOVA SCOTIA/NOUVELLE-ÉCOSSE
No. OF CHILDREN/Nᵇʳᵉ D'ENFANTS: Six or more/Six ou plus

Income/Revenu From/De	To/À	Monthly Award/Paiement mensuel Basic Amount/Montant de base	Plus (%)	of income over/du revenu dépassant
0	6729	0	2.01	
6730	6999	0	4.56	6730
7000	7999	5	4.56	7000
8000	8999	51	4.52	8000
9000	9999	97	3.78	9000
10000	10999	142	3.73	10000
11000	11999	180	3.61	11000
12000	12999	217	3.61	12000
13000	13999	253	3.61	13000
14000	14999	289	3.61	14000
15000	15999	325	3.19	15000
16000	16999	357	3.19	16000
17000	17999	389	3.19	17000
18000	18999	421	3.19	18000
19000	19999	453	3.19	19000
20000	20999	485	3.19	20000
21000	21999	517	3.61	21000
22000	22999	553	3.61	22000
23000	23999	589	3.61	23000
24000	24999	625	3.58	24000
25000	25999	661	3.19	25000
26000	26999	697	3.19	26000
27000	27999	729	3.19	27000
28000	28999	761	2.70	28000
29000	29999	793	1.98	29000
30000	30999	820	1.98	30000
31000	31999	839	2.40	31000
32000	32999	859	2.40	32000
33000	33999	883	2.40	33000
34000	34999	907	2.42	34000
35000	35999	931	2.58	35000
36000	36999	955	2.58	36000
37000	37999	981	2.58	37000
38000	38999	1007	2.59	38000
39000	39999	1033	2.75	39000
40000	40999	1059	2.75	40000
41000	41999	1086	2.75	41000
42000	42999	1114	2.75	42000
43000	43999	1141	2.75	43000
44000	44999	1169	2.75	44000
45000	45999	1196	2.75	45000
46000	46999	1224	2.75	46000
47000	47999	1251	2.75	47000
48000	48999	1279	2.44	48000
49000	49999	1306	2.44	49000
50000	50999	1331	2.36	50000
51000	51999	1354	2.36	51000
52000	52999	1378	2.36	52000
53000	53999	1401	2.36	53000
54000	54999	1425	2.36	54000
55000	55999	1448	2.36	55000
56000	56999	1472	2.36	56000
57000	57999	1495	2.36	57000
58000	58999	1519	2.19	58000
59000	59999	1543	2.19	59000
60000	60999	1564	2.16	60000
61000	61999	1586	2.16	61000
62000	62999	1608	2.16	62000
63000	63999	1629	2.11	63000
64000	64999	1650	2.07	64000
65000	65999	1671	2.08	65000
66000	66999	1692	2.08	66000
67000	67999	1712	2.10	67000
68000	68999	1733	2.10	68000
69000	69999	1754	2.10	69000
70000	70999	1775	2.10	70000
71000	71999	1796	2.10	71000
72000	72999	1817	2.10	72000
73000	73999	1838	2.10	73000
74000	74999	1859	2.10	74000
75000	75999	1880	2.10	75000
76000	76999	1901	2.10	76000
77000	77999	1922	2.10	77000
78000	78999	1943	2.10	78000
79000	79999	1964	2.02	79000
80000	80999	1985	1.99	80000
81000	81999	2005	2.02	81000
82000	82999	2025	2.03	82000
83000	83999	2045	2.03	83000
84000	84999	2065	2.03	84000
85000	85999	2085	2.03	85000
86000	86999	2106	2.03	86000
87000	87999	2126	2.03	87000
88000	88999	2146	2.03	88000
89000	89999	2167	2.03	89000
90000	90999	2187	2.03	90000
91000	91999	2207	2.03	91000
92000	92999	2227	2.03	92000
93000	93999	2248	2.03	93000
94000	94999	2268	2.03	94000
95000	95999	2288	2.03	95000
96000	96999	2309	2.03	96000
97000	97999	2329	2.03	97000
98000	98999	2349	2.03	98000
99000	99999	2370	2.03	99000
100000	100999	2390	2.03	100000
101000	101999	2410	2.03	101000
102000	102999	2430	2.03	102000
103000	103999	2451	2.03	103000
104000	104999	2471	2.03	104000
105000	105999	2491	2.03	105000
106000	106999	2512	2.03	106000
107000	107999	2532	2.03	107000
108000	108999	2552	2.03	108000
109000	109999	2573	2.03	109000
110000	110999	2593	2.03	110000
111000	111999	2613	2.03	111000
112000	112999	2634	2.03	112000
113000	113999	2654	2.03	113000
114000	114999	2674	2.03	114000
115000	115999	2694	2.03	115000
116000	116999	2715	2.03	116000
117000	117999	2735	2.03	117000
118000	118999	2755	2.03	118000
119000	119999	2776	2.03	119000
120000	120999	2796	2.08	120000
121000	121999	2817	2.14	121000
122000	122999	2838	2.14	122000
123000	123999	2860	2.12	123000
124000	124999	2881	2.10	124000
125000	125999	2902	2.10	125000
126000	126999	2923	2.10	126000
127000	127999	2944	2.10	127000
128000	128999	2965	2.10	128000
129000	129999	2986	2.10	129000
130000	130999	3007	2.10	130000
131000	131999	3028	2.10	131000
132000	132999	3049	2.10	132000
133000	133999	3070	2.10	133000
134000	134999	3091	2.10	134000
135000	135999	3112	2.10	135000
136000	136999	3133	2.10	136000
137000	137999	3154	2.10	137000
138000	138999	3175	2.10	138000
139000	139999	3196	2.10	139000
140000	140999	3217	2.10	140000
141000	141999	3238	2.10	141000
142000	142999	3259	2.10	142000
143000	143999	3280	2.10	143000
144000	144999	3301	2.10	144000
145000	145999	3322	2.10	145000
146000	146999	3343	2.10	146000
147000	147999	3364	2.10	147000
148000	148999	3385	2.10	148000
149000	149999	3406	2.10	149000
150000 or greater/ou plus		3427	2.10	150000

FEDERAL CHILD SUPPORT TABLES / TABLES FÉDÉRALES DE PENSIONS ALIMENTAIRES POUR ENFANTS

PROVINCE: *NEW BRUNSWICK/NOUVEAU-BRUNSWICK*

No. OF CHILDREN/N^{BRE} D'ENFANTS: *One/Un*

Income/Revenu From/De	To/À	Basic Amount/Montant de base	Monthly Award Plus (%)	of income over/du revenu dépassant	Income/Revenu From/De	To/À	Basic Amount/Montant de base	Monthly Award Plus (%)	of income over/du revenu dépassant	Income/Revenu From/De	To/À	Basic Amount/Montant de base	Monthly Award Plus (%)	of income over/du revenu dépassant
0	6729	0	0.00	6730	54000	54999	438	0.79	54000	103000	103999	779	0.68	103000
6730	6999	0	2.45	7000	55000	55999	445	0.79	55000	104000	104999	786	0.68	104000
7000	7999	24	2.45	8000	56000	56999	453	0.79	56000	105000	105999	792	0.68	105000
8000	8999	49	2.06	9000	57000	57999	461	0.79	57000	106000	106999	799	0.68	106000
9000	9999	73	2.06	10000	58000	58999	469	0.79	58000	107000	107999	806	0.68	107000
10000	10999	94	0.03	11000	59000	59999	477	0.73	59000	108000	108999	813	0.68	108000
11000	11999	94	0.51	12000	60000	60999	484	0.72	60000	109000	109999	819	0.68	109000
12000	12999	99	0.94	13000	61000	61999	491	0.72	61000	110000	110999	826	0.68	110000
13000	13999	109	0.94	14000	62000	62999	499	0.72	62000	111000	111999	833	0.68	111000
14000	14999	118	0.94	15000	63000	63999	506	0.68	63000	112000	112999	840	0.68	112000
15000	15999	128	0.94	16000	64000	64999	512	0.65	64000	113000	113999	846	0.68	113000
16000	16999	137	0.94	17000	65000	65999	519	0.65	65000	114000	114999	853	0.68	114000
17000	17999	146	0.94	18000	66000	66999	525	0.67	66000	115000	115999	860	0.68	115000
18000	18999	156	0.94	19000	67000	67999	532	0.70	67000	116000	116999	867	0.68	116000
19000	19999	165	0.94	20000	68000	68999	539	0.70	68000	117000	117999	874	0.68	117000
20000	20999	174	0.94	21000	69000	69999	546	0.70	69000	118000	118999	880	0.68	118000
21000	21999	184	0.94	22000	70000	70999	553	0.70	70000	119000	119999	887	0.68	119000
22000	22999	193	0.94	23000	71000	71999	560	0.70	71000	120000	120999	894	0.68	120000
23000	23999	202	0.94	24000	72000	72999	567	0.70	72000	121000	121999	901	0.68	121000
24000	24999	212	0.93	25000	73000	73999	574	0.70	73000	122000	122999	907	0.68	122000
25000	25999	221	0.94	26000	74000	74999	581	0.70	74000	123000	123999	914	0.68	123000
26000	26999	230	0.87	27000	75000	75999	588	0.70	75000	124000	124999	921	0.68	124000
27000	27999	238	0.87	28000	76000	76999	595	0.70	76000	125000	125999	928	0.68	125000
28000	28999	247	0.78	29000	77000	77999	602	0.70	77000	126000	126999	934	0.68	126000
29000	29999	255	0.78	30000	78000	78999	609	0.70	78000	127000	127999	941	0.68	127000
30000	30999	262	0.66	31000	79000	79999	616	0.70	79000	128000	128999	948	0.68	128000
31000	31999	268	0.66	32000	80000	80999	623	0.70	80000	129000	129999	955	0.68	129000
32000	32999	275	0.73	33000	81000	81999	629	0.70	81000	130000	130999	961	0.68	130000
33000	33999	283	0.73	34000	82000	82999	636	0.70	82000	131000	131999	968	0.68	131000
34000	34999	290	0.73	35000	83000	83999	643	0.70	83000	132000	132999	975	0.68	132000
35000	35999	297	0.73	36000	84000	84999	650	0.70	84000	133000	133999	982	0.68	133000
36000	36999	305	0.76	37000	85000	85999	657	0.70	85000	134000	134999	988	0.68	134000
37000	37999	312	0.76	38000	86000	86999	664	0.70	86000	135000	135999	995	0.68	135000
38000	38999	320	0.76	39000	87000	87999	671	0.70	87000	136000	136999	1002	0.68	136000
39000	39999	328	0.76	40000	88000	88999	678	0.70	88000	137000	137999	1009	0.68	137000
40000	40999	335	0.79	41000	89000	89999	685	0.70	89000	138000	138999	1015	0.68	138000
41000	41999	343	0.79	42000	90000	90999	692	0.70	90000	139000	139999	1022	0.68	139000
42000	42999	351	0.79	43000	91000	91999	699	0.70	91000	140000	140999	1029	0.68	140000
43000	43999	359	0.79	44000	92000	92999	706	0.63	92000	141000	141999	1036	0.68	141000
44000	44999	367	0.79	45000	93000	93999	713	0.62	93000	142000	142999	1042	0.68	142000
45000	45999	375	0.79	46000	94000	94999	719	0.62	94000	143000	143999	1049	0.68	143000
46000	46999	383	0.79	47000	95000	95999	726	0.66	95000	144000	144999	1056	0.68	144000
47000	47999	390	0.79	48000	96000	96999	732	0.68	96000	145000	145999	1063	0.68	145000
48000	48999	398	0.79	49000	97000	97999	738	0.68	97000	146000	146999	1069	0.68	146000
49000	49999	406	0.79	50000	98000	98999	745	0.68	98000	147000	147999	1076	0.68	147000
50000	50999	414	0.79	51000	99000	99999	752	0.68	99000	148000	148999	1083	0.68	148000
51000	51999	422	0.79	52000	100000	100999	759	0.68	100000	149000	149999	1090	0.68	149000
52000	52999	430	0.79	53000	101000	101999	765	0.68	101000	150000 or greater/ou plus		1096	0.68	150000
53000	53999		0.79		102000	102999	772	0.68	102000					

Federal Child Support Tables/
Tables fédérales de pensions alimentaires pour enfants

PROVINCE: *New Brunswick/Nouveau-Brunswick*
No. of Children/N^bre d'enfants: *Two/Deux*

Income/Revenu From/De	To/À	Basic Amount/Montant de base	Plus (%)	of Income over/du revenu dépassant
0	6729			
6730	6999	0	0.38	6730
7000	7999	1	2.87	7000
8000	8999	30	2.87	8000
9000	9999	58	2.87	9000
10000	10999	87	2.87	10000
11000	11999	116	2.82	11000
12000	12999	144	2.70	12000
13000	13999	171	2.70	13000
14000	14999	198	2.11	14000
15000	15999	219	1.46	15000
16000	16999	234	1.46	16000
17000	17999	248	1.46	17000
18000	18999	263	1.46	18000
19000	19999	277	1.46	19000
20000	20999	292	1.46	20000
21000	21999	307	1.46	21000
22000	22999	321	1.46	22000
23000	23999	336	1.46	23000
24000	24999	350	1.46	24000
25000	25999	365	1.45	25000
26000	26999	379	1.35	26000
27000	27999	393	1.35	27000
28000	28999	406	1.35	28000
29000	29999	420	1.22	29000
30000	30999	432	1.02	30000
31000	31999	442	1.02	31000
32000	32999	452	1.13	32000
33000	33999	464	1.13	33000
34000	34999	475	1.13	34000
35000	35999	486	1.14	35000
36000	36999	498	1.18	36000
37000	37999	510	1.18	37000
38000	38999	521	1.18	38000
39000	39999	533	1.22	39000
40000	40999	545	1.22	40000
41000	41999	557	1.22	41000
42000	42999	569	1.22	42000
43000	43999	582	1.22	43000
44000	44999	594	1.22	44000
45000	45999	606	1.22	45000
46000	46999	618	1.22	46000
47000	47999	631	1.22	47000
48000	48999	643	1.22	48000
49000	49999	655	1.22	49000
50000	50999	667	1.22	50000
51000	51999	679	1.22	51000
52000	52999	692	1.22	52000
53000	53999	704	1.22	53000
54000	54999	716	1.22	54000
55000	55999	728	1.22	55000
56000	56999	741	1.22	56000
57000	57999	753	1.22	57000
58000	58999	765	1.22	58000
59000	59999	777	1.13	59000
60000	60999	789	1.11	60000
61000	61999	800	1.11	61000
62000	62999	811	1.11	62000
63000	63999	822	1.07	63000
64000	64999	833	1.04	64000
65000	65999	843	1.04	65000
66000	66999	853	1.06	66000
67000	67999	864	1.08	67000
68000	68999	875	1.08	68000
69000	69999	886	1.08	69000
70000	70999	896	1.08	70000
71000	71999	907	1.08	71000
72000	72999	918	1.08	72000
73000	73999	929	1.08	73000
74000	74999	940	1.08	74000
75000	75999	951	1.08	75000
76000	76999	961	1.08	76000
77000	77999	972	1.08	77000
78000	78999	983	1.08	78000
79000	79999	994	1.08	79000
80000	80999	1005	1.08	80000
81000	81999	1016	1.08	81000
82000	82999	1026	1.08	82000
83000	83999	1037	1.08	83000
84000	84999	1048	1.08	84000
85000	85999	1059	1.08	85000
86000	86999	1070	1.08	86000
87000	87999	1081	1.08	87000
88000	88999	1091	1.08	88000
89000	89999	1102	1.08	89000
90000	90999	1113	1.08	90000
91000	91999	1124	1.01	91000
92000	92999	1135	1.01	92000
93000	93999	1146	1.00	93000
94000	94999	1156	1.00	94000
95000	95999	1166	1.04	95000
96000	96999	1176	1.05	96000
97000	97999	1186	1.05	97000
98000	98999	1197	1.05	98000
99000	99999	1207	1.05	99000
100000	100999	1218	1.05	100000
101000	101999	1228	1.05	101000
102000	102999	1239	1.05	102000
103000	103999	1249	1.05	103000
104000	104999	1260	1.05	104000
105000	105999	1270	1.05	105000
106000	106999	1281	1.05	106000
107000	107999	1291	1.05	107000
108000	108999	1302	1.05	108000
109000	109999	1312	1.05	109000
110000	110999	1323	1.05	110000
111000	111999	1333	1.05	111000
112000	112999	1344	1.05	112000
113000	113999	1354	1.05	113000
114000	114999	1365	1.05	114000
115000	115999	1375	1.05	115000
116000	116999	1386	1.05	116000
117000	117999	1396	1.05	117000
118000	118999	1407	1.05	118000
119000	119999	1417	1.05	119000
120000	120999	1428	1.05	120000
121000	121999	1438	1.05	121000
122000	122999	1449	1.05	122000
123000	123999	1459	1.05	123000
124000	124999	1470	1.05	124000
125000	125999	1480	1.05	125000
126000	126999	1491	1.05	126000
127000	127999	1501	1.05	127000
128000	128999	1512	1.05	128000
129000	129999	1522	1.05	129000
130000	130999	1533	1.05	130000
131000	131999	1543	1.05	131000
132000	132999	1554	1.05	132000
133000	133999	1564	1.05	133000
134000	134999	1575	1.05	134000
135000	135999	1585	1.05	135000
136000	136999	1596	1.05	136000
137000	137999	1606	1.05	137000
138000	138999	1617	1.05	138000
139000	139999	1627	1.05	139000
140000	140999	1638	1.05	140000
141000	141999	1648	1.05	141000
142000	142999	1659	1.05	142000
143000	143999	1669	1.05	143000
144000	144999	1680	1.05	144000
145000	145999	1690	1.05	145000
146000	146999	1701	1.05	146000
147000	147999	1712	1.05	147000
148000	148999	1722	1.05	148000
149000	149999	1733	1.05	149000
150000 or greater/ou plus		1743	1.05	150000

FEDERAL CHILD SUPPORT TABLES/
TABLES FÉDÉRALES DE PENSIONS ALIMENTAIRES POUR ENFANTS

PROVINCE: *NEW BRUNSWICK/NOUVEAU-BRUNSWICK*
NO. OF CHILDREN/N^BRE D'ENFANTS: *Three/Trois*

Income/Revenu From/De	Income/Revenu To/À	Monthly Award Basic Amount/Montant de base	Plus (%)	of Income over/du revenu dépassant
0	6729	0	0.80	6730
6730	6999	0	3.29	7000
7000	7999	2	3.29	8000
8000	8999	35	3.29	9000
9000	9999	68	3.29	10000
10000	10999	101	3.24	11000
11000	11999	134	3.12	12000
12000	12999	166	3.12	13000
13000	13999	197	3.12	14000
14000	14999	228	3.12	15000
15000	15999	260	3.12	16000
16000	16999	291	3.12	17000
17000	17999	322	3.12	18000
18000	18999	353	2.17	19000
19000	19999	375	1.87	20000
20000	20999	394	1.87	21000
21000	21999	412	1.87	22000
22000	22999	431	1.87	23000
23000	23999	450	1.87	24000
24000	24999	469	1.87	25000
25000	25999	487	1.86	26000
26000	26999	506	1.73	27000
27000	27999	523	1.73	28000
28000	28999	541	1.73	29000
29000	29999	558	1.56	30000
30000	30999	574	1.32	31000
31000	31999	587	1.32	32000
32000	32999	600	1.46	33000
33000	33999	614	1.46	34000
34000	34999	629	1.46	35000
35000	35999	644	1.46	36000
36000	36999	658	1.51	37000
37000	37999	673	1.51	38000
38000	38999	688	1.51	39000
39000	39999	704	1.52	40000
40000	40999	719	1.57	41000
41000	41999	735	1.57	42000
42000	42999	750	1.57	43000
43000	43999	766	1.57	44000
44000	44999	782	1.57	45000
45000	45999	797	1.57	46000
46000	46999	813	1.57	47000
47000	47999	829	1.57	48000
48000	48999	845	1.57	49000
49000	49999	860	1.57	50000
50000	50999	876	1.57	51000
51000	51999	892	1.57	52000
52000	52999	907	1.57	53000
53000	53999	923	1.57	54000

Income/Revenu From/De	Income/Revenu To/À	Monthly Award Basic Amount/Montant de base	Plus (%)	of Income over/du revenu dépassant
54000	54999	939	1.57	55000
55000	55999	955	1.57	56000
56000	56999	970	1.57	57000
57000	57999	986	1.57	58000
58000	58999	1002	1.57	59000
59000	59999	1017	1.45	60000
60000	60999	1032	1.43	61000
61000	61999	1046	1.43	62000
62000	62999	1061	1.43	63000
63000	63999	1075	1.39	64000
64000	64999	1089	1.35	65000
65000	65999	1102	1.37	66000
66000	66999	1116	1.37	67000
67000	67999	1130	1.39	68000
68000	68999	1143	1.39	69000
69000	69999	1157	1.39	70000
70000	70999	1171	1.39	71000
71000	71999	1185	1.39	72000
72000	72999	1199	1.39	73000
73000	73999	1213	1.39	74000
74000	74999	1227	1.39	75000
75000	75999	1241	1.39	76000
76000	76999	1255	1.39	77000
77000	77999	1269	1.39	78000
78000	78999	1283	1.39	79000
79000	79999	1297	1.39	80000
80000	80999	1311	1.39	81000
81000	81999	1324	1.39	82000
82000	82999	1338	1.39	83000
83000	83999	1352	1.39	84000
84000	84999	1366	1.39	85000
85000	85999	1380	1.39	86000
86000	86999	1394	1.39	87000
87000	87999	1408	1.39	88000
88000	88999	1422	1.39	89000
89000	89999	1436	1.39	90000
90000	90999	1450	1.39	91000
91000	91999	1464	1.39	92000
92000	92999	1478	1.31	93000
93000	93999	1492	1.31	94000
94000	94999	1505	1.31	95000
95000	95999	1518	1.34	96000
96000	96999	1531	1.35	97000
97000	97999	1544	1.35	98000
98000	98999	1558	1.35	99000
99000	99999	1571	1.35	100000
100000	100999	1585	1.35	101000
101000	101999	1598	1.35	102000
102000	102999	1612	1.35	103000

Income/Revenu From/De	Income/Revenu To/À	Monthly Award Basic Amount/Montant de base	Plus (%)	of Income over/du revenu dépassant
103000	103999	1625	1.35	104000
104000	104999	1639	1.35	105000
105000	105999	1652	1.35	106000
106000	106999	1666	1.35	107000
107000	107999	1679	1.35	108000
108000	108999	1693	1.35	109000
109000	109999	1706	1.35	110000
110000	110999	1720	1.35	111000
111000	111999	1733	1.35	112000
112000	112999	1747	1.35	113000
113000	113999	1760	1.35	114000
114000	114999	1774	1.35	115000
115000	115999	1787	1.35	116000
116000	116999	1801	1.35	117000
117000	117999	1815	1.35	118000
118000	118999	1828	1.35	119000
119000	119999	1842	1.35	120000
120000	120999	1855	1.35	121000
121000	121999	1869	1.35	122000
122000	122999	1882	1.35	123000
123000	123999	1896	1.35	124000
124000	124999	1909	1.35	125000
125000	125999	1923	1.35	126000
126000	126999	1936	1.35	127000
127000	127999	1950	1.35	128000
128000	128999	1963	1.35	129000
129000	129999	1977	1.35	130000
130000	130999	1990	1.35	131000
131000	131999	2004	1.35	132000
132000	132999	2017	1.35	133000
133000	133999	2031	1.35	134000
134000	134999	2044	1.35	135000
135000	135999	2058	1.35	136000
136000	136999	2071	1.35	137000
137000	137999	2085	1.35	138000
138000	138999	2098	1.35	139000
139000	139999	2112	1.35	140000
140000	140999	2125	1.35	141000
141000	141999	2139	1.35	142000
142000	142999	2152	1.35	143000
143000	143999	2166	1.35	144000
144000	144999	2179	1.35	145000
145000	145999	2193	1.35	146000
146000	146999	2206	1.35	147000
147000	147999	2220	1.35	148000
148000	148999	2233	1.35	149000
149000	149999	2247	1.35	150000
150000 or greater/ou plus		2260	1.35	150000

Federal Child Support Tables / Tables fédérales de pensions alimentaires pour enfants

PROVINCE: *New Brunswick/Nouveau-Brunswick*

No. of Children/N^bre D'enfants: *Four/Quatre*

Income/Revenu From/De	To/À	Basic Amount/Montant de base	Plus (%)	of Income over/du revenu dépassant	Income/Revenu From/De	To/À	Basic Amount/Montant de base	Plus (%)	of Income over/du revenu dépassant	Income/Revenu From/De	To/À	Basic Amount/Montant de base	Plus (%)	of Income over/du revenu dépassant
0	6729	0		0	54000	54999	1121	1.86	54000	103000	103999	1933	1.60	103000
6730	6999	0	1.21	6730	55000	55999	1140	1.86	55000	104000	104999	1949	1.60	104000
7000	7999	3	3.70	7000	56000	56999	1158	1.86	56000	105000	105999	1965	1.60	105000
8000	8999	40	3.70	8000	57000	57999	1177	1.86	57000	106000	106999	1981	1.60	106000
9000	9999	77	3.70	9000	58000	58999	1195	1.86	58000	107000	107999	1997	1.60	107000
10000	10999	114	3.70	10000	59000	59999	1214	1.72	59000	108000	108999	2013	1.60	108000
11000	11999	151	3.65	11000	60000	60999	1231	1.69	60000	109000	109999	2029	1.60	109000
12000	12999	188	3.54	12000	61000	61999	1248	1.69	61000	110000	110999	2045	1.60	110000
13000	13999	223	3.54	13000	62000	62999	1265	1.69	62000	111000	111999	2061	1.60	111000
14000	14999	259	3.54	14000	63000	63999	1282	1.64	63000	112000	112999	2077	1.60	112000
15000	15999	294	3.54	15000	64000	64999	1298	1.61	64000	113000	113999	2093	1.60	113000
16000	16999	329	3.54	16000	65000	65999	1315	1.61	65000	114000	114999	2109	1.60	114000
17000	17999	365	3.54	17000	66000	66999	1331	1.62	66000	115000	115999	2125	1.60	115000
18000	18999	400	3.54	18000	67000	67999	1347	1.65	67000	116000	116999	2141	1.60	116000
19000	19999	436	2.60	19000	68000	68999	1363	1.65	68000	117000	117999	2157	1.60	117000
20000	20999	471	2.60	20000	69000	69999	1380	1.65	69000	118000	118999	2173	1.60	118000
21000	21999	499	2.21	21000	70000	70999	1396	1.65	70000	119000	119999	2189	1.60	119000
22000	22999	521	2.21	22000	71000	71999	1413	1.65	71000	120000	120999	2205	1.60	120000
23000	23999	543	2.21	23000	72000	72999	1429	1.65	72000	121000	121999	2221	1.60	121000
24000	24999	565	2.21	24000	73000	73999	1446	1.65	73000	122000	122999	2237	1.60	122000
25000	25999	587	2.20	25000	74000	74999	1462	1.65	74000	123000	123999	2252	1.60	123000
26000	26999	609	2.05	26000	75000	75999	1478	1.65	75000	124000	124999	2268	1.60	124000
27000	27999	630	2.05	27000	76000	76999	1495	1.65	76000	125000	125999	2284	1.60	125000
28000	28999	650	2.05	28000	77000	77999	1511	1.65	77000	126000	126999	2300	1.60	126000
29000	29999	671	1.85	29000	78000	78999	1528	1.65	78000	127000	127999	2316	1.60	127000
30000	30999	689	1.56	30000	79000	79999	1544	1.65	79000	128000	128999	2332	1.60	128000
31000	31999	705	1.56	31000	80000	80999	1561	1.65	80000	129000	129999	2348	1.60	129000
32000	32999	721	1.72	32000	81000	81999	1577	1.65	81000	130000	130999	2364	1.60	130000
33000	33999	738	1.72	33000	82000	82999	1594	1.65	82000	131000	131999	2380	1.60	131000
34000	34999	755	1.72	34000	83000	83999	1610	1.65	83000	132000	132999	2396	1.60	132000
35000	35999	772	1.73	35000	84000	84999	1627	1.65	84000	133000	133999	2412	1.60	133000
36000	36999	789	1.79	36000	85000	85999	1643	1.65	85000	134000	134999	2428	1.60	134000
37000	37999	807	1.79	37000	86000	86999	1659	1.65	86000	135000	135999	2444	1.60	135000
38000	38999	825	1.79	38000	87000	87999	1676	1.65	87000	136000	136999	2460	1.60	136000
39000	39999	843	1.80	39000	88000	88999	1692	1.65	88000	137000	137999	2476	1.60	137000
40000	40999	861	1.86	40000	89000	89999	1709	1.65	89000	138000	138999	2492	1.60	138000
41000	41999	880	1.86	41000	90000	90999	1725	1.65	90000	139000	139999	2508	1.60	139000
42000	42999	898	1.86	42000	91000	91999	1742	1.65	91000	140000	140999	2524	1.60	140000
43000	43999	917	1.86	43000	92000	92999	1758	1.56	92000	141000	141999	2540	1.60	141000
44000	44999	935	1.86	44000	93000	93999	1775	1.56	93000	142000	142999	2556	1.60	142000
45000	45999	954	1.86	45000	94000	94999	1790	1.56	94000	143000	143999	2572	1.60	143000
46000	46999	973	1.86	46000	95000	95999	1806	1.56	95000	144000	144999	2588	1.60	144000
47000	47999	991	1.86	47000	96000	96999	1821	1.59	96000	145000	145999	2604	1.60	145000
48000	48999	1010	1.86	48000	97000	97999	1837	1.60	97000	146000	146999	2620	1.60	146000
49000	49999	1028	1.86	49000	98000	98999	1853	1.60	98000	147000	147999	2636	1.60	147000
50000	50999	1047	1.86	50000	99000	99999	1869	1.60	99000	148000	148999	2652	1.60	148000
51000	51999	1065	1.86	51000	100000	100999	1885	1.60	100000	149000	149999	2668	1.60	149000
52000	52999	1084	1.86	52000	101000	101999	1901	1.60	101000	150000 or greater/ou plus		2684	1.60	150000
53000	53999	1103	1.86	53000	102000	102999	1917	1.60	102000					

Federal Child Support Tables / Tables fédérales de pensions alimentaires pour enfants

PROVINCE: *New Brunswick/Nouveau-Brunswick*

No. of Children/N^bre d'enfants: *Five/Cinq*

Income/Revenu From/De	To/À	Basic Amount/Montant de base	Plus (%)	of income over/du revenu dépassant
0	6729	0		
6730	6999	0	1.21	6730
7000	7999	3	3.70	7000
8000	8999	40	3.70	8000
9000	9999	77	3.70	9000
10000	10999	114	3.70	10000
11000	11999	151	3.65	11000
12000	12999	188	3.54	12000
13000	13999	223	3.54	13000
14000	14999	259	3.54	14000
15000	15999	294	3.54	15000
16000	16999	329	3.54	16000
17000	17999	365	3.54	17000
18000	18999	400	3.54	18000
19000	19999	436	3.54	19000
20000	20999	471	3.54	20000
21000	21999	506	3.54	21000
22000	22999	542	3.54	22000
23000	23999	577	3.54	23000
24000	24999	612	3.54	24000
25000	25999	648	3.50	25000
26000	26999	683	3.12	26000
27000	27999	714	2.81	27000
28000	28999	742	2.31	28000
29000	29999	765	2.09	29000
30000	30999	786	1.76	30000
31000	31999	804	1.76	31000
32000	32999	821	1.94	32000
33000	33999	841	1.94	33000
34000	34999	860	1.94	34000
35000	35999	879	1.95	35000
36000	36999	899	2.02	36000
37000	37999	919	2.02	37000
38000	38999	939	2.02	38000
39000	39999	959	2.03	39000
40000	40999	980	2.10	40000
41000	41999	1001	2.10	41000
42000	42999	1022	2.10	42000
43000	43999	1043	2.10	43000
44000	44999	1063	2.10	44000
45000	45999	1084	2.10	45000
46000	46999	1105	2.10	46000
47000	47999	1126	2.10	47000
48000	48999	1147	2.10	48000
49000	49999	1168	2.10	49000
50000	50999	1189	2.10	50000
51000	51999	1210	2.10	51000
52000	52999	1231	2.10	52000
53000	53999	1252	2.10	53000

Income/Revenu From/De	To/À	Basic Amount/Montant de base	Plus (%)	of income over/du revenu dépassant
54000	54999	1273	2.10	54000
55000	55999	1294	2.10	55000
56000	56999	1315	2.10	56000
57000	57999	1336	2.10	57000
58000	58999	1357	1.94	58000
59000	59999	1378	1.94	59000
60000	60999	1397	1.91	60000
61000	61999	1416	1.91	61000
62000	62999	1435	1.91	62000
63000	63999	1455	1.86	63000
64000	64999	1473	1.82	64000
65000	65999	1491	1.82	65000
66000	66999	1510	1.84	66000
67000	67999	1528	1.86	67000
68000	68999	1546	1.86	68000
69000	69999	1565	1.86	69000
70000	70999	1584	1.86	70000
71000	71999	1602	1.86	71000
72000	72999	1621	1.86	72000
73000	73999	1639	1.86	73000
74000	74999	1658	1.86	74000
75000	75999	1676	1.86	75000
76000	76999	1695	1.86	76000
77000	77999	1714	1.86	77000
78000	78999	1732	1.86	78000
79000	79999	1751	1.86	79000
80000	80999	1769	1.86	80000
81000	81999	1788	1.86	81000
82000	82999	1806	1.86	82000
83000	83999	1825	1.86	83000
84000	84999	1844	1.86	84000
85000	85999	1862	1.86	85000
86000	86999	1881	1.86	86000
87000	87999	1899	1.86	87000
88000	88999	1918	1.86	88000
89000	89999	1936	1.86	89000
90000	90999	1955	1.86	90000
91000	91999	1973	1.86	91000
92000	92999	1992	1.86	92000
93000	93999	2011	1.77	93000
94000	94999	2028	1.77	94000
95000	95999	2046	1.77	95000
96000	96999	2064	1.79	96000
97000	97999	2082	1.80	97000
98000	98999	2100	1.80	98000
99000	99999	2118	1.80	99000
100000	100999	2136	1.80	100000
101000	101999	2154	1.80	101000
102000	102999	2172	1.80	102000

Income/Revenu From/De	To/À	Basic Amount/Montant de base	Plus (%)	of income over/du revenu dépassant
103000	103999	2190	1.80	103000
104000	104999	2208	1.80	104000
105000	105999	2226	1.80	105000
106000	106999	2244	1.80	106000
107000	107999	2262	1.80	107000
108000	108999	2280	1.80	108000
109000	109999	2298	1.80	109000
110000	110999	2316	1.80	110000
111000	111999	2334	1.80	111000
112000	112999	2352	1.80	112000
113000	113999	2370	1.80	113000
114000	114999	2388	1.80	114000
115000	115999	2406	1.80	115000
116000	116999	2424	1.80	116000
117000	117999	2442	1.80	117000
118000	118999	2460	1.80	118000
119000	119999	2478	1.80	119000
120000	120999	2496	1.80	120000
121000	121999	2514	1.80	121000
122000	122999	2532	1.80	122000
123000	123999	2550	1.80	123000
124000	124999	2568	1.80	124000
125000	125999	2586	1.80	125000
126000	126999	2604	1.80	126000
127000	127999	2622	1.80	127000
128000	128999	2640	1.80	128000
129000	129999	2658	1.80	129000
130000	130999	2676	1.80	130000
131000	131999	2694	1.80	131000
132000	132999	2712	1.80	132000
133000	133999	2730	1.80	133000
134000	134999	2748	1.80	134000
135000	135999	2766	1.80	135000
136000	136999	2784	1.80	136000
137000	137999	2802	1.80	137000
138000	138999	2820	1.80	138000
139000	139999	2838	1.80	139000
140000	140999	2856	1.80	140000
141000	141999	2874	1.80	141000
142000	142999	2892	1.80	142000
143000	143999	2910	1.80	143000
144000	144999	2928	1.80	144000
145000	145999	2946	1.80	145000
146000	146999	2964	1.80	146000
147000	147999	2982	1.80	147000
148000	148999	3000	1.80	148000
149000	149999	3018	1.80	149000
150000 or greater/ou plus		3036	1.80	150000

FEDERAL CHILD SUPPORT TABLES/
TABLES FÉDÉRALES DE PENSIONS ALIMENTAIRES POUR ENFANTS

PROVINCE: *NEW BRUNSWICK/NOUVEAU-BRUNSWICK*
No. OF CHILDREN/N^BRE D'ENFANTS: *Six or more/Six ou plus*

Income/Revenu From/De	Income/Revenu To/À	Monthly Award/Paiement mensuel Basic Amount/Montant de base	Monthly Award/Paiement mensuel Plus (%)	of Income over/du revenu dépassant
0	6729	0		
6730	6999	0	1.21	6730
7000	7999	3	3.70	7000
8000	8999	40	3.70	8000
9000	9999	77	3.70	9000
10000	10999	114	3.70	10000
11000	11999	151	3.65	11000
12000	12999	188	3.54	12000
13000	13999	223	3.54	13000
14000	14999	259	3.54	14000
15000	15999	294	3.54	15000
16000	16999	329	3.54	16000
17000	17999	365	3.54	17000
18000	18999	400	3.54	18000
19000	19999	436	3.54	19000
20000	20999	471	3.54	20000
21000	21999	506	3.54	21000
22000	22999	542	3.54	22000
23000	23999	577	3.54	23000
24000	24999	612	3.54	24000
25000	25999	648	3.50	25000
26000	26999	683	3.12	26000
27000	27999	714	3.12	27000
28000	28999	745	3.12	28000
29000	29999	776	2.61	29000
30000	30999	802	1.87	30000
31000	31999	821	1.87	31000
32000	32999	840	2.28	32000
33000	33999	863	2.28	33000
34000	34999	885	2.30	34000
35000	35999	908	2.30	35000
36000	36999	931	2.46	36000
37000	37999	956	2.46	37000
38000	38999	980	2.48	38000
39000	39999	1005	2.63	39000
40000	40999	1030	2.63	40000
41000	41999	1058	2.63	41000
42000	42999	1082	2.63	42000
43000	43999	1109	2.63	43000
44000	44999	1135	2.63	44000
45000	45999	1161	2.63	45000
46000	46999	1188	2.63	46000
47000	47999	1214	2.63	47000
48000	48999	1240	2.63	48000
49000	49999	1267	2.63	49000
50000	50999	1293	2.63	50000
51000	51999	1319	2.63	51000
52000	52999	1346	2.63	52000
53000	53999	1372	2.63	53000

Income/Revenu From/De	Income/Revenu To/À	Monthly Award/Paiement mensuel Basic Amount/Montant de base	Monthly Award/Paiement mensuel Plus (%)	of Income over/du revenu dépassant
54000	54999	1398	2.63	54000
55000	55999	1425	2.30	55000
56000	56999	1448	2.30	56000
57000	57999	1470	2.30	57000
58000	58999	1493	2.30	58000
59000	59999	1516	2.13	59000
60000	60999	1538	2.09	60000
61000	61999	1559	2.09	61000
62000	62999	1580	2.04	62000
63000	63999	1600	2.00	63000
64000	64999	1621	2.00	64000
65000	65999	1641	2.02	65000
66000	66999	1661	2.03	66000
67000	67999	1681	2.03	67000
68000	68999	1702	2.03	68000
69000	69999	1722	2.03	69000
70000	70999	1742	2.03	70000
71000	71999	1763	2.03	71000
72000	72999	1783	2.03	72000
73000	73999	1803	2.03	73000
74000	74999	1824	2.03	74000
75000	75999	1844	2.03	75000
76000	76999	1864	2.03	76000
77000	77999	1885	2.03	77000
78000	78999	1905	2.03	78000
79000	79999	1925	2.03	79000
80000	80999	1946	2.03	80000
81000	81999	1966	2.03	81000
82000	82999	1986	2.03	82000
83000	83999	2007	2.03	83000
84000	84999	2027	2.03	84000
85000	85999	2047	2.03	85000
86000	86999	2068	2.03	86000
87000	87999	2088	2.03	87000
88000	88999	2108	2.03	88000
89000	89999	2129	2.03	89000
90000	90999	2149	2.03	90000
91000	91999	2170	2.03	91000
92000	92999	2190	1.95	92000
93000	93999	2210	1.94	93000
94000	94999	2230	1.94	94000
95000	95999	2249	1.94	95000
96000	96999	2269	1.97	96000
97000	97999	2288	1.97	97000
98000	98999	2308	1.97	98000
99000	99999	2328	1.97	99000
100000	100999	2347	1.97	100000
101000	101999	2367	1.97	101000
102000	102999	2387	1.97	102000

Income/Revenu From/De	Income/Revenu To/À	Monthly Award/Paiement mensuel Basic Amount/Montant de base	Monthly Award/Paiement mensuel Plus (%)	of Income over/du revenu dépassant
103000	103999	2407	1.97	103000
104000	104999	2426	1.97	104000
105000	105999	2446	1.97	105000
106000	106999	2466	1.97	106000
107000	107999	2486	1.97	107000
108000	108999	2505	1.97	108000
109000	109999	2525	1.97	109000
110000	110999	2545	1.97	110000
111000	111999	2565	1.97	111000
112000	112999	2584	1.97	112000
113000	113999	2604	1.97	113000
114000	114999	2624	1.97	114000
115000	115999	2644	1.97	115000
116000	116999	2663	1.97	116000
117000	117999	2683	1.97	117000
118000	118999	2703	1.97	118000
119000	119999	2723	1.97	119000
120000	120999	2742	1.97	120000
121000	121999	2762	1.97	121000
122000	122999	2782	1.97	122000
123000	123999	2802	1.97	123000
124000	124999	2821	1.97	124000
125000	125999	2841	1.97	125000
126000	126999	2861	1.97	126000
127000	127999	2881	1.97	127000
128000	128999	2900	1.97	128000
129000	129999	2920	1.97	129000
130000	130999	2940	1.97	130000
131000	131999	2960	1.97	131000
132000	132999	2979	1.97	132000
133000	133999	2999	1.97	133000
134000	134999	3019	1.97	134000
135000	135999	3039	1.97	135000
136000	136999	3058	1.97	136000
137000	137999	3078	1.97	137000
138000	138999	3098	1.97	138000
139000	139999	3118	1.97	139000
140000	140999	3137	1.97	140000
141000	141999	3157	1.97	141000
142000	142999	3177	1.97	142000
143000	143999	3196	1.97	143000
144000	144999	3216	1.97	144000
145000	145999	3236	1.97	145000
146000	146999	3256	1.97	146000
147000	147999	3275	1.97	147000
148000	148999	3295	1.97	148000
149000	149999	3315	1.97	149000
150000 or greater/ou plus		3335	1.97	150000

FEDERAL CHILD SUPPORT TABLES/
TABLES FÉDÉRALES DE PENSIONS ALIMENTAIRES POUR ENFANTS

PROVINCE: **MANITOBA**

NO. OF CHILDREN/N^BRE D'ENFANTS: *One/Un*

Income ($)/Revenu		Monthly Award/Paiement mensuel		
From/De	To/À	Basic Amount/Montant de base	Plus (%)	of Income over/du revenu dépassant
0	6729	0		
6730	6999	0	5.00	6730
7000	7999	14	5.00	7000
8000	8999	63	2.74	8000
9000	9999	91	0.37	9000
10000	10999	95	0.37	10000
11000	11999	98	0.37	11000
12000	12999	102	0.37	12000
13000	13999	106	0.37	13000
14000	14999	109	0.37	14000
15000	15999	113	0.37	15000
16000	16999	117	0.88	16000
17000	17999	126	0.88	17000
18000	18999	135	0.88	18000
19000	19999	144	0.93	19000
20000	20999	153	0.96	20000
21000	21999	162	1.03	21000
22000	22999	172	1.03	22000
23000	23999	182	1.03	23000
24000	24999	192	1.02	24000
25000	25999	202	0.96	25000
26000	26999	213	0.97	26000
27000	27999	222	0.89	27000
28000	28999	232	0.68	28000
29000	29999	242	0.68	29000
30000	30999	250	0.75	30000
31000	31999	257	0.75	31000
32000	32999	264	0.75	32000
33000	33999	272	0.82	33000
34000	34999	279	0.85	34000
35000	35999	287	0.85	35000
36000	36999	295	0.81	36000
37000	37999	303	0.82	37000
38000	38999	312	0.77	38000
39000	39999	320	0.77	39000
40000	40999	328	0.77	40000
41000	41999	336	0.77	41000
42000	42999	343	0.77	42000
43000	43999	351	0.77	43000
44000	44999	359	0.77	44000
45000	45999	367	0.77	45000
46000	46999	374	0.77	46000
47000	47999	382	0.77	47000
48000	48999	390	0.77	48000
49000	49999	398	0.77	49000
50000	50999	405	0.77	50000
51000	51999	413	0.77	51000
52000	52999	421	0.77	52000
53000	53999	429	0.77	53000

Income ($)/Revenu		Monthly Award/Paiement mensuel		
From/De	To/À	Basic Amount/Montant de base	Plus (%)	of Income over/du revenu dépassant
54000	54999	436	0.77	54000
55000	55999	444	0.77	55000
56000	56999	452	0.77	56000
57000	57999	460	0.77	57000
58000	58999	467	0.77	58000
59000	59999	475	0.72	59000
60000	60999	482	0.71	60000
61000	61999	489	0.71	61000
62000	62999	496	0.71	62000
63000	63999	503	0.71	63000
64000	64999	510	0.67	64000
65000	65999	517	0.64	65000
66000	66999	523	0.64	66000
67000	67999	529	0.66	67000
68000	68999	536	0.69	68000
69000	69999	543	0.69	69000
70000	70999	550	0.69	70000
71000	71999	557	0.69	71000
72000	72999	564	0.69	72000
73000	73999	571	0.69	73000
74000	74999	578	0.69	74000
75000	75999	585	0.69	75000
76000	76999	591	0.69	76000
77000	77999	598	0.69	77000
78000	78999	605	0.69	78000
79000	79999	612	0.69	79000
80000	80999	619	0.69	80000
81000	81999	626	0.69	81000
82000	82999	633	0.69	82000
83000	83999	640	0.69	83000
84000	84999	647	0.69	84000
85000	85999	653	0.69	85000
86000	86999	660	0.69	86000
87000	87999	667	0.69	87000
88000	88999	674	0.69	88000
89000	89999	681	0.69	89000
90000	90999	688	0.69	90000
91000	91999	695	0.69	91000
92000	92999	702	0.69	92000
93000	93999	709	0.69	93000
94000	94999	715	0.69	94000
95000	95999	722	0.69	95000
96000	96999	729	0.69	96000
97000	97999	736	0.69	97000
98000	98999	743	0.69	98000
99000	99999	750	0.69	99000
100000	100999	757	0.69	100000
101000	101999	764	0.69	101000
102000	102999	771	0.69	102000

Income ($)/Revenu		Monthly Award/Paiement mensuel		
From/De	To/À	Basic Amount/Montant de base	Plus (%)	of Income over/du revenu dépassant
103000	103999	777	0.69	103000
104000	104999	784	0.69	104000
105000	105999	791	0.69	105000
106000	106999	798	0.69	106000
107000	107999	805	0.69	107000
108000	108999	812	0.69	108000
109000	109999	819	0.69	109000
110000	110999	826	0.69	110000
111000	111999	833	0.69	111000
112000	112999	839	0.69	112000
113000	113999	846	0.69	113000
114000	114999	853	0.69	114000
115000	115999	860	0.69	115000
116000	116999	867	0.69	116000
117000	117999	874	0.69	117000
118000	118999	881	0.69	118000
119000	119999	888	0.69	119000
120000	120999	895	0.69	120000
121000	121999	901	0.69	121000
122000	122999	908	0.69	122000
123000	123999	915	0.69	123000
124000	124999	922	0.69	124000
125000	125999	929	0.69	125000
126000	126999	936	0.69	126000
127000	127999	943	0.69	127000
128000	128999	950	0.69	128000
129000	129999	957	0.69	129000
130000	130999	963	0.69	130000
131000	131999	970	0.69	131000
132000	132999	977	0.69	132000
133000	133999	984	0.69	133000
134000	134999	991	0.69	134000
135000	135999	998	0.69	135000
136000	136999	1005	0.69	136000
137000	137999	1012	0.69	137000
138000	138999	1019	0.69	138000
139000	139999	1025	0.69	139000
140000	140999	1032	0.69	140000
141000	141999	1039	0.69	141000
142000	142999	1046	0.69	142000
143000	143999	1053	0.69	143000
144000	144999	1060	0.69	144000
145000	145999	1067	0.69	145000
146000	146999	1074	0.69	146000
147000	147999	1081	0.69	147000
148000	148999	1087	0.69	148000
149000	149999	1094	0.69	149000
150000 or greater/ou plus		1101	0.69	150000

FEDERAL CHILD SUPPORT TABLES /
TABLES FÉDÉRALES DE PENSIONS ALIMENTAIRES POUR ENFANTS

PROVINCE: *MANITOBA*

No. OF CHILDREN/N^BRE D'ENFANTS: *Two/Deux*

Income/Revenu From/De	To/À	Basic Amount/ Montant de base	Plus (%)	of Income over/ du revenu dépassant
0	6729	0		
6730	6999	0	5.42	6730
7000	7999	15	5.41	7000
8000	8999	69	3.16	8000
9000	9999	100	3.11	9000
10000	10999	131	3.11	10000
11000	11999	163	2.52	11000
12000	12999	188	1.23	12000
13000	13999	200	0.28	13000
14000	14999	203	0.99	14000
15000	15999	213	0.99	15000
16000	16999	223	1.01	16000
17000	17999	233	1.37	17000
18000	18999	247	1.37	18000
19000	19999	260	1.42	19000
20000	20999	274	1.42	20000
21000	21999	289	1.47	21000
22000	22999	303	1.53	22000
23000	23999	319	1.53	23000
24000	24999	334	1.53	24000
25000	25999	349	1.52	25000
26000	26999	364	1.42	26000
27000	27999	379	1.44	27000
28000	28999	393	1.32	28000
29000	29999	407	1.03	29000
30000	30999	420	1.03	30000
31000	31999	431	1.03	31000
32000	32999	441	1.14	32000
33000	33999	453	1.14	33000
34000	34999	464	1.14	34000
35000	35999	475	1.15	35000
36000	36999	487	1.23	36000
37000	37999	499	1.25	37000
38000	38999	512	1.25	38000
39000	39999	524	1.25	39000
40000	40999	537	1.25	40000
41000	41999	549	1.27	41000
42000	42999	562	1.27	42000
43000	43999	575	1.27	43000
44000	44999	587	1.27	44000
45000	45999	600	1.27	45000
46000	46999	613	1.27	46000
47000	47999	625	1.27	47000
48000	48999	638	1.27	48000
49000	49999	651	1.27	49000
50000	50999	663	1.27	50000
51000	51999	676	1.27	51000
52000	52999	689	1.23	52000
53000	53999	701	1.20	53000
54000	54999	713	1.20	54000
55000	55999	725	1.20	55000
56000	56999	737	1.20	56000
57000	57999	749	1.20	57000
58000	58999	761	1.20	58000
59000	59999	773	1.12	59000
60000	60999	784	1.10	60000
61000	61999	795	1.10	61000
62000	62999	806	1.08	62000
63000	63999	817	1.06	63000
64000	64999	828	1.03	64000
65000	65999	838	1.03	65000
66000	66999	849	1.05	66000
67000	67999	859	1.07	67000
68000	68999	870	1.07	68000
69000	69999	881	1.07	69000
70000	70999	891	1.07	70000
71000	71999	902	1.07	71000
72000	72999	913	1.07	72000
73000	73999	923	1.07	73000
74000	74999	934	1.07	74000
75000	75999	945	1.07	75000
76000	76999	956	1.07	76000
77000	77999	966	1.07	77000
78000	78999	977	1.07	78000
79000	79999	988	1.07	79000
80000	80999	998	1.07	80000
81000	81999	1009	1.07	81000
82000	82999	1020	1.07	82000
83000	83999	1031	1.07	83000
84000	84999	1041	1.07	84000
85000	85999	1052	1.07	85000
86000	86999	1063	1.07	86000
87000	87999	1073	1.07	87000
88000	88999	1084	1.07	88000
89000	89999	1095	1.07	89000
90000	90999	1106	1.07	90000
91000	91999	1116	1.07	91000
92000	92999	1127	1.07	92000
93000	93999	1138	1.07	93000
94000	94999	1148	1.07	94000
95000	95999	1159	1.07	95000
96000	96999	1170	1.07	96000
97000	97999	1181	1.07	97000
98000	98999	1191	1.07	98000
99000	99999	1202	1.07	99000
100000	100999	1213	1.07	100000
101000	101999	1223	1.07	101000
102000	102999	1234	1.20	102000
103000	103999	1245	1.07	103000
104000	104999	1256	1.07	104000
105000	105999	1266	1.07	105000
106000	106999	1277	1.07	106000
107000	107999	1288	1.07	107000
108000	108999	1298	1.07	108000
109000	109999	1309	1.07	109000
110000	110999	1320	1.07	110000
111000	111999	1331	1.07	111000
112000	112999	1341	1.07	112000
113000	113999	1352	1.07	113000
114000	114999	1363	1.07	114000
115000	115999	1373	1.07	115000
116000	116999	1384	1.07	116000
117000	117999	1395	1.07	117000
118000	118999	1406	1.07	118000
119000	119999	1416	1.07	119000
120000	120999	1427	1.07	120000
121000	121999	1438	1.07	121000
122000	122999	1448	1.07	122000
123000	123999	1459	1.07	123000
124000	124999	1470	1.07	124000
125000	125999	1481	1.07	125000
126000	126999	1491	1.07	126000
127000	127999	1502	1.07	127000
128000	128999	1513	1.07	128000
129000	129999	1523	1.07	129000
130000	130999	1534	1.07	130000
131000	131999	1545	1.07	131000
132000	132999	1556	1.07	132000
133000	133999	1566	1.07	133000
134000	134999	1577	1.07	134000
135000	135999	1588	1.07	135000
136000	136999	1598	1.07	136000
137000	137999	1609	1.07	137000
138000	138999	1620	1.07	138000
139000	139999	1631	1.07	139000
140000	140999	1641	1.07	140000
141000	141999	1652	1.07	141000
142000	142999	1663	1.07	142000
143000	143999	1673	1.07	143000
144000	144999	1684	1.07	144000
145000	145999	1695	1.07	145000
146000	146999	1706	1.07	146000
147000	147999	1716	1.07	147000
148000	148999	1727	1.07	148000
149000	149999	1738	1.07	149000
150000 or greater/ou plus		1749	1.07	150000

FEDERAL CHILD SUPPORT TABLES / TABLES FÉDÉRALES DE PENSIONS ALIMENTAIRES POUR ENFANTS

PROVINCE: *MANITOBA*

NO. OF CHILDREN/N^BRE D'ENFANTS: *Three/Trois*

Income/Revenu From/De	To/À	Monthly Award/Paiement mensuel Basic Amount/Montant de base	Plus (%)	of income over/du revenu dépassant
0	6729	0		
6730	6999	0	5.83	6730
7000	7999	16	5.83	7000
8000	8999	74	3.58	8000
9000	9999	110	3.53	9000
10000	10999	145	3.53	10000
11000	11999	180	2.94	11000
12000	12999	210	2.78	12000
13000	13999	238	2.78	13000
14000	14999	265	2.78	14000
15000	15999	293	1.79	15000
16000	16999	311	1.42	16000
17000	17999	325	1.42	17000
18000	18999	339	1.43	18000
19000	19999	354	1.82	19000
20000	20999	372	1.82	20000
21000	21999	390	1.87	21000
22000	22999	409	1.93	22000
23000	23999	428	1.93	23000
24000	24999	447	1.93	24000
25000	25999	467	1.92	25000
26000	26999	486	1.79	26000
27000	27999	504	1.60	27000
28000	28999	522	1.62	28000
29000	29999	540	1.66	29000
30000	30999	556	1.32	30000
31000	31999	570	1.32	31000
32000	32999	583	1.46	32000
33000	33999	597	1.46	33000
34000	34999	612	1.46	34000
35000	35999	626	1.46	35000
36000	36999	641	1.52	36000
37000	37999	656	1.54	37000
38000	38999	672	1.57	38000
39000	39999	687	1.58	39000
40000	40999	703	1.63	40000
41000	41999	719	1.63	41000
42000	42999	736	1.63	42000
43000	43999	752	1.60	43000
44000	44999	768	1.60	44000
45000	45999	784	1.60	45000
46000	46999	800	1.60	46000
47000	47999	816	1.60	47000
48000	48999	832	1.60	48000
49000	49999	848	1.60	49000
50000	50999	864	1.60	50000
51000	51999	880	1.60	51000
52000	52999	896	1.60	52000
53000	53999	912	1.60	53000

Income/Revenu From/De	To/À	Monthly Award/Paiement mensuel Basic Amount/Montant de base	Plus (%)	of income over/du revenu dépassant
54000	54999	928	1.60	54000
55000	55999	944	1.60	55000
56000	56999	960	1.60	56000
57000	57999	976	1.60	57000
58000	58999	992	1.60	58000
59000	59999	1008	1.49	59000
60000	60999	1023	1.47	60000
61000	61999	1038	1.47	61000
62000	62999	1053	1.47	62000
63000	63999	1068	1.43	63000
64000	64999	1082	1.39	64000
65000	65999	1096	1.34	65000
66000	66999	1109	1.35	66000
67000	67999	1123	1.38	67000
68000	68999	1137	1.38	68000
69000	69999	1150	1.38	69000
70000	70999	1164	1.38	70000
71000	71999	1178	1.38	71000
72000	72999	1192	1.38	72000
73000	73999	1205	1.38	73000
74000	74999	1219	1.38	74000
75000	75999	1233	1.38	75000
76000	76999	1247	1.38	76000
77000	77999	1261	1.38	77000
78000	78999	1274	1.38	78000
79000	79999	1288	1.38	79000
80000	80999	1302	1.38	80000
81000	81999	1316	1.38	81000
82000	82999	1329	1.38	82000
83000	83999	1343	1.38	83000
84000	84999	1357	1.38	84000
85000	85999	1371	1.38	85000
86000	86999	1385	1.38	86000
87000	87999	1398	1.38	87000
88000	88999	1412	1.38	88000
89000	89999	1426	1.38	89000
90000	90999	1440	1.38	90000
91000	91999	1453	1.38	91000
92000	92999	1467	1.38	92000
93000	93999	1481	1.38	93000
94000	94999	1495	1.38	94000
95000	95999	1509	1.38	95000
96000	96999	1522	1.38	96000
97000	97999	1536	1.38	97000
98000	98999	1550	1.38	98000
99000	99999	1564	1.38	99000
100000	100999	1577	1.38	100000
101000	101999	1591	1.38	101000
102000	102999	1605	1.38	102000

Income/Revenu From/De	To/À	Monthly Award/Paiement mensuel Basic Amount/Montant de base	Plus (%)	of income over/du revenu dépassant
103000	103999	1619	1.38	103000
104000	104999	1633	1.38	104000
105000	105999	1646	1.38	105000
106000	106999	1660	1.38	106000
107000	107999	1674	1.38	107000
108000	108999	1688	1.38	108000
109000	109999	1701	1.38	109000
110000	110999	1715	1.38	110000
111000	111999	1729	1.38	111000
112000	112999	1743	1.38	112000
113000	113999	1757	1.38	113000
114000	114999	1770	1.38	114000
115000	115999	1784	1.38	115000
116000	116999	1798	1.38	116000
117000	117999	1812	1.38	117000
118000	118999	1825	1.38	118000
119000	119999	1839	1.38	119000
120000	120999	1853	1.38	120000
121000	121999	1867	1.38	121000
122000	122999	1881	1.38	122000
123000	123999	1894	1.38	123000
124000	124999	1908	1.38	124000
125000	125999	1922	1.38	125000
126000	126999	1936	1.38	126000
127000	127999	1949	1.38	127000
128000	128999	1963	1.38	128000
129000	129999	1977	1.38	129000
130000	130999	1991	1.38	130000
131000	131999	2005	1.38	131000
132000	132999	2018	1.38	132000
133000	133999	2032	1.38	133000
134000	134999	2046	1.38	134000
135000	135999	2060	1.38	135000
136000	136999	2073	1.38	136000
137000	137999	2087	1.38	137000
138000	138999	2101	1.38	138000
139000	139999	2115	1.38	139000
140000	140999	2129	1.38	140000
141000	141999	2142	1.38	141000
142000	142999	2156	1.38	142000
143000	143999	2170	1.38	143000
144000	144999	2184	1.38	144000
145000	145999	2197	1.38	145000
146000	146999	2211	1.38	146000
147000	147999	2225	1.38	147000
148000	148999	2239	1.38	148000
149000	149999	2253	1.38	149000
150000 or greater/ou plus		2266	1.38	150000

FEDERAL CHILD SUPPORT TABLES/
TABLES FÉDÉRALES DE PENSIONS ALIMENTAIRES POUR ENFANTS

PROVINCE: *MANITOBA*
No. OF CHILDREN/N^BRE D'ENFANTS: *Four/Quatre*

Income/Revenu ($) From/De	To/À	Monthly Award/Paiement mensuel ($) Basic Amount/Montant de base	Plus (%)	of Income over/du revenu dépassant
0	6729	0		
6730	6999	0	6.25	6730
7000	7999	79	6.25	7000
8000	8999	119	3.99	8000
9000	9999	159	3.95	9000
10000	10999	198	3.95	10000
11000	11999	232	3.36	11000
12000	12999	264	3.20	12000
13000	13999	296	3.20	13000
14000	14999	328	3.20	14000
15000	15999	360	3.20	15000
16000	16999	392	2.72	16000
17000	17999	419	1.77	17000
18000	18999	437	1.83	18000
19000	19999	455	1.83	19000
20000	20999	473	2.20	20000
21000	21999	495	2.25	21000
22000	22999	518	2.25	22000
23000	23999	540	2.25	23000
24000	24999	563	2.24	24000
25000	25999	585	2.09	25000
26000	26999	606	2.11	26000
27000	27999	627	2.12	27000
28000	28999	648	1.94	28000
29000	29999	668	1.55	29000
30000	30999	683	1.55	30000
31000	31999	699	1.71	31000
32000	32999	716	1.71	32000
33000	33999	733	1.71	33000
34000	34999	750	1.72	34000
35000	35999	767	1.78	35000
36000	36999	785	1.78	36000
37000	37999	803	1.80	37000
38000	38999	821	1.84	38000
39000	39999	839	1.90	39000
40000	40999	858	1.90	40000
41000	41999	877	1.90	41000
42000	42999	896	1.90	42000
43000	43999	915	1.90	43000
44000	44999	934	1.89	44000
45000	45999	953	1.88	45000
46000	46999	972	1.88	46000
47000	47999	991	1.88	47000
48000	48999	1010	1.88	48000
49000	49999	1029	1.88	49000
50000	50999	1047	1.88	50000
51000	51999	1066	1.88	51000
52000	52999	1085	1.88	52000
53000	53999		1.88	53000

Income/Revenu ($) From/De	To/À	Monthly Award/Paiement mensuel ($) Basic Amount/Montant de base	Plus (%)	of Income over/du revenu dépassant
54000	54999	1104	1.88	54000
55000	55999	1122	1.88	55000
56000	56999	1141	1.88	56000
57000	57999	1160	1.88	57000
58000	58999	1179	1.88	58000
59000	59999	1198	1.75	59000
60000	60999	1215	1.73	60000
61000	61999	1232	1.73	61000
62000	62999	1250	1.73	62000
63000	63999	1267	1.68	63000
64000	64999	1284	1.64	64000
65000	65999	1300	1.66	65000
66000	66999	1317	1.68	66000
67000	67999	1333	1.68	67000
68000	68999	1350	1.68	68000
69000	69999	1367	1.68	69000
70000	70999	1384	1.68	70000
71000	71999	1400	1.68	71000
72000	72999	1417	1.68	72000
73000	73999	1434	1.68	73000
74000	74999	1451	1.68	74000
75000	75999	1467	1.68	75000
76000	76999	1484	1.68	76000
77000	77999	1501	1.65	77000
78000	78999	1518	1.63	78000
79000	79999	1534	1.63	79000
80000	80999	1550	1.63	80000
81000	81999	1566	1.63	81000
82000	82999	1583	1.63	82000
83000	83999	1599	1.63	83000
84000	84999	1615	1.63	84000
85000	85999	1632	1.63	85000
86000	86999	1648	1.63	86000
87000	87999	1664	1.63	87000
88000	88999	1680	1.63	88000
89000	89999	1697	1.63	89000
90000	90999	1713	1.63	90000
91000	91999	1729	1.63	91000
92000	92999	1746	1.63	92000
93000	93999	1762	1.63	93000
94000	94999	1778	1.63	94000
95000	95999	1794	1.63	95000
96000	96999	1811	1.63	96000
97000	97999	1827	1.63	97000
98000	98999	1843	1.63	98000
99000	99999	1860	1.63	99000
100000	100999	1876	1.63	100000
101000	101999	1892	1.63	101000
102000	102999	1908	1.63	102000

Income/Revenu ($) From/De	To/À	Monthly Award/Paiement mensuel ($) Basic Amount/Montant de base	Plus (%)	of Income over/du revenu dépassant
103000	103999	1925	1.63	103000
104000	104999	1941	1.63	104000
105000	105999	1957	1.63	105000
106000	106999	1973	1.63	106000
107000	107999	1990	1.63	107000
108000	108999	2006	1.63	108000
109000	109999	2022	1.63	109000
110000	110999	2039	1.63	110000
111000	111999	2055	1.63	111000
112000	112999	2071	1.63	112000
113000	113999	2087	1.63	113000
114000	114999	2104	1.63	114000
115000	115999	2120	1.63	115000
116000	116999	2136	1.63	116000
117000	117999	2153	1.63	117000
118000	118999	2169	1.63	118000
119000	119999	2185	1.63	119000
120000	120999	2201	1.63	120000
121000	121999	2218	1.63	121000
122000	122999	2234	1.63	122000
123000	123999	2250	1.63	123000
124000	124999	2267	1.63	124000
125000	125999	2283	1.63	125000
126000	126999	2299	1.63	126000
127000	127999	2315	1.63	127000
128000	128999	2332	1.63	128000
129000	129999	2348	1.63	129000
130000	130999	2364	1.63	130000
131000	131999	2381	1.63	131000
132000	132999	2397	1.63	132000
133000	133999	2413	1.63	133000
134000	134999	2429	1.63	134000
135000	135999	2446	1.63	135000
136000	136999	2462	1.63	136000
137000	137999	2478	1.63	137000
138000	138999	2495	1.63	138000
139000	139999	2511	1.63	139000
140000	140999	2527	1.63	140000
141000	141999	2543	1.63	141000
142000	142999	2560	1.63	142000
143000	143999	2576	1.63	143000
144000	144999	2592	1.63	144000
145000	145999	2609	1.63	145000
146000	146999	2625	1.63	146000
147000	147999	2641	1.63	147000
148000	148999	2657	1.63	148000
149000	149999	2674	1.63	149000
150000 or greater/ou plus		2690	1.63	150000

FEDERAL CHILD SUPPORT TABLES/
TABLES FÉDÉRALES DE PENSIONS ALIMENTAIRES POUR ENFANTS

PROVINCE: *MANITOBA*

No. OF CHILDREN/N[BRE] D'ENFANTS: *Five/Cinq*

Income/Revenu From/De	To/À	Basic Amount/ Montant de base	Plus (%)	of income over/ du revenu dépassant	Income/Revenu From/De	To/À	Basic Amount/ Montant de base	Plus (%)	of income over/ du revenu dépassant	Income/Revenu From/De	To/À	Basic Amount/ Montant de base	Plus (%)	of income over/ du revenu dépassant
0	6729	0			54000	54999	1250	2.11	54000	103000	103999	2180	1.84	103000
6730	6999	0	6.25	6730	55000	55999	1271	2.11	55000	104000	104999	2198	1.84	104000
7000	7999	17	6.25	7000	56000	56999	1292	2.11	56000	105000	105999	2216	1.84	105000
8000	8999	79	3.99	8000	57000	57999	1313	2.11	57000	106000	106999	2235	1.84	106000
9000	9999	119	3.95	9000	58000	58999	1334	2.11	58000	107000	107999	2253	1.84	107000
10000	10999	159	3.95	10000	59000	59999	1355	1.96	59000	108000	108999	2271	1.84	108000
11000	11999	198	3.38	11000	60000	60999	1375	1.96	60000	109000	109999	2290	1.84	109000
12000	12999	232	3.20	12000	61000	61999	1394	1.94	61000	110000	110999	2308	1.84	110000
13000	13999	264	3.20	13000	62000	62999	1414	1.94	62000	111000	111999	2327	1.84	111000
14000	14999	296	3.20	14000	63000	63999	1433	1.89	63000	112000	112999	2345	1.84	112000
15000	15999	328	3.20	15000	64000	64999	1452	1.85	64000	113000	113999	2363	1.84	113000
16000	16999	360	3.20	16000	65000	65999	1470	1.85	65000	114000	114999	2382	1.84	114000
17000	17999	392	3.20	17000	66000	66999	1489	1.86	66000	115000	115999	2400	1.84	115000
18000	18999	424	3.20	18000	67000	67999	1508	1.88	67000	116000	116999	2418	1.84	116000
19000	19999	456	3.28	19000	68000	68999	1526	1.88	68000	117000	117999	2437	1.84	117000
20000	20999	488	3.28	20000	69000	69999	1545	1.88	69000	118000	118999	2455	1.84	118000
21000	21999	521	3.38	21000	70000	70999	1564	1.88	70000	119000	119999	2473	1.84	119000
22000	22999	555	3.45	22000	71000	71999	1583	1.88	71000	120000	120999	2492	1.84	120000
23000	23999	589	2.82	23000	72000	72999	1602	1.88	72000	121000	121999	2510	1.84	121000
24000	24999	617	2.53	24000	73000	73999	1621	1.88	73000	122000	122999	2529	1.84	122000
25000	25999	643	2.51	25000	74000	74999	1639	1.88	74000	123000	123999	2547	1.84	123000
26000	26999	668	2.34	26000	75000	75999	1658	1.88	75000	124000	124999	2565	1.84	124000
27000	27999	691	2.36	27000	76000	76999	1677	1.88	76000	125000	125999	2584	1.84	125000
28000	28999	715	2.38	28000	77000	77999	1696	1.88	77000	126000	126999	2602	1.84	126000
29000	29999	739	2.17	29000	78000	78999	1715	1.88	78000	127000	127999	2620	1.84	127000
30000	30999	760	1.74	30000	79000	79999	1734	1.88	79000	128000	128999	2639	1.84	128000
31000	31999	778	1.74	31000	80000	80999	1752	1.88	80000	129000	129999	2657	1.84	129000
32000	32999	795	1.93	32000	81000	81999	1771	1.88	81000	130000	130999	2676	1.84	130000
33000	33999	814	1.93	33000	82000	82999	1790	1.88	82000	131000	131999	2694	1.84	131000
34000	34999	834	1.94	34000	83000	83999	1809	1.88	83000	132000	132999	2712	1.84	132000
35000	35999	853	1.94	35000	84000	84999	1828	1.88	84000	133000	133999	2731	1.84	133000
36000	36999	872	2.01	36000	85000	85999	1847	1.88	85000	134000	134999	2749	1.84	134000
37000	37999	892	2.01	37000	86000	86999	1865	1.88	86000	135000	135999	2767	1.84	135000
38000	38999	912	2.01	38000	87000	87999	1884	1.88	87000	136000	136999	2786	1.84	136000
39000	39999	933	2.01	39000	88000	88999	1903	1.88	88000	137000	137999	2804	1.84	137000
40000	40999	953	2.13	40000	89000	89999	1922	1.88	89000	138000	138999	2823	1.84	138000
41000	41999	974	2.13	41000	90000	90999	1941	1.84	90000	139000	139999	2841	1.84	139000
42000	42999	995	2.13	42000	91000	91999	1959	1.84	91000	140000	140999	2859	1.84	140000
43000	43999	1017	2.13	43000	92000	92999	1977	1.84	92000	141000	141999	2878	1.84	141000
44000	44999	1038	2.13	44000	93000	93999	1996	1.84	93000	142000	142999	2896	1.84	142000
45000	45999	1059	2.13	45000	94000	94999	2014	1.84	94000	143000	143999	2914	1.84	143000
46000	46999	1081	2.13	46000	95000	95999	2033	1.84	95000	144000	144999	2933	1.84	144000
47000	47999	1102	2.13	47000	96000	96999	2051	1.84	96000	145000	145999	2951	1.84	145000
48000	48999	1123	2.11	48000	97000	97999	2069	1.84	97000	146000	146999	2969	1.84	146000
49000	49999	1144	2.11	49000	98000	98999	2088	1.84	98000	147000	147999	2988	1.84	147000
50000	50999	1165	2.11	50000	99000	99999	2106	1.84	99000	148000	148999	3006	1.84	148000
51000	51999	1187	2.11	51000	100000	100999	2124	1.84	100000	149000	149999	3025	1.84	149000
52000	52999	1208	2.11	52000	101000	101999	2143	1.84	101000	150000 or greater/ou plus		3043	1.84	150000
53000	53999	1229	2.11	53000	102000	102999	2161	1.84	102000					

FEDERAL CHILD SUPPORT TABLES / TABLES FÉDÉRALES DE PENSIONS ALIMENTAIRES POUR ENFANTS

PROVINCE: *MANITOBA*

No. OF CHILDREN/Nbre D'ENFANTS: *Six or more/Six ou plus*

Income/Revenu From/De	To/À	Basic Amount/Montant de base	Plus (%)	of Income over/du revenu dépassant
0	6729	0		
6730	6999	0	6.25	6730
7000	7999	17	6.25	7000
8000	8999	79	3.99	8000
9000	9999	119	3.95	9000
10000	10999	159	3.95	10000
11000	11999	198	3.36	11000
12000	12999	232	3.20	12000
13000	13999	264	3.20	13000
14000	14999	296	3.20	14000
15000	15999	328	3.20	15000
16000	16999	360	3.20	16000
17000	17999	392	3.20	17000
18000	18999	424	3.28	18000
19000	19999	456	3.28	19000
20000	20999	488	3.36	20000
21000	21999	521	3.36	21000
22000	22999	555	3.45	22000
23000	23999	589	3.45	23000
24000	24999	624	3.45	24000
25000	25999	658	3.41	25000
26000	26999	692	3.03	26000
27000	27999	723	3.07	27000
28000	28999	753	3.11	28000
29000	29999	784	2.64	29000
30000	30999	811	1.78	30000
31000	31999	829	1.78	31000
32000	32999	847	2.20	32000
33000	33999	869	2.20	33000
34000	34999	891	2.20	34000
35000	35999	913	2.22	35000
36000	36999	935	2.38	36000
37000	37999	959	2.38	37000
38000	38999	982	2.38	38000
39000	39999	1006	2.40	39000
40000	40999	1030	2.56	40000
41000	41999	1056	2.56	41000
42000	42999	1081	2.56	42000
43000	43999	1107	2.56	43000
44000	44999	1132	2.56	44000
45000	45999	1158	2.56	45000
46000	46999	1184	2.55	46000
47000	47999	1209	2.33	47000
48000	48999	1235	2.33	48000
49000	49999	1258	2.31	49000
50000	50999	1281	2.31	50000
51000	51999	1304	2.30	51000
52000	52999	1327	2.30	52000
53000	53999	1350	2.30	53000

Income/Revenu From/De	To/À	Basic Amount/Montant de base	Plus (%)	of Income over/du revenu dépassant
54000	54999	1374	2.30	54000
55000	55999	1397	2.30	55000
56000	56999	1420	2.30	56000
57000	57999	1443	2.30	57000
58000	58999	1466	2.30	58000
59000	59999	1489	2.15	59000
60000	60999	1510	2.12	60000
61000	61999	1531	2.12	61000
62000	62999	1552	2.12	62000
63000	63999	1574	2.06	63000
64000	64999	1594	2.03	64000
65000	65999	1615	2.04	65000
66000	66999	1635	2.06	66000
67000	67999	1655	2.06	67000
68000	68999	1676	2.06	68000
69000	69999	1696	2.06	69000
70000	70999	1717	2.06	70000
71000	71999	1737	2.06	71000
72000	72999	1758	2.06	72000
73000	73999	1779	2.06	73000
74000	74999	1799	2.06	74000
75000	75999	1820	2.06	75000
76000	76999	1840	2.06	76000
77000	77999	1861	2.06	77000
78000	78999	1881	2.06	78000
79000	79999	1902	2.06	79000
80000	80999	1923	2.06	80000
81000	81999	1943	2.06	81000
82000	82999	1964	2.06	82000
83000	83999	1984	2.06	83000
84000	84999	2005	2.06	84000
85000	85999	2025	2.06	85000
86000	86999	2046	2.06	86000
87000	87999	2066	2.06	87000
88000	88999	2087	2.06	88000
89000	89999	2108	2.06	89000
90000	90999	2128	2.06	90000
91000	91999	2149	2.06	91000
92000	92999	2169	2.06	92000
93000	93999	2190	2.06	93000
94000	94999	2210	2.06	94000
95000	95999	2231	2.06	95000
96000	96999	2252	2.06	96000
97000	97999	2272	2.06	97000
98000	98999	2293	2.06	98000
99000	99999	2313	2.06	99000
100000	100999	2334	2.06	100000
101000	101999	2354	2.04	101000
102000	102999	2375	2.04	102000

Income/Revenu From/De	To/À	Basic Amount/Montant de base	Plus (%)	of Income over/du revenu dépassant
103000	103999	2395	2.01	103000
104000	104999	2415	2.01	104000
105000	105999	2436	2.01	105000
106000	106999	2456	2.01	106000
107000	107999	2476	2.01	107000
108000	108999	2496	2.01	108000
109000	109999	2516	2.01	109000
110000	110999	2536	2.01	110000
111000	111999	2556	2.01	111000
112000	112999	2576	2.01	112000
113000	113999	2597	2.01	113000
114000	114999	2617	2.01	114000
115000	115999	2637	2.01	115000
116000	116999	2657	2.01	116000
117000	117999	2677	2.01	117000
118000	118999	2697	2.01	118000
119000	119999	2717	2.01	119000
120000	120999	2738	2.01	120000
121000	121999	2758	2.01	121000
122000	122999	2778	2.01	122000
123000	123999	2798	2.01	123000
124000	124999	2818	2.01	124000
125000	125999	2838	2.01	125000
126000	126999	2858	2.01	126000
127000	127999	2879	2.01	127000
128000	128999	2899	2.01	128000
129000	129999	2919	2.01	129000
130000	130999	2939	2.01	130000
131000	131999	2959	2.01	131000
132000	132999	2979	2.01	132000
133000	133999	2999	2.01	133000
134000	134999	3020	2.01	134000
135000	135999	3040	2.01	135000
136000	136999	3060	2.01	136000
137000	137999	3080	2.01	137000
138000	138999	3100	2.01	138000
139000	139999	3120	2.01	139000
140000	140999	3140	2.01	140000
141000	141999	3160	2.01	141000
142000	142999	3181	2.01	142000
143000	143999	3201	2.01	143000
144000	144999	3221	2.01	144000
145000	145999	3241	2.01	145000
146000	146999	3261	2.01	146000
147000	147999	3281	2.01	147000
148000	148999	3301	2.01	148000
149000	149999	3322	2.01	149000
150000	or greater/ou plus	3342	2.01	150000

FEDERAL CHILD SUPPORT TABLES/
TABLES FÉDÉRALES DE PENSIONS ALIMENTAIRES POUR ENFANTS

PROVINCE: *BRITISH COLUMBIA/COLOMBIE-BRITANNIQUE*
No. OF CHILDREN/N^{BRE} D'ENFANTS: *One/Un*

Income/Revenu From/De	To/À	Monthly Award/Paiement mensuel Basic Amount/Montant de base	Plus (%)	of Income over/du revenu dépassant
0	6729	0		0
6730	6999	0	1.67	6730
7000	7999	5	2.63	7000
8000	8999	31	2.63	8000
9000	9999	57	2.63	9000
10000	10999	83	1.40	10000
11000	11999	97	0.13	11000
12000	12999	99	0.57	12000
13000	13999	104	0.97	13000
14000	14999	114	0.97	14000
15000	15999	124	0.87	15000
16000	16999	132	0.87	16000
17000	17999	141	0.92	17000
18000	18999	150	1.03	18000
19000	19999	161	1.03	19000
20000	20999	171	1.03	20000
21000	21999	181	1.03	21000
22000	22999	192	1.03	22000
23000	23999	202	0.97	23000
24000	24999	212	0.96	24000
25000	25999	221	0.96	25000
26000	26999	231	0.90	26000
27000	27999	240	0.90	27000
28000	28999	249	0.90	28000
29000	29999	258	0.82	29000
30000	30999	266	0.70	30000
31000	31999	273	0.70	31000
32000	32999	280	0.77	32000
33000	33999	288	0.77	33000
34000	34999	295	0.78	34000
35000	35999	303	0.80	35000
36000	36999	311	0.80	36000
37000	37999	319	0.80	37000
38000	38999	327	0.81	38000
39000	39999	335	0.83	39000
40000	40999	343	0.83	40000
41000	41999	351	0.83	41000
42000	42999	360	0.83	42000
43000	43999	368	0.83	43000
44000	44999	376	0.83	44000
45000	45999	385	0.83	45000
46000	46999	393	0.83	46000
47000	47999	401	0.83	47000
48000	48999	410	0.83	48000
49000	49999	418	0.83	49000
50000	50999	426	0.83	50000
51000	51999	435	0.83	51000
52000	52999	443	0.83	52000
53000	53999	451	0.83	53000

Income/Revenu From/De	To/À	Monthly Award/Paiement mensuel Basic Amount/Montant de base	Plus (%)	of Income over/du revenu dépassant
54000	54999	460	0.83	54000
55000	55999	468	0.80	55000
56000	56999	476	0.64	56000
57000	57999	482	0.64	57000
58000	58999	489	0.64	58000
59000	59999	495	0.57	59000
60000	60999	501	0.64	60000
61000	61999	507	0.71	61000
62000	62999	514	0.71	62000
63000	63999	521	0.67	63000
64000	64999	528	0.64	64000
65000	65999	534	0.64	65000
66000	66999	541	0.66	66000
67000	67999	547	0.69	67000
68000	68999	554	0.69	68000
69000	69999	561	0.69	69000
70000	70999	568	0.69	70000
71000	71999	575	0.69	71000
72000	72999	582	0.69	72000
73000	73999	589	0.69	73000
74000	74999	595	0.69	74000
75000	75999	602	0.69	75000
76000	76999	609	0.69	76000
77000	77999	616	0.69	77000
78000	78999	623	0.69	78000
79000	79999	630	0.69	79000
80000	80999	637	0.69	80000
81000	81999	643	0.54	81000
82000	82999	649	0.51	82000
83000	83999	654	0.51	83000
84000	84999	659	0.60	84000
85000	85999	665	0.64	85000
86000	86999	671	0.64	86000
87000	87999	678	0.64	87000
88000	88999	684	0.64	88000
89000	89999	691	0.64	89000
90000	90999	697	0.64	90000
91000	91999	703	0.64	91000
92000	92999	710	0.64	92000
93000	93999	716	0.64	93000
94000	94999	722	0.64	94000
95000	95999	729	0.64	95000
96000	96999	735	0.64	96000
97000	97999	741	0.64	97000
98000	98999	748	0.64	98000
99000	99999	754	0.64	99000
100000	100999	761	0.64	100000
101000	101999	767	0.64	101000
102000	102999	773	0.64	102000

Income/Revenu From/De	To/À	Monthly Award/Paiement mensuel Basic Amount/Montant de base	Plus (%)	of Income over/du revenu dépassant
103000	103999	780	0.64	103000
104000	104999	786	0.64	104000
105000	105999	792	0.64	105000
106000	106999	799	0.64	106000
107000	107999	805	0.64	107000
108000	108999	811	0.64	108000
109000	109999	818	0.64	109000
110000	110999	824	0.64	110000
111000	111999	831	0.64	111000
112000	112999	837	0.64	112000
113000	113999	843	0.64	113000
114000	114999	850	0.64	114000
115000	115999	856	0.64	115000
116000	116999	862	0.64	116000
117000	117999	869	0.64	117000
118000	118999	875	0.64	118000
119000	119999	881	0.64	119000
120000	120999	888	0.64	120000
121000	121999	894	0.64	121000
122000	122999	901	0.64	122000
123000	123999	907	0.64	123000
124000	124999	913	0.64	124000
125000	125999	920	0.64	125000
126000	126999	926	0.64	126000
127000	127999	932	0.64	127000
128000	128999	939	0.64	128000
129000	129999	945	0.64	129000
130000	130999	951	0.64	130000
131000	131999	958	0.64	131000
132000	132999	964	0.64	132000
133000	133999	971	0.64	133000
134000	134999	977	0.64	134000
135000	135999	983	0.64	135000
136000	136999	990	0.64	136000
137000	137999	996	0.64	137000
138000	138999	1002	0.64	138000
139000	139999	1009	0.64	139000
140000	140999	1015	0.64	140000
141000	141999	1021	0.64	141000
142000	142999	1028	0.64	142000
143000	143999	1034	0.64	143000
144000	144999	1041	0.64	144000
145000	145999	1047	0.64	145000
146000	146999	1053	0.64	146000
147000	147999	1060	0.64	147000
148000	148999	1066	0.64	148000
149000	149999	1072	0.64	149000
150000 or greater/ou plus		1079	0.64	150000

FEDERAL CHILD SUPPORT TABLES/
TABLES FÉDÉRALES DE PENSIONS ALIMENTAIRES POUR ENFANTS

PROVINCE: **BRITISH COLUMBIA/COLOMBIE-BRITANNIQUE**
No. of CHILDREN/N[bre] D'ENFANTS: *Two/Deux*

Income/Revenu ($)		Monthly Award/Paiement mensuel ($)			Income/Revenu ($)		Monthly Award/Paiement mensuel ($)			Income/Revenu ($)		Monthly Award/Paiement mensuel ($)		
From/De	To/À	Basic Amount/Montant de base	Plus (%)	of income over/du revenu dépassant	From/De	To/À	Basic Amount/Montant de base	Plus (%)	of income over/du revenu dépassant	From/De	To/À	Basic Amount/Montant de base	Plus (%)	of income over/du revenu dépassant
0	6729	0			54000	54999	748	1.30	54000	103000	103999	1252	0.99	103000
6730	6999	0	2.08	6730	55000	55999	761	1.26	55000	104000	104999	1262	0.99	104000
7000	7999	6	3.04	7000	56000	56999	773	1.09	56000	105000	105999	1272	0.99	105000
8000	8999	36	3.04	8000	57000	57999	784	1.09	57000	106000	106999	1282	0.99	106000
9000	9999	66	3.04	9000	58000	58999	795	1.09	58000	107000	107999	1292	0.99	107000
10000	10999	97	2.99	10000	59000	59999	806	0.98	59000	108000	108999	1301	0.99	108000
11000	11999	127	2.88	11000	60000	60999	816	0.96	60000	109000	109999	1311	0.99	109000
12000	12999	157	2.88	12000	61000	61999	825	1.02	61000	110000	110999	1321	0.99	110000
13000	13999	186	2.34	13000	62000	62999	835	1.02	62000	111000	111999	1331	0.99	111000
14000	14999	210	1.50	14000	63000	63999	846	1.10	63000	112000	112999	1341	0.99	112000
15000	15999	225	1.40	15000	64000	64999	857	1.06	64000	113000	113999	1351	0.99	113000
16000	16999	239	1.40	16000	65000	65999	867	1.02	65000	114000	114999	1361	0.99	114000
17000	17999	252	1.45	17000	66000	66999	877	1.04	66000	115000	115999	1371	0.99	115000
18000	18999	267	1.50	18000	67000	67999	888	1.07	67000	116000	116999	1381	0.99	116000
19000	19999	282	1.50	19000	68000	68999	899	1.07	68000	117000	117999	1391	0.99	117000
20000	20999	297	1.56	20000	69000	69999	909	1.07	69000	118000	118999	1400	0.99	118000
21000	21999	312	1.56	21000	70000	70999	920	1.07	70000	119000	119999	1410	0.99	119000
22000	22999	328	1.56	22000	71000	71999	931	1.07	71000	120000	120999	1420	0.99	120000
23000	23999	343	1.56	23000	72000	72999	941	1.07	72000	121000	121999	1430	0.99	121000
24000	24999	359	1.56	24000	73000	73999	952	1.07	73000	122000	122999	1440	0.99	122000
25000	25999	375	1.46	25000	74000	74999	963	1.07	74000	123000	123999	1450	0.99	123000
26000	26999	390	1.46	26000	75000	75999	973	1.07	75000	124000	124999	1460	0.99	124000
27000	27999	405	1.42	27000	76000	76999	984	1.07	76000	125000	125999	1470	0.99	125000
28000	28999	419	1.27	28000	77000	77999	995	1.07	77000	126000	126999	1480	0.99	126000
29000	29999	433	1.09	29000	78000	78999	1005	1.07	78000	127000	127999	1490	0.99	127000
30000	30999	446	1.20	30000	79000	79999	1016	1.07	79000	128000	128999	1499	0.99	128000
31000	31999	457	1.20	31000	80000	80999	1027	1.07	80000	129000	129999	1509	0.99	129000
32000	32999	468	1.20	32000	81000	81999	1037	0.91	81000	130000	130999	1519	0.99	130000
33000	33999	480	1.21	33000	82000	82999	1047	0.88	82000	131000	131999	1529	0.99	131000
34000	34999	492	1.25	34000	83000	83999	1055	0.88	83000	132000	132999	1539	0.99	132000
35000	35999	504	1.25	35000	84000	84999	1064	0.95	84000	133000	133999	1549	0.99	133000
36000	36999	516	1.25	36000	85000	85999	1074	0.99	85000	134000	134999	1559	0.99	134000
37000	37999	529	1.25	37000	86000	86999	1084	0.99	86000	135000	135999	1569	0.99	135000
38000	38999	541	1.30	38000	87000	87999	1093	0.99	87000	136000	136999	1579	0.99	136000
39000	39999	554	1.30	39000	88000	88999	1103	0.99	88000	137000	137999	1589	0.99	137000
40000	40999	566	1.30	40000	89000	89999	1113	0.99	89000	138000	138999	1598	0.99	138000
41000	41999	579	1.30	41000	90000	90999	1123	0.99	90000	139000	139999	1608	0.99	139000
42000	42999	592	1.30	42000	91000	91999	1133	0.99	91000	140000	140999	1618	0.99	140000
43000	43999	605	1.30	43000	92000	92999	1143	0.99	92000	141000	141999	1628	0.99	141000
44000	44999	618	1.30	44000	93000	93999	1153	0.99	93000	142000	142999	1638	0.99	142000
45000	45999	631	1.30	45000	94000	94999	1163	0.99	94000	143000	143999	1648	0.99	143000
46000	46999	644	1.30	46000	95000	95999	1173	0.99	95000	144000	144999	1658	0.99	144000
47000	47999	657	1.30	47000	96000	96999	1183	0.99	96000	145000	145999	1668	0.99	145000
48000	48999	670	1.30	48000	97000	97999	1192	0.99	97000	146000	146999	1678	0.99	146000
49000	49999	683	1.30	49000	98000	98999	1202	0.99	98000	147000	147999	1688	0.99	147000
50000	50999	696	1.30	50000	99000	99999	1212	0.99	99000	148000	148999	1697	0.99	148000
51000	51999	709	1.30	51000	100000	100999	1222	0.99	100000	149000	149999	1707	0.99	149000
52000	52999	722	1.30	52000	101000	101999	1232	0.99	101000	150000 or greater/ou plus		1717	0.99	150000
53000	53999	735	1.30	53000	102000	102999	1242	0.99	102000					

FEDERAL CHILD SUPPORT TABLES/
TABLES FÉDÉRALES DE PENSIONS ALIMENTAIRES POUR ENFANTS

PROVINCE: BRITISH COLUMBIA/COLOMBIE-BRITANNIQUE
No. OF CHILDREN/Nbre D'ENFANTS: Three/Trois

Income/Revenu ($) From/De	To/À	Monthly Award/Paiement mensuel — Basic Amount/Montant de base	Plus (%)	of Income over/du revenu dépassant
0	6729	0	–	–
6730	6999	0	2.50	6730
7000	7999	7	3.46	7000
8000	8999	41	3.46	8000
9000	9999	76	3.46	9000
10000	10999	111	3.46	10000
11000	11999	145	3.41	11000
12000	12999	179	3.29	12000
13000	13999	212	3.29	13000
14000	14999	245	3.29	14000
15000	15999	278	3.29	15000
16000	16999	309	3.13	16000
17000	17999	341	3.13	17000
18000	18999	360	1.98	18000
19000	19999	380	1.93	19000
20000	20999	399	1.93	20000
21000	21999	418	1.93	21000
22000	22999	438	1.93	22000
23000	23999	457	1.93	23000
24000	24999	476	1.99	24000
25000	25999	496	1.98	25000
26000	26999	516	1.85	26000
27000	27999	534	1.85	27000
28000	28999	553	1.85	28000
29000	29999	571	1.85	29000
30000	30999	588	1.46	30000
31000	31999	603	1.46	31000
32000	32999	618	1.60	32000
33000	33999	634	1.60	33000
34000	34999	650	1.55	34000
35000	35999	665	1.55	35000
36000	36999	681	1.61	36000
37000	37999	697	1.61	37000
38000	38999	713	1.61	38000
39000	39999	729	1.61	39000
40000	40999	745	1.67	40000
41000	41999	761	1.67	41000
42000	42999	778	1.67	42000
43000	43999	795	1.67	43000
44000	44999	811	1.67	44000
45000	45999	828	1.67	45000
46000	46999	845	1.67	46000
47000	47999	861	1.67	47000
48000	48999	878	1.67	48000
49000	49999	895	1.67	49000
50000	50999	911	1.67	50000
51000	51999	928	1.67	51000
52000	52999	945	1.67	52000
53000	53999	961	1.67	53000

Income/Revenu ($) From/De	To/À	Monthly Award/Paiement mensuel — Basic Amount/Montant de base	Plus (%)	of Income over/du revenu dépassant
54000	54999	978	1.67	54000
55000	55999	995	1.62	55000
56000	56999	1011	1.44	56000
57000	57999	1025	1.44	57000
58000	58999	1040	1.44	58000
59000	59999	1054	1.32	59000
60000	60999	1067	1.29	60000
61000	61999	1080	1.29	61000
62000	62999	1093	1.33	62000
63000	63999	1106	1.37	63000
64000	64999	1120	1.33	64000
65000	65999	1133	1.33	65000
66000	66999	1147	1.35	66000
67000	67999	1160	1.37	67000
68000	68999	1174	1.37	68000
69000	69999	1188	1.37	69000
70000	70999	1202	1.37	70000
71000	71999	1215	1.37	71000
72000	72999	1229	1.37	72000
73000	73999	1243	1.37	73000
74000	74999	1256	1.37	74000
75000	75999	1270	1.37	75000
76000	76999	1284	1.37	76000
77000	77999	1298	1.37	77000
78000	78999	1311	1.37	78000
79000	79999	1325	1.37	79000
80000	80999	1339	1.21	80000
81000	81999	1353	1.17	81000
82000	82999	1365	1.17	82000
83000	83999	1376	1.24	83000
84000	84999	1388	1.17	84000
85000	85999	1401	1.27	85000
86000	86999	1413	1.27	86000
87000	87999	1426	1.27	87000
88000	88999	1439	1.27	88000
89000	89999	1451	1.27	89000
90000	90999	1464	1.27	90000
91000	91999	1477	1.27	91000
92000	92999	1490	1.27	92000
93000	93999	1502	1.27	93000
94000	94999	1515	1.27	94000
95000	95999	1528	1.27	95000
96000	96999	1541	1.27	96000
97000	97999	1553	1.27	97000
98000	98999	1566	1.27	98000
99000	99999	1579	1.27	99000
100000	100999	1592	1.27	100000
101000	101999	1604	1.27	101000
102000	102999	1617	1.27	102000

Income/Revenu ($) From/De	To/À	Monthly Award/Paiement mensuel — Basic Amount/Montant de base	Plus (%)	of Income over/du revenu dépassant
103000	103999	1630	1.27	103000
104000	104999	1642	1.27	104000
105000	105999	1655	1.27	105000
106000	106999	1668	1.27	106000
107000	107999	1681	1.27	107000
108000	108999	1693	1.27	108000
109000	109999	1706	1.27	109000
110000	110999	1719	1.27	110000
111000	111999	1732	1.27	111000
112000	112999	1744	1.27	112000
113000	113999	1757	1.27	113000
114000	114999	1770	1.27	114000
115000	115999	1782	1.27	115000
116000	116999	1795	1.27	116000
117000	117999	1808	1.27	117000
118000	118999	1821	1.27	118000
119000	119999	1833	1.27	119000
120000	120999	1846	1.27	120000
121000	121999	1859	1.27	121000
122000	122999	1872	1.27	122000
123000	123999	1884	1.27	123000
124000	124999	1897	1.27	124000
125000	125999	1910	1.27	125000
126000	126999	1923	1.27	126000
127000	127999	1935	1.27	127000
128000	128999	1948	1.27	128000
129000	129999	1961	1.27	129000
130000	130999	1973	1.27	130000
131000	131999	1986	1.27	131000
132000	132999	1999	1.27	132000
133000	133999	2012	1.27	133000
134000	134999	2024	1.27	134000
135000	135999	2037	1.27	135000
136000	136999	2050	1.27	136000
137000	137999	2063	1.27	137000
138000	138999	2075	1.27	138000
139000	139999	2088	1.27	139000
140000	140999	2101	1.27	140000
141000	141999	2113	1.27	141000
142000	142999	2126	1.27	142000
143000	143999	2139	1.27	143000
144000	144999	2152	1.27	144000
145000	145999	2164	1.27	145000
146000	146999	2177	1.27	146000
147000	147999	2190	1.27	147000
148000	148999	2203	1.27	148000
149000	149999	2215	1.27	149000
150000 or greater/ou plus		2228	1.27	150000

FEDERAL CHILD SUPPORT TABLES / TABLES FÉDÉRALES DE PENSIONS ALIMENTAIRES POUR ENFANTS

PROVINCE: BRITISH COLUMBIA/COLOMBIE-BRITANNIQUE
No. OF CHILDREN/Nᵇʳᵉ D'ENFANTS: Four/Quatre

Income/Revenu ($) From/De	To/À	Basic Amount/Montant de base	Plus (%)	of income over/du revenu dépassant
0	6729			
6730	6999	0	2.92	6730
7000	7999	0	3.88	7000
8000	8999	8	3.88	8000
9000	9999	47	3.88	9000
10000	10999	85	3.88	10000
11000	11999	124	3.83	11000
12000	12999	163	3.71	12000
13000	13999	201	3.71	13000
14000	14999	238	3.71	14000
15000	15999	275	3.54	15000
16000	16999	313	3.54	16000
17000	17999	348	3.63	17000
18000	18999	383	3.71	18000
19000	19999	420	2.58	19000
20000	20999	457	2.28	20000
21000	21999	483	2.28	21000
22000	22999	505	2.28	22000
23000	23999	528	2.28	23000
24000	24999	551	2.27	24000
25000	25999	574	2.12	25000
26000	26999	597	2.12	26000
27000	27999	619	2.17	27000
28000	28999	640	1.98	28000
29000	29999	662	1.71	29000
30000	30999	684	1.71	30000
31000	31999	704	1.71	31000
32000	32999	721	1.88	32000
33000	33999	738	1.88	33000
34000	34999	757	1.88	34000
35000	35999	776	1.95	35000
36000	36999	794	1.95	36000
37000	37999	813	1.93	37000
38000	38999	833	1.97	38000
39000	39999	852	1.97	39000
40000	40999	872	1.97	40000
41000	41999	891	1.97	41000
42000	42999	911	1.97	42000
43000	43999	930	1.97	43000
44000	44999	950	1.97	44000
45000	45999	970	1.97	45000
46000	46999	989	1.97	46000
47000	47999	1009	1.97	47000
48000	48999	1029	1.97	48000
49000	49999	1048	1.97	49000
50000	50999	1068	1.97	50000
51000	51999	1088	1.97	51000
52000	52999	1107	1.97	52000
53000	53999	1127	1.97	53000
54000	54999	1166	1.97	54000
55000	55999	1186	1.92	55000
56000	56999	1205	1.74	56000
57000	57999	1223	1.74	57000
58000	58999	1240	1.74	58000
59000	59999	1258	1.59	59000
60000	60999	1273	1.56	60000
61000	61999	1289	1.56	61000
62000	62999	1305	1.56	62000
63000	63999	1320	1.53	63000
64000	64999	1335	1.59	64000
65000	65999	1351	1.59	65000
66000	66999	1367	1.60	66000
67000	67999	1383	1.62	67000
68000	68999	1399	1.62	68000
69000	69999	1416	1.62	69000
70000	70999	1432	1.62	70000
71000	71999	1448	1.62	71000
72000	72999	1464	1.62	72000
73000	73999	1481	1.62	73000
74000	74999	1497	1.62	74000
75000	75999	1513	1.62	75000
76000	76999	1529	1.62	76000
77000	77999	1546	1.62	77000
78000	78999	1562	1.62	78000
79000	79999	1578	1.62	79000
80000	80999	1594	1.45	80000
81000	81999	1611	1.41	81000
82000	82999	1625	1.41	82000
83000	83999	1639	1.47	83000
84000	84999	1653	1.50	84000
85000	85999	1668	1.50	85000
86000	86999	1683	1.50	86000
87000	87999	1698	1.50	87000
88000	88999	1713	1.50	88000
89000	89999	1728	1.50	89000
90000	90999	1743	1.50	90000
91000	91999	1758	1.50	91000
92000	92999	1773	1.50	92000
93000	93999	1788	1.50	93000
94000	94999	1803	1.50	94000
95000	95999	1818	1.50	95000
96000	96999	1834	1.50	96000
97000	97999	1849	1.50	97000
98000	98999	1864	1.50	98000
99000	99999	1879	1.50	99000
100000	100999	1894	1.50	100000
101000	101999	1909	1.50	101000
102000	102999	1924	1.50	102000
103000	103999	1939	1.50	103000
104000	104999	1954	1.50	104000
105000	105999	1969	1.50	105000
106000	106999	1984	1.50	106000
107000	107999	1999	1.50	107000
108000	108999	2014	1.50	108000
109000	109999	2029	1.50	109000
110000	110999	2044	1.50	110000
111000	111999	2059	1.50	111000
112000	112999	2074	1.50	112000
113000	113999	2089	1.50	113000
114000	114999	2104	1.50	114000
115000	115999	2119	1.50	115000
116000	116999	2134	1.50	116000
117000	117999	2149	1.50	117000
118000	118999	2165	1.50	118000
119000	119999	2180	1.50	119000
120000	120999	2195	1.50	120000
121000	121999	2210	1.50	121000
122000	122999	2225	1.50	122000
123000	123999	2240	1.50	123000
124000	124999	2255	1.50	124000
125000	125999	2270	1.50	125000
126000	126999	2285	1.50	126000
127000	127999	2300	1.50	127000
128000	128999	2315	1.50	128000
129000	129999	2330	1.50	129000
130000	130999	2345	1.50	130000
131000	131999	2360	1.50	131000
132000	132999	2375	1.50	132000
133000	133999	2390	1.50	133000
134000	134999	2405	1.50	134000
135000	135999	2420	1.50	135000
136000	136999	2435	1.50	136000
137000	137999	2450	1.50	137000
138000	138999	2465	1.50	138000
139000	139999	2480	1.50	139000
140000	140999	2496	1.50	140000
141000	141999	2511	1.50	141000
142000	142999	2526	1.50	142000
143000	143999	2541	1.50	143000
144000	144999	2556	1.50	144000
145000	145999	2571	1.50	145000
146000	146999	2586	1.50	146000
147000	147999	2601	1.50	147000
148000	148999	2616	1.50	148000
149000	149999	2631	1.50	149000
150000 or greater/ou plus		2646	1.50	150000

FEDERAL CHILD SUPPORT TABLES / TABLES FÉDÉRALES DE PENSIONS ALIMENTAIRES POUR ENFANTS

PROVINCE: *BRITISH COLUMBIA/COLOMBIE-BRITANNIQUE*

No. OF CHILDREN/N^{bre} D'ENFANTS: *Five/Cinq*

Income/Revenu From/De ($)	To/À	Basic Amount/Montant de base ($)	Plus (%)	of Income over/du revenu dépassant
0	6729			
6730	6999	0	2.92	6730
7000	7999	0	3.88	7000
8000	8999	47	3.88	8000
9000	9999	85	3.88	9000
10000	10999	124	3.88	10000
11000	11999	163	3.83	11000
12000	12999	201	3.71	12000
13000	13999	238	3.71	13000
14000	14999	275	3.71	14000
15000	15999	313	3.54	15000
16000	16999	348	3.54	16000
17000	17999	383	3.63	17000
18000	18999	420	3.71	18000
19000	19999	457	3.71	19000
20000	20999	494	3.71	20000
21000	21999	531	3.71	21000
22000	22999	568	3.71	22000
23000	23999	605	3.71	23000
24000	24999	642	3.71	24000
25000	25999	679	2.71	25000
26000	26999	706	2.39	26000
27000	27999	730	2.39	27000
28000	28999	754	2.39	28000
29000	29999	778	2.18	29000
30000	30999	800	1.92	30000
31000	31999	819	1.92	31000
32000	32999	838	2.11	32000
33000	33999	859	2.11	33000
34000	34999	881	2.11	34000
35000	35999	902	2.12	35000
36000	36999	923	2.19	36000
37000	37999	945	2.19	37000
38000	38999	967	2.19	38000
39000	39999	988	2.20	39000
40000	40999	1010	2.27	40000
41000	41999	1033	2.27	41000
42000	42999	1056	2.27	42000
43000	43999	1078	2.27	43000
44000	44999	1101	2.22	44000
45000	45999	1124	2.22	45000
46000	46999	1146	2.22	46000
47000	47999	1168	2.22	47000
48000	48999	1190	2.22	48000
49000	49999	1213	2.22	49000
50000	50999	1235	2.22	50000
51000	51999	1257	2.22	51000
52000	52999	1279	2.22	52000
53000	53999	1301	2.22	53000
54000	54999	1324	2.22	54000
55000	55999	1346	2.18	55000
56000	56999	1368	1.98	56000
57000	57999	1387	1.98	57000
58000	58999	1407	1.98	58000
59000	59999	1427	1.81	59000
60000	60999	1445	1.78	60000
61000	61999	1463	1.78	61000
62000	62999	1481	1.78	62000
63000	63999	1499	1.73	63000
64000	64999	1516	1.70	64000
65000	65999	1533	1.60	65000
66000	66999	1551	1.81	66000
67000	67999	1569	1.83	67000
68000	68999	1587	1.83	68000
69000	69999	1606	1.83	69000
70000	70999	1624	1.83	70000
71000	71999	1642	1.83	71000
72000	72999	1661	1.83	72000
73000	73999	1679	1.83	73000
74000	74999	1697	1.83	74000
75000	75999	1716	1.83	75000
76000	76999	1734	1.83	76000
77000	77999	1752	1.83	77000
78000	78999	1770	1.83	78000
79000	79999	1789	1.83	79000
80000	80999	1807	1.83	80000
81000	81999	1825	1.83	81000
82000	82999	1842	1.65	82000
83000	83999	1858	1.61	83000
84000	84999	1874	1.61	84000
85000	85999	1891	1.67	85000
86000	86999	1908	1.70	86000
87000	87999	1925	1.70	87000
88000	88999	1942	1.70	88000
89000	89999	1959	1.70	89000
90000	90999	1976	1.70	90000
91000	91999	1993	1.70	91000
92000	92999	2010	1.70	92000
93000	93999	2027	1.70	93000
94000	94999	2044	1.70	94000
95000	95999	2061	1.70	95000
96000	96999	2078	1.70	96000
97000	97999	2095	1.70	97000
98000	98999	2112	1.70	98000
99000	99999	2129	1.70	99000
100000	100999	2146	1.70	100000
101000	101999	2163	1.70	101000
102000	102999	2179	1.70	102000
103000	103999	2196	1.70	103000
104000	104999	2213	1.70	104000
105000	105999	2230	1.70	105000
106000	106999	2247	1.70	106000
107000	107999	2264	1.70	107000
108000	108999	2281	1.70	108000
109000	109999	2298	1.70	109000
110000	110999	2315	1.70	110000
111000	111999	2332	1.70	111000
112000	112999	2349	1.70	112000
113000	113999	2366	1.70	113000
114000	114999	2383	1.70	114000
115000	115999	2400	1.70	115000
116000	116999	2417	1.70	116000
117000	117999	2434	1.70	117000
118000	118999	2451	1.70	118000
119000	119999	2468	1.70	119000
120000	120999	2485	1.70	120000
121000	121999	2502	1.70	121000
122000	122999	2519	1.70	122000
123000	123999	2536	1.70	123000
124000	124999	2553	1.70	124000
125000	125999	2570	1.70	125000
126000	126999	2587	1.70	126000
127000	127999	2604	1.70	127000
128000	128999	2621	1.70	128000
129000	129999	2638	1.70	129000
130000	130999	2655	1.70	130000
131000	131999	2672	1.70	131000
132000	132999	2689	1.70	132000
133000	133999	2706	1.70	133000
134000	134999	2723	1.70	134000
135000	135999	2740	1.70	135000
136000	136999	2757	1.70	136000
137000	137999	2774	1.70	137000
138000	138999	2791	1.70	138000
139000	139999	2808	1.70	139000
140000	140999	2824	1.70	140000
141000	141999	2841	1.70	141000
142000	142999	2858	1.70	142000
143000	143999	2875	1.70	143000
144000	144999	2892	1.70	144000
145000	145999	2909	1.70	145000
146000	146999	2926	1.70	146000
147000	147999	2943	1.70	147000
148000	148999	2960	1.70	148000
149000	149999	2977	1.70	149000
150000 or greater/ou plus		2994	1.70	150000

FEDERAL CHILD SUPPORT TABLES/
TABLES FÉDÉRALES DE PENSIONS ALIMENTAIRES POUR ENFANTS

PROVINCE: *BRITISH COLUMBIA/COLOMBIE-BRITANNIQUE*
NO. OF CHILDREN/Nᵇʳᵉ D'ENFANTS: *Six or more/Six ou plus*

Income/Revenu From/De	To/À	Monthly Award Basic Amount/Montant de base	Plus (%)	of income over/du revenu dépassant
0	6729	0		
6730	6999	0	2.92	6730
7000	7999	47	3.88	7000
8000	8999	85	3.88	8000
9000	9999	124	3.88	9000
10000	10999	163	3.83	10000
11000	11999	201	3.83	11000
12000	12999	238	3.71	12000
13000	13999	275	3.71	13000
14000	14999	313	3.71	14000
15000	15999	348	3.54	15000
16000	16999	383	3.54	16000
17000	17999	420	3.63	17000
18000	18999	457	3.71	18000
19000	19999	494	3.71	19000
20000	20999	531	3.71	20000
21000	21999	568	3.71	21000
22000	22999	605	3.71	22000
23000	23999	642	3.71	23000
24000	24999	679	3.68	24000
25000	25999	716	3.29	25000
26000	26999	749	3.29	26000
27000	27999	782	3.29	27000
28000	28999	815	2.82	28000
29000	29999	843	2.14	29000
30000	30999	865	2.14	30000
31000	31999	886	2.55	31000
32000	32999	911	2.55	32000
33000	33999	937	2.55	33000
34000	34999	963	2.57	34000
35000	35999	988	2.73	35000
36000	36999	1016	2.73	36000
37000	37999	1043	2.73	37000
38000	38999	1070	2.75	38000
39000	39999	1098	2.91	39000
40000	40999	1127	2.91	40000
41000	41999	1156	2.63	41000
42000	42999	1185	2.48	42000
43000	43999	1212	2.48	43000
44000	44999	1236	2.48	44000
45000	45999	1261	2.46	45000
46000	46999	1286	2.43	46000
47000	47999	1310	2.43	47000
48000	48999	1335	2.43	48000
49000	49999	1359	2.43	49000
50000	50999	1383	2.43	50000
51000	51999	1408	2.43	51000
52000	52999	1432	2.43	52000
53000	53999		2.43	53000
54000	54999	1456	2.43	54000
55000	55999	1481	2.39	55000
56000	56999	1505	2.19	56000
57000	57999	1527	2.19	57000
58000	58999	1548	2.19	58000
59000	59999	1570	1.97	59000
60000	60999	1590	1.97	60000
61000	61999	1610	1.97	61000
62000	62999	1630	1.92	62000
63000	63999	1650	1.88	63000
64000	64999	1669	1.88	64000
65000	65999	1688	1.88	65000
66000	66999	1706	1.98	66000
67000	67999	1726	2.01	67000
68000	68999	1746	2.01	68000
69000	69999	1766	2.01	69000
70000	70999	1786	2.01	70000
71000	71999	1807	2.01	71000
72000	72999	1827	2.01	72000
73000	73999	1847	2.01	73000
74000	74999	1867	2.01	74000
75000	75999	1887	2.01	75000
76000	76999	1907	2.01	76000
77000	77999	1927	2.01	77000
78000	78999	1947	2.01	78000
79000	79999	1967	2.01	79000
80000	80999	1987	1.82	80000
81000	81999	2007	1.82	81000
82000	82999	2026	1.78	82000
83000	83999	2043	1.78	83000
84000	84999	2061	1.84	84000
85000	85999	2080	1.86	85000
86000	86999	2098	1.86	86000
87000	87999	2117	1.86	87000
88000	88999	2135	1.86	88000
89000	89999	2154	1.86	89000
90000	90999	2173	1.86	90000
91000	91999	2191	1.86	91000
92000	92999	2210	1.86	92000
93000	93999	2228	1.86	93000
94000	94999	2247	1.86	94000
95000	95999	2266	1.86	95000
96000	96999	2284	1.86	96000
97000	97999	2303	1.86	97000
98000	98999	2321	1.86	98000
99000	99999	2340	1.86	99000
100000	100999	2359	1.86	100000
101000	101999	2377	1.86	101000
102000	102999	2396	1.86	102000
103000	103999	2414	1.86	103000
104000	104999	2433	1.86	104000
105000	105999	2452	1.86	105000
106000	106999	2470	1.86	106000
107000	107999	2489	1.86	107000
108000	108999	2507	1.86	108000
109000	109999	2526	1.86	109000
110000	110999	2545	1.86	110000
111000	111999	2563	1.86	111000
112000	112999	2582	1.86	112000
113000	113999	2600	1.86	113000
114000	114999	2619	1.86	114000
115000	115999	2638	1.86	115000
116000	116999	2656	1.86	116000
117000	117999	2675	1.86	117000
118000	118999	2694	1.86	118000
119000	119999	2712	1.86	119000
120000	120999	2731	1.86	120000
121000	121999	2749	1.86	121000
122000	122999	2768	1.86	122000
123000	123999	2787	1.86	123000
124000	124999	2805	1.86	124000
125000	125999	2824	1.86	125000
126000	126999	2842	1.86	126000
127000	127999	2861	1.86	127000
128000	128999	2880	1.86	128000
129000	129999	2898	1.86	129000
130000	130999	2917	1.86	130000
131000	131999	2935	1.86	131000
132000	132999	2954	1.86	132000
133000	133999	2973	1.86	133000
134000	134999	2991	1.86	134000
135000	135999	3010	1.86	135000
136000	136999	3028	1.86	136000
137000	137999	3047	1.86	137000
138000	138999	3066	1.86	138000
139000	139999	3084	1.86	139000
140000	140999	3103	1.86	140000
141000	141999	3121	1.86	141000
142000	142999	3140	1.86	142000
143000	143999	3159	1.86	143000
144000	144999	3177	1.86	144000
145000	145999	3196	1.86	145000
146000	146999	3214	1.86	146000
147000	147999	3233	1.86	147000
148000	148999	3252	1.86	148000
149000	149999	3270	1.86	149000
150000	or greater/ou plus	3289	1.86	150000

FEDERAL CHILD SUPPORT TABLES/
TABLES FÉDÉRALES DE PENSIONS ALIMENTAIRES POUR ENFANTS

PROVINCE: PRINCE EDWARD ISLAND/ÎLE DU PRINCE-ÉDOUARD

No. OF CHILDREN/Nbre D'ENFANTS: One/Un

Income/Revenu From/De	To/À	Basic Amount/Montant de base	Plus (%)	of Income over/du revenu dépassant
0	6729	0		
6730	6999	0	2.51	6730
7000	7999	25	2.51	7000
8000	8999	50	2.51	8000
9000	9999	75	2.01	9000
10000	10999	96	0.06	10000
11000	11999	96	0.53	11000
12000	12999	101	0.95	12000
13000	13999	111	0.95	13000
14000	14999	120	0.95	14000
15000	15999	130	0.95	15000
16000	16999	139	0.95	16000
17000	17999	149	0.95	17000
18000	18999	158	0.95	18000
19000	19999	168	0.95	19000
20000	20999	177	0.95	20000
21000	21999	187	0.95	21000
22000	22999	196	0.95	22000
23000	23999	206	0.95	23000
24000	24999	215	0.94	24000
25000	25999	224	0.88	25000
26000	26999	233	0.88	26000
27000	27999	242	0.79	27000
28000	28999	251	0.67	28000
29000	29999	259	0.67	29000
30000	30999	265	0.74	30000
31000	31999	272	0.74	31000
32000	32999	280	0.75	32000
33000	33999	287	0.77	33000
34000	34999	295	0.77	34000
35000	35999	302	0.77	35000
36000	36999	310	0.78	36000
37000	37999	317	0.80	37000
38000	38999	325	0.80	38000
39000	39999	333	0.80	39000
40000	40999	341	0.80	40000
41000	41999	349	0.80	41000
42000	42999	357	0.80	42000
43000	43999	365	0.80	43000
44000	44999	373	0.80	44000
45000	45999	381	0.80	45000
46000	46999	389	0.80	46000
47000	47999	397	0.80	47000
48000	48999	405	0.80	48000
49000	49999	413	0.80	49000
50000	50999	421	0.80	50000
51000	51999	429	0.80	51000
52000	52999	437	0.80	52000
53000	53999	445	0.80	53000
54000	54999	445	0.80	54000
55000	55999	453	0.80	55000
56000	56999	461	0.80	56000
57000	57999	469	0.80	57000
58000	58999	477	0.80	58000
59000	59999	485	0.75	59000
60000	60999	493	0.73	60000
61000	61999	500	0.73	61000
62000	62999	507	0.73	62000
63000	63999	515	0.69	63000
64000	64999	522	0.66	64000
65000	65999	528	0.66	65000
66000	66999	535	0.69	66000
67000	67999	542	0.71	67000
68000	68999	549	0.71	68000
69000	69999	556	0.71	69000
70000	70999	563	0.71	70000
71000	71999	570	0.71	71000
72000	72999	578	0.71	72000
73000	73999	585	0.71	73000
74000	74999	592	0.71	74000
75000	75999	599	0.71	75000
76000	76999	606	0.71	76000
77000	77999	613	0.71	77000
78000	78999	620	0.71	78000
79000	79999	628	0.71	79000
80000	80999	635	0.71	80000
81000	81999	642	0.71	81000
82000	82999	649	0.71	82000
83000	83999	656	0.71	83000
84000	84999	663	0.71	84000
85000	85999	670	0.71	85000
86000	86999	678	0.71	86000
87000	87999	685	0.71	87000
88000	88999	692	0.71	88000
89000	89999	699	0.71	89000
90000	90999	706	0.71	90000
91000	91999	713	0.71	91000
92000	92999	720	0.69	92000
93000	93999	727	0.69	93000
94000	94999	734	0.63	94000
95000	95999	740	0.64	95000
96000	96999	746	0.69	96000
97000	97999	753	0.69	97000
98000	98999	760	0.69	98000
99000	99999	767	0.69	99000
100000	100999	774	0.69	100000
101000	101999	781	0.69	101000
102000	102999	788	0.69	102000
103000	103999	795	0.69	103000
104000	104999	802	0.69	104000
105000	105999	808	0.69	105000
106000	106999	815	0.69	106000
107000	107999	822	0.69	107000
108000	108999	829	0.69	108000
109000	109999	836	0.69	109000
110000	110999	843	0.69	110000
111000	111999	850	0.69	111000
112000	112999	857	0.69	112000
113000	113999	864	0.69	113000
114000	114999	871	0.69	114000
115000	115999	878	0.69	115000
116000	116999	884	0.69	116000
117000	117999	891	0.69	117000
118000	118999	898	0.69	118000
119000	119999	905	0.69	119000
120000	120999	912	0.69	120000
121000	121999	919	0.69	121000
122000	122999	926	0.69	122000
123000	123999	933	0.69	123000
124000	124999	940	0.69	124000
125000	125999	947	0.69	125000
126000	126999	953	0.69	126000
127000	127999	960	0.69	127000
128000	128999	967	0.69	128000
129000	129999	974	0.69	129000
130000	130999	981	0.69	130000
131000	131999	988	0.69	131000
132000	132999	995	0.69	132000
133000	133999	1002	0.69	133000
134000	134999	1009	0.69	134000
135000	135999	1016	0.69	135000
136000	136999	1022	0.69	136000
137000	137999	1029	0.69	137000
138000	138999	1036	0.69	138000
139000	139999	1043	0.69	139000
140000	140999	1050	0.69	140000
141000	141999	1057	0.69	141000
142000	142999	1064	0.69	142000
143000	143999	1071	0.69	143000
144000	144999	1078	0.69	144000
145000	145999	1085	0.69	145000
146000	146999	1091	0.69	146000
147000	147999	1098	0.69	147000
148000	148999	1105	0.69	148000
149000	149999	1112	0.69	149000
150000 or greater/ou plus		1119	0.69	150000

FEDERAL CHILD SUPPORT TABLES/
TABLES FÉDÉRALES DE PENSIONS ALIMENTAIRES POUR ENFANTS

PROVINCE: *PRINCE EDWARD ISLAND/ÎLE DU PRINCE-ÉDOUARD*
No. OF CHILDREN/NᵇʳᵉD'ENFANTS: *Two/Deux*

Income/Revenu From/De	To/À	Monthly Award/Paiement mensuel Basic Amount/Montant de base	Plus (%)	of income over/du revenu dépassant
0	6729	0		
6730	6999	0	0.43	6730
7000	7999	1	2.93	7000
8000	8999	30	2.93	8000
9000	9999	60	2.93	9000
10000	10999	89	2.93	10000
11000	11999	118	2.88	11000
12000	12999	147	2.76	12000
13000	13999	175	2.76	13000
14000	14999	202	1.93	14000
15000	15999	222	1.47	15000
16000	16999	236	1.47	16000
17000	17999	251	1.47	17000
18000	18999	266	1.47	18000
19000	19999	281	1.47	19000
20000	20999	295	1.47	20000
21000	21999	310	1.47	21000
22000	22999	325	1.47	22000
23000	23999	340	1.47	23000
24000	24999	354	1.47	24000
25000	25999	369	1.36	25000
26000	26999	384	1.36	26000
27000	27999	397	1.36	27000
28000	28999	411	1.36	28000
29000	29999	425	1.24	29000
30000	30999	437	1.05	30000
31000	31999	447	1.05	31000
32000	32999	458	1.16	32000
33000	33999	469	1.16	33000
34000	34999	481	1.16	34000
35000	35999	493	1.16	35000
36000	36999	504	1.20	36000
37000	37999	516	1.20	37000
38000	38999	528	1.20	38000
39000	39999	540	1.21	39000
40000	40999	552	1.25	40000
41000	41999	565	1.25	41000
42000	42999	577	1.25	42000
43000	43999	590	1.25	43000
44000	44999	602	1.25	44000
45000	45999	615	1.25	45000
46000	46999	627	1.25	46000
47000	47999	640	1.25	47000
48000	48999	652	1.25	48000
49000	49999	665	1.25	49000
50000	50999	677	1.25	50000
51000	51999	690	1.25	51000
52000	52999	702	1.25	52000
53000	53999	715	1.25	53000

Income/Revenu From/De	To/À	Monthly Award/Paiement mensuel Basic Amount/Montant de base	Plus (%)	of income over/du revenu dépassant
54000	54999	727	1.25	54000
55000	55999	739	1.25	55000
56000	56999	752	1.25	56000
57000	57999	764	1.25	57000
58000	58999	777	1.25	58000
59000	59999	789	1.16	59000
60000	60999	801	1.14	60000
61000	61999	812	1.14	61000
62000	62999	824	1.10	62000
63000	63999	835	1.07	63000
64000	64999	846	1.07	64000
65000	65999	857	1.07	65000
66000	66999	868	1.09	66000
67000	67999	878	1.11	67000
68000	68999	890	1.11	68000
69000	69999	901	1.11	69000
70000	70999	912	1.11	70000
71000	71999	923	1.11	71000
72000	72999	934	1.11	72000
73000	73999	945	1.11	73000
74000	74999	956	1.11	74000
75000	75999	967	1.11	75000
76000	76999	978	1.11	76000
77000	77999	990	1.11	77000
78000	78999	1001	1.12	78000
79000	79999	1012	1.11	79000
80000	80999	1023	1.11	80000
81000	81999	1034	1.11	81000
82000	82999	1045	1.11	82000
83000	83999	1056	1.11	83000
84000	84999	1067	1.11	84000
85000	85999	1078	1.11	85000
86000	86999	1090	1.11	86000
87000	87999	1101	1.12	87000
88000	88999	1112	1.11	88000
89000	89999	1123	1.11	89000
90000	90999	1134	1.11	90000
91000	91999	1145	1.09	91000
92000	92999	1156	1.02	92000
93000	93999	1167	1.02	93000
94000	94999	1177	1.02	94000
95000	95999	1187	1.07	95000
96000	96999	1198	1.07	96000
97000	97999	1208	1.07	97000
98000	98999	1219	1.07	98000
99000	99999	1230	1.07	99000
100000	100999	1241	1.07	100000
101000	101999	1251	1.07	101000
102000	102999	1262	1.07	102000

Income/Revenu From/De	To/À	Monthly Award/Paiement mensuel Basic Amount/Montant de base	Plus (%)	of income over/du revenu dépassant
103000	103999	1273	1.07	103000
104000	104999	1284	1.07	104000
105000	105999	1294	1.07	105000
106000	106999	1305	1.07	106000
107000	107999	1316	1.07	107000
108000	108999	1327	1.07	108000
109000	109999	1337	1.07	109000
110000	110999	1348	1.07	110000
111000	111999	1359	1.07	111000
112000	112999	1370	1.07	112000
113000	113999	1380	1.07	113000
114000	114999	1391	1.07	114000
115000	115999	1402	1.07	115000
116000	116999	1412	1.07	116000
117000	117999	1423	1.07	117000
118000	118999	1434	1.07	118000
119000	119999	1445	1.07	119000
120000	120999	1455	1.07	120000
121000	121999	1466	1.07	121000
122000	122999	1477	1.07	122000
123000	123999	1488	1.07	123000
124000	124999	1498	1.07	124000
125000	125999	1509	1.07	125000
126000	126999	1520	1.07	126000
127000	127999	1531	1.07	127000
128000	128999	1541	1.07	128000
129000	129999	1552	1.07	129000
130000	130999	1563	1.07	130000
131000	131999	1574	1.07	131000
132000	132999	1584	1.07	132000
133000	133999	1595	1.07	133000
134000	134999	1606	1.07	134000
135000	135999	1616	1.07	135000
136000	136999	1627	1.07	136000
137000	137999	1638	1.07	137000
138000	138999	1649	1.07	138000
139000	139999	1659	1.07	139000
140000	140999	1670	1.07	140000
141000	141999	1681	1.07	141000
142000	142999	1692	1.07	142000
143000	143999	1702	1.07	143000
144000	144999	1713	1.07	144000
145000	145999	1724	1.07	145000
146000	146999	1735	1.07	146000
147000	147999	1745	1.07	147000
148000	148999	1756	1.07	148000
149000	149999	1767	1.07	149000
150000	or greater/ou plus	1778	1.07	150000

FEDERAL CHILD SUPPORT TABLES/
TABLES FÉDÉRALES DE PENSIONS ALIMENTAIRES POUR ENFANTS

PROVINCE: *PRINCE EDWARD ISLAND/ÎLE DU PRINCE-ÉDOUARD*
NO. OF CHILDREN/N^BRE D'ENFANTS: *Three/Trois*

Income/Revenu From/De	To/À	Basic Amount/Montant de base	Plus (%)	of income over/du revenu dépassant
0	6729	0		
6730	6999	0	0.85	6730
7000	7999	2	3.35	7000
8000	8999	36	3.35	8000
9000	9999	69	3.35	9000
10000	10999	103	3.30	10000
11000	11999	136	3.30	11000
12000	12999	169	3.18	12000
13000	13999	201	3.18	13000
14000	14999	233	3.18	14000
15000	15999	265	3.18	15000
16000	16999	296	3.18	16000
17000	17999	328	3.14	17000
18000	18999	360	1.89	18000
19000	19999	378	1.89	19000
20000	20999	397	1.89	20000
21000	21999	416	1.89	21000
22000	22999	435	1.89	22000
23000	23999	454	1.89	23000
24000	24999	473	1.89	24000
25000	25999	492	1.88	25000
26000	26999	511	1.75	26000
27000	27999	528	1.75	27000
28000	28999	546	1.75	28000
29000	29999	564	1.59	29000
30000	30999	579	1.35	30000
31000	31999	593	1.35	31000
32000	32999	606	1.49	32000
33000	33999	621	1.49	33000
34000	34999	636	1.49	34000
35000	35999	651	1.49	35000
36000	36999	666	1.55	36000
37000	37999	681	1.55	37000
38000	38999	697	1.55	38000
39000	39999	712	1.55	39000
40000	40999	728	1.60	40000
41000	41999	744	1.60	41000
42000	42999	760	1.60	42000
43000	43999	776	1.60	43000
44000	44999	792	1.60	44000
45000	45999	808	1.60	45000
46000	46999	824	1.60	46000
47000	47999	840	1.60	47000
48000	48999	856	1.60	48000
49000	49999	872	1.60	49000
50000	50999	888	1.60	50000
51000	51999	904	1.60	51000
52000	52999	920	1.60	52000
53000	53999	936	1.60	53000
54000	54999	952	1.60	54000
55000	55999	968	1.60	55000
56000	56999	984	1.60	56000
57000	57999	1001	1.60	57000
58000	58999	1017	1.60	58000
59000	59999	1033	1.49	59000
60000	60999	1048	1.47	60000
61000	61999	1062	1.47	61000
62000	62999	1077	1.47	62000
63000	63999	1092	1.42	63000
64000	64999	1106	1.39	64000
65000	65999	1120	1.39	65000
66000	66999	1134	1.41	66000
67000	67999	1148	1.43	67000
68000	68999	1162	1.43	68000
69000	69999	1176	1.43	69000
70000	70999	1190	1.43	70000
71000	71999	1205	1.43	71000
72000	72999	1219	1.43	72000
73000	73999	1233	1.43	73000
74000	74999	1248	1.43	74000
75000	75999	1262	1.43	75000
76000	76999	1276	1.43	76000
77000	77999	1290	1.43	77000
78000	78999	1305	1.43	78000
79000	79999	1319	1.43	79000
80000	80999	1333	1.43	80000
81000	81999	1348	1.43	81000
82000	82999	1362	1.43	82000
83000	83999	1376	1.43	83000
84000	84999	1390	1.43	84000
85000	85999	1405	1.43	85000
86000	86999	1419	1.43	86000
87000	87999	1433	1.43	87000
88000	88999	1448	1.43	88000
89000	89999	1462	1.43	89000
90000	90999	1476	1.43	90000
91000	91999	1490	1.43	91000
92000	92999	1505	1.41	92000
93000	93999	1519	1.33	93000
94000	94999	1532	1.33	94000
95000	95999	1545	1.34	95000
96000	96999	1559	1.38	96000
97000	97999	1573	1.38	97000
98000	98999	1586	1.38	98000
99000	99999	1600	1.38	99000
100000	100999	1614	1.38	100000
101000	101999	1628	1.38	101000
102000	102999	1642	1.38	102000
103000	103999	1655	1.38	103000
104000	104999	1669	1.38	104000
105000	105999	1683	1.38	105000
106000	106999	1697	1.38	106000
107000	107999	1711	1.38	107000
108000	108999	1724	1.38	108000
109000	109999	1738	1.38	109000
110000	110999	1752	1.38	110000
111000	111999	1766	1.38	111000
112000	112999	1780	1.38	112000
113000	113999	1794	1.38	113000
114000	114999	1807	1.38	114000
115000	115999	1821	1.38	115000
116000	116999	1835	1.38	116000
117000	117999	1849	1.38	117000
118000	118999	1863	1.38	118000
119000	119999	1876	1.38	119000
120000	120999	1890	1.38	120000
121000	121999	1904	1.38	121000
122000	122999	1918	1.38	122000
123000	123999	1932	1.38	123000
124000	124999	1945	1.38	124000
125000	125999	1959	1.38	125000
126000	126999	1973	1.38	126000
127000	127999	1987	1.38	127000
128000	128999	2001	1.38	128000
129000	129999	2014	1.38	129000
130000	130999	2028	1.38	130000
131000	131999	2042	1.38	131000
132000	132999	2056	1.38	132000
133000	133999	2070	1.38	133000
134000	134999	2083	1.38	134000
135000	135999	2097	1.38	135000
136000	136999	2111	1.38	136000
137000	137999	2125	1.38	137000
138000	138999	2139	1.38	138000
139000	139999	2152	1.38	139000
140000	140999	2166	1.38	140000
141000	141999	2180	1.38	141000
142000	142999	2194	1.38	142000
143000	143999	2208	1.38	143000
144000	144999	2221	1.38	144000
145000	145999	2235	1.38	145000
146000	146999	2249	1.38	146000
147000	147999	2263	1.38	147000
148000	148999	2277	1.38	148000
149000	149999	2291	1.38	149000
150000 or greater/ou plus		2304	1.38	150000

FEDERAL CHILD SUPPORT TABLES / TABLES FÉDÉRALES DE PENSIONS ALIMENTAIRES POUR ENFANTS

PROVINCE: *PRINCE EDWARD ISLAND/ÎLE DU PRINCE-ÉDOUARD*

NO. OF CHILDREN/N^{BRE} D'ENFANTS: *Four/Quatre*

Income/Revenu From/De	To/À	Basic Amount/ Montant de base	Plus (%)	of Income over/ du revenu dépassant
0	6729	0		
6730	6999	0	1.27	6730
7000	7999	3	3.76	7000
8000	8999	41	3.76	8000
9000	9999	79	3.76	9000
10000	10999	116	3.76	10000
11000	11999	154	3.71	11000
12000	12999	191	3.60	12000
13000	13999	227	3.60	13000
14000	14999	263	3.60	14000
15000	15999	299	3.60	15000
16000	16999	335	3.60	16000
17000	17999	371	3.60	17000
18000	18999	407	3.60	18000
19000	19999	443	3.60	19000
20000	20999	479	2.45	20000
21000	21999	503	2.24	21000
22000	22999	526	2.24	22000
23000	23999	548	2.24	23000
24000	24999	570	2.24	24000
25000	25999	593	2.22	25000
26000	26999	615	2.07	26000
27000	27999	636	2.07	27000
28000	28999	657	1.88	28000
29000	29999	677	1.59	29000
30000	30999	696	1.59	30000
31000	31999	712	1.76	31000
32000	32999	728	1.76	32000
33000	33999	745	1.76	33000
34000	34999	763	1.76	34000
35000	35999	781	1.83	35000
36000	36999	798	1.83	36000
37000	37999	817	1.83	37000
38000	38999	835	1.83	38000
39000	39999	853	1.90	39000
40000	40999	871	1.90	40000
41000	41999	890	1.90	41000
42000	42999	909	1.90	42000
43000	43999	928	1.90	43000
44000	44999	947	1.90	44000
45000	45999	966	1.90	45000
46000	46999	985	1.90	46000
47000	47999	1004	1.90	47000
48000	48999	1023	1.90	48000
49000	49999	1042	1.90	49000
50000	50999	1061	1.90	50000
51000	51999	1080	1.90	51000
52000	52999	1099	1.90	52000
53000	53999	1118	1.90	53000

Income/Revenu From/De	To/À	Basic Amount/ Montant de base	Plus (%)	of Income over/ du revenu dépassant
54000	54999	1137	1.90	54000
55000	55999	1156	1.90	55000
56000	56999	1175	1.90	56000
57000	57999	1194	1.90	57000
58000	58999	1213	1.90	58000
59000	59999	1232	1.76	59000
60000	60999	1249	1.74	60000
61000	61999	1267	1.74	61000
62000	62999	1284	1.74	62000
63000	63999	1301	1.69	63000
64000	64999	1318	1.65	64000
65000	65999	1335	1.67	65000
66000	66999	1351	1.69	66000
67000	67999	1368	1.69	67000
68000	68999	1385	1.69	68000
69000	69999	1402	1.69	69000
70000	70999	1419	1.69	70000
71000	71999	1435	1.69	71000
72000	72999	1452	1.69	72000
73000	73999	1469	1.69	73000
74000	74999	1486	1.69	74000
75000	75999	1503	1.69	75000
76000	76999	1520	1.69	76000
77000	77999	1537	1.69	77000
78000	78999	1554	1.69	78000
79000	79999	1570	1.69	79000
80000	80999	1587	1.69	80000
81000	81999	1604	1.69	81000
82000	82999	1621	1.69	82000
83000	83999	1638	1.69	83000
84000	84999	1655	1.69	84000
85000	85999	1672	1.69	85000
86000	86999	1689	1.69	86000
87000	87999	1706	1.69	87000
88000	88999	1722	1.69	88000
89000	89999	1739	1.69	89000
90000	90999	1756	1.69	90000
91000	91999	1773	1.66	91000
92000	92999	1790	1.59	92000
93000	93999	1807	1.59	93000
94000	94999	1822	1.59	94000
95000	95999	1838	1.63	95000
96000	96999	1854	1.63	96000
97000	97999	1871	1.63	97000
98000	98999	1887	1.63	98000
99000	99999	1903	1.63	99000
100000	100999	1920	1.63	100000
101000	101999	1936	1.63	101000
102000	102999	1952	1.63	102000

Income/Revenu From/De	To/À	Basic Amount/ Montant de base	Plus (%)	of Income over/ du revenu dépassant
103000	103999	1968	1.63	103000
104000	104999	1985	1.63	104000
105000	105999	2001	1.63	105000
106000	106999	2017	1.63	106000
107000	107999	2034	1.63	107000
108000	108999	2050	1.63	108000
109000	109999	2066	1.63	109000
110000	110999	2083	1.63	110000
111000	111999	2099	1.63	111000
112000	112999	2115	1.63	112000
113000	113999	2132	1.63	113000
114000	114999	2148	1.63	114000
115000	115999	2164	1.63	115000
116000	116999	2181	1.63	116000
117000	117999	2197	1.63	117000
118000	118999	2213	1.63	118000
119000	119999	2230	1.63	119000
120000	120999	2246	1.63	120000
121000	121999	2262	1.63	121000
122000	122999	2278	1.63	122000
123000	123999	2295	1.63	123000
124000	124999	2311	1.63	124000
125000	125999	2327	1.63	125000
126000	126999	2344	1.63	126000
127000	127999	2360	1.63	127000
128000	128999	2376	1.63	128000
129000	129999	2393	1.63	129000
130000	130999	2409	1.63	130000
131000	131999	2425	1.63	131000
132000	132999	2442	1.63	132000
133000	133999	2458	1.63	133000
134000	134999	2474	1.63	134000
135000	135999	2491	1.63	135000
136000	136999	2507	1.63	136000
137000	137999	2523	1.63	137000
138000	138999	2540	1.63	138000
139000	139999	2556	1.63	139000
140000	140999	2572	1.63	140000
141000	141999	2588	1.63	141000
142000	142999	2605	1.63	142000
143000	143999	2621	1.63	143000
144000	144999	2637	1.63	144000
145000	145999	2654	1.63	145000
146000	146999	2670	1.63	146000
147000	147999	2686	1.63	147000
148000	148999	2703	1.63	148000
149000	149999	2719	1.63	149000
150000 or greater/ou plus		2735	1.63	150000

FEDERAL CHILD SUPPORT TABLES/
TABLES FÉDÉRALES DE PENSIONS ALIMENTAIRES POUR ENFANTS

PROVINCE: *PRINCE EDWARD ISLAND/ÎLE DU PRINCE-ÉDOUARD*

No. OF CHILDREN/N^{BRE} D'ENFANTS: *Five/Cinq*

Income/Revenu ($) From/De	To/À	Basic Amount/Montant de base	Plus (%)	of income over/du revenu dépassant
0	6729	0		
6730	6999	0	1.27	6730
7000	7999	3	3.76	7000
8000	8999	41	3.76	8000
9000	9999	79	3.76	9000
10000	10999	116	3.76	10000
11000	11999	154	3.71	11000
12000	12999	191	3.60	12000
13000	13999	227	3.60	13000
14000	14999	263	3.60	14000
15000	15999	299	3.60	15000
16000	16999	335	3.60	16000
17000	17999	371	3.60	17000
18000	18999	407	3.60	18000
19000	19999	443	3.60	19000
20000	20999	479	3.60	20000
21000	21999	515	3.60	21000
22000	22999	551	3.60	22000
23000	23999	587	3.60	23000
24000	24999	623	3.60	24000
25000	25999	659	3.10	25000
26000	26999	694	3.10	26000
27000	27999	725	2.34	27000
28000	28999	749	2.34	28000
29000	29999	772	2.12	29000
30000	30999	793	1.80	30000
31000	31999	811	1.80	31000
32000	32999	829	1.98	32000
33000	33999	849	1.98	33000
34000	34999	869	1.98	34000
35000	35999	889	1.99	35000
36000	36999	909	2.06	36000
37000	37999	929	2.06	37000
38000	38999	950	2.06	38000
39000	39999	970	2.07	39000
40000	40999	991	2.14	40000
41000	41999	1012	2.14	41000
42000	42999	1034	2.14	42000
43000	43999	1055	2.14	43000
44000	44999	1077	2.14	44000
45000	45999	1098	2.14	45000
46000	46999	1119	2.14	46000
47000	47999	1141	2.14	47000
48000	48999	1162	2.14	48000
49000	49999	1184	2.14	49000
50000	50999	1205	2.14	50000
51000	51999	1226	2.14	51000
52000	52999	1248	2.14	52000
53000	53999	1269	2.14	53000
54000	54999	1291	2.14	54000
55000	55999	1312	2.14	55000
56000	56999	1333	2.14	56000
57000	57999	1355	2.14	57000
58000	58999	1376	1.99	58000
59000	59999	1397	1.96	59000
60000	60999	1417	1.96	60000
61000	61999	1437	1.96	61000
62000	62999	1457	1.91	62000
63000	63999	1476	1.87	63000
64000	64999	1495	1.87	64000
65000	65999	1514	1.89	65000
66000	66999	1533	1.90	66000
67000	67999	1551	1.90	67000
68000	68999	1570	1.90	68000
69000	69999	1590	1.90	69000
70000	70999	1609	1.90	70000
71000	71999	1628	1.90	71000
72000	72999	1647	1.90	72000
73000	73999	1666	1.90	73000
74000	74999	1685	1.90	74000
75000	75999	1704	1.90	75000
76000	76999	1723	1.90	76000
77000	77999	1742	1.90	77000
78000	78999	1761	1.90	78000
79000	79999	1780	1.90	79000
80000	80999	1799	1.90	80000
81000	81999	1818	1.90	81000
82000	82999	1837	1.90	82000
83000	83999	1856	1.90	83000
84000	84999	1875	1.90	84000
85000	85999	1894	1.90	85000
86000	86999	1913	1.90	86000
87000	87999	1932	1.90	87000
88000	88999	1951	1.90	88000
89000	89999	1970	1.90	89000
90000	90999	1990	1.90	90000
91000	91999	2009	1.88	91000
92000	92999	2028	1.80	92000
93000	93999	2046	1.80	93000
94000	94999	2064	1.80	94000
95000	95999	2082	1.80	95000
96000	96999	2100	1.84	96000
97000	97999	2119	1.84	97000
98000	98999	2137	1.84	98000
99000	99999	2156	1.84	99000
100000	100999	2174	1.84	100000
101000	101999	2193	1.84	101000
102000	102999	2211	1.84	102000
103000	103999	2229	1.84	103000
104000	104999	2248	1.84	104000
105000	105999	2266	1.84	105000
106000	106999	2285	1.84	106000
107000	107999	2303	1.84	107000
108000	108999	2321	1.84	108000
109000	109999	2340	1.84	109000
110000	110999	2358	1.84	110000
111000	111999	2377	1.84	111000
112000	112999	2395	1.84	112000
113000	113999	2413	1.84	113000
114000	114999	2432	1.84	114000
115000	115999	2450	1.84	115000
116000	116999	2469	1.84	116000
117000	117999	2487	1.84	117000
118000	118999	2505	1.84	118000
119000	119999	2524	1.84	119000
120000	120999	2542	1.84	120000
121000	121999	2561	1.84	121000
122000	122999	2579	1.84	122000
123000	123999	2597	1.84	123000
124000	124999	2616	1.84	124000
125000	125999	2634	1.84	125000
126000	126999	2653	1.84	126000
127000	127999	2671	1.84	127000
128000	128999	2689	1.84	128000
129000	129999	2708	1.84	129000
130000	130999	2726	1.84	130000
131000	131999	2745	1.84	131000
132000	132999	2763	1.84	132000
133000	133999	2782	1.84	133000
134000	134999	2800	1.84	134000
135000	135999	2818	1.84	135000
136000	136999	2837	1.84	136000
137000	137999	2855	1.84	137000
138000	138999	2874	1.84	138000
139000	139999	2892	1.84	139000
140000	140999	2910	1.84	140000
141000	141999	2929	1.84	141000
142000	142999	2947	1.84	142000
143000	143999	2966	1.84	143000
144000	144999	2984	1.84	144000
145000	145999	3002	1.84	145000
146000	146999	3021	1.84	146000
147000	147999	3039	1.84	147000
148000	148999	3058	1.84	148000
149000	149999	3076	1.84	149000
150000 or greater/ou plus		3094	1.84	150000

FEDERAL CHILD SUPPORT TABLES/
TABLES FÉDÉRALES DE PENSIONS ALIMENTAIRES POUR ENFANTS

PROVINCE: **PRINCE EDWARD ISLAND/ÎLE DU PRINCE-ÉDOUARD**

NO. OF CHILDREN/N^{BRE} D'ENFANTS: *Six or more/Six ou plus*

Income/Revenu From/De	To/À	Basic Amount/Montant de base	Plus (%)	of Income over/du revenu dépassant
0	6729	0		
6730	6999	0	1.27	6730
7000	7999	3	3.76	7000
8000	8999	41	3.76	8000
9000	9999	79	3.76	9000
10000	10999	116	3.71	10000
11000	11999	154	3.60	11000
12000	12999	191	3.60	12000
13000	13999	227	3.60	13000
14000	14999	263	3.60	14000
15000	15999	299	3.60	15000
16000	16999	335	3.60	16000
17000	17999	371	3.60	17000
18000	18999	407	3.60	18000
19000	19999	443	3.60	19000
20000	20999	479	3.60	20000
21000	21999	515	3.60	21000
22000	22999	551	3.60	22000
23000	23999	587	3.60	23000
24000	24999	623	3.56	24000
25000	25999	659	3.18	25000
26000	26999	694	3.18	26000
27000	27999	726	3.18	27000
28000	28999	758	3.18	28000
29000	29999	790	2.68	29000
30000	30999	817	1.96	30000
31000	31999	836	1.96	31000
32000	32999	856	2.38	32000
33000	33999	880	2.38	33000
34000	34999	903	2.40	34000
35000	35999	927	2.40	35000
36000	36999	951	2.55	36000
37000	37999	977	2.55	37000
38000	38999	1002	2.55	38000
39000	39999	1028	2.57	39000
40000	40999	1053	2.73	40000
41000	41999	1081	2.73	41000
42000	42999	1108	2.73	42000
43000	43999	1135	2.73	43000
44000	44999	1163	2.73	44000
45000	45999	1190	2.73	45000
46000	46999	1217	2.73	46000
47000	47999	1244	2.73	47000
48000	48999	1272	2.73	48000
49000	49999	1299	2.73	49000
50000	50999	1326	2.39	50000
51000	51999	1350	2.34	51000
52000	52999	1374	2.34	52000
53000	53999	1397	2.34	53000

Income/Revenu From/De	To/À	Basic Amount/Montant de base	Plus (%)	of Income over/du revenu dépassant
54000	54999	1421	2.34	54000
55000	55999	1444	2.34	55000
56000	56999	1467	2.34	56000
57000	57999	1491	2.34	57000
58000	58999	1514	2.34	58000
59000	59999	1538	2.18	59000
60000	60999	1560	2.15	60000
61000	61999	1581	2.15	61000
62000	62999	1603	2.15	62000
63000	63999	1624	2.10	63000
64000	64999	1645	2.06	64000
65000	65999	1665	2.06	65000
66000	66999	1686	2.07	66000
67000	67999	1707	2.09	67000
68000	68999	1728	2.09	68000
69000	69999	1749	2.09	69000
70000	70999	1769	2.09	70000
71000	71999	1790	2.09	71000
72000	72999	1811	2.09	72000
73000	73999	1832	2.09	73000
74000	74999	1853	2.09	74000
75000	75999	1874	2.09	75000
76000	76999	1885	2.09	76000
77000	77999	1916	2.09	77000
78000	78999	1936	2.09	78000
79000	79999	1957	2.09	79000
80000	80999	1978	2.09	80000
81000	81999	1999	2.09	81000
82000	82999	2020	2.09	82000
83000	83999	2041	2.09	83000
84000	84999	2062	2.09	84000
85000	85999	2083	2.09	85000
86000	86999	2103	2.09	86000
87000	87999	2124	2.09	87000
88000	88999	2145	2.09	88000
89000	89999	2166	2.09	89000
90000	90999	2187	2.09	90000
91000	91999	2208	2.09	91000
92000	92999	2229	2.06	92000
93000	93999	2249	1.98	93000
94000	94999	2269	1.98	94000
95000	95999	2289	1.98	95000
96000	96999	2309	2.02	96000
97000	97999	2329	2.02	97000
98000	98999	2349	2.02	98000
99000	99999	2369	2.02	99000
100000	100999	2389	2.02	100000
101000	101999	2410	2.02	101000
102000	102999	2430	2.02	102000

Income/Revenu From/De	To/À	Basic Amount/Montant de base	Plus (%)	of Income over/du revenu dépassant
103000	103999	2450	2.02	103000
104000	104999	2470	2.02	104000
105000	105999	2490	2.02	105000
106000	106999	2511	2.02	106000
107000	107999	2531	2.02	107000
108000	108999	2551	2.02	108000
109000	109999	2571	2.02	109000
110000	110999	2591	2.02	110000
111000	111999	2611	2.02	111000
112000	112999	2632	2.02	112000
113000	113999	2652	2.02	113000
114000	114999	2672	2.02	114000
115000	115999	2692	2.02	115000
116000	116999	2712	2.02	116000
117000	117999	2733	2.02	117000
118000	118999	2753	2.02	118000
119000	119999	2773	2.02	119000
120000	120999	2793	2.02	120000
121000	121999	2813	2.02	121000
122000	122999	2833	2.02	122000
123000	123999	2854	2.02	123000
124000	124999	2874	2.02	124000
125000	125999	2894	2.02	125000
126000	126999	2914	2.02	126000
127000	127999	2934	2.02	127000
128000	128999	2954	2.02	128000
129000	129999	2975	2.02	129000
130000	130999	2995	2.02	130000
131000	131999	3015	2.02	131000
132000	132999	3035	2.02	132000
133000	133999	3055	2.02	133000
134000	134999	3076	2.02	134000
135000	135999	3096	2.02	135000
136000	136999	3116	2.02	136000
137000	137999	3136	2.02	137000
138000	138999	3156	2.02	138000
139000	139999	3176	2.02	139000
140000	140999	3197	2.02	140000
141000	141999	3217	2.02	141000
142000	142999	3237	2.02	142000
143000	143999	3257	2.02	143000
144000	144999	3277	2.02	144000
145000	145999	3297	2.02	145000
146000	146999	3318	2.02	146000
147000	147999	3338	2.02	147000
148000	148999	3358	2.02	148000
149000	149999	3378	2.02	149000
150000 or greater/ou plus		3398	2.02	150000

Federal Child Support Tables / Tables fédérales de pensions alimentaires pour enfants

PROVINCE: SASKATCHEWAN
No. of Children/Nbre d'enfants: One/Un

Income/Revenu ($) From/De	To/À	Basic Amount/Montant de base	Plus (%)	of income over/du revenu dépassant
0	6729	0		
6730	6999	0	0.76	6730
7000	7999	2	2.80	7000
8000	8999	30	2.47	8000
9000	9999	55	0.81	9000
10000	10999	63	0.81	10000
11000	11999	71	0.81	11000
12000	12999	79	0.81	12000
13000	13999	87	0.81	13000
14000	14999	96	0.81	14000
15000	15999	104	1.11	15000
16000	16999	115	1.11	16000
17000	17999	126	1.11	17000
18000	18999	137	1.11	18000
19000	19999	148	1.11	19000
20000	20999	159	1.08	20000
21000	21999	170	1.06	21000
22000	22999	181	1.06	22000
23000	23999	191	1.06	23000
24000	24999	202	1.07	24000
25000	25999	213	0.92	25000
26000	26999	222	0.86	26000
27000	27999	231	0.86	27000
28000	28999	239	0.86	28000
29000	29999	248	0.78	29000
30000	30999	255	0.66	30000
31000	31999	262	0.66	31000
32000	32999	269	0.66	32000
33000	33999	276	0.73	33000
34000	34999	283	0.73	34000
35000	35999	290	0.73	35000
36000	36999	298	0.73	36000
37000	37999	305	0.76	37000
38000	38999	313	0.76	38000
39000	39999	321	0.76	39000
40000	40999	328	0.72	40000
41000	41999	335	0.68	41000
42000	42999	342	0.68	42000
43000	43999	349	0.72	43000
44000	44999	356	0.76	44000
45000	45999	364	0.76	45000
46000	46999	371	0.76	46000
47000	47999	379	0.76	47000
48000	48999	386	0.76	48000
49000	49999	394	0.76	49000
50000	50999	402	0.76	50000
51000	51999	409	0.76	51000
52000	52999	417	0.76	52000
53000	53999	424	0.76	53000
54000	54999	432	0.76	54000
55000	55999	439	0.76	55000
56000	56999	447	0.76	56000
57000	57999	455	0.76	57000
58000	58999	462	0.76	58000
59000	59999	470	0.70	59000
60000	60999	477	0.69	60000
61000	61999	484	0.69	61000
62000	62999	490	0.69	62000
63000	63999	497	0.65	63000
64000	64999	504	0.62	64000
65000	65999	510	0.62	65000
66000	66999	516	0.64	66000
67000	67999	522	0.67	67000
68000	68999	529	0.67	68000
69000	69999	536	0.67	69000
70000	70999	542	0.67	70000
71000	71999	549	0.67	71000
72000	72999	556	0.67	72000
73000	73999	563	0.67	73000
74000	74999	569	0.67	74000
75000	75999	576	0.67	75000
76000	76999	583	0.67	76000
77000	77999	589	0.67	77000
78000	78999	596	0.67	78000
79000	79999	603	0.67	79000
80000	80999	609	0.67	80000
81000	81999	616	0.67	81000
82000	82999	623	0.67	82000
83000	83999	629	0.67	83000
84000	84999	636	0.67	84000
85000	85999	643	0.67	85000
86000	86999	649	0.67	86000
87000	87999	656	0.67	87000
88000	88999	663	0.67	88000
89000	89999	669	0.67	89000
90000	90999	676	0.67	90000
91000	91999	683	0.67	91000
92000	92999	689	0.67	92000
93000	93999	696	0.67	93000
94000	94999	703	0.67	94000
95000	95999	709	0.67	95000
96000	96999	716	0.67	96000
97000	97999	723	0.67	97000
98000	98999	729	0.67	98000
99000	99999	736	0.67	99000
100000	100999	743	0.67	100000
101000	101999	749	0.67	101000
102000	102999	756	0.67	102000
103000	103999	763	0.67	103000
104000	104999	769	0.67	104000
105000	105999	776	0.67	105000
106000	106999	783	0.67	106000
107000	107999	789	0.67	107000
108000	108999	796	0.67	108000
109000	109999	803	0.67	109000
110000	110999	809	0.67	110000
111000	111999	816	0.67	111000
112000	112999	823	0.67	112000
113000	113999	829	0.67	113000
114000	114999	836	0.67	114000
115000	115999	843	0.67	115000
116000	116999	849	0.67	116000
117000	117999	856	0.67	117000
118000	118999	863	0.67	118000
119000	119999	870	0.67	119000
120000	120999	876	0.67	120000
121000	121999	883	0.67	121000
122000	122999	890	0.67	122000
123000	123999	896	0.67	123000
124000	124999	903	0.67	124000
125000	125999	910	0.67	125000
126000	126999	916	0.67	126000
127000	127999	923	0.67	127000
128000	128999	930	0.67	128000
129000	129999	936	0.67	129000
130000	130999	943	0.67	130000
131000	131999	950	0.67	131000
132000	132999	956	0.67	132000
133000	133999	963	0.67	133000
134000	134999	970	0.67	134000
135000	135999	976	0.67	135000
136000	136999	983	0.67	136000
137000	137999	990	0.67	137000
138000	138999	996	0.67	138000
139000	139999	1003	0.67	139000
140000	140999	1010	0.67	140000
141000	141999	1016	0.67	141000
142000	142999	1023	0.67	142000
143000	143999	1030	0.67	143000
144000	144999	1036	0.67	144000
145000	145999	1043	0.67	145000
146000	146999	1050	0.67	146000
147000	147999	1056	0.67	147000
148000	148999	1063	0.67	148000
149000	149999	1070	0.67	149000
150000 or greater/ou plus		1076	0.67	150000

FEDERAL CHILD SUPPORT TABLES/
TABLES FÉDÉRALES DE PENSIONS ALIMENTAIRES POUR ENFANTS

PROVINCE: SASKATCHEWAN
NO. OF CHILDREN/NBRE D'ENFANTS: Two/Deux

Income/Revenu ($) From/De	To/À	Basic Amount/Montant de base	Plus (%)	of Income over/du revenu dépassant
0	6729	0		
6730	6999	0	1.18	6730
7000	7999	3	3.22	7000
8000	8999	35	2.69	8000
9000	9999	64	2.69	9000
10000	10999	93	2.47	10000
11000	11999	118	2.42	11000
12000	12999	142	2.31	12000
13000	13999	165	2.31	13000
14000	14999	188	1.68	14000
15000	15999	205	1.15	15000
16000	16999	217	1.32	16000
17000	17999	230	1.62	17000
18000	18999	246	1.62	18000
19000	19999	262	1.62	19000
20000	20999	278	1.58	20000
21000	21999	294	1.56	21000
22000	22999	310	1.56	22000
23000	23999	325	1.56	23000
24000	24999	341	1.57	24000
25000	25999	357	1.59	25000
26000	26999	373	1.49	26000
27000	27999	387	1.49	27000
28000	28999	402	1.49	28000
29000	29999	417	1.36	29000
30000	30999	431	1.03	30000
31000	31999	441	1.03	31000
32000	32999	451	1.13	32000
33000	33999	463	1.13	33000
34000	34999	474	1.13	34000
35000	35999	485	1.14	35000
36000	36999	497	1.18	36000
37000	37999	509	1.18	37000
38000	38999	520	1.18	38000
39000	39999	532	1.15	39000
40000	40999	544	1.11	40000
41000	41999	555	1.11	41000
42000	42999	567	1.15	42000
43000	43999	578	1.18	43000
44000	44999	589	1.18	44000
45000	45999	601	1.18	45000
46000	46999	613	1.18	46000
47000	47999	624	1.18	47000
48000	48999	636	1.18	48000
49000	49999	648	1.18	49000
50000	50999	660	1.18	50000
51000	51999	671	1.18	51000
52000	52999	683	1.18	52000
53000	53999	695	1.18	53000

Income/Revenu ($) From/De	To/À	Basic Amount/Montant de base	Plus (%)	of Income over/du revenu dépassant
54000	54999	707	1.18	54000
55000	55999	719	1.18	55000
56000	56999	730	1.18	56000
57000	57999	742	1.18	57000
58000	58999	754	1.18	58000
59000	59999	766	1.09	59000
60000	60999	776	1.07	60000
61000	61999	787	1.07	61000
62000	62999	798	1.07	62000
63000	63999	809	1.03	63000
64000	64999	819	0.99	64000
65000	65999	829	0.99	65000
66000	66999	839	1.01	66000
67000	67999	849	1.04	67000
68000	68999	859	1.04	68000
69000	69999	870	1.04	69000
70000	70999	880	1.04	70000
71000	71999	890	1.04	71000
72000	72999	901	1.04	72000
73000	73999	911	1.04	73000
74000	74999	921	1.04	74000
75000	75999	932	1.04	75000
76000	76999	942	1.04	76000
77000	77999	953	1.04	77000
78000	78999	963	1.04	78000
79000	79999	973	1.04	79000
80000	80999	984	1.04	80000
81000	81999	994	1.04	81000
82000	82999	1005	1.04	82000
83000	83999	1015	1.04	83000
84000	84999	1025	1.04	84000
85000	85999	1036	1.04	85000
86000	86999	1046	1.04	86000
87000	87999	1056	1.04	87000
88000	88999	1067	1.04	88000
89000	89999	1077	1.04	89000
90000	90999	1088	1.04	90000
91000	91999	1098	1.04	91000
92000	92999	1108	1.04	92000
93000	93999	1119	1.04	93000
94000	94999	1129	1.04	94000
95000	95999	1140	1.04	95000
96000	96999	1150	1.04	96000
97000	97999	1160	1.04	97000
98000	98999	1171	1.04	98000
99000	99999	1181	1.04	99000
100000	100999	1191	1.04	100000
101000	101999	1202	1.04	101000
102000	102999	1212	1.04	102000

Income/Revenu ($) From/De	To/À	Basic Amount/Montant de base	Plus (%)	of Income over/du revenu dépassant
103000	103999	1223	1.04	103000
104000	104999	1233	1.04	104000
105000	105999	1243	1.04	105000
106000	106999	1254	1.04	106000
107000	107999	1264	1.04	107000
108000	108999	1274	1.04	108000
109000	109999	1285	1.04	109000
110000	110999	1295	1.04	110000
111000	111999	1306	1.04	111000
112000	112999	1316	1.04	112000
113000	113999	1326	1.04	113000
114000	114999	1337	1.04	114000
115000	115999	1347	1.04	115000
116000	116999	1358	1.04	116000
117000	117999	1368	1.04	117000
118000	118999	1378	1.04	118000
119000	119999	1389	1.04	119000
120000	120999	1399	1.04	120000
121000	121999	1409	1.04	121000
122000	122999	1420	1.04	122000
123000	123999	1430	1.04	123000
124000	124999	1441	1.04	124000
125000	125999	1451	1.04	125000
126000	126999	1461	1.04	126000
127000	127999	1472	1.04	127000
128000	128999	1482	1.04	128000
129000	129999	1493	1.04	129000
130000	130999	1503	1.04	130000
131000	131999	1513	1.04	131000
132000	132999	1524	1.04	132000
133000	133999	1534	1.04	133000
134000	134999	1544	1.04	134000
135000	135999	1555	1.04	135000
136000	136999	1565	1.04	136000
137000	137999	1576	1.04	137000
138000	138999	1586	1.04	138000
139000	139999	1596	1.04	139000
140000	140999	1607	1.04	140000
141000	141999	1617	1.04	141000
142000	142999	1627	1.04	142000
143000	143999	1638	1.04	143000
144000	144999	1648	1.04	144000
145000	145999	1659	1.04	145000
146000	146999	1669	1.04	146000
147000	147999	1679	1.04	147000
148000	148999	1690	1.04	148000
149000	149999	1700	1.04	149000
150000 or greater/ou plus		1711	1.04	150000

FEDERAL CHILD SUPPORT TABLES / TABLES FÉDÉRALES DE PENSIONS ALIMENTAIRES POUR ENFANTS

PROVINCE: SASKATCHEWAN

No. OF CHILDREN/Nᵇʳᵉ D'ENFANTS: Three/Trois

Income/Revenu ($) From/De	To/À	Monthly Award/Paiement mensuel ($) Basic Amount/Montant de base	Plus (%)	of Income over/du revenu dépassant
0	6729	0		
6730	6999	0	1.60	6730
7000	7999	4	3.64	7000
8000	8999	41	3.31	8000
9000	9999	74	3.31	9000
10000	10999	107	2.89	10000
11000	11999	136	2.84	11000
12000	12999	164	2.72	12000
13000	13999	191	2.72	13000
14000	14999	219	3.14	14000
15000	15999	250	3.14	15000
16000	16999	281	3.14	16000
17000	17999	313	2.16	17000
18000	18999	334	1.89	18000
19000	19999	353	2.02	19000
20000	20999	373	1.99	20000
21000	21999	393	1.96	21000
22000	22999	413	1.96	22000
23000	23999	433	1.96	23000
24000	24999	452	1.98	24000
25000	25999	472	1.96	25000
26000	26999	492	1.85	26000
27000	27999	510	1.85	27000
28000	28999	529	1.85	28000
29000	29999	547	1.69	29000
30000	30999	564	1.46	30000
31000	31999	579	1.46	31000
32000	32999	593	1.60	32000
33000	33999	609	1.60	33000
34000	34999	625	1.60	34000
35000	35999	641	1.49	35000
36000	36999	656	1.52	36000
37000	37999	671	1.52	37000
38000	38999	686	1.52	38000
39000	39999	701	1.50	39000
40000	40999	717	1.50	40000
41000	41999	732	1.45	41000
42000	42999	746	1.45	42000
43000	43999	761	1.49	43000
44000	44999	775	1.51	44000
45000	45999	791	1.51	45000
46000	46999	806	1.51	46000
47000	47999	821	1.51	47000
48000	48999	836	1.51	48000
49000	49999	851	1.51	49000
50000	50999	866	1.51	50000
51000	51999	881	1.51	51000
52000	52999	896	1.51	52000
53000	53999	912	1.51	53000

Income/Revenu ($) From/De	To/À	Monthly Award/Paiement mensuel ($) Basic Amount/Montant de base	Plus (%)	of Income over/du revenu dépassant
54000	54999	927	1.51	54000
55000	55999	942	1.51	55000
56000	56999	957	1.51	56000
57000	57999	972	1.51	57000
58000	58999	987	1.51	58000
59000	59999	1002	1.40	59000
60000	60999	1016	1.40	60000
61000	61999	1030	1.38	61000
62000	62999	1044	1.38	62000
63000	63999	1058	1.33	63000
64000	64999	1071	1.29	64000
65000	65999	1084	1.29	65000
66000	66999	1097	1.31	66000
67000	67999	1110	1.33	67000
68000	68999	1123	1.33	68000
69000	69999	1137	1.33	69000
70000	70999	1150	1.33	70000
71000	71999	1163	1.33	71000
72000	72999	1177	1.33	72000
73000	73999	1190	1.33	73000
74000	74999	1203	1.33	74000
75000	75999	1217	1.33	75000
76000	76999	1230	1.33	76000
77000	77999	1243	1.33	77000
78000	78999	1257	1.33	78000
79000	79999	1270	1.33	79000
80000	80999	1283	1.33	80000
81000	81999	1297	1.33	81000
82000	82999	1310	1.33	82000
83000	83999	1323	1.33	83000
84000	84999	1337	1.33	84000
85000	85999	1350	1.33	85000
86000	86999	1364	1.33	86000
87000	87999	1377	1.33	87000
88000	88999	1390	1.33	88000
89000	89999	1404	1.33	89000
90000	90999	1417	1.33	90000
91000	91999	1430	1.33	91000
92000	92999	1444	1.33	92000
93000	93999	1457	1.33	93000
94000	94999	1470	1.33	94000
95000	95999	1484	1.33	95000
96000	96999	1497	1.33	96000
97000	97999	1510	1.33	97000
98000	98999	1524	1.33	98000
99000	99999	1537	1.33	99000
100000	100999	1550	1.33	100000
101000	101999	1564	1.33	101000
102000	102999	1577	1.33	102000

Income/Revenu ($) From/De	To/À	Monthly Award/Paiement mensuel ($) Basic Amount/Montant de base	Plus (%)	of Income over/du revenu dépassant
103000	103999	1590	1.33	103000
104000	104999	1604	1.33	104000
105000	105999	1617	1.33	105000
106000	106999	1630	1.33	106000
107000	107999	1644	1.33	107000
108000	108999	1657	1.33	108000
109000	109999	1671	1.33	109000
110000	110999	1684	1.33	110000
111000	111999	1697	1.33	111000
112000	112999	1711	1.33	112000
113000	113999	1724	1.33	113000
114000	114999	1737	1.33	114000
115000	115999	1751	1.33	115000
116000	116999	1764	1.33	116000
117000	117999	1777	1.33	117000
118000	118999	1791	1.33	118000
119000	119999	1804	1.33	119000
120000	120999	1817	1.33	120000
121000	121999	1831	1.33	121000
122000	122999	1844	1.33	122000
123000	123999	1857	1.33	123000
124000	124999	1871	1.33	124000
125000	125999	1884	1.33	125000
126000	126999	1897	1.33	126000
127000	127999	1911	1.33	127000
128000	128999	1924	1.33	128000
129000	129999	1938	1.33	129000
130000	130999	1951	1.33	130000
131000	131999	1964	1.33	131000
132000	132999	1978	1.33	132000
133000	133999	1991	1.33	133000
134000	134999	2004	1.33	134000
135000	135999	2018	1.33	135000
136000	136999	2031	1.33	136000
137000	137999	2044	1.33	137000
138000	138999	2058	1.33	138000
139000	139999	2071	1.33	139000
140000	140999	2084	1.33	140000
141000	141999	2098	1.33	141000
142000	142999	2111	1.33	142000
143000	143999	2124	1.33	143000
144000	144999	2138	1.33	144000
145000	145999	2151	1.33	145000
146000	146999	2164	1.33	146000
147000	147999	2178	1.33	147000
148000	148999	2191	1.33	148000
149000	149999	2204	1.33	149000
150000 or greater/ou plus		2218	1.34	150000

FEDERAL CHILD SUPPORT TABLES/
TABLES FÉDÉRALES DE PENSIONS ALIMENTAIRES POUR ENFANTS

PROVINCE: *SASKATCHEWAN*

NO. OF CHILDREN/N^{BRE} D'ENFANTS: *Four/Quatre*

Income/Revenu From/De ($)	To/À	Basic Amount/ Montant de base ($)	Plus (%)	of income over/ du revenu dépassant
0	6729	0		0
6730	6999	0	2.01	6730
7000	7999	5	4.05	7000
8000	8999	46	3.72	8000
9000	9999	83	3.72	9000
10000	10999	120	3.31	10000
11000	11999	154	3.26	11000
12000	12999	186	3.14	12000
13000	13999	217	3.14	13000
14000	14999	249	3.56	14000
15000	15999	284	3.56	15000
16000	16999	320	3.56	16000
17000	17999	356	3.56	17000
18000	18999	391	3.56	18000
19000	19999	427	2.48	19000
20000	20999	451	2.31	20000
21000	21999	474	2.29	21000
22000	22999	497	2.29	22000
23000	23999	520	2.29	23000
24000	24999	543	2.29	24000
25000	25999	566	2.30	25000
26000	26999	589	2.15	26000
27000	27999	611	2.15	27000
28000	28999	632	2.15	28000
29000	29999	654	1.66	29000
30000	30999	673	1.68	30000
31000	31999	690	1.68	31000
32000	32999	707	1.85	32000
33000	33999	725	1.85	33000
34000	34999	744	1.85	34000
35000	35999	762	1.86	35000
36000	36999	781	1.92	36000
37000	37999	800	1.92	37000
38000	38999	819	1.92	38000
39000	39999	839	1.83	39000
40000	40999	858	1.78	40000
41000	41999	876	1.73	41000
42000	42999	893	1.73	42000
43000	43999	910	1.76	43000
44000	44999	928	1.79	44000
45000	45999	946	1.79	45000
46000	46999	964	1.79	46000
47000	47999	982	1.79	47000
48000	48999	999	1.79	48000
49000	49999	1017	1.79	49000
50000	50999	1035	1.79	50000
51000	51999	1053	1.79	51000
52000	52999	1071	1.79	52000
53000	53999	1089	1.79	53000

Income/Revenu From/De ($)	To/À	Basic Amount/ Montant de base ($)	Plus (%)	of income over/ du revenu dépassant
54000	54999	1107	1.79	54000
55000	55999	1125	1.79	55000
56000	56999	1142	1.79	56000
57000	57999	1160	1.79	57000
58000	58999	1178	1.65	58000
59000	59999	1196	1.63	59000
60000	60999	1213	1.63	60000
61000	61999	1229	1.63	61000
62000	62999	1245	1.58	62000
63000	63999	1261	1.58	63000
64000	64999	1277	1.54	64000
65000	65999	1293	1.54	65000
66000	66999	1308	1.56	66000
67000	67999	1324	1.58	67000
68000	68999	1339	1.58	68000
69000	69999	1355	1.58	69000
70000	70999	1371	1.58	70000
71000	71999	1387	1.58	71000
72000	72999	1402	1.58	72000
73000	73999	1418	1.58	73000
74000	74999	1434	1.58	74000
75000	75999	1450	1.58	75000
76000	76999	1465	1.58	76000
77000	77999	1481	1.58	77000
78000	78999	1497	1.58	78000
79000	79999	1513	1.58	79000
80000	80999	1529	1.58	80000
81000	81999	1544	1.58	81000
82000	82999	1560	1.58	82000
83000	83999	1576	1.58	83000
84000	84999	1592	1.58	84000
85000	85999	1607	1.58	85000
86000	86999	1623	1.58	86000
87000	87999	1639	1.58	87000
88000	88999	1655	1.58	88000
89000	89999	1671	1.58	89000
90000	90999	1686	1.58	90000
91000	91999	1702	1.58	91000
92000	92999	1718	1.58	92000
93000	93999	1734	1.58	93000
94000	94999	1749	1.58	94000
95000	95999	1765	1.58	95000
96000	96999	1781	1.58	96000
97000	97999	1797	1.58	97000
98000	98999	1813	1.58	98000
99000	99999	1828	1.58	99000
100000	100999	1844	1.58	100000
101000	101999	1860	1.58	101000
102000	102999	1876	1.58	102000

Income/Revenu From/De ($)	To/À	Basic Amount/ Montant de base ($)	Plus (%)	of income over/ du revenu dépassant
103000	103999	1891	1.58	103000
104000	104999	1907	1.58	104000
105000	105999	1923	1.58	105000
106000	106999	1939	1.58	106000
107000	107999	1955	1.58	107000
108000	108999	1970	1.58	108000
109000	109999	1986	1.58	109000
110000	110999	2002	1.58	110000
111000	111999	2018	1.58	111000
112000	112999	2033	1.58	112000
113000	113999	2049	1.58	113000
114000	114999	2065	1.58	114000
115000	115999	2081	1.58	115000
116000	116999	2097	1.58	116000
117000	117999	2112	1.58	117000
118000	118999	2128	1.58	118000
119000	119999	2144	1.58	119000
120000	120999	2160	1.58	120000
121000	121999	2175	1.58	121000
122000	122999	2191	1.58	122000
123000	123999	2207	1.58	123000
124000	124999	2223	1.58	124000
125000	125999	2238	1.58	125000
126000	126999	2254	1.58	126000
127000	127999	2270	1.58	127000
128000	128999	2286	1.58	128000
129000	129999	2302	1.58	129000
130000	130999	2317	1.58	130000
131000	131999	2333	1.58	131000
132000	132999	2349	1.58	132000
133000	133999	2365	1.58	133000
134000	134999	2380	1.58	134000
135000	135999	2396	1.58	135000
136000	136999	2412	1.58	136000
137000	137999	2428	1.58	137000
138000	138999	2444	1.58	138000
139000	139999	2459	1.58	139000
140000	140999	2475	1.58	140000
141000	141999	2491	1.58	141000
142000	142999	2507	1.58	142000
143000	143999	2522	1.58	143000
144000	144999	2538	1.58	144000
145000	145999	2554	1.58	145000
146000	146999	2570	1.58	146000
147000	147999	2586	1.58	147000
148000	148999	2601	1.58	148000
149000	149999	2617	1.58	149000
150000 or greater/ou plus		2633	1.58	150000

FEDERAL CHILD SUPPORT TABLES/
TABLES FÉDÉRALES DE PENSIONS ALIMENTAIRES POUR ENFANTS

PROVINCE: *SASKATCHEWAN*

NO. OF CHILDREN/N^bre D'ENFANTS: *Five/Cinq*

Income/Revenu From/De	Income/Revenu To/À	Monthly Award/Paiement mensuel — Basic Amount/Montant de base	Monthly Award/Paiement mensuel — Plus (%)	of Income over/du revenu dépassant
0	6729	0		
6730	6999	0	2.01	6730
7000	7999	5	4.05	7000
8000	8999	46	3.72	8000
9000	9999	83	3.72	9000
10000	10999	120	3.31	10000
11000	11999	154	3.26	11000
12000	12999	186	3.14	12000
13000	13999	217	3.14	13000
14000	14999	249	3.56	14000
15000	15999	284	3.56	15000
16000	16999	320	3.56	16000
17000	17999	356	3.56	17000
18000	18999	391	3.56	18000
19000	19999	427	3.56	19000
20000	20999	462	3.51	20000
21000	21999	497	3.47	21000
22000	22999	532	3.47	22000
23000	23999	567	3.47	23000
24000	24999	602	3.44	24000
25000	25999	636	3.47	25000
26000	26999	671	3.47	26000
27000	27999	700	3.44	27000
28000	28999	724	2.94	28000
29000	29999	748	2.40	29000
30000	30999	770	2.40	30000
31000	31999	789	2.19	31000
32000	32999	807	1.87	32000
33000	33999	828	2.06	33000
34000	34999	849	2.06	34000
35000	35999	869	2.06	35000
36000	36999	890	2.07	36000
37000	37999	911	2.14	37000
38000	38999	933	2.14	38000
39000	39999	954	2.14	39000
40000	40999	975	2.15	40000
41000	41999	996	2.02	41000
42000	42999	1015	1.97	42000
43000	43999	1035	1.99	43000
44000	44999	1055	2.02	44000
45000	45999	1075	2.02	45000
46000	46999	1095	2.02	46000
47000	47999	1115	2.02	47000
48000	48999	1136	2.02	48000
49000	49999	1156	2.02	49000
50000	50999	1176	2.02	50000
51000	51999	1196	2.02	51000
52000	52999	1216	2.02	52000
53000	53999	1236	2.02	53000
54000	54999	1257	2.02	54000
55000	55999	1277	2.02	55000
56000	56999	1297	2.02	56000
57000	57999	1317	2.02	57000
58000	58999	1337	2.02	58000
59000	59999	1358	1.86	59000
60000	60999	1376	1.83	60000
61000	61999	1394	1.83	61000
62000	62999	1413	1.83	62000
63000	63999	1431	1.78	63000
64000	64999	1449	1.75	64000
65000	65999	1466	1.76	65000
66000	66999	1484	1.78	66000
67000	67999	1502	1.78	67000
68000	68999	1519	1.78	68000
69000	69999	1537	1.78	69000
70000	70999	1555	1.78	70000
71000	71999	1573	1.78	71000
72000	72999	1591	1.78	72000
73000	73999	1608	1.78	73000
74000	74999	1626	1.78	74000
75000	75999	1644	1.78	75000
76000	76999	1662	1.78	76000
77000	77999	1679	1.78	77000
78000	78999	1697	1.78	78000
79000	79999	1715	1.78	79000
80000	80999	1733	1.78	80000
81000	81999	1751	1.78	81000
82000	82999	1768	1.78	82000
83000	83999	1786	1.78	83000
84000	84999	1804	1.78	84000
85000	85999	1822	1.78	85000
86000	86999	1840	1.78	86000
87000	87999	1857	1.78	87000
88000	88999	1875	1.78	88000
89000	89999	1893	1.78	89000
90000	90999	1911	1.78	90000
91000	91999	1929	1.78	91000
92000	92999	1946	1.78	92000
93000	93999	1964	1.78	93000
94000	94999	1982	1.78	94000
95000	95999	2000	1.78	95000
96000	96999	2018	1.78	96000
97000	97999	2035	1.78	97000
98000	98999	2053	1.78	98000
99000	99999	2071	1.78	99000
100000	100999	2089	1.78	100000
101000	101999	2107	1.78	101000
102000	102999	2124	1.78	102000
103000	103999	2142	1.78	103000
104000	104999	2160	1.78	104000
105000	105999	2178	1.78	105000
106000	106999	2196	1.78	106000
107000	107999	2213	1.78	107000
108000	108999	2231	1.78	108000
109000	109999	2249	1.78	109000
110000	110999	2267	1.78	110000
111000	111999	2285	1.78	111000
112000	112999	2302	1.78	112000
113000	113999	2320	1.78	113000
114000	114999	2338	1.78	114000
115000	115999	2356	1.78	115000
116000	116999	2374	1.78	116000
117000	117999	2391	1.78	117000
118000	118999	2409	1.78	118000
119000	119999	2427	1.78	119000
120000	120999	2445	1.78	120000
121000	121999	2463	1.78	121000
122000	122999	2480	1.78	122000
123000	123999	2498	1.78	123000
124000	124999	2516	1.78	124000
125000	125999	2534	1.78	125000
126000	126999	2552	1.78	126000
127000	127999	2569	1.78	127000
128000	128999	2587	1.78	128000
129000	129999	2605	1.78	129000
130000	130999	2623	1.78	130000
131000	131999	2641	1.78	131000
132000	132999	2658	1.78	132000
133000	133999	2676	1.78	133000
134000	134999	2694	1.78	134000
135000	135999	2712	1.78	135000
136000	136999	2730	1.78	136000
137000	137999	2747	1.78	137000
138000	138999	2765	1.78	138000
139000	139999	2783	1.78	139000
140000	140999	2801	1.78	140000
141000	141999	2819	1.78	141000
142000	142999	2836	1.78	142000
143000	143999	2854	1.78	143000
144000	144999	2872	1.78	144000
145000	145999	2890	1.78	145000
146000	146999	2908	1.78	146000
147000	147999	2925	1.78	147000
148000	148999	2943	1.78	148000
149000	149999	2961	1.78	149000
150000 or greater/ou plus		2979	1.78	150000

FEDERAL CHILD SUPPORT TABLES/

TABLES FÉDÉRALES DE PENSIONS ALIMENTAIRES POUR ENFANTS

PROVINCE: *SASKATCHEWAN*

NO. OF CHILDREN/N^{bre} D'ENFANTS: ***Six or more/Six ou plus***

Income/Revenu		Monthly Award/Paiement mensuel		
From/De	To/À	Basic Amount/Montant de base	Plus (%)	of income over/du revenu dépassant
0	6729	0		
6730	6999	0	2.01	6730
7000	7999	5	4.05	7000
8000	8999	46	3.72	8000
9000	9999	83	3.72	9000
10000	10999	120	3.31	10000
11000	11999	154	3.26	11000
12000	12999	186	3.14	12000
13000	13999	217	3.14	13000
14000	14999	249	3.56	14000
15000	15999	284	3.56	15000
16000	16999	320	3.56	16000
17000	17999	356	3.56	17000
18000	18999	391	3.56	18000
19000	19999	427	3.51	19000
20000	20999	462	3.47	20000
21000	21999	497	3.47	21000
22000	22999	532	3.47	22000
23000	23999	567	3.47	23000
24000	24999	602	3.44	24000
25000	25999	636	3.06	25000
26000	26999	671	3.06	26000
27000	27999	701	3.06	27000
28000	28999	732	3.06	28000
29000	29999	762	2.57	29000
30000	30999	788	1.87	30000
31000	31999	807	1.87	31000
32000	32999	826	2.29	32000
33000	33999	848	2.29	33000
34000	34999	871	2.29	34000
35000	35999	894	2.31	35000
36000	36999	917	2.47	36000
37000	37999	942	2.47	37000
38000	38999	967	2.48	38000
39000	39999	991	2.48	39000
40000	40999	1016	2.53	40000
41000	41999	1041	2.46	41000
42000	42999	1066	2.46	42000
43000	43999	1091	2.46	43000
44000	44999	1115	2.46	44000
45000	45999	1140	2.46	45000
46000	46999	1164	2.46	46000
47000	47999	1189	2.46	47000
48000	48999	1213	2.46	48000
49000	49999	1238	2.46	49000
50000	50999	1262	2.46	50000
51000	51999	1287	2.46	51000
52000	52999	1312	2.46	52000
53000	53999	1336	2.46	53000
54000	54999	1361	2.46	54000
55000	55999	1385	2.46	55000
56000	56999	1410	2.46	56000
57000	57999	1434	2.46	57000
58000	58999	1459	2.11	58000
59000	59999	1483	2.04	59000
60000	60999	1505	2.04	60000
61000	61999	1525	2.04	61000
62000	62999	1545	1.97	62000
63000	63999	1566	1.92	63000
64000	64999	1586	1.92	64000
65000	65999	1605	1.92	65000
66000	66999	1624	1.92	66000
67000	67999	1643	1.92	67000
68000	68999	1662	1.92	68000
69000	69999	1682	1.92	69000
70000	70999	1701	1.92	70000
71000	71999	1720	1.92	71000
72000	72999	1739	1.92	72000
73000	73999	1758	1.92	73000
74000	74999	1778	1.92	74000
75000	75999	1797	1.92	75000
76000	76999	1816	1.92	76000
77000	77999	1835	1.92	77000
78000	78999	1855	1.92	78000
79000	79999	1874	1.92	79000
80000	80999	1893	1.92	80000
81000	81999	1912	1.92	81000
82000	82999	1931	1.92	82000
83000	83999	1951	1.92	83000
84000	84999	1970	1.92	84000
85000	85999	1989	1.92	85000
86000	86999	2008	1.92	86000
87000	87999	2027	1.92	87000
88000	88999	2047	1.92	88000
89000	89999	2066	1.92	89000
90000	90999	2085	1.92	90000
91000	91999	2104	1.92	91000
92000	92999	2123	1.92	92000
93000	93999	2143	1.92	93000
94000	94999	2162	1.92	94000
95000	95999	2181	1.92	95000
96000	96999	2200	1.92	96000
97000	97999	2220	1.92	97000
98000	98999	2239	1.92	98000
99000	99999	2258	1.92	99000
100000	100999	2277	1.92	100000
101000	101999	2296	1.92	101000
102000	102999	2316	1.92	102000
103000	103999	2335	1.92	103000
104000	104999	2354	1.92	104000
105000	105999	2373	1.92	105000
106000	106999	2392	1.92	106000
107000	107999	2412	1.92	107000
108000	108999	2431	1.92	108000
109000	109999	2450	1.92	109000
110000	110999	2469	1.92	110000
111000	111999	2489	1.92	111000
112000	112999	2508	1.92	112000
113000	113999	2527	1.92	113000
114000	114999	2546	1.92	114000
115000	115999	2565	1.92	115000
116000	116999	2585	1.92	116000
117000	117999	2604	1.92	117000
118000	118999	2623	1.92	118000
119000	119999	2642	1.92	119000
120000	120999	2661	1.92	120000
121000	121999	2681	1.92	121000
122000	122999	2700	1.92	122000
123000	123999	2719	1.92	123000
124000	124999	2738	1.92	124000
125000	125999	2757	1.92	125000
126000	126999	2777	1.92	126000
127000	127999	2796	1.92	127000
128000	128999	2815	1.92	128000
129000	129999	2834	1.92	129000
130000	130999	2854	1.92	130000
131000	131999	2873	1.92	131000
132000	132999	2892	1.92	132000
133000	133999	2911	1.92	133000
134000	134999	2930	1.92	134000
135000	135999	2950	1.92	135000
136000	136999	2969	1.92	136000
137000	137999	2988	1.92	137000
138000	138999	3007	1.92	138000
139000	139999	3026	1.92	139000
140000	140999	3046	1.92	140000
141000	141999	3065	1.92	141000
142000	142999	3084	1.92	142000
143000	143999	3103	1.92	143000
144000	144999	3123	1.92	144000
145000	145999	3142	1.92	145000
146000	146999	3161	1.92	146000
147000	147999	3180	1.92	147000
148000	148999	3199	1.92	148000
149000	149999	3219	1.92	149000
150000	or greater/ou plus	3238	1.92	150000

FEDERAL CHILD SUPPORT TABLES / TABLES FÉDÉRALES DE PENSIONS ALIMENTAIRES POUR ENFANTS

PROVINCE: *ALBERTA*

NO. OF CHILDREN/N^BRE D'ENFANTS: *One/Un*

Income/Revenu ($) From/De	To/À	Basic Amount/Montant de base	Plus (%)	of Income over/du revenu dépassant
0	6729	0		
6730	6999	0	0.76	6730
7000	7999	2	3.31	7000
8000	8999	35	3.31	8000
9000	9999	68	3.30	9000
10000	10999	101	0.39	10000
11000	11999	105	0.39	11000
12000	12999	109	0.39	12000
13000	13999	113	0.39	13000
14000	14999	117	0.51	14000
15000	15999	122	0.78	15000
16000	16999	130	0.92	16000
17000	17999	139	1.04	17000
18000	18999	149	1.11	18000
19000	19999	160	1.11	19000
20000	20999	171	1.11	20000
21000	21999	182	1.11	21000
22000	22999	193	1.07	22000
23000	23999	204	0.97	23000
24000	24999	214	0.97	24000
25000	25999	223	0.97	25000
26000	26999	233	0.90	26000
27000	27999	242	0.90	27000
28000	28999	251	0.90	28000
29000	29999	260	0.83	29000
30000	30999	268	0.72	30000
31000	31999	276	0.72	31000
32000	32999	283	0.79	32000
33000	33999	291	0.79	33000
34000	34999	298	0.79	34000
35000	35999	306	0.82	35000
36000	36999	314	0.82	36000
37000	37999	322	0.82	37000
38000	38999	330	0.82	38000
39000	39999	339	0.82	39000
40000	40999	347	0.85	40000
41000	41999	355	0.85	41000
42000	42999	364	0.85	42000
43000	43999	372	0.85	43000
44000	44999	381	0.85	44000
45000	45999	389	0.82	45000
46000	46999	397	0.80	46000
47000	47999	405	0.80	47000
48000	48999	413	0.80	48000
49000	49999	421	0.83	49000
50000	50999	430	0.83	50000
51000	51999	438	0.83	51000
52000	52999	446	0.83	52000
53000	53999	455	0.83	53000
54000	54999	463	0.83	54000
55000	55999	471	0.83	55000
56000	56999	480	0.83	56000
57000	57999	488	0.83	57000
58000	58999	496	0.83	58000
59000	59999	505	0.78	59000
60000	60999	512	0.77	60000
61000	61999	520	0.77	61000
62000	62999	528	0.77	62000
63000	63999	535	0.73	63000
64000	64999	543	0.70	64000
65000	65999	550	0.70	65000
66000	66999	557	0.72	66000
67000	67999	564	0.75	67000
68000	68999	571	0.75	68000
69000	69999	579	0.75	69000
70000	70999	586	0.75	70000
71000	71999	594	0.75	71000
72000	72999	601	0.75	72000
73000	73999	609	0.75	73000
74000	74999	616	0.75	74000
75000	75999	624	0.75	75000
76000	76999	631	0.75	76000
77000	77999	639	0.75	77000
78000	78999	646	0.75	78000
79000	79999	654	0.75	79000
80000	80999	661	0.75	80000
81000	81999	669	0.75	81000
82000	82999	676	0.75	82000
83000	83999	684	0.75	83000
84000	84999	691	0.75	84000
85000	85999	699	0.75	85000
86000	86999	706	0.75	86000
87000	87999	714	0.75	87000
88000	88999	721	0.75	88000
89000	89999	729	0.75	89000
90000	90999	736	0.75	90000
91000	91999	744	0.75	91000
92000	92999	751	0.75	92000
93000	93999	759	0.75	93000
94000	94999	766	0.75	94000
95000	95999	774	0.75	95000
96000	96999	781	0.75	96000
97000	97999	789	0.75	97000
98000	98999	796	0.75	98000
99000	99999	804	0.75	99000
100000	100999	811	0.75	100000
101000	101999	819	0.75	101000
102000	102999	826	0.75	102000
103000	103999	834	0.75	103000
104000	104999	841	0.75	104000
105000	105999	849	0.75	105000
106000	106999	856	0.75	106000
107000	107999	864	0.75	107000
108000	108999	871	0.75	108000
109000	109999	878	0.75	109000
110000	110999	886	0.75	110000
111000	111999	893	0.75	111000
112000	112999	901	0.75	112000
113000	113999	908	0.75	113000
114000	114999	916	0.75	114000
115000	115999	923	0.75	115000
116000	116999	931	0.75	116000
117000	117999	938	0.75	117000
118000	118999	946	0.75	118000
119000	119999	953	0.75	119000
120000	120999	961	0.75	120000
121000	121999	968	0.75	121000
122000	122999	976	0.75	122000
123000	123999	983	0.75	123000
124000	124999	991	0.75	124000
125000	125999	998	0.75	125000
126000	126999	1006	0.75	126000
127000	127999	1013	0.75	127000
128000	128999	1021	0.75	128000
129000	129999	1028	0.75	129000
130000	130999	1036	0.75	130000
131000	131999	1043	0.75	131000
132000	132999	1051	0.75	132000
133000	133999	1058	0.75	133000
134000	134999	1066	0.75	134000
135000	135999	1073	0.75	135000
136000	136999	1081	0.75	136000
137000	137999	1088	0.75	137000
138000	138999	1096	0.75	138000
139000	139999	1103	0.75	139000
140000	140999	1111	0.75	140000
141000	141999	1118	0.75	141000
142000	142999	1126	0.75	142000
143000	143999	1133	0.75	143000
144000	144999	1141	0.75	144000
145000	145999	1148	0.75	145000
146000	146999	1156	0.75	146000
147000	147999	1163	0.75	147000
148000	148999	1171	0.75	148000
149000	149999	1178	0.75	149000
150000 or more/ou plus		1186	0.75	150000

FEDERAL CHILD SUPPORT TABLES/
TABLES FÉDÉRALES DE PENSIONS ALIMENTAIRES POUR ENFANTS

PROVINCE: *ALBERTA*

NO. OF CHILDREN/N^BRE D'ENFANTS: *Two/Deux*

Income/Revenu ($) From/De	To/À	Basic Amount/ Montant de base	Plus (%)	of income over/ du revenu dépassant
0	6729	0		
6730	6999	0	1.18	6730
7000	7999	3	3.72	7000
8000	8999	40	3.72	8000
9000	9999	78	3.72	9000
10000	10999	115	2.75	10000
11000	11999	142	2.70	11000
12000	12999	169	2.58	12000
13000	13999	195	1.90	13000
14000	14999	214	1.07	14000
15000	15999	225	1.30	15000
16000	16999	238	1.43	16000
17000	17999	252	1.56	17000
18000	18999	268	1.63	18000
19000	19999	284	1.63	19000
20000	20999	300	1.63	20000
21000	21999	317	1.63	21000
22000	22999	333	1.60	22000
23000	23999	349	1.51	23000
24000	24999	364	1.51	24000
25000	25999	379	1.50	25000
26000	26999	394	1.40	26000
27000	27999	408	1.40	27000
28000	28999	422	1.40	28000
29000	29999	436	1.28	29000
30000	30999	449	1.11	30000
31000	31999	460	1.11	31000
32000	32999	471	1.22	32000
33000	33999	483	1.22	33000
34000	34999	496	1.23	34000
35000	35999	508	1.23	35000
36000	36999	520	1.27	36000
37000	37999	533	1.27	37000
38000	38999	546	1.27	38000
39000	39999	558	1.27	39000
40000	40999	571	1.32	40000
41000	41999	584	1.32	41000
42000	42999	597	1.32	42000
43000	43999	610	1.32	43000
44000	44999	624	1.32	44000
45000	45999	637	1.29	45000
46000	46999	650	1.27	46000
47000	47999	662	1.27	47000
48000	48999	675	1.27	48000
49000	49999	688	1.30	49000
50000	50999	701	1.30	50000
51000	51999	714	1.30	51000
52000	52999	726	1.30	52000
53000	53999	739	1.30	53000
54000	54999	752	1.30	54000
55000	55999	765	1.30	55000
56000	56999	778	1.30	56000
57000	57999	791	1.30	57000
58000	58999	804	1.30	58000
59000	59999	817	1.21	59000
60000	60999	829	1.20	60000
61000	61999	841	1.20	61000
62000	62999	853	1.15	62000
63000	63999	865	1.12	63000
64000	64999	877	1.12	64000
65000	65999	888	1.14	65000
66000	66999	899	1.17	66000
67000	67999	910	1.17	67000
68000	68999	922	1.17	68000
69000	69999	934	1.17	69000
70000	70999	945	1.17	70000
71000	71999	957	1.17	71000
72000	72999	969	1.17	72000
73000	73999	980	1.17	73000
74000	74999	992	1.17	74000
75000	75999	1004	1.17	75000
76000	76999	1015	1.17	76000
77000	77999	1027	1.17	77000
78000	78999	1039	1.17	78000
79000	79999	1050	1.17	79000
80000	80999	1062	1.17	80000
81000	81999	1074	1.17	81000
82000	82999	1085	1.17	82000
83000	83999	1097	1.17	83000
84000	84999	1109	1.17	84000
85000	85999	1120	1.17	85000
86000	86999	1132	1.17	86000
87000	87999	1143	1.17	87000
88000	88999	1155	1.17	88000
89000	89999	1167	1.17	89000
90000	90999	1178	1.17	90000
91000	91999	1190	1.17	91000
92000	92999	1202	1.17	92000
93000	93999	1213	1.17	93000
94000	94999	1225	1.17	94000
95000	95999	1237	1.17	95000
96000	96999	1248	1.17	96000
97000	97999	1260	1.17	97000
98000	98999	1272	1.17	98000
99000	99999	1283	1.17	99000
100000	100999	1295	1.17	100000
101000	101999	1307	1.17	101000
102000	102999	1318	1.17	102000
103000	103999	1330	1.17	103000
104000	104999	1342	1.17	104000
105000	105999	1353	1.17	105000
106000	106999	1365	1.17	106000
107000	107999	1377	1.17	107000
108000	108999	1388	1.17	108000
109000	109999	1400	1.17	109000
110000	110999	1411	1.17	110000
111000	111999	1423	1.17	111000
112000	112999	1435	1.17	112000
113000	113999	1446	1.17	113000
114000	114999	1458	1.17	114000
115000	115999	1470	1.17	115000
116000	116999	1481	1.17	116000
117000	117999	1493	1.17	117000
118000	118999	1505	1.17	118000
119000	119999	1516	1.17	119000
120000	120999	1528	1.17	120000
121000	121999	1540	1.17	121000
122000	122999	1551	1.17	122000
123000	123999	1563	1.17	123000
124000	124999	1575	1.17	124000
125000	125999	1586	1.17	125000
126000	126999	1598	1.17	126000
127000	127999	1610	1.17	127000
128000	128999	1621	1.17	128000
129000	129999	1633	1.17	129000
130000	130999	1644	1.17	130000
131000	131999	1656	1.17	131000
132000	132999	1668	1.17	132000
133000	133999	1679	1.17	133000
134000	134999	1691	1.17	134000
135000	135999	1703	1.17	135000
136000	136999	1714	1.17	136000
137000	137999	1726	1.17	137000
138000	138999	1738	1.17	138000
139000	139999	1749	1.17	139000
140000	140999	1761	1.17	140000
141000	141999	1773	1.17	141000
142000	142999	1784	1.17	142000
143000	143999	1796	1.17	143000
144000	144999	1808	1.17	144000
145000	145999	1819	1.17	145000
146000	146999	1831	1.17	146000
147000	147999	1843	1.17	147000
148000	148999	1854	1.17	148000
149000	149999	1866	1.17	149000
150000 or greater/ou plus		1878	1.17	150000

FEDERAL CHILD SUPPORT TABLES / TABLES FÉDÉRALES DE PENSIONS ALIMENTAIRES POUR ENFANTS

PROVINCE: *ALBERTA*

NO. OF CHILDREN/N°ᴮᴿᴱ D'ENFANTS: *Three/Trois*

Income/Revenu From/De	To/À	Basic Amount/Montant de base	Plus (%)	of Income over/du revenu dépassant
0	6729	0		
6730	6999	0	1.60	6730
7000	7999	4	4.14	7000
8000	8999	46	4.14	8000
9000	9999	87	4.14	9000
10000	10999	128	3.17	10000
11000	11999	160	3.12	11000
12000	12999	191	3.00	12000
13000	13999	221	3.00	13000
14000	14999	251	3.00	14000
15000	15999	281	3.00	15000
16000	16999	311	3.00	16000
17000	17999	341	2.12	17000
18000	18999	363	2.05	18000
19000	19999	383	2.05	19000
20000	20999	404	2.05	20000
21000	21999	424	2.05	21000
22000	22999	445	2.02	22000
23000	23999	465	1.94	23000
24000	24999	484	1.94	24000
25000	25999	504	1.93	25000
26000	26999	523	1.80	26000
27000	27999	541	1.80	27000
28000	28999	559	1.80	28000
29000	29999	577	1.65	29000
30000	30999	593	1.43	30000
31000	31999	608	1.43	31000
32000	32999	622	1.57	32000
33000	33999	638	1.57	33000
34000	34999	653	1.57	34000
35000	35999	669	1.58	35000
36000	36999	685	1.63	36000
37000	37999	701	1.63	37000
38000	38999	718	1.63	38000
39000	39999	734	1.64	39000
40000	40999	750	1.69	40000
41000	41999	767	1.69	41000
42000	42999	784	1.69	42000
43000	43999	801	1.69	43000
44000	44999	818	1.69	44000
45000	45999	835	1.66	45000
46000	46999	851	1.64	46000
47000	47999	868	1.64	47000
48000	48999	884	1.64	48000
49000	49999	901	1.67	49000
50000	50999	917	1.67	50000
51000	51999	934	1.67	51000
52000	52999	951	1.67	52000
53000	53999	967	1.67	53000

Income/Revenu From/De	To/À	Basic Amount/Montant de base	Plus (%)	of Income over/du revenu dépassant
54000	54999	984	1.67	54000
55000	55999	1001	1.67	55000
56000	56999	1017	1.67	56000
57000	57999	1034	1.67	57000
58000	58999	1050	1.67	58000
59000	59999	1067	1.56	59000
60000	60999	1083	1.54	60000
61000	61999	1098	1.54	61000
62000	62999	1113	1.54	62000
63000	63999	1129	1.49	63000
64000	64999	1144	1.46	64000
65000	65999	1158	1.46	65000
66000	66999	1173	1.47	66000
67000	67999	1188	1.50	67000
68000	68999	1203	1.50	68000
69000	69999	1218	1.50	69000
70000	70999	1233	1.50	70000
71000	71999	1248	1.50	71000
72000	72999	1263	1.50	72000
73000	73999	1278	1.50	73000
74000	74999	1293	1.50	74000
75000	75999	1308	1.50	75000
76000	76999	1323	1.50	76000
77000	77999	1337	1.50	77000
78000	78999	1352	1.50	78000
79000	79999	1367	1.50	79000
80000	80999	1382	1.50	80000
81000	81999	1397	1.50	81000
82000	82999	1412	1.50	82000
83000	83999	1427	1.50	83000
84000	84999	1442	1.50	84000
85000	85999	1457	1.50	85000
86000	86999	1472	1.50	86000
87000	87999	1487	1.50	87000
88000	88999	1502	1.50	88000
89000	89999	1517	1.50	89000
90000	90999	1532	1.50	90000
91000	91999	1547	1.50	91000
92000	92999	1562	1.50	92000
93000	93999	1577	1.50	93000
94000	94999	1592	1.50	94000
95000	95999	1607	1.50	95000
96000	96999	1622	1.50	96000
97000	97999	1637	1.50	97000
98000	98999	1652	1.50	98000
99000	99999	1667	1.50	99000
100000	100999	1682	1.50	100000
101000	101999	1697	1.50	101000
102000	102999	1712	1.50	102000

Income/Revenu From/De	To/À	Basic Amount/Montant de base	Plus (%)	of Income over/du revenu dépassant
103000	103999	1727	1.50	103000
104000	104999	1742	1.50	104000
105000	105999	1757	1.50	105000
106000	106999	1772	1.50	106000
107000	107999	1787	1.50	107000
108000	108999	1802	1.50	108000
109000	109999	1817	1.50	109000
110000	110999	1832	1.50	110000
111000	111999	1847	1.50	111000
112000	112999	1862	1.50	112000
113000	113999	1877	1.50	113000
114000	114999	1892	1.50	114000
115000	115999	1907	1.50	115000
116000	116999	1922	1.50	116000
117000	117999	1937	1.50	117000
118000	118999	1952	1.50	118000
119000	119999	1967	1.50	119000
120000	120999	1982	1.50	120000
121000	121999	1997	1.50	121000
122000	122999	2012	1.50	122000
123000	123999	2027	1.50	123000
124000	124999	2042	1.50	124000
125000	125999	2057	1.50	125000
126000	126999	2072	1.50	126000
127000	127999	2087	1.50	127000
128000	128999	2101	1.50	128000
129000	129999	2116	1.50	129000
130000	130999	2131	1.50	130000
131000	131999	2146	1.50	131000
132000	132999	2161	1.50	132000
133000	133999	2176	1.50	133000
134000	134999	2191	1.50	134000
135000	135999	2206	1.50	135000
136000	136999	2221	1.50	136000
137000	137999	2236	1.50	137000
138000	138999	2251	1.50	138000
139000	139999	2266	1.50	139000
140000	140999	2281	1.50	140000
141000	141999	2296	1.50	141000
142000	142999	2311	1.50	142000
143000	143999	2326	1.50	143000
144000	144999	2341	1.50	144000
145000	145999	2356	1.50	145000
146000	146999	2371	1.50	146000
147000	147999	2386	1.50	147000
148000	148999	2401	1.50	148000
149000	149999	2416	1.50	149000
150000 or greater/ou plus		2431	1.50	150000

FEDERAL CHILD SUPPORT TABLES / TABLES FÉDÉRALES DE PENSIONS ALIMENTAIRES POUR ENFANTS

PROVINCE: ALBERTA

No. OF CHILDREN/N^{BRE} D'ENFANTS: Four/Quatre

Income/Revenu From/De	To/À	Basic Amount/Montant de base	Plus (%)	of Income over/du revenu dépassant
0	6729	0		
6730	6999	0	2.01	6730
7000	7999	5	4.56	7000
8000	8999	51	4.55	8000
9000	9999	97	4.55	9000
10000	10999	142	3.58	10000
11000	11999	178	3.54	11000
12000	12999	213	3.42	12000
13000	13999	247	3.42	13000
14000	14999	282	3.42	14000
15000	15999	316	3.42	15000
16000	16999	350	3.42	16000
17000	17999	384	3.62	17000
18000	18999	420	3.74	18000
19000	19999	458	3.02	19000
20000	20999	488	2.39	20000
21000	21999	512	2.39	21000
22000	22999	536	2.36	22000
23000	23999	559	2.29	23000
24000	24999	582	2.29	24000
25000	25999	605	2.28	25000
26000	26999	628	2.13	26000
27000	27999	650	2.13	27000
28000	28999	671	2.13	28000
29000	29999	692	1.95	29000
30000	30999	712	1.69	30000
31000	31999	729	1.69	31000
32000	32999	745	1.86	32000
33000	33999	764	1.86	33000
34000	34999	783	1.86	34000
35000	35999	801	1.86	35000
36000	36999	820	1.93	36000
37000	37999	839	1.93	37000
38000	38999	858	1.93	38000
39000	39999	878	2.00	39000
40000	40999	897	2.00	40000
41000	41999	917	2.00	41000
42000	42999	937	2.00	42000
43000	43999	957	2.00	43000
44000	44999	977	2.00	44000
45000	45999	997	2.00	45000
46000	46999	1017	1.97	46000
47000	47999	1036	1.94	47000
48000	48999	1055	1.95	48000
49000	49999	1075	1.97	49000
50000	50999	1095	1.97	50000
51000	51999	1114	1.97	51000
52000	52999	1134	1.97	52000
53000	53999	1154	1.97	53000

Income/Revenu From/De	To/À	Basic Amount/Montant de base	Plus (%)	of Income over/du revenu dépassant
54000	54999	1173	1.97	54000
55000	55999	1193	1.97	55000
56000	56999	1213	1.97	56000
57000	57999	1232	1.97	57000
58000	58999	1252	1.84	58000
59000	59999	1272	1.84	59000
60000	60999	1290	1.82	60000
61000	61999	1308	1.82	61000
62000	62999	1326	1.82	62000
63000	63999	1345	1.77	63000
64000	64999	1362	1.73	64000
65000	65999	1380	1.73	65000
66000	66999	1397	1.75	66000
67000	67999	1415	1.77	67000
68000	68999	1432	1.77	68000
69000	69999	1450	1.77	69000
70000	70999	1468	1.77	70000
71000	71999	1485	1.77	71000
72000	72999	1503	1.77	72000
73000	73999	1521	1.77	73000
74000	74999	1538	1.77	74000
75000	75999	1556	1.77	75000
76000	76999	1574	1.77	76000
77000	77999	1592	1.77	77000
78000	78999	1609	1.77	78000
79000	79999	1627	1.77	79000
80000	80999	1645	1.77	80000
81000	81999	1662	1.77	81000
82000	82999	1680	1.77	82000
83000	83999	1698	1.77	83000
84000	84999	1715	1.77	84000
85000	85999	1733	1.77	85000
86000	86999	1751	1.77	86000
87000	87999	1769	1.77	87000
88000	88999	1786	1.77	88000
89000	89999	1804	1.77	89000
90000	90999	1822	1.77	90000
91000	91999	1839	1.77	91000
92000	92999	1857	1.77	92000
93000	93999	1875	1.77	93000
94000	94999	1893	1.77	94000
95000	95999	1910	1.77	95000
96000	96999	1928	1.77	96000
97000	97999	1946	1.77	97000
98000	98999	1963	1.77	98000
99000	99999	1981	1.77	99000
100000	100999	1999	1.77	100000
101000	101999	2016	1.77	101000
102000	102999	2034	1.77	102000

Income/Revenu From/De	To/À	Basic Amount/Montant de base	Plus (%)	of Income over/du revenu dépassant
103000	103999	2052	1.77	103000
104000	104999	2070	1.77	104000
105000	105999	2087	1.77	105000
106000	106999	2105	1.77	106000
107000	107999	2123	1.77	107000
108000	108999	2140	1.77	108000
109000	109999	2158	1.77	109000
110000	110999	2176	1.77	110000
111000	111999	2194	1.77	111000
112000	112999	2211	1.77	112000
113000	113999	2229	1.77	113000
114000	114999	2247	1.77	114000
115000	115999	2264	1.77	115000
116000	116999	2282	1.77	116000
117000	117999	2300	1.77	117000
118000	118999	2317	1.77	118000
119000	119999	2335	1.77	119000
120000	120999	2353	1.77	120000
121000	121999	2371	1.77	121000
122000	122999	2388	1.77	122000
123000	123999	2406	1.77	123000
124000	124999	2424	1.77	124000
125000	125999	2441	1.77	125000
126000	126999	2459	1.77	126000
127000	127999	2477	1.77	127000
128000	128999	2494	1.77	128000
129000	129999	2512	1.77	129000
130000	130999	2530	1.77	130000
131000	131999	2548	1.77	131000
132000	132999	2565	1.77	132000
133000	133999	2583	1.77	133000
134000	134999	2601	1.77	134000
135000	135999	2618	1.77	135000
136000	136999	2636	1.77	136000
137000	137999	2654	1.77	137000
138000	138999	2672	1.77	138000
139000	139999	2689	1.77	139000
140000	140999	2707	1.77	140000
141000	141999	2725	1.77	141000
142000	142999	2742	1.77	142000
143000	143999	2760	1.77	143000
144000	144999	2778	1.77	144000
145000	145999	2795	1.77	145000
146000	146999	2813	1.77	146000
147000	147999	2831	1.77	147000
148000	148999	2849	1.77	148000
149000	149999	2866	1.77	149000
150000 or greater/ou plus		2884	1.77	150000

Federal Child Support Tables/
Tables fédérales de pensions alimentaires pour enfants

PROVINCE: *ALBERTA*

No. of Children/N^{bre} d'enfants: *Five/Cinq*

Income/Revenu ($) From/De	To/À	Basic Amount/Montant de base	Plus (%)	of income over/du revenu dépassant
0	6729	0		
6730	6999	0	2.01	6730
7000	7999	5	4.56	7000
8000	8999	51	4.56	8000
9000	9999	97	4.55	9000
10000	10999	142	3.58	10000
11000	11999	178	3.54	11000
12000	12999	213	3.42	12000
13000	13999	247	3.42	13000
14000	14999	282	3.42	14000
15000	15999	316	3.42	15000
16000	16999	350	3.42	16000
17000	17999	384	3.62	17000
18000	18999	420	3.74	18000
19000	19999	458	3.74	19000
20000	20999	495	3.74	20000
21000	21999	533	3.74	21000
22000	22999	570	3.74	22000
23000	23999	607	3.74	23000
24000	24999	645	3.74	24000
25000	25999	682	3.37	25000
26000	26999	716	2.40	26000
27000	27999	740	2.40	27000
28000	28999	764	2.40	28000
29000	29999	788	2.20	29000
30000	30999	810	1.91	30000
31000	31999	829	1.91	31000
32000	32999	848	2.09	32000
33000	33999	869	2.09	33000
34000	34999	890	2.09	34000
35000	35999	911	2.10	35000
36000	36999	932	2.17	36000
37000	37999	954	2.17	37000
38000	38999	976	2.18	38000
39000	39999	997	2.26	39000
40000	40999	1019	2.26	40000
41000	41999	1042	2.26	41000
42000	42999	1064	2.26	42000
43000	43999	1087	2.26	43000
44000	44999	1109	2.28	44000
45000	45999	1132	2.20	45000
46000	46999	1154	2.20	46000
47000	47999	1176	2.20	47000
48000	48999	1198	2.20	48000
49000	49999	1220	2.22	49000
50000	50999	1242	2.22	50000
51000	51999	1265	2.22	51000
52000	52999	1287	2.22	52000
53000	53999	1309	2.22	53000

Income/Revenu ($) From/De	To/À	Basic Amount/Montant de base	Plus (%)	of income over/du revenu dépassant
54000	54999	1331	2.22	54000
55000	55999	1353	2.22	55000
56000	56999	1376	2.22	56000
57000	57999	1398	2.22	57000
58000	58999	1420	2.08	58000
59000	59999	1442	2.05	59000
60000	60999	1463	2.05	60000
61000	61999	1483	2.05	61000
62000	62999	1504	2.05	62000
63000	63999	1524	1.96	63000
64000	64999	1544	1.96	64000
65000	65999	1564	1.98	65000
66000	66999	1584	1.98	66000
67000	67999	1604	2.00	67000
68000	68999	1624	2.00	68000
69000	69999	1643	2.00	69000
70000	70999	1663	2.00	70000
71000	71999	1683	2.00	71000
72000	72999	1703	2.00	72000
73000	73999	1723	2.00	73000
74000	74999	1743	2.00	74000
75000	75999	1763	2.00	75000
76000	76999	1783	2.00	76000
77000	77999	1803	2.00	77000
78000	78999	1823	2.00	78000
79000	79999	1843	2.00	79000
80000	80999	1863	2.00	80000
81000	81999	1883	2.00	81000
82000	82999	1903	2.00	82000
83000	83999	1923	2.00	83000
84000	84999	1943	2.00	84000
85000	85999	1963	2.00	85000
86000	86999	1983	2.00	86000
87000	87999	2003	2.00	87000
88000	88999	2023	2.00	88000
89000	89999	2043	2.00	89000
90000	90999	2063	2.00	90000
91000	91999	2083	2.00	91000
92000	92999	2103	2.00	92000
93000	93999	2123	2.00	93000
94000	94999	2143	2.00	94000
95000	95999	2163	2.00	95000
96000	96999	2183	2.00	96000
97000	97999	2203	2.00	97000
98000	98999	2223	2.00	98000
99000	99999	2243	2.00	99000
100000	100999	2263	2.00	100000
101000	101999	2283	2.00	101000
102000	102999	2303	2.00	102000

Income/Revenu ($) From/De	To/À	Basic Amount/Montant de base	Plus (%)	of income over/du revenu dépassant
103000	103999	2323	2.00	103000
104000	104999	2343	2.00	104000
105000	105999	2363	2.00	105000
106000	106999	2383	2.00	106000
107000	107999	2403	2.00	107000
108000	108999	2422	2.00	108000
109000	109999	2442	2.00	109000
110000	110999	2462	2.00	110000
111000	111999	2482	2.00	111000
112000	112999	2502	2.00	112000
113000	113999	2522	2.00	113000
114000	114999	2542	2.00	114000
115000	115999	2562	2.00	115000
116000	116999	2582	2.00	116000
117000	117999	2602	2.00	117000
118000	118999	2622	2.00	118000
119000	119999	2642	2.00	119000
120000	120999	2662	2.00	120000
121000	121999	2682	2.00	121000
122000	122999	2702	2.00	122000
123000	123999	2722	2.00	123000
124000	124999	2742	2.00	124000
125000	125999	2762	2.00	125000
126000	126999	2782	2.00	126000
127000	127999	2802	2.00	127000
128000	128999	2822	2.00	128000
129000	129999	2842	2.00	129000
130000	130999	2862	2.00	130000
131000	131999	2882	2.00	131000
132000	132999	2902	2.00	132000
133000	133999	2922	2.00	133000
134000	134999	2942	2.00	134000
135000	135999	2962	2.00	135000
136000	136999	2982	2.00	136000
137000	137999	3002	2.00	137000
138000	138999	3022	2.00	138000
139000	139999	3042	2.00	139000
140000	140999	3062	2.00	140000
141000	141999	3082	2.00	141000
142000	142999	3102	2.00	142000
143000	143999	3122	2.00	143000
144000	144999	3142	2.00	144000
145000	145999	3162	2.00	145000
146000	146999	3181	2.00	146000
147000	147999	3201	2.00	147000
148000	148999	3221	2.00	148000
149000	149999	3241	2.00	149000
150000 or greater/ou plus		3261	2.00	150000

FEDERAL CHILD SUPPORT TABLES/ TABLES FÉDÉRALES DE PENSIONS ALIMENTAIRES POUR ENFANTS

PROVINCE: *ALBERTA*

NO. OF CHILDREN/N^BRE D'ENFANTS: *Six or more/Six ou plus*

Income/Revenu From/De	To/À	Basic Amount/Montant de base	Plus (%)	of Income over/du revenu dépassant
0	6729	0		
6730	6999	0	2.01	6730
7000	7999	5	4.56	7000
8000	8999	51	4.56	8000
9000	9999	97	4.55	9000
10000	10999	142	3.58	10000
11000	11999	178	3.54	11000
12000	12999	213	3.42	12000
13000	13999	247	3.42	13000
14000	14999	282	3.42	14000
15000	15999	316	3.42	15000
16000	16999	350	3.42	16000
17000	17999	384	3.62	17000
18000	18999	420	3.74	18000
19000	19999	458	3.74	19000
20000	20999	495	3.74	20000
21000	21999	533	3.74	21000
22000	22999	570	3.74	22000
23000	23999	607	3.74	23000
24000	24999	645	3.74	24000
25000	25999	682	3.71	25000
26000	26999	719	3.33	26000
27000	27999	753	3.33	27000
28000	28999	786	3.33	28000
29000	29999	819	2.87	29000
30000	30999	848	2.21	30000
31000	31999	870	2.21	31000
32000	32999	892	2.63	32000
33000	33999	918	2.63	33000
34000	34999	945	2.63	34000
35000	35999	971	2.65	35000
36000	36999	997	2.81	36000
37000	37999	1026	2.81	37000
38000	38999	1054	2.81	38000
39000	39999	1082	2.83	39000
40000	40999	1110	2.99	40000
41000	41999	1140	2.99	41000
42000	42999	1170	2.70	42000
43000	43999	1197	2.47	43000
44000	44999	1222	2.44	44000
45000	45999	1246	2.41	45000
46000	46999	1271	2.41	46000
47000	47999	1295	2.41	47000
48000	48999	1319	2.43	48000
49000	49999	1343	2.43	49000
50000	50999	1367	2.43	50000
51000	51999	1392	2.43	51000
52000	52999	1416	2.43	52000
53000	53999	1440	2.43	53000
54000	54999	1465	2.43	54000
55000	55999	1489	2.43	55000
56000	56999	1513	2.43	56000
57000	57999	1538	2.43	57000
58000	58999	1562	2.43	58000
59000	59999	1586	2.28	59000
60000	60999	1609	2.25	60000
61000	61999	1632	2.25	61000
62000	62999	1654	2.20	62000
63000	63999	1677	2.20	63000
64000	64999	1699	2.16	64000
65000	65999	1720	2.16	65000
66000	66999	1742	2.17	66000
67000	67999	1763	2.19	67000
68000	68999	1785	2.19	68000
69000	69999	1807	2.19	69000
70000	70999	1829	2.19	70000
71000	71999	1851	2.19	71000
72000	72999	1873	2.19	72000
73000	73999	1895	2.19	73000
74000	74999	1917	2.19	74000
75000	75999	1939	2.19	75000
76000	76999	1961	2.19	76000
77000	77999	1982	2.19	77000
78000	78999	2004	2.19	78000
79000	79999	2026	2.19	79000
80000	80999	2048	2.19	80000
81000	81999	2070	2.19	81000
82000	82999	2092	2.19	82000
83000	83999	2114	2.19	83000
84000	84999	2136	2.19	84000
85000	85999	2158	2.19	85000
86000	86999	2179	2.19	86000
87000	87999	2201	2.19	87000
88000	88999	2223	2.19	88000
89000	89999	2245	2.19	89000
90000	90999	2267	2.19	90000
91000	91999	2289	2.19	91000
92000	92999	2311	2.19	92000
93000	93999	2333	2.19	93000
94000	94999	2355	2.19	94000
95000	95999	2377	2.19	95000
96000	96999	2398	2.19	96000
97000	97999	2420	2.19	97000
98000	98999	2442	2.19	98000
99000	99999	2464	2.19	99000
100000	100999	2486	2.19	100000
101000	101999	2508	2.19	101000
102000	102999	2530	2.19	102000
103000	103999	2552	2.19	103000
104000	104999	2574	2.19	104000
105000	105999	2595	2.19	105000
106000	106999	2617	2.19	106000
107000	107999	2639	2.19	107000
108000	108999	2661	2.19	108000
109000	109999	2683	2.19	109000
110000	110999	2705	2.19	110000
111000	111999	2727	2.19	111000
112000	112999	2749	2.19	112000
113000	113999	2771	2.19	113000
114000	114999	2793	2.19	114000
115000	115999	2814	2.19	115000
116000	116999	2836	2.19	116000
117000	117999	2858	2.19	117000
118000	118999	2880	2.19	118000
119000	119999	2902	2.19	119000
120000	120999	2924	2.19	120000
121000	121999	2946	2.19	121000
122000	122999	2968	2.19	122000
123000	123999	2990	2.19	123000
124000	124999	3011	2.19	124000
125000	125999	3033	2.19	125000
126000	126999	3055	2.19	126000
127000	127999	3077	2.19	127000
128000	128999	3099	2.19	128000
129000	129999	3121	2.19	129000
130000	130999	3143	2.19	130000
131000	131999	3165	2.19	131000
132000	132999	3187	2.19	132000
133000	133999	3209	2.19	133000
134000	134999	3230	2.19	134000
135000	135999	3252	2.19	135000
136000	136999	3274	2.19	136000
137000	137999	3296	2.19	137000
138000	138999	3318	2.19	138000
139000	139999	3340	2.19	139000
140000	140999	3362	2.19	140000
141000	141999	3384	2.19	141000
142000	142999	3406	2.19	142000
143000	143999	3427	2.19	143000
144000	144999	3449	2.19	144000
145000	145999	3471	2.19	145000
146000	146999	3493	2.19	146000
147000	147999	3515	2.19	147000
148000	148999	3537	2.19	148000
149000	149999	3559	2.19	149000
150000	or greater/ou plus	3581	2.19	150000

FEDERAL CHILD SUPPORT TABLES / TABLES FÉDÉRALES DE PENSIONS ALIMENTAIRES POUR ENFANTS

PROVINCE: NEWFOUNDLAND/TERRE-NEUVE
No. OF CHILDREN/Nᵇᴿᴱ D'ENFANTS: One/Un

Income/Revenu From/De	To/À	Basic Amount/Montant de base	Plus (%)	of income over/du revenu dépassant
0	6729	0		
6730	6999	0		
7000	7999	0	8.89	7000
8000	8999	24	2.39	8000
9000	9999	47	2.39	9000
10000	10999	71	2.11	10000
11000	11999	92	0.16	11000
12000	12999	94	0.31	12000
13000	13999	97	0.93	13000
14000	14999	106	0.93	14000
15000	15999	116	0.93	15000
16000	16999	125	0.93	16000
17000	17999	134	0.93	17000
18000	18999	143	0.93	18000
19000	19999	153	0.93	19000
20000	20999	162	0.93	20000
21000	21999	171	0.93	21000
22000	22999	180	0.93	22000
23000	23999	190	0.93	23000
24000	24999	199	0.93	24000
25000	25999	208	0.92	25000
26000	26999	217	0.86	26000
27000	27999	226	0.86	27000
28000	28999	235	0.86	28000
29000	29999	243	0.64	29000
30000	30999	251	0.64	30000
31000	31999	257	0.71	31000
32000	32999	264	0.71	32000
33000	33999	271	0.71	33000
34000	34999	278	0.71	34000
35000	35999	285	0.71	35000
36000	36999	292	0.74	36000
37000	37999	299	0.74	37000
38000	38999	307	0.74	38000
39000	39999	314	0.74	39000
40000	40999	322	0.77	40000
41000	41999	329	0.77	41000
42000	42999	337	0.77	42000
43000	43999	345	0.77	43000
44000	44999	352	0.77	44000
45000	45999	360	0.77	45000
46000	46999	368	0.77	46000
47000	47999	375	0.77	47000
48000	48999	383	0.77	48000
49000	49999	391	0.77	49000
50000	50999	398	0.77	50000
51000	51999	406	0.77	51000
52000	52999	414	0.77	52000
53000	53999	421	0.77	53000
54000	54999	429	0.77	54000
55000	55999	437	0.77	55000
56000	56999	444	0.77	56000
57000	57999	452	0.74	57000
58000	58999	460	0.68	58000
59000	59999	466	0.61	59000
60000	60999	472	0.60	60000
61000	61999	478	0.67	61000
62000	62999	485	0.67	62000
63000	63999	492	0.63	63000
64000	64999	498	0.60	64000
65000	65999	504	0.60	65000
66000	66999	510	0.62	66000
67000	67999	516	0.65	67000
68000	68999	523	0.65	68000
69000	69999	529	0.65	69000
70000	70999	536	0.65	70000
71000	71999	542	0.65	71000
72000	72999	549	0.65	72000
73000	73999	555	0.65	73000
74000	74999	562	0.65	74000
75000	75999	568	0.65	75000
76000	76999	575	0.65	76000
77000	77999	581	0.65	77000
78000	78999	588	0.65	78000
79000	79999	594	0.65	79000
80000	80999	601	0.65	80000
81000	81999	607	0.65	81000
82000	82999	614	0.65	82000
83000	83999	620	0.55	83000
84000	84999	626	0.55	84000
85000	85999	633	0.65	85000
86000	86999	639	0.65	86000
87000	87999	646	0.65	87000
88000	88999	652	0.65	88000
89000	89999	659	0.65	89000
90000	90999	665	0.65	90000
91000	91999	672	0.65	91000
92000	92999	678	0.65	92000
93000	93999	685	0.65	93000
94000	94999	691	0.65	94000
95000	95999	698	0.65	95000
96000	96999	704	0.65	96000
97000	97999	711	0.65	97000
98000	98999	717	0.65	98000
99000	99999	724	0.65	99000
100000	100999	730	0.65	100000
101000	101999	737	0.65	101000
102000	102999	743	0.65	102000
103000	103999	750	0.65	103000
104000	104999	756	0.65	104000
105000	105999	763	0.65	105000
106000	106999	769	0.65	106000
107000	107999	776	0.65	107000
108000	108999	782	0.65	108000
109000	109999	789	0.65	109000
110000	110999	795	0.65	110000
111000	111999	801	0.65	111000
112000	112999	808	0.65	112000
113000	113999	814	0.65	113000
114000	114999	821	0.65	114000
115000	115999	827	0.65	115000
116000	116999	834	0.65	116000
117000	117999	840	0.65	117000
118000	118999	847	0.65	118000
119000	119999	853	0.65	119000
120000	120999	860	0.65	120000
121000	121999	866	0.65	121000
122000	122999	873	0.65	122000
123000	123999	879	0.65	123000
124000	124999	886	0.65	124000
125000	125999	892	0.65	125000
126000	126999	899	0.65	126000
127000	127999	905	0.65	127000
128000	128999	912	0.65	128000
129000	129999	918	0.65	129000
130000	130999	925	0.65	130000
131000	131999	931	0.65	131000
132000	132999	938	0.65	132000
133000	133999	944	0.65	133000
134000	134999	951	0.65	134000
135000	135999	957	0.65	135000
136000	136999	964	0.65	136000
137000	137999	970	0.65	137000
138000	138999	976	0.65	138000
139000	139999	983	0.65	139000
140000	140999	989	0.65	140000
141000	141999	996	0.65	141000
142000	142999	1002	0.65	142000
143000	143999	1009	0.65	143000
144000	144999	1015	0.65	144000
145000	145999	1022	0.65	145000
146000	146999	1028	0.65	146000
147000	147999	1035	0.65	147000
148000	148999	1041	0.65	148000
149000	149999	1048	0.65	149000
150000 or greater/ou plus		1054	0.65	150000

FEDERAL CHILD SUPPORT TABLES/
TABLES FÉDÉRALES DE PENSIONS ALIMENTAIRES POUR ENFANTS

PROVINCE: *NEWFOUNDLAND/TERRE-NEUVE*
No. OF CHILDREN/N[BRE] D'ENFANTS: *Two/Deux*

Income/Revenu ($) From/De	To/À	Basic Amount/Montant de base	Plus (%)	of income over/du revenu dépassant
0	6729	0		
6730	6999	0	0.32	6730
7000	7999	1	2.80	7000
8000	8999	29	2.80	8000
9000	9999	57	2.80	9000
10000	10999	85	2.75	10000
11000	11999	113	2.64	11000
12000	12999	141	2.64	12000
13000	13999	167	2.64	13000
14000	14999	193	2.31	14000
15000	15999	216	1.44	15000
16000	16999	231	1.44	16000
17000	17999	245	1.44	17000
18000	18999	260	1.44	18000
19000	19999	274	1.44	19000
20000	20999	288	1.44	20000
21000	21999	303	1.44	21000
22000	22999	317	1.44	22000
23000	23999	331	1.44	23000
24000	24999	346	1.44	24000
25000	25999	360	1.43	25000
26000	26999	375	1.33	26000
27000	27999	388	1.33	27000
28000	28999	401	1.33	28000
29000	29999	415	1.20	29000
30000	30999	427	1.00	30000
31000	31999	436	1.00	31000
32000	32999	446	1.11	32000
33000	33999	458	1.11	33000
34000	34999	469	1.11	34000
35000	35999	480	1.11	35000
36000	36999	491	1.15	36000
37000	37999	502	1.15	37000
38000	38999	514	1.15	38000
39000	39999	525	1.15	39000
40000	40999	537	1.19	40000
41000	41999	549	1.19	41000
42000	42999	561	1.19	42000
43000	43999	573	1.19	43000
44000	44999	585	1.19	44000
45000	45999	596	1.19	45000
46000	46999	608	1.19	46000
47000	47999	620	1.19	47000
48000	48999	632	1.19	48000
49000	49999	644	1.19	49000
50000	50999	656	1.19	50000
51000	51999	668	1.19	51000
52000	52999	680	1.19	52000
53000	53999	692	1.19	53000

Income/Revenu ($) From/De	To/À	Basic Amount/Montant de base	Plus (%)	of income over/du revenu dépassant
54000	54999	704	1.19	54000
55000	55999	716	1.19	55000
56000	56999	728	1.19	56000
57000	57999	740	1.16	57000
58000	58999	751	1.10	58000
59000	59999	762	1.00	59000
60000	60999	772	0.98	60000
61000	61999	782	1.04	61000
62000	62999	793	1.04	62000
63000	63999	803	1.00	63000
64000	64999	813	0.96	64000
65000	65999	823	0.96	65000
66000	66999	832	0.98	66000
67000	67999	842	1.01	67000
68000	68999	852	1.01	68000
69000	69999	862	1.01	69000
70000	70999	872	1.01	70000
71000	71999	882	1.01	71000
72000	72999	892	1.01	72000
73000	73999	903	1.01	73000
74000	74999	913	1.01	74000
75000	75999	923	1.01	75000
76000	76999	933	1.01	76000
77000	77999	943	1.01	77000
78000	78999	953	1.01	78000
79000	79999	963	1.01	79000
80000	80999	973	1.01	80000
81000	81999	983	1.01	81000
82000	82999	993	1.01	82000
83000	83999	1003	1.01	83000
84000	84999	1013	1.01	84000
85000	85999	1024	1.01	85000
86000	86999	1034	1.01	86000
87000	87999	1044	1.01	87000
88000	88999	1054	1.01	88000
89000	89999	1064	1.01	89000
90000	90999	1074	1.01	90000
91000	91999	1084	1.01	91000
92000	92999	1094	1.01	92000
93000	93999	1104	1.01	93000
94000	94999	1114	1.01	94000
95000	95999	1124	1.01	95000
96000	96999	1134	1.01	96000
97000	97999	1145	1.01	97000
98000	98999	1155	1.01	98000
99000	99999	1165	1.01	99000
100000	100999	1175	1.01	100000
101000	101999	1185	1.01	101000
102000	102999	1195	1.01	102000

Income/Revenu ($) From/De	To/À	Basic Amount/Montant de base	Plus (%)	of income over/du revenu dépassant
103000	103999	1205	1.01	103000
104000	104999	1215	1.01	104000
105000	105999	1225	1.01	105000
106000	106999	1235	1.01	106000
107000	107999	1245	1.01	107000
108000	108999	1255	1.01	108000
109000	109999	1266	1.01	109000
110000	110999	1276	1.01	110000
111000	111999	1286	1.01	111000
112000	112999	1296	1.01	112000
113000	113999	1306	1.01	113000
114000	114999	1316	1.01	114000
115000	115999	1326	1.01	115000
116000	116999	1336	1.01	116000
117000	117999	1346	1.01	117000
118000	118999	1356	1.01	118000
119000	119999	1366	1.01	119000
120000	120999	1376	1.01	120000
121000	121999	1386	1.01	121000
122000	122999	1397	1.01	122000
123000	123999	1407	1.01	123000
124000	124999	1417	1.01	124000
125000	125999	1427	1.01	125000
126000	126999	1437	1.01	126000
127000	127999	1447	1.01	127000
128000	128999	1457	1.01	128000
129000	129999	1467	1.01	129000
130000	130999	1477	1.01	130000
131000	131999	1487	1.01	131000
132000	132999	1497	1.01	132000
133000	133999	1507	1.01	133000
134000	134999	1518	1.01	134000
135000	135999	1528	1.01	135000
136000	136999	1538	1.01	136000
137000	137999	1548	1.01	137000
138000	138999	1558	1.01	138000
139000	139999	1568	1.01	139000
140000	140999	1578	1.01	140000
141000	141999	1588	1.01	141000
142000	142999	1598	1.01	142000
143000	143999	1608	1.01	143000
144000	144999	1618	1.01	144000
145000	145999	1628	1.01	145000
146000	146999	1639	1.01	146000
147000	147999	1649	1.01	147000
148000	148999	1659	1.01	148000
149000	149999	1669	1.01	149000
150000 or greater/ou plus		1679	1.01	150000

FEDERAL CHILD SUPPORT TABLES/
TABLES FÉDÉRALES DE PENSIONS ALIMENTAIRES POUR ENFANTS

PROVINCE: *NEWFOUNDLAND/TERRE-NEUVE*
No. OF CHILDREN/N^bre D'ENFANTS: *Three/Trois*

Income/Revenu ($) From/De	To/À	Basic Amount/Montant de base	Plus (%)	of Income over/du revenu dépassant
0	6729	0		
6730	6999	0	0.73	6730
7000	7999	2	3.22	7000
8000	8999	34	3.22	8000
9000	9999	66	3.22	9000
10000	10999	99	3.22	10000
11000	11999	131	3.17	11000
12000	12999	162	3.05	12000
13000	13999	193	3.05	13000
14000	14999	224	3.05	14000
15000	15999	254	3.05	15000
16000	16999	285	3.05	16000
17000	17999	315	3.05	17000
18000	18999	346	2.52	18000
19000	19999	371	1.85	19000
20000	20999	389	1.85	20000
21000	21999	408	1.85	21000
22000	22999	426	1.85	22000
23000	23999	445	1.85	23000
24000	24999	463	1.84	24000
25000	25999	482	1.84	25000
26000	26999	500	1.71	26000
27000	27999	517	1.71	27000
28000	28999	535	1.71	28000
29000	29999	552	1.54	29000
30000	30999	567	1.28	30000
31000	31999	580	1.42	31000
32000	32999	593	1.42	32000
33000	33999	607	1.42	33000
34000	34999	621	1.43	34000
35000	35999	635	1.48	35000
36000	36999	650	1.48	36000
37000	37999	664	1.48	37000
38000	38999	679	1.48	38000
39000	39999	694	1.48	39000
40000	40999	709	1.54	40000
41000	41999	724	1.54	41000
42000	42999	740	1.54	42000
43000	43999	755	1.54	43000
44000	44999	770	1.54	44000
45000	45999	786	1.54	45000
46000	46999	801	1.54	46000
47000	47999	816	1.54	47000
48000	48999	832	1.54	48000
49000	49999	847	1.54	49000
50000	50999	862	1.54	50000
51000	51999	878	1.54	51000
52000	52999	893	1.54	52000
53000	53999	908	1.54	53000
54000	54999	924	1.54	54000
55000	55999	939	1.54	55000
56000	56999	955	1.54	56000
57000	57999	970	1.50	57000
58000	58999	985	1.44	58000
59000	59999	999	1.31	59000
60000	60999	1012	1.28	60000
61000	61999	1025	1.34	61000
62000	62999	1039	1.34	62000
63000	63999	1052	1.29	63000
64000	64999	1065	1.26	64000
65000	65999	1077	1.27	65000
66000	66999	1090	1.28	66000
67000	67999	1103	1.30	67000
68000	68999	1116	1.30	68000
69000	69999	1129	1.30	69000
70000	70999	1142	1.30	70000
71000	71999	1154	1.30	71000
72000	72999	1167	1.30	72000
73000	73999	1180	1.30	73000
74000	74999	1193	1.30	74000
75000	75999	1206	1.30	75000
76000	76999	1219	1.30	76000
77000	77999	1232	1.30	77000
78000	78999	1245	1.30	78000
79000	79999	1258	1.30	79000
80000	80999	1271	1.30	80000
81000	81999	1284	1.30	81000
82000	82999	1297	1.30	82000
83000	83999	1310	1.30	83000
84000	84999	1323	1.30	84000
85000	85999	1336	1.30	85000
86000	86999	1349	1.30	86000
87000	87999	1362	1.30	87000
88000	88999	1375	1.30	88000
89000	89999	1388	1.30	89000
90000	90999	1401	1.30	90000
91000	91999	1414	1.30	91000
92000	92999	1427	1.30	92000
93000	93999	1440	1.30	93000
94000	94999	1453	1.30	94000
95000	95999	1466	1.30	95000
96000	96999	1479	1.30	96000
97000	97999	1492	1.30	97000
98000	98999	1505	1.30	98000
99000	99999	1517	1.30	99000
100000	100999	1530	1.30	100000
101000	101999	1543	1.30	101000
102000	102999	1556	1.30	102000
103000	103999	1569	1.30	103000
104000	104999	1582	1.30	104000
105000	105999	1595	1.30	105000
106000	106999	1608	1.30	106000
107000	107999	1621	1.30	107000
108000	108999	1634	1.30	108000
109000	109999	1647	1.30	109000
110000	110999	1660	1.30	110000
111000	111999	1673	1.30	111000
112000	112999	1686	1.30	112000
113000	113999	1699	1.30	113000
114000	114999	1712	1.30	114000
115000	115999	1725	1.30	115000
116000	116999	1738	1.30	116000
117000	117999	1751	1.30	117000
118000	118999	1764	1.30	118000
119000	119999	1777	1.30	119000
120000	120999	1790	1.30	120000
121000	121999	1803	1.30	121000
122000	122999	1816	1.30	122000
123000	123999	1829	1.30	123000
124000	124999	1842	1.30	124000
125000	125999	1855	1.30	125000
126000	126999	1867	1.30	126000
127000	127999	1880	1.30	127000
128000	128999	1893	1.30	128000
129000	129999	1906	1.30	129000
130000	130999	1919	1.30	130000
131000	131999	1932	1.30	131000
132000	132999	1945	1.30	132000
133000	133999	1958	1.30	133000
134000	134999	1971	1.30	134000
135000	135999	1984	1.30	135000
136000	136999	1997	1.30	136000
137000	137999	2010	1.30	137000
138000	138999	2023	1.30	138000
139000	139999	2036	1.30	139000
140000	140999	2049	1.30	140000
141000	141999	2062	1.30	141000
142000	142999	2075	1.30	142000
143000	143999	2088	1.30	143000
144000	144999	2101	1.30	144000
145000	145999	2114	1.30	145000
146000	146999	2127	1.30	146000
147000	147999	2140	1.30	147000
148000	148999	2153	1.30	148000
149000	149999	2166	1.30	149000
150000 or greater/ou plus		2179	1.30	150000

FEDERAL CHILD SUPPORT TABLES/
TABLES FÉDÉRALES DE PENSIONS ALIMENTAIRES POUR ENFANTS

PROVINCE: *NEWFOUNDLAND/TERRE-NEUVE*
NO. OF CHILDREN/Nᵇʳᵉ D'ENFANTS: *Four/Quatre*

Income/Revenu From/De	To/À	Basic Amount/ Montant de base	Plus (%)	of Income over/ du revenu dépassant
0	6729	0		
6730	6999	0	1.15	6730
7000	7999	3	3.64	7000
8000	8999	39	3.64	8000
9000	9999	76	3.64	9000
10000	10999	112	3.64	10000
11000	11999	149	3.59	11000
12000	12999	184	3.47	12000
13000	13999	219	3.47	13000
14000	14999	254	3.47	14000
15000	15999	289	3.47	15000
16000	16999	323	3.47	16000
17000	17999	358	3.47	17000
18000	18999	393	3.47	18000
19000	19999	427	3.47	19000
20000	20999	462	3.20	20000
21000	21999	494	2.19	21000
22000	22999	516	2.19	22000
23000	23999	538	2.19	23000
24000	24999	560	2.19	24000
25000	25999	582	2.17	25000
26000	26999	603	2.02	26000
27000	27999	623	2.02	27000
28000	28999	644	2.02	28000
29000	29999	664	1.82	29000
30000	30999	682	1.52	30000
31000	31999	697	1.52	31000
32000	32999	712	1.68	32000
33000	33999	729	1.68	33000
34000	34999	746	1.69	34000
35000	35999	763	1.75	35000
36000	36999	780	1.75	36000
37000	37999	797	1.75	37000
38000	38999	815	1.75	38000
39000	39999	832	1.81	39000
40000	40999	850	1.81	40000
41000	41999	868	1.81	41000
42000	42999	886	1.81	42000
43000	43999	904	1.81	43000
44000	44999	922	1.81	44000
45000	45999	940	1.81	45000
46000	46999	959	1.81	46000
47000	47999	977	1.81	47000
48000	48999	995	1.81	48000
49000	49999	1013	1.81	49000
50000	50999	1031	1.81	50000
51000	51999	1049	1.81	51000
52000	52999	1067	1.81	52000
53000	53999	1086	1.81	53000
54000	54999	1104	1.81	54000
55000	55999	1122	1.81	55000
56000	56999	1140	1.81	56000
57000	57999	1158	1.78	57000
58000	58999	1176	1.71	58000
59000	59999	1193	1.56	59000
60000	60999	1209	1.53	60000
61000	61999	1224	1.58	61000
62000	62999	1240	1.58	62000
63000	63999	1256	1.53	63000
64000	64999	1271	1.50	64000
65000	65999	1286	1.50	65000
66000	66999	1301	1.51	66000
67000	67999	1316	1.53	67000
68000	68999	1331	1.53	68000
69000	69999	1346	1.53	69000
70000	70999	1362	1.53	70000
71000	71999	1377	1.53	71000
72000	72999	1392	1.53	72000
73000	73999	1408	1.53	73000
74000	74999	1423	1.53	74000
75000	75999	1438	1.53	75000
76000	76999	1454	1.53	76000
77000	77999	1469	1.53	77000
78000	78999	1484	1.53	78000
79000	79999	1500	1.53	79000
80000	80999	1515	1.53	80000
81000	81999	1530	1.53	81000
82000	82999	1546	1.53	82000
83000	83999	1561	1.53	83000
84000	84999	1576	1.53	84000
85000	85999	1592	1.53	85000
86000	86999	1607	1.53	86000
87000	87999	1622	1.53	87000
88000	88999	1638	1.53	88000
89000	89999	1653	1.53	89000
90000	90999	1668	1.53	90000
91000	91999	1684	1.53	91000
92000	92999	1699	1.53	92000
93000	93999	1714	1.53	93000
94000	94999	1730	1.53	94000
95000	95999	1745	1.53	95000
96000	96999	1760	1.53	96000
97000	97999	1775	1.53	97000
98000	98999	1791	1.53	98000
99000	99999	1806	1.53	99000
100000	100999	1821	1.53	100000
101000	101999	1837	1.53	101000
102000	102999	1852	1.53	102000
103000	103999	1867	1.53	103000
104000	104999	1883	1.53	104000
105000	105999	1898	1.53	105000
106000	106999	1913	1.53	106000
107000	107999	1929	1.53	107000
108000	108999	1944	1.53	108000
109000	109999	1959	1.53	109000
110000	110999	1975	1.53	110000
111000	111999	1990	1.53	111000
112000	112999	2005	1.53	112000
113000	113999	2021	1.53	113000
114000	114999	2036	1.53	114000
115000	115999	2051	1.53	115000
116000	116999	2067	1.53	116000
117000	117999	2082	1.53	117000
118000	118999	2097	1.53	118000
119000	119999	2113	1.53	119000
120000	120999	2128	1.53	120000
121000	121999	2143	1.53	121000
122000	122999	2158	1.53	122000
123000	123999	2174	1.53	123000
124000	124999	2189	1.53	124000
125000	125999	2204	1.53	125000
126000	126999	2220	1.53	126000
127000	127999	2235	1.53	127000
128000	128999	2250	1.53	128000
129000	129999	2266	1.53	129000
130000	130999	2281	1.53	130000
131000	131999	2296	1.53	131000
132000	132999	2312	1.53	132000
133000	133999	2327	1.53	133000
134000	134999	2342	1.53	134000
135000	135999	2358	1.53	135000
136000	136999	2373	1.53	136000
137000	137999	2388	1.53	137000
138000	138999	2404	1.53	138000
139000	139999	2419	1.53	139000
140000	140999	2434	1.53	140000
141000	141999	2450	1.53	141000
142000	142999	2465	1.53	142000
143000	143999	2480	1.53	143000
144000	144999	2496	1.53	144000
145000	145999	2511	1.53	145000
146000	146999	2526	1.53	146000
147000	147999	2542	1.53	147000
148000	148999	2557	1.53	148000
149000	149999	2572	1.53	149000
150000 or greater/ou plus		2587	1.53	150000

FEDERAL CHILD SUPPORT TABLES/
TABLES FÉDÉRALES DE PENSIONS ALIMENTAIRES POUR ENFANTS

PROVINCE: NEWFOUNDLAND/TERRE-NEUVE
NO. OF CHILDREN/N^bre D'ENFANTS: Five/Cinq

Income/Revenu ($) From/De	To/À	Basic Amount/Montant de base	Plus (%)	of Income over/du revenu dépassant
0	6729	0		
6730	6999	0	1.15	6730
7000	7999	3	3.64	7000
8000	8999	39	3.64	8000
9000	9999	76	3.64	9000
10000	10999	112	3.59	10000
11000	11999	149	3.47	11000
12000	12999	184	3.47	12000
13000	13999	219	3.47	13000
14000	14999	254	3.47	14000
15000	15999	289	3.47	15000
16000	16999	323	3.47	16000
17000	17999	358	3.47	17000
18000	18999	393	3.47	18000
19000	19999	427	3.47	19000
20000	20999	462	3.47	20000
21000	21999	497	3.47	21000
22000	22999	531	3.47	22000
23000	23999	566	3.47	23000
24000	24999	601	3.47	24000
25000	25999	636	3.44	25000
26000	26999	670	3.05	26000
27000	27999	700	3.05	27000
28000	28999	731	2.65	28000
29000	29999	757	2.05	29000
30000	30999	778	2.05	30000
31000	31999	795	1.71	31000
32000	32999	812	1.89	32000
33000	33999	831	1.89	33000
34000	34999	850	1.89	34000
35000	35999	869	1.90	35000
36000	36999	888	1.97	36000
37000	37999	908	1.97	37000
38000	38999	927	1.97	38000
39000	39999	947	1.98	39000
40000	40999	967	2.05	40000
41000	41999	987	2.05	41000
42000	42999	1008	2.05	42000
43000	43999	1028	2.05	43000
44000	44999	1049	2.05	44000
45000	45999	1069	2.05	45000
46000	46999	1090	2.05	46000
47000	47999	1110	2.05	47000
48000	48999	1131	2.05	48000
49000	49999	1151	2.05	49000
50000	50999	1172	2.05	50000
51000	51999	1192	2.05	51000
52000	52999	1213	2.05	52000
53000	53999	1233	2.05	53000
54000	54999	1254	2.05	54000
55000	55999	1274	2.05	55000
56000	56999	1295	2.05	56000
57000	57999	1315	2.01	57000
58000	58999	1335	1.94	58000
59000	59999	1355	1.77	59000
60000	60999	1372	1.74	60000
61000	61999	1390	1.78	61000
62000	62999	1407	1.78	62000
63000	63999	1425	1.73	63000
64000	64999	1443	1.69	64000
65000	65999	1459	1.69	65000
66000	66999	1476	1.71	66000
67000	67999	1494	1.73	67000
68000	68999	1511	1.73	68000
69000	69999	1528	1.73	69000
70000	70999	1545	1.73	70000
71000	71999	1563	1.73	71000
72000	72999	1580	1.73	72000
73000	73999	1597	1.73	73000
74000	74999	1615	1.73	74000
75000	75999	1632	1.73	75000
76000	76999	1649	1.73	76000
77000	77999	1666	1.73	77000
78000	78999	1684	1.73	78000
79000	79999	1701	1.73	79000
80000	80999	1718	1.73	80000
81000	81999	1736	1.73	81000
82000	82999	1753	1.73	82000
83000	83999	1770	1.73	83000
84000	84999	1787	1.73	84000
85000	85999	1805	1.73	85000
86000	86999	1822	1.73	86000
87000	87999	1839	1.73	87000
88000	88999	1857	1.73	88000
89000	89999	1874	1.73	89000
90000	90999	1891	1.73	90000
91000	91999	1908	1.73	91000
92000	92999	1926	1.73	92000
93000	93999	1943	1.73	93000
94000	94999	1960	1.73	94000
95000	95999	1978	1.73	95000
96000	96999	1995	1.73	96000
97000	97999	2012	1.73	97000
98000	98999	2029	1.73	98000
99000	99999	2047	1.73	99000
100000	100999	2064	1.73	100000
101000	101999	2081	1.73	101000
102000	102999	2099	1.73	102000
103000	103999	2116	1.73	103000
104000	104999	2133	1.73	104000
105000	105999	2150	1.73	105000
106000	106999	2168	1.73	106000
107000	107999	2185	1.73	107000
108000	108999	2202	1.73	108000
109000	109999	2219	1.73	109000
110000	110999	2237	1.73	110000
111000	111999	2254	1.73	111000
112000	112999	2271	1.73	112000
113000	113999	2289	1.73	113000
114000	114999	2306	1.73	114000
115000	115999	2323	1.73	115000
116000	116999	2340	1.73	116000
117000	117999	2358	1.73	117000
118000	118999	2375	1.73	118000
119000	119999	2392	1.73	119000
120000	120999	2410	1.73	120000
121000	121999	2427	1.73	121000
122000	122999	2444	1.73	122000
123000	123999	2461	1.73	123000
124000	124999	2479	1.73	124000
125000	125999	2496	1.73	125000
126000	126999	2513	1.73	126000
127000	127999	2531	1.73	127000
128000	128999	2548	1.73	128000
129000	129999	2565	1.73	129000
130000	130999	2582	1.73	130000
131000	131999	2600	1.73	131000
132000	132999	2617	1.73	132000
133000	133999	2634	1.73	133000
134000	134999	2652	1.73	134000
135000	135999	2669	1.73	135000
136000	136999	2686	1.73	136000
137000	137999	2703	1.73	137000
138000	138999	2721	1.73	138000
139000	139999	2738	1.73	139000
140000	140999	2755	1.73	140000
141000	141999	2773	1.73	141000
142000	142999	2790	1.73	142000
143000	143999	2807	1.73	143000
144000	144999	2824	1.73	144000
145000	145999	2842	1.73	145000
146000	146999	2859	1.73	146000
147000	147999	2876	1.73	147000
148000	148999	2894	1.73	148000
149000	149999	2911	1.73	149000
150000 or greater/ou plus		2928	1.73	150000

FEDERAL CHILD SUPPORT TABLES/
TABLES FÉDÉRALES DE PENSIONS ALIMENTAIRES POUR ENFANTS

PROVINCE: *NEWFOUNDLAND/TERRE-NEUVE*

No. OF CHILDREN/N^bre D'ENFANTS: *Six or more/Six ou plus*

Income/Revenu From/De	To/À	Basic Amount/Montant de base	Plus (%)	of income over/du revenu dépassant
	6729	0		
6730	6999	0	1.15	6730
7000	7999	3	3.64	7000
8000	8999	39	3.64	8000
9000	9999	76	3.64	9000
10000	10999	112	3.64	10000
11000	11999	149	3.59	11000
12000	12999	184	3.47	12000
13000	13999	219	3.47	13000
14000	14999	254	3.47	14000
15000	15999	289	3.47	15000
16000	16999	323	3.47	16000
17000	17999	358	3.47	17000
18000	18999	393	3.47	18000
19000	19999	427	3.47	19000
20000	20999	462	3.47	20000
21000	21999	497	3.47	21000
22000	22999	531	3.47	22000
23000	23999	566	3.47	23000
24000	24999	601	3.47	24000
25000	25999	636	3.44	25000
26000	26999	670	3.05	26000
27000	27999	700	3.05	27000
28000	28999	731	3.05	28000
29000	29999	761	2.53	29000
30000	30999	787	1.76	30000
31000	31999	804	1.76	31000
32000	32999	822	2.18	32000
33000	33999	844	2.18	33000
34000	34999	866	2.20	34000
35000	35999	887	2.35	35000
36000	36999	909	2.35	36000
37000	37999	933	2.35	37000
38000	38999	956	2.37	38000
39000	39999	980	2.52	39000
40000	40999	1004	2.52	40000
41000	41999	1029	2.52	41000
42000	42999	1054	2.52	42000
43000	43999	1079	2.52	43000
44000	44999	1105	2.52	44000
45000	45999	1130	2.52	45000
46000	46999	1155	2.52	46000
47000	47999	1180	2.52	47000
48000	48999	1206	2.52	48000
49000	49999	1231	2.52	49000
50000	50999	1256	2.52	50000
51000	51999	1281	2.52	51000
52000	52999	1306	2.52	52000
53000	53999	1332	2.52	53000
54000	54999	1357	2.52	54000
55000	55999	1382	2.52	55000
56000	56999	1407	2.52	56000
57000	57999	1433	2.47	57000
58000	58999	1457	2.37	58000
59000	59999	1481	2.00	59000
60000	60999	1501	1.93	60000
61000	61999	1520	1.93	61000
62000	62999	1540	1.93	62000
63000	63999	1559	1.86	63000
64000	64999	1577	1.81	64000
65000	65999	1595	1.81	65000
66000	66999	1614	1.81	66000
67000	67999	1632	1.81	67000
68000	68999	1650	1.81	68000
69000	69999	1668	1.81	69000
70000	70999	1686	1.81	70000
71000	71999	1704	1.81	71000
72000	72999	1722	1.81	72000
73000	73999	1740	1.81	73000
74000	74999	1758	1.81	74000
75000	75999	1776	1.81	75000
76000	76999	1794	1.81	76000
77000	77999	1812	1.81	77000
78000	78999	1830	1.81	78000
79000	79999	1848	1.81	79000
80000	80999	1866	1.81	80000
81000	81999	1884	1.81	81000
82000	82999	1902	1.81	82000
83000	83999	1921	1.81	83000
84000	84999	1939	1.81	84000
85000	85999	1957	1.81	85000
86000	86999	1975	1.81	86000
87000	87999	1993	1.81	87000
88000	88999	2011	1.81	88000
89000	89999	2029	1.81	89000
90000	90999	2047	1.81	90000
91000	91999	2065	1.81	91000
92000	92999	2083	1.81	92000
93000	93999	2101	1.81	93000
94000	94999	2119	1.81	94000
95000	95999	2137	1.81	95000
96000	96999	2155	1.81	96000
97000	97999	2173	1.81	97000
98000	98999	2191	1.81	98000
99000	99999	2209	1.81	99000
100000	100999	2227	1.81	100000
101000	101999	2246	1.81	101000
102000	102999	2264	1.81	102000
103000	103999	2282	1.81	103000
104000	104999	2300	1.81	104000
105000	105999	2318	1.81	105000
106000	106999	2336	1.81	106000
107000	107999	2354	1.81	107000
108000	108999	2372	1.81	108000
109000	109999	2390	1.81	109000
110000	110999	2408	1.81	110000
111000	111999	2426	1.81	111000
112000	112999	2444	1.81	112000
113000	113999	2462	1.81	113000
114000	114999	2480	1.81	114000
115000	115999	2498	1.81	115000
116000	116999	2516	1.81	116000
117000	117999	2534	1.81	117000
118000	118999	2553	1.81	118000
119000	119999	2571	1.81	119000
120000	120999	2589	1.81	120000
121000	121999	2607	1.81	121000
122000	122999	2625	1.81	122000
123000	123999	2643	1.81	123000
124000	124999	2661	1.81	124000
125000	125999	2679	1.81	125000
126000	126999	2697	1.81	126000
127000	127999	2715	1.81	127000
128000	128999	2733	1.81	128000
129000	129999	2751	1.81	129000
130000	130999	2769	1.81	130000
131000	131999	2787	1.81	131000
132000	132999	2805	1.81	132000
133000	133999	2823	1.81	133000
134000	134999	2841	1.81	134000
135000	135999	2860	1.81	135000
136000	136999	2878	1.81	136000
137000	137999	2896	1.81	137000
138000	138999	2914	1.81	138000
139000	139999	2932	1.81	139000
140000	140999	2950	1.81	140000
141000	141999	2968	1.81	141000
142000	142999	2986	1.81	142000
143000	143999	3004	1.81	143000
144000	144999	3022	1.81	144000
145000	145999	3040	1.81	145000
146000	146999	3058	1.81	146000
147000	147999	3076	1.81	147000
148000	148999	3094	1.81	148000
149000	149999	3112	1.81	149000
150000 or greater/ou plus		3130	1.81	150000

FEDERAL CHILD SUPPORT TABLES/
TABLES FÉDÉRALES DE PENSIONS ALIMENTAIRES POUR ENFANTS

PROVINCE: *YUKON*

NO. OF CHILDREN/NBRE D'ENFANTS: *One/Un*

Income/Revenu From/De	To/À	Basic Amount/Montant de base	Plus (%)	of Income over/du revenu dépassant
0	11169	0		
11170	11999	0	2.59	11170
12000	12999	21	2.47	12000
13000	13999	46	2.47	13000
14000	14999	71	2.47	14000
15000	15999	96	2.42	15000
16000	16999	120	0.97	16000
17000	17999	145	0.97	17000
18000	18999	154	0.97	18000
19000	19999	164	0.97	19000
20000	20999	174	0.97	20000
21000	21999	183	0.97	21000
22000	22999	193	0.97	22000
23000	23999	203	0.97	23000
24000	24999	212	0.96	24000
25000	25999	222	0.96	25000
26000	26999	232	0.90	26000
27000	27999	241	0.90	27000
28000	28999	250	0.90	28000
29000	29999	259	0.82	29000
30000	30999	267	0.71	30000
31000	31999	274	0.71	31000
32000	32999	281	0.78	32000
33000	33999	289	0.78	33000
34000	34999	296	0.78	34000
35000	35999	304	0.78	35000
36000	36999	312	0.81	36000
37000	37999	320	0.81	37000
38000	38999	328	0.81	38000
39000	39999	336	0.81	39000
40000	40999	344	0.84	40000
41000	41999	353	0.84	41000
42000	42999	361	0.84	42000
43000	43999	369	0.84	43000
44000	44999	378	0.84	44000
45000	45999	386	0.84	45000
46000	46999	394	0.84	46000
47000	47999	403	0.84	47000
48000	48999	411	0.84	48000
49000	49999	420	0.84	49000
50000	50999	428	0.84	50000
51000	51999	436	0.84	51000
52000	52999	445	0.84	52000
53000	53999	453	0.84	53000

Income/Revenu From/De	To/À	Basic Amount/Montant de base	Plus (%)	of Income over/du revenu dépassant
54000	54999	461	0.84	54000
55000	55999	470	0.84	55000
56000	56999	478	0.84	56000
57000	57999	486	0.84	57000
58000	58999	495	0.84	58000
59000	59999	503	0.78	59000
60000	60999	511	0.77	60000
61000	61999	519	0.76	61000
62000	62999	526	0.74	62000
63000	63999	534	0.70	63000
64000	64999	541	0.67	64000
65000	65999	547	0.69	65000
66000	66999	554	0.71	66000
67000	67999	561	0.74	67000
68000	68999	569	0.74	68000
69000	69999	576	0.74	69000
70000	70999	584	0.74	70000
71000	71999	591	0.74	71000
72000	72999	599	0.74	72000
73000	73999	606	0.74	73000
74000	74999	613	0.74	74000
75000	75999	621	0.74	75000
76000	76999	628	0.74	76000
77000	77999	636	0.74	77000
78000	78999	643	0.74	78000
79000	79999	651	0.74	79000
80000	80999	658	0.74	80000
81000	81999	665	0.74	81000
82000	82999	673	0.74	82000
83000	83999	680	0.74	83000
84000	84999	688	0.74	84000
85000	85999	695	0.74	85000
86000	86999	703	0.74	86000
87000	87999	710	0.74	87000
88000	88999	717	0.74	88000
89000	89999	725	0.74	89000
90000	90999	732	0.74	90000
91000	91999	740	0.74	91000
92000	92999	747	0.74	92000
93000	93999	754	0.74	93000
94000	94999	762	0.74	94000
95000	95999	769	0.74	95000
96000	96999	777	0.74	96000
97000	97999	784	0.74	97000
98000	98999	792	0.74	98000
99000	99999	799	0.74	99000
100000	100999	806	0.74	100000
101000	101999	814	0.74	101000
102000	102999	821	0.74	102000

Income/Revenu From/De	To/À	Basic Amount/Montant de base	Plus (%)	of Income over/du revenu dépassant
103000	103999	829	0.74	103000
104000	104999	836	0.74	104000
105000	105999	844	0.74	105000
106000	106999	851	0.74	106000
107000	107999	858	0.74	107000
108000	108999	866	0.74	108000
109000	109999	873	0.74	109000
110000	110999	881	0.74	110000
111000	111999	888	0.74	111000
112000	112999	896	0.74	112000
113000	113999	903	0.74	113000
114000	114999	910	0.74	114000
115000	115999	918	0.74	115000
116000	116999	925	0.74	116000
117000	117999	933	0.74	117000
118000	118999	940	0.74	118000
119000	119999	948	0.74	119000
120000	120999	955	0.74	120000
121000	121999	962	0.74	121000
122000	122999	970	0.74	122000
123000	123999	977	0.74	123000
124000	124999	985	0.74	124000
125000	125999	992	0.74	125000
126000	126999	999	0.74	126000
127000	127999	1007	0.74	127000
128000	128999	1014	0.74	128000
129000	129999	1022	0.74	129000
130000	130999	1029	0.74	130000
131000	131999	1037	0.74	131000
132000	132999	1044	0.74	132000
133000	133999	1051	0.74	133000
134000	134999	1059	0.74	134000
135000	135999	1066	0.74	135000
136000	136999	1074	0.74	136000
137000	137999	1081	0.74	137000
138000	138999	1089	0.74	138000
139000	139999	1096	0.74	139000
140000	140999	1103	0.74	140000
141000	141999	1111	0.74	141000
142000	142999	1118	0.74	142000
143000	143999	1126	0.74	143000
144000	144999	1133	0.74	144000
145000	145999	1141	0.74	145000
146000	146999	1148	0.74	146000
147000	147999	1155	0.74	147000
148000	148999	1163	0.74	148000
149000	149999	1170	0.74	149000
150000 or greater/ou plus		1178	0.74	150000

FEDERAL CHILD SUPPORT TABLES / TABLES FÉDÉRALES DE PENSIONS ALIMENTAIRES POUR ENFANTS

PROVINCE: *YUKON*

No. OF CHILDREN/N^{BRE} D'ENFANTS: *Two/Deux*

Income/Revenu ($) From/De	To/À	Monthly Award/Paiement mensuel ($) Basic Amount/Montant de base	Plus (%)	of income over/du revenu dépassant
0	10859	0		
10860	10999	0		10860
11000	11999	4	2.88	11000
12000	12999	34	3.01	12000
13000	13999	63	2.89	13000
14000	14999	92	2.89	14000
15000	15999	121	2.89	15000
16000	16999	150	2.89	16000
17000	17999	179	2.89	17000
18000	18999	208	2.89	18000
19000	19999	236	2.89	19000
20000	20999	265	2.89	20000
21000	21999	294	2.89	21000
22000	22999	323	2.89	22000
23000	23999	348	2.44	23000
24000	24999	363	1.51	24000
25000	25999	378	1.50	25000
26000	26999	393	1.40	26000
27000	27999	407	1.40	27000
28000	28999	421	1.40	28000
29000	29999	435	1.28	29000
30000	30999	447	1.10	30000
31000	31999	458	1.21	31000
32000	32999	469	1.21	32000
33000	33999	481	1.21	33000
34000	34999	493	1.21	34000
35000	35999	506	1.25	35000
36000	36999	518	1.25	36000
37000	37999	530	1.25	37000
38000	38999	543	1.26	38000
39000	39999	555	1.30	39000
40000	40999	568	1.30	40000
41000	41999	581	1.30	41000
42000	42999	594	1.30	42000
43000	43999	607	1.30	43000
44000	44999	620	1.30	44000
45000	45999	633	1.30	45000
46000	46999	646	1.30	46000
47000	47999	659	1.30	47000
48000	48999	672	1.30	48000
49000	49999	685	1.30	49000
50000	50999	698	1.30	50000
51000	51999	711	1.30	51000
52000	52999	724	1.30	52000
53000	53999	737	1.30	53000

Income/Revenu ($) From/De	To/À	Monthly Award/Paiement mensuel ($) Basic Amount/Montant de base	Plus (%)	of income over/du revenu dépassant
54000	54999	750	1.30	54000
55000	55999	763	1.30	55000
56000	56999	776	1.30	56000
57000	57999	789	1.30	57000
58000	58999	802	1.30	58000
59000	59999	815	1.22	59000
60000	60999	827	1.20	60000
61000	61999	839	1.19	61000
62000	62999	851	1.16	62000
63000	63999	863	1.12	63000
64000	64999	874	1.09	64000
65000	65999	885	1.11	65000
66000	66999	896	1.13	66000
67000	67999	907	1.15	67000
68000	68999	919	1.15	68000
69000	69999	930	1.15	69000
70000	70999	942	1.15	70000
71000	71999	954	1.15	71000
72000	72999	965	1.15	72000
73000	73999	977	1.15	73000
74000	74999	988	1.15	74000
75000	75999	1000	1.15	75000
76000	76999	1011	1.15	76000
77000	77999	1023	1.15	77000
78000	78999	1034	1.15	78000
79000	79999	1046	1.15	79000
80000	80999	1057	1.15	80000
81000	81999	1069	1.15	81000
82000	82999	1081	1.15	82000
83000	83999	1092	1.15	83000
84000	84999	1104	1.15	84000
85000	85999	1115	1.15	85000
86000	86999	1127	1.15	86000
87000	87999	1138	1.15	87000
88000	88999	1150	1.15	88000
89000	89999	1161	1.15	89000
90000	90999	1173	1.15	90000
91000	91999	1185	1.15	91000
92000	92999	1196	1.15	92000
93000	93999	1208	1.15	93000
94000	94999	1219	1.15	94000
95000	95999	1231	1.15	95000
96000	96999	1242	1.15	96000
97000	97999	1254	1.15	97000
98000	98999	1265	1.15	98000
99000	99999	1277	1.15	99000
100000	100999	1288	1.15	100000
101000	101999	1300	1.15	101000
102000	102999	1312	1.15	102000

Income/Revenu ($) From/De	To/À	Monthly Award/Paiement mensuel ($) Basic Amount/Montant de base	Plus (%)	of income over/du revenu dépassant
103000	103999	1323	1.15	103000
104000	104999	1335	1.15	104000
105000	105999	1346	1.15	105000
106000	106999	1358	1.15	106000
107000	107999	1369	1.15	107000
108000	108999	1381	1.15	108000
109000	109999	1392	1.15	109000
110000	110999	1404	1.15	110000
111000	111999	1415	1.15	111000
112000	112999	1427	1.15	112000
113000	113999	1439	1.15	113000
114000	114999	1450	1.15	114000
115000	115999	1462	1.15	115000
116000	116999	1473	1.15	116000
117000	117999	1485	1.15	117000
118000	118999	1496	1.15	118000
119000	119999	1508	1.15	119000
120000	120999	1519	1.15	120000
121000	121999	1531	1.15	121000
122000	122999	1543	1.15	122000
123000	123999	1554	1.15	123000
124000	124999	1566	1.15	124000
125000	125999	1577	1.15	125000
126000	126999	1589	1.15	126000
127000	127999	1600	1.15	127000
128000	128999	1612	1.15	128000
129000	129999	1623	1.15	129000
130000	130999	1635	1.15	130000
131000	131999	1646	1.15	131000
132000	132999	1658	1.15	132000
133000	133999	1670	1.15	133000
134000	134999	1681	1.15	134000
135000	135999	1693	1.15	135000
136000	136999	1704	1.15	136000
137000	137999	1716	1.15	137000
138000	138999	1727	1.15	138000
139000	139999	1739	1.15	139000
140000	140999	1750	1.15	140000
141000	141999	1762	1.15	141000
142000	142999	1774	1.15	142000
143000	143999	1785	1.15	143000
144000	144999	1797	1.15	144000
145000	145999	1808	1.15	145000
146000	146999	1820	1.15	146000
147000	147999	1831	1.15	147000
148000	148999	1843	1.15	148000
149000	149999	1854	1.15	149000
150000 or greater/ou plus		1866	1.15	150000

FEDERAL CHILD SUPPORT TABLES/
TABLES FÉDÉRALES DE PENSIONS ALIMENTAIRES POUR ENFANTS

PROVINCE: **YUKON**

NO. OF CHILDREN/N^{BRE} D'ENFANTS: **Three/Trois**

Income/Revenu From/De	To/À	Basic Amount/Montant de base ($)	Plus (%)	of Income over/du revenu dépassant
0	10629	0		
10630	10999	0	3.52	10630
11000	11999	13	3.42	11000
12000	12999	47	3.31	12000
13000	13999	80	3.31	13000
14000	14999	113	3.31	14000
15000	15999	146	3.31	15000
16000	16999	179	3.31	16000
17000	17999	212	3.31	17000
18000	18999	245	3.31	18000
19000	19999	278	3.31	19000
20000	20999	311	3.31	20000
21000	21999	344	3.31	21000
22000	22999	378	3.31	22000
23000	23999	411	3.31	23000
24000	24999	444	3.31	24000
25000	25999	477	3.27	25000
26000	26999	509	2.89	26000
27000	27999	538	1.90	27000
28000	28999	557	1.80	28000
29000	29999	575	1.64	29000
30000	30999	592	1.41	30000
31000	31999	606	1.41	31000
32000	32999	620	1.55	32000
33000	33999	636	1.55	33000
34000	34999	651	1.56	34000
35000	35999	667	1.61	35000
36000	36999	682	1.61	36000
37000	37999	698	1.61	37000
38000	38999	714	1.62	38000
39000	39999	731	1.67	39000
40000	40999	747	1.67	40000
41000	41999	764	1.67	41000
42000	42999	780	1.67	42000
43000	43999	797	1.67	43000
44000	44999	814	1.67	44000
45000	45999	830	1.67	45000
46000	46999	847	1.67	46000
47000	47999	864	1.67	47000
48000	48999	881	1.67	48000
49000	49999	897	1.67	49000
50000	50999	914	1.67	50000
51000	51999	931	1.67	51000
52000	52999	948	1.67	52000
53000	53999	964	1.67	53000

Income/Revenu From/De	To/À	Basic Amount/Montant de base ($)	Plus (%)	of Income over/du revenu dépassant
54000	54999	981	1.67	54000
55000	55999	998	1.67	55000
56000	56999	1014	1.67	56000
57000	57999	1031	1.67	57000
58000	58999	1048	1.67	58000
59000	59999	1065	1.57	59000
60000	60999	1080	1.55	60000
61000	61999	1096	1.53	61000
62000	62999	1111	1.51	62000
63000	63999	1126	1.46	63000
64000	64999	1141	1.43	64000
65000	65999	1155	1.44	65000
66000	66999	1169	1.46	66000
67000	67999	1184	1.48	67000
68000	68999	1199	1.48	68000
69000	69999	1214	1.48	69000
70000	70999	1229	1.48	70000
71000	71999	1243	1.48	71000
72000	72999	1258	1.48	72000
73000	73999	1273	1.48	73000
74000	74999	1288	1.48	74000
75000	75999	1303	1.48	75000
76000	76999	1318	1.48	76000
77000	77999	1333	1.48	77000
78000	78999	1347	1.48	78000
79000	79999	1362	1.48	79000
80000	80999	1377	1.48	80000
81000	81999	1392	1.48	81000
82000	82999	1407	1.48	82000
83000	83999	1422	1.48	83000
84000	84999	1436	1.48	84000
85000	85999	1451	1.48	85000
86000	86999	1466	1.48	86000
87000	87999	1481	1.48	87000
88000	88999	1496	1.48	88000
89000	89999	1511	1.48	89000
90000	90999	1526	1.48	90000
91000	91999	1540	1.48	91000
92000	92999	1555	1.48	92000
93000	93999	1570	1.48	93000
94000	94999	1585	1.48	94000
95000	95999	1600	1.48	95000
96000	96999	1615	1.48	96000
97000	97999	1630	1.48	97000
98000	98999	1644	1.48	98000
99000	99999	1659	1.48	99000
100000	100999	1674	1.48	100000
101000	101999	1689	1.48	101000
102000	102999	1704	1.48	102000

Income/Revenu From/De	To/À	Basic Amount/Montant de base ($)	Plus (%)	of Income over/du revenu dépassant
103000	103999	1719	1.48	103000
104000	104999	1733	1.48	104000
105000	105999	1748	1.48	105000
106000	106999	1763	1.48	106000
107000	107999	1778	1.48	107000
108000	108999	1793	1.48	108000
109000	109999	1808	1.48	109000
110000	110999	1823	1.48	110000
111000	111999	1837	1.48	111000
112000	112999	1852	1.48	112000
113000	113999	1867	1.48	113000
114000	114999	1882	1.48	114000
115000	115999	1897	1.48	115000
116000	116999	1912	1.48	116000
117000	117999	1926	1.48	117000
118000	118999	1941	1.48	118000
119000	119999	1956	1.48	119000
120000	120999	1971	1.48	120000
121000	121999	1986	1.48	121000
122000	122999	2001	1.48	122000
123000	123999	2016	1.48	123000
124000	124999	2030	1.48	124000
125000	125999	2045	1.48	125000
126000	126999	2060	1.48	126000
127000	127999	2075	1.48	127000
128000	128999	2090	1.48	128000
129000	129999	2105	1.48	129000
130000	130999	2120	1.48	130000
131000	131999	2134	1.48	131000
132000	132999	2149	1.48	132000
133000	133999	2164	1.48	133000
134000	134999	2179	1.48	134000
135000	135999	2194	1.48	135000
136000	136999	2209	1.48	136000
137000	137999	2223	1.48	137000
138000	138999	2238	1.48	138000
139000	139999	2253	1.48	139000
140000	140999	2268	1.48	140000
141000	141999	2283	1.48	141000
142000	142999	2298	1.48	142000
143000	143999	2313	1.48	143000
144000	144999	2327	1.48	144000
145000	145999	2342	1.48	145000
146000	146999	2357	1.48	146000
147000	147999	2372	1.48	147000
148000	148999	2387	1.48	148000
149000	149999	2402	1.48	149000
150000 or greater/ou plus		2416	1.48	150000

FEDERAL CHILD SUPPORT TABLES / TABLES FÉDÉRALES DE PENSIONS ALIMENTAIRES POUR ENFANTS

PROVINCE: *YUKON*
No. OF CHILDREN/Nᵇʳᵉ D'ENFANTS: *Four/Quatre*

Income/Revenu From/De	To/À	Basic Amount/Montant de base	Plus (%)	of income over/du revenu dépassant
0	10449	0		
10450	10999	0	3.83	10450
11000	11999	21	3.84	11000
12000	12999	60	3.72	12000
13000	13999	97	3.72	13000
14000	14999	134	3.72	14000
15000	15999	171	3.72	15000
16000	16999	209	3.72	16000
17000	17999	246	3.72	17000
18000	18999	283	3.72	18000
19000	19999	320	3.72	19000
20000	20999	357	3.72	20000
21000	21999	395	3.72	21000
22000	22999	432	3.72	22000
23000	23999	469	3.72	23000
24000	24999	506	3.72	24000
25000	25999	544	3.69	25000
26000	26999	581	3.31	26000
27000	27999	614	3.31	27000
28000	28999	647	3.31	28000
29000	29999	680	2.84	29000
30000	30999	708	1.85	30000
31000	31999	727	1.67	31000
32000	32999	743	1.84	32000
33000	33999	762	1.84	33000
34000	34999	780	1.84	34000
35000	35999	798	1.84	35000
36000	36999	817	1.91	36000
37000	37999	836	1.91	37000
38000	38999	855	1.91	38000
39000	39999	874	1.91	39000
40000	40999	893	1.98	40000
41000	41999	913	1.98	41000
42000	42999	933	1.98	42000
43000	43999	953	1.98	43000
44000	44999	972	1.98	44000
45000	45999	992	1.98	45000
46000	46999	1012	1.98	46000
47000	47999	1032	1.98	47000
48000	48999	1051	1.98	48000
49000	49999	1071	1.98	49000
50000	50999	1091	1.98	50000
51000	51999	1111	1.98	51000
52000	52999	1130	1.98	52000
53000	53999	1150	1.98	53000

Income/Revenu From/De	To/À	Basic Amount/Montant de base	Plus (%)	of income over/du revenu dépassant
54000	54999	1170	1.98	54000
55000	55999	1190	1.98	55000
56000	56999	1210	1.98	56000
57000	57999	1229	1.98	57000
58000	58999	1249	1.98	58000
59000	59999	1269	1.85	59000
60000	60999	1287	1.83	60000
61000	61999	1306	1.81	61000
62000	62999	1324	1.78	62000
63000	63999	1342	1.74	63000
64000	64999	1359	1.70	64000
65000	65999	1376	1.72	65000
66000	66999	1393	1.72	66000
67000	67999	1410	1.75	67000
68000	68999	1428	1.75	68000
69000	69999	1446	1.75	69000
70000	70999	1463	1.75	70000
71000	71999	1481	1.75	71000
72000	72999	1498	1.75	72000
73000	73999	1516	1.75	73000
74000	74999	1533	1.75	74000
75000	75999	1551	1.75	75000
76000	76999	1568	1.75	76000
77000	77999	1586	1.75	77000
78000	78999	1603	1.75	78000
79000	79999	1621	1.75	79000
80000	80999	1639	1.75	80000
81000	81999	1656	1.75	81000
82000	82999	1674	1.75	82000
83000	83999	1691	1.75	83000
84000	84999	1709	1.75	84000
85000	85999	1726	1.75	85000
86000	86999	1744	1.75	86000
87000	87999	1761	1.75	87000
88000	88999	1779	1.75	88000
89000	89999	1797	1.75	89000
90000	90999	1814	1.75	90000
91000	91999	1832	1.75	91000
92000	92999	1849	1.75	92000
93000	93999	1867	1.75	93000
94000	94999	1884	1.75	94000
95000	95999	1902	1.75	95000
96000	96999	1919	1.75	96000
97000	97999	1937	1.75	97000
98000	98999	1954	1.75	98000
99000	99999	1972	1.75	99000
100000	100999	1990	1.75	100000
101000	101999	2007	1.75	101000
102000	102999	2025	1.75	102000

Income/Revenu From/De	To/À	Basic Amount/Montant de base	Plus (%)	of income over/du revenu dépassant
103000	103999	2042	1.75	103000
104000	104999	2060	1.75	104000
105000	105999	2077	1.75	105000
106000	106999	2095	1.75	106000
107000	107999	2112	1.75	107000
108000	108999	2130	1.75	108000
109000	109999	2147	1.75	109000
110000	110999	2165	1.75	110000
111000	111999	2183	1.75	111000
112000	112999	2200	1.75	112000
113000	113999	2218	1.75	113000
114000	114999	2235	1.75	114000
115000	115999	2253	1.75	115000
116000	116999	2270	1.75	116000
117000	117999	2288	1.75	117000
118000	118999	2305	1.75	118000
119000	119999	2323	1.75	119000
120000	120999	2341	1.75	120000
121000	121999	2358	1.75	121000
122000	122999	2376	1.75	122000
123000	123999	2393	1.75	123000
124000	124999	2411	1.75	124000
125000	125999	2428	1.75	125000
126000	126999	2446	1.75	126000
127000	127999	2463	1.75	127000
128000	128999	2481	1.75	128000
129000	129999	2498	1.75	129000
130000	130999	2516	1.75	130000
131000	131999	2534	1.75	131000
132000	132999	2551	1.75	132000
133000	133999	2569	1.75	133000
134000	134999	2586	1.75	134000
135000	135999	2604	1.75	135000
136000	136999	2621	1.75	136000
137000	137999	2639	1.75	137000
138000	138999	2656	1.75	138000
139000	139999	2674	1.75	139000
140000	140999	2691	1.75	140000
141000	141999	2709	1.75	141000
142000	142999	2727	1.75	142000
143000	143999	2744	1.75	143000
144000	144999	2762	1.75	144000
145000	145999	2779	1.75	145000
146000	146999	2797	1.75	146000
147000	147999	2814	1.75	147000
148000	148999	2832	1.75	148000
149000	149999	2849	1.75	149000
150000 or greater/ou plus		2867	1.75	150000